保育所
運営ハンドブック

令和6年版

法令・通知が
すぐ引ける
索引つき

中央法規

【内容現在　令和６年６月28日】

＊改正規定の施行日が令和６年９月２日以降になるものは未施行扱いとし、各法令の末尾に〔参考〕として掲載。

Ⅲ　保　育　所

1　運営基準等

2　確認・設置認可

３　利用調整

4　保育指針

5　給食・保健・衛生

（給食）

（保健・衛生）

6　安全管理

7　職員・労務

8　指導監査

9　給　付　費

10　経　　理

11　整　備　費

（保育所）

（子育て支援のための拠点施設）

12　認可外保育施設等

13　運賃割引等

Ⅳ　地域子ども・子育て支援

（子ども・子育て支援交付金）

（地域子ども・子育て支援事業）

（保育士等確保対策）

(その他事業)

（研修事業）

Ⅴ　保育士養成及び保育士試験

１　保育士養成

2　保育士試験

3　保育士登録

Ⅵ　地域型保育

（家庭的保育）

（小規模保育）

（居宅訪問型保育）

（事業所内保育）

Ⅶ　関係法令・通知

I

保育所制度の概説

児童福祉法第１条は、「全て児童は、児童の権利に関する条約の精神にのつとり、適切に養育されること、その生活を保障されること、愛され、保護されること、その心身の健やかな成長及び発達並びにその自立が図られることその他の福祉を等しく保障される権利を有する。」と、児童を中心に、その福祉の保障等の内容を明確に規定している。

また、同法第２条は、「国及び地方公共団体は、児童の保護者とともに、児童を心身ともに健やかに育成する責任を負う。」と、児童育成の責任を規定し、同法第３条においては、この第１条と第２条は「児童の福祉を保障するための原理であり、この原理は、すべて児童に関する法令の施行にあたって、常に尊重されなければならない」旨の、法令の施行に当たっての心構えというべきものを規定している。

昭和26年５月５日に制定された児童憲章、1959年11月20日国連第14回総会において採択された児童権利宣言においても、児童の幸福をはかるために、児童に対する大人の崇高な希望と信念をあらわしている。

保育所はこのような児童福祉のための施設であり、前述の児童福祉法、児童憲章及び児童権利宣言等の精神による児童観の発達と、政治経済及び社会情勢などの反映も影響して、児童福祉法施行以来目覚ましい増加ぶりを示した。

1　保育所の沿革

わが国において、最も古い託児所として、その創立の動機や実態が一般的に知られているのは、明治23年、新潟市で赤沢鐘美、仲子夫妻が始めた「新潟静修学校」付設の託児施設である。これは、塾生が背負ってくる幼い弟妹を授業の妨げにならないように別室で保護したことに始まり、後に地域の就労母親達の要請に応えて「守孤扶独幼稚児保護会」として形態を整えたものである。これらは、就労婦人又は生活困窮者に対する同情や人道主義的考え方に基づく民間篤志家による援助活動として行われたものである。また同じ頃、婦人労働力確保の目的から東京の大日本紡績株式会社の工場（明治27年）、福岡の三池炭鉱（同29年）に、託児施設が開設された。

明治時代における代表的託児所の例としては、野口幽香、斎藤（森島）峰によって東京に設立された二葉幼稚園（明治33年）、石井十次によって大阪に設立された愛染橋保育所（明治42年）などがあげられる。

二葉幼稚園は、父の労働、貧窮等のために放任されがらな幼児を無報酬で８時間保育する慈善幼稚園として出発したが、幼稚園の対象とならない３歳未満の乳幼児も一緒に受け入れて、真に保護者の労働の便益を図る目的を完遂するために、後に、児童保護事業の一環である託児所に転換したものである。また愛染橋保育所は、生活困窮家庭の６歳未満の乳幼児を受け入れて、長時間保育、給食を行った。これらの託児所の設立は、内務省が民生の安定、青少年の非行化防止、労働者の家庭改善、軍人遺家族保護等を目途とする必要性を認識し、民間社会事業団体に対して明治42年から補助金を交付するようになったことによって、次第に広がっていった。

大正時代になると、託児所は、都市における低所得勤労者の生活不安を解消する社会政策の一環として、大阪市（大正８年）、京都市（同９年）、東京市（同10年）等で公立施設が設置され、次第に普及していった。また、農村における小作争議等の動きのなかで、大正末期から農繁期託児所が設置されるようになった。

昭和時代になると、全国保護事業大会における託児所の振興及び公的補助の根拠法制定等の論議、要請を背景にして、昭和13年に制定された社会事業法の中で、託児所が社会事業施設の１つとして位置づけられ、経常費の一部助成、宮内省御下賜金、民間団体による助成等により、漸次普及していった。昭和19年には、2,000か所を超えるまでになったが、太平洋戦争が峻烈になるにつれ、東京府等では、戦時託児所の設置、疎開保育所の開設などが行われた。

戦後、混乱と疲弊の中で急増した生活困窮者に対する公的扶助を目的として制定された旧生活保護法（昭和21年）の中で、保護施設の１つとして託児所の事業も託児事業として位置づけられたが、児童福祉法の制定（昭和22年）に伴い、託児所は保育所として位置づけられることとなった。

保育所が、従前の託児所と異なっている特徴としては次の点があげられる。

⑴　低所得階層の保護者の救済ということではなく、児童の福祉を図ることを主な目的としたこと

⑵　したがって、生活困窮者、低所得者に限らず、日中家庭に世話をする者がいない（保育に欠ける）児童を入所措置することとしたこと

⑶　児童の保育担当者としての保母の資格を明確に規定したこと

2　保育所の目的

保育所は、保護者が働いていたり、病気の状態にあるなどのため、家庭において十分保育することができない児童を、家庭の保護者にかわって保育をすることを目的とする施設であり、通所する児童の心身の健全な発達を図る役割も有するものである。

児童福祉法第39条は、日々保護者の下から通わせて、保育を必要とする児童の保育を行うという保育所の目的を規定している。

3　保育所の設備と運営

1　児童福祉法第45条第１項の規定に基づき、児童福祉施設の設備及び運営に関する基準が厚生省令をもって制定されている。これは、都道府県等が児童福祉施設について一定の基準を条例で制定し、利用児童の福祉を確実に保障するための基礎となるものである。

保育所は、設置時及びその後において、常にこの児童福祉施設の設備及び運営に関する基準を基礎として都道府県等が定めた基準に適合していなければならない。この省令の第32条から第36条の３まで規定されている基準の概要は次のとおりである。

⑴　乳児又は満２歳に満たない幼児のための乳児室又はほふく室、医務室等、満２歳以上の幼児のための保育室又は遊戯室、屋外遊戯場等のほか、調理室、便所等の設備を設けることとされている。

⑵　保育所には、職員として、保育士、嘱託医及び調理員を置かなければならない。ただし、調理業務の全部を委託する施設にあっては、調理員を置かないことができる。

保育士の数は、乳児おおむね３人につき１人以上、満１歳以上満３歳未満の幼児おおむね６人につき１人以上、満３歳の幼児おおむね15人につき１人以上、満４歳以上の幼児おおむね25人につき１人以上置くこととしているが、一保育所につき、２人を下回ることはできない。

⑶　保育所は、基準上は１日８時間の保育時間によって運営することを原則としており、その地方における乳幼児の保護者の労働時間その他の状況等を考慮して、保育所長が保育時間を定めることになっている。

⑷　保育所における保育は、養護及び教育を一体的に行うことをその特性とし、その内容については、厚生労働大臣が定めることとされている。具体的には、保育所保育指針（平成29年厚生労働省告示第117号）に基づき行われている。

以上の設備及び運営の基準は、設置後においても常時遵守されていることが必要であり、その遵守状況について、定期的に都道府県知事等の監督指導を受け、基準に達しないときは必要な改善勧告、改善命令、更には事業の停止、施設設置認可の取消等の処分を受けることがある（児童福祉法第46条・第58条）。

なお、平成23年５月に地域の自主性及び自立性を高めるための改革の推進を図るための関係法律の整備に関する法律が成立し、平成24年４月より、児童福祉施設の基準は、各都道府県等が条例で制定することとなった。

2　保育所は、児童福祉施設であり、その設置運営の財源については、公費負担・補助等の規定（児童福祉法第50条から第56条の３まで）が適用される。

その内容は、保育所の建物等の新設等に要する経費である整備費と保育所を運営するために要する経費である委託費の２つに大別される。

⑴　整備費

○平成17年度～平成20年度

地方公共団体が、住民に必要なサービスを自主的・効率的に選択できるようにするため、国の補助金等の整理及び合理化等に伴う国民健康保険法等の一部を改正する法律（平成17年法律第25号）により児童福祉法の一部が改正され、保育所整備費（保育所の新設、修理、改造、拡張又は整備に要する経費）を含む児童福祉施設整備費については、次世代育成支援対策推進法（平成15年法律第120号）第11条第１項に基づく次世代育成支援対策施設整備交付金（ハード交付金）の中に位置づけられた。

このため、市町村又は都道府県が策定する市町村行動計画又は都道府県行動計画に基づき、予算の範囲内で、国から次世代育成支援対策施設整備交付金が交付されることとなった（平成21年度以降、次世代育成支援対策施設整備交付金から保育所整備費は除外され、安心こども基金で対応）。

社会福祉法人、日本赤十字社又は公益社団法人若しくは公益財団法人が設置する保育所については、市町村に交付される交付金から、保育所整備費（新設に要する経費については、社会福祉法人のみ）のうち、３／４以内の額が補助される（児童福祉法第56条の２第１項）。

※　都道府県又は市町村が設置する保育所については、三位一体改革により一般財源化されている。

○平成20年度第２次補正予算成立（平成21年３月５日）以降

待機児童解消に向けた取組をより一層推進するため、平成20年度第２次補正予算で安心こども基金が予算化された。

安心こども基金は、国から交付された予算をもとに都道府県が基金を造成し、市町村と連携し、「新待機児童ゼロ作戦」の集中重点期間である平成20年度から平成22年度において、保育所の整備などを実施し、子どもを安心して育てることができるよう体制整備を図ることとされた。

子ども・子育て支援新制度の施行に伴い、平成27年度より保育所等を対象とした整備交付金を創設し、市町村整備計画に基づく事業等の実施に必要な経費の一部を交付することとした。

⑵　委託費

児童を保育所において保育した場合には、「内閣総理大臣が定める基準により算定した費用の額」（公定価格）から「政令で定める額を限度として市町村が定める額」（利用者負担額）を控除した額につき、国が１／２、都道府県が１／４、市町村が１／４の割合で負担するものとされている（子ども・子育て支援法第27条、第65条、第66条、第67条、第68条。ただし、当分の間は、同法第27条の規定を適用せず、同法附則第６条に基づき、「内閣総理大臣が定める基準により算定した費用の額に相当する額」を市町村が保育所に対し委託費として支払うこととされている。）。この委託費の内容は人件費（保育士等職員の人件費）、事業費（児童の一般生活費）、管理費などから成り立っており、乳児、１～２歳児、３歳児、４歳以上児の年齢区分や保育必要量、施設定員規模、施設所在地の地域区分等に応じて、児童１人当たりの月額単価により支弁されている。

※　公立保育所は地方自治体が自らその責任に基づいて設置していることにかんがみ、平成16年度より、公立保育所の運営費に限り、一般財源化している。なお、民間保育所に対する国庫負担については、政府・与党の合意を踏まえ、引き続き国が責任を持って行うこととしている。

４　保育の実施

保育所は、保育の必要性がある児童を入所させる児童福祉施設であって、児童を無条件に入所させるものではない。

市町村は、児童福祉法及び子ども・子育て支援法の定めるところにより保育を必要とすると認める児童については、保育所において保育しなければならない（児童福祉法第24条）と定められている。なお、保育所の定員に余裕のある場合には、利用児童以外のいわゆる私的契約児の利用を妨げるものではない。

保育所への入所等については、地方公共団体の執行機関が国の機関として行う事務の整理及び合理化に関する法律（昭和61年法律第109号）により児童福祉法第24条等が改正され、従来の機関委任事務から団体委任事務となった（昭和62年４月１日施行）。これに伴い、児童福祉法施行令に新たに保育所入所措置に係る基準が規定され、厚生省児童家庭局長通知（昭和62年１月13日児発第21号）により、各市町村が条例を制定するに際し参考となるよう保育所入所措置条例準則が示された。さらに、同通知で、従来より運用されてきた「児童福祉法による保育所への入所措置の基準について」（昭和36年２月20日児発第129号厚生省児童家庭局長通知）は廃止されることとなった。ただし、この通知をもって示してきた考え方の基本を変更するものではない。

また、費用徴収に関する事務についても団体委任事務化されたことにより、国の示す徴収基準は、精算基準という位置づけとなっている。

さらに、平成９年６月11日児童福祉法が改正され（平成９年法律第74号）、保育所の入所方式がこれまでの市町村が措置（行政処分）として入所決定する仕組みから保護者が保育所を選択する方式に改められた。これに伴い、児童福祉法施行令の「措置」を「保育の実施」に改めたが、保育の実施に係る基準については従来どおりとしている。

ただし、平成14年に母子及び寡婦福祉法が改正され（平成15年４月１日施行）、母子家庭・父子家庭の児童の保育所入所選考の際の配慮義務が法定化された。さらに平成16年に児童虐待の防止等に関する法律が改正され（平成16年10月１日施行）、保育所入所選考の際の児童虐待の防止に寄与するため特別の支援を要する家庭の福祉への配慮義務が法定化された。

5　保育所の設置認可等

1　市町村はあらかじめ都道府県知事に届け出て、その他の者（社会福祉法人等）は都道府県知事（指定都市・中核市市長を含む。）の認可を得て、保育所等の児童福祉施設を設置することができることとされている（児童福祉法第35条第３項、第４項）。

⑴　設置者が市町村の場合

都道府県知事にあらかじめ届け出る事項は次のとおりである（児童福祉法施行規則第37条第１項）。

①　名称、種類及び位置

②　建物その他設備の規模及び構造並びにその図面

③　運営の方法

④　経営の責任者及び福祉の実務に当たる幹部職員の氏名及び経歴

⑤　収支予算書

⑥　事業開始の予定年月日

⑵　設置者が市町村以外の場合

前記の①から⑥までの事項のほか、

①　設置する者の履歴及び資産状況を明らかにする書類

②　保育所を設置しようとする者が法人である場合にあっては、その法人格を有することを証する書類

③　法人又は団体においては定款、寄附行為その他の規約

を添付して設置認可申請を行わなければならない（児童福祉法施行規則第37条第２項）。

2　保育所の設置認可等については、各都道府県、指定都市及び中核市に対して、次のような通知が発出されている。

①　「保育所の設置認可等について」（平成12年３月30日児発第295号厚生省児童家庭局長通知）

②　「「保育所の設置認可等について」の取扱いについて」（平成12年３月30日児保第10号厚生省児童家庭局保育課長通知）

これらの通知には、保育所設置認可の指針が示されており、認可申請があった場合には、地域の状況を踏まえつつ、個別の申請内容が各要件に該当するかどうか審査することとされている。

3　平成13年の児童福祉法改正により、保育需要が増大している市町村は、公有財産の貸付け等の措置を積極的に講ずることにより、社会福祉法人、その他の多様な事業者の能力を活用した保育所の設置又は運営を促進し、保育の実施に係る供給を効率的かつ計画的に増大させるものとされ、国及び都道府県はこれら市町村の措置に関し必要な支援を行うものとされている。

6　特別保育対策

①　乳児保育

保育所は、保育を必要とする乳児も対象とするが、疾病等に対する抵抗力が弱く、特に親密な保育が望まれる乳児の特性に十分留意するとともに、保育所の設備及び運営面において乳児への悪影響を極力少なくするように特別な受入れ体制を整備して、必要な乳児保育を行うことが必要である。

このような観点から、特に都市部における乳児保育に対する社会的要請の増大に対応するために昭和44年度から乳児保育特別対策が実施された。これは、従来一定所得階層以下の乳児（１保育所３人以上）を対象に実施されてきたところであるが、乳児の健全育成の観点からは、保護者の所得により乳児の処遇が異なることは望ましいものではないため、平成元年度からすべての乳児へ対象を拡大するとともに乳児保育の安定的運営と質的向上を図るため、３人以上の乳児を入所させる保育所に対しては、措置費によって乳児保育に経験を有する乳児保育担当保母１人を配置させることとした。

また、一部の地域においては、１保育所当たりの乳児数が多いところもあり、このような場合に他の地域と比べて乳児の処遇が低下しないように、乳児が７人以上入所している保育所について措置費と併せておおむね乳児３人に保母１人が配置できるよう新たに補助制度が設けられ、平成６年度からは、継続して少人数の乳児を受け入れている保育所への補助制度が設けられた。

平成10年度からは、児童福祉施設最低基準を改正し、乳児の保育士定数３：１を新たに設け、全ての保育所で乳児の受入れができるように一般化を図った。

年　度	内　　　　　容
昭和44年度	・特別対策創設
昭和52年度	・乳児９人以上→乳児３人以上
昭和54年度	・Ｃ階層まで　→Ｄ２階層まで対象拡大
昭和56年度	・Ｄ２階層まで→Ｄ４階層まで対象拡大
昭和58年度	・Ｄ４階層まで→Ｄ５階層まで対象拡大
昭和61年度	・Ｄ５階層まで→Ｄ６階層まで対象拡大
昭和63年度	・第７階層の内旧Ｄ６階層まで→旧Ｄ７階層まで対象拡大
平成元年度	・全階層へ拡大
	・乳児担当保母１人配置（措置費）
	・乳児７人以上補助制度創設
平成６年度	・少人数の乳児の受け入れを行う保育所への補助制度創設
平成10年度	・乳児保育の一般化

②　乳児保育促進事業

乳児の入所については年間を通じた入所児童数の変動があることから、各々の保育所において安定的に乳児保育を実施できるよう、乳児保育を担当する保育士を確保しやすくすることにより、年度途中入所の需要等に対応するとともに、乳児の受入れのための環境整備を行い、乳児保育の一層の推進を図るため、平成12年度に創設された。

平成15年度からは、補助対象を民営保育所に重点化するとともに、乳児保育環境改善事業を廃止した。また、平成16年度からは補助対象月を６か月から３か月に重点化した。

なお、保育所における乳児の受入れが広く実施されていることから、平成19年度より廃止された。

③ 障害児保育

保育を必要とする障害児については、保育所の集団保育が可能な限りできるだけ保育所に受け入れて、健常な児童とともに保育することが、その福祉を図るために望ましい１つの方法である。このため、昭和49年度から、試行的に、一定の保育所を指定して障害児保育に対する助成措置が実施されてきたが、昭和53年度から、保育所における障害児の受入れを円滑にするために、保育に欠ける中程度の障害児（特別児童扶養手当の支給対象児童で集団保育が可能な児童）が入所した場合、その障害児数に応じて、一定額を助成することとされた。

また、平成10年度から、障害児保育促進事業を創設し、障害児を新たに受け入れるための施設の改修、保育士等の研修等に助成を行うこととされた。

障害児保育事業については、創設後相当の年数が経過しており、保育所における障害児の受入れは広く実施されていることから、平成15年度から地方交付税及び地方特例交付金（平成16年度から地方譲与税及び地方交付税）により対応することとされた。また、平成17年度の発達障害者支援法の施行により、発達障害が法的に位置付けられたことに伴い、平成19年度には対象児童が発達障害児を含む軽度障害児に拡大された。

子ども・子育て支援新制度の施行に伴い、平成27年度からは、消費税財源を活用し質の向上として、保育所等において、障害児等の特別な支援が必要な子どもを受け入れ、地域関係機関との連携や、相談対応等を行う場合に、地域の療育支援を補助する者を配置する「療育支援加算」を施設型給付費等にかかる公定価格に盛り込んだ。また、子ども・子育て支援新制度において新設された地域型保育事業については、障害児２人に対し、保育士１人の配置が可能となるよう「障害児保育加算」を公定価格に盛り込んでいる。さらに、平成30年度においては、地方交付税の算定方式を「個別算定方式」に一体化し、算定方法を受入障害児数による算定に変更している。

なお、障害児を新たに受け入れるための施設の改修等への補助を行う障害児保育促進事業については、名称を障害児保育環境改善事業に変更し、平成17年度からは保育環境改善等事業において引き続き補助を行っている。

④ 夜間保育

夜間保育に対する需要が増加してきていることから、午後10時までの夜間保育が昭和56年10月からモデル的に実施されていたが、平成７年度から一般化された。なお、平成10年度には、開所時間がおおむね午前11時から午後10時までの11時間とされ、さらに延長保育の改善により午後12時を超える保育需要への対応が図られている。

従前、保育所運営費の夜間保育加算のほか、夜間保育の実施に係る特別な経費を夜間保育推進事業にて補助していたが、子ども・子育て支援新制度の施行に伴い、平成27年度より、施設型給付費等における夜間保育加算として整理された。

年　度	内　　　容
昭和56年度	・午後10時までの夜間保育をモデル的に実施
昭和61年度	・午前10時頃からの保育にも対応
昭和62年度	・午前９時頃からの保育にも対応
	・保育所機能強化推進費による夜間保育の推進
平成元年度	・午前10時頃からの保育について延長保育並改善（延長については補助金対応）
平成６年度	・午前７時頃からの保育及び午後12時までの保育にも対応
平成７年度	・一般化
平成10年度	・開所時間をおおむね午前11時から午後10時までの11時間とし、それに伴う予算措置を図る。
平成12年度	・定員規模の緩和（30人→20人）
	・施設整備費補助基準面積の加算（50㎡。仮眠スペース、沐浴等の夜間保育所特有のニーズに対応）
平成27年度	・従前の夜間保育加算に加えて、夜間保育推進事業を給付化

⑤　延長保育

保護者の就労形態の多様化、長時間の通勤等に伴う保育時間の延長に対する需要に対応するため、昭和56年10月から通常の保育時間を超えて午後７時頃までの延長保育を実施する保育所に対し、一定の保育単価を加算する延長保育特別対策が実施され、平成元年度からは、１保育所当たりの対象児童数が少人数であっても実施可能とする等の改正が図られた。

また、平成３年度には、長時間の延長保育需要に対応するため、午後10時までの延長保育事業が創設され、さらに平成６年度において、延長保育の一層の推進を図るため、補助額が大幅に増額されるとともに、時間区分が見直され、通常の開所時間を超えて１時間、２時間、４時間及び６時間延長の４類型の延長保育が実施された。

平成10年度には、保護者の需要に弾力的に対応できるよう、保育所が自主的に実施できる事業へと見直しが図られ、さらに、平成12年度には、短時間の延長保育需要にも対応できるよう30分の延長保育に対象拡大を図るとともに、３時間、５時間の延長保育の類型が追加され、よりきめ細かな対応が図られた。

平成14年度には、７時間以上の延長保育が創設され、前後の延長保育を合わせて24時間開所が可能となった。

平成17年度には、延長保育促進事業の公立保育所基本分について税源移譲し、同事業の民間保育所基本分・加算分（公民とも）及び長時間延長保育促進基盤整備事業については、次世代育成支援対策交付金の中で対応することとなった。

平成18年度からは、公立保育所加算分についても税源移譲し、民間保育所のみを対象とすることとなった。

また、従来は次世代育成支援対策交付金で実施されていたが、平成21年11月に実施された行政刷新会議における事業仕分けの評価結果に基づき、平成22年度から事業主拠出金財源による児童育成事業として実施されることとなった。

従来の延長保育促進事業における延長保育推進事業（基本分）は、子ども・子育て支援新制度の施行に伴い、平成27年度より施設型給付費等に整理され、延長保育推進事業（加算分）は、子ども・子育て支援交付金に移行し、事業実施することとしている。

また、令和２年度より夜間保育所向けの補助基準額が創設された。

年　度	内　　　容
昭和56年度	・午前７時頃から午後７時頃までの延長保育の実施
昭和57年度	・小規模保育所単価の適用（対象児童数30人以下の場合）
昭和60年度	・徴収金の軽減（25％軽減階層の拡大） Ｄ１～Ｄ３階層→Ｄ１～Ｄ６階層
昭和61年度	・午後８時頃までの保育にも対応
昭和62年度	・徴収金の軽減（25％軽減階層の拡大） Ｄ１～Ｄ６階層→Ｄ１～Ｄ８階層 ・保育所機能強化推進費による延長保育の推進
平成元年度	・少人数での実施でも対応可能な補助制度の創設(措置費から補助金へ組替) 20人以上→６人以上 ・費用徴収の軽減
平成３年度	・午後10時までの延長保育事業を実施（長時間保育サービス事業の創設）
平成６年度	・通常の開所時間を超えて１時間、２時間、４時間及び６時間の延長保育事業を実施（既存事業を再編し、時間延長型保育サービス事業を創設）
平成10年度	・保育所が自主的に取り組める事業に改正（延長保育促進基盤整備事業に移行） ・利用児童数５人以下である場合を対象として追加
平成12年度	・30分の延長保育に対象拡大、延長保育促進事業を創設して再編（１時間までの延長保育） ・３時間、５時間の延長区分の創設、長時間延長保育促進基盤整備事業を創設して再編（２時間以上の延長保育）
平成14年度	・７時間以上の延長区分の創設 ・２時間以上の延長保育を利用する児童が３人以上である場合を対象として追加
平成17年度	・公立保育所基本分を一般財源化
平成18年度	・公立保育所加算分を一般財源化
平成22年度	・児童育成事業に移行
平成27年度	・一般型と訪問型の２類型に分類し、一般型については、新たに事業所内保育、家庭的保育における延長保育を補助対象として追加 ・保育標準時間認定と保育短時間認定それぞれの補助単価を設定 ・延長保育推進事業（基本分）の給付化
令和２年度	・夜間保育所向けの補助基準額の創設

⑥　一時預かり事業（一時保育）

就労形態の多様化に対応する一時的な保育や、専業主婦家庭等の育児疲れ解消、緊急時の保育等に対応するため、平成２年度から実施された。この事業は、保護者の傷病・入院、災害・事故、育児等に伴う心理的・肉体的負担の解消等により緊急・一時的に保育が必要となる児童に対する保育を実施する。

平成21年度において、児童福祉法等の一部を改正する法律（平成20年法律第85号）により、児童福祉法において一時預かり事業が法定化され、社会福祉法における第２種社会福祉事業に位置づけられた。

また、従来は事業主拠出金財源による児童育成事業で実施されていたが、平成21年11月に実施された行政刷新会議における事業仕分けの評価結果に基づき、平成22年度から次世代育成支援対策交付金の対象事業として実施されることとなった。平成24年度補正予算では、安心こども基金の事業として組み替えを行い、機能強化として「基幹型施設」が創設され、事業の一層の拡充が図られた。平成26年度より、保育所型、地域密着型、地域密着Ⅱ型を「一般型」へ再編するとともに、「余裕活用型」を創設した上で保育緊急確保事業の一事業として実施する。

また、平成27年度からは子ども・子育て支援交付金に移行するとともに、新たに幼稚園型、居宅訪問型を創設し、事業実施することとしている。

さらに、平成28年度からは緊急一時預かりを、平成30年度からは従来の幼稚園型に加え、待機児童の受け入れとして新たに幼稚園型Ⅱを創設した。

年　度	内　　容
平成２年度	・一時的保育事業を創設
平成８年度	・保護者の育児疲れ解消するため等の私的事由を追加
平成10年度	・保護者の需要に弾力的に対応できるよう、保育所の自主事業に改正
平成12年度	・利用児童数５人以下の小規模事業を補助対象に追加
平成13年度	・利用人数に応じた加算補助方式の導入
平成14年度	・利用児童数に応じた件数払い方式に移行
平成17年度	・保育所１か所当たりの補助方式に移行
平成18年度	・利用児童数に応じた件数払いの補助方式に移行
平成21年度	・一時預かり事業が児童福祉法に法定化
平成22年度	・次世代育成支援対策交付金に移行
平成23年度	・子育て支援交付金に移行
平成24年度	・安心こども基金に移行
平成26年度	・保育緊急確保事業費補助金に移行
平成27年度	・子ども・子育て支援交付金に移行

⑦　地域子育て支援拠点事業

核家族化の進行、出生率の低下等に対応して、地域全体で子育てを支援する基盤の形成を図るため、子育て家庭の支援活動の企画、調整、実施を担当する職員を配置し、子育て家庭等に対する育児不安等についての相談指導、子育てサークル等への支援及び地域の保育需要に応じた特別保育事業の積極的な実施等を行う保育所等地域子育てモデル事業が平成５年度から実施され、平成７年度には地域子育て支援センター事業として一般事業化された。

平成10年度には、地域の実情に応じて事業に取り組めるよう小規模型が創設され、また、選択事業として、平成11年度にベビーシッターなど地域の保育資源の情報提供等が、平成12年度に家庭的保育を行う者への支援並びに小規模型に保健相談等事業が追加され、対象事業の拡大が図られた。

また、平成16年度において、特定非営利活動法人に委託することができるようになった。さらに、平成19年度に、地域のネットワークを活用した相談指導体制の充実や地域に出向いた活動を実施するなど、事業目的を明確化するとともに、つどいの広場事業とあわせて、地域子育て支援拠点事業に再編された。

平成21年度には、児童福祉法等の一部を改正する法律（平成20年法律第85号）により、地域子育て支援拠点事業が法定化され、社会福祉法における第２種社会福祉事業に位置づけられた。

また、従来は事業主拠出金財源による児童育成事業で実施されていたが、平成21年11月に実施された行政刷新会議における事業仕分けの評価結果に基づき、平成22年度は次世代育成支援対策交付金、平成

23年度から子育て支援交付金の対象事業として実施されることとなった。

平成24年度補正予算では、安心こども基金の事業として組み替えを行い、従来の「ひろば型」・「センター型」を「一般型」に再編、地域子育て支援拠点の機能強化として、地域の子育て家庭に対して、子育て支援の情報の集約・提供等を行う利用者支援機能などを付加した「地域機能強化型」が創設され、事業の一層の拡充が図られた。

平成26年度では、保育緊急確保事業として組み替えを行い、事業類型を「一般型」・「連携型」のみに再編し、「地域機能強化型」の機能は利用者支援事業に発展的に移行することとした。

また、平成27年度からは子ども・子育て支援交付金に移行し、更なる事業の充実を図ることとしている。

年　度	内　　　　容
平成５年度	・事業の創設
平成７年度	・事業名を保育所等地域子育てモデル事業から、地域子育て支援センター事業に改める。
平成10年度	・小規模型の創設
平成11年度	・選択事業（ベビーシッターなど地域の保育資源の情報提供等）の追加
平成12年度	・選択事業（家庭的保育を行う者への支援）の追加
	・小規模型指定施設に保健相談等事業を追加
平成16年度	・対象施設に特定非営利活動法人を追加
平成19年度	・地域子育て支援拠点事業に再編
平成21年度	・地域子育て支援拠点事業が児童福祉法に法定化
平成22年度	・次世代育成支援対策交付金に移行
平成23年度	・子育て支援交付金に移行
平成24年度	・安心こども基金に移行
	・事業類型を再編
平成26年度	・保育緊急確保事業費補助金に移行
平成27年度	・子ども・子育て支援交付金に移行

⑧　利用者支援事業

子ども・子育て支援の推進にあたって、子ども及びその保護者等、または妊娠している方がその選択に基づき、教育・保育・保健その他の子育て支援を円滑に利用できるよう、情報提供及び必要に応じ相談・助言等を行うとともに、関係機関との連絡調整等を実施し、支援することを目的とした事業である。

平成25年度補正予算（安心こども基金）で創設され、平成26年度においては保育緊急確保事業で実施し、平成27年度からは子ども・子育て支援交付金に移行した。

主な事業内容としては、子育て家庭の個別ニーズを把握し、教育・保育施設及び地域の子育て支援事業等の利用に当たっての情報集約・提供、相談、利用支援・援助を行う「利用者支援」と、子育て支援などの関係機関との連絡調整、連携・協働の体制づくりを行い、地域の子育て資源の育成、地域課題の発見・共有、地域で必要な社会資源の開発等を行う「地域連携」とがある。

また事業類型としては、主に行政窓口以外で親子が継続的に利用できる施設で「利用者支援」と「地域連携」を共に実施する『基本型』、主に行政機関の窓口等で「利用者支援」を実施する『特定型』がある。平成27年度には、主に保健所・保健センター等で保健師等の専門職が全ての妊産婦等を対象に継続的な状況の把握、支援プランの策定等を実施する『母子保健型』が創設された。

年　度	内　　　　容
平成25年度	・安心こども基金（補正予算）で事業の創設
平成26年度	・保育緊急確保事業費補助金に移行
平成27年度	・子ども・子育て支援交付金に移行

⑨　定員の弾力化

保育所は、従来、定員を超えて入所させることは禁止されていたが、昭和57年度から保育所が不足気味の地域において、年度の途中に緊急に入所が必要となったとき、一定の条件の下に認可定員を超えて入所させることができ、かつ、運営費を支弁することができるような特別措置が講ぜられた。

また、平成15年度からは、会計検査院からの改善の処置要求等を踏まえ、定員内での保育が原則であることを周知徹底するとともに、定員の見直し等に係る基準（過去の３年度間（平成23年度からは過去の２年度間）常に定員を超えており、各年度の年間平均在所率が120％以上の状態）を明確化した。

さらに、平成22年度からは、地域の実情により応じた扱いを可能にするため、児童福祉施設最低基準を満たす範囲内であれば、年度当初より定員超過制限なく、児童を入所させることができることとした（ただし、地域において年度途中における保育所入所の受入体制を整えること。）。

また、子ども・子育て支援新制度においては、連続する過去の２年度間、常に定員を超えており、かつ、各年度の年間平均在所率が120％以上の状態にある保育所等については、施設型給付費等にかかる公定価格上、減額調整を行うこととした。平成28年３月に発表された「待機児童解消に向けて緊急的に対応する施策について」においては、減額までの期限を５年に延長した。

	昭和57年度～	平成10年度～	平成11年度～	平成13年度～	平成22年度～
年度当初の弾力化	－	概ね10％	概ね15％	概ね15％	無制限
年度途中の弾力化	概ね10％	概ね15％	概ね25％	概ね25％	無制限
注１ 年度後半の弾力化	概ね10％	概ね15％	概ね25％	無制限	無制限
注２ 育休明け・産休明けの再入所等の場合	15％	20％	注３ 無制限	無制限	無制限

注１　13年度から、年度後半を新たに追加。

注２　11年度から、産休明けを新たに追加。

注３　育休・産休明けで、第２子を第１子と同一の保育所に入所させる場合等は特例ケースであり、制限を設けない（ただし、児童福祉施設最低基準の範囲内）。

※　児童福祉施設の設備及び運営に関する基準及び関係通達に定める基準については、従来どおり基準を満たしうる保育所を対象とする。

⑩　小規模保育所

保育所の設置認可は、原則として定員60人以上の規模の施設について行うこととされているが、保育所・その所在地が次のいずれかに該当する場合については、定員60人未満の保育所についても、設置認可を行うことができることとされている。

① 市部等に所在し、原則、保育実施児童の約４割以上は３歳未満児。

② 過疎地域の市町村に所在する保育所。

③ ３歳未満児を保育実施児童の約８割以上、かつ、うち乳児が１割以上入所。

また、定員については、昭和43年度以降最低30名以上とされていたが、保育所待機児童の解消等の課題に各地方公共団体が柔軟に対応できるようにする観点から、平成12年３月30日より、最低20名以上に引き下げられている。

なお、子ども・子育て支援新制度において、従前の小規模保育所は施設型給付費等の対象となる特定教育・保育施設として整理し、新たに少人数（定員６～19人）を対象に、家庭的保育に近い雰囲気のもと、きめ細かな保育を実施する小規模保育事業が地域型保育事業の１つとして創設された。

⑪ 家庭支援推進保育事業

日常生活における基本的な習慣や態度のかん養等に配慮が必要な家庭や、外国人子育て家庭について、家庭環境に対する配慮など保育を行う上で特に配慮が必要とされる児童が多数入所している保育所に対し、保育士の増員を行うことにより保育事業の向上を期するため、平成９年度から実施されている。なお、この事業は平成８年度まで実施されてきた地域改善対策特別保育事業の一般対策への移行後の事業として、地域改善対策協議会の意見具申及び閣議決定を踏まえて創設された。平成17年度から次世代育成支援対策交付金、平成23年度から子育て支援交付金、平成25年度から母子家庭等対策総合支援事業費国庫補助金、平成27年度から保育対策総合支援事業補助金で対応している。

⑫ 休日保育事業

就労形態の多様化に伴う、日曜・祝日等の保護者の就労等により児童が保育に欠ける場合の休日保育の需要に対応するため、その条件整備を図る試行事業が平成11年度に創設され、平成12年度には、その推進を図るために一般事業化された。

また、子ども・子育て支援新制度の施行に伴い、平成27年度より施設型給付費等における休日保育加算として整理された。

年　度	内　　　　容
平成11年度	・試行事業の創設
平成12年度	・一般事業化
平成15年度	・利用児童数に応じた件数払い方式に移行
平成17年度	・保育所１か所当たりの補助方式に移行
平成18年度	・利用児童数に応じた件数払い方式に移行
平成27年度	・休日保育加算として休日保育事業を給付化

⑬　保育所等設置促進等事業

駅前等の利便性の高い場所における保育サービス提供施設の設置に必要な準備経費等を助成することにより、広く住民が利用しやすい保育サービス提供施設の設置を促進することを目的として駅前保育サービス提供施設等設置促進事業が平成14年度から実施された。平成17年度からは保育対策等促進事業費補助金（保育環境改善等事業）、平成27年度からは保育対策総合支援事業費補助金（保育環境改善等事業）の中で引き続き実施している。

⑭　家庭的保育事業

地域によっては、増大する低年齢児の保育需要に対し、保育所の受入れの運用拡大や保育所の増設・新設だけでは追いつかない等の場合があることから、応急的入所待機対策として、保育者の居宅で少人数の低年齢児の保育を行う家庭的保育事業が平成12年度から実施されている。平成14年度には、保育児童数の上限を５人に拡大して、事業の充実を図り、平成15年度からは、利用日数の条件緩和など、子どもの保育需要に応じたサービスの提供を行うとともに、保育所を通じた事業の実施を可能とするなど事業内容の充実が図られた。なお、事業の実施に当たっては、保育者は市町村と委託契約を結んだ連携保育所の支援を受けることとなっている。平成18年度からは、保育所が自ら家庭的保育者を雇用して実施する保育所実施型が創設され、補助対象年齢が３歳未満児から就学前児童に拡大された。平成19年度からは、家庭的保育者の孤立化の防止及び資質の向上のため、研修や連絡会議等を実施する事業を創設した。平成20年度からは、家庭的保育者に対し必要に応じ育児・保育に関する技術的な支援や、事業の円滑な実施のために連携保育所等との連携を図ること等を行う家庭的保育支援者を配置することとした。平成22年度には、児童福祉法等の一部を改正する法律（平成20年法律第85号）により、家庭的保育事業が法定化された。また、平成21年10月23日緊急雇用対策本部決定における「緊急雇用対策」に基づき、ＮＰＯを活用した家庭的保育試行事業が実施され、平成23年度からは事業の実施主体にＮＰＯ法人等が加えられた。平成27年度からは子ども・子育て支援新制度の施行に伴い、市町村の認可事業として実施され、家庭的な雰囲気のもとで、少人数（定員５人以下）を対象にきめ細かな保育を行う家庭的保育事業として、地域型保育事業の１つに整理された。

⑮　認可化移行促進事業

良質な認可外保育施設の認可化について支援することにより、都市部を中心とした保育サービスの供給増を図るため、平成14年度から実施された。平成17年度からは、認可移行に必要な支援・指導を行う移行促進事業を待機児童解消促進等事業に移行するとともに、環境改善事業は保育環境改善等事業に統合された。平成26年度には保育緊急確保事業や安心こども基金の認可化移行総合支援事業として実施され、平成27年度からは、認可化移行運営費支援事業については子どものための教育・保育給付費補助事業において実施され、認可化移行改修費等支援事業、認可化移行調査費等支援事業、認可化移行移転費等支援事業については保育対策総合支援事業において実施されている。

⑯ 特定保育事業

親の就労形態の多様化（パートの増大等）に伴う子どもの保育需要の変化に対応するため、３歳未満児を対象に週に２、３日程度、又は午前か午後のみ必要に応じて柔軟に利用できる保育サービスとして、平成15年度から実施された。

また、平成16年度より、補助対象年齢を３歳未満児から就学前児童に拡大し、平成17年度より、事業実施主体を児童福祉施設から保育所に限定した。

なお、子ども・子育て支援新制度では、パートタイム就労の保育の受け皿を特定保育事業のような補助事業ではなく、給付の枠組みに位置付けることとし、保育の必要量として、主にフルタイムの就労を想定した「保育標準時間（最長11時間）」の区分のほかに、主にパートタイムの就労を想定した「保育短時間（最長８時間）」の区分を創設した。

⑰ 病児保育事業

保護者が就労している場合等には､子どもが病気の際に自宅での保育が困難な場合があるため､病院・診療所等に付設された専用スペースにおいて病気の児童を一時的に保育するモデル事業が平成６年度から実施され、平成７年度より乳幼児健康支援デイサービス事業として一般事業化された。

平成11年度には、緊急・一時的に保育を必要とする児童の自宅に保育士等を派遣する派遣型が追加され、平成12年度には、保育所に付設された専用スペースが対象事業となるなど、事業内容の充実が図られた。

また、平成19年度には、保育中に体調不良となった児童への緊急対応を図る病児・病後児保育（自園型）が創設され、平成20年度には、受け入れる児童の状態に応じて、病児対応型・病後児対応型・体調不良児対応型の３類型に分類し、事業ごとの役割の明確化を図るなど、事業の統合・再編を行った。

平成23年度には、従来の３類型に加え、地域の病児・病後児について、看護師等が保護者の自宅へ訪問し、一時的に保育する非施設型（訪問型）が創設された。平成27年度からは、子ども・子育て支援交付金に移行し、「病児保育事業」として実施している。平成28年度には、保育中に体調不良となった児童を送迎し、病院・診療所、保育所等に付設された専用スペース等で一時的に保育を行う「送迎対応加算」を創設するとともに、病児保育事業の推進を図るため、子ども・子育て支援施設整備交付金において、病児保育施設の整備費が創設された。

年　度	内　　　　容
平成６年度	・病後児デイサービスモデル事業を創設（試行事業）
平成７年度	・事業の創設（乳幼児健康支援デイサービス事業）
平成10年度	・乳幼児健康支援一時預かり事業に事業名を変更
平成11年度	・派遣型を追加
平成12年度	・対象施設に保育所を追加
	・派遣型に産褥期ヘルパー、訪問型一時保育を追加
平成17年度	・次世代育成支援対策交付金（ソフト交付金）に移行
平成18年度	・病児加算を追加
平成19年度	・乳幼児健康支援一時預かり事業から病児・病後児保育事業に事業名を変更
	・病児・病後児保育（自園型）の創設

平成20年度	・病児・病後児保育事業と病児・病後児保育事業（自園型）を統合・再編
平成21年度	・基本分（定額補助）と加算分（利用児童数に応じた実績補助）の補助方式に移行
平成23年度	・非施設型（訪問型）の創設
平成27年度	・子ども・子育て支援交付金に移行
平成28年度	・送迎対応加算の創設

7　保育所に係る関連施策

(1)　へき地保育所

山間へき地、離島等において、最低基準に適合した保育所を設置運営することが困難な場合に、要保育児童の福祉を図るため、常設施設として保護を行うもので、市町村が設置主体となって運営することとされている。通常、公民館等の既設の建物の一部を利用して開設されており、昭和36年度からその運営費に対し助成措置が行われている。なお、昭和58年度から老朽化の著しい木造施設に係る改築費用を対象としていたが、昭和63年度からブロック造、鉄筋造施設に係る改築も対象に加え、さらに平成６年度から改築にあわせ初度設備を更新する場合に一般の保育所に準じた助成措置が行われることとなった。平成17年度から次世代育成支援対策交付金、平成23年度から子育て支援交付金で対応している。平成24年度補正予算では、安心子ども基金の事業として組み替えを行い、実施要件である１日当たり平均入所児童数10人以上が６人以上に緩和され、事業の一層の拡充が図られた。平成26年度より保育緊急確保事業の一事業として実施する。また、子ども・子育て支援新制度の施行により平成27年度からは、特例地域型保育給付費として整理された。

(2)　事業所内保育施設

企業が、従業員の雇用確保あるいは福利厚生の一環として、事業所内に保育施設を設置することも多くなっている。

これらの施設は、その企業の組織下にあるものであるが、児童の健全育成及び保育従事者の資質の向上の観点から必要な指導を行うとともに、保育従事者に対する研修会等が行われている。

また、児童手当法（昭和46年法律第73号）に基づく児童育成事業の一環として、事業所内保育施設の施設整備費の助成が行われていたが、平成14年度から、労働保険特別会計雇用勘定における事業所内託児施設助成金に統合された。平成28年度からは子ども・子育て支援法に基づく仕事・子育て両立支援事業として、事業主拠出金を財源とする企業主導型保育事業を行っている。

(3)　子育て援助活動支援事業（ファミリー・サポート・センター事業）

乳幼児や小学生等の児童を持つ子育て中の労働者や主婦等を会員として、児童の預かり等の援助を受けることを希望する者と当該援助を行うことを希望する者との相互援助活動に関する連絡、調整を行う

「ファミリー・サポート・センター事業」を実施する市町村に対して補助が行われている。

平成21年度からは、病児・病後児の預かり、早朝・夜間等の緊急時の預かりなどの事業（病児・緊急対応強化事業）が実施されている。

(4) 乳児家庭全戸訪問事業

原則として、生後４か月を迎えるまでのすべての乳児のいる家庭を対象とし、家庭を訪問することにより、子育て支援に関する情報提供や養育環境の把握等を行い、相談に応じ、助言・援助を行うものである。平成21年度には、児童福祉法等の一部を改正する法律（平成20年法律第85号）により、法定化された。市町村が登用する訪問者として、保育士、保健師、看護師、母子保健推進員、児童委員等があげられている。また、本事業は社会福祉法における第２種社会福祉事業に位置づけられている。

(5) 養育支援訪問事業

乳児家庭全戸訪問事業の実施結果やその他により把握された、養育支援を特に必要とする家庭を対象とし、家庭を訪問することにより、適切な養育が行われるよう養育に関する指導、助言その他必要な支援を行うものである。平成21年度には、児童福祉法等の一部を改正する法律（平成20年法律第85号）により、法定化された。市町村が登用する訪問支援者として、保育士、保健師、看護師、児童指導員等があげられている。また、本事業は社会福祉法における第２種社会福祉事業に位置づけられている。

(6) ベビーシッター派遣事業

残業や夜勤等の多様な就労実態に対応して、両親の代わりに保育所までの送り迎えや、両親が帰宅するまでの間のベビーシッター派遣サービスを従業員が利用した場合に、その利用料金の一部を助成するベビーシッター育児支援事業が平成６年度から実施されていた。

また、ベビーシッターサービス事業者やベビーシッターサービスに直接従事する者の研修事業に要する経費を助成するベビーシッター研修事業が平成６年度から実施されている。

さらに、平成12年度より、双生児等多胎児のいる家庭の保護者がリフレッシュのためベビーシッター派遣サービスを利用した場合に、年一度、その利用料の一部を助成する双生児家庭育児支援事業が創設された。

なお、平成16年度より、産前産後の休業取得中の期間に、妊産婦健診の受診や産褥期の体調不良等によりベビーシッター派遣サービスを利用した場合にその利用料の一部を助成される産前産後育児支援事業が創設された。

平成21年度にはベビーシッター育児支援事業の再編を行い、ベビーシッター派遣の一部利用料金の一部を助成するベビーシッター派遣事業、研修事業に要する経費を助成するベビーシッター研修事業が創設された。

平成27年度には、ベビーシッター研修事業については廃止し、年金特別会計子どものための金銭の給付勘定で実施していたベビーシッター派遣事業については、年収制限や企業負担の追加等一部要件を見直した上で一般会計で実施している。平成28年度からは、子ども・子育て支援法に基づく、仕事・子育て両立支援事業として年金特別会計子ども・子育て支援勘定でベビーシッター派遣事業を実施している。

(7)　認可外保育施設の指導監督等

保育需要の多様化と相まって顕在化した、いわゆるベビーホテル等の認可外保育施設の問題に対応するため、昭和56年に児童福祉法の一部改正が行われ、立入調査権等が制度化（児童福祉法第59条）するとともに、各都道府県（指定都市・中核市）宛て「無認可保育施設に対する当面の指導基準」（昭和56年７月２日児発第566号児童家庭局長通知）が示され、これらに基づき、認可外保育施設に対する指導監督が行われてきた。平成13年度から、より効果的な指導監督が行えるよう、認可外保育施設に対する指導方法を明確化・具体化するとともに、都道府県等が命令等の発令を躊躇する現状を改善するため、その対象、方法を明確にした指針及び指導監督基準が施行された（令和６年３月29日こ成保第206号こども家庭庁成育局長通知）。平成14年10月からは、児童福祉法の改正に伴い、認可外保育施設について、都道府県知事等への事業開始の届出、運営状況の報告、契約時の書面交付等が義務付けられるとともに、報告等により都道府県知事等が得た情報を公表することにより、利用者が施設やサービスの選択を行うための情報提供を推進することとされた。また、従来から規定されている都道府県知事等による事業停止等の命令権限に加えて、改善勧告及びこれに従わない場合の公表等を規定し、認可外保育施設等に対する監督が強化された。

また、長期間にわたりベビーホテルに預けられている児童については、都道府県児童福祉主管部局、児童相談所、市町村、福祉事務局、児童委員、母子相談員等関係機関が連携を図り、乳児院、児童養護施設等への入所措置、母子生活支援施設での母子保護の実施、夜間保育所や長時間延長保育実施保育所等での保育の実施、子育て支援短期利用事業の活用等必要な福祉の措置を講ずることとし、乳児院においては、昭和56年度より入所期間が１か月に満たないケースについても、措置の対象とすることができることとなっている。

(8)　認定こども園

平成15年６月に閣議決定された「経済財政運営と構造改革に関する基本方針2003」において検討することとされ、平成16年３月に閣議決定された「規制改革・民間開放推進３か年計画」において平成18年度から本格実施することとされた「就学前の教育・保育を一体として捉えた一貫した総合施設」を制度化するものとして、平成18年６月９日に就学前の子どもに関する教育、保育等の総合的な提供の推進に関する法律（以下、「認定こども園法」とする。）が成立し、同年10月から施行され、認定こども園の制度が開始された。

認定こども園制度は、幼稚園でも保育所でもない新たな第三の施設類型を設けるものではなく、むしろ就学前の教育、保育に関する多様なニーズへの対応に求められる機能に着目し、幼稚園や保育所等がその機能を保持したまま認定こども園の認定を受ける仕組みであり、地域の実情に応じて幼稚園、保育所に加え、新たに認定こども園という選択も可能とするものである。

具体的には、幼稚園、保育所等のうち、

①　就学前の子どもに教育・保育を提供する機能（保育に欠ける子どもも欠けない子どもも受け入れて

教育・保育を一体的に行う機能）

② 地域における子育て支援機能（すべての子育て家庭を対象に、子育て不安に対応した相談や親子のつどいの場の提供などを行う機能）

の２つの機能を備える施設について、都道府県が認定する施設である。

平成27年４月からは、就学前の子どもに関する教育、保育等の総合的な提供の推進に関する法律の一部改正により、幼保連携型認定こども園が学校及び児童福祉施設としての法的位置づけを持つ単一の施設として、新たな種別として創設された（従来の学校教育、児童福祉の各法体系から認定こども園法に位置づけを一本化）。

(9) 要保護児童対策地域協議会

平成16年の児童福祉法改正により、地方公共団体は要保護児童の適切な保護を図るため、関係機関等により構成され、要保護児童及び保護者に関する情報の交換や支援内容の協議を行う要保護児童対策地域協議会を置くことができるものとされた。さらに、平成19年の児童福祉法改正により、要保護児童対策協議会の設置が努力義務化されている。

虐待を受けている子どもをはじめとする要保護児童の早期発見や適切な保護を図るためには、関係機関がその子ども等に関する情報や考え方を共有し、適切な連携の下で対応していくことが重要であり、多数の関係機関の円滑な連携・協力を確保するためには、地方公共団体が要保護児童対策地域協議会を設置し、

① 関係機関相互の連携や役割分担の調整を行う機関を明確にするなどの責任体制の明確化

② 関係機関からの円滑な情報提供を図るための個人情報保護の要請と関係機関における情報共有の関係の明確化

を図ることが必要である。

平成30年４月１日現在、99.7％の市町村で設置されている。

要保護児童対策地域協議会を構成する関係機関は、市町村の児童福祉、母子保健等の担当部局のほか、保育所、教育委員会、児童相談所、警察署、学校、民生・児童委員協議会などがある。

8 保育士養成等

平成11年４月１日から、従来の「保母」の名称を、男女共通名称としての「保育士」に改めるとともに、「保母試験」を「保育士試験」に改める等の改正が行われた（児童福祉法第18条の６）。なお、実質的には、昭和52年３月から児童福祉施設において児童の保育に従事する男子にも、保母と同じ方法で保母に準じる資格を付与することができるようになっていた。

保育士とは、児童福祉法第18条の18第１項の登録を受け、保育士の名称を用いて、専門的知識及び技術をもって、児童の保育及び児童の保護者に対する保育に関する指導を行う者と規定されており（児童福祉法第18条の４）、①厚生労働大臣の指定する保育士を養成する学校その他の施設（指定保育士養成

施設）を卒業すること、②都道府県知事の実施する保育士試験に合格することのいずれかによって保育士となる資格を取得することができる。

地域の子育て支援の中核を担う専門職として保育士の重要性が高まっていること等を背景に平成13年に児童福祉法の改正が行われ、保育士資格が法定化された。同時に、保育士でない者が保育士を称することの禁止、守秘義務や信用失墜行為の禁止について規定され、保育士の資質向上を図ることとされた（平成15年11月29日施行）。

指定保育士養成施設は、保育士の職務の特性等を踏まえて、福祉・保育・教育・心理・保健・保育内容・基礎技能等の専門的知識と技術を習得する専門科目と人間的素養の向上を図る教養科目で構成する所定の教育課程、教員組織・教育設備等一定の基準（通知によって示されている）を充足整備しているものを、申請に基づき都道府県知事が指定することとされている（児童福祉法施行規則第６条の２）。

教育課程は見直しがなされ、多様な保育ニーズに対応する資質のかん養に係る科目を強化し、保育士としての専門性を確保した（平成14年４月１日施行）。また、改定保育所保育指針（平成30年４月１日適用）の内容を踏まえ、更なる保育の質の向上をはかるため、教育課程の基準の見直しを行った（平成31年４月１日施行）。

なお、厚生労働大臣の指定保育士養成施設に関する権限については、平成13年１月の厚生労働省設置法等の施行に伴い、地方厚生局長に委任された。その後、平成27年４月の第４次地方分権一括法等の施行に伴い、各都道府県知事に移管されている。

都道府県知事が行う保育士試験は、毎年１回以上（近年は全都道府県とも年２回）実施され、全筆記試験科目に合格の上、実技試験を合格した者に保育士となる資格が授与される。その試験科目のほか、受験資格、受験手続その他保育士試験に関し必要な事項は、厚生労働大臣が定めることになっている（児童福祉法第18条の８）。

また、幼稚園教諭免許との併有化をはかるため、幼稚園教諭免許を取得している者は一部科目を免除できることとなり、平成16年より、都道府県知事が指定する指定機関に試験事務を行わせることができることとなった。さらに、認定こども園法の改正により創設された「幼保連携型認定こども園」への円滑な移行を進めるため、幼稚園教諭免許状を有し、幼稚園等において一定の実務経験を有する者を対象として、保育士資格取得に必要な単位数等の特例制度を設けた。なお、各都道府県から試験実施状況について、厚生労働省に報告することになっている。

保育士試験の試験科目についても、多様な保育ニーズに対応する資質のかん養に係る科目を強化した指定保育士養成施設の教育課程の基準と同様の観点から見直しがなされ、多彩な人材の確保の役割を担っている（平成14年４月１日施行）。また、改定保育所保育指針の内容を踏まえ、更なる保育の質の向上をはかるため、教育課程の基準の見直しを行ったことに伴い、保育士試験においても所要の改正を行った（令和２年４月１日施行）。

また、「国家戦略特別区域法及び構造改革特別区域法の一部を改正する法律」により、新たに「地域限定保育士（正式名称：国家戦略特別区域限定保育士）制度」が創設された。これは、資格取得後３年間は地域限定保育士試験を実施する自治体の国家戦略特区内のみで保育士として働くことができ、４年目以降は全国で働くことができる仕組みとなっている。

保育現場においては、園長、主任保育士の下で、初任後から中堅までの職員が、多様な課題への対応や若手の指導等を行うリーダー的な役割を与えられて職務にあたっており、こうした職務内容に応じた専門性の向上を図るため、平成29年４月１日付け雇児保発0401第１号「保育士等キャリアアップ研修の実施について」に基づき、保育現場におけるリーダー的職員の育成に関する研修である保育士等キャリアアップ研修を実施している。

また、保育所等における保育士等の職員が出産又は傷病のため、長期間にわたって休暇を必要とする場合において、当該保育所の入所児童等の保育を確保するための施策として産休等代替職員制度が昭和37年度から実施されてきたが、平成17年度に税源移譲された。

9　保育所に係る行政組織と業務

保育所に係る行政は、国、都道府県（指定都市、中核市）及び市町村でそれぞれ分担して実施されている。これらの公共団体は、児童福祉行政の中に含まれる保育所に係る行政についての企画立案、補助金等の予算の作成、執行、指導監督などの業務を担当している。

(1)　国

令和４年度まで、児童福祉関係行政は子ども家庭局が所掌し、保育所は保育課が中心に担当していた。なお、児童福祉施設の衛生管理、給食等に関することは母子保健課が分担していた。

令和５年４月１日より、こども家庭庁が発足し、保育政策全般を成育局が担当している。

(2)　都道府県（指定都市、中核市）

都道府県では、民生部、厚生部、保健福祉部、生活福祉部等の民生主管部局の中にある児童家庭課、児童福祉課、子育て支援課等の児童福祉主管課が保育所に係る行政を担当している。ここでは、保育所に係る行政の企画や予算に関することのほか、保育所の認可、指導監督・監査関係、保育士試験の実施などの業務を行っている。指定都市及び中核市でも、児童福祉行政に関して、保育士試験の実施を除いて都道府県と同様な機構によって、その業務を担当している。

(3)　市町村

市町村では、厚生課、民生課、保育課、福祉課等が児童福祉に関する行政の一環として保育所に係る行政を担当している。大規模の市の中には、民生主管部をその上部組織として設けているところや保育所に係る行政を主管する保育課等を設けているところもある。ここでは、保育所の設置、運営、保育所の利用の業務等を担当している。

具体的には、保育所に関して次のような業務を行っている。

①　利用申込業務

ア　利用に関する相談、利用申込の受付及び調査

イ　利用の応諾及び解除

ウ　徴収金に係る基準額の制定、所得階層の認定に関すること

② 企画業務

ア 保育所に係る行政の企画立案に関すること

イ 施設整備計画の策定に関すること

ウ 予算及び決算に関すること

③ 管理業務

ア 市町村立保育所の整備に関すること

イ 市町村立保育所の管理に関すること

④ 経理業務

ア 私立保育所の委託費の支弁に関すること

イ 徴収金の調定、収納、督促に関すること

ウ 国庫負担金、県費負担金の請求及び精算に関すること

⑤ 指導業務

ア 保育所の業務指導に関すること

イ 保育士、調理員等の研修に関すること

ウ 関係団体との連絡調整に関すること

これらの業務のうち福祉事務所のある市町村では、利用等の権限を福祉事務所に委任して、その業務を行っているところが多い。

また、児童委員は、①保育所への利用を必要とする児童を発見したときに市町村長に連絡すること、②利用に関する意見を市町村長から求められたときに公正な意見を述べることなどによって、市町村の保育所関係業務に協力している。

10 子ども・子育て支援新制度について

平成24年８月10日、国会において、子ども・子育て支援の新たな仕組みに関する３つの法律、いわゆる「子ども・子育て関連三法」が成立した（三法とは、「子ども・子育て支援法」、「就学前の子どもに関する教育、保育等の総合的な提供の推進に関する法律の一部を改正する法律」、「子ども・子育て支援法及び就学前の子どもに関する教育、保育等の総合的な提供の推進に関する法律の一部を改正する法律の施行に伴う関係法律の整備等に関する法律」を指す。）。

子ども・子育て関連三法に基づく子ども・子育て支援新制度（以下、「新制度」という。）の主なポイントは以下の３点である。

１点目は、認定こども園制度の改善である。認定こども園は、保護者の就労状況等に関わらず、そのニーズに合わせて子どもを受け入れ、幼児期の学校教育・保育を一体的に行う、幼稚園と保育所の両方の機能を併せ持った施設である。また、子育ての不安に対する相談を受けることや、親子の集まる場所を提供するなど、地域の子ども・子育て支援の役割も果たすことが期待されている。認定こども園制度は平成18年に創設されたものだが、利用者から高い評価を受ける一方で、これまでの制度では、学校教育法に基づく幼稚園と児童福祉法に基づく保育所という２つの制度を前提にしていたことによる、認可や指導監督等に関する二重行政の課題などが指摘されてきた。そこで、幼保連携型認定こども園を、学校及び児童福祉施設の両方の法的位置づけをもつ単一の施設として、認可や指導監督等を一本化するこ

となどにより、二重行政の課題などを解消し、その設置の促進を図ることとしている。

２点目は、認定こども園、幼稚園、保育所を通じた共通の給付である「施設型給付」及び小規模保育、家庭的保育等への給付である「地域型保育給付」の創設である。子ども・子育て支援新制度においては、地域型保育事業（小規模保育、家庭的保育、居宅訪問型保育、事業所内保育）を市町村による認可事業として児童福祉法に位置づけ、多様な施設や事業の中から利用者が選択できる仕組みとしている。

新制度では、市町村には、その地域の子どもの幼児教育、保育、子育て支援の需要を的確に把握して、「市町村子ども・子育て支援事業計画」を策定し、それらを踏まえて地域の需要に応じた給付・事業を行うことが義務付けられる。これらにより、幼児期の学校教育・保育、地域の子ども・子育て支援を総合的に推進することが可能となる。

給付の創設等に併せて、従来の保育所などの認可制度を改善することにより保育の受入れ人数を増やして、保育の量的拡大・確保を図り、待機児童の解消を行う。

また、子どもの数が減少傾向にある地域でも、家庭的保育などの小規模な保育の活用などにより、子どもに必要な保育の提供を確保することが可能となる。

３点目は、地域の子ども・子育て支援の充実である。保育が必要な子どものいる家庭だけでなく、全ての家庭を対象に地域のニーズに応じた多様な子育て支援を充実させるため、市町村の計画に基づき、子育ての相談や親子同士の交流ができる地域子育て支援拠点の数や、一時預かり、放課後児童クラブの受け入れ数を増やすなど、市町村が行う事業を「地域子ども・子育て支援事業」として拡充するとともに、財政支援を強化して、育児不安の解消などを図ることとしている。

さらに、令和元年10月からは幼児教育・保育の無償化が始まった。これは、令和元年10月の消費税率の引上げによる財源を活用し、３歳から５歳までの子ども及び０歳から２歳までの住民税非課税世帯の子どもについての幼稚園、保育所、認定こども園等の費用を無償化するものである。

20代や30代の若い世代が理想の子ども数を持たない理由は、「子育てや教育にお金がかかり過ぎるから」が最大の理由になっており、幼児教育・保育の無償化をはじめとする負担軽減措置を講じることは重要な少子化対策の一つである。

また、幼児教育は生涯にわたる人格形成の基礎を培うものであり、子どもたちに質の高い幼児教育の機会を保障することは極めて重要である。このような背景を踏まえ、令和元年に子ども・子育て支援法は改正され、幼児教育・保育の無償化が実現する運びになった。

こうした取組により、質の高い幼児期の学校教育・保育を総合的に提供し、地域の子ども・子育て支援を充実させ、子育てがしやすい社会を実現していく。

11　待機児童対策（「待機児童解消加速化プラン」、「子育て安心プラン」から「新子育て安心プラン」へ）

待機児童対策については、平成25年４月に「待機児童解消加速化プラン」を策定し、平成29年度末までの５年間で新たに50万人分の保育の受け皿整備を行う目標を掲げた。

「待機児童解消加速化プラン」に基づき、平成25年度から平成29年度末までの５年間で企業主導型保育事業による保育の受け皿整備とあわせて、約53.5万人分の保育の受け皿を整備し、政府目標である50万人分を達成した。

一方で、女性の就業率や保育の利用申込者数は年々増加している。このため、今後も保育ニーズがさらに増えていくことを前提に、待機児童解消の取組を強化していく必要があることから、平成29年６月に「子育て安心プラン」が公表された。同プランでは、令和２年度末までの３年間で女性就業率80％に対応する約32万人分の保育の受け皿を整備することとした。

「子育て安心プラン」に基づき、平成30年度から令和２年度末までの３年間で整備された保育の受け皿は、企業主導型保育事業による保育の受け皿整備とあわせて、約26.1万人分となっている。

これらの取組により、待機児童対策は着実に進んだものの、女性（25～44歳）の就業率の上昇がさらに続くことなどにより、さらなる保育の受け皿確保が必要となる見込みとなったことから、令和２年12月に「新子育て安心プラン」が公表された。

同プランは、市区町村が今後の保育ニーズを踏まえて策定した計画（第２期市町村子ども・子育て支援事業計画）の積み上げを踏まえ、令和３年度から令和６年度末までの４年間で約14万人分の保育の受け皿を整備し、できるだけ早く待機児童の解消を目指すとともに、女性（25～44歳）の就業率の上昇（令和７年の政府目標：82％）に対応することとした。

そのための支援として、①地域の特性に応じた支援、②魅力向上を通じた保育士確保、③地域のあらゆる子育て資源の活用を柱として、各種取組を推進していく。

12　保育人材の確保

近年、保育の担い手確保や幼児教育・保育の無償化が始まり、保育の質を担う保育士等の役割が一層重要になっている。厚生労働省では、保育士を目指す人や保育士に復帰しようとする人が増え、保育現場に参加・復帰しやすくなるよう、保育士という職業や、働く場所としての保育所の魅力向上とその発信方法等について、学識者等を参集して議論を行い、令和２年９月末に報告書を取りまとめた。

この報告書を踏まえ、「新子育て安心プラン」に基づく保育の受け皿整備に伴い必要となる保育人材を確保するため、処遇改善のほか、保育士資格の取得促進、就業継続のための環境づくり、離職者の再就職の促進といった支援や保育の現場と職業の魅力向上に総合的に取り組むこととしている。

保育所関係年表

年　号	事　　　項
昭和22年	◦児童福祉法公布
23	◦　　〃　　施行
	◦児童福祉施設最低基準制定
24	◦保育所給食実施要綱制定
25	◦措置費“地方財政平衡交付金”となる
	◦「保育所運営要領（児童局編集）」出版
26	◦社会福祉事業法制定
	◦私立児童福祉施設に整備費補助
28	◦措置費“国庫負担金”として復活
	◦保育所の保母の特例に関する省令制定
	◦季節保育所制度発足
29	◦徴収基準（収入認定（資産調査）方式）の設定
33	◦措置費、保育単価制度・新徴収基準額制度（収入認定方式→税額転用方式）発足
	◦「保育所の運営等について」通知施行
36	◦入所措置基準の制定
37	◦へき地保育所制度発足
	◦産休代替職員制度発足
38	◦「幼稚園と保育所との関係について」通知施行
	◦「保育所の設置認可等について」通知施行
40	◦「保育所保育指針」通知施行（40．8．6）
42	◦新築費に対する国庫補助対象を社会福祉法人に拡大
43	◦小規模保育所制度（過密地域）発足
44	◦乳児保育特別対策実施
46	◦小規模保育所過疎地域に対象拡大
48	◦整備費定額方式から定率方式に変更
	◦同和対策特別保育事業の実施
49	◦障害児保育事業の試行的実施
	◦保育対策等に関し「今後推進すべき児童福祉対策について」答申（49.11.28）
50	◦行政管理庁の「幼児の保育及び教育に関する行政監察結果に基づく勧告」
51	◦保育需要実態調査実施
	◦病休代替制度発足
	◦中央児童福祉審議会保育対策部会「今後における保育所のあり方」中間報告（51.12.16）
52	◦いわゆる保父制度発足
	◦幼稚園及び保育所に関する懇談会を設置（52.10）
	◦中央児童福祉審議会費用負担特別部会「保育所措置費徴収基準の当面の改善について」意見具申（52.12.20）
53	◦障害児保育事業現行制度に変更
54	◦児童福祉施設最低基準に定める保育所の保母の特例に関する省令を廃止する省令施行
55	◦いわゆる摂津訴訟判決（55．7.28東京高裁判決）
	◦ベビーホテルについて調査（55.11）
56	◦無認可保育施設の指導基準制定
	◦延長保育特別対策の実施
	◦夜間保育のモデル実施
	◦業務省力化等勤務条件改善費を措置費に計上（56年度から61年度迄の６か年計画により44時間勤務体制（１週間当たり４時間の労働時間の短縮）の確立が図られた）
	◦ベビーホテルの一斉点検を実施（56．3）

	◦無認可保育施設等への立入調査権等制度化（児童福祉法の改正56．6）
	◦「幼稚園及び保育所に関する懇談会報告」（56．6．22）
	◦行政管理庁、厚生省に対し「保育所に関する調査結果報告書」を提出し、今後の改善課題について勧告（56．9．14）
57	◦年度途中入所制度の実施
	◦小規模保育所制度の拡大（低年齢児を主とした保育所）
58	◦へき地保育所（木造で老朽化の著しい施設）の改築国庫補助整備の対象
	◦行政管理庁、厚生省に対し「ベビーホテル対策に関する調査結果報告書」を提出し、改善意見を勧告（58．8．16）
59	◦乳幼児健全育成相談事業の実施
	◦中央児童福祉審議会に保母養成教育課程検討小委員会を設け審議を開始（59．6）
60	◦市町村設置の保育所等児童福祉施設に対する都道府県知事認可を事前届出に改める（児童福祉法の改正60．7）
	◦保育所措置費国庫負担割合７／10に変更（他の社会福祉施設と同様の特例措置）
61	◦保育所措置費国庫負担割合５／10に変更（他の社会福祉施設と同様61～63の特例措置）
62	◦児童福祉施設最低基準改正（62．3）
	◦保育所への入所措置等について機関委任事務から団体委任事務へ移行（児童福祉法等の改正62．4）
	◦保育所措置費に保育所機能強化推進費を計上
	◦社会福祉法人の設置認可等の権限を厚生大臣から都道府県知事へ委譲（社会福祉事業法改正62．4）
	◦保母修学資金新規貸与の廃止
	◦臨時教育審議会（設置59．8）第３次答申（62．4．1）第４次（最終）答申（62．8．7）
	◦中央児童福祉審議会に保育指針検討小委員会を設け審議を開始（62.10～）
63	◦保育所措置費に保育所措置費特別調整費を計上
	◦中央児童福祉審議会「保母試験制度の改正について」意見具申（63．5．18）
	◦中央児童福祉審議会「今後の保育対策の推進について」意見具申（63.11.28）
平成元年	◦保育所措置費国庫負担割合１／２に恒久化
	◦乳児保育、延長保育制度の改正
	◦保育所地域活動事業の創設
2	◦保育所保育指針の改定
	◦一時的保育事業の創設
3	◦総務庁行政監察局、厚生省に対し「保育所に関する行政監察結果報告書」を提出し、今後の改善課題について勧告（3．1）
	◦中央児童福祉審議会「今後の保母養成のあり方について」意見具申（3．4．24）
	◦保母養成教育課程の改正
	◦保母試験の受験資格の改正
	◦長時間保育サービス事業の創設
	◦企業委託型保育サービス事業の創設
4	◦育児休業法の施行
	◦「育児休業に伴う保育所への年度の途中での円滑な受入れ等について」通知施行
	◦保育所地域活動事業に年度途中入所円滑化事業、育児リフレッシュ支援事業を追加
5	◦「今後の保育所のあり方について」（提言）を提出（5．4．7）
	◦保育所等地域子育てモデル事業を創設
6	◦「保育問題検討会報告書」を発表（6．1．19）
	◦文部、厚生、労働及び建設の４大臣の合意により「今後の子育て支援のための施策の基本的方向について」（エンゼルプラン）を策定（6．12．16）
	◦大蔵、厚生及び自治の３大臣の合意により「当面の緊急保育対策等を推進するための基本的考え方」（緊急保育対策等５か年事業）を策定（6．12．18）
	◦乳児保育特別対策費に特例分を追加

◦延長保育及び長時間保育サービス事業を時間延長型保育サービス事業に再編成
◦事業所内保育施設運営費の助成制度の創設
◦駅型保育モデル事業を創設
◦在宅保育サービス事業を創設

7 ◦緊急保育対策等５か年事業の実施
・低年齢児保育促進事業を創設
・産休・育休明け入所予約モデル事業を創設
・開所時間延長促進事業を創設
・乳児保育や多子世帯の保育料を軽減
・保育所の多機能化を図るため緊急保育対策分を別枠計上
① 老朽保育所の改築
② 地域子育て支援スペースの整備
③ 大型遊具の整備
・地域子育て支援センター事業を創設（保育所等地域子育てモデル事業の名称変更）
◦へき地保育所に対し
① 運営費を４年計画で改善
② 改築の際に初度設備の更新費用を一般保育所に準じた補助制度を創設
◦夜間保育の一般化
◦阪神・淡路大震災（7．1．17発生）の被災児童の緊急入所、保育料の減免、被災保育所に対する措置費の特例支弁等の緊急対策の実施

8 ◦保育所月途中入所対策の実施（保育単価の日割り方式の導入）
◦一時的保育事業に私的理由を追加
◦「保育所入所手続き等に関する運用改善等について」通知施行
◦在宅保育サービス事業に延長保育従事保母支援事業を追加
◦中央児童福祉審議会「少子社会にふさわしい保育システムについて」（中間報告）（8．12．3）

9 ◦「児童福祉法等の一部改正について」中央児童福祉審議会に諮問・答申（9．2．21・2．26）
◦「「人権を大切にする心を育てる」保育について」通知施行
◦家庭支援推進保育事業を創設
◦児童福祉法等の一部を改正する法律が可決・成立（9．6．11法律74）
市町村の措置による保育所入所の仕組みを情報提供に基づき子どもや保護者の就労状況に合った希望する保育所を選択できる仕組みに改めた。施行は平成10年４月。

10 ◦保母の名称を保育士に改める（10．2．17）。施行は平成11年４月。
◦短時間保母の導入、調理の業務委託を認める（10．2）
◦「幼稚園と保育所の施設の共用化等に関する指針について」通知施行
◦乳児保育の一般化、乳児の保母定数３：１を設定（10．4）
◦延長保育・一時保育の自主事業化（10．4）
◦定員の弾力化（年度途中入所制度の拡大）
年度初め概ね10％、年度途中概ね15％、育児休業明け20％
◦「精神薄弱」の用語を「知的障害」に改める（10．9．28法律110）。施行は平成11年４月。

11 ◦特別保育事業の一環として休日保育試行事業を開始
◦保育単価表の地域区分のうち「支給区分改定地域」と「指定解除地域」を削除
◦定員の弾力化の拡大
年度初め概ね15％、年度途中概ね25％、育児休業明けに産休明けを加え制限を撤廃
◦地域における少子化対策の一層の普及促進と、雇用・就業機会の創出とを目的とする経費に対して、少子化対策臨時特例交付金を交付
◦保育所保育指針の改定。施行は平成12年４月。
◦少子化対策推進関係閣僚会議が「少子化対策推進基本方針」を策定（11．12．19）
この基本方針に基づく重点施策の具体的実施計画として、大蔵、文部、厚生、労働、建設及び自治の６大臣合意により「新エンゼルプラン」を策定（11．12．19）

12 ◦保育所の設置主体制限の撤廃等の規制緩和措置を３月に実施

	◦休日保育事業の一般事業化
	◦低年齢児保育促進事業、産休・育休明け入所予約モデル事業及び年度途中入所円滑化事業を再編し、乳児保育促進等事業を創設
	◦延長保育と開所時間延長促進事業を再編し、延長保育促進事業及び長時間延長保育促進基盤整備事業を創設
	◦保育所運営費での福祉職俸給表への対応措置
	◦小規模保育所定員要件の緩和及び保育所運営費特別保育単価の設定（最低定員20人）
	◦認可外保育施設の処遇面に係る重点的着眼点の見直し
	◦家庭的保育等事業の創設
	◦双生児家庭へのベビーシッター訪問事業の創設
	◦苦情解決の仕組みの導入
13	◦中央省庁再編（雇用均等・児童家庭局）
	◦認可外保育施設に対する指導監督の指針の策定
	◦乳児室及びほふく室の面積を明確化
	◦屋外遊戯室に代わるべき場所の明確化
	◦公立保育所の運営委託に係る主体制限の撤廃
	◦短時間保育士の割合の拡大（定員弾力化分）
	◦定員の弾力化の拡大（年度後半の制限を撤廃）
	◦保育士養成課程等の見直し。施行は平成14年４月１日。
	◦「仕事と子育ての両立支援策の方針について」（13．7．6閣議決定）により、待機児童ゼロ作戦の推進等を平成16年度までに緊急に実施することとされる。
	◦児童福祉法の改正（13.11.30法律135） ・認可外保育施設の届出制の創設等、監督の強化。施行は平成14年10月１日。 ・保育士資格の法定化。施行は平成15年11月29日。 ・保育所整備促進のための公有財産の貸し付け等の推進
	◦民間貸与を目的とした自治体による保育所整備を補助対象化
14	◦送迎保育ステーション試行事業の創設
	◦駅前保育サービス提供施設等設置促進事業の創設
	◦認可化移行促進事業の創設
	◦家庭的保育事業の受入可能児童数の拡大（３人→５人）
	◦７時間以上の延長保育の創設
	◦一時保育における利用児童数に応じた件数払い方式へ移行
	◦児童福祉施設における福祉サービスの第三者評価事業の指針を通知
	◦保育所分園基準の見直し（定員規制及び分園数規制の緩和等）
	◦短時間勤務保育士について、保育士定数の２割未満の規制を撤廃
	◦少子化の進行を踏まえ、もう一段の少子化対策として「少子化対策プラスワン」を取りまとめる（14．9．20）
	◦構造改革特別区域法が可決・成立（14.12．8法律189） ・３歳未満児に係る幼稚園入園が可能に
15	◦児童福祉施設最低基準改正（15．1．1） ・保育所の防火・避難基準の緩和
	◦「少子化対策プラスワン」を踏まえて、政府として「次世代育成支援に関する当面の取組方針」を定める（15．3．14）
	◦定員の弾力化の見直し ・定員内での保育が原則であることを周知徹底 ・定員の見直し等に係る基準を明確化
	◦特定保育事業の創設
	◦送迎保育ステーション事業の拡充
	◦家庭的保育事業の充実
	◦休日保育における利用児童数に応じた件数払い方式へ移行

	◦乳児保育促進事業の補助対象の民営保育所への重点化及び乳児保育環境改善事業の廃止
	◦障害児保育事業を一般財源化
	◦産休代替保育士費等補助金において介護保険対象施設及び支援費対象施設を補助対象から除外
	◦社会福祉施設等施設整備費における補助基準単価及び補助金算定方法の簡素・合理化
	◦構造改革特別区域法の一部を改正する法律が可決・成立（15．6．6法律66） ・保育の実施に係る事務の教育委員会への委任が可能に
	◦経済財政運営と構造改革に関する基本方針において総合施設制度を平成18年度までに検討することが決定
	◦次世代育成支援対策推進法が可決・成立（15．7．16法律120） 次世代育成支援対策について、国が定める行動計画策定指針に即して、地方公共団体及び事業主が行動計画を策定し、10年間の集中的・計画的な取組を推進する。
	◦児童福祉法の一部を改正する法律が可決・成立（15．7．16法律121） ・地域における子育て支援事業を児童福祉法に位置づける ・待機児童が50人以上の自治体に対する保育に関する計画の作成施行は平成17年４月
	◦三位一体の改革に関する政府・与党合意（15.12.19） ・民間保育所運営費の国庫負担制度は堅持する一方、公立保育所運営費は一般財源化
16	◦児童福祉法等の一部を改正する法律が可決・成立（16．3．31法律21） ・公立保育所運営費を一般財源化するための国庫負担規定の削除等
	◦少子化社会対策大綱の決定（16．6．4） この大綱に基づく重点施策の具体的実施計画として「子ども・子育て応援プラン」を策定（16.12.24）
	◦指定試験機関制度による保育士試験実施
	◦幼稚園教諭が保育士試験を受験する場合の一部受験科目免除制度が施行
17	◦社会福祉施設等施設整備費及び社会福祉施設等設備整備費国庫負担（補助）金を次世代育成支援対策施設整備交付金化
18	◦次世代育成支援対策施設整備交付金の公立保育所等分を一般財源化
	◦次世代育成支援対策交付金の延長保育加算（公立分）を一般財源化
	◦家庭的保育事業について保育所実施型、病後児保育モデル事業を創設
	◦就学前の子どもに関する教育、保育等の総合的な提供の推進に関する法律が可決・成立（18．6．9法律77） ・認定こども園の制度化
19	◦保育対策等促進事業について在宅子育て一時預かりパイロット事業、病児・病後児保育事業（自園型）を創設
	◦地域子育て支援センター事業を地域子育て支援拠点事業に再編
20	◦保育所保育指針（20．3．28厚生労働省告示141）（21．4．1適用）
	◦子育て支援対策臨時特例交付金（安心こども基金）の創設
	◦児童福祉法等の一部を改正する法律が可決・成立（20.12．3法律85） ・子育て支援事業を法律上位置付け（21．4．1施行） ・家庭的保育事業を法律上位置付け（22．4．1施行）
	◦第３子の保育料無料化（同一世帯から２人以上の就学前児童が保育所等を同時に利用している場合）（21．4．1実施）
21	◦保育単価定員区分を10人刻みに細分化
22	◦少子化社会対策基本法第７条の規定に基づく「大綱」として、「子ども・子育てビジョン～子どもの笑顔があふれる社会のために～」を策定（22．1．29）
	◦年度途中入所児童についての年齢区分の見直し（年度初日における年齢区分の保育単価による支弁を可能とした）
	◦定員の弾力化の拡大（定員超過制限の撤廃）
	◦保育所徴収金（保育料）基準額表に第８階層を創設
	◦「国と自治体が一体的に取り組む待機児童解消『先取り』プロジェクト」を策定
23	◦病児・病後児保育事業について非施設型（訪問型）を創設

	◦入所児童についての年齢区分の見直し（年度初日の前日における年齢区分の保育単価により支弁することとした（ただし、平成23年度は経過措置として、従前の取扱いも可能とした）） ◦地域の自主性及び自立性を高めるための改革の推進を図るための関係法律の整備に関する法律が可決・成立（23．5．2法律37）（24．4．1施行） ・児童福祉法の改正により児童福祉施設の設備及び運営について、都道府県等が条例で基準を制定 ・児童福祉施設最低基準（昭23．12．29厚生省令63）の題名を「児童福祉施設の設備及び運営に関する基準」に改正（23．10．7厚生労働省令127） ◦子育て支援交付金の創設（次世代育成支援対策交付金を改組）
24	◦社会福祉法人会計基準（平成23年7月制定―平成27年3月まで旧基準によることができる） ◦子ども・子育て関連三法が可決・成立（24．8．10法律65・66・67） ・認定こども園制度の改善（幼保連携型認定こども園が学校及び児童福祉施設の法的位置づけを持つ単一の施設に） ・子ども・子育て支援法により、施設型給付及び地域型保育給付を創設 ・保育所の認可制度の改善、小規模保育・家庭的保育・居宅訪問型保育・事業所内保育を地域型保育事業として位置づけ
25	◦「待機児童解消加速化プラン」の公表（25．4．19）
27	◦子ども・子育て支援新制度が施行 地域型保育事業（小規模保育、家庭的保育、居宅訪問型保育、事業所内保育）を市町村認可事業として創設
28	◦「待機児童解消に向けて緊急的に対応する施策について」公表（28．3．28） ・子ども・子育て支援新制度施行後の実態把握と緊急対策体制の強化 ・規制の弾力化・人材確保等 ・受け皿確保のための施設整備促進 ・既存事業の拡充・強化 ・企業主導型保育事業の積極的展開 ◦子ども・子育て支援法の改正により、仕事・子育て両立支援事業（企業主導型保育事業、企業主導型ベビーシッター利用者支援事業）を創設
29	◦「子育て安心プラン」を発表（29．5．31） ◦保育所保育指針改定（29．3．31厚生労働省告示117）（30．4．1適用） ◦認可外保育施設等の事故報告の規定の新設
30	◦子ども・子育て支援法の改正により、保育充実事業（認可化移行運営費支援事業、幼稚園における長時間預かり保育運営費支援事業）と待機児童対策協議会を創設
令和元年	◦幼児教育・保育の無償化制度が施行（元．10．1）
2	◦「新子育て安心プラン」の公表（2．12．21）
3	◦医療的ケア児及びその家族に対する支援に関する法律の公布（3．6．18） ◦「こども政策の新たな推進体制に関する基本方針」の公表（3．12．21）
4	◦こども家庭庁設置法の公布（4．6．22）（5．4．1施行）
5	◦こども家庭庁を創設（5．4．1）
6	◦子育て世帯に対する包括的な支援のための体制強化及び事業の拡充（こども家庭センターの設置、子育て支援の場における相談機関の整備） ◦児童をわいせつ行為から守る環境整備（児童にわいせつ行為を行った保育士の資格管理の厳格化）

II

総　　則

◉児童福祉法（抄）

〔昭和22年12月12日
法 律 第 164 号〕

注 令和６年６月12日法律第47号改正現在
（未施行分については89頁以降に収載）

第１章　総則

〔児童の福祉を保障するための原理〕

第１条　全て児童は、児童の権利に関する条約の精神にのつとり、適切に養育されること、その生活を保障されること、愛され、保護されること、その心身の健やかな成長及び発達並びにその自立が図られることその他の福祉を等しく保障される権利を有する。

〔児童育成の責任〕

第２条　全て国民は、児童が良好な環境において生まれ、かつ、社会のあらゆる分野において、児童の年齢及び発達の程度に応じて、その意見が尊重され、その最善の利益が優先して考慮され、心身ともに健やかに育成されるよう努めなければならない。

②　児童の保護者は、児童を心身ともに健やかに育成することについて第一義的責任を負う。

③　国及び地方公共団体は、児童の保護者とともに、児童を心身ともに健やかに育成する責任を負う。

〔原理の尊重〕

第３条　前２条に規定するところは、児童の福祉を保障するための原理であり、この原理は、すべて児童に関する法令の施行にあたつて、常に尊重されなければならない。

第１節　国及び地方公共団体の責務

第３条の２　国及び地方公共団体は、児童が家庭において心身ともに健やかに養育されるよう、児童の保護者を支援しなければならない。ただし、児童及びその保護者の心身の状況、これらの者の置かれている環境その他の状況を勘案し、児童を家庭において養育することが困難であり又は適当でない場合にあつては児童が家庭における養育環境と同様の養育環境において継続的に養育されるよう、児童を家庭及び当該養育環境において養育することが適当でない場合にあつては児童ができる限り良好な家庭的環境において養育されるよう、必要な措置を講じなければならない。

第３条の３　市町村（特別区を含む。以下同じ。）は、児童が心身ともに健やかに育成されるよう、基礎的な地方公共団体として、第10条第１項各号に掲げる業務の実施、障害児通所給付費の支給、第24条第１項の規定による保育の実施その他この法律に基づく児童の身近な場所における児童の福祉に関する支援に係る業務を適切に行わなければならない。

②　都道府県は、市町村の行うこの法律に基づく児童の福祉に関する業務が適正かつ円滑に行われるよう、市町村に対する必要な助言及び適切な援助を行うとともに、児童が心身ともに健やかに育成されるよう、専門的な知識及び技術並びに各市町村の区域を超えた広域的な対応が必要な業務として、第11条第１項各号に掲げる業務の実施、小児慢性特定疾病医療費の支給、障害児入所給付費の支給、第27条第１項第３号の規定による委託又は入所の措置その他この法律に基づく児童の福祉に関する業務を適切に行わなければならない。

③　国は、市町村及び都道府県の行うこの法律に基づく児童の福祉に関する業務が適正かつ円滑に行われるよう、児童が適切に養育される体制の確保に関する施策、市町村及び都道府県に対する助言及び情報の提供その他の必要な各般の措置を講じなければならない。

第２節　定義

〔児童〕

第４条　この法律で、児童とは、満18歳に満たない者をいい、児童を左のように分ける。

一　乳児　満１歳に満たない者

二　幼児　満１歳から、小学校就学の始期に達するまでの者

三　少年　小学校就学の始期から、満18歳に達するまでの者

②　この法律で、障害児とは、身体に障害のある児童、知的障害のある児童、精神に障害のある児童（発達障害者支援法（平成16年法律第167号）第２条第２項に規定する発達障害児を含む。）又は治療方法が確立していない疾病その他の特殊の疾病であつて障害者の日常生活及び社会生活を総合的に支援するための法律（平成17年法律第123号）第４条第１項の政令で定めるものによる障害の程度が同項の主務大臣が定める程度である児童をいう。

〔妊産婦〕

第５条　この法律で、妊産婦とは、妊娠中又は出産後１年以内の女子をいう。

〔保護者〕

第6条 この法律で、保護者とは、親権を行う者、未成年後見人その他の者で、児童を現に監護する者をいう。

〔小児慢性特定疾病及び小児慢性特定疾病医療支援〕

第6条の2 この法律で、小児慢性特定疾病とは、児童又は児童以外の満20歳に満たない者（以下「児童等」という。）が当該疾病にかかつていることにより、長期にわたり療養を必要とし、及びその生命に危険が及ぶおそれがあるものであつて、療養のために多額の費用を要するものとして厚生労働大臣が社会保障審議会の意見を聴いて定める疾病をいう。

② この法律で、小児慢性特定疾病児童等とは、次に掲げる者をいう。

一 都道府県知事が指定する医療機関（以下「指定小児慢性特定疾病医療機関」という。）に通い、又は入院する小児慢性特定疾病にかかつている児童（以下「小児慢性特定疾病児童」という。）

二 指定小児慢性特定疾病医療機関に通い、又は入院する小児慢性特定疾病にかかつている児童以外の満20歳に満たない者（政令で定めるものに限る。以下「成年患者」という。）

③ この法律で、小児慢性特定疾病医療支援とは、小児慢性特定疾病児童等であつて、当該疾病の状態が当該小児慢性特定疾病ごとに厚生労働大臣が社会保障審議会の意見を聴いて定める程度であるものに対し行われる医療（当該小児慢性特定疾病に係るものに限る。）をいう。

〔障害児通所支援及び障害児相談支援〕

第6条の2の2 この法律で、障害児通所支援とは、児童発達支援、放課後等デイサービス、居宅訪問型児童発達支援及び保育所等訪問支援をいい、障害児通所支援事業とは、障害児通所支援を行う事業をいう。

② この法律で、児童発達支援とは、障害児につき、児童発達支援センターその他の内閣府令で定める施設に通わせ、日常生活における基本的な動作及び知識技能の習得並びに集団生活への適応のための支援その他の内閣府令で定める便宜を供与し、又はこれに併せて児童発達支援センターにおいて治療（上肢、下肢又は体幹の機能の障害（以下「肢体不自由」という。）のある児童に対して行われるものに限る。第21条の5の2第1号及び第21条の5の29第1項において同じ。）を行うことをいう。

③ この法律で、放課後等デイサービスとは、学校教育法（昭和22年法律第26号）第1条に規定する学校（幼稚園及び大学を除く。）又は専修学校等（同法第124条に規定する専修学校及び同法第134条第1項に規定する各種学校をいう。以下この項において同じ。）に就学している障害児（専修学校等に就学している障害児にあつては、その福祉の増進を図るため、授業の終了後又は休業日における支援の必要があると市町村長（特別区の区長を含む。以下同じ。）が認める者に限る。）につき、授業の終了後又は休業日に児童発達支援センターその他の内閣府令で定める施設に通わせ、生活能力の向上のために必要な支援、社会との交流の促進その他の便宜を供与することをいう。

④ この法律で、居宅訪問型児童発達支援とは、重度の障害の状態その他これに準ずるものとして内閣府令で定める状態にある障害児であつて、児童発達支援又は放課後等デイサービスを受けるために外出することが著しく困難なものにつき、当該障害児の居宅を訪問し、日常生活における基本的な動作及び知識技能の習得並びに生活能力の向上のために必要な支援その他の内閣府令で定める便宜を供与することをいう。

⑤ この法律で、保育所等訪問支援とは、保育所その他の児童が集団生活を営む施設として内閣府令で定めるものに通う障害児又は乳児院その他の児童が集団生活を営む施設として内閣府令で定めるものに入所する障害児につき、当該施設を訪問し、当該施設における障害児以外の児童との集団生活への適応のための専門的な支援その他の便宜を供与することをいう。

⑥ この法律で、障害児相談支援とは、障害児支援利用援助及び継続障害児支援利用援助を行うことをいい、障害児相談支援事業とは、障害児相談支援を行う事業をいう。

⑦ この法律で、障害児支援利用援助とは、第21条の5の6第1項又は第21条の5の8第1項の申請に係る障害児の心身の状況、その置かれている環境、当該障害児又はその保護者の障害児通所支援の利用に関する意向その他の事情を勘案し、利用する障害児通所支援の種類及び内容その他の内閣府令で定める事項を定めた計画（以下「障害児支援利用計画案」という。）を作成し、第21条の5の5第1項に規定する通所給付決定（次項において「通所給付決定」という。）又は第21条の5の8第2項に規定する通所給付決定の変更の決定（次項において「通所給付決定の変更の決定」という。）（以下この条及び第24条の26第1項第1号において「給付決定等」と総称する。）が行われた後に、第21条の5の3第1項に規定する指定障害児通所支援事業者その他の者（次

項において「関係者」という。）との連絡調整その他の便宜を供与するとともに、当該給付決定等に係る障害児通所支援の種類及び内容、これを担当する者その他の内閣府令で定める事項を記載した計画（次項において「障害児支援利用計画」という。）を作成することをいう。

⑧　この法律で、継続障害児支援利用援助とは、通所給付決定に係る障害児の保護者（以下「通所給付決定保護者」という。）が、第21条の５の７第８項に規定する通所給付決定の有効期間内において、継続して障害児通所支援を適切に利用することができるよう、当該通所給付決定に係る障害児支援利用計画（この項の規定により変更されたものを含む。以下この項において同じ。）が適切であるかどうかにつき、内閣府令で定める期間ごとに、当該通所給付決定保護者の障害児通所支援の利用状況を検証し、その結果及び当該通所給付決定に係る障害児の心身の状況、その置かれている環境、当該障害児又はその保護者の障害児通所支援の利用に関する意向その他の事情を勘案し、障害児支援利用計画の見直しを行い、その結果に基づき、次のいずれかの便宜の供与を行うことをいう。

一　障害児支援利用計画を変更するとともに、関係者との連絡調整その他の便宜の供与を行うこと。

二　新たな通所給付決定又は通所給付決定の変更の決定が必要であると認められる場合において、当該給付決定等に係る障害児の保護者に対し、給付決定等に係る申請の勧奨を行うこと。

〔事業〕

第６条の３　この法律で、児童自立生活援助事業とは、次に掲げる者に対しこれらの者が共同生活を営むべき住居その他内閣府令で定める場所における相談その他の日常生活上の援助及び生活指導並びに就業の支援（以下「児童自立生活援助」という。）を行い、あわせて児童自立生活援助の実施を解除された者に対し相談その他の援助を行う事業をいう。

一　義務教育を終了した児童又は児童以外の満20歳に満たない者であつて、措置解除者等（第27条第１項第３号に規定する措置（政令で定めるものに限る。）を解除された者その他政令で定める者をいう。以下同じ。）であるもの（以下「満20歳未満義務教育終了児童等」という。）

二　満20歳以上の措置解除者等であつて政令で定めるもののうち、学校教育法第50条に規定する高等学校の生徒であること、同法第83条に規定する大学の学生であることその他の政令で定めるやむを得ない事情により児童自立生活援助の実施が必要であると都道府県知事が認めたもの

②　この法律で、放課後児童健全育成事業とは、小学校に就学している児童であつて、その保護者が労働等により昼間家庭にいないものに、授業の終了後に児童厚生施設等の施設を利用して適切な遊び及び生活の場を与えて、その健全な育成を図る事業をいう。

③　この法律で、子育て短期支援事業とは、保護者の疾病その他の理由により家庭において養育を受けることが一時的に困難となつた児童について、内閣府令で定めるところにより、児童養護施設その他の内閣府令で定める施設に入所させ、又は里親（次条第３号に掲げる者を除く。）その他の内閣府令で定める者に委託し、当該児童につき必要な保護その他の支援（保護者の心身の状況、児童の養育環境その他の状況を勘案し、児童と共にその保護者に対して支援を行うことが必要である場合にあつては、当該保護者への支援を含む。）を行う事業をいう。

④　この法律で、乳児家庭全戸訪問事業とは、一の市町村の区域内における原則として全ての乳児のいる家庭を訪問することにより、内閣府令で定めるところにより、子育てに関する情報の提供並びに乳児及びその保護者の心身の状況及び養育環境の把握を行うほか、養育についての相談に応じ、助言その他の援助を行う事業をいう。

⑤　この法律で、養育支援訪問事業とは、内閣府令で定めるところにより、乳児家庭全戸訪問事業の実施その他により把握した保護者の養育を支援することが特に必要と認められる児童（第８項に規定する要保護児童に該当するものを除く。以下「要支援児童」という。）若しくは保護者に監護させることが不適当であると認められる児童及びその保護者又は出産後の養育について出産前において支援を行うことが特に必要と認められる妊婦（以下「特定妊婦」という。）（以下「要支援児童等」という。）に対し、その養育が適切に行われるよう、当該要支援児童等の居宅において、養育に関する相談、指導、助言その他必要な支援を行う事業をいう。

⑥　この法律で、地域子育て支援拠点事業とは、内閣府令で定めるところにより、乳児又は幼児及びその保護者が相互の交流を行う場所を開設し、子育てについての相談、情報の提供、助言その他の援助を行う事業をいう。

⑦　この法律で、一時預かり事業とは、次に掲げる者について、内閣府令で定めるところにより、主として昼間において、保育所、認定こども園（就学前の子どもに関する教育、保育等の総合的な提供の推進に関する法律（平成18年法律第77号。以下「認定こ

ども園法」という。）第２条第６項に規定する認定こども園をいい、保育所であるものを除く。第24条第２項を除き、以下同じ。）その他の場所（第２号において「保育所等」という。）において、一時的に預かり、必要な保護を行う事業をいう。

一　家庭において保育（養護及び教育（第39条の２第１項に規定する満３歳以上の幼児に対する教育を除く。）を行うことをいう。以下同じ。）を受けることが一時的に困難となつた乳児又は幼児

二　子育てに係る保護者の負担を軽減するため、保育所等において一時的に預かることが望ましいと認められる乳児又は幼児

⑧　この法律で、小規模住居型児童養育事業とは、第27条第１項第３号の措置に係る児童について、内閣府令で定めるところにより、保護者のない児童又は保護者に監護させることが不適当であると認められる児童（以下「要保護児童」という。）の養育に関し相当の経験を有する者その他の内閣府令で定める者（次条に規定する里親を除く。）の住居において養育を行う事業をいう。

⑨　この法律で、家庭的保育事業とは、次に掲げる事業をいう。

一　子ども・子育て支援法（平成24年法律第65号）第19条第２号の内閣府令で定める事由により家庭において必要な保育を受けることが困難である乳児又は幼児（以下「保育を必要とする乳児・幼児」という。）であつて満３歳未満のものについて、家庭的保育者（市町村長が行う研修を修了した保育士その他の内閣府令で定める者であつて、当該保育を必要とする乳児・幼児の保育を行う者として市町村長が適当と認めるものをいう。以下同じ。）の居宅その他の場所（当該保育を必要とする乳児・幼児の居宅を除く。）において、家庭的保育者による保育を行う事業（利用定員が５人以下であるものに限る。次号において同じ。）

二　満３歳以上の幼児に係る保育の体制の整備の状況その他の地域の事情を勘案して、保育が必要と認められる児童であつて満３歳以上のものについて、家庭的保育者の居宅その他の場所（当該保育が必要と認められる児童の居宅を除く。）において、家庭的保育者による保育を行う事業

⑩　この法律で、小規模保育事業とは、次に掲げる事業をいう。

一　保育を必要とする乳児・幼児であつて満３歳未満のものについて、当該保育を必要とする乳児・幼児を保育することを目的とする施設（利用定員が６人以上19人以下であるものに限る。）において、保育を行う事業

二　満３歳以上の幼児に係る保育の体制の整備の状況その他の地域の事情を勘案して、保育が必要と認められる児童であつて満３歳以上のものについて、前号に規定する施設において、保育を行う事業

⑪　この法律で、居宅訪問型保育事業とは、次に掲げる事業をいう。

一　保育を必要とする乳児・幼児であつて満３歳未満のものについて、当該保育を必要とする乳児・幼児の居宅において家庭的保育者による保育を行う事業

二　満３歳以上の幼児に係る保育の体制の整備の状況その他の地域の事情を勘案して、保育が必要と認められる児童であつて満３歳以上のものについて、当該保育が必要と認められる児童の居宅において家庭的保育者による保育を行う事業

⑫　この法律で、事業所内保育事業とは、次に掲げる事業をいう。

一　保育を必要とする乳児・幼児であつて満３歳未満のものについて、次に掲げる施設において、保育を行う事業

イ　事業主がその雇用する労働者の監護する乳児若しくは幼児及びその他の乳児若しくは幼児を保育するために自ら設置する施設又は事業主から委託を受けて当該事業主が雇用する労働者の監護する乳児若しくは幼児及びその他の乳児若しくは幼児の保育を実施する施設

ロ　事業主団体がその構成員である事業主の雇用する労働者の監護する乳児若しくは幼児及びその他の乳児若しくは幼児を保育するために自ら設置する施設又は事業主団体から委託を受けてその構成員である事業主の雇用する労働者の監護する乳児若しくは幼児及びその他の乳児若しくは幼児の保育を実施する施設

ハ　地方公務員等共済組合法（昭和37年法律第152号）の規定に基づく共済組合その他の内閣府令で定める組合（以下ハにおいて「共済組合等」という。）が当該共済組合等の構成員として内閣府令で定める者（以下ハにおいて「共済組合等の構成員」という。）の監護する乳児若しくは幼児及びその他の乳児若しくは幼児を保育するために自ら設置する施設又は共済組合等から委託を受けて当該共済組合等の構成員の監護する乳児若しくは幼児及びその他の乳児若しくは幼児の保育を実施する施設

二　満３歳以上の幼児に係る保育の体制の整備の状

況その他の地域の事情を勘案して、保育が必要と認められる児童であつて満３歳以上のものについて、前号に規定する施設において、保育を行う事業

⑬　この法律で、病児保育事業とは、保育を必要とする乳児・幼児又は保護者の労働若しくは疾病その他の事由により家庭において保育を受けることが困難となつた小学校に就学している児童であつて、疾病にかかつているものについて、保育所、認定こども園、病院、診療所その他内閣府令で定める施設において、保育を行う事業をいう。

⑭　この法律で、子育て援助活動支援事業とは、内閣府令で定めるところにより、次に掲げる援助のいずれか又は全てを受けることを希望する者と当該援助を行うことを希望する者（個人に限る。以下この項において「援助希望者」という。）との連絡及び調整並びに援助希望者への講習の実施その他の必要な支援を行う事業をいう。

一　児童を一時的に預かり、必要な保護（宿泊を伴つて行うものを含む。）を行うこと。

二　児童が円滑に外出することができるよう、その移動を支援すること。

⑮　この法律で、親子再統合支援事業とは、内閣府令で定めるところにより、親子の再統合を図ることが必要と認められる児童及びその保護者に対して、児童虐待の防止等に関する法律（平成12年法律第82号）第２条に規定する児童虐待（以下単に「児童虐待」という。）の防止に資する情報の提供、相談及び助言その他の必要な支援を行う事業をいう。

⑯　この法律で、社会的養護自立支援拠点事業とは、内閣府令で定めるところにより、措置解除者等又はこれに類する者が相互の交流を行う場所を開設し、これらの者に対する情報の提供、相談及び助言並びにこれらの者の支援に関連する関係機関との連絡調整その他の必要な支援を行う事業をいう。

⑰　この法律で、意見表明等支援事業とは、第33条の３の３に規定する意見聴取等措置の対象となる児童の同条各号に規定する措置を行うことに係る意見又は意向及び第27条第１項第３号の措置その他の措置が採られている児童その他の者の当該措置における処遇に係る意見又は意向について、児童の福祉に関し知識又は経験を有する者が、意見聴取その他これらの者の状況に応じた適切な方法により把握するとともに、これらの意見又は意向を勘案して児童相談所、都道府県その他の関係機関との連絡調整その他の必要な支援を行う事業をいう。

⑱　この法律で、妊産婦等生活援助事業とは、家庭生活に支障が生じている特定妊婦その他これに類する者及びその者の監護すべき児童を、生活すべき住居に入居させ、又は当該事業に係る事業所その他の場所に通わせ、食事の提供その他日常生活を営むのに必要な便宜の供与、児童の養育に係る相談及び助言、母子生活支援施設その他の関係機関との連絡調整、民法（明治29年法律第89号）第817条の２第１項に規定する特別養子縁組（以下単に「特別養子縁組」という。）に係る情報の提供その他の必要な支援を行う事業をいう。

⑲　この法律で、子育て世帯訪問支援事業とは、内閣府令で定めるところにより、要支援児童の保護者その他の内閣府令で定める者に対し、その居宅において、子育てに関する情報の提供並びに家事及び養育に係る援助その他の必要な支援を行う事業をいう。

⑳　この法律で、児童育成支援拠点事業とは、養育環境等に関する課題を抱える児童について、当該児童に生活の場を与えるための場所を開設し、情報の提供、相談及び関係機関との連絡調整を行うとともに、必要に応じて当該児童の保護者に対し、情報の提供、相談及び助言その他の必要な支援を行う事業をいう。

㉑　この法律で、親子関係形成支援事業とは、内閣府令で定めるところにより、親子間における適切な関係性の構築を目的として、児童及びその保護者に対し、当該児童の心身の発達の状況等に応じた情報の提供、相談及び助言その他の必要な支援を行う事業をいう。

〔里親〕

第６条の４　この法律で、里親とは、次に掲げる者をいう。

一　内閣府令で定める人数以下の要保護児童を養育することを希望する者（都道府県知事が内閣府令で定めるところにより行う研修を修了したことその他の内閣府令で定める要件を満たす者に限る。）のうち、第34条の19に規定する養育里親名簿に登録されたもの（以下「養育里親」という。）

二　前号に規定する内閣府令で定める人数以下の要保護児童を養育すること及び養子縁組によつて養親となることを希望する者（都道府県知事が内閣府令で定めるところにより行う研修を修了した者に限る。）のうち、第34条の19に規定する養子縁組里親名簿に登録されたもの（以下「養子縁組里親」という。）

三　第１号に規定する内閣府令で定める人数以下の要保護児童を養育することを希望する者（当該要保護児童の父母以外の親族であつて、内閣府令で

定めるものに限る。）のうち、都道府県知事が第27条第１項第３号の規定により児童を委託する者として適当と認めるもの

〔児童福祉施設等〕

第７条 この法律で、児童福祉施設とは、助産施設、乳児院、母子生活支援施設、保育所、幼保連携型認定こども園、児童厚生施設、児童養護施設、障害児入所施設、児童発達支援センター、児童心理治療施設、児童自立支援施設、児童家庭支援センター及び里親支援センターとする。

② この法律で、障害児入所支援とは、障害児入所施設に入所し、又は独立行政法人国立病院機構若しくは国立研究開発法人国立精神・神経医療研究センターの設置する医療機関であつて内閣総理大臣が指定するもの（以下「指定発達支援医療機関」という。）に入院する障害児に対して行われる保護、日常生活における基本的な動作及び独立自活に必要な知識技能の習得のための支援並びに障害児入所施設に入所し、又は指定発達支援医療機関に入院する障害児のうち知的障害のある児童、肢体不自由のある児童又は重度の知的障害及び重度の肢体不自由が重複している児童（以下「重症心身障害児」という。）に対し行われる治療をいう。

第３節 児童福祉審議会等

〔設置及び権限〕

第８条 第９項、第18条の20の２第２項、第27条第６項、第33条の15第３項、第35条第６項、第46条第４項及び第59条第５項の規定によりその権限に属させられた事項を調査審議するため、都道府県に児童福祉に関する審議会その他の合議制の機関を置くものとする。ただし、社会福祉法（昭和26年法律第45号）第12条第１項の規定により同法第７条第１項に規定する地方社会福祉審議会（第９項において「地方社会福祉審議会」という。）に児童福祉に関する事項を調査審議させる都道府県にあつては、この限りでない。

② 前項に規定する審議会その他の合議制の機関（以下「都道府県児童福祉審議会」という。）は、同項に定めるもののほか、児童、妊産婦及び知的障害者の福祉に関する事項を調査審議することができる。

③ 市町村は、第34条の15第４項の規定によりその権限に属させられた事項及び前項の事項を調査審議するため、児童福祉に関する審議会その他の合議制の機関を置くことができる。

④ 都道府県児童福祉審議会は、都道府県知事の、前項に規定する審議会その他の合議制の機関（以下「市町村児童福祉審議会」という。）は、市町村長の管理に属し、それぞれその諮問に答え、又は関係行政機関に意見を具申することができる。

⑤ 都道府県児童福祉審議会及び市町村児童福祉審議会（以下「児童福祉審議会」という。）は、特に必要があると認めるときは、関係行政機関に対し、所属職員の出席説明及び資料の提出を求めることができる。

⑥ 児童福祉審議会は、特に必要があると認めるときは、児童、妊産婦及び知的障害者、これらの者の家族その他の関係者に対し、第１項本文及び第２項の事項を調査審議するため必要な報告若しくは資料の提出を求め、又はその者の出席を求め、その意見を聴くことができる。

⑦ 児童福祉審議会は、前項の規定により意見を聴く場合においては、意見を述べる者の心身の状況、その者の置かれている環境その他の状況に配慮しなければならない。

⑧ こども家庭審議会、社会保障審議会及び児童福祉審議会は、必要に応じ、相互に資料を提供する等常に緊密な連絡をとらなければならない。

⑨ こども家庭審議会、社会保障審議会及び都道府県児童福祉審議会（第１項ただし書に規定する都道府県にあつては、地方こども家庭審議会、社会保障審議会とする。第18条の20の２第２項、第27条第６項、第33条の12第１項及び第３項、第33条の13、第33条の15、第35条第６項、第46条第４項並びに第59条第５項及び第６項において同じ。）は、児童及び知的障害者の福祉を図るため、芸能、出版物、玩具、遊戯等を推薦し、又はそれらを製作し、興行し、若しくは販売する者等に対し、必要な勧告をすることができる。

〔児童福祉審議会の委員〕

第９条 児童福祉審議会の委員は、児童福祉審議会の権限に属する事項に関し公正な判断をすることができる者であつて、かつ、児童又は知的障害者の福祉に関する事業に従事する者及び学識経験のある者のうちから、都道府県知事又は市町村長が任命する。

② 児童福祉審議会において、特別の事項を調査審議するため必要があるときは、臨時委員を置くことができる。

③ 児童福祉審議会の臨時委員は、前項の事項に関し公正な判断をすることができる者であつて、かつ、児童又は知的障害者の福祉に関する事業に従事する者及び学識経験のある者のうちから、都道府県知事又は市町村長が任命する。

④ 児童福祉審議会に、委員の互選による委員長及び副委員長各１人を置く。

第４節　実施機関

〔市町村の業務〕

第10条　市町村は、この法律の施行に関し、次に掲げる業務を行わなければならない。

一　児童及び妊産婦の福祉に関し、必要な実情の把握に努めること。

二　児童及び妊産婦の福祉に関し、必要な情報の提供を行うこと。

三　児童及び妊産婦の福祉に関し、家庭その他からの相談に応ずること並びに必要な調査及び指導を行うこと並びにこれらに付随する業務を行うこと。

四　児童及び妊産婦の福祉に関し、心身の状況等に照らし包括的な支援を必要とすると認められる要支援児童等その他の者に対して、これらの者に対する支援の種類及び内容その他の内閣府令で定める事項を記載した計画の作成その他の包括的かつ計画的な支援を行うこと。

五　前各号に掲げるもののほか、児童及び妊産婦の福祉に関し、家庭その他につき、必要な支援を行うこと。

②　市町村長は、前項第３号に掲げる業務のうち専門的な知識及び技術を必要とするものについては、児童相談所の技術的援助及び助言を求めなければならない。

③　市町村長は、第１項第３号に掲げる業務を行うに当たつて、医学的、心理学的、教育学的、社会学的及び精神保健上の判定を必要とする場合には、児童相談所の判定を求めなければならない。

④　市町村は、この法律による事務を適切に行うために必要な体制の整備に努めるとともに、当該事務に従事する職員の人材の確保及び資質の向上のために必要な措置を講じなければならない。

⑤　国は、市町村における前項の体制の整備及び措置の実施に関し、必要な支援を行うように努めなければならない。

〔こども家庭センター〕

第10条の２　市町村は、こども家庭センターの設置に努めなければならない。

②　こども家庭センターは、次に掲げる業務を行うことにより、児童及び妊産婦の福祉に関する包括的な支援を行うことを目的とする施設とする。

一　前条第１項第１号から第４号までに掲げる業務を行うこと。

二　児童及び妊産婦の福祉に関する機関との連絡調整を行うこと。

三　児童及び妊産婦の福祉並びに児童の健全育成に資する支援を行う者の確保、当該支援を行う者が相互の有機的な連携の下で支援を円滑に行うための体制の整備その他の児童及び妊産婦の福祉並びに児童の健全育成に係る支援を促進すること。

四　前３号に掲げるもののほか、児童及び妊産婦の福祉に関し、家庭その他につき、必要な支援を行うこと。

③　こども家庭センターは、前項各号に掲げる業務を行うに当たつて、次条第１項に規定する地域子育て相談機関と密接に連携を図るものとする。

〔地域子育て相談機関〕

第10条の３　市町村は、地理的条件、人口、交通事情その他の社会的条件、子育てに関する施設の整備の状況等を総合的に勘案して定める区域ごとに、その住民からの子育てに関する相談に応じ、必要な助言を行うことができる地域子育て相談機関（当該区域に所在する保育所、認定こども園、地域子育て支援拠点事業を行う場所その他の内閣府令で定める場所であつて、的確な相談及び助言を行うに足りる体制を有すると市町村が認めるものをいう。以下この条において同じ。）の整備に努めなければならない。

②　地域子育て相談機関は、前項の相談及び助言を行うほか、必要に応じ、こども家庭センターと連絡調整を行うとともに、地域の住民に対し、子育て支援に関する情報の提供を行うよう努めなければならない。

③　市町村は、その住民に対し、地域子育て相談機関の名称、所在地その他必要な情報を提供するよう努めなければならない。

〔都道府県の業務〕

第11条　都道府県は、この法律の施行に関し、次に掲げる業務を行わなければならない。

一　第10条第１項各号に掲げる市町村の業務の実施に関し、市町村相互間の連絡調整、市町村に対する情報の提供、市町村職員の研修その他必要な援助を行うこと及びこれらに付随する業務を行うこと。

二　児童及び妊産婦の福祉に関し、主として次に掲げる業務を行うこと。

イ　各市町村の区域を超えた広域的な見地から、実情の把握に努めること。

ロ　児童に関する家庭その他からの相談のうち、専門的な知識及び技術を必要とするものに応ずること。

ハ　児童及びその家庭につき、必要な調査並びに医学的、心理学的、教育学的、社会学的及び精神保健上の判定を行うこと。

ニ　児童及びその保護者につき、ハの調査又は判定に基づいて心理又は児童の健康及び心身の発達に関する専門的な知識及び技術を必要とする指導その他必要な指導を行うこと。

ホ 児童の一時保護を行うこと。

ヘ 児童の権利の保護の観点から、一時保護の解除後の家庭その他の環境の調整、当該児童の状況の把握その他の措置により当該児童の安全を確保すること。

ト 里親に関する次に掲げる業務を行うこと。

(1) 里親に関する普及啓発を行うこと。

(2) 里親につき、その相談に応じ、必要な情報の提供、助言、研修その他の援助を行うこと。

(3) 里親と第27条第1項第3号の規定により入所の措置が採られて乳児院、児童養護施設、児童心理治療施設又は児童自立支援施設に入所している児童及び里親相互の交流の場を提供すること。

(4) 第27条第1項第3号の規定による里親への委託に資するよう、里親の選定及び里親と児童との間の調整を行うこと。

(5) 第27条第1項第3号の規定により里親に委託しようとする児童及びその保護者並びに里親の意見を聴いて、当該児童の養育の内容その他の内閣府令で定める事項について当該児童の養育に関する計画を作成すること。

チ 養子縁組により養子となる児童、その父母及び当該養子となる児童の養親となる者、養子縁組により養子となつた児童、その養親となつた者及び当該養子となつた児童の父母特別養子縁組により親族関係が終了した当該養子となつた児童の実方の父母を含む。）その他の児童を養子とする養子縁組に関する者につき、その相談に応じ、必要な情報の提供、助言その他の援助を行うこと。

リ 児童養護施設その他の施設への入所の措置、一時保護の措置その他の措置の実施及びこれらの措置の実施中における処遇に対する児童の意見又は意向に関し、都道府県児童福祉審議会その他の機関の調査審議及び意見の具申が行われるようにすることその他の児童の権利の擁護に係る環境の整備を行うこと。

ヌ 措置解除者等の実情を把握し、その自立のために必要な援助を行うこと。

三 前2号に掲げるもののほか、児童及び妊産婦の福祉に関し、広域的な対応が必要な業務並びに家庭その他につき専門的な知識及び技術を必要とする支援を行うこと。

② 都道府県知事は、市町村の第10条第1項各号に掲げる業務の適切な実施を確保するため必要があると認めるときは、市町村に対し、体制の整備その他の措置について必要な助言を行うことができる。

③ 都道府県知事は、第1項又は前項の規定による都道府県の事務の全部又は一部を、その管理に属する行政庁に委任することができる。

④ 都道府県知事は、第1項第2号トに掲げる業務（以下「里親支援事業」という。）に係る事務の全部又は一部を内閣府令で定める者に委託することができる。

⑤ 前項の規定により行われる里親支援事業に係る事務に従事する者又は従事していた者は、その事務に関して知り得た秘密を漏らしてはならない。

⑥ 都道府県は、この法律による事務を適切に行うために必要な体制の整備に努めるとともに、当該事務に従事する職員の人材の確保及び資質の向上のために必要な措置を講じなければならない。

⑦ 国は、都道府県における前項の体制の整備及び措置の実施に関し、必要な支援を行うように努めなければならない。

〔児童相談所〕

第12条 都道府県は、児童相談所を設置しなければならない。

② 児童相談所の管轄区域は、地理的条件、人口、交通事情その他の社会的条件について政令で定める基準を参酌して都道府県が定めるものとする。

③ 児童相談所は、児童の福祉に関し、主として前条第1項第1号に掲げる業務（市町村職員の研修を除く。）並びに同項第2号（イを除く。）及び第3号に掲げる業務並びに障害者の日常生活及び社会生活を総合的に支援するための法律第22条第2項及び第3項並びに第26条第1項に規定する業務を行うものとする。

④ 都道府県は、児童相談所が前項に規定する業務のうち第28条第1項各号に掲げる措置を採ることその他の法律に関する専門的な知識経験を必要とするものについて、常時弁護士による助言又は指導の下で適切かつ円滑に行うため、児童相談所における弁護士の配置又はこれに準ずる措置を行うものとする。

⑤ 児童相談所は、必要に応じ、巡回して、第3項に規定する業務（前条第1項第2号ホに掲げる業務を除く。）を行うことができる。

⑥ 児童相談所長は、その管轄区域内の社会福祉法に規定する福祉に関する事務所（以下「福祉事務所」という。）の長（以下「福祉事務所長」という。）に必要な調査を委嘱することができる。

⑦　都道府県知事は、第３項に規定する業務の質の評価を行うことその他必要な措置を講ずることにより、当該業務の質の向上に努めなければならない。
⑧　国は、前項の措置を援助するために、児童相談所の業務の質の適切な評価の実施に資するための措置を講ずるよう努めなければならない。
〔児童相談所の職員〕
第12条の２　児童相談所には、所長及び所員を置く。
②　所長は、都道府県知事の監督を受け、所務を掌理する。
③　所員は、所長の監督を受け、前条に規定する業務をつかさどる。
④　児童相談所には、第１項に規定するもののほか、必要な職員を置くことができる。
〔児童相談所の所長及び所員の資格〕
第12条の３　児童相談所の所長及び所員は、都道府県知事の補助機関である職員とする。
②　所長は、次の各号のいずれかに該当する者でなければならない。
一　医師であつて、精神保健に関して学識経験を有する者
二　学校教育法に基づく大学又は旧大学令（大正７年勅令第388号）に基づく大学において、心理学を専修する学科又はこれに相当する課程を修めて卒業した者（当該学科又は当該課程を修めて同法に基づく専門職大学の前期課程を修了した者を含む。）
三　社会福祉士
四　精神保健福祉士
五　公認心理師
六　児童の福祉に関する事務をつかさどる職員（以下「児童福祉司」という。）として２年以上勤務した者又は児童福祉司たる資格を得た後２年以上所員として勤務した者
七　前各号に掲げる者と同等以上の能力を有すると認められる者であつて、内閣府令で定めるもの
③　所長は、内閣総理大臣が定める基準に適合する研修を受けなければならない。
④　相談及び調査をつかさどる所員は、児童福祉司たる資格を有する者でなければならない。
⑤　判定をつかさどる所員の中には、第２項第１号に該当する者又はこれに準ずる資格を有する者及び同項第２号に該当する者若しくはこれに準ずる資格を有する者又は同項第５号に該当する者が、それぞれ１人以上含まれなければならない。
⑥　心理に関する専門的な知識及び技術を必要とする指導をつかさどる所員の中には、第２項第１号に該当する者若しくはこれに準ずる資格を有する者、同項第２号に該当する者若しくはこれに準ずる資格を有する者又は同項第５号に該当する者が含まれなければならない。
⑦　前項に規定する指導をつかさどる所員の数は、政令で定める基準を標準として都道府県が定めるものとする。
⑧　児童の健康及び心身の発達に関する専門的な知識及び技術を必要とする指導をつかさどる所員の中には、医師及び保健師が、それぞれ１人以上含まれなければならない。
〔児童の一時保護施設〕
第12条の４　児童相談所には、必要に応じ、児童を一時保護する施設（以下「一時保護施設」という。）を設けなければならない。
②　都道府県は、一時保護施設の設備及び運営について、条例で基準を定めなければならない。この場合において、その基準は、児童の身体的、精神的及び社会的な発達のために必要な生活水準を確保するものでなければならない。
③　都道府県が前項の条例を定めるに当たつては、次に掲げる事項については内閣府令で定める基準に従い定めるものとし、その他の事項については内閣府令で定める基準を参酌するものとする。
一　一時保護施設に配置する従業者及びその員数
二　一時保護施設に係る居室の床面積その他一時保護施設の設備に関する事項であつて、児童の適切な処遇の確保に密接に関連するものとして内閣府令で定めるもの
三　一時保護施設の運営に関する事項であつて、児童の適切な処遇及び安全の確保並びに秘密の保持に密接に関連するものとして内閣府令で定めるもの
〔命令への委任〕
第12条の５　この法律で定めるもののほか、当該都道府県内の児童相談所を援助する中央児童相談所の指定その他児童相談所に関し必要な事項は、命令でこれを定める。
〔保健所の業務〕
第12条の６　保健所は、この法律の施行に関し、主として次の業務を行うものとする。
一　児童の保健について、正しい衛生知識の普及を図ること。
二　児童の健康相談に応じ、又は健康診査を行い、必要に応じ、保健指導を行うこと。
三　身体に障害のある児童及び疾病により長期にわたり療養を必要とする児童の療育について、指導

を行うこと。

四 児童福祉施設に対し、栄養の改善その他衛生に関し、必要な助言を与えること。

② 児童相談所長は、相談に応じた児童、その保護者又は妊産婦について、保健所に対し、保健指導その他の必要な協力を求めることができる。

第５節 児童福祉司

〔児童福祉司〕

第13条 都道府県は、その設置する児童相談所に、児童福祉司を置かなければならない。

② 児童福祉司の数は、各児童相談所の管轄区域内の人口、児童虐待に係る相談に応じた件数、第27条第１項第３号の規定による里親への委託の状況及び市町村におけるこの法律による事務の実施状況その他の条件を総合的に勘案して政令で定める基準を標準として都道府県が定めるものとする。

③ 児童福祉司は、都道府県知事の補助機関である職員とし、次の各号のいずれかに該当する者のうちから、任用しなければならない。

一 児童虐待を受けた児童の保護その他児童の福祉に関する専門的な対応を要する事項について、児童及びその保護者に対する相談及び必要な指導等を通じて的確な支援を実施できる十分な知識及び技術を有する者として内閣府令で定めるもの

二 都道府県知事の指定する児童福祉司若しくは児童福祉施設の職員を養成する学校その他の施設を卒業し、又は都道府県知事の指定する講習会の課程を修了した者

三 学校教育法に基づく大学又は旧大学令に基づく大学において、心理学、教育学若しくは社会学を専修する学科又はこれらに相当する課程を修めて卒業した者（当該学科又は当該課程を修めて同法に基づく専門職大学の前期課程を修了した者を含む。）であつて、内閣府令で定める施設において１年以上相談援助業務（児童その他の者の福祉に関する相談に応じ、助言、指導その他の援助を行う業務をいう。第８号及び第６項において同じ。）に従事したもの

四 医師

五 社会福祉士

六 精神保健福祉士

七 公認心理師

八 社会福祉主事として２年以上相談援助業務に従事した者であつて、内閣総理大臣が定める講習会の課程を修了したもの

九 第２号から前号までに掲げる者と同等以上の能力を有すると認められる者であつて、内閣府令で定めるもの

④ 児童福祉司は、児童相談所長の命を受けて、児童の保護その他児童の福祉に関する事項について、相談に応じ、専門的技術に基づいて必要な指導を行う等児童の福祉増進に努める。

⑤ 児童福祉司の中には、他の児童福祉司が前項の職務を行うため必要な専門的技術に関する指導及び教育を行う児童福祉司（次項及び第７項において「指導教育担当児童福祉司」という。）が含まれなければならない。

⑥ 指導教育担当児童福祉司は、児童福祉司としておおむね５年以上（第３項第１号に規定する者のうち、内閣府令で定める施設において２年以上相談援助業務に従事した者その他の内閣府令で定めるものにあつては、おおむね３年以上）勤務した者であつて、内閣総理大臣が定める基準に適合する研修の課程を修了したものでなければならない。

⑦ 指導教育担当児童福祉司の数は、政令で定める基準を参酌して都道府県が定めるものとする。

⑧ 児童福祉司は、児童相談所長が定める担当区域により、第４項の職務を行い、担当区域内の市町村長に協力を求めることができる。

⑨ 児童福祉司は、内閣総理大臣が定める基準に適合する研修を受けなければならない。

⑩ 第３項第２号の施設及び講習会の指定に関し必要な事項は、政令で定める。

〔市町村長又は児童相談所長と児童福祉司との関係〕

第14条 市町村長は、前条第４項に規定する事項に関し、児童福祉司に必要な状況の通報及び資料の提供並びに必要な援助を求めることができる。

② 児童福祉司は、その担当区域内における児童に関し、必要な事項につき、その担当区域を管轄する児童相談所長又は市町村長にその状況を通知し、併せて意見を述べなければならない。

〔命令への委任〕

第15条 この法律で定めるもののほか、児童福祉司の任用叙級その他児童福祉司に関し必要な事項は、命令でこれを定める。

第６節 児童委員

〔児童委員〕

第16条 市町村の区域に児童委員を置く。

② 民生委員法（昭和23年法律第198号）による民生委員は、児童委員に充てられたものとする。

③ 厚生労働大臣は、児童委員のうちから、主任児童委員を指名する。

④ 前項の規定による厚生労働大臣の指名は、民生委員法第５条の規定による推薦によつて行う。

〔児童委員の職務〕

第17条 児童委員は、次に掲げる職務を行う。

一 児童及び妊産婦につき、その生活及び取り巻く環境の状況を適切に把握しておくこと。

二 児童及び妊産婦につき、その保護、保健その他福祉に関し、サービスを適切に利用するために必要な情報の提供その他の援助及び指導を行うこと。

三 児童及び妊産婦に係る社会福祉を目的とする事業を経営する者又は児童の健やかな育成に関する活動を行う者と密接に連携し、その事業又は活動を支援すること。

四 児童福祉司又は福祉事務所の社会福祉主事の行う職務に協力すること。

五 児童の健やかな育成に関する気運の醸成に努めること。

六 前各号に掲げるもののほか、必要に応じて、児童及び妊産婦の福祉の増進を図るための活動を行うこと。

② 主任児童委員は、前項各号に掲げる児童委員の職務について、児童の福祉に関する機関と児童委員（主任児童委員である者を除く。以下この項において同じ。）との連絡調整を行うとともに、児童委員の活動に対する援助及び協力を行う。

③ 前項の規定は、主任児童委員が第１項各号に掲げる児童委員の職務を行うことを妨げるものではない。

④ 児童委員は、その職務に関し、都道府県知事の指揮監督を受ける。

〔市町村長又は児童相談所長と児童委員との関係〕

第18条 市町村長は、前条第１項又は第２項に規定する事項に関し、児童委員に必要な状況の通報及び資料の提供を求め、並びに必要な指示をすることができる。

② 児童委員は、その担当区域内における児童又は妊産婦に関し、必要な事項につき、その担当区域を管轄する児童相談所長又は市町村長にその状況を通知し、併せて意見を述べなければならない。

③ 児童委員が、児童相談所長に前項の通知をするときは、緊急の必要があると認める場合を除き、市町村長を経由するものとする。

④ 児童相談所長は、その管轄区域内の児童委員に必要な調査を委嘱することができる。

〔児童委員の研修〕

第18条の２ 都道府県知事は、児童委員の研修を実施しなければならない。

〔内閣総理大臣と厚生労働大臣の連携〕

第18条の２の２ 内閣総理大臣及び厚生労働大臣は、児童委員の制度の運用に当たつては、必要な情報交換を行う等相互に連携を図りながら協力しなければならない。

〔命令への委任〕

第18条の３ この法律で定めるもののほか、児童委員に関し必要な事項は、命令でこれを定める。

第７節 保育士

〔定義〕

第18条の４ この法律で、保育士とは、第18条の18第１項の登録を受け、保育士の名称を用いて、専門的知識及び技術をもつて、児童の保育及び児童の保護者に対する保育に関する指導を行うことを業とする者をいう。

〔欠格事由〕

第18条の５ 次の各号のいずれかに該当する者は、保育士となることができない。

一 心身の故障により保育士の業務を適正に行うことができない者として内閣府令で定めるもの

二 禁錮以上の刑に処せられた者

三 この法律の規定その他児童の福祉に関する法律の規定であつて政令で定めるものにより、罰金の刑に処せられ、その執行を終わり、又は執行を受けることがなくなつた日から起算して３年を経過しない者

四 第18条の19第１項第２号若しくは第３号又は第２項の規定により登録を取り消され、その取消しの日から起算して２年を経過しない者

五 国家戦略特別区域法（平成25年法律第107号）第12条の５第８項において準用する第18条の19第１項第２号若しくは第３号又は第２項の規定により登録を取り消され、その取消しの日から起算して３年を経過しない者

〔保育士の資格〕

第18条の６ 次の各号のいずれかに該当する者は、保育士となる資格を有する。

一 都道府県知事の指定する保育士を養成する学校その他の施設（以下「指定保育士養成施設」という。）を卒業した者（学校教育法に基づく専門職大学の前期課程を修了した者を含む。）

二 保育士試験に合格した者

〔報告及び検査等〕

第18条の７ 都道府県知事は、保育士の養成の適切な実施を確保するため必要があると認めるときは、その必要な限度で、指定保育士養成施設の長に対し、教育方法、設備その他の事項に関し報告を求め、若しくは指導をし、又は当該職員に、その帳簿書類その他の物件を検査させることができる。

② 前項の規定による検査を行う場合においては、当

該職員は、その身分を示す証明書を携帯し、関係者の請求があるときは、これを提示しなければならない。

③　第１項の規定による権限は、犯罪捜査のために認められたものと解釈してはならない。

〔保育士試験の実施〕

第18条の８　保育士試験は、内閣総理大臣の定める基準により、保育士として必要な知識及び技能について行う。

②　保育士試験は、毎年１回以上、都道府県知事が行う。

③　保育士として必要な知識及び技能を有するかどうかの判定に関する事務を行わせるため、都道府県に保育士試験委員（次項において「試験委員」という。）を置く。ただし、次条第１項の規定により指定された者に当該事務を行わせることとした場合は、この限りでない。

④　試験委員又は試験委員であつた者は、前項に規定する事務に関して知り得た秘密を漏らしてはならない。

〔指定試験機関の指定〕

第18条の９　都道府県知事は、内閣府令で定めるところにより、一般社団法人又は一般財団法人であつて、保育士試験の実施に関する事務（以下「試験事務」という。）を適正かつ確実に実施することができると認められるものとして当該都道府県知事が指定する者（以下「指定試験機関」という。）に、試験事務の全部又は一部を行わせることができる。

②　都道府県知事は、前項の規定により指定試験機関に試験事務の全部又は一部を行わせることとしたときは、当該試験事務の全部又は一部を行わないものとする。

③　都道府県は、地方自治法（昭和22年法律第67号）第227条の規定に基づき保育士試験に係る手数料を徴収する場合においては、第１項の規定により指定試験機関が行う保育士試験を受けようとする者に、条例で定めるところにより、当該手数料の全部又は一部を当該指定試験機関へ納めさせ、その収入とすることができる。

〔指定試験機関の役員の選任及び解任〕

第18条の10　指定試験機関の役員の選任及び解任は、都道府県知事の認可を受けなければ、その効力を生じない。

②　都道府県知事は、指定試験機関の役員が、この法律（この法律に基づく命令又は処分を含む。）若しくは第18条の13第１項に規定する試験事務規程に違反する行為をしたとき、又は試験事務に関し著しく不適当な行為をしたときは、当該指定試験機関に対し、当該役員の解任を命ずることができる。

〔保育士試験委員〕

第18条の11　指定試験機関は、試験事務を行う場合において、保育士として必要な知識及び技能を有するかどうかの判定に関する事務については、保育士試験委員（次項及び次条第１項において「試験委員」という。）に行わせなければならない。

②　前条第１項の規定は試験委員の選任及び解任について、同条第２項の規定は試験委員の解任について、それぞれ準用する。

〔秘密保持義務等〕

第18条の12　指定試験機関の役員若しくは職員（試験委員を含む。次項において同じ。）又はこれらの職にあつた者は、試験事務に関して知り得た秘密を漏らしてはならない。

②　試験事務に従事する指定試験機関の役員又は職員は、刑法（明治40年法律第45号）その他の罰則の適用については、法令により公務に従事する職員とみなす。

〔試験事務規程〕

第18条の13　指定試験機関は、試験事務の開始前に、試験事務の実施に関する規程（以下「試験事務規程」という。）を定め、都道府県知事の認可を受けなければならない。これを変更しようとするときも、同様とする。

②　都道府県知事は、前項の認可をした試験事務規程が試験事務の適正かつ確実な実施上不適当となつたと認めるときは、指定試験機関に対し、これを変更すべきことを命ずることができる。

〔事業計画の認可等〕

第18条の14　指定試験機関は、毎事業年度、事業計画及び収支予算を作成し、当該事業年度の開始前に（指定を受けた日の属する事業年度にあつては、その指定を受けた後遅滞なく）、都道府県知事の認可を受けなければならない。これを変更しようとするときも、同様とする。

〔監督命令〕

第18条の15　都道府県知事は、試験事務の適正かつ確実な実施を確保するため必要があると認めるときは、指定試験機関に対し、試験事務に関し監督上必要な命令をすることができる。

〔報告、質問及び立入検査〕

第18条の16　都道府県知事は、試験事務の適正かつ確実な実施を確保するため必要があると認めるときは、その必要な限度で、指定試験機関に対し、報告を求め、又は当該職員に、関係者に対し質問させ、若しくは指定試験機関の事務所に立ち入り、その帳簿書類その他の物件を検査させることができる。

② 前項の規定による質問又は立入検査を行う場合においては、当該職員は、その身分を示す証明書を携帯し、関係者の請求があるときは、これを提示しなければならない。

③ 第１項の規定による権限は、犯罪捜査のために認められたものと解釈してはならない。

〔不服申立て〕

第18条の17 指定試験機関が行う試験事務に係る処分又はその不作為について不服がある者は、都道府県知事に対し、審査請求をすることができる。この場合において、都道府県知事は、行政不服審査法（平成26年法律第68号）第25条第２項及び第３項、第46条第１項及び第２項、第47条並びに第49条第３項の規定の適用については、指定試験機関の上級行政庁とみなす。

〔登録〕

第18条の18 保育士となる資格を有する者が保育士となるには、保育士登録簿に、氏名、生年月日その他内閣府令で定める事項の登録を受けなければならない。

② 保育士登録簿は、都道府県に備える。

③ 都道府県知事は、保育士の登録をしたときは、申請者に第１項に規定する事項を記載した保育士登録証を交付する。

〔登録の取消し等〕

第18条の19 都道府県知事は、保育士が次の各号のいずれかに該当する場合には、その登録を取り消さなければならない。

一 第18条の５各号（第４号を除く。）のいずれかに該当するに至つた場合

二 虚偽又は不正の事実に基づいて登録を受けた場合

三 第１号に掲げる場合のほか、児童生徒性暴力等（教育職員等による児童生徒性暴力等の防止等に関する法律（令和３年法律第57号）第２条第３項に規定する児童生徒性暴力等をいう。以下同じ。）を行つたと認められる場合

② 都道府県知事は、保育士が第18条の21又は第18条の22の規定に違反したときは、その登録を取り消し、又は期間を定めて保育士の名称の使用の停止を命ずることができる。

〔登録の消除〕

第18条の20 都道府県知事は、保育士の登録がその効力を失つたときは、その登録を消除しなければならない。

〔特定登録取消者の登録等〕

第18条の20の２ 都道府県知事は、次に掲げる者（第18条の５各号のいずれかに該当する者を除く。以下この条において「特定登録取消者」という。）については、その行つた児童生徒性暴力等の内容等を踏まえ、当該特定登録取消者の改善更生の状況その他その後の事情により保育士の登録を行うのが適当であると認められる場合に限り、保育士の登録を行うことができる。

一 児童生徒性暴力等を行つたことにより保育士又は国家戦略特別区域限定保育士（国家戦略特別区域法第12条の５第２項に規定する国家戦略特別区域限定保育士をいう。次号及び第３項において同じ。）の登録を取り消された者

二 前号に掲げる者以外の者であつて、保育士又は国家戦略特別区域限定保育士の登録を取り消されたもののうち、保育士又は国家戦略特別区域限定保育士の登録を受けた日以後の行為が児童生徒性暴力等に該当していたと判明した者

② 都道府県知事は、前項の規定により保育士の登録を行うに当たつては、あらかじめ、都道府県児童福祉審議会の意見を聴かなければならない。

③ 都道府県知事は、第１項の規定による保育士の登録を行おうとする際に必要があると認めるときは、第18条の19の規定により保育士の登録を取り消した都道府県知事（国家戦略特別区域法第12条の５第８項において準用する第18条の19の規定により国家戦略特別区域限定保育士の登録を取り消した都道府県知事を含む。）その他の関係機関に対し、当該特定登録取消者についてその行つた児童生徒性暴力等の内容等を調査し、保育士の登録を行うかどうかを判断するために必要な情報の提供を求めることができる。

〔都道府県知事への報告〕

第18条の20の３ 保育士を任命し、又は雇用する者は、その任命し、又は雇用する保育士について、第18条の５第２号若しくは第３号に該当すると認めたとき、又は当該保育士が児童生徒性暴力等を行つたと思料するときは、速やかにその旨を都道府県知事に報告しなければならない。

② 刑法の秘密漏示罪の規定その他の守秘義務に関する法律の規定は、前項の規定による報告（虚偽であるもの及び過失によるものを除く。）をすることを妨げるものと解釈してはならない。

〔データベースの整備等〕

第18条の20の４ 国は、次に掲げる者について、その氏名、保育士の登録の取消しの事由、行つた児童生

徒性暴力等に関する情報その他の内閣総理大臣が定める事項に係るデータベースを整備するものとする。
一 児童生徒性暴力等を行つたことにより保育士の登録を取り消された者
二 前号に掲げる者以外の者であつて、保育士の登録を取り消されたもののうち、保育士の登録を受けた日以後の行為が児童生徒性暴力等に該当していたと判明した者
② 都道府県知事は、保育士が児童生徒性暴力等を行つたことによりその登録を取り消したとき、又は保育士の登録を取り消された者（児童生徒性暴力等を行つたことにより保育士の登録を取り消された者を除く。）の保育士の登録を受けた日以後の行為が児童生徒性暴力等に該当していたことが判明したときは、前項の情報を同項のデータベースに迅速に記録することその他必要な措置を講ずるものとする。
③ 保育士を任命し、又は雇用する者は、保育士を任命し、又は雇用しようとするときは、第１項のデータベース（国家戦略特別区域法第12条の５第８項において準用する第１項のデータベースを含む。）を活用するものとする。

〔信用失墜行為の禁止〕

第18条の21 保育士は、保育士の信用を傷つけるような行為をしてはならない。

〔秘密保持義務〕

第18条の22 保育士は、正当な理由がなく、その業務に関して知り得た人の秘密を漏らしてはならない。保育士でなくなつた後においても、同様とする。

〔名称の使用制限〕

第18条の23 保育士でない者は、保育士又はこれに紛らわしい名称を使用してはならない。

〔政令への委任〕

第18条の24 この法律に定めるもののほか、指定保育士養成施設、保育士試験、指定試験機関、保育士の登録その他保育士に関し必要な事項は、政令でこれを定める。

第２章 福祉の保障

第２節 居宅生活の支援

第６款 子育て支援事業

〔体制の整備〕

第21条の８ 市町村は、次条に規定する子育て支援事業に係る福祉サービスその他地域の実情に応じたきめ細かな福祉サービスが積極的に提供され、保護者が、その児童及び保護者の心身の状況、これらの者の置かれている環境その他の状況に応じて、当該児童を養育するために最も適切な支援が総合的に受けられるように、福祉サービスを提供する者又はこれに参画する者の活動の連携及び調整を図るようにすることその他の地域の実情に応じた体制の整備に努めなければならない。

〔子育て支援事業〕

第21条の９ 市町村は、児童の健全な育成に資するため、その区域内において、放課後児童健全育成事業、子育て短期支援事業、乳児家庭全戸訪問事業、養育支援訪問事業、地域子育て支援拠点事業、一時預かり事業、病児保育事業、子育て援助活動支援事業、子育て世帯訪問支援事業、児童育成支援拠点事業及び親子関係形成支援事業並びに次に掲げる事業であつて主務省令で定めるもの（以下「子育て支援事業」という。）が着実に実施されるよう、必要な措置の実施に努めなければならない。
一 児童及びその保護者又はその他の者の居宅において保護者の児童の養育を支援する事業
二 保育所その他の施設において保護者の児童の養育を支援する事業
三 地域の児童の養育に関する各般の問題につき、保護者からの相談に応じ、必要な情報の提供及び助言を行う事業

〔放課後児童健全育成事業の利用の促進〕

第21条の10 市町村は、児童の健全な育成に資するため、地域の実情に応じた放課後児童健全育成事業を行うとともに、当該市町村以外の放課後児童健全育成事業を行う者との連携を図る等により、第６条の３第２項に規定する児童の放課後児童健全育成事業の利用の促進に努めなければならない。

〔乳児家庭全戸訪問事業等〕

第21条の10の２ 市町村は、児童の健全な育成に資するため、乳児家庭全戸訪問事業及び養育支援訪問事業を行うよう努めるとともに、乳児家庭全戸訪問事業により要支援児童等（特定妊婦を除く。）を把握したとき又は当該市町村の長が第26条第１項第３号の規定による送致若しくは同項第８号の規定による通知若しくは児童虐待の防止等に関する法律第８条第２項第２号の規定による送致若しくは同項第４号の規定による通知を受けたときは、養育支援訪問事業の実施その他の必要な支援を行うものとする。
② 市町村は、母子保健法（昭和40年法律第141号）第10条、第11条第１項若しくは第２項（同法第19条第２項において準用する場合を含む。）、第17条第１項又は第19条第１項の指導に併せて、乳児家庭全戸訪問事業を行うことができる。
③ 市町村は、乳児家庭全戸訪問事業又は養育支援訪問事業の事務の全部又は一部を当該市町村以外の内

閣府令で定める者に委託することができる。

④　前項の規定により行われる乳児家庭全戸訪問事業又は養育支援訪問事業の事務に従事する者又は従事していた者は、その事務に関して知り得た秘密を漏らしてはならない。

第21条の10の3　市町村は、乳児家庭全戸訪問事業又は養育支援訪問事業の実施に当たつては、母子保健法に基づく母子保健に関する事業との連携及び調和の確保に努めなければならない。

〔要支援児童等の情報提供〕

第21条の10の4　都道府県知事は、母子保健法に基づく母子保健に関する事業又は事務の実施に際して要支援児童等と思われる者を把握したときは、これを当該者の現在地の市町村長に通知するものとする。

第21条の10の5　病院、診療所、児童福祉施設、学校その他児童又は妊産婦の医療、福祉又は教育に関する機関及び医師、歯科医師、保健師、助産師、看護師、児童福祉施設の職員、学校の教職員その他児童又は妊産婦の医療、福祉又は教育に関連する職務に従事する者は、要支援児童等と思われる者を把握したときは、当該者の情報をその現在地の市町村に提供するよう努めなければならない。

②　刑法の秘密漏示罪の規定その他の守秘義務に関する法律の規定は、前項の規定による情報の提供をすることを妨げるものと解釈してはならない。

〔市町村の情報提供等〕

第21条の11　市町村は、子育て支援事業に関し必要な情報の収集及び提供を行うとともに、保護者から求めがあつたときは、当該保護者の希望、その児童の養育の状況、当該児童に必要な支援の内容その他の事情を勘案し、当該保護者が最も適切な子育て支援事業の利用ができるよう、相談に応じ、必要な助言を行うものとする。

②　市町村は、前項の助言を受けた保護者から求めがあつた場合には、必要に応じて、子育て支援事業の利用についてあつせん又は調整を行うとともに、子育て支援事業を行う者に対し、当該保護者の利用の要請を行うものとする。

③　市町村は、第1項の情報の収集及び提供、相談並びに助言並びに前項のあつせん、調整及び要請の事務を当該市町村以外の者に委託することができる。

④　子育て支援事業を行う者は、前3項の規定により行われる情報の収集、あつせん、調整及び要請に対し、できる限り協力しなければならない。

〔秘密保持義務〕

第21条の12　前条第3項の規定により行われる情報の提供、相談及び助言並びにあつせん、調整及び要請の事務（次条及び第21条の14第1項において「調整等の事務」という。）に従事する者又は従事していた者は、その事務に関して知り得た秘密を漏らしてはならない。

〔監督命令〕

第21条の13　市町村長は、第21条の11第3項の規定により行われる調整等の事務の適正な実施を確保するため必要があると認めるときは、その事務を受託した者に対し、当該事務に関し監督上必要な命令をすることができる。

〔報告の徴収等〕

第21条の14　市町村長は、第21条の11第3項の規定により行われる調整等の事務の適正な実施を確保するため必要があると認めるときは、その必要な限度で、その事務を受託した者に対し、報告を求め、又は当該職員に、関係者に対し質問させ、若しくは当該事務を受託した者の事務所に立ち入り、その帳簿書類その他の物件を検査させることができる。

②　第18条の16第2項及び第3項の規定は、前項の場合について準用する。

〔届出〕

第21条の15　国、都道府県及び市町村以外の子育て支援事業を行う者は、内閣府令で定めるところにより、その事業に関する事項を市町村長に届け出ることができる。

〔国等の情報提供等〕

第21条の16　国及び地方公共団体は、子育て支援事業を行う者に対して、情報の提供、相談その他の適当な援助をするように努めなければならない。

〔国等による調査研究の推進〕

第21条の17　国及び都道府県は、子育て支援事業を行う者が行う福祉サービスの質の向上のための措置を援助するための研究その他保護者の児童の養育を支援し、児童の福祉を増進するために必要な調査研究の推進に努めなければならない。

〔家庭支援事業利用支援〕

第21条の18　市町村は、第10条第1項第4号に規定する計画が作成された者、第26条第1項第8号の規定による通知を受けた児童その他の者その他の子育て短期支援事業、養育支援訪問事業、一時預かり事業、子育て世帯訪問支援事業、児童育成支援拠点事業又は親子関係形成支援事業（以下この条において「家庭支援事業」という。）の提供が必要であると認められる者について、当該者に必要な家庭支援事業（当該市町村が実施するものに限る。）の利用を勧奨し、及びその利用ができるよう支援しなければならない。

② 市町村は、前項に規定する者が、同項の規定による勧奨及び支援を行つても、なおやむを得ない事由により当該勧奨及び支援に係る家庭支援事業を利用することが著しく困難であると認めるときは、当該者について、家庭支援事業による支援を提供することができる。

第３節　助産施設、母子生活支援施設及び保育所への入所等

〔助産の実施〕

第22条　都道府県、市及び福祉事務所を設置する町村（以下「都道府県等」という。）は、それぞれその設置する福祉事務所の所管区域内における妊産婦が、保健上必要があるにもかかわらず、経済的理由により、入院助産を受けることができない場合において、その妊産婦から申込みがあつたときは、その妊産婦に対し助産施設において助産を行わなければならない。ただし、付近に助産施設がない等やむを得ない事由があるときは、この限りでない。

② 前項に規定する妊産婦であつて助産施設における助産の実施（以下「助産の実施」という。）を希望する者は、内閣府令の定めるところにより、入所を希望する助産施設その他内閣府令の定める事項を記載した申込書を都道府県等に提出しなければならない。この場合において、助産施設は、内閣府令の定めるところにより、当該妊産婦の依頼を受けて、当該申込書の提出を代わつて行うことができる。

③ 都道府県等は、第25条の７第２項第３号、第25条の８第３号又は第26条第１項第５号の規定による報告又は通知を受けた妊産婦について、必要があると認めるときは、当該妊産婦に対し、助産の実施の申込みを勧奨しなければならない。

④ 都道府県等は、第１項に規定する妊産婦の助産施設の選択及び助産施設の適正な運営の確保に資するため、内閣府令の定めるところにより、当該都道府県等の設置する福祉事務所の所管区域内における助産施設の設置者、設備及び運営の状況その他の内閣府令の定める事項に関し情報の提供を行わなければならない。

〔母子保護の実施〕

第23条　都道府県等は、それぞれその設置する福祉事務所の所管区域内における保護者が、配偶者のない女子又はこれに準ずる事情にある女子であつて、その者の監護すべき児童の福祉に欠けるところがある場合において、その保護者から申込みがあつたときは、その保護者及び児童を母子生活支援施設において保護しなければならない。ただし、やむを得ない事由があるときは、適当な施設への入所のあつせん、生活保護法（昭和25年法律第144号）の適用等適切な保護を行わなければならない。

② 前項に規定する保護者であつて母子生活支援施設における保護の実施（以下「母子保護の実施」という。）を希望するものは、内閣府令の定めるところにより、入所を希望する母子生活支援施設その他内閣府令の定める事項を記載した申込書を都道府県等に提出しなければならない。この場合において、母子生活支援施設は、内閣府令の定めるところにより、当該保護者の依頼を受けて、当該申込書の提出を代わつて行うことができる。

③ 都道府県等は、前項に規定する保護者が特別な事情により当該都道府県等の設置する福祉事務所の所管区域外の母子生活支援施設への入所を希望するときは、当該施設への入所について必要な連絡及び調整を図らなければならない。

④ 都道府県等は、第25条の７第２項第３号、第25条の８第３号若しくは第26条第１項第５号又は困難な問題を抱える女性への支援に関する法律（令和４年法律第52号）第10条の規定による報告又は通知を受けた保護者及び児童について、必要があると認めるときは、その保護者に対し、母子保護の実施の申込みを勧奨しなければならない。

⑤ 都道府県等は、第１項に規定する保護者の母子生活支援施設の選択及び母子生活支援施設の適正な運営の確保に資するため、内閣府令の定めるところにより、母子生活支援施設の設置者、設備及び運営の状況その他の内閣府令の定める事項に関し情報の提供を行わなければならない。

〔保育の利用〕

第24条　市町村は、この法律及び子ども・子育て支援法の定めるところにより、保護者の労働又は疾病その他の事由により、その監護すべき乳児、幼児その他の児童について保育を必要とする場合において、次項に定めるところによるほか、当該児童を保育所（認定こども園法第３条第１項の認定を受けたもの及び同条第10項の規定による公示がされたものを除く。）において保育しなければならない。

② 市町村は、前項に規定する児童に対し、認定こども園法第２条第６項に規定する認定こども園（子ども・子育て支援法第27条第１項の確認を受けたものに限る。）又は家庭的保育事業等（家庭的保育事業、小規模保育事業、居宅訪問型保育事業又は事業所内保育事業をいう。以下同じ。）により必要な保育を確保するための措置を講じなければならない。

③ 市町村は、保育の需要に応ずるに足りる保育所、認定こども園（子ども・子育て支援法第27条第１項

の確認を受けたものに限る。以下この項及び第46条の２第２項において同じ。）又は家庭的保育事業等が不足し、又は不足するおそれがある場合その他必要と認められる場合には、保育所、認定こども園（保育所であるものを含む。）又は家庭的保育事業等の利用について調整を行うとともに、認定こども園の設置者又は家庭的保育事業等を行う者に対し、前項に規定する児童の利用の要請を行うものとする。

④　市町村は、第25条の８第３号又は第26条第１項第５号の規定による報告又は通知を受けた児童その他の優先的に保育を行う必要があると認められる児童について、その保護者に対し、保育所若しくは幼保連携型認定こども園において保育を受けること又は家庭的保育事業等による保育を受けること（以下「保育の利用」という。）の申込みを勧奨し、及び保育を受けることができるよう支援しなければならない。

⑤　市町村は、前項に規定する児童が、同項の規定による勧奨及び支援を行つても、なおやむを得ない事由により子ども・子育て支援法に規定する施設型給付費若しくは特例施設型給付費（同法第28条第１項第２号に係るものを除く。次項において同じ。）又は同法に規定する地域型保育給付費若しくは特例地域型保育給付費（同法第30条第１項第２号に係るものを除く。次項において同じ。）の支給に係る保育を受けることが著しく困難であると認めるときは、当該児童を当該市町村の設置する保育所若しくは幼保連携型認定こども園に入所させ、又は当該市町村以外の者の設置する保育所若しくは幼保連携型認定こども園に入所を委託して、保育を行わなければならない。

⑥　市町村は、前項に定めるほか、保育を必要とする乳児・幼児が、子ども・子育て支援法第42条第１項又は第54条第１項の規定によるあつせん又は要請その他市町村による支援等を受けたにもかかわらず、なお保育が利用できないなど、やむを得ない事由により同法に規定する施設型給付費若しくは特例施設型給付費又は同法に規定する地域型保育給付費若しくは特例地域型保育給付費の支給に係る保育を受けることが著しく困難であると認めるときは、次の措置を採ることができる。

一　当該保育を必要とする乳児・幼児を当該市町村の設置する保育所若しくは幼保連携型認定こども園に入所させ、又は当該市町村以外の者の設置する保育所若しくは幼保連携型認定こども園に入所を委託して、保育を行うこと。

二　当該保育を必要とする乳児・幼児に対して当該市町村が行う家庭的保育事業等による保育を行い、又は家庭的保育事業等を行う当該市町村以外の者に当該家庭的保育事業等により保育を行うことを委託すること。

⑦　市町村は、第３項の規定による調整及び要請並びに第４項の規定による勧奨及び支援を適切に実施するとともに、地域の実情に応じたきめ細かな保育が積極的に提供され、児童が、その置かれている環境等に応じて、必要な保育を受けることができるよう、保育を行う事業その他児童の福祉を増進することを目的とする事業を行う者の活動の連携及び調整を図る等地域の実情に応じた体制の整備を行うものとする。

第６節　要保護児童の保護措置等

〔要保護児童発見者の通告義務〕

第25条　要保護児童を発見した者は、これを市町村、都道府県の設置する福祉事務所若しくは児童相談所又は児童委員を介して市町村、都道府県の設置する福祉事務所若しくは児童相談所に通告しなければならない。ただし、罪を犯した満14歳以上の児童については、この限りでない。この場合においては、これを家庭裁判所に通告しなければならない。

②　刑法の秘密漏示罪の規定その他の守秘義務に関する法律の規定は、前項の規定による通告をすることを妨げるものと解釈してはならない。

〔要保護児童対策地域協議会〕

第25条の２　地方公共団体は、単独で又は共同して、要保護児童（第31条第４項に規定する延長者及び第33条第10項に規定する保護延長者を含む。次項及び第６項において同じ。）の適切な保護又は要支援児童若しくは特定妊婦への適切な支援を図るため、関係機関、関係団体及び児童の福祉に関連する職務に従事する者その他の関係者（以下「関係機関等」という。）により構成される要保護児童対策地域協議会（以下「協議会」という。）を置くように努めなければならない。

②　協議会は、要保護児童若しくは要支援児童及びその保護者又は特定妊婦（以下この項及び第５項において「支援対象児童等」という。）に関する情報その他要保護児童の適切な保護又は要支援児童若しくは特定妊婦への適切な支援を図るために必要な情報の交換を行うとともに、支援対象児童等に対する支援の内容に関する協議を行うものとする。

③　地方公共団体の長は、協議会を設置したときは、内閣府令で定めるところにより、その旨を公示しなければならない。

④　協議会を設置した地方公共団体の長は、協議会を構成する関係機関等のうちから、一に限り要保護児童対策調整機関を指定する。

⑤　要保護児童対策調整機関は、協議会に関する事務を総括するとともに、支援対象児童等に対する支援が適切に実施されるよう、内閣府令で定めるところにより、支援対象児童等に対する支援の実施状況を的確に把握し、必要に応じて、児童相談所、養育支援訪問事業を行う者、こども家庭センターその他の関係機関等との連絡調整を行うものとする。

⑥　要保護児童対策調整機関は、子ども・若者育成支援推進法（平成21年法律第71号）第15条第１項に規定する子ども・若者のうち要保護児童又は要支援児童であるものに対し、協議会及び同法第19条第１項に規定する子ども・若者支援地域協議会が協働して効果的に支援を行うことができるよう、同法第21条第１項に規定する子ども・若者支援調整機関と連携を図るよう努めるものとする。

⑦　市町村の設置した協議会（市町村が地方公共団体（市町村を除く。）と共同して設置したものを含む。）に係る要保護児童対策調整機関は、内閣府令で定めるところにより、専門的な知識及び技術に基づき前２項の業務に係る事務を適切に行うことができる者として内閣府令で定めるもの（次項及び第９項において「調整担当者」という。）を置くものとする。

⑧　地方公共団体（市町村を除く。）の設置した協議会（当該地方公共団体が市町村と共同して設置したものを除く。）に係る要保護児童対策調整機関は、内閣府令で定めるところにより、調整担当者を置くように努めなければならない。

⑨　要保護児童対策調整機関に置かれた調整担当者は、内閣総理大臣が定める基準に適合する研修を受けなければならない。

〔資料又は情報の提供等〕

第25条の３　協議会は、前条第２項に規定する情報の交換及び協議を行うため必要があると認めるときは、関係機関等に対し、資料又は情報の提供、意見の開陳その他必要な協力を求めることができる。

②　関係機関等は、前項の規定に基づき、協議会から資料又は情報の提供、意見の開陳その他必要な協力の求めがあつた場合には、これに応ずるよう努めなければならない。

〔組織及び運営に関する事項〕

第25条の４　前２条に定めるもののほか、協議会の組織及び運営に関し必要な事項は、協議会が定める。

〔秘密保持〕

第25条の５　次の各号に掲げる協議会を構成する関係機関等の区分に従い、当該各号に定める者は、正当な理由がなく、協議会の職務に関して知り得た秘密を漏らしてはならない。

一　国又は地方公共団体の機関　当該機関の職員又は職員であつた者

二　法人　当該法人の役員若しくは職員又はこれらの職にあつた者

三　前２号に掲げる者以外の者　協議会を構成する者又はその職にあつた者

〔状況の把握〕

第25条の６　市町村、都道府県の設置する福祉事務所又は児童相談所は、第25条第１項の規定による通告を受けた場合において必要があると認めるときは、速やかに、当該児童の状況の把握を行うものとする。

〔通告児童等に対する措置〕

第25条の７　市町村（次項に規定する町村を除く。）は、要保護児童若しくは要支援児童及びその保護者又は特定妊婦（次項において「要保護児童等」という。）に対する支援の実施状況を的確に把握するものとし、第25条第１項の規定による通告を受けた児童及び相談に応じた児童又はその保護者（以下「通告児童等」という。）について、必要があると認めたときは、次の各号のいずれかの措置を採らなければならない。

一　第27条の措置を要すると認める者並びに医学的、心理学的、教育学的、社会学的及び精神保健上の判定を要すると認める者は、これを児童相談所に送致すること。

二　通告児童等を当該市町村の設置する福祉事務所の知的障害者福祉法（昭和35年法律第37号）第９条第６項に規定する知的障害者福祉司（以下「知的障害者福祉司」という。）又は社会福祉主事に指導させること。

三　児童自立生活援助の実施又は社会的養護自立支援拠点事業の実施が適当であると認める児童は、これをその実施に係る都道府県知事に報告すること。

四　児童虐待の防止等に関する法律第８条の２第１項の規定による出頭の求め及び調査若しくは質問、第29条若しくは同法第９条第１項の規定による立入り及び調査若しくは質問又は第33条第１項若しくは第２項の規定による一時保護の実施が適当であると認める者は、これを都道府県知事又は児童相談所長に通知すること。

②　福祉事務所を設置していない町村は、要保護児童等に対する支援の実施状況を的確に把握するものとし、通告児童等又は妊産婦について、必要があると認めたときは、次の各号のいずれかの措置を採らなければならない。

一　第27条の措置を要すると認める者並びに医学的、心理学的、教育学的、社会学的及び精神保健上の判定を要すると認める者は、これを児童相談所に送致すること。
二　次条第２号の措置が適当であると認める者は、これを当該町村の属する都道府県の設置する福祉事務所に送致すること。
三　妊産婦等生活援助事業の実施、助産の実施又は母子保護の実施が適当であると認める者は、これをそれぞれその実施に係る都道府県知事に報告すること。
四　児童自立生活援助の実施又は社会的養護自立支援拠点事業の実施が適当であると認める児童は、これをその実施に係る都道府県知事に報告すること。
五　児童虐待の防止等に関する法律第８条の２第１項の規定による出頭の求め及び調査若しくは質問、第29条若しくは同法第９条第１項の規定による立入り及び調査若しくは質問又は第33条第１項若しくは第２項の規定による一時保護の実施が適当であると認める者は、これを都道府県知事又は児童相談所長に通知すること。

〔福祉事務所長の採るべき措置〕

第25条の８　都道府県の設置する福祉事務所の長は、第25条第１項の規定による通告又は前条第２項第２号若しくは次条第１項第４号の規定による送致を受けた児童及び相談に応じた児童、その保護者又は妊産婦について、必要があると認めたときは、次の各号のいずれかの措置を採らなければならない。
一　第27条の措置を要すると認める者並びに医学的、心理学的、教育学的、社会学的及び精神保健上の判定を要すると認める者は、これを児童相談所に送致すること。
二　児童又はその保護者をその福祉事務所の知的障害者福祉司又は社会福祉主事に指導させること。
三　妊産婦等生活援助事業の実施又は保育の利用等（助産の実施、母子保護の実施又は保育の利用若しくは第24条第５項の規定による措置をいう。以下同じ。）が適当であると認める者は、これをそれぞれその妊産婦等生活援助事業の実施又は保育の利用等に係る都道府県又は市町村の長に報告し、又は通知すること。
四　児童自立生活援助の実施又は社会的養護自立支援拠点事業の実施が適当であると認める児童は、これをその実施に係る都道府県知事に報告すること。
五　第21条の６の規定による措置が適当であると認める者は、これをその措置に係る市町村の長に報告し、又は通知すること。

〔児童相談所長の採るべき措置〕

第26条　児童相談所長は、第25条第１項の規定による通告を受けた児童、第25条の７第１項第１号若しくは第２項第１号、前条第１号又は少年法（昭和23年法律第168号）第６条の６第１項若しくは第18条第１項の規定による送致を受けた児童及び相談に応じた児童、その保護者又は妊産婦について、必要があると認めたときは、次の各号のいずれかの措置を採らなければならない。
一　次条の措置を要すると認める者は、これを都道府県知事に報告すること。
二　児童又はその保護者を児童相談所その他の関係機関若しくは関係団体の事業所若しくは事務所に通わせ当該事業所若しくは事務所において、又は当該児童若しくはその保護者の住所若しくは居所において、児童福祉司若しくは児童委員に指導させ、又は市町村、都道府県以外の者の設置する児童家庭支援センター、都道府県以外の障害者の日常生活及び社会生活を総合的に支援するための法律第５条第18項に規定する一般相談支援事業若しくは特定相談支援事業（次条第１項第２号及び第34条の７において「障害者等相談支援事業」という。）を行う者その他当該指導を適切に行うことができる者として内閣府令で定めるものに委託して指導させること。
三　児童及び妊産婦の福祉に関し、情報を提供すること、相談（専門的な知識及び技術を必要とするものを除く。）に応ずること、調査及び指導（医学的、心理学的、教育学的、社会学的及び精神保健上の判定を必要とする場合を除く。）を行うことその他の支援（専門的な知識及び技術を必要とするものを除く。）を行うことを要すると認める者（次条の措置を要すると認める者を除く。）は、これを市町村に送致すること。
四　第25条の７第１項第２号又は前条第２号の措置が適当であると認める者は、これを福祉事務所に送致すること。
五　妊産婦等生活援助事業の実施又は保育の利用等が適当であると認める者は、これをそれぞれその妊産婦等生活援助事業の実施又は保育の利用等に係る都道府県又は市町村の長に報告し、又は通知すること。
六　児童自立生活援助の実施又は社会的養護自立支援拠点事業の実施が適当であると認める児童は、これをその実施に係る都道府県知事に報告すること。
七　第21条の６の規定による措置が適当であると認める者は、これをその措置に係る市町村の長に報告し、又は通知すること。

八 放課後児童健全育成事業、子育て短期支援事業、養育支援訪問事業、地域子育て支援拠点事業、一時預かり事業、子育て援助活動支援事業、子育て世帯訪問支援事業、児童育成支援拠点事業、親子関係形成支援事業、子ども・子育て支援法第59条第1号に掲げる事業その他市町村が実施する児童の健全な育成に資する事業の実施が適当であると認める者は、これをその事業の実施に係る市町村の長に通知すること。

② 前項第1号の規定による報告書には、児童の住所、氏名、年齢、履歴、性行、健康状態及び家庭環境、同号に規定する措置についての当該児童及びその保護者の意向その他児童の福祉増進に関し、参考となる事項を記載しなければならない。

〔都道府県の採るべき措置〕

第27条 都道府県は、前条第1項第1号の規定による報告又は少年法第18条第2項の規定による送致のあつた児童につき、次の各号のいずれかの措置を採らなければならない。

一 児童又はその保護者に訓戒を加え、又は誓約書を提出させること。

二 児童又はその保護者を児童相談所その他の関係機関若しくは関係団体の事業所若しくは事務所に通わせ当該事業所若しくは事務所において、又は当該児童若しくはその保護者の住所若しくは居所において、児童福祉司、知的障害者福祉司、社会福祉主事、児童委員若しくは当該都道府県の設置する児童家庭支援センター若しくは当該都道府県が行う障害者等相談支援事業に係る職員に指導させ、又は市町村、当該都道府県以外の者の設置する児童家庭支援センター、当該都道府県以外の障害者等相談支援事業を行う者若しくは前条第1項第2号に規定する内閣府令で定める者に委託して指導させること。

三 児童を小規模住居型児童養育事業を行う者若しくは里親に委託し、又は乳児院、児童養護施設、障害児入所施設、児童心理治療施設若しくは児童自立支援施設に入所させること。

四 家庭裁判所の審判に付することが適当であると認める児童は、これを家庭裁判所に送致すること。

② 都道府県は、肢体不自由のある児童又は重症心身障害児については、前項第3号の措置に代えて、指定発達支援医療機関に対し、これらの児童を入院させて障害児入所施設（第42条第2号に規定する医療型障害児入所施設に限る。）におけると同様な治療等を行うことを委託することができる。

③ 都道府県知事は、少年法第18条第2項の規定による送致のあつた児童につき、第1項の措置を採るにあたつては、家庭裁判所の決定による指示に従わなければならない。

④ 第1項第3号又は第2項の措置は、児童に親権を行う者（第47条第1項の規定により親権を行う児童福祉施設の長を除く。以下同じ。）又は未成年後見人があるときは、前項の場合を除いては、その親権を行う者又は未成年後見人の意に反して、これを採ることができない。

⑤ 都道府県知事は、第1項第2号若しくは第3号若しくは第2項の措置を解除し、停止し、又は他の措置に変更する場合には、児童相談所長の意見を聴かなければならない。

⑥ 都道府県知事は、政令の定めるところにより、第1項第1号から第3号までの措置（第3項の規定により採るもの及び第28条第1項第1号又は第2号ただし書の規定により採るものを除く。）若しくは第2項の措置を採る場合又は第1項第2号若しくは第3号若しくは第2項の措置を解除し、停止し、若しくは他の措置に変更する場合には、都道府県児童福祉審議会の意見を聴かなければならない。

第27条の2 都道府県は、少年法第24条第1項又は第26条の4第1項の規定により同法第24条第1項第2号の保護処分の決定を受けた児童につき、当該決定に従つて児童自立支援施設に入所させる措置（保護者の下から通わせて行うものを除く。）又は児童養護施設に入所させる措置を採らなければならない。

② 前項に規定する措置は、この法律の適用については、前条第1項第3号の児童自立支援施設又は児童養護施設に入所させる措置とみなす。ただし、同条第4項及び第6項（措置を解除し、停止し、又は他の措置に変更する場合に係る部分を除く。）並びに第28条の規定の適用については、この限りでない。

〔家庭裁判所への送致〕

第27条の3 都道府県知事は、たまたま児童の行動の自由を制限し、又はその自由を奪うような強制的措置を必要とするときは、第33条、第33条の2及び第47条の規定により認められる場合を除き、事件を家庭裁判所に送致しなければならない。

〔秘密保持義務〕

第27条の4 第26条第1項第2号又は第27条第1項第2号の規定により行われる指導（委託に係るものに限る。）の事務に従事する者又は従事していた者は、その事務に関して知り得た秘密を漏らしてはならない。

〔保護者の児童虐待等の場合の措置〕

第28条 保護者が、その児童を虐待し、著しくその監護を怠り、その他保護者に監護させることが著しく当該児童の福祉を害する場合において、第27条第1

項第３号の措置を採ることが児童の親権を行う者又は未成年後見人の意に反するときは、都道府県は、次の各号の措置を採ることができる。

一　保護者が親権を行う者又は未成年後見人であるときは、家庭裁判所の承認を得て、第27条第１項第３号の措置を採ること。

二　保護者が親権を行う者又は未成年後見人でないときは、その児童を親権を行う者又は未成年後見人に引き渡すこと。ただし、その児童を親権を行う者又は未成年後見人に引き渡すことが児童の福祉のため不適当であると認めるときは、家庭裁判所の承認を得て、第27条第１項第３号の措置を採ること。

②　前項第１号及び第２号ただし書の規定による措置の期間は、当該措置を開始した日から２年を超えてはならない。ただし、当該措置に係る保護者に対する指導措置（第27条第１項第２号の措置をいう。以下この条並びに第33条第２項及び第９項において同じ。）の効果等に照らし、当該措置を継続しなければ保護者がその児童を虐待し、著しくその監護を怠り、その他著しく当該児童の福祉を害するおそれがあると認めるときは、都道府県は、家庭裁判所の承認を得て、当該期間を更新することができる。

③　都道府県は、前項ただし書の規定による更新に係る承認の申立てをした場合において、やむを得ない事情があるときは、当該措置の期間が満了した後も、当該申立てに対する審判が確定するまでの間、引き続き当該措置を採ることができる。ただし、当該申立てを却下する審判があつた場合は、当該審判の結果を考慮してもなお当該措置を採る必要があると認めるときに限る。

④　家庭裁判所は、第１項第１号若しくは第２号ただし書又は第２項ただし書の承認（以下「措置に関する承認」という。）の申立てがあつた場合は、都道府県に対し、期限を定めて、当該申立てに係る保護者に対する指導措置を採るよう勧告すること、当該申立てに係る保護者に対する指導措置に関し報告及び意見を求めること、又は当該申立てに係る児童及びその保護者に関する必要な資料の提出を求めることができる。

⑤　家庭裁判所は、前項の規定による勧告を行つたときは、その旨を当該保護者に通知するものとする。

⑥　家庭裁判所は、措置に関する承認の申立てに対する承認の審判をする場合において、当該措置の終了後の家庭その他の環境の調整を行うため当該保護者に対する指導措置を採ることが相当であると認めるときは、都道府県に対し、当該指導措置を採るよう勧告することができる。

⑦　家庭裁判所は、第４項の規定による勧告を行つた場合において、措置に関する承認の申立てを却下する審判をするときであつて、家庭その他の環境の調整を行うため当該勧告に係る当該保護者に対する指導措置を採ることが相当であると認めるときは、都道府県に対し、当該指導措置を採るよう勧告することができる。

⑧　第５項の規定は、前２項の規定による勧告について準用する。

〔立入調査〕

第29条　都道府県知事は、前条の規定による措置をとるため、必要があると認めるときは、児童委員又は児童の福祉に関する事務に従事する職員をして、児童の住所若しくは居所又は児童の従業する場所に立ち入り、必要な調査又は質問をさせることができる。この場合においては、その身分を証明する証票を携帯させ、関係者の請求があつたときは、これを提示させなければならない。

〔同居児童の届出〕

第30条　４親等内の児童以外の児童を、その親権を行う者又は未成年後見人から離して、自己の家庭（単身の世帯を含む。）に、３月（乳児については、１月）を超えて同居させる意思をもつて同居させた者又は継続して２月以上（乳児については、20日以上）同居させた者（法令の定めるところにより児童を委託された者及び児童を単に下宿させた者を除く。）は、同居を始めた日から３月以内（乳児については、１月以内）に、市町村長を経て、都道府県知事に届け出なければならない。ただし、その届出期間内に同居をやめたときは、この限りでない。

②　前項に規定する届出をした者が、その同居をやめたときは、同居をやめた日から１月以内に、市町村長を経て、都道府県知事に届け出なければならない。

③　保護者は、経済的理由等により、児童をそのもとにおいて養育しがたいときは、市町村、都道府県の設置する福祉事務所、児童相談所、児童福祉司又は児童委員に相談しなければならない。

〔里親等に対する指示及び報告徴収〕

第30条の２　都道府県知事は、小規模住居型児童養育事業を行う者、里親（第27条第１項第３号の規定により委託を受けた里親に限る。第33条の８第２項、第33条の10、第33条の14第２項、第44条の４、第45条の２、第46条第１項、第47条、第48条及び第48条の３において同じ。）及び児童福祉施設の長並びに前条第１項に規定する者に、児童の保護について、必要な指示をし、又は必要な報告をさせることができる。

〔保護期間の延長等〕

第31条 都道府県等は、第23条第１項本文の規定により母子生活支援施設に入所した児童については、その保護者から申込みがあり、かつ、必要があると認めるときは、満20歳に達するまで、引き続きその者を母子生活支援施設において保護することができる。

② 都道府県は、第27条第１項第３号の規定により小規模住居型児童養育事業を行う者若しくは里親に委託され、又は児童養護施設、障害児入所施設（第42条第１号に規定する福祉型障害児入所施設に限る。次条第１項において同じ。）、児童心理治療施設若しくは児童自立支援施設に入所した児童については満20歳に達するまで、引き続き第27条第１項第３号の規定による委託を継続し、若しくはその者をこれらの児童福祉施設に在所させ、又はこれらの措置を相互に変更する措置を採ることができる。

③ 都道府県は、第27条第１項第３号の規定により障害児入所施設（第42条第２号に規定する医療型障害児入所施設に限る。次条第２項において同じ。）に入所した児童又は第27条第２項の規定による委託により指定発達支援医療機関に入院した肢体不自由のある児童若しくは重症心身障害児については満20歳に達するまで、引き続きその者をこれらの児童福祉施設に在所させ、若しくは同項の規定による委託を継続し、又はこれらの措置を相互に変更する措置を採ることができる。

④ 都道府県は、延長者（児童以外の満20歳に満たない者のうち、次の各号のいずれかに該当するものをいう。）について、第27条第１項第１号から第３号まで又は第２項の措置を採ることができる。

一 第２項からこの項までの規定による措置が採られている者

二 第33条第８項から第11項までの規定による一時保護が行われている者（前号に掲げる者を除く。）

⑤ 前各項の規定による保護又は措置は、この法律の適用については、母子保護の実施又は第27条第１項第１号から第３号まで若しくは第２項の規定による措置とみなす。

⑥ 第２項から第４項までの場合においては、都道府県知事は、児童相談所長の意見を聴かなければならない。

〔権限の委任〕

第32条 都道府県知事は、第27条第１項若しくは第２項の措置を採る権限又は児童自立生活援助の実施の権限の全部又は一部を児童相談所長に委任することができる。

② 都道府県知事又は市町村長は、第21条の６の措置を採る権限又は助産の実施若しくは母子保護の実施の権限、第21条の18第１項の規定による勧奨及び支援並びに同条第２項の規定による措置に関する権限、第23条第１項ただし書に規定する保護の権限並びに第24条の２から第24条の７まで及び第24条の20の規定による権限の全部又は一部を、それぞれその管理する福祉事務所の長に委任することができる。

③ 市町村長は、保育所における保育を行うことの権限並びに第24条第３項の規定による調整及び要請、同条第４項の規定による勧奨及び支援並びに同条第５項又は第６項の規定による措置に関する権限の全部又は一部を、その管理する福祉事務所の長又は当該市町村に置かれる教育委員会に委任することができる。

〔児童の一時保護〕

第33条 児童相談所長は、必要があると認めるときは、第26条第１項の措置を採るに至るまで、児童の安全を迅速に確保し適切な保護を図るため、又は児童の心身の状況、その置かれている環境その他の状況を把握するため、児童の一時保護を行い、又は適当な者に委託して、当該一時保護を行わせることができる。

② 都道府県知事は、必要があると認めるときは、第27条第１項又は第２項の措置（第28条第４項の規定による勧告を受けて採る指導措置を除く。）を採るに至るまで、児童の安全を迅速に確保し適切な保護を図るため、又は児童の心身の状況、その置かれている環境その他の状況を把握するため、児童相談所長をして、児童の一時保護を行わせ、又は適当な者に当該一時保護を行うことを委託させることができる。

③ 前２項の規定による一時保護の期間は、当該一時保護を開始した日から２月を超えてはならない。

④ 前項の規定にかかわらず、児童相談所長又は都道府県知事は、必要があると認めるときは、引き続き第１項又は第２項の規定による一時保護を行うことができる。

⑤ 前項の規定により引き続き一時保護を行うことが当該児童の親権を行う者又は未成年後見人の意に反する場合においては、児童相談所長又は都道府県知事が引き続き一時保護を行おうとするとき、及び引き続き一時保護を行つた後２月を超えて引き続き一時保護を行おうとするときごとに、児童相談所長又は都道府県知事は、家庭裁判所の承認を得なければならない。ただし、当該児童に係る第28条第１項第１号若しくは第２号ただし書の承認の申立て又は当該児童の親権者に係る第33条の７の規定による親権喪失若しくは親権停止の審判の請求若しくは当該児童の未成年後見人に係る第33条の９の規定による未

成年後見人の解任の請求がされている場合は、この限りでない。

⑥　児童相談所長又は都道府県知事は、前項本文の規定による引き続いての一時保護に係る承認の申立てをした場合において、やむを得ない事情があるときは、一時保護を開始した日から２月を経過した後又は同項の規定により引き続き一時保護を行つた後２月を経過した後も、当該申立てに対する審判が確定するまでの間、引き続き一時保護を行うことができる。ただし、当該申立てを却下する審判があつた場合は、当該審判の結果を考慮してもなお引き続き一時保護を行う必要があると認めるときに限る。

⑦　前項本文の規定により引き続き一時保護を行つた場合において、第５項本文の規定による引き続いての一時保護に係る承認の申立てに対する審判が確定した場合における同項の規定の適用については、同項中「引き続き一時保護を行おうとするとき、及び引き続き一時保護を行つた」とあるのは、「引き続いての一時保護に係る承認の申立てに対する審判が確定した」とする。

⑧　児童相談所長は、特に必要があると認めるときは、第１項の規定により一時保護が行われた児童については満20歳に達するまでの間、次に掲げる措置を採るに至るまで、引き続き一時保護を行い、又は一時保護を行わせることができる。

一　第31条第４項の規定による措置を要すると認める者は、これを都道府県知事に報告すること。

二　児童自立生活援助の実施又は社会的養護自立支援拠点事業の実施が適当であると認める満20歳未満義務教育終了児童等は、これをその実施に係る都道府県知事に報告すること。

⑨　都道府県知事は、特に必要があると認めるときは、第２項の規定により一時保護が行われた児童については満20歳に達するまでの間、第31条第４項の規定による措置（第28条第４項の規定による勧告を受けて採る指導措置を除く。第11項において同じ。）を採るに至るまで、児童相談所長をして、引き続き一時保護を行わせ、又は一時保護を行うことを委託させることができる。

⑩　児童相談所長は、特に必要があると認めるときは、第８項各号に掲げる措置を採るに至るまで、保護延長者（児童以外の満20歳に満たない者のうち、第31条第２項から第４項までの規定による措置が採られているものをいう。以下この項及び次項において同じ。）の安全を迅速に確保し適切な保護を図るため、又は保護延長者の心身の状況、その置かれている環境その他の状況を把握するため、保護延長者の一時保護を行い、又は適当な者に委託して、当該一時保護を行わせることができる。

⑪　都道府県知事は、特に必要があると認めるときは、第31条第４項の規定による措置を採るに至るまで、保護延長者の安全を迅速に確保し適切な保護を図るため、又は保護延長者の心身の状況、その置かれている環境その他の状況を把握するため、児童相談所長をして、保護延長者の一時保護を行わせ、又は適当な者に当該一時保護を行うことを委託させることができる。

⑫　第８項から前項までの規定による一時保護は、この法律の適用については、第１項又は第２項の規定による一時保護とみなす。

〔児童相談所長の権限等〕

第33条の２　児童相談所長は、一時保護が行われた児童で親権を行う者又は未成年後見人のないものに対し、親権を行う者又は未成年後見人があるに至るまでの間、親権を行う。ただし、民法第797条の規定による縁組の承諾をするには、内閣府令の定めるところにより、都道府県知事の許可を得なければならない。

②　児童相談所長は、一時保護が行われた児童で親権を行う者又は未成年後見人のあるものについても、監護及び教育に関し、その児童の福祉のため必要な措置をとることができる。この場合において、児童相談所長は、児童の人格を尊重するとともに、その年齢及び発達の程度に配慮しなければならず、かつ、体罰その他の児童の心身の健全な発達に有害な影響を及ぼす言動をしてはならない。

③　前項の児童の親権を行う者又は未成年後見人は、同項の規定による措置を不当に妨げてはならない。

④　第２項の規定による措置は、児童の生命又は身体の安全を確保するため緊急の必要があると認めるときは、その親権を行う者又は未成年後見人の意に反しても、これをとることができる。

〔児童の所持物の保管〕

第33条の２の２　児童相談所長は、一時保護が行われた児童の所持する物であつて、一時保護中本人に所持させることが児童の福祉を損なうおそれがあるものを保管することができる。

②　児童相談所長は、前項の規定により保管する物で、腐敗し、若しくは滅失するおそれがあるもの又は保管に著しく不便なものは、これを売却してその代価を保管することができる。

③　児童相談所長は、前２項の規定により保管する物について当該児童以外の者が返還請求権を有することが明らかな場合には、これをその権利者に返還し

なければならない。

④　児童相談所長は、前項に規定する返還請求権を有する者を知ることができないとき、又はその者の所在を知ることができないときは、返還請求権を有する者は、６月以内に申し出るべき旨を公告しなければならない。

⑤　前項の期間内に同項の申出がないときは、その物は、当該児童相談所を設置した都道府県に帰属する。

⑥　児童相談所長は、一時保護を解除するときは、第３項の規定により返還する物を除き、その保管する物を当該児童に返還しなければならない。この場合において、当該児童に交付することが児童の福祉のため不適当であると認めるときは、これをその保護者に交付することができる。

⑦　第１項の規定による保管、第２項の規定による売却及び第４項の規定による公告に要する費用は、その物の返還を受ける者があるときは、その者の負担とする。

〔児童の遺留物の交付〕

第33条の３　児童相談所長は、一時保護が行われている間に児童が逃走し、又は死亡した場合において、遺留物があるときは、これを保管し、かつ、前条第３項の規定により権利者に返還しなければならない物を除き、これを当該児童の保護者若しくは親族又は相続人に交付しなければならない。

②　前条第２項、第４項、第５項及び第７項の規定は、前項の場合に、これを準用する。

〔措置又は助産の実施、母子保護の実施の解除に係る説明等〕

第33条の４　都道府県知事、市町村長、福祉事務所長又は児童相談所長は、次の各号に掲げる措置又は助産の実施、母子保護の実施若しくは児童自立生活援助の実施を解除する場合には、あらかじめ、当該各号に定める者に対し、当該措置又は助産の実施、母子保護の実施若しくは児童自立生活援助の実施の解除の理由について説明するとともに、その意見を聴かなければならない。ただし、当該各号に定める者から当該措置又は助産の実施、母子保護の実施若しくは児童自立生活援助の実施の解除の申出があつた場合その他内閣府令で定める場合においては、この限りでない。

一　第21条の６、第21条の18第２項、第24条第５項及び第６項、第25条の７第１項第２号、第25条の８第２号、第26条第１項第２号並びに第27条第１項第２号の措置　当該措置に係る児童の保護者

二　助産の実施　当該助産の実施に係る妊産婦

三　母子保護の実施　当該母子保護の実施に係る児童の保護者

四　第27条第１項第３号及び第２項の措置　当該措置に係る児童の親権を行う者又はその未成年後見人

五　児童自立生活援助の実施　当該児童自立生活援助の実施に係る措置解除者等

〔行政手続法の適用除外〕

第33条の５　第21条の６、第21条の18第２項、第24条第５項若しくは第６項、第25条の７第１項第２号、第25条の８第２号、第26条第１項第２号若しくは第27条第１項第２号若しくは第３号若しくは第２項の措置を解除する処分又は助産の実施、母子保護の実施若しくは児童自立生活援助の実施の解除については、行政手続法第３章（第12条及び第14条を除く。）の規定は、適用しない。

〔児童自立生活援助事業〕

第33条の６　都道府県は、その区域内における第６条の３第１項各号に掲げる者（以下この条において「児童自立生活援助対象者」という。）の自立を図るため必要がある場合において、その児童自立生活援助対象者から申込みがあつたときは、自ら又は児童自立生活援助事業を行う者（都道府県を除く。次項において同じ。）に委託して、その児童自立生活援助対象者に対し、内閣府令で定めるところにより、児童自立生活援助を行わなければならない。ただし、やむを得ない事由があるときは、その他の適切な援助を行わなければならない。

②　児童自立生活援助対象者であつて児童自立生活援助の実施を希望するものは、内閣府令の定めるところにより、入居を希望する住居その他内閣府令の定める事項を記載した申込書を都道府県に提出しなければならない。この場合において、児童自立生活援助事業を行う者は、内閣府令の定めるところにより、児童自立生活援助対象者の依頼を受けて、当該申込書の提出を代わつて行うことができる。

③　都道府県は、児童自立生活援助対象者が特別な事情により当該都道府県の区域外の住居への入居を希望するときは、当該住居への入居について必要な連絡及び調整を図らなければならない。

④　都道府県は、第25条の７第１項第３号若しくは第２項第４号、第25条の８第４号若しくは第26条第１項第６号の規定による報告を受けた児童又は第33条第８項第２号の規定による報告を受けた満20歳未満義務教育終了児童等について、必要があると認めるときは、これらの者に対し、児童自立生活援助の実施の申込みを勧奨しなければならない。

⑤　都道府県は、児童自立生活援助対象者の住居の選

択及び児童自立生活援助事業の適正な運営の確保に資するため、内閣府令の定めるところにより、その区域内における児童自立生活援助事業を行う者、当該事業の運営の状況その他の内閣府令の定める事項に関し情報の提供を行わなければならない。

〔親権喪失の審判等の請求〕

第33条の7　児童の親権者に係る民法第834条本文、第834条の2第1項、第835条又は第836条の規定による親権喪失、親権停止若しくは管理権喪失の審判の請求又はこれらの審判の取消しの請求は、これらの規定に定める者のほか、児童相談所長も、これを行うことができる。

〔未成年後見人選任の請求等〕

第33条の8　児童相談所長は、親権を行う者のない児童について、その福祉のため必要があるときは、家庭裁判所に対し未成年後見人の選任を請求しなければならない。

②　児童相談所長は、前項の規定による未成年後見人の選任の請求に係る児童（小規模住居型児童養育事業を行う者若しくは里親に委託中、児童福祉施設に入所中又は一時保護中の児童を除く。）に対し、親権を行う者又は未成年後見人があるに至るまでの間、親権を行う。ただし、民法第797条の規定による縁組の承諾をするには、内閣府令の定めるところにより、都道府県知事の許可を得なければならない。

〔未成年後見人解任の請求〕

第33条の9　児童の未成年後見人に、不正な行為、著しい不行跡その他後見の任務に適しない事由があるときは、民法第846条の規定による未成年後見人の解任の請求は、同条に定める者のほか、児童相談所長も、これを行うことができる。

〔調査及び研究の推進〕

第33条の9の2　国は、要保護児童の保護に係る事例の分析その他要保護児童の健全な育成に資する調査及び研究を推進するものとする。

第7節　被措置児童等虐待の防止等

〔被措置児童等虐待〕

第33条の10　この法律で、被措置児童等虐待とは、小規模住居型児童養育事業に従事する者、里親若しくはその同居人、乳児院、児童養護施設、障害児入所施設、児童心理治療施設若しくは児童自立支援施設の長、その職員その他の従業者、指定発達支援医療機関の管理者その他の従業者、一時保護施設を設けている児童相談所の所長、当該施設の職員その他の従業者又は第33条第1項若しくは第2項の委託を受けて児童の一時保護を行う業務に従事する者（以下「施設職員等」と総称する。）が、委託された児童、入所する児童又は一時保護が行われた児童（以下「被措置児童等」という。）について行う次に掲げる行為をいう。

一　被措置児童等の身体に外傷が生じ、又は生じるおそれのある暴行を加えること。

二　被措置児童等にわいせつな行為をすること又は被措置児童等をしてわいせつな行為をさせること。

三　被措置児童等の心身の正常な発達を妨げるような著しい減食又は長時間の放置、同居人若しくは生活を共にする他の児童による前2号又は次号に掲げる行為の放置その他の施設職員等としての養育又は業務を著しく怠ること。

四　被措置児童等に対する著しい暴言又は著しく拒絶的な対応その他の被措置児童等に著しい心理的外傷を与える言動を行うこと。

〔虐待等の禁止〕

第33条の11　施設職員等は、被措置児童等虐待その他被措置児童等の心身に有害な影響を及ぼす行為をしてはならない。

〔虐待に係る通告等〕

第33条の12　被措置児童等虐待を受けたと思われる児童を発見した者は、速やかに、これを都道府県の設置する福祉事務所、児童相談所、第33条の14第1項若しくは第2項に規定する措置を講ずる権限を有する都道府県の行政機関（以下この節において「都道府県の行政機関」という。）、都道府県児童福祉審議会若しくは市町村又は児童委員を介して、都道府県の設置する福祉事務所、児童相談所、都道府県の行政機関、都道府県児童福祉審議会若しくは市町村に通告しなければならない。

②　被措置児童等虐待を受けたと思われる児童を発見した者は、当該被措置児童等虐待を受けたと思われる児童が、児童虐待を受けたと思われる児童にも該当する場合において、前項の規定による通告をしたときは、児童虐待の防止等に関する法律第6条第1項の規定による通告をすることを要しない。

③　被措置児童等は、被措置児童等虐待を受けたときは、その旨を児童相談所、都道府県の行政機関又は都道府県児童福祉審議会に届け出ることができる。

④　刑法の秘密漏示罪の規定その他の守秘義務に関する法律の規定は、第1項の規定による通告（虚偽であるもの及び過失によるものを除く。次項において同じ。）をすることを妨げるものと解釈してはならない。

⑤　施設職員等は、第1項の規定による通告をしたことを理由として、解雇その他不利益な取扱いを受けない。

〔秘密保持義務〕

第33条の13　都道府県の設置する福祉事務所、児童相談所、都道府県の行政機関、都道府県児童福祉審議会又は市町村が前条第１項の規定による通告又は同条第３項の規定による届出を受けた場合においては、当該通告若しくは届出を受けた都道府県の設置する福祉事務所若しくは児童相談所の所長、所員その他の職員、都道府県の行政機関若しくは市町村の職員、都道府県児童福祉審議会の委員若しくは臨時委員又は当該通告を仲介した児童委員は、その職務上知り得た事項であつて当該通告又は届出をした者を特定させるものを漏らしてはならない。

〔通告等を受けた場合の措置〕

第33条の14　都道府県は、第33条の12第１項の規定による通告、同条第３項の規定による届出若しくは第３項若しくは次条第１項の規定による通知を受けたとき又は相談に応じた児童について必要があると認めるときは、速やかに、当該被措置児童等の状況の把握その他当該通告、届出、通知又は相談に係る事実について確認するための措置を講ずるものとする。

②　都道府県は、前項に規定する措置を講じた場合において、必要があると認めるときは、小規模住居型児童養育事業、里親、乳児院、児童養護施設、障害児入所施設、児童心理治療施設、児童自立支援施設、指定発達支援医療機関、一時保護施設又は第33条第１項若しくは第２項の委託を受けて一時保護を行う者における事業若しくは業務の適正な運営又は適切な養育を確保することにより、当該通告、届出、通知又は相談に係る被措置児童等に対する被措置児童等虐待の防止並びに当該被措置児童等及び当該被措置児童等と生活を共にする他の被措置児童等の保護を図るため、適切な措置を講ずるものとする。

③　都道府県の設置する福祉事務所、児童相談所又は市町村が第33条の12第１項の規定による通告若しくは同条第３項の規定による届出を受けたとき、又は児童虐待の防止等に関する法律に基づく措置を講じた場合において、第１項の措置が必要であると認めるときは、都道府県の設置する福祉事務所の長、児童相談所の所長又は市町村の長は、速やかに、都道府県知事に通知しなければならない。

〔都道府県知事への通知等〕

第33条の15　都道府県児童福祉審議会は、第33条の12第１項の規定による通告又は同条第３項の規定による届出を受けたときは、速やかに、その旨を都道府県知事に通知しなければならない。

②　都道府県知事は、前条第１項又は第２項に規定する措置を講じたときは、速やかに、当該措置の内容、当該被措置児童等の状況その他の内閣府令で定める事項を都道府県児童福祉審議会に報告しなければならない。

③　都道府県児童福祉審議会は、前項の規定による報告を受けたときは、その報告に係る事項について、都道府県知事に対し、意見を述べることができる。

④　都道府県児童福祉審議会は、前項に規定する事務を遂行するため特に必要があると認めるときは、施設職員等その他の関係者に対し、出席説明及び資料の提出を求めることができる。

〔措置等の公表〕

第33条の16　都道府県知事は、毎年度、被措置児童等虐待の状況、被措置児童等虐待があつた場合に講じた措置その他内閣府令で定める事項を公表するものとする。

〔調査及び研究〕

第33条の17　国は、被措置児童等虐待の事例の分析を行うとともに、被措置児童等虐待の予防及び早期発見のための方策並びに被措置児童等虐待があつた場合の適切な対応方法に資する事項についての調査及び研究を行うものとする。

第10節　雑則

〔禁止行為〕

第34条　何人も、次に掲げる行為をしてはならない。

一　身体に障害又は形態上の異常がある児童を公衆の観覧に供する行為

二　児童にこじきをさせ、又は児童を利用してこじきをする行為

三　公衆の娯楽を目的として、満15歳に満たない児童にかるわざ又は曲馬をさせる行為

四　満15歳に満たない児童に戸々について、又は道路その他これに準ずる場所で歌謡、遊芸その他の演技を業務としてさせる行為

四の二　児童に午後10時から午前３時までの間、戸々について、又は道路その他これに準ずる場所で物品の販売、配布、展示若しくは拾集又は役務の提供を業務としてさせる行為

四の三　戸々について、又は道路その他これに準ずる場所で物品の販売、配布、展示若しくは拾集又は役務の提供を業務として行う満15歳に満たない児童を、当該業務を行うために、風俗営業等の規制及び業務の適正化等に関する法律（昭和23年法律第122号）第２条第４項の接待飲食等営業、同条第６項の店舗型性風俗特殊営業及び同条第９項の店舗型電話異性紹介営業に該当する営業を営む場所に立ち入らせる行為

五　満15歳に満たない児童に酒席に侍する行為を業

務としてさせる行為

六　児童に淫《いん》行をさせる行為

七　前各号に掲げる行為をするおそれのある者その他児童に対し、刑罰法令に触れる行為をなすおそれのある者に、情を知つて、児童を引き渡す行為及び当該引渡し行為のなされるおそれがあるの情を知つて、他人に児童を引き渡す行為

八　成人及び児童のための正当な職業紹介の機関以外の者が、営利を目的として、児童の養育をあつせんする行為

九　児童の心身に有害な影響を与える行為をさせる目的をもつて、これを自己の支配下に置く行為

②　児童養護施設、障害児入所施設、児童発達支援センター又は児童自立支援施設においては、それぞれ第41条から第43条まで及び第44条に規定する目的に反して、入所した児童を酷使してはならない。

〔政令への委任〕

第34条の2　この法律に定めるもののほか、福祉の保障に関し必要な事項は、政令でこれを定める。

第3章　事業、養育里親及び養子縁組里親並びに施設

〔障害児通所支援事業等の開始等〕

第34条の3　都道府県は、障害児通所支援事業又は障害児相談支援事業（以下「障害児通所支援事業等」という。）を行うことができる。

②　国及び都道府県以外の者は、内閣府令で定めるところにより、あらかじめ、内閣府令で定める事項を都道府県知事に届け出て、障害児通所支援事業等を行うことができる。

③　国及び都道府県以外の者は、前項の規定により届け出た事項に変更が生じたときは、変更の日から1月以内に、その旨を都道府県知事に届け出なければならない。

④　国及び都道府県以外の者は、障害児通所支援事業等を廃止し、又は休止しようとするときは、あらかじめ、内閣府令で定める事項を都道府県知事に届け出なければならない。

〔児童自立生活援助事業等の開始等〕

第34条の4　国及び都道府県以外の者は、内閣府令の定めるところにより、あらかじめ、内閣府令で定める事項を都道府県知事に届け出て、児童自立生活援助事業又は小規模住居型児童養育事業を行うことができる。

②　国及び都道府県以外の者は、前項の規定により届け出た事項に変更を生じたときは、変更の日から1月以内に、その旨を都道府県知事に届け出なければならない。

③　国及び都道府県以外の者は、児童自立生活援助事業又は小規模住居型児童養育事業を廃止し、又は休止しようとするときは、あらかじめ、内閣府令で定める事項を都道府県知事に届け出なければならない。

〔報告の徴収等〕

第34条の5　都道府県知事は、児童の福祉のために必要があると認めるときは、障害児通所支援事業等、児童自立生活援助事業若しくは小規模住居型児童養育事業を行う者に対して、必要と認める事項の報告を求め、又は当該職員に、関係者に対して質問させ、若しくはその事務所若しくは施設に立ち入り、設備、帳簿書類その他の物件を検査させることができる。

②　第18条の16第2項及び第3項の規定は、前項の場合について準用する。

〔事業の停止等〕

第34条の6　都道府県知事は、障害児通所支援事業等、児童自立生活援助事業又は小規模住居型児童養育事業を行う者が、この法律若しくはこれに基づく命令若しくはこれらに基づいてする処分に違反したとき、その事業に関し不当に営利を図り、若しくはその事業に係る児童の処遇につき不当な行為をしたとき、又は障害児通所支援事業者が第21条の7の規定に違反したときは、その者に対し、その事業の制限又は停止を命ずることができる。

〔受託義務〕

第34条の7　障害者等相談支援事業、小規模住居型児童養育事業又は児童自立生活援助事業を行う者は、第26条第1項第2号、第27条第1項第2号若しくは第3号又は第33条の6第1項の規定による委託を受けたときは、正当な理由がない限り、これを拒んではならない。

〔放課後児童健全育成事業〕

第34条の8　市町村は、放課後児童健全育成事業を行うことができる。

②　国、都道府県及び市町村以外の者は、内閣府令で定めるところにより、あらかじめ、内閣府令で定める事項を市町村長に届け出て、放課後児童健全育成事業を行うことができる。

③　国、都道府県及び市町村以外の者は、前項の規定により届け出た事項に変更を生じたときは、変更の日から1月以内に、その旨を市町村長に届け出なければならない。

④　国、都道府県及び市町村以外の者は、放課後児童健全育成事業を廃止し、又は休止しようとするときは、あらかじめ、内閣府令で定める事項を市町村長に届け出なければならない。

〔設備及び運営の基準〕

第34条の８の２ 市町村は、放課後児童健全育成事業の設備及び運営について、条例で基準を定めなければならない。この場合において、その基準は、児童の身体的、精神的及び社会的な発達のために必要な水準を確保するものでなければならない。
② 市町村が前項の条例を定めるに当たつては、内閣府令で定める基準を参酌するものとする。
③ 放課後児童健全育成事業を行う者は、第１項の基準を遵守しなければならない。
〔報告及び立入調査等〕
第34条の８の３ 市町村長は、前条第１項の基準を維持するため、放課後児童健全育成事業を行う者に対して、必要と認める事項の報告を求め、又は当該職員に、関係者に対して質問させ、若しくはその事業を行う場所に立ち入り、設備、帳簿書類その他の物件を検査させることができる。
② 第18条の16第２項及び第３項の規定は、前項の場合について準用する。
③ 市町村長は、放課後児童健全育成事業が前条第１項の基準に適合しないと認められるに至つたときは、その事業を行う者に対し、当該基準に適合するために必要な措置を採るべき旨を命ずることができる。
④ 市町村長は、放課後児童健全育成事業を行う者が、この法律若しくはこれに基づく命令若しくはこれらに基づいてする処分に違反したとき、又はその事業に関し不当に営利を図り、若しくはその事業に係る児童の処遇につき不当な行為をしたときは、その者に対し、その事業の制限又は停止を命ずることができる。
〔子育て短期支援事業〕
第34条の９ 市町村は、内閣府令で定めるところにより、子育て短期支援事業を行うことができる。
〔乳児家庭全戸訪問事業又は養育支援訪問事業〕
第34条の10 市町村は、第21条の10の２第１項の規定により乳児家庭全戸訪問事業又は養育支援訪問事業を行う場合には、社会福祉法の定めるところにより行うものとする。
〔地域子育て支援拠点事業〕
第34条の11 市町村、社会福祉法人その他の者は、社会福祉法の定めるところにより、地域子育て支援拠点事業、子育て世帯訪問支援事業又は親子関係形成支援事業を行うことができる。
② 地域子育て支援拠点事業、子育て世帯訪問支援事業又は親子関係形成支援事業に従事する者は、その職務を遂行するに当たつては、個人の身上に関する秘密を守らなければならない。
〔一時預かり事業〕
第34条の12 市町村、社会福祉法人その他の者は、内閣府令の定めるところにより、あらかじめ、内閣府令で定める事項を都道府県知事に届け出て、一時預かり事業を行うことができる。
② 市町村、社会福祉法人その他の者は、前項の規定により届け出た事項に変更を生じたときは、変更の日から１月以内に、その旨を都道府県知事に届け出なければならない。
③ 市町村、社会福祉法人その他の者は、一時預かり事業を廃止し、又は休止しようとするときは、あらかじめ、内閣府令で定める事項を都道府県知事に届け出なければならない。
第34条の13 一時預かり事業を行う者は、その事業を実施するために必要なものとして内閣府令で定める基準を遵守しなければならない。
〔報告及び立入検査等〕
第34条の14 都道府県知事は、前条の基準を維持するため、一時預かり事業を行う者に対して、必要と認める事項の報告を求め、又は当該職員に、関係者に対して質問させ、若しくはその事業を行う場所に立ち入り、設備、帳簿書類その他の物件を検査させることができる。
② 第18条の16第２項及び第３項の規定は、前項の場合について準用する。
③ 都道府県知事は、一時預かり事業が前条の基準に適合しないと認められるに至つたときは、その事業を行う者に対し、当該基準に適合するために必要な措置を採るべき旨を命ずることができる。
④ 都道府県知事は、一時預かり事業を行う者が、この法律若しくはこれに基づく命令若しくはこれらに基づいてする処分に違反したとき、又はその事業に関し不当に営利を図り、若しくはその事業に係る乳児若しくは幼児の処遇につき不当な行為をしたときは、その者に対し、その事業の制限又は停止を命ずることができる。
〔家庭的保育事業等〕
第34条の15 市町村は、家庭的保育事業等を行うことができる。
② 国、都道府県及び市町村以外の者は、内閣府令の定めるところにより、市町村長の認可を得て、家庭的保育事業等を行うことができる。
③ 市町村長は、家庭的保育事業等に関する前項の認可の申請があつたときは、次条第１項の条例で定める基準に適合するかどうかを審査するほか、次に掲げる基準（当該認可の申請をした者が社会福祉法人又は学校法人である場合にあつては、第４号に掲げ

る基準に限る。）によつて、その申請を審査しなければならない。
一　当該家庭的保育事業等を行うために必要な経済的基礎があること。
二　当該家庭的保育事業等を行う者（その者が法人である場合にあつては、経営担当役員（業務を執行する社員、取締役、執行役又はこれらに準ずる者をいう。第35条第５項第２号において同じ。）とする。）が社会的信望を有すること。
三　実務を担当する幹部職員が社会福祉事業に関する知識又は経験を有すること。
四　次のいずれにも該当しないこと。
イ　申請者が、禁錮以上の刑に処せられ、その執行を終わり、又は執行を受けることがなくなるまでの者であるとき。
ロ　申請者が、この法律その他国民の福祉に関する法律で政令で定めるものの規定により罰金の刑に処せられ、その執行を終わり、又は執行を受けることがなくなるまでの者であるとき。
ハ　申請者が、労働に関する法律の規定であつて政令で定めるものにより罰金の刑に処せられ、その執行を終わり、又は執行を受けることがなくなるまでの者であるとき。
ニ　申請者が、第58条第２項の規定により認可を取り消され、その取消しの日から起算して５年を経過しない者（当該認可を取り消された者が法人である場合においては、当該取消しの処分に係る行政手続法第15条の規定による通知があつた日前60日以内に当該法人の役員（業務を執行する社員、取締役、執行役又はこれらに準ずる者をいい、相談役、顧問その他いかなる名称を有する者であるかを問わず、法人に対し業務を執行する社員、取締役、執行役又はこれらに準ずる者と同等以上の支配力を有するものと認められる者を含む。ホにおいて同じ。）又はその事業を管理する者その他の政令で定める使用人（以下この号及び第35条第５項第４号において「役員等」という。）であつた者で当該取消しの日から起算して５年を経過しないものを含み、当該認可を取り消された者が法人でない場合においては、当該通知があつた日前60日以内に当該事業を行う者の管理者であつた者で当該取消しの日から起算して５年を経過しないものを含む。）であるとき。ただし、当該認可の取消しが、家庭的保育事業等の認可の取消しのうち当該認可の取消しの処分の理由となつた事実及び当該事実の発生を防止するための当該家庭的保育事業等を行う者による業務管理体制の整備についての取組の状況その他の当該事実に関して当該家庭的保育事業等を行う者が有していた責任の程度を考慮して、ニ本文に規定する認可の取消しに該当しないこととすることが相当であると認められるものとして内閣府令で定めるものに該当する場合を除く。
ホ　申請者と密接な関係を有する者（申請者（法人に限る。以下ホにおいて同じ。）の役員に占めるその役員の割合が２分の１を超え、若しくは当該申請者の株式の所有その他の事由を通じて当該申請者の事業を実質的に支配し、若しくはその事業に重要な影響を与える関係にある者として内閣府令で定めるもの（以下ホにおいて「申請者の親会社等」という。）、申請者の親会社等の役員と同一の者がその役員に占める割合が２分の１を超え、若しくは申請者の親会社等が株式の所有その他の事由を通じてその事業を実質的に支配し、若しくはその事業に重要な影響を与える関係にある者として内閣府令で定めるもの又は当該申請者の役員と同一の者がその役員に占める割合が２分の１を超え、若しくは当該申請者が株式の所有その他の事由を通じてその事業を実質的に支配し、若しくはその事業に重要な影響を与える関係にある者として内閣府令で定めるもののうち、当該申請者と内閣府令で定める密接な関係を有する法人をいう。第35条第５項第４号ホにおいて同じ。）が、第58条第２項の規定により認可を取り消され、その取消しの日から起算して５年を経過していないとき。ただし、当該認可の取消しが、家庭的保育事業等の認可の取消しのうち当該認可の取消しの処分の理由となつた事実及び当該事実の発生を防止するための当該家庭的保育事業等を行う者による業務管理体制の整備についての取組の状況その他の当該事実に関して当該家庭的保育事業等を行う者が有していた責任の程度を考慮して、ホ本文に規定する認可の取消しに該当しないこととすることが相当であると認められるものとして内閣府令で定めるものに該当する場合を除く。
ヘ　申請者が、第58条第２項の規定による認可の取消しの処分に係る行政手続法第15条の規定による通知があつた日から当該処分をする日又は処分をしないことを決定する日までの間に第７項の規定による事業の廃止をした者（当該廃止について相当の理由がある者を除く。）で、当該事業の廃止の承認の日から起算して５年を経過しないものであるとき。

ト　申請者が、第34条の17第１項の規定による検査が行われた日から聴聞決定予定日（当該検査の結果に基づき第58条第２項の規定による認可の取消しの処分に係る聴聞を行うか否かの決定をすることが見込まれる日として内閣府令で定めるところにより市町村長が当該申請者に当該検査が行われた日から10日以内に特定の日を通知した場合における当該特定の日をいう。）までの間に第７項の規定による事業の廃止をした者（当該廃止について相当の理由がある者を除く。）で、当該事業の廃止の承認の日から起算して５年を経過しないものであるとき。

チ　へに規定する期間内に第７項の規定による事業の廃止の承認の申請があつた場合において、申請者が、への通知の日前60日以内に当該申請に係る法人（当該事業の廃止について相当の理由がある法人を除く。）の役員等又は当該申請に係る法人でない事業を行う者（当該事業の廃止について相当の理由があるものを除く。）の管理者であつた者で、当該事業の廃止の承認の日から起算して５年を経過しないものであるとき。

リ　申請者が、認可の申請前５年以内に保育に関し不正又は著しく不当な行為をした者であるとき。

ヌ　申請者が、法人で、その役員等のうちにイからニまで又はへからリまでのいずれかに該当する者のあるものであるとき。

ル　申請者が、法人でない者で、その管理者がイからニまで又はへからリまでのいずれかに該当する者であるとき。

④　市町村長は、第２項の認可をしようとするときは、あらかじめ、市町村児童福祉審議会を設置している場合にあつてはその意見を、その他の場合にあつては児童の保護者その他児童福祉に係る当事者の意見を聴かなければならない。

⑤　市町村長は、第３項に基づく審査の結果、その申請が次条第１項の条例で定める基準に適合しており、かつ、その事業を行う者が第３項各号に掲げる基準（その者が社会福祉法人又は学校法人である場合にあつては、同項第４号に掲げる基準に限る。）に該当すると認めるときは、第２項の認可をするものとする。ただし、市町村長は、当該申請に係る家庭的保育事業等の所在地を含む教育・保育提供区域（子ども・子育て支援法第61条第２項第１号の規定により当該市町村が定める教育・保育提供区域とする。以下この項において同じ。）における特定地域型保育事業所（同法第29条第３項第１号に規定する特定地域型保育事業所をいい、事業所内保育事業における同法第43条第１項に規定する労働者等の監護する小学校就学前子どもに係る部分を除く。以下この項において同じ。）の利用定員の総数（同法第19条第３号に掲げる小学校就学前子どもの区分に係るものに限る。）が、同法第61条第１項の規定により当該市町村が定める市町村子ども・子育て支援事業計画において定める当該教育・保育提供区域の特定地域型保育事業所に係る必要利用定員総数（同法第19条第３号に掲げる小学校就学前子どもの区分に係るものに限る。）に既に達しているか、又は当該申請に係る家庭的保育事業等の開始によつてこれを超えることになると認めるとき、その他の当該市町村子ども・子育て支援事業計画の達成に支障を生ずるおそれがある場合として内閣府令で定める場合に該当すると認めるときは、第２項の認可をしないことができる。

⑥　市町村長は、家庭的保育事業等に関する第２項の申請に係る認可をしないときは、速やかにその旨及び理由を通知しなければならない。

⑦　国、都道府県及び市町村以外の者は、家庭的保育事業等を廃止し、又は休止しようとするときは、内閣府令の定めるところにより、市町村長の承認を受けなければならない。

〔設備及び運営の基準〕

第34条の16　市町村は、家庭的保育事業等の設備及び運営について、条例で基準を定めなければならない。この場合において、その基準は、児童の身体的、精神的及び社会的な発達のために必要な保育の水準を確保するものでなければならない。

②　市町村が前項の条例を定めるに当たつては、次に掲げる事項については内閣府令で定める基準に従い定めるものとし、その他の事項については内閣府令で定める基準を参酌するものとする。

一　家庭的保育事業等に従事する者及びその員数

二　家庭的保育事業等の運営に関する事項であつて、児童の適切な処遇及び安全の確保並びに秘密の保持並びに児童の健全な発達に密接に関連するものとして内閣府令で定めるもの

③　家庭的保育事業等を行う者は、第１項の基準を遵守しなければならない。

〔報告及び立入調査等〕

第34条の17　市町村長は、前条第１項の基準を維持するため、家庭的保育事業等を行う者に対して、必要

と認める事項の報告を求め、又は当該職員に、関係者に対して質問させ、若しくは家庭的保育事業等を行う場所に立ち入り、設備、帳簿書類その他の物件を検査させることができる。

② 第18条の16第２項及び第３項の規定は、前項の場合について準用する。

③ 市町村長は、家庭的保育事業等が前条第１項の基準に適合しないと認められるに至つたときは、その事業を行う者に対し、当該基準に適合するために必要な措置を採るべき旨を勧告し、又はその事業を行う者がその勧告に従わず、かつ、児童福祉に有害であると認められるときは、必要な改善を命ずることができる。

④ 市町村長は、家庭的保育事業等が、前条第１項の基準に適合せず、かつ、児童福祉に著しく有害であると認められるときは、その事業を行う者に対し、その事業の制限又は停止を命ずることができる。

〔病児保育事業〕

第34条の18 国及び都道府県以外の者は、内閣府令で定めるところにより、あらかじめ、内閣府令で定める事項を都道府県知事に届け出て、病児保育事業を行うことができる。

② 国及び都道府県以外の者は、前項の規定により届け出た事項に変更を生じたときは、変更の日から１月以内に、その旨を都道府県知事に届け出なければならない。

③ 国及び都道府県以外の者は、病児保育事業を廃止し、又は休止しようとするときは、あらかじめ、内閣府令で定める事項を都道府県知事に届け出なければならない。

〔報告及び立入調査等〕

第34条の18の２ 都道府県知事は、児童の福祉のために必要があると認めるときは、病児保育事業を行う者に対して、必要と認める事項の報告を求め、又は当該職員に、関係者に対して質問させ、若しくはその事業を行う場所に立ち入り、設備、帳簿書類その他の物件を検査させることができる。

② 第18条の16第２項及び第３項の規定は、前項の場合について準用する。

③ 都道府県知事は、病児保育事業を行う者が、この法律若しくはこれに基づく命令若しくはこれらに基づいてする処分に違反したとき、又はその事業に関し不当に営利を図り、若しくはその事業に係る児童の処遇につき不当な行為をしたときは、その者に対し、その事業の制限又は停止を命ずることができる。

〔子育て援助活動支援事業〕

第34条の18の３ 国及び都道府県以外の者は、社会福祉法の定めるところにより、子育て援助活動支援事業を行うことができる。

② 子育て援助活動支援事業に従事する者は、その職務を遂行するに当たつては、個人の身上に関する秘密を守らなければならない。

〔養育里親名簿及び養子縁組里親名簿〕

第34条の19 都道府県知事は、第27条第１項第３号の規定により児童を委託するため、内閣府令で定めるところにより、養育里親名簿及び養子縁組里親名簿を作成しておかなければならない。

〔養育里親及び養子縁組里親の欠格事由〕

第34条の20 本人又はその同居人が次の各号のいずれかに該当する者は、養育里親及び養子縁組里親となることができない。

一 禁錮以上の刑に処せられ、その執行を終わり、又は執行を受けることがなくなるまでの者

二 この法律、児童買春、児童ポルノに係る行為等の規制及び処罰並びに児童の保護等に関する法律（平成11年法律第52号）その他国民の福祉に関する法律で政令で定めるものの規定により罰金の刑に処せられ、その執行を終わり、又は執行を受けることがなくなるまでの者

三 児童虐待又は被措置児童等虐待を行つた者その他児童の福祉に関し著しく不適当な行為をした者

② 都道府県知事は、養育里親若しくは養子縁組里親又はその同居人が前項各号のいずれかに該当するに至つたときは、当該養育里親又は養子縁組里親を直ちに養育里親名簿又は養子縁組里親名簿から抹消しなければならない。

〔厚生労働省令への委任〕

第34条の21 この法律に定めるもののほか、養育里親名簿又は養子縁組里親名簿の登録のための手続その他養育里親又は養子縁組里親に関し必要な事項は、内閣府令で定める。

〔児童福祉施設の設置〕

第35条 国は、政令の定めるところにより、児童福祉施設（助産施設、母子生活支援施設、保育所及び幼保連携型認定こども園を除く。）を設置するものとする。

② 都道府県は、政令の定めるところにより、児童福祉施設（幼保連携型認定こども園を除く。以下この条、第45条、第46条、第49条、第50条第９号、第51条第７号、第56条の２、第57条及び第58条において同じ。）を設置しなければならない。

③ 市町村は、内閣府令の定めるところにより、あらかじめ、内閣府令で定める事項を都道府県知事に届け出て、児童福祉施設を設置することができる。

④ 国、都道府県及び市町村以外の者は、内閣府令の定めるところにより、都道府県知事の認可を得て、児童福祉施設を設置することができる。

⑤ 都道府県知事は、保育所に関する前項の認可の申請があつたときは、第45条第１項の条例で定める基準（保育所に係るものに限る。第８項において同じ。）に適合するかどうかを審査するほか、次に掲げる基準（当該認可の申請をした者が社会福祉法人又は学校法人である場合にあつては、第４号に掲げる基準に限る。）によつて、その申請を審査しなければならない。

一 当該保育所を経営するために必要な経済的基礎があること。

二 当該保育所の経営者（その者が法人である場合にあつては、経営担当役員とする。）が社会的信望を有すること。

三 実務を担当する幹部職員が社会福祉事業に関する知識又は経験を有すること。

四 次のいずれにも該当しないこと。

イ 申請者が、禁錮以上の刑に処せられ、その執行を終わり、又は執行を受けることがなくなるまでの者であるとき。

ロ 申請者が、この法律その他国民の福祉若しくは学校教育に関する法律で政令で定めるものの規定により罰金の刑に処せられ、その執行を終わり、又は執行を受けることがなくなるまでの者であるとき。

ハ 申請者が、労働に関する法律の規定であつて政令で定めるものにより罰金の刑に処せられ、その執行を終わり、又は執行を受けることがなくなるまでの者であるとき。

ニ 申請者が、第58条第１項の規定により認可を取り消され、その取消しの日から起算して５年を経過しない者（当該認可を取り消された者が法人である場合においては、当該取消しの処分に係る行政手続法第15条の規定による通知があつた日前60日以内に当該法人の役員等であつた者で当該取消しの日から起算して５年を経過しないものを含み、当該認可を取り消された者が法人でない場合においては、当該通知があつた日前60日以内に当該保育所の管理者であつた者で当該取消しの日から起算して５年を経過しないものを含む。）であるとき。ただし、当該認可の取消しが、保育所の設置の認可の取消しのうち当該認可の取消しの処分の理由となつた事実及び当該事実の発生を防止するための当該保育所の設置者による業務管理体制の整備についての取組の状況その他の当該事実に関して当該保育所の設置者が有していた責任の程度を考慮して、ニ本文に規定する認可の取消しに該当しないこととすることが相当であると認められるものとして内閣府令で定めるものに該当する場合を除く。

ホ 申請者と密接な関係を有する者が、第58条第１項の規定により認可を取り消され、その取消しの日から起算して５年を経過していないとき。ただし、当該認可の取消しが、保育所の設置の認可の取消しのうち当該認可の取消しの処分の理由となつた事実及び当該事実の発生を防止するための当該保育所の設置者による業務管理体制の整備についての取組の状況その他の当該事実に関して当該保育所の設置者が有していた責任の程度を考慮して、ホ本文に規定する認可の取消しに該当しないこととすることが相当であると認められるものとして内閣府令で定めるものに該当する場合を除く。

ヘ 申請者が、第58条第１項の規定による認可の取消しの処分に係る行政手続法第15条の規定による通知があつた日から当該処分をする日又は処分をしないことを決定する日までの間に第12項の規定による保育所の廃止をした者（当該廃止について相当の理由がある者を除く。）で、当該保育所の廃止の承認の日から起算して５年を経過しないものであるとき。

ト 申請者が、第46条第１項の規定による検査が行われた日から聴聞決定予定日（当該検査の結果に基づき第58条第１項の規定による認可の取消しの処分に係る聴聞を行うか否かの決定をすることが見込まれる日として内閣府令で定めるところにより都道府県知事が当該申請者に当該検査が行われた日から10日以内に特定の日を通知した場合における当該特定の日をいう。）までの間に第12項の規定による保育所の廃止をした者（当該廃止について相当の理由がある者を除く。）で、当該保育所の廃止の承認の日から起算して５年を経過しないものであるとき。

チ ヘに規定する期間内に第12項の規定による保育所の廃止の承認の申請があつた場合において、申請者が、ヘの通知の日前60日以内に当該申請に係る法人（当該保育所の廃止について相当の理由がある法人を除く。）の役員等又は当該申請に係る法人でない保育所（当該保育所の廃止について相当の理由があるものを除く。）の管理者であつた者で、当該保育所の廃止の承認の日から起算して５年を経過しないものであるとき。

リ　申請者が、認可の申請前５年以内に保育に関し不正又は著しく不当な行為をした者であるとき。

ヌ　申請者が、法人で、その役員等のうちにイからニまで又はへからリまでのいずれかに該当する者のあるものであるとき。

ル　申請者が、法人でない者で、その管理者がイからニまで又はへからリまでのいずれかに該当する者であるとき。

⑥　都道府県知事は、第４項の規定により保育所の設置の認可をしようとするときは、あらかじめ、都道府県児童福祉審議会の意見を聴かなければならない。

⑦　都道府県知事は、第４項の規定により保育所の設置の認可をしようとするときは、内閣府令で定めるところにより、あらかじめ、当該認可の申請に係る保育所が所在する市町村の長に協議しなければならない。

⑧　都道府県知事は、第５項に基づく審査の結果、その申請が第45条第１項の条例で定める基準に適合しており、かつ、その設置者が第５項各号に掲げる基準（その者が社会福祉法人又は学校法人である場合にあつては、同項第４号に掲げる基準に限る。）に該当すると認めるときは、第４項の認可をするものとする。ただし、都道府県知事は、当該申請に係る保育所の所在地を含む区域（子ども・子育て支援法第62条第２項第１号の規定により当該都道府県が定める区域とする。以下この項において同じ。）における特定教育・保育施設（同法第27条第１項に規定する特定教育・保育施設をいう。以下この項において同じ。）の利用定員の総数（同法第19条第２号及び第３号に掲げる小学校就学前子どもに係るものに限る。）が、同法第62条第１項の規定により当該都道府県が定める都道府県子ども・子育て支援事業支援計画において定める当該区域の特定教育・保育施設に係る必要利用定員総数（同法第19条第２号及び第３号に掲げる小学校就学前子どもの区分に係るものに限る。）に既に達しているか、又は当該申請に係る保育所の設置によつてこれを超えることになると認めるとき、その他の当該都道府県子ども・子育て支援事業支援計画の達成に支障を生ずるおそれがある場合として内閣府令で定める場合に該当すると認めるときは、第４項の認可をしないことができる。

⑨　都道府県知事は、保育所に関する第４項の申請に係る認可をしないときは、速やかにその旨及び理由を通知しなければならない。

⑩　児童福祉施設には、児童福祉施設の職員の養成施設を附置することができる。

⑪　市町村は、児童福祉施設を廃止し、又は休止しようとするときは、その廃止又は休止の日の１月前（当該児童福祉施設が保育所である場合には３月前）までに、内閣府令で定める事項を都道府県知事に届け出なければならない。

⑫　国、都道府県及び市町村以外の者は、児童福祉施設を廃止し、又は休止しようとするときは、内閣府令の定めるところにより、都道府県知事の承認を受けなければならない。

〔助産施設〕

第36条　助産施設は、保健上必要があるにもかかわらず、経済的理由により、入院助産を受けることができない妊産婦を入所させて、助産を受けさせることを目的とする施設とする。

〔乳児院〕

第37条　乳児院は、乳児（保健上、安定した生活環境の確保その他の理由により特に必要のある場合には、幼児を含む。）を入院させて、これを養育し、あわせて退院した者について相談その他の援助を行うことを目的とする施設とする。

〔母子生活支援施設〕

第38条　母子生活支援施設は、配偶者のない女子又はこれに準ずる事情にある女子及びその者の監護すべき児童を入所させて、これらの者を保護するとともに、これらの者の自立の促進のためにその生活を支援し、あわせて退所した者について相談その他の援助を行うことを目的とする施設とする。

〔保育所〕

第39条　保育所は、保育を必要とする乳児・幼児を日々保護者の下から通わせて保育を行うことを目的とする施設（利用定員が20人以上であるものに限り、幼保連携型認定こども園を除く。）とする。

②　保育所は、前項の規定にかかわらず、特に必要があるときは、保育を必要とするその他の児童を日々保護者の下から通わせて保育することができる。

〔幼保連携型認定こども園〕

第39条の２　幼保連携型認定こども園は、義務教育及びその後の教育の基礎を培うものとしての満３歳以上の幼児に対する教育（教育基本法（平成18年法律第120号）第６条第１項に規定する法律に定める学校において行われる教育をいう。）及び保育を必要とする乳児・幼児に対する保育を一体的に行い、これらの乳児又は幼児の健やかな成長が図られるよう適当な環境を与えて、その心身の発達を助長することを目的とする施設とする。

②　幼保連携型認定こども園に関しては、この法律に定めるもののほか、認定こども園法の定めるところによる。

〔児童厚生施設〕

第40条　児童厚生施設は、児童遊園、児童館等児童に健全な遊びを与えて、その健康を増進し、又は情操をゆたかにすることを目的とする施設とする。

〔児童養護施設〕

第41条　児童養護施設は、保護者のない児童（乳児を除く。ただし、安定した生活環境の確保その他の理由により特に必要のある場合には、乳児を含む。以下この条において同じ。）、虐待されている児童その他環境上養護を要する児童を入所させて、これを養護し、あわせて退所した者に対する相談その他の自立のための援助を行うことを目的とする施設とする。

〔障害児入所施設〕

第42条　障害児入所施設は、次の各号に掲げる区分に応じ、障害児を入所させて、当該各号に定める支援を行うことを目的とする施設とする。

一　福祉型障害児入所施設　保護並びに日常生活における基本的な動作及び独立自活に必要な知識技能の習得のための支援

二　医療型障害児入所施設　保護、日常生活における基本的な動作及び独立自活に必要な知識技能の習得のための支援並びに治療

〔児童発達支援センター〕

第43条　児童発達支援センターは、地域の障害児の健全な発達において中核的な役割を担う機関として、障害児を日々保護者の下から通わせて、高度の専門的な知識及び技術を必要とする児童発達支援を提供し、あわせて障害児の家族、指定障害児通所支援事業者その他の関係者に対し、相談、専門的な助言その他の必要な援助を行うことを目的とする施設とする。

〔児童心理治療施設〕

第43条の２　児童心理治療施設は、家庭環境、学校における交友関係その他の環境上の理由により社会生活への適応が困難となつた児童を、短期間、入所させ、又は保護者の下から通わせて、社会生活に適応するために必要な心理に関する治療及び生活指導を主として行い、あわせて退所した者について相談その他の援助を行うことを目的とする施設とする。

〔児童自立支援施設〕

第44条　児童自立支援施設は、不良行為をなし、又はなすおそれのある児童及び家庭環境その他の環境上の理由により生活指導等を要する児童を入所させ、又は保護者の下から通わせて、個々の児童の状況に応じて必要な指導を行い、その自立を支援し、あわせて退所した者について相談その他の援助を行うことを目的とする施設とする。

〔児童家庭支援センター〕

第44条の２　児童家庭支援センターは、地域の児童の福祉に関する各般の問題につき、児童に関する家庭その他からの相談のうち、専門的な知識及び技術を必要とするものに応じ、必要な助言を行うとともに、市町村の求めに応じ、技術的助言その他必要な援助を行うほか、第26条第１項第２号及び第27条第１項第２号の規定による指導を行い、あわせて児童相談所、児童福祉施設等との連絡調整その他内閣府令の定める援助を総合的に行うことを目的とする施設とする。

②　児童家庭支援センターの職員は、その職務を遂行するに当たつては、個人の身上に関する秘密を守らなければならない。

〔法令遵守及び職務遂行義務〕

第44条の４　第６条の３各項に規定する事業を行う者、里親及び児童福祉施設（指定障害児入所施設及び指定通所支援に係る児童発達支援センターを除く。）の設置者は、児童、妊産婦その他これらの事業を利用する者又は当該児童福祉施設に入所する者の人格を尊重するとともに、この法律又はこの法律に基づく命令を遵守し、これらの者のため忠実にその職務を遂行しなければならない。

〔基準の制定等〕

第45条　都道府県は、児童福祉施設の設備及び運営について、条例で基準を定めなければならない。この場合において、その基準は、児童の身体的、精神的及び社会的な発達のために必要な生活水準を確保するものでなければならない。

②　都道府県が前項の条例を定めるに当たつては、次に掲げる事項については内閣府令で定める基準に従い定めるものとし、その他の事項については内閣府令で定める基準を参酌するものとする。

一　児童福祉施設に配置する従業者及びその員数

二　児童福祉施設に係る居室及び病室の床面積その他児童福祉施設の設備に関する事項であつて児童の健全な発達に密接に関連するものとして内閣府令で定めるもの

三　児童福祉施設の運営に関する事項であつて、保育所における保育の内容その他児童（助産施設にあつては、妊産婦）の適切な処遇及び安全の確保並びに秘密の保持並びに児童の健全な発達に密接に関連するものとして内閣府令で定めるもの

③　内閣総理大臣は、前項の内閣府令で定める基準

（同項第３号の保育所における保育の内容に関する事項に限る。）を定めるに当たつては、学校教育法第25条第１項の規定により文部科学大臣が定める幼稚園の教育課程その他の保育内容に関する事項並びに認定こども園法第10条第１項の規定により主務大臣が定める幼保連携型認定こども園の教育課程その他の教育及び保育の内容に関する事項との整合性の確保並びに小学校及び義務教育学校における教育との円滑な接続に配慮しなければならない。

④　内閣総理大臣は、前項の内閣府令で定める基準を定めるときは、あらかじめ、文部科学大臣に協議しなければならない。

⑤　児童福祉施設の設置者は、第１項の基準を遵守しなければならない。

⑥　児童福祉施設の設置者は、児童福祉施設の設備及び運営についての水準の向上を図ることに努めるものとする。

〔里親が行う養育に関する基準〕

第45条の２　内閣総理大臣は、里親の行う養育について、基準を定めなければならない。この場合において、その基準は、児童の身体的、精神的及び社会的な発達のために必要な生活水準を確保するものでなければならない。

②　里親は、前項の基準を遵守しなければならない。

〔報告の徴収等〕

第46条　都道府県知事は、第45条第１項及び前条第１項の基準を維持するため、児童福祉施設の設置者、児童福祉施設の長及び里親に対して、必要な報告を求め、児童の福祉に関する事務に従事する職員に、関係者に対して質問させ、若しくはその施設に立ち入り、設備、帳簿書類その他の物件を検査させることができる。

②　第18条の16第２項及び第３項の規定は、前項の場合について準用する。

③　都道府県知事は、児童福祉施設の設備又は運営が第45条第１項の基準に達しないときは、その施設の設置者に対し、必要な改善を勧告し、又はその施設の設置者がその勧告に従わず、かつ、児童福祉に有害であると認められるときは、必要な改善を命ずることができる。

④　都道府県知事は、児童福祉施設の設備又は運営が第45条第１項の基準に達せず、かつ、児童福祉に著しく有害であると認められるときは、都道府県児童福祉審議会の意見を聴き、その施設の設置者に対し、その事業の停止を命ずることができる。

〔児童福祉施設の長の義務等〕

第46条の２　児童福祉施設の長は、都道府県知事又は市町村長（第32条第３項の規定により第24条第５項又は第６項の規定による措置に関する権限が当該市町村に置かれる教育委員会に委任されている場合にあつては、当該教育委員会）からこの法律の規定に基づく措置又は助産の実施若しくは母子保護の実施のための委託を受けたときは、正当な理由がない限り、これを拒んではならない。

②　保育所若しくは認定こども園の設置者又は家庭的保育事業等を行う者は、第24条第３項の規定により行われる調整及び要請に対し、できる限り協力しなければならない。

〔児童福祉施設の長の親権等〕

第47条　児童福祉施設の長は、入所中の児童で親権を行う者又は未成年後見人のないものに対し、親権を行う者又は未成年後見人があるに至るまでの間、親権を行う。ただし、民法第797条の規定による縁組の承諾をするには、内閣府令の定めるところにより、都道府県知事の許可を得なければならない。

②　児童相談所長は、小規模住居型児童養育事業を行う者又は里親に委託中の児童で親権を行う者又は未成年後見人のないものに対し、親権を行う者又は未成年後見人があるに至るまでの間、親権を行う。ただし、民法第797条の規定による縁組の承諾をするには、内閣府令の定めるところにより、都道府県知事の許可を得なければならない。

③　児童福祉施設の長、その住居において養育を行う第６条の３第８項に規定する内閣府令で定める者又は里親（以下この項において「施設長等」という。）は、入所中又は受託中の児童で親権を行う者又は未成年後見人のあるものについても、監護及び教育に関し、その児童の福祉のため必要な措置をとることができる。この場合において、施設長等は、児童の人格を尊重するとともに、その年齢及び発達の程度に配慮しなければならず、かつ、体罰その他の児童の心身の健全な発達に有害な影響を及ぼす言動をしてはならない。

④　前項の児童の親権を行う者又は未成年後見人は、同項の規定による措置を不当に妨げてはならない。

⑤　第３項の規定による措置は、児童の生命又は身体の安全を確保するため緊急の必要があると認めるときは、その親権を行う者又は未成年後見人の意に反しても、これをとることができる。この場合において、児童福祉施設の長、小規模住居型児童養育事業を行う者又は里親は、速やかに、そのとつた措置について、当該児童に係る通所給付決定若しくは入所給付決定、第21条の６、第24条第５項若しくは第６項若しくは第27条第１項第３号の措置、助産の実施

若しくは母子保護の実施又は当該児童に係る子ども・子育て支援法第20条第４項に規定する教育・保育給付認定を行つた都道府県又は市町村の長に報告しなければならない。

〔児童福祉施設に入所中の児童等の教育〕

第48条　児童養護施設、障害児入所施設、児童心理治療施設及び児童自立支援施設の長、その住居において養育を行う第６条の３第８項に規定する内閣府令で定める者並びに里親は、学校教育法に規定する保護者に準じて、その施設に入所中又は受託中の児童を就学させなければならない。

〔乳児院等の長による相談及び助言〕

第48条の２　乳児院、母子生活支援施設、児童養護施設、児童心理治療施設及び児童自立支援施設の長は、その行う児童の保護に支障がない限りにおいて、当該施設の所在する地域の住民につき、児童の養育に関する相談に応じ、及び助言を行うよう努めなければならない。

〔親子の再統合のための支援等〕

第48条の３　乳児院、児童養護施設、障害児入所施設、児童心理治療施設及び児童自立支援施設の長並びに小規模住居型児童養育事業を行う者及び里親は、当該施設に入所し、又は小規模住居型児童養育事業を行う者若しくは里親に委託された児童及びその保護者に対して、市町村、児童相談所、児童家庭支援センター、里親支援センター、教育機関、医療機関その他の関係機関との緊密な連携を図りつつ、親子の再統合のための支援その他の当該児童が家庭（家庭における養育環境と同様の養育環境及び良好な家庭的環境を含む。）で養育されるために必要な措置を採らなければならない。

〔保育所の情報提供等〕

第48条の４　保育所は、当該保育所が主として利用される地域の住民に対して、その行う保育に関し情報の提供を行わなければならない。

②　保育所は、当該保育所が主として利用される地域の住民に対して、その行う保育に支障がない限りにおいて、乳児、幼児等の保育に関する相談に応じ、及び助言を行うよう努めなければならない。

③　保育所に勤務する保育士は、乳児、幼児等の保育に関する相談に応じ、及び助言を行うために必要な知識及び技能の修得、維持及び向上に努めなければならない。

〔命令への委任〕

第49条　この法律で定めるもののほか、第６条の３各項に規定する事業及び児童福祉施設の職員その他児童福祉施設に関し必要な事項は、命令で定める。

第４章　費用

〔国庫の支弁〕

第49条の２　国庫は、都道府県が、第27条第１項第３号に規定する措置により、国の設置する児童福祉施設に入所させた者につき、その入所後に要する費用を支弁する。

〔都道府県の支弁〕

第50条　次に掲げる費用は、都道府県の支弁とする。

一　都道府県児童福祉審議会に要する費用

二　児童福祉司及び児童委員に要する費用

三　児童相談所に要する費用（第９号の費用を除く。）

四　削除

五　第20条の措置に要する費用

五の二　小児慢性特定疾病医療費の支給に要する費用

五の三　小児慢性特定疾病児童等自立支援事業に要する費用

六　都道府県の設置する助産施設又は母子生活支援施設において市町村が行う助産の実施又は母子保護の実施に要する費用（助産の実施又は母子保護の実施につき第45条第１項の基準を維持するために要する費用をいう。次号及び次条第３号において同じ。）

六の二　都道府県が行う助産の実施又は母子保護の実施に要する費用

六の三　障害児入所給付費、高額障害児入所給付費若しくは特定入所障害児食費等給付費又は障害児入所医療費（以下「障害児入所給付費等」という。）の支給に要する費用

六の四　児童相談所長が第26条第１項第２号に規定する指導を委託した場合又は都道府県が第27条第１項第２号に規定する指導を委託した場合におけるこれらの指導に要する費用

七　都道府県が、第27条第１項第３号に規定する措置を採つた場合において、入所又は委託に要する費用及び入所後の保護又は委託後の養育につき、第45条第１項又は第45条の２第１項の基準を維持するために要する費用（国の設置する乳児院、児童養護施設、障害児入所施設、児童心理治療施設又は児童自立支援施設に入所させた児童につき、その入所後に要する費用を除き、里親支援センターにおいて行う里親支援事業に要する費用を含む。）

七の二　都道府県が、第27条第２項に規定する措置を採つた場合において、委託及び委託後の治療等に要する費用

七の三　都道府県が行う児童自立生活援助の実施に

要する費用

八　一時保護に要する費用

九　児童相談所の設備並びに都道府県の設置する児童福祉施設の設備及び職員の養成施設に要する費用

〔市町村の支弁〕

第51条　次に掲げる費用は、市町村の支弁とする。

一　障害児通所給付費、特例障害児通所給付費若しくは高額障害児通所給付費又は肢体不自由児通所医療費の支給に要する費用

二　第21条の６の措置に要する費用

二の二　第21条の18第２項の措置に要する費用

三　市町村が行う助産の実施又は母子保護の実施に要する費用（都道府県の設置する助産施設又は母子生活支援施設に係るものを除く。）

四　第24条第５項又は第６項の措置（都道府県若しくは市町村の設置する保育所若しくは幼保連携型認定こども園又は都道府県若しくは市町村の行う家庭的保育事業等に係るものに限る。）に要する費用

五　第24条第５項又は第６項の措置（都道府県及び市町村以外の者の設置する保育所若しくは幼保連携型認定こども園又は都道府県及び市町村以外の者の行う家庭的保育事業等に係るものに限る。）に要する費用

六　障害児相談支援給付費又は特例障害児相談支援給付費の支給に要する費用

七　市町村の設置する児童福祉施設の設備及び職員の養成施設に要する費用

八　市町村児童福祉審議会に要する費用

〔子ども・子育て支援法による給付との調整〕

第52条　第24条第５項又は第６項の規定による措置に係る児童が、子ども・子育て支援法第27条第１項、第28条第１項（第２号に係るものを除く。）、第29条第１項又は第30条第１項（第２号に係るものを除く。）の規定により施設型給付費、特例施設型給付費、地域型保育給付費又は特例地域型保育給付費の支給を受けることができる保護者の児童であるときは、市町村は、その限度において、前条第４号又は第５号の規定による費用の支弁をすることを要しない。

〔国庫の負担〕

第53条　国庫は、第50条（第１号から第３号まで及び第９号を除く。）及び第51条（第４号、第７号及び第８号を除く。）に規定する地方公共団体の支弁する費用に対しては、政令の定めるところにより、その２分の１を負担する。

〔都道府県の負担〕

第55条　都道府県は、第51条第１号から第３号まで、第５号及び第６号の費用に対しては、政令の定めるところにより、その４分の１を負担しなければならない。

〔費用の徴収及び負担〕

第56条　第49条の２に規定する費用を国庫が支弁した場合においては、内閣総理大臣は、本人又はその扶養義務者（民法に定める扶養義務者をいう。以下同じ。）から、都道府県知事の認定するその負担能力に応じ、その費用の全部又は一部を徴収することができる。

②　第50条第５号、第６号、第６号の２若しくは第７号から第７号の３までに規定する費用（同条第７号に規定する里親支援センターにおいて行う里親支援事業に要する費用を除く。）を支弁した都道府県又は第51条第２号から第５号までに規定する費用を支弁した市町村の長は、本人又はその扶養義務者から、その負担能力に応じ、その費用の全部又は一部を徴収することができる。

③　都道府県知事又は市町村長は、第１項の規定による負担能力の認定又は前項の規定による費用の徴収に関し必要があると認めるときは、本人又はその扶養義務者の収入の状況につき、本人若しくはその扶養義務者に対し報告を求め、又は官公署に対し必要な書類の閲覧若しくは資料の提供を求めることができる。

④　第１項又は第２項の規定による費用の徴収は、これを本人又はその扶養義務者の居住地又は財産所在地の都道府県又は市町村に嘱託することができる。

⑤　第１項又は第２項の規定により徴収される費用を、指定の期限内に納付しない者があるときは、第１項に規定する費用については国税の、第２項に規定する費用については地方税の滞納処分の例により処分することができる。この場合における徴収金の先取特権の順位は、国税及び地方税に次ぐものとする。

⑥　保育所又は幼保連携型認定こども園の設置者が、次の各号に掲げる乳児又は幼児の保護者から、善良な管理者と同一の注意をもつて、当該各号に定める額のうち当該保護者が当該保育所又は幼保連携型認定こども園に支払うべき金額に相当する金額の支払を受けることに努めたにもかかわらず、なお当該保護者が当該金額の全部又は一部を支払わない場合において、当該保育所又は幼保連携型認定こども園における保育に支障が生じ、又は生ずるおそれがあり、かつ、市町村が第24条第１項の規定により当該保育所における保育を行うため必要であると認めるとき

又は同条第２項の規定により当該幼保連携型認定こども園における保育を確保するため必要であると認めるときは、市町村は、当該設置者の請求に基づき、地方税の滞納処分の例によりこれを処分することができる。この場合における徴収金の先取特権の順位は、国税及び地方税に次ぐものとする。

一　子ども・子育て支援法第27条第１項に規定する特定教育・保育を受けた乳児又は幼児　同条第３項第１号に掲げる額から同条第５項の規定により支払がなされた額を控除して得た額（当該支払がなされなかつたときは、同号に掲げる額）又は同法第28条第２項第１号の規定による特例施設型給付費の額及び同号に規定する政令で定める額を限度として市町村が定める額（当該市町村が定める額が現に当該特定教育・保育に要した費用の額を超えるときは、当該現に特定教育・保育に要した費用の額）の合計額

二　子ども・子育て支援法第28条第１項第２号に規定する特別利用保育を受けた幼児　同条第２項第２号の規定による特例施設型給付費の額及び同号に規定する市町村が定める額（当該市町村が定める額が現に当該特別利用保育に要した費用の額を超えるときは、当該現に特別利用保育に要した費用の額）の合計額から同条第４項において準用する同法第27条第５項の規定により支払がなされた額を控除して得た額（当該支払がなされなかつたときは、当該合計額）

⑦　家庭的保育事業等を行う者が、次の各号に掲げる乳児又は幼児の保護者から、善良な管理者と同一の注意をもつて、当該各号に定める額のうち当該保護者が当該家庭的保育事業等を行う者に支払うべき金額に相当する金額の支払を受けることに努めたにもかかわらず、なお当該保護者が当該金額の全部又は一部を支払わない場合において、当該家庭的保育事業等による保育に支障が生じ、又は生ずるおそれがあり、かつ、市町村が第24条第２項の規定により当該家庭的保育事業等による保育を確保するため必要であると認めるときは、市町村は、当該家庭的保育事業等を行う者の請求に基づき、地方税の滞納処分の例によりこれを処分することができる。この場合における徴収金の先取特権の順位は、国税及び地方税に次ぐものとする。

一　子ども・子育て支援法第29条第１項に規定する特定地域型保育（同法第30条第１項第２号に規定する特別利用地域型保育（次号において「特別利用地域型保育」という。）及び同項第３号に規定する特定利用地域型保育（第３号において「特定利用地域型保育」という。）を除く。）を受けた乳児又は幼児　同法第29条第３項第１号に掲げる額から同条第５項の規定により支払がなされた額を控除して得た額（当該支払がなされなかつたときは、同号に掲げる額）又は同法第30条第２項第１号の規定による特例地域型保育給付費の額及び同号に規定する政令で定める額を限度として市町村が定める額（当該市町村が定める額が現に当該特定地域型保育に要した費用の額を超えるときは、当該現に特定地域型保育に要した費用の額）の合計額

二　特別利用地域型保育を受けた幼児　子ども・子育て支援法第30条第２項第２号の規定による特例地域型保育給付費の額及び同号に規定する市町村が定める額（当該市町村が定める額が現に当該特別利用地域型保育に要した費用の額を超えるときは、当該現に特別利用地域型保育に要した費用の額）の合計額から同条第４項において準用する同法第29条第５項の規定により支払がなされた額を控除して得た額（当該支払がなされなかつたときは、当該合計額）

三　特定利用地域型保育を受けた幼児　子ども・子育て支援法第30条第２項第３号の規定による特例地域型保育給付費の額及び同号に規定する市町村が定める額（当該市町村が定める額が現に当該特定利用地域型保育に要した費用の額を超えるときは、当該現に特定利用地域型保育に要した費用の額）の合計額から同条第４項において準用する同法第29条第５項の規定により支払がなされた額を控除して得た額（当該支払がなされなかつたときは、当該合計額）

〔私立児童福祉施設に対する補助〕

第56条の２　都道府県及び市町村は、次の各号に該当する場合においては、第35条第４項の規定により、国、都道府県及び市町村以外の者が設置する児童福祉施設（保育所を除く。以下この条において同じ。）について、その新設（社会福祉法第31条第１項の規定により設立された社会福祉法人が設置する児童福祉施設の新設に限る。）、修理、改造、拡張又は整備（以下「新設等」という。）に要する費用の４分の３以内を補助することができる。ただし、一の児童福祉施設について都道府県及び市町村が補助する金額の合計額は、当該児童福祉施設の新設等に要する費用の４分の３を超えてはならない。

一　その児童福祉施設が、社会福祉法第31条第１項の規定により設立された社会福祉法人、日本赤十字社又は公益社団法人若しくは公益財団法人の設

置するものであること。
二　その児童福祉施設が主として利用される地域において、この法律の規定に基づく障害児入所給付費の支給、入所させる措置又は助産の実施若しくは母子保護の実施を必要とする児童、その保護者又は妊産婦の分布状況からみて、同種の児童福祉施設が必要とされるにかかわらず、その地域に、国、都道府県又は市町村の設置する同種の児童福祉施設がないか、又はあつてもこれが十分でないこと。
② 前項の規定により、児童福祉施設に対する補助がなされたときは、内閣総理大臣、都道府県知事及び市町村長は、その補助の目的が有効に達せられることを確保するため、当該児童福祉施設に対して、第46条及び第58条第１項に規定するもののほか、次に掲げる権限を有する。
一　その児童福祉施設の予算が、補助の効果をあげるために不適当であると認めるときは、その予算について必要な変更をすべき旨を指示すること。
二　その児童福祉施設の職員が、この法律若しくはこれに基づく命令又はこれらに基づいてする処分に違反したときは、当該職員を解職すべき旨を指示すること。
③ 国庫は、第１項の規定により都道府県が障害児入所施設又は児童発達支援センターについて補助した金額の３分の２以内を補助することができる。
〔補助金の返還命令〕
第56条の３　都道府県及び市町村は、次に掲げる場合においては、補助金の交付を受けた児童福祉施設の設置者に対して、既に交付した補助金の全部又は一部の返還を命ずることができる。
一　補助金の交付条件に違反したとき。
二　詐欺その他の不正な手段をもつて、補助金の交付を受けたとき。
三　児童福祉施設の経営について、営利を図る行為があつたとき。
四　児童福祉施設が、この法律若しくはこれに基く命令又はこれらに基いてする処分に違反したとき。
〔児童委員に要する費用に対する補助〕
第56条の４　国庫は、第50条第２号に規定する児童委員に要する費用のうち、内閣総理大臣の定める事項に関するものについては、予算の範囲内で、その一部を補助することができる。
〔市町村整備計画〕
第56条の４の２　市町村は、保育を必要とする乳児・幼児に対し、必要な保育を確保するために必要があると認めるときは、当該市町村における保育所及び幼保連携型認定こども園（次項第１号及び第２号並びに次条第２項において「保育所等」という。）の整備に関する計画（以下「市町村整備計画」という。）を作成することができる。
② 市町村整備計画においては、おおむね次に掲げる事項について定めるものとする。
一　保育提供区域（市町村が、地理的条件、人口、交通事情その他の社会的条件、保育を提供するための施設の整備の状況その他の条件を総合的に勘案して定める区域をいう。以下同じ。）ごとの当該保育提供区域における保育所等の整備に関する目標及び計画期間
二　前号の目標を達成するために必要な保育所等を整備する事業に関する事項
三　その他内閣府令で定める事項
③ 市町村整備計画は、子ども・子育て支援法第61条第１項に規定する市町村子ども・子育て支援事業計画と調和が保たれたものでなければならない。
④ 市町村は、市町村整備計画を作成し、又はこれを変更したときは、次条第１項の規定により当該市町村整備計画を内閣総理大臣に提出する場合を除き、遅滞なく、都道府県にその写しを送付しなければならない。
〔交付金の交付〕
第56条の４の３　市町村は、次項の交付金を充てて市町村整備計画に基づく事業又は事務（同項において「事業等」という。）の実施をしようとするときは、当該市町村整備計画を、当該市町村の属する都道府県の知事を経由して、内閣総理大臣に提出しなければならない。
② 国は、市町村に対し、前項の規定により提出された市町村整備計画に基づく事業等（国、都道府県及び市町村以外の者が設置する保育所等に係るものに限る。）の実施に要する経費に充てるため、保育所等の整備の状況その他の事項を勘案して内閣府令で定めるところにより、予算の範囲内で、交付金を交付することができる。
③ 前２項に定めるもののほか、前項の交付金の交付に関し必要な事項は、内閣府令で定める。
〔準用規定〕
第56条の５　社会福祉法第58条第２項から第４項までの規定は、児童福祉施設の用に供するため国有財産特別措置法（昭和27年法律第219号）第２条第２項第２号の規定又は同法第３条第１項第４号及び同条第２項の規定により普通財産の譲渡又は貸付けを受けた社会福祉法人に準用する。この場合において、社会福祉法第58条第２項中「厚生労働大臣」とあるのは、「内閣総理大臣」と読み替えるものとする。

第７章　雑則

〔福祉の保障に関する連絡調整等〕

第56条の6　地方公共団体は、児童の福祉を増進するため、障害児通所給付費、特例障害児通所給付費、高額障害児通所給付費、障害児相談支援給付費、特例障害児相談支援給付費、介護給付費等、障害児入所給付費、高額障害児入所給付費又は特定入所障害児食費等給付費の支給、第21条の6、第21条の18第2項、第24条第5項若しくは第6項又は第27条第1項若しくは第2項の規定による措置及び保育の利用等並びにその他の福祉の保障が適切に行われるように、相互に連絡及び調整を図らなければならない。

②　地方公共団体は、人工呼吸器を装着している障害児その他の日常生活を営むために医療を要する状態にある障害児が、その心身の状況に応じた適切な保健、医療、福祉その他の各関連分野の支援を受けられるよう、保健、医療、福祉その他の各関連分野の支援を行う機関との連絡調整を行うための体制の整備に関し、必要な措置を講ずるように努めなければならない。

③　児童自立生活援助事業、社会的養護自立支援拠点事業又は放課後児童健全育成事業を行う者及び児童福祉施設の設置者は、その事業を行い、又はその施設を運営するに当たつては、相互に連携を図りつつ、児童及びその家庭からの相談に応ずることその他の地域の実情に応じた積極的な支援を行うように努めなければならない。

〔保育所等の設置又は運営の促進〕

第56条の7　市町村は、必要に応じ、公有財産（地方自治法第238条第1項に規定する公有財産をいう。次項において同じ。）の貸付けその他の必要な措置を積極的に講ずることにより、社会福祉法人その他の多様な事業者の能力を活用した保育所の設置又は運営を促進し、保育の利用に係る供給を効率的かつ計画的に増大させるものとする。

②　市町村は、必要に応じ、公有財産の貸付けその他の必要な措置を積極的に講ずることにより、社会福祉法人その他の多様な事業者の能力を活用した放課後児童健全育成事業の実施を促進し、放課後児童健全育成事業に係る供給を効率的かつ計画的に増大させるものとする。

③　国及び都道府県は、前2項の市町村の措置に関し、必要な支援を行うものとする。

〔公私連携型保育所の設置及び運営を目的とする法人の指定〕

第56条の8　市町村長は、当該市町村における保育の実施に対する需要の状況等に照らし適当であると認めるときは、公私連携型保育所（次項に規定する協定に基づき、当該市町村から必要な設備の貸付け、譲渡その他の協力を得て、当該市町村との連携の下に保育及び子育て支援事業（以下この条において「保育等」という。）を行う保育所をいう。以下この条において同じ。）の運営を継続的かつ安定的に行うことができる能力を有するものであると認められるもの（法人に限る。）を、その申請により、公私連携型保育所の設置及び運営を目的とする法人（以下この条において「公私連携保育法人」という。）として指定することができる。

②　市町村長は、前項の規定による指定（第11項において単に「指定」という。）をしようとするときは、あらかじめ、当該指定をしようとする法人と、次に掲げる事項を定めた協定（以下この条において単に「協定」という。）を締結しなければならない。

一　協定の目的となる公私連携型保育所の名称及び所在地
二　公私連携型保育所における保育等に関する基本的事項
三　市町村による必要な設備の貸付け、譲渡その他の協力に関する基本的事項
四　協定の有効期間
五　協定に違反した場合の措置
六　その他公私連携型保育所の設置及び運営に関し必要な事項

③　公私連携保育法人は、第35条第4項の規定にかかわらず、市町村長を経由し、都道府県知事に届け出ることにより、公私連携型保育所を設置することができる。

④　市町村長は、公私連携保育法人が前項の規定による届出をした際に、当該公私連携保育法人が協定に基づき公私連携型保育所における保育等を行うために設備の整備を必要とする場合には、当該協定に定めるところにより、当該公私連携保育法人に対し、当該設備を無償又は時価よりも低い対価で貸し付け、又は譲渡するものとする。

⑤　前項の規定は、地方自治法第96条及び第237条から第238条の5までの規定の適用を妨げない。

⑥　公私連携保育法人は、第35条第12項の規定による廃止又は休止の承認の申請を行おうとするときは、市町村長を経由して行わなければならない。この場合において、当該市町村長は、当該申請に係る事項に関し意見を付すことができる。

⑦　市町村長は、公私連携型保育所の運営を適切にさせるため、必要があると認めるときは、公私連携保育法人若しくは公私連携型保育所の長に対して、必要な報告を求め、又は当該職員に、関係者に対して質問させ、若しくはその施設に立ち入り、設備、帳簿書類その他の物件を検査させることができる。

⑧　第18条の16第2項及び第3項の規定は、前項の場合について準用する。

⑨　第７項の規定により、公私連携保育法人若しくは公私連携型保育所の長に対し報告を求め、又は当該職員に、関係者に対し質問させ、若しくは公私連携型保育所に立入検査をさせた市町村長は、当該公私連携型保育所につき、第46条第３項又は第４項の規定による処分が行われる必要があると認めるときは、理由を付して、その旨を都道府県知事に通知しなければならない。

⑩　市町村長は、公私連携型保育所が正当な理由なく協定に従つて保育等を行つていないと認めるときは、公私連携保育法人に対し、協定に従つて保育等を行うことを勧告することができる。

⑪　市町村長は、前項の規定により勧告を受けた公私連携保育法人が当該勧告に従わないときは、指定を取り消すことができる。

⑫　公私連携保育法人は、前項の規定による指定の取消しの処分を受けたときは、当該処分に係る公私連携型保育所について、第35条第12項の規定による廃止の承認を都道府県知事に申請しなければならない。

⑬　公私連携保育法人は、前項の規定による廃止の承認の申請をしたときは、当該申請の日前１月以内に保育等を受けていた者であつて、当該廃止の日以後においても引き続き当該保育等に相当する保育等の提供を希望する者に対し、必要な保育等が継続的に提供されるよう、他の保育所及び認定こども園その他関係者との連絡調整その他の便宜の提供を行わなければならない。

〔課税除外〕

第57条　都道府県、市町村その他の公共団体は、左の各号に掲げる建物及び土地に対しては、租税その他の公課を課することができない。但し、有料で使用させるものについては、この限りでない。

一　主として児童福祉施設のために使う建物

二　前号に掲げる建物の敷地その他主として児童福祉施設のために使う土地

〔公課及び差押の禁止〕

第57条の５　租税その他の公課は、この法律により支給を受けた金品を標準として、これを課することができない。

②　小児慢性特定疾病医療費、障害児通所給付費等及び障害児入所給付費等を受ける権利は、譲り渡し、担保に供し、又は差し押さえることができない。

③　前項に規定するもののほか、この法律による支給金品は、既に支給を受けたものであるとないとにかかわらず、これを差し押さえることができない。

〔施設の設置認可の取消〕

第58条　第35条第４項の規定により設置した児童福祉施設が、この法律若しくはこの法律に基づいて発する命令又はこれらに基づいてなす処分に違反したときは、都道府県知事は、同項の認可を取り消すことができる。

②　第34条の15第２項の規定により開始した家庭的保育事業等が、この法律若しくはこの法律に基づいて発する命令又はこれらに基づいてなす処分に違反したときは、市町村長は、同項の認可を取り消すことができる。

〔無認可施設に対する措置〕

第59条　都道府県知事は、児童の福祉のため必要があると認めるときは、第６条の３第９項から第12項まで若しくは第36条から第44条まで（第39条の２を除く。）に規定する業務を目的とする施設であつて第35条第３項の届出若しくは認定こども園法第16条の届出をしていないもの又は第34条の15第２項若しくは第35条第４項の認可若しくは認定こども園法第17条第１項の認可を受けていないもの（前条の規定により児童福祉施設若しくは家庭的保育事業等の認可を取り消されたもの又は認定こども園法第22条第１項の規定により幼保連携型認定こども園の認可を取り消されたものを含む。）については、その施設の設置者若しくは管理者に対し、必要と認める事項の報告を求め、又は当該職員をして、その事務所若しくは施設に立ち入り、その施設の設備若しくは運営について必要な調査若しくは質問をさせることができる。この場合においては、その身分を証明する証票を携帯させなければならない。

②　第18条の16第３項の規定は、前項の場合について準用する。

③　都道府県知事は、児童の福祉のため必要があると認めるときは、第１項に規定する施設の設置者に対し、その施設の設備又は運営の改善その他の勧告をすることができる。

④　都道府県知事は、前項の勧告を受けた施設の設置者がその勧告に従わなかつたときは、その旨を公表することができる。

⑤　都道府県知事は、第１項に規定する施設について、児童の福祉のため必要があると認めるときは、都道府県児童福祉審議会の意見を聴き、その事業の停止又は施設の閉鎖を命ずることができる。

⑥　都道府県知事は、児童の生命又は身体の安全を確保するため緊急を要する場合で、あらかじめ都道府県児童福祉審議会の意見を聴くいとまがないときは、当該手続を経ないで前項の命令をすることができる。

⑦　都道府県知事は、第３項の勧告又は第５項の命令をするために必要があると認めるときは、他の都道府県知事に対し、その勧告又は命令の対象となるべき施設の設置者に関する情報その他の参考となるべき情報の提供を求めることができる。

⑧　都道府県知事は、第３項の勧告又は第５項の命令をした場合には、その旨を当該施設の所在地の市町村長に通知するものとする。

⑨　都道府県知事は、第５項の命令をした場合には、その旨を公表することができる。

〔認可外保育所の届出〕

第59条の２　第６条の３第９項から第12項までに規定する業務又は第39条第１項に規定する業務を目的とする施設（少数の乳児又は幼児を対象とするものその他の内閣府令で定めるものを除く。）であつて第34条の15第２項若しくは第35条第４項の認可又は認定こども園法第17条第１項の認可を受けていないもの（第58条の規定により児童福祉施設若しくは家庭的保育事業等の認可を取り消されたもの又は認定こども園法第22条第１項の規定により幼保連携型認定こども園の認可を取り消されたものを含む。）については、その施設の設置者は、その事業の開始の日（第58条の規定により児童福祉施設若しくは家庭的保育事業等の認可を取り消された施設又は認定こども園法第22条第１項の規定により幼保連携型認定こども園の認可を取り消された施設にあつては、当該認可の取消しの日）から１月以内に、次に掲げる事項を都道府県知事に届け出なければならない。

一　施設の名称及び所在地

二　設置者の氏名及び住所又は名称及び所在地

三　建物その他の設備の規模及び構造

四　事業を開始した年月日

五　施設の管理者の氏名及び住所

六　その他内閣府令で定める事項

②　前項に規定する施設の設置者は、同項の規定により届け出た事項のうち内閣府令で定めるものに変更を生じたときは、変更の日から１月以内に、その旨を都道府県知事に届け出なければならない。その事業を廃止し、又は休止したときも、同様とする。

③　都道府県知事は、前２項の規定による届出があつたときは、当該届出に係る事項を当該施設の所在地の市町村長に通知するものとする。

〔掲示〕

第59条の２の２　前条第１項に規定する施設の設置者は、次に掲げる事項について、当該施設において提供されるサービスを利用しようとする者の見やすい場所に掲示するとともに、内閣府令で定めるところにより、電気通信回線に接続して行う自動公衆送信（公衆によつて直接受信されることを目的として公衆からの求めに応じ自動的に送信を行うことをいい、放送又は有線放送に該当するものを除く。）により公衆の閲覧に供しなければならない。

一　設置者の氏名又は名称及び施設の管理者の氏名

二　建物その他の設備の規模及び構造

三　その他内閣府令で定める事項

〔契約内容等の説明〕

第59条の２の３　第59条の２第１項に規定する施設の設置者は、当該施設において提供されるサービスを利用しようとする者からの申込みがあつた場合には、その者に対し、当該サービスを利用するための契約の内容及びその履行に関する事項について説明するように努めなければならない。

〔契約書面の交付〕

第59条の２の４　第59条の２第１項に規定する施設の設置者は、当該施設において提供されるサービスを利用するための契約が成立したときは、その利用者に対し、遅滞なく、次に掲げる事項を記載した書面を交付しなければならない。

一　設置者の氏名及び住所又は名称及び所在地

二　当該サービスの提供につき利用者が支払うべき額に関する事項

三　その他内閣府令で定める事項

〔運営状況の報告及び公表〕

第59条の２の５　第59条の２第１項に規定する施設の設置者は、毎年、内閣府令で定めるところにより、当該施設の運営の状況を都道府県知事に報告しなければならない。

②　都道府県知事は、毎年、前項の報告に係る施設の運営の状況その他第59条の２第１項に規定する施設に関し児童の福祉のため必要と認める事項を取りまとめ、これを各施設の所在地の市町村長に通知するとともに、公表するものとする。

〔市町村長への協力要請〕

第59条の２の６　都道府県知事は、第59条、第59条の２及び前条に規定する事務の執行及び権限の行使に関し、市町村長に対し、必要な協力を求めることができる。

〔町村の一部事務組合等〕

第59条の２の７　町村が一部事務組合又は広域連合を設けて福祉事務所を設置した場合には、この法律の適用については、その一部事務組合又は広域連合を福祉事務所を設置する町村とみなす。

〔助産の実施等に係る都道府県又は市町村に変更があつた場合の経過規定〕

第59条の３　町村の福祉事務所の設置又は廃止により助産の実施及び母子保護の実施に係る都道府県又は市町村に変更があつた場合においては、この法律又はこの法律に基づいて発する命令の規定により、変更前の当該助産の実施若しくは母子保護の実施に係る都道府県又は市町村の長がした行為は、変更後の当該助産の実施若しくは母子保護の実施に係る都道府県又は市町村の長がした行為とみなす。ただし、変更前に行われ、又は行われるべきであつた助産の実施若しくは母子保護の実施に関する費用の支弁及び負担については、変更がなかつたものとする。

〔大都市等の特例〕

第59条の4　この法律中都道府県が処理することとされている事務で政令で定めるものは、指定都市及び中核市並びに児童相談所を設置する市（特別区を含む。以下この項において同じ。）として政令で定める市（以下「児童相談所設置市」という。）においては、政令で定めるところにより、指定都市若しくは中核市又は児童相談所設置市（以下「指定都市等」という。）が処理するものとする。この場合においては、この法律中都道府県に関する規定は、指定都市等に関する規定として指定都市等に適用があるものとする。

②　前項の規定により指定都市等の長がした処分（地方自治法第2条第9項第1号に規定する第1号法定受託事務（次項及び第59条の6において「第1号法定受託事務」という。）に係るものに限る。）に係る審査請求についての都道府県知事の裁決に不服がある者は、内閣総理大臣に対して再審査請求をすることができる。

③　指定都市等の長が第1項の規定によりその処理することとされた事務のうち第1号法定受託事務に係る処分をする権限をその補助機関である職員又はその管理に属する行政機関の長に委任した場合において、委任を受けた職員又は行政機関の長がその委任に基づいてした処分につき、地方自治法第255条の2第2項の再審査請求の裁決があつたときは、当該裁決に不服がある者は、同法第252条の17の4第5項から第7項までの規定の例により、内閣総理大臣に対して再々審査請求をすることができる。

④　都道府県知事は、児童相談所設置市の長に対し、当該児童相談所の円滑な運営が確保されるように必要な勧告、助言又は援助をすることができる。

⑤　この法律に定めるもののほか、児童相談所設置市に関し必要な事項は、政令で定める。

〔緊急時における厚生労働大臣の事務執行〕

第59条の5　第21条の3第1項、第34条の5第1項、第34条の6、第46条及び第59条の規定により都道府県知事の権限に属するものとされている事務は、児童の利益を保護する緊急の必要があると内閣総理大臣が認める場合にあつては、内閣総理大臣又は都道府県知事が行うものとする。

②　前項の場合においては、この法律の規定中都道府県知事に関する規定（当該事務に係るものに限る。）は、内閣総理大臣に関する規定として内閣総理大臣に適用があるものとする。この場合において、第46条第4項中「都道府県児童福祉審議会の意見を聴き、その施設の」とあるのは「その施設の」と、第59条第5項中「都道府県児童福祉審議会の意見を聴き、その事業の」とあるのは「その事業の」とする。

③　第1項の場合において、内閣総理大臣又は都道府県知事が当該事務を行うときは、相互に密接な連携の下に行うものとする。

④　第1項、第2項前段及び前項の規定は、第19条の16第1項の規定により都道府県知事の権限に属するものとされている事務について準用する。この場合において、第1項、第2項前段及び前項中「内閣総理大臣」とあるのは、「厚生労働大臣」と読み替えるものとする。

〔事務の区分〕

第59条の6　第56条第1項の規定により都道府県が処理することとされている事務は、第1号法定受託事務とする。

〔主務省令〕

第59条の7　この法律における主務省令は、内閣府令とする。ただし、第21条の9各号に掲げる事業に該当する事業のうち内閣総理大臣以外の大臣が所管するものに関する事項については、内閣総理大臣及びその事業を所管する大臣の発する命令とする。

〔地方厚生局長への委任〕

第59条の8　内閣総理大臣は、この法律に規定する内閣総理大臣の権限（政令で定めるものを除く。）をこども家庭庁長官に委任する。

②　こども家庭庁長官は、政令で定めるところにより、前項の規定により委任された権限の一部を地方厚生局長又は地方厚生支局長に委任することができる。

③　厚生労働大臣は、厚生労働省令で定めるところにより、第16条第3項、第57条の3の3第2項及び第5項並びに第59条の5第4項において読み替えて準用する同条第1項に規定する厚生労働大臣の権限を地方厚生局長に委任することができる。

④　前項の規定により地方厚生局長に委任された権限は、厚生労働省令で定めるところにより、地方厚生支局長に委任することができる。

第8章　罰則

第60条　第34条第1項第6号の規定に違反したときは、当該違反行為をした者は、10年以下の懲役若しくは300万円以下の罰金に処し、又はこれを併科する。

②　第34条第1項第1号から第5号まで又は第7号から第9号までの規定に違反したときは、当該違反行為をした者は、3年以下の懲役若しくは100万円以下の罰金に処し、又はこれを併科する。

③　第34条第2項の規定に違反したときは、当該違反行為をした者は、1年以下の懲役又は50万円以下の罰金に処する。

④　児童を使用する者は、児童の年齢を知らないこと

を理由として、前３項の規定による処罰を免れることができない。ただし、過失のないときは、この限りでない。

⑤　第１項及び第２項（第34条第１項第７号又は第９号の規定に違反した者に係る部分に限る。）の罪は、刑法第４条の２の例に従う。

第61条　児童相談所において、相談、調査及び判定に従事した者が、正当な理由なく、その職務上取り扱つたことについて知得した人の秘密を漏らしたときは、これを１年以下の懲役又は50万円以下の罰金に処する。

第61条の２　第18条の22の規定に違反した者は、１年以下の懲役又は50万円以下の罰金に処する。

②　前項の罪は、告訴がなければ公訴を提起することができない。

第61条の３　第11条第５項、第18条の８第４項、第18条の12第１項、第21条の10の２第４項、第21条の12、第25条の５又は第27条の４の規定に違反した者は、１年以下の懲役又は50万円以下の罰金に処する。

第61条の４　第46条第４項又は第59条第５項の規定による事業の停止又は施設の閉鎖の命令に違反した者は、６月以下の懲役若しくは禁錮又は50万円以下の罰金に処する。

第61条の５　正当な理由がないのに、第21条の４の７第１項の規定による報告若しくは帳簿書類の提出若しくは提示をせず、若しくは虚偽の報告若しくは虚偽の帳簿書類の提出若しくは提示をし、又は同項の規定による質問に対して答弁をせず、若しくは虚偽の答弁をし、若しくは同項の規定による立入り若しくは検査を拒み、妨げ、若しくは忌避したときは、当該違反行為をした者は、50万円以下の罰金に処する。

②　正当な理由がないのに、第29条の規定による児童委員若しくは児童の福祉に関する事務に従事する職員の職務の執行を拒み、妨げ、若しくは忌避し、又はその質問に対して答弁をせず、若しくは虚偽の答弁をし、若しくは児童に答弁をさせず、若しくは虚偽の答弁をさせた者は、50万円以下の罰金に処する。

第61条の６　正当な理由がないのに、第18条の16第１項の規定による報告をせず、若しくは虚偽の報告をし、又は同項の規定による質問に対して答弁をせず、若しくは虚偽の答弁をし、若しくは同項の規定による立入り若しくは検査を拒み、妨げ、若しくは忌避したときは、その違反行為をした指定試験機関の役員又は職員は、30万円以下の罰金に処する。

第62条　正当な理由がないのに、第19条の16第１項、第21条の５の22第１項、第21条の５の27第１項（第24条の19の２において準用する場合を含む。）、第24条の15第１項、第24条の34第１項若しくは第24条の39第１項の規定による報告若しくは物件の提出若しくは提示をせず、若しくは虚偽の報告若しくは虚偽の物件の提出若しくは提示をし、又はこれらの規定による質問に対して答弁をせず、若しくは虚偽の答弁をし、若しくはこれらの規定による立入り若しくは検査を拒み、妨げ、若しくは忌避したときは、当該違反行為をした者は、30万円以下の罰金に処する。

②　次の各号のいずれかに該当する者は、30万円以下の罰金に処する。

一　第18条の19第２項の規定により保育士の名称の使用の停止を命ぜられた者で、当該停止を命ぜられた期間中に、保育士の名称を使用したもの

二　第18条の23の規定に違反した者

三　正当な理由がないのに、第21条の14第１項の規定による報告をせず、若しくは虚偽の報告をし、又は同項の規定による質問に対して答弁をせず、若しくは虚偽の答弁をし、若しくは同項の規定による立入り若しくは検査を拒み、妨げ、若しくは忌避した者

四　第30条第１項に規定する届出を怠つた者

五　正当な理由がないのに、第57条の３の３第１項から第３項までの規定による報告若しくは物件の提出若しくは提示をせず、若しくは虚偽の報告若しくは虚偽の物件の提出若しくは提示をし、又はこれらの規定による当該職員の質問若しくは第57条の３の４第１項の規定により委託を受けた指定事務受託法人の職員の第57条の３の３第１項の規定による質問に対して、答弁せず、若しくは虚偽の答弁をした者

六　正当な理由がないのに、第59条第１項の規定による報告をせず、若しくは虚偽の報告をし、又は同項の規定による立入調査を拒み、妨げ、若しくは忌避し、若しくは同項の規定による質問に対して答弁をせず、若しくは虚偽の答弁をした者

第62条の４　法人の代表者又は法人若しくは人の代理人、使用人その他の従業者が、その法人又は人の業務に関して、第60条第１項から第３項まで、第60条の３、第61条の５第１項又は第62条第１項の違反行為をしたときは、行為者を罰するほか、その法人又は人に対しても、各本条の罰金刑を科する。

第62条の５　第59条の２第１項又は第２項の規定による届出をせず、又は虚偽の届出をした者は、50万円以下の過料に処する。

第62条の６　次の各号のいずれかに該当する者は、10万円以下の過料に処する。

一　正当な理由がなく、第56条第４項（同条第２項の規定による第50条第５号、第６号、第６号の２若しくは第７号の３又は第51条第３号に規定する

費用の徴収に関する部分を除く。）の規定による報告をせず、又は虚偽の報告をした者

二　第57条の３の３第４項から第６項までの規定による報告若しくは物件の提出若しくは提示をせず、若しくは虚偽の報告若しくは虚偽の物件の提出若しくは提示をし、又はこれらの規定による当該職員の質問に対して、答弁せず、若しくは虚偽の答弁をした者

三　第57条の３の４第１項の規定により委託を受けた指定事務受託法人の職員の第57条の３の３第４項の規定による質問に対して、答弁せず、又は虚偽の答弁をした者

附　則　抄

〔施行期日〕

第63条　この法律は、昭和23年１月１日から、これを施行する。但し、第19条、第22条から第24条まで、第50条第４号、第６号、第７号及び第９号（児童相談所の設備に関する部分を除く。）第51条、第54条及び第55条の規定並びに第52条、第53条及び第56条の規定中これらの規定に関する部分は、昭和23年４月１日から、これを施行する。

〔児童相談所長の市町村の長への通知〕

第63条の２　児童相談所長は、当分の間、第26条第１項に規定する児童のうち身体障害者福祉法第15条第４項の規定により身体障害者手帳の交付を受けた15歳以上の者について、障害者の日常生活及び社会生活を総合的に支援するための法律第５条第11項に規定する障害者支援施設（次条において「障害者支援施設」という。）に入所すること又は障害福祉サービス（同法第４条第１項に規定する障害者のみを対象とするものに限る。次条において同じ。）を利用することが適当であると認めるときは、その旨を身体障害者福祉法第９条又は障害者の日常生活及び社会生活を総合的に支援するための法律第19条第２項若しくは第３項に規定する市町村の長に通知することができる。

第63条の３　児童相談所長は、当分の間、第26条第１項に規定する児童のうち15歳以上の者について、障害者支援施設に入所すること又は障害福祉サービスを利用することが適当であると認めるときは、その旨を知的障害者福祉法第９条又は障害者の日常生活及び社会生活を総合的に支援するための法律第19条第２項若しくは第３項に規定する市町村の長に通知することができる。

〔関係法律の廃止〕

第65条　児童虐待防止法及び少年教護法は、これを廃止する。但し、これらの法律廃止前に、なした行為に関する罰則の適用については、これらの法律は、なおその効力を有する。

〔児童虐待防止法による知事の処分〕

第66条　児童虐待防止法第２条の規定により、都道府県知事のなした処分は、これをこの法律中の各相当規定による措置とみなす。

〔少年教護法に関する経過規定〕

第67条　この法律施行の際、現に存する少年教護法の規定による少年教護院及び職員養成所は、これをこの法律の規定により設置した教護院及び職員養成施設とみなし、少年教護院に在院中の者は、これを第27条第１項第３号の規定により、教護院に入院させられた者とみなす。

第68条　少年教護法第24条第１項但書の規定により、その教科につき、文部大臣の承認を受けた少年教護院であつて、この法律施行の際、現に存するものは、第48条第３項の規定により、教科に関する事項につき、学校教育法第20条又は第38条の監督庁の承認を受けたものとみなす。

〔児童福祉施設に関する経過規定〕

第69条　この法律施行の際、現に存する生活保護法の規定による保護施設中の児童保護施設は、これをこの法律の規定により設置した児童福祉施設とみなす。

第70条　この法律施行の際、現に存する児童福祉施設であつて、第67条及び前条の規定に該当しないものは、命令の定めるところにより、行政庁の認可を得て、この法律による児童福祉施設として存続することができる。

〔従前の義務教育を了えた14歳以上の児童の特例〕

第71条　満14歳以上の児童で、学校教育法第96条の規定により、義務教育の課程又はこれと同等以上と認める課程を修了した者については、第34条第１項第３号から第５号までの規定は、これを適用しない。

〔国の無利子、貸付け等〕

第72条　国は、当分の間、都道府県（第59条の４第１項の規定により、都道府県が処理することとされている第56条の２第１項の事務を指定都市等が処理する場合にあつては、当該指定都市等を含む。以下この項及び第７項において同じ。）に対し、第56条の２第３項の規定により国がその費用について補助することができる知的障害児施設等の新設等で日本電信電話株式会社の株式の売払収入の活用による社会資本の整備の促進に関する特別措置法（昭和62年法律第86号。以下「社会資本整備特別措置法」という。）第２条第１項第２号に該当するものにつき、社会福祉法第31条第１項の規定により設立された社会福祉法人、日本赤十字社又は公益社団法人若しくは公益財団法人に対し当該都道府県が補助する費用に充てる資金について、予算の範囲内において、第56条の２第３項の規定（この規定による国の補助の割合について、この規定と異なる定めをした法令の規定が

ある場合には、当該異なる定めをした法令の規定を含む。以下同じ。）により国が補助することができる金額に相当する金額を無利子で貸し付けることができる。

② 国は、当分の間、都道府県又は市町村に対し、児童家庭支援センターの新設、修理、改造、拡張又は整備で社会資本整備特別措置法第２条第１項第２号に該当するものに要する費用に充てる資金の一部を、予算の範囲内において、無利子で貸し付けることができる。

③ 国は、当分の間、都道府県又は指定都市等に対し、児童の保護を行う事業又は児童の健全な育成を図る事業を目的とする施設の新設、修理、改造、拡張又は整備（第56条の２第３項の規定により国がその費用について補助するものを除く。）で社会資本整備特別措置法第２条第１項第２号に該当するものにつき、当該都道府県又は指定都市等が自ら行う場合にあつてはその要する費用に充てる資金の一部を、指定都市等以外の市町村又は社会福祉法人が行う場合にあつてはその者に対し当該都道府県又は指定都市等が補助する費用に充てる資金の一部を、予算の範囲内において、無利子で貸し付けることができる。

④ 国は、当分の間、都道府県、市町村又は長期にわたり医療施設において療養を必要とする児童（以下「長期療養児童」という。）の療養環境の向上のために必要な事業を行う者に対し、長期療養児童の家族が宿泊する施設の新設、修理、改造、拡張又は整備で社会資本整備特別措置法第２条第１項第２号に該当するものに要する費用に充てる資金の一部を、予算の範囲内において、無利子で貸し付けることができる。

⑤ 前各項の国の貸付金の償還期間は、５年（２年以内の据置期間を含む。）以内で政令で定める期間とする。

⑥ 前項に定めるもののほか、第１項から第４項までの規定による貸付金の償還方法、償還期限の繰上げその他償還に関し必要な事項は、政令で定める。

⑦ 国は、第１項の規定により都道府県に対し貸付けを行つた場合には、当該貸付けの対象である事業について、第56条の２第３項の規定による当該貸付金に相当する金額の補助を行うものとし、当該補助については、当該貸付金の償還時において、当該貸付金の償還金に相当する金額を交付することにより行うものとする。

⑧ 国は、第２項から第４項までの規定により都道府県、市町村又は長期療養児童の療養環境の向上のために必要な事業を行う者に対し貸付けを行つた場合には、当該貸付けの対象である事業について、当該貸付金に相当する金額の補助を行うものとし、当該補助については、当該貸付金の償還時において、当該貸付金の償還金に相当する金額を交付することにより行うものとする。

⑨ 都道府県、市町村又は長期療養児童の療養環境の向上のために必要な事業を行う者が、第１項から第４項までの規定による貸付けを受けた無利子貸付金について、第５項及び第６項の規定に基づき定められる償還期限を繰り上げて償還を行つた場合（政令で定める場合を除く。）における前２項の規定の適用については、当該償還は、当該償還期限の到来時に行われたものとみなす。

〔保育の実施等に関する経過措置〕

第73条 第24条第３項の規定の適用については、当分の間、同項中「市町村は、保育の需要に応ずるに足りる保育所、認定こども園（子ども・子育て支援法第27条第１項の確認を受けたものに限る。以下この項及び第46条の２第２項において同じ。）又は家庭的保育事業等が不足し、又は不足するおそれがある場合その他必要と認められる場合には、保育所、認定こども園」とあるのは、「市町村は、保育所、認定こども園（子ども・子育て支援法第27条第１項の確認を受けたものに限る。以下この項及び第46条の２第２項において同じ。）」とするほか、必要な技術的読替えは、政令で定める。

② 第46条の２第１項の規定の適用については、当分の間、同項中「第24条第５項」とあるのは「保育所における保育を行うことの権限及び第24条第５項」と、「母子保護の実施のための委託」とあるのは「母子保護の実施のための委託若しくは保育所における保育を行うことの委託」とするほか、必要な技術的読替えは、政令で定める。

附 則（平成24年８月22日法律第67号）抄

この法律は、子ども・子育て支援法〔平成24年法律第65号〕の施行の日〔平成27年４月１日〕から施行する。〔以下略〕

注 第８条は本則中の条文

（児童福祉法の一部改正に伴う経過措置）

第８条 子ども・子育て支援法（平成24年法律第65号）附則第９条第１項（第３号ロに係る部分を除く。）の規定が適用される施設型給付費、特例施設型給付費又は特例地域型保育給付費に係る保護者に対する児童福祉法第56条第７項及び第８項並びに児童手当法第21条及び第22条の規定の適用については、当分の間、児童福祉法第56条第７項第１号中「同条第３項第１号に掲げる額から同条第５項」とあるのは「同法附則第９条第１項第１号の規定による施設型給付費の額及び同号イに規定する政令で定める額を限度として市町村が定める額（当該市町村が定める額が現に当該特定教育・保育に要した費用の額を超えるときは、当該現に特定教育・保育に要した費用の額）の合計額から同法第27条第５項」と、「同号に掲げる額」とあるのは「当該合計額」と、「第28条第２項第１号の規定による特例施設型給付費の額及び同号」とあるのは「附則第９条第１項第２号イの規定による特例施設型給付費の額及び同号イ⑴」と、同項第２号中「同条第２項第２号」とあるのは「同法附則第９条第１項第２号ロ」と、「同号」とあるのは「同号ロ⑴」と、「同条第４項」とあるのは「同法第28条第４項」と、同条第８項第２号中「第30条第２項第２号」とあるのは「附則第９条第１項第３号イ」と、「同号」とあるのは「同号イ⑴」と、「同条第４項」とあるのは「同法第30条第４項」とするほか、必要な技術的読替えは、政令で定める。

附　則（令和４年６月15日法律第66号）抄

（施行期日）

第１条　この法律は、令和６年４月１日から施行する。ただし、次の各号に掲げる規定は、当該各号に定める日から施行する。

一　〔前略〕附則第17条の規定　公布の日

二　第１条中児童福祉法第59条の改正規定　公布の日から起算して３月を経過した日〔令和４年９月15日〕

三　第１条の規定（前号に掲げる改正規定を除く。）〔中略〕並びに附則第３条〔中略〕の規定　令和５年４月１日

四　第２条中児童福祉法第18条の20の３の次に１条を加える改正規定〔中略〕　公布の日から起算して２年を超えない範囲内において政令で定める日

五　第３条の規定〔中略〕並びに附則第14条の規定〔中略〕　公布の日から起算して３年を超えない範囲内において政令で定める日

（保育士の欠格事由等に関する経過措置）

第３条　第１条の規定（附則第１条第３号に掲げる改正規定に限る。）による改正後の児童福祉法（以下この条において「第３号改正後児童福祉法」という。）第18条の５（第１号を除く。）の規定は、附則第１条第３号に掲げる規定の施行の日（以下この条及び附則第15条において「第３号施行日」という。）以後の行為により第３号改正後児童福祉法第18条の５各号（第１号を除く。）に該当する者について適用し、第３号施行日前の行為に係る欠格事由については、なお従前の例による。

２　第３号改正後児童福祉法第18条の19第１項（第１号及び第３号に限る。）の規定は、第３号施行日以後の行為により同項第１号又は第３号に該当する者について適用し、第３号施行日前の行為に係る登録の取消しについては、なお従前の例による。

３　第３号改正後児童福祉法第18条の20の２の規定は、第３号施行日以後の行為により同条第１項各号に該当する者について適用し、第３号施行日前の行為により同項各号に該当する者については、適用しない。

（政令への委任）

第17条　附則第３条から前条までに規定するもののほか、この法律の施行に伴い必要な経過措置（罰則に関する経過措置を含む。）は、政令で定める。

〔**参考１**〕

◉児童福祉法等の一部を改正する法律（抄）

〔令和４年６月15日
法律第66号〕

（児童福祉法の一部改正）

第３条　児童福祉法の一部を次のように改正する。

第25条の２第１項中「第33条第10項」を「第33条第19項」に改める。

第28条第２項ただし書中「第９項」を「第18項」に改める。

第31条第４項第２号中「第33条第８項から第11項まで」を「第33条第17項から第20項まで」に改める。

第33条第１項中「児童相談所長は」の下に「、児童虐待のおそれがあるとき、少年法第６条の６第１項の規定により事件の送致を受けたときその他の内閣府令で定める場合であつて」を加え、同条第２項中「都道府県知事は」の下に「、前項に規定する場合であつて」を加え、同条第３項中「前２項」を「第１項及び第２項」に改め、同条第７項中「第５項本文」を「第14項本文」に改め、同条第９項中「第11項」を「第20項」に改め、同条第10項中「第８項各号」を「第17項各号」に改め、同条第12項中「第８項」を「第17項」に改め、同条第２項の次に次の９項を加える。

③　児童相談所長又は都道府県知事は、前２項の規定による一時保護を行うときは、次に掲げる場合を除き、一時保護を開始した日から起算して７日以内に、第１項に規定する場合に該当し、かつ、一時保護の必要があると認められる資料を添えて、これらの者の所属する官公署の所在地を管轄する地方裁判所、家庭裁判所又は簡易裁判所の裁判官に次項に規定する一時保護状を請求しなければならない。この場合において、一時保護を開始する前にあらかじめ一時保護状を請求することを妨げない。

一　当該一時保護を行うことについて当該児童の親権を行う者又は未成年後見人の同意がある場合

二　当該児童に親権を行う者又は未成年後見人が

ない場合
三　当該一時保護をその開始した日から起算して7日以内に解除した場合
④　裁判官は、前項の規定による請求（以下この条において「一時保護状の請求」という。）のあつた児童について、第1項に規定する場合に該当すると認めるときは、一時保護状を発する。ただし、明らかに一時保護の必要がないと認めるときは、この限りでない。
⑤　前項の一時保護状には、次に掲げる事項（第5号に掲げる事項にあつては、第3項後段に該当する場合に限る。）を記載し、裁判官がこれに記名押印しなければならない。
一　一時保護を行う児童の氏名
二　一時保護の理由
三　発付の年月日
四　裁判所名
五　有効期間及び有効期間経過後は一時保護を開始することができずこれを返還しなければならない旨
⑥　一時保護状の請求についての裁判は、判事補が単独ですることができる。
⑦　児童相談所長又は都道府県知事は、裁判官が一時保護状の請求を却下する裁判をしたときは、速やかに一時保護を解除しなければならない。ただし、一時保護を行わなければ児童の生命又は心身に重大な危害が生じると見込まれるときは、児童相談所長又は都道府県知事は、当該裁判があつた日の翌日から起算して3日以内に限り、第1項に規定する場合に該当し、かつ、一時保護の必要があると認められる資料及び一時保護を行わなければ児童の生命又は心身に重大な危害が生じると見込まれると認められる資料を添えて、簡易裁判所の裁判官がした裁判に対しては管轄地方裁判所に、その他の裁判官がした裁判に対してはその裁判官が所属する裁判所にその裁判の取消しを請求することができる。
⑧　前項ただし書の請求を受けた地方裁判所又は家庭裁判所は、合議体で決定をしなければならない。
⑨　第7項本文の規定にかかわらず、児童相談所長又は都道府県知事は、同項ただし書の規定による請求をするときは、一時保護状の請求についての裁判が確定するまでの間、引き続き第1項又は第2項の規定による一時保護を行うことができる。
⑩　第7項ただし書の規定による請求を受けた裁判所は、当該請求がその規定に違反したとき、又は請求が理由のないときは、決定で請求を棄却しなければならない。
⑪　第7項ただし書の規定による請求を受けた裁判所は、当該請求が理由のあるときは、決定で原裁判を取り消し、自ら一時保護状を発しなければならない。

第33条の6第4項及び第33条の6の3中「第33条第8項第2号」を「第33条第17項第2号」に改める。

附　則　抄

（施行期日）

第1条　この法律は、令和6年4月1日から施行する。ただし、次の各号に掲げる規定は、当該各号に定める日から施行する。

五　第3条の規定〔中略〕並びに附則第14条の規定〔中略〕　公布の日から起算して3年を超えない範囲内において政令で定める日〔令和7年6月1日〕

（一時保護の手続に関する経過措置）

第14条　第3条の規定による改正後の児童福祉法第33条第3項から第11項までの規定は、附則第1条第5号に掲げる規定の施行の日以後に開始される一時保護について適用し、同日前に開始された一時保護については、なお従前の例による。

〔参考2〕

◉刑法等の一部を改正する法律の施行に伴う関係法律の整理等に関する法律（抄）

〔令和4年6月17日　法律第68号〕

注　令和5年5月17日法律第28号により一部改正

第1編　関係法律の一部改正

第11章　厚生労働省関係

（児童福祉法の一部改正）

第224条　児童福祉法（昭和22年法律第164号）の一部を次のように改正する。

第18条の5第2号、第34条の15第3項第4号イ、第34条の20第1項第1号及び第35条第5項第4号イ中「禁錮」を「拘禁刑」に改める。

第60条第1項から第3項までの規定、第61条、第61条の2第1項及び第61条の3中「懲役」を「拘禁刑」に改める。

第61条の4中「懲役若しくは禁錮」を「拘禁刑」に改める。

第2編　経過措置

第1章　通則

（罰則の適用等に関する経過措置）

第441条　刑法等の一部を改正する法律（令和4年法律第67号。以下「刑法等一部改正法」という。）及びこの法律（以下「刑法等一部改正法等」という。）の施行前にした行為の処罰については、次章に別段の定めがあるもののほか、なお従前の例による。

2　刑法等一部改正法等の施行後にした行為に対して、他の法律の規定によりなお従前の例によることとされ、なお効力を有することとされ又は改正前若しくは廃止前の法律の規定の例によることとされる罰則を適用する場合において、当該罰則に定める刑（刑法施行法第19条第１項の規定又は第82条の規定による改正後の沖縄の復帰に伴う特別措置に関する法律第25条第４項の規定の適用後のものを含む。）に刑法等一部改正法第２条の規定による改正前の刑法（明治40年法律第45号。以下この項において「旧刑法」という。）第12条に規定する懲役（以下「懲役」という。）、旧刑法第13条に規定する禁錮（以下「禁錮」という。）又は旧刑法第16条に規定する拘留（以下「旧拘留」という。）が含まれるときは、当該刑のうち無期の懲役又は禁錮はそれぞれ無期拘禁刑と、有期の懲役又は禁錮はそれぞれその刑と長期及び短期（刑法施行法第20条の規定の適用後のものを含む。）を同じくする有期拘禁刑と、旧拘留は長期及び短期（刑法施行法第20条の規定の適用後のものを含む。）を同じくする拘留とする。

（裁判の効力とその執行に関する経過措置）

第442条　懲役、禁錮及び旧拘留の確定裁判の効力並びにその執行については、次章に別段の定めがあるもののほか、なお従前の例による。

（人の資格に関する経過措置）

第443条　懲役、禁錮又は旧拘留に処せられた者に係る人の資格に関する法令の規定の適用については、無期の懲役又は禁錮に処せられた者はそれぞれ無期拘禁刑に処せられた者と、有期の懲役又は禁錮に処せられた者はそれぞれ刑期を同じくする有期拘禁刑に処せられた者と、旧拘留に処せられた者は拘留に処せられた者とみなす。

2　拘禁刑又は拘留に処せられた者に係る他の法律の規定によりなお従前の例によることとされ、なお効力を有することとされ又は改正前若しくは廃止前の法律の規定の例によることとされる人の資格に関する法令の規定の適用については、無期拘禁刑に処せられた者は無期禁錮に処せられた者と、有期拘禁刑に処せられた者は刑期を同じくする有期禁錮に処せられた者と、拘留に処せられた者は刑期を同じくする旧拘留に処せられた者とみなす。

第４章　その他

（経過措置の政令への委任）

第509条　この編に定めるもののほか、刑法等一部改正法等の施行に伴い必要な経過措置は、政令で定める。

附　則　抄

（施行期日）

1　この法律は、刑法等一部改正法施行日〔令和７年６月１日〕から施行する。ただし、次の各号に掲げる規定は、当該各号に定める日から施行する。

一　第509条の規定　公布の日

〔**参考３**〕

◉障害者の日常生活及び社会生活を総合的に支援するための法律等の一部を改正する法律（抄）

〔令和４年12月16日
法律第104号〕

（児童福祉法の一部改正）

第６条　児童福祉法の一部を次のように改正する。

第26条第１項第２号中「第５条第18項」を「第５条第19項」に改める。

第61条の５第１項中「第21条の４の７第１項」の下に「若しくは第33条の23の８第１項」を加え、「同項」を「これら」に改める。

附　則　抄

（施行期日）

第１条　この法律は、令和６年４月１日から施行する。ただし、次の各号に掲げる規定は、当該各号に定める日から施行する。

四　〔前略〕第６条〔中略〕の規定　公布の日から起算して３年を超えない範囲内において政令で定める日

（検討）

第２条　政府は、この法律の施行後５年を目途として、この法律による改正後の障害者の日常生活及び社会生活を総合的に支援するための法律、児童福祉法、精神保健福祉法、障害者雇用促進法及び難病の患者に対する医療等に関する法律の規定について、その施行の状況等を勘案しつつ検討を加え、必要があると認めるときは、その結果に基づいて必要な措置を講ずるものとする。

〔**参考４**〕

◉子ども・子育て支援法等の一部を改正する法律（抄）

〔令和６年６月12日
法律第47号〕

（児童福祉法の一部改正）

第４条　児童福祉法（昭和22年法律第164号）の一部を次のように改正する。

第６条の３に次の２項を加える。

㉒　この法律で、妊婦等包括相談支援事業とは、内閣府令で定めるところにより、妊婦及びその配偶者その他内閣府令で定める者（以下この項において「妊婦等」という。）に対して、面談その他の

内閣府令で定める措置を講ずることにより、妊婦等の心身の状況、その置かれている環境その他の状況の把握を行うほか、母子保健及び子育てに関する情報の提供、相談その他の援助を行う事業をいう。

㉓ この法律で、乳児等通園支援事業とは、内閣府令で定めるところにより、保育所その他の内閣府令で定める施設において、乳児又は幼児であつて満3歳未満のもの（保育所に入所しているものその他の内閣府令で定めるものを除く。）に適切な遊び及び生活の場を与えるとともに、当該乳児又は幼児及びその保護者の心身の状況及び養育環境を把握するための当該保護者との面談並びに当該保護者に対する子育てについての情報の提供、助言その他の援助を行う事業をいう。

第21条の9中「及び親子関係形成支援事業」を「、親子関係形成支援事業及び妊婦等包括相談支援事業」に改める。

第21条の10の2第1項中「及び養育支援訪問事業」を「、養育支援訪問事業及び妊婦等包括相談支援事業」に改め、「ともに、乳児家庭全戸訪問事業」の下に「若しくは妊婦等包括相談支援事業」を加え、「(特定妊婦を除く。)」を削り、同条第2項中「乳児家庭全戸訪問事業」の下に「又は妊婦等包括相談支援事業」を加え、同条第3項及び第4項中「又は養育支援訪問事業」を「、養育支援訪問事業又は妊婦等包括相談支援事業」に改める。

第21条の10の3中「又は養育支援訪問事業」を「、養育支援訪問事業又は妊婦等包括相談支援事業」に改める。

第34条の10中「又は養育支援訪問事業」を「、養育支援訪問事業又は妊婦等包括相談支援事業」に改める。

第34条の15第1項から第3項までの規定中「家庭的保育事業等」の下に「又は乳児等通園支援事業」を加え、同条第5項ただし書中「、当該申請に係る家庭的保育事業等」の下に「又は乳児等通園支援事業を行う事業所」を加え、「係る部分を除く」を「係るものを除く」に、「の区分に係るものに限る。）が」を「に係るものに限る。）又は特定乳児等通園支援事業所（同法第30条の20第1項に規定する特定乳児等通園支援を行う事業所をいう。以下この項において同じ。）の利用定員の総数が」に、「同法第19条第3号に掲げる小学校就学前子どもの区分に係るものに限る。）に」を「同号に掲げる小学校就学前子どもに係るものに限る。）若しくは特定乳児等通園支援事業所に係る必要利用定員総数に」に改め、「又は当該申請に係る家庭的保育事業等」の下に「若しくは乳児等通園支援事業」を加え、同条第6項及び第7項中「家庭的保育事業等」の下に「又は乳児等通園支援事業」を加える。

第34条の16中「家庭的保育事業等」の下に「又は乳児等通園支援事業」を加える。

第34条の17第1項中「家庭的保育事業等」の下に「若しくは乳児等通園支援事業」を加え、同条第3項中「家庭的保育事業等」の下に「又は乳児等通園支援事業」を加え、「、その事業」を「、家庭的保育事業等又は乳児等通園支援事業」に、「勧告し、又はその事業」を「勧告し、当該家庭的保育事業等又は乳児等通園支援事業」に改め、「かつ、」の下に「当該家庭的保育事業等又は乳児等通園支援事業を継続させることが」を加え、同条第4項中「家庭的保育事業等が、前条第1項の基準に適合せず、かつ、」を「前項に規定する場合において家庭的保育事業等又は乳児等通園支援事業を継続させることが」に、「その事業を」を「当該家庭的保育事業等又は乳児等通園支援事業を」に、「事業の」を「家庭的保育事業等又は乳児等通園支援事業の」に改める。

第58条第1項中「児童福祉施設」の下に「の設置者」を加え、「なす」を「する」に改め、同条第2項中「家庭的保育事業等」の下に「又は乳児等通園支援事業を行う者」を加え、「なす」を「する」に改める。

附　則　抄

（施行期日）

第1条　この法律は、令和6年10月1日から施行する。ただし、次の各号に掲げる規定は、当該各号に定める日から施行する。

一　〔前略〕附則第46条の規定　この法律の公布の日

四　次に掲げる規定　令和7年4月1日

ロ　第4条の規定（児童福祉法〔中略〕第34条の15第5項ただし書の改正規定を除く。）

五　次に掲げる規定　令和8年4月1日

ハ　第4条中児童福祉法第34条の15第5項ただし書の改正規定

（乳児等通園支援事業の認可に関する準備行為）

第7条　第4条の規定（附則第1条第4号ロに掲げる改正規定に限る。）による改正後の児童福祉法（次項において「新児童福祉法」という。）第34条の15第2項の認可を受けようとする者は、第4号施行日前においても、同項の規定の例により、その申請を行うことができる。

2　市町村長は、前項の規定により認可の申請があった場合には、第４号施行日前においても、新児童福祉法第34条の15第２項から第６項まで並びに第34条の16第１項及び第２項の規定の例により、当該認可をすることができる。この場合において、当該認可は、第４号施行日以後は、新児童福祉法第34条の15第２項の認可とみなす。

（罰則に関する経過措置）

第45条　この法律（附則第１条第４号から第６号までに掲げる規定については、当該規定。以下この条において同じ。）の施行前にした行為及び附則第13条第１項の規定によりなお従前の例によることとされる場合におけるこの法律の施行後にした行為に対する罰則の適用については、なお従前の例による。

（その他の経過措置の政令への委任）

第46条　この附則に定めるもののほか、この法律の施行に関し必要な経過措置（罰則に関する経過措置を含む。）は、政令で定める。

（検討）

第48条　政府は、この法律の施行後５年を目途として、少子化の進展に対処するための子ども及び子育ての支援に関する施策の在り方について、加速化プラン実施施策の実施状況及びその効果並びに前条第２項の観点を踏まえて検討を行い、その結果に基づいて所要の措置を講ずるものとする。

〔参考５〕

◉学校設置者等及び民間教育保育等事業者による児童対象性暴力等の防止等のための措置に関する法律（抄）

〔令和６年６月26日　法律第69号〕

附　則　抄

（施行期日）

第１条　この法律は、公布の日から起算して２年６月を超えない範囲内において政令で定める日から施行する。〔以下略〕

（児童福祉法の一部改正）

第８条　児童福祉法〔昭和22年法律第164号〕の一部を次のように改正する。

第12条第６項の次に次の１項を加える。

⑦　都道府県知事は、学校設置者等及び民間教育保育等事業者による児童対象性暴力等の防止等のための措置に関する法律（令和６年法律第69号）で定めるところにより、当該都道府県が設置する児童相談所について、児童対象性暴力等（同法第２条第２項に規定する児童対象性暴力等をいう。以下この項及び第21条の５の18第４項において同じ。）を防止し、及び児童対象性暴力等が行われた場合に児童を適切に保護するために必要な措置を講じなければならない。

第34条の16に次の１項を加える。

④　第21条の５の18第４項の規定は、家庭的保育事業等又は乳児等通園支援事業を行う者について準用する。

第34条の17第１項中「維持する」を「維持し、又は学校設置者等及び民間教育保育等事業者による児童対象性暴力等の防止等のための措置に関する法律の適切な実施を確保する」に改め、同条第３項中「至つたときは」を「至つた場合又は家庭的保育事業等若しくは乳児等通園支援事業を行う者が学校設置者等及び民間教育保育等事業者による児童対象性暴力等の防止等のための措置に関する法律若しくは同法に基づいて発する命令若しくはこれらに基づいてする処分に違反した場合には」に改め、「適合するため」の下に「又は当該違反を是正するため」を加える。

第45条に次の１項を加える。

⑦　第21条の５の18第４項の規定は、乳児院、母子生活支援施設、保育所、児童館、児童養護施設、障害児入所施設、児童心理治療施設又は児童自立支援施設（第46条第３項において「乳児院等」という。）の設置者について準用する。

第46条第１項中「維持する」を「維持し、又は学校設置者等及び民間教育保育等事業者による児童対象性暴力等の防止等のための措置に関する法律の適切な実施を確保する」に、「求め、」を「求め、又は」に改め、同条第３項中「達しないときは」を「達しない場合又は乳児院等の設置者が学校設置者等及び民間教育保育等事業者による児童対象性暴力等の防止等のための措置に関する法律若しくは同法に基づいて発する命令若しくはこれらに基づいてする処分に違反した場合には」に、「勧告し、又は」を「勧告し、」に改め、「かつ、」の下に「その施設の運営を継続させることが」を加え、同条第４項中「児童福祉施設の設備又は運営が第45条第１項の基準に達せず、かつ、」を「前項に規定する場合においてその施設の運営を継続させることが」に改める。

第58条中「若しくはこの」を「若しくは学校設置者等及び民間教育保育等事業者による児童対象性暴力等の防止等のための措置に関する法律若しくはこれらの」に改める。

◉児童福祉法施行令（抄）

〔昭和23年３月31日
政 令 第 74 号〕

注 令和６年３月30日政令第161号改正現在
（未施行分については106頁に収載）

第１章　総則

〔法第６条の２第２項第２号の政令で定める児童等〕

第１条　児童福祉法（昭和22年法律第164号。以下「法」という。）第６条の２第２項第２号の政令で定める者は、同項第１号に規定する指定小児慢性特定疾病医療機関に通い、又は入院する小児慢性特定疾病（同条第１項に規定する小児慢性特定疾病をいう。第22条第１項第２号ロにおいて同じ。）にかかつている児童以外の満20歳に満たない者であつて、満18歳に達する日前から引き続き指定小児慢性特定疾病医療支援（法第19条の２第１項に規定する指定小児慢性特定疾病医療支援をいう。第22条第１項において同じ。）を受けているものとする。

〔法第６条の３第１項第１号及び２号の政令で定める措置等〕

第１条の２　法第６条の３第１項第１号の政令で定める措置は、児童を小規模住居型児童養育事業を行う者若しくは里親に委託する措置又は児童養護施設、児童心理治療施設若しくは児童自立支援施設に入所させる措置とする。

②　法第６条の３第１項第１号の政令で定める者は、前項に規定する措置を解除された者以外の者であつて、次の各号のいずれかに掲げる者であるものとする。

一　法第６条の３第１項に規定する児童自立生活援助（次号及び第42条第10号において「児童自立生活援助」という。）の実施、法第23条第２項に規定する母子保護の実施又は法第33条第１項若しくは第２項の規定による一時保護を解除された者

二　前号に掲げる者のほか、都道府県知事が自立のために児童自立生活援助が必要と認めた者

③　法第６条の３第１項第２号の政令で定めるものは、児童自立生活援助事業としての相談その他の援助を受けている者、母子生活支援施設、児童養護施設、児童心理治療施設若しくは児童自立支援施設の行う相談その他の援助を受けている者又は児童相談所その他の内閣府令で定める機関の行う自立のための援助を受けている者とする。

④　法第６条の３第１項第２号の政令で定めるやむを得ない事情は、次に掲げる事情とする。

一　学校教育法（昭和22年法律第26号）第50条に規定する高等学校（以下この号において「高等学校」という。）、同法第83条に規定する大学（以下この号において「大学」という。）その他内閣府令で定める教育施設に在学する生徒若しくは学生又は高等学校、大学若しくは当該内閣府令で定める教育施設への入学が予定されている者であること。

二　試みの使用期間中の者又はこれに準ずる者として内閣府令で定めるものであること。

三　社会的養護自立支援拠点事業の利用、公共職業安定所における就職に関する相談その他の内閣府令で定める就学又は就労に向けた活動を行つている者であること。

四　疾病又は負傷のために就学若しくは就労又はこれらに向けた活動を行うことが困難な者であること。

〔法第12条第２項の政令で定める基準〕

第１条の３　法第12条第２項の政令で定める基準は、次のとおりとする。

一　１又は２以上の市町村（特別区を含む。以下この号において同じ。）の区域であつて、児童相談所と市町村及び学校、医療機関その他関係機関（以下この号において「関係機関等」という。）とが相互に緊密な連携を図ることができるよう、管轄区域内の主要な関係機関等の利用者の居住する地域を考慮したものであること。

二　児童相談所が児童虐待（児童虐待の防止等に関する法律（平成12年法律第82号）第２条に規定する児童虐待をいう。第３条第１項第１号ロにおいて同じ。）の予防及び早期発見並びに児童及びその家庭につき専門的な知識及び技術を必要とする支援を適切に行うことができるよう、管轄区域における人口（最近の国勢調査の結果によるものとする。同号イ及びロ(2)において同じ。）が、基本としておおむね50万人以下であること。

三　管轄区域における交通事情からみて、法第25条第１項の規定による通告を受けた場合その他緊急の必要がある場合において、速やかに当該通告を

受けた児童の保護その他の対応を行う上で支障がないこと。

〔法第12条の３第７項の政令で定める基準〕

第１条の４　法第12条の３第７項の政令で定める基準は、同項の所員の数が第３条第１項第１号に掲げる業務を行う児童福祉司の数として同号に定める数を２で除して得た数（その数に１に満たない端数があるときは、これを１に切り上げる。）以上の数であつて、法による保護を要する児童の数、交通事情等を考慮したものであることとする。

〔児童相談所設置等の報告〕

第２条　都道府県が児童相談所を設置し、又はその設備の規模及び構造等を変更したときは、都道府県知事は、内閣府令の定めるところにより、その旨を内閣総理大臣に報告しなければならない。

②　都道府県が児童相談所に法第12条の４第１項に規定する一時保護施設を設置し、又はその設備の規模及び構造等を変更したときは、都道府県知事は、内閣府令の定めるところにより、その旨を内閣総理大臣に報告しなければならない。

〔児童福祉司の数の基準〕

第３条　法第13条第２項の政令で定める基準は、各年度において、同条第１項の規定により置かれる児童福祉司（以下「児童福祉司」という。）の数が、次の各号に掲げる業務を行う児童福祉司の数として当該各号に定める数を合計した数以上の数であつて、法による保護を要する児童の数、交通事情等を考慮したものであることとする。

一　次号及び第３号に掲げる業務以外の業務　イ及びロに掲げる数を合計した数

イ　各児童相談所の管轄区域における人口を３万で除して得た数（その数に１に満たない端数があるときは、これを１に切り上げる。）を合計した数

ロ　各児童相談所につき、(1)に掲げる件数から(2)に掲げる件数を控除して得た件数（その件数が零を下回るときは、零とする。）を40で除して得た数（その数に１に満たない端数があるときは、これを１に切り上げる。）を合計した数

(1)　当該年度の前々年度において当該児童相談所が児童虐待に係る相談に応じた件数

(2)　当該年度の前々年度において都道府県別の人口１人当たりの虐待相談対応件数（各都道府県の区域内にある児童相談所が応じた児童虐待に係る相談の当該都道府県の人口１人当たりの件数をいう。）が最も少ない都道府県から順次その順位を付した場合における第22順位から第26順位までに該当する都道府県における当該件数の平均として内閣府令で定める数に当該児童相談所の管轄区域における人口を乗じて得た件数

二　法第11条第１項第２号トに規定する里親に関する業務　当該都道府県が設置する児童相談所の数

三　法第11条第１項第１号の規定による市町村相互間の連絡調整等、同項第３号の規定による広域的な対応が必要な業務、法第14条第２項の規定による担当区域内の児童に関する状況の通知及び意見の申出その他児童相談所の管轄区域内における関係機関との連絡調整　都道府県の区域内の市町村（特別区を含み、地方自治法（昭和22年法律第67号）第252条の19第１項の指定都市（以下「指定都市」という。）及び法第59条の４第１項の児童相談所設置市（以下「児童相談所設置市」という。）を除く。）の数を30で除して得た数（その数に１に満たない端数があるときは、これを１に切り上げる。）

②　法第13条第７項の政令で定める基準は、各児童相談所につき、同項に規定する指導教育担当児童福祉司の数が児童福祉司の数を６で除して得た数（その数に１に満たない端数があるときは、これを四捨五入する。）であることとする。

〔指定児童福祉司養成施設等の指定等〕

第３条の２　法第13条第３項第２号の施設又は講習会（以下この条及び第45条の３において「指定児童福祉司養成施設等」という。）の指定は、内閣府令で定める基準に適合する施設又は講習会について行うものとする。

②　指定児童福祉司養成施設等の指定を受けようとする施設の設置者又は講習会の実施者（以下この条において「設置者等」という。）は、内閣府令で定める事項を記載した申請書を、当該施設の所在地又は講習会の開催地（以下この条において「所在地等」という。）の都道府県知事に提出しなければならない。この場合において、設置者等が法人（地方公共団体を除く。）であるときは、申請書に定款、寄付行為その他の規約を添えなければならない。

③　指定児童福祉司養成施設等の設置者等は、前項の申請書の記載事項（内閣府令で定めるものに限る。）を変更しようとするときは、当該指定児童福祉司養成施設等の所在地等の都道府県知事に申請し、その承認を得なければならない。

④　指定児童福祉司養成施設等の設置者等は、第２項の申請書の記載事項（前項の内閣府令で定めるもの以外のものであつて内閣府令で定めるものに限る。）

に変更が生じたときは、変更のあつた日から起算して１月以内に、当該指定児童福祉司養成施設等の所在地等の都道府県知事に届け出なければならない。

⑤　法第13条第３項第２号の指定を受けた施設の長は、毎学年開始後３月以内に、内閣府令で定める事項を、当該施設の所在地の都道府県知事に報告しなければならない。

⑥　法第13条第３項第２号の指定を受けた講習会の実施者は、当該講習会の実施後１月以内に、内閣府令で定める事項を、当該講習会の開催地の都道府県知事に報告しなければならない。

⑦　都道府県知事は、法及びこの政令の施行に必要があると認めるときは、その必要な限度で、指定児童福祉司養成施設等の長に対し、教育方法、設備その他の事項に関し報告を求め、若しくは指導をし、又は当該職員に、その帳簿書類その他の物件を検査させることができる。

⑧　前項の規定による検査を行う場合においては、当該職員は、その身分を示す証明書を携帯し、関係者の請求があるときは、これを提示しなければならない。

⑨　第７項の規定による権限は、犯罪捜査のために認められたものと解釈してはならない。

⑩　都道府県知事は、指定児童福祉司養成施設等につき、第１項の規定に基づく内閣府令で定める基準に該当しなくなつたと認めるとき、若しくは第７項の規定による指導に従わないとき、又は次項の規定による申請があつたときは、その指定を取り消すことができる。

⑪　指定児童福祉司養成施設等の設置者等は、指定の取消しを求めようとするときは、学年の開始月又は講習会の実施月の２月前までに、内閣府令で定める事項を、当該指定児童福祉司養成施設等の所在地等の都道府県知事に提出しなければならない。

第２章　保育士

〔法第18条の５第３号の政令で定める法律の規定〕

第４条　法第18条の５第３号の政令で定める法律の規定は、次のとおりとする。

一　刑法（明治40年法律第45号）第182条の規定

二　社会福祉法（昭和26年法律第45号）第161条及び第164条の規定

三　児童扶養手当法（昭和36年法律第238号）第35条の規定

四　特別児童扶養手当等の支給に関する法律（昭和39年法律第134号）第41条の規定

五　児童手当法（昭和46年法律第73号）第31条の規定

六　児童買春、児童ポルノに係る行為等の規制及び処罰並びに児童の保護等に関する法律（平成11年法律第52号）第４条から第７条まで及び第11条の規定

七　児童虐待の防止等に関する法律第17条及び第18条の規定

八　就学前の子どもに関する教育、保育等の総合的な提供の推進に関する法律（平成18年法律第77号。以下「認定こども園法」という。）第６章の規定

九　平成22年度等における子ども手当の支給に関する法律（平成22年法律第19号）第33条の規定

十　平成23年度における子ども手当の支給等に関する特別措置法（平成23年法律第107号）第37条の規定

十一　子ども・子育て支援法（平成24年法律第65号）第78条から第80条までの規定

十二　国家戦略特別区域法（平成25年法律第107号。以下「特区法」という。）第12条の５第15項及び第17項から第19項までの規定

十三　民間あっせん機関による養子縁組のあっせんに係る児童の保護等に関する法律（平成28年法律第110号）第５章の規定

十四　性的な姿態を撮影する行為等の処罰及び押収物に記録された性的な姿態の影像に係る電磁的記録の消去等に関する法律（令和５年法律第67号）第２条第１項（第４号に係る部分に限る。）及び第２項（同条第１項（第４号に係る部分に限る。）の罪に係る部分に限る。）、第３条及び第４条（これらの規定のうち、同法第３条第１項に規定する性的影像記録であつて、同法第２条第１項第４号に掲げる行為により生成され、若しくは同法第５条第１項第４号に掲げる行為により影像送信（同項第１号に規定する影像送信をいう。以下この号において同じ。）をされた影像を記録する行為により生成された同法第３条第１項に規定する電磁的記録その他の記録又は当該記録の全部若しくは一部（同法第２条第１項第１号に規定する性的姿態等の影像が記録された部分に限る。）を複写したものに係る部分に限る。）、第５条第１項（第４号に係る部分に限る。）、同条第２項及び第６条第１項（これらの規定のうち、同法第５条第１項第４号に掲げる行為により影像送信をされた影像に係る部分に限る。以下この号において同じ。）並びに第６条第２項（同条第１項の罪に係る部分に限る。）の規定

〔指定保育士養成施設の指定等〕

第５条　法第18条の６第１号の指定保育士養成施設

（以下「指定保育士養成施設」という。）の指定は、内閣府令で定める基準に適合する施設について行うものとする。

② 指定保育士養成施設の指定を受けようとする施設の設置者は、内閣府令で定める事項を記載した申請書を、当該施設の所在地の都道府県知事に提出しなければならない。この場合において、設置者が法人（地方公共団体を除く。）であるときは、申請書に定款、寄付行為その他の規約を添えなければならない。

③ 指定保育士養成施設の設置者は、前項の申請書の記載事項（内閣府令で定めるものに限る。）を変更しようとするときは、当該施設の所在地の都道府県知事に申請し、その承認を得なければならない。

④ 指定保育士養成施設の設置者は、第２項の申請書の記載事項（前項の内閣府令で定めるもの以外のものであつて内閣府令で定めるものに限る。）に変更が生じたときは、変更のあつた日から起算して１月以内に、当該施設の所在地の都道府県知事に届け出なければならない。

⑤ 指定保育士養成施設の長は、毎学年開始後３月以内に、内閣府令で定める事項を、当該施設の所在地の都道府県知事に報告しなければならない。

⑥ 都道府県知事は、指定保育士養成施設につき、第１項の規定に基づく内閣府令で定める基準に該当しなくなつたと認めるとき、若しくは法第18条の７第１項に規定する指導に従わないとき、又は次項の規定による申請があつたときは、その指定を取り消すことができる。

⑦ 指定保育士養成施設の設置者は、指定の取消しを求めようとするときは、学年の開始月２月前までに、内閣府令で定める事項を、当該施設の所在地の都道府県知事に提出しなければならない。

〔都道府県知事による保育士試験委員の選任〕

第６条 都道府県知事は、法第18条の８第３項の保育士試験委員を選任しようとするときは、内閣府令で定める要件を備える者のうちから選任しなければならない。

〔指定試験機関の指定〕

第７条 法第18条の９第１項の指定試験機関（以下「指定試験機関」という。）の指定は、内閣府令で定めるところにより、同項の試験事務（以下「試験事務」という。）を行おうとする者の申請により行う。

② 都道府県知事は、前項の申請が次の要件を満たしていると認めるときでなければ、指定試験機関の指定をしてはならない。

一 職員、設備、試験事務の実施の方法その他の事項についての試験事務の実施に関する計画が、試験事務の適正かつ確実な実施のために適切なものであること。

二 前号の試験事務の実施に関する計画の適正かつ確実な実施に必要な経理的及び技術的な基礎を有するものであること。

③ 都道府県知事は、第１項の申請が次のいずれかに該当するときは、指定試験機関の指定をしてはならない。

一 申請者が、一般社団法人又は一般財団法人以外の者であること。

二 申請者が、その行う試験事務以外の業務により試験事務を公正に実施することができないおそれがあること。

三 申請者が、第12条の規定により指定を取り消され、その取消しの日から起算して２年を経過しない者であること。

四 申請者が、国家戦略特別区域法施行令（平成26年政令第99号。以下「特区法施行令」という。）第８条第１項又は第２項（第７号に係る部分を除く。）の規定により指定を取り消され、その取消しの日から起算して２年を経過しない者であること。

五 申請者の役員のうちに、次のいずれかに該当する者があること。

イ 法に違反して、又は特区法第12条の５第15項若しくは第17項から第19項までの規定により、刑に処せられ、その執行を終わり、又は執行を受けることがなくなつた日から起算して２年を経過しない者

ロ 法第18条の10第２項の規定による命令により解任され、その解任の日から起算して２年を経過しない者

ハ 特区法第12条の５第８項において準用する法第18条の10第２項の規定による命令により解任され、その解任の日から起算して２年を経過しない者

〔指定試験機関による保育士試験委員の選任〕

第８条 指定試験機関は、法第18条の11第１項の保育士試験委員を選任しようとするときは、内閣府令で定める要件を備える者のうちから選任しなければならない。

〔事業報告書等〕

第９条 指定試験機関は、毎事業年度の経過後３月以内に、その事業年度の事業報告書及び収支決算書を作成し、都道府県知事に提出しなければならない。

〔帳簿の備え付け等〕

第10条　指定試験機関は、内閣府令で定めるところにより、試験事務に関する事項で内閣府令で定めるものを記載した帳簿を備え、これを保存しなければならない。

〔試験事務の休廃止〕

第11条　指定試験機関は、都道府県知事の許可を受けなければ、試験事務の全部又は一部を休止し、又は廃止してはならない。

〔指定の取消し等〕

第12条　都道府県知事は、指定試験機関が第７条第３項各号（第３号及び第４号を除く。）のいずれかに該当するに至つたときは、その指定を取り消さなければならない。

②　都道府県知事は、指定試験機関が次のいずれかに該当するに至つたときは、その指定を取り消し、又は期間を定めて試験事務の全部若しくは一部の停止を命ずることができる。

一　法第18条の10第２項（法第18条の11第２項において準用する場合を含む。）、法第18条の13第２項又は法第18条の15の規定による命令に違反したとき。

二　法第18条の11第１項又は第18条の14の規定に違反したとき。

三　法第18条の13第１項の認可を受けた試験事務規程によらないで試験事務を行つたとき。

四　第７条第２項各号の要件を満たさなくなつたと認められるとき。

五　第８条、第９条又は第11条の規定に違反したとき。

六　次条第１項の条件に違反したとき。

七　特区法施行令第８条第１項又は第２項（第７号に係る部分を除く。）の規定により指定を取り消されたとき。

〔指定等の条件〕

第13条　法第18条の９第１項、法第18条の10第１項、法第18条の13第１項若しくは法第18条の14又は第11条の規定による指定、認可又は許可には、条件を付し、及びこれを変更することができる。

②　前項の条件は、当該指定、認可又は許可に係る事項の確実な実施を図るため必要な最小限度のものに限り、かつ、当該指定、認可又は許可を受ける者に不当な義務を課することとなるものであつてはならない。

〔都道府県知事による試験事務の実施等〕

第14条　都道府県知事は、指定試験機関が第11条の規定による許可を受けて試験事務の全部若しくは一部を休止したとき、第12条第２項の規定により指定試験機関に対し試験事務の全部若しくは一部の停止を命じたとき、又は指定試験機関が天災その他の事由により試験事務の全部若しくは一部を実施することが困難となつた場合において必要があると認めるときは、試験事務の全部又は一部を自ら行うものとする。

〔公示〕

第15条　都道府県知事は、次の場合には、その旨を公示しなければならない。

一　法第18条の９第１項の規定による指定をしたとき。

二　第11条の規定による許可をしたとき。

三　第12条の規定により指定を取り消し、又は試験事務の全部若しくは一部の停止を命じたとき。

四　前条の規定により試験事務の全部若しくは一部を自ら行うこととするとき、又は自ら行つていた試験事務の全部若しくは一部を行わないこととするとき。

〔登録〕

第16条　保育士の登録を受けようとする者は、申請書に法第18条の６各号のいずれかに該当することを証する書類を添え、その者が同条第１号に該当する場合は住所地の都道府県知事に、同条第２号に該当する場合は当該保育士試験を行つた都道府県知事（指定試験機関が行つた保育士試験を受けた場合にあつては、当該保育士試験の実施に関する事務の全部又は一部を当該指定試験機関に行わせることとした都道府県知事）に提出しなければならない。

〔登録証の書換え交付〕

第17条　保育士は、保育士登録証（以下「登録証」という。）の記載事項に変更を生じたときは、遅滞なく、登録証の書換え交付を申請しなければならない。

②　前項の申請をするには、申請書に申請の原因となる事実を証する書類及び登録証を添え、これを登録を行つた都道府県知事に提出しなければならない。

〔登録証の再交付〕

第18条　保育士は、登録証を破り、汚し、又は失つたときは、登録証の再交付を申請することができる。

②　前項の申請をするには、申請書を登録を行つた都道府県知事に提出しなければならない。

③　登録証を破り、又は汚した保育士が第１項の申請をするには、申請書にその登録証を添えなければならない。

④　保育士は、第１項の申請をした後、失つた登録証を発見したときは、速やかに、これを登録を行つた都道府県知事に返納しなければならない。

〔登録証の返納〕

第19条　保育士は、登録を取り消されたときは、遅滞なく、登録証を登録を行つた都道府県知事に返納しなければならない。

〔通知〕

第20条　都道府県知事は、他の都道府県知事の登録を受けた保育士について、登録の取消しを適当と認めるときは、理由を付して、登録を行つた都道府県知事に、その旨を通知しなければならない。

〔省令への委任〕

第21条　この章に定めるもののほか、指定保育士養成施設、保育士試験、指定試験機関、保育士の登録その他保育士に関し必要な事項は、内閣府令で定める。

第３章　福祉の保障

〔保育の利用等若しくは措置の解除等の方式〕

第28条　市町村長（特別区の区長を含む。以下同じ。）又は都道府県知事は、法第25条の８第３号に規定する保育の利用等又は法第27条第１項第３号若しくは第２項の措置を解除し、停止し、又は他の保育の利用等若しくは措置に変更する場合においては、現にその保護に当たつている児童福祉施設の長、家庭的保育事業等を行う者又は法第７条第２項に規定する指定発達支援医療機関の長の意見を参考としなければならない。法第31条第１項から第３項までに規定する児童について、これらの規定により、満20歳に達するまで、又はその者が社会生活に順応することができるようになるまで、引き続きその者を児童福祉施設に在所させ、若しくは法第27条第２項の規定による委託を継続し、又はこれらの措置を相互に変更する措置を採る場合においても、同様とする。

〔里親認定の方式〕

第29条　都道府県知事は、法第６条の４第３号の規定により里親の認定をするには、法第８条第２項に規定する都道府県児童福祉審議会（同条第１項ただし書に規定する都道府県にあつては、同項ただし書に規定する地方社会福祉審議会とする。以下「都道府県児童福祉審議会」という。）の意見を聴かなければならない。

〔里親の訪問指導〕

第30条　都道府県知事は、法第27条第１項第３号の規定により児童を里親に委託する措置を採つた場合には、児童福祉司、知的障害者福祉法第９条第５項に規定する知的障害者福祉司又は社会福祉主事のうち１人を指定して、里親の家庭を訪問して、必要な指導をさせなければならない。

〔都道府県児童福祉審議会の意見の聴取〕

第32条　都道府県知事は、法第27条第１項第１号から第３号までの措置（同条第３項の規定により採るもの及び法第28条第１項第１号又は第２号ただし書の規定により採るものを除く。）若しくは法第27条第２項の措置を採る場合又は同条第１項第２号若しくは第３号若しくは第２項の措置を解除し、停止し、若しくは他の措置に変更する場合において、児童若しくはその保護者の意向が当該措置と一致しないとき、又は都道府県知事が必要と認めるときは、都道府県児童福祉審議会の意見を聴かなければならない。ただし、緊急を要する場合で、あらかじめ、都道府県児童福祉審議会の意見を聴くいとまがないときは、この限りでない。

②　前項ただし書に規定する場合において、都道府県知事は、速やかに、その採つた措置について都道府県児童福祉審議会に報告しなければならない。

〔児童を同居させた者の居住地変更に伴う処置〕

第33条　都道府県知事は、法第30条第１項の規定により届出をした者が当該児童とともに他の都道府県の区域内に居住地を変更したときは、直ちに、その者の新居住地の都道府県知事に、その旨及びその者の指導につき必要な事項を通知しなければならない。

〔厚生労働省令及び内閣府令への委任〕

第34条　この政令で定めるもののほか、福祉の保障に関し必要な事項のうち、法第２章第１節第２款及び第４款の規定による小児慢性特定疾病医療費の支給等に関するものについては厚生労働省令で、それ以外のものについては内閣府令で定める。

第４章　事業、養育里親及び児童福祉施設

〔法第34条の15第３項第４号ロの政令で定める法律〕

第35条　法第34条の15第３項第４号ロの政令で定める法律は、第22条の６第７号、第８号、第12号から第19号まで及び第21号に掲げる法律とする。

〔法第34条の15第３項第４号ハの政令で定める法律〕

第35条の２　法第34条の15第３項第４号ハの政令で定める法律の規定は、第22条の７各号に掲げる規定とする。

〔法第34条の15第３項第４号ニの政令で定める使用人〕

第35条の３　法第34条の15第３項第４号ニの政令で定める使用人は、申請者の行う家庭的保育事業等を管理する者及び申請者の設置する保育所の管理者とする。

〔実施検査又は必要と認める事項の報告〕

第35条の４　市町村長は、当該職員をして、年度ごとに１回以上、国及び都道府県以外の者が行う家庭的保育事業等が法第34条の16第１項の規定に基づき定められた基準を遵守しているかどうかを実地につき検査させなければならない。ただし、当該家庭的保育事業等について次の各号のいずれかに該当する場

合においては、実地の検査に代えて、必要と認める事項の報告を求め、又は当該職員に関係者に対して質問させることにより、当該基準を遵守しているかどうかを確認させることができる。
一 天災その他やむを得ない事由により当該年度内に実地の検査を行うことが著しく困難又は不適当と認められる場合
二 前年度の実地の検査の結果その他内閣府令で定める事項を勘案して実地の検査が必ずしも必要でないと認められる場合
〔法第34条の20第1項第3号の政令で定める法律〕
第35条の5 法第34条の20第1項第2号の政令で定める法律は、次のとおりとする。
一 児童扶養手当法
二 特別児童扶養手当等の支給に関する法律
三 児童手当法
四 平成22年度等における子ども手当の支給に関する法律
五 平成23年度における子ども手当の支給等に関する特別措置法
六 第22条の6第8号、第17号、第19号、第21号及び第23号に掲げる法律
〔児童自立支援施設の設置〕
第36条 都道府県は、法第35条第2項の規定により、児童自立支援施設を設置しなければならない。
〔法第35条第5項第4号ロの政令で定める法律〕
第36条の2 法第35条第5項第4号ロの政令で定める法律は、次のとおりとする。
一 学校教育法
二 教育職員免許法（昭和24年法律第147号）
三 第22条の6第7号、第8号、第12号から第19号まで及び第21号に掲げる法律
〔法第35条第5項第4号ハの政令で定める法律の規定〕
第36条の3 法第35条第5項第4号ハの政令で定める法律の規定は、第22条の7各号に掲げる規定とする。
〔児童福祉施設等の管理〕
第37条 国、都道府県又は市町村の設置する児童福祉施設（幼保連携型認定こども園を除く。以下この条及び次条において同じ。）及び児童福祉施設の職員の養成施設は、法第49条の規定により、それぞれ内閣総理大臣、都道府県知事又は市町村長が、これを管理する。
〔児童福祉施設の実地検査又は必要な報告〕
第38条 都道府県知事は、当該職員をして、年度ごとに1回以上、国以外の者の設置する児童福祉施設が法第45条第1項の規定に基づき定められた基準を遵守しているかどうかを実地につき検査させなければならない。ただし、当該児童福祉施設について次の各号のいずれかに該当する場合においては、実地の検査に代えて、必要な報告を求め、又は当該職員に関係者に対して質問させることにより、当該基準を遵守しているかどうかを確認させることができる。
一 天災その他やむを得ない事由により当該年度内に実地の検査を行うことが著しく困難又は不適当と認められる場合
二 前年度の実地の検査の結果その他内閣府令で定める事項を勘案して実地の検査が必ずしも必要でないと認められる場合

第5章 費用

〔国庫又は都道府県の負担又は補助〕
第39条 都道府県又は市町村の支弁する費用に対する国庫又は都道府県の負担又は補助に関しては、法第50条から第55条までに規定するもののほか、この章の定めるところによる。
〔国庫又は都道府県の負担〕
第42条 法第53条又は第55条の規定による国庫又は都道府県の負担は、各年度において、次に掲げる額について行う。
一 法第50条第5号に掲げる費用については、当該年度において現に法第20条第2項の医療に係る給付に要した費用の額及び内閣総理大臣が定める基準によつて算定した同項の物品の支給に要する費用の額の合計額（その額が当該年度において現に要した当該費用の額（その費用のための収入があるときは、その収入の額を控除するものとする。）を超えるときは、当該費用の額とする。）から内閣総理大臣が定める基準によつて算定した当該費用に係る法第56条第2項の規定による徴収金の額を控除した額
二 法第50条第5号の2に掲げる費用については、小児慢性特定疾病医療費の支給に要した費用の額（その費用のための収入があるときは、その収入の額を控除するものとする。）
三 法第50条第5号の3に掲げる費用については、厚生労働大臣が定める基準によつて算定した同号に掲げる費用の額（その額が当該年度において現に要した当該費用の額（その費用のための収入があるときは、その収入の額を控除するものとする。）を超えるときは、当該費用の額とする。）
四 法第50条第6号、第6号の2若しくは第7号まで又は第51条第3号若しくは第5号に掲げる費用（第6号及び第7号に規定する費用を除く。）については、内閣総理大臣が児童福祉施設、小規模住居型児童養育事業又は家庭的保育事業等の種

類、入所定員又は利用定員、所在地による地域差等を考慮して定める基準によつて算定した児童福祉施設、小規模住居型児童養育事業又は家庭的保育事業等の職員の給与費、入所者又は利用者の日常生活費その他の経費の額（その額が当該年度において現に要した当該費用の額（その費用のための収入があるときは、その収入の額を控除するものとする。）を超えるときは、当該費用の額とする。）から内閣総理大臣が定める基準によつて算定した当該費用に係る法第56条第２項の規定による徴収金の額を控除した額

五　法第50条第６号の３に掲げる費用については、障害児入所給付費、高額障害児入所給付費若しくは特定入所障害児食費等給付費又は障害児入所医療費の支給に要した費用の額（その費用のための収入があるときは、その収入の額を控除するものとする。）

六　法第50条第６号の４に掲げる費用については、内閣総理大臣が法第26条第１項第２号又は第27条第１項第２号に規定する指導に係る児童の数等を考慮して定める基準によつて算定した当該指導に従事する職員の給与費その他の経費の額（その額が当該年度において現に要した当該費用の額（その費用のための収入があるときは、その収入の額を控除するものとする。）を超えるときは、当該費用の額とする。）

七　法第50条第７号に掲げる費用のうち障害児入所施設に係る費用又は同条第７号の２に掲げる費用については、法第27条第２項、第42条第２号又は第43条第２号に規定する治療に関し現に要した費用の額及び内閣総理大臣が定める基準によつて算定した知識技能を与え、又は日常生活の指導をするために必要な職員の給与費、入所者の日用品費その他の経費の額の合計額（その額が当該年度において現に要した当該費用の額（その費用のための収入があるときは、その収入の額を控除するものとする。）を超えるときは、当該費用の額とする。）から内閣総理大臣が定める基準によつて算定した当該費用に係る法第56条第２項の規定による徴収金の額を控除した額

八　法第50条第７号に掲げる費用のうち里親への委託の措置に係る費用については、内閣総理大臣が当該措置を受けた児童の年齢等を考慮して定める基準によつて算定した日常生活費その他の経費の額（その額が当該年度において現に要した当該費用の額（その費用のための収入があるときは、その収入の額を控除するものとする。）を超えるときは、当該費用の額とする。）から内閣総理大臣が定める基準によつて算定した当該費用に係る法第56条第２項の規定による徴収金の額を控除した額

九　法第50条第７号に掲げる費用のうち里親支援センターにおいて行う法第11条第４項に規定する里親支援事業に要する費用については、内閣総理大臣が里親支援センターの所在地による地域差等を考慮して定める基準によつて算定した当該里親支援事業に従事する職員の給与費その他の経費の額（その額が当該年度において現に要した当該費用の額（その費用のための収入があるときは、その収入の額を控除するものとする。）を超えるときは、当該費用の額とする。）

十　法第50条第７号の３に掲げる費用については、児童自立生活援助を行う場所の種類、当該場所の所在地による地域差等を考慮して内閣総理大臣が定める基準によつて算定した児童自立生活援助事業に従事する職員の給与費、利用者の日常生活費その他の経費の額（その額が当該年度において現に要した当該費用の額（その費用のための収入があるときは、その収入の額を控除するものとする。）を超えるときは、当該費用の額とする。）から内閣総理大臣が定める基準によつて算定した当該費用に係る法第56条第２項の規定による徴収金の額を控除した額

十一　法第50条第８号に掲げる費用については、内閣総理大臣が定める基準によつて算定した法第12条の４第１項に規定する一時保護施設の職員の給与費、一時保護が行われた児童の日常生活費その他の経費の額（その額が当該年度において現に要した当該費用の額（その費用のための収入があるときは、その収入の額を控除するものとする。）を超えるときは、当該費用の額とする。）

十二　法第51条第１号に掲げる費用については、障害児通所給付費、特例障害児通所給付費若しくは高額障害児通所給付費又は肢体不自由児通所医療費の支給に要した費用の額（その費用のための収入があるときは、その収入の額を控除するものとする。）

十三　法第51条第２号に掲げる費用については、内閣総理大臣が定める基準によつて算定した同号に掲げる費用の額から内閣総理大臣が定める基準によつて算定した当該費用に係る法第56条第２項の規定による徴収金の額及び当該費用のためのその他の収入の額の合計額を控除した額

十四　法第51条第２号の２に掲げる費用について

は、内閣総理大臣が法第21条の18第１項に規定する家庭支援事業の種類等を考慮して定める基準によつて算定した当該家庭支援事業に従事する職員の給与費その他の経費の額（その額が当該年度において現に要した当該費用の額（その費用のための収入があるときは、その収入の額を控除するものとする。）を超えるときは、当該費用の額とする。）から内閣総理大臣が定める基準によつて算定した当該費用に係る法第56条第２項の規定による徴収金の額を控除した額

十五　法第51条第６号に掲げる費用については、障害児相談支援給付費又は特例障害児相談支援給付費の支給に要した費用の額（その費用のための収入があるときは、その収入の額を控除するものとする。）

〔負担金の返還〕

第43条　法第53条及び第55条の規定により交付した国庫及び都道府県の負担金は、次に掲げる場合においては、その全部又は一部を返還させることができる。

一　家庭的保育事業等を行う者が、法第34条の17第４項の規定により、その事業の制限又は停止を命ぜられたとき。

二　児童福祉施設（幼保連携型認定こども園を除く。次号及び第５号において同じ。）の設置者が、法第46条第４項の規定により、その事業の停止を命ぜられたとき。

三　児童福祉施設の設置者が、法第58条第１項の規定により、法第35条第４項の認可を取り消されたとき。

四　家庭的保育事業等を行う者が、法第58条第２項の規定により、法第34条の15第２項の認可を取り消されたとき。

五　児童相談所若しくは児童福祉施設の設置者又は家庭的保育事業等を行う者が、法若しくは法に基づいて発する命令又はこれらに基づいてする処分に違反したとき。

六　幼保連携型認定こども園の設置者が、認定こども園法第21条第１項の規定により、その事業の停止又は施設の閉鎖を命ぜられたとき。

七　幼保連携型認定こども園の設置者が、認定こども園法第22条第１項の規定により、認定こども園法第17条第１項の認可を取り消されたとき。

八　幼保連携型認定こども園の設置者が、法若しくは認定こども園法若しくはこれらの法律に基づいて発する命令又はこれらに基づいてする処分に違反したとき。

九　児童相談所若しくは児童福祉施設の設置者若しくは家庭的保育事業等を行う者が、その事業の全部若しくは一部を廃止し、又は児童相談所若しくは児童福祉施設若しくは家庭的保育事業等を行う場所が当初予定した目的以外の用途に利用されるようになつたとき。

十　負担金交付の条件に違反したとき。

十一　詐偽の手段で、負担金の交付を受けたとき。

〔療育の給付等の費用収納事務の委託〕

第44条　削除

第７章　雑則

〔大都市等の特例〕

第45条　指定都市において、法第59条の４第１項の規定により、指定都市が処理する事務については、地方自治法施行令（昭和22年政令第16号）第174条の26第１項から第７項までに定めるところによる。

②　地方自治法第252条の22第１項の中核市（以下「中核市」という。）において、法第59条の４第１項の規定により、中核市が処理する事務については、地方自治法施行令第174条の49の２に定めるところによる。

〔児童相談所を設置する市〕

第45条の２　法第59条の４第１項の政令で定める市（特別区を含む。）は、東京都港区、世田谷区、中野区、豊島区、荒川区、板橋区、葛飾区及び江戸川区、横須賀市、金沢市、明石市並びに奈良市とする。

〔児童相談所設置市が処理する事務〕

第45条の３　児童相談所設置市において、法第59条の４第１項の規定により、児童相談所設置市が処理する事務は、法及びこの政令の規定により、都道府県が処理することとされている事務（法第11条第１項第１号及び第２号イの規定による市町村相互間の連絡調整等、同項第３号の規定による広域的な対応が必要な業務、同条第２項の規定による助言、法第13条第３項第２号の規定並びに第３条の２第２項から第７項まで、第10項及び第11項の規定による同号に規定する施設及び講習会の指定等、法第18条の６第１号及び第18条の７第１項の規定並びに第５条第２項から第７項までの規定による指定保育士養成施設の指定等、法第18条の８第２項の規定による保育士試験、同条第３項の規定による保育士試験委員の設置、法第18条の９、第18条の10（法第18条の11第２項において準用する場合を含む。）及び第18条の13から第18条の17までの規定並びに第７条、第９条、第11条から第13条まで及び第15条の規定による指定試験機関の指定等、法第18条の18から第18条の20の２までの規定及び第16条から第20条までの規定による保育士の登録等、法第18条の20の３第１項の規定

による報告の受理、法第18条の20の４第２項の規定による同条第１項のデータベースへの記録等、法第21条の５の10の規定による協力その他市町村に対する必要な援助、法第21条の５の15第６項及び第７項（これらの規定を法第21条の５の16第４項において準用する場合を含む。）の規定による関係市町村長に対する通知等、法第21条の５の21第１項（法第24条の14の２において準用する場合を含む。）の規定による関係者相互間の連絡調整又は援助、法第24条の19第４項の規定による協議の場の設置等、法第２章第５節第３款の規定による業務管理体制の整備等に係る質問等、法第33条の18第５項及び第７項の規定による市町村長に対する通知、法第33条の20第１項に規定する市町村障害児福祉計画に係る同条第11項及び第12項の規定による意見等、法第33条の22第１項に規定する都道府県障害児福祉計画に係る同条並びに法第33条の23及び第33条の24第１項の規定による作成等、法第33条の23の２第２項の規定による情報の提供、児童相談所設置市が行う法第34条の３第１項に規定する障害児通所支援事業等（第９項において「障害児通所支援事業等」という。）、児童自立生活援助事業又は小規模住居型児童養育事業に係る法第34条の５の規定による質問等及び法第34条の６の規定による制限又は停止の命令、児童相談所設置市が行う親子再統合支援事業、社会的養護自立支援拠点事業又は意見表明等支援事業に係る法第34条の７の３の規定による質問等及び法第34条の７の４の規定による制限又は停止の命令、児童相談所設置市が行う妊産婦等生活援助事業に係る法第34条の７の６の規定による質問等及び法第34条の７の７の規定による制限又は停止の命令、児童相談所設置市が行う一時預かり事業に係る法第34条の14の規定による質問等、児童相談所設置市が行う病児保育事業に係る法第34条の18の２の規定による質問等、児童相談所設置市が設置する児童福祉施設に係る法第46条の規定による質問等及び第38条の規定による検査、法第55条の規定による法第51条第５号の費用の負担、法第56条の４の２第４項の規定により送付された市町村整備計画の写しの受理、法第56条の４の３第１項の規定による市町村整備計画の提出の経由、法第56条の５の５第１項に規定する審査請求に対する裁決、法第56条の７第３項の規定による支援、法第57条の２第１項に規定する障害児通所給付費等の支給に係る法第57条の３の３の規定による質問等、法第57条の３の４第１項及び第４項の規定並びに第44条の８及び第44条の10から第44条の13までの規定による指定事務受託法人の指定等並びに法第59条の４第４項の規定による勧告等に関する事務を除く。）とする。この場合においては、第４項から第７項までにおいて特別の定めがあるものを除き、法及びこの政令中都道府県に関する規定（前段括弧内に掲げる事務に係る規定を除く。）は、児童相談所設置市に関する規定として児童相談所設置市に適用があるものとする。

② 前項に定めるもののほか、児童相談所設置市は、少年法（昭和23年法律第168号）の規定により、都道府県が処理することとされている児童福祉に関する事務を処理するものとする。この場合においては、同法中都道府県に関する規定は、児童相談所設置市に関する規定として児童相談所設置市に適用があるものとする。

③ 児童相談所設置市の長は、第１項の規定により法第19条の20第１項（法第21条の２及び第24条の21において準用する場合を含む。）の規定による事務を管理し及び執行する場合においては、法第19条の20第３項（法第21条の２及び第24条の21において準用する場合を含む。）の意見の聴取に関し、社会保険診療報酬支払基金法による社会保険診療報酬支払基金と契約を締結するものとする。

④ 第１項及び第２項の場合においては、児童相談所設置市は、第６項の規定によりその権限に属させられた事項を調査審議するため、法第８条第３項の規定により児童福祉に関する審議会その他の合議制の機関を置くものとする。

⑤ 第１項及び第２項の場合においては、前項に規定する児童福祉に関する審議会その他の合議制の機関は、同項に定めるもののほか、児童、妊産婦及び知的障害者の福祉に関する事項を調査審議することができる。

⑥ 第１項及び第２項の場合においては、第４項に規定する児童福祉に関する審議会その他の合議制の機関は、法第８条第９項、第27条第６項、第33条の15第３項、第35条第６項、第46条第４項及び第59条第５項の規定による権限を有するものとする。この場合においては、第４項に規定する児童福祉に関する審議会その他の合議制の機関を都道府県児童福祉審議会とみなして、法第33条の12第１項及び第３項、第33条の13並びに第33条の15第１項、第２項及び第４項の規定を適用する。

⑦ 第１項及び第２項の場合においては、法第10条第２項及び第３項、第18条第１項及び第３項、第55条（法第51条第５号に係る部分を除く。）並びに第56条の８第６項の規定は、適用しない。

⑧ 第１項及び第２項の場合においては、法第３条の３第２項中「市町村の行うこの法律に基づく児童の福祉に関する業務が適正かつ円滑に行われるよう、市町村に対する必要な助言及び適切な援助を行うとともに、児童」とあるのは「児童」と、「技術並び

に各市町村の区域を超えた広域的な対応」とあるのは「技術」と、「第11条第１項各号に掲げる業務」とあるのは「第11条第１項第２号（イを除く。）に掲げる業務及び同項第３号に掲げる業務」と、法第11条第１項第３号中「広域的な対応が必要な業務並びに家庭」とあるのは「家庭」と、法第12条第３項中「前条第１項第１号に掲げる業務（市町村職員の研修を除く。）並びに同項第２号（イを除く。）」とあるのは「前条第１項第２号（イを除く。）」と、法第13条第２項中「、第27条第１項第３号の規定による里親への委託の状況及び市町村におけるこの法律による事務の実施状況」とあるのは「及び第27条第１項第３号の規定による里親への委託の状況」と、同条第８項中「行い、担当区域内の市町村長に協力を求めることができる」とあるのは「行う」と、法第18条第２項中「児童相談所長又は市町村長」とあるのは「児童相談所長」と、法第21条の５の15第１項（法第21条の５の16第４項において準用する場合を含む。）中「ごとに行う」とあるのは「ごとに行う。この場合において、第59条の４第１項の児童相談所設置市（以下第56条の８第３項までにおいて「児童相談所設置市」という。）の長は、当該指定が次項に規定する特定障害児通所支援に係るものであるときは、あらかじめ、都道府県知事の同意を得なければならない」と、法第21条の５の15第８項（法第21条の５の16第４項において準用する場合を含む。）中「前項の意見を勘案し」とあるのは「第33条の20第１項に規定する市町村障害児福祉計画との調整を図る見地から」と、法第21条の５の17第５項中「ものは」とあるのは「ものから」と、「又は同法」とあるのは「について同法第78条の５第２項の規定による事業の廃止若しくは休止の届出があつたとき、又は同法」と、「を廃止し、又は休止しようとするときは、内閣府令で定めるところにより、その廃止又は休止の日の１月前までに、その旨を当該指定を行つた都道府県知事に届け出なければならない。この場合において、当該」とあるのは「について同法第115条の15第２項の規定による事業の廃止若しくは休止の」と、法第21条の５の26第２項第２号中「の区域」とあるのは「又は児童相談所設置市の区域」と、「指定都市の長」とあるのは「指定都市の長又は児童相談所設置市の長」と、同条第３項中「又は指定都市若しくは中核市の長」とあるのは「、指定都市若しくは中核市の長又は児童相談所設置市の長」と、法第21条の５の27第２項（法第24条の19の２において準用する場合を含む。）中「指定都市若しくは中核市の長」とあるのは「都道府県知事」と、「関係都道府県知事」とあるのは「関係児童相談所設置市の長」と、法第21条の５の27第３項及び第４項（これらの規定を法第24条の19の２において準用する場合を含む。）中「指定都市の長若しくは中核市」とあるのは「都道府県知事」と、法第21条の５の28第５項（法第24条の19の２において準用する場合を含む。）中「指定都市若しくは中核市の長」とあるのは「都道府県知事」と、「関係都道府県知事」とあるのは「関係児童相談所設置市の長」と、法第24条の４第１項第２号中「以外の都道府県の区域内」とあるのは「の区域以外の区域」と、法第24条の９第１項（法第24条の10第４項において準用する場合を含む。）中「行う」とあるのは「行う。この場合において、児童相談所設置市の長は、当該指定をしようとするときは、あらかじめ、都道府県知事の同意を得なければならない」と、法第26条第１項第２号中「市町村」とあるのは「児童相談所設置市以外の市町村」と、法第27条第１項第２号中「市町村」とあるのは「当該児童相談所設置市以外の市町村」と、法第30条第１項中「以内）に、市町村長を経て」とあるのは「以内）に」と、同条第２項中「以内に、市町村長を経て」とあるのは「以内に」と、法第34条の３第２項から第４項まで及び第34条の４中「及び都道府県」とあるのは「、都道府県及び児童相談所設置市」と、法第34条の５第１項及び第34条の６中「行う者」とあるのは「行う者（都道府県を除く。）」と、法第34条の７の２第２項から第４項までの規定中「及び都道府県」とあるのは「、都道府県及び児童相談所設置市」と、法第34条の７の３第１項及び第34条の７の４中「行う者」とあるのは「行う者（都道府県を除く。）」と、法第34条の７の５第２項から第４項までの規定中「及び都道府県」とあるのは「、都道府県及び児童相談所設置市」と、法第34条の７の６第１項及び第34条の７の７中「行う者」とあるのは「行う者（都道府県を除く。）」と、法第34条の18中「及び都道府県」とあるのは「、都道府県及び児童相談所設置市」と、法第35条第３項中「市町村」とあるのは「児童相談所設置市以外の市町村」と、同条第８項中「第62条第２項第１号」とあるのは「第61条第２項第１号」と、「第62条第１項」とあるのは「第61条第１項」と、「都道府県子ども・子育て支援事業支援計画」とあるのは「市町村子ども・子育て支援事業計画」と、同条第11項中「市町村」とあるのは「児童相談所設置市以外の市町村」と、法第45条第１項、第２項及び第５項並びに第46条第１項、第３項及び第４項中「児童福祉施設」とあるのは「児童福祉施設（都道府県が設置するものを除く。）」と、法第51条第３号中「費用（都道府県の設置する助産施設又は母子生活支援施設に係るものを除く。）」とあるのは「費用」と、法第56条の８第３

項中「にかかわらず、市町村長を経由し」とあるのは「にかかわらず」と、第１条の３第１号中「１又は２以上の市町村（特別区を含む。以下この号において同じ。）の区域であつて、児童相談所と市町村及び」とあるのは「児童相談所と」と、第３条第１項中「次の各号」とあるのは「第１号及び第２号」と、第38条中「児童福祉施設」とあるのは「児童福祉施設（都道府県が設置するものを除く。）」とする。

⑨　児童相談所設置市がその事務を処理するに当たつては、法第34条の５第１項の規定による障害児通所支援事業等、児童自立生活援助事業又は小規模住居型児童養育事業についての都道府県知事の質問等に関する規定、法第34条の６の規定による障害児通所支援事業等、児童自立生活援助事業又は小規模住居型児童養育事業の制限又は停止についての都道府県知事の命令に関する規定、法第34条の７の３第１項の規定による親子再統合支援事業、社会的養護自立支援拠点事業又は意見表明等支援事業についての都道府県知事の質問等に関する規定、法第34条の７の４の規定による親子再統合支援事業、社会的養護自立支援拠点事業又は意見表明等支援事業の制限又は停止についての都道府県知事の命令に関する規定、法第34条の７の６第１項の規定による妊産婦等生活援助事業についての都道府県知事の質問等に関する規定、法第34条の７の７の規定による妊産婦等生活援助事業の制限又は停止についての都道府県知事の命令に関する規定、法第34条の14第１項、第３項及び第４項の規定による一時預かり事業についての都道府県知事の質問等に関する規定、第34条の18の２第１項及び第３項の規定による病児保育事業についての都道府県知事の質問等に関する規定、法第46条第１項、第３項及び第４項の規定による児童福祉施設についての都道府県知事の質問等に関する規定並びに第38条の規定による児童福祉施設についての都道府県知事の検査に関する規定は、適用しない。

〔事務の区分〕

第46条　第５条第２項から第５項まで及び第７項（内閣総理大臣への経由に関する事務に係る部分に限る。）の規定により都道府県が処理することとされている事務は、地方自治法第２条第９項第１号に規定する第１号法定受託事務とする。

〔法第59条の８第１項の政令で定める権限〕

第46条の２　法第59条の８第１項の政令で定める権限は、法第45条第４項並びに第59条の４第２項及び第３項に規定する権限とする。

〔権限の委任〕

第46条の３　法第59条の８第１項の規定によりこども家庭庁長官に委任された権限のうち次の各号に掲げるものは、当該各号に定める地方厚生局長（四国厚生支局の管轄する区域にあつては、四国厚生支局長。以下この条において同じ。）に委任する。ただし、こども家庭庁長官が自らその権限を行うことを妨げない。

一　法第21条の３第３項に規定する権限　当該権限の行使の対象となる都道府県知事が管轄する区域を管轄する地方厚生局長

二　法第21条の５の27及び第21条の５の28（これらの規定を法第24条の19の２において準用する場合を含む。）に規定する権限　当該権限の行使の対象となる法第21条の５の18第１項に規定する指定障害児事業者等又は指定障害児入所施設等の設置者の主たる事務所の所在地を管轄する地方厚生局長

三　法第24条の39及び第24条の40に規定する権限　当該権限の行使の対象となる指定障害児相談支援事業者の主たる事務所の所在地を管轄する地方厚生局長

四　法第59条の５第１項から第３項までに規定する権限　法第21条の３第１項、第34条の５第１項、第34条の６、第46条及び第59条の規定により当該権限が属するものとされている都道府県知事が管轄する区域を管轄する地方厚生局長

第46条の４　内閣総理大臣は、この政令に規定する内閣総理大臣の権限をこども家庭庁長官に委任する。

第47条　この政令に規定する厚生労働大臣の権限は、厚生労働省令で定めるところにより、地方厚生局長に委任することができる。

②　前項の規定により地方厚生局長に委任された権限は、厚生労働省令で定めるところにより、地方厚生支局長に委任することができる。

附　則　抄

〔施行期日〕

第48条　この政令は、昭和23年１月１日から、これを適用する。ただし、法第63条ただし書に掲げる規定に関する部分は、昭和23年４月１日から、これを施行する。

〔在所期間の延長の特例が適用される場合の措置の解除等〕

第49条　第28条の規定は、法第63条の２第１項又は第２項に規定する児童について、これらの規定により、満20歳に達した後においても、引き続きその者を児童福祉施設に在所させ、若しくは法第27条第２項の規定による委託を継続し、又はこれらの措置を相互に変更する措置を採る場合に準用する。法第63条の３に規定する措置を解除する場合においても、同様とする。

〔関係勅令の廃止〕

第50条 少年教護法施行令〔昭和９年勅令第280号〕及び昭和８年勅令第218号（児童虐待防止法に依る費用負担及び国庫補助に関する勅令）は、これを廃止する。

〔国の貸付金の償還期間等〕

第51条 法第72条第５項に規定する政令で定める期間は、５年（２年の据置期間を含む。）とする。

② 前項に規定する期間は、日本電信電話株式会社の株式の売払収入の活用による社会資本の整備の促進に関する特別措置法（昭和62年法律第86号）第５条第１項の規定により読み替えて準用される補助金等に係る予算の執行の適正化に関する法律第６条第１項の規定による貸付けの決定（以下「貸付決定」という。）ごとに、当該貸付決定に係る法第72条第１項から第４項までの規定による国の貸付金（以下「国の貸付金」という。）の交付を完了した日（その日が当該貸付決定があつた日の属する年度の末日の前日以後の日である場合には、当該年度の末日の前々日）の翌日から起算する。

③ 国の貸付金の償還は、均等年賦償還の方法によるものとする。

④ 国は、国の財政状況を勘案し、相当と認めるときは、国の貸付金の全部又は一部について、前３項の規定により定められた償還期限を繰り上げて償還させることができる。

⑤ 法第72条第９項に規定する政令で定める場合は、前項の規定により償還期限を繰り上げて償還を行つた場合とする。

〔法附則第73条第１項の規定による技術的読替え〕

第52条 法附則第73条第１項の規定による技術的読替えは、次の表のとおりとする。

法の規定中読み替える規定	読み替えられる字句	読み替える字句
第24条第７項	第３項	附則第73条第１項の規定により読み替えられた第３項
第32条第３項	第24条第３項	附則第73条第１項の規定により読み替えられた第24条第３項
	同条第４項	第24条第４項
第46条の２第２項	第24条第３項	附則第73条第１項の規定により読み替えられた第24条第３項

〔参 考〕

◉児童福祉法施行令の一部を改正する政令

〔令和６年３月８日 政令第48号〕

児童福祉法施行令（昭和23年政令第74号）の一部を次のように改正する。

第45条の２中「東京都港区」の下に「、品川区」を加える。

附 則

（施行期日）

１ この政令は、令和６年10月１日から施行する。

（処分等に関する経過措置）

２ 都道府県知事若しくは都道府県が設置する児童相談所の所長その他の都道府県の機関（以下「都道府県知事等」という。）が行った許可、認可その他の処分若しくは通知その他の行為のうちこの政令の施行の際現に効力を有するもの又はこの政令の施行の際現に都道府県知事等に対してされている申請、届出その他の行為であって、児童福祉法第59条の４第１項、児童虐待の防止等に関する法律（平成12年法律第82号）第16条又は民間あっせん機関による養子縁組のあっせんに係る児童の保護等に関する法律（平成28年法律第110号）第41条の規定により、この政令の施行後、東京都品川区が処理することとなる事務に係るものは、この政令の施行後は、東京都品川区長又は東京都品川区が設置する児童相談所の所長その他の東京都品川区の機関（以下「品川区長等」という。）の行った許可、認可その他の処分若しくは通知その他の行為又は品川区長等に対してされた申請、届出その他の行為とみなす。

３ この政令の施行前に児童福祉法、児童虐待の防止等に関する法律又は民間あっせん機関による養子縁組のあっせんに係る児童の保護等に関する法律（これらに基づく命令を含む。）の規定により都道府県知事等に対して報告その他の手続をしなければならない事項であって、この政令の施行前に当該手続がされていないもののうち、児童福祉法第59条の４第１項、児童虐待の防止等に関する法律第16条又は民間あっせん機関による養子縁組のあっせんに係る児童の保護等に関する法律第41条の規定により、この政令の施行後、東京都品川区が処理することとなる事務に係るものについては、この政令の施行後は、これを、品川区長等に対して当該手続がされていないものとみなして、これらの法令の規定を適用する。

◉児童福祉法施行規則（抄）

〔昭和23年３月31日
厚生省令第11号〕

注　令和６年６月12日内閣府令第58号改正現在

第１章　総則

〔法第６条の２の２第２項に規定する内閣府令で定める施設〕

第１条　児童福祉法（昭和22年法律第164号。以下「法」という。）第６条の２の２第２項に規定する内閣府令で定める施設は、法第43条に規定する児童発達支援センターその他の次条に定める便宜の供与を適切に行うことができる施設とする。

〔法第６条の２の２第２項に規定する内閣府令で定める便宜〕

第１条の２　法第６条の２の２第２項に規定する内閣府令で定める便宜は、日常生活における基本的な動作及び知識技能の習得並びに集団生活への適応のための支援とする。

〔法第６条の２の２第３項に規定する内閣府令で定める施設〕

第１条の２の２　法第６条の２の２第３項に規定する内閣府令で定める施設は、法第43条に規定する児童発達支援センターその他の生活能力の向上のために必要な支援、社会との交流の促進その他の便宜を適切に供与することができる施設とする。

〔法第６条の２の２第４項に規定する内閣府令で定める状態〕

第１条の２の３　法第６条の２の２第４項に規定する内閣府令で定める状態は、次に掲げる状態とする。

一　人工呼吸器を装着している状態その他の日常生活を営むために医療を要する状態

二　重い疾病のため感染症にかかるおそれがある状態

〔法第６条の２の２第４項に規定する内閣府令で定める便宜〕

第１条の２の４　法第６条の２の２第４項に規定する内閣府令で定める便宜は、日常生活における基本的な動作及び知識技能の習得並びに生活能力の向上のために必要な支援とする。

〔法第６条の２の２第５項に規定する内閣府令で定める施設〕

第１条の２の５　法第６条の２の２第５項に規定する内閣府令で定める施設は、乳児院、保育所、児童養護施設、学校教育法（昭和22年法律第26号）に規定する幼稚園（以下「幼稚園」という。）、小学校（義務教育学校の前期課程を含む。）及び特別支援学校、就学前の子どもに関する教育、保育等の総合的な提供の推進に関する法律（平成18年法律第77号。以下「認定こども園法」という。）第２条第６項に規定する認定こども園（以下「認定こども園」という。）（保育所又は幼稚園であるものを除く。第24条及び第36条の35第１項を除き、以下同じ。）その他児童が集団生活を営む施設として市町村が認める施設とする。

〔障害児支援利用計画に係る内閣府令で定める事項〕

第１条の２の６　法第６条の２の２第７項に規定する同項に規定する障害児支援利用計画案（以下「障害児支援利用計画案」という。）に係る内閣府令で定める事項は、法第21条の５の６第１項又は第21条の５の８第１項の申請に係る障害児及びその家族の生活に対する意向、当該障害児の総合的な援助の方針及び生活全般の解決すべき課題、提供される障害児通所支援の目標及びその達成時期、障害児通所支援の種類、内容、量及び日時並びに障害児通所支援を提供する上での留意事項とする。

②　法第６条の２の２第７項に規定する障害児支援利用計画に係る内閣府令で定める事項は、障害児及びその家族の生活に対する意向、当該障害児の総合的な援助の方針及び生活全般の解決すべき課題、提供される障害児通所支援の目標及びその達成時期、障害児通所支援の種類、内容、量、日時、利用料及びこれを担当する者並びに障害児通所支援を提供する上での留意事項とする。

〔法第６条の２の２第８項に規定する内閣府令で定める期間〕

第１条の２の７　法第６条の２の２第８項に規定する内閣府令で定める期間は、障害児の心身の状況、その置かれている環境、当該障害児の総合的な援助の方針及び生活全般の解決すべき課題、提供される障害児通所支援の目標及びその達成時期、障害児通所支援の種類、内容及び量、障害児通所支援を提供する上での留意事項並びに次の各号に掲げる者の区分に応じ当該各号に定める期間を勘案して、市町村が必要と認める期間とする。ただし、第３号に定める期間については、当該通所給付決定又は通所給付決定の変更に係る障害児通所支援の利用開始日から起算して３月を経過するまでの間に限るものとする。

一　次号及び第３号に掲げる者以外のもの　６月間

二 次号に掲げる者以外のものであつて、次に掲げるもの 1月間
イ 障害児入所施設からの退所等に伴い、一定期間、集中的に支援を行うことが必要である者
ロ 同居している家族等の障害、疾病等のため、指定障害児通所支援事業者（法第21条の5の3第1項に規定する指定障害児通所支援事業者をいう。以下同じ。）との連絡調整を行うことが困難である者
三 通所給付決定（法第21条の5の5第1項に規定する通所給付決定をいう。以下同じ。）又は通所給付決定の変更により障害児通所支援の種類、内容又は量に著しく変動があつた者 1月間

〔法第6条の3第1項に規定する内閣府令で定める場所〕

第1条の2の8 法第6条の3第1項に規定する内閣府令で定める場所は、次に掲げる場所とする。
一 母子生活支援施設
二 児童養護施設
三 児童心理治療施設
四 児童自立支援施設
五 小規模住居型児童養育事業を行う住居
六 里親（法第6条の4第3号に掲げる者を除く。第36条の4の2第3号及び第36条の14第1項第3号ロにおいて同じ。）の居宅
七 児童自立生活援助対象者（法第6条の3第1項各号に掲げる者をいう。以下同じ。）の居宅（法第6条の3第1項に規定する共同生活を営むべき住居又は第1号から第4号までに掲げる施設と一体的に運営される場合であつて、当該住居又は施設に空室がないことその他特別の事情により、都道府県知事が必要と認めるときに限る。以下同じ。）

② 児童福祉法施行令（昭和23年政令第74号。以下「令」という。）第1条の2第3項に規定する内閣府令で定める機関は、児童相談所、里親支援センター及び法第11条第4項の規定により同条第1項第2号トに掲げる業務に係る事務の委託を受けた者とする。

③ 令第1条の2第4項第1号に規定する内閣府令で定める教育施設は、次に掲げる施設とする。
一 学校教育法第63条に規定する中等教育学校（同法第66条に規定する後期課程に限る。）
二 学校教育法第72条に規定する特別支援学校（同法第76条第2項に規定する高等部に限る。）
三 学校教育法第108条第2項に規定する短期大学
四 学校教育法第115条に規定する高等専門学校
五 学校教育法第124条に規定する専修学校
六 前各号に規定する教育施設に準ずる教育施設

④ 令第1条の2第4項第2号に規定する内閣府令で定める者は、試みの使用期間の満了後間がない者その他就職後間がない者とする。

⑤ 令第1条の2第4項第3号に規定する内閣府令で定める就学又は就労に向けた活動は、次に掲げる活動とする。
一 社会的養護自立支援拠点事業の利用
二 公共職業安定所における就職に関する相談
三 求人者との面接
四 前3号に掲げる活動に準ずる活動

〔子育て短期支援事業〕

第1条の2の9 法第6条の3第3項に規定する子育て短期支援事業は、短期入所生活援助事業及び夜間養護等事業とする。

〔短期入所生活援助事業〕

第1条の2の10 短期入所生活援助事業とは、保護者が疾病、疲労その他の身体上若しくは精神上又は環境上の理由により家庭において児童を養育することが一時的に困難となつた場合において、市町村長（特別区の区長を含む。以下同じ。）が適当と認めたときに、当該児童につき、第1条の4第1項に定める施設において必要な保護その他の支援（保護者の心身の状況、児童の養育環境その他の状況を勘案し、児童と共にその保護者に対して支援を行うことが必要である場合にあつては、当該保護者への支援を含む。次項、次条及び第1条の4において同じ。）を行う事業をいう。

② 前項の保護その他の支援の期間は、当該保護者の心身の状況、当該児童の養育環境その他の状況を勘案して市町村長が必要と認める期間とする。

〔夜間養護等事業〕

第1条の3 夜間養護等事業とは、保護者が仕事その他の理由により平日の夜間又は休日に不在となり家庭において児童を養育することが困難となつた場合その他緊急の必要がある場合において、市町村長が適当と認めたときに、当該児童につき、次条第1項に定める施設において必要な保護その他の支援を行う事業をいう。

② 前項の保護その他の支援の期間は、当該保護者が仕事その他の理由により不在となる期間又は同項の緊急の必要がなくなるまでの期間とする。ただし、市町村長は、必要があると認めるときは、その期間を延長することができる。

〔法第6条の3第3項に規定する内閣府令で定める施設〕

第1条の4 法第6条の3第3項に規定する内閣府令で定める施設は、乳児院、母子生活支援施設、児童養護施設その他の前2条に定める保護その他の支援を適切に行うことができる施設とする。

② 法第6条の3第3項に規定する内閣府令で定める者は、里親、保護その他の支援を適切に行うことが

できる者として市町村長が適当と認めた者その他の保護その他の支援を適切に行うことができる者とする。

〔乳児家庭全戸訪問事業〕

第１条の５　法第６条の３第４項に規定する乳児家庭全戸訪問事業は、原則として生後４月に至るまでの乳児のいる家庭について、市町村長が当該事業の適切な実施を図るために行う研修（市町村長が指定する都道府県知事その他の機関が行う研修を含む。）を受講した者をして訪問させることにより、子育てに関する情報の提供並びに乳児及びその保護者の心身の状況及び養育環境の把握を行うほか、養育についての相談に応じ、助言その他の援助を行うものとする。

〔養育支援訪問事業〕

第１条の６　法第６条の３第５項に規定する養育支援訪問事業は、要支援児童等（同項に規定する要支援児童等をいう。以下この条及び第１条の39の２第１項第１号において同じ。）に対する支援の状況を把握しつつ、必要に応じて関係者との連絡調整を行う者の総括の下に、保育士、保健師、助産師、看護師その他の養育に関する相談及び指導についての専門的知識及び経験を有する者であつて、かつ、市町村長が当該事業の適切な実施を図るために行う研修（市町村長が指定する都道府県知事その他の機関が行う研修を含む。）を受講したものをして、要支援児童等の居宅において、養育に関する相談及び指導を行わせることを基本として行うものとする。

〔地域子育て支援拠点事業〕

第１条の７　法第６条の３第６項に規定する地域子育て支援拠点事業は、次に掲げる基準に従い、地域の乳児又は幼児（以下「乳幼児」という。）及びその保護者が相互の交流を行う場所を開設し、当該場所において、適当な設備を備える等により、子育てについての相談、情報の提供、助言その他の援助を行うもの（市町村（特別区を含む。以下同じ。）又はその委託等を受けた者が行うものに限る。）とする。

一　子育て支援に関して意欲のある者であつて、子育てに関する知識と経験を有するものを配置すること。

二　おおむね10組の乳幼児及びその保護者が１度に利用することが差し支えない程度の十分な広さを有すること。ただし、保育所その他の施設であつて、児童の養育及び保育（法第６条の３第７項第１号に規定する保育をいう。以下同じ。）に関する専門的な支援を行うものについては、この限りでない。

三　原則として、１日に３時間以上、かつ、１週間に３日以上開設すること。

〔一時預かり事業〕

第１条の８　法第６条の３第７項に規定する一時預かり事業は、次に掲げる者について、主として昼間において、保育所、幼稚園、認定こども園その他の場所（第２号において「保育所等」という。）において、一時的に預かり、必要な保護を行うもの（特定の乳幼児のみを対象とするものを除く。）とする。

一　家庭において保育を受けることが一時的に困難となつた乳幼児

二　子育てに係る保護者の負担を軽減するため、保育所等において一時的に預かることが望ましいと認められる乳幼児

〔小規模住居型児童養育事業において行われる養育〕

第１条の９　法第６条の３第８項に規定する小規模住居型児童養育事業において行われる養育は、同項に規定する内閣府令で定める者（以下「養育者」という。）の住居において、複数の委託児童（法第27条第１項第３号の規定により、小規模住居型児童養育事業を行う者（以下「小規模住居型児童養育事業者」という。）に委託された児童をいう。以下この条から第１条の30までにおいて同じ。）が養育者の家庭を構成する一員として相互の交流を行いつつ、委託児童の自主性を尊重し、基本的な生活習慣を確立するとともに、豊かな人間性及び社会性を養い、委託児童の自立を支援することを目的として行われなければならない。

〔養育者等の責務〕

第１条の10　養育者等（養育者及び補助者（養育者が行う養育について養育者を補助する者をいう。以下第１条の14及び第１条の31において同じ。）をいう。以下同じ。）は、養育を効果的に行うため、都道府県が行う研修を受け、その資質の向上を図るように努めなければならない。

第１条の11　養育者等は、委託児童に対し、自らの子若しくは他の児童と比して、又は委託児童の国籍、信条若しくは社会的身分によつて、差別的取扱いをしてはならない。

第１条の12　養育者等は、委託児童に対し、法第33条の10各号に掲げる行為その他委託児童の心身に有害な影響を与える行為をしてはならない。

〔養育者及び補助者〕

第１条の14　小規模住居型児童養育事業者は、小規模住居型児童養育事業を行う住居ごとに、２人の養育者及び１人以上の補助者を置かなければならない。

②　前項の２人の養育者は、一の家族を構成しているものでなければならない。

③　前２項の規定にかかわらず、委託児童の養育にふさわしい家庭的環境が確保される場合には、当該小規模住居型児童養育事業を行う住居に置くべき者を、１人の養育者及び２人以上の補助者とすることができる。

④　養育者は、当該小規模住居型児童養育事業を行う住居に生活の本拠を置く者でなければならない。

〔小規模住居型児童養育事業を行う住居の設備〕

第１条の15　小規模住居型児童養育事業を行う住居には、委託児童、養育者及びその家族が、健康で安全な日常生活を営む上で必要な設備を設けなければならない。

〔小規模住居型児童養育事業を行う住居の養育者〕

第１条の16　養育者のうち１人は、小規模住居型児童養育事業を行う住居の養育者等及び業務の管理その他の管理を一元的に行わなければならない。

②　前項の養育者は、この命令の規定を遵守するとともに、当該小規模住居型児童養育事業を行う住居の他の養育者等にこの命令の規定を遵守させなければならない。

〔小規模住居型児童養育事業を行う住居の運営規程〕

第１条の17　小規模住居型児童養育事業者は、小規模住居型児童養育事業を行う住居ごとに、次の各号に掲げる事業の運営についての重要事項に関する運営規程を定めておかなければならない。

一　事業の目的及び運営の方針

二　養育者等の職種、員数及び職務の内容

三　委託児童の定員

四　養育の内容

五　緊急時等における対応方法

六　非常災害対策

七　委託児童の人権の擁護、虐待の防止等のための措置に関する事項

八　第１条の28に規定する評価の実施状況等養育の質の向上のために図る措置の内容

九　その他運営に関する重要事項

〔体制の確保〕

第１条の18　小規模住居型児童養育事業者は、委託児童に対し、常時適切な養育を行うことができる体制を確保しなければならない。

〔小規模住居型児童養育事業を行う住居の委託児童の定員〕

第１条の19　小規模住居型児童養育事業を行う住居の委託児童の定員は、５人又は６人とする。

②　小規模住居型児童養育事業を行う住居において同時に養育する委託児童の人数は、委託児童の定員を超えることができない。ただし、災害その他のやむを得ない事情がある場合は、この限りでない。

〔非常災害に必要な設備及び訓練〕

第１条の20　小規模住居型児童養育事業者は、軽便消火器等の消火用具、非常口その他非常災害に必要な設備を設けるとともに、非常災害に対する具体的計画を立て、これに対する不断の注意と訓練をするように努めなければならない。

〔安全計画〕

第１条の20の２　小規模住居型児童養育事業者は、委託児童又は法第31条第２項の規定により引き続き委託を継続されている者（以下この条及び次条において「委託児童等」という。）の安全の確保を図るため、小規模住居型児童養育事業を行う住居ごとに、当該小規模住居型児童養育事業を行う住居の設備の安全点検、養育者等、委託児童等に対する住居外での活動、取組等を含めた小規模住居型児童養育事業を行う住居での生活その他の日常生活における安全に関する指導、養育者等の研修及び訓練その他小規模住居型児童養育事業を行う住居における安全に関する事項についての計画（以下この条において「安全計画」という。）を策定し、当該安全計画に従い必要な措置を講ずるよう努めなければならない。

②　小規模住居型児童養育事業者は、養育者等に対し、安全計画について周知するとともに、前項の研修及び訓練を定期的に実施するよう努めなければならない。

③　小規模住居型児童養育事業者は、定期的に安全計画の見直しを行い、必要に応じて安全計画の変更を行うよう努めるものとする。

〔業務継続計画〕

第１条の20の３　小規模住居型児童養育事業者は、小規模住居型児童養育事業を行う住居ごとに、感染症や非常災害の発生時において、委託児童等に対する養育を継続的に行うための、及び非常時の体制で早期の業務再開を図るための計画（以下この条において「業務継続計画」という。）を策定し、当該業務継続計画に従い必要な措置を講ずるよう努めなければならない。

②　小規模住居型児童養育事業者は、養育者等に対し、業務継続計画について周知するとともに、必要な研修及び訓練を定期的に実施するよう努めなければならない。

③　小規模住居型児童養育事業者は、定期的に業務継続計画の見直しを行い、必要に応じて業務継続計画の変更を行うよう努めるものとする。

〔委託児童の教育〕

第１条の21　養育者は、委託児童に対し、学校教育法の規定に基づく義務教育のほか、必要な教育を受けさせるよう努めなければならない。

〔衛生管理及び措置〕

第１条の22　養育者は、委託児童の使用する食器その他の設備又は飲用する水について、衛生的な管理に努め、又は衛生上必要な措置を講じなければならない。

②　養育者は、常に委託児童の健康の状況に注意し、必要に応じて健康保持のための適切な措置を採らなければならない。

〔食事の提供〕

第１条の23　委託児童への食事の提供は、当該委託児童について、その栄養の改善及び健康の増進を図るとともに、その日常生活における食事についての正しい理解と望ましい習慣を養うことを目的として行わなければならない。

〔給付金として支払を受けた金銭の管理〕

第１条の23の２　小規模住居型児童養育事業者は、委託児童に係るこども家庭庁長官が定める給付金（以下この条において「給付金」という。）の支給を受けたときは、給付金として支払を受けた金銭を次に掲げるところにより管理しなければならない。

一　当該委託児童に係る当該金銭及びこれに準ずるもの（これらの運用により生じた収益を含む。以下この条において「委託児童に係る金銭」という。）をその他の財産と区分すること。

二　委託児童に係る金銭を給付金の支給の趣旨に従つて用いること。

三　委託児童に係る金銭の収支の状況を明らかにする帳簿を整備すること。

四　当該委託児童の委託が解除された場合には、速やかに、委託児童に係る金銭を当該委託児童に取得させること。

〔委託児童の養育〕

第１条の24　養育者は、児童相談所長があらかじめ当該養育者並びにその養育する委託児童及びその保護者の意見を聴いて当該委託児童ごとに作成する自立支援計画に従つて、当該委託児童を養育しなければならない。

〔秘密保持義務〕

第１条の25　養育者等は、正当な理由がなく、その業務上知り得た委託児童又はその家族の秘密を漏らしてはならない。

②　小規模住居型児童養育事業者は、養育者等であつた者が、正当な理由がなく、その業務上知り得た委託児童又はその家族の秘密を漏らすことがないよう、必要な措置を講じなければならない。

〔帳簿の整備〕

第１条の26　小規模住居型児童養育事業者は、養育者等、財産、収支及び委託児童の養育の状況を明らかにする帳簿を整備しておかなければならない。

〔苦情等への対応〕

第１条の27　養育者は、その行つた養育に関する委託児童からの苦情その他の意思表示に対し、迅速かつ適切に対応しなければならない。

②　小規模住居型児童養育事業者は、前項の意思表示への対応のうち特に苦情の解決に係るものについては、その公正な解決を図るために、苦情の解決に当たつて養育者等以外の者を関与させなければならない。

〔養育の質の評価等〕

第１条の28　小規模住居型児童養育事業者は、自らその行う養育の質の評価を行うとともに、定期的に外部の者による評価を受けて、それらの結果を公表し、常にその改善を図るよう努めなければならない。

〔委託児童の状況調査〕

第１条の29　小規模住居型児童養育事業者は、都道府県知事からの求めに応じ、委託児童の状況について、定期的に都道府県知事の調査を受けなければならない。

〔関係機関との連携及び支援体制〕

第１条の30　小規模住居型児童養育事業者は、緊急時の対応等を含め、委託児童の状況に応じた適切な養育を行うことができるよう、児童の通学する学校、児童相談所、児童福祉施設、児童委員、公共職業安定所、警察等関係機関との連携その他の適切な支援体制を確保しなければならない。

〔養育者等の資格要件〕

第１条の31　法第６条の３第８項に規定する内閣府令で定める者は、養育里親であつて、法第34条の20第１項各号に規定する者並びに精神の機能の障害により養育者の業務を適正に行うに当たつて必要な認知、判断及び意思疎通を適切に行うことができない者のいずれにも該当しない者のうち、次の各号に規定する者のいずれかに該当するものとする。

一　養育里親として２年以上同時に２人以上の委託児童（法第27条第１項第３号の規定により里親に委託された児童をいう。以下この条及び第１条の37において同じ。）の養育の経験を有する者

二　養育里親として５年以上登録している者であつて、通算して５人以上の委託児童の養育の経験を有するもの

三　乳児院、児童養護施設、児童心理治療施設又は児童自立支援施設において児童の養育に３年以上従事した者

四　都道府県知事が前各号に掲げる者と同等以上の能力を有すると認めた者

②　補助者は、法第34条の20第１項各号に規定する者並びに精神の機能の障害により補助者の業務を適正に行うに当たつて必要な認知、判断及び意思疎通を適切に行うことができない者のいずれにも該当しない者でなければならない。

〔法第６条の３第９項第１号に規定する内閣府令で定める者〕

第１条の32　法第６条の３第９項第１号に規定する内閣府令で定める者は、市町村長が行う研修（市町村長が指定する都道府県知事その他の機関が行う研修を含む。）を修了した保育士（国家戦略特別区域法（平成25年法律第107号。以下「特区法」という。）第12条の５第５項に規定する事業実施区域内にある家庭的保育事業を行う場所にあつては、保育士又は当該

事業実施区域に係る国家戦略特別区域限定保育士）又は保育士と同等以上の知識及び経験を有すると市町村長が認める者とする。

〔法第６条の３第12項第１号ハに規定する内閣府令で定める組合及び者〕

第１条の32の２ 法第６条の３第12項第１号ハに規定する内閣府令で定める組合は、次の各号のいずれかに該当するものとする。

一 全国健康保険協会
二 健康保険組合
三 健康保険組合連合会
四 国民健康保険組合
五 国民健康保険団体連合会
六 国家公務員共済組合
七 国家公務員共済組合連合会
八 地方公務員共済組合
九 全国市町村職員共済組合連合会
十 地方公務員共済組合連合会
十一 日本私立学校振興・共済事業団
十二 その他前各号に掲げる組合に相当するもの

② 法第６条の３第12項第１号ハに規定する内閣府令で定める者は、前項各号に掲げる組合の構成員とする。

〔法第６条の３第13項に規定する内閣府令で定める施設〕

第１条の32の３ 法第６条の３第13項に規定する内閣府令で定める施設は、家庭的保育事業等（法第24条第２項に規定する家庭的保育事業等をいう。以下同じ。）の用に供する施設、児童の居宅その他保育を適切に行うことができる施設とする。

〔法第６条の３第14項に規定する子育て援助活動支援事業〕

第１条の32の４ 法第６条の３第14項に規定する子育て援助活動支援事業は、同項各号に掲げる援助のいずれか又は全てを受けることを希望する者と同項に規定する援助希望者からなる会員組織を設立し、当該会員組織に係る業務の実施、援助を受けることを希望する者と援助希望者との連絡及び調整並びに援助希望者への講習の実施その他の必要な支援を行うことにより、地域における育児に係る相互援助活動の推進及び多様な需要への対応を行うもの（市町村又はその委託等を受けた者が行うものに限る。）とする。

〔親子再統合支援事業〕

第１条の32の５ 法第６条の３第15項に規定する親子再統合支援事業は、親子の再統合を図ることが必要と認められる児童及びその保護者に対して、児童福祉司、法第12条の３第６項に規定する指導をつかさどる所員、医師その他の親子の再統合のための相談及び助言その他の必要な支援についての専門的知識及び経験を有する者をして、児童虐待の防止等に関する法律（平成12年法律第82号）第２条に規定する児童虐待の防止に資する情報の提供、相談及び助言その他の必要な支援を行わせることを基本として行うものとする。

〔社会的養護自立支援拠点事業〕

第１条の32の６ 法第６条の３第16項に規定する社会的養護自立支援拠点事業は、同条第１項第１号に規定する措置解除者等又はこれに類する者が相互の交流を行う場所を開設し、当該場所において、適当な設備を備える等により、これらの者に対する情報の提供、相談及び助言並びにこれらの者の支援に関連する関係機関との連絡調整その他の必要な支援を行うものとする。

〔子育て世帯訪問支援事業〕

第１条の32の７ 法第６条の３第19項に規定する子育て世帯訪問支援事業は、次項各号に掲げる者に対する支援の状況を把握しつつ、保育士、保健師、助産師、看護師、子育てに関する知識及び経験を有する者その他の当該事業による支援を適切に行う能力を有する者であつて、かつ、市町村長が当該事業の適切な実施を図るために行う研修（市町村長が指定する都道府県知事その他の機関が行う研修を含む。）を受講したものをして、次項各号に掲げる者の居宅において、子育てに関する情報の提供並びに家事及び養育に係る援助を行わせることを基本として行うものとする。

② 法第６条の３第19項に規定する内閣府令で定める者は、次の各号のいずれかに該当する者とする。

一 要支援児童（法第６条の３第５項に規定する要支援児童をいう。次条第１号において同じ。）又は保護者に監護させることが不適当であると認められる児童の保護者
二 法第６条の３第５項に規定する特定妊婦
三 前２号のいずれかに該当するおそれがある者その他の市町村長が子育て世帯訪問支援事業による支援が必要と認める者

〔親子関係形成支援事業〕

第１条の32の８ 法第６条の３第21項に規定する親子関係形成支援事業は、親子間における適切な関係性の構築を目的として、次の各号のいずれかに該当する児童及びその保護者に対し、講義、グループワーク等を実施することにより、当該児童の心身の発達の状況等に応じた情報の提供、相談及び助言その他の必要な支援を行うもの（市町村又はその委託等を受けた者が行うものに限る。）とする。

一 要支援児童又は保護者に監護させることが不適当であると認められる児童及びその保護者
二 前号に該当するおそれがある者その他の市町村長が当該事業による支援が必要と認める児童及び

その保護者
〔法第6条の4第1号に規定する内閣府令で定める人数〕
第1条の33　法第6条の4第1号に規定する内閣府令で定める人数は、4人とする。
〔法第6条の4第1号に規定する内閣府令で定める研修〕
第1条の34　法第6条の4第1号に規定する内閣府令で定める研修（以下「養育里親研修」という。）は、こども家庭庁長官が定める基準を満たす課程により行うこととする。
〔法第6条の4第1号に規定する内閣府令で定める要件〕
第1条の35　法第6条の4第1号に規定する内閣府令で定める要件は、次のいずれにも該当する者であることとする。
一　要保護児童（法第6条の3第8項に規定する要保護児童をいう。以下同じ。）の養育についての理解及び熱意並びに要保護児童に対する豊かな愛情を有していること。
二　経済的に困窮していないこと（要保護児童の親族である場合を除く。）。
三　養育里親研修を修了したこと。
〔専門里親の定義〕
第1条の36　専門里親とは、次条に掲げる要件に該当する養育里親であつて、次の各号に掲げる要保護児童のうち、都道府県知事がその養育に関し特に支援が必要と認めたものを養育するものとして養育里親名簿に登録されたものをいう。
一　児童虐待の防止等に関する法律第2条に規定する児童虐待等の行為により心身に有害な影響を受けた児童
二　非行のある又は非行に結び付くおそれのある行動をする児童
三　身体障害、知的障害又は精神障害がある児童
〔専門里親の要件〕
第1条の37　専門里親は、次に掲げる要件に該当する者とする。
一　次に掲げる要件のいずれかに該当すること。
イ　養育里親として3年以上の委託児童の養育の経験を有する者であること。
ロ　3年以上児童福祉事業に従事した者であつて、都道府県知事が適当と認めたものであること。
ハ　都道府県知事がイ又はロに該当する者と同等以上の能力を有すると認めた者であること。
二　専門里親研修（専門里親となることを希望する者（以下「専門里親希望者」という。）が必要な知識及び経験を修得するために受けるべき研修であつて、こども家庭庁長官が定めるものをいう。以下同じ。）の課程を修了していること。
三　委託児童の養育に専念できること。
〔法第6条の4第2号に規定する内閣府令で定める研修〕
第1条の38　法第6条の4第2号に規定する内閣府令で定める研修（以下「養子縁組里親研修」という。）は、こども家庭庁長官が定める基準を満たす課程により行うこととする。
〔法第6条の4第3号に規定する内閣府令で定める者〕
第1条の39　法第6条の4第3号に規定する内閣府令で定める者は、要保護児童の扶養義務者（民法（明治29年法律第89号）に定める扶養義務者をいう。以下同じ。）及びその配偶者である親族であつて、要保護児童の両親その他要保護児童を現に監護する者が死亡、行方不明、拘禁、疾病による病院への入院等の状態となつたことにより、これらの者による養育が期待できない要保護児童の養育を希望する者とする。
〔法第10条第1項第4号に規定する内閣府令で定める事項〕
第1条の39の2　法第10条第1項第4号に規定する内閣府令で定める事項は、次に掲げる事項とする。
一　心身の状況等に照らし包括的な支援を必要とすると認められる要支援児童等その他の者（以下この条において「要支援児童等その他の者」という。）の意向
二　要支援児童等その他の者の解決すべき課題
三　要支援児童等その他の者に対する支援の種類及び内容
四　前3号に掲げるもののほか、市町村長が必要と認める事項
②　法第10条第1項第4号に規定する計画（以下この項において「サポートプラン」という。）を作成する場合において、要支援児童等その他の者が、母子保健法施行規則（昭和40年厚生省令第55号）第1条第1項に規定する包括的支援対象者であるときは、サポートプランの作成を担当する職員は、同項に規定する計画の作成を担当する職員と連携してサポートプランを作成しなければならない。
〔法第10条の3第1項に規定する内閣府令で定める場所〕
第1条の39の3　法第10条の3第1項に規定する内閣府令で定める場所は、次に掲げる場所とする。
一　保育所
二　幼稚園
三　認定こども園
四　法第6条の3第6項に規定する地域子育て支援拠点事業を行う場所
五　児童館
六　前各号に掲げるもののほか、法第10条の3第1

項に規定する相談及び助言を適切に行うことができると市町村長が認める場所

〔法第11条第１項第２号ヘ(5)に規定する内閣府令で定める事項〕

第１条の40 法第11条第１項第２号ト(5)に規定する内閣府令で定める事項は、次に掲げる事項とする。

一 当該児童及びその保護者の意向

二 当該児童及びその保護者の解決すべき課題

三 当該児童を養育する上での留意事項

四 当該児童及びその保護者並びに里親に対する支援の目標並びに達成時期

五 当該児童及びその保護者並びに里親に対する支援の内容

六 その他都道府県知事が必要と認める事項

〔法第11条第４項に規定する内閣府令で定める者〕

第１条の41 法第11条第４項に規定する内閣府令で定める者は、都道府県知事が同条第１項第２号トに掲げる業務を適切に行うことができる者と認めた者とする。

第１章の２ 児童相談所

〔児童相談所の所長の資格〕

第２条 法第12条の３第２項第７号に規定する内閣府令で定めるものは、次の各号のいずれかに該当する者とする。

一 学校教育法による大学において、心理学を専修する学科又はこれに相当する課程において優秀な成績で単位を修得したことにより、同法第102条第２項の規定により大学院への入学を認められた者

二 学校教育法による大学院において、心理学を専攻する研究科又はこれに相当する課程を修めて卒業した者

三 外国の大学において、心理学を専修する学科又はこれに相当する課程を修めて卒業した者

四 社会福祉士となる資格を有する者（法第12条の３第２項第３号に規定する者を除く。）

五 精神保健福祉士となる資格を有する者（法第12条の３第２項第４号に規定する者を除く。）

六 公認心理師となる資格を有する者（法第12条の３第２項第５号に規定する者を除く。）

七 児童福祉司たる資格を得た後の次に掲げる期間の合計が２年以上である者

イ 社会福祉主事として児童福祉事業に従事した期間

ロ 児童相談所の所員として勤務した期間

ハ 児童福祉司として勤務した期間

ニ 社会福祉法（昭和26年法律第45号）に規定する福祉に関する事務所（以下「福祉事務所」という。）の長として勤務した期間

ホ 児童福祉施設の長として勤務した期間

ヘ 児童虐待の防止のための活動を行う特定非営利活動法人（特定非営利活動促進法（平成10年法律第７号）第２条第２項に規定する特定非営利活動法人をいう。）又は社会福祉法人（社会福祉法（昭和26年法律第45号）第22条に規定する社会福祉法人をいう。）の役員として勤務した期間

八 社会福祉主事たる資格を得た後の前号イからヘまでに掲げる期間の合計が４年以上である者

〔設置等の報告事項〕

第３条 令第２条第１項の規定により、児童相談所の設置に関して報告すべき事項は、次のとおりとする。

一 名称及び位置

二 管轄区域及びその区域内の人口

三 建物その他設備の規模及び構造並びにその図面

四 職員の定数

五 収支予算

六 事業開始の年月日

② 令第２条第１項の規定により、児童相談所の設備の規模及び構造等の変更に関して報告すべき事項は、前項第１号から第４号までの事項とする。

第３条の２ 令第２条第２項の規定により、一時保護施設（法第12条の４第１項に規定する一時保護施設をいう。次項、第36条の29及び第36条の30において同じ。）の設置に関して報告すべき事項は、入所定員及び事業開始の年月日とする。

② 令第２条第２項の規定により、一時保護施設の設備の規模及び構造等の変更に関して報告すべき事項は、変更後の入所定員とする。

〔中央児童相談所の指定〕

第４条 都道府県知事は、児童相談所の一を中央児童相談所に指定することができる。

② 中央児童相談所は、当該都道府県内の児童相談所を援助し、その連絡を図るものとする。

〔中央児童相談所長の権限〕

第５条 中央児童相談所長は、当該都道府県内の他の児童相談所長に対し、必要な事項につき、報告させることができる。

第１章の３ 児童福祉司

〔令第３条第１項第２号ロの内閣府令で定める人口１人当たりの件数〕

第５条の２の２ 令第３条第１項第１号ロ(2)の内閣府令で定める人口１人当たりの件数は、1000分の１件とする。

〔令第３条の２第１項に規定する内閣府令で定める基準〕

第５条の２の２の２ 令第３条の２第１項に規定する内閣府令で定める基準は、別表第１に定めるもの以上の教育内容であること。

〔令第３条の２第２項に規定する内閣府令で定める事

項等〕

第5条の2の3　学校又は施設の設置者に係る令第3条の2第2項に規定する内閣府令で定める事項は、次のとおりとする。

一　設置者の氏名及び住所又は名称及び主たる事務所の所在地
二　名称及び位置
三　設置年月日
四　学則
五　学校その他の施設の長の氏名及び履歴
六　教員の氏名、履歴、担当科目及び専任兼任の別
七　建物その他設備の規模及び構造並びにその図面
八　実習に利用する施設の名称及び利用の概要
九　当該年度経費収支予算の細目
十　設置者が国又は地方公共団体以外のときは、設置者の資産状況

②　講習会の実施者に係る令第3条の2第2項に規定する内閣府令で定める事項は、次のとおりとする。

一　講習科目及び時間数
二　講師の氏名、職業並びに担当する講習科目及び時間数
三　実習を行う施設の名称、所在地及び設置者の氏名、実習人員並びに実習期間
四　講習会場の名称及び所在地
五　講習開催期日及び日程
六　受講予定人員
七　講習会の実施の全部又は一部を委託する場合には、受託者の氏名及び住所（法人にあっては名称及び主たる事務所の所在地）

③　令第3条の2第3項に規定する内閣府令で定める事項は、第1項第4号に掲げる事項及び第2項第1号に掲げる事項（こども家庭庁長官の定める修業教科目及びその単位数に関する事項に限る。）とする。

④　令第3条の2第4項に規定する内閣府令で定める事項は、第1項第1号及び第2号に掲げる事項、同項第4号に掲げる事項（入所資格、修業年限、前項のこども家庭庁長官の定める修業教科目以外の修業教科目及びその単位数に関する事項に限る。）並びに同項第7号に掲げる事項（学校に係る事項を除く。）とする。

〔令第3条の2第5項に規定する内閣府令で定める事項〕

第5条の2の4　令第3条の2第5項に規定する内閣府令で定める事項は、次のとおりとする。

一　前学年度卒業者数
二　前年度における経営の状況及び収支決算の細目
三　前学年度教授科目別時間数及び実習の実施状況
四　学生の現在数

〔令第3条の2第6項に規定する内閣府令で定める事項〕

第5条の2の5　令第3条の2第6項に規定する内閣府令で定める事項は、次のとおりとする。

一　講習受講人員
二　講習実施状況の概要

〔令第3条の2第7項の規定により当該職員が携帯すべき証明書〕

第5条の2の6　令第3条の2第8項の規定により当該職員が携帯すべき証明書は、第16号様式によるものとする。

〔令第3条の2第11項に規定する内閣府令で定める事項〕

第5条の2の7　令第3条の2第11項に規定する内閣府令で定める事項は、次のとおりとする。

一　その指定児童福祉司養成施設等をやめようとする理由
二　入所している学生の処置
三　その指定児童福祉司養成施設等をやめようとする年月日

〔法第13条第3項第1号に規定する内閣府令で定めるもの〕

第5条の2の8　法第13条第3項第1号に規定する内閣府令で定めるもの（以下「こども家庭ソーシャルワーカー」という。）は、次に掲げる者であつて、こども家庭ソーシャルワーカーの児童福祉相談支援等技能（児童虐待を受けた児童の保護その他児童の福祉に関する専門的な対応を要する事項について、児童及びその保護者に対する相談及び必要な指導等を通じて的確な支援を実施できる十分な知識及び技術をいう。以下同じ。）についての審査・証明（以下「審査等」という。）を行う事業（以下「審査・証明事業」という。）を実施する者（第5条の2の12第1項に規定する認定を受けた審査・証明事業を実施する者に限る。以下「認定法人」という。）が認めた講習の課程を修了し、認定法人が行う試験に合格し、かつ、登録の申請により認定法人が備える登録簿に登録を受けたものとする。

一　社会福祉士又は精神保健福祉士として、第5条の3第1項に規定する指定施設（次号及び第3号において「指定施設」という。）において2年以上主として児童の福祉に係る相談援助業務（児童その他の者の福祉に関する相談に応じ、助言、指導その他の援助を行う業務をいう。以下同じ。）に従事した者
二　社会福祉士又は精神保健福祉士として、指定施設において2年以上児童の福祉に係る相談援助業務を含む業務に従事した者（前号に掲げる者を除く。）
三　指定施設において4年以上主として児童の福祉に係る相談援助業務に従事した者
四　保育士として、保育所、幼保連携型認定こども

園その他これらに準ずる施設において４年以上児童の福祉に係る相談援助業務を含む業務に従事した者

〔法第13条第３項第３号に規定する内閣府令で定める施設〕

第５条の３　法第13条第３項第３号に規定する内閣府令で定める施設（次条において「指定施設」という。）は、次のとおりとする。

一　社会福祉士及び介護福祉士法（昭和62年法律第30号）第７条第４号の厚生労働省令で定める施設

二　精神保健福祉士法（平成９年法律第131号）第７条第４号の厚生労働省令で定める施設（前号に掲げる施設を除く。）

三　前２号に掲げる施設に準ずる施設としてこども家庭庁長官が認める施設

〔法第13条第３項第９号に規定する内閣府令で定めるもの〕

第６条　法第13条第３項第９号に規定する内閣府令で定めるものは、次の各号のいずれかに該当する者とする。

一　学校教育法による大学において、心理学、教育学若しくは社会学を専修する学科又はこれらに相当する課程において優秀な成績で単位を修得したことにより、同法第102条第２項の規定により大学院への入学を認められた者であつて、指定施設において１年以上相談援助業務に従事したもの

二　学校教育法による大学院において、心理学、教育学若しくは社会学を専攻する研究科又はこれらに相当する課程を修めて卒業した者であつて、指定施設において１年以上相談援助業務に従事したもの

三　外国の大学において、心理学、教育学若しくは社会学を専修する学科又はこれらに相当する課程を修めて卒業した者であつて、指定施設において１年以上相談援助業務に従事したもの

四　社会福祉士となる資格を有する者（法第13条第３項第４号に規定する者を除く。）

五　精神保健福祉士となる資格を有する者（法第13条第３項第５号に規定する者を除く。）

六　公認心理師となる資格を有する者（法第13条第３項第６号に規定する者を除く。）

七　保健師であつて、指定施設において１年以上相談援助業務に従事したものであり、かつ、こども家庭庁長官が定める講習会（次号から第11号まで及び第14号において「指定講習会」という。）の課程を修了したもの

八　助産師であつて、指定施設において１年以上相談援助業務に従事したものであり、かつ、指定講習会の課程を修了したもの

九　看護師であつて、指定施設において２年以上相談援助業務に従事したものであり、かつ、指定講習会の課程を修了したもの

十　保育士（特区法第12条の５第５項に規定する事業実施区域内にある児童相談所にあつては、保育士又は当該事業実施区域に係る国家戦略特別区域限定保育士）であつて、指定施設において２年以上相談援助業務に従事したものであり、かつ、指定講習会の課程を修了したもの

十一　教育職員免許法（昭和24年法律第147号）に規定する普通免許状を有する者であつて、指定施設において１年以上（同法に規定する２種免許状を有する者にあつては２年以上）相談援助業務に従事したものであり、かつ、指定講習会の課程を修了したもの

十二　社会福祉主事たる資格を得た後の次に掲げる期間の合計が２年以上である者であつて、こども家庭庁長官が定める講習会の課程を修了したもの

イ　社会福祉主事として相談援助業務に従事した期間

ロ　児童相談所の所員として勤務した期間

十三　社会福祉主事たる資格を得た後３年以上相談援助業務に従事した者（前号に規定する者を除く。）であつて、前号に規定する講習会の課程を修了したもの

十四　児童福祉施設の設備及び運営に関する基準（昭和23年厚生省令第63号）第21条第６項に規定する児童指導員であつて、指定施設において２年以上相談援助業務に従事したものであり、かつ、指定講習会の課程を修了したもの

〔法第13条第６項に規定する内閣府令〕

第６条の２　法第13条第６項に規定する内閣府令で定める施設は、次のとおりとする。

一　社会福祉士及び介護福祉士法第７条第４号の厚生労働省令で定める施設（児童相談所を除く。）

二　精神保健福祉士法第７条第４号の厚生労働省令で定める施設（前号に掲げる施設及び児童相談所を除く。）

三　前２号に掲げる施設に準ずる施設としてこども家庭庁長官が認める施設

②　法第13条第６項に規定する内閣府令で定めるものは、次の各号のいずれかに該当する者とする。

一　前項各号に掲げる施設において２年以上相談援助業務に従事した者

二　児童福祉司としておおむね３年以上勤務した者であつて、児童福祉司として勤務した期間と前項各号に掲げる施設において相談援助業務に従事した期間の合計がおおむね５年以上であるもの（前号に掲げる者を除く。）

第１章の４　保育士

〔法第18条の５第１号の内閣府令で定める者〕

第６条の２の２　法第18条の５第１号の内閣府令で定める者は、精神の機能の障害により保育士の業務を適正に行うに当たつて必要な認知、判断及び意思疎通を適切に行うことができない者とする。

〔指定保育士養成施設〕

第６条の２の３　令第５条第１項に規定する内閣府令で定める基準は、次のとおりとする。

一　入所資格を有する者は、学校教育法による高等学校若しくは中等教育学校を卒業した者、指定保育士養成施設の指定を受けようとする学校が大学である場合における当該大学が同法第90条第２項の規定により当該大学に入学させた者若しくは通常の課程による12年の学校教育を修了した者（通常の課程以外の課程によりこれに相当する学校教育を修了した者を含む。）又は文部科学大臣においてこれと同等以上の資格を有すると認定した者であること。

二　修業年限は、２年以上であること。

三　こども家庭庁長官の定める修業教科目及び単位数を有し、かつ、こども家庭庁長官の定める方法により履修させるものであること。

四　保育士の養成に適当な建物及び設備を有すること。

五　学生の定員は、100人以上であること。

六　１学級の学生数は、50人以下であること。

七　専任の教員は、おおむね、学生数40人につき１人以上を置くものであること。

八　教員は、その担当する科目に関し、学校教育法第104条に規定する修士若しくは博士の学位を有する者又はこれと同等以上の学識経験若しくは教育上の能力を有すると認められる者であること。

九　管理及び維持の方法が確実であること。

②　都道府県知事は、前項第１号に規定する者のほか、満18歳以上の者であつて児童福祉施設において２年以上児童の保護に従事した者その他その者に準ずるものとしてこども家庭庁長官の定める者に入所資格を与える学校その他の施設につき、当該学校その他の施設が同項各号（第１号を除く。）に該当する場合に限り、同項第１号の規定にかかわらず、指定保育士養成施設の指定をすることができる。

③　都道府県知事は、その経営の状況等から見て、保育士の養成に支障を生じさせるおそれがないと認められる学校その他の施設につき、当該学校その他の施設が第１項各号（第５号（前項に規定する学校その他の施設にあつては、第１号及び第５号。以下この項において同じ。）を除く。）に該当する場合に限り、同項第５号の規定にかかわらず、指定保育士養成施設の指定をすることができる。

〔指定保育士養成施設の指定の申請等〕

第６条の３　令第５条第２項に規定する内閣府令で定める事項は、次のとおりとする。

一　設置者の氏名及び住所又は名称及び主たる事務所の所在地

二　名称及び位置

三　設置年月日

四　学則

五　学校その他の施設の長の氏名及び履歴

六　教員の氏名、履歴、担当科目及び専任兼任の別

七　建物その他設備の規模及び構造並びにその図面

八　実習に利用する施設の名称及び利用の概要

九　当該年度経費収支予算の細目

十　設置者が国又は地方公共団体以外のときは、設置者の資産状況

②　令第５条第３項に規定する内閣府令で定める事項は、前項第４号に掲げる事項（こども家庭庁長官の定める修業教科目並びにその単位数及び履修方法並びに学生の定員に関する事項に限る。）とする。

③　令第５条第４項に規定する内閣府令で定める事項は、第１項第１号及び第２号に掲げる事項、同項第４号に掲げる事項（入所資格、修業年限、前項のこども家庭庁長官の定める修業教科目以外の修業教科目並びにその単位数及び履修方法並びに単位の算定方法に関する事項に限る。）並びに同項第７号に掲げる事項（学校に係る事項を除く。）とする。

〔毎学年度の報告〕

第６条の４　令第５条第５項に規定する内閣府令で定める事項は、次のとおりとする。

一　前学年度卒業者数（学校教育法に規定する専門職大学の前期課程の修了者数を含む。）

二　前年度における経営の状況及び収支決算の細目

三　前学年度教授科目別時間数及び実習の実施状況

四　学生の現在数

〔指定の取消し〕

第６条の５　令第５条第７項に規定する内閣府令で定める事項は、次のとおりとする。

一　その指定保育士養成施設をやめようとする理由

二　入所している学生の処置

三　その指定保育士養成施設をやめようとする年月日

〔養成施設卒業証明書〕

第６条の６　指定保育士養成施設の長は、第６条の２の３第１項第３号の規定による修業教科目及び単位数を同号の規定による方法により履修して卒業する者に対し、第１号様式により、指定保育士養成施設卒業証明書を交付しなければならない。

〔検査証票〕

第６条の７　法第18条の７第２項の規定により当該職員が携帯すべき証明書は、第２号様式によるものとする。

②　法第18条の16第２項（法第34条の５第２項、第34

条の14第２項、第34条の18の２第２項及び第46条第２項において準用する場合を含む。）の規定により当該職員が携帯すべき証明書は、第３号様式によるものとする。

③　法第59条の５第２項の規定により内閣総理大臣に適用があるものとされた法第34条の５第２項及び第46条第２項の規定において準用する法第18条の16第２項に規定する証明書は、第４号様式によるものとする。

〔児童福祉施設職員養成施設の指定の申請等〕

第６条の８　児童福祉施設の設備及び運営に関する基準第28条第１号、第38条第２項第１号、第43条第１号及び第82条第１号の指定の申請は、学校又は施設の設置者が第６条の３第１項各号に掲げる事項を記載した申請書を都道府県知事に提出することにより行うものとする。

②　都道府県知事は、前項の規定により指定のあつた学校その他の施設（以下この条において「指定養成施設」という。）の長に対し、教育方法、設備その他の内容に関し必要な報告を求め、又は必要な指導をすることができる。

③　都道府県知事は、指定養成施設につき、前項の規定による指導に従わないとき又は次項において準用する令第５条第７項の規定による指定の取消しの申請があつたときは、その指定を取り消すことができる。

④　令第５条第３項から第７項まで（第６項を除く。）及び令第21条並びに第６条の３から第６条の５まで（第６条の３第１項を除く。）の規定は、指定養成施設について準用する。この場合において、次の表の上欄に掲げる規定中同表中欄に掲げる字句は、それぞれ同表下欄に掲げる字句に読み替えるものとする。

令第５条第３項から第５項まで及び第７項	指定保育士養成施設	指定養成施設
令第21条	指定保育士養成施設、保育士試験、指定試験機関、保育士の登録その他保育士	指定養成施設
第６条の５	指定保育士養成施設	指定養成施設

〔受験資格〕

第６条の９　保育士試験を受けようとする者は、次の各号のいずれかに該当する者でなければならない。

一　学校教育法による大学に２年以上在学して62単位以上修得した者又は高等専門学校を卒業した者その他その者に準ずるものとしてこども家庭庁長官の定める者

二　学校教育法による高等学校若しくは中等教育学校を卒業した者、同法第90条第２項の規定により大学への入学を認められた者若しくは通常の課程による12年の学校教育を修了した者（通常の課程以外の課程によりこれに相当する学校教育を修了した者を含む。）又は文部科学大臣においてこれと同等以上の資格を有すると認定した者であつて、児童福祉施設において、２年以上児童の保護に従事した者

三　児童福祉施設において、５年以上児童の保護に従事した者

四　前各号に掲げる者のほか、こども家庭庁長官の定める基準に従い、都道府県知事において適当な資格を有すると認めた者

〔試験の科目〕

第６条の10　保育士試験は、筆記試験及び実技試験によつて行い、実技試験は、筆記試験の全てに合格した者について行う。

②　筆記試験は、次の科目について行う。

一　保育原理

二　教育原理及び社会的養護

三　子ども家庭福祉

四　社会福祉

五　保育の心理学

六　子どもの保健

七　子どもの食と栄養

八　保育実習理論

③　実技試験は、保育実習実技について行う。

〔一部科目免除〕

第６条の11　都道府県知事は、前条第２項各号に規定する科目のうち、既に合格した科目（国家戦略特別区域限定保育士試験において合格した科目を含む。）のある者に対しては、その申請により、当該科目に合格した日の属する年度の翌々年度までに限り当該科目の受験を免除することができる。ただし、次の表の上欄に掲げる者に対しては、その申請により、それぞれ同表の下欄に掲げる期間に限り当該科目の受験を延長して免除することができる。

免除の期間を延長することができる者	延長することができる期間
当該科目に合格した日の属する年度の翌々年度までの間に、保育所、幼稚園、認定こども園その他の場所において、児童の保育又は法第39条の２第１項に規定する満３歳以上の幼児に対する教育に直接従事する職員として１年以上かつ1440時間以上勤務した経験を有する者	１年間
当該科目に合格した日の属する年度から起算して３年度を経過した年度までの間に、保育所、幼稚園、認定こども園その他の場所において、児童の保育又は法第39条の２第１項に規定する満３歳以上の幼児に対する教育に直接従事する職員として２年以上かつ2880時間以上勤務した経験を有する者	２年間

② 都道府県知事は、前条第２項各号に規定する科目のうち、こども家庭庁長官の指定する学校その他の施設において、その指定する科目を専修した者に対しては、その申請により、当該科目の受験を免除することができる。

③ 都道府県知事は、社会福祉士、介護福祉士又は精神保健福祉士であつて、保育士試験を受けようとする者に対しては、その申請により、前条第２項第２号（社会的養護に限る。）、第３号及び第４号に規定する科目の受験を免除することができる。

④ 前３項の規定により、前条第２項各号に規定する科目の免除を受けようとする者は、前３項に該当することを証する書類を添えて、都道府県知事に申請しなければならない。

（全部免除）

第６条の11の２ 都道府県知事は、こども家庭庁長官が定める基準に該当する者に対しては、その者の申請により、筆記試験及び実技試験の全部を免除することができる。

② 前項の免除を受けようとする者は、前項に規定する基準に該当することを証する書類を添えて、都道府県知事に申請しなければならない。

〔受験申請〕

第６条の12 保育士試験を受けようとする者は、本籍地都道府県名（日本国籍を有していない者については、その国籍）、連絡先、氏名及び生年月日を記載した申請書に次に掲げる書類を添えて、都道府県知事に提出しなければならない。

一 第６条の９各号のいずれかに該当することを証する書類

二 写真

〔合格通知書〕

第６条の13 都道府県知事は、保育士試験又はその科目の一部に合格した者に対し、その旨を通知しなければならない。

〔不正受験〕

第６条の14 都道府県知事は、不正の方法によつて保育士試験若しくは国家戦略特別区域限定保育士試験を受けようとした者又は保育士試験若しくは国家戦略特別区域限定保育士試験に関する規定に違反した者に対しては、保育士試験の受験を停止し、又はその合格を無効とするものとする。

② 都道府県知事は、前項の規定に該当する者に対しては、３年以内において期間を定め、保育士試験を受けさせないことができる。

〔都道府県が選任する保育士試験委員の要件〕

第６条の15 令第６条に規定する内閣府令で定める要件は、次のいずれかに該当する者であることとする。

一 学校教育法に基づく大学において、児童の保護、保健若しくは福祉に関する科目を担当する教授若しくは准教授の職にあり、又はあつた者

二 都道府県知事が前号に掲げる者と同等以上の知識及び経験を有すると認めた者

〔試験事務委託の範囲〕

第６条の16 都道府県知事は、法第18条の９第１項の規定により指定試験機関に試験事務の全部又は一部を行わせようとするときは、あらかじめ、当該指定試験機関に行わせる試験事務の範囲を定めなければならない。

〔指定の申請〕

第６条の17 指定試験機関の指定を受けようとする者は、次に掲げる事項を記載した申請書を都道府県知事に提出しなければならない。

一 名称及び主たる事務所の所在地

二 試験事務を行おうとする事務所の名称及び所在地

三 試験事務のうち、行おうとするものの範囲

四 試験事務を開始しようとする年月日

② 前項の申請書には、次に掲げる書類を添付しなければならない。

一 定款又は寄附行為及び登記事項証明書

二 申請の日の属する事業年度の直前の事業年度の貸借対照表及び当該事業年度末の財産目録（申請の日を含む事業年度に設立された法人にあつては、その設立時における財産目録）

三 申請の日の属する事業年度及び翌事業年度における事業計画書及び収支予算書

四 指定の申請に関する意思の決定を証する書類

五 試験事務に従事する役員の氏名及び略歴を記載した書類

六 現に行つている業務の概要を記載した書類

七 試験事務の実施の方法に関する計画を記載した書類

〔名称の変更等〕

第６条の18 指定試験機関は、その名称若しくは主たる事務所の所在地又は試験事務を行う事務所の名称若しくは所在地を変更しようとするときは、次に掲げる事項を記載した届出書を都道府県知事に提出しなければならない。

一 変更後の指定試験機関の名称若しくは主たる事務所の所在地又は試験事務を行う事務所の名称若しくは所在地

二 変更しようとする年月日

三 変更の理由

② 指定試験機関は、試験事務を行う事務所を新設し、又は廃止しようとするときは、次に掲げる事項を記載した届出書を都道府県知事に提出しなければならない。

一 新設し、又は廃止しようとする事務所の名称及び所在地

二 新設し、又は廃止しようとする事務所において試験事務を開始し、又は終了しようとする年月日
三 新設又は廃止の理由

〔役員の選任及び解任〕
第６条の19 指定試験機関は、法第18条の10第１項（法第18条の11第２項の規定により保育士試験委員について準用する場合を含む。）の認可を受けようとするときは、次に掲げる事項を記載した申請書を都道府県知事に提出しなければならない。
一 選任に係る者の氏名及び略歴又は解任に係る者の氏名
二 選任又は解任の理由

〔試験事務規程の認可申請〕
第６条の20 指定試験機関は、法第18条の13第１項前段の認可を受けようとするときは、その旨を記載した申請書に試験事務規程を添えて、都道府県知事に提出しなければならない。
② 指定試験機関は、法第18条の13第１項後段の認可を受けようとするときは、次に掲げる事項を記載した申請書を都道府県知事に提出しなければならない。
一 変更しようとする事項
二 変更しようとする年月日
三 変更の理由

〔試験事務規程の記載事項〕
第６条の21 法第18条の13第１項に規定する試験事務規程には、次に掲げる事項を定めなければならない。
一 試験事務の実施の方法に関する事項
二 受験手数料の収納の方法に関する事項
三 試験事務に関して知り得た秘密の保持に関する事項
四 試験事務に関する帳簿及び書類の保存に関する事項
五 その他試験事務の実施に関し必要な事項

〔指定試験機関による保育士試験委員の選任の要件〕
第６条の22 令第８条に規定する内閣府令で定める要件は、第６条の15各号のいずれかに該当する者であることとする。

〔事業計画等の認可申請〕
第６条の23 指定試験機関は、法第18条の14前段の認可を受けようとするときは、その旨を記載した申請書に事業計画書及び収支予算書を添えて、都道府県知事に提出しなければならない。
② 指定試験機関は、法第18条の14後段の認可を受けようとするときは、次に掲げる事項を記載した申請書を都道府県知事に提出しなければならない。
一 変更しようとする事項
二 変更しようとする年月日
三 変更の理由

〔帳簿の備付け等〕
第６条の24 指定試験機関は、試験事務を実施したときは、受験者の氏名、生年月日、試験科目ごとの成績及びその合否を記載した帳簿を作成し、試験事務を廃止するまで保存しなければならない。

〔試験結果の報告〕
第６条の25 指定試験機関は、試験事務を実施したときは、遅滞なく、受験申込者数及び受験者数を記載した試験結果報告書並びに合格者の氏名、生年月日及び試験科目ごとの成績を記載した合格者一覧表を都道府県知事に提出しなければならない。

〔指定試験機関が行う試験事務に係る不正受験等〕
第６条の26 法第18条の９第１項の規定に基づき、都道府県は第６条の11から第６条の14第１項までに掲げる試験事務の全部又は一部を指定試験機関に行わせることができる。この場合において、これらの規定中「都道府県知事」とあるのは、「指定試験機関」とする。
② 指定試験機関は、前項の規定により読み替えて適用される第６条の14第１項の規定により、不正の方法によつて保育士試験若しくは国家戦略特別区域限定保育士試験を受けようとした者又は保育士試験若しくは国家戦略特別区域限定保育士試験に関する規定に違反した者に対して、保育士試験の受験を停止し、又はその合格を無効としたときは、遅滞なく、次に掲げる事項を記載した報告書を都道府県知事に提出しなければならない。
一 処分を受けた者の氏名及び生年月日
二 処分の内容及び処分を行つた年月日
三 不正の行為の内容

〔処分の通知〕
第６条の27 都道府県知事は、第６条の14第２項の処分を行つたときは、次に掲げる事項を指定試験機関に通知するものとする。
一 処分を受けた者の氏名及び生年月日
二 処分の内容及び処分を行つた年月日

〔試験事務の休廃止〕
第６条の28 指定試験機関は、令第11条の許可を受けようとするときは、次に掲げる事項を記載した申請書を都道府県知事に提出しなければならない。
一 休止し、又は廃止しようとする試験事務の範囲
二 休止し、又は廃止しようとする年月日
三 休止しようとする場合にあつては、その期間
四 休止又は廃止の理由

〔試験事務の引継ぎ等〕
第６条の29 指定試験機関は、令第11条の規定による許可を受けて試験事務の全部若しくは一部を廃止する場合、令第12条の規定により指定を取り消された場合又は令第14条の規定により都道府県知事が試験事務の全部若しくは一部を自ら行う場合には、次に掲げる事項を行わなければならない。
一 試験事務を都道府県知事に引き継ぐこと。

二　試験事務に関する帳簿及び書類を都道府県知事に引き継ぐこと。
三　その他都道府県知事が必要と認める事項

〔登録事項〕
第６条の30　法第18条の18第１項の内閣府令で定める事項は、次のとおりとする。
一　登録番号及び登録年月日
二　本籍地都道府県名（日本国籍を有しない者については、その国籍）
三　法第18条の６各号のいずれに該当するかの別及び当該要件に該当するに至つた年月
四　特定登録取消者（法第18条の20の２第１項に規定する特定登録取消者をいう。）に該当するときはその旨

〔登録手続〕
第６条の31　令第16条の申請書は、第５号様式によるものとする。

〔登録審査〕
第６条の32　都道府県知事は、令第16条の申請があつたときは、申請書の記載事項を審査し、当該申請者が保育士となる資格を有すると認めたときは、保育士登録簿に登録し、かつ、当該申請者に第６号様式による保育士登録証（以下「登録証」という。）を交付する。
②　都道府県知事は、前項の審査の結果、当該申請者が保育士となる資格を有しないと認めたときは、理由を付し、申請書を当該申請者に返却する。

〔書換え交付等の申請書〕
第６条の33　令第17条第２項の申請書は、第７号様式によるものとし、令第18条第２項の申請書は、第８号様式によるものとする。

〔死亡等の届出〕
第６条の34　保育士が次の各号のいずれかに該当するに至つた場合は、当該各号に掲げる者は、遅滞なく、登録証を添え、その旨を登録を行つた都道府県知事に届け出なければならない。
一　死亡し、又は失踪の宣告を受けた場合　戸籍法（昭和22年法律第224号）に規定する届出義務者
二　法第18条の５第１号に該当するに至つた場合　当該保育士又は同居の親族若しくは法定代理人
三　法第18条の５第２号、第３号又は第５号に該当するに至つた場合　当該保育士又は法定代理人

〔欠格事由に該当することの確認〕
第６条の34の２　都道府県知事は、保育士が法第18条の５各号若しくは第18条の19第１項第２号若しくは第３号のいずれかに該当するおそれ又は法第18条の21若しくは法第18条の22の規定に違反しているおそれがあると認めるときは、関係地方公共団体の長その他の者に書類の提示その他の必要な情報の提供を求める方法によって、当該保育士が当該各号の該当の有無又は当該各条の規定の違反の有無を確認するものとする。

〔処分の通知〕
第６条の35　都道府県知事は、法第18条の19第１項又は第２項の規定により、保育士の登録を取り消し、又は保育士の名称の使用の停止を命じたときは、理由を付し、その旨を登録の取消し又は名称の使用の停止の処分を受けた者に通知しなければならない。
②　法第18条の19第１項又は第２項の規定により保育士の登録を取り消された者は、遅滞なく、登録証を登録を行つた都道府県知事に返納しなければならない。

〔登録簿の訂正等〕
第６条の36　都道府県知事は、第６条の34の届出があつたとき、令第17条第１項の申請があつたとき又は法第18条の19第１項若しくは第２項の規定により保育士の登録を取り消し、若しくは保育士の名称の使用の停止を命じたときは、保育士登録簿の当該保育士に関する登録を訂正し、若しくは消除し、又は当該保育士の名称の使用の停止をした旨を保育士登録簿に記載するとともに、それぞれ登録の訂正若しくは消除又は名称の使用の停止の理由及びその年月日を記載するものとする。

〔施行細則〕
第６条の37　この章で定めるもののほか、保育士試験、指定試験機関及び保育士の登録に関し必要な事項は、都道府県知事が定める。

第２章　福祉の保障

〔法第21条の９に規定する主務省令で定める事業〕
第19条　法第21条の９に規定する主務省令で定める事業は、次のとおりとする。
一　法第25条の２第１項に規定する要保護児童対策地域協議会その他の者による同条第２項に規定する要保護児童等に対する支援に資する事業
二　地域の児童の養育に関する各般の問題につき、保護者からの相談に応じ、必要な情報の提供及び助言を行う事業

〔事務の委託〕
第19条の２　法第21条の10の２第３項に規定する内閣府令で定める者は、委託に係る事務を適正かつ円滑に遂行しうる能力を有する人員を十分に有している者であつて、職員又は職員であつた者が、正当な理由がなく、その業務上知り得た児童又はその家族の秘密を漏らすことがないよう、必要な措置を講じているものとする。

〔身分を示す証明書〕
第20条　法第21条の14第２項、第34条の８の３第２項、第34条の17第２項及び第56条の８第８項において準用する法第18条の16第２項の規定により当該職員が携帯すべき証明書は、第13号の３様式によるものと

する。

〔子育て支援事業者の届出〕

第21条　法第21条の15の規定による届出は、次に掲げる事項(当該届出をした事項に変更があつたときは、当該変更に係る事項とし、事業を廃止し、若しくは休止し、又は当該届出に係る事業を再開したときは、その旨とする。）を記載した届出書を提出することにより行うものとする。

一　事業の種類及び内容

二　経営者の氏名及び住所（法人であるときは、その名称及び主たる事務所の所在地）

三　その他市町村長が必要と認める事項

〔助産の実施等に関する申込手続等〕

第22条　法第22条第２項に規定する内閣府令の定める事項は、次のとおりとする。

一　法第22条第１項の規定による助産の実施（以下単に「助産の実施」という。）を希望する妊産婦の氏名、居住地、生年月日、個人番号及び職業

二　助産の実施を希望する理由

②　法第23条第２項に規定する内閣府令の定める事項は、次のとおりとする。

一　法第23条第１項の規定による母子保護の実施（以下単に「母子保護の実施」という。）を希望する保護者の氏名、居住地、生年月日、個人番号及び職業

二　母子保護の実施に係る児童の氏名、生年月日及び個人番号

三　母子保護の実施を希望する理由

③　法第22条第２項前段又は第23条第２項前段に規定する申込書は、市及び福祉事務所を設置する町村の区域内に居住地を有する助産の実施を希望する妊産婦又は母子保護の実施を希望する保護者（以下この条において「助産の実施希望者等」という。）にあつてはその居住地の市町村に、福祉事務所を設置しない町村の区域内に居住地を有する助産の実施希望者等にあつてはその居住地の都道府県に提出しなければならない。

④　前項の申込書には、法第56条第２項の規定により徴収する額の決定のために必要な事項に関する書類を添えなければならない。ただし、都道府県、市及び福祉事務所を設置する町村（以下「都道府県等」という。）は、当該書類により証明すべき事実を公簿等によつて確認することができるときは、当該書類を省略させることができる。

⑤　法第22条第２項後段又は第23条第２項後段の規定により申込書の提出を代行する助産施設又は母子生活支援施設は、都道府県等との連携に努めるとともに、助産の実施希望者等の依頼を受けたときは、速やかに、市及び福祉事務所を設置する町村の区域内に居住地を有する当該助産の実施希望者等にあつてはその居住地の市町村に、福祉事務所を設置しない町村の区域内に居住地を有する当該助産の実施希望者等にあつてはその居住地の都道府県に当該申込書を提出しなければならない。

⑥　都道府県等は、それぞれの設置する福祉事務所の所管区域内における妊産婦が保健上必要であるにもかかわらず経済的理由により入院助産を受けることができない場合又はそれぞれの設置する福祉事務所の所管区域内における保護者が配偶者のない女子若しくはこれに準ずる事情にある女子であつてその者の監護すべき児童の福祉に欠けるところがある場合において、助産の実施又は母子保護の実施を行う必要があると認めたときは、第３項による申込みがない場合においても、その妊産婦又は保護者に対し、助産の実施又は母子保護の実施の申込みを勧奨しなければならない。

〔情報の提供〕

第23条　法第22条第４項に規定する内閣府令の定める事項は、次のとおりとする。

一　助産施設の名称、位置及び設置者に関する事項

二　助産施設の施設及び設備の状況に関する事項

三　次に掲げる助産施設の運営の状況に関する事項

イ　助産施設の入所定員及び職員の状況

ロ　助産施設の助産の方針

ハ　その他助産施設の行う事業に関する事項

四　法第56条第２項の規定により徴収する額に関する事項

五　助産施設への入所手続に関する事項

②　法第23条第５項に規定する内閣府令の定める事項は、次のとおりとする。

一　母子生活支援施設の名称、位置及び設置者に関する事項

二　母子生活支援施設の施設及び設備の状況に関する事項

三　次に掲げる母子生活支援施設の運営の状況に関する事項

イ　母子生活支援施設の入所世帯定員、入所状況及び職員の状況

ロ　母子生活支援施設の母子保護の実施及び入所した者に対する生活の支援の方針

ハ　その他母子生活支援施設の行う事業に関する事項

四　法第56条第２項の規定により徴収する額に関する事項

五　母子生活支援施設への入所手続に関する事項

③　法第22条第４項及び第23条第５項に規定する情報の提供は、地域住民が当該情報を自由に利用できるような方法で行うものとする。ただし、母子生活支援施設の位置に関する情報にあつては、当該母子生活支援施設に入所した者の安全の確保のため必要が

あると認めるときは、同条第１項に規定する保護者であつて母子生活支援施設への入所を希望するもの又は当該者の依頼を受けた者が直接その提供を受ける方法で行うものとする。

〔保育所等の利用についての調整〕

第24条　市町村は、法第24条第３項の規定に基づき、保育所、認定こども園（子ども・子育て支援法（平成24年法律第65号）第27条第１項の規定による確認を受けたものに限る。）又は家庭的保育事業等の利用について調整を行う場合（法第73条第１項の規定により読み替えて適用する場合を含む。）には、保育の必要の程度及び家族等の状況を勘案し、保育を受ける必要性が高いと認められる児童が優先的に利用できるよう、調整するものとする。

〔要保護児童対策地域協議会に係る公示〕

第25条の27　地方公共団体の長は、法第25条の２第１項の規定により要保護児童対策地域協議会を設置したときは、次の各号に掲げる事項を公示するものとする。

一　要保護児童対策地域協議会を設置した旨

二　当該要保護児童対策地域協議会の名称

三　当該要保護児童対策地域協議会に係る法第25条の２第４項に規定する要保護児童対策調整機関の名称

四　当該要保護児童対策地域協議会を構成する法第25条の２第１項に規定する関係機関等（以下「関係機関等」という。）の名称等

五　関係機関等ごとの法第25条の５各号のいずれに該当するかの別

〔要保護児童対策調整機関〕

第25条の27の２　要保護児童対策調整機関は、法第25条の２第５項の規定により、同条第２項に規定する支援対象児童等の心身の状況、その置かれている環境その他の状況を定期的に確認し、当該状況を踏まえ、必要に応じて当該支援対象児童等に対する支援の内容の見直しが行われるよう、関係機関等との連絡調整を行うものとする。

第25条の28　市町村の設置した要保護児童対策地域協議会（市町村が地方公共団体（市町村を除く。）と共同して設置したものを含む。）に係る要保護児童対策調整機関は、法第25条の２第７項の規定に基づき、職員の能力の向上のための研修の機会の確保に努めるとともに、専門的な知識及び技術に基づき同条第５項及び第６項の業務に係る事務を適切に行うことができる者として第３項に規定する者（以下この条において「調整担当者」という。）を置くものとする。

②　地方公共団体（市町村を除く。）の設置した要保護児童対策地域協議会（当該地方公共団体が市町村と共同して設置したものを除く。）に係る要保護児童対策調整機関は、法第25条の２第８項の規定に基づき、職員の能力の向上のための研修の機会の確保に努めるとともに、調整担当者を置くように努めなければならない。

③　法第25条の２第７項に規定する内閣府令で定めるものは、児童福祉司たる資格を有する者又はこれに準ずる者として次の各号のいずれかに該当する者とする。

一　保健師

二　助産師

三　看護師

四　保育士（特区法第12条の５第５項に規定する事業実施区域内にある市町村の設置した要保護児童対策地域協議会（市町村が地方公共団体（市町村を除く。）と共同して設置したものを含む。）に係る要保護児童対策調整機関にあつては、保育士又は当該事業実施区域に係る国家戦略特別区域限定保育士）

五　教育職員免許法に規定する普通免許状を有する者

六　児童福祉施設の設備及び運営に関する基準第21条第６項に規定する児童指導員

〔指導の委託〕

第25条の29　法第26条第１項第２号に規定する内閣府令で定めるものは、次のいずれにも該当する者とする。

一　委託に係る業務を適切かつ確実に行うことができると認められる法人であること。

二　委託に係る指導に従事する者として、次のいずれかに該当する者を置いていること。

イ　法第12条の３第２項第２号に該当する者

ロ　法第13条第３項各号のいずれかに該当する者

ハ　児童相談所長又は都道府県知事がイ又はロに掲げる者と同等以上の能力を有すると認める者

〔児童福祉施設の長への書類送付〕

第26条　都道府県知事は、法第27条第１項第３号又は第２項の規定により、児童福祉施設に入所させ、又は指定発達支援医療機関に治療等の委託をしようとする児童につき、法第26条第２項に掲げる事項を記載した書類を児童福祉施設の長又は指定発達支援医療機関の長に送付しなければならない。法第31条第３項に規定する変更の措置をとろうとする者についても、同様とする。

〔入所児童についての届出事項〕

第27条　児童福祉施設の長又は指定発達支援医療機関の長は、法第27条第１項第３号の規定により当該児童福祉施設に入所し、又は同条第２項の規定による委託により当該指定発達支援医療機関に入院した児童について次の各号のいずれかに該当するときは、その旨を都道府県知事に届け出なければならない。法第31条第２項又は第３項の規定の適用を受けて満

18歳に達した後において当該児童福祉施設に在所し、又は指定発達支援医療機関に在院する者についても、同様とする。
一　その者が死亡したとき。
二　その措置を解除し、停止し、又は他の措置に変更することを適当と認めたとき。
三　法第31条第２項又は第３項の規定により、引き続きその者を当該児童福祉施設に在所させ、若しくは法第27条第２項の規定による委託を継続し、又はこれらの措置を相互に変更する措置を採ることを適当と認めたとき。

〔里親への準用規定〕

第32条　第26条及び第27条の規定は、法第27条第１項第３号の規定により、児童を小規模住居型児童養育事業を行う者又は里親に委託した場合に、これを準用する。

〔児童を同居させた者の届出書〕

第34条の２　法第30条第１項に規定する者は、その居住地の市町村長を経て、都道府県知事に届け出なければならない。

〔児童と同居をやめた者の届出書〕

第34条の３　法第30条第２項に規定する者は、その居住地の市町村長を経て、都道府県知事に届け出なければならない。

〔法第31条の２第１項に規定する内閣府令で定める者〕

第35条　法第31条の２第１項に規定する内閣府令で定める者は、次に掲げる者とする。
一　自傷行為、他害行為及び物を損壊する行為を行う等行動上著しい困難を有する者
二　入所の開始から満20歳に達するまでの期間が障害福祉サービスその他のサービスを利用しつつ自立した日常生活又は社会生活を営むことができるようになるまでの期間として十分な期間であると認められない者その他満20歳に到達してもなお引き続き障害児入所施設に在所させる措置を採る必要がある者

〔法第31条の２第２項に規定する内閣府令で定める者〕

第35条の２　法第31条の２第２項に規定する内閣府令で定める者は、次に掲げる者とする。
一　自傷行為、他害行為及び物を損壊する行為を行う等行動上著しい困難を有する者
二　入所等の開始から満20歳に達するまでの期間が障害福祉サービスその他のサービスを利用しつつ自立した日常生活又は社会生活を営むことができるようになるまでの期間として十分な期間であると認められない者その他満20歳に到達してもなお引き続き障害児入所施設に在所させ、又は指定発達支援医療機関に入院させる措置を採る必要がある者

〔法第33条の４に規定する内閣府令で定める場合〕

第36条　法第33条の４に規定する内閣府令で定める場合は、当該措置又は助産の実施、母子保護の実施若しくは児童自立生活援助の実施に係る者が都道府県の区域（市の区域及び福祉事務所を設置する町村の区域に係る部分を除く。）、市町村の区域、福祉事務所の所管区域又は児童相談所の管轄区域を超えて他の区域、所管区域又は管轄区域に居住地を移した場合とする。

〔児童自立生活援助〕

第36条の２　都道府県は、法第33条の６第１項の規定に基づき、児童自立生活援助対象者に対し、法第６条の３第１項に規定する児童自立生活援助（以下「児童自立生活援助」という。）を行うときは、当該児童自立生活援助対象者が自立した生活を営むことができるよう、当該児童自立生活援助対象者の身体及び精神の状況並びにその置かれている環境に応じて適切な児童自立生活援助を行い、又は児童自立生活援助を行うことを委託して行うものとする。

〔児童自立生活援助事業〕

第36条の３　法第６条の３第１項に規定する児童自立生活援助事業は、児童自立生活援助対象者が自立した日常生活及び社会生活を営むことができるよう、児童自立生活援助を行い、あわせて、児童自立生活援助の実施を解除された者につき相談その他の援助を行うものでなければならない。

〔児童自立生活援助事業者〕

第36条の４　児童自立生活援助事業を行う者（以下「児童自立生活援助事業者」という。）は、児童自立生活援助事業の利用者（児童自立生活援助事業を行う住居等（以下「児童自立生活援助事業所」という。）に入居している者（以下「入居者」という。）及び児童自立生活援助の実施を解除された者であつて相談その他の援助を受ける者をいう。以下同じ。）に対し、就業に関する相談、その適性に応じた職場の開拓、就職後における職場への定着のために必要な指導その他の必要な支援を行うものとする。

②　児童自立生活援助事業者は、利用者に対し、対人関係、健康管理、余暇活用及び家事その他の利用者が自立した日常生活及び社会生活を営むために必要な事項に関する相談、指導その他の援助を行うものとする。

〔児童自立生活援助事業所の種類〕

第36条の４の２　児童自立生活援助事業所の種類は、次の各号に掲げるとおりとし、その定義は当該各号に定めるとおりとする。
一　児童自立生活援助事業所Ⅰ型　法第６条の３第１項に規定する共同生活を営むべき住居（これと一体的に運営される児童自立生活援助対象者の居

宅を含む。）において児童自立生活援助事業を行うもの

二　児童自立生活援助事業所Ⅱ型　母子生活支援施設、児童養護施設、児童心理治療施設又は児童自立支援施設（これらの施設と一体的に運営される児童自立生活援助対象者の居宅を含む。）において児童自立生活援助事業を行うもの

三　児童自立生活援助事業所Ⅲ型　小規模住居型児童養育事業を行う住居又は里親の居宅において児童自立生活援助事業を行うもの

〔児童自立生活援助事業者の責務〕

第36条の５　児童自立生活援助事業者は、利用者の人権の擁護、虐待の防止等のため、責任者を設置する等必要な体制の整備を行うとともに、その職員に対し、研修を実施する等の措置を講じなければならない。

第36条の６　児童自立生活援助事業者は、利用者の国籍、信条、社会的身分又は入居に要する費用を負担するか否かによつて、差別的取扱いをしてはならない。

〔職員の責務〕

第36条の７　児童自立生活援助事業に従事する職員は、利用者に対し、法第33条の10各号に掲げる行為その他利用者の心身に有害な影響を与える行為をしてはならない。

〔指導員、補助員及び管理者〕

第36条の８　児童自立生活援助事業所Ⅰ型又はⅡ型を運営する児童自立生活援助事業者は、児童自立生活援助事業所ごとに、指導員（児童自立生活援助事業所において、主として児童自立生活援助を行う者をいう。以下同じ。）及び管理者を置かなければならない。ただし、管理者は、指導員を兼ねることができる。

②　指導員の数は、次の各号に掲げる事業所の区分に応じ、それぞれ当該各号に定めるとおりとする。

一　児童自立生活援助事業所Ⅰ型　次に掲げる数

イ　入居者の数が６までは、３以上。ただし、その２人を除き、補助員（指導員が行う児童自立生活援助について指導員を補助する者をいう。以下この条及び第36条の31第１項第７号において同じ。）をもつてこれに代えることができる。

ロ　入居者の数が６を超えるときは、３に、入居者が６を超えて３又はその端数を増すごとに１を加えて得た数以上。ただし、その得た数から１を減じた数を除き、補助員をもつてこれに代えることができる。

二　児童自立生活援助事業所Ⅱ型　次に掲げる数

イ　入居者の数が２までは、１以上

ロ　入居者の数が２を超えて４までは、２以上

ハ　入居者の数が５のときは、３以上。ただし、その数から１を減じた数を除き、補助員をもつてこれに代えることができる。

③　指導員は、法第34条の20第１項各号に規定する者並びに精神の機能の障害により指導員の業務を適正に行うに当たつて必要な認知、判断及び意思疎通を適切に行うことができない者のいずれにも該当しない者であつて、児童の自立支援に熱意を有し、かつ、次の各号に規定する者のいずれかに該当するものでなければならない。

一　児童指導員の資格を有する者

二　保育士（特区法第12条の５第５項に規定する事業実施区域内にある児童自立生活援助事業所にあつては、保育士又は当該事業実施区域に係る国家戦略特別区域限定保育士）の資格を有する者

三　２年以上児童福祉事業又は社会福祉事業に従事した者

四　都道府県知事が前各号に掲げる者と同等以上の能力を有すると認めた者

④　補助員は、法第34条の20第１項各号に規定する者並びに精神の機能の障害により補助員の業務を適正に行うに当たつて必要な認知、判断及び意思疎通を適切に行うことができない者のいずれにも該当しない者でなければならない。

〔児童自立生活援助事業所の設備の基準〕

第36条の９　児童自立生活援助事業所Ⅰ型及びⅡ型に係る児童自立生活援助事業所（児童自立生活援助対象者の居宅を除く。）の設備の基準は、次のとおりとする。

一　入居者の居室その他入居者が日常生活を営む上で必要な設備及び食堂等入居者が相互に交流を図ることができる設備を設けること。

二　入居者の居室の１室の定員は、これをおおむね２人以下とし、その面積は、１人につき4.95平方メートル以上とすること。

三　男女の居室を別にすること。

四　第１号に掲げる設備は、職員が入居者に対して適切な援助及び生活指導を行うことができるものであること。

五　入居者の保健衛生に関する事項及び安全について十分考慮されたものでなければならないこと。

〔入居費用〕

第36条の10　児童自立生活援助事業者は、児童自立生活援助を提供した際には、食事の提供に要する費用及び居住に要する費用その他の日常生活に要する費用のうち入居者に負担させることが適当と認められる費用の額の支払を受けることができる。

②　前項の費用の額は、入居者の経済的負担を勘案した適正な額とするよう配慮しなければならない。また、当該額は、運営規程に定めた額を超えてはならない。

③　児童自立生活援助事業者は、第１項の費用の額に係る児童自立生活援助の提供に当たつては、あらかじめ、入居者に対し、当該児童自立生活援助の内容及び費用について説明を行い、入居者の同意を得なければならない。

〔児童自立生活援助事業所の管理者〕

第36条の11　児童自立生活援助事業所の管理者は、当該児童自立生活援助事業所の職員及び業務の管理その他の管理を、一元的に行わなければならない。

②　児童自立生活援助事業所の管理者は、当該児童自立生活援助事業所の職員にこの命令の規定を遵守させるために必要な指揮命令を行うものとする。

〔自立を支援するための計画の策定〕

第36条の11の２　児童自立生活援助事業所の管理者及び児童相談所長（児童自立生活援助事業所Ⅲ型の場合に限る。）は、児童自立生活援助対象者が自立した日常生活及び社会生活を営むことができるよう、入居中の個々の児童について、年齢、発達の状況その他の当該児童の事情に応じ意見聴取その他の措置をとることにより、児童の意見又は意向、児童やその家庭の状況等を勘案して、その自立を支援するための計画を策定しなければならない。

〔児童自立生活援助事業所の運営規程〕

第36条の12　児童自立生活援助事業者は、児童自立生活援助事業所ごとに、次の各号に掲げる事業の運営についての重要事項に関する運営規程を定めておかなければならない。

一　事業の目的及び運営の方針

二　職員の職種、員数及び職務の内容

三　入居定員

四　児童自立生活援助の内容並びに入居者から受領する費用の種類及びその額

五　入居者の希望に応じて、入居者の所持する物の保管を行う場合には、保管の方法及び入居者に対する保管の状況の報告の方法

六　緊急時等における対応方法

七　非常災害対策

八　利用者の人権の擁護、虐待の防止等のための措置に関する事項

九　第36条の23に規定する評価の実施状況等児童自立生活援助の質の向上のために図る措置の内容

十　その他運営に関する重要事項

〔職員の勤務体制〕

第36条の13　児童自立生活援助事業者は、入居者に対し、適切な児童自立生活援助を提供できるよう、児童自立生活援助事業所ごとに、職員の勤務の体制を定めておかなければならない。

〔児童自立生活援助事業所の入居定員〕

第36条の14　児童自立生活援助事業所の入居定員は、次の各号に掲げる事業所の区分に応じ、それぞれ当該各号に定めるとおりとする。

一　児童自立生活援助事業所Ⅰ型　５人以上20人以下

二　児童自立生活援助事業所Ⅱ型　５人以下

三　児童自立生活援助事業所Ⅲ型　次に掲げる人数

イ　小規模住居型児童養育事業を行う住居の場合　６人以下（法第27条第１項第３号の規定により委託された児童の数を含む。ロにおいて同じ。）

ロ　里親の居宅の場合　４人以下

②　児童自立生活援助事業者は、入居定員を超えて入居させてはならない。ただし、災害その他のやむを得ない事情がある場合は、この限りでない。

〔非常災害に必要な設備及び訓練〕

第36条の15　児童自立生活援助事業者は、軽便消火器等の消火用具、非常口その他非常災害に必要な設備を設けるとともに、非常災害に対する具体的計画を立て、これに対する不断の注意と訓練をするように努めなければならない。

〔安全計画〕

第36条の15の２　児童自立生活援助事業者は、入居者の安全の確保を図るため、児童自立生活援助事業所ごとに、当該児童自立生活援助事業所の設備の安全点検、職員、入居者に対する児童自立生活援助事業所での生活その他の日常生活における安全に関する指導、職員の研修及び訓練その他児童自立生活援助事業所における安全に関する事項についての計画（以下この条において「安全計画」という。）を策定し、当該安全計画に従い必要な措置を講ずるよう努めなければならない。

②　児童自立生活援助事業者は、職員に対し、安全計画について周知するとともに、前項の研修及び訓練を定期的に実施するよう努めなければならない。

③　児童自立生活援助事業者は、定期的に安全計画の見直しを行い、必要に応じて安全計画の変更を行うよう努めるものとする。

〔入居及び退居〕

第36条の16　児童自立生活援助事業者は、児童自立生活援助の実施を希望する児童自立生活援助対象者（以下「児童自立生活援助実施希望者」という。）の入居に際しては、その者の心身の状況、生活歴等の把握に努めなければならない。

②　児童自立生活援助事業者は、入居者の退居に際しては、当該入居者に対し、適切な相談その他の援助を行うとともに、福祉サービスを提供する者又は当該入居者の職場等との密接な連携に努めなければならない。

〔業務継続計画〕

第36条の16の２　児童自立生活援助事業者は、児童自立生活援助事業所ごとに、感染症や非常災害の発生

時において、入居者に対する児童自立生活援助の提供を継続的に実施するための、及び非常時の体制で早期の業務再開を図るための計画（以下この条において「業務継続計画」という。）を策定し、当該業務継続計画に従い必要な措置を講ずるよう努めなければならない。

② 児童自立生活援助事業者は、職員に対し、業務継続計画について周知するとともに、必要な研修及び訓練を定期的に実施するよう努めなければならない。

③ 児童自立生活援助事業者は、定期的に業務継続計画の見直しを行い、必要に応じて業務継続計画の変更を行うよう努めるものとする。

〔衛生管理及び措置〕

第36条の17 児童自立生活援助事業者は、入居者の使用する設備、食器等又は飲用に供する水については、衛生的な管理に努め、又は衛生上必要な措置を講じなければならない。

② 児童自立生活援助事業者は、児童自立生活援助事業所において感染症又は食中毒が発生し、又はまん延しないように、職員に対し、感染症及び食中毒の予防及びまん延の防止のための研修並びに感染症の予防及びまん延の防止のための訓練を定期的に実施するよう努めなければならない。

〔食事の提供〕

第36条の18 児童自立生活援助事業において、入居者に食事を提供するときは、その献立は、できる限り、変化に富み、入居者の健全な発育に必要な栄養量を含有するものでなければならない。

② 食事は、前項の規定によるほか、食品の種類及び調理方法について栄養並びに入居者の身体的状況及び嗜好を考慮したものでなければならない。

〔入居者の所持品の保管〕

第36条の19 児童自立生活援助事業者は、入居者の希望に応じて、入居者の所持する物の保管を行う場合には、あらかじめ、運営規程に保管の方法及び入居者に対する保管の状況の報告の方法を定めておかなければならない。

② 児童自立生活援助事業者は、前項の保管を行うに当たつては、入居者に対し、あらかじめ定めた保管の方法及び保管の状況の報告の方法について説明を行い、入居者の同意を得なければならない。

③ 児童自立生活援助事業者は、入居者に対し、１月に１回以上、第１項の保管の状況について報告しなければならない。

〔秘密保持義務〕

第36条の20 児童自立生活援助事業に従事する職員は、正当な理由がなく、その業務上知り得た利用者又はその家族の秘密を漏らしてはならない。

② 児童自立生活援助事業者は、職員であつた者が、正当な理由がなく、その業務上知り得た利用者又はその家族の秘密を漏らすことがないよう、必要な措置を講じなければならない。

〔帳簿の整備〕

第36条の21 児童自立生活援助事業所には、職員、財産、収支及び入居者の処遇の状況を明らかにする帳簿を整備しておかなければならない。

〔苦情を受け付けるための措置〕

第36条の22 児童自立生活援助事業者は、その提供した児童自立生活援助に関する利用者等からの苦情に迅速かつ適切に対応するために、苦情を受け付けるための窓口を設置する等の必要な措置を講じなければならない。

② 児童自立生活援助事業者は、苦情の公正な解決を図るために、苦情の解決に当たつて当該児童自立生活援助事業所の職員以外の者を関与させなければならない。

〔児童自立生活援助の質の評価等〕

第36条の23 児童自立生活援助事業者は、自らその提供する児童自立生活援助の質の評価を行うとともに、定期的に外部の者による評価を受けて、それらの結果を公表し、常にその改善を図るよう努めなければならない。

〔入居者の状況調査〕

第36条の24 児童自立生活援助事業者は、都道府県知事からの求めに応じ、入居者の状況について、定期的に都道府県知事の調査を受けなければならないものとする。

〔関係機関との連携及び支援体制〕

第36条の25 児童自立生活援助事業者は、緊急時の対応等を含め、入居者の状況に応じた適切な児童自立生活援助を行うことができるよう、児童相談所、児童福祉施設、児童委員、公共職業安定所、警察等関係機関との連携その他の適切な支援体制を確保しなければならない。

〔申込書〕

第36条の26 法第33条の６第２項に規定する内閣府令の定める事項は、次のとおりとする。

一 児童自立生活援助実施希望者の氏名、居住地、生年月日、個人番号及び職業

二 児童自立生活援助の実施を希望する理由

三 その他都道府県知事が必要と認める事項

② 法第33条の６第２項前段に規定する申込書は、児童自立生活援助実施希望者の居住地の都道府県に提出しなければならない。

③ 前項の申込書には、法第56条第２項の規定により徴収する額の決定のために必要な事項に関する書類を添えなければならない。ただし、都道府県は、当該書類により証明すべき事実を公簿等によつて確認することができるときは、当該書類を省略させるこ

とができる。

④　法第33条の６第２項後段の規定により申込書の提出を代行する児童自立生活援助事業者は、都道府県との連携に努めるとともに、児童自立生活援助実施希望者の依頼を受けたときは、速やかに、当該児童自立生活援助実施希望者の居住地の都道府県に当該申込書を提出しなければならない。

⑤　都道府県は、児童自立生活援助対象者であつて児童自立生活援助の実施を行う必要があると認めた者に対しては、第２項による申込みがない場合においても、児童自立生活援助の実施の申込みを勧奨しなければならない。

〔情報の提供〕

第36条の27　法第33条の６第５項に規定する内閣府令の定める事項は、次の各号に掲げる事業所の区分に応じ、それぞれ当該各号に定めるとおりとする。

一　児童自立生活援助事業所Ⅰ型及びⅡ型　次に掲げる事項

イ　児童自立生活援助事業者の名称及び児童自立生活援助事業所の位置に関する事項

ロ　児童自立生活援助事業所の施設及び設備の状況に関する事項

ハ　次に掲げる児童自立生活援助事業の運営の状況に関する事項

(1)　児童自立生活援助事業所の入居定員、入居状況及び職員の状況

(2)　児童自立生活援助の実施の方針

(3)　その他児童自立生活援助の実施に関する事項

ニ　運営規程

ホ　法第56条第２項の規定により徴収する額に関する事項

ヘ　児童自立生活援助事業所への入居手続に関する事項

ト　その他都道府県知事が必要と認める事項

二　児童自立生活援助事業所Ⅲ型　次に掲げる事項

イ　児童自立生活援助事業者の名称及び児童自立生活援助事業所の位置に関する事項

ロ　児童自立生活援助事業所の住居及び設備の状況に関する事項

ハ　次に掲げる児童自立生活援助事業の運営の状況に関する事項

(1)　児童自立生活援助事業所の入居状況及び職員の状況

(2)　児童自立生活援助の実施の方針

(3)　その他児童自立生活援助の実施に関する事項

ニ　運営規程

ホ　法第56条第２項の規定により徴収する額に関する事項

ヘ　児童自立生活援助事業所への入居手続に関する事項

ト　その他都道府県知事が必要と認める事項

②　法第33条の６第５項に規定する情報の提供は、児童自立生活援助対象者その他関係者が当該情報を自由に利用できるような方法で行うものとする。ただし、児童自立生活援助事業所の位置に関する情報にあつては、当該児童自立生活援助事業所に入居した者の安全の確保のため必要があると認めるときは、児童自立生活援助対象者であつて児童自立生活援助事業所への入居を希望するもの又は当該者の依頼を受けた者が直接その提供を受ける方法で行うものとする。

〔共同生活を営むべき住居等において児童自立生活援助事業を行うときの適用規定〕

第36条の27の２　第36条の８第１項及び第２項、第36条の12、第36条の13、第36条の14第１項第１号及び第２号、第36条の15、第36条の15の２、第36条の16の２並びに第36条の27第１項第１号の規定は、児童自立生活援助事業者が法第６条の３第１項に規定する共同生活を営むべき住居又は第１条の２の８第１号から第４号までに掲げる施設と一体的に運営される児童自立生活援助対象者の居宅において児童自立生活援助事業を行うときは、当該住居又は施設と当該居宅を一の児童自立生活援助事業所とみなして適用する。

〔縁組の承諾の許可申請〕

第36条の28　法第33条の２第１項ただし書、第33条の８第２項ただし書又は第47条第２項ただし書の規定により、児童相談所長が、縁組の承諾をしようとするときは、次に掲げる事項を具し、都道府県知事に、許可の申請をしなければならない。

一　養子にしようとする児童の本籍、氏名、年齢及び性別

二　養親になろうとする者の本籍、住所、氏名、年齢、性別及び職業

三　前号の者の家庭の状況

四　縁組を適当とする理由

五　第１号及び第２号の者の戸籍謄本

六　その他必要と認める事項

２　都道府県知事は、前項の申請を受理したときは、当該縁組が適当であるかどうかを調査して、速やかに、許否の決定を行い、且つ、その旨を書面をもつて通知しなければならない。

〔都道府県児童福祉審議会への報告〕

第36条の29　法第33条の15第２項に規定する内閣府令で定める事項は、次のとおりとする。

一　法第33条の12第１項の規定による通告、同条第３項の規定による届出若しくは第33条の14第３項の規定による通知又は相談の対象である被措置児

童等虐待（法第33条の10に規定する被措置児童等虐待をいう。以下同じ。）に係る小規模住居型児童養育事業、里親、乳児院、児童養護施設、障害児入所施設、児童心理治療施設、児童自立支援施設、指定発達支援医療機関、一時保護施設又は法第33条第１項若しくは第２項の委託を受けて一時保護を行う者における事業若しくは業務（以下この条及び次条において「施設等」と総称する。）の名称、所在地及び種別

二　被措置児童等虐待を受けた又は受けたと思われる被措置児童等の性別、年齢及びその他の心身の状況

三　被措置児童等虐待の種別、内容及び発生要因

四　被措置児童等虐待を行つた施設職員等（法第33条の10第１項に規定する施設職員等をいう。次条において同じ。）の氏名、生年月日及び職種

五　都道府県が行つた措置の内容

六　被措置児童等虐待が行われた施設等において改善措置が採られている場合にはその内容

〔被措置児童等虐待の公表〕

第36条の30　法第33条の16の内閣府令で定める事項は、次のとおりとする。

一　次に掲げる被措置児童等虐待があつた施設等の区分に応じ、それぞれに定める施設等の種別

イ　小規模住居型児童養育事業及び里親　里親等

ロ　乳児院、児童養護施設、児童心理治療施設及び児童自立支援施設　社会的養護関係施設

ハ　障害児入所施設及び指定発達支援医療機関　障害児施設等

ニ　一時保護施設又は法第33条第１項若しくは第２項の委託を受けて一時保護を行う者　一時保護施設等

二　被措置児童等虐待を行つた施設職員等の職種

〔法第33条の18第１項に規定する内閣府令で定めるとき〕

第36条の30の２　法第33条の18第１項に規定する内閣府令で定めるときは、災害その他都道府県知事に対し同項の規定による情報公表対象支援情報（同項に規定する情報公表対象支援情報をいう。以下同じ。）の報告（次条及び第36条の30の５において単に「報告」という。）を行うことができないことにつき正当な理由がある対象事業者（同項に規定する対象事業者をいう。以下同じ。）以外のものについて、都道府県知事が定めるときとする。

〔報告〕

第36条の30の３　報告は、都道府県知事が定めるところにより行うものとする。

〔法第33条の18第１項に規定する内閣府令で定める情報〕

第36条の30の４　法第33条の18第１項に規定する内閣府令で定める情報は、情報公表対象支援（同項に規定する情報公表対象支援をいう。以下同じ。）の提供を開始しようとするときにあつては別表第２に掲げる項目に関するものとし、同項の内閣府令で定めるときにあつては別表第２及び別表第３に掲げる項目に関するものとする。

〔報告の内容の公表〕

第36条の30の５　都道府県知事は、報告を受けた後、当該報告の内容を公表するものとする。ただし、都道府県知事は、当該報告を受けた後に法第33条の18第３項の調査を行つたときは、当該調査の結果を公表することをもつて、当該報告の内容を公表したものとすることができる。

〔法第33条の18第８項に規定する内閣府令で定める情報〕

第36条の30の６　法第33条の18第８項に規定する内閣府令で定める情報は、情報公表対象支援の質及び情報公表対象支援に従事する従業者に関する情報（情報公表対象支援情報に該当するものを除く。）として都道府県知事が定めるものとする。

第３章　事業、養育里親及び養子縁組里親並びに施設

〔法第34条の３第２項に規定する内閣府令で定める事項〕

第36条の30の７　法第34条の３第２項に規定する内閣府令で定める事項は、次のとおりとする。

一　事業の種類及び内容

二　経営者の氏名及び住所（法人であるときは、その名称及び主たる事務所の所在地）

三　条例、定款その他の基本約款

四　運営規程

五　職員の定数及び職務の内容

六　主な職員の氏名及び経歴

七　当該事業の用に供する施設の名称、種類及び所在地

八　事業開始の予定年月日

②　法第34条の３第２項の規定による届出を行おうとする者は、収支予算書及び事業計画書を都道府県知事に提出しなければならない。ただし、都道府県知事が、インターネットを利用してこれらの内容を閲覧することができる場合は、この限りでない。

〔法第34条の３第４項に規定する内閣府令で定める事項〕

第36条の30の８　法第34条の３第４項に規定する内閣府令で定める事項は、次のとおりとする。

一　廃止又は休止しようとする年月日

二　廃止又は休止の理由

三　現に便宜を受け又は通所している者に対する措置

四　休止しようとする場合にあつては、休止の予定

期間

〔児童自立生活援助事業等の開始の届出〕

第36条の31　法第34条の４第１項に規定する内閣府令で定める事項は、次のとおりとする。

一　事業の種類及び内容

二　経営者の氏名及び住所（法人であるときは、その名称及び主たる事務所の所在地）

三　条例、定款その他の基本約款

四　運営規程

五　職員の定数及び職務の内容

六　主な職員の氏名及び経歴

七　養育者等又は指導員及び補助員の精神の機能の障害の有無

八　当該事業の用に供する施設の名称、種類及び所在地

九　事業開始の予定年月日

②　法第34条の４第１項の規定による届出を行おうとする者は、収支予算書及び事業計画書を都道府県知事に提出しなければならない。ただし、都道府県知事が、インターネットを利用してこれらの内容を閲覧することができる場合は、この限りでない。

〔児童自立生活援助事業等の廃止又は休止の届出〕

第36条の32　法第34条の４第３項に規定する内閣府令で定める事項は、次のとおりとする。

一　廃止又は休止しようとする年月日

二　廃止又は休止の理由

三　現に便宜を受け又は入所している者に対する措置

四　休止しようとする場合にあつては、休止の予定期間

〔法第34条の８第２項に規定する内閣府令で定める事項〕

第36条の32の６　法第34条の８第２項に規定する内閣府令で定める事項は、次のとおりとする。

一　事業の種類及び内容

二　経営者の氏名及び住所（法人であるときは、その名称及び主たる事務所の所在地）

三　定款その他の基本約款

四　運営規程

五　職員の定数及び職務の内容

六　主な職員の氏名及び経歴

七　事業の用に供する施設の名称、種類及び所在地

八　建物その他設備の規模及び構造並びにその図面

九　事業開始の予定年月日

②　法第34条の８第２項の規定による届出を行おうとする者は、収支予算書及び事業計画書を市町村長に提出しなければならない。ただし、市町村長が、インターネットを利用してこれらの内容を閲覧することができる場合は、この限りでない。

〔法第34条の８第４項に規定する内閣府令で定める事項〕

第36条の32の７　法第34条の８第４項に規定する内閣府令で定める事項は、次のとおりとする。

一　廃止又は休止しようとする年月日

二　廃止又は休止の理由

三　現に便宜を受けている児童に対する措置

四　休止しようとする場合にあつては、休止の予定期間

〔事故発生の防止及び発生時の対応〕

第36条の32の８　子育て短期支援事業を行う者は、当該事業の実施による事故の発生又はその再発の防止に努めるとともに、事故が発生した場合は、速やかに当該事実を都道府県知事に報告しなければならない。

〔一時預かり事業の届出〕

第36条の33　法第34条の12第１項に規定する内閣府令で定める事項は、次のとおりとする。

一　事業の種類及び内容

二　経営者の氏名及び住所（法人であるときは、その名称及び主たる事務所の所在地）

三　条例、定款その他の基本約款

四　職員の定数及び職務の内容

五　主な職員の氏名及び経歴

六　事業を行おうとする区域（市町村の委託を受けて事業を行おうとする者にあつては、当該市町村の名称を含む。）

七　事業の用に供する施設の名称、種類、所在地及び利用定員

八　建物その他設備の規模及び構造並びにその図面

九　事業開始の予定年月日

②　法第34条の12第１項の規定による届出を行おうとする者は、収支予算書及び事業計画書を都道府県知事に提出しなければならない。ただし、都道府県知事が、インターネットを利用してこれらの内容を閲覧することができる場合は、この限りでない。

〔一時預かり事業の廃止又は休止の届出〕

第36条の34　法第34条の12第３項に規定する内閣府令で定める事項は、次のとおりとする。

一　廃止又は休止しようとする年月日

二　廃止又は休止の理由

三　現に便宜を受けている乳幼児に対する措置

四　休止しようとする場合にあつては、休止の予定期間

〔法第34条の13に規定する内閣府令で定める基準〕

第36条の35　法第34条の13に規定する内閣府令で定める基準は、次の各号に掲げる場合に応じ、当該各号に定めるところによる。

一　保育所、幼稚園、認定こども園その他の場所（以下この号において「保育所等」という。）において、主として保育所等に通っていない、又は在籍して

いない乳幼児に対して一時預かり事業を行う場合（次号から第４号までに掲げる場合を除く。以下この号において「一般型一時預かり事業」という。） 次に掲げる全ての要件を満たすこと。

イ 児童福祉施設の設備及び運営に関する基準第32条の規定に準じ、一般型一時預かり事業の対象とする乳幼児の年齢及び人数に応じて、必要な設備(医務室、調理室及び屋外遊戯場を除く。)を設けること。

ロ 児童福祉施設の設備及び運営に関する基準第33条第２項の規定に準じ、一般型一時預かり事業の対象とする乳幼児の年齢及び人数に応じて、当該乳幼児の処遇を行う職員として保育士（特区法第12条の５第５項に規定する事業実施区域内にある一般型一時預かり事業を行う場所にあつては、保育士又は当該事業実施区域に係る国家戦略特別区域限定保育士。以下このロ及びハにおいて同じ。）その他市町村長が行う研修（市町村長が指定する都道府県知事その他の機関が行う研修を含む。）を修了した者を置くこととし、そのうち半数以上は保育士（当該一般型一時預かり事業を利用している乳幼児の人数が１日当たり平均３人以下である場合にあつては、第１条の32に規定する研修と同等以上の内容を有すると認められるものを修了した者を含む。ハにおいて同じ。）であること。ただし、当該職員の数は、２人を下ることはできないこと。

ハ ロに規定する職員は、専ら当該一般型一時預かり事業に従事するものでなければならないこと。ただし、次のいずれかに該当する場合は、専ら当該一般型一時預かり事業に従事する職員を１人とすることができること。

⑴ 当該一般型一時預かり事業と保育所等とが一体的に運営されている場合であつて、当該一般型一時預かり事業を行うに当たつて当該保育所等の職員（保育その他の子育て支援に従事する職員に限る。）による支援を受けることができ、かつ、専ら当該一般型一時預かり事業に従事する職員が保育士であるとき

⑵ 当該一般型一時預かり事業を利用している乳幼児の人数が１日当たり平均３人以下である場合であつて、保育所等を利用している乳幼児の保育が現に行われている乳児室、ほふく室、保育室又は遊戯室において当該一般型一時預かり事業が実施され、かつ、当該一般型一時預かり事業を行うに当たつて当該保育所等の保育士による支援を受けることができるとき

ニ 児童福祉施設の設備及び運営に関する基準第35条の規定に準じ、事業を実施すること。

ホ 食事の提供を行う場合（施設外で調理し運搬する方法により行う場合を含む。次号ホにおいて同じ。）においては、当該施設において行うことが必要な調理のための加熱、保存等の調理機能を有する設備を備えること。

二 幼稚園又は認定こども園（以下この号において「幼稚園等」という。）において、主として幼稚園等に在籍している満３歳以上の幼児に対して一時預かり事業を行う場合(以下この号において「幼稚園型一時預かり事業」という。） 次に掲げる全ての要件を満たすこと。

イ 児童福祉施設の設備及び運営に関する基準第32条の規定に準じ、幼稚園型一時預かり事業の対象とする幼児の年齢及び人数に応じて、必要な設備（調理室及び屋外遊戯場を除く。）を設けること。

ロ 児童福祉施設の設備及び運営に関する基準第33条第２項の規定に準じ、幼稚園型一時預かり事業の対象とする幼児の年齢及び人数に応じて、当該幼児の処遇を行う職員として保育士(特区法第12条の５第５項に規定する事業実施区域内にある幼稚園型一時預かり事業を行う場所にあつては、保育士又は当該事業実施区域に係る国家戦略特別区域限定保育士。以下このロ及びハただし書において同じ。)、幼稚園の教諭の普通免許状（教育職員免許法に規定する普通免許状をいう。)を有する者(以下この号において「幼稚園教諭普通免許状所有者」という。）その他市町村長が行う研修（市町村長が指定する都道府県知事その他の機関が行う研修を含む。）を修了した者を置くこととし、そのうち半数以上は保育士又は幼稚園教諭普通免許状所有者であること。ただし、当該職員の数は、２人を下ることはできないこと。

ハ ロに規定する職員は、専ら当該幼稚園型一時預かり事業に従事するものでなければならないこと。ただし、当該幼稚園型一時預かり事業と幼稚園等とが一体的に運営されている場合であつて、当該幼稚園型一時預かり事業を行うに当たつて当該幼稚園等の職員（保育士又は幼稚園教諭普通免許状所有者に限る。）による支援を受けることができるときは、専ら当該幼稚園型一時預かり事業に従事する職員を１人とすることができること。

ニ 次に掲げる施設の区分に応じ、それぞれ次に定めるものに準じ、事業を実施すること。

⑴ 幼稚園又は幼保連携型認定こども園以外の認定こども園 学校教育法第25条の規定に基づき文部科学大臣が定める幼稚園の教育課程

その他の教育内容に関する事項
(2) 幼保連携型認定こども園 認定こども園法第10条第1項の規定に基づき主務大臣が定める幼保連携型認定こども園の教育課程その他の教育及び保育の内容に関する事項
ホ 食事の提供を行う場合においては、当該施設において行うことが必要な調理のための加熱、保存等の調理機能を有する設備を備えること。
三 保育所、認定こども園又は家庭的保育事業等(居宅訪問型保育事業を除く。以下この号において同じ。)を行う事業所において、当該施設又は事業を利用する児童の数(以下この号において「利用児童数」という。)が当該施設又は事業に係る利用定員の総数に満たない場合であつて、当該利用定員の総数から当該利用児童数を除いた数の乳幼児を対象として一時預かり事業を行うとき 次に掲げる施設又は事業所の区分に応じ、それぞれ次に定めるものに準じ、事業を実施すること。
イ 保育所 児童福祉施設の設備及び運営に関する基準(保育所に係るものに限る。)
ロ 幼保連携型認定こども園以外の認定こども園 認定こども園法第3条第2項に規定する主務大臣が定める施設の設備及び運営に関する基準
ハ 幼保連携型認定こども園 幼保連携型認定こども園の学級の編制、職員、設備及び運営に関する基準(平成26年内閣府・文部科学省・厚生労働省令第1号)
ニ 家庭的保育事業等を行う事業所 家庭的保育事業等の設備及び運営に関する基準(平成26年厚生労働省令第61号)(居宅訪問型保育事業に係るものを除く。)
四 乳幼児の居宅において一時預かり事業を行う場合 家庭的保育事業等の設備及び運営に関する基準(居宅訪問型保育事業に係るものに限る。)に準じ、事業を実施すること。
② 一時預かり事業を行う者は、当該事業の実施による事故の発生又はその再発の防止に努めるとともに、事故が発生した場合は、速やかに当該事実を都道府県知事に報告しなければならない。

〔家庭的保育事業等の認可申請〕

第36条の36 法第34条の15第2項の認可を受けようとする者は、次の各号に掲げる事項を具し、これを市町村長に申請しなければならない。
一 名称、種類及び位置
二 建物その他設備の規模及び構造並びにその図面
三 事業の運営についての重要事項に関する規程
四 経営の責任者及び福祉の実務に当たる幹部職員の氏名及び経歴
五 収支予算書
六 事業開始の予定年月日
② 前項の申請をしようとする者は、次に掲げる書類を提出しなければならない。
一 家庭的保育事業等を行う者の履歴及び資産状況を明らかにする書類
二 家庭的保育事業等を行おうとする者が法人である場合にあつては、その法人格を有することを証する書類
三 法人又は団体においては定款、寄附行為その他の規約
③ 法第34条の15第2項の認可を受けた者は、第1項第1号又は前項第3号に掲げる事項に変更があつたときは、変更のあつた日から起算して1月以内に、市町村長に届け出なければならない。
④ 法第34条の15第2項の認可を受けた者は、第1項第2号若しくは第3号に掲げる事項又は経営の責任者若しくは福祉の実務に当たる幹部職員を変更しようとするときは、市町村長にあらかじめ届け出なければならない。

〔法第34条の15第3項第4号ニただし書の内閣府令で定める同号ニ本文に規定する認可の取消しに該当しないこととすることが相当であると認められるもの〕

第36条の36の2 法第34条の15第3項第4号ニただし書の内閣府令で定める同号ニ本文に規定する認可の取消しに該当しないこととすることが相当であると認められるものは、市町村長が法第34条の17第1項その他の規定による報告等の権限を適切に行使し、当該認可の取消しの処分の理由となつた事実及び当該事実の発生を防止するための当該家庭的保育事業等を行う者による業務管理体制の整備についての取組の状況その他の当該事実に関して当該家庭的保育事業等を行う者が有していた責任の程度を確認した結果、当該家庭的保育事業等を行う者が当該認可の取消しの理由となつた事実について組織的に関与していると認められない場合に係るものとする。
② 前項の規定は、法第34条の15第3項第4号ホただし書の内閣府令で定める同号ホ本文に規定する認可の取消しに該当しないこととすることが相当であると認められる場合について準用する。

〔法第34条の15第3項第4号ホに規定する申請者の親会社等〕

第36条の36の3 法第34条の15第3項第4号ホに規定する申請者(以下この条において「申請者」という。)の親会社等(次項及び第4項第1号において「申請者の親会社等」という。)は、次に掲げる者とする。
一 申請者の役員に占めるその役員の割合が2分の1を超える者
二 申請者(株式会社である場合に限る。)の議決権の過半数を所有している者
三 申請者(持分会社である場合に限る。)の資本金の過半数を出資している者

四　申請者の事業の方針の決定に関して、前３号に掲げる者と同等以上の支配力を有すると認められる者
②　法第34条の15第３項第４号ホの内閣府令で定める申請者の親会社等がその事業を実質的に支配し、又はその事業に重要な影響を与える関係にある者は、次に掲げる者とする。
一　申請者の親会社等の役員と同一の者がその役員に占める割合が２分の１を超える者
二　申請者の親会社等（株式会社である場合に限る。）が議決権の過半数を所有している者
三　申請者の親会社等（持分会社である場合に限る。）が資本金の過半数を出資している者
四　事業の方針の決定に関する申請者の親会社等の支配力が前３号に掲げる者と同等以上と認められる者
③　法第34条の15第３項第４号ホの内閣府令で定める申請者がその事業を実質的に支配し、又はその事業に重要な影響を与える関係にある者は、次に掲げる者とする。
一　申請者の役員と同一の者がその役員に占める割合が２分の１を超える者
二　申請者（株式会社である場合に限る。）が議決権の過半数を所有している者
三　申請者（持分会社である場合に限る。）が資本金の過半数を出資している者
四　事業の方針の決定に関する申請者の支配力が前３号に掲げる者と同等以上と認められる者
④　法第34条の15第３項第４号ホの内閣府令で定める密接な関係を有する法人は、次の各号のいずれにも該当する法人とする。
一　申請者の重要な事項に係る意思決定に関与し、又は申請者若しくは申請者の親会社等が重要な事項に係る意思決定に関与している者であること。
二　法第34条の15第２項若しくは第35条第４項の認可を受けた者、認定こども園法第３条第１項若しくは第３項の認定を受けた者又は認定こども園法第17条第１項の認可を受けた者であること。
三　家庭的保育事業等を行つていた者又は保育所を設置していた者であること。

〔聴聞決定予定日〕

第36条の36の４　法第34条の15第３項第４号トの規定による通知をするときは、法第34条の17第１項の規定による検査が行われた日（以下この条において「検査日」という。）から10日以内に、当該検査日から起算して60日以内の特定の日を通知するものとする。

〔法第34条の15第５項ただし書に規定する内閣府令で定める場合〕

第36条の36の５　法第34条の15第５項ただし書に規定する内閣府令で定める場合は、同条第２項の認可の申請に係る家庭的保育事業等の所在地を含む教育・保育提供区域（子ども・子育て支援法第61条第２項第１号の規定により市町村が定める教育・保育提供区域をいう。以下この条において同じ。）における特定教育・保育施設（同法第27条第１項に規定する特定教育・保育施設をいい、同法第61条第１項に規定する市町村子ども・子育て支援事業計画（以下この条において「市町村計画」という。）に基づき整備しようとするものを含む。以下この条及び第37条の５において同じ。）及び特定地域型保育事業（同法第43条第２項に規定する特定地域型保育事業をいう。以下この条及び第37条の５において同じ。）（事業所内保育事業における同法第43条第１項に規定する労働者等の監護する小学校就学前子どもに係る部分を除き、市町村計画に基づき整備をしようとするものを含む。）に係る利用定員の総数（当該申請に係る事業の開始を予定する日の属する事業年度（以下この条において「申請事業開始年度」という。）に係るものであつて、同法第19条第３号に掲げる小学校就学前子どもの区分に係るものに限る。）が、当該市町村計画において定める当該教育・保育提供区域における特定教育・保育施設及び特定地域型保育事業に係る必要利用定員総数（申請事業開始年度に係るものであつて、同号に掲げる小学校就学前子どもの区分に係るものに限る。）に既に達している場合又は当該申請に係る家庭的保育事業等の開始によつてこれを超えることになると認める場合とする。

〔家庭的保育事業等の廃止又は休止〕

第36条の37　法第34条の15第７項の規定により、家庭的保育事業等を廃止又は休止しようとするときは、次の各号に掲げる事項を具し、市町村長の承認を受けなければならない。
一　廃止又は休止の理由
二　現に保育を受けている児童に対する措置
三　廃止しようとする者にあつては廃止の期日及び財産の処分
四　休止しようとする者にあつては休止の予定期間
②　前項の承認の申請を受けた市町村長は、必要な条件を付して承認を与えることができる。

〔令第35条の４第２号に規定する内閣府令で定める事項〕

第36条の37の２　令第35条の４第２号に規定する内閣府令で定める事項は、当該家庭的保育事業等を行う事業所が所在する市町村における前年度の令第35条の４本文に規定する実地の検査の実施状況及び当該家庭的保育事業等を開始してからの年数とする。

〔法第34条の18第１項に規定する内閣府令で定める事項〕

第36条の38　法第34条の18第１項に規定する内閣府令で定める事項は、次のとおりとする。

一 事業の種類及び内容
二 経営者の氏名及び住所（法人であるときは、その名称及び主たる事務所の所在地）
三 条例、定款その他の基本約款
四 職員の定数及び職務の内容
五 主な職員の氏名及び経歴
六 事業を行おうとする区域（市町村の委託を受けて事業を行おうとする者にあつては、当該市町村の名称を含む。）
七 事業の用に供する施設の名称、種類、所在地及び利用定員
八 建物その他設備の規模及び構造並びにその図面
九 事業開始の予定年月日
② 法第34条の18第１項の規定による届出を行おうとする者は、収支予算書及び事業計画書を都道府県知事に提出しなければならない。ただし、都道府県知事が、インターネットを利用してこれらの内容を閲覧することができる場合は、この限りでない。
〔法第34条の18第３項に規定する内閣府令で定める事項〕
第36条の39 法第34条の18第３項に規定する内閣府令で定める事項は、次のとおりとする。
一 廃止又は休止しようとする年月日
二 廃止又は休止の理由
三 現に便宜を受けている児童に対する措置
四 休止しようとする場合にあつては、休止の予定期間
〔事故発生の防止及び発生時の対応〕
第36条の39の２ 病児保育事業を行う者は、当該事業の実施による事故の発生又はその再発の防止に努めるとともに、事故が発生した場合は、速やかに当該事実を都道府県知事に報告しなければならない。
第36条の39の３ 子育て援助活動支援事業を行う者は、当該事業の実施による事故の発生又はその再発の防止に努めるとともに、事故が発生した場合は、これを早期に把握するために必要な措置を講じなければならない。また、当該事業を行う者は、当該事業の実施により事故が発生した場合は、速やかに当該事実を都道府県知事に報告しなければならない。
〔養育里親名簿及び養子縁組里親名簿〕
第36条の40 法第34条の19に規定する養育里親名簿には、次に掲げる事項を登録しなければならない。
一 登録番号及び登録年月日
二 住所、氏名、性別、生年月日、個人番号、職業及び健康状態
三 同居人の氏名、性別、生年月日、個人番号、職業及び健康状態
四 養育里親研修を修了した年月日
五 １年以内の期間を定めて、要保護児童を養育することを希望する場合にはその旨
六 専門里親の場合にはその旨
七 その他都道府県知事が必要と認める事項
② 法第34条の19に規定する養子縁組里親名簿には、次に掲げる事項を登録しなければならない。
一 登録番号及び登録年月日
二 住所、氏名、性別、生年月日、個人番号、職業及び健康状態
三 同居人の氏名、性別、生年月日、個人番号、職業及び健康状態
四 養子縁組里親研修を修了した年月日
五 その他都道府県知事が必要と認める事項
〔申請書の提出〕
第36条の41 養育里親となることを希望する者（以下「養育里親希望者」という。）は、その居住地の都道府県知事に、次に掲げる事項を記載した申請書を提出しなければならない。
一 養育里親希望者の住所、氏名、性別、生年月日、個人番号、職業及び健康状態
二 養育里親希望者の同居人の氏名、性別、生年月日、個人番号、職業及び健康状態
三 養育里親研修を修了した年月日又は修了する見込みの年月日
四 養育里親になることを希望する理由
五 １年以内の期間を定めて、要保護児童を養育することを希望する場合にはその旨
六 従前に里親であつたことがある者はその旨及び他の都道府県において里親であつた場合には当該都道府県名
七 その他都道府県知事が必要と認める事項
② 専門里親希望者は、前項各号に掲げる事項のほか、次に掲げる事項を記載した申請書を提出しなければならない。
一 第１条の37第１号に掲げるいずれかの要件及び第３号の要件に該当する事実
二 専門里親研修を修了した年月日又は修了する見込みの年月日
③ 養子縁組里親となることを希望する者（以下「養子縁組里親希望者」という。）は、その居住地の都道府県知事に、次に掲げる事項を記載した申請書を提出しなければならない。
一 養子縁組里親希望者の住所、氏名、性別、生年月日、個人番号、職業及び健康状態
二 養子縁組里親希望者の同居人の氏名、性別、生年月日、個人番号、職業及び健康状態
三 養子縁組里親研修を修了した年月日又は修了する見込みの年月日
四 養子縁組里親になることを希望する理由
五 従前に里親であつたことがある者はその旨及び他の都道府県において里親であつた場合には当該都道府県名

六　その他都道府県知事が必要と認める事項

④　第1項の申請書には、次に掲げる書類を添えなければならない。ただし、都道府県知事は、第5号に掲げる書類により証明すべき事実を公簿等によつて確認することができるときは、当該書類を省略させることができる。

一　養育里親希望者及びその同居人の履歴書

二　養育里親希望者の居住する家屋の平面図

三　養育里親研修を修了したこと又は修了する見込みであることを証する書類

四　法第34条の20第1項各号のいずれにも該当しない者であることを証する書類

五　その他都道府県知事が必要と認めるもの

⑤　専門里親希望者は、前項各号（第3号を除く。）に掲げる書類のほか、次に掲げる書類を添えなければならない。ただし、都道府県知事は、前項第5号に掲げる書類により証明すべき事実を公簿等によつて確認することができるときは、当該書類を省略させることができる。

一　第1条の37第1号に掲げるいずれかの要件に該当することを証する書類

二　専門里親研修を修了したこと又は修了する見込みであることを証する書類

⑥　第3項の申請書には、次に掲げる書類を添えなければならない。ただし、都道府県知事は、第5号に掲げる書類により証明すべき事実を公簿等によつて確認することができるときは、当該書類を省略させることができる。

一　養子縁組里親希望者及びその同居人の履歴書

二　養子縁組里親希望者の居住する家屋の平面図

三　養子縁組里親研修を修了したこと又は修了する見込みであることを証する書類

四　法第34条の20第1項各号のいずれにも該当しない者であることを証する書類

五　その他都道府県知事が必要と認めるもの

〔名簿の登録等〕

第36条の42　都道府県知事は、前条第1項又は第2項の申請書を受理したときは、当該養育里親希望者が第1条の35に規定する要件（専門里親希望者については、第1条の37に規定する要件）に該当することその他要保護児童を委託する者として適当と認めるものであることを調査して、速やかに、養育里親名簿に登録し、又はしないこと（専門里親については、専門里親として登録し、又はしないこと）の決定を行わなければならない。

②　都道府県知事は、前条第3項の申請書を受理したときは、当該養子縁組里親希望者が次のいずれにも該当することその他要保護児童を委託する者として適当と認めるものであることを調査して、速やかに、養子縁組里親名簿に登録し、又はしないことの決定を行わなければならない。

一　要保護児童の養育についての理解及び熱意並びに要保護児童に対する豊かな愛情を有していること。

二　経済的に困窮していないこと（要保護児童の親族である場合を除く。）。

三　養子縁組里親研修を修了したこと。

③　都道府県知事は、前2項の決定を行つたときは、遅滞なく、その旨を当該養育里親希望者、当該専門里親希望者又は当該養子縁組里親希望者に通知しなければならない。

〔取消し及び変更の届出〕

第36条の43　養育里親又は養子縁組里親が次の各号のいずれかに該当することとなつた場合には、当該各号に定める者は、その日（第1号の場合にあつては、その事実を知つた日）から30日以内に、その旨を当該登録をしている都道府県知事又は当該各号に定める者の住所地を管轄する都道府県知事に届け出なければならない。

一　死亡した場合　その相続人

二　本人又はその同居人が法第34条の20第1項各号のいずれかに該当するに至つた場合　本人

三　第1条の35に規定する要件に該当しなくなった場合　本人

②　養育里親は、第36条の40第1項各号に掲げる事項について、養子縁組里親は、同条第2項各号に掲げる事項について、それぞれ変更が生じたときは、遅滞なく、これを都道府県知事に届け出なければならない。

〔名簿の登録の消除〕

第36条の44　都道府県知事は、次の各号のいずれかに該当する場合には、養育里親名簿又は養子縁組里親名簿の登録を消除しなければならない。

一　本人から登録の消除の申出があつた場合

二　前条第1項の規定による届出があつた場合

三　前条第1項の規定による届出がなくて同項各号のいずれかに該当する事実が判明した場合

四　不正の手段により養育里親名簿又は養子縁組里親名簿への登録を受けた場合

②　都道府県知事は、次の各号のいずれかに該当する場合には、養育里親名簿又は養子縁組里親名簿の登録を消除することができる。

一　法第45条の2第2項又は第48条の規定に違反した場合

二　法第46条第1項の規定により報告を求められて、報告をせず、又は虚偽の報告をした場合

③　都道府県知事は、専門里親として登録を受けていた者が第1条の37各号に掲げる要件に該当しなくなつたときは、専門里親である旨の記載を消除しなければならない。

〔名簿の登録の有効期間〕

第36条の45 養育里親名簿及び養子縁組里親名簿の登録の有効期間（以下「有効期間」という。）は、５年とする。ただし、専門里親としての登録の有効期間については、２年とする。

〔名簿の登録の更新〕

第36条の46 養育里親名簿の登録は、養育里親の申請により更新する。

② 前項の登録の更新を受けようとする者は、都道府県知事がこども家庭庁長官が定める基準に従い行う研修（以下「養育里親更新研修」という。）を受けなければならない。

③ 養子縁組里親名簿の登録は、養子縁組里親の申請により更新する。

④ 前項の登録の更新を受けようとする者は、都道府県知事がこども家庭庁長官が定める基準に従い行う研修（以下「養子縁組里親更新研修」という。）を受けなければならない。

⑤ 前条の規定は、更新後の有効期間について準用する。

⑥ 第１項又は第３項の申請があつた場合において、有効期間の満了の日までに養育里親更新研修若しくは養子縁組里親更新研修が行われないとき又は行われているがその全ての課程が修了していないときは、従前の登録は、有効期間の満了の日後もその研修が修了するまでの間は、なおその効力を有する。

⑦ 前項の場合において、登録の更新がされたときは、その有効期間は、従前の有効期間の満了の日の翌日から起算するものとする。

〔里親の認定〕

第36条の47 第１条の39に規定する者に係る認定等については、養育里親の認定等に準じて、都道府県知事が行うものとする。

〔児童福祉施設の設置認可の申請〕

第37条 法第35条第３項に規定する内閣府令で定める事項は、次のとおりとする。

一 名称、種類及び位置

二 建物その他設備の規模及び構造並びにその図面

三 運営の方法（保育所にあつては事業の運営についての重要事項に関する規程）

三の二 経営の責任者及び福祉の実務に当る幹部職員の氏名及び経歴

四 収支予算書

五 事業開始の予定年月日

② 法第35条第４項の認可を受けようとする者は、前項各号に掲げる事項を具し、これを都道府県知事に申請しなければならない。

③ 前項の申請をしようとする者は、次に掲げる書類を提出しなければならない。

一 設置する者の履歴及び資産状況を明らかにする書類

二 保育所を設置しようとする者が法人である場合にあつては、その法人格を有することを証する書類

三 法人又は団体においては定款、寄附行為その他の規約

④ 法第35条第３項の届出を行つた市町村は、第１項第２号若しくは第３号に掲げる事項又は経営の責任者若しくは福祉の実務に当たる幹部職員を変更しようとするときは、あらかじめ、都道府県知事に届け出なければならない。

⑤ 法第35条第３項の届出を行つた市町村又は同条第４項の認可を受けた者は、第１項第１号又は第３項第３号に掲げる事項に変更があつたときは、変更のあつた日から起算して１月以内に、都道府県知事に届け出なければならない。

⑥ 法第35条第４項の認可を受けた者は、第１項第２号若しくは第３号に掲げる事項又は経営の責任者若しくは福祉の実務に当たる幹部職員を変更しようとするときは、都道府県知事にあらかじめ届け出なければならない。

〔法第35条第５項第４号ニただし書の内閣府令で定める同号ニ本文に規定する認可の取消しに該当しないこととすることが相当であると認められるもの〕

第37条の２ 法第35条第５項第４号ニただし書の内閣府令で定める同号ニ本文に規定する認可の取消しに該当しないこととすることが相当であると認められるものは、都道府県知事が法第46条第１項その他の規定による報告等の権限を適切に行使し、当該認可の取消しの処分の理由となつた事実及び当該事実の発生を防止するための当該保育所の設置者による業務管理体制の整備についての取組の状況その他の当該事実に関して当該保育所の設置者が有していた責任の程度を確認した結果、当該保育所の設置者が当該認可の取消しの理由となつた事実について組織的に関与していると認められない場合に係るものとする。

② 前項の規定は、法第35条第５項第４号ホただし書の内閣府令で定める同号ホ本文に規定する認可の取消しに該当しないこととすることが相当であると認められる場合について準用する。

〔聴聞決定予定日〕

第37条の３ 法第35条第５項第４号トの規定による通知をするときは、法第46条第１項の規定による検査が行われた日（以下この条において「検査日」という。）から10日以内に、当該検査日から起算して60日以内の特定の日を通知するものとする。

〔法第35条第７項の規定による協議〕

第37条の４ 法第35条第７項の規定による協議は、第37条第１項各号に掲げる事項を記載した書類を市町

村長に提出してするものとする。

〔法第35条第８項ただし書に規定する内閣府令で定める場合〕

第37条の５　法第35条第８項ただし書に規定する内閣府令で定める場合は、保育所に関する同条第４項の認可の申請に係る当該保育所の所在地を含む区域（子ども・子育て支援法第62条第２項第１号の規定により都道府県が定める区域をいう。以下この条において同じ。）における特定教育・保育施設及び特定地域型保育事業に係る利用定員の総数（当該申請に係る事業の開始を予定する日の属する事業年度（以下この条において「申請施設事業開始年度」という。）に係るものであつて、同法第19条第２号及び第３号に掲げる小学校就学前子どもの区分に係るものに限る。）が、同法第62条第１項に規定する都道府県子ども・子育て支援事業支援計画において定める当該区域における特定教育・保育施設及び特定地域型保育事業に係る必要利用定員総数（申請施設事業開始年度に係るものであつて、同法第19条第２号及び第３号に掲げる小学校就学前子どもの区分に係るものに限る。）に既に達している場合又は当該申請に係る保育所の設置によつてこれを超えることになると認める場合とする。

〔児童福祉施設の廃止又は休止承認の申請〕

第38条　法第35条第11項に規定する命令で定める事項は、次のとおりとする。

一　廃止又は休止の理由
二　入所させている者の処置
三　廃止しようとする者にあつては廃止の期日及び財産の処分
四　休止しようとする者にあつては休止の予定期間

②　法第35条第12項の規定により、児童福祉施設を廃止又は休止しようとするときは、前項各号に掲げる事項を具し、都道府県知事の承認を受けなければならない。

③　前項の承認の申請を受けた都道府県知事は、必要な条件を附して承認を与えることができる。

〔児童家庭支援センターが行う援助〕

第38条の２　法第44条の２第１項に規定する内閣府令で定める援助は、訪問等の方法による児童及び家庭に係る状況把握、当該児童及び家庭に係る援助計画の作成その他の児童又はその保護者等に必要な援助とする。

〔令第38条第２号に規定する内閣府令で定める事項〕

第38条の３　令第38条第２号に規定する内閣府令で定める事項は、当該児童福祉施設が所在する都道府県における前年度の令第38条本文に規定する実地の検査の実施状況及び当該児童福祉施設を設置してからの年数とする。

〔縁組承諾許可の申請〕

第39条　法第47条第１項ただし書の規定により、児童福祉施設の長が、縁組の承諾をしようとするときは、次に掲げる事項を具し、当該児童等につき判定をした児童相談所長を経て、措置を採つた都道府県の知事に、許可の申請をしなければならない。

一　養子にしようとする児童の本籍、氏名、年令及び性別
二　養親になろうとする者の本籍、住所、氏名、年令、性別及び職業
三　前号の者の家庭の状況
四　縁組を適当とする理由
五　第１号及び第２号の者の戸籍謄本
六　その他必要と認める事項

②　都道府県知事は、前項の申請を受理したときは、当該縁組が適当であるかどうかを調査して、速やかに、許否の決定を行い、且つ、その旨を書面をもつて通知しなければならない。

〔法第56条の４の２第２項第３号の内閣府令で定める事項〕

第40条　法第56条の４の２第２項第３号の内閣府令で定める事項は、次のとおりとする。

一　市町村整備計画（法第56条の４の２第１項に規定する市町村整備計画をいう。以下この条において同じ。）の名称
二　市町村整備計画の区域
三　市町村整備計画に基づく事業に要する費用の額
四　市町村整備計画交付金（法第56条の４の３第２項の交付金をいう。次号及び次条において同じ。）の額の算定のために必要な事項としてこども家庭庁長官が定めるもの
五　その他市町村整備計画交付金の交付に関しこども家庭庁長官が必要と認める事項

〔交付金の交付〕

第41条　市町村整備計画交付金は、別にこども家庭庁長官が定める交付方法に従い、予算の範囲内で交付する。

第４章　雑則

〔証票〕

第49条　法第59条第１項に規定する証票は、第14号様式による。

②　法第59条の５第２項の規定により内閣総理大臣に適用があるものとされた法第59条第１項に規定する証票は、第15号様式による。

〔届出対象外施設〕

第49条の２　法第59条の２第１項に規定する内閣府令で定めるものは、次の各号のいずれかに該当する施設（子ども・子育て支援法第59条の２に規定する仕事・子育て両立支援事業に係るものを除く。）とする。

一　次に掲げる乳幼児のみの保育を行う施設であつて、その旨が約款その他の書類により明らかであ

るもの
イ　店舗その他の事業所において商品の販売又は役務の提供を行う事業者が商品の販売又は役務の提供を行う間に限り、その顧客の監護する乳幼児を保育するために自ら設置する施設又は当該事業者からの委託を受けて当該顧客の監護する乳幼児を保育する施設にあつては、当該顧客の監護する乳幼児
ロ　設置者の４親等内の親族である乳幼児
ハ　設置者の親族又はこれに準ずる密接な人的関係を有する者の監護する乳幼児
二　半年を限度として臨時に設置される施設
三　認定こども園法第３条第３項に規定する連携施設を構成する保育機能施設

〔設置届出事項〕
第49条の３　法第59条の２第１項第６号に規定する内閣府令で定める事項は、次に掲げるものとする。
一　開所している時間
二　提供するサービスの内容及び当該サービスの提供につき利用者が支払うべき額に関する事項
三　届出年月日の前日において保育している乳幼児の人数
四　入所定員
五　届出年月日の前日において保育に従事している保育士その他の職員の配置数（当該施設の保育士その他の職員のそれぞれの１日の勤務延べ時間数を８で除して得た数をいう。以下同じ。）及び勤務の体制
六　保育士その他の職員の配置数及び勤務の体制の予定
七　法第６条の３第11項に規定する業務を目的とする施設の設置者又は１日に保育する乳幼児の数が５人以下である施設（前条各号に掲げるものを除く。第49条の５第２項第７号及び第49条の７第11号において同じ。）の設置者にあつては、当該設置者及び職員に対する研修の受講状況
八　保育する乳幼児に関して契約している保険の種類、保険事故及び保険金額
九　提携している医療機関の名称、所在地及び提携内容
十　提供するサービスの内容に関する情報をインターネットを利用して公衆が閲覧することができる状態に置いてこれに伝達し、かつ、当該情報の伝達を受けた保護者が当該サービスの利用を目的として電子メールその他の電気通信（電気通信事業法（昭和59年法律第86号）第２条第１号に規定する電気通信をいう。以下この号及び第49条の７第14号において同じ。）を利用して当該情報を伝達する設置者と相互に連絡することができるようにする方法（当該設置者のウェブサイトを利用する方法を除く。同号において同じ。）を用いようとする設置者にあつては、当該情報を公衆に伝達するための電気通信の送信元を識別するための文字、番号、記号その他の符号（同号において「送信元識別符号」という。）
十一　施設の設置者について、過去に法第59条第５項の命令を受けたか否かの別（当該設置者が、法第59条の２第１項に規定する施設の設置者であつた場合の当該命令に限る。当該命令を受けたことがある場合には、その内容を含む。第49条の５第２項第13号及び第49条の７第15号において同じ。）

〔変更届出事項〕
第49条の４　法第59条の２第２項に規定する内閣府令で定める事項は、同条第１項第１号から第３号まで及び第５号並びに前条第11号に掲げる事項とする。

〔閲覧の方法及び掲示事項〕
第49条の５　法第59条の２の２の規定による公衆の閲覧は、独立行政法人福祉医療機構のウェブサイトへの掲載により行うものとする。
②　法第59条の２の２第３号に規定する内閣府令で定める事項は、次に掲げるものとする。
一　施設の名称及び所在地
二　事業を開始した年月日
三　開所している時間
四　提供するサービスの内容及び当該サービスの提供につき利用者が支払うべき額に関する事項並びにこれらの事項に変更を生じたことがある場合にあっては当該変更のうち直近のものの内容及びその理由
五　入所定員
六　保育士その他の職員の配置数又はその予定
七　法第６条の３第11項に規定する業務を目的とする施設の設置者又は１日に保育する乳幼児の数が５人以下である施設の設置者にあつては、当該設置者及び職員に対する研修の受講状況
八　保育する乳幼児に関して契約している保険の種類、保険事故及び保険金額
九　提携している医療機関の名称、所在地及び提携内容
十　緊急時等における対応方法
十一　非常災害対策
十二　虐待の防止のための措置に関する事項
十三　施設の設置者について、過去に法第59条第５項の命令を受けたか否かの別

〔書面交付事項〕
第49条の６　法第59条の２の４第３号に規定する内閣府令で定める事項は、次の各号に掲げるものとする。
一　施設の名称及び所在地
二　施設の管理者の氏名

三　当該利用者に対して提供するサービスの内容
四　保育する乳幼児に関して契約している保険の種類、保険事故及び保険金額
五　提携している医療機関の名称、所在地及び提携内容
六　利用者からの苦情を受け付ける担当職員の氏名及び連絡先

〔定期報告事項〕

第49条の７　法第59条の２の５第１項の規定による報告は、次の各号に掲げる事項を都道府県知事の定める日までに提出することにより行うものとする。
一　施設の名称及び所在地
二　設置者の氏名及び住所又は名称及び主たる事務所の所在地
三　建物その他の設備の規模及び構造
四　施設の管理者の氏名及び住所
五　開所している時間
六　提供するサービスの内容及び当該サービスの提供につき利用者が支払うべき額に関する事項
七　報告年月日の前日において保育している乳幼児の人数
八　入所定員
九　報告年月日の前日において保育に従事している保育士その他の職員の配置数及び勤務の体制
十　保育士その他の職員の配置数及び勤務の体制の予定
十一　法第６条の３第11項に規定する業務を目的とする施設の設置者又は１日に保育する乳幼児の数が５人以下である施設の設置者にあつては、当該設置者及び職員に対する研修の受講状況
十二　保育する乳幼児に関して契約している保険の種類、保険事故及び保険金額
十三　提携している医療機関の名称、所在地及び提携内容
十四　提供するサービスの内容に関する情報をインターネットを利用して公衆が閲覧することができる状態に置いてこれに伝達し、かつ、当該情報の伝達を受けた保護者が当該サービスの利用を目的として電子メールその他の電気通信を利用して当該情報を伝達する設置者と相互に連絡することができるようにする方法を用いようとする設置者にあつては、当該情報を公衆に伝達するための電気通信の送信元を識別するための送信元識別符号
十五　施設の設置者について、過去に法第59条第５項の命令を受けたか否かの別
十六　その他施設の管理及び運営に関する事項

〔事故発生の防止及び発生時の対応〕

第49条の７の２　法第59条の２第１項に規定する施設の設置者は、当該施設におけるサービスの提供による事故の発生又はその再発の防止に努めるとともに、事故が発生した場合は、速やかに当該事実を都道府県知事に報告しなければならない。

②　都道府県知事は、前項の規定による報告があつたときは、その内容を当該施設の所在地の市町村長に通知するものとする。

〔権限の委任〕

第49条の８　法第59条の８第３項及び令第47条第１項の規定により、法第59条の５第４項において読み替えて準用する同条第１項に規定する厚生労働大臣の権限は、地方厚生局長に委任する。ただし、厚生労働大臣が自ら行うことを妨げない。

〔町村の一部事務組合等〕

第50条　町村が一部事務組合又は広域連合を設けて福祉事務所を設置した場合には、この命令の適用については、その一部事務組合又は広域連合を福祉事務所を設置する町村とみなす。

〔大都市の特例〕

第50条の２　令第45条第１項の規定により、指定都市が児童福祉に関する事務を処理する場合及び令第45条の３第１項の規定により、法第59条の４第１項の児童相談所設置市（以下「児童相談所設置市」という。）が児童福祉に関する事務を処理する場合においては、次の表の上欄に掲げるこの命令の規定中の字句で、同表中欄に掲げるものは、それぞれ同表下欄の字句と読み替えるものとする。

第１条の10	都道府県	指定都市及び児童相談所設置市
第１条の29 第１条の31第１項 第１条の36 第１条の37 第１条の40 第１条の41 第４条第１項	都道府県知事	指定都市の市長及び児童相談所設置市の長
第４条第２項 第５条	都道府県内	指定都市内及び児童相談所設置市内
第７条第１項及び第３項 第７条の９第１項	都道府県	指定都市及び児童相談所設置市
第７条の９第２項	都道府県は、	指定都市及び児童相談所設置市は、
	都道府県知事	指定都市の市長及び児童相談所設置市の長
第７条の９第３項及び第４項	都道府県	指定都市及び児童相談所設置市

第７条の10 第７条の11 第７条の14 第７条の16 第７条の17	都道府県知事	指定都市の市長及び児童相談所設置市の長
第７条の20	都道府県は、	指定都市及び児童相談所設置市は、
	都道府県知事	指定都市の市長及び児童相談所設置市の長
第７条の22 第７条の23 第７条の27 第７条の28	都道府県	指定都市及び児童相談所設置市
第７条の29 第７条の30 第７条の35 第７条の36 第７条の37 第７条の39第１項	都道府県知事	指定都市の市長及び児童相談所設置市の長
第７条の39第２項	都道府県は、	指定都市及び児童相談所設置市は、
	都道府県知事	指定都市の市長及び児童相談所設置市の長
第８条第１項	都道府県知事	指定都市の市長及び児童相談所設置市の長
第８条第２項	都道府県は、	指定都市及び児童相談所設置市は、
	都道府県知事	指定都市の市長及び児童相談所設置市の長
第10条第１項 第11条 第15条 第16条	都道府県知事	指定都市の市長及び児童相談所設置市の長
第17条第２項及び第４項	都道府県	指定都市及び児童相談所設置市
第18条の27第１項から第３項まで 第18条の27第４項（第18条の29第４項において準用する場合を含む。）	都道府県知事	指定都市の市長及び児童相談所設置市の長
第18条の27第５項（第18条の29第４項において準用する場合を含む。）	都道府県知事	指定都市の市長及び児童相談所設置市の長
	市町村長	指定都市の市長及び児童相談所設置市の長
	は、これらの指定に係る申請の書類の写しを提出することにより行わせる	を省略させる
第18条の27第６項 第18条の28 第18条の29第１項から第３項まで及び第５項 第18条の29の２ 第18条の30 第18条の32第４項 第18条の34の２第１項 第18条の34の３ 第18条の34の４ 第18条の35第１項、第３項及び第４号 第18条の35の７	都道府県知事	指定都市の市長及び児童相談所設置市の長
第18条の38第１項	区分	区分（令第45条の３第８項の規定により読み替えて適用する場合を含む。以下この条において同じ。）
	又は指定都市若しくは中核市（地方自治法第252条の22第１項の中核市をいう。以下同じ。）の市長	、指定都市の市長又は児童相談所設置市の長
第18条の38第２項	又は指定都市若しくは中核市の市長	、指定都市の市長又は児童相談所設置市の長
第18条の39	法第21条の５の27第４項	法第21条の５の27第４項（地方自治法施行令第174条の26第７項及び令第45条の３第８項により読み替えて適用する場合を含む。）
	指定都市若しくは中核市の市長	都道府県知事
第18条の40	指定都市若しくは中核市の市長	都道府県知事
	都道府県知事	指定都市の市長又は児童相談所設置市の長
第18条の47第１項	都道府県知事	指定都市の市長及び児童相談所設置市の長
第25条の７第１項から第10項まで及び第12項	都道府県	指定都市及び児童相談所設置市

第25条の９ 第25条の11 第25条の14 第25条の17 第25条の19第１項及び第３項		
第25条の21 第25条の22	都道府県知事	指定都市の市長又は児童相談所設置市の長
第25条の23の２第１項	区分	区分（令第45条の３第８項の規定により読み替えて適用する場合を含む。以下この条において同じ。）
	又は指定都市の市長	、指定都市の市長又は児童相談所設置市の長
第25条の23の２第２項	又は指定都市の市長	、指定都市の市長又は児童相談所設置市の長
第25条の23の３	法第21条の５の27第４項	法第21条の５の27第４項（地方自治法施行令第174条の26第７項及び令第45条の３第８項の規定により読み替えて適用する場合を含む。）
	こども家庭庁長官	こども家庭庁長官又は都道府県知事
第25条の23の４	こども家庭庁長官	こども家庭庁長官又は都道府県知事
	都道府県知事	指定都市の市長又は児童相談所設置市の長
第25条の24第１項	都道府県	指定都市及び児童相談所設置市
第25条の26第１項及び第２項 第25条の29 第26条 第27条 第32条において準用する第26条 第32条において準用する第27条	都道府県知事	指定都市の市長及び児童相談所設置市の長
第34条の２ 第34条の３	市町村長を経て、都道府県知事に	指定都市の市長及び児童相談所設置市の長に
第36条の２	都道府県	指定都市及び児童相談所設置市
第36条の８第３項 第36条の24	都道府県知事	指定都市の市長及び児童相談所設置市の長
第36条の26第１項		
第36条の26第２項、第４項及び第５項	都道府県	指定都市及び児童相談所設置市
第36条の27第１項 第36条の28	都道府県知事	指定都市の市長及び児童相談所設置市の長
第36条の29	都道府県	指定都市及び児童相談所設置市
第36条の30の２ 第36条の30の３ 第36条の30の５ 第36条の30の６ 第36条の30の７第２項 第36条の31第２項 第36条の32の２第２項 第36条の32の４第２項 第36条の32の８ 第36条の32の９ 第36条の33第２項 第36条の35第２項 第36条の38第２項 第36条の39の２ 第36条の40	都道府県知事	指定都市の市長及び児童相談所設置市の長
第36条の41第１項及び第３項	都道府県知事	指定都市の市長及び児童相談所設置市の長
	都道府県	指定都市及び児童相談所設置市
第36条の41第４項及び第６項 第36条の42 第36条の43 第36条の44 第36条の46第２項及び第４項 第36条の47	都道府県知事	指定都市の市長及び児童相談所設置市の長
第37条第２項	都道府県知事	指定都市の市長及び児童相談所設置市の長
第37条第４項 第37条第５項	都道府県知事	指定都市の市長及び児童相談所設置市の長
	市町村	指定都市及び児童相談所設置市以外の市町村
第37条第６項 第38条第２項及び第３項	都道府県知事	指定都市の市長及び児童相談所設置市の長

第39条第１項	都道府県の知事	指定都市の市長及び児童相談所設置市の長
第39条第２項	都道府県知事	指定都市の市長及び児童相談所設置市の長
第49条の７ 第49条の７の２第１項	都道府県知事	指定都市の市長及び児童相談所設置市の長
別表第２	都道府県	指定都市及び児童相談所設置市
	都道府県知事	指定都市の市長及び児童相談所設置市の長
別表第３	都道府県知事	指定都市の市長及び児童相談所設置市の長

〔中核市の特例〕

第50条の３　令第45条第２項の規定により、中核市が児童福祉に関する事務を処理する場合においては、次の表の上欄に掲げるこの命令の規定中の字句で、同表中欄に掲げるものは、それぞれ同表下欄の字句と読み替えるものとする。

第７条第１項及び第３項 第７条の９第１項	都道府県	中核市
第７条の９第２項	都道府県は、	中核市は、
	都道府県知事	中核市の市長
第７条の９第３項及び第４項	都道府県	中核市
第７条の10 第７条の11 第７条の14 第７条の16 第７条の17	都道府県知事	中核市の市長
第７条の20	都道府県は、	中核市は、
	都道府県知事	中核市の市長
第７条の22 第７条の23 第７条の27 第７条の28	都道府県	中核市
第７条の29 第７条の30 第７条の35 第７条の36 第７条の37 第７条の39第１項	都道府県知事	中核市の市長
第７条の39第２項	都道府県は、	中核市は、
	都道府県知事	中核市の市長
第８条第１項	都道府県知事	中核市の市長
第８条第２項	都道府県は、	中核市は、
	都道府県知事	中核市の市長
第10条第１項 第11条 第15条 第16条	都道府県知事	中核市の市長
第17条第２項及び第４項	都道府県	中核市
第18条の27第１項から第３項まで 第18条の27第４項（第18条の29第４項において準用する場合を含む。）	都道府県知事	中核市の市長
第18条の27第５項（第18条の29第４項において準用する場合を含む。）	都道府県知事	中核市の市長
	市町村長	中核市の市長
	は、これらの指定に係る申請の書類の写しを提出することにより行わせる	を省略させる
第18条の27第６項 第18条の28 第18条の29第１項から第３項まで及び第５項 第18条の29の２ 第18条の30 第18条の32第４項 第18条の34の２第１項 第18条の34の３ 第18条の34の４ 第18条の35第１項、第３項及び第４項 第18条の35の７	都道府県知事	中核市の市長
第18条の39	法第21条の５の27第４項	法第21条の５の27第４項（地方自治法施行令第174条の49の２第２項の規定により読み替えて適用する場合を含む。）
	指定都市若しくは中核市の市長	都道府県知事
第18条の40	指定都市若しくは中核市の市長	都道府県知事

	都道府県知事	中核市の市長
第36条の30の２	都道府県知事	中核市の市長
	情報公表対象支援情報を	情報公表対象支援情報（指定障害児入所施設等（法第24条の２第１項に規定する指定障害児入所施設等をいう。以下この条において同じ。）に係るものを除く。）を
	対象事業者を	対象事業者（指定障害児入所施設等の設置者を除く。）を
第36条の30の３	都道府県知事	中核市の市長
第36条の30の４	情報公表対象支援を	情報公表対象支援（指定入所支援（法第24条の２第１項に規定する指定入所支援をいう。）を除く。）を
第36条の30の５ 第36条の30の６ 第36条の30の７第２項 第36条の32の２第２項 第36条の32の４第２項 第36条の32の８ 第36条の32の９ 第36条の33第２項 第36条の35第２項 第36条の38第２項 第36条の39の２	都道府県知事	中核市の市長
第37条第２項	都道府県知事	都道府県知事（助産施設、母子生活支援施設及び保育所（以下「特定児童福祉施設」という。）については、中核市の市長）
第37条第４項 第37条第５項	都道府県知事	都道府県知事（特定児童福祉施設については、中核市の市長）
	市町村	市町村（特定児童福祉施設については、中核市以外の市町村）
第37条第６項 第38条第２項及び第３項	都道府県知事	都道府県知事（特定児童福祉施設については、中核市の市長）
第49条の７ 第49条の７の２第１項	都道府県知事	中核市の市長
別表第２	都道府県	中核市
	都道府県知事	中核市の市長
別表第３	都道府県知事	中核市の市長

附　則　抄

〔施行期日〕

第51条　この省令は、昭和23年１月１日から、これを適用する。但し、法第63条但書に掲げる規定に関する部分は、昭和23年４月１日から、これを施行する。

〔一時預かり事業の実施基準に関する経過措置〕

第56条　第36条の35第１項第２号の規定の適用については、当分の間、同号ロ中「をいう。」とあるのは「をいう。以下このロにおいて同じ。」と、「修了した者」とあるのは「修了した者又は小学校の教諭若しくは養護教諭の普通免許状を有する者その他の教育及び保育に関する知識、経験等を有する者として市町村長が認めるもの」と、「半数」とあるのは「３分の１」とする。

②　法第34条の13に規定する内閣府令で定める基準は、乳幼児及びその保護者が相互の交流を行う場所として開設された施設又は駅周辺の施設その他の利便性の高い施設において、乳幼児を対象に一時預かり事業を行う場合には、当分の間、第36条の35第１項の規定にかかわらず、次の各号に定めるところによることができる。

一　児童福祉施設の設備及び運営に関する基準第32条の規定に準じ、事業の対象とする乳幼児の年齢及び人数に応じて、必要な設備（医務室、調理室及び屋外遊戯場を除く。）を設けるよう努めること。

二　児童福祉施設の設備及び運営に関する基準第33条第２項の規定に準じ、事業の対象とする乳幼児の年齢及び人数に応じて、当該乳幼児の処遇を行う職員として保育士（特区法第12条の５第５項に規定する事業実施区域内にある施設にあつては、保育士又は当該事業実施区域に係る国家戦略特別区域限定保育士。次号において同じ。）又は市町村長が行う研修（市町村長が指定する都道府県知事その他の機関が行う研修を含む。）を修了した者を置くこと。ただし、当該職員の数は、２人を下ることはできないこと。

三　前号に規定する職員のうち１人以上は、豊富な経験を有する保育士であること。

四　児童福祉施設の設備及び運営に関する基準第35条の規定に準じ、事業を実施すること。

五　食事の提供を行う場合（施設外で調理し運搬する方法により行う場合を含む。）においては、当該施設において行うことが必要な調理のための加熱、保存等の調理機能を有する設備を備えるよう努めること。

〔家庭的保育事業等の認可に係る特例〕

第56条の２　第36条の36の５及び第37条の５の規定の適用については、当分の間、次の表の上欄に掲げるこの命令の規定中の字句で、同表中欄に掲げるものは、それぞれ同表下欄の字句とする。

第36条の36の５	申請事業開始年度に係るもの	申請事業開始年度に係るもの（申請事業開始年度の翌年度に係るものが、申請事業開始年度に係るものを上回つている場合にあつては、申請事業開始年度の翌年度に係るもの）
第37条の５	申請施設事業開始年度に係るもの	申請施設事業開始年度に係るもの（申請施設事業開始年度の翌年度に係るものが、申請施設事業開始年度に係るものを上回つている場合にあつては、申請施設事業開始年度の翌年度に係るもの）

別表第一（第５条の２の２の２関係）

区分	科目等	時間数	
		施設	講習会
必修科目	社会福祉概論	30	62
	社会保障論	30	60
	公的扶助論	30	60
	高齢者福祉論	15	30
	介護概論	15	30
	障害児・者福祉論	30	60
	児童・家庭福祉論	60	125
	養護原理	30	62
	地域福祉論	30	60
	社会福祉援助技術論	30	60
	社会福祉援助技術演習	60	6
	児童相談所等運営論	30	62
	医学一般	30	62
	法学	30	62
	心理学	30	60
	社会学	30	60
実習	児童福祉現場実習	180	180
	児童福祉現場実習指導	90	180
その他	必修科目又はそれ以外の科目	420	
合計		合計 1,200	合計 1,281

備考　指定施設（第５条の３に規定する施設）において１年以上相談援助の業務に従事した後、入所する者については、児童福祉現場実習指導及び児童福祉現場実習指導の履修を免除することができる。

講習会の受講終了時までに、指定施設において１年以上相談援助の業務に従事した場合も同様とする。

別表第二（第36条の30の４関係）

一　事業所又は施設（以下この表及び次表において「事業所等」という。）を運営する法人又は法人でない病院若しくは診療所（以下この号において「法人等」という。）に関する事項

イ　法人等の名称、主たる事務所の所在地及び電話番号その他の連絡先

ロ　法人等の代表者の氏名及び職名

ハ　法人等の設立年月日

ニ　法人等が情報公表対象支援を提供し、又は提供しようとする事業所等の所在地を管轄する都道府県の区域内において提供する情報公表対象支援

ホ　その他情報公表対象支援の種類に応じて必要な事項

二　当該報告に係る情報公表対象支援を提供し、又は提供しようとする事業所等に関する事項

イ　事業所等の名称、所在地及び電話番号その他の連絡先

ロ　指定事業所番号

ハ　事業所等の管理者の氏名及び職名

ニ　当該報告に係る事業の開始年月日若しくは開始予定年月日及び指定を受けた年月日（指定の更新を受けた場合にはその直近の年月日）

ホ　事業所等までの主な利用交通手段

ヘ　事業所等の財務状況

ト　その他情報公表対象支援の種類に応じて必要な事項

三　事業所等において情報公表対象支援に従事する従業者（以下この号において「従業者」という。）に関する事項

イ　職種別の従業者の数

ロ　従業者の勤務形態、労働時間、従業者１人当たりの利用者数等

ハ　従業者の当該報告に係る情報公表対象支援の業務に従事した経験年数等

ニ　従業者の健康診断の実施状況

ホ　従業者の教育訓練、研修その他の従業者の資質向上に向けた取組の実施状況

ヘ　その他情報公表対象支援の種類に応じて必要な事項

四　情報公表対象支援の内容に関する事項

イ　事業所等の運営に関する方針

ロ　当該報告に係る情報公表対象支援の内容等

ハ　当該報告に係る情報公表対象支援の利用者への提供実績

ニ　利用者等（利用者又はその家族をいう。以下この表及び次表において同じ。）からの苦情に対応する窓口等の状況

ホ　当該報告に係る情報公表対象支援の提供により賠償すべき事故が発生したときの対応に関する事項

ヘ　事業所等の情報公表対象支援の提供内容に関する特色等

ト　利用者等の意見を把握する体制、第三者による評価の実施状況等

チ　その他情報公表対象支援の種類に応じて必要な事項

五　当該報告に係る情報公表対象支援を利用するに当たつての利用料等に関する事項

六　その他都道府県知事が必要と認める事項

別表第三（第36条の30の４関係）

第一　情報公表対象支援の内容に関する事項

一　情報公表対象支援の提供開始時における利用者等に対する説明及び契約等に当たり、利用者等の権利擁護等のために講じている措置

イ　利用者の状態に応じた当該情報公表対象支援に係る計画の作成及び利用者等の同意の取得の状況

ロ　情報公表対象支援の提供開始時における利用者等に対する説明及び利用者等の同意の取得の状況

ハ　利用者等に対する利用者が負担する利用料に関する説明の実施の状況

ニ　利用者等に関する情報の把握及び課題の分析の実施状況

二　利用者本位の情報公表対象支援の質の確保のために講じている措置

イ　重度の肢体不自由等の常時介護を要する利用者に対する情報公表対象支援の質の確保のための取組の状況

ロ　利用者のプライバシーの保護のための取組の状況

三　相談、苦情等の対応のために講じている措置

相談、苦情等の対応のための取組の状況

四　情報公表対象支援の内容の評価、改善等のために講じている措置

イ　情報公表対象支援の提供状況の把握のための取組の状況

ロ　情報公表対象支援に係る計画等の見直しの実施の状況

五　情報公表対象支援の質の確保、透明性の確保等のために実施している外部の者等との連携

イ　相談支援専門員等との連携の状況

ロ　主治の医師等との連携の状況
第二　情報公表対象支援を提供する事業所等の運営状況に関する事項
一　適切な事業運営の確保のために講じている措置
イ　従業者等に対する従業者等が守るべき倫理、法令等の周知等の実施の状況
ロ　計画的な事業運営のための取組の状況
ハ　事業運営の透明性の確保のための取組の状況
ニ　情報公表対象支援の提供に当たつて改善すべき課題に対する取組の状況
二　事業運営を行う事業所等の運営管理、業務分担、情報の共有等のために講じている措置
イ　事業所等における役割分担等の明確化のための取組の状況
ロ　情報公表対象支援の提供のために必要な情報について従業者間で共有するための取組の状況
ハ　従業者からの相談に対する対応及び従業者に対する指導の実施の状況
三　安全管理及び衛生管理のために講じている措置
安全管理及び衛生管理のための取組の状況
四　情報の管理、個人情報保護等のために講じている措置
イ　個人情報の保護の確保のための取組の状況
ロ　情報公表対象支援の提供記録の開示の実施の状況
五　情報公表対象支援の質の確保のために総合的に講じている措置
イ　従業者等の計画的な教育、研修等の実施の状況
ロ　利用者等の意向等も踏まえた情報公表対象支援の提供内容の改善の実施の状況
ハ　情報公表対象支援の提供のためのマニュアル等の活用及び見直しの実施の状況
第三　都道府県知事が必要と認めた事項

第一号様式（第六条の六関係）

指定保育士養成施設卒業証明書

氏　名
生年月日

児童福祉法第十八条の六第一号の規定により指定された指定保育士養成施設において児童福祉法施行規則第六条の二の二第一項第三号の規定による修業教科目及び単位数を同号の規定により履修して卒業した者であることを証明する。

年　月　日

学校（施設）所在地
学校（施設）名称長名　㊞
（　年　月　日第　号指定）

第二号様式（第六条の七第一項関係）

表　縦十センチメートル
　　横八センチメートル

証　明　書

第　号　令和　年　月　日交付
所　属
職　氏　名
都道府県知事　㊞

右の者は、児童福祉法第十八条の七の規定により指導又は帳簿書類その他の物件の検査を行う職員であることを証明する。

裏

児童福祉法第十八条の七　都道府県知事は、保育士の養成の適切な実施を確保するため必要があると認められるときは、その必要な限度で、指定保育士養成施設の長に対し、教育方法、設備その他の事項に関し報告を求め、若しくは指導をし、又は当該職員に、その帳簿書類その他の物件を検査させることができる。

②　前項の規定による検査を行う場合においては、当該職員は、その身分を示す証明書を携帯し、関係者の請求があるときはこれを提示しなければならない。

③　第一項の規定による権限は、犯罪捜査のために認められたものと解釈してはならない。

第三号様式（第六条の七第二項関係）

表　縦十センチメートル

横八センチメートル

証　明　書

第　　号　令和　年　月　日交付

所　属

職　氏　名

都道府県知事

（市長）　印

右の者は、児童福祉法第十八条の十六、第三十四条の五、第三十四条の十四、第三十四条の十八の二又は第四十六条の規定による質問又は立入検査をする職権を行う者であることを証明する。

裏

第十八条の十六　都道府県知事は、試験事務の適正かつ確実な実施を確保するため必要があると認めるときは、その必要な限度で、指定試験機関に対し、報告を求め、又は当該職員に、関係者に対し質問させ、若しくは指定試験機関の事務所に立ち入り、その帳簿書類その他の物件を検査させることができる。

② 前項の規定による質問又は立入検査を行う場合においては、当該職員は、その身分を示す証明書を携帯し、関係者の請求があるときは、これを提示しなければならない。

③ 第一項の規定による権限は、犯罪捜査のために認められたものと解釈してはならない。

第三十四条の五　都道府県知事は、児童の福祉のために必要があると認めるときは、障害児通所支援事業等、児童自立生活援助事業若しくは小規模住居型児童養育事業を行う者に対して、必要と認める事項の報告を求め、又は当該職員に、関係者に対して質問させ、若しくはその事務所若しくは施設に立ち入り、設備、帳簿書類その他の物件を検査させることができる。

② 第十八条の十六第二項及び第三項の規定は、前項の場合について準用する。

第三十四条の十四　都道府県知事は、前条の基準を維持するため、一時預かり事業を行う者に対して、必要と認める事項の報告を求め、又は当該職員に、関係者に対して質問させ、若しくはその事業を行う場所に立ち入り、設備、帳簿書類その他の物件を検査させることができる。

② 第十八条の十六第二項及び第三項の規定は、前項の場合について準用する。

③・④　（略）

第三十四条の十八の二　都道府県知事は、児童の福祉のために必要があると認めるときは、病児保育事業を行う者に対して、必要と認める事項の報告を求め、又は当該職員に、関係者に対して質問させ、若しくはその事業を行う場所に立ち入り、設備、帳簿書類その他の物件を検査させることができる。

② 第十八条の十六第二項及び第三項の規定は、前項の場合について準用する。

③　（略）

第四十六条　都道府県知事は、第四十五条第一項及び前条第一項の基準を維持するため、児童福祉施設の設置者、児童福祉施設の長及び里親に対して、必要な報告を求め、児童の福祉に関する事務に従事する職員に、関係者に対して質問させ、若しくはその施設に立ち入り、設備、帳簿書類その他の物件を検査させることができる。

② 第十八条の十六第二項及び第三項の規定は、前項の場合について準用する。

③・④　（略）

第四号様式（第六条の七第三項関係）

表　縦十センチメートル
　　横八センチメートル

証　明　書

第　　　号　令和　　年　　月　　日交付

所　　属

職　　氏　　名

こども家庭庁長官
又は地方厚生局長　印

右の者は、児童福祉法第五十九条の五第二項の規定により内閣総理大臣に適用があるものとされた同法第三十四条の五又は同法第四十六条の規定による質問又は立入検査をする職権を行う者であることを証明する。

裏

児童福祉法第十八条の十六　（略）

② 前項の規定による質問又は立入検査を行う場合においては、当該職員は、その身分を示す証明書を携帯し、関係者の請求があるときは、これを提示しなければならない。

③ 第一項の規定による権限は、犯罪捜査のために認められたものと解釈してはならない。

児童福祉法第三十四条の五　都道府県知事は、児童の福祉のために必要があると認めるときは、障害児通所支援事業等、児童自立生活援助事業若しくは小規模住居型児童養育事業を行う者に対して、必要と認める事項の報告を求め、又は当該職員に、関係者に対して質問させ、若しくはその事務所若しくは施設に立ち入り、設備、帳簿書類その他の物件を検査させることができる。

② 第十八条の十六第二項及び第三項の規定は、前項の場合について準用する。

児童福祉法第四十六条　都道府県知事は、第四十五条第一項及び前条第一項の基準を維持するため、児童福祉施設の設置者、児童福祉施設の長及び里親に対して、必要な報告を求め、児童の福祉に関する事務に従事する職員に、関係者に対して質問させ、若しくはその施設に立ち入り、設備、帳簿書類その他の物件を検査させることができる。

② 第十八条の十六第二項及び第三項の規定は、前項の場合について準用する。

③・④ （略）

児童福祉法第五十九条の五　第二十一条の三第一項、第三十四条の五第一項、第三十四条の六、第四十六条及び第五十九条の規定により都道府県知事の権限に属するものとされている事務は、児童の利益を保護する緊急の必要があると内閣総理大臣が認める場合にあつては、内閣総理大臣又は都道府県知事が行うものとする。

② 前項の場合においては、この法律の規定中都道府県知事に関する規定（当該事務に係るものに限る。）は、内閣総理大臣に関する規定として内閣総理大臣に適用があるものとする。この場合において、第四十六条第四項中「都道府県児童福祉審議会の意見を聴き、その施設の」とあるのは「その施設の」と、第五十九条第五項中「都道府県児童福祉審議会の意見を聴き、その事業の」とあるのは「その事業の」とする。

③・④ （略）

第五号様式（第六条の三十一関係）

保 育 士 登 録 申 請 書

フリガナ			性別	□男 □女
氏名	（姓）	（名）		
	（旧姓）			
通称名				

生年月日	□明治 □大正 □昭和 □平成 □令和		年		月		日	本籍地（外国籍の場合は、その国籍）	都道府県	本籍地コード	

フリガナ			
連絡先住所	都道府県		
郵便番号	−	電話番号	

資格要件（児童福祉法第十八条の六の各号のうち該当するもの）	□ 第1号 指定保育士養成施設を卒業した者	卒業した施設の名称	
		卒業した年月	□昭和 □平成 □令和 年 月
	□ 第2号 保育士試験に合格した者	試験に合格した年月	□昭和 □平成 □令和 年 月
		合格通知番号	
		＊科目ごとに合格した年月又は都道府県が異なる場合は別紙に記入	

その他	□ 精神の機能の障害により保育士の業務を適正に行うに当たって必要な認知、判断及び意思疎通を適切に行うことができない者
	□ 禁錮以上の刑に処せられた者
	□ 児童福祉法（以下「法」という。）の規定その他児童の福祉に関する法律の規定であって政令で定めるものにより、罰金の刑に処せられ、その執行を終わり、又は執行を受けることがなくなった日から起算して3年を経過しない者
	□ 法第18条の19第1項第2号若しくは第3号又は第2項（国家戦略特別区域法第12条の5第8項において準用する場合を含む。）の規定により登録を取り消され、その取消しの日から起算して3年を経過しない者
	□ 法第18条の20の2第1項に規定する特定登録取消者に該当する者

私は、保育士の登録を受けたいので、上記事項について、虚偽の記載をせず、かつ、事実を隠ぺいしていないことを誓い、児童福祉法施行令第16条の規定に基づき申請します。

年　月　日

都道府県知事　殿

氏　名

備考
1 保育士の登録を受けようとする場合には、所定の手続により手数料を納付すること。
2 該当する□は、レと記入すること。
3 用紙の大きさは、日本産業規格A4とすること。

（別紙）

	合格した年月					合　格　地	都道府県
保育原理	□　昭和 □　平成		年		月	合格通知番号	
	合格した年月					合　格　地	都道府県
教育原理 及び社会的養護	□　昭和 □　平成		年		月	合格通知番号	
	合格した年月					合　格　地	都道府県
児童家庭福祉	□　昭和 □　平成		年		月	合格通知番号	
	合格した年月					合　格　地	都道府県
社会福祉	□　昭和 □　平成		年		月	合格通知番号	
	合格した年月					合　格　地	都道府県
保育の心理学	□　昭和 □　平成		年		月	合格通知番号	
	合格した年月					合　格　地	都道府県
子どもの保健	□　昭和 □　平成		年		月	合格通知番号	
	合格した年月					合　格　地	都道府県
子どもの食と栄養	□　昭和 □　平成		年		月	合格通知番号	
	合格した年月					合　格　地	都道府県
保育実習理論	□　昭和 □　平成		年		月	合格通知番号	
	合格した年月					合　格　地	都道府県
保育実習実技	□　昭和 □　平成		年		月	合格通知番号	

備考　1　該当する□は、レと記入すること。

　　　2　用紙の大きさは、日本産業規格Ａ４とすること。

第六号様式（第六条の三十二第一項関係）

保　　育　　士　　証

本籍地都道府県名（国籍）

氏　　名

生年月日

登録番号

登録年月日

年　　月

指定保育士養成校卒業

も　し　く　は

保育士試験全科目合格

児童福祉法（昭和22年法律第164号）の保育士として登録したことを証する。

年　　月　　日

都道府県知事　㊞

（日本産業規格Ａ４）

備考　1　登録の申請時等に旧姓又は通称名の併記の希望があった場合には、氏名と併せて記載する。

2　特定登録取消者（児童福祉法第18条の20の２第１項に規定する特定登録取消者をいう。）であって、同項の規定による保育士の登録を受けた者に該当するときは「（児童福祉法第18条の20の２第１項の規定による登録）」を「指定保育士養成校卒業もしくは保育士試験全科目合格」の下部に記載する。

第七号様式（第六条の三十三関係）

保育士証書換え交付申請書

住　　　　　所
登　録　年　月　日
登　　録　　番　　号
（フ　リ　ガ　ナ）
氏　　　　　名

生年月日

児童福祉法第18条の18第１項の登録事項に下記のとおり変更がありましたので、児童福祉法施行令第17条第１項の規定に基づき、書換え交付を申請します。

登　録 事　項	変更前	変更後	変更の 年月日	備　考

年　　月　　日

都道府県知事　殿

氏　　　　名

備考１　保育士証の訂正を受けようとする場合には、所定の手続きにより手数料を納付すること。
　　２　用紙の大きさは、日本産業規格Ａ４とすること。
　　３　保育士証及び変更事項を証明できる書類を添付すること。

第八号様式（第六条の三十三関係）

保育士証再交付申請書

住　　　　　所
登　録　年　月　日
登　　録　　番　　号
（フ　リ　ガ　ナ）
氏　　　　　名
（旧　　　　　姓）
（通　　称　　名）

生年月日

児童福祉法施行令第18条第１項の規定に基づき、下記理由により再交付を申請します。

（理由）

年　　月　　日

都道府県知事　殿

氏　　　　名

備考１　申請する場合には、所定の手続により手数料を納付すること。

２　用紙の大きさは、日本産業規格Ａ４とすること。

３　保育士証を紛失した場合を除き、保育士証を添付すること。

第十三号の三様式（第二十条関係）

表　縦十センチメートル

横八センチメートル

証　明　書

第　号　令和　年　月　日交付

所属

職　氏　名

市町村長　印

右の者は、児童福祉法第二十一条の十四第一項第三十四条の八の三第一項、第三十四条の十七第一項及び第五十六条の八第七項の規定による質問又は立入検査をする職権を行う者であることを証明する。

裏

児童福祉法（抄）

第十八条の十六　（略）

② 前項の規定による質問又は立入検査を行う場合においては、当該職員は、その身分を示す証明書を携帯し、関係者の請求があるときは、これを提示しなければならない。

③ 第一項の規定による権限は、犯罪捜査のために認められたものと解釈してはならない。

第二十一条の十四　市町村長は、第二十一条の十一第三項の規定により行われる調整等の事務の適正な実施を確保するため必要があると認めるときは、その必要な限度で、その事務を受託した者に対し、報告を求め、又は当該職員に、関係者に対し質問させ、若しくは当該事務を受託した者の事務所に立ち入り、その帳簿書類その他の物件を検査させることができる。

② 第十八条の十六第二項及び第三項の規定は、前項の場合について準用する。

第三十四条の八の三　市町村長は、前条第一項の基準を維持するため、放課後児童健全育成事業を行う者に対して、必要と認める事項の報告を求め、又は当該職員に、関係者に対して質問させ、若しくはその事業を行う場所に立ち入り、設備、帳簿書類その他の物件を検査させることができる。

② 第十八条の十六第二項及び第三項の規定は、前項の場合について準用する。

③・④　（略）

第三十四条の十七　市町村長は、前条第一項の基準を維持するため、家庭的保育事業等を行う者に対して、必要と認める事項の報告を求め、又は当該職員に、関係者に対して質問させ、若しくは家庭的保育事業等を行う場所に立ち入り、設備、帳簿書類その他の物件を検査させることができる。

② 第十八条の十六第二項及び第三項の規定は、前項の場合について準用する。

③・④　（略）

第五十六条の八　（略）

②～⑥　（略）

⑦ 市町村長は、公私連携型保育所の運営を適切にさせるため、必要があると認めるときは、公私連携保育法人若しくは公私連携型保育所の長に対して、必要な報告を求め、又は当該職員に、関係者に対して質問させ、若しくはその施設に立ち入り、設備、帳簿書類その他の物件を検査させることができる。

⑧ 第十八条の十六第二項及び第三項の規定は、前項の場合について準用する。

⑨～⑬　（略）

第十四号様式（第四十九条第一項関係）

表　縦十センチメートル
　　横八センチメートル

証票

第　　号　令和　　年　　月　　日交付

所属

職

氏　　　　　　名

都道府県知事
（市長）　印

右の者は、児童福祉法第五十九条第一項の規定による立入調査又は質問をする職権を行う者であることを証明する。

裏

児童福祉法第五十九条　都道府県知事は、児童の福祉のため必要があると認めるときは、第六条の三第九項から第十二項まで若しくは第三十六条から第四十四条まで（第三十九条の二を除く。）に規定する業務を目的とする施設であつて第三十五条第三項の届出若しくは認定こども園法第十六条の届出をしていないもの又は第三十四条の十五第二項若しくは第三十五条第四項の認可若しくは認定こども園法第十七条第一項の認可を受けていないもの（前条の規定により児童福祉施設若しくは家庭的保育事業等の認可を取り消されたもの又は認定こども園法第二十二条第一項の規定により幼保連携型認定こども園の認可を取り消されたものを含む。）については、その施設の設置者若しくは管理者に対し、必要と認める事項の報告を求め、又は当該職員をして、その事務所若しくは施設に立ち入り、その施設の設備若しくは運営について必要な調査若しくは質問をさせることができる。この場合においては、その身分を証明する証票を携帯させなければならない。

②　第十八条の十六第三項の規定は、前項の場合について準用する。

③～⑨　（略）

第十五号様式（第四十九条第二項関係）

表　縦十センチメートル
　　横八センチメートル

証　票

第　　号　令和　年　月　日交付

所属

職　氏　名

こども家庭庁長官又は
地方厚生局長　印

右の者は、児童福祉法第五十九条の五第二項の規定により内閣総理大臣に適用があるものとされた同法第五十九条第一項の規定による質問又は立入検査をする職権を行う者であることを証明する。

裏

児童福祉法第五十九条　都道府県知事は、児童の福祉のため必要があると認めるときは、第六条の三第九項から第十二項まで若しくは第三十六条から第四十四条まで（第三十九条の二を除く。）に規定する業務を目的とする施設であつて第三十五条第三項の届出若しくは認定こども園法第十六条の届出をしていないもの又は第三十四条の十五第二項若しくは第三十五条第四項の認可若しくは認定こども園法第十七条第一項の認可を受けていないもの（前条の規定により児童福祉施設若しくは家庭的保育事業等の認可を取り消されたもの又は認定こども園法第二十二条第一項の規定により幼保連携型認定こども園の認可を取り消されたものを含む。）については、その施設の設置者若しくは管理者に対し、必要と認める事項の報告を求め、又は当該職員をして、その事務所若しくは施設に立ち入り、その施設の設備若しくは運営について必要な調査若しくは質問をさせることができる。この場合においては、その身分を証明する証票を携帯させなければならない。

② 第十八条の十六第三項の規定は、前項の場合について準用する。

③～⑨ （略）

児童福祉法第五十九条の五　第二十一条の三第一項、第三十四条の五第一項、第三十四条の六、第四十六条及び第五十九条の規定により都道府県知事の権限に属するものとされている事務は、児童の利益を保護する緊急の必要があると内閣総理大臣が認める場合にあつては、内閣総理大臣又は都道府県知事が行うものとする。

② 前項の場合においては、この法律の規定中都道府県知事に関する規定（当該事務に係るものに限る。）は、内閣総理大臣に関する規定として内閣総理大臣に適用があるものとする。この場合において、第四十六条第四項中「都道府県児童福祉審議会の意見を聴き、その施設の」とあるのは「その施設の」と、第五十九条第五項中「都道府県児童福祉審議会の意見を聴き、その事業の」とあるのは「その事業の」とする。

③・④ （略）

第十六号様式（第五条の二の六関係）

表　縦十センチメートル
　　横八センチメートル

証　明　書

第　　号　令和　　年　　月　　日交付

所属

職　氏　名

都道府県知事　㊞

右の者は、児童福祉法施行令第三条の二第七項、第八項及び第九項の規定により指導又は帳簿書類その他の物件の検査を行う職員であることを証明する。

裏

児童福祉法施行令第三条の二　（略）

②～⑥　（略）

⑦　都道府県知事は、法及びこの政令の施行に必要があると認めるときは、その必要な限度で、指定児童福祉司養成施設等の長に対し、教育方法、設備その他の事項に関し報告を求め、若しくは指導をし、又は当該職員に、その帳簿書類その他の物件を検査させることができる。

⑧　前項の規定による検査を行う場合においては、当該職員は、その身分を示す証明書を携帯し、関係者の請求があるときは、これを提示しなければならない。

⑨　第七項の規定による権限は、犯罪捜査のために認められたものと解釈してはならない。

⑩・⑪　（略）

○児童福祉法等の一部改正について

〔平成９年６月11日　児発第411号
各都道府県知事・各指定都市市長・各中核市市長宛　厚生省児童家庭局長通知〕

平成９年６月11日付けをもって、平成９年法律第74号として「児童福祉法等の一部を改正する法律」（以下「児童福祉法等改正法」という。）が公布され、平成10年４月１日から施行されることとなったところである。その改正の趣旨及び概要は下記のとおりであるので、御了知の上、管下市町村・関係団体・関係機関等にその周知徹底を図るとともに、その適切な指導を行い、その運用に遺憾のないようにされたい。

なお、児童福祉法等改正法によって改正された各法律の施行及び関係政省令の改正については、別途通知する。

記

第１　改正の趣旨

近年、少子化の進行、夫婦共働き家庭の一般化、家庭や地域の子育て機能の低下等児童及び家庭を取り巻く環境は大きく変化しており、保育需要の多様化や児童をめぐる問題の複雑・多様化に適切に対応することが困難になってきている。

こうした状況を踏まえ、児童福祉法を中心とする児童家庭福祉制度を改革し、将来の我が国を担う子供たちが健やかに育成されるよう、児童保育施策の見直し、児童の自立支援施策の充実等を行い、新しい時代にふさわしい質の高い子育て支援の制度として再構築を図るものである。

第２　児童福祉法の一部改正の概要

１　保育所に関する事項

(1)　保育所への入所の仕組みに関する事項（第24条関係）

ア　市町村は、保育に欠ける乳幼児等の保護者からの申込みがあったときは、それらの児童を保育所において保育しなければならないものとすること。（同条第１項関係）

イ　保育の実施を希望する保護者は、希望する保育所等を記載して市町村に申込みを行うものとすること。この場合において、保育所は保護者に代わって申込みを行うことができるものとすること。（同条第２項関係）

ウ　市町村は、一の保育所について申込児童のすべてが入所するときに適切な保育が困難となる等の場合には、入所児童を公正な方法で選考できるものとすること。（同条第３項関係）

エ　市町村は、福祉事務所又は児童相談所より保育の実施が適当である旨の報告又は通知を受けた児童の保護者に保育の実施の申込みの勧奨をしなければならないものとすること。（同条第４項関係）

オ　市町村は、保護者の保育所の選択及び保育所の適正な運営の確保に資するため、保育所の設備及び運営の状況等の情報提供を行わなければならないものとすること。（同条第５項関係）

(2)　保育所による情報提供及び保育相談に関する事項

保育所は、地域の住民に対し、その保育に関し情報提供を行うとともに、乳幼児等の保育に関する相談に応じ、助言を行うよう努めなければならないものとすること。（第48条の２関係）

(3)　保育費用の徴収に関する事項

保育所の保育費用を支弁した市町村長等は、本人又はその扶養義務者から保育費用を徴収した場合の家計に与える影響を考慮して児童の年齢等に応じて定める額を徴収できること。（第56条第３項関係）

２　放課後児童健全育成事業に関する事項

(1)　放課後児童健全育成事業とは、保護者が労働等により昼間家庭にいない小学校低学年児童に対し、授業の終了後に児童厚生施設等を利用して適切な遊び及び生活の場を与えて、その健全な育成を図る事業をいうものとすること。（第６条の２第６項関係）

(2)　市町村は、放課後児童健全育成事業について、対象となる児童の同事業の利用に関する相談及び助言、地域の実情に応じた同事業の実施、同事業を行う者との連携等により、対象となる児童の同事業の利用の促進に努めるものとすること。（第21条の11関係）

(3)　市町村、社会福祉法人その他の者は、社会福祉事業法の定めるところにより、放課後児童健全育成事業を行うことができるものとすること。（第34条の７関係）

３　児童相談所に関する事項

(1)　児童相談所長の都道府県知事への報告書の記

載事項に、児童の家庭環境並びに措置についての児童及びその保護者の意向を追加すること。（第26条第２項関係）

⑵　都道府県知事は、施設入所等の措置の決定及びその解除等に当たって、一定の場合には、都道府県児童福祉審議会の意見を聴かなければならないものとすること。（第８条第５項及び第27条第８項関係）

⑶　都道府県知事は、少年法第24条第１項第２号の保護処分の決定を受けた児童につき、当該決定に従った施設入所措置を採らなければならないものとすること。（第27条の２関係）

4　児童自立生活援助事業に関する事項

都道府県は、義務教育終了後の児童であって施設入所等の措置のうち政令で定めるものを解除されたものその他政令で定めるものの自立を図るため、共同生活を営むべき住居において相談その他の日常生活上の援助及び生活指導を行い、又は行うことを委託する措置を採ることができるものとし、この事業を児童自立生活援助事業として児童居宅生活支援事業に位置付けること。なお、当該措置を採った児童については、その児童が満20歳になるまで引き続き当該措置を継続することができるものとすること。（第６条の２第１項及び第５項並びに第27条第９項並びに第31条第４項関係）

5　児童福祉施設の名称及び機能に関する事項

⑴　乳児院に、乳児のほか、保健上その他の理由により特に必要のある場合には、おおむね２歳未満の幼児を入院させることができるものとすること。（第37条関係）

⑵　母子寮の目的に、入所者の自立の促進のためにその生活を支援することを加え、児童が満20歳になるまで引き続き母子を在所させることができるものとするとともに、その名称を母子生活支援施設に改称すること。（第31条第１項及び第38条関係）

⑶　養護施設が児童の自立を支援することを明確化し、その名称を児童養護施設に改称すること。（第41条関係）

⑷　虚弱児施設に係る規定を削除し、法律の施行の際現に存する虚弱児施設は児童養護施設とみなすものとすること。（第43条の２及び附則第５条第２項関係）

⑸　情緒障害児短期治療施設の対象児童の年齢要件に係る規定を削除するとともに、児童が満20歳になるまで引き続きその者を在所させることができるものとすること。また、施設長の入所児童を就学させる義務を規定すること。（第31条第２項、第43条の５及び第48条第１項関係）

⑹　教護院

ア　教護院の対象児童に、不良行為をなし、又はなすおそれのある児童のほか、家庭環境その他の環境上の理由により生活指導等を要する児童を新たに加えるとともに、その機能を、入所又は通所により個々の児童の状況に応じて必要な指導を行い、その自立を支援することとし、その名称を児童自立支援施設に改称すること。（第44条関係）

イ　施設長の入所児童を就学させる義務を規定するとともに、在院中小中学校に準ずる教科を修めた児童に対する修了証書の発行に係る規定等を削除すること。なお、当分の間、施設長は従前のとおり修了証書の発行をすることができるものとすること。（第48条及び附則第７条関係）

6　児童家庭支援センターに関する事項

⑴　児童相談所長又は都道府県は、児童又はその保護者を児童家庭支援センターの職員に指導させ、又は指導を委託する措置を採ることができること。（第26条第１項及び第27条第１項関係）

⑵　地域の児童の福祉に関する各般の問題につき、児童、母子家庭、地域住民などからの相談に応じ、必要な助言を行うとともに、保護を要する児童に対する指導及び児童相談所等との連絡調整等を総合的に行うことを目的とする児童福祉施設として、児童家庭支援センターを設けること。（第７条及び第44条の２第１項関係）

⑶　児童家庭支援センターは厚生省令の定める児童福祉施設に附置するものとするとともに、児童家庭支援センターの職員について守秘義務を規定すること。（第44条の２第２項及び第３項関係）

7　関係地方公共団体等の連携等に関する事項

現行の地方公共団体相互間の連絡調整の責務の対象事務を保育の実施等に拡大するとともに、児童居宅生活支援事業等を行う者及び児童福祉施設の設置者は、相互に連携し、児童及び家庭からの相談に応ずるなどの地域の実情に応じた積極的な支援に努めなければならないものとすること。（第56条の６第１項及び第２項関係）

8　その他所要の規定の整備を行うこと。

第３　社会福祉事業法の一部改正の概要

新たに児童福祉法にいう児童自立生活援助事業、放課後児童健全育成事業及び児童家庭支援センター

を経営する事業を第２種社会福祉事業とすることその他所要の改正を行うこと。（第２条第２項及び第３項関係）

第４　母子及び寡婦福祉法の一部改正の概要

母子家庭の母及び児童の就労支援のため、公共職業安定所と相互に協力するものとして、母子相談員その他母子家庭の福祉に関する機関に加え、児童家庭支援センター、母子生活支援施設及び母子福祉団体を規定すること。（第19条第２項関係）

第５　施行期日等

１　施行期日は平成10年４月１日からであること。

２　この法律の施行に際し必要な経過措置を定めるとともに、その他関係法律について所要の規定の整備を行うこと。

◉子ども・子育て支援法

〔平成24年８月22日
法 律 第 65 号〕

注　令和６年６月12日法律第47号改正現在
（未施行分については197頁以降に収載）

目次　頁

第１章　総則

（目的）

第１条　この法律は、我が国における急速な少子化の進行並びに家庭及び地域を取り巻く環境の変化に鑑み、児童福祉法（昭和22年法律第164号）その他の子どもに関する法律による施策と相まって、子ども・子育て支援給付その他の子ども及び子どもを養育している者に必要な支援を行い、もって一人一人の子どもが健やかに成長することができる社会の実現に寄与することを目的とする。

（基本理念）

第２条　子ども・子育て支援は、父母その他の保護者が子育てについての第一義的責任を有するという基本的認識の下に、家庭、学校、地域、職域その他の社会のあらゆる分野における全ての構成員が、各々の役割を果たすとともに、相互に協力して行われなければならない。

２　子ども・子育て支援給付その他の子ども・子育て支援の内容及び水準は、全ての子どもが健やかに成長するように支援するものであって、良質かつ適切なものであり、かつ、子どもの保護者の経済的負担の軽減について適切に配慮されたものでなければならない。

３　子ども・子育て支援給付その他の子ども・子育て支援は、地域の実情に応じて、総合的かつ効率的に提供されるよう配慮して行われなければならない。

（市町村等の責務）

第３条　市町村（特別区を含む。以下同じ。）は、この法律の実施に関し、次に掲げる責務を有する。

一　子どもの健やかな成長のために適切な環境が等しく確保されるよう、子ども及びその保護者に必要な子ども・子育て支援給付及び地域子ども・子育て支援事業を総合的かつ計画的に行うこと。

二　子ども及びその保護者が、確実に子ども・子育て支援給付を受け、及び地域子ども・子育て支援事業その他の子ども・子育て支援を円滑に利用するために必要な援助を行うとともに、関係機関との連絡調整その他の便宜の提供を行うこと。

三　子ども及びその保護者が置かれている環境に応じて、子どもの保護者の選択に基づき、多様な施設又は事業者から、良質かつ適切な教育及び保育その他の子ども・子育て支援が総合的かつ効率的に提供されるよう、その提供体制を確保すること。

2　都道府県は、市町村が行う子ども・子育て支援給付及び地域子ども・子育て支援事業が適正かつ円滑に行われるよう、市町村に対する必要な助言及び適切な援助を行うとともに、子ども・子育て支援のうち、特に専門性の高い施策及び各市町村の区域を超えた広域的な対応が必要な施策を講じなければならない。

3　国は、市町村が行う子ども・子育て支援給付及び地域子ども・子育て支援事業その他この法律に基づく業務が適正かつ円滑に行われるよう、市町村及び都道府県と相互に連携を図りながら、子ども・子育て支援の提供体制の確保に関する施策その他の必要な各般の措置を講じなければならない。

（事業主の責務）

第４条　事業主は、その雇用する労働者に係る多様な労働条件の整備その他の労働者の職業生活と家庭生活との両立が図られるようにするために必要な雇用環境の整備を行うことにより当該労働者の子育ての支援に努めるとともに、国又は地方公共団体が講ずる子ども・子育て支援に協力しなければならない。

（国民の責務）

第５条　国民は、子ども・子育て支援の重要性に対する関心と理解を深めるとともに、国又は地方公共団体が講ずる子ども・子育て支援に協力しなければならない。

（定義）

第６条　この法律において「子ども」とは、18歳に達する日以後の最初の３月31日までの間にある者をいい、「小学校就学前子ども」とは、子どものうち小学校就学の始期に達するまでの者をいう。

2　この法律において「保護者」とは、親権を行う者、未成年後見人その他の者で、子どもを現に監護する者をいう。

第７条　この法律において「子ども・子育て支援」とは、全ての子どもの健やかな成長のために適切な環境が等しく確保されるよう、国若しくは地方公共団体又は地域における子育ての支援を行う者が実施する子ども及び子どもの保護者に対する支援をいう。

2　この法律において「教育」とは、満３歳以上の小学校就学前子どもに対して義務教育及びその後の教育の基礎を培うものとして教育基本法（平成18年法律第120号）第６条第１項に規定する法律に定める学校において行われる教育をいう。

3　この法律において「保育」とは、児童福祉法第６条の３第７項第１号に規定する保育をいう。

4　この法律において「教育・保育施設」とは、就学前の子どもに関する教育、保育等の総合的な提供の推進に関する法律（平成18年法律第77号。以下「認定こども園法」という。）第２条第６項に規定する認定こども園（以下「認定こども園」という。）、学校教育法（昭和22年法律第26号）第１条に規定する幼稚園（認定こども園法第３条第１項又は第３項の認定を受けたもの及び同条第10項の規定による公示がされたものを除く。以下「幼稚園」という。）及び児童福祉法第39条第１項に規定する保育所（認定こども園法第３条第１項の認定を受けたもの及び同条第10項の規定による公示がされたものを除く。以下「保育所」という。）をいう。

5　この法律において「地域型保育」とは、家庭的保育、小規模保育、居宅訪問型保育及び事業所内保育をいい、「地域型保育事業」とは、地域型保育を行う事業をいう。

6　この法律において「家庭的保育」とは、児童福祉法第６条の３第９項に規定する家庭的保育事業として行われる保育をいう。

7　この法律において「小規模保育」とは、児童福祉法第６条の３第10項に規定する小規模保育事業として行われる保育をいう。

8　この法律において「居宅訪問型保育」とは、児童福祉法第６条の３第11項に規定する居宅訪問型保育事業として行われる保育をいう。

9　この法律において「事業所内保育」とは、児童福祉法第６条の３第12項に規定する事業所内保育事業として行われる保育をいう。

10　この法律において「子ども・子育て支援施設等」とは、次に掲げる施設又は事業をいう。

一　認定こども園（保育所等（認定こども園法第２条第５項に規定する保育所等をいう。第５号において同じ。）であるもの及び第27条第１項に規定する特定教育・保育施設であるものを除く。第30条の11第１項第１号、第58条の４第１項第１号、第58条の10第１項第２号、第59条第３号ロ及び第６章において同じ。）

二　幼稚園（第27条第１項に規定する特定教育・保育施設であるものを除く。第30条の11第１項第２号、第３章第２節（第58条の９第６項第３号ロを除く。)、第59条第３号ロ及び第６章において同じ。)
三　特別支援学校（学校教育法第１条に規定する特別支援学校をいい、同法第76条第２項に規定する幼稚部に限る。以下同じ。）
四　児童福祉法第59条の２第１項に規定する施設（同項の規定による届出がされたものに限り、次に掲げるものを除く。）のうち、当該施設に配置する従業者及びその員数その他の事項について内閣府令で定める基準を満たすもの
イ　認定こども園法第３条第１項又は第３項の認定を受けたもの
ロ　認定こども園法第３条第10項の規定による公示がされたもの
ハ　第59条の２第１項の規定による助成を受けているもののうち政令で定めるもの
五　認定こども園、幼稚園又は特別支援学校において行われる教育・保育（教育又は保育をいう。以下同じ。）であって、次のイ又はロに掲げる当該施設の区分に応じそれぞれイ又はロに定める１日当たりの時間及び期間の範囲外において、家庭において保育を受けることが一時的に困難となった当該イ又はロに掲げる施設に在籍している小学校就学前子どもに対して行われるものを提供する事業のうち、その事業を実施するために必要なものとして内閣府令で定める基準を満たすもの
イ　認定こども園（保育所等であるものを除く。)、幼稚園又は特別支援学校　当該施設における教育に係る標準的な１日当たりの時間及び期間
ロ　認定こども園（保育所等であるものに限る。）　イに定める１日当たりの時間及び期間を勘案して内閣府令で定める１日当たりの時間及び期間
六　児童福祉法第６条の３第７項に規定する一時預かり事業（前号に掲げる事業に該当するものを除く。）
七　児童福祉法第６条の３第13項に規定する病児保育事業のうち、当該事業に従事する従業者及びその員数その他の事項について内閣府令で定める基準を満たすもの
八　児童福祉法第６条の３第14項に規定する子育て援助活動支援事業（同項第１号に掲げる援助を行うものに限る。）のうち、市町村が実施するものであることその他の内閣府令で定める基準を満たすもの

第２章　子ども・子育て支援給付

第１節　通則

（子ども・子育て支援給付の種類）

第８条　子ども・子育て支援給付は、子どものための現金給付、子どものための教育・保育給付及び子育てのための施設等利用給付とする。

第２節　子どものための現金給付

第９条　子どものための現金給付は、児童手当（児童手当法（昭和46年法律第73号）に規定する児童手当をいう。以下同じ。）の支給とする。

第10条　子どものための現金給付については、この法律に別段の定めがあるものを除き、児童手当法の定めるところによる。

第３節　子どものための教育・保育給付

第１款　通則

（子どものための教育・保育給付）

第11条　子どものための教育・保育給付は、施設型給付費、特例施設型給付費、地域型保育給付費及び特例地域型保育給付費の支給とする。

（不正利得の徴収）

第12条　市町村は、偽りその他不正の手段により子どものための教育・保育給付を受けた者があるときは、その者から、その子どものための教育・保育給付の額に相当する金額の全部又は一部を徴収することができる。

２　市町村は、第27条第１項に規定する特定教育・保育施設又は第29条第１項に規定する特定地域型保育事業者が、偽りその他不正の行為により第27条第５項（第28条第４項において準用する場合を含む。）又は第29条第５項（第30条第４項において準用する場合を含む。）の規定による支払を受けたときは、当該特定教育・保育施設又は特定地域型保育事業者から、その支払った額につき返還させるべき額を徴収するほか、その返還させるべき額に100分の40を乗じて得た額を徴収することができる。

３　前２項の規定による徴収金は、地方自治法（昭和22年法律第67号）第231条の３第３項に規定する法律で定める歳入とする。

（報告等）

第13条　市町村は、子どものための教育・保育給付に関して必要があると認めるときは、この法律の施行に必要な限度において、小学校就学前子ども、小学校就学前子どもの保護者若しくは小学校就学前子どもの属する世帯の世帯主その他その世帯に属する者又はこれらの者であった者に対し、報告若しくは文書その他の物件の提出若しくは提示を命じ、又は当該職員に質問させることができる。

２　前項の規定による質問を行う場合においては、当

該職員は、その身分を示す証明書を携帯し、かつ、関係人の請求があるときは、これを提示しなければならない。

3　第１項の規定による権限は、犯罪捜査のために認められたものと解釈してはならない。

第14条　市町村は、子どものための教育・保育給付に関して必要があると認めるときは、この法律の施行に必要な限度において、当該子どものための教育・保育給付に係る教育・保育を行う者若しくはこれを使用する者若しくはこれらの者であった者に対し、報告若しくは文書その他の物件の提出若しくは提示を命じ、又は当該職員に関係者に対して質問させ、若しくは当該教育・保育を行う施設若しくは事業所に立ち入り、その設備若しくは帳簿書類その他の物件を検査させることができる。

2　前条第２項の規定は前項の規定による質問又は検査について、同条第３項の規定は前項の規定による権限について、それぞれ準用する。

（内閣総理大臣又は都道府県知事の教育・保育に関する調査等）

第15条　内閣総理大臣又は都道府県知事は、子どものための教育・保育給付に関して必要があると認めるときは、この法律の施行に必要な限度において、子どものための教育・保育給付に係る小学校就学前子ども若しくは小学校就学前子どもの保護者又はこれらの者であった者に対し、当該子どものための教育・保育給付に係る教育・保育の内容に関し、報告若しくは文書その他の物件の提出若しくは提示を命じ、又は当該職員に質問させることができる。

2　内閣総理大臣又は都道府県知事は、子どものための教育・保育給付に関して必要があると認めるときは、この法律の施行に必要な限度において、教育・保育を行った者若しくはこれを使用した者に対し、その行った教育・保育に関し、報告若しくは当該教育・保育の提供の記録、帳簿書類その他の物件の提出若しくは提示を命じ、又は当該職員に関係者に対して質問させることができる。

3　第13条第２項の規定は前２項の規定による質問について、同条第３項の規定は前２項の規定による権限について、それぞれ準用する。

（資料の提供等）

第16条　市町村は、子どものための教育・保育給付に関して必要があると認めるときは、この法律の施行に必要な限度において、小学校就学前子ども、小学校就学前子どもの保護者又は小学校就学前子どもの扶養義務者（民法（明治29年法律第89号）に規定する扶養義務者をいう。附則第６条において同じ。）の資産又は収入の状況につき、官公署に対し必要な文書の閲覧若しくは資料の提供を求め、又は銀行、信託会社その他の機関若しくは小学校就学前子どもの保護者の雇用主その他の関係人に報告を求めることができる。

（受給権の保護）

第17条　子どものための教育・保育給付を受ける権利は、譲り渡し、担保に供し、又は差し押さえることができない。

（租税その他の公課の禁止）

第18条　租税その他の公課は、子どものための教育・保育給付として支給を受けた金品を標準として、課することができない。

第２款　教育・保育給付認定等

（支給要件）

第19条　子どものための教育・保育給付は、次に掲げる小学校就学前子どもの保護者に対し、その小学校就学前子どもの第27条第１項に規定する特定教育・保育、第28条第１項第２号に規定する特別利用保育、同項第３号に規定する特別利用教育、第29条第１項に規定する特定地域型保育又は第30条第１項第４号に規定する特例保育の利用について行う。

一　満３歳以上の小学校就学前子ども（次号に掲げる小学校就学前子どもに該当するものを除く。）

二　満３歳以上の小学校就学前子どもであって、保護者の労働又は疾病その他の内閣府令で定める事由により家庭において必要な保育を受けることが困難であるもの

三　満３歳未満の小学校就学前子どもであって、前号の内閣府令で定める事由により家庭において必要な保育を受けることが困難であるもの

（市町村の認定等）

第20条　前条各号に掲げる小学校就学前子どもの保護者は、子どものための教育・保育給付を受けようとするときは、内閣府令で定めるところにより、市町村に対し、その小学校就学前子どもごとに、子どものための教育・保育給付を受ける資格を有すること及びその該当する同条各号に掲げる小学校就学前子どもの区分についての認定を申請し、その認定を受けなければならない。

2　前項の認定は、小学校就学前子どもの保護者の居住地の市町村が行うものとする。ただし、小学校就学前子どもの保護者が居住地を有しないとき、又は明らかでないときは、その小学校就学前子どもの保護者の現在地の市町村が行うものとする。

3　市町村は、第１項の規定による申請があった場合において、当該申請に係る小学校就学前子どもが前

条第2号又は第3号に掲げる小学校就学前子どもに該当すると認めるときは、政令で定めるところにより、当該小学校就学前子どもに係る保育必要量（月を単位として内閣府令で定める期間において施設型給付費、特例施設型給付費、地域型保育給付費又は特例地域型保育給付費を支給する保育の量をいう。以下同じ。）の認定を行うものとする。

4 市町村は、第1項及び前項の認定（以下「教育・保育給付認定」という。）を行ったときは、その結果を当該教育・保育給付認定に係る保護者（以下「教育・保育給付認定保護者」という。）に通知しなければならない。この場合において、市町村は、内閣府令で定めるところにより、当該教育・保育給付認定に係る小学校就学前子ども（以下「教育・保育給付認定子ども」という。）の該当する前条各号に掲げる小学校就学前子どもの区分、保育必要量その他の内閣府令で定める事項を記載した認定証（以下「支給認定証」という。）を交付するものとする。

5 市町村は、第1項の規定による申請について、当該保護者が子どものための教育・保育給付を受ける資格を有すると認められないときは、理由を付して、その旨を当該申請に係る保護者に通知するものとする。

6 第1項の規定による申請に対する処分は、当該申請のあった日から30日以内にしなければならない。ただし、当該申請に係る保護者の労働又は疾病の状況の調査に日時を要することその他の特別な理由がある場合には、当該申請のあった日から30日以内に、当該保護者に対し、当該申請に対する処分をするためになお要する期間（次項において「処理見込期間」という。）及びその理由を通知し、これを延期することができる。

7 第1項の規定による申請をした日から30日以内に当該申請に対する処分がされないとき、若しくは前項ただし書の規定による通知がないとき、又は処理見込期間が経過した日までに当該申請に対する処分がされないときは、当該申請に係る保護者は、市町村が当該申請を却下したものとみなすことができる。

（教育・保育給付認定の有効期間）

第21条 教育・保育給付認定は、内閣府令で定める期間（以下「教育・保育給付認定の有効期間」という。）内に限り、その効力を有する。

（届出）

第22条 教育・保育給付認定保護者は、教育・保育給付認定の有効期間内において、内閣府令で定めるところにより、市町村に対し、その労働又は疾病の状況その他の内閣府令で定める事項を届け出、かつ、内閣府令で定める書類その他の物件を提出しなければならない。

（教育・保育給付認定の変更）

第23条 教育・保育給付認定保護者は、現に受けている教育・保育給付認定に係る当該教育・保育給付認定子どもの該当する第19条各号に掲げる小学校就学前子どもの区分、保育必要量その他の内閣府令で定める事項を変更する必要があるときは、内閣府令で定めるところにより、市町村に対し、教育・保育給付認定の変更の認定を申請することができる。

2 市町村は、前項の規定による申請により、教育・保育給付認定保護者につき、必要があると認めるときは、教育・保育給付認定の変更の認定を行うことができる。この場合において、市町村は、当該変更の認定に係る教育・保育給付認定保護者に対し、支給認定証の提出を求めるものとする。

3 第20条第2項、第3項、第4項前段及び第5項から第7項までの規定は、前項の教育・保育給付認定の変更の認定について準用する。この場合において、必要な技術的読替えは、政令で定める。

4 市町村は、職権により、教育・保育給付認定保護者につき、第19条第3号に掲げる小学校就学前子どもに該当する教育・保育給付認定子ども（以下「満3歳未満保育認定子ども」という。）が満3歳に達したときその他必要があると認めるときは、内閣府令で定めるところにより、教育・保育給付認定の変更の認定を行うことができる。この場合において、市町村は、内閣府令で定めるところにより、当該変更の認定に係る教育・保育給付認定保護者に対し、支給認定証の提出を求めるものとする。

5 第20条第2項、第3項及び第4項前段の規定は、前項の教育・保育給付認定の変更の認定について準用する。この場合において、必要な技術的読替えは、政令で定める。

6 市町村は、第2項又は第4項の教育・保育給付認定の変更の認定を行った場合には、内閣府令で定めるところにより、支給認定証に当該変更の認定に係る事項を記載し、これを返還するものとする。

（教育・保育給付認定の取消し）

第24条 教育・保育給付認定を行った市町村は、次に掲げる場合には、当該教育・保育給付認定を取り消すことができる。

一 当該教育・保育給付認定に係る満3歳未満の小学校就学前子どもが、教育・保育給付認定の有効期間内に、第19条第3号に掲げる小学校就学前子どもに該当しなくなったとき。

二 当該教育・保育給付認定保護者が、教育・保育

給付認定の有効期間内に、当該市町村以外の市町村の区域内に居住地を有するに至ったと認めるとき。

三　その他政令で定めるとき。

2　前項の規定により教育・保育給付認定の取消しを行った市町村は、内閣府令で定めるところにより、当該取消しに係る教育・保育給付認定保護者に対し支給認定証の返還を求めるものとする。

（都道府県による援助等）

第25条　都道府県は、市町村が行う第20条、第23条及び前条の規定による業務に関し、その設置する福祉事務所（社会福祉法（昭和26年法律第45号）に定める福祉に関する事務所をいう。）、児童相談所又は保健所による技術的事項についての協力その他市町村に対する必要な援助を行うことができる。

（内閣府令への委任）

第26条　この款に定めるもののほか、教育・保育給付認定の申請その他の手続に関し必要な事項は、内閣府令で定める。

第３款　施設型給付費及び地域型保育給付費等の支給

（施設型給付費の支給）

第27条　市町村は、教育・保育給付認定子どもが、教育・保育給付認定の有効期間内において、市町村長（特別区の区長を含む。以下同じ。）が施設型給付費の支給に係る施設として確認する教育・保育施設（以下「特定教育・保育施設」という。）から当該確認に係る教育・保育（地域型保育を除き、第19条第１号に掲げる小学校就学前子どもに該当する教育・保育給付認定子どもにあっては認定こども園において受ける教育・保育（保育にあっては、同号に掲げる小学校就学前子どもに該当する教育・保育給付認定子どもに対して提供される教育に係る標準的な１日当たりの時間及び期間を勘案して内閣府令で定める１日当たりの時間及び期間の範囲内において行われるものに限る。）又は幼稚園において受ける教育に限り、同条第２号に掲げる小学校就学前子どもに該当する教育・保育給付認定子どもにあっては認定こども園において受ける教育・保育又は保育所において受ける保育に限り、満３歳未満保育認定子どもにあっては認定こども園又は保育所において受ける保育に限る。以下「特定教育・保育」という。）を受けたときは、内閣府令で定めるところにより、当該教育・保育給付認定子どもに係る教育・保育給付認定保護者に対し、当該特定教育・保育（保育にあっては、保育必要量の範囲内のものに限る。以下「支給認定教育・保育」という。）に要した費用について、施設型給付費を支給する。

2　特定教育・保育施設から支給認定教育・保育を受けようとする教育・保育給付認定子どもに係る教育・保育給付認定保護者は、内閣府令で定めるところにより、特定教育・保育施設に支給認定証を提示して当該支給認定教育・保育を当該教育・保育給付認定子どもに受けさせるものとする。ただし、緊急の場合その他やむを得ない事由のある場合については、この限りでない。

3　施設型給付費の額は、１月につき、第１号に掲げる額から第２号に掲げる額を控除して得た額（当該額が零を下回る場合には、零とする。）とする。

一　第19条各号に掲げる小学校就学前子どもの区分、保育必要量、当該特定教育・保育施設の所在する地域等を勘案して算定される特定教育・保育に通常要する費用の額を勘案して内閣総理大臣が定める基準により算定した費用の額（その額が現に当該支給認定教育・保育に要した費用の額を超えるときは、当該現に支給認定教育・保育に要した費用の額）

二　政令で定める額を限度として当該教育・保育給付認定保護者の属する世帯の所得の状況その他の事情を勘案して市町村が定める額

4　内閣総理大臣は、第１項の１日当たりの時間及び期間を定める内閣府令並びに前項第１号の基準を定め、又は変更しようとするときは、文部科学大臣に協議するとともに、こども家庭審議会の意見を聴かなければならない。

5　教育・保育給付認定子どもが特定教育・保育施設から支給認定教育・保育を受けたときは、市町村は、当該教育・保育給付認定子どもに係る教育・保育給付認定保護者が当該特定教育・保育施設に支払うべき当該支給認定教育・保育に要した費用について、施設型給付費として当該教育・保育給付認定保護者に支給すべき額の限度において、当該教育・保育給付認定保護者に代わり、当該特定教育・保育施設に支払うことができる。

6　前項の規定による支払があったときは、教育・保育給付認定保護者に対し施設型給付費の支給があったものとみなす。

7　市町村は、特定教育・保育施設から施設型給付費の請求があったときは、第３項第１号の内閣総理大臣が定める基準及び第34条第２項の市町村の条例で定める特定教育・保育施設の運営に関する基準（特定教育・保育の取扱いに関する部分に限る。）に照らして審査の上、支払うものとする。

8　前各項に定めるもののほか、施設型給付費の支給及び特定教育・保育施設の施設型給付費の請求に関し必要な事項は、内閣府令で定める。

（特例施設型給付費の支給）

第28条　市町村は、次に掲げる場合において、必要があると認めるときは、内閣府令で定めるところにより、第1号に規定する特定教育・保育に要した費用、第2号に規定する特別利用保育に要した費用又は第3号に規定する特別利用教育に要した費用について、特例施設型給付費を支給することができる。

一　教育・保育給付認定子どもが、当該教育・保育給付認定子どもに係る教育・保育給付認定保護者が第20条第1項の規定による申請をした日から当該教育・保育給付認定の効力が生じた日の前日までの間に、緊急その他やむを得ない理由により特定教育・保育を受けたとき。

二　第19条第1号に掲げる小学校就学前子どもに該当する教育・保育給付認定子どもが、特定教育・保育施設（保育所に限る。）から特別利用保育（同号に掲げる小学校就学前子どもに該当する教育・保育給付認定子どもに対して提供される教育に係る標準的な1日当たりの時間及び期間を勘案して内閣府令で定める1日当たりの時間及び期間の範囲内において行われる保育（地域型保育を除く。）をいう。以下同じ。）を受けたとき（地域における教育の体制の整備の状況その他の事情を勘案して必要があると市町村が認めるときに限る。）。

三　第19条第2号に掲げる小学校就学前子どもに該当する教育・保育給付認定子どもが、特定教育・保育施設（幼稚園に限る。）から特別利用教育（教育のうち同号に掲げる小学校就学前子どもに該当する教育・保育給付認定子どもに対して提供されるものをいい、特定教育・保育を除く。以下同じ。）を受けたとき。

2　特例施設型給付費の額は、1月につき、次の各号に掲げる区分に応じ、当該各号に定める額とする。

一　特定教育・保育　前条第3項第1号の内閣総理大臣が定める基準により算定した費用の額（その額が現に当該特定教育・保育に要した費用の額を超えるときは、当該現に特定教育・保育に要した費用の額）から政令で定める額を限度として当該教育・保育給付認定保護者の属する世帯の所得の状況その他の事情を勘案して市町村が定める額を控除して得た額（当該額が零を下回る場合には、零とする。）を基準として市町村が定める額

二　特別利用保育　特別利用保育に通常要する費用の額を勘案して内閣総理大臣が定める基準により算定した費用の額（その額が現に当該特別利用保育に要した費用の額を超えるときは、当該現に特別利用保育に要した費用の額）から政令で定める額を限度として当該教育・保育給付認定保護者の属する世帯の所得の状況その他の事情を勘案して市町村が定める額を控除して得た額（当該額が零を下回る場合には、零とする。）

三　特別利用教育　特別利用教育に通常要する費用の額を勘案して内閣総理大臣が定める基準により算定した費用の額（その額が現に当該特別利用教育に要した費用の額を超えるときは、当該現に特別利用教育に要した費用の額）から政令で定める額を限度として当該教育・保育給付認定保護者の属する世帯の所得の状況その他の事情を勘案して市町村が定める額を控除して得た額（当該額が零を下回る場合には、零とする。）

3　内閣総理大臣は、第1項第2号の内閣府令並びに前項第2号及び第3号の基準を定め、又は変更しようとするときは、文部科学大臣に協議するとともに、こども家庭審議会の意見を聴かなければならない。

4　前条第2項及び第5項から第7項までの規定は、特例施設型給付費（第1項第1号に係るものを除く。第40条第1項第4号において同じ。）の支給について準用する。この場合において、必要な技術的読替えは、政令で定める。

5　前各項に定めるもののほか、特例施設型給付費の支給及び特定教育・保育施設の特例施設型給付費の請求に関し必要な事項は、内閣府令で定める。

（地域型保育給付費の支給）

第29条　市町村は、満3歳未満保育認定子どもが、教育・保育給付認定の有効期間内において、市町村長が地域型保育給付費の支給に係る事業を行う者として確認する地域型保育を行う事業者（以下「特定地域型保育事業者」という。）から当該確認に係る地域型保育（以下「特定地域型保育」という。）を受けたときは、内閣府令で定めるところにより、当該満3歳未満保育認定子どもに係る教育・保育給付認定保護者に対し、当該特定地域型保育（保育必要量の範囲内のものに限る。以下「満3歳未満保育認定地域型保育」という。）に要した費用について、地域型保育給付費を支給する。

2　特定地域型保育事業者から満3歳未満保育認定地域型保育を受けようとする満3歳未満保育認定子どもに係る教育・保育給付認定保護者は、内閣府令で定めるところにより、特定地域型保育事業者に支給認定証を提示して当該満3歳未満保育認定地域型保育を当該満3歳未満保育認定子どもに受けさせるものとする。ただし、緊急の場合その他やむを得ない

事由のある場合については、この限りでない。

3　地域型保育給付費の額は、１月につき、第１号に掲げる額から第２号に掲げる額を控除して得た額（当該額が零を下回る場合には、零とする。）とする。

一　地域型保育の種類ごとに、保育必要量、当該地域型保育の種類に係る特定地域型保育の事業を行う事業所（以下「特定地域型保育事業所」という。）の所在する地域等を勘案して算定される当該特定地域型保育に通常要する費用の額を勘案して内閣総理大臣が定める基準により算定した費用の額（その額が現に当該満３歳未満保育認定地域型保育に要した費用の額を超えるときは、当該現に満３歳未満保育認定地域型保育に要した費用の額）

二　政令で定める額を限度として当該教育・保育給付認定保護者の属する世帯の所得の状況その他の事情を勘案して市町村が定める額

4　内閣総理大臣は、前項第１号の基準を定め、又は変更しようとするときは、こども家庭審議会の意見を聴かなければならない。

5　満３歳未満保育認定子どもが特定地域型保育事業者から満３歳未満保育認定地域型保育を受けたときは、市町村は、当該満３歳未満保育認定子どもに係る教育・保育給付認定保護者が当該特定地域型保育事業者に支払うべき当該満３歳未満保育認定地域型保育に要した費用について、地域型保育給付費として当該教育・保育給付認定保護者に支給すべき額の限度において、当該教育・保育給付認定保護者に代わり、当該特定地域型保育事業者に支払うことができる。

6　前項の規定による支払があったときは、教育・保育給付認定保護者に対し地域型保育給付費の支給があったものとみなす。

7　市町村は、特定地域型保育事業者から地域型保育給付費の請求があったときは、第３項第１号の内閣総理大臣が定める基準及び第46条第２項の市町村の条例で定める特定地域型保育事業の運営に関する基準（特定地域型保育の取扱いに関する部分に限る。）に照らして審査の上、支払うものとする。

8　前各項に定めるもののほか、地域型保育給付費の支給及び特定地域型保育事業者の地域型保育給付費の請求に関し必要な事項は、内閣府令で定める。

（特例地域型保育給付費の支給）

第30条　市町村は、次に掲げる場合において、必要があると認めるときは、内閣府令で定めるところにより、当該特定地域型保育（第３号に規定する特定利用地域型保育にあっては、保育必要量の範囲内のものに限る。）に要した費用又は第４号に規定する特例保育（第19条第２号又は第３号に掲げる小学校就学前子どもに該当する教育・保育給付認定子ども（以下「保育認定子ども」という。）に係るものにあっては、保育必要量の範囲内のものに限る。）に要した費用について、特例地域型保育給付費を支給することができる。

一　満３歳未満保育認定子どもが、当該満３歳未満保育認定子どもに係る教育・保育給付認定保護者が第20条第１項の規定による申請をした日から当該教育・保育給付認定の効力が生じた日の前日までの間に、緊急その他やむを得ない理由により特定地域型保育を受けたとき。

二　第19条第１号に掲げる小学校就学前子どもに該当する教育・保育給付認定子どもが、特定地域型保育事業者から特定地域型保育（同号に掲げる小学校就学前子どもに該当する教育・保育給付認定子どもに対して提供される教育に係る標準的な１日当たりの時間及び期間を勘案して内閣府令で定める１日当たりの時間及び期間の範囲内において行われるものに限る。次項及び附則第９条第１項第３号イにおいて「特別利用地域型保育」という。）を受けたとき（地域における教育の体制の整備の状況その他の事情を勘案して必要があると市町村が認めるときに限る。）。

三　第19条第２号に掲げる小学校就学前子どもに該当する教育・保育給付認定子どもが、特定地域型保育事業者から特定利用地域型保育（特定地域型保育のうち同号に掲げる小学校就学前子どもに該当する教育・保育給付認定子どもに対して提供されるものをいう。次項において同じ。）を受けたとき（地域における同号に掲げる小学校就学前子どもに該当する教育・保育給付認定子どもに係る教育・保育の体制の整備の状況その他の事情を勘案して必要があると市町村が認めるときに限る。）。

四　特定教育・保育及び特定地域型保育の確保が著しく困難である離島その他の地域であって内閣総理大臣が定める基準に該当するものに居住地を有する教育・保育給付認定保護者に係る教育・保育給付認定子どもが、特例保育（特定教育・保育及び特定地域型保育以外の保育をいい、第19条第１号に掲げる小学校就学前子どもに該当する教育・保育給付認定子どもに係るものにあっては、同号に掲げる小学校就学前子どもに該当する教育・保育給付認定子どもに対して提供される教育に係る標準的な１日当たりの時間及び期間を勘案して内閣府令で定める１日当たりの時間及び期間の範囲内において行われるものに限る。以下同じ。）を受けたとき。

2 特例地域型保育給付費の額は、1月につき、次の各号に掲げる区分に応じ、当該各号に定める額とする。

一 特定地域型保育（特別利用地域型保育及び特定利用地域型保育を除く。以下この号において同じ。） 前条第3項第1号の内閣総理大臣が定める基準により算定した費用の額（その額が現に当該特定地域型保育に要した費用の額を超えるときは、当該現に特定地域型保育に要した費用の額）から政令で定める額を限度として当該教育・保育給付認定保護者の属する世帯の所得の状況その他の事情を勘案して市町村が定める額を控除して得た額（当該額が零を下回る場合には、零とする。）を基準として市町村が定める額

二 特別利用地域型保育 特別利用地域型保育に通常要する費用の額を勘案して内閣総理大臣が定める基準により算定した費用の額（その額が現に当該特別利用地域型保育に要した費用の額を超えるときは、当該現に特別利用地域型保育に要した費用の額）から政令で定める額を限度として当該教育・保育給付認定保護者の属する世帯の所得の状況その他の事情を勘案して市町村が定める額を控除して得た額（当該額が零を下回る場合には、零とする。）

三 特定利用地域型保育 特定利用地域型保育に通常要する費用の額を勘案して内閣総理大臣が定める基準により算定した費用の額（その額が現に当該特定利用地域型保育に要した費用の額を超えるときは、当該現に特定利用地域型保育に要した費用の額）から政令で定める額を限度として当該教育・保育給付認定保護者の属する世帯の所得の状況その他の事情を勘案して市町村が定める額を控除して得た額（当該額が零を下回る場合には、零とする。）

四 特例保育 特例保育に通常要する費用の額を勘案して内閣総理大臣が定める基準により算定した費用の額（その額が現に当該特例保育に要した費用の額を超えるときは、当該現に特例保育に要した費用の額）から政令で定める額を限度として当該教育・保育給付認定保護者の属する世帯の所得の状況その他の事情を勘案して市町村が定める額を控除して得た額(当該額が零を下回る場合には、零とする。）を基準として市町村が定める額

3 内閣総理大臣は、第1項第2号及び第4号の内閣府令並びに前項第2号及び第4号の基準を定め、又は変更しようとするときは、文部科学大臣に協議するとともに、こども家庭審議会の意見を聴かなければならない。

4 前条第2項及び第5項から第7項までの規定は、特例地域型保育給付費（第1項第2号及び第3号に係るものに限る。第52条第1項第4号において同じ。）の支給について準用する。この場合において、必要な技術的読替えは、政令で定める。

5 前各項に定めるもののほか、特例地域型保育給付費の支給及び特定地域型保育事業者の特例地域型保育給付費の請求に関し必要な事項は、内閣府令で定める。

第4節 子育てのための施設等利用給付

第1款 通則

（子育てのための施設等利用給付）

第30条の2 子育てのための施設等利用給付は、施設等利用費の支給とする。

（準用）

第30条の3 第12条から第18条までの規定は、子育てのための施設等利用給付について準用する。この場合において、必要な技術的読替えは、政令で定める。

第2款 施設等利用給付認定等

（支給要件）

第30条の4 子育てのための施設等利用給付は、次に掲げる小学校就学前子ども（保育認定子どもに係る教育・保育給付認定保護者が、現に施設型給付費、特例施設型給付費（第28条第1項第3号に係るものを除く。次条第7項において同じ。)、地域型保育給付費若しくは特例地域型保育給付費の支給を受けている場合における当該保育認定子ども又は第7条第10項第4号ハの政令で定める施設を利用している小学校就学前子どもを除く。以下この節及び第58条の3において同じ。）の保護者に対し、その小学校就学前子どもの第30条の11第1項に規定する特定子ども・子育て支援の利用について行う。

一 満3歳以上の小学校就学前子ども（次号及び第3号に掲げる小学校就学前子どもに該当するものを除く。）

二 満3歳に達する日以後の最初の3月31日を経過した小学校就学前子どもであって、第19条第2号の内閣府令で定める事由により家庭において必要な保育を受けることが困難であるもの

三 満3歳に達する日以後の最初の3月31日までの間にある小学校就学前子どもであって、第19条第2号の内閣府令で定める事由により家庭において必要な保育を受けることが困難であるもののうち、その保護者及び当該保護者と同一の世帯に属

する者が第30条の11第１項に規定する特定子ども・子育て支援のあった月の属する年度（政令で定める場合にあっては、前年度）分の地方税法（昭和25年法律第226号）の規定による市町村民税（同法の規定による特別区民税を含み、同法第328条の規定によって課する所得割を除く。以下この号において同じ。）を課されない者（これに準ずる者として政令で定める者を含むものとし、当該市町村民税の賦課期日において同法の施行地に住所を有しない者を除く。次条第７項第２号において「市町村民税世帯非課税者」という。）であるもの

（市町村の認定等）

第30条の５　前条各号に掲げる小学校就学前子どもの保護者は、子育てのための施設等利用給付を受けようとするときは、内閣府令で定めるところにより、市町村に対し、その小学校就学前子どもごとに、子育てのための施設等利用給付を受ける資格を有すること及びその該当する同条各号に掲げる小学校就学前子どもの区分についての認定を申請し、その認定を受けなければならない。

２　前項の認定（以下「施設等利用給付認定」という。）は、小学校就学前子どもの保護者の居住地の市町村が行うものとする。ただし、小学校就学前子どもの保護者が居住地を有しないとき、又は明らかでないときは、その小学校就学前子どもの保護者の現在地の市町村が行うものとする。

３　市町村は、施設等利用給付認定を行ったときは、内閣府令で定めるところにより、その結果その他の内閣府令で定める事項を当該施設等利用給付認定に係る保護者（以下「施設等利用給付認定保護者」という。）に通知するものとする。

４　市町村は、第１項の規定による申請について、当該保護者が子育てのための施設等利用給付を受ける資格を有すると認められないときは、理由を付して、その旨を当該申請に係る保護者に通知するものとする。

５　第１項の規定による申請に対する処分は、当該申請のあった日から30日以内にしなければならない。ただし、当該申請に係る保護者の労働又は疾病の状況の調査に日時を要することその他の特別な理由がある場合には、当該申請のあった日から30日以内に、当該保護者に対し、当該申請に対する処分をするためになお要する期間（次項において「処理見込期間」という。）及びその理由を通知し、これを延期することができる。

６　第１項の規定による申請をした日から30日以内に当該申請に対する処分がされないとき、若しくは前項ただし書の規定による通知がないとき、又は処理見込期間が経過した日までに当該申請に対する処分がされないときは、当該申請に係る保護者は、市町村が当該申請を却下したものとみなすことができる。

７　次の各号に掲げる教育・保育給付認定保護者であって、その保育認定子どもについて現に施設型給付費、特例施設型給付費、地域型保育給付費又は特例地域型保育給付費の支給を受けていないものは、第１項の規定にかかわらず、施設等利用給付認定の申請をすることを要しない。この場合において、当該教育・保育給付認定保護者は、子育てのための施設等利用給付を受ける資格を有すること及び当該保育認定子どもが当該各号に定める小学校就学前子どもの区分に該当することについての施設等利用給付認定を受けたものとみなす。

一　第19条第２号に掲げる小学校就学前子どもに該当する教育・保育給付認定子ども（満３歳に達する日以後の最初の３月31日までの間にあるものを除く。）に係る教育・保育給付認定保護者　前条第２号に掲げる小学校就学前子ども

二　第19条第２号に掲げる小学校就学前子どもに該当する教育・保育給付認定子ども（満３歳に達する日以後の最初の３月31日までの間にあるものに限る。）又は満３歳未満保育認定子どもに係る教育・保育給付認定保護者（その者及びその者と同一の世帯に属する者が市町村民税世帯非課税者である場合に限る。）　前条第３号に掲げる小学校就学前子ども

（施設等利用給付認定の有効期間）

第30条の６　施設等利用給付認定は、内閣府令で定める期間（以下「施設等利用給付認定の有効期間」という。）内に限り、その効力を有する。

（届出）

第30条の７　施設等利用給付認定保護者は、施設等利用給付認定の有効期間内において、内閣府令で定めるところにより、市町村に対し、その労働又は疾病の状況その他の内閣府令で定める事項を届け出、かつ、内閣府令で定める書類その他の物件を提出しなければならない。

（施設等利用給付認定の変更）

第30条の８　施設等利用給付認定保護者は、現に受けている施設等利用給付認定に係る小学校就学前子ども（以下「施設等利用給付認定子ども」という。）の該当する第30条の４各号に掲げる小学校就学前子どもの区分その他の内閣府令で定める事項を変更す

る必要があるときは、内閣府令で定めるところにより、市町村に対し、施設等利用給付認定の変更の認定を申請することができる。

2　市町村は、前項の規定による申請により、施設等利用給付認定保護者につき、必要があると認めるときは、施設等利用給付認定の変更の認定を行うことができる。

3　第30条の5第2項から第6項までの規定は、前項の施設等利用給付認定の変更の認定について準用する。この場合において、必要な技術的読替えは、政令で定める。

4　市町村は、職権により、施設等利用給付認定保護者につき、第30条の4第3号に掲げる小学校就学前子どもに該当する施設等利用給付認定子どもが満3歳に達する日以後の最初の3月31日を経過した日以後引き続き同一の特定子ども・子育て支援施設等（第30条の11第1項に規定する特定子ども・子育て支援施設等をいう。）を利用するときその他必要があると認めるときは、内閣府令で定めるところにより、施設等利用給付認定の変更の認定を行うことができる。

5　第30条の5第2項及び第3項の規定は、前項の施設等利用給付認定の変更の認定について準用する。この場合において、必要な技術的読替えは、政令で定める。

（施設等利用給付認定の取消し）

第30条の9　施設等利用給付認定を行った市町村は、次に掲げる場合には、当該施設等利用給付認定を取り消すことができる。

一　当該施設等利用給付認定に係る満3歳未満の小学校就学前子どもが、施設等利用給付認定の有効期間内に、第30条の4第3号に掲げる小学校就学前子どもに該当しなくなったとき。

二　当該施設等利用給付認定保護者が、施設等利用給付認定の有効期間内に、当該市町村以外の市町村の区域内に居住地を有するに至ったと認めるとき。

三　その他政令で定めるとき。

2　市町村は、前項の規定により施設等利用給付認定の取消しを行ったときは、理由を付して、その旨を当該取消しに係る施設等利用給付認定保護者に通知するものとする。

（内閣府令への委任）

第30条の10　この款に定めるもののほか、施設等利用給付認定の申請その他の手続に関し必要な事項は、内閣府令で定める。

第3款　施設等利用費の支給

第30条の11　市町村は、施設等利用給付認定子どもが、施設等利用給付認定の有効期間内において、市町村長が施設等利用費の支給に係る施設又は事業として確認する子ども・子育て支援施設等（以下「特定子ども・子育て支援施設等」という。）から当該確認に係る教育・保育その他の子ども・子育て支援（次の各号に掲げる子ども・子育て支援施設等の区分に応じ、当該各号に定める小学校就学前子どもに該当する施設等利用給付認定子どもが受けるものに限る。以下「特定子ども・子育て支援」という。）を受けたときは、内閣府令で定めるところにより、当該施設等利用給付認定子どもに係る施設等利用給付認定保護者に対し、当該特定子ども・子育て支援に要した費用（食事の提供に要する費用その他の日常生活に要する費用のうち内閣府令で定める費用を除く。）について、施設等利用費を支給する。

一　認定こども園　第30条の4各号に掲げる小学校就学前子ども

二　幼稚園又は特別支援学校　第30条の4第1号若しくは第2号に掲げる小学校就学前子ども又は同条第3号に掲げる小学校就学前子ども（満3歳以上のものに限る。）

三　第7条第10項第4号から第8号までに掲げる子ども・子育て支援施設等　第30条の4第2号又は第3号に掲げる小学校就学前子ども

2　施設等利用費の額は、1月につき、第30条の4各号に掲げる小学校就学前子どもの区分ごとに、子どものための教育・保育給付との均衡、子ども・子育て支援施設等の利用に要する標準的な費用の状況その他の事情を勘案して政令で定めるところにより算定した額とする。

3　施設等利用給付認定子どもが特定子ども・子育て支援施設等から特定子ども・子育て支援を受けたときは、市町村は、当該施設等利用給付認定子どもに係る施設等利用給付認定保護者が当該特定子ども・子育て支援施設等である施設の設置者又は事業を行う者（以下「特定子ども・子育て支援提供者」という。）に支払うべき当該特定子ども・子育て支援に要した費用について、施設等利用費として当該施設等利用給付認定保護者に支給すべき額の限度において、当該施設等利用給付認定保護者に代わり、当該特定子ども・子育て支援提供者に支払うことができる。

4　前項の規定による支払があったときは、施設等利用給付認定保護者に対し施設等利用費の支給があったものとみなす。

5　前各項に定めるもののほか、施設等利用費の支給に関し必要な事項は、内閣府令で定める。

第３章　特定教育・保育施設及び特定地域型保育事業者並びに特定子ども・子育て支援施設等

第１節　特定教育・保育施設及び特定地域型保育事業者

第１款　特定教育・保育施設

（特定教育・保育施設の確認）

第31条　第27条第１項の確認は、内閣府令で定めるところにより、教育・保育施設の設置者（国（国立大学法人法（平成15年法律第112号）第２条第１項に規定する国立大学法人を含む。第58条の９第２項、第３項及び第６項、第65条第４号及び第５号並びに附則第７条において同じ。）及び公立大学法人（地方独立行政法人法（平成15年法律第118号）第68条第１項に規定する公立大学法人をいう。第58条の４第１項第１号、第58条の９第２項並びに第65条第３号及び第４号において同じ。）を除き、法人に限る。以下同じ。）の申請により、次の各号に掲げる教育・保育施設の区分に応じ、当該各号に定める小学校就学前子どもの区分ごとの利用定員を定めて、市町村長が行う。

一　認定こども園　第19条各号に掲げる小学校就学前子どもの区分

二　幼稚園　第19条第１号に掲げる小学校就学前子どもの区分

三　保育所　第19条第２号に掲げる小学校就学前子どもの区分及び同条第３号に掲げる小学校就学前子どもの区分

２　市町村長は、前項の規定により特定教育・保育施設の利用定員を定めようとするときは、第72条第１項の審議会その他の合議制の機関を設置している場合にあってはその意見を、その他の場合にあっては子どもの保護者その他子ども・子育て支援に係る当事者の意見を聴かなければならない。

３　市町村長は、第１項の規定により特定教育・保育施設の利用定員を定めたときは、内閣府令で定めるところにより、都道府県知事に届け出なければならない。

（特定教育・保育施設の確認の変更）

第32条　特定教育・保育施設の設置者は、利用定員（第27条第１項の確認において定められた利用定員をいう。第34条第３項第１号を除き、以下この款において同じ。）を増加しようとするときは、内閣府令で定めるところにより、当該特定教育・保育施設に係る第27条第１項の確認の変更を申請することができる。

２　前条第３項の規定は、前項の確認の変更の申請があった場合について準用する。この場合において、必要な技術的読替えは、政令で定める。

３　市町村長は、前項の規定により前条第３項の規定を準用する場合のほか、利用定員を変更したときは、内閣府令で定めるところにより、都道府県知事に届け出なければならない。

（特定教育・保育施設の設置者の責務）

第33条　特定教育・保育施設の設置者は、教育・保育給付認定保護者から利用の申込みを受けたときは、正当な理由がなければ、これを拒んではならない。

２　特定教育・保育施設の設置者は、第19条各号に掲げる小学校就学前子どもの区分ごとの当該特定教育・保育施設における前項の申込みに係る教育・保育給付認定子ども及び当該特定教育・保育施設を現に利用している教育・保育給付認定子どもの総数が、当該区分に応ずる当該特定教育・保育施設の利用定員の総数を超える場合においては、内閣府令で定めるところにより、同項の申込みに係る教育・保育給付認定子どもを公正な方法で選考しなければならない。

３　内閣総理大臣は、前項の内閣府令を定め、又は変更しようとするときは、文部科学大臣に協議しなければならない。

４　特定教育・保育施設の設置者は、教育・保育給付認定子どもに対し適切な特定教育・保育を提供するとともに、市町村、児童相談所、児童福祉法第７条第１項に規定する児童福祉施設（第45条第３項及び第58条の３第１項において「児童福祉施設」という。）、教育機関その他の関係機関との緊密な連携を図りつつ、良質な特定教育・保育を小学校就学前子どもの置かれている状況その他の事情に応じ、効果的に行うように努めなければならない。

５　特定教育・保育施設の設置者は、その提供する特定教育・保育の質の評価を行うことその他の措置を講ずることにより、特定教育・保育の質の向上に努めなければならない。

６　特定教育・保育施設の設置者は、小学校就学前子どもの人格を尊重するとともに、この法律及びこの法律に基づく命令を遵守し、誠実にその職務を遂行しなければならない。

（特定教育・保育施設の基準）

第34条　特定教育・保育施設の設置者は、次の各号に掲げる教育・保育施設の区分に応じ、当該各号に定める基準（以下「教育・保育施設の認可基準」という。）を遵守しなければならない。

一　認定こども園　認定こども園法第３条第１項の

規定により都道府県（地方自治法第252条の19第1項の指定都市又は同法第252条の22第1項の中核市（以下「指定都市等」という。）の区域内に所在する認定こども園（都道府県が設置するものを除く。以下「指定都市等所在認定こども園」という。）については、当該指定都市等。以下この号において同じ。）の条例で定める要件（当該認定こども園が認定こども園法第3条第1項の認定を受けたものである場合又は同項の規定により都道府県の条例で定める要件に適合しているものとして同条第10項の規定による公示がされたものである場合に限る。）、認定こども園法第3条第3項の規定により都道府県の条例で定める要件（当該認定こども園が同項の認定を受けたものである場合又は同項の規定により都道府県の条例で定める要件に適合しているものとして同条第10項の規定による公示がされたものである場合に限る。）又は認定こども園法第13条第1項の規定により都道府県の条例で定める設備及び運営についての基準（当該認定こども園が幼保連携型認定こども園（認定こども園法第2条第7項に規定する幼保連携型認定こども園をいう。）である場合に限る。）

二　幼稚園　学校教育法第3条に規定する学校の設備、編制その他に関する設置基準（第58条の4第1項第2号及び第3号並びに第58条の9第2項において「設置基準」という。）（幼稚園に係るものに限る。）

三　保育所　児童福祉法第45条第1項の規定により都道府県（指定都市等又は同法第59条の4第1項に規定する児童相談所設置市（以下「児童相談所設置市」という。）の区域内に所在する保育所（都道府県が設置するものを除く。第39条第2項及び第40条第1項第2号において「指定都市等所在保育所」という。）については、当該指定都市等又は児童相談所設置市）の条例で定める児童福祉施設の設備及び運営についての基準（保育所に係るものに限る。）

2　特定教育・保育施設の設置者は、市町村の条例で定める特定教育・保育施設の運営に関する基準に従い、特定教育・保育（特定教育・保育施設が特別利用保育又は特別利用教育を行う場合にあっては、特別利用保育又は特別利用教育を含む。以下この款において同じ。）を提供しなければならない。

3　市町村が前項の条例を定めるに当たっては、次に掲げる事項については内閣府令で定める基準に従い定めるものとし、その他の事項については内閣府令で定める基準を参酌するものとする。

一　特定教育・保育施設に係る利用定員（第27条第1項の確認において定める利用定員をいう。第72条第1項第1号において同じ。）

二　特定教育・保育施設の運営に関する事項であって、小学校就学前子どもの適切な処遇の確保及び秘密の保持並びに小学校就学前子どもの健全な発達に密接に関連するものとして内閣府令で定めるもの

4　内閣総理大臣は、前項に規定する内閣府令で定める基準及び同項第2号の内閣府令を定め、又は変更しようとするときは、文部科学大臣に協議するとともに、特定教育・保育の取扱いに関する部分についてこども家庭審議会の意見を聴かなければならない。

5　特定教育・保育施設の設置者は、次条第2項の規定による利用定員の減少の届出をしたとき又は第36条の規定による確認の辞退をするときは、当該届出の日又は同条に規定する予告期間の開始日の前1月以内に当該特定教育・保育を受けていた者であって、当該利用定員の減少又は確認の辞退の日以後においても引き続き当該特定教育・保育に相当する教育・保育の提供を希望する者に対し、必要な教育・保育が継続的に提供されるよう、他の特定教育・保育施設の設置者その他関係者との連絡調整その他の便宜の提供を行わなければならない。

（変更の届出等）

第35条　特定教育・保育施設の設置者は、設置者の住所その他の内閣府令で定める事項に変更があったときは、内閣府令で定めるところにより、10日以内に、その旨を市町村長に届け出なければならない。

2　特定教育・保育施設の設置者は、当該利用定員の減少をしようとするときは、内閣府令で定めるところにより、その利用定員の減少の日の3月前までに、その旨を市町村長に届け出なければならない。

（確認の辞退）

第36条　特定教育・保育施設の設置者は、3月以上の予告期間を設けて、当該特定教育・保育施設に係る第27条第1項の確認を辞退することができる。

（市町村長等による連絡調整又は援助）

第37条　市町村長は、特定教育・保育施設の設置者による第34条第5項に規定する便宜の提供が円滑に行われるため必要があると認めるときは、当該特定教育・保育施設の設置者及び他の特定教育・保育施設の設置者その他の関係者相互間の連絡調整又は当該特定教育・保育施設の設置者及び当該関係者に対する助言その他の援助を行うことができる。

2　都道府県知事は、同一の特定教育・保育施設の設置者について2以上の市町村長が前項の規定による

連絡調整又は援助を行う場合において、当該特定教育・保育施設の設置者による第34条第5項に規定する便宜の提供が円滑に行われるため必要があると認めるときは、当該市町村長相互間の連絡調整又は当該特定教育・保育施設の設置者に対する市町村の区域を超えた広域的な見地からの助言その他の援助を行うことができる。

3　内閣総理大臣は、同一の特定教育・保育施設の設置者について2以上の都道府県知事が前項の規定による連絡調整又は援助を行う場合において、当該特定教育・保育施設の設置者による第34条第5項に規定する便宜の提供が円滑に行われるため必要があると認めるときは、当該都道府県知事相互間の連絡調整又は当該特定教育・保育施設の設置者に対する都道府県の区域を超えた広域的な見地からの助言その他の援助を行うことができる。

（報告等）

第38条　市町村長は、必要があると認めるときは、この法律の施行に必要な限度において、特定教育・保育施設若しくは特定教育・保育施設の設置者若しくは特定教育・保育施設の設置者であった者若しくは特定教育・保育施設の職員であった者（以下この項において「特定教育・保育施設の設置者であった者等」という。）に対し、報告若しくは帳簿書類その他の物件の提出若しくは提示を命じ、特定教育・保育施設の設置者若しくは特定教育・保育施設の職員若しくは特定教育・保育施設の設置者であった者等に対し出頭を求め、又は当該市町村の職員に関係者に対して質問させ、若しくは特定教育・保育施設、特定教育・保育施設の設置者の事務所その他特定教育・保育施設の運営に関係のある場所に立ち入り、その設備若しくは帳簿書類その他の物件を検査させることができる。

2　第13条第2項の規定は前項の規定による質問又は検査について、同条第3項の規定は前項の規定による権限について、それぞれ準用する。

（勧告、命令等）

第39条　市町村長は、特定教育・保育施設の設置者が、次の各号に掲げる場合に該当すると認めるときは、当該特定教育・保育施設の設置者に対し、期限を定めて、当該各号に定める措置をとるべきことを勧告することができる。

一　第34条第2項の市町村の条例で定める特定教育・保育施設の運営に関する基準に従って施設型給付費の支給に係る施設として適正な特定教育・保育施設の運営をしていない場合　当該基準を遵守すること。

二　第34条第5項に規定する便宜の提供を施設型給付費の支給に係る施設として適正に行っていない場合　当該便宜の提供を適正に行うこと。

2　市町村長（指定都市等所在認定こども園については当該指定都市等の長を除き、指定都市等所在保育所については当該指定都市等又は児童相談所設置市の長を除く。第5項において同じ。）は、特定教育・保育施設（指定都市等所在認定こども園及び指定都市等所在保育所を除く。以下この項及び第5項において同じ。）の設置者が教育・保育施設の認可基準に従って施設型給付費の支給に係る施設として適正な教育・保育施設の運営をしていないと認めるときは、遅滞なく、その旨を、当該特定教育・保育施設に係る教育・保育施設の認可等（教育・保育施設に係る認定こども園法第17条第1項、学校教育法第4条第1項若しくは児童福祉法第35条第4項の認可又は認定こども園法第3条第1項若しくは第3項の認定をいう。第5項及び次条第1項第2号において同じ。）を行った都道府県知事に通知しなければならない。

3　市町村長は、第1項の規定による勧告をした場合において、その勧告を受けた特定教育・保育施設の設置者が、同項の期限内にこれに従わなかったときは、その旨を公表することができる。

4　市町村長は、第1項の規定による勧告を受けた特定教育・保育施設の設置者が、正当な理由がなくてその勧告に係る措置をとらなかったときは、当該特定教育・保育施設の設置者に対し、期限を定めて、その勧告に係る措置をとるべきことを命ずることができる。

5　市町村長は、前項の規定による命令をしたときは、その旨を公示するとともに、遅滞なく、その旨を、当該特定教育・保育施設に係る教育・保育施設の認可等を行った都道府県知事に通知しなければならない。

（確認の取消し等）

第40条　市町村長は、次の各号のいずれかに該当する場合においては、当該特定教育・保育施設に係る第27条第1項の確認を取り消し、又は期間を定めてその確認の全部若しくは一部の効力を停止することができる。

一　特定教育・保育施設の設置者が、第33条第6項の規定に違反したと認められるとき。

二　特定教育・保育施設の設置者が、教育・保育施設の認可基準に従って施設型給付費の支給に係る施設として適正な教育・保育施設の運営をすることができなくなったと当該特定教育・保育施設に係る教育・保育施設の認可等を行った都道府県知事（指定都市等所在認定こども園については当該指定都市等の長とし、指定都市等所在保育所については当該指定都市等又は児童相談所設置市の長とする。）が認めたとき。

三 特定教育・保育施設の設置者が、第34条第2項の市町村の条例で定める特定教育・保育施設の運営に関する基準に従って施設型給付費の支給に係る施設として適正な特定教育・保育施設の運営をすることができなくなったとき。

四 施設型給付費又は特例施設型給付費の請求に関し不正があったとき。

五 特定教育・保育施設の設置者が、第38条第1項の規定により報告若しくは帳簿書類その他の物件の提出若しくは提示を命ぜられてこれに従わず、又は虚偽の報告をしたとき。

六 特定教育・保育施設の設置者又はその職員が、第38条第1項の規定により出頭を求められてこれに応ぜず、同項の規定による質問に対して答弁せず、若しくは虚偽の答弁をし、又は同項の規定による検査を拒み、妨げ、若しくは忌避したとき。ただし、当該特定教育・保育施設の職員がその行為をした場合において、その行為を防止するため、当該特定教育・保育施設の設置者が相当の注意及び監督を尽くしたときを除く。

七 特定教育・保育施設の設置者が、不正の手段により第27条第1項の確認を受けたとき。

八 前各号に掲げる場合のほか、特定教育・保育施設の設置者が、この法律その他国民の福祉若しくは学校教育に関する法律で政令で定めるもの又はこれらの法律に基づく命令若しくは処分に違反したとき。

九 前各号に掲げる場合のほか、特定教育・保育施設の設置者が、教育・保育に関し不正又は著しく不当な行為をしたとき。

十 特定教育・保育施設の設置者の役員（業務を執行する社員、取締役、執行役又はこれらに準ずる者をいい、相談役、顧問その他いかなる名称を有する者であるかを問わず、法人に対し業務を執行する社員、取締役、執行役又はこれらに準ずる者と同等以上の支配力を有するものと認められる者を含む。以下同じ。）又はその長のうちに過去5年以内に教育・保育に関し不正又は著しく不当な行為をした者があるとき。

2 前項の規定により第27条第1項の確認を取り消された教育・保育施設の設置者（政令で定める者を除く。）及びこれに準ずる者として政令で定める者は、その取消しの日又はこれに準ずる日として政令で定める日から起算して5年を経過するまでの間は、第31条第1項の申請をすることができない。

（公示）

第41条 市町村長は、次に掲げる場合には、遅滞なく、当該特定教育・保育施設の設置者の名称、当該特定教育・保育施設の所在地その他の内閣府令で定める事項を都道府県知事に届け出るとともに、これを公示しなければならない。

一 第27条第1項の確認をしたとき。

二 第36条の規定による第27条第1項の確認の辞退があったとき。

三 前条第1項の規定により第27条第1項の確認を取り消し、又は同項の確認の全部若しくは一部の効力を停止したとき。

（市町村によるあっせん及び要請）

第42条 市町村は、特定教育・保育施設に関し必要な情報の提供を行うとともに、教育・保育給付認定保護者から求めがあった場合その他必要と認められる場合には、特定教育・保育施設を利用しようとする教育・保育給付認定子どもに係る教育・保育給付認定保護者の教育・保育に係る希望、当該教育・保育給付認定子どもの養育の状況、当該教育・保育給付認定保護者に必要な支援の内容その他の事情を勘案し、当該教育・保育給付認定子どもが適切に特定教育・保育施設を利用できるよう、相談に応じ、必要な助言又は特定教育・保育施設の利用についてのあっせんを行うとともに、必要に応じて、特定教育・保育施設の設置者に対し、当該教育・保育給付認定子どもの利用の要請を行うものとする。

2 特定教育・保育施設の設置者は、前項の規定により行われるあっせん及び要請に対し、協力しなければならない。

第2款 特定地域型保育事業者

（特定地域型保育事業者の確認）

第43条 第29条第1項の確認は、内閣府令で定めるところにより、地域型保育事業を行う者の申請により、地域型保育の種類及び当該地域型保育の種類に係る地域型保育事業を行う事業所（以下「地域型保育事業所」という。）ごとに、第19条第3号に掲げる小学校就学前子どもに係る利用定員（事業所内保育の事業を行う事業所（以下「事業所内保育事業所」という。）にあっては、その雇用する労働者の監護する小学校就学前子どもを保育するため当該事業所内保育の事業を自ら施設を設置し、又は委託して行う事業主に係る当該小学校就学前子ども（当該事業所内保育の事業が、事業主団体に係るものにあっては事業主団体の構成員である事業主の雇用する労働者の監護する小学校就学前子どもとし、共済組合等（児童福祉法第6条の3第12項第1号ハに規定する共済組合等をいう。）に係るものにあっては共済組合等の構成員（同号ハに規定する共済組合等の構成員をいう。）の監護する小学校就学前子どもとする。以下「労働者等の監護する小学校就学前子ども」という。）及びその他の小学校就学前子どもごとに定める第19条第3号に掲げる小学校就学前子どもに係る利用定員とする。）を定めて、市町村長が行う。

2　市町村長は、前項の規定により特定地域型保育事業（特定地域型保育を行う事業をいう。以下同じ。）の利用定員を定めようとするときは、第72条第1項の審議会その他の合議制の機関を設置している場合にあってはその意見を、その他の場合にあっては子どもの保護者その他子ども・子育て支援に係る当事者の意見を聴かなければならない。

（特定地域型保育事業者の確認の変更）

第44条　特定地域型保育事業者は、利用定員（第29条第1項の確認において定められた利用定員をいう。第46条第3項第1号を除き、以下この款において同じ。）を増加しようとするときは、内閣府令で定めるところにより、当該特定地域型保育事業者に係る第29条第1項の確認の変更を申請することができる。

（特定地域型保育事業者の責務）

第45条　特定地域型保育事業者は、教育・保育給付認定保護者から利用の申込みを受けたときは、正当な理由がなければ、これを拒んではならない。

2　特定地域型保育事業者は、前項の申込みに係る満3歳未満保育認定子ども及び当該特定地域型保育事業者に係る特定地域型保育事業を現に利用している満3歳未満保育認定子どもの総数が、その利用定員の総数を超える場合においては、内閣府令で定めるところにより、同項の申込みに係る満3歳未満保育認定子どもを公正な方法で選考しなければならない。

3　特定地域型保育事業者は、満3歳未満保育認定子どもに対し適切な地域型保育を提供するとともに、市町村、教育・保育施設、児童相談所、児童福祉施設、教育機関その他の関係機関との緊密な連携を図りつつ、良質な地域型保育を小学校就学前子どもの置かれている状況その他の事情に応じ、効果的に行うように努めなければならない。

4　特定地域型保育事業者は、その提供する地域型保育の質の評価を行うことその他の措置を講ずることにより、地域型保育の質の向上に努めなければならない。

5　特定地域型保育事業者は、小学校就学前子どもの人格を尊重するとともに、この法律及びこの法律に基づく命令を遵守し、誠実にその職務を遂行しなければならない。

（特定地域型保育事業の基準）

第46条　特定地域型保育事業者は、地域型保育の種類に応じ、児童福祉法第34条の16第1項の規定により市町村の条例で定める設備及び運営についての基準（以下「地域型保育事業の認可基準」という。）を遵守しなければならない。

2　特定地域型保育事業者は、市町村の条例で定める特定地域型保育事業の運営に関する基準に従い、特定地域型保育を提供しなければならない。

3　市町村が前項の条例を定めるに当たっては、次に掲げる事項については内閣府令で定める基準に従い定めるものとし、その他の事項については内閣府令で定める基準を参酌するものとする。

一　特定地域型保育事業に係る利用定員（第29条第1項の確認において定める利用定員をいう。第72条第1項第2号において同じ。）

二　特定地域型保育事業の運営に関する事項であって、小学校就学前子どもの適切な処遇の確保及び秘密の保持等並びに小学校就学前子どもの健全な発達に密接に関連するものとして内閣府令で定めるもの

4　内閣総理大臣は、前項に規定する内閣府令で定める基準及び同項第2号の内閣府令を定め、又は変更しようとするときは、特定地域型保育の取扱いに関する部分についてこども家庭審議会の意見を聴かなければならない。

5　特定地域型保育事業者は、次条第2項の規定による利用定員の減少の届出をしたとき又は第48条の規定による確認の辞退をするときは、当該届出の日又は同条に規定する予告期間の開始日の前1月以内に当該特定地域型保育を受けていた者であって、当該利用定員の減少又は確認の辞退の日以後においても引き続き当該特定地域型保育に相当する地域型保育の提供を希望する者に対し、必要な地域型保育が継続的に提供されるよう、他の特定地域型保育事業者その他関係者との連絡調整その他の便宜の提供を行わなければならない。

（変更の届出等）

第47条　特定地域型保育事業者は、当該特定地域型保育事業所の名称及び所在地その他内閣府令で定める事項に変更があったときは、内閣府令で定めるところにより、10日以内に、その旨を市町村長に届け出なければならない。

2　特定地域型保育事業者は、当該特定地域型保育事

業の利用定員の減少をしようとするときは、内閣府令で定めるところにより、その利用定員の減少の日の３月前までに、その旨を市町村長に届け出なければならない。

（確認の辞退）

第48条　特定地域型保育事業者は、３月以上の予告期間を設けて、当該特定地域型保育事業者に係る第29条第１項の確認を辞退することができる。

（市町村長等による連絡調整又は援助）

第49条　市町村長は、特定地域型保育事業者による第46条第５項に規定する便宜の提供が円滑に行われるため必要があると認めるときは、当該特定地域型保育事業者及び他の特定地域型保育事業者その他の関係者相互間の連絡調整又は当該特定地域型保育事業者及び当該関係者に対する助言その他の援助を行うことができる。

2　都道府県知事は、同一の特定地域型保育事業者について２以上の市町村長が前項の規定による連絡調整又は援助を行う場合において、当該特定地域型保育事業者による第46条第５項に規定する便宜の提供が円滑に行われるため必要があると認めるときは、当該市町村長相互間の連絡調整又は当該特定地域型保育事業者に対する市町村の区域を超えた広域的な見地からの助言その他の援助を行うことができる。

3　内閣総理大臣は、同一の特定地域型保育事業者について２以上の都道府県知事が前項の規定による連絡調整又は援助を行う場合において、当該特定地域型保育事業者による第46条第５項に規定する便宜の提供が円滑に行われるため必要があると認めるときは、当該都道府県知事相互間の連絡調整又は当該特定地域型保育事業者に対する都道府県の区域を超えた広域的な見地からの助言その他の援助を行うことができる。

（報告等）

第50条　市町村長は、必要があると認めるときは、この法律の施行に必要な限度において、特定地域型保育事業者若しくは特定地域型保育事業者であった者若しくは特定地域型保育事業所の職員であった者（以下この項において「特定地域型保育事業者であった者等」という。）に対し、報告若しくは帳簿書類その他の物件の提出若しくは提示を命じ、特定地域型保育事業者若しくは特定地域型保育事業所の職員若しくは特定地域型保育事業者であった者等に対し出頭を求め、又は当該市町村の職員に関係者に対して質問させ、若しくは特定地域型保育事業者の特定地域型保育事業所、事務所その他特定地域型保育事業に関係のある場所に立ち入り、その設備若しくは帳簿書類その他の物件を検査させることができる。

2　第13条第２項の規定は前項の規定による質問又は検査について、同条第３項の規定は前項の規定による権限について、それぞれ準用する。

（勧告、命令等）

第51条　市町村長は、特定地域型保育事業者が、次の各号に掲げる場合に該当すると認めるときは、当該特定地域型保育事業者に対し、期限を定めて、当該各号に定める措置をとるべきことを勧告することができる。

一　地域型保育事業の認可基準に従って地域型保育給付費の支給に係る事業を行う者として適正な地域型保育事業の運営をしていない場合　当該基準を遵守すること。

二　第46条第２項の市町村の条例で定める特定地域型保育事業の運営に関する基準に従って地域型保育給付費の支給に係る事業を行う者として適正な特定地域型保育事業の運営をしていない場合　当該基準を遵守すること。

三　第46条第５項に規定する便宜の提供を地域型保育給付費の支給に係る事業を行う者として適正に行っていない場合　当該便宜の提供を適正に行うこと。

2　市町村長は、前項の規定による勧告をした場合において、その勧告を受けた特定地域型保育事業者が、同項の期限内にこれに従わなかったときは、その旨を公表することができる。

3　市町村長は、第１項の規定による勧告を受けた特定地域型保育事業者が、正当な理由がなくてその勧告に係る措置をとらなかったときは、当該特定地域型保育事業者に対し、期限を定めて、その勧告に係る措置をとるべきことを命ずることができる。

4　市町村長は、前項の規定による命令をしたときは、その旨を公示しなければならない。

（確認の取消し等）

第52条　市町村長は、次の各号のいずれかに該当する場合においては、当該特定地域型保育事業者に係る第29条第１項の確認を取り消し、又は期間を定めてその確認の全部若しくは一部の効力を停止することができる。

一　特定地域型保育事業者が、第45条第５項の規定に違反したと認められるとき。

二　特定地域型保育事業者が、地域型保育事業の認可基準に従って地域型保育給付費の支給に係る事業を行う者として適正な地域型保育事業の運営をすることができなくなったとき。

三　特定地域型保育事業者が、第46条第2項の市町村の条例で定める特定地域型保育事業の運営に関する基準に従って地域型保育給付費の支給に係る事業を行う者として適正な特定地域型保育事業の運営をすることができなくなったとき。

四　地域型保育給付費又は特例地域型保育給付費の請求に関し不正があったとき。

五　特定地域型保育事業者が、第50条第1項の規定により報告若しくは帳簿書類その他の物件の提出若しくは提示を命ぜられてこれに従わず、又は虚偽の報告をしたとき。

六　特定地域型保育事業者又はその特定地域型保育事業所の職員が、第50条第1項の規定により出頭を求められてこれに応ぜず、同項の規定による質問に対して答弁せず、若しくは虚偽の答弁をし、又は同項の規定による検査を拒み、妨げ、若しくは忌避したとき。ただし、当該特定地域型保育事業所の職員がその行為をした場合において、その行為を防止するため、当該特定地域型保育事業者が相当の注意及び監督を尽くしたときを除く。

七　特定地域型保育事業者が、不正の手段により第29条第1項の確認を受けたとき。

八　前各号に掲げる場合のほか、特定地域型保育事業者が、この法律その他国民の福祉に関する法律で政令で定めるもの又はこれらの法律に基づく命令若しくは処分に違反したとき。

九　前各号に掲げる場合のほか、特定地域型保育事業者が、保育に関し不正又は著しく不当な行為をしたとき。

十　特定地域型保育事業者が法人である場合において、当該法人の役員又はその事業所を管理する者その他の政令で定める使用人のうちに過去5年以内に保育に関し不正又は著しく不当な行為をした者があるとき。

十一　特定地域型保育事業者が法人でない場合において、その管理者が過去5年以内に保育に関し不正又は著しく不当な行為をした者であるとき。

2　前項の規定により第29条第1項の確認を取り消された地域型保育事業を行う者（政令で定める者を除く。）及びこれに準ずる者として政令で定める者は、その取消しの日又はこれに準ずる日として政令で定める日から起算して5年を経過するまでの間は、第43条第1項の申請をすることができない。

（公示）

第53条　市町村長は、次に掲げる場合には、遅滞なく、当該特定地域型保育事業者の名称、当該特定地域型保育事業所の所在地その他の内閣府令で定める事項を都道府県知事に届け出るとともに、これを公示しなければならない。

一　第29条第1項の確認をしたとき。

二　第48条の規定による第29条第1項の確認の辞退があったとき。

三　前条第1項の規定により第29条第1項の確認を取り消し、又は同項の確認の全部若しくは一部の効力を停止したとき。

（市町村によるあっせん及び要請）

第54条　市町村は、特定地域型保育事業に関し必要な情報の提供を行うとともに、教育・保育給付認定保護者から求めがあった場合その他必要と認められる場合には、特定地域型保育事業を利用しようとする満3歳未満保育認定子どもに係る教育・保育給付認定保護者の地域型保育に係る希望、当該満3歳未満保育認定子どもの養育の状況、当該教育・保育給付認定保護者に必要な支援の内容その他の事情を勘案し、当該満3歳未満保育認定子どもが適切に特定地域型保育事業を利用できるよう、相談に応じ、必要な助言又は特定地域型保育事業の利用についてのあっせんを行うとともに、必要に応じて、特定地域型保育事業者に対し、当該満3歳未満保育認定子どもの利用の要請を行うものとする。

2　特定地域型保育事業者は、前項の規定により行われるあっせん及び要請に対し、協力しなければならない。

第3款　業務管理体制の整備等

（業務管理体制の整備等）

第55条　特定教育・保育施設の設置者及び特定地域型保育事業者（以下「特定教育・保育提供者」という。）は、第33条第6項又は第45条第5項に規定する義務の履行が確保されるよう、内閣府令で定める基準に従い、業務管理体制を整備しなければならない。

2　特定教育・保育提供者は、次の各号に掲げる区分に応じ、当該各号に定める者に対し、内閣府令で定めるところにより、業務管理体制の整備に関する事項を届け出なければならない。

一　その確認に係る全ての教育・保育施設又は地域型保育事業所（その確認に係る地域型保育の種類が異なるものを含む。次号において同じ。）が一の市町村の区域に所在する特定教育・保育提供者　市町村長

二　その確認に係る教育・保育施設又は地域型保育事業所が2以上の都道府県の区域に所在する特定教育・保育提供者　内閣総理大臣

三　前2号に掲げる特定教育・保育提供者以外の特定教育・保育提供者　都道府県知事

3　前項の規定による届出を行った特定教育・保育提供者は、その届け出た事項に変更があったときは、内閣府令で定めるところにより、遅滞なく、その旨を当該届出を行った同項各号に定める者（以下この款において「市町村長等」という。）に届け出なければならない。

4　第２項の規定による届出を行った特定教育・保育提供者は、同項各号に掲げる区分の変更により、同項の規定により当該届出を行った市町村長等以外の市町村長等に届出を行うときは、内閣府令で定めるところにより、その旨を当該届出を行った市町村長等にも届け出なければならない。

5　市町村長等は、前３項の規定による届出が適正になされるよう、相互に密接な連携を図るものとする。

（報告等）

第56条　前条第２項の規定による届出を受けた市町村長等は、当該届出を行った特定教育・保育提供者（同条第４項の規定による届出を受けた市町村長等にあっては、同項の規定による届出を行った特定教育・保育提供者を除く。）における同条第１項の規定による業務管理体制の整備に関して必要があると認めるときは、この法律の施行に必要な限度において、当該特定教育・保育提供者に対し、報告若しくは帳簿書類その他の物件の提出若しくは提示を命じ、当該特定教育・保育提供者若しくは当該特定教育・保育提供者の職員に対し出頭を求め、又は当該市町村長等の職員に関係者に対し質問させ、若しくは当該特定教育・保育提供者の当該確認に係る教育・保育施設若しくは地域型保育事業所、事務所その他の教育・保育の提供に関係のある場所に立ち入り、その設備若しくは帳簿書類その他の物件を検査させることができる。

2　内閣総理大臣又は都道府県知事が前項の権限を行うときは、当該特定教育・保育提供者に係る確認を行った市町村長（次条第５項において「確認市町村長」という。）と密接な連携の下に行うものとする。

3　市町村長は、その行った又はその行おうとする確認に係る特定教育・保育提供者における前条第１項の規定による業務管理体制の整備に関して必要があると認めるときは、内閣総理大臣又は都道府県知事に対し、第１項の権限を行うよう求めることができる。

4　内閣総理大臣又は都道府県知事は、前項の規定による市町村長の求めに応じて第１項の権限を行ったときは、内閣府令で定めるところにより、その結果を当該権限を行うよう求めた市町村長に通知しなければならない。

5　第13条第２項の規定は第１項の規定による質問又は検査について、同条第３項の規定は第１項の規定による権限について、それぞれ準用する。

（勧告、命令等）

第57条　第55条第２項の規定による届出を受けた市町村長等は、当該届出を行った特定教育・保育提供者（同条第４項の規定による届出を受けた市町村長等にあっては、同項の規定による届出を行った特定教育・保育提供者を除く。）が、同条第１項に規定する内閣府令で定める基準に従って施設型給付費の支給に係る施設又は地域型保育給付費の支給に係る事業を行う者として適正な業務管理体制の整備をしていないと認めるときは、当該特定教育・保育提供者に対し、期限を定めて、当該内閣府令で定める基準に従って適正な業務管理体制を整備すべきことを勧告することができる。

2　市町村長等は、前項の規定による勧告をした場合において、その勧告を受けた特定教育・保育提供者が同項の期限内にこれに従わなかったときは、その旨を公表することができる。

3　市町村長等は、第１項の規定による勧告を受けた特定教育・保育提供者が、正当な理由がなくてその勧告に係る措置をとらなかったときは、当該特定教育・保育提供者に対し、期限を定めて、その勧告に係る措置をとるべきことを命ずることができる。

4　市町村長等は、前項の規定による命令をしたときは、その旨を公示しなければならない。

5　内閣総理大臣又は都道府県知事は、特定教育・保育提供者が第３項の規定による命令に違反したときは、内閣府令で定めるところにより、当該違反の内容を確認市町村長に通知しなければならない。

第４款　教育・保育に関する情報の報告及び公表

第58条　特定教育・保育提供者は、特定教育・保育施設又は特定地域型保育事業者（以下「特定教育・保育施設等」という。）の確認を受け、教育・保育の提供を開始しようとするときその他内閣府令で定めるときは、政令で定めるところにより、その提供する教育・保育に係る教育・保育情報（教育・保育の内容及び教育・保育を提供する施設又は事業者の運営状況に関する情報であって、小学校就学前子どもに教育・保育を受けさせ、又は受けさせようとする小学校就学前子どもの保護者が適切かつ円滑に教育・保育を小学校就学前子どもに受けさせる機会を確保するために公表されることが必要なものとして内閣府令で定めるものをいう。以下同じ。）を、教育・保育を提供する施設又は事業所の所在地の都道府県知事に報告しなければならない。

2　都道府県知事は、前項の規定による報告を受けた後、内閣府令で定めるところにより、当該報告の内容を公表しなければならない。

3　都道府県知事は、第1項の規定による報告に関して必要があると認めるときは、この法律の施行に必要な限度において、当該報告をした特定教育・保育提供者に対し、教育・保育情報のうち内閣府令で定めるものについて、調査を行うことができる。

4　都道府県知事は、特定教育・保育提供者が第1項の規定による報告をせず、若しくは虚偽の報告をし、又は前項の規定による調査を受けず、若しくは調査の実施を妨げたときは、期間を定めて、当該特定教育・保育提供者に対し、その報告を行い、若しくはその報告の内容を是正し、又はその調査を受けることを命ずることができる。

5　都道府県知事は、特定教育・保育提供者に対して前項の規定による処分をしたときは、遅滞なく、その旨を、当該特定教育・保育施設等の確認をした市町村長に通知しなければならない。

6　都道府県知事は、特定教育・保育提供者が、第4項の規定による命令に従わない場合において、当該特定教育・保育施設等の確認を取り消し、又は期間を定めてその確認の全部若しくは一部の効力を停止することが適当であると認めるときは、理由を付して、その旨をその確認をした市町村長に通知しなければならない。

7　都道府県知事は、小学校就学前子どもに教育・保育を受けさせ、又は受けさせようとする小学校就学前子どもの保護者が適切かつ円滑に教育・保育を小学校就学前子どもに受けさせる機会の確保に資するため、教育・保育の質及び教育・保育を担当する職員に関する情報（教育・保育情報に該当するものを除く。）であって内閣府令で定めるものの提供を希望する特定教育・保育提供者から提供を受けた当該情報について、公表を行うよう配慮するものとする。

第2節　特定子ども・子育て支援施設等

（特定子ども・子育て支援施設等の確認）

第58条の2　第30条の11第1項の確認は、内閣府令で定めるところにより、子ども・子育て支援施設等である施設の設置者又は事業を行う者の申請により、市町村長が行う。

（特定子ども・子育て支援提供者の責務）

第58条の3　特定子ども・子育て支援提供者は、施設等利用給付認定子どもに対し適切な特定子ども・子育て支援を提供するとともに、市町村、児童相談所、児童福祉施設、教育機関その他の関係機関との緊密な連携を図りつつ、良質な特定子ども・子育て支援を小学校就学前子どもの置かれている状況その他の事情に応じ、効果的に行うように努めなければならない。

2　特定子ども・子育て支援提供者は、小学校就学前子どもの人格を尊重するとともに、この法律及びこの法律に基づく命令を遵守し、誠実にその職務を遂行しなければならない。

（特定子ども・子育て支援施設等の基準）

第58条の4　特定子ども・子育て支援提供者は、次の各号に掲げる子ども・子育て支援施設等の区分に応じ、当該各号に定める基準を遵守しなければならない。

一　認定こども園　認定こども園法第3条第1項の規定により都道府県（指定都市等所在認定こども園（都道府県が単独で又は他の地方公共団体と共同して設立する公立大学法人が設置するものを除く。）については、当該指定都市等。以下この号において同じ。）の条例で定める要件（当該認定こども園が同項の認定を受けたものである場合に限る。）、同条第3項の規定により都道府県の条例で定める要件（当該認定こども園が同項の認定を受けたものである場合に限る。）又は認定こども園法第13条第1項の規定により都道府県の条例で定める設備及び運営についての基準（当該認定こども園が幼保連携型認定こども園である場合に限る。）

二　幼稚園　設置基準（幼稚園に係るものに限る。）

三　特別支援学校　設置基準（特別支援学校に係るものに限る。）

四　第7条第10項第4号に掲げる施設　同号の内閣府令で定める基準

五　第7条第10項第5号に掲げる事業　同号の内閣府令で定める基準

六　第7条第10項第6号に掲げる事業　児童福祉法第34条の13の内閣府令で定める基準（第58条の9第3項において「一時預かり事業基準」という。）

七　第7条第10項第7号に掲げる事業　同号の内閣府令で定める基準

八　第7条第10項第8号に掲げる事業　同号の内閣府令で定める基準

2　特定子ども・子育て支援提供者は、内閣府令で定める特定子ども・子育て支援施設等の運営に関する基準に従い、特定子ども・子育て支援を提供しなければならない。

3　内閣総理大臣は、前項の内閣府令で定める特定子ども・子育て支援施設等の運営に関する基準を定め、又は変更しようとするときは、文部科学大臣に協議しなければならない。

（変更の届出）

第58条の5　特定子ども・子育て支援提供者は、特定子ども・子育て支援を提供する施設又は事業所の名称及び所在地その他の内閣府令で定める事項に変更があったときは、内閣府令で定めるところにより、10日以内に、その旨を市町村長に届け出なければならない。

（確認の辞退）

第58条の6　特定子ども・子育て支援提供者は、3月以上の予告期間を設けて、当該特定子ども・子育て支援施設等に係る第30条の11第1項の確認を辞退することができる。

2　特定子ども・子育て支援提供者は、前項の規定による確認の辞退をするときは、同項に規定する予告期間の開始日の前1月以内に当該特定子ども・子育て支援を受けていた者であって、確認の辞退の日以後においても引き続き当該特定子ども・子育て支援に相当する教育・保育その他の子ども・子育て支援の提供を希望する者に対し、必要な教育・保育その他の子ども・子育て支援が継続的に提供されるよう、他の特定子ども・子育て支援提供者その他関係者との連絡調整その他の便宜の提供を行わなければならない。

（市町村長等による連絡調整又は援助）

第58条の7　市町村長は、特定子ども・子育て支援提供者による前条第2項に規定する便宜の提供が円滑に行われるため必要があると認めるときは、当該特定子ども・子育て支援提供者及び他の特定子ども・子育て支援提供者その他の関係者相互間の連絡調整又は当該特定子ども・子育て支援提供者及び当該関係者に対する助言その他の援助を行うことができる。

2　第37条第2項及び第3項の規定は、特定子ども・子育て支援提供者による前条第2項に規定する便宜の提供について準用する。

（報告等）

第58条の8　市町村長は、必要があると認めるときは、この法律の施行に必要な限度において、特定子ども・子育て支援を提供する施設若しくは特定子ども・子育て支援提供者若しくは特定子ども・子育て支援提供者であった者若しくは特定子ども・子育て支援を提供する施設若しくは事業所の職員であった者（以下この項において「特定子ども・子育て支援提供者であった者等」という。）に対し、報告若しくは帳簿書類その他の物件の提出若しくは提示を命じ、特定子ども・子育て支援提供者若しくは特定子ども・子育て支援を提供する施設若しくは事業所の職員若しくは特定子ども・子育て支援提供者であった者等に対し出頭を求め、又は当該市町村の職員に関係者に対して質問させ、若しくは特定子ども・子育て支援を提供する施設若しくは事業所、特定子ども・子育て支援提供者の事務所その他特定子ども・子育て支援施設等の運営に関係のある場所に立ち入り、その設備若しくは帳簿書類その他の物件を検査させることができる。

2　第13条第2項の規定は前項の規定による質問又は検査について、同条第3項の規定は前項の規定による権限について、それぞれ準用する。

（勧告、命令等）

第58条の9　市町村長は、特定子ども・子育て支援提供者が、次の各号に掲げる場合に該当すると認めるときは、当該特定子ども・子育て支援提供者に対し、期限を定めて、当該各号に定める措置をとるべきことを勧告することができる。

一　第7条第10項各号（第1号から第3号まで及び第6号を除く。以下この号において同じ。）に掲げる施設又は事業の区分に応じ、当該各号の内閣府令で定める基準に従って施設等利用費の支給に係る施設又は事業として適正な特定子ども・子育て支援施設等の運営をしていない場合　当該基準を遵守すること。

二　第58条の4第2項の内閣府令で定める特定子ども・子育て支援施設等の運営に関する基準に従って施設等利用費の支給に係る施設又は事業として適正な特定子ども・子育て支援施設等の運営をしていない場合　当該基準を遵守すること。

三　第58条の6第2項に規定する便宜の提供を施設等利用費の支給に係る施設又は事業として適正に行っていない場合　当該便宜の提供を適正に行うこと。

2　市町村長は、特定子ども・子育て支援施設等である幼稚園又は特別支援学校の設置者（国及び地方公共団体（公立大学法人を含む。次項及び第6項において同じ。）を除く。）が設置基準（幼稚園又は特別支援学校に係るものに限る。）に従って施設等利用費の支給に係る施設として適正な子ども・子育て支援施設等の運営をしていないと認めるときは、遅滞なく、その旨を、当該幼稚園又は特別支援学校に係る学校教育法第4条第1項の認可を行った都道府県知事に通知しなければならない。

3　市町村長（指定都市等又は児童相談所設置市の長を除く。）は、特定子ども・子育て支援施設等である第７条第10項第６号に掲げる事業を行う者（国及び地方公共団体を除く。）が一時預かり事業基準に従って施設等利用費の支給に係る事業として適正な子ども・子育て支援施設等の運営をしていないと認めるときは、遅滞なく、その旨を、当該同号に掲げる事業に係る児童福祉法第34条の12第１項の規定による届出を受けた都道府県知事に通知しなければならない。

4　市町村長は、第１項の規定による勧告をした場合において、その勧告を受けた特定子ども・子育て支援提供者が、同項の期限内にこれに従わなかったときは、その旨を公表することができる。

5　市町村長は、第１項の規定による勧告を受けた特定子ども・子育て支援提供者が、正当な理由がなくてその勧告に係る措置をとらなかったときは、当該特定子ども・子育て支援提供者に対し、期限を定めて、その勧告に係る措置をとるべきことを命ずることができる。

6　市町村長（指定都市等所在届出保育施設（指定都市等又は児童相談所設置市の区域内に所在する第７条第10項第４号に掲げる施設をいい、都道府県が設置するものを除く。第２号及び次条第１項第２号において同じ。）については当該指定都市等又は児童相談所設置市の長を除き、指定都市等所在認定こども園において行われる第７条第10項第５号に掲げる事業については当該指定都市等の長を除き、指定都市等又は児童相談所設置市の区域内において行われる同項第６号又は第７号に掲げる事業については当該指定都市等又は児童相談所設置市の長を除く。）は、前項の規定による命令をしたときは、その旨を公示するとともに、遅滞なく、その旨を、次の各号に掲げる子ども・子育て支援施設等（国又は地方公共団体が設置し、又は行うものを除く。）の区分に応じ、当該各号に定める認可若しくは認定を行い、又は届出を受けた都道府県知事に通知しなければならない。

一　幼稚園又は特別支援学校　当該施設に係る学校教育法第４条第１項の認可

二　第７条第10項第４号に掲げる施設（指定都市等所在届出保育施設を除く。）　当該施設に係る児童福祉法第59条の２第１項の規定による届出

三　第７条第10項第５号に掲げる事業　当該事業が行われる次のイ又はロに掲げる施設の区分に応じ、それぞれイ又はロに定める認可又は認定

イ　認定こども園（指定都市等所在認定こども園を除く。）　当該施設に係る認定こども園法第17条第１項の認可又は認定子ども園法第３条第１項若しくは第３項の認定

ロ　幼稚園又は特別支援学校　当該施設に係る学校教育法第４条第１項の認可

四　第７条第10項第６号に掲げる事業（指定都市等又は児童相談所設置市の区域内において行われるものを除く。）　当該事業に係る児童福祉法第34条の12第１項の規定による届出

五　第７条第10項第７号に掲げる事業（指定都市等又は児童相談所設置市の区域内において行われるものを除く。）　当該事業に係る児童福祉法第34条の18第１項の規定による届出

（確認の取消し等）

第58条の10　市町村長は、次の各号のいずれかに該当する場合においては、当該特定子ども・子育て支援施設等に係る第30条の11第１項の確認を取り消し、又は期間を定めてその確認の全部若しくは一部の効力を停止することができる。

一　特定子ども・子育て支援提供者が、第58条の３第２項の規定に違反したと認められるとき。

二　特定子ども・子育て支援提供者（認定こども園の設置者及び第７条第10項第８号に掲げる事業を行う者を除く。）が、前条第６項各号に掲げる子ども・子育て支援施設等の区分に応じ、当該各号に定める認可若しくは認定を受け、又は届出を行った施設等利用費の支給に係る施設又は事業として適正な子ども・子育て支援施設等の運営をすることができなくなったと当該認可若しくは認定を行い、又は届出を受けた都道府県知事（指定都市等所在届出保育施設については当該指定都市等又は児童相談所設置市の長とし、指定都市等所在認定こども園において行われる第７条第10項第５号に掲げる事業については当該指定都市等の長とし、指定都市等又は児童相談所設置市の区域内において行われる同項第６号又は第７号に掲げる事業については当該指定都市等又は児童相談所設置市の長とする。）が認めたとき。

三　特定子ども・子育て支援提供者（第７条第10項第４号に掲げる施設の設置者又は同項第５号、第７号若しくは第８号に掲げる事業を行う者に限る。）が、それぞれ同項第４号、第５号、第７号又は第８号の内閣府令で定める基準に従って施設等利用費の支給に係る施設又は事業として適正な特定子ども・子育て支援施設等の運営をすることができなくなったとき。

四　特定子ども・子育て支援提供者が、第58条の４第２項の内閣府令で定める特定子ども・子育て支援施設等の運営に関する基準に従って施設等利用

費の支給に係る施設又は事業として適正な特定子ども・子育て支援施設等の運営をすることができなくなったとき。

五 特定子ども・子育て支援提供者が、第58条の8第1項の規定により報告若しくは帳簿書類その他の物件の提出若しくは提示を命ぜられてこれに従わず、又は虚偽の報告をしたとき。

六 特定子ども・子育て支援提供者又は特定子ども・子育て支援を提供する施設若しくは事業所の職員が、第58条の8第1項の規定により出頭を求められてこれに応ぜず、同項の規定による質問に対して答弁せず、若しくは虚偽の答弁をし、又は同項の規定による検査を拒み、妨げ、若しくは忌避したとき。ただし、当該職員がその行為をした場合において、その行為を防止するため、当該特定子ども・子育て支援提供者が相当の注意及び監督を尽くしたときを除く。

七 特定子ども・子育て支援提供者が、不正の手段により第30条の11第1項の確認を受けたとき。

八 前各号に掲げる場合のほか、特定子ども・子育て支援提供者が、この法律その他国民の福祉若しくは学校教育に関する法律で政令で定めるもの又はこれらの法律に基づく命令若しくは処分に違反したとき。

九 前各号に掲げる場合のほか、特定子ども・子育て支援提供者が、教育・保育その他の子ども・子育て支援に関し不正又は著しく不当な行為をしたとき。

十 特定子ども・子育て支援提供者が法人である場合において、当該法人の役員若しくはその長又はその事業所を管理する者その他の政令で定める使用人のうちに過去5年以内に教育・保育その他の子ども・子育て支援に関し不正又は著しく不当な行為をした者があるとき。

十一 特定子ども・子育て支援提供者が法人でない場合において、その管理者が過去5年以内に教育・保育その他の子ども・子育て支援に関し不正又は著しく不当な行為をした者であるとき。

2 前項の規定により第30条の11第1項の確認を取り消された子ども・子育て支援施設等である施設の設置者又は事業を行う者（政令で定める者を除く。）及びこれに準ずる者として政令で定める者は、その取消しの日又はこれに準ずる日として政令で定める日から起算して5年を経過するまでの間は、第58条の2の申請をすることができない。

（公示）

第58条の11 市町村長は、次に掲げる場合には、遅滞なく、当該特定子ども・子育て支援を提供する施設又は事業所の名称及び所在地その他の内閣府令で定める事項を公示しなければならない。

一 第30条の11第1項の確認をしたとき。

二 第58条の6第1項の規定による第30条の11第1項の確認の辞退があったとき。

三 前条第1項の規定により第30条の11第1項の確認を取り消し、又は同項の確認の全部若しくは一部の効力を停止したとき。

（都道府県知事に対する協力要請）

第58条の12 市町村長は、第30条の11第1項及び第58条の8から第58条の10までに規定する事務の執行及び権限の行使に関し、都道府県知事に対し、必要な協力を求めることができる。

第4章 地域子ども・子育て支援事業

第59条 市町村は、内閣府令で定めるところにより、第61条第1項に規定する市町村子ども・子育て支援事業計画に従って、地域子ども・子育て支援事業として、次に掲げる事業を行うものとする。

一 子ども及びその保護者が、確実に子ども・子育て支援給付を受け、及び地域子ども・子育て支援事業その他の子ども・子育て支援を円滑に利用できるよう、子ども及びその保護者の身近な場所において、地域の子ども・子育て支援に関する各般の問題につき、子ども又は子どもの保護者からの相談に応じ、必要な情報の提供及び助言を行うとともに、関係機関との連絡調整その他の内閣府令で定める便宜の提供を総合的に行う事業

二 教育・保育給付認定保護者であって、その保育認定子どもが、やむを得ない理由により利用日及び利用時間帯（当該教育・保育給付認定保護者が特定教育・保育施設等又は特例保育を行う事業者と締結した特定保育（特定教育・保育（保育に限る。）、特定地域型保育又は特例保育をいう。以下この号において同じ。）の提供に関する契約において、当該保育認定子どもが当該特定教育・保育施設等又は特例保育を行う事業者による特定保育を受ける日及び時間帯として定められた日及び時間帯をいう。）以外の日及び時間において当該特定教育・保育施設等又は特例保育を行う事業者による保育（保育必要量の範囲内のものを除く。以下この号において「時間外保育」という。）を受けたものに対し、内閣府令で定めるところにより、当該教育・保育給付認定保護者が支払うべき時間外保育の費用の全部又は一部の助成を行うことにより、必要な保育を確保する事業

三 教育・保育給付認定保護者又は施設等利用給付

認定保護者のうち、その属する世帯の所得の状況その他の事情を勘案して市町村が定める基準に該当するものに対し、当該教育・保育給付認定保護者又は施設等利用給付認定保護者が支払うべき次に掲げる費用の全部又は一部を助成する事業

イ　当該教育・保育給付認定保護者に係る教育・保育給付認定子どもが特定教育・保育、特別利用保育、特別利用教育、特定地域型保育又は特例保育（以下このイにおいて「特定教育・保育等」という。）を受けた場合における日用品、文房具その他の特定教育・保育等に必要な物品の購入に要する費用又は特定教育・保育等に係る行事への参加に要する費用その他これらに類する費用として市町村が定めるもの

ロ　当該施設等利用給付認定保護者に係る施設等利用給付認定子どもが特定子ども・子育て支援（特定子ども・子育て支援施設等である認定こども園又は幼稚園が提供するものに限る。）を受けた場合における食事の提供に要する費用として内閣府令で定めるもの

四　特定教育・保育施設等への民間事業者の参入の促進に関する調査研究その他多様な事業者の能力を活用した特定教育・保育施設等の設置又は運営を促進するための事業

五　児童福祉法第６条の３第２項に規定する放課後児童健全育成事業

六　児童福祉法第６条の３第３項に規定する子育て短期支援事業

七　児童福祉法第６条の３第４項に規定する乳児家庭全戸訪問事業

八　児童福祉法第６条の３第５項に規定する養育支援訪問事業その他同法第25条の２第１項に規定する要保護児童対策地域協議会その他の者による同法第25条の７第１項に規定する要保護児童等に対する支援に資する事業

九　児童福祉法第６条の３第６項に規定する地域子育て支援拠点事業

十　児童福祉法第６条の３第７項に規定する一時預かり事業

十一　児童福祉法第６条の３第13項に規定する病児保育事業

十二　児童福祉法第６条の３第14項に規定する子育て援助活動支援事業

十三　母子保健法（昭和40年法律第141号）第13条第１項の規定に基づき妊婦に対して健康診査を実施する事業

第４章の２　仕事・子育て両立支援事業

第59条の２　政府は、仕事と子育てとの両立に資する子ども・子育て支援の提供体制の充実を図るため、仕事・子育て両立支援事業として、児童福祉法第59条の２第１項に規定する施設（同項の規定による届出がされたものに限る。）のうち同法第６条の３第12項に規定する業務を目的とするものその他事業主と連携して当該事業主が雇用する労働者の監護する乳児又は幼児の保育を行う業務に係るものの設置者に対し、助成及び援助を行う事業を行うことができる。

２　全国的な事業主の団体は、仕事・子育て両立支援事業の内容に関し、内閣総理大臣に対して意見を申し出ることができる。

第５章　子ども・子育て支援事業計画

（基本指針）

第60条　内閣総理大臣は、教育・保育及び地域子ども・子育て支援事業の提供体制を整備し、子ども・子育て支援給付並びに地域子ども・子育て支援事業及び仕事・子育て両立支援事業の円滑な実施の確保その他子ども・子育て支援のための施策を総合的に推進するための基本的な指針（以下「基本指針」という。）を定めるものとする。

２　基本指針においては、次に掲げる事項について定めるものとする。

一　子ども・子育て支援の意義並びに子どものための教育・保育給付に係る教育・保育を一体的に提供する体制その他の教育・保育を提供する体制の確保、子育てのための施設等利用給付の円滑な実施の確保並びに地域子ども・子育て支援事業及び仕事・子育て両立支援事業の実施に関する基本的事項

二　次条第１項に規定する市町村子ども・子育て支援事業計画において教育・保育及び地域子ども・子育て支援事業の量の見込みを定めるに当たって参酌すべき標準その他当該市町村子ども・子育て支援事業計画及び第62条第１項に規定する都道府県子ども・子育て支援事業支援計画の作成に関する事項

三　児童福祉法その他の関係法律による専門的な知識及び技術を必要とする児童の福祉増進のための施策との連携に関する事項

四　労働者の職業生活と家庭生活との両立が図られるようにするために必要な雇用環境の整備に関する施策との連携に関する事項

五　前各号に掲げるもののほか、子ども・子育て支援給付並びに地域子ども・子育て支援事業及び仕事・子育て両立支援事業の円滑な実施の確保その

他子ども・子育て支援のための施策の総合的な推進のために必要な事項

3 内閣総理大臣は、基本指針を定め、又は変更しようとするときは、文部科学大臣その他の関係行政機関の長に協議するとともに、こども家庭審議会の意見を聴かなければならない。

4 内閣総理大臣は、基本指針を定め、又はこれを変更したときは、遅滞なく、これを公表しなければならない。

（市町村子ども・子育て支援事業計画）

第61条 市町村は、基本指針に即して、５年を１期とする教育・保育及び地域子ども・子育て支援事業の提供体制の確保その他この法律に基づく業務の円滑な実施に関する計画（以下「市町村子ども・子育て支援事業計画」という。）を定めるものとする。

2 市町村子ども・子育て支援事業計画においては、次に掲げる事項を定めるものとする。

一 市町村が、地理的条件、人口、交通事情その他の社会的条件、教育・保育を提供するための施設の整備の状況その他の条件を総合的に勘案して定める区域（以下「教育・保育提供区域」という。）ごとの当該教育・保育提供区域における各年度の特定教育・保育施設に係る必要利用定員総数（第19条各号に掲げる小学校就学前子どもの区分ごとの必要利用定員総数とする。）、特定地域型保育事業所（事業所内保育事業所における労働者等の監護する小学校就学前子どもに係る部分を除く。）に係る必要利用定員総数（同条第３号に掲げる小学校就学前子どもに係るものに限る。）その他の教育・保育の量の見込み並びに実施しようとする教育・保育の提供体制の確保の内容及びその実施時期

二 教育・保育提供区域ごとの当該教育・保育提供区域における各年度の地域子ども・子育て支援事業の量の見込み並びに実施しようとする地域子ども・子育て支援事業の提供体制の確保の内容及びその実施時期

三 子どものための教育・保育給付に係る教育・保育の一体的提供及び当該教育・保育の推進に関する体制の確保の内容

四 子育てのための施設等利用給付の円滑な実施の確保の内容

3 市町村子ども・子育て支援事業計画においては、前項各号に規定するもののほか、次に掲げる事項について定めるよう努めるものとする。

一 産後の休業及び育児休業後における特定教育・保育施設等の円滑な利用の確保に関する事項

二 保護を要する子どもの養育環境の整備、児童福祉法第４条第２項に規定する障害児に対して行われる保護並びに日常生活上の指導及び知識技能の付与その他の子どもに関する専門的な知識及び技術を要する支援に関する都道府県が行う施策との連携に関する事項

三 労働者の職業生活と家庭生活との両立が図られるようにするために必要な雇用環境の整備に関する施策との連携に関する事項

四 地域子ども・子育て支援事業を行う市町村その他の当該市町村において子ども・子育て支援の提供を行う関係機関相互の連携の推進に関する事項

4 市町村子ども・子育て支援事業計画は、教育・保育提供区域における子どもの数、子どもの保護者の特定教育・保育施設等及び地域子ども・子育て支援事業の利用に関する意向その他の事情を勘案して作成されなければならない。

5 市町村は、教育・保育提供区域における子ども及びその保護者の置かれている環境その他の事情を正確に把握した上で、これらの事情を勘案して、市町村子ども・子育て支援事業計画を作成するよう努めるものとする。

6 市町村子ども・子育て支援事業計画は、社会福祉法第107条第１項に規定する市町村地域福祉計画、教育基本法第17条第２項の規定により市町村が定める教育の振興のための施策に関する基本的な計画（次条第４項において「教育振興基本計画」という。）その他の法律の規定による計画であって子どもの福祉又は教育に関する事項を定めるものと調和が保たれたものでなければならない。

7 市町村は、市町村子ども・子育て支援事業計画を定め、又は変更しようとするときは、第72条第１項の審議会その他の合議制の機関を設置している場合にあってはその意見を、その他の場合にあっては子どもの保護者その他子ども・子育て支援に係る当事者の意見を聴かなければならない。

8 市町村は、市町村子ども・子育て支援事業計画を定め、又は変更しようとするときは、インターネットの利用その他の内閣府令で定める方法により広く住民の意見を求めることその他の住民の意見を反映させるために必要な措置を講ずるよう努めるものとする。

9 市町村は、市町村子ども・子育て支援事業計画を定め、又は変更しようとするときは、都道府県に協議しなければならない。

10 市町村は、市町村子ども・子育て支援事業計画を定め、又は変更したときは、遅滞なく、これを都道

府県知事に提出しなければならない。

（都道府県子ども・子育て支援事業支援計画）

第62条　都道府県は、基本指針に即して、５年を１期とする教育・保育及び地域子ども・子育て支援事業の提供体制の確保その他この法律に基づく業務の円滑な実施に関する計画（以下「都道府県子ども・子育て支援事業支援計画」という。）を定めるものとする。

２　都道府県子ども・子育て支援事業支援計画においては、次に掲げる事項を定めるものとする。

一　都道府県が当該都道府県内の市町村が定める教育・保育提供区域を勘案して定める区域ごとの当該区域における各年度の特定教育・保育施設に係る必要利用定員総数（第19条各号に掲げる小学校就学前子どもの区分ごとの必要利用定員総数とする。）その他の教育・保育の量の見込み並びに実施しようとする教育・保育の提供体制の確保の内容及びその実施時期

二　子どものための教育・保育給付に係る教育・保育の一体的提供及び当該教育・保育の推進に関する体制の確保の内容

三　子育てのための施設等利用給付の円滑な実施の確保を図るために必要な市町村との連携に関する事項

四　特定教育・保育及び特定地域型保育を行う者並びに地域子ども・子育て支援事業に従事する者の確保及び資質の向上のために講ずる措置に関する事項

五　保護を要する子どもの養育環境の整備、児童福祉法第４条第２項に規定する障害児に対して行われる保護並びに日常生活上の指導及び知識技能の付与その他の子どもに関する専門的な知識及び技術を要する支援に関する施策の実施に関する事項

六　前号の施策の円滑な実施を図るために必要な市町村との連携に関する事項

３　都道府県子ども・子育て支援事業支援計画においては、前項各号に掲げる事項のほか、次に掲げる事項について定めるよう努めるものとする。

一　市町村の区域を超えた広域的な見地から行う調整に関する事項

二　教育・保育情報の公表に関する事項

三　労働者の職業生活と家庭生活との両立が図られるようにするために必要な雇用環境の整備に関する施策との連携に関する事項

４　都道府県子ども・子育て支援事業支援計画は、社会福祉法第108条第１項に規定する都道府県地域福祉支援計画、教育基本法第17条第２項の規定により都道府県が定める教育振興基本計画その他の法律の規定による計画であって子どもの福祉又は教育に関する事項を定めるものと調和が保たれたものでなければならない。

５　都道府県は、都道府県子ども・子育て支援事業支援計画を定め、又は変更しようとするときは、第72条第４項の審議会その他の合議制の機関を設置している場合にあってはその意見を、その他の場合にあっては子どもの保護者その他子ども・子育て支援に係る当事者の意見を聴かなければならない。

６　都道府県は、都道府県子ども・子育て支援事業支援計画を定め、又は変更したときは、遅滞なく、これを内閣総理大臣に提出しなければならない。

（都道府県知事の助言等）

第63条　都道府県知事は、市町村に対し、市町村子ども・子育て支援事業計画の作成上の技術的事項について必要な助言その他の援助の実施に努めるものとする。

２　内閣総理大臣は、都道府県に対し、都道府県子ども・子育て支援事業支援計画の作成の手法その他都道府県子ども・子育て支援事業支援計画の作成上重要な技術的事項について必要な助言その他の援助の実施に努めるものとする。

（国の援助）

第64条　国は、市町村又は都道府県が、市町村子ども・子育て支援事業計画又は都道府県子ども・子育て支援事業支援計画に定められた事業を実施しようとするときは、当該事業が円滑に実施されるように必要な助言その他の援助の実施に努めるものとする。

第６章　費用等

（市町村の支弁）

第65条　次に掲げる費用は、市町村の支弁とする。

一　市町村が設置する特定教育・保育施設に係る施設型給付費及び特例施設型給付費の支給に要する費用

二　都道府県及び市町村以外の者が設置する特定教育・保育施設に係る施設型給付費及び特例施設型給付費並びに地域型保育給付費及び特例地域型保育給付費の支給に要する費用

三　市町村（市町村が単独で又は他の市町村と共同して設立する公立大学法人を含む。次号及び第５号において同じ。）が設置する特定子ども・子育て支援施設等（認定こども園、幼稚園及び特別支援学校に限る。）に係る施設等利用費の支給に要する費用

四　国、都道府県（都道府県が単独で又は他の地方公共団体と共同して設立する公立大学法人を含

む。次号及び次条第２号において同じ。）又は市町村が設置し、又は行う特定子ども・子育て支援施設等（認定こども園、幼稚園及び特別支援学校を除く。）に係る施設等利用費の支給に要する費用

五　国、都道府県及び市町村以外の者が設置し、又は行う特定子ども・子育て支援施設等に係る施設等利用費の支給に要する費用

六　地域子ども・子育て支援事業に要する費用

（都道府県の支弁）

第66条　次に掲げる費用は、都道府県の支弁とする。

一　都道府県が設置する特定教育・保育施設に係る施設型給付費及び特例施設型給付費の支給に要する費用

二　都道府県が設置する特定子ども・子育て支援施設等（認定こども園、幼稚園及び特別支援学校に限る。）に係る施設等利用費の支給に要する費用

（国の支弁）

第66条の２　国（国立大学法人法第２条第１項に規定する国立大学法人を含む。）が設置する特定子ども・子育て支援施設等（認定こども園、幼稚園及び特別支援学校に限る。）に係る施設等利用費の支給に要する費用は、国の支弁とする。

（拠出金の施設型給付費等支給費用への充当）

第66条の３　第65条の規定により市町村が支弁する同条第２号に掲げる費用のうち、国、都道府県その他の者が負担すべきものの算定の基礎となる額として政令で定めるところにより算定した額（以下「施設型給付費等負担対象額」という。）であって、満３歳未満保育認定子ども（第19条第２号に掲げる小学校就学前子どもに該当する教育・保育給付認定子どものうち、満３歳に達する日以後の最初の３月31日までの間にある者を含む。第69条第１項及び第70条第２項において同じ。）に係るものについては、その額の５分の１を超えない範囲内で政令で定める割合に相当する額（次条第１項及び第68条第１項において「拠出金充当額」という。）を第69条第１項に規定する拠出金をもって充てる。

２　全国的な事業主の団体は、前項の割合に関し、内閣総理大臣に対して意見を申し出ることができる。

（都道府県の負担等）

第67条　都道府県は、政令で定めるところにより、第65条の規定により市町村が支弁する同条第２号に掲げる費用のうち、施設型給付費等負担対象額から拠出金充当額を控除した額の４分の１を負担する。

２　都道府県は、政令で定めるところにより、第65条の規定により市町村が支弁する同条第４号及び第５号に掲げる費用のうち、国及び都道府県が負担すべきものの算定の基礎となる額として政令で定めるところにより算定した額の４分の１を負担する。

３　都道府県は、政令で定めるところにより、市町村に対し、第65条の規定により市町村が支弁する同条第６号に掲げる費用に充てるため、当該都道府県の予算の範囲内で、交付金を交付することができる。

（市町村に対する交付金の交付等）

第68条　国は、政令で定めるところにより、第65条の規定により市町村が支弁する同条第２号に掲げる費用のうち、施設型給付費等負担対象額から拠出金充当額を控除した額の２分の１を負担するものとし、市町村に対し、国が負担する額及び拠出金充当額を合算した額を交付する。

２　国は、政令で定めるところにより、第65条の規定により市町村が支弁する同条第４号及び第５号に掲げる費用のうち、前条第２項の政令で定めるところにより算定した額の２分の１を負担するものとし、市町村に対し、国が負担する額を交付する。

３　国は、政令で定めるところにより、市町村に対し、第65条の規定により市町村が支弁する同条第６号に掲げる費用に充てるため、予算の範囲内で、交付金を交付することができる。

（拠出金の徴収及び納付義務）

第69条　政府は、児童手当の支給に要する費用（児童手当法第18条第１項に規定するものに限る。次条第２項において「拠出金対象児童手当費用」という。）、第65条の規定により市町村が支弁する同条第２号に掲げる費用（施設型給付費等負担対象額のうち、満３歳未満保育認定子どもに係るものに相当する費用に限る。次条第２項において「拠出金対象施設型給付費等費用」という。）、地域子ども・子育て支援事業（第59条第２号、第５号及び第11号に掲げるものに限る。）に要する費用（次条第２項において「拠出金対象地域子ども・子育て支援事業費用」という。）及び仕事・子育て両立支援事業に要する費用（同項において「仕事・子育て両立支援事業費用」という。）に充てるため、次に掲げる者（次項において「一般事業主」という。）から、拠出金を徴収する。

一　厚生年金保険法（昭和29年法律第115号）第82条第１項に規定する事業主（次号から第４号までに掲げるものを除く。）

二　私立学校教職員共済法（昭和28年法律第245号）第28条第１項に規定する学校法人等

三　地方公務員等共済組合法（昭和37年法律第152号）第144条の３第１項に規定する団体その他同

法に規定する団体で政令で定めるもの
四　国家公務員共済組合法（昭和33年法律第128号）第126条第１項に規定する連合会その他同法に規定する団体で政令で定めるもの
2　一般事業主は、拠出金を納付する義務を負う。
（拠出金の額）
第70条　拠出金の額は、厚生年金保険法に基づく保険料の計算の基礎となる標準報酬月額及び標準賞与額（育児休業、介護休業等育児又は家族介護を行う労働者の福祉に関する法律（平成３年法律第76号）第２条第１号に規定する育児休業若しくは同法第23条第２項の育児休業に関する制度に準ずる措置若しくは同法第24条第１項（第２号に係る部分に限る。）の規定により同項第２号に規定する育児休業に関する制度に準じて講ずる措置による休業、国会職員の育児休業等に関する法律（平成３年法律第108号）第３条第１項に規定する育児休業、国家公務員の育児休業等に関する法律（平成３年法律第109号）第３条第１項（同法第27条第１項及び裁判所職員臨時措置法（昭和26年法律第299号）（第７号に係る部分に限る。）において準用する場合を含む。）に規定する育児休業若しくは地方公務員の育児休業等に関する法律（平成３年法律第110号）第２条第１項に規定する育児休業又は厚生年金保険法第23条の３第１項に規定する産前産後休業をしている被用者について、当該育児休業若しくは休業又は当該産前産後休業をしたことにより、厚生年金保険法に基づき保険料の徴収を行わないこととされた場合にあっては、当該被用者に係るものを除く。次項において「賦課標準」という。）に拠出金率を乗じて得た額の総額とする。
2　前項の拠出金率は、拠出金対象児童手当費用、拠出金対象施設型給付費等費用及び拠出金対象地域子ども・子育て支援事業費用の予想総額並びに仕事・子育て両立支援事業費用の予定額、賦課標準の予想総額並びに第68条第１項の規定により国が負担する額（満３歳未満保育認定子どもに係るものに限る。）、同条第３項の規定により国が交付する額及び児童手当法第18条第１項の規定により国庫が負担する額等の予想総額に照らし、おおむね５年を通じ財政の均衡を保つことができるものでなければならないものとし、1000分の4.5以内において、政令で定める。
3　内閣総理大臣は、前項の規定により拠出金率を定めようとするときは、厚生労働大臣に協議しなければならない。
4　全国的な事業主の団体は、第１項の拠出金率に関し、内閣総理大臣に対して意見を申し出ることができる。
（拠出金の徴収方法）
第71条　拠出金の徴収については、厚生年金保険の保険料その他の徴収金の徴収の例による。
2　前項の拠出金及び当該拠出金に係る厚生年金保険の保険料その他の徴収金の例により徴収する徴収金（以下「拠出金等」という。）の徴収に関する政府の権限で政令で定めるものは、厚生労働大臣が行う。
3　前項の規定により厚生労働大臣が行う権限のうち、国税滞納処分の例による処分その他政令で定めるものに係る事務は、政令で定めるところにより、日本年金機構（以下この条において「機構」という。）に行わせるものとする。
4　厚生労働大臣は、前項の規定により機構に行わせるものとしたその権限に係る事務について、機構による当該権限に係る事務の実施が困難と認める場合その他政令で定める場合には、当該権限を自ら行うことができる。この場合において、厚生労働大臣は、その権限の一部を、政令で定めるところにより、財務大臣に委任することができる。
5　財務大臣は、政令で定めるところにより、前項の規定により委任された権限を、国税庁長官に委任する。
6　国税庁長官は、政令で定めるところにより、前項の規定により委任された権限の全部又は一部を当該権限に係る拠出金等を納付する義務を負う者（次項において「納付義務者」という。）の事業所又は事務所の所在地を管轄する国税局長に委任することができる。
7　国税局長は、政令で定めるところにより、前項の規定により委任された権限の全部又は一部を当該権限に係る納付義務者の事業所又は事務所の所在地を管轄する税務署長に委任することができる。
8　厚生労働大臣は、第３項で定めるもののほか、政令で定めるところにより、第２項の規定による権限のうち厚生労働省令で定めるものに係る事務（当該権限を行使する事務を除く。）を機構に行わせるものとする。
9　政府は、拠出金等の取立てに関する事務を、当該拠出金等の取立てについて便宜を有する法人で政令で定めるものに取り扱わせることができる。
10　第１項から第８項までの規定による拠出金等の徴収並びに前項の規定による拠出金等の取立て及び政府への納付について必要な事項は、政令で定める。

第７章　市町村等における合議制の機関

第72条　市町村は、条例で定めるところにより、次に掲げる事務を処理するため、審議会その他の合議制の機関を置くよう努めるものとする。

一　特定教育・保育施設の利用定員の設定に関し、第31条第２項に規定する事項を処理すること。

二　特定地域型保育事業の利用定員の設定に関し、第43条第２項に規定する事項を処理すること。

三　市町村子ども・子育て支援事業計画に関し、第61条第７項に規定する事項を処理すること。

四　当該市町村における子ども・子育て支援に関する施策の総合的かつ計画的な推進に関し必要な事項及び当該施策の実施状況を調査審議すること。

2　前項の合議制の機関は、同項各号に掲げる事務を処理するに当たっては、地域の子ども及び子育て家庭の実情を十分に踏まえなければならない。

3　前２項に定めるもののほか、第１項の合議制の機関の組織及び運営に関し必要な事項は、市町村の条例で定める。

4　都道府県は、条例で定めるところにより、次に掲げる事務を処理するため、審議会その他の合議制の機関を置くよう努めるものとする。

一　都道府県子ども・子育て支援事業支援計画に関し、第62条第５項に規定する事項を処理すること。

二　当該都道府県における子ども・子育て支援に関する施策の総合的かつ計画的な推進に関し必要な事項及び当該施策の実施状況を調査審議すること。

5　第２項及び第３項の規定は、前項の規定により都道府県に合議制の機関が置かれた場合に準用する。

第８章　雑則

（時効）

第73条　子どものための教育・保育給付及び子育てのための施設等利用給付を受ける権利並びに拠出金等その他この法律の規定による徴収金を徴収する権利は、これらを行使することができる時から２年を経過したときは、時効によって消滅する。

2　子どものための教育・保育給付及び子育てのための施設等利用給付の支給に関する処分についての審査請求は、時効の完成猶予及び更新に関しては、裁判上の請求とみなす。

3　拠出金等その他この法律の規定による徴収金の納入の告知又は催促は、時効の更新の効力を有する。

（期間の計算）

第74条　この法律又はこの法律に基づく命令に規定する期間の計算については、民法の期間に関する規定を準用する。

（審査請求）

第75条　第71条第２項から第７項までの規定による拠出金等の徴収に関する処分に不服がある者は、厚生労働大臣に対して審査請求をすることができる。

（権限の委任）

第76条　内閣総理大臣は、この法律に規定する内閣総理大臣の権限（政令で定めるものを除く。）をこども家庭庁長官に委任する。

2　こども家庭庁長官は、政令で定めるところにより、前項の規定により委任された権限の一部を地方厚生局長又は地方厚生支局長に委任することができる。

（実施規定）

第77条　この法律に特別の規定があるものを除くほか、この法律の実施のための手続その他その執行について必要な細則は、内閣府令で定める。

第９章　罰則

第78条　第15条第１項（第30条の３において準用する場合を含む。以下この条において同じ。）の規定による報告若しくは物件の提出若しくは提示をせず、若しくは虚偽の報告若しくは虚偽の物件の提出若しくは提示をし、又は同項の規定による当該職員の質問に対して、答弁せず、若しくは虚偽の答弁をした者は、30万円以下の罰金に処する。

第79条　第38条第１項、第50条第１項若しくは第58条の８第１項の規定による報告若しくは物件の提出若しくは提示をせず、若しくは虚偽の報告若しくは虚偽の物件の提出若しくは提示をし、又はこれらの規定による当該職員の質問に対して答弁をせず、若しくは虚偽の答弁をし、若しくはこれらの規定による検査を拒み、妨げ、若しくは忌避した者は、30万円以下の罰金に処する。

第80条　法人の代表者又は法人若しくは人の代理人、使用人その他の従業者が、その法人又は人の業務に関して前条の違反行為をしたときは、行為者を罰するほか、その法人又は人に対しても、同条の刑を科する。

第81条　第15条第２項（第30条の３において準用する場合を含む。以下この条において同じ。）の規定による報告若しくは物件の提出若しくは提示をせず、若しくは虚偽の報告若しくは虚偽の物件の提出若しくは提示をし、又は同項の規定による当該職員の質問に対して、答弁せず、若しくは虚偽の答弁をした者は、10万円以下の過料に処する。

第82条　市町村は、条例で、正当な理由なしに、第13条第１項（第30条の３において準用する場合を含む。以下この項において同じ。）の規定による報告若しくは物件の提出若しくは提示をせず、若しくは虚偽の報告若しくは虚偽の物件の提出若しくは提示をし、又は第13条第１項の規定による当該職員の質問に対して、答弁せず、若しくは虚偽の答弁をした者に対し10万円以下の過料を科する規定を設けることができる。

2　市町村は、条例で、正当な理由なしに、第14条第１項（第30条の３において準用する場合を含む。以下この項において同じ。）の規定による報告若しくは物件の提出若しくは提示をせず、若しくは虚偽の報告若しくは虚偽の物件の提出若しくは提示をし、又は第14条第１項の規定による当該職員の質問に対して、答弁せず、若しくは虚偽の答弁をし、若しくは同項の規定による検査を拒み、妨げ、若しくは忌避した者に対し10万円以下の過料を科する規定を設けることができる。

3　市町村は、条例で、第23条第２項若しくは第４項又は第24条第２項の規定による支給認定証の提出又は返還を求められてこれに応じない者に対し10万円以下の過料を科する規定を設けることができる。

附　則

（施行期日）

第１条　この法律は、社会保障の安定財源の確保等を図る税制の抜本的な改革を行うための消費税法の一部を改正する等の法律（平成24年法律第68号）附則第１条第２号に掲げる規定の施行の日の属する年の翌年の４月１日までの間において政令で定める日〔平成27年４月１日〕から施行する。ただし、次の各号に掲げる規定は、当該各号に定める日から施行する。

一　附則第２条第４項、第12条（第31条の規定による第27条第１項の確認の手続（第77条第１項の審議会その他の合議制の機関（以下この号及び次号において「市町村合議制機関」という。）の意見を聴く部分に限る。）、第43条の規定による第29条第１項の確認の手続（市町村合議制機関の意見を聴く部分に限る。）、第61条の規定による市町村子ども・子育て支援事業計画の策定の準備（市町村合議制機関の意見を聴く部分に限る。）及び第62条の規定による都道府県子ども・子育て支援事業支援計画の策定の準備（第77条第４項の審議会その他の合議制の機関（次号において「都道府県合議制機関」という。）の意見を聴く部分に限る。）に係る部分を除く。）及び第13条の規定　公布の日〔平成24年８月22日〕

二　第７章の規定並びに附則第４条、第11条及び第12条（第31条の規定による第27条第１項の確認の手続（市町村合議制機関の意見を聴く部分に限る。）、第43条の規定による第29条第１項の確認の手続（市町村合議制機関の意見を聴く部分に限る。）、第61条の規定による市町村子ども・子育て支援事業計画の策定の準備（市町村合議制機関の意見を聴く部分に限る。）及び第62条の規定による都道府県子ども・子育て支援事業支援計画の策定の準備（都道府県合議制機関の意見を聴く部分に限る。）に係る部分に限る。）の規定　平成25年４月１日

三　附則第10条の規定　社会保障の安定財源の確保等を図る税制の抜本的な改革を行うための消費税法の一部を改正する等の法律の施行の日の属する年の翌年の４月１日までの間において政令で定める日〔平成26年４月１日〕

四　附則第７条ただし書及び附則第８条ただし書の規定　この法律の施行の日（以下「施行日」という。）前の政令で定める日〔平成26年10月１日〕

（検討等）

第２条　政府は、総合的な子ども・子育て支援の実施を図る観点から、出産及び育児休業に係る給付を子ども・子育て支援給付とすることについて検討を加え、必要があると認めるときは、その結果に基づいて所要の措置を講ずるものとする。

2　政府は、平成27年度以降の次世代育成支援対策推進法（平成15年法律第120号）の延長について検討を加え、必要があると認めるときは、その結果に基づいて必要な措置を講ずるものとする。

3　政府は、この法律の公布後２年を目途として、総合的な子ども・子育て支援を実施するための行政組織の在り方について検討を加え、必要があると認めるときは、その結果に基づいて所要の措置を講ずるものとする。

4　政府は、前３項に定める事項のほか、この法律の施行後５年を目途として、この法律の施行の状況を勘案し、必要があると認めるときは、この法律の規定について検討を加え、その結果に基づいて所要の措置を講ずるものとする。

第２条の２　政府は、質の高い教育・保育その他の子ども・子育て支援の提供を推進するため、財源を確保しつつ、幼稚園教諭、保育士及び放課後児童健全育成事業に従事する者等の処遇の改善に資するための所要の措置並びに保育士資格を有する者であって現に保育に関する業務に従事していない者の就業の促進その他の教育・保育その他の子ども・子育て支援に係る人材確保のための所要の措置を講ずるものとする。

（財源の確保）

第３条　政府は、教育・保育その他の子ども・子育て支援の量的拡充及び質の向上を図るための安定した財源の確保に努めるものとする。

（保育の需要及び供給の状況の把握）

第４条 国及び地方公共団体は、施行日の前日までの間、子ども・子育て支援の推進を図るための基礎資料として、内閣府令で定めるところにより、保育の需要及び供給の状況の把握に努めなければならない。

（子どものための現金給付に関する経過措置）

第５条 第９条の規定の適用については、当分の間、同条中「同じ。）」とあるのは、「同じ。）及び同法附則第２条第１項の給付」とする。

（保育所に係る委託費の支払等）

第６条 市町村は、児童福祉法第24条第１項の規定により保育所における保育を行うため、当分の間、保育認定子どもが、特定教育・保育施設（都道府県及び市町村以外の者が設置する保育所に限る。以下この条において「特定保育所」という。）から特定教育・保育（保育に限る。以下この条において同じ。）を受けた場合については、当該特定教育・保育（保育必要量の範囲内のものに限る。以下この条において「支給認定保育」という。）に要した費用について、１月につき、第27条第３項第１号に規定する特定教育・保育に通常要する費用の額を勘案して内閣総理大臣が定める基準により算定した費用の額（その額が現に当該支給認定保育に要した費用の額を超えるときは、当該現に支給認定保育に要した費用の額）に相当する額（以下この条において「保育費用」という。）を当該特定保育所に委託費として支払うものとする。この場合において、第27条の規定は適用しない。

２ 特定保育所における保育認定子どもに係る特定教育・保育については、当分の間、第33条第１項及び第２項並びに第42条、母子及び父子並びに寡婦福祉法（昭和39年法律第129号）第28条第２項並びに児童虐待の防止等に関する法律（平成12年法律第82号）第13条の３第２項の規定は適用しない。

３ 第１項の場合におけるこの法律及び国有財産特別措置法（昭和27年法律第219号）の規定の適用についての必要な技術的読替えは、政令で定める。

４ 第１項の場合において、保育費用の支払をした市町村の長は、当該保育費用に係る保育認定子どもの教育・保育給付認定保護者又は扶養義務者から、当該保育費用をこれらの者から徴収した場合における家計に与える影響を考慮して特定保育所における保育に係る保育認定子どもの年齢等に応じて定める額を徴収するものとする。

５ 前項の規定による費用の徴収は、これを保育費用に係る保育認定子どもの教育・保育給付認定保護者又は扶養義務者の居住地又は財産所在地の都道府県又は市町村に嘱託することができる。

６ 第４項の規定により徴収される費用を、指定の期限内に納付しない者があるときは、地方税の滞納処分の例により処分することができる。この場合における徴収金の先取特権の順位は、国税及び地方税に次ぐものとする。

７ 第４項の規定により市町村が同項に規定する額を徴収する場合における児童福祉法及び児童手当法の規定の適用についての必要な技術的読替えは、政令で定める。

（特定教育・保育施設に関する経過措置）

第７条 この法律の施行の際現に存する就学前の子どもに関する教育、保育等の総合的な提供の推進に関する法律の一部を改正する法律（平成24年法律第66号）の規定による改正前の認定こども園法第７条第１項に規定する認定こども園（国の設置するものを除き、施行日において現に法人以外の者が設置するものを含む。）、幼稚園（国の設置するものを除き、施行日において現に法人以外の者が設置するものを含む。）又は子ども・子育て支援法及び就学前の子どもに関する教育、保育等の総合的な提供の推進に関する法律の一部を改正する法律の施行に伴う関係法律の整備等に関する法律（平成24年法律第67号）第６条の規定による改正前の児童福祉法（次条及び附則第10条第１項において「旧児童福祉法」という。）第39条第１項に規定する保育所（施行日において現に法人以外の者が設置するものを含む。）については、施行日に、第27条第１項の確認があったものとみなす。ただし、当該認定こども園、幼稚園又は保育所の設置者が施行日の前日までに、内閣府令で定めるところにより、別段の申出をしたときは、この限りでない。

（特定地域型保育事業者に関する経過措置）

第８条 この法律の施行の際現に旧児童福祉法第６条の３第９項に規定する家庭的保育事業を行っている市町村については、施行日に、家庭的保育に係る第29条第１項の確認があったものとみなす。ただし、当該市町村が施行日の前日までに、内閣府令で定めるところにより、別段の申出をしたときは、この限りでない。

（施設型給付費等の支給の基準及び費用の負担等に関する経過措置）

第９条 第19条第１号に掲げる小学校就学前子どもに該当する教育・保育給付認定子どもに係る子どものための教育・保育給付の額は、第27条第３項、第28条第２項第１号及び第２号並びに第30条第２項第２号及び第４号の規定にかかわらず、当分の間、１月につき、次の各号に掲げる子どものための教育・保育給付の区分に応じ、それぞれ当該各号に定める額とする。

一　施設型給付費の支給　次のイ及びロに掲げる額の合計額

イ　この法律の施行前の私立学校振興助成法（昭和50年法律第61号）第９条の規定による私立幼稚園（国（国立大学法人法第２条第１項に規定する国立大学法人を含む。）、都道府県及び市町村以外の者が設置する幼稚園をいう。以下この項において同じ。）の経常的経費に充てるための国の補助金の総額（以下この項において「国の補助金の総額」という。）、私立幼稚園に係る保護者の負担額、当該施設型給付費の支給に係る支給認定教育・保育を行った特定教育・保育施設の所在する地域その他の事情を勘案して内閣総理大臣が定める基準により算定した額（その額が現に当該支給認定教育・保育に要した費用の額を超えるときは、当該現に支給認定教育・保育に要した費用の額）から政令で定める額を限度として当該教育・保育給付認定保護者の属する世帯の所得の状況その他の事情を勘案して市町村が定める額を控除して得た額（当該額が零を下回る場合には、零とする。）

ロ　当該特定教育・保育施設の所在する地域の実情、特定教育・保育に通常要する費用の額とイの内閣総理大臣が定める基準により算定した額との差額その他の事情を参酌して市町村が定める額

二　特例施設型給付費の支給　次のイ又はロに掲げる教育・保育の区分に応じ、それぞれイ又はロに定める額

イ　特定教育・保育　次の⑴及び⑵に掲げる額の合計額

⑴　国の補助金の総額、私立幼稚園に係る保護者の負担額、当該特例施設型給付費の支給に係る特定教育・保育を行った特定教育・保育施設の所在する地域その他の事情を勘案して内閣総理大臣が定める基準により算定した額（その額が現に当該特定教育・保育に要した費用の額を超えるときは、当該現に特定教育・保育に要した費用の額）から政令で定める額を限度として当該教育・保育給付認定保護者の属する世帯の所得の状況その他の事情を勘案して市町村が定める額を控除して得た額（当該額が零を下回る場合には、零とする。）を基準として市町村が定める額

⑵　当該特定教育・保育施設の所在する地域の実情、特定教育・保育に通常要する費用の額と⑴の内閣総理大臣が定める基準により算定した額との差額その他の事情を参酌して市町村が定める額

ロ　特別利用保育　次の⑴及び⑵に掲げる額の合計額

⑴　国の補助金の総額、私立幼稚園に係る保護者の負担額、当該特例施設型給付費の支給に係る特別利用保育を行った特定教育・保育施設の所在する地域その他の事情を勘案して内閣総理大臣が定める基準により算定した額（その額が現に当該特別利用保育に要した費用の額を超えるときは、当該現に特別利用保育に要した費用の額）から政令で定める額を限度として当該教育・保育給付認定保護者の属する世帯の所得の状況その他の事情を勘案して市町村が定める額を控除して得た額（当該額が零を下回る場合には、零とする。）

⑵　当該特定教育・保育施設の所在する地域の実情、特別利用保育に通常要する費用の額と⑴の内閣総理大臣が定める基準により算定した額との差額その他の事情を参酌して市町村が定める額

三　特例地域型保育給付費の支給　次のイ又はロに掲げる保育の区分に応じ、それぞれイ又はロに定める額

イ　特別利用地域型保育　次の⑴及び⑵に掲げる額の合計額

⑴　国の補助金の総額、私立幼稚園に係る保護者の負担額、当該特例地域型保育給付費の支給に係る特別利用地域型保育を行った特定地域型保育事業所の所在する地域その他の事情を勘案して内閣総理大臣が定める基準により算定した額（その額が現に当該特別利用地域型保育に要した費用の額を超えるときは、当該現に特別利用地域型保育に要した費用の額）から政令で定める額を限度として当該教育・保育給付認定保護者の属する世帯の所得の状況その他の事情を勘案して市町村が定める額を控除して得た額（当該額が零を下回る場合には、零とする。）

⑵　当該特定地域型保育事業所の所在する地域の実情、特別利用地域型保育に通常要する費用の額と⑴の内閣総理大臣が定める基準により算定した額との差額その他の事情を参酌して市町村が定める額

ロ　特例保育　次の(1)及び(2)に掲げる額の合計額

(1)　国の補助金の総額、私立幼稚園に係る保護者の負担額、当該特例地域型保育給付費の支給に係る特例保育を行った施設又は事業所の所在する地域その他の事情を勘案して内閣総理大臣が定める基準により算定した額（その額が現に当該特例保育に要した費用の額を超えるときは、当該現に特例保育に要した費用の額）から政令で定める額を限度として当該教育・保育給付認定保護者の属する世帯の所得の状況その他の事情を勘案して市町村が定める額を控除して得た額（当該額が零を下回る場合には、零とする。）を基準として市町村が定める額

(2)　当該特例保育を行う施設又は事業所の所在する地域の実情、特例保育に通常要する費用の額と(1)の内閣総理大臣が定める基準により算定した額との差額その他の事情を参酌して市町村が定める額

2　内閣総理大臣は、前項第１号イ、第２号イ(1)及びロ(1)並びに第３号イ(1)及びロ(1)の基準を定め、又は変更しようとするときは、文部科学大臣に協議するとともに、こども家庭審議会の意見を聴かなければならない。

3　第１項の場合における第67条第１項及び第68条第１項の規定の適用については、これらの規定中「同条第２号に掲げる費用」とあるのは、「同条第２号に掲げる費用（附則第９条第１項第１号ロ、第２号イ(2)及びロ(2)並びに第３号イ(2)及びロ(2)に掲げる額に係る部分を除く。）」とする。

4　都道府県は、当該都道府県の予算の範囲内において、政令で定めるところにより、第65条の規定により市町村が支弁する同条第２号に掲げる費用のうち、第１項第１号ロ、第２号イ(2)及びロ(2)並びに第３号イ(2)及びロ(2)に掲げる額に係る部分の一部を補助することができる。

（保育の需要の増大等への対応）

第10条　旧児童福祉法第56条の８第１項に規定する特定市町村（以下この条において「特定市町村」という。）は、市町村子ども・子育て支援事業計画に基づく子どものための教育・保育給付及び地域子ども・子育て支援事業の実施への円滑な移行を図るため、施行日の前日までの間、小学校就学前子どもの保育その他の子ども・子育て支援に関する事業であって内閣府令で定めるもの（以下この条において「保育緊急確保事業」という。）のうち必要と認めるものを旧児童福祉法第56条の８第２項に規定する市町村保育計画に定め、当該市町村保育計画に従って当該保育緊急確保事業を行うものとする。

2　特定市町村以外の市町村（以下この条において「事業実施市町村」という。）は、市町村子ども・子育て支援事業計画に基づく子どものための教育・保育給付及び地域子ども・子育て支援事業の実施への円滑な移行を図るため、施行日の前日までの間、保育緊急確保事業を行うことができる。

3　内閣総理大臣は、第１項の内閣府令を定め、又は変更しようとするときは、あらかじめ、文部科学大臣及び厚生労働大臣に協議しなければならない。

4　国は、保育緊急確保事業を行う特定市町村又は事業実施市町村に対し、予算の範囲内で、政令で定めるところにより、当該保育緊急確保事業に要する費用の一部を補助することができる。

5　国及び都道府県は、特定市町村又は事業実施市町村が、保育緊急確保事業を実施しようとするときは、当該保育緊急確保事業が円滑に実施されるように必要な助言その他の援助の実施に努めるものとする。

（施行前の準備）

第11条　内閣総理大臣は、第27条第１項の１日当たりの時間及び期間を定める内閣府令、同条第３項第１号の基準、第28条第１項第２号の内閣府令、同条第２項第２号及び第３号の基準、第29条第３項第１号の基準、第30条第１項第２号及び第４号の内閣府令、同条第２項第２号から第４号までの基準、第34条第３項の内閣府令で定める基準（特定教育・保育の取扱いに関する部分に限る。）、同項第２号の内閣府令（特定教育・保育の取扱いに関する部分に限る。）、第46条第３項の内閣府令で定める基準（特定地域型保育の取扱いに関する部分に限る。）、同項第２号の内閣府令（特定地域型保育の取扱いに関する部分に限る。）、第60条第１項の基本指針並びに附則第９条第１項第１号イ、第２号イ(1)及びロ(1)並びに第３号イ(1)及びロ(1)の基準を定めようとするときは、施行日前においても第72条に規定する子ども・子育て会議の意見を聴くことができる。

第12条　前条に規定するもののほか、この法律を施行するために必要な条例の制定又は改正、第20条の規定による支給認定の手続、第31条の規定による第27条第１項の確認の手続、第42条の規定による情報の提供、相談、助言、あっせん及び利用の要請（以下この条において「情報の提供等」という。）、第43条の規定による第29条第１項の確認の手続、第54条の規定による情報の提供等、第61条の規定による市町村子ども・子育て支援事業計画の策定の準備、第62条の規定による都道府県子ども・子育て支援事業支

援計画の策定の準備、第74条の規定による子ども・子育て会議の委員の任命に関し必要な行為その他の行為は、この法律の施行前においても行うことができる。

（政令への委任）

第13条　この附則に規定するもののほか、この法律の施行に伴い必要な経過措置は、政令で定める。

（保育充実事業）

第14条　保育の実施への需要が増大しているものとして内閣府令で定める要件に該当する市町村（以下この条において「特定市町村」という。）は、当分の間、保育の量的拡充及び質の向上を図るため、小学校就学前子どもの保育に係る子ども・子育て支援に関する事業であって内閣府令で定めるもの（以下この条において「保育充実事業」という。）のうち必要と認めるものを市町村子ども・子育て支援事業計画に定め、当該市町村子ども・子育て支援事業計画に従って当該保育充実事業を行うことができる。

2　特定市町村以外の市町村（次項及び第４項において「事業実施市町村」という。）は、当分の間、保育の量的拡充及び質の向上を図るため特に必要があるときは、保育充実事業のうち必要と認めるものを市町村子ども・子育て支援事業計画に定め、当該市町村子ども・子育て支援事業計画に従って当該保育充実事業を行うことができる。

3　国は、保育充実事業を行う特定市町村又は事業実施市町村に対し、予算の範囲内で、政令で定めるところにより、当該保育充実事業に要する費用の一部を補助することができる。

4　特定市町村又は事業実施市町村を包括する都道府県は、保育充実事業その他の保育の需要に応ずるための特定市町村又は事業実施市町村の取組を支援するため、小学校就学前子どもの保育に係る子ども・子育て支援に関する施策であって、市町村の区域を超えた広域的な見地から調整が必要なもの又は特に専門性の高いものについて協議するため、内閣府令で定めるところにより、当該都道府県、当該特定市町村又は事業実施市町村その他の関係者により構成される協議会を組織することができる。

5　内閣総理大臣は、第１項又は前項の内閣府令を定め、又は変更しようとするときは、文部科学大臣に協議しなければならない。

（労働者の子育ての支援に積極的に取り組む事業主に対する助成）

第14条の２　政府は、令和３年10月１日から令和９年３月31日までの間、仕事・子育て両立支援事業として、第59条の２第１項に規定するもののほか、その雇用する労働者に係る育児休業の取得の促進その他の労働者の職業生活と家庭生活との両立が図られるようにするために必要な雇用環境の整備を行うことにより当該労働者の子育ての支援に積極的に取り組んでいると認められる事業主に対し、助成及び援助を行う事業を行うことができる。

（子ども・子育て支援臨時交付金の交付）

第15条　国は、子ども・子育て支援法の一部を改正する法律（令和元年法律第７号。次項及び附則第22条において「平成31年改正法」という。）の施行により地方公共団体の子ども・子育て支援給付及び地域子ども・子育て支援事業に要する費用についての負担が増大すること並びに社会保障の安定財源の確保等を図る税制の抜本的な改革を行うための地方税法及び地方交付税法の一部を改正する法律（平成24年法律第69号）附則第１条第３号に掲げる規定の施行による地方公共団体の地方消費税及び地方消費税交付金（地方税法第72条の115の規定により市町村に対し交付するものとされる地方消費税に係る交付金をいう。）の増収見込額（次項において「地方消費税増収見込額」という。）が平成31年度において平成32年度以降の各年度に比して過小であることに対処するため、平成31年度に限り、都道府県及び市町村に対して、子ども・子育て支援臨時交付金を交付する。

2　子ども・子育て支援臨時交付金の総額は、平成31年改正法の施行により増大した平成31年度における地方公共団体の子ども・子育て支援給付及び地域子ども・子育て支援事業に要する費用の状況並びに同年度における地方消費税増収見込額の状況を勘案して予算で定める額（次項及び附則第21条第２項において「子ども・子育て支援臨時交付金総額」という。）とする。

3　各都道府県又は各市町村に対して交付すべき子ども・子育て支援臨時交付金の額は、子ども・子育て支援臨時交付金総額を、総務省令で定めるところにより、各都道府県又は各市町村に係る次に掲げる額の合算額により按《あん》分した額とする。

一　平成31年度における子ども・子育て支援給付に要する費用（教育・保育給付認定保護者及び施設等利用給付認定保護者の経済的負担の軽減に要する費用として総務省令で定める費用に限る。）のうち、各都道府県又は各市町村が負担すべき費用に相当する額として総務省令で定めるところにより算定した額

二　平成31年度における地域子ども・子育て支援事業に要する費用（施設等利用給付認定保護者の経

済的負担の軽減に要する費用として総務省令で定める費用に限る。）のうち、各都道府県又は各市町村が負担すべき費用に相当する額として総務省令で定めるところにより算定した額

（子ども・子育て支援臨時交付金の算定の時期等）

第16条 総務大臣は、前条第3項の規定により各都道府県又は各市町村に交付すべき子ども・子育て支援臨時交付金の額を、平成32年3月中に決定し、これを当該都道府県又は当該市町村に通知しなければならない。

（子ども・子育て支援臨時交付金の交付時期）

第17条 子ども・子育て支援臨時交付金は、平成32年3月に交付する。

（子ども・子育て支援臨時交付金の算定及び交付に関する都道府県知事の義務）

第18条 都道府県知事は、政令で定めるところにより、当該都道府県の区域内の市町村に対し交付すべき子ども・子育て支援臨時交付金の額の算定及び交付に関する事務を取り扱わなければならない。

（子ども・子育て支援臨時交付金の額の算定に用いる資料の提出等）

第19条 都道府県知事は、総務省令で定めるところにより、当該都道府県の子ども・子育て支援臨時交付金の額の算定に用いる資料を総務大臣に提出しなければならない。

2 市町村長は、総務省令で定めるところにより、当該市町村の子ども・子育て支援臨時交付金の額の算定に用いる資料を都道府県知事に提出しなければならない。この場合において、都道府県知事は、当該資料を審査し、総務大臣に送付しなければならない。

（子ども・子育て支援臨時交付金の使途）

第20条 都道府県及び市町村は、交付を受けた子ども・子育て支援臨時交付金の額を、子ども・子育て支援給付及び地域子ども・子育て支援事業に要する経費に充てるものとする。

（交付税及び譲与税配付金特別会計における子ども・子育て支援臨時交付金の経理等）

第21条 子ども・子育て支援臨時交付金の交付に関する経理は、平成31年度に限り、特別会計に関する法律（平成19年法律第23号。以下この条において「特別会計法」という。）第21条の規定にかかわらず、交付税及び譲与税配付金特別会計（以下この条において「交付税特別会計」という。）において行うものとする。

2 子ども・子育て支援臨時交付金総額は、特別会計法第6条の規定にかかわらず、一般会計から交付税特別会計に繰り入れるものとする。

3 特別会計法第23条及び附則第11条の規定によるほか、前項の規定による一般会計からの繰入金は平成31年度における交付税特別会計の歳入とし、子ども・子育て支援臨時交付金は同年度における交付税特別会計の歳出とする。

（基準財政需要額の算定方法の特例）

第22条 地方財政法（昭和23年法律第109号）第10条第33号に掲げる経費のうち、平成31年改正法の施行により増大した平成31年度における地方公共団体の子どものための教育・保育給付及び子育てのための施設等利用給付に要する費用については、同法第11条の2の規定にかかわらず、地方公共団体に対して交付すべき地方交付税の額の算定に用いる基準財政需要額に算入しない。

（地方財政審議会の意見の聴取）

第23条 総務大臣は、子ども・子育て支援臨時交付金の交付に関する命令の制定又は改廃の立案をしようとする場合及び附則第16条の規定により各都道府県又は各市町村に交付すべき子ども・子育て支援臨時交付金の額を決定しようとする場合には、地方財政審議会の意見を聴かなければならない。

（事務の区分）

第24条 附則第18条及び第19条第2項後段の規定により都道府県が処理することとされている事務は、地方自治法第2条第9項第1号に規定する第1号法定受託事務とする。

（総務省令への委任）

第25条 附則第15条から前条までに定めるもののほか、子ども・子育て支援臨時交付金の算定及び交付に関し必要な事項は、総務省令で定める。

附 則（令和元年5月17日法律第7号）抄

（施行期日）

第1条 この法律は、平成31年10月1日から施行する。ただし、〔中略〕附則第17条の規定は、公布の日から施行する。

（児童福祉法第59条の2第1項に規定する施設に関する経過措置）

第4条 新法第8条に規定する子育てのための施設等利用給付については、令和12年3月31日までの間は、児童福祉法（昭和22年法律第164号）第59条の2第1項に規定する施設（同項の規定による届出がされたものに限り、就学前の子どもに関する教育、保育等の総合的な提供の推進に関する法律（平成18年法律第77号）第3条第1項又は第3項の認定を受けたもの及び同条第10項の規定による公示がされたもの並びに新法第7条第10項第4号ハの政令で定める施設を除く。）を同号に掲げる施設とみなして、

新法（第58条の４第１項（第４号に係る部分に限る。）、第58条の９第１項（第１号に係る部分に限る。）及び第58条の10第１項（第３号に係る部分に限る。）を除く。）の規定を適用する。

２　市町村（特別区を含む。以下この条において同じ。）は、施行日から起算して５年を経過する日までの間、当該市町村における保育の需要及び供給の状況その他の事情を勘案して特に必要があると認めるときは、当該市町村の条例で定めるところにより、前項の規定により新法第７条第10項第４号に掲げる施設とみなされる施設に係る新法第30条の11第１項の規定による施設等利用費の支給について、同項に規定する特定子ども・子育て支援施設等である当該施設のうち当該市町村の条例で定める基準を満たすものが提供する同項に規定する特定子ども・子育て支援を受けたときに限り、行うものとすることができる。この場合において、当該市町村の条例で定める基準は、同号の内閣府令で定める基準を超えない範囲内において定めるものとする。

３　前項の市町村の条例が定められた場合における第１項の規定の適用については、同項中「新法（第58条の４第１項（第４号に係る部分に限る。）、第58条の９第１項（第１号に係る部分に限る。）及び」とあるのは、「新法（」とする。この場合において、新法第58条の４第１項第４号中「同号の内閣府令」とあり、及び新法第58条の９第１項第１号中「第７条第10項各号（第１号から第３号まで及び第６号を除く。以下この号において同じ。）に掲げる施設又は事業の区分に応じ、当該各号の内閣府令」とあるのは、「子ども・子育て支援法の一部を改正する法律（令和元年法律第７号）附則第４条第２項の市町村の条例」とする。

（政令への委任）

第17条　この附則に規定するもののほか、この法律の施行に伴い必要な経過措置は、政令で定める。

（検討）

第18条　政府は、この法律の施行後２年を目途として、附則第４条の規定の施行の状況について検討を加え、必要があると認めるときは、その結果に基づいて所要の措置を講ずるものとする。

２　政府は、前項に定める事項のほか、この法律の施行後５年を目途として、新法の施行の状況を勘案し、新法の規定について検討を加え、必要があると認めるときは、その結果に基づいて所要の措置を講ずるものとする。

〔参　考〕

◉子ども・子育て支援法等の一部を改正する法律（抄）

〔令和６年６月12日
法 律 第 47 号〕

（子ども・子育て支援法の一部改正）

第１条　子ども・子育て支援法（平成24年法律第65号）の一部を次のように改正する。

目次中「第２節　子どものための現金給付（第９条・第10条）」

を「第２節　子どものための現金給付（第９条・第10条）

第３節　妊婦のための支援給付

第１款　通則（第10条の２―第10条の７）

第２款　妊婦給付認定等（第10条の８―第10条の11）

第３款　妊婦支援給付金の支給（第10条の12―第10条の15）」

に、「第３節」を「第４節」に、「第４節」を「第５節」に、「第３章　特定教育・保育施設及び特定地域型保育事業者並びに特定子ども・子育て支援施設等

第１節　特定教育・保育施設及び特定地域型保育事業者」

を「　第６節　乳児等のための支援給付

第１款　通則（第30条の12・第30条の13）

第２款　乳児等支援給付認定等（第30条の14―第30条の19）

第３款　乳児等支援給付費及び特例乳児等支援給付費の支給（第30条の20・第30条の21）

第３章　特定教育・保育施設、特定地域型保育事業者及び特定乳児等通園支援事業者並びに特定子ども・子育て支援施設等

第１節　特定教育・保育施設、特定地域型保育事業者及び特定乳児等通園支援事業者」

に、「第３款　業務管理体制の整備等（第55条―第57条）

第４款　教育・保育に関する情報の報告及び公表（第58条）」

を、「第３款　特定乳児等通園支援事業者（第54条の２・第54条の３）

第４款　業務管理体制の整備等（第55条―第57条）

第５款　教育・保育等に関する情報の報告及び公表（第58条）」

に、「第４章の２　仕事・子育て両立支援事業（第59条の２）」

を「第４章の２　仕事・子育て両立支援事業（第59条の２）

第４章の３　働き方等の多様化に対応した子育て支援事業（第59条の３）」

に、「第６章　費用等（第65条―第71条）」を

「第６章　費用等

第１節　費用の支弁等（第65条―第68条の２）

第２節　拠出金の徴収等（第69条―第71条）

第３節　子ども・子育て支援納付金の徴収等

第１款　通則（第71条の２）

第２款　子ども・子育て支援納付金の徴収及び納付義務（第71条の３）

第３款　子ども・子育て支援納付金の額等（第71条の４―第71条の７）

第４款　子ども・子育て支援納付金の徴収の方法（第71条の８―第71条の13）

第５款　社会保険診療報酬支払基金による徴収事務の実施等（第71条の14―第71条の25）

第６款　子ども・子育て支援特例公債の発行等（第71条の26―第71条の28）

第７款　雑則（第71条の29・第71条の30）」

に、「第78条」を「第77条の２」に改める。

第１条中「子どもに」を「子ども及び子育てに」に、「成長する」を「成長し、及び子どもを持つことを希望する者が安心して子どもを生み、育てる」に改める。

第７条第１項中「が等しく確保されるよう」を「を等しく確保するとともに、子どもを持つことを希望する者が安心して子どもを生み、育てることができる環境を整備するため」に改め、同条に次の１項を加える。

11　この法律において「乳児等通園支援」とは、児童福祉法第６条の３第23項に規定する乳児等通園支援事業として行う同項の乳児又は幼児への遊び及び生活の場の提供並びにその保護者との面談及び当該保護者への援助をいう。

第８条中「子どものための現金給付」の下に「、妊婦のための支援給付」を加え、「及び子育てのための施設等利用給付」を「、子育てのための施設等利用給付及び乳児等のための支援給付」に改める。

第30条の３中「第12条から第18条まで」を「第10条の６、第10条の７及び第12条から第16条まで」に改める。

第２章第４節を同章第５節とする。

第12条第３項中「（昭和22年法律第67号）」を削る。

第13条の前の見出しを削り、同条に見出しとして「（報告等）」を付し、同条第２項及び第３項を削る。

第14条に見出しとして「（報告徴収及び立入検査）」を付し、同条第１項中「関係者」を「、関係者」に改め、同条第２項を次のように改める。

２　前項の規定により立入検査をする職員は、その身分を示す証明書を携帯し、関係人の請求があったときは、これを提示しなければならない。

第14条に次の１項を加える。

３　第１項の規定による立入検査の権限は、犯罪捜査のために認められたものと解釈してはならない。

第15条第３項を削る。

第17条及び第18条を次のように改める。

（準用）

第17条　第10条の６及び第10条の７の規定は、子どものための教育・保育給付について準用する。

第18条　削除

第２章中第３節を第４節とし、第２節の次に次の１節を加える。

第３節　妊婦のための支援給付

第１款　通則

（妊婦のための支援給付）

第10条の２　妊婦のための支援給付は、妊婦支援給付金の支給とする。

（妊婦等包括相談支援事業等との連携）

第10条の３　市町村は、妊婦のための支援給付を行うに当たっては、妊婦支援給付金の支給と児童福祉法第６条の３第22項に規定する妊婦等包括相談支援事業による援助その他の支援とを効果的に組み合わせることにより、妊娠中の身体的、精神的及び経済的な負担の軽減のための総合的な支援を行うよう配慮するものとする。

（不正利得の徴収）

第10条の４　市町村は、偽りその他不正の手段により妊婦のための支援給付を受けた者があるとき

は、その者から、その妊婦のための支援給付の額に相当する金額の全部又は一部を徴収することができる。
2　前項の規定による徴収金は、地方自治法（昭和22年法律第67号）第231条の3第3項に規定する法律で定める歳入とする。
（報告等）
第10条の5　市町村は、妊婦のための支援給付に関して必要があると認めるときは、この法律の施行に必要な限度において、妊婦若しくはその配偶者若しくは妊婦の属する世帯の世帯主その他その世帯に属する者又はこれらの者であった者に対し、報告若しくは文書その他の物件の提出若しくは提示を命じ、又はその職員に質問させることができる。
（受給権の保護）
第10条の6　妊婦のための支援給付を受ける権利は、譲り渡し、担保に供し、又は差し押さえることができない。
（租税その他の公課の禁止）
第10条の7　租税その他の公課は、妊婦のための支援給付として支給を受けた金品を標準として、課することができない。

第2款　妊婦給付認定等

（支給要件）
第10条の8　妊婦のための支援給付は、妊婦であって、日本国内に住所を有するものに対して行う。
（市町村の認定等）
第10条の9　妊婦のための支援給付を受けようとする者は、内閣府令で定めるところにより、市町村に対し、妊婦のための支援給付を受ける資格を有することについての認定を申請し、その認定を受けなければならない。
2　前項の認定（以下「妊婦給付認定」という。）は、当該妊婦給付認定を受けようとする者の住所地の市町村が行うものとする。
（妊婦給付認定の取消し）
第10条の10　妊婦給付認定を行った市町村は、妊婦給付認定を受けた者（以下「妊婦給付認定者」という。）が当該市町村以外の市町村の区域内に住所地を有するに至ったと認めるときその他政令で定めるときは、当該妊婦給付認定を取り消すことができる。
（内閣府令への委任）
第10条の11　この款に定めるもののほか、妊婦給付認定の申請その他の手続に関し必要な事項は、内閣府令で定める。

第3款　妊婦支援給付金の支給

（妊婦支援給付金の支給）
第10条の12　市町村は、妊婦給付認定者に対し、妊婦支援給付金を支給する。
2　妊婦支援給付金の額は、当該妊婦給付認定者の胎児の数に1を加えた数に5万円を乗じて得た額とする。
3　妊婦給付認定者が当該妊婦給付認定の原因となった妊娠と同一の妊娠を原因として他の市町村から妊婦支援給付金の支給を受けた場合には、当該妊婦給付認定者が市町村から支払を受けることができる妊婦支援給付金の額は、前項に規定する額から当該他の市町村から支払を受けた額を控除した額とする。
（届出等）
第10条の13　妊婦給付認定者は、内閣府令で定めるところにより、市町村に対し、当該妊婦給付認定者の胎児の数その他内閣府令で定める事項を届け出なければならない。
2　市町村は、他の市町村に対し、妊婦支援給付金の支給のため必要な情報の提供を求めることができる。
（妊婦支援給付金の支払方法）
第10条の14　妊婦支援給付金のうち、5万円は妊婦給付認定後遅滞なく、第10条の12第2項の規定により算定した額から5万円を控除した額は当該妊婦給付認定者の胎児の数についての前条第1項の規定による届出があった日以後に支払うものとする。ただし、第10条の12第3項の規定の適用がある場合における妊婦支援給付金については、同項の規定により算定した額を当該届出があった日以後に支払うものとする。
2　妊婦支援給付金は、現金その他確実な支払の方法で内閣府令で定めるものにより支払うものとする。
（内閣府令への委任）
第10条の15　この款に定めるもののほか、妊婦支援給付金の支給に関し必要な事項は、内閣府令で定める。
第2章に次の1節を加える。

第6節　乳児等のための支援給付

第1款　通則

（乳児等のための支援給付）
第30条の12　乳児等のための支援給付は、乳児等支援給付費及び特例乳児等支援給付費の支給とする。
（準用）

第30条の13 第10条の６、第10条の７及び第12条から第16条までの規定は、乳児等のための支援給付について準用する。この場合において、必要な技術的読替えは、政令で定める。

第２款 乳児等支援給付認定等

（支給要件）

第30条の14 乳児等のための支援給付は、支給対象小学校就学前子ども（満３歳未満の小学校就学前子ども（当該小学校就学前子どもに係る教育・保育給付認定保護者が現に施設型給付費、特例施設型給付費、地域型保育給付費若しくは特例地域型保育給付費の支給を受けている場合における当該小学校就学前子ども又は第７条第10項第４号ハの政令で定める施設を利用している小学校就学前子どもを除く。）をいう。以下この節及び第54条の２第２項において同じ。）の保護者に対し、当該支給対象小学校就学前子どもの第30条の20第１項に規定する特定乳児等通園支援の利用について行う。

（市町村の認定等）

第30条の15 支給対象小学校就学前子どもの保護者は、乳児等のための支援給付を受けようとするときは、内閣府令で定めるところにより、市町村に対し、その支給対象小学校就学前子どもごとに、乳児等のための支援給付を受ける資格を有することについての認定を申請し、その認定を受けなければならない。

２ 前項の認定（以下「乳児等支援給付認定」という。）は、支給対象小学校就学前子どもの保護者の居住地の市町村が行うものとする。ただし、当該支給対象小学校就学前子どもの保護者が居住地を有しないとき、又はその居住地が明らかでないときは、当該支給対象小学校就学前子どもの保護者の現在地の市町村が行うものとする。

３ 市町村は、乳児等支援給付認定を行ったときは、内閣府令で定めるところにより、当該乳児等支援給付認定に係る保護者（以下「乳児等支援給付認定保護者」という。）に氏名その他の内閣府令で定める事項を記載した認定証（以下「乳児等支援支給認定証」という。）を交付するものとする。

（乳児等支援給付認定の有効期間）

第30条の16 乳児等支援給付認定は、当該乳児等支援給付認定に係る支給対象小学校就学前子ども（以下「乳児等支援給付認定子ども」という。）が満３歳に達する日の前日まで効力を有する。

（乳児等支援給付認定の変更）

第30条の17 乳児等支援給付認定保護者は、第30条の15第３項の内閣府令で定める事項を変更しようとするときは、内閣府令で定めるところにより、その旨を市町村に届け出なければならない。

２ 前項の規定による届出は、内閣府令で定める届出書に乳児等支援支給認定証を添付して行うものとする。

（乳児等支援給付認定の取消し）

第30条の18 乳児等支援給付認定を行った市町村は、次に掲げる場合には、当該乳児等支援給付認定を取り消すことができる。

一 乳児等支援給付認定子どもが支給対象小学校就学前子どもに該当しなくなったとき。

二 乳児等支援給付認定保護者が当該市町村以外の市町村の区域内に居住地を有するに至ったと認めるとき。

三 乳児等支援給付認定保護者が前条第１項の規定に違反したとき。

四 その他政令で定めるとき。

２ 前項の規定により乳児等支援給付認定の取消しを行った市町村は、内閣府令で定めるところにより、当該取消しに係る乳児等支援給付認定保護者に対し、乳児等支援支給認定証の返還を求めるものとする。

（内閣府令への委任）

第30条の19 この款に定めるもののほか、乳児等支援給付認定の申請その他の手続に関し必要な事項は、内閣府令で定める。

第３款 乳児等支援給付費及び特例乳児等支援給付費の支給

（乳児等支援給付費の支給）

第30条の20 市町村は、乳児等支援給付認定保護者が乳児等支援給付認定子どもについて、第54条の３に規定する特定乳児等通園支援事業者（以下この款において「特定乳児等通園支援事業者」という。）の行う第54条の２第１項の確認に係る乳児等通園支援（以下この款、第62条第２項第５号及び第72条第１項第３号において「特定乳児等通園支援」という。）を利用したときは、内閣府令で定めるところにより、当該乳児等支援給付認定保護者に対し、乳児等支援給付費を支給するものとする。

２ 特定乳児等通園支援を利用しようとする乳児等支援給付認定保護者は、内閣府令で定めるところにより、特定乳児等通園支援事業者に乳児等支援支給認定証を提示するものとする。ただし、緊急の場合その他やむを得ない事由のある場合については、この限りでない。
3　乳児等支援給付費の額は、1月につき、特定乳児等通園支援を行う事業所の所在する地域等を勘案して算定される1時間当たりの特定乳児等通園支援に通常要する費用の額を勘案して内閣総理大臣が定める基準により算定した費用の額（その額が現に当該1時間当たりの特定乳児等通園支援に要した費用の額を超えるときは、当該額）に当該月に乳児等支援給付認定子どもについて特定乳児等通園支援を利用した時間（当該時間が10時間以上であって乳児等通園支援の体制の整備の状況その他の事情を勘案して内閣府令で定める時間を超えるときは、当該内閣府令で定める時間）を乗じた額とする。
4　内閣総理大臣は、前項の基準又は内閣府令を定め、又は変更しようとするときは、こども家庭審議会の意見を聴かなければならない。
5　乳児等支援給付認定保護者が乳児等支援給付認定子どもについて特定乳児等通園支援を利用したときは、市町村は、当該乳児等支援給付認定保護者が当該特定乳児等通園支援事業者に支払うべき当該特定乳児等通園支援の利用に要した費用について、乳児等支援給付費として当該乳児等支援給付認定保護者に支給すべき額の限度において、当該乳児等支援給付認定保護者に代わり、当該特定乳児等通園支援事業者に支払うことができる。
6　前項の規定による支払があったときは、乳児等支援給付認定保護者に対し乳児等支援給付費の支給があったものとみなす。
7　市町村は、特定乳児等通園支援事業者から乳児等支援給付費の請求があったときは、第3項の基準及び第54条の3において準用する第46条第2項の市町村の条例で定める基準（特定乳児等通園支援の取扱いに関する部分に限る。）に照らして審査の上、支払うものとする。
8　前各項に定めるもののほか、乳児等支援給付費の支給に関し必要な事項は、内閣府令で定める。

（特例乳児等支援給付費の支給）

第30条の21　乳児等支援給付認定保護者は、第30条の15第1項の規定による申請（以下この項及び次項において「申請」という。）をした日から当該乳児等支援給付認定の効力が生じた日の前日までの間（以下この項及び次項において「申請中期間」という。）に当該申請に係る支給対象小学校就学前子どもについて特定乳児等通園支援を利用した場合であって、申請中期間に特定乳児等通園支援を利用することがやむを得ないと認められる事由として内閣府令で定めるものがあるときは、特定乳児等通園支援に要した費用について、特例乳児等支援給付費の支給を受けることができる。
2　特例乳児等支援給付費の額は、前条第3項の基準により算定した1時間当たりの費用の額（その額が現に当該特定乳児等通園支援に要した1時間当たりの費用の額を超えるときは、当該額）に乳児等支援給付認定保護者が申請中期間に申請に係る支給対象小学校就学前子どもについて特定乳児等通園支援を利用した時間（同項の内閣府令で定める時間を超えるときは、当該内閣府令で定める時間）を乗じた額とする。
3　前条第5項から第7項までの規定は、特例乳児等支援給付費の支給について準用する。この場合において、必要な技術的読替えは、政令で定める。
4　前3項に定めるもののほか、特例乳児等支援給付費の支給に関し必要な事項は、内閣府令で定める。

第3章の章名及び同章第1節の節名中「及び特定地域型保育事業者」を「、特定地域型保育事業者及び特定乳児等通園支援事業者」に改める。

第38条の見出しを「（報告徴収及び立入検査）」に改め、同条第1項中「関係者」を「、関係者」に改め、同条第2項を次のように改める。
2　第14条第2項及び第3項の規定は、前項の規定による立入検査について準用する。

第50条の見出しを「（報告徴収及び立入検査）」に改め、同条第1項中「関係者」を「、関係者」に改め、同条第2項を次のように改める。
2　第14条第2項及び第3項の規定は、前項の規定による立入検査について準用する。

第58条第1項中「又は特定地域型保育事業者」を「、特定地域型保育事業者又は特定乳児等通園支援事業者」に、「教育・保育の」を「教育・保育等の」に、「教育・保育に係る教育・保育情報」を「教育・保育等に係る教育・保育等情報」に、「教育・保育を」を「教育・保育等を」に改め、同条第7項中「教育・保育を」を「教育・保育等を」に、「教育・保育の」を「教育・保育等の」に、「教育・保育情報」を「教育・保育等情報」に改め、同項を同条第9項とし、同条第6項中「第4項」を「第6項」に改め、同項を同条第8項とし、同条第5項を同条第7項とし、同条第4項中「第1項」の下に「又は第2項」を加え、同項を同条第6項とし、同条第3項中「第1項」の下に「又は第2項」を加え、「教育・保育情報」を「教育・保育等情報又は特定教育・保育施設設置者等経営情報」に改め、同項を同条第５項とし、同条第２項中「前項」を「前２項」に改め、「内容」の下に「（特定教育・保育施設設置者等経営情報にあっては、職員の処遇等に関する情報であって、小学校就学前子どもに教育・保育を受けさせ、又は受けさせようとする小学校就学前子どもの保護者が適切かつ円滑に教育・保育を小学校就学前子どもに受けさせる機会を確保するために公表されることが必要なものとして内閣府令で定める事項に限る。）」を加え、同項を同条第３項とし、同項の次に次の１項を加える。

４　都道府県知事は、内閣府令で定めるところにより、第２項の規定により報告を受けた特定教育・保育施設設置者等経営情報について調査及び分析を行い、当該調査及び分析の結果を公表するよう努めるものとする。

第58条第１項の次に次の１項を加える。

２　特定教育・保育施設の設置者及び特定地域型保育事業者は、政令で定めるところにより、毎事業年度終了後５月以内に、当該事業年度に係る特定教育・保育施設設置者等経営情報（特定教育・保育施設及び特定地域型保育事業所ごとの収益及び費用その他内閣府令で定める事項をいう。以下この条及び第62条第３項第２号において同じ。）を教育・保育を提供する施設又は事業所の所在地の都道府県知事に報告しなければならない。

第３章第１節第４款の款名中「教育・保育」を「教育・保育等」に改め、同款を同節第５款とする。

第55条第１項中「及び特定地域型保育事業者」を「、特定地域型保育事業者及び特定乳児等通園支援事業者」に改め、「第45条第５項」の下に「（前条において準用する場合を含む。）」を加え、同条第２項第１号中「又は地域型保育事業所」を「、地域型保育事業所」に改め、「同じ。）」の下に「又は乳児等通園支援事業所」を加え、同項第２号中「又は地域型保育事業所」を「、地域型保育事業所又は乳児等通園支援事業所」に改める。

第56条の見出しを「（報告徴収及び立入検査）」に改め、同条第１項中「関係者」を「、関係者」に、「若しくは地域型保育事業所」を「、地域型保育事業所若しくは乳児等通園支援事業所」に、「の教育・保育」を「の教育・保育等（教育・保育又は乳児等通園支援をいう。以下同じ。）」に改め、同条第５項を次のように改める。

５　第14条第２項及び第３項の規定は、第１項の規定による立入検査について準用する。

第57条第１項中「地域型保育給付費」の下に「若しくは乳児等支援給付費」を加える。

第３章第１節中第３款を第４款とし、第２款の次に次の１款を加える。

第３款　特定乳児等通園支援事業者

（特定乳児等通園支援事業者の確認）

第54条の２　乳児等通園支援を行う者は、乳児等支援給付費の支給に係る事業を行う者である旨の市町村長の確認を受けることができる。

２　前項の確認は、内閣府令で定めるところにより、乳児等通園支援を行う者の申請により、乳児等通園支援事業所（乳児等通園支援を行う事業所をいう。第55条第２項第１号及び第２号並びに第56条第１項において同じ。）ごとに、支給対象小学校就学前子どもに係る乳児等通園支援の利用定員を定めて、市町村長が行う。

３　市町村長は、前項の利用定員を定めようとするときは、第72条第１項の審議会その他の合議制の機関を設置している場合にあってはその意見を、その他の場合にあっては子どもの保護者その他子ども・子育て支援に係る当事者の意見を聴かなければならない。

（準用）

第54条の３　第44条から第54条までの規定（第45条第２項を除く。）は、前条第１項の確認を受けた者（以下「特定乳児等通園支援事業者」という。）について準用する。この場合において、必要な技術的読替えは、政令で定める。

第58条の８の見出しを「（報告徴収及び立入検査）」に改め、同条第１項中「関係者」を「、関係者」に改め、同条第２項を次のように改める。

２　第14条第２項及び第３項の規定は、前項の規定による立入検査について準用する。

第58条の９第６項第３号イ中「認定子ども園法」を「認定こども園法」に改める。

第59条第１号中「子ども及び」を「妊婦及びその配偶者並びに子ども及び」に、「子ども又は子どもの」を「妊婦若しくはその配偶者又は子ども若しくはその」に改め、同条に次の１号を加える。

十四　母子保健法第17条の２第１項に規定する産後ケア事業

第59条の２第２項中「仕事・子育て両立支援事業」の下に「（前項に規定するものを除く。）」を加え、同項を同条第３項とし、同条第１項の次に次の１項を加える。

２　政府は、子どもを養育する者の出生後休業（子どもを養育するための休業をいう。）の取得及び育児時短就業（子どもを養育するために所定労働時間を短縮して就業することをいう。）を促進するため、仕事・子育て両立支援事業として、雇用保険法（昭和49年法律第116号）の規定による出生後休業支援給付及び育児時短就業給付を行うものとする。

第59条の２の次に次の１章を加える。

第４章の３　働き方等の多様化に対応した子育て支援事業

第59条の３　政府は、子どもを養育する者の働き方及び生活様式の多様化を踏まえ、仕事・子育て両立支援事業の対象とならない者の子育てに対する支援の充実を図るため、働き方等の多様化に対応した子育て支援事業として、１歳未満の子どもを養育する国民年金の被保険者に対して経済的支援を行うものとする。

２　前項の経済的支援は、国民年金法（昭和34年法律第141号）第88条の３の定めるところによる。

第60条第１項中「教育・保育」を「教育・保育等」に、「及び仕事・子育て両立支援事業」を「、仕事・子育て両立支援事業及び働き方等の多様化に対応した子育て支援事業」に改め、同条第２項第１号中「教育・保育給付」の下に「及び乳児等のための支援給付」を加え、「教育・保育を」を「教育・保育等を」に、「及び仕事・子育て両立支援事業」を「、仕事・子育て両立支援事業及び働き方等の多様化に対応した子育て支援事業」に改め、同項第２号中「教育・保育」を「教育・保育等」に改める。

第61条第１項中「教育・保育」を「教育・保育等」に改め、同条第２項中第４号を第５号とし、第３号を第４号とし、第２号を第３号とし、第１号の次に次の１号を加える。

二　教育・保育提供区域ごとの当該教育・保育提供区域における各年度の特定乳児等通園支援事業者に係る必要利用定員総数その他の乳児等通園支援の量の見込み並びに当該市町村が実施しようとする乳児等通園支援の提供体制の確保の内容及びその実施時期

第61条第２項に次の１号を加える。

六　乳児等のための支援給付に係る教育・保育等の一体的提供及び当該教育・保育等の推進に関する体制の確保の内容

第62条第１項中「教育・保育」を「教育・保育等」に改め、同条第２項中第６号を第７号とし、第５号を第６号とし、同項第４号中「及び特定地域型保育」を「、特定地域型保育及び特定乳児等通園支援」に改め、同号を同項第５号とし、同項第３号の次に次の１号を加える。

四　乳児等のための支援給付に係る教育・保育等の一体的提供及び当該教育・保育等の推進に関する体制の確保の内容

第62条第３項第２号中「教育・保育情報」を「教育・保育等情報」に、「の公表」を「及び特定教育・保育施設設置者等経営情報（第58条第３項の内閣府令で定める事項に限る。）の公表」に改める。

第６章中第65条の前に次の節名を付する。

第１節　費用の支弁等

第65条第１号を同条第１号の２とし、同号の前に次の１号を加える。

一　妊婦支援給付金の支給に要する費用

第65条第５号の次に次の１号を加える。

五の二　乳児等支援給付費及び特例乳児等支援給付費の支給に要する費用

第66条の３第１項中「５分の１」を「50分の11」に、「次条第１項及び第68条第１項」を「第67条第１項及び第68条第２項」に改め、同条の次に次の１条を加える。

（妊婦支援給付金等支給費用への国等の交付金の充当）

第66条の４　第65条の規定により市町村が支弁する同条第１号に掲げる費用については、その全額につき、第68条第１項の規定による国からの交付金をもって充てる。

２　第65条の規定により市町村が支弁する同条第５号の２に掲げる費用については、その８分の１に相当する額につき次条第３項の規定による都道府県からの交付金を、４分の３に相当する額につき第68条第４項の規定による国からの交付金をもって充てるものとし、当該費用の８分の１に相当する額を市町村が負担する。

第67条第１項及び第２項中「４分の１を負担する」を「４分の１に相当する額を負担するものとし、市町村に対し、当該費用に充当させるため、当該額を交付する」に改め、同条第３項を次のように改める。

３　都道府県は、政令で定めるところにより、第65条の規定により市町村が支弁する同条第５号の２に掲げる費用の額の８分の１に相当する額を負担するものとし、市町村に対し、当該費用に充当させるため、当該額を交付する。

第67条の次に次の１条を加える。

（地域子ども・子育て支援事業に係る都道府県の交付金）

第67条の２　都道府県は、政令で定めるところにより、市町村に対し、第65条の規定により市町村が支弁する同条第６号に掲げる費用に充当させるため、当該都道府県の予算の範囲内で、交付金を交付することができる。

第68条の見出し中「市町村」を「国から市町村」に改め、同条第３項を削り、同条第２項中「前条第２項」を「第67条第２項」に改め、同項を同条第３項とし、同条第１項を同条第２項とし、同条に第１項として次の１項を加える。

国は、政令で定めるところにより、市町村に対し、第65条の規定により市町村が支弁する同条第１号に掲げる費用に充当させるため、第71条の３第１項の規定により国が徴収する子ども・子育て支援納付金を原資として、当該費用の全額に相当する額を交付する。

第68条に次の１項を加える。

４　国は、政令で定めるところにより、市町村に対し、第65条の規定により市町村が支弁する同条第５号の２に掲げる費用に充当させるため、当該費用の額の４分の３に相当する額を交付する。この場合において、国が交付する交付金のうち、当該費用の額の４分の１に相当する額は国が負担し、当該費用の額の２分の１に相当する額は第71条の３第１項の規定により国が徴収する子ども・子育て支援納付金を原資とする。

第68条の次に次の１条を加える。

（地域子ども・子育て支援事業に係る国の交付金）

第68条の２　国は、政令で定めるところにより、市町村に対し、第65条の規定により市町村が支弁する同条第６号に掲げる費用に充当させるため、予算の範囲内で、交付金を交付することができる。

第69条の前に次の節名を付する。

第２節　拠出金の徴収等

第69条第１項中「第18条第１項に規定するもの」を「第19条第１項の規定による国の交付金を充てる部分のうち、拠出金を原資とする部分」に、「同項」を「第59条の２第２項に規定する事業に係るものを除く。次条第２項」に改める。

第70条第２項中「第68条第１項」を「第68条第２項」に、「国が負担する」を「国が交付する」に改め、「係るもの」の下に「について国が負担する部分」を加え、「同条第３項」を「第68条の２」に、「第18条第１項の規定により国庫が負担する額」を「第19条第１項の規定により国が交付する額（拠出金を原資とする部分を除く。）」に、「1000分の4.5」を「1000分の4.0」に改める。

第６章中第71条の次に次の１節を加える。

第３節　子ども・子育て支援納付金の徴収等

第１款　通則

第71条の２　この節において「健康保険各法」とは、次に掲げる法律をいう。

一　健康保険法（大正11年法律第70号）
二　船員保険法（昭和14年法律第73号）
三　国民健康保険法（昭和33年法律第192号）
四　国家公務員共済組合法
五　地方公務員等共済組合法
六　私立学校教職員共済法

２　この節において「健康保険者」とは、健康保険各法の規定により保険給付を行う全国健康保険協会、健康保険組合、都道府県、国民健康保険組合、共済組合又は日本私立学校振興・共済事業団をいう。

３　この節において「被用者保険等保険者」とは、健康保険者（健康保険法第123条第１項の規定による保険者（以下この節において「日雇保険者」という。）としての全国健康保険協会、都道府県及び国民健康保険組合を除く。）又は同法第３条第１項第８号の承認を受けて同法の被保険者とならない者を組合員とする国民健康保険組合であって内閣総理大臣が定めるものをいう。

４　この節において「地域保険等保険者」とは、被用者保険等保険者以外の健康保険者をいう。

５　この節において「健康保険者等」とは、健康保険者又は高齢者の医療の確保に関する法律（昭和57年法律第80号）第48条に規定する後期高齢者医療広域連合（以下この節において「後期高齢者医療広域連合」という。）をいう。

６　この節において「加入者等」とは、次に掲げる者をいう。

一　健康保険法の規定による被保険者（同法第３条第２項に規定する日雇特例被保険者を除く。）
二　船員保険法の規定による被保険者
三　国民健康保険法の規定による被保険者
四　国家公務員共済組合法又は地方公務員等共済組合法に基づく共済組合の組合員
五　私立学校教職員共済法の規定による私立学校教職員共済制度の加入者
六　健康保険法、船員保険法、国家公務員共済組合法（他の法律において準用する場合を含む。）又は地方公務員等共済組合法の規定による被扶養者（健康保険法第３条第２項に規定する日雇特例被保険者の同法の規定による被扶養者を除く。）

七　健康保険法第126条の規定により日雇特例被保険者手帳の交付を受け、その手帳に健康保険印紙を貼り付けるべき余白がなくなるに至るまでの間にある者及び同法の規定によるその者の被扶養者（同法第３条第２項ただし書の承認を受けて同項に規定する日雇特例被保険者とならない期間内にある者及び同法第126条第３項の規定により当該日雇特例被保険者手帳を返納した者並びに同法の規定によるそれらの者の被扶養者を除く。）

八　高齢者の医療の確保に関する法律の規定による被保険者

第２款　子ども・子育て支援納付金の徴収及び納付義務

第71条の３　政府は、次に掲げる費用（以下「支援納付金対象費用」という。）に充てるため、令和８年度から毎年度、健康保険者等から、子ども・子育て支援納付金を徴収する。

一　第68条第１項の規定による交付金の交付に要する費用

二　第68条第４項の規定による交付金の交付に要する費用（当該費用のうち国が負担する部分を除いた部分に限る。）

三　児童手当法第19条の規定による交付金の交付に要する費用（同条第１項の規定による交付金の交付に要する費用のうち拠出金を原資とする部分を除いた部分並びに同条第２項及び第３項の規定による交付金の交付に要する費用のうち国が負担する部分を除いた部分に限る。）

四　雇用保険法第61条の６第３項に規定する出生後休業支援給付金及び同条第４項に規定する育児時短就業給付金の支給に要する費用

五　国民年金法第88条の３第３項の規定による保険料に相当する額の補塡に要する費用

六　子ども・子育て支援特例公債等（第71条の27に規定する子ども・子育て支援特例公債等をいう。以下この号において同じ。）の償還金（同条に規定する借換国債を発行した場合にあっては、当該借換国債の収入をもって充てられる部分を除く。）、利子並びに子ども・子育て支援特例公債等の発行及び償還に関連する経費として政令で定めるもの

２　健康保険者等は、子ども・子育て支援納付金を納付する義務を負う。

第３款　子ども・子育て支援納付金の額等

（子ども・子育て支援納付金の額）

第71条の４　前条第１項の規定により各健康保険者等から毎年度徴収する子ども・子育て支援納付金の額は、当該年度（以下この条において「徴収年度」という。）の当該健康保険者等に係る概算支援納付金の額とする。ただし、徴収年度の前々年度の概算支援納付金の額が当該年度の確定支援納付金の額を超えるときは、徴収年度の概算支援納付金の額からその超える額とその超える額に係る調整金額との合計額を控除して得た額とするものとし、徴収年度の前々年度の概算支援納付金の額が当該年度の確定支援納付金の額に満たないときは、徴収年度の概算支援納付金の額にその満たない額とその満たない額に係る調整金額との合計額を加算して得た額とする。

２　前項ただし書の調整金額は、徴収年度の前々年度における全ての健康保険者等に係る概算支援納付金の額と確定支援納付金の額との過不足額につき生ずる利子その他の事情を勘案して内閣府令で定めるところにより健康保険者等ごとに算定される額とする。

（概算支援納付金）

第71条の５　各年度における前条の概算支援納付金の額は、次の各号に掲げる健康保険者等の区分に応じ、当該各号に定める額とする。

一　被用者保険等保険者　当該年度における支援納付金対象費用の予定額（以下この項において「支援納付金算定対象予定額」という。）から全ての後期高齢者医療広域連合について第４号に定めるところにより算定した額の総額を控除して得た額に、当該年度におけるイ及びロに掲げる数を順次乗じて得た額

イ　内閣府令で定めるところにより算定した全ての被用者保険等保険者に係る加入者等の見込数の総数を内閣府令で定めるところにより算定した全ての健康保険者に係る加入者等の見込数の総数で除して得た数

ロ　当該被用者保険等保険者に係る標準報酬総額の見込額（当該年度の標準報酬総額と見込まれる額として内閣府令で定めるところにより算定される額をいう。以下このロにおいて同じ。）を全ての被用者保険等保険者に係る標準報酬総額の見込額の合計額で除して得た数

二　地域保険等保険者（日雇保険者としての全国健康保険協会を除く。）　当該年度における支援納付金算定対象予定額から全ての後期高齢者医療広域連合について第４号に定めるところによ

り算定した額の総額を控除して得た額に、当該年度におけるイ及びロに掲げる数を順次乗じて得た額

イ　内閣府令で定めるところにより算定した全ての地域保険等保険者（日雇保険者としての全国健康保険協会を除く。）に係る加入者等の見込数の総数を内閣府令で定めるところにより算定した全ての健康保険者に係る加入者等の見込数の総数で除して得た数

ロ　内閣府令で定めるところにより算定した当該地域保険等保険者に係る加入者等（18歳に達する日以後の最初の３月31日までの間にある加入者等（以下このロ及び次条第１項第２号ロにおいて「18歳未満加入者等」という。）を除く。）の見込数を内閣府令で定めるところにより算定した全ての地域保険等保険者（日雇保険者としての全国健康保険協会を除く。）に係る加入者等（18歳未満加入者等を除く。）の見込数の総数で除して得た数

三　日雇保険者としての全国健康保険協会　当該年度における支援納付金算定対象予定額から全ての後期高齢者医療広域連合について次号に定めるところにより算定した額の総額を控除して得た額に、当該年度における内閣府令で定めるところにより算定した日雇保険者としての全国健康保険協会に係る加入者等の見込数を内閣府令で定めるところにより算定した全ての健康保険者に係る加入者等の見込数の総数で除して得た数を乗じて得た額

四　後期高齢者医療広域連合　当該年度における支援納付金算定対象予定額に、当該年度におけるイ、ロ及びハに掲げる数を順次乗じて得た額

イ　概算後期高齢者支援納付金率

ロ　内閣府令で定めるところにより算定した当該後期高齢者医療広域連合に係る被保険者の見込数を内閣府令で定めるところにより算定した全ての後期高齢者医療広域連合に係る被保険者の見込数の総数で除して得た数

ハ　当該後期高齢者医療広域連合に係る所得係数

2　前項第１号ロの被用者保険等保険者に係る標準報酬総額は、次の各号に掲げる被用者保険等保険者の区分に応じ各年度の当該各号に定める額を当該被用者保険等保険者の全ての加入者等について合算した額を、それぞれ内閣府令で定めるところにより補正して得た額とする。

一　全国健康保険協会及び健康保険組合　被保険者ごとの健康保険法又は船員保険法に規定する標準報酬月額及び標準賞与額の総額

二　共済組合　組合員ごとの国家公務員共済組合法又は地方公務員等共済組合法に規定する標準報酬の月額及び標準期末手当等の額の総額

三　日本私立学校振興・共済事業団　加入者ごとの私立学校教職員共済法に規定する標準報酬月額及び標準賞与額の総額

四　国民健康保険組合　組合員ごとの前３号に定める額に相当するものとして内閣府令で定める額

3　第１項第４号イの概算後期高齢者支援納付金率は、次の各号に掲げる年度の区分に応じ、当該各号に定める率とする。

一　令和８年度及び令和９年度　100分の８

二　令和10年度以降の年度　内閣総理大臣が２年ごとに告示する率

4　前項第２号の内閣総理大臣が告示する率は、第１号に掲げる数を第２号に掲げる数で除して得た数（その数に小数点以下４位未満の端数があるときは、これを四捨五入する。）とする。

一　内閣府令で定めるところにより算定した当該告示を行う年度における全ての後期高齢者医療広域連合に係る被保険者の見込数の総数を内閣府令で定めるところにより算定した令和８年度における全ての後期高齢者医療広域連合に係る被保険者の総数で除して得た数に100分の８を乗じて得た数

二　前号に掲げる数に、内閣府令で定めるところにより算定した当該告示を行う年度における全ての健康保険者に係る加入者等の見込数の総数を内閣府令で定めるところにより算定した令和８年度における全ての健康保険者に係る加入者等の総数で除して得た数に100分の92を乗じて得た数を加えて得た数

5　各年度における第１項第４号ハの所得係数は、内閣府令で定めるところにより算定した当該後期高齢者医療広域連合に係る被保険者の所得の平均額を内閣府令で定めるところにより算定した全ての後期高齢者医療広域連合に係る被保険者の所得の平均額で除して得た数とする。

（確定支援納付金）

第71条の６　各年度における第71条の４第１項ただし書の確定支援納付金の額は、次の各号に掲げる健康保険者等の区分に応じ、当該各号に定める額とする。

一　被用者保険等保険者　当該年度における支援

納付金対象費用の額（以下この項において「支援納付金算定対象額」という。）から全ての後期高齢者医療広域連合について第４号に定めるところにより算定した額の総額を控除して得た額に、当該年度におけるイ及びロに掲げる数を順次乗じて得た額

イ　内閣府令で定めるところにより算定した全ての被用者保険等保険者に係る加入者等の総数を内閣府令で定めるところにより算定した全ての健康保険者に係る加入者等の総数で除して得た数

ロ　当該被用者保険等保険者に係る標準報酬総額（前条第２項に規定する被用者保険等保険者に係る標準報酬総額をいう。以下このロにおいて同じ。）を全ての被用者保険等保険者に係る標準報酬総額の合計額で除して得た数

二　地域保険等保険者（日雇保険者としての全国健康保険協会を除く。）　当該年度における支援納付金算定対象額から全ての後期高齢者医療広域連合について第４号に定めるところにより算定した額の総額を控除して得た額に、当該年度におけるイ及びロに掲げる数を順次乗じて得た額

イ　内閣府令で定めるところにより算定した全ての地域保険等保険者（日雇保険者としての全国健康保険協会を除く。）に係る加入者等の総数を内閣府令で定めるところにより算定した全ての健康保険者に係る加入者等の総数で除して得た数

ロ　内閣府令で定めるところにより算定した当該地域保険等保険者に係る加入者等（18歳未満加入者等を除く。）の数を内閣府令で定めるところにより算定した全ての地域保険等保険者（日雇保険者としての全国健康保険協会を除く。）に係る加入者等（18歳未満加入者等を除く。）の総数で除して得た数

三　日雇保険者としての全国健康保険協会　当該年度における支援納付金算定対象額から全ての後期高齢者医療広域連合について次号に定めるところにより算定した額の総額を控除して得た額に、当該年度における内閣府令で定めるところにより算定した日雇保険者としての全国健康保険協会に係る加入者等の数を内閣府令で定めるところにより算定した全ての健康保険者に係る加入者等の総数で除して得た数を乗じて得た額

四　後期高齢者医療広域連合　当該年度における支援納付金算定対象額に、当該年度におけるイ、ロ及びハに掲げる数を順次乗じて得た額

イ　確定後期高齢者支援納付金率

ロ　内閣府令で定めるところにより算定した当該後期高齢者医療広域連合に係る被保険者の数を内閣府令で定めるところにより算定した全ての後期高齢者医療広域連合に係る被保険者の総数で除して得た数

ハ　当該後期高齢者医療広域連合に係る前条第５項に規定する所得係数

2　前項第４号イの確定後期高齢者支援納付金率は、次の各号に掲げる年度の区分に応じ、当該各号に定める率とする。

一　令和８年度及び令和９年度　100分の８

二　令和10年度以降の年度　内閣総理大臣が２年ごとに告示する率

3　前項第２号の内閣総理大臣が告示する率は、第１号に掲げる数を第２号に掲げる数で除して得た数（その数に小数点以下４位未満の端数があるときは、これを四捨五入する。）とする。

一　内閣府令で定めるところにより算定した当該告示を行う年度の前々年度における全ての後期高齢者医療広域連合に係る被保険者の総数を内閣府令で定めるところにより算定した令和８年度における全ての後期高齢者医療広域連合に係る被保険者の総数で除して得た数に100分の８を乗じて得た数

二　前号に掲げる数に、内閣府令で定めるところにより算定した当該告示を行う年度の前々年度における全ての健康保険者に係る加入者等の総数を内閣府令で定めるところにより算定した令和８年度における全ての健康保険者に係る加入者等の総数で除して得た数に100分の92を乗じて得た数を加えて得た数

（健康保険者等の合併等の場合における子ども・子育て支援納付金の額の特例）

第71条の７　合併又は分割により成立した健康保険者等、合併又は分割後存続する健康保険者等及び解散をした健康保険者等の権利義務を承継した健康保険者等に係る子ども・子育て支援納付金の額の算定の特例については、政令で定める。

第４款　子ども・子育て支援納付金の徴収の方法

（子ども・子育て支援納付金の通知）

第71条の８　内閣総理大臣は、毎年度、健康保険者等に対し、当該年度に当該健康保険者等が納付すべき子ども・子育て支援納付金の額、納付の方法

及び納付すべき期限その他内閣府令で定める事項を通知しなければならない。

（督促及び滞納処分）

第71条の9　内閣総理大臣は、健康保険者等が、納付すべき期限までに子ども・子育て支援納付金を納付しないときは、期限を指定してこれを督促しなければならない。

2　前項の規定による督促は、当該健康保険者等に対し、督促状を発する方法により行う。この場合において、督促状により指定すべき期限は、督促状を発する日から起算して10日以上経過した日でなければならない。

3　内閣総理大臣は、第1項の規定による督促を受けた健康保険者等がその指定期限までにその督促に係る子ども・子育て支援納付金及び次条の規定による延滞金を完納しないときは、国税滞納処分の例により当該子ども・子育て支援納付金及び延滞金を徴収することができる。

（延滞金）

第71条の10　前条第1項の規定により子ども・子育て支援納付金の納付を督促したときは、内閣総理大臣は、その督促に係る子ども・子育て支援納付金の額につき年14.5パーセントの割合で、納付期日の翌日からその完納又は財産差押えの日の前日までの日数により計算した延滞金を徴収する。ただし、その督促に係る子ども・子育て支援納付金の額が1000円未満であるときは、この限りでない。

2　前項の場合において、子ども・子育て支援納付金の額の一部につき納付があったときは、その納付の日以降の期間に係る延滞金の額の計算の基礎となる子ども・子育て支援納付金の額は、その納付のあった子ども・子育て支援納付金の額を控除した額とする。

3　延滞金の計算において、前2項の子ども・子育て支援納付金の額に1000円未満の端数があるときは、その端数は、切り捨てる。

4　前3項の規定によって計算した延滞金の額に100円未満の端数があるときは、その端数は、切り捨てる。

5　延滞金は、次の各号のいずれかに該当する場合には、徴収しない。ただし、第3号に該当する場合にあっては、その執行を停止し、又は猶予した期間に対応する部分の金額に限る。

一　督促状に指定した期限までに子ども・子育て支援納付金を完納したとき。

二　延滞金の額が100円未満であるとき。

三　子ども・子育て支援納付金について滞納処分の執行を停止し、又は猶予したとき。

四　子ども・子育て支援納付金を納付しないことについてやむを得ない理由があると認められるとき。

（納付の猶予）

第71条の11　内閣総理大臣は、やむを得ない事情により、健康保険者等が子ども・子育て支援納付金を納付することが著しく困難であると認められるときは、内閣府令で定めるところにより、当該健康保険者等の申請に基づき、その納付すべき期限から1年以内の期間を限り、その一部の納付を猶予することができる。

2　内閣総理大臣は、前項の規定による猶予をしたときは、その旨、その猶予に係る子ども・子育て支援納付金の額、猶予期間その他必要な事項を健康保険者等に通知しなければならない。

3　内閣総理大臣は、第1項の規定による猶予をしたときは、その猶予期間内は、その猶予に係る子ども・子育て支援納付金につき新たに第71条の9第1項の規定による督促をすることができない。

（健康保険者等の報告）

第71条の12　健康保険者等は、内閣総理大臣に対し、毎年度、加入者等の数その他の内閣府令で定める事項を報告しなければならない。

（報告徴収及び立入検査）

第71条の13　内閣総理大臣は、子ども・子育て支援納付金の額の算定に関して必要があると認めるときは、この法律の施行に必要な限度において、健康保険者等に対し、報告若しくは帳簿書類その他の物件の提出若しくは提示を命じ、又はその職員に、関係者に対し質問させ、若しくは健康保険者等の事務所その他必要な場所に立ち入り、その設備若しくは帳簿書類その他の物件を検査させることができる。

2　前項の規定により立入検査をする職員は、その身分を示す証明書を携帯し、関係人の請求があったときは、これを提示しなければならない。

3　第1項の規定による立入検査の権限は、犯罪捜査のために認められたものと解釈してはならない。

第5款　社会保険診療報酬支払基金による徴収事務の実施等

（支払基金による子ども・子育て支援納付金の徴収）

第71条の14　内閣総理大臣は、社会保険診療報酬支払基金法（昭和23年法律第129号）による社会保険診療報酬支払基金（以下「支払基金」という。）

に、次に掲げる事務の全部又は一部を行わせることができる。

一　第71条の３第１項の規定による子ども・子育て支援納付金の徴収

二　第71条の９第１項の規定による督促

三　第71条の10第１項の規定による延滞金の徴収

２　内閣総理大臣は、前項の規定により支払基金に同項各号に掲げる事務を行わせる場合は、当該事務を行わないものとする。

３　内閣総理大臣は、第１項の規定により支払基金に同項各号に掲げる事務の全部若しくは一部を行わせることとするとき又は支払基金に行わせていた当該事務の全部若しくは一部を行わせないこととするときは、その旨を公示しなければならない。

（支払基金の業務）

第71条の15　支払基金は、社会保険診療報酬支払基金法第15条に規定する業務のほか、次に掲げる業務（以下「支援納付金関係業務」という。）を行うことができる。

一　前条第１項の規定により行うこととされた事務（以下「徴収事務」という。）を行うこと。

二　前号に掲げる業務に附帯する業務を行うこと。

２　支払基金は、内閣総理大臣の認可を受けて、支援納付金関係業務の一部を健康保険者等が加入している団体で内閣総理大臣が定めるものに委託することができる。

（業務方法書）

第71条の16　支払基金は、第71条の14第１項の規定により徴収事務を行うこととされたときは、支援納付金関係業務に関し、当該業務の開始前に、業務方法書を作成し、内閣総理大臣の認可を受けなければならない。これを変更しようとするときも、同様とする。

２　前項の業務方法書に記載すべき事項は、内閣府令で定める。

（区分経理）

第71条の17　支払基金は、支援納付金関係業務に係る経理については、その他の業務に係る経理と区分して、特別の会計を設けて行わなければならない。

（予算等の認可）

第71条の18　支払基金は、第71条の14第１項の規定により徴収事務を行うこととされたときは、支援納付金関係業務に関し、毎事業年度、予算、事業計画及び資金計画を作成し、当該事業年度の開始前に、内閣総理大臣の認可を受けなければならない。これを変更しようとするときも、同様とする。

（財務諸表等）

第71条の19　支払基金は、第71条の14第１項の規定により徴収事務を行うこととされたときは、支援納付金関係業務に関し、毎事業年度、財産目録、貸借対照表及び損益計算書（以下この条において「財務諸表」という。）を作成し、当該事業年度の終了後３月以内に内閣総理大臣に提出し、その承認を受けなければならない。

２　支払基金は、前項の規定により財務諸表を内閣総理大臣に提出するときは、内閣府令で定めるところにより、これに当該事業年度の事業報告書及び予算の区分に従い作成した決算報告書並びに財務諸表及び決算報告書に関する監事の意見書を添付しなければならない。

３　支払基金は、第１項の承認を受けたときは、遅滞なく、財務諸表又はその要旨を官報に公告し、かつ、財務諸表及び附属明細書並びに前項の事業報告書、決算報告書及び監事の意見書を、主たる事務所に備えて置き、内閣府令で定める期間、一般の閲覧に供しなければならない。

（利益及び損失の処理）

第71条の20　支払基金は、支援納付金関係業務に関し、毎事業年度、損益計算において利益を生じたときは、前事業年度から繰り越した損失を埋め、なお残余があるときは、その残余の額は、積立金として整理しなければならない。

２　支払基金は、支援納付金関係業務に関し、毎事業年度、損益計算において損失を生じたときは、前項の規定による積立金を減額して整理し、なお不足があるときは、その不足額は繰越欠損金として整理しなければならない。

３　支払基金は、予算をもって定める金額に限り、第１項の規定による積立金を支援納付金関係業務に要する費用に充てることができる。

（余裕金の運用）

第71条の21　支払基金は、次に掲げる方法によるほか、支援納付金関係業務に係る業務上の余裕金を運用してはならない。

一　国債その他内閣総理大臣が指定する有価証券の保有

二　銀行その他内閣総理大臣が指定する金融機関への預金

三　信託業務を営む金融機関（金融機関の信託業務の兼営等に関する法律（昭和18年法律第43

号）第１条第１項の認可を受けた金融機関をいう。）への金銭信託

（報告徴収及び立入検査）

第71条の22 内閣総理大臣は、支援納付金関係業務の適正かつ確実な実施を確保するため必要があると認めるときは、この法律の施行に必要な限度において、支払基金又は第71条の15第２項の規定による委託を受けた者（以下この項において「受託者」という。）に対し、報告若しくは帳簿書類その他の物件の提出若しくは提示を命じ、又はその職員に、関係者に対し質問させ、若しくは支払基金若しくは受託者の事務所その他必要な場所に立ち入り、その設備若しくは帳簿書類その他の物件を検査させることができる。

2 第71条の13第２項及び第３項の規定は、前項の規定による立入検査について準用する。

3 内閣総理大臣は、第１項の規定により、報告若しくは物件の提出若しくは提示を命じ、又はその職員に、質問させ、若しくは立入検査をさせたときは、厚生労働大臣に、速やかにその結果を通知するものとする。

4 内閣総理大臣は、支払基金の理事長、理事又は監事につき支援納付金関係業務に関し社会保険診療報酬支払基金法第11条第２項又は第３項の規定による処分が行われる必要があると認めるときは、理由を付して、その旨を厚生労働大臣に通知するものとする。

（監督）

第71条の23 内閣総理大臣は、支援納付金関係業務の適正かつ確実な実施を確保するため、支払基金に対し、支援納付金関係業務に関し監督上必要な命令をすることができる。

2 内閣総理大臣は、支払基金に対し前項の命令をしたときは、速やかにその旨を厚生労働大臣に通知するものとする。

（社会保険診療報酬支払基金法の適用の特例）

第71条の24 支援納付金関係業務に関する社会保険診療報酬支払基金法第９条第４項の規定の適用については、同項中「厚生労働大臣」とあるのは、「内閣総理大臣」とする。

2 支援納付金関係業務は、社会保険診療報酬支払基金法第32条第２項の規定の適用については、同法第15条に規定する業務とみなす。

（協議）

第71条の25 内閣総理大臣は、次に掲げる場合には、厚生労働大臣に協議しなければならない。

一 第71条の15第２項、第71条の16第１項又は第71条の18の認可をしようとするとき。

二 第71条の15第２項の団体を定めようとするとき。

三 第71条の16第２項又は第71条の19第２項若しくは第３項の内閣府令を定めようとするとき。

四 第71条の19第１項の承認をしようとするとき。

2 内閣総理大臣は、第71条の21第１号又は第２号の規定による指定をしようとするときは、財務大臣及び厚生労働大臣に協議しなければならない。

第６款 子ども・子育て支援特例公債の発行等

（子ども・子育て支援特例公債の発行）

第71条の26 政府は、令和６年度から令和10年度までの各年度に限り、財政法（昭和22年法律第34号）第４条第１項の規定にかかわらず、支援納付金対象費用の財源については、各年度の予算をもって国会の議決を経た金額の範囲内で、子ども・子育て支援特別会計の負担において、公債を発行することができる。

2 前項の規定による公債（以下「子ども・子育て支援特例公債」という。）の発行は、各年度の翌年度の６月30日までの間、行うことができる。この場合において、翌年度の４月１日以後発行される子ども・子育て支援特例公債に係る収入は、当該各年度所属の歳入とする。

（子ども・子育て支援特例公債等の償還期限）

第71条の27 子ども・子育て支援特例公債等（子ども・子育て支援特例公債及び子ども・子育て支援特例公債に係る借換国債（特別会計に関する法律（平成19年法律第23号）第46条第１項又は第47条第１項の規定により起債される借換国債をいい、当該借換国債につきこれらの規定により順次起債される借換国債を含む。）をいう。第71条の29において同じ。）については、令和33年度までの間に償還するものとする。

（特別会計に関する法律の適用）

第71条の28 子ども・子育て支援特例公債を発行する場合における子ども・子育て支援特別会計についての特別会計に関する法律第16条の規定の適用については、同条中「融通証券」とあるのは、「公債及び融通証券」とする。

第７款 雑則

（支援納付金対象費用に係る歳入歳出の経理）

第71条の29 支援納付金対象費用、子ども・子育て支援特例公債等の発行及び償還並びに子ども・子育て支援納付金に係る歳入歳出は、子ども・子育

て支援特別会計の子ども・子育て支援勘定において経理するものとする。

（こども家庭審議会への意見聴取）

第71条の30　内閣総理大臣は、第71条の４第２項、第71条の５第１項各号、第２項、第４項各号及び第５項並びに第71条の６第１項各号及び第３項各号の内閣府令を定めようとするときその他子ども・子育て支援納付金に関する重要事項を定めようとするときは、こども家庭審議会の意見を聴かなければならない。

第72条第１項中第４号を第５号とし、第３号を第４号とし、第２号の次に次の１号を加える。

三　第54条の２第２項の規定による特定乳児等通園支援の利用定員の設定に関し、同条第３項に規定する事項を処理すること。

第73条第１項中「子どものための教育・保育給付」を「妊婦のための支援給付、子どものための教育・保育給付」に、「及び子育てのための施設等利用給付」を「、子育てのための施設等利用給付及び乳児等のための支援給付」に改め、「拠出金等」の下に「及び子ども・子育て支援納付金」を加え、同条第２項中「子どものための教育・保育給付」を「妊婦のための支援給付、子どものための教育・保育給付」に、「及び子育てのための施設等利用給付」を「、子育てのための施設等利用給付及び乳児等のための支援給付」に改め、同条第３項中「拠出金等」の下に「及び子ども・子育て支援納付金」を加える。

第75条に次の１項を加える。

2　この法律に基づく支払基金の処分又はその不作為に不服のある者は、内閣総理大臣に対して審査請求をすることができる。この場合において、内閣総理大臣は、行政不服審査法（平成26年法律第68号）第25条第２項及び第３項、第46条第１項及び第２項、第47条並びに第49条第３項の規定の適用については、支払基金の上級行政庁とみなす。

第９章中第78条の前に次の１条を加える。

第77条の２　第71条の13第１項若しくは第71条の22第１項の規定による報告若しくは物件の提出若しくは提示をせず、若しくは虚偽の報告若しくは虚偽の物件の提出若しくは提示をし、又はこれらの規定による当該職員の質問に対して答弁をせず、若しくは虚偽の答弁をし、若しくはこれらの規定による検査を拒み、妨げ、若しくは忌避した者は、50万円以下の罰金に処する。

第78条中「第30条の３」の下に「及び第30条の13」を加える。

第79条中「第50条第１項」の下に「（第54条の３において準用する場合を含む。）」を加え、「若しくは第58条の８第１項」を「、第56条第１項若しくは第58条の８第１項」に改める。

第80条の次に次の１条を加える。

第80条の２　次の各号のいずれかに該当する支払基金の役員は、20万円以下の過料に処する。

一　この法律により内閣総理大臣の認可又は承認を受けなければならない場合において、その認可又は承認を受けなかったとき。

二　第71条の21の規定に違反して業務上の余裕金を運用したとき。

第81条中「第30条の３」の下に「及び第30条の13」を加える。

第82条第１項中「第13条第１項（」を「第10条の５若しくは第13条（」に改め、「第30条の３」の下に「及び第30条の13」を加え、「。以下この項において同じ」を削り、「第13条第１項の」を「これらの」に改め、同条第２項中「第30条の３」の下に「及び第30条の13」を加え、同条第３項中「又は第24条第２項」を「、第24条第２項又は第30条の18第２項」に改め、「支給認定証」の下に「又は乳児等支援支給認定証」を加える。

附則第２条の２及び第３条中「教育・保育」を「教育・保育等」に改める。

附則第５条を次のように改める。

第５条　削除

附則第９条第３項中「第68条第１項」を「第68条第２項」に改める。

附則第14条の２中「第59条の２第１項」の下に「及び第２項」を加える。

附則に次の８条を加える。

（支援納付金対象費用に関する経過措置）

第26条　令和６年10月１日から令和８年９月30日までの間において第６章第３節の規定を適用する場合における支援納付金対象費用は、第71条の３第１項の規定にかかわらず、次の各号に掲げる期間の区分に応じ、当該各号に定める費用とする。

一　令和６年10月１日から令和７年３月31日までの期間　第71条の３第１項第３号及び第６号に掲げる費用

二　令和７年４月１日から令和８年３月31日までの期間　第71条の３第１項第１号、第３号、第４号及び第６号に掲げる費用

三　令和８年４月１日から令和８年９月30日までの期間　第71条の３第１項第１号から第４号まで及び第６号に掲げる費用

（延滞金の割合の特例）

第27条　延滞税特例基準割合（租税特別措置法（昭和32年法律第26号）第94条第１項に規定する延滞税特例基準割合をいう。以下この条において同じ。）が年7.2パーセントの割合に満たない年における第71条の10第１項の延滞金の割合は、当分の間、同項の規定にかかわらず、当該延滞税特例基準割合に年7.3パーセントを加算した割合とする。

（令和６年度における支援納付金対象費用に係る歳入歳出の経理等に関する経過措置）

第28条　令和６年度における第71条の26、第71条の28及び第71条の29の規定の適用については、第71条の26第１項、第71条の28及び第71条の29中「子ども・子育て支援特別会計」とあるのは、「年金特別会計」とする。

（地域子ども・子育て支援事業に関する経過措置）

第29条　令和７年度における第59条の規定の適用については、同条中「掲げる事業」とあるのは、「掲げる事業及び児童福祉法第６条の３第23項に規定する乳児等通園支援事業」とする。

（令和７年度における国から市町村に対する交付金の特例）

第30条　令和７年度における第68条第１項の規定の適用については、同項中「第71条の３第１項の規定により国が徴収する子ども・子育て支援納付金」とあるのは、「第71条の26第２項に規定する子ども・子育て支援特例公債の発行収入金」とする。

（令和８年度から令和10年度までの間における国から市町村に対する交付金の特例）

第31条　令和８年度から令和10年度までの間における第68条第１項及び第４項の規定の適用については、これらの規定中「子ども・子育て支援納付金」とあるのは、「子ども・子育て支援納付金及び第71条の26第２項に規定する子ども・子育て支援特例公債の発行収入金」とする。

（令和８年度及び令和９年度における子ども・子育て支援納付金の額の算定方法に係る経過措置）

第32条　令和８年度及び令和９年度に徴収する子ども・子育て支援納付金の額は、第71条の４第１項ただし書の規定を適用せず同項本文の規定により算定した額とする。

（令和８年度から令和10年度までの間における子ども・子育て支援納付金の額の算定方法に係る特例）

第33条　令和８年度から令和10年度までの各年度における第71条の４から第71条の６までの規定の適用については、第71条の５第１項第１号中「の予定額」とあるのは「の予定額から当該年度の第71条の26第２項に規定する子ども・子育て支援特例公債の発行予定額を控除して得た額」と、第71条の６第１項第１号中「の額」とあるのは「の額から当該年度の第71条の26第２項に規定する子ども・子育て支援特例公債の発行額を控除して得た額」とする。

（子ども・子育て支援法の一部を改正する法律の一部改正）

第21条　子ども・子育て支援法の一部を改正する法律（令和元年法律第７号）の一部を次のように改正する。

附則第４条第１項中「新法第８条」を「子ども・子育て支援法第８条」に、「新法第７条第10項第４号ハ」を「子ども・子育て支援法第７条第10項第４号ハ」に、「を同号」を「であって同号の基準を満たしていないもののうち、当該施設がなければ当該施設が所在する特定教育・保育提供区域（子ども・子育て支援法第62条第１項に規定する都道府県子ども・子育て支援事業支援計画において定める同条第２項第１号に定める区域をいう。）における保育の提供体制を確保することができないと認められるものとして都道府県知事が指定するものを子ども・子育て支援法第７条第10項第４号」に、「新法（」を「同法（」に改め、同条第２項及び第３項を削る。

附　則　抄

（施行期日）

第１条　この法律は、令和６年10月１日から施行する。ただし、次の各号に掲げる規定は、当該各号に定める日から施行する。

一　〔前略〕第21条中子ども・子育て支援法の一部を改正する法律附則第４条第１項の改正規定（「施行日から起算して５年を経過する日」を「令和12年３月31日」に改める部分に限る。）並びに附則第46条の規定　この法律の公布の日

四　次に掲げる規定　令和７年４月１日

イ　第１条中子ども・子育て支援法の目次の改正規定（「第２節　子どものための現金給付（第９条・第10条）」を

「　第２節　子どものための現金給付（第９条・第10条）

第３節　妊婦のための支援給付

第１款　通則（第10条の２―第10条の７）

第２款　妊婦給付認定等（第10条の８―第10条の11）

第３款　妊婦支援給付金の支給（第10条の12―第10条の15）」

に、「第３節」を「第４節」に、「第４節」を「第５節」に改める部分に限る。）、同法第８条の改正規定（「子どものための現金給付」の下に「、妊婦のための支援給付」を加える部分に限る。）、同法第30条の３の改正規定、同法第２章第４節を同章第５節とする改正規定、同法第12条第３項の改正規定、同法第13条の前の見出しを削り、同条に見出しを付する改正規定、同条第２項及び第３項を削る改正規定、同法第14条（見出しを含む。）の改正規定、同法第15条第３項を削る改正規定、同法第17条及び第18条の改正規定、同法第２章中第３節を第４節とし、第２節の次に１節を加える改正規定、同法第38条（見出しを含む。）の改正規定、同法第50条（見出しを含む。）の改正規定、同法第58条の改正規定、同法第56条の見出しの改正規定、同条第５項の改正規定、同法第58条の８（見出しを含む。）の改正規定、同法第59条の改正規定、同法第59条の２の改正規定、同法第62条第３項第２号の改正規定（「教育・保育情報」を「教育・保育等情報」に改める部分を除く。）、同法第65条の改正規定（同条第５号の次に１号を加える改正規定を除く。）、同法第66条の３第１項の改正規定、同条の次に１条を加える改正規定、同法第67条第１項及び第２項の改正規定、同法第68条（見出しを含む。）の改正規定（同条第３項を削る改正規定及び同条に１項を加える改正規定を除く。）、同法第69条第１項の改正規定（「同項」を「第59条の２第２項に規定する事業に係るものを除く。次条第２項」に改める部分に限る。）、同法第70条第２項の改正規定（「第68条第１項」を「第68条第２項」に、「1000分の4.5」を「1000分の4.0」に改める部分に限る。）、同法第73条第１項の改正規定（「子どものための教育・保育給付」を「妊婦のための支援給付、子どものための教育・保育給付」に改める部分に限る。）、同条第２項の改正規定（「子どものための教育・保育給付」を「妊婦のための支援給付、子どものための教育・保育給付」に改める部分に限る。）、同法第82条第１項の改正規定（「第30条の３」の下に「及び第30条の13」を加える部分を除く。）、同法附則第９条第３項の改正規定、同法附則第14条の２の改正規定並びに同法附則に８条を加える改正規定（同法附則第29条及び第30条に係る部分に限る。）並びに次条から附則第５条までの規定

ト〔前略〕附則第16条から第18条までの規定

五　次に掲げる規定　令和８年４月１日

イ　第１条中子ども・子育て支援法の目次の改正規定（「第３章　特定教育・保育施設及び特定地域型保育事業者並びに特定子ども・子育て支援施設等

第１節　特定教育・保育施設及び特定地域型保育事業者」

を「　第６節　乳児等のための支援給付

第１款　通則（第30条の12・第30条の13）

第２款　乳児等支援給付認定等（第30条の14―第30条の19）

第３款　乳児等支援給付費及び特例乳児等支援給付費の支給（第30条の20・第30条の21）

第３章　特定教育・保育施設、特定地域型保育事業者及び特定乳児等通園支援事業者並びに特定子ども・子育て支援施設等

第１節　特定教育・保育施設、特定地域型保育事業者及び特定乳児等通園支援事業者」

に、「第３款　業務管理体制の整備等（第55条―第57条）

第４款　教育・保育に関する情報の報告及び公表（第58条）」

を「第３款　特定乳児等通園支援事業者（第54条の２・第54条の３）

第４款　業務管理体制の整備等（第55条―第57条）

第５款　教育・保育等に関する情報の報告及び公表（第58条）」

に改める部分に限る。）、同法第７条に１項を加える改正規定、同法第８条の改正規定（「子どものための現金給付」の下に「、妊婦のための支援給付」を加える部分を除く。）、同法第２章に１節を加える改正規定、同法第３章の章名及び同章第１節の節名の改正規定、同節第４款の款名の改正規定、同款を同節第５款とする改正規定、同法第55条の改正規定、同法第56条第１項の改正規定、同法第57条第１項の改正規定、同節中第３款を第４款とし、第２款の次に１款を加える改正規定、同法第60条第１項の改正規

定（「及び仕事・子育て両立支援事業」を「、仕事・子育て両立支援事業及び働き方等の多様化に対応した子育て支援事業」に改める部分を除く。）、同条第２項第１号の改正規定（「及び仕事・子育て両立支援事業」を「、仕事・子育て両立支援事業及び働き方等の多様化に対応した子育て支援事業」に改める部分を除く。）、同項第２号の改正規定、同法第61条の改正規定、同法第62条第１項の改正規定、同条第２項の改正規定、同条第３項第２号の改正規定（「教育・保育情報」を「教育・保育等情報」に改める部分に限る。）、同法第65条第５号の次に１号を加える改正規定、同法第67条第３項の改正規定、同条の次に１条を加える改正規定、同法第68条に１項を加える改正規定、同法第72条第１項の改正規定、同法第73条第１項の改正規定（「及び子育てのための施設等利用給付」を「、子育てのための施設等利用給付及び乳児等のための支援給付」に改める部分に限る。）、同条第２項の改正規定（「及び子育てのための施設等利用給付」を「、子育てのための施設等利用給付及び乳児等のための支援給付」に改める部分に限る。）、同法第78条の改正規定、同法第79条の改正規定（「第50条第１項」の下に「（第54条の３において準用する場合を含む。）」を加える部分に限る。）、同法第81条の改正規定、同法第82条第１項の改正規定（「第30条の３」の下に「及び第30条の13」を加える部分に限る。）、同条第２項の改正規定、同条第３項の改正規定、同法附則第２条の２及び第３条の改正規定並びに同法附則に８条を加える改正規定（同法附則第31条から第33条までに係る部分に限る。）並びに附則第６条の規定

六　次に掲げる規定　令和８年10月１日

イ　第１条中子ども・子育て支援法の目次の改正規定（「第４章の２　仕事・子育て両立支援事業（第59条の２）」を

「第４章の２　仕事・子育て両立支援事業
（第59条の２）
第４章の３　働き方等の多様化に対応した
子育て支援事業（第59条の３）」

に改める部分に限る。）、同法第59条の２の次に１章を加える改正規定、同法第60条第１項の改正規定（「及び仕事・子育て両立支援事業」を「、仕事・子育て両立支援事業及び働き方等の多様化に対応した子育て支援事業」に改める部分に限る。）及び同条第２項第１号の改正規定（「及び仕事・子育て両立支援事業」を「、仕事・子育て両立支援事業及び働き方等の多様化に対応した子育て支援事業」に改める部分に限る。）

（第４号施行日新支援法第58条及び第66条の４第２項の規定の適用に関する経過措置）

第２条　前条第４号に掲げる規定の施行の日（以下「第４号施行日」という。）から同条第５号に掲げる規定の施行の日（以下「第５号施行日」という。）の前日までの間における第１条の規定（前条第４号イに掲げる改正規定に限る。）による改正後の子ども・子育て支援法（以下「第４号施行日新支援法」という。）第58条の規定の適用については、同条第１項中「、特定地域型保育事業者又は特定乳児等通園支援事業者」とあるのは「又は特定地域型保育事業者」と、「教育・保育等に」とあるのは「教育・保育に」と、同条第１項、第５項及び第９項中「教育・保育等情報」とあるのは「教育・保育情報」と、同条第１項及び第９項中「教育・保育等の」とあるのは「教育・保育の」と、「教育・保育等を」とあるのは「教育・保育を」とする。

２　第４号施行日から第５号施行日の前日までの間においては、第４号施行日新支援法第66条の４第２項の規定は、適用しない。

（妊婦のための支援給付に関する経過措置）

第３条　第４号施行日新支援法第10条の９第１項の認定を受けた者が第４号施行日前に当該認定の原因となった妊娠と同一の妊娠を原因として令和６年度の予算における国の妊娠出産子育て支援交付金を財源として市町村（特別区を含む。次条第２項において同じ。）から給付される給付金で妊娠から出産及び子育てまでの支援の観点から支給されるものの支給を受けた場合における第４号施行日新支援法第10条の12第２項及び第３項並びに第10条の14第１項の規定の適用については、第４号施行日新支援法第10条の12第３項中「他の市町村から妊婦支援給付金」とあるのは「市町村から令和６年度の予算における国の妊娠出産子育て支援交付金を財源として市町村から給付される給付金で妊娠から出産及び子育てまでの支援の観点から支給されるもの」と、「当該他の市町村から支払を受けた額」とあるのは「５万円」とする。

（乳児等のための支援給付の支給要件の認定に関する準備行為）

第４条　第１条の規定（附則第１条第５号イに掲げる改正規定に限る。）による改正後の子ども・子育て支援法（以下この条から附則第６条までにおいて

「第５号施行日新支援法」という。）第30条の15第１項の認定を受けようとする者は、第５号施行日前においても、同項の規定の例により、その申請を行うことができる。

２　市町村は、前項の規定により認定の申請があった場合には、第５号施行日前においても、第５号施行日新支援法第30条の15第１項及び第２項の規定の例により、当該認定をすることができる。この場合において、当該認定は、第５号施行日以後は、同条第１項の認定とみなす。

（特定乳児等通園支援事業者の確認に関する準備行為）

第５条　第５号施行日新支援法第54条の２第１項の確認を受けようとする者は、第５号施行日前においても、同項の規定の例により、その申請を行うことができる。

２　市町村長（特別区の区長を含む。附則第７条第２項において同じ。）は、前項の規定により確認の申請があった場合には、第５号施行日前においても、第５号施行日新支援法第54条の２の規定の例により、当該確認をすることができる。この場合において、当該確認は、第５号施行日以後は、同条第１項の確認とみなす。

（乳児等のための支援給付に関する経過措置）

第６条　第５号施行日から令和10年３月31日までの間における第５号施行日新支援法第30条の20第３項及び第30条の21第２項の規定の適用については、第５号施行日新支援法第30条の20第３項中「10時間」とあるのは、「３時間」とする。

（令和６年度の子ども・子育て支援特例公債に係る経過措置）

第18条　第１条の規定（附則第１条第４号イ、第５号イ及び第６号イに掲げる改正規定を除く。）による改正後の子ども・子育て支援法（以下この条及び附則第47条において「施行日新支援法」という。）附則第28条の規定により読み替えて適用する施行日新支援法第71条の26の規定により令和７年６月30日までの間に行われる公債の発行は、旧子ども・子育て支援勘定の負担において行うものとし、当該公債に関する権利義務は、同年７月１日において、子ども・子育て支援特別会計の子ども・子育て支援勘定に帰属する。

（罰則に関する経過措置）

第45条　この法律（附則第１条第４号から第６号までに掲げる規定については、当該規定。以下この条において同じ。）の施行前にした行為及び附則第13条第１項の規定によりなお従前の例によることとされる場合におけるこの法律の施行後にした行為に対する罰則の適用については、なお従前の例による。

（その他の経過措置の政令への委任）

第46条　この附則に定めるもののほか、この法律の施行に関し必要な経過措置（罰則に関する経過措置を含む。）は、政令で定める。

（子ども・子育て支援納付金の導入に当たっての経過措置及び留意事項）

第47条　政府は、この法律の施行にあわせて、令和５年12月22日に閣議において決定されたこども未来戦略（次項において「こども未来戦略」という。）に基づき、社会保障負担率（一会計年度における国民経済計算の体系（国際連合の定めた基準に準拠して内閣府が作成する国民経済計算の体系をいう。以下この項において同じ。）における社会保障負担の額その他内閣総理大臣が定める額を合算した額を国民経済計算の体系における国民所得の額で除して得られる数値をいう。以下この項において同じ。）の上昇の抑制に向けて、全世代型社会保障制度改革（同日の閣議において決定された全世代型社会保障構築を目指す改革の道筋（改革工程）（以下この項及び第３項第１号において「改革工程」という。）の「医療・介護制度等の改革」の「「加速化プラン」の実施が完了する2028年度までに実施について検討する取組」に記載されたところにより検討した結果に基づいて行う取組をいう。以下この条において同じ。）の徹底を図るものとし、子ども・子育て支援納付金（施行日新支援法第71条の３第１項に規定する子ども・子育て支援納付金をいう。以下この条において同じ。）の導入に当たっては、次項各号に掲げる各年度において、子ども・子育て支援納付金（当該年度の支援納付金公費負担額に相当する部分を除いた部分に限る。）を徴収することにより当該年度の社会保障負担率の上昇に与える影響の程度が、令和５年度から当該各年度まで全世代型社会保障制度改革等（改革工程の「医療・介護制度等の改革」のうち「来年度（2024年度）に実施する取組」に記載された取組その他の令和５年度及び令和６年度に実施された社会保障制度に関する施策の見直し並びに全世代型社会保障制度改革をいう。次項及び第５項において同じ。）及び労働者の報酬の水準の上昇に向けた取組を実施することにより社会保障負担率の低下に与える影響の程度を超えないものとする。

２　政府は、前項の規定の趣旨及び受益と負担の均衡がとれた社会保障制度の確立を図る観点を踏まえ、加速化プラン実施施策（こども未来戦略に「「加速化プラン」において実施する具体的な施策」として記載された施策をいう。以下この項及び次条において同じ。）を実施するために必要となる費用については、全世代型社会保障制度改革等を通じた国及び地方公共団体の歳出の抑制その他歳出の見直し、消費税法（昭和63年法律第108号）第１条第２項の規定により少子化に対処するための施策に要する経費に充てるものとされている消費税の収入、施行日新支援法第69条第１項に規定する拠出金の収入、加速化プラン実施施策に係る社会保険料の収入並びに施行日新支援法第71条の３第１項に規定する支援納付金対象費用（第５項において「支援納付金対象費用」という。）に係る財源により賄うものとし、次の各号に掲げる各年度における子ども・子育て支援納付金（当該年度の支援納付金公費負担額に相当する部分を除いた部分に限る。）の総額は、それぞれ当該各号に掲げる額を目安とするものとする。

一　令和８年度　おおむね6000億円

二　令和９年度　おおむね8000億円

三　令和10年度　おおむね１兆円

3　政府は、第１項の全世代型社会保障制度改革を推進するに当たっては、次に掲げる事項を基本とするものとする。

一　改革工程において令和10年度までに実施の検討を行うこととされている取組については、当該年度までの各年度の予算編成過程において実施すべき施策の検討及び決定を行い、全世代が安心できる社会保障制度を構築し、これを次の世代に引き継ぐことを旨として、着実に進めること。

二　前号の予算編成過程における検討に当たっては、社会保障サービスの生産性の向上、質の向上及び提供体制の効率化、能力に応じて全世代が支え合う仕組みの構築、高齢者の活躍促進及び健康寿命の延伸等の観点を踏まえつつ、人口動態の変化に対応し、全世代が安心できる社会保障制度を構築することを旨として、それまでに実施した取組の検証等も含め、制度、事業等の在り方について、幅広い検討を行うこと。

三　前項の規定の趣旨を踏まえ、国及び地方公共団体の歳出の継続的な抑制に資するものとなるようにすること。

4　第１項及び第２項の「支援納付金公費負担額」とは、次の各号に掲げる額の総額をいう。

一　第２条の規定による改正後の健康保険法（附則第49条において「新健康保険法」という。）第154条第２項の規定による国庫補助の額（子ども・子育て支援納付金の納付に要する費用に係る部分に限る。）

二　第７条の規定（附則第１条第５号へに掲げる改正規定に限る。）による改正後の国家公務員共済組合法第99条第２項第３号に掲げる費用のうち、同号に定める国の負担金をもって充てる部分の額

三　第８条の規定による改正後の国民健康保険法（以下この号において「新国民健康保険法」という。）第70条第１項の規定による国庫負担金、新国民健康保険法第72条第１項の規定による調整交付金及び新国民健康保険法第72条の２第１項の規定による繰入金の額（子ども・子育て支援納付金の納付に要する費用に係る部分に限る。）並びに新国民健康保険法第72条の３第１項、第72条の３の２第１項、第72条の３の３第１項及び第72条の４第１項の規定による繰入金並びに新国民健康保険法第73条第１項の規定による補助の額（子ども・子育て支援納付金の納付に要する費用に係る部分として政令で定める部分に限る。）

四　第11条の規定（附則第１条第５号トに掲げる改正規定に限る。）による改正後の地方公務員等共済組合法第113条第２項第２号の２に掲げる費用のうち、同号に定める地方公共団体の負担金をもって充てる部分の額

五　高齢者の医療の確保に関する法律第99条第１項及び第２項の規定による繰入金の額（子ども・子育て支援納付金の納付に要する費用に係る部分として政令で定める部分に限る。）

5　政府は、全世代型社会保障制度改革等及び労働者の報酬の水準の上昇に向けた取組の実施状況その他の事情を勘案し、第１項及び第２項の規定の趣旨に照らして必要があると認める場合は、支援納付金対象費用に係る施策の費用負担の在り方その他の事項について、必要な見直しを行うものとする。

（検討）

第48条　政府は、この法律の施行後５年を目途として、少子化の進展に対処するための子ども及び子育ての支援に関する施策の在り方について、加速化プラン実施施策の実施状況及びその効果並びに前条第２項の観点を踏まえて検討を行い、その結果に基づいて所要の措置を講ずるものとする。

◉子ども・子育て支援法施行令

〔平成26年６月13日
政　令　第　213　号〕

注　令和６年３月30日政令第161号改正現在

（法第７条第10項第４号ハの政令で定める施設）

第１条　子ども・子育て支援法〔平成24年法律第65号〕（以下「法」という。）第７条第10項第４号ハの政令で定める施設は、法第59条の２第１項の規定による助成を受けている施設のうち、児童福祉法（昭和22年法律第164号）第59条の２第１項に規定する施設（同項の規定による届出がされたものに限る。）であって同法第６条の３第12項に規定する業務を目的とするものとする。

（保育必要量の認定）

第１条の2　法第20条第３項（法第23条第３項及び第５項において準用する場合を含む。）の認定は、小学校就学前子どもの法第19条第２号の内閣府令で定める事由により家庭において必要な保育を受けることが困難である状況に応じて行うものとする。

（教育・保育給付認定の変更の認定に関する技術的読替え）

第２条　法第23条第３項の規定により法第20条第２項、第３項、第４項前段及び第５項から第７項までの規定を準用する場合においては、次の表の上欄に掲げる同条の規定中同表の中欄に掲げる字句は、それぞれ同表の下欄に掲げる字句に読み替えるものとする。

第２項	小学校就学前子どもの保護者	教育・保育給付認定保護者
第３項	第１項の規定による申請	第23条第１項の規定による申請（保育必要量の認定に係るものに限る。）
	小学校就学前子どもが	教育・保育給付認定子どもが
	当該小学校就学前子ども	当該教育・保育給付認定子ども
	保育必要量（月を単位として内閣府令で定める期間において施設型給付費、特例施設型給付費、地域型保育給付費又は特例地域型保育給付費を支給する保育の量をいう。以下同じ。）	保育必要量
第４項前段	「教育・保育給付認定」	この項及び次項において「変更認定」
	教育・保育給付認定に係る保護者（以下「教育・保育給付認定保護者」という。）	変更認定に係る教育・保育給付認定保護者
第５項	第１項	第23条第１項
	当該保護者が子どものための教育・保育給付を受ける資格を有する	変更認定を行う必要がある
	保護者に	教育・保育給付認定保護者に
第６項及び第７項	第１項	第23条第１項
	保護者	教育・保育給付認定保護者

２　法第23条第５項の規定により法第20条第２項、第３項及び第４項前段の規定を準用する場合においては、次の表の上欄に掲げる同条の規定中同表の中欄に掲げる字句は、それぞれ同表の下欄に掲げる字句に読み替えるものとする。

第２項	小学校就学前子どもの保護者	教育・保育給付認定保護者
第３項	第１項の規定による申請があった	第23条第４項の規定による職権（保育必要量の認定に係るものに限る。）を行使する
	申請に係る小学校就学前子ども	職権に係る教育・保育給付認定子ども
	当該小学校就学前子ども	当該教育・保育給付認定子ども
	保育必要量（月を単位として内閣府令で定める期間において施設型給付費、特例施設型給付費、地域型保育給付費又は特例地域型保育給付費を支給する保育の量をいう。以下同じ。）	保育必要量
第４項前段	「教育・保育給付認定」	この項において「変更認定」
	教育・保育給付認定に係る保護者（以下「教育・保育給付認定保護者」という。）	変更認定に係る教育・保育給付認定保護者

（法第24条第１項第３号の政令で定めるとき）

第３条　法第24条第１項第３号の政令で定めるときは、次に掲げるときとする。

一　当該教育・保育給付認定保護者（法第20条第４項に規定する教育・保育給付認定保護者をいう。以下同じ。）が、正当な理由なしに、法第13条第

１項の規定による報告若しくは物件の提出若しくは提示をせず、若しくは虚偽の報告若しくは虚偽の物件の提出若しくは提示をし、又は同項の規定による当該職員の質問に対して、答弁せず、若しくは虚偽の答弁をしたとき。

二　当該教育・保育給付認定保護者が法第20条第１項又は第23条第１項の規定による申請に関し虚偽の申請をしたとき。

（法第27条第３項第２号の政令で定める額）

第４条　教育・保育給付認定子ども（法第20条第４項に規定する教育・保育給付認定子どもをいう。以下この項において同じ。）のうち、次に掲げるもの（次条第１項、第12条第１項及び第23条第１号において「満３歳以上教育・保育給付認定子ども」という。）に係る教育・保育給付認定保護者についての法第27条第３項第２号の政令で定める額は、零とする。

一　教育認定子ども（法第19条第１号に掲げる小学校就学前子どもに該当する教育・保育給付認定子どもをいう。附則第13条の規定により読み替えて適用する第23条第１号において同じ。）

二　満３歳以上保育認定子ども（法第19条第２号に掲げる小学校就学前子どもに該当する教育・保育給付認定子どもをいい、満３歳に達する日以後の最初の３月31日までの間にある教育・保育給付認定子ども（法第28条第１項第３号に規定する特別利用教育を受ける者を除く。次項及び第11条第２項において「特定満３歳以上保育認定子ども」という。）を除く。第11条第１項において同じ。）

2　満３歳未満保育認定子ども（法第23条第４項に規定する満３歳未満保育認定子どもをいい、特定満３歳以上保育認定子どもを含む。以下同じ。）に係る教育・保育給付認定保護者についての法第27条第３項第２号の政令で定める額は、次の各号に掲げる教育・保育給付認定保護者の区分に応じ、当該各号に定める額又は特定教育・保育（同条第１項に規定する特定教育・保育をいう。以下この項において同じ。）に係る標準的な費用の額として内閣総理大臣が定める基準により算定した額のいずれか低い額とする。

一　次号から第８号までに掲げる者以外の教育・保育給付認定保護者　10万4000円（法第20条第３項に規定する保育必要量が少ない者として内閣府令で定める教育・保育給付認定保護者（以下「短時間認定保護者」という。）にあっては、10万2400円）

二　教育・保育給付認定保護者及び当該教育・保育給付認定保護者と同一の世帯に属する者について特定教育・保育のあった月の属する年度（特定教育・保育のあった月が４月から８月までの場合にあっては、前年度）分の地方税法（昭和25年法律第226号）の規定による市町村民税（同法の規定による特別区民税を含む。第８号及び第15条の３第２項において同じ。）の同法第292条第１項第２号に掲げる所得割（同法第328条の規定によって課する所得割を除く。）の額（同法附則第５条の４第６項その他の内閣府令で定める規定による控除をされるべき金額があるときは、当該金額を加算した額とする。）を合算した額（以下この項及び第14条において「市町村民税所得割合算額」という。）が39万7000円未満である場合における当該教育・保育給付認定保護者（次号から第８号までに掲げる者を除く。）　８万円（短時間認定保護者にあっては、７万8800円）

三　市町村民税所得割合算額が30万1000円未満である場合における教育・保育給付認定保護者（次号から第８号までに掲げる者を除く。）　６万1000円（短時間認定保護者にあっては、６万100円）

四　市町村民税所得割合算額が16万9000円未満である場合における教育・保育給付認定保護者（次号から第８号までに掲げる者を除く。）　４万4500円（短時間認定保護者にあっては、４万3900円）

五　市町村民税所得割合算額が９万7000円未満である場合における教育・保育給付認定保護者（次号から第８号までに掲げる者を除く。）　３万円（短時間認定保護者にあっては、２万9600円）

六　市町村民税所得割合算額が７万7101円未満である場合における特定教育・保育給付認定保護者（その者又はその者と同一の世帯に属する者が特定教育・保育のあった月において要保護者等（生活保護法（昭和25年法律第144号）第６条第２項に規定する要保護者その他内閣府令で定める者をいう。）に該当する場合における教育・保育給付認定保護者をいう。次号及び第14条において同じ。）（同号及び第８号に掲げる者を除く。）　9000円

七　市町村民税所得割合算額が４万8600円未満である場合における教育・保育給付認定保護者（次号に掲げる者を除く。）　１万9500円（短時間認定保護者にあっては、１万9300円）。ただし、特定教育・保育給付認定保護者にあっては、9000円とする。

八　次に掲げる教育・保育給付認定保護者　零

イ　教育・保育給付認定保護者及び当該教育・保育給付認定保護者と同一の世帯に属する者が特定教育・保育のあった月の属する年度（特定教

育・保育のあった月が４月から８月までの場合にあっては、前年度）分の市町村民税に係る市町村民税世帯非課税者（法第30条の４第３号に規定する市町村民税世帯非課税者をいい、第15条の３第２項第２号に掲げる者を除く。）である場合における当該教育・保育給付認定保護者

ロ　特定教育・保育のあった月において第15条の３第２項第２号又は第３号に掲げる者である教育・保育給付認定保護者

（法第28条第２項第１号の政令で定める額）

第５条　満３歳以上教育・保育給付認定子どもに係る教育・保育給付認定保護者についての法第28条第２項第１号の政令で定める額は、零とする。

２　前条第２項の規定は、満３歳未満保育認定子どもに係る教育・保育給付認定保護者についての法第28条第２項第１号の政令で定める額について準用する。

（法第28条第２項第２号及び第３号の政令で定める額）

第６条　法第28条第２項第２号及び第３号の政令で定める額は、零とする。

第７条　削除

（特例施設型給付費の支給に関する技術的読替え）

第８条　法第28条第４項の規定により法第27条第２項及び第５項から第７項までの規定を準用する場合においては、次の表の上欄に掲げる同条の規定中同表の中欄に掲げる字句は、それぞれ同表の下欄に掲げる字句に読み替えるものとする。

第２項	から支給認定教育・保育を受けようとする	（保育所に限る。）から特別利用保育を受けようとする第19条第１号に掲げる小学校就学前子どもに該当する教育・保育給付認定子どもに係る教育・保育給付認定保護者又は特定教育・保育施設（幼稚園に限る。）から特別利用教育を受けようとする同条第２号に掲げる小学校就学前子どもに該当する
	支給認定教育・保育を当該	特別利用保育又は特別利用教育（第５項及び第７項において「特別利用保育等」という。）を当該同条第１号又は第２号に掲げる小学校就学前子どもに該当する
第５項	教育・保育給付認定子どもが	第19条第１号又は第２号に掲げる小学校就学前子どもに該当する教育・保育給付認定子どもが
	から支給認定教育・保育	（保育所に限る。）から特別利用保育を受け、又は特定教育・保育施設（幼稚園に限る。）から特別利用教育
	教育・保育給付認定子どもに	同条第１号又は第２号に掲げる小学校就学前子どもに該当する教育・保育給付認定子どもに
	支給認定教育・保育に	特別利用保育等に
第７項	第３項第１号	次条第２項第２号又は第３号
	特定教育・保育の	特定教育・保育（特別利用保育等を含む。）の

（法第29条第３項第２号及び第30条第２項第１号の政令で定める額）

第９条　第４条第２項の規定は、法第29条第３項第２号及び第30条第２項第１号の政令で定める額について準用する。この場合において、第４条第２項中「特定教育・保育（同条第１項に規定する特定教育・保育」とあるのは「特定地域型保育（法第29条第１項に規定する特定地域型保育」と、同項第２号、第６号及び第８号中「特定教育・保育の」とあるのは「特定地域型保育の」と読み替えるものとする。

（法第30条第２項第２号の政令で定める額）

第10条　法第30条第２項第２号の政令で定める額は、零とする。

（法第30条第２項第３号の政令で定める額）

第11条　満３歳以上保育認定子どもに係る教育・保育給付認定保護者についての法第30条第２項第３号の政令で定める額は、零とする。

２　第４条第２項の規定は、特定満３歳以上保育認定子どもに係る教育・保育給付認定保護者についての法第30条第２項第３号の政令で定める額について準用する。この場合において、第４条第２項中「特定教育・保育（同条第１項に規定する特定教育・保育」とあるのは「特定利用地域型保育（法第30条第１項第３号に規定する特定利用地域型保育」と、同項第２号、第６号及び第８号中「特定教育・保育の」とあるのは「特定利用地域型保育の」と読み替えるものとする。

（法第30条第２項第４号の政令で定める額）

第12条　満３歳以上教育・保育給付認定子どもに係る教育・保育給付認定保護者についての法第30条第２項第４号の政令で定める額は、零とする。
２　第４条第２項の規定は、満３歳未満保育認定子どもに係る教育・保育給付認定保護者についての法第30条第２項第４号の政令で定める額について準用する。この場合において、第４条第２項中「特定教育・保育（同条第１項に規定する特定教育・保育」とあるのは「特例保育（法第30条第１項第４号に規定する特例保育」と、同項第２号、第６号及び第８号中「特定教育・保育の」とあるのは「特例保育の」と読み替えるものとする。

（複数の負担額算定基準子どもがいる教育・保育給付認定保護者に係る特例）
第13条　負担額算定基準子どもが同一の世帯に２人以上いる場合の教育・保育給付認定保護者に係る次の各号に掲げる満３歳未満保育認定子どもに関する法第27条第３項第２号、第28条第２項第１号、第29条第３項第２号並びに第30条第２項第１号、第３号及び第４号に規定する政令で定める額は、第４条第２項（第８号に係る部分を除くものとし、第５条第２項、第９条、第11条第２項及び前条第２項において準用する場合を含む。第１号及び次条において同じ。）の規定にかかわらず、当該各号に定める額とする。
一　負担額算定基準子どものうち２番目の年長者である満３歳未満保育認定子ども　当該満３歳未満保育認定子どもに関して第４条第２項の規定により算定される額に100分の50を乗じて得た額
二　負担額算定基準子ども（そのうち最年長者及び２番目の年長者である者を除く。）である満３歳未満保育認定子ども　零
２　前項に規定する「負担額算定基準子ども」とは、次に掲げる小学校就学前子どもをいう。
一　次に掲げる施設に在籍する小学校就学前子ども
イ　認定こども園（就学前の子どもに関する教育、保育等の総合的な提供の推進に関する法律（平成18年法律第77号。以下「認定こども園法」という。）第２条第６項に規定する認定こども園をいう。第15条の６において同じ。）
ロ　幼稚園（学校教育法（昭和22年法律第26号）第１条に規定する幼稚園をいい、認定こども園法第３条第１項又は第３項の認定を受けたもの及び同条第10項の規定による公示がされたものを除く。第15条の６において同じ。）
ハ　特別支援学校（学校教育法第１条に規定する特別支援学校をいい、同法第76条第２項に規定する幼稚部に限る。第15条の６において同じ。）
ニ　保育所（児童福祉法第39条第１項に規定する保育所をいい、認定こども園法第３条第１項の認定を受けたもの及び同条第10項の規定による公示がされたものを除く。）
二　地域型保育又は法第30条第１項第４号に規定する特例保育を受ける小学校就学前子ども
三　第１条に規定する施設を利用する小学校就学前子ども
四　児童福祉法第６条の２の２第２項に規定する児童発達支援又は同条第４項に規定する居宅訪問型児童発達支援を受ける小学校就学前子ども
五　児童福祉法第43条の２に規定する児童心理治療施設に通う小学校就学前子ども

（複数の特定被監護者等がいる教育・保育給付認定保護者に係る特例）
第14条　特定被監護者等（教育・保育給付認定保護者に監護される者その他これに準ずる者として内閣府令で定める者であって、教育・保育給付認定保護者と生計を一にするものをいう。以下この条において同じ。）が２人以上いる場合の教育・保育給付認定保護者に係る次の各号に掲げる満３歳未満保育認定子どもに関する法第27条第３項第２号、第28条第２項第１号、第29条第３項第２号並びに第30条第２項第１号、第３号及び第４号に規定する政令で定める額は、当該教育・保育給付認定保護者及び当該教育・保育給付認定保護者と同一の世帯に属する者に係る市町村民税所得割合算額が５万7700円未満（特定教育・保育給付認定保護者にあっては、７万7101円未満）であるときは、第４条第２項及び前条第１項の規定にかかわらず、当該各号に定める額とする。
一　特定被監護者等のうち２番目の年長者である満３歳未満保育認定子ども　当該満３歳未満保育認定子どもに関して第４条第２項の規定により算定される額に100分の50を乗じて得た額（特定教育・保育給付認定保護者に係る満３歳未満保育認定子どもにあっては、零）
二　特定被監護者等（そのうち最年長者及び２番目の年長者である者を除く。）である満３歳未満保育認定子ども　零

（特例地域型保育給付費の支給に関する技術的読替え）
第15条　法第30条第４項の規定により法第29条第２項及び第５項から第７項までの規定を準用する場合においては、次の表の上欄に掲げる同条の規定中同表の中欄に掲げる字句は、それぞれ同表の下欄に掲げる字句に読み替えるものとする。

第２項	満３歳未満保育認定地域型保育を受けようとする満３歳未満保育認定子ども	特別利用地域型保育を受けようとする第19条第１号に掲げる小学校就学前子どもに該当する教育・保育給付認定子どもに係る教育・保育給付認定保護者又は特定利用地域型保育を受けようとする同条第２号に掲げる小学校就学前子どもに該当する教育・保育給付認定子ども
	満３歳未満保育認定地域型保育を当該満３歳未満保育認定子ども	特別利用地域型保育又は特定利用地域型保育（第５項及び第７項において「特別利用地域型保育等」という。）を当該同条第１号又は第２号に掲げる小学校就学前子どもに該当する教育・保育給付認定子ども
第５項	満３歳未満保育認定子どもが	第19条第１号又は第２号に掲げる小学校就学前子どもに該当する教育・保育給付認定子どもが
	満３歳未満保育認定地域型保育	特別利用地域型保育等
	満３歳未満保育認定子どもに	同条第１号又は第２号に掲げる小学校就学前子どもに該当する教育・保育給付認定子どもに
第７項	第３項第１号	次条第２項第２号又は第３号
	特定地域型保育の	特定地域型保育（特別利用地域型保育等を含む。）の

（子育てのための施設等利用給付に関する技術的読替え）

第15条の２　法第30条の３の規定により法第12条から第18条までの規定を準用する場合においては、次の表の上欄に掲げる法の規定中同表の中欄に掲げる字句は、それぞれ同表の下欄に掲げる字句に読み替えるものとする。

第12条第２項	第27条第１項に規定する特定教育・保育施設又は第29条第１項に規定する特定地域型保育事業者	第30条の11第３項に規定する特定子ども・子育て支援提供者
	第27条第５項（第28条第４項において準用する場合を含む。）又は第29条第５項（第30条第４項において準用する場合を含む。）	同項
	特定教育・保育施設又は特定地域型保育事業者	特定子ども・子育て支援提供者
第14条第１項	教育・保育を	教育・保育その他の子ども・子育て支援を
第15条第１項	教育・保育の	教育・保育その他の子ども・子育て支援の
第15条第２項	教育・保育を	教育・保育その他の子ども・子育て支援を
	教育・保育に	教育・保育その他の子ども・子育て支援に
	教育・保育の	教育・保育その他の子ども・子育て支援の

（法第30条の４第３号の政令で定める場合及び市町村民税を課されない者に準ずる者）

第15条の３　法第30条の４第３号の政令で定める場合は、特定子ども・子育て支援（法第30条の11第１項に規定する特定子ども・子育て支援をいう。以下同じ。）のあった月が４月から８月までの場合とする。

２　法第30条の４第３号の政令で定める地方税法の規定による市町村民税（同法第328条の規定によって課する所得割を除く。以下この項において同じ。）を課されない者に準ずる者は、次に掲げる者とする。

一　保護者及び当該保護者と同一の世帯に属する者であって、市町村（特別区を含む。以下同じ。）の条例で定めるところにより市町村民税を免除されたもの

二　生活保護法第６条第１項に規定する被保護者である保護者

三　児童福祉法第６条の３第８項に規定する小規模住居型児童養育事業を行う者又は同法第６条の４に規定する里親である保護者

（施設等利用給付認定の変更の認定に関する技術的読替え）

第15条の４　法第30条の８第３項の規定により法第30条の５第２項から第６項までの規定を準用する場合においては、次の表の上欄に掲げる同条の規定中同表の中欄に掲げる字句は、それぞれ同表の下欄に掲げる字句に読み替えるものとする。

第２項	前項の認定（以下「施設等利用給付認	第30条の８第２項の施設等利用給付

	定」という。）	認定の変更の認定（次項及び第４項において「変更認定」という。）
	小学校就学前子どもの保護者	施設等利用給付認定保護者
第３項	施設等利用給付認定を	変更認定を
	施設等利用給付認定に係る保護者（以下「施設等利用給付認定保護者」という。）	変更認定に係る施設等利用給付認定保護者
第４項	第１項	第30条の８第１項
	当該保護者が子育てのための施設等利用給付を受ける資格を有する	変更認定を行う必要がある
	保護者に	施設等利用給付認定保護者に
第５項及び第６項	第１項	第30条の８第１項
	保護者	施設等利用給付認定保護者

２　法第30条の８第５項の規定により法第30条の５第２項及び第３項の規定を準用する場合においては、次の表の上欄に掲げる同条の規定中同表の中欄に掲げる字句は、それぞれ同表の下欄に掲げる字句に読み替えるものとする。

第２項	前項の認定（以下「施設等利用給付認定」という。）	第30条の８第４項の施設等利用給付認定の変更の認定（次項において「変更認定」という。）
	小学校就学前子どもの保護者	施設等利用給付認定保護者
第３項	施設等利用給付認定を	変更認定を
	施設等利用給付認定に係る保護者（以下「施設等利用給付認定保護者」という。）	変更認定に係る施設等利用給付認定保護者

（法第30条の９第１項第３号の政令で定めるとき）

第15条の５　法第30条の９第１項第３号の政令で定めるときは、次に掲げるときとする。

一　当該施設等利用給付認定保護者（法第30条の５第３項に規定する施設等利用給付認定保護者をいう。以下この条及び第24条の４において同じ。）が、正当な理由なしに、法第30条の３において準用する法第13条第１項の規定による報告若しくは物件の提出若しくは提示をせず、若しくは虚偽の報告若しくは虚偽の物件の提出若しくは提示をし、又は同項の規定による当該職員の質問に対して、答弁せず、若しくは虚偽の答弁をしたとき。

二　当該施設等利用給付認定保護者が法第30条の５第１項又は第30条の８第１項の規定による申請（法第30条の５第７項の規定により同条第２項に規定する施設等利用給付認定を受けたものとみなされた施設等利用給付認定保護者にあっては、法第20条第１項又は第23条第１項の規定による申請を含む。）に関し虚偽の申請をしたとき。

三　当該施設等利用給付認定保護者がその施設等利用給付認定子ども（法第30条の８第１項に規定する施設等利用給付認定子どもをいう。次号、次条及び第24条の４において同じ。）について法第30条第１項に規定する保育認定子どもに係る教育・保育給付認定を受け、当該教育・保育給付認定に係る施設型給付費、特例施設型給付費（法第28条第１項第３号に係るものを除く。）、地域型保育給付費又は特例地域型保育給付費の支給を受けたとき。

四　当該施設等利用給付認定保護者に係る施設等利用給付認定子どもが第１条に規定する施設を利用したとき。

（施設等利用費の額）

第15条の６　法第30条の４第１号に掲げる小学校就学前子どもに該当する施設等利用給付認定子ども（特定子ども・子育て支援施設等（法第30条の11第１項に規定する特定子ども・子育て支援施設等をいう。以下この条において同じ。）である認定こども園、幼稚園又は特別支援学校に在籍する者に限る。）について法第30条の11第１項の規定により支給する施設等利用費の額は、２万5700円（国（国立大学法人法（平成15年法律第112号）第２条第１項に規定する国立大学法人を含む。第２項及び第３項において同じ。）が設置する認定こども園、幼稚園又は特別支援学校にあっては、国立大学法人法第22条第３項の文部科学省令で定める保育料その他の費用の額を勘案して内閣府令で定める額。以下この項及び次項第１号において同じ。）（現に当該特定子ども・子育て支援施設等に係る特定子ども・子育て支援に要した費用の額が２万5700円を下回る場合には、当該現に特定子ども・子育て支援に要した費用の額）とする。

２　法第30条の４第２号に掲げる小学校就学前子どもに該当する施設等利用給付認定子ども（認定こども園（国が設置するものを除く。以下この項において同じ。）、幼稚園又は特別支援学校に在籍する者に限る。）について法第30条の11第１項の規定により支給する施設等利用費の額は、次の各号に掲げる特定子ども・子育て支援施設等の区分に応じ、当該各号に定める額（現に当該各号に掲げる特定子ども・子育て支援施設等に係る特定子ども・子育て支援に要した費用の額が当該各号に定める額を下回る場合には、それぞれ当該現に特定子ども・子育て支援に要した費用の額。第3号において同じ。）の合算額とする。

一　認定こども園、幼稚園又は特別支援学校　2万5700円

二　法第7条第10項第5号に掲げる事業　1万1300円（1月につき当該事業から特定子ども・子育て支援を受けた日数が内閣府令で定める1月当たりの日数を下回る場合にあっては、内閣府令で定めるところにより当該特定子ども・子育て支援を受けた日数に応じて算定した額）

三　法第7条第10項第4号に掲げる施設又は同項第6号から第8号までに掲げる事業（当該施設等利用給付認定子どもが在籍する認定こども園、幼稚園又は特別支援学校及び当該施設において行われる同項第5号に掲げる事業において提供される教育・保育の量が法第20条第3項に規定する保育必要量を勘案して内閣府令で定める量を下回る場合に限る。）　1万1300円から前号に定める額を控除して得た額

3　法第30条の4第2号に掲げる小学校就学前子どもに該当する施設等利用給付認定子ども（認定こども園、幼稚園又は特別支援学校に在籍する者以外の者であって特定子ども・子育て支援施設等である法第7条第10項第4号に掲げる施設若しくは同項第6号から第8号までに掲げる事業を利用するもの又は国が設置する認定こども園に在籍する者に限る。）について法第30条の11第1項の規定により支給する施設等利用費の額は、3万7000円（国が設置する認定こども園にあっては、国立大学法人法第22条第3項の文部科学省令で定める保育料その他の費用の額を勘案して内閣府令で定める額。以下この項において同じ。）（現に当該特定子ども・子育て支援施設等に係る特定子ども・子育て支援に要した費用の額が3万7000円を下回る場合には、当該現に特定子ども・子育て支援に要した費用の額）とする。

4　前2項の規定は、法第30条の4第3号に掲げる小学校就学前子どもに該当する施設等利用給付認定子どもについての法第30条の11第1項の規定により支給する施設等利用費の額の算定について準用する。この場合において、第2項第2号及び第3号中「1万1300円」とあるのは「1万6300円」と、前項中「3万7000円」とあるのは「4万2000円」と読み替えるものとする。

（特定教育・保育施設の確認の変更に関する技術的読替え）

第16条　法第32条第2項の規定により法第31条第3項の規定を準用する場合においては、同項中「第1項」とあるのは「次条第1項」と、「定めた」とあるのは「増加した」と読み替えるものとする。

（法第40条第1項第8号の政令で定める法律）

第17条　法第40条第1項第8号の政令で定める法律は、次のとおりとする。

一　学校教育法

二　児童福祉法（国家戦略特別区域法（平成25年法律第107号）第12条の5第8項において準用する場合を含む。）

三　教育職員免許法（昭和24年法律第147号）

四　私立学校法（昭和24年法律第270号）

五　身体障害者福祉法（昭和24年法律第283号）

六　精神保健及び精神障害者福祉に関する法律（昭和25年法律第123号）

七　生活保護法

八　社会福祉法（昭和26年法律第45号）

九　学校保健安全法（昭和33年法律第56号）

十　知的障害者福祉法（昭和35年法律第37号）

十一　母子及び父子並びに寡婦福祉法（昭和39年法律第129号）

十二　私立学校振興助成法（昭和50年法律第61号）

十三　社会福祉士及び介護福祉士法（昭和62年法律第30号）

十四　介護保険法（平成9年法律第123号）

十五　児童買春、児童ポルノに係る行為等の規制及び処罰並びに児童の保護等に関する法律（平成11年法律第52号）

十六　児童虐待の防止等に関する法律（平成12年法律第82号）

十七　発達障害者支援法（平成16年法律第167号）

十八　障害者の日常生活及び社会生活を総合的に支援するための法律（平成17年法律第123号）

十九　認定こども園法

二十　障害者虐待の防止、障害者の養護者に対する支援等に関する法律（平成23年法律第79号）

二十一　国家戦略特別区域法（第12条の5第7項の規定に限る。）

二十二　いじめ防止対策推進法（平成25年法律第71号）

二十三　民間あっせん機関による養子縁組のあっせんに係る児童の保護等に関する法律（平成28年法律第110号）

（法第40条第2項の政令で定める者等）

第18条　法第40条第2項の同条第1項の規定により法

第27条第１項の確認を取り消された教育・保育施設の設置者から除く政令で定める者は、当該確認の取消しの処分の理由となった事実及び当該事実の発生を防止するための当該教育・保育施設の設置者による業務管理体制の整備についての取組の状況その他の当該事実に関して当該教育・保育施設の設置者が有していた責任の程度を考慮して、法第40条第２項の規定を適用しないこととすることが相当であると認められる者として内閣府令で定める者に該当する者とする。

2　法第40条第２項の同条第１項の規定により法第27条第１項の確認を取り消された教育・保育施設の設置者（前項に規定する者を除く。）に準ずる者として政令で定める者は、次の各号に掲げる者のいずれかに該当する教育・保育施設の設置者とし、法第40条第２項の政令で定める日は、当該者の当該各号に掲げる区分に応じ、当該各号に定める日とする。

一　その者と内閣府令で定める密接な関係を有する法人（次のイからハまでに掲げる者に限る。第20条第２項第２号、第22条の２第２項第２号及び附則第11条第２項第２号において「その者と密接な関係を有する者」という。）が、法第40条第１項の規定により法第27条第１項の確認を取り消された教育・保育施設の設置者（前項に規定する者を除く。）である者　当該確認の取消しの日

イ　その者の役員に占めるその役員の割合が２分の１を超え、又はその者の株式の所有その他の事由を通じてその者の事業を実質的に支配し、若しくはその者の事業に重要な影響を与える関係にある者として内閣府令で定めるもの（ロにおいて「その者の親会社等」という。）

ロ　その者の親会社等の役員と同一の者がその役員に占める割合が２分の１を超え、又はその者の親会社等が株式の所有その他の事由を通じてその事業を実質的に支配し、若しくはその事業に重要な影響を与える関係にある者として内閣府令で定めるもの

ハ　その者の役員と同一の者がその役員に占める割合が２分の１を超え、又はその者が株式の所有その他の事由を通じてその事業を実質的に支配し、若しくはその事業に重要な影響を与える関係にある者として内閣府令で定めるもの

二　法第40条第１項の規定による法第27条第１項の確認の取消しの処分に係る行政手続法（平成５年法律第88号）第15条の規定による通知があった日から当該処分をする日又は処分をしないことを決定する日までの間に、法第36条の規定により同項の確認を辞退した者（当該確認の辞退について相当の理由がある者を除く。）　当該確認の辞退の日

三　法第38条第１項の規定による検査が行われた日から聴聞決定予定日（当該検査の結果に基づき法第40条第１項の規定による法第27条第１項の確認の取消しの処分に係る聴聞を行うか否かの決定をすることが見込まれる日として内閣府令で定めるところにより市町村長（特別区の区長を含む。第20条第２項第４号及び第22条の２第２項第４号において同じ。）がその者に当該検査が行われた日から10日以内に特定の日を通知した場合における当該特定の日をいう。附則第11条第２項第４号において同じ。）までの間に、法第36条の規定により法第27条第１項の確認を辞退した者（当該確認の辞退について相当の理由がある者を除く。）　当該確認の辞退の日

四　教育・保育に関し不正又は著しく不当な行為をした者　当該行為をした日

五　その者の役員又は長のうちに次のイからハまでに掲げる者のいずれかに該当する者がある者　それぞれイからハまでに定める日

イ　法第40条第１項の規定により法第27条第１項の確認を取り消された教育・保育施設の設置者（前項に規定する者を除く。）において、当該確認の取消しの処分に係る行政手続法第15条の規定による通知があった日前60日以内に、その役員又は長であった者　当該確認の取消しの日

ロ　第２号に規定する期間内に法第36条の規定により法第27条第１項の確認を辞退した教育・保育施設の設置者（当該確認の辞退について相当の理由がある者を除く。）において、同号の通知の日前60日以内に、その役員又は長であった者　当該確認の辞退の日

ハ　前号に掲げる者　同号に定める日

（法第52条第１項第８号の政令で定める法律等）

第19条　法第52条第１項第８号の政令で定める法律は、第17条各号（第１号、第３号、第４号、第９号、第12号及び第22号を除く。）に掲げる法律とする。

2　法第52条第１項第10号の政令で定める使用人は、同号に規定する事業所を管理する者とする。

（法第52条第２項の政令で定める者等）

第20条　法第52条第２項の同条第１項の規定により法第29条第１項の確認を取り消された地域型保育事業を行う者から除く政令で定める者は、当該確認の取消しの処分の理由となった事実及び当該事実の発生を防止するための当該地域型保育事業を行う者による業務管理体制の整備についての取組の状況その他の当該事実に関して当該地域型保育事業を行う者が有していた責任の程度を考慮して、法第52条第２項

の規定を適用しないこととすることが相当であると認められる者として内閣府令で定める者に該当する者とする。

2　法第52条第２項の同条第１項の規定により法第29条第１項の確認を取り消された地域型保育事業を行う者（前項に規定する者を除く。）に準ずる者として政令で定める者は、次の各号に掲げる者のいずれかに該当する地域型保育事業を行う者とし、法第52条第２項の政令で定める日は、当該者の当該各号に掲げる区分に応じ、当該各号に定める日とする。

一　法第52条第１項の規定により法第29条第１項の確認を取り消された地域型保育事業を行う者（前項に規定する者を除く。）において、当該確認の取消しの処分に係る行政手続法第15条の規定による通知があった日前60日以内に、次のイ又はロに掲げる場合の区分に応じ、それぞれイ又はロに定める者であった者　当該確認の取消しの日

イ　当該確認を取り消された地域型保育事業を行う者が法人である場合　その役員等（役員又は使用人であって、その事業所を管理する者をいう。第５号イ及び第７号において同じ。）

ロ　当該確認を取り消された地域型保育事業を行う者が法人以外の者である場合　その管理者

二　法人であって、その者と密接な関係を有する者が法第52条第１項の規定により法第29条第１項の確認を取り消された地域型保育事業を行う者（前項に規定する者を除く。）であるもの　当該確認の取消しの日

三　法第52条第１項の規定による法第29条第１項の確認の取消しの処分に係る行政手続法第15条の規定による通知があった日から当該処分をする日又は処分をしないことを決定する日までの間に、法第48条の規定により同項の確認を辞退した者（当該確認の辞退について相当の理由がある者を除く。）　当該確認の辞退の日

四　法第50条第１項の規定による検査が行われた日から聴聞決定予定日（当該検査の結果に基づき法第52条第１項の規定による法第29条第１項の確認の取消しの処分に係る聴聞を行うか否かの決定をすることが見込まれる日として内閣府令で定めるところにより市町村長がその者に当該検査が行われた日から10日以内に特定の日を通知した場合における当該特定の日をいう。）までの間に、法第48条の規定により法第29条第１項の確認を辞退した者（当該確認の辞退について相当の理由がある者を除く。）　当該確認の辞退の日

五　第３号に規定する期間内に法第48条の規定により法第29条第１項の確認を辞退した地域型保育事業を行う者（当該確認の辞退について相当の理由がある者を除く。）において、同号の通知の日前60日以内に、次のイ又はロに掲げる場合の区分に応じ、それぞれイ又はロに定める者であった者　当該確認の辞退の日

イ　当該確認を辞退した地域型保育事業を行う者が法人である場合　その役員等

ロ　当該確認を辞退した地域型保育事業を行う者が法人以外の者である場合　その管理者

六　保育に関し不正又は著しく不当な行為をした者　当該行為をした日

七　法人であって、その役員等のうちに次のイからハまでに掲げる者のいずれかに該当する者のあるもの　それぞれイからハまでに定める日

イ　第１号に掲げる者　同号に定める日

ロ　第３号から第５号までに掲げる者　それぞれ第３号から第５号までに定める日

ハ　前号に掲げる者　同号に定める日

八　法人以外の者であって、その管理者が次のイからハまでに掲げる者のいずれかに該当するもの　それぞれイからハまでに定める日

イ　第１号に掲げる者　同号に定める日

ロ　第３号から第５号までに掲げる者　それぞれ第３号から第５号までに定める日

ハ　第６号に掲げる者　同号に定める日

（教育・保育情報の報告）

第21条　法第58条第１項の規定による報告は、特定教育・保育提供者が教育・保育を提供する施設又は事業所の所在地の都道府県知事が定めるところにより行うものとする。

（法第58条の10第１項第８号の政令で定める法律等）

第22条　法第58条の10第１項第８号の政令で定める法律は、第17条各号に掲げる法律とする。

2　法第58条の10第１項第10号の政令で定める使用人は、特定子ども・子育て支援を提供する施設又は事業所を管理する者とする。

（法第58条の10第２項の政令で定める者等）

第22条の２　法第58条の10第２項の同条第１項の規定により法第30条の11第１項の確認を取り消された子ども・子育て支援施設等（法第７条第10項に規定する子ども・子育て支援施設等をいう。以下この条において同じ。）である施設の設置者又は事業を行う者（以下この条において「確認取消提供者」という。）から除く政令で定める者は、当該確認の取消しの処分の理由となった事実及び当該事実に関して当該確認取消提供者が有していた責任の程度を考慮

して、法第58条の10第２項の規定を適用しないこととすることが相当であると認められる者として内閣府令で定める者に該当する者とする。

２　法第58条の10第２項の確認取消提供者（前項に規定する者を除く。第１号及び第２号において同じ。）に準ずる者として政令で定める者は、次の各号に掲げる者のいずれかに該当する子ども・子育て支援施設等である施設の設置者又は事業を行う者とし、同条第２項の政令で定める日は、当該者の当該各号に掲げる区分に応じ、当該各号に定める日とする。

一　確認取消提供者において、当該確認の取消しの処分に係る行政手続法第15条の規定による通知があった日前60日以内に、次のイ又はロに掲げる場合の区分に応じ、それぞれイ又はロに定める者であった者　当該確認の取消しの日

イ　当該確認取消提供者が法人である場合　その役員等（役員又は使用人であって、特定子ども・子育て支援を提供する施設又は事業所を管理する者をいう。第５号イ及び第７号において同じ。）

ロ　当該確認取消提供者が法人以外の者である場合　その特定子ども・子育て支援を提供する施設又は事業所を管理する者

二　法人であって、その者と密接な関係を有する者が確認取消提供者であるもの　当該確認の取消しの日

三　法第58条の10第１項の規定による法第30条の11第１項の確認の取消しの処分に係る行政手続法第15条の規定による通知があった日から当該処分をする日又は処分をしないことを決定する日までの間に、法第58条の６第１項の規定による法第30条の11第１項の確認の辞退（以下この号から第５号までにおいて「確認辞退」という。）をした者（当該確認辞退について相当の理由がある者を除く。次号及び第５号において同じ。）　当該確認辞退の日

四　法第58条の８第１項の規定による検査が行われた日から聴聞決定予定日（当該検査の結果に基づき法第58条の10第１項の規定による法第30条の11第１項の確認の取消しの処分に係る聴聞を行うか否かの決定をすることが見込まれる日として内閣府令で定めるところにより市町村長がその者に当該検査が行われた日から10日以内に特定の日を通知した場合における当該特定の日をいう。）までの間に、確認辞退をした者　当該確認辞退の日

五　第３号に規定する期間内に確認辞退をした者において、同号の通知の日前60日以内に、次のイ又はロに掲げる場合の区分に応じ、それぞれイ又はロに定める者であった者　当該確認辞退の日

イ　当該確認辞退をした者が法人である場合　その役員等

ロ　当該確認辞退をした者が法人以外の者である場合　特定子ども・子育て支援を提供する施設又は事業所を管理する者

六　教育・保育その他の子ども・子育て支援に関し不正又は著しく不当な行為をした者　当該行為をした日

七　法人であって、その役員等のうちに前各号（第２号を除く。）に掲げる者のいずれかに該当する者のあるもの　当該各号に定める日

八　法人以外の者であって、その特定子ども・子育て支援を提供する施設又は事業所を管理する者が前各号（第２号及び前号を除く。）に掲げる者のいずれかに該当するもの　当該各号に定める日

（施設型給付費等負担対象額の算定方法）

第23条　施設型給付費等負担対象額（法第66条の３第１項に規定する施設型給付費等負担対象額をいう。第24条の３において同じ。）は、各市町村につき、その支弁する次に掲げる額の合算額とする。

一　満３歳以上教育・保育給付認定子どもに係る教育・保育給付認定保護者ごとに法第27条第３項第１号に掲げる額、法第28条第２項第２号に規定する内閣総理大臣が定める基準により算定した費用の額、同項第３号に規定する内閣総理大臣が定める基準により算定した費用の額、法第30条第２項第２号に規定する内閣総理大臣が定める基準により算定した費用の額、同項第３号に規定する内閣総理大臣が定める基準により算定した費用の額及び同項第４号に規定する内閣総理大臣が定める基準により算定した費用の額を合算した額

二　満３歳未満保育認定子どもに係る教育・保育給付認定保護者ごとに次に掲げる額（当該額が零を下回る場合には、零とする。）を合算した額

イ　法第27条第３項第１号に掲げる額から第４条第２項、第13条第１項又は第14条に定める額を控除して得た額

ロ　法第27条第３項第１号に掲げる額から第５条第２項において準用する第４条第２項、第13条第１項又は第14条に定める額を控除して得た額

ハ　法第29条第３項第１号に掲げる額から第９条において準用する第４条第２項、第13条第１項又は第14条に定める額を控除して得た額

ニ　法第30条第２項第３号に規定する内閣総理大臣が定める基準により算定した費用の額から第

11条第２項において準用する第４条第２項、第13条第１項又は第14条に定める額を控除して得た額

ホ　法第30条第２項第４号に規定する内閣総理大臣が定める基準により算定した費用の額から第12条第２項において準用する第４条第２項、第13条第１項又は第14条に定める額を控除して得た額

（施設型給付費等負担対象額の特例）

第24条　市町村が、災害その他の内閣府令で定める特別の事由があることにより、特定教育・保育等（法第59条第３号イに規定する特定教育・保育等をいう。次項において同じ。）に要する費用を満３歳未満保育認定子どもに係る教育・保育給付認定保護者が負担することが困難であると認め、その負担を軽減するよう法第27条第３項第２号の市町村が定める額、法第28条第２項第１号の当該教育・保育給付認定保護者の属する世帯の所得の状況その他の事情を勘案して市町村が定める額、法第29条第３項第２号の市町村が定める額、法第30条第２項第１号の当該教育・保育給付認定保護者の属する世帯の所得の状況その他の事情を勘案して市町村が定める額、同項第３号の市町村が定める額又は同項第４号の当該教育・保育給付認定保護者の属する世帯の所得の状況その他の事情を勘案して市町村が定める額を定めた場合における当該教育・保育給付認定保護者に関する前条の規定の適用については、同条第２号中「に定める額」とあるのは、「に定める額を限度として内閣府令で定めるところにより市町村が定める額」とする。

２　月の途中において特定教育・保育等を受け始めたことその他内閣府令で定める事由のあった満３歳未満保育認定子どもに係る教育・保育給付認定保護者に関する前条の規定の適用については、同条第２号中「に定める額」とあるのは、「に定める額（月の途中において特定教育・保育等を受け始めたことその他内閣府令で定める事由のあった月については、内閣府令で定める日数を基礎として日割りによって計算して得た額）」とする。

（法第66条の３第１項の政令で定める割合）

第24条の２　法第66条の３第１項の政令で定める割合は、1000分の181.6とする。

（施設型給付費等負担対象額に係る都道府県及び国の負担）

第24条の３　都道府県は、法第67条第１項の規定により、毎年度、施設型給付費等負担対象額から拠出金充当額（法第66条の３第１項に規定する拠出金充当額をいう。次項において同じ。）を控除した額の４分の１を負担する。

２　国は、法第68条第１項の規定により、毎年度、施設型給付費等負担対象額から拠出金充当額を控除した額の２分の１を負担する。

（国及び都道府県が負担すべき費用の算定の基礎となる額）

第24条の４　法第67条第２項に規定する国及び都道府県が負担すべき費用の算定の基礎となる額（次条において「施設等利用費負担算定基礎額」という。）は、各市町村につき、その支弁する施設等利用給付認定子どもに係る施設等利用給付認定保護者ごとの第15条の６に定める額の合計額を合算した額（その費用のための寄附金その他の収入があるときは、当該収入の額を控除した額）とする。

２　月の途中において特定子ども・子育て支援を受け始めたことその他内閣府令で定める事由のあった施設等利用給付認定子どもに係る施設等利用給付認定保護者に関する前項の規定の適用については、同項中「定める額」とあるのは、「定める額（月の途中において特定子ども・子育て支援を受け始めたことその他内閣府令で定める事由のあった月については、内閣府令で定める日数を基礎として日割りによって計算して得た額）」とする。

（施設等利用費の支給に要する費用に係る都道府県及び国の負担）

第24条の５　都道府県は、法第67条第２項の規定により、毎年度、施設等利用費負担算定基礎額の４分の１を負担する。

２　国は、法第68条第２項の規定により、毎年度、施設等利用費負担算定基礎額の２分の１を負担する。

（地域子ども・子育て支援事業に係る都道府県及び国の交付金）

第25条　都道府県は、法第67条第３項の規定により、毎年度、市町村に対して、市町村が行う地域子ども・子育て支援事業（法第59条に規定する地域子ども・子育て支援事業をいう。次項において同じ。）に要する費用の額から、その年度におけるその費用のための寄附金その他の収入の額を控除した額（その額が内閣総理大臣が定める基準により算定した費用の額を超える場合にあっては、当該費用の額）につき、内閣総理大臣が定める基準によって算定した額を交付することができる。

２　国は、法第68条第３項の規定により、毎年度、市町村に対して、市町村が行う地域子ども・子育て支援事業に要する費用の額から、その年度におけるその費用のための寄附金その他の収入の額を控除した

額（その額が内閣総理大臣が定める基準により算定した費用の額を超える場合にあっては、当該費用の額）につき、内閣総理大臣が定める基準によって算定した額を交付することができる。

（法第69条第１項の政令で定める団体）

第26条　法第69条第１項第３号の政令で定める団体は、地方公務員等共済組合法（昭和37年法律第152号）第３条第４項に規定する特定地方独立行政法人、同法第113条第６項に規定する職員団体、同法第140条第１項に規定する公庫等、同法第141条第１項に規定する組合、同条第２項に規定する連合会、同法第141条の２に規定する職員引継一般地方独立行政法人、同法第141条の３に規定する定款変更一般地方独立行政法人、同法第141条の４に規定する職員引継等合併一般地方独立行政法人及び同法第142条第２項の規定により読み替えられた同法第140条第１項に規定する特定公庫等とする。

２　法第69条第１項第４号の政令で定める団体は、国家公務員共済組合法（昭和33年法律第128号）第１条第２項に規定する行政執行法人、同法第31条第１号に規定する独立行政法人のうち同法別表第２に掲げるもの及び国立大学法人等、同法第99条第６項に規定する職員団体、同法第124条の２第１項に規定する公庫等及び特定公庫等並びに同法第125条に規定する組合とする。

（法第70条第２項の政令で定める拠出金率）

第27条　法第70条第２項の拠出金率は、1000分の3.6とする。

（権限の委任）

第28条　法第71条第２項の政令で定める政府の権限は、法第69条第１項第１号に掲げる者から拠出金等（法第71条第２項に規定する拠出金等をいう。以下同じ。）を徴収する権限とする。

（日本年金機構への厚生労働大臣の権限に係る事務の委任）

第29条　法第71条第３項の政令で定めるものは、次に掲げるとおりとする。

一　法第71条第１項の規定によりその例によるものとされる厚生年金保険法（昭和29年法律第115号）第81条の２第１項及び第81条の２の２第１項の規定による申出の受理

二　法第71条第１項の規定によりその例によるものとされる厚生年金保険法第83条の２の規定による申出の受理及び承認

三　法第71条第１項の規定によりその例によるものとされる厚生年金保険法第86条第５項の規定による市町村に対する処分の請求

四　法第71条第１項の規定によりその例によるものとされる厚生年金保険法第89条の規定により国税徴収の例によるものとされる徴収に係る権限（国税通則法（昭和37年法律第66号）第36条第１項の規定の例による納入の告知、同法第42条において準用する民法（明治29年法律第89号）第423条第１項の規定の例による納付義務者に属する権利の行使、国税通則法第46条の規定の例による納付の猶予その他の厚生労働省令で定める権限並びに次号に掲げる質問、検査及び提示又は提出の要求、物件の留置き並びに捜索を除く。）

五　法第71条第１項の規定によりその例によるものとされる厚生年金保険法第89条の規定によりその例によるものとされる国税徴収法（昭和34年法律第147号）第141条の規定による質問、検査及び提示又は提出の要求、同法第141条の２の規定による物件の留置き並びに同法第142条の規定による捜索

六　前各号に掲げるもののほか、厚生労働省令で定める権限

（機構が行う滞納処分等に係る認可等）

第30条　日本年金機構（以下「機構」という。）は、法第71条第３項に規定する国税滞納処分の例による処分及び前条第５号に掲げる権限（以下「滞納処分等」という。）を行う場合には、あらかじめ、厚生労働大臣の認可を受けるとともに、次条第１項に規定する滞納処分等実施規程に従い、徴収職員に行わせなければならない。

２　厚生年金保険法第100条の６第２項及び第３項の規定は、前項の規定による機構が行う滞納処分等について準用する。

（滞納処分等実施規程の認可等）

第31条　機構は、滞納処分等の実施に関する規程（次項において「滞納処分等実施規程」という。）を定め、厚生労働大臣の認可を受けなければならない。これを変更しようとするときも、同様とする。

２　厚生年金保険法第100条の７第２項及び第３項の規定は、滞納処分等実施規程の認可及び変更について準用する。

（機構から厚生労働大臣への求め等）

第32条　機構は、滞納処分等その他第29条各号に掲げる権限のうち厚生労働省令で定める権限に係る事務を効果的に行うため必要があると認めるときは、厚生労働省令で定めるところにより、厚生労働大臣に当該権限の行使に必要な情報を提供するとともに、厚生労働大臣自らその権限を行うよう求めることができる。

（法第71条第４項の政令で定める場合）

第33条　法第71条第４項の政令で定める場合は、前条の規定による求めがあった場合において厚生労働大臣が必要があると認めるときとする。

（厚生年金保険法の機構への厚生労働大臣の権限に係る事務の委任に関する規定の準用）

第34条　厚生年金保険法第100条の４第４項から第７項までの規定は、法第71条第３項の規定による機構による同項に規定する国税滞納処分の例による処分及び第29条各号に掲げる権限に係る事務の実施又は法第71条第４項の規定による厚生労働大臣によるこれらの権限の行使について準用する。

（財務大臣への権限の委任）

第35条　厚生労働大臣は、法第71条第４項の規定により滞納処分等及び第29条第４号に掲げる権限の全部又は一部を自ら行うこととした場合におけるこれらの権限並びに同号に規定する厚生労働省令で定める権限のうち厚生労働省令で定めるもの（以下この条において「滞納処分等その他の処分」という。）に係る納付義務者（法第71条第６項に規定する納付義務者をいう。以下この条及び第38条において「納付義務者」という。）が滞納処分等その他の処分の執行を免れる目的でその財産について隠蔽しているおそれがあることその他の事情があるため拠出金等の効果的な徴収を行う上で必要があると認めるときは、財務大臣に、当該納付義務者に関する情報その他必要な情報を提供するとともに、当該納付義務者に係る滞納処分等その他の処分の権限を委任する。

2　前項の事情は、次の各号のいずれにも該当するものであることとする。

一　納付義務者が厚生労働省令で定める月数分以上の拠出金を滞納していること。

二　納付義務者が滞納処分等その他の処分の執行を免れる目的でその財産について隠蔽しているおそれがあること。

三　納付義務者が滞納している拠出金等の額（納付義務者が、厚生年金保険法の規定による保険料、健康保険法（大正11年法律第70号）の規定による保険料又は船員保険法（昭和14年法律第73号）の規定による保険料、厚生年金保険の保険給付及び保険料の納付の特例等に関する法律（平成19年法律第131号）の規定による特例納付保険料その他これらの法律の規定による徴収金（厚生労働省令で定めるものを除く。以下この号において同じ。）を滞納しているときは、当該滞納している保険料、特例納付保険料又はこれらの法律の規定による徴収金の合計額を加算した額）が厚生労働省令で定める金額以上であること。

四　滞納処分等その他の処分を受けたにもかかわらず、納付義務者が滞納している拠出金等の納付について誠実な意思を有すると認められないこと。

3　厚生労働大臣は、第１項の規定により滞納処分等その他の処分の権限を委任する場合においては、次に掲げる権限を除き、その全部を財務大臣に委任する。

一　法第71条第１項の規定によりその例によるものとされる厚生年金保険法第89条の規定によりその例によるものとされる国税徴収法第138条の規定による告知

二　法第71条第１項の規定によりその例によるものとされる厚生年金保険法第89条の規定によりその例によるものとされる国税徴収法第153条第１項の規定による滞納処分の執行の停止

三　法第71条第１項の規定によりその例によるものとされる厚生年金保険法第89条の規定によりその例によるものとされる国税通則法第11条の規定による延長

四　法第71条第１項の規定によりその例によるものとされる厚生年金保険法第89条の規定によりその例によるものとされる国税通則法第36条第１項の規定による告知

五　法第71条第１項の規定によりその例によるものとされる厚生年金保険法第89条の規定によりその例によるものとされる国税通則法第55条第１項の規定による受託

六　法第71条第１項の規定によりその例によるものとされる厚生年金保険法第89条の規定によりその例によるものとされる国税通則法第63条の規定による免除

七　法第71条第１項の規定によりその例によるものとされる厚生年金保険法第89条の規定によりその例によるものとされる国税通則法第123条第１項の規定による交付

八　前各号に掲げるもののほか、厚生労働省令で定める権限

（厚生年金保険法の財務大臣への権限の委任に関する規定の準用）

第36条　厚生年金保険法第100条の５第２項から第４項までの規定は、法第71条第４項の規定による財務大臣への権限の委任について準用する。

（国税庁長官への権限の委任）

第37条　財務大臣は、第35条第１項の規定により委任された権限、前条において準用する厚生年金保険法第100条の５第２項の規定による権限及び前条において準用する同法第100条の５第３項において準用する同法第100条の４第５項の規定による権限を国税庁長官に委任する。

（国税局長又は税務署長への権限の委任）

第38条　国税庁長官は、前条の規定により委任された権限の全部を、納付義務者の事業所又は事務所の所在地（厚生年金保険法第８条の２第１項の適用事業所にあっては同項の規定により一の適用事業所となった２以上の事業所又は事務所のうちから厚生労働大臣が指定する事業所又は事務所の所在地とし、

同法第６条第１項第３号に規定する船舶所有者（以下この項において「船舶所有者」という。）にあっては船舶所有者の住所地又は主たる事務所の所在地（仮住所があるときは、仮住所地）とする。次項において同じ。）を管轄する国税局長に委任する。

２　国税局長は、必要があると認めるときは、前項の規定により委任された権限の全部を納付義務者の事業所又は事務所の所在地を管轄する税務署長に委任する。

（機構への事務の委託）

第39条　厚生年金保険法第100条の10第２項及び第３項の規定は、法第71条第８項の規定による機構への事務の委託について準用する。この場合において、厚生年金保険法第100条の10第２項中「機構」とあるのは「日本年金機構（次項において「機構」という。）」と、「前項各号に掲げる」とあるのは「子ども・子育て支援法（平成24年法律第65号）第71条第８項の規定により機構に行わせるものとされた」と、同条第３項中「前２項」とあるのは「子ども・子育て支援法第71条第８項及び子ども・子育て支援法施行令第39条において準用する前項」と、「第１項各号に掲げる」とあるのは「同法第71条第８項の規定による」と読み替えるものとする。

（法第71条第９項の政令で定める法人）

第40条　法第71条第９項の政令で定める法人は、日本私立学校振興・共済事業団並びに法第69条第１項第３号及び第４号の法律に基づく共済組合とする。

（拠出金等の取立て及び政府への納付）

第41条　法第71条第９項の規定による拠出金等の取立ては、前条に規定する法人が法第69条第１項第２号から第４号までの法律に基づき掛金又は負担金を徴収する同項第２号から第４号までに掲げる者について、当該掛金又は負担金の取立ての例に準じて行うものとする。

２　法第71条第９項の規定により取り立てた拠出金等については、その取立てをした月ごとに取りまとめ、これに納付書を添えて、速やかに、日本銀行に納付しなければならない。

（こども家庭庁長官に委任されない権限）

第42条　法第76条第１項の政令で定める権限は、法第59条の２第２項、第60条第１項、第66条の３第２項並びに第70条第３項及び第４項に規定する権限とする。

（こども家庭庁長官への権限の委任）

第43条　内閣総理大臣は、この政令に規定する内閣総理大臣の権限をこども家庭庁長官に委任する。

附　則

（施行期日）

第１条　この政令は、法の施行の日〔平成27年４月１日〕から施行する。

（条例の制定に関する経過措置）

第２条　この政令の施行の日（以下「施行日」という。）から起算して１年を超えない期間内において、次の各号に掲げる規定に規定する市町村の条例が制定施行されるまでの間は、当該各号に定める規定に規定する内閣府令で定める基準は、当該市町村の条例で定める基準とみなす。

一　法第34条第２項　同条第３項

二　法第46条第２項　同条第３項

（子ども・子育て支援法及び就学前の子どもに関する教育、保育等の総合的な提供の推進に関する法律の一部を改正する法律の施行に伴う関係法律の整備等に関する法律によりなお従前の例によることとされた改正前の児童手当法に係る特例）

第３条　子ども・子育て支援法及び就学前の子どもに関する教育、保育等の総合的な提供の推進に関する法律の一部を改正する法律の施行に伴う関係法律の整備等に関する法律（平成24年法律第67号）第38条の規定によりなお従前の例によることとされた同法第36条の規定による改正前の児童手当法（昭和46年法律第73号）第20条の拠出金に関する第35条の規定の適用については、同条第２項第３号中「保険料、厚生年金保険」とあるのは「保険料、子ども・子育て支援法及び就学前の子どもに関する教育、保育等の総合的な提供の推進に関する法律の一部を改正する法律の施行に伴う関係法律の整備等に関する法律（平成24年法律第67号）第38条の規定によりその徴収についてなお従前の例によることとされた同法第36条の規定による改正前の児童手当法（昭和46年法律第73号）の規定による拠出金、厚生年金保険」と、「保険料、特例納付保険料」とあるのは「保険料、拠出金、特例納付保険料」とする。

（平成22年度等における子ども手当の支給に関する法律により適用される旧児童手当法に係る特例）

第４条　平成22年度等における子ども手当の支給に関する法律（平成22年法律第19号）第20条第１項の規定により適用される児童手当法の一部を改正する法律（平成24年法律第24号）附則第11条の規定によりなおその効力を有するものとされた同法第１条の規定による改正前の児童手当法（次条において「旧児童手当法」という。）第20条の拠出金に関する第35条の規定の適用については、同条第２項第３号中「保険料、厚生年金保険」とあるのは「保険料、平成22年度等における子ども手当の支給に関する法律（平成22年法律第19号）第20条第１項の規定により適用される児童手当法の一部を改正する法律（平成24年法律第24号）附則第11条の規定によりなおその効力を有するものとされた同法第１条の規定による改正前の児童手当法（昭和46年法律第73号）の規定による拠出金、厚生年金保険」と、「保険料、特例納付保険料」とあるのは「保険料、拠出金、特例納付保険料」とする。

（平成23年度における子ども手当の支給等に関する特別措置法により適用される旧児童手当法に係る特例）

第５条　平成23年度における子ども手当の支給等に関する特別措置法（平成23年法律第107号）第20条第１項、第３項及び第５項の規定により適用される児童手当法の一部を改正する法律附則第12条の規定によりなおその効力を有するものとされた旧児童手当法第20条の拠出金に関する第35条の規定の適用については、同条第２項第３号中「保険料、厚生年金保険」とあるのは「保険料、平成23年度における子ども手当の支給等に関する特別措置法（平成23年法律第107号）第20条第１項、第３項及び第５項の規定により適用される児童手当法の一部を改正する法律（平成24年法律第24号）附則第12条の規定によりなおその効力を有するものとされた同法第１条の規定による改正前の児童手当法（昭和46年法律第73号）の規定による拠出金、厚生年金保険」と、「保険料、特例納付保険料」とあるのは「保険料、拠出金、特例納付保険料」とする。

（特定保育所に係る委託費の支払に関する技術的読替え）

第６条　法附則第６条第１項の場合における法及び国有財産特別措置法（昭和27年法律第219号）の規定の適用については、次の表の上欄に掲げる規定中同表の中欄に掲げる字句は、それぞれ同表の下欄に掲げる字句とする。

法第13条第１項	子どものための教育・保育給付	子どものための教育・保育給付（附則第６条第１項に規定する委託費（以下「委託費」という。）の支払を含む。次条及び第16条において同じ。）
法第20条第１項	受けよう	受け、又はその同条第２号若しくは第３号に掲げる小学校就学前子どもに特定保育所（附則第６条第１項に規定する特定保育所をいう。第５項、第28条第１項及び第59条第２号において同じ。）から第27条第１項に規定する特定教育・保育（保育に限る。）を受けさせよう
	を受ける	又は当該特定教育・保育（保育に限る。）を受ける
	同条各号	前条各号
法第20条第３項	又は特例地域型保育給付費を支給する	若しくは特例地域型保育給付費を支給し、又は委託費を支払う
法第20条第５項	受ける	受け、又はその前条第２号若しくは第３号に掲げる小学校就学前子どもが特定保育所から第27条第１項に規定する特定教育・保育（保育に限る。）を受ける
法第28条第１項各号列記以外の部分	特定教育・保育	特定教育・保育（特定保育所における特定教育・保育（保育に限る。）を除く。以下この条において同じ。）
法第39条第１項第１号	支給	支給（委託費の支払を含む。次号、次項、次条第１項第２号及び第３号並びに第57条第１項において同じ。）
法第59条第２号	が特定教育・保育施設等	が特定教育・保育施設等（当該教育・保育給付認定保護者の保育認定子どもが特定保育所から特定教育・保育（保育に限る。）を受ける場合にあっては、市町村）
法第61条第２項第３号	子どものための教育・保育給付	子どものための教育・保育給付（委託費の支払を含む。次条第２項第２号において同じ。）
法第65条第２号	支給	支給並びに委託費の支払
法第66条の３第１項	第65条	子ども・子育て支援法施行令（平成26年政令第213号）附則第６条第１項の規定により読み替えられた第65条
	及び第70条第２項	、第70条第２項及び附則第６条第４項
法第67条第１項及び第68条第１項	第65条	子ども・子育て支援法施行令附則第６条第１項の規定により読み替えられた第65条
法第73条第１項	規定	規定（附則第６条第４項を除く。第３項において同じ。）
法第82条第１項	第13条第１項（第30条の３において準用する場合を含む。以下この項において同じ。）	子ども・子育て支援法施行令附則第６条第１項の規定により読み替えられた第13条第１項
	又は第13条第１項	又は同項
法第82条第２項	第14条第１項（第30条の３において準用する場合を含む。以下この項において同じ。）	第14条第１項

	又は第14条第１項	又は同項
法附則第６条第４項	保育認定子ども	満３歳未満保育認定子ども
国有財産特別措置法第２条第２項第２号ホ	又は特例施設型給付費の支給	若しくは特例施設型給付費の支給又は委託費の支払

2　前項の場合における第２条の規定の適用については、次の表の上欄に掲げる同条の規定中同表の中欄に掲げる字句は、それぞれ同表の下欄に掲げる字句とする。

第１項の表の第３項の項	又は特例地域型保育給付費を支給する	若しくは特例地域型保育給付費を支給し、又は委託費を支払う
第１項の表の第５項の項の中欄	第１項	第１項の
	受ける	受け、又はその前条第１項第２号若しくは第３号に掲げる小学校就学前子どもが特定保育所から第27条第１項に規定する特定教育・保育（保育に限る。）を受ける
第１項の表の第５項の項の下欄	第23条第１項	第23条第１項の
第２項の表の第３項の項	又は特例地域型保育給付費を支給する	若しくは特例地域型保育給付費を支給し、又は委託費を支払う

（委託費の支払に係る施設型給付費等負担対象額の算定に係る技術的読替え）

第７条　前条第１項の規定により法第65条第２号、第66条の３第１項、第67条第１項及び第68条第１項の規定を読み替えて適用する場合における第23条の規定の適用については、同条第１号中「を合算した額」とあるのは「並びに法附則第６条第１項に規定する委託費の支払に要する費用の額を合算した額」と、同条第２号中「を合算した額」とあるのは「及び法附則第６条第１項に規定する委託費の支払に要する費用の額から同条第４項に規定する額を控除して得た額を合算した額」とする。

第８条　削除

（保育料の徴収に係る技術的読替え）

第９条　法附則第６条第４項の規定により市町村の長が同項に規定する額を徴収する場合における児童福祉法及び児童手当法の規定の適用については、次の表の上欄に掲げる規定中同表の中欄に掲げる字句は、それぞれ同表の下欄に掲げる字句とする。

児童福祉法第56条第６項	保育所又は幼保連携型認定こども園の	保育所（第１号に掲げる乳児又は幼児については、都道府県又は市町村が設置するものに限る。以下この項において同じ。）又は幼保連携型認定こども園の
児童手当法第21条第１項	その他これ	、子ども・子育て支援法附則第６条第４項の規定により徴収する費用その他これら
児童手当法第21条第２項	児童福祉法第56条第６項各号又は第７項各号	子ども・子育て支援法施行令（平成26年政令第213号）附則第９条の規定により読み替えられた児童福祉法第56条第６項各号又は児童福祉法第56条第７項各号
児童手当法第22条第１項	場合又は同法第56条第６項若しくは第７項	場合若しくは子ども・子育て支援法附則第６条第４項の規定により費用を徴収する場合又は子ども・子育て支援法施行令附則第９条の規定により読み替えられた児童福祉法第56条第６項若しくは児童福祉法第56条第７項
	を支払うべき扶養義務者又は同法第56条第６項若しくは第７項	若しくは子ども・子育て支援法附則第６条第４項の規定により徴収する費用を支払うべき扶養義務者（同項に規定する保育費用に係る満３歳未満保育認定子どもの教育・保育給付認定保護者及び扶養義務者を含む。以下この項において同じ。）又は同令附則第９条の規定により読み替えられた児童福祉法第56条第６項若しくは児童福祉法第56条第７項
	）又は同法第56条第６項若しくは第７項	）若しくは子ども・子育て支援法附則第６条第４項の規定により徴収する費用又は同令附則第９条の規定により読み替えられた児童福祉法第56条第６項若しくは児童福祉法第56条第７項

（内閣府令への委任）

第10条　法附則第６条第１項及び第３項から第６項まで並びに附則第６条並びに前条に規定するもののほか、法附則第６条第１項の規定による委託費の支払に関し必要な経過措置は、内閣府令で定める。

（教育・保育施設の設置者に関する経過措置）

第11条　当分の間、次に掲げる教育・保育施設の設置者（法人以外の者に限る。）に対する法第31条第１

項及び第40条第２項の規定の適用については、法第31条第１項中「除き、法人に限る」とあるのは「除く」と、法第40条第２項中「第31条第１項」とあるのは「第31条第１項（子ども・子育て支援法施行令（平成26年政令第213号）附則第11条第１項の規定により読み替えられた場合を含む。）」とする。

一　法附則第７条の規定により施行日に法第27条第１項の確認があったものとみなされた法附則第７条に規定する認定こども園（その設置者が、法第36条の規定により同項の確認を辞退したもの及び法第40条第１項の規定により法第27条第１項の確認を取り消されたものを除く。）の設置者が、施行日以後に、内閣府令で定めるところにより、当該認定こども園の認定こども園法第３条第１項又は第３項の認定を辞退し、学校教育法第４条第１項の認可を受けて設置する幼稚園又は児童福祉法第35条第４項の認可を受けて設置する保育所

二　法附則第７条の規定により施行日に法第27条第１項の確認があったものとみなされた法附則第７条に規定する幼稚園（その設置者が、法第36条の規定により同項の確認を辞退したもの及び法第40条第１項の規定により法第27条第１項の確認を取り消されたものを除く。）であって、その設置者が、施行日以後に、認定こども園法第３条第１項又は第３項の認定を受けるもの

三　法附則第７条の規定により施行日に法第27条第１項の確認があったものとみなされた法附則第７条に規定する保育所（その設置者が、法第36条の規定により同項の確認を辞退したもの及び法第40条第１項の規定により法第27条第１項の確認を取り消されたものを除く。）であって、その設置者が、施行日以後に、認定こども園法第３条第１項の認定を受けるもの

四　学校教育法第１条に規定する幼稚園（その設置者が、法第36条の規定により法第27条第１項の確認を辞退したもの及び法第40条第１項の規定により法第27条第１項の確認を取り消されたものを除く。）の設置者が、就学前の子どもに関する教育・保育等の総合的な提供の推進に関する法律の一部を改正する法律（平成24年法律第66号）附則第４条第１項の規定により当該幼稚園を廃止して設置する同項に規定する幼保連携型認定こども園

2　当分の間、法第40条第２項（前項の規定により読み替えられた場合を含む。以下この条において同じ。）の法第40条第１項の規定により法第27条第１項の確認を取り消された教育・保育施設の設置者（第18条第１項に規定する者を除く。）に準ずる者として政令で定める者は、第18条第２項の規定にかかわらず、次の各号に掲げる者のいずれかに該当する教育・保育施設の設置者とし、法第40条第２項の政令で定める日は、当該者の当該各号に掲げる区分に応じ、当該各号に定める日とする。

一　法第40条第１項の規定により法第27条第１項の確認を取り消された教育・保育施設の設置者（第18条第１項に規定する者を除く。）において、当該確認の取消しの処分に係る行政手続法第15条の規定による通知があった日前60日以内に、次のイ又はロに掲げる場合の区分に応じ、それぞれイ又はロに定める者であった者　当該確認の取消しの日

イ　当該確認を取り消された教育・保育施設の設置者が法人である場合　その役員又は長

ロ　当該確認を取り消された教育・保育施設の設置者が法人以外の者である場合　その管理者

二　法人であって、その者と密接な関係を有する者が法第40条第１項の規定により法第27条第１項の確認を取り消された教育・保育施設の設置者（第18条第１項に規定する者を除く。）であるもの　当該確認の取消しの日

三　法第40条第１項の規定による法第27条第１項の確認の取消しの処分に係る行政手続法第15条の規定による通知があった日から当該処分をする日又は処分をしないことを決定する日までの間に、法第36条の規定により同項の確認を辞退した者（当該確認の辞退について相当の理由がある者を除く。）　当該確認の辞退の日

四　法第38条第１項の規定による検査が行われた日から聴聞決定予定日までの間に、法第36条の規定により法第27条第１項の確認を辞退した者（当該確認の辞退について相当の理由がある者を除く。）　当該確認の辞退の日

五　第３号に規定する期間内に法第36条の規定により法第27条第１項の確認を辞退した教育・保育施設の設置者（当該確認の辞退について相当の理由がある者を除く。）において、同号の通知の日前60日以内に、次のイ又はロに掲げる場合の区分に応じ、それぞれイ又はロに定める者であった者　当該確認の辞退の日

イ　当該確認を辞退した教育・保育施設の設置者が法人である場合　その役員又は長

ロ　当該確認を辞退した教育・保育施設の設置者が法人以外の者である場合　その管理者

六　教育・保育に関し不正又は著しく不当な行為をした者　当該行為をした日

七　法人であって、その役員又は長のうちに次のイからハまでに掲げる者のいずれかに該当する者のあるもの　それぞれイからハまでに定める日

イ　第1号に掲げる者　同号に定める日
ロ　第3号から第5号までに掲げる者　それぞれ第3号から第5号までに定める日
ハ　前号に掲げる者　同号に定める日
八　法人以外の者であって、その管理者が次のイからハまでに掲げる者のいずれかに該当するもの　それぞれイからハまでに定める日
イ　第1号に掲げる者　同号に定める日
ロ　第3号から第5号までに掲げる者　それぞれ第3号から第5号までに定める日
ハ　第6号に掲げる者　同号に定める日

3　当分の間、法第27条第1項の確認があった教育・保育施設の設置者（法人以外の者に限る。）に対する法第40条第1項の規定の適用については、同項第10号中「設置者の役員（業務を執行する社員、取締役、執行役又はこれらに準ずる者をいい、相談役、顧問その他いかなる名称を有する者であるかを問わず、法人に対し業務を執行する社員、取締役、執行役又はこれらに準ずる者と同等以上の支配力を有するものと認められる者を含む。以下同じ。）又はその長のうちに」とあるのは「管理者が」と、「者が」とあるのは「者で」とする。

（法附則第9条第1項第1号イの政令で定める額等）

第12条　法附則第9条第1項第1号イ、第2号イ⑴及びロ⑴並びに第3号イ⑴及びロ⑴の政令で定める額は、零とする。

（法附則第9条第3項の規定により読み替えて適用する法第67条第1項及び第68条第1項の規定による施設型給付費等負担対象額に係る都道府県及び国の負担）

第13条　法附則第9条第3項の規定により法第67条第1項及び第68条第1項の規定を読み替えて適用する場合における第23条の規定の適用については、同条中「次に掲げる額の合算額」とあるのは「第1号に掲げる額」と、同条第1号中「満3歳以上教育・保育給付認定子ども」とあるのは「教育認定子ども」と、「第27条第3項第1号に掲げる額、法第28条第2項第2号に規定する内閣総理大臣が定める基準により算定した費用の額、同項第3号」とあるのは「附則第9条第1項第1号イに規定する内閣総理大臣が定める基準により算定した費用の額、同項第2号イ⑴に規定する内閣総理大臣が定める基準により算定した費用の額、同号ロ⑴」と、「法第30条第2項第2号」とあるのは「同項第3号イ⑴」と、「、同項第3号に規定する内閣総理大臣が定める基準により算定した費用の額及び同項第4号」とあるのは「及び同号ロ⑴」とする。

（法附則第9条第4項の都道府県の補助）

第14条　法附則第9条第4項の規定による都道府県の補助は、毎年度、同条第1項第1号ロ、同項第2号イ⑵及び同号ロ⑵並びに同項第3号イ⑵及び同号ロ⑵に掲げる額の合算額の2分の1以内について行うことができる。

（法附則第14条第3項の国の補助）

第15条　法附則第14条第3項の規定による国の補助は、各年度において同条第1項に規定する特定市町村又は同条第2項に規定する事業実施市町村が行う同条第1項に規定する保育充実事業に要する費用の額から、その年度におけるそれらの費用のための寄附金その他の収入の額を控除した額につき、内閣総理大臣が定める基準に従って行うものとする。

（市町村に係る子ども・子育て支援臨時交付金の額の算定及び交付に関する都道府県知事の事務）

第16条　法附則第18条の規定により、都道府県知事は、当該都道府県の区域内の市町村に対し交付すべき子ども・子育て支援臨時交付金の額の算定及び交付に関し、次に掲げる事務を取り扱わなければならない。

一　法附則第15条第3項の規定により交付すべき子ども・子育て支援臨時交付金の額を算定してこれを総務大臣に報告すること。
二　法附則第16条の規定により総務大臣が決定した子ども・子育て支援臨時交付金の額を当該市町村に通知すること。

附　則（令和3年9月27日政令第270号）

（施行期日）

1　この政令は、令和3年10月1日から施行する。

（経過措置）

2　この政令による改正後の子ども・子育て支援法施行令第14条の規定は、子ども・子育て支援法第27条第1項に規定する特定教育・保育、同法第29条第1項に規定する特定地域型保育、同法第30条第1項第3号に規定する特定利用地域型保育及び同項第4号に規定する特例保育（以下この項において「特定教育・保育等」という。）が行われた月が令和3年10月以後の場合における同法の規定による施設型給付費の支給、特例施設型給付費の支給、地域型保育給付費の支給及び特例地域型保育給付費の支給（以下この項において「施設型給付費等の支給」という。）並びに同月以後の同法第66条の3第1項に規定する施設型給付費等負担対象額（以下この項において「施設型給付費等負担対象額」という。）について適用し、特定教育・保育等が行われた月が同年9月以前の場合における施設型給付費等の支給及び同月以前の施設型給付費等負担対象額については、なお従前の例による。

◉子ども・子育て支援法施行規則

〔平成26年６月９日
内閣府令第44号〕

注　令和６年３月30日内閣府令第47号改正現在

目次　頁

第１章　総則

（法第７条第10項第４号の基準）

第１条　子ども・子育て支援法（以下「法」という。）第７条第10項第４号の内閣府令で定める基準は、次の各号に掲げる施設の区分に応じ、当該各号に定める基準とする。

一　法第７条第10項第４号に掲げる施設のうち、１日に保育する小学校就学前子どもの数が６人以上であるもの　次に掲げる全ての事項を満たすものであること。

イ　保育に従事する者の数及び資格

(1)　保育に従事する者の数が、施設の主たる開所時間である11時間（開所時間が11時間以内である場合にあっては、当該開所時間。以下同じ。）において、満１歳未満の小学校就学前子どもおおむね３人につき１人以上、満１歳以上満３歳に満たない小学校就学前子どもおおむね６人につき１人以上、満３歳以上満４歳に満たない小学校就学前子どもおおむね20人につき１人以上、満４歳以上の小学校就学前子どもおおむね30人につき１人以上、かつ、施設１につき２人以上であること。また、主たる開所時間である11時間以外の時間帯については、常時２人（保育されている小学校就学前子どもの数が１人である時間帯にあっては、１人）以上であること。ただし、１日に保育する小学校就学前子どもの数が６人以上19人以下の施設における、複数の満１歳未満の小学校就学前子どもを保育する時間帯以外の時間帯（安全面の配慮が行われた必要最小限の時間帯に限る。）については、１人以上とすればよいこと。

(2)　保育に従事する者のうち、その総数のおおむね３分の１（保育に従事する者が２人以下の場合にあっては、１人）以上に相当する数のものが、保育士（国家戦略特別区域法（平成25年法律第107号）第12条の５第５項に規定する事業実施区域内にある法第７条第10項第４号に掲げる施設又は同項第５号に掲げる事業を行う事業所にあっては、保育士又は当該事業実施区域に係る国家戦略特別区域限定保育士。以下同じ。）又は看護師（准看護師を含む。以下この条において同じ。）の資格を有するものであること。ただし、同法第２条第１項に規定する国家戦略特別区域内に所在する施設であって、次のいずれにも該当し、かつ、本文に規定する事項を満たす施設と同等以上に適切な保育の提供が可能である施設においては、この限りでない。

(i)　過去３年間に保育した小学校就学前子どものおおむね半数以上が外国人（日本の国籍を有しない者をいう。以下同じ。）であり、かつ、現に保育する小学校就学前子どものおおむね半数以上が外国人であること。

(ii)　外国の保育資格を有する者その他外国人である小学校就学前子どもの保育について十分な知識経験を有すると認められる者を十分な数配置していること。

(iii)　保育士の資格を有する者を１人以上配置していること。

(3)　保育士でない者について、保育士、保母、保父その他これらに紛らわしい名称が用いられていないこと。

(4)　国家戦略特別区域限定保育士が、その業務に関して国家戦略特別区域限定保育士の名称を表示するときに、その資格を得た事業実施区域を明示し、当該事業実施区域以外の区域を表示していないこと。

ロ　保育室等の構造、設備及び面積

(1)　小学校就学前子どもの保育を行う部屋（以下「保育室」という。）、調理室（給食を施設外で調理している場合、小学校就学前子どもが家庭からの弁当を持参している場合その他の場合にあっては、食品の加熱、保存、配膳等のために必要な調理機能を有する設備。以下同じ。）及び便所があること。

(2)　保育室の面積は、小学校就学前子ども１人当たりおおむね1.65平方メートル以上であること。

(3)　おおむね１歳未満の小学校就学前子どもの保育を行う場所は、おおむね１歳以上の小学校就学前子どもの保育を行う場所と区画され、かつ、安全性が確保されていること。

(4)　保育室は、採光及び換気が確保され、かつ、安全性が確保されていること。

(5)　便所用の手洗設備が設けられているとともに、便所は、保育室及び調理室と区画され、かつ、小学校就学前子どもが安全に使用できるものであること。

(6)　便器の数は、満１歳以上の小学校就学前子どもおおむね20人につき１以上であること。

ハ　非常災害に対する措置

(1)　消火用具、非常口その他非常災害に際して必要な設備が設けられていること。

(2)　非常災害に対する具体的計画が立てられていること。

(3)　非常災害に備えた定期的な訓練が実施されていること。

(4)　保育室を２階に設ける場合は、保育室その他の小学校就学前子どもが出入りし又は通行する場所に小学校就学前子どもの転落事故を防止する設備が設けられていること。なお、当該建物が次の(i)及び(ii)のいずれも満たさないものである場合にあっては、(1)から(3)までに掲げる設備の設置及び訓練の実施を行うことに特に留意されていること。

(i)　建築基準法（昭和25年法律第201号）第２条第９号の２に規定する耐火建築物又は同条第９号の３に規定する準耐火建築物（同号ロに該当するものを除く。）であること。

(ii)　次の表の上欄に掲げる区分ごとに、同表の下欄に掲げる設備（小学校就学前子どもの避難に適した構造のものに限る。）のいずれかが、１以上設けられていること。

常用	１　屋内階段 ２　屋外階段
避難用	１　建築基準法施行令（昭和25年政令第338号）第123条第１項に規定する構造の屋内避難階段又は同条第３項に規定する構造の屋内特別避難階段 ２　待避上有効なバルコニー ３　建築基準法第２条第７号の２に規定する準耐火構造の屋外傾斜路又はこれに準ずる設備 ４　屋外階段

(5)　保育室を３階以上に設ける建物は、次に掲げる事項を全て満たすものであること。

(i)　建築基準法第２条第９号の２に規定する耐火建築物であること。

(ii) 次の表の上欄に掲げる保育室の階の区分に応じ、同表の中欄に掲げる区分ごとに、同表の下欄に掲げる設備（小学校就学前子どもの避難に適した構造のものに限る。）のいずれかが、１以上設けられていること。この場合において、当該設備は、避難上有効な位置に保育室の各部分から当該設備までの歩行距離が30メートル以内となるように設けられていること。

３階	常用	１　建築基準法施行令第123条第１項に規定する構造の屋内避難階段又は同条第３項に規定する構造の屋内特別避難階段 ２　屋外階段
	避難用	１　建築基準法施行令第123条第１項に規定する構造の屋内避難階段又は同条第３項に規定する構造の屋内特別避難階段 ２　建築基準法第２条第７号に規定する耐火構造の屋外傾斜路又はこれに準ずる設備 ３　屋外階段
４階以上	常用	１　建築基準法施行令第123条第１項に規定する構造の屋内避難階段又は同条第３項に規定する構造の屋内特別避難階段 ２　建築基準法施行令第123条第２項に規定する構造の屋外避難階段
	避難用	１　建築基準法施行令第123条第１項に規定する構造の屋内避難階段（ただし、当該屋内避難階段の構造は、建築物の１階から保育室が設けられている階までの部分に限り、屋内と階段室とは、バルコニー又は付室（階段室が同条第３項第２号に規定する構造を有する場合を除き、同号に規定する構造を有するものに限る。）を通じて連絡することとし、かつ、同条第３項第３号、第４号及び第10号を満たすものとする。）又は同条第３項に規定する構造の屋内特別避難階段 ２　建築基準法第２条第７号に規定する耐火構造の屋外傾斜路 ３　建築基準法施行令第123条第２項に規定する構造の屋外避難階段

(iii) 調理室と調理室以外の部分とが建築基準法第２条第７号に規定する耐火構造の床若しくは壁又は建築基準法施行令第112条第１項に規定する特定防火設備によって区画されており、また、換気、暖房又は冷房の設備の風道の当該床若しくは壁を貫通する部分がある場合には、当該部分又はこれに近接する部分に防火上有効なダンパー（煙の排出量及び空気の流量を調節するための装置をいう。）が設けられていること。ただし、次のいずれかに該当する場合においては、この限りでない。

(イ) 調理室にスプリンクラー設備その他これに類するもので自動式のものが設けられていること。

(ロ) 調理室に調理用器具の種類に応じた有効な自動消火装置が設けられ、かつ、当該調理室の外部への延焼を防止するために必要な措置が講じられていること。

(iv) 壁及び天井の室内に面する部分の仕上げが不燃材料でなされていること。

(v) 保育室その他小学校就学前子どもが出入りし又は通行する場所に小学校就学前子どもの転落事故を防止する設備が設けられていること。

(vi) 非常警報器具又は非常警報設備及び消防機関へ火災を通報する設備が設けられていること。

(vii) カーテン、敷物、建具等で可燃性のものについて防炎処理が施されていること。

二　保育の内容等

(1) 小学校就学前子ども１人１人の心身の発育や発達の状況を把握し、保育内容が工夫されていること。

(2) 小学校就学前子どもが安全で清潔な環境の中で、遊び、運動、睡眠等がバランスよく組み合わされた健康的な生活リズムが保たれるように、十分に配慮がなされた保育の計画が定められていること。

(3) 小学校就学前子どもの生活リズムに沿ったカリキュラムが設定され、かつ、それが実施されていること。

(4) 小学校就学前子どもに対し漫然とテレビやビデオを見せ続ける等、小学校就学前子どもへの関わりが少ない放任的な保育内容でないこと。

(5) 必要な遊具、保育用品等が備えられていること。

(6) 小学校就学前子どもの最善の利益を考慮し、保育サービスを実施する者として適切な姿勢であること。特に、施設の運営管理の任にあたる施設長については、その職責に鑑み、資質の向上及び適格性の確保が図られていること。

(7) 保育に従事する者が保育所保育指針（平成29年厚生労働省告示第117号）を理解する機会を設ける等、保育に従事する者の人間性及び専門性の向上が図られていること。

(8) 小学校就学前子どもに身体的苦痛を与えること、人格を辱めること等がないよう、小学校就学前子どもの人権に十分配慮されていること。

(9) 小学校就学前子どもの身体、保育中の様子又は家族の態度等から虐待等不適切な養育が行われていることが疑われる場合には、児童相談所その他の専門的機関と連携する等の体制がとられていること。

(10) 保護者と密接な連絡を取り、その意向を考慮した保育が行われていること。

(11) 緊急時における保護者との連絡体制が整備されていること。

(12) 保護者や施設において提供されるサービスを利用しようとする者等から保育の様子や施設の状況を確認したい旨の要望があった場合には、小学校就学前子どもの安全確保等に配慮しつつ、保育室等の見学に応じる等適切に対応されていること。

ホ 給食

(1) 調理室、調理、配膳、食器等の衛生管理が適切に行われていること。

(2) 小学校就学前子どもの年齢や発達、健康状態（アレルギー疾患等の状態を含む。）等に配慮した食事内容とされていること。

(3) 調理があらかじめ作成した献立に従って行われていること。

へ 健康管理及び安全確保

(1) 小学校就学前子ども１人１人の健康状態の観察が小学校就学前子どもの登園及び降園の際に行われていること。

(2) 身長及び体重の測定等基本的な発育状態の観察が毎月定期的に行われていること。

(3) 継続して保育している小学校就学前子どもの健康診断が入所時及び１年に２回実施されていること。

(4) 職員の健康診断が採用時及び１年に１回実施されていること。

(5) 調理に携わる職員の検便がおおむね１月に１回実施されていること。

(6) 必要な医薬品その他の医療品が備えられていること。

(7) 小学校就学前子どもが感染症にかかっていることが分かった場合には、かかりつけ医の指示に従うよう保護者に対し指示が行われていること。

(8) 睡眠中の小学校就学前子どもの顔色や呼吸の状態のきめ細かい観察が行われていること。

(9) 満１歳未満の小学校就学前子どもを寝かせる場合には、仰向けに寝かせることとされていること。

(10) 保育室での禁煙が厳守されていること。

(11) 施設の設備の安全点検、職員、小学校就学前子ども等に対する施設外での活動、取組等を含めた施設での生活その他の日常生活における安全に関する指導、職員の研修及び訓練その他施設における安全に関する事項についての計画（以下「安全計画」という。）が策定され、当該安全計画に従い、小学校就学前子どもの安全確保に配慮した保育の実施が行われていること。

(12) 職員に対し、安全計画について周知されているとともに、安全計画に定める研修及び訓練が定期的に実施されていること。

(13) 保護者に対し、安全計画に基づく取組の内容等について周知されていること。

(14) 事故防止の観点から、施設内の危険な場所、設備等について適切な安全管理が図られていること。

(15) 不審者の施設への立入防止等の対策や緊急時における小学校就学前子どもの安全を確保する体制が整備されていること。

(16) 小学校就学前子どもの施設外での活動、取組等のための移動その他の小学校就学前子どもの移動のために自動車が運行されているときは、小学校就学前子どもの乗車及び降車の際に、点呼その他の小学校就学前子どもの所在を確実に把握することができる方法により、小学校就学前子どもの所在が確認されていること。

(17) 小学校就学前子どもの送迎を目的とした自動車（運転者席及びこれと並列の座席並びにこれらより１つ後方に備えられた前向きの座席以外の座席を有しないものその他利用の態様を勘案してこれと同程度に小学校就学前子

どもの見落としのおそれが少ないと認められるものを除く。）が日常的に運行されているときは、当該自動車にブザーその他の車内の小学校就学前子どもの見落としを防止する装置を備え、これを用いて(16)に定める所在の確認（小学校就学前子どもの降車の際に限る。）が行われていること。

(18) 事故発生時に適切な救命処置が可能となるよう、訓練が実施されていること。

(19) 賠償責任保険に加入する等、保育中の事故の発生に備えた措置が講じられていること。

(20) 事故発生時に速やかに当該事故の事実を都道府県知事（地方自治法（昭和22年法律第67号）第252条の19第１項の指定都市（第21条の２において「指定都市」という。）若しくは同法第252条の22第１項の中核市又は児童福祉法（昭和22年法律第164号）第59条の４第１項の児童相談所設置市においては、それぞれの長。以下この条において「都道府県知事等」という。）に報告する体制がとられていること。

(21) 事故が発生した場合、当該事故の状況及び事故に際して採った処置について記録されていること。

(22) 死亡事故等の重大事故が発生した施設については、当該事故と同様の事故の再発防止策及び事故後の検証結果を踏まえた措置が講じられていること。

(23) 施設において提供される保育サービスの内容が、当該保育サービスを利用しようとする者の見やすいところに掲示されているとともに、電気通信回線に接続して行う自動公衆送信（公衆によって直接受信されることを目的として公衆からの求めに応じ自動的に送信を行うことをいい、放送又は有線放送に該当するものを除く。）により公衆の閲覧に供されていること。

(24) 施設において提供される保育サービスの利用に関する契約が成立したときは、その利用者に対し、当該契約の内容を記載した書面の交付が行われていること。

(25) 施設において提供される保育サービスを利用しようとする者からの利用の申込みがあったときは、その者に対し、当該保育サービスの利用に関する契約内容等についての説明が行われていること。

(26) 職員及び保育している小学校就学前子どもの状況を明らかにする帳簿等が整備されていること。

二　法第７条第10項第４号に掲げる施設のうち、１日に保育する小学校就学前子どもの数が５人以下であり、児童福祉法第６条の３第９項に規定する業務又は同条第12項に規定する業務を目的とするもの　次に掲げる全ての事項を満たすものであること。

イ　保育に従事する者の数及び資格

(1) 保育に従事する者の数が、小学校就学前子ども３人につき１人以上であること。ただし、家庭的保育事業等の設備及び運営に関する基準（平成26年厚生労働省令第61号）第23条第３項に規定する家庭的保育補助者とともに保育する場合には、小学校就学前子ども５人につき１人以上であること。

(2) 保育に従事する者のうち、１人以上は、保育士若しくは看護師の資格を有するもの又は都道府県知事等が行う保育に従事する者に関する研修（都道府県知事等がこれと同等以上のものと認める市町村長（特別区の長を含む。）その他の機関が行う研修を含む。以下同じ。）を修了したものであること。

ロ　保育室等の構造、設備及び面積

(1) 保育室のほか、調理設備（施設外調理その他の場合にあっては必要な調理機能）及び便所があること。

(2) 保育室の面積は、家庭的保育事業等の設備及び運営に関する基準第22条第２号に規定する基準を参酌して、小学校就学前子どもの保育を適切に行うことができる広さが確保されていること。

ハ　その他

前号イ(3)及び(4)、ロ(4)及び(5)、ハ(1)から(3)まで、ニからヘまでに掲げる全ての事項を満たしていること。この場合において、同号ロ(5)中「調理室」とあるのは「調理設備の部分」と、ホ(1)中「調理室」とあるのは「調理設備」と読み替えるものとする。

三　法第７条第10項第４号に掲げる施設のうち児童福祉法第６条の３第11項に規定する業務を目的とするものであって、複数の保育に従事する者を雇用しているもの　次に掲げる全ての事項を満たすものであること。

イ　保育に従事する者の数が、小学校就学前子ども１人につき１人以上であること。ただし、当該小学校就学前子どもがその兄弟姉妹とともに利用している等の場合であって、保護者が契約において同意しているときは、これによらないことができること。

ロ　保育に従事する全ての者（採用した日から1年を超えていない者を除く。）が、保育士若しくは看護師の資格を有する者又は都道府県知事等が行う保育に従事する者に関する研修を修了した者であること。

ハ　防災上の必要な措置を講じていること。

ニ　第1号イ(3)及び(4)、ニ(1)から(4)まで及び(6)から(11)まで並びにヘ(1)、(4)、(7)から(16)まで及び(18)から(26)までに掲げる全ての事項を満たしていること。この場合において、同号ニ(2)中「なされた保育の計画が定められている」とあるのは「なされている」と、(3)中「カリキュラムが設定され、かつ、それが」とあるのは「保育が」と、(6)中「施設長」とあるのは「施設の設置者又は管理者」と、ヘ(1)中「登園及び降園」とあるのは「預かり及び引渡し」と、(7)中「小学校就学前子どもが感染症にかかっていることが分かった場合には、かかりつけ医の指示に従うよう保護者に対し指示が行われている」とあるのは「感染予防のための対策が行われている」と、(10)中「保育室での」とあるのは「保育中の」と、(23)中「の見やすいところに掲示」とあるのは「に対し書面等により提示等」と読み替えるものとする。また、食事の提供を行う場合においては、衛生面等必要な注意を払うこと。

四　法第7条第10項第4号に掲げる施設のうち児童福祉法第6条の3第11項に規定する業務を目的とするものであって、前号に掲げる施設以外のもの次に掲げる全ての事項を満たすこと。

イ　保育に従事する者の数が、小学校就学前子ども1人につき1人以上であること。ただし、当該小学校就学前子どもがその兄弟姉妹とともに利用している等の場合であって、保護者が契約において同意しているときは、これによらないことができること。

ロ　保育に従事する全ての者が、保育士若しくは看護師の資格を有する者又は都道府県知事等が行う保育に従事する者に関する研修を修了した者であること。

ハ　防災上の必要な措置を講じていること。

ニ　第1号イ(3)及び(4)、ニ(1)から(4)まで、(6)前段、(7)、(8)、(10)及び(11)並びにヘ(1)、(4)、(7)から(16)まで及び(18)から(26)までに掲げる全ての事項を満たしていること。この場合において、同号ニ(2)中「なされた保育の計画が定められている」とあるのは「なされている」と、(3)中「カリキュラムが設定され、かつ、それが」とあるのは「保育が」と、ヘ(1)中「登園及び降園」とあるのは「預かり及び引渡し」と、(4)中「採用時及び1年に1回」とあるのは「1年に1回」と、(7)中「小学校就学前子どもが感染症にかかっていることが分かった場合には、かかりつけ医の指示に従うよう保護者に対し指示が行われている」とあるのは「感染予防のための対策が行われている」と、(10)中「保育室での」とあるのは「保育中の」と、(23)中「の見やすいところに掲示」とあるのは「に対し書面等により提示等」、(26)中「職員及び保育」とあるのは「保育」と読み替えるものとする。また、食事の提供を行う場合においては、衛生面等必要な注意を払うこと。

（法第7条第10項第5号の基準等）

第1条の2　法第7条第10項第5号の内閣府令で定める基準は、次に掲げる要件を満たすものであることとする。

一　認定こども園（就学前の子どもに関する教育、保育等の総合的な提供の推進に関する法律（平成18年法律第77号。以下「認定こども園法」という。）第2条第6項に規定する認定こども園をいう。以下同じ。）、幼稚園（学校教育法（昭和22年法律第26号）第1条の規定する幼稚園をいい、認定こども園法第3条第1項又は第3項の認定を受けたもの及び同条第10項の規定による公示がされたものを除く。以下同じ。）又は特別支援学校（学校教育法第1条に規定する特別支援学校をいい、同法第76条第2項に規定する幼稚部に限る。以下同じ。）に在籍する小学校就学前子ども（法第30条の4に規定する場合における法第30条第1項に規定する保育認定子どもを除く。）に対して教育・保育を行うこと。

二　児童福祉施設の設備及び運営に関する基準（昭和23年厚生省令第63号）第33条第2項の規定に準じ、法第7条第10項第5号に規定する事業の対象とする小学校就学前子どもの年齢及び人数に応じて、当該小学校就学前子どもの処遇を行う職員を置くこととし、そのうち半数以上は保育士又は幼稚園の教諭の普通免許状（教育職員免許法（昭和24年法律第147号）に規定する普通免許状をいう。）を有する者（次号において「幼稚園教諭普通免許状所有者」という。）であること。ただし、当該職員の数は、2人を下ることはできないこと。

三　前号に規定する職員は、専ら法第7条第10項第5号に規定する事業に従事するものでなければならないこと。ただし、当該事業と幼稚園、認定こども園又は特別支援学校（以下この号において「幼稚園等」という。）とが一体的に運営されている場合であって、当該事業を行うに当たって当該幼稚園等の職員（保育士又は幼稚園教諭普通免許状所有者に限る。）による支援を受けることができるときは、専ら当該事業に従事する職員を1人とすることができること。

四　次に掲げる施設の区分に応じ、それぞれ次に定めるものに準じ、事業を実施すること。

イ　幼稚園又は幼保連携型認定こども園以外の認定こども園　学校教育法第25条第1項の規定に基づき文部科学大臣が定める幼稚園の教育課程その他の教育内容に関する事項

ロ　幼保連携型認定こども園　認定こども園法第10条第1項の規定に基づき主務大臣が定める幼保連携型認定こども園の教育課程その他の教育及び保育の内容に関する事項

ハ　特別支援学校　学校教育法第77条の規定に基づき文部科学大臣が定める特別支援学校の教育課程その他の教育内容に関する事項

五　食事の提供を行う場合においては、当該施設において行うことが必要な調理のための加熱、保存等の調理機能を有する設備を備えていること。

2　法第7条第10項第5号ロの内閣府令で定める1日当たりの時間及び期間は、第17条に定めるものとする。

（法第7条第10項第7号の基準）

第1条の3　法第7条第10項第7号の内閣府令で定める基準は、次の各号に掲げる事業の類型に応じ、当該各号に定める基準とする。

一　病児（疾病にかかっている小学校就学前子どものうち、疾病の回復期に至らず、当面、病状が急変するおそれが少ない場合であって、かつ、保護者の労働その他の事由により家庭において保育を行うことが困難なものをいう。以下この条において同じ。）を病院、診療所、保育所その他の施設において一時的に保育する事業　次に掲げる全ての要件（事業を実施する場所が病院、診療所その他の医療機関である場合には、ホに掲げる要件を除く。）を満たすものであること。

イ　看護師、准看護師、保健師又は助産師（以下この条において「看護師等」という。）が、当該事業を利用する病児（ロ及びホにおいて「対象病児」という。）おおむね10人につき1人以上であること。

ロ　保育士の数が、対象病児おおむね3人につき1人以上であること。

ハ　保育室、病児の静養又は隔離の機能を持つ部屋及び調理室があること。

ニ　事故防止及び衛生面に配慮するなど病児の養育に適した場所であること。

ホ　対象病児等の病状が急変した場合に当該対象病児等を受け入れることができる医療機関（以下この条において「協力医療機関」という。）及び対象病児等の病状、心身の状況の把握、感染の防止その他の事項に関して指導又は助言を行う医師（以下この条において「指導医」という。）があらかじめ定められていること。

二　病後児（疾病にかかっている小学校就学前子どものうち、疾病の回復期であって、集団保育が困難であり、かつ、保護者の労働その他の事由により家庭において保育を行うことが困難なものをいう。以下この条において同じ。）を病院、診療所、保育所その他の施設において一時的に保育する事業　次に掲げる全ての要件（事業を実施する場所が病院、診療所その他の医療機関である場合には、ホに掲げる要件を除く。）を満たすものであること。

イ　看護師等が当該事業を利用する病後児（ロにおいて「対象病後児」という。）おおむね10人につき1人以上であること。

ロ　保育士の数が対象病後児おおむね3人につき1人以上であること。

ハ　保育室、病後児の静養又は隔離の機能を持つ部屋及び調理室があること。

ニ　事故防止及び衛生面に配慮するなど病後児の養育に適した場所であること。

ホ　協力医療機関があらかじめ定められていること。

三　保育所その他の施設において、当該施設に通園する小学校就学前子どもに対して緊急的な対応その他の保健的な対応を行う事業　次に掲げる全ての要件（事業を実施する場所が病院、診療所その他の医療機関である場合には、ハに掲げる要件を除く。）を満たすものであること。

イ　看護師等を当該事業を利用する小学校就学前子ども2人につき1人以上配置していること。

ロ　感染を予防するため、事業を実施する場所と保育室等の間に間仕切りを設けていること。

ハ　協力医療機関及び指導医があらかじめ定められていること。

四 病児又は病後児が当該病児又は病後児の居宅において一時的に保育する事業 イ及びロに掲げる要件（事業者が病院、診療所その他の医療機関である場合には、イに掲げる要件に限る。）を満たすものであること。

イ 一定の研修を修了した看護師等、保育士又は家庭的保育者（児童福祉法第６条の３第９項第１号に規定する家庭的保育者をいう。）を当該事業を利用する病児又は病後児１人につき１人以上配置していること。

ロ 協力医療機関及び指導医があらかじめ定められていること。

（法第７条第10項第８号の基準）

第１条の４ 法第７条第10項第８号の内閣府令で定める基準は、次に掲げる要件を満たすものであることとする。

一 市町村（特別区を含む。以下同じ。）又はその委託等を受けた者が行うものであること。

二 当該事業を行う者が児童福祉法第６条の３第14項に規定する援助希望者に対し講習を実施していること。

第１章の２ 子どものための教育・保育給付

第１節 教育・保育給付認定等

（法第19条第２号の内閣府令で定める事由）

第１条の５ 法第19条第２号の内閣府令で定める事由は、小学校就学前子どもの保護者のいずれもが次の各号のいずれかに該当することとする。

一 １月において、48時間から64時間までの範囲内で月を単位に市町村が定める時間以上労働することを常態とすること。

二 妊娠中であるか又は出産後間がないこと。

三 疾病にかかり、若しくは負傷し、又は精神若しくは身体に障害を有していること。

四 同居の親族（長期間入院等をしている親族を含む。）を常時介護又は看護していること。

五 震災、風水害、火災その他の災害の復旧に当たっていること。

六 求職活動（起業の準備を含む。）を継続的に行っていること。

七 次のいずれかに該当すること。

イ 学校教育法第１条に規定する学校、同法第124条に規定する専修学校、同法第134条第１項に規定する各種学校その他これらに準ずる教育施設に在学していること。

ロ 職業能力開発促進法（昭和44年法律第64号）第15条の７第３項に規定する公共職業能力開発施設において行う職業訓練若しくは同法第27条第１項に規定する職業能力開発総合大学校において行う同項に規定する指導員訓練若しくは職業訓練又は職業訓練の実施等による特定求職者の就職の支援に関する法律（平成23年法律第47号）第４条第２項に規定する認定職業訓練その他の職業訓練を受けていること。

八 次のいずれかに該当すること。

イ 児童虐待の防止等に関する法律（平成12年法律第82号）第２条に規定する児童虐待を行っている又は再び行われるおそれがあると認められること。

ロ 配偶者からの暴力の防止及び被害者の保護等に関する法律（平成13年法律第31号）第１条に規定する配偶者からの暴力により小学校就学前子どもの保育を行うことが困難であると認められること（イに該当する場合を除く。）

九 育児休業をする場合であって、当該保護者の当該育児休業に係る子ども以外の小学校就学前子どもが特定教育・保育施設、特定地域型保育事業又は特定子ども・子育て支援施設等（以下この号において「特定教育・保育施設等」という。）を利用しており、当該育児休業の間に当該特定教育・保育施設等を引き続き利用することが必要であると認められること。

十 前各号に掲げるもののほか、前各号に類するものとして市町村が認める事由に該当すること。

（認定の申請等）

第２条 法第20条第１項の規定により同項に規定する認定を受けようとする小学校就学前子どもの保護者は、次に掲げる事項を記載した申請書を、市町村に提出しなければならない。

一 当該申請を行う保護者の氏名、居住地、生年月日、個人番号（行政手続における特定の個人を識別するための番号の利用等に関する法律（平成25年法律第27号）第２条第５項に規定する個人番号をいう。以下同じ。）及び連絡先（保護者が法人であるときは、法人の名称、代表者の氏名及び主たる事務所の所在地並びに当該申請に係る小学校就学前子どもの居住地）

二 当該申請に係る小学校就学前子どもの氏名、生年月日、個人番号及び当該小学校就学前子どもの保護者との続柄

三 認定を受けようとする法第19条各号に掲げる小学校就学前子どもの区分

四 法第19条第２号又は第３号に掲げる小学校就学前子どもの区分に係る認定を受けようとする場合には、その理由

2　前項の申請書には、次に掲げる書類を添付しなければならない。ただし、市町村は、当該書類により証明すべき事実を公簿等によって確認することができるときは、当該書類を省略させることができる。

一　法第27条第３項第２号、第28条第２項第１号、第29条第３項第２号並びに第30条第２項第１号、第３号及び第４号の政令で定める額を限度として市町村が定める額（以下「利用者負担額」という。）の算定のために必要な事項に関する書類

二　前項第４号に掲げる事項を証する書類（当該事項が前条第１号に掲げる事由に係るものである場合にあっては、原則として様式第１号による。）

3　第１項の申請書（法第19条第１号に掲げる小学校就学前子どもの区分に係る認定を受けようとする場合の申請書に限る。）は、特定教育・保育施設（認定こども園及び幼稚園に限る。）を経由して提出することができる。

4　第１項の申請書（法第19条第２号又は第３号に掲げる小学校就学前子どもの区分に係る認定を受けようとする場合の申請書に限る。）は、特定教育・保育施設（認定こども園及び保育所に限る。）又は特定地域型保育事業者を経由して提出することができる。

5　特定教育・保育施設又は特定地域型保育事業者（以下「特定教育・保育施設等」という。）は、関係市町村等との連携に努めるとともに、前２項の申請書の提出を受けたときは、速やかに、当該申請書を提出した保護者の居住地の市町村に当該申請書を送付しなければならない。

（法第20条第３項に規定する内閣府令で定める期間）

第３条　法第20条第３項に規定する内閣府令で定める期間は、１月間とする。

（保育必要量の認定）

第４条　保育必要量の認定は、保育の利用について、１月当たり平均275時間まで（１日当たり11時間までに限る。）又は平均200時間まで（１日当たり８時間までに限る。）の区分に分けて行うものとする。ただし、申請を行う小学校就学前子どもの保護者が第１条の５第２号、第５号又は第８号に掲げる事由に該当する場合にあっては、当該保護者が１月当たり平均200時間まで（１日当たり８時間までに限る。）の区分の認定を申請した場合を除き、１月当たり平均275時間まで（１日当たり11時間までに限る。）とする。

2　市町村は、第１条の５第３号、第６号又は第９号に掲げる事由について、保育必要量の認定を前項本文に規定する区分に分けて行うことが適当でないと認める場合にあっては、同項の規定にかかわらず、当該区分に分けないで行うことができる。

（支給認定証の交付）

第４条の２　市町村は、法第20条第１項の規定により同項に規定する認定を受けようとする小学校就学前子どもの保護者又は同条第４項に規定する教育・保育給付認定保護者（以下「教育・保育給付認定保護者」という。）の申請により、同項に規定する支給認定証（以下「支給認定証」という。）を交付する。

（特定教育・保育施設等を経由して申請書を提出した場合の支給認定証の交付）

第５条　第２条第３項又は第４項の規定により特定教育・保育施設等を経由して申請書が提出された場合における支給認定証の交付は、当該申請の際に経由した特定教育・保育施設等を経由して行うことができる。

（法第20条第４項に規定する内閣府令で定める事項）

第６条　法第20条第４項に規定する内閣府令で定める事項は、次に掲げる事項とする。

一　教育・保育給付認定保護者の氏名、居住地及び生年月日

二　当該教育・保育給付認定に係る小学校就学前子どもの氏名及び生年月日

三　交付の年月日及び支給認定証番号

四　該当する法第19条各号に掲げる小学校就学前子どもの区分

五　教育・保育給付認定に係る第１条の５各号に掲げる事由及び保育必要量（法第19条第２号又は第３号に掲げる小学校就学前子どもの区分に該当する場合に限る。）

六　教育・保育給付認定の有効期間

七　その他必要な事項

（利用者負担額等に関する事項の通知）

第７条　市町村は、教育・保育給付認定を行ったときは、当該教育・保育給付認定に係る教育・保育給付認定保護者及び当該教育・保育給付認定保護者が利用する特定教育・保育施設等に対して、当該教育・保育給付認定保護者に係る次に掲げる事項を通知するものとする。

一　利用者負担額（満３歳未満保育認定子ども（子ども・子育て支援法施行令（平成26年政令第213号。以下「令」という。）第４条第２項に規定する満３歳未満保育認定子どもをいう。以下同じ。）に係る教育・保育給付認定保護者についての法第27条第３項第２号若しくは第29条第３項第２号に掲げる額又は法第30条第２項第３号若しくは第４号の市町村が定める額に限る。）

二 食事の提供（特定教育・保育施設及び特定地域型保育事業並びに特定子ども・子育て支援施設等の運営に関する基準（平成26年内閣府令第39号）第13条第４項第３号イ又はロに掲げるものに限る。）に要する費用の支払の免除に関する事項

2 教育・保育給付認定保護者が支給認定証の交付の申請をしていない場合において、前項の規定による通知をするときは、前条各号に掲げる事項を併せて通知するものとする。

（法第21条に規定する内閣府令で定める期間）

第８条 法第21条に規定する内閣府令で定める期間は、次の各号に掲げる小学校就学前子どもの区分に応じ、当該各号に定める期間とする。

一 法第19条第１号に掲げる小学校就学前子どもの区分に該当する子ども 教育・保育給付認定が効力を生じた日（以下「効力発生日」という。）から当該小学校就学前子どもが小学校就学の始期に達するまでの期間

二 法第19条第２号に掲げる小学校就学前子どもの区分に該当する子ども（当該小学校就学前子どもの保護者が第１条の５第２号、第６号、第７号、第９号及び第10号に掲げる事由に該当する場合を除く。） 効力発生日から当該小学校就学前子どもが小学校就学の始期に達するまでの期間

三 法第19条第２号に掲げる小学校就学前子どもの区分に該当する子ども（当該小学校就学前子どもの保護者が第１条の５第２号に掲げる事由に該当する場合に限る。） 次に掲げる期間のうちいずれか短い期間

イ 前号に掲げる期間

ロ 効力発生日から、当該小学校就学前子どもの保護者の出産日から起算して８週間を経過する日の翌日が属する月の末日までの期間

四 法第19条第２号に掲げる小学校就学前子どもの区分に該当する子ども（当該小学校就学前子どもの保護者が第１条の５第６号に掲げる事由に該当する場合に限る。） 次に掲げる期間のうちいずれか短い期間

イ 第２号に掲げる期間

ロ 効力発生日から、同日から起算して90日を限度として市町村が定める期間を経過する日が属する月の末日までの期間

五 法第19条第２号に掲げる小学校就学前子どもの区分に該当する子ども（当該小学校就学前子どもの保護者が第１条の５第７号に掲げる事由に該当する場合に限る。） 次に掲げる期間のうちいずれか短い期間

イ 第２号に掲げる期間

ロ 効力発生日から当該小学校就学前子どもの保護者の卒業予定日又は修了予定日が属する月の末日までの期間

六 法第19条第２号に掲げる小学校就学前子どもの区分に該当する子ども（当該小学校就学前子どもの保護者が第１条の５第９号に掲げる事由に該当する場合に限る。） 第１条の５第９号に掲げる事由に該当するものとして認めた事情を勘案して市町村が定める期間

七 法第19条第２号に掲げる小学校就学前子どもの区分に該当する子ども（当該小学校就学前子どもの保護者が第１条の５第10号に掲げる事由に該当する場合に限る。） 第１条の５第10号に掲げる事由に該当するものとして認めた事情を勘案して市町村が定める期間

八 法第19条第３号に掲げる小学校就学前子どもの区分に該当する子ども（当該小学校就学前子どもの保護者が第１条の５第２号、第６号、第７号、第９号及び第10号に掲げる事由に該当する場合を除く。） 効力発生日から当該小学校就学前子どもが満３歳に達する日の前日までの期間

九 法第19条第３号に掲げる小学校就学前子どもの区分に該当する子ども（当該小学校就学前子どもの保護者が第１条の５第２号に掲げる事由に該当する場合に限る。） 次に掲げる期間のうちいずれか短い期間

イ 前号に掲げる期間

ロ 第３号ロに掲げる期間

十 法第19条第３号に掲げる小学校就学前子どもの区分に該当する子ども（当該小学校就学前子どもの保護者が第１条の５第６号に掲げる事由に該当する場合に限る。） 次に掲げる期間のうちいずれか短い期間

イ 第８号に掲げる期間

ロ 第４号ロに掲げる期間

十一 法第19条第３号に掲げる小学校就学前子どもの区分に該当する子ども（当該小学校就学前子どもの保護者が第１条の５第７号に掲げる事由に該当する場合に限る。） 次に掲げる期間のうちいずれか短い期間

イ 第８号に掲げる期間

ロ 第５号ロに掲げる期間

十二 法第19条第３号に掲げる小学校就学前子どもの区分に該当する子ども（当該小学校就学前子どもの保護者が第１条の５第９号に掲げる事由に該当する場合に限る。） 第１条の５第９号に掲げる

事由に該当するものとして認めた事情を勘案して市町村が定める期間

十三　法第19条第３号に掲げる小学校就学前子どもの区分に該当する子ども（当該小学校就学前子どもの保護者が第１条の５第10号に掲げる事由に該当する場合に限る。）　第１条の５第10号に掲げる事由に該当するものとして認めた事情を勘案して市町村が定める期間

（法第22条の届出）

第９条　教育・保育給付認定保護者は、毎年、次項に定める事項を記載した届書（当該教育・保育給付認定保護者に係る教育・保育給付認定子どもが保育認定子ども（法第30条第１項に規定する保育認定子どもをいう。以下同じ。）である場合に限る。）及び第３項に掲げる書類を市町村に提出しなければならない。ただし、市町村は、当該書類により証明すべき事実を公簿等によって確認することができるときその他当該教育・保育給付認定保護者に対する施設型給付費、地域型保育給付費、特例施設型給付費又は特例地域型保育給付費の公正かつ適正な支給の確保に支障がないと認めるときは、当該書類を省略させることができる。

２　法第22条に規定する内閣府令で定める事項は、第１条の５各号に掲げる事由の状況とする。

３　法第22条に規定する内閣府令で定める書類は、第２条第２項の書類とする。

４　市町村は、第１項の届出を受け、当該教育・保育給付認定保護者に係る第７条第１項に掲げる事項を変更する必要があると認めるときは、当該教育・保育給付認定保護者及び当該教育・保育給付認定保護者が利用する特定教育・保育施設等に対して、変更後の当該事項を通知するものとする。

（法第23条第１項に規定する内閣府令で定める事項）

第10条　法第23条第１項に規定する内閣府令で定める事項は、次に掲げる事項とする。

一　該当する法第19条各号に掲げる小学校就学前子どもの区分

二　保育必要量

三　教育・保育給付認定の有効期間

四　利用者負担額に関する事項

（教育・保育給付認定の変更の認定の申請）

第11条　法第23条第１項の規定により教育・保育給付認定の変更の認定を申請しようとする教育・保育給付認定保護者は、次の各号に掲げる事項を記載した申請書を市町村に提出しなければならない。この場合において、教育・保育給付認定保護者が支給認定証の交付を受けているときは、当該支給認定証を添付しなければならない。

一　当該申請を行う教育・保育給付認定保護者の氏名、居住地、生年月日、個人番号及び連絡先（保護者が法人であるときは、法人の名称、代表者の氏名及び主たる事務所の所在地並びに当該申請に係る小学校就学前子どもの居住地）

二　当該申請に係る小学校就学前子どもの氏名、生年月日、個人番号及び教育・保育給付認定保護者との続柄

三　第１条の５各号に掲げる事由の状況の変化その他の当該申請を行う原因となった事由

四　その他必要な事項

２　前項の申請書には、次に掲げる書類を添付しなければならない。ただし、市町村は、当該書類により証明すべき事実を公簿等によって確認することができるときは、当該書類を省略させることができる。

一　利用者負担額の算定のために必要な事項に関する書類（前条第４号に掲げる事項に係る変更の認定の申請を行う場合に限る。）

二　前項第３号に掲げる事項を証する書類（当該事項が第１条の５第１号に掲げる事由に係るものである場合にあっては、原則として様式第１号によ る。）

３　第９条第４項の規定は、第１項の規定による申請を受け、市町村が当該教育・保育給付認定保護者に係る第７条第１項に掲げる事項を変更する必要があると認める場合について準用する。

（市町村の職権により教育・保育給付認定の変更の認定を行う場合の手続）

第12条　市町村は、法第23条第４項の規定により教育・保育給付認定の変更の認定を行おうとするときは、その旨を書面により教育・保育給付認定保護者に通知するものとする。ただし、法第19条第３号に掲げる小学校就学前子どもに該当する教育・保育給付認定子どもが満３歳に達したときに当該認定を行う場合には、当該教育・保育給付認定子どもが満３歳に達した日の属する年度の末日までに通知すれば足りる。

２　前項の場合において、教育・保育給付認定保護者に支給認定証を交付しているときは、次の各号に掲げる事項を併せて通知し、当該支給認定証の提出を求めるものとする。ただし、教育・保育給付認定保護者の支給認定証が既に市町村に提出されているときは、この限りでない。

一　支給認定証を提出する必要がある旨

二　支給認定証の提出先及び提出期限

（準用等）

第13条　第２条第３項から第５項まで、第３条から第５条まで及び第７条の規定は、法第23条第２項又は第４項の教育・保育給付認定の変更の認定について準用する。この場合において、第７条第１項中「とする。」とあるのは「とする。ただし、法第19条第１項第３号に掲げる小学校就学前子どもに該当する教育・保育給付認定子どもが満３歳に達したときに法第23条第４項の規定により教育・保育給付認定の変更の認定を行う場合には、当該教育・保育給付認定子どもが満３歳に達した日の属する年度の末日までに通知すれば足りる。」と読み替えるものとする。

２　市町村は、法第23条第２項又は第４項の教育・保育給付認定の変更の認定を行った場合であって、教育・保育給付認定保護者に支給認定証を交付しているときは、支給認定証に第６条第４号から第６号までに掲げる事項を記載し、これを返還するものとする。ただし、教育・保育給付認定保護者から支給認定証の返還を要しない旨の申出があった場合は、この限りでない。

（教育・保育給付認定の取消しを行う場合の手続）

第14条　市町村は、法第24条第１項の規定により教育・保育給付認定の取消しを行ったときは、その旨を書面により教育・保育給付認定保護者に通知するものとする。

２　前項の場合において、教育・保育給付認定保護者に支給認定証を交付しているときは、次に掲げる事項を併せて通知し、当該支給認定証の返還を求めるものとする。ただし、教育・保育給付認定保護者の支給認定証が既に市町村に提出されているときは、この限りでない。

一　支給認定証を返還する必要がある旨

二　支給認定証の返還先及び返還期限

（申請内容の変更の届出）

第15条　教育・保育給付認定保護者は、教育・保育給付認定の有効期間内において、第２条第１項第１号及び第２号に掲げる事項（以下この条において「届出事項」という。）を変更する必要が生じたときは、速やかに、次の各号に掲げる事項を記載した届書を市町村に提出しなければならない。この場合において、教育・保育給付認定保護者が支給認定証の交付を受けているときは、当該支給認定証を添付しなければならない。

一　当該届出を行う教育・保育給付認定保護者の氏名、居住地、生年月日、個人番号及び連絡先（保護者が法人であるときは、法人の名称、代表者の氏名及び主たる事務所の所在地並びに当該届出に係る小学校就学前子どもの居住地）

二　当該届出に係る小学校就学前子どもの氏名、生年月日、個人番号及び教育・保育給付認定保護者との続柄

三　届出事項のうち変更が生じた事項とその変更内容

四　その他必要な事項

２　前項の届書には、同項第３号の事項を証する書類を添付しなければならない。ただし、市町村は、当該書類により証明すべき事実を公簿等によって確認することができるときは、当該書類を省略させることができる。

（支給認定証の再交付）

第16条　市町村は、支給認定証を破り、汚し、又は失った教育・保育給付認定保護者から、教育・保育給付認定の有効期間内において、支給認定証の再交付の申請があったときは、支給認定証を交付するものとする。

２　前項の申請をしようとする教育・保育給付認定保護者は、次の各号に掲げる事項を記載した申請書を、市町村に提出しなければならない。

一　当該申請を行う教育・保育給付認定保護者の氏名、居住地、生年月日、個人番号及び連絡先（保護者が法人であるときは、法人の名称、代表者の氏名及び主たる事務所の所在地並びに当該申請に係る小学校就学前子どもの居住地）

二　当該申請に係る小学校就学前子どもの氏名、生年月日、個人番号及び教育・保育給付認定保護者との続柄

三　申請の理由

３　支給認定証を破り、又は汚した場合の前項の申請には、同項の申請書に、その支給認定証を添付しなければならない。

４　支給認定証の再交付を受けた後、失った支給認定証を発見したときは、速やかにこれを市町村に返還しなければならない。

第２節　施設型給付費及び地域型保育給付費等の支給

（法第27条第１項に規定する１日当たりの時間及び期間）

第17条　法第27条第１項に規定する１日当たりの時間は４時間を標準とし、期間は39週以上として、教育・保育給付認定保護者が特定教育・保育施設（認定こども園に限る。）と締結した保育の提供に関する契約において定める時間及び期間とする。

（施設型給付費の支給）

第18条　市町村は、法第27条第１項の規定に基づき、毎月、施設型給付費を支給するものとする。

（支給認定証の提示）

第19条　教育・保育給付認定保護者は、法第27条第2項の規定に基づき、支給認定教育・保育を受けるに当たっては、特定教育・保育施設から求めがあった場合には、当該特定教育・保育施設に対して支給認定証を提示しなければならない。ただし、教育・保育給付認定保護者が支給認定証の交付を受けていない場合は、この限りでない。

（令第4条第2項第1号の内閣府令で定める教育・保育給付認定保護者）

第20条　令第4条第2項第1号の内閣府令で定める教育・保育給付認定保護者は、第4条の保育必要量の認定において、保育の利用について、1月当たり平均200時間まで（1日当たり8時間までに限る。）の区分と認定された教育・保育給付認定子どもに係る教育・保育給付認定保護者とする。

（令第4条第2項第2号の内閣府令で定める規定）

第21条　令第4条第2項第2号の内閣府令で定める規定は、地方税法（昭和25年法律第226号）第314条の7、第314条の8及び第314条の9並びに附則第5条第3項、附則第5条の4第6項、附則第5条の4の2第5項、附則第5条の5第2項、附則第7条の2第4項及び第5項、附則第7条の3第2項並びに附則第45条とする。

（令第4条第2項第2号に規定する市町村民税所得割合算額の算定方法）

第21条の2　市町村民税所得割合算額（令第4条第2項第2号に規定する市町村民税所得割合算額をいう。以下この条において同じ。）を算定する場合には、教育・保育給付認定保護者又は当該教育・保育給付認定保護者と同一の世帯に属する者が指定都市の区域内に住所を有する者であるときは、これらの者を指定都市以外の市町村の区域内に住所を有する者とみなして、市町村民税所得割合算額を算定するものとする。

（令第4条第2項第6号の内閣府令で定める者）

第22条　令第4条第2項第6号の内閣府令で定める者は、次に掲げる者とする。

一　母子及び父子並びに寡婦福祉法（昭和39年法律第129号）による配偶者のない者で現に児童を扶養しているもの（令第4条第2項第6号に掲げる特定教育・保育給付認定保護者と同一の世帯に属する者である場合を除く。）

二　身体障害者福祉法（昭和24年法律第283号）第15条第4項の規定により身体障害者手帳の交付を受けた者（障害者又は障害児であって、障害者の日常生活及び社会生活を総合的に支援するための法律（平成17年法律第123号）第19条第3項に規定する特定施設その他これに類する施設に入所若しくは入居又は入院をしていないもの（以下「在宅障害児」という。）に限る。）

三　療育手帳制度要綱（昭和48年9月27日厚生省発児第156号）の規定により療育手帳の交付を受けた者（在宅障害児に限る。）

四　精神保健及び精神障害者福祉に関する法律（昭和25年法律第123号）第45条第2項の規定により精神障害者保健福祉手帳の交付を受けた者（在宅障害児に限る。）

五　特別児童扶養手当等の支給に関する法律（昭和39年法律第134号）に定める特別児童扶養手当の支給対象児童（在宅障害児に限る。）

六　国民年金法（昭和34年法律第141号）に定める国民年金の障害基礎年金の受給者その他適当な者（在宅障害児に限る。）

七　その他市町村の長が生活保護法（昭和25年法律第144号）第6条第2項に規定する要保護者に準ずる程度に困窮していると認める者

（特例施設型給付費の支給）

第23条　市町村は、法第28条第1項の規定に基づき、毎月、特例施設型給付費（同項第1号に係るものを除く。）を支給するものとする。

（準用）

第24条　第17条の規定は法第28条第1項第2号の内閣府令で定める1日当たりの時間及び期間について、第19条の規定は特例施設型給付費（法第28条第1項第1号に係るものを除く。）の支給について準用する。この場合において、第17条の規定中「認定こども園」とあるのは「保育所」と読み替えるものとする。

（地域型保育給付費の支給）

第25条　市町村は、法第29条第1項の規定に基づき、毎月、地域型保育給付費を支給するものとする。

（支給認定証の提示）

第26条　教育・保育給付認定保護者は、法第29条第2項の規定に基づき、満3歳未満保育認定地域型保育を受けるに当たっては、特定地域型保育事業者から求めがあった場合には、当該特定地域型保育事業者に対して支給認定証を提示しなければならない。ただし、教育・保育給付認定保護者が支給認定証の交付を受けていない場合は、この限りでない。

（特例地域型保育給付費の支給）

第27条　市町村は、法第30条第1項の規定に基づき、毎月、特例地域型保育給付費（同項第1号に係るものを除く。）を支給するものとする。

（準用）

第28条 第17条の規定は法第30条第１項第２号及び第４号の内閣府令で定める１日当たりの時間及び期間について、第26条の規定は特例地域型保育給付費（法第30条第１項第１号に係るものを除く。）の支給について準用する。この場合において、第17条の規定中「特定教育・保育施設（認定こども園に限る。）」とあるのは「特定地域型保育事業者又は特例保育を行う事業者」と読み替えるものとする。

（令第14条の内閣府令で定める者）

第28条の２ 令第14条の内閣府令で定める者は、次に掲げる者とする。

一 教育・保育給付認定保護者に監護されていた者

二 教育・保育給付認定保護者又はその配偶者の直系卑属（教育・保育給付認定保護者に監護される者及び前号に掲げる者を除く。）

第１章の３ 子育てのための施設等利用給付

第１節 施設等利用給付認定等

（認定の申請等）

第28条の３ 法第30条の５第１項の規定により同項に規定する認定（以下「施設等利用給付認定」という。）を受けようとする小学校就学前子どもの保護者は、次に掲げる事項を記載した申請書を、市町村に提出しなければならない。

一 当該申請を行う保護者の氏名、居住地、生年月日、個人番号及び連絡先（保護者が法人であるときは、法人の名称、代表者の氏名及び主たる事務所の所在地並びに当該申請に係る小学校就学前子どもの居住地）

二 当該申請に係る小学校就学前子どもの氏名、生年月日、個人番号及び当該小学校就学前子どもの保護者との続柄

三 認定を受けようとする法第30条の４各号に掲げる小学校就学前子どもの区分

四 法第30条の４第２号又は第３号に掲げる小学校就学前子どもの区分に係る認定を受けようとする場合には、その理由

五 法第30条の４第３号に掲げる小学校就学前子どもの区分に係る認定を受けようとする場合には、市町村民税世帯非課税者（同号に規定する市町村民税世帯非課税者をいう。）に該当する旨

２ 前項の申請書には、同項第４号及び第５号に掲げる事項を証する書類（同項第４号に掲げる事項が第１条の５第１号に掲げる事由に係るものである場合にあっては、原則として様式第１号による。）を添付しなければならない。ただし、市町村は、当該書類により証明すべき事実を公簿等によって確認することができるときは、当該書類を省略させることができる。

３ 第１項の申請書は、特定子ども・子育て支援提供者（法第30条の11第３項に規定する特定子ども・子育て支援提供者をいう。以下同じ。）を経由して提出することができる。

４ 特定子ども・子育て支援提供者は、関係市町村等との連携に努めるとともに、前項の申請書の提出を受けたときは、速やかに、当該申請書を提出した保護者の居住地の市町村に当該申請書を送付しなければならない。

（法第30条の５第３項に規定する内閣府令で定める事項）

第28条の４ 法第30条の５第３項に規定する内閣府令で定める事項は、次に掲げる事項とする。

一 施設等利用給付認定保護者（法第30条の５第３項に規定する施設等利用給付認定保護者をいう。以下同じ。）の氏名、居住地及び生年月日

二 施設等利用給付認定子ども（法第30条の８第１項に規定する施設等利用給付認定子どもをいう。以下同じ。）の氏名及び生年月日

三 施設等利用給付認定の年月日及び認定番号

四 該当する法第30条の４各号に掲げる小学校就学前子どもの区分

五 施設等利用給付認定に係る第１条の５各号に掲げる事由（法第30条の４第２号又は第３号に掲げる小学校就学前子どもの区分に該当する場合に限る。）

六 次条に規定する施設等利用給付認定の有効期間

七 その他必要な事項

（法第30条の６に規定する内閣府令で定める期間）

第28条の５ 法第30条の６に規定する内閣府令で定める期間（以下「施設等利用給付認定の有効期間」という。）は、次の各号に掲げる施設等利用給付認定子どもが該当する小学校就学前子どもの区分に応じ、当該各号に定める期間とする。

一 法第30条の４第１号に掲げる小学校就学前子ども 施設等利用給付認定が効力を生じた日又は当該施設等利用給付認定子どもに係る施設等利用給付認定保護者が法第30条の５第１項の規定による申請をした日以後初めて特定子ども・子育て支援（法第30条の11第１項に規定する特定子ども・子育て支援をいう。以下同じ。）を受けた日のいずれか早い日（以下「認定起算日」という。）から当該施設等利用給付認定子どもが小学校就学の始期に達するまでの期間

二 法第30条の４第２号又は第３号に掲げる小学校

就学前子ども（当該施設等利用給付認定子どもに係る施設等利用給付認定保護者が第１条の５第２号、第６号、第７号、第９号及び第10号に掲げる事由に該当する場合を除く。）　前号に定める期間（法第30条の４第３号に掲げる小学校就学前子どもにあっては、認定起算日から当該施設等利用給付認定子どもが満３歳に達する日以後の最初の３月31日までの期間。以下この条において同じ。）

三　法第30条の４第２号又は第３号に掲げる小学校就学前子ども（当該施設等利用給付認定子どもに係る施設等利用給付認定保護者が第１条の５第２号に掲げる事由に該当する場合に限る。）　次に掲げる期間のいずれか短い期間

イ　第１号に定める期間

ロ　認定起算日から、当該施設等利用給付認定保護者の出産日から起算して８週間を経過する日の翌日が属する月の末日までの期間

四　法第30条の４第２号又は第３号に掲げる小学校就学前子ども（当該施設等利用給付認定子どもに係る施設等利用給付認定保護者が第１条の５第６号に掲げる事由に該当する場合に限る。）　次に掲げる期間のいずれか短い期間

イ　第１号に定める期間

ロ　認定起算日から、同日から起算して90日を限度として市町村が定める期間を経過する日が属する月の末日までの期間

五　法第30条の４第２号又は第３号に掲げる小学校就学前子ども（当該施設等利用給付認定子どもに係る施設等利用給付認定保護者が第１条の５第７号に掲げる事由に該当する場合に限る。）　次に掲げる期間のいずれか短い期間

イ　第１号に定める期間

ロ　認定起算日から当該施設等利用給付認定保護者の卒業予定日又は修了予定日が属する月の末日までの期間

六　法第30条の４第２号又は第３号に掲げる小学校就学前子ども（当該施設等利用給付認定子どもに係る施設等利用給付認定保護者が第１条の５第９号又は第10号に掲げる事由に該当する場合に限る。）　当該事由に該当するものとして認めた事情を勘案して市町村が定める期間

（法第30条の７の届出）

第28条の６　施設等利用給付認定保護者は、毎年、次項に定める事項を記載した届書（当該施設等利用給付認定子どもが法第30条の４第２号又は第３号に掲げる小学校就学前子どもに該当する場合に限る。）及び第３項に掲げる書類を市町村に提出しなければならない。ただし、市町村は、当該書類により証明すべき事実を公簿等によって確認することができるときその他施設等利用給付認定保護者に対する施設等利用費の公正かつ適正な支給の確保に支障がないと認めるときは、当該書類を省略させることができる。

2　法第30条の７に規定する内閣府令で定める事項は、第１条の５各号に掲げる事由の状況又は当該施設等利用給付認定保護者（法第30条の４第３号に掲げる小学校就学前子どもに該当する施設等利用給付認定子どもに係る者に限る。）の属する世帯の所得の状況とする。

3　法第30条の７に規定する内閣府令で定める書類は、第28条の３第２項の書類とする。

（法第30条の８第１項に規定する内閣府令で定める事項）

第28条の７　法第30条の８第１項に規定する内閣府令で定める事項は、次に掲げる事項とする。

一　該当する法第30条の４各号に掲げる小学校就学前子どもの区分

二　施設等利用給付認定の有効期間

（施設等利用給付認定の変更の認定の申請）

第28条の８　法第30条の８第１項の規定により施設等利用給付認定の変更の認定を申請しようとする施設等利用給付認定保護者は、次に掲げる事項を記載した申請書を市町村に提出しなければならない。

一　当該申請を行う施設等利用給付認定保護者の氏名、居住地、生年月日、個人番号及び連絡先（保護者が法人であるときは、法人の名称、代表者の氏名及び主たる事務所の所在地並びに当該申請に係る小学校就学前子どもの居住地）

二　当該申請に係る小学校就学前子どもの氏名、生年月日、個人番号及び施設等利用給付認定保護者との続柄

三　第１条の５各号に掲げる事由の状況の変化その他の当該申請を行う原因となった事由

四　その者の属する世帯の所得の状況（法第30条の４第１号に掲げる小学校就学前子どもから同条第３号に掲げる小学校就学前子どもの区分への変更に係る申請に限る。）

五　その他必要な事項

2　前項の申請書には、同項第３号及び第４号に掲げる事項を証する書類（同項第３号に掲げる事項が第１条の５第１号に掲げる事由に係るものである場合にあっては、原則として様式第１号による。）を添付しなければならない。ただし、市町村は、当該書類により証明すべき事実を公簿等によって確認する

ことができるときは、当該書類を省略させることができる。

（市町村の職権により施設等利用給付認定の変更の認定を行う場合の手続）

第28条の9 市町村は、法第30条の8第4項の規定により施設等利用給付認定の変更の認定を行おうとするときは、その旨を書面により施設等利用給付認定保護者に通知するものとする。

（準用）

第28条の10 第28条の3第3項及び第4項の規定は、法第30条の8第2項又は第4項の施設等利用給付認定の変更の認定について準用する。

（施設等利用給付認定の取消しを行う場合の手続）

第28条の11 市町村は、法第30条の9第1項の規定により施設等利用給付認定の取消しを行ったときは、理由を付して、その旨を書面により当該取消しに係る施設等利用給付認定保護者に通知するものとする。

（申請内容の変更の届出）

第28条の12 施設等利用給付認定保護者は、施設等利用給付認定の有効期間内において、第28条の3第1項第1号及び第2号に掲げる事項（第3号において「届出事項」という。）を変更する必要が生じたときは、速やかに、次に掲げる事項を記載した届書を、市町村に提出しなければならない。

一 当該届出を行う施設等利用給付認定保護者の氏名、居住地、生年月日、個人番号及び連絡先（保護者が法人であるときは、法人の名称、代表者の氏名及び主たる事務所の所在地並びに当該届出に係る小学校就学前子どもの居住地）

二 当該届出に係る小学校就学前子どもの氏名、生年月日、個人番号及び施設等利用給付認定保護者との続柄

三 届出事項のうち変更が生じた事項とその変更内容

四 その他必要な事項

2 前項の届書には、同項第3号の事項を証する書類を添付しなければならない。ただし、市町村は、当該書類により証明すべき事実を公簿等によって確認することができるときは、当該書類を省略させることができる。

（施設等利用給付認定の申請を行うことができない小学校就学前子どもの保護者）

第28条の13 次の各号のいずれかに該当する小学校就学前子どもの保護者は、当該各号に定める小学校就学前子どもについて、法第30条の5第1項の規定による申請を行うことができない。

一 その保育認定子どもについて現に施設型給付費、特例施設型給付費（法第28条第1項第3号に係るものを除く。）、地域型保育給付費若しくは特例地域型保育給付費の支給を受けている場合 当該保育認定子ども

二 その小学校就学前子どもが令第1条に規定する施設を現に利用している場合 当該小学校就学前子ども

（法第7条第10項第4号ハの政令で定める施設の利用状況の報告）

第28条の14 前条第2号に該当する小学校就学前子どもの保護者は、当該小学校就学前子どもが令第1条に規定する施設を利用するに至ったときは、次に掲げる事項を記載した書類を当該小学校就学前子どもの保護者の居住地の市町村（次項において単に「市町村」という。）に提出しなければならない。

一 当該小学校就学前子どもの保護者の氏名、居住地、生年月日及び連絡先

二 当該小学校就学前子どもの氏名、生年月日及び当該保護者との続柄

三 当該令第1条に規定する施設の名称及び所在地

2 前条第2号に該当する小学校就学前子どもの保護者は、当該小学校就学前子どもが令第1条に規定する施設の利用をやめようとするときは、その旨及び前項に掲げる事項を記載した書類を市町村に提出しなければならない。ただし、当該小学校就学前子どもが小学校就学の始期に達する場合は、この限りでない。

3 前2項の書類は、当該小学校就学前子どもが現に利用している令第1条に規定する施設を経由して提出することができる。

第2節 施設等利用費の支給

（施設等利用費の支給）

第28条の15 市町村は、施設等利用費の公正かつ適正な支給及び円滑な支給の確保、施設等利用給付認定保護者の経済的負担の軽減及び利便の増進その他地域の実情を勘案して定める方法により、法第30条の11第1項の規定による施設等利用費の支給又は同条第3項の規定による支払を行うものとする。

（法第30条の11第1項の内閣府令で定める費用）

第28条の16 法第30条の11第1項に規定する内閣府令で定める費用は、次に掲げる費用とする。

一 日用品、文房具その他の特定子ども・子育て支援に必要な物品の購入に要する費用

二 特定子ども・子育て支援に係る行事への参加に要する費用

三 食事の提供に要する費用

四　特定子ども・子育て支援を提供する施設又は事業所に通う際に提供される便宜に要する費用
五　前４号に掲げるもののほか、特定子ども・子育て支援において提供される便宜に要する費用のうち、特定子ども・子育て支援の利用において通常必要とされるものに係る費用であって、施設等利用給付認定保護者に負担させることが適当と認められるもの

（令第15条の６第１項の内閣府令で定める額）
第28条の17　令第15条の６第１項の内閣府令で定める額は、次の各号に掲げる施設の種類に応じ、当該各号に定める額とする。
一　認定こども園　8700円
二　幼稚園　8700円
三　特別支援学校　400円

（令第15条の６第３項の内閣府令で定める額）
第28条の18　令第15条の６第３項の内閣府令で定める額は37000円とする。

（令第15条の６第４項の規定により読み替えて適用する同条第３項の内閣府令で定める額）
第28条の19　令第15条の６第４項の規定により読み替えて適用する同条第３項の内閣府令で定める額は42000円とする。

（令第15条の６第２項第２号の内閣府令で定める日数等）
第28条の20　令第15条の６第２項第２号の内閣府令で定める１月当たりの日数は、26日とする。
２　令第15条の６第２項第２号に規定する場合における同号に定める額は、450円に当該特定子ども・子育て支援を受けた日数を乗じて得た額とする。
３　令第15条の６第２項第３号の内閣府令で定める量は、当該教育・保育が提供される１日当たりの時間が８時間（法第７条第10項第５号イ又はロに定める１日当たりの時間を含む。）、かつ、１年当たりの期間が200日とする。

（施設等利用費の支給申請）
第28条の21　施設等利用給付認定保護者は、法第30条の11第１項の規定により施設等利用費の支給を受けようとするときは、次に掲げる事項を記載した請求書を市町村に提出しなければならない。
一　施設等利用給付認定保護者の氏名、生年月日、居住地
二　施設等利用給付認定保護者に係る施設等利用給付認定子どもの氏名、生年月日
三　認定番号
四　特定子ども・子育て支援施設等（法第30条の11第１項に規定する特定子ども・子育て支援施設等をいう。以下同じ。）の名称
五　現に特定子ども・子育て支援に要した費用の額及び施設等利用費の請求金額
２　前項の請求書には、特定子ども・子育て支援提供証明書（特定教育・保育施設及び特定地域型保育事業並びに特定子ども・子育て支援施設等の運営に関する基準第56条第２項に規定する特定子ども・子育て支援提供証明書をいう。）その他前項第５号に掲げる事項に関する証拠書類を添付しなければならない。

第２章　特定教育・保育施設及び特定地域型保育事業者並びに特定子ども・子育て支援提供者

第１節　特定教育・保育施設及び特定地域型保育事業者

第１款　特定教育・保育施設

（特定教育・保育施設の確認の申請等）
第29条　法第31条第１項の規定に基づき特定教育・保育施設の確認を受けようとする者は、次に掲げる事項を記載した申請書又は書類を、当該確認の申請に係る施設の設置の場所を管轄する市町村長（特別区の長を含む。以下同じ。）に提出しなければならない。ただし、第４号に掲げる事項を記載した申請書又は書類（登記事項証明書を除く。）については、市町村長が、インターネットを利用して当該事項を閲覧することができる場合は、この限りでない。
一　施設の名称、教育・保育施設の種類及び設置の場所
二　設置者の名称及び主たる事務所の所在地並びに代表者の氏名、生年月日、住所及び職名
三　当該申請に係る事業の開始の予定年月日
四　設置者の定款、寄附行為等及びその登記事項証明書又は条例等
五　認定こども園、幼稚園又は保育所の認可証又は認定証等の写し
六　建物の構造概要及び図面（各室の用途を明示するものとする。）並びに設備の概要
七　法第19条各号に掲げる小学校就学前子どもの区分（同条第３号に掲げる小学校就学前子どもの区分にあっては、満１歳に満たない小学校就学前子ども及び満１歳以上の小学校就学前子どもの区分）ごとの利用する小学校就学前子どもの数
八　施設の管理者の氏名、生年月日及び住所
九　運営規程
十　利用者又はその家族からの苦情を処理するために講ずる措置の概要
十一　当該申請に係る事業に係る従業者の勤務の体

制及び勤務形態
十二　当該申請に係る事業に係る資産の状況
十三　法第33条第２項の規定により教育・保育給付認定子どもを選考する場合の基準
十四　当該申請に係る事業に係る施設型給付費及び特例施設型給付費の請求に関する事項
十五　法第40条第２項に規定する申請をすることができない者に該当しないことを誓約する書面（第33条第２項において「誓約書」という。）
十六　役員の氏名、生年月日及び住所
十七　その他確認に関し必要と認める事項

（特定教育・保育施設の利用定員の届出の手続）
第30条　法第31条第３項の規定による届出は、次の各号に掲げる事項を当該市町村の属する都道府県知事に提出してするものとする。
一　当該確認に係る施設の名称、教育・保育施設の種類及び設置の場所
二　当該確認に係る設置者の名称及び主たる事務所の所在地並びに代表者の氏名、生年月日、住所及び職名
三　当該確認に係る事業の開始の予定年月日
四　定めようとする法第19条各号に掲げる小学校就学前子どもの区分（同条第３号に掲げる小学校就学前子どもの区分にあっては、満１歳に満たない小学校就学前子ども及び満１歳以上の小学校就学前子どもの区分）ごとの利用定員の数

（特定教育・保育施設の確認の変更の申請）
第31条　法第32条第１項の規定に基づき特定教育・保育施設の確認の変更を受けようとする者は、次に掲げる事項を記載した申請書又は書類を、当該変更に係る施設の所在地を管轄する市町村長に提出しなければならない。
一　施設の名称、教育・保育施設の種類及び所在地
二　設置者の名称及び主たる事務所の所在地並びに代表者の氏名、生年月日、住所及び職名
三　建物の構造概要及び図面（各室の用途を明示するものとする。）並びに設備の概要
四　法第19条各号に掲げる小学校就学前子どもの区分（同条第３号に掲げる小学校就学前子どもの区分にあっては、満１歳に満たない小学校就学前子ども及び満１歳以上の小学校就学前子どもの区分）ごとの利用する小学校就学前子どもの数
五　当該申請に係る事業に係る従業者の勤務の体制及び勤務形態
六　利用定員を増加しようとする理由

（準用）
第32条　第30条の規定は、法第32条第１項の規定により法第27条第１項の確認の変更の申請があった場合及び法第32条第３項の規定により利用定員を変更しようとする場合における都道府県知事への届出について準用する。

（特定教育・保育施設の設置者の住所等の変更の届出等）
第33条　特定教育・保育施設の設置者は、第29条第１号（教育・保育施設の種類を除く。）、第２号、第４号（当該確認に係る事業に関するものに限る。）、第６号、第８号、第９号、第14号及び第16号に掲げる事項に変更があったときは、当該変更に係る事項について当該特定教育・保育施設の所在地を管轄する市町村長に届け出なければならない。ただし、同条第４号に掲げる事項（登記事項証明書を除く。）については、市町村長が、インターネットを利用して当該事項を閲覧することができる場合は、この限りでない。
2　前項の届出であって、特定教育・保育施設の設置者の役員又はその長の変更に伴うものは、誓約書を添付して行うものとする。

（特定教育・保育施設の利用定員の減少の届出）
第34条　法第35条第２項の規定による利用定員の減少の届出は、次に掲げる事項を記載した書類を提出することによって行うものとする。
一　利用定員を減少しようとする年月日
二　利用定員を減少する理由
三　現に利用している小学校就学前子どもに対する措置
四　法第19条各号に掲げる小学校就学前子どもの区分（同条第３号に掲げる小学校就学前子どもの区分にあっては、満１歳に満たない小学校就学前子ども及び満１歳以上の小学校就学前子どもの区分）ごとの減少後の利用定員

（令第18条第１項の内閣府令で定める者）
第35条　令第18条第１項の内閣府令で定める者は、市町村長、こども家庭庁長官又は都道府県知事（第42条、第46条及び第53条の４において「市町村長等」という。）が法第56条第１項その他の規定による報告等の権限を適切に行使し、当該確認の取消しの処分の理由となった事実及び当該事実の発生を防止するための当該特定教育・保育施設の設置者による業務管理体制の整備についての取組の状況その他の当該事実に関して当該特定教育・保育施設の設置者が有していた責任の程度を確認した結果、当該確認の取消しの理由となった事実について組織的に関与していると認められない者とする。

（令第18条第２項第１号の内閣府令で定める密接な関

係等）
第36条　令第18条第２項第１号の内閣府令で定める密接な関係を有する法人は、次の各号のいずれにも該当する法人とする。
一　その者の重要な事項に係る意思決定に関与し、又はその者若しくはその者の親会社等が重要な事項に係る意思決定に関与していること。
二　法第27条第１項の規定により市町村長の確認を受けた者であること。
2　令第18条第２項第１号イの内閣府令で定めるものは、次に掲げる者とする。
一　その者の役員に占めるその役員の割合が２分の１を超える者
二　その者（株式会社である場合に限る。）の議決権の過半数を所有している者
三　その者（持分会社（会社法（平成17年法律第86号）第575条第１項に規定する持分会社をいう。以下この条において同じ。）である場合に限る。）の資本金の過半数を出資している者
四　その者の事業の方針の決定に関して、前３号に掲げる者と同等以上の支配力を有すると認められる者
3　令第18条第２項第１号ロの内閣府令で定めるものは、次に掲げる者とする。
一　その者の親会社等の役員と同一の者がその役員に占める割合が２分の１を超える者
二　その者の親会社等（株式会社である場合に限る。）が議決権の過半数を所有している者
三　その者の親会社等（持分会社である場合に限る。）が資本金の過半数を出資している者
四　事業の方針の決定に関するその者の親会社等の支配力が前３号に掲げる者と同等以上と認められる者
4　令第18条第２項第１号ハの内閣府令で定めるものは、次に掲げる者とする。
一　その者の役員と同一の者がその役員に占める割合が２分の１を超える者
二　その者（株式会社である場合に限る。）が議決権の過半数を所有している者
三　その者（持分会社である場合に限る。）が資本金の過半数を出資している者
四　事業の方針の決定に関するその者の支配力が前３号に掲げる者と同等以上と認められる者
（聴聞決定予定日の通知）
第37条　令第18条第２項第３号の規定による通知をするときは、法第38条第１項の規定による検査が行われた日（以下この条において「検査日」という。）から10日以内に、検査日から起算して60日以内の特定の日を通知するものとする。
（法第41条の内閣府令で定める事項）
第38条　法第41条の内閣府令で定める事項は、次に掲げる事項とする。
一　当該特定教育・保育施設の設置者の名称
二　当該特定教育・保育施設の名称及び所在地
三　確認をし、若しくは確認を取り消した場合又は確認の辞退があった場合にあっては、その年月日
四　確認の全部又は一部の効力を停止した場合にあっては、その内容及びその期間
五　教育・保育施設の種類

第２款　特定地域型保育事業者

（特定地域型保育事業者の確認の申請等）
第39条　法第43条第１項の規定に基づき特定地域型保育事業者の確認を受けようとする者は、次に掲げる事項を記載した申請書又は書類を、当該確認の申請に係る事業所の所在地を管轄する市町村長に提出しなければならない。ただし、第４号に掲げる事項を記載した申請書又は書類（登記事項証明書を除く。）については、市町村長が、インターネットを利用して当該事項を閲覧することができる場合は、この限りでない。
一　事業所（当該事業所の所在地以外の場所に当該事業所の一部として使用される事務所を有するときは、当該事務所を含む。）の名称及び所在地
二　申請者の名称及び主たる事務所の所在地並びに代表者の氏名、生年月日、住所及び職名
三　当該申請に係る事業の開始の予定年月日
四　申請者の定款、寄附行為等及びその登記事項証明書又は条例等
五　地域型保育事業の認可証等の写し
六　事業所の平面図（各室の用途を明示するものとする。）及び設備の概要
七　満１歳に満たない小学校就学前子ども及び満１歳以上の小学校就学前子どもの区分ごとの利用する小学校就学前子どもの数
八　事業所の管理者の氏名、生年月日、住所
九　運営規程
十　利用者又はその家族からの苦情を処理するために講ずる措置の概要
十一　当該申請に係る事業に係る従業者の勤務の体制及び勤務形態
十二　当該申請に係る事業に係る資産の状況
十三　法第45条第２項の規定により満３歳未満保育認定子どもを選考する場合の基準
十四　当該申請に係る事業に係る地域型保育給付費

及び特例地域型保育給付費の請求に関する事項
十五　法第52条第２項に規定する申請をすることができない者に該当しないことを誓約する書面（第41条第２項において「誓約書」という。）
十六　役員の氏名、生年月日及び住所
十七　特定教育・保育施設及び特定地域型保育事業並びに特定子ども・子育て支援施設等の運営に関する基準第42条第１項及び第２項の規定により連携協力を行う特定教育・保育施設又は同項に規定する居宅訪問型保育連携施設（別表第１第２号トにおいて「居宅訪問型保育連携施設」という。）の名称
十八　その他確認に関し必要と認める事項

（特定地域型保育事業者の確認の変更の申請）
第40条　法第44条の規定に基づき特定地域型保育事業者の確認の変更を受けようとする者は、次に掲げる事項を記載した申請書又は書類を、当該変更に係る事業所の所在地を管轄する市町村長に提出しなければならない。
一　事業所の名称及び所在地
二　申請者の名称及び主たる事務所の所在地並びに代表者の氏名、生年月日、住所及び職名
三　事業所の平面図（各室の用途を明示するものとする。）及び設備の概要
四　満１歳に満たない小学校就学前子ども及び満１歳以上の小学校就学前子どもの区分ごとの利用する小学校就学前子どもの数
五　当該申請に係る事業に係る従業者の勤務の体制及び勤務形態
六　利用定員を増加しようとする理由

（特定地域型保育事業者の名称等の変更の届出等）
第41条　特定地域型保育事業者は、第39条第１号、第２号、第４号（当該確認に係る事業に関するものに限る。）、第６号、第８号、第９号、第14号、第16号及び第17号に掲げる事項に変更があったときは、当該変更に係る事項について当該特定地域型保育事業者の事業所の所在地を管轄する市町村長に届け出なければならない。ただし、同条第４号に掲げる事項（登記事項証明書を除く。）については、市町村長が、インターネットを利用して当該事項を閲覧することができる場合は、この限りでない。
2　前項の届出であって、特定地域型保育事業者に係る管理者の変更又は役員の変更に伴うものは、誓約書を添付して行うものとする。
3　第34条の規定は、法第47条第２項の規定により特定地域型保育事業の利用定員の減少をしようとするときについて準用する。この場合において、第34条第４号中「法第19条各号に掲げる小学校就学前子どもの区分（同条第３号に掲げる小学校就学前子どもの区分にあっては、満１歳に満たない小学校就学前子ども及び満１歳以上の小学校就学前子どもの区分）」とあるのは、「満１歳に満たない小学校就学前子ども及び満１歳以上の小学校就学前子どもの区分」と読み替えるものとする。

（令第20条第１項の内閣府令で定める者）
第42条　令第20条第１項の内閣府令で定める者は、市町村長等が法第56条第１項その他の規定による報告等の権限を適切に行使し、当該確認の取消しの処分の理由となった事実及び当該事実の発生を防止するための当該特定地域型保育事業者による業務管理体制の整備についての取組の状況その他の当該事実に関して当該特定地域型保育事業者が有していた責任の程度を確認した結果、当該確認の取消しの理由となった事実について組織的に関与していると認められない者とする。

（聴聞決定予定日の通知）
第43条　令第20条第２項第４号の規定による通知をするときは、法第50条第１項の規定による検査が行われた日（以下この条において「検査日」という。）から10日以内に、検査日から起算して60日以内の特定の日を通知するものとする。

（法第53条の内閣府令で定める事項）
第44条　法第53条の内閣府令で定める事項は、次に掲げる事項とする。
一　当該特定地域型保育事業者の名称
二　当該確認に係る事業所の名称及び所在地
三　確認をし、若しくは確認を取り消した場合又は確認の辞退があった場合にあっては、その年月日
四　確認の全部又は一部の効力を停止した場合にあっては、その内容及びその期間
五　地域型保育事業の種類

第３款　業務管理体制の整備等

（法第55条第１項の内閣府令で定める基準）
第45条　法第55条第１項の内閣府令で定める基準は、次の各号に掲げる者の区分に応じ、当該各号に定めるところによる。
一　確認を受けている施設又は事業所の数が１以上20未満の事業者　法令を遵守するための体制の確保に係る責任者（以下「法令遵守責任者」という。）の選任をすること。
二　確認を受けている施設又は事業所の数が20以上100未満の事業者　法令遵守責任者の選任をすること及び業務が法令に適合することを確保するための規程を整備すること。

三　確認を受けている施設又は事業所の数が100以上の事業者　法令遵守責任者の選任をすること、業務が法令に適合することを確保するための規程を整備すること及び業務執行の状況の監査を定期的に行うこと。

（業務管理体制の整備に関する事項の届出）

第46条　特定教育・保育提供者は、法第55条第１項の規定による業務管理体制の整備について、遅滞なく、次に掲げる事項を記載した届書を、同条第２項各号に掲げる区分に応じ、市町村長等に届け出なければならない。

一　事業者の名称又は氏名、主たる事務所の所在地並びにその代表者の氏名、生年月日、住所及び職名

二　法令遵守責任者の氏名及び生年月日

三　業務が法令に適合することを確保するための規程の概要（確認を受けている施設又は事業所の数が20以上の事業者の場合に限る。）

四　業務執行の状況の監査の方法の概要（確認を受けている施設又は事業所の数が100以上の事業者の場合に限る。）

2　特定教育・保育提供者は、前項の規定により届け出た事項に変更があったときは、遅滞なく、当該変更に係る事項について、法第55条第２項各号に掲げる区分に応じ、市町村長等に届け出なければならない。

3　特定教育・保育提供者は、法第55条第２項各号に掲げる区分に変更があったときは、変更後の届書を、変更後の区分により届け出るべき市町村長等及び変更前の区分により届け出るべき市町村長等の双方に届け出なければならない。

（市町村長の求めに応じて法第56条第１項の権限を行った場合におけるこども家庭庁長官又は都道府県知事による通知）

第47条　法第56条第４項の規定によりこども家庭庁長官又は都道府県知事が同条第１項の権限を行った結果を通知するときは、権限を行使した年月日、結果の概要その他必要な事項を示さなければならない。

（法第57条第３項の規定による命令に違反した場合におけるこども家庭庁長官又は都道府県知事による通知）

第48条　こども家庭庁長官又は都道府県知事は、特定教育・保育提供者が法第57条第３項の規定による命令に違反したときは、その旨を当該特定教育・保育提供者の確認を行った市町村長に通知しなければならない。

第４款　教育・保育に関する情報の報告及び公表

（法第58条第１項の内閣府令で定めるとき）

第49条　法第58条第１項の内閣府令で定めるときは、災害その他都道府県知事に対し報告を行うことができないことにつき正当な理由がある特定教育・保育提供者以外のものについて、都道府県知事が定めるときとする。

（法第58条第１項の内閣府令で定める情報）

第50条　法第58条第１項の内閣府令で定める情報は、教育・保育の提供を開始しようとするときにあっては別表第１に掲げる項目に関するものとし、同項の内閣府令で定めるときにあっては別表第１及び別表第２に掲げる項目に関するものとする。

（法第58条第２項の規定による公表の方法）

第51条　都道府県知事は、法第58条第１項の規定による報告を受けた後、当該報告の内容を公表するものとする。ただし、都道府県知事は、当該報告を受けた後に同条第３項の調査を行ったときは、当該調査の結果を公表することをもって、当該報告の内容を公表したものとすることができる。

（法第58条第３項の内閣府令で定める教育・保育情報）

第52条　法第58条第３項の内閣府令で定める教育・保育情報は、別表第１及び別表第２に掲げる項目に関する情報とする。

（法第58条第７項の内閣府令で定める情報）

第53条　法第58条第７項の内閣府令で定める情報は、教育・保育の質及び教育・保育に従事する従業者に関する情報（教育・保育情報に該当するものを除く。）として都道府県知事が定めるものとする。

第２節　特定子ども・子育て支援提供者

（特定子ども・子育て支援施設等の確認の申請等）

第53条の２　法第58条の２の規定に基づき特定子ども・子育て支援施設等の確認を受けようとする者は、次に掲げる事項を記載した申請書又は書類を、当該確認の申請に係る施設又は事業所の設置の場所を管轄する市町村長に提出しなければならない。ただし、第４号に掲げる事項を記載した申請書又は書類（登記事項証明書を除く。）については、市町村長が、インターネットを利用して当該事項を閲覧することができる場合は、この限りでない。

一　施設又は事業所（当該事業所の所在地以外の場所に当該事業所の一部として使用される事務所を有するときは、当該事務所を含む。）の名称、子ども・子育て支援施設等の種類及び設置の場所

二　設置者又は申請者の名称及び主たる事務所の所在地並びに代表者の氏名、生年月日、住所及び職名

三　当該申請に係る事業の開始の予定年月日
四　設置者又は申請者の定款、寄附行為等及びその登記事項証明書又は条例等
五　認定こども園、幼稚園又は特別支援学校の認可証の写しその他の子ども・子育て支援施設等であることを証する書類
六　施設又は事業所の管理者の氏名、生年月日及び住所
七　法第58条の10第２項に規定する申請をすることができない者に該当しないことを誓約する書面（次条第２項において「誓約書」という。）
八　役員の氏名、生年月日及び住所
九　その他確認に関し必要と認める事項

（特定子ども・子育て支援提供者の住所等の変更の届出等）

第53条の３　特定子ども・子育て支援提供者は、第53条の２第１号（子ども・子育て支援施設等の種類を除く。）、第２号、第４号（当該確認に係る事業に関するものに限る。）、第６号及び第８号に掲げる事項に変更があったときは、当該変更に係る事項について当該特定子ども・子育て支援を提供する施設又は事業所の所在地を管轄する市町村長に届け出なければならない。ただし、同条第４号に掲げる事項（登記事項証明書を除く。）については、市町村長が、インターネットを利用して当該事項を閲覧することができる場合は、この限りでない。

２　前項の届出であって、特定子ども・子育て支援施設等である施設の設置者の役員若しくはその長又は特定子ども・子育て支援施設等である事業を行う者に係る管理者若しくは役員の変更に伴うものは、誓約書を添付して行うものとする。

（令第22条の３第１項の内閣府令で定める者）

第53条の４　令第22条の２第１項の内閣府令で定める者は、市町村長等が法第58条の８第１項その他の規定による報告等の権限を適切に行使し、当該確認の取消しの処分の理由となった事実及び当該事実の発生を防止するための当該特定子ども・子育て支援提供者による子ども・子育て支援の提供体制の整備についての取組の状況その他の当該事実に関して当該子ども・子育て支援提供者が有していた責任の程度を確認した結果、当該確認の取消しの理由となった事実について組織的に関与していると認められない者とする。

（聴聞決定予定日の通知）

第53条の５　令第22条の２第２項第４号の規定による通知をするときは、法第58条の８第１項の規定による検査が行われた日（以下この条において「検査日」という。）から10日以内に、検査日から起算して60日以内の特定の日を通知するものとする。

（法第58条の11の内閣府令で定める事項）

第53条の６　法第58条の11の内閣府令で定める事項は、次に掲げる事項とする。
一　当該特定子ども・子育て支援提供者の名称
二　当該特定子ども・子育て支援を提供する施設又は事業所の名称及び所在地
三　確認をし、若しくは確認を取り消した場合又は確認の辞退があった場合にあっては、その年月日
四　確認の全部又は一部の効力を停止した場合にあっては、その内容及びその期間
五　子ども・子育て支援施設等の種類
六　特定子ども・子育て支援施設等である法第７条第10項第５号に掲げる事業にあっては、第28条の20第３項を満たしているか否かの別

第３章　地域子ども・子育て支援事業

（法第59条第１号に規定する内閣府令で定める便宜）

第54条　法第59条第１号に規定する内閣府令で定める便宜は、子ども及びその保護者に係る状況の把握、必要な情報の提供及び助言並びに相談及び指導、子ども及びその保護者と市町村、特定教育・保育施設、特定地域型保育事業者等との連絡調整その他の子ども及びその保護者に必要な支援とする。

（法第59条第３号ロに規定する内閣府令で定めるもの）

第54条の２　法第59条第３号ロに規定する内閣府令で定めるものは、食事の提供（副食の提供に限る。）に要する費用とする。

第４章　子ども・子育て支援事業計画

（市町村子ども・子育て支援事業計画に住民の意見を反映させるために必要な措置）

第55条　法第61条第８項の内閣府令で定める方法は、市町村子ども・子育て支援事業計画の案及び当該案に対する意見の提出方法、提出期限、提出先その他意見の提出に必要な事項を、インターネットの利用、印刷物の配布その他適切な手段により住民に周知する方法とする。

第５章　費用等

（令第24条第１項に規定する内閣府令で定める特別の事由）

第56条　令第24条第１項に規定する内閣府令で定める特別の事由は、次に掲げる事由とする。
一　教育・保育給付認定保護者又はその属する世帯の生計を主として維持する者が、震災、風水害、火災その他これらに類する災害により、住宅、家財又はその財産について著しい損害を受けたこ

と。

二　教育・保育給付認定保護者の属する世帯の生計を主として維持する者の収入が、干ばつ、冷害、凍霜害等による農作物の不作、不漁その他これに類する理由により著しく減少したこと。

三　教育・保育給付認定保護者の属する世帯の生計を主として維持する者が死亡したこと、又はその者が心身に重大な障害を受け、若しくは長期間入院したことにより、その者の収入が著しく減少したこと。

四　教育・保育給付認定保護者の属する世帯の生計を主として維持する者の収入が、事業又は業務の休廃止、事業における著しい損失、失業等により著しく減少したこと。

（令第24条第１項の規定により読み替えて適用する令第23条第２号の内閣府令で定めるところにより市町村が定める額）

第57条　市町村は、令第24条第１項に規定する内閣府令で定める特別の事由のうち、前条第１号又は第２号の事由があると認めた場合は、令第24条第１項の規定により読み替えて適用する令第23条第２号の内閣府令で定めるところにより市町村が定める額として、世帯の所得の状況その他の事情を勘案して適当と認める額を定めるものとする（ただし、利用者負担額以上の額に限る。）。

２　市町村は、令第24条第１項に規定する内閣府令で定める特別の事由のうち、前条第３号又は第４号の事由があると認めた場合は、令第24条第１項の規定により読み替えて適用する令第23条各号の内閣府令で定めるところにより市町村が定める額として、次の各号に掲げる教育・保育給付認定子どもの区分に応じ、当該各号に定める額のいずれかを選択するものとする（ただし、利用者負担額以上の額に限る。）。

一　満３歳未満保育認定子ども（令第４条第２項に規定する満３歳未満保育認定子どもをいう。以下この条において同じ。）（次号に掲げるものを除く。）　８万円、６万1000円、４万4500円、３万円、１万9500円、9000円又は零

二　満３歳未満保育認定子ども（短時間認定保護者に係るものに限る。）　７万8800円、６万100円、４万3900円、２万9600円、１万9300円、9000円又は零

３　市町村は、令第24条第１項に規定する内閣府令で定める特別の事由のうち、前条第３号又は第４号の事由があると認めた場合であって、負担額算定基準子ども（令第13条第２項に規定する負担額算定基準子どもをいう。以下この条において同じ。）が同一世帯に２人以上いる場合の教育・保育給付認定保護者に係る次の各号に掲げる満３歳未満保育認定子どもに関する令第24条第１項の規定により読み替えて適用する令第23条第２号の内閣府令で定めるところにより市町村が定める額については、前項の規定にかかわらず、当該各号に定める額とする。

一　令第13条第１項第１号に掲げる満３歳未満保育認定子ども　当該満３歳未満保育認定子どもに関して前項第１号又は第２号の規定により選択される額に100分の50を乗じて得た額

二　令第13条第１項第２号に掲げる満３歳未満保育認定子ども　零

４　市町村は、令第24条第１項に規定する内閣府令で定める特別の事由のうち、前条第３号又は第４号の事由があると認めた場合であって、特定被監護者等（令第14条に規定する特定被監護者等をいう。）が２人以上いる場合の教育・保育給付認定保護者に係る次の各号に掲げる満３歳未満保育認定子どもに関する令第24条第１項の規定により読み替えて適用する令第23条第２号の内閣府令で定めるところにより市町村が定める額については、当該教育・保育給付認定保護者に係る市町村民税所得割合算額が５万7700円未満（令第４条第２項第６号に規定する特定教育・保育給付認定保護者にあっては、７万7101円未満）であるときは、前２項の規定にかかわらず、当該各号に定める額とする。

一　令第14条第１号イ又はロに掲げる満３歳未満保育認定子ども　当該満３歳未満保育認定子どもに関して第２項第１号又は第２号の規定により選択される額に100分の50を乗じて得た額（令第９条において準用する令第４条第２項第８号に掲げる教育・保育給付認定保護者に係る満３歳未満保育認定子どもにあっては、零）

二　令第14条第２号イからハまでに掲げる満３歳未満保育認定子ども　零

（令第24条第２項の内閣府令で定める事由）

第58条　令第24条第２項の内閣府令で定める事由は、次に掲げる事由とする。

一　月の途中において特定教育・保育等（法第59条第３号イに規定する特定教育・保育等をいう。）を受けることをやめること

二　月の途中において、利用する特定教育・保育施設、特定地域型保育事業所又は特例保育を提供する事業所の変更を行うこと

三　月の途中において特定地域型保育（居宅訪問型保育（家庭的保育事業等の設備及び運営に関する基準第37条第１号に掲げる保育に係るものに限

る。）に限る。）を受けることができない日数が１月当たり５日を超えること

四 災害その他緊急やむを得ない場合としてこども家庭庁長官が定める場合に該当し、保育の提供がなされないこと

（令第24条第２項の内閣府令で定める日数）

第59条 令第24条第２項の内閣府令で定める日数は、25日とする。

（令第24条の４第２項の内閣府令で定める事由及び日数）

第59条の２ 令第24条の４第２項の内閣府令で定める事由は、次に掲げる事由とする。

一 月の途中において特定子ども・子育て支援を受けることをやめること

二 月の途中において、利用する特定子ども・子育て支援を提供する施設又は事業所の変更を行うこと

２ 令第24条の４第２項の内閣府令で定める日数は、次の各号に掲げる特定子ども・子育て支援施設等の区分に応じ、当該各号に定める日数とする。

一 認定こども園、幼稚園又は特別支援学校 前項に掲げる事由があった月の平日（日曜日、土曜日、国民の祝日に関する法律（昭和23年法律第178号）に規定する休日、１月２日、１月３日及び12月29日から12月31日までの日以外の日をいう。）の日数

二 法第７条第10項第４号に掲げる施設又は同項第５号から第８号までに掲げる事業（同項第５号に掲げる事業にあっては、当該事業から特定子ども・子育て支援を受けた日数が25日を超える場合に限る。）前項に掲げる事由があった月の日数

第６章 雑則

（身分を示す証明書の様式）

第60条 法第13条第２項（法第30条の３において準用する場合を含む。）及び法第14条第２項（法第30条の３において準用する場合を含む。）において準用する法第13条第２項の規定により当該職員が携帯すべき証明書の様式は、様式第２号のとおりとする。

２ 法第15条第３項（法第30条の３において準用する場合を含む。）において準用する法第13条第２項の規定により当該職員が携帯すべき証明書の様式は、様式第３号のとおりとする。

３ 法第38条第２項及び第58条の８第２項において準用する法第13条第２項、法第50条第２項において準用する法第13条第２項及び法第56条第５項において準用する法第13条第２項の規定により当該職員が携帯すべき証明書の様式は、様式第４号のとおりとする。

（電磁的記録等）

第61条 記録、作成、保存その他これらに類するもののうち、この府令の規定において書面等（書面、書類、文書、謄本、抄本、正本、副本、複本その他文字、図形等人の知覚によって認識することができる情報が記載された紙その他の有体物をいう。以下この条において同じ。）で行うことが規定されているものについては、当該書面等に代えて、当該書面等に係る電磁的記録（電子的方式、磁気的方式その他人の知覚によっては認識することができない方式で作られる記録であって、電子計算機による情報処理の用に供されるものをいう。次項において同じ。）により行うことができる。

２ この府令の規定による書面等の提出、届出、提示、通知及び交付（以下「提出等」という。以下この条において同じ。）については、当該書面等の提出等に代えて、次項で定めるところにより、当該書面等の提出等を受けるべき相手方の承諾を得て、当該書面等が電磁的記録により作成されている場合には、電磁的方法（電子情報処理組織を使用する方法その他の情報通信の技術を利用する方法をいう。以下この条において同じ。）により行うことができる。

３ 前項の規定により書面等の提出等を電磁的方法により行おうとするときは、あらかじめ、当該相手方に対し、その用いる電磁的方法の種類及び内容を示し、文書又は電磁的方法による承諾を得なければならない。

４ 前項の規定による承諾を得た場合であっても、当該相手方から文書又は電磁的方法により、電磁的方法による提出等を受けない旨の申出があったときは、当該相手方に対し、第２項に規定する書面等の提出等を電磁的方法によってしてはならない。ただし、当該相手方が再び前項の規定による承諾をした場合は、この限りでない。

５ 第２項の規定により書面等の提出等が電磁的方法により行われたときは、当該相手方の使用に係る電子計算機に備えられたファイルへの記録がされた時に当該書面等の提出等を受けるべき者に到達したものとみなす。

附 則

（施行期日）

第１条 この府令は、法の施行の日〔平成27年４月１日〕から施行する。ただし、附則第４条から第７条までの規定は、法附則第１条第４号の規定の施行の日〔平成26年10月１日〕から施行する。

（就労時間に係る要件に関する特例）

第２条　施行日から起算して10年を経過する日までの間は、第１条の５第１号の規定の適用については、同号中「48時間から64時間までの範囲内で月を単位に市町村」とあるのは、「市町村」とする。

（特定保育所に係る委託費の支払に関する技術的読替え）

第３条　法附則第６条第１項の場合におけるこの府令の規定の適用については、次の表の上欄に掲げる規定中同表の中欄に掲げる字句は、それぞれ同表の下欄に掲げる字句とする。

第７条第１項	特定教育・保育施設等	特定教育・保育施設等（第１号に掲げる事項については、法附則第６条第１項に規定する特定保育所を除く。第９条第４項において同じ。）
第29条第13号から第17号まで	十三　法第33条第２項の規定により教育・保育給付認定子どもを選考する場合の基準 十四　当該申請に係る事業に係る施設型給付費及び特例施設型給付費の請求に関する事項 十五　法第40条第２項に規定する申請をすることができない者に該当しないことを誓約する書面（第33条第２項において「誓約書」という。） 十六　役員の氏名、生年月日及び住所 十七　その他確認に関し必要と認める事項	十三　当該申請に係る事業に係る施設型給付費（法附則第６条第１項に規定する委託費を含む。）及び特例施設型給付費の請求に関する事項 十四　法第40条第２項に規定する申請をすることができない者に該当しないことを誓約する書面（第33条第２項において「誓約書」という。） 十五　役員の氏名、生年月日及び住所 十六　その他確認に関し必要と認める事項
第33条第１項	第14号及び第16号	第13号及び第15号

（教育・保育施設の別段の申出）

第４条　法附則第７条ただし書の規定による別段の申出は、次の事項を記載した申請書を当該申出に係る認定こども園、幼稚園又は保育所の所在地を管轄する市町村長に提出して行うものとする。

一　当該申出に係る認定こども園、幼稚園又は保育所の名称及び所在地並びにその設置者及び管理者の氏名及び住所

二　法附則第７条本文の規定に係る確認を不要とする旨

（別段の申出をしない認定こども園等の設置者に係る特定教育・保育施設の利用定員等）

第５条　市町村長は、法附則第７条ただし書の規定による別段の申出をしない認定こども園、幼稚園又は保育所（第３項及び次条において「みなし認定こども園等」という。）の設置者に係る特定教育・保育施設の利用定員を定めるものとする。

２　市町村長は、前項の規定により特定教育・保育施設の利用定員を定めようとするときは、あらかじめ都道府県知事に協議しなければならない。

３　前項の規定による協議は、第30条各号（第３号を除く。）に掲げる事項及び過去３年間におけるみなし認定こども園等の利用人数を当該市町村の属する都道府県知事に提出してするものとする。

第６条　みなし認定こども園等は、施行日までの間に、第29条各号（第３号及び第７号を除く。）に掲げる事項及び過去３年間におけるみなし認定こども園等の利用人数を記載した書類を、当該みなし認定こども園等の所在地を管轄する市町村長に提出しなければならない。ただし、同条第４号に掲げる事項を記載した書類（登記事項証明書を除く。）については、市町村長が、インターネットを利用して当該事項を閲覧することができる場合は、この限りでない。

（別段の申出をしない市町村に係る特定地域型保育事業の利用定員）

第７条　附則第５条第１項の規定は、法附則第８条ただし書の規定による別段の申出をしない市町村について、準用する。

（特定市町村の要件）

第８条　法附則第14条第１項の内閣府令で定める要件は、次の各号のいずれかに掲げるものとする。

一　前年度の４月１日以降において、特定教育・保育施設（認定こども園又は保育所に限る。）、特定地域型保育事業又は特例保育を行う施設（以下この条において「特定教育・保育施設等」という。）の利用の申込みを行った教育・保育給付認定保護者（法第19条第２号又は第３号に係る認定の申請をしたものに限る。以下この条において「保育認定保護者」という。）の当該申込みに係る児童のうちに特定教育・保育施設等を利用していないもの（保育認定保護者が利用を希望する特定教育・保育施設等以外の特定教育・保育施設等を利用できることその他の特別な事情があると認められるものを除く。）があること。

二　当該年度以降に保育認定保護者による特定教育・保育施設等の利用の申込みが増加することが見込まれること（前号に該当する場合を除く。）。

（保育充実事業）

第９条　法附則第14条第１項に規定する保育充実事業は、次の各号に掲げる小学校就学前子どもの保育に係る子ども・子育て支援に関する事業とする。

一　幼稚園（国及び地方公共団体以外の者が設置するものに限る。）であって認定こども園法第３条第１項又は第３項の認定を受けていないもの（認定こども園法第３条第１項若しくは第３項の要件、同法第13条第１項の基準又は児童福祉法第34条の16第１項の基準（小規模保育事業に係るものに限る。）に適合することが見込まれるものに限る。）において、適当な設備を備える等により、教育課程に係る教育時間外において教育活動を長時間行うことに要する費用の一部を補助する事業

二　児童福祉法第６条の３第９項、第10項若しくは第12項又は第39条第１項に規定する業務を目的とする施設であって同法第35条第４項の認可又は認定こども園法第３条第１項若しくは第３項の認定を受けていないもの（国及び地方公共団体以外の者が設置するものであって、児童福祉法第34条の16第１項の基準（家庭的保育事業、小規模保育事業又は事業所内保育事業に係るものに限る。）、同法第45条第１項の基準（保育所に係るものに限る。）、認定こども園法第３条第１項若しくは第３項の要件又は同法第13条第１項の基準に適合することが見込まれるものに限る。）において、児童福祉法第39条第１項に規定する乳児・幼児に対する保育を行うことに要する費用の一部を補助する事業

（協議会）

第10条　法附則第14条第４項の規定に基づき都道府県が組織する協議会（以下「協議会」という。）は、次に掲げる者をもって構成する。

一　当該都道府県

二　協議会において協議する施策の対象とする特定市町村又は事業実施市町村

２　協議会を組織する都道府県は、必要があると認めるときは、前項各号に掲げる者のほか、協議会に、次に掲げる者を構成員として加えることができる。

一　教育・保育施設の設置者又は地域型保育を行う事業者

二　教育・保育に関し学識経験のある者

三　前項第２号に掲げる特定市町村又は事業実施市町村以外の市町村

四　その他当該都道府県が必要と認める者

３　前２項に定めるもののほか、協議会の組織及び運営に関し必要な事項は、協議会が定める。

４　都道府県知事は、協議会を組織したときは、次の各号に掲げる事項をこども家庭庁長官に届け出るものとする。

一　協議会を組織した旨

二　当該協議会の名称

三　当該協議会において協議する施策の対象とする特定市町村又は事業実施市町村の名称

５　こども家庭庁長官は、前項の規定による届出を受けたときは、当該届出の内容を文部科学大臣に通知するものとする。

６　協議会において協議が調った事項について、都道府県が行う小学校就学前子どもの保育に係る子ども・子育て支援に関する施策の円滑かつ確実な実施のために必要があるときは、都道府県は、都道府県子ども・子育て支援事業支援計画に当該事項を定めるものとする。

（教育・保育施設の設置者に関する経過措置）

第11条　令附則第11条第１項第１号に掲げる幼稚園又は保育所は、次に掲げる要件に該当するものとする。

一　令附則第11条第１項第１号の認定こども園法第３条第１項の認定を辞退した認定こども園の所在する区域と同一の区域内にあること。

二　当該認定こども園の数と設置する幼稚園の数又は設置する保育所の数が同一の数以下であること。

第12条　当分の間、法第27条第１項の確認があった教育・保育施設の設置者（法人以外の者に限る。）に対する第33条第２項の規定の適用については、同項中「設置者の役員又は」とあるのは、「管理者の変更又は当該特定教育・保育施設の設置者の役員若しくは」とする。

第13条　第１条の２第２号の規定の適用については、当分の間、「半数」とあるのは「３分の１」とする。

附　則（令和元年５月31日内閣府令第６号）抄

（施行期日）

第１条　この府令は、令和元年10月１日から施行する。ただし、第28条の３、第28条の４、第53条の２、第53条の６〔中略〕の規定は、公布の日から施行する。

（令和元年改正法附則第４条第２項の規定により市町村が条例を定めた場合における技術的読替え）

第４条　令和元年改正法附則第４条第２項の規定により、市町村が条例を定めた場合における第53条の６の適用については、次の表の上欄に掲げる規定中同表の中欄に掲げる字句は、それぞれ同表の下欄に掲げる字句とする。

第53条の６	一　当該特定子ども・子育て支援提供者の名称	一　当該特定子ども・子育て支援提供者の名称

	二　当該特定子ども・子育て支援を提供する施設又は事業所の名称及び所在地	二　当該特定子ども・子育て支援を提供する施設又は事業所の名称及び所在地
	三　確認をし、若しくは確認を取り消した場合又は確認の辞退があった場合にあっては、その年月日	三　確認をし、若しくは確認を取り消した場合又は確認の辞退があった場合にあっては、その年月日
	四　確認の全部又は一部の効力を停止した場合にあっては、その内容及びその期間	四　確認の全部又は一部の効力を停止した場合にあっては、その内容及びその期間
	五　子ども・子育て支援施設等の種類	五　子ども・子育て支援施設等の種類
	六　特定子ども・子育て支援施設等である法第７条第10項第５号に掲げる事業にあっては、第28条の20第３項を満たしているか否かの別	六　特定子ども・子育て支援施設等である法第７条第10項第５号に掲げる事業にあっては、第28条の20第３項を満たしているか否かの別
		七　法附則第４条第２項の規定による条例で定める基準への適合状況

別表第１（第50条、第52条関係）

一　施設又は事業所（以下この表及び次表において「施設等」という。）を運営する法人に関する事項

イ　法人の名称、主たる事務所の所在地及び電話番号その他の連絡先

ロ　法人の代表者の氏名及び職名

ハ　法人の設立年月日

ニ　法人が教育・保育を提供し、又は提供しようとする施設等の所在地を管轄する都道府県の区域内に所在する当該法人が設置する教育・保育施設及び当該法人が行う地域型保育事業

ホ　その他都道府県知事が必要と認める事項

二　当該報告に係る教育・保育を提供し、又は提供しようとする施設等に関する事項

イ　教育・保育施設又は地域型保育事業の種類

ロ　施設等の名称、所在地及び電話番号その他の連絡先

ハ　事業所番号

ニ　施設等の管理者の氏名及び職名

ホ　認定こども園、幼稚園、保育所又は地域型保育事業の認可又は認定を受けた年月日

ヘ　当該報告に係る事業の開始年月日又は開始予定年月日及び確認を受けた年月日

ト　特定教育・保育施設及び特定地域型保育事業の運営に関する基準の規定により連携する特定教育・保育施設又は居宅訪問型保育連携施設の名称（特定地域型保育事業者に限る。）

チ　その他都道府県知事が必要と認める事項

三　施設等において教育・保育に従事する従業者（以下この号において「従業者」という。）に関する事項

イ　職種別の従業者の数

ロ　従業者の勤務形態、労働時間、従業者１人当たりの小学校就学前子どもの数等

ハ　従業者の教育・保育の業務に従事した経験年数等

ニ　従業者の有する教育又は保育に係る免許、資格の状況

ホ　その他都道府県知事が必要と認める事項

四　教育・保育等の内容に関する事項

イ　施設等の開所時間、利用定員、学級数その他の運営に関する方針

ロ　当該報告に係る教育・保育の内容等（特定教育・保育施設における保護者に対する子育ての支援の実施状況（幼稚園及び保育所については実施している場合に限る。）を含む。）

ハ　異なる年齢の乳幼児を集団で保育する場合にお

ける個々の乳幼児の発育及び発達の過程等に応じた適切な支援及び満3歳以上の幼児を保育する場合における集団保育の提供のための配慮等（国家戦略特別区域法（平成25年法律第107号）第12条の4第1項に規定する国家戦略特別区域小規模保育事業として行われる保育を行う事業者に限る。）

ニ　当該報告に係る教育・保育の提供に係る居室面積、園舎面積、園庭の面積等（幼保連携型認定こども園の学級の編制、職員、設備及び運営に関する基準（平成26年内閣府・文部科学省・厚生労働省令第1号）附則第4条の規定により同令の規定を読み替えて適用する場合にあっては、その旨を含む。）

ホ　施設等の利用手続、選考基準その他の利用に関する事項

ヘ　利用者等（利用者又はその家族をいう。以下同じ。）からの苦情に対応する窓口等の状況

ト　当該報告に係る教育・保育の提供により賠償すべき事故が発生したときの対応に関する事項

チ　施設等の教育・保育の提供内容に関する特色等

リ　その他都道府県知事が必要と認める事項

五　当該報告に係る教育・保育を利用するに当たっての利用料等に関する事項

六　その他都道府県知事が必要と認める事項

別表第2（第50条、第52条関係）

第1　教育・保育の内容に関する事項

一　教育・保育の提供開始時における利用者等に対する説明及び契約等に当たり利用者等の権利擁護等のために講じている措置

イ　教育・保育の提供開始時における利用者等に対する説明及び利用者等の同意の取得の状況

ロ　利用者等に対する利用者が負担する利用料等に関する説明の実施の状況

二　相談、苦情等の対応のための取組の状況

第2　教育・保育を提供する施設等の運営状況に関する事項

一　安全管理及び衛生管理のために講じている措置

二　情報の管理、個人情報保護等のための取組の状況

三　教育・保育の提供内容の改善の実施の状況

第3　都道府県知事が必要と認める事項

様式第一号（第二条第二項第二号、第十一条第二項第二号、第二十八条の三第二項及び第二十八条の八第二項関係）

就労証明書

＿＿＿＿＿＿＿＿宛

証明日　西暦　　　年　　月　　日
事業所名
代表者名
所在地
電話番号　　　—　　　—
担当者名
記載者連絡先　　　—　　　—

下記の内容について、事実であることを証明いたします。
※本証明書の内容について、就労先事業者等に無断で作成し又は改変を行ったときには、刑法上の罪に問われる場合があります。

No.	項目	記載欄
1	業種	□農業・林業　□漁業　□鉱業・採石業・砂利採取業　□建設業　□製造業 □電気・ガス・熱供給・水道業　□情報通信業　□運輸業・郵便業　□卸売業・小売業 □金融業・保険業　□不動産業・物品賃貸業　□学術研究・専門・技術サービス業 □宿泊業・飲食サービス業　□生活関連サービス業・娯楽業　□医療・福祉 □教育・学習支援業　□複合サービス事業　□公務　□その他（　　　　）
2	フリガナ	
	本人氏名	｜生年月日｜　年　月　日
3	雇用（予定）期間等	□無期　□有期｜期間（無期の場合は雇用開始日のみ）｜　年　月　日〜　年　月　日
4	本人就労先事業所	名称｜
		住所｜
5	雇用の形態	□正社員　□パート・アルバイト　□派遣社員　□契約社員　□会計年度任用職員 □非常勤・臨時職員　□役員　□自営業主　□自営業専従者　□家族従事者　□内職 □業務委託　□その他（　　　　）
6	就労時間（固定就労の場合）	□月□火□水□木□金□土□日□祝日｜合計時間｜月間　　時間　　分（うち休憩時間　　分）
		一月当たりの就労日数｜月間　　日｜一週当たりの就労日数｜週間　　日
		平日　　時　　分　〜　　時　　分（うち休憩時間　　分）
		土曜　　時　　分　〜　　時　　分（うち休憩時間　　分）
		日祝　　時　　分　〜　　時　　分（うち休憩時間　　分）
	就労時間（変則就労の場合）	合計時間｜□月間　□週間　　時間　　分（うち休憩時間　　分）
		就労日数｜□月間　□週間　　日
		主な就労時間帯・シフト時間帯｜　時　　分　〜　　時　　分（うち休憩時間　　分）
7	就労実績 ※日数に有給休暇を含み、時間数に休憩・残業時間を含む	年月｜　年　月｜年月｜　年　月｜年月｜　年　月
		日／月｜時間／月｜日／月｜時間／月｜日／月｜時間／月
8	産前・産後休業の取得 ※取得予定を含む	□取得予定　□取得中
		期間｜　年　月　日　〜　年　月　日
9	育児休業の取得 ※取得予定を含む	□取得予定　□取得中　□取得済み
		期間｜　年　月　日　〜　年　月　日
10	産休・育休以外の休業の取得	□取得予定　□取得中　□取得済み｜理由｜□介護休業　□病休　□その他（　　）
		期間｜　年　月　日　〜　年　月　日
11	復職（予定）年月日	□復職予定　□復職済み　　年　　月　　日
12	育児のための短時間勤務制度利用有無 ※取得予定を含む	□取得予定　□取得中｜期間｜　年　月　日　〜　年　月　日
		主な就労時間帯・シフト時間帯｜　時　　分　〜　　時　　分（うち休憩時間　　分）
13	保育士等としての勤務実態の有無	□有　□有（予定）　□無
14	備考欄	
追加的記載項目欄		

様式第二号（第六十条第一項関係）

（表面）

子ども・子育て支援検査証

第　　　　号

写

真

官　　職
又は職名

氏　　名

生年月日

子ども・子育て支援法第十三条及び第十四条（第三十条の三の規定により準用する場合を含む。）に定める当該職員であることを証する。

令和　　年　　月　　日　　交付

市（区）町村長

印

（裏面）

子ども・子育て支援法（抄）

（報告等）

第十三条　市町村は、子どものための教育・保育給付に関して必要があると認めるときは、この法律の施行に必要な限度において、小学校就学前子ども、小学校就学前子どもの保護者若しくは小学校就学前子どもの属する世帯の世帯主その他その世帯に属する者又はこれらの者であった者に対し、報告若しくは文書その他の物件の提出若しくは提示を命じ、又は当該職員に質問させることができる。

2　前項の規定による質問を行う場合においては、当該職員は、その身分を示す証明書を携帯し、かつ、関係人の請求があるときは、これを提示しなければならない。

3　第一項の規定による権限は、犯罪捜査のために認められたものと解釈してはならない。

第十四条　市町村は、子どものための教育・保育給付に関して必要があると認めるときは、この法律の施行に必要な限度において、当該子どものための教育・保育給付に係る教育・保育（教育又は保育をいう。以下同じ。）を行う者若しくはこれを使用する者若しくはこれらの者であった者に対し、報告若しくは文書その他の物件の提出若しくは提示を命じ、又は当該職員に関係者に対して質問させ、若しくは当該教育・保育を行う施設若しくは事業所に立ち入り、その設備若しくは帳簿書類その他の物件を検査させることができる。

2　前条第二項の規定は前項の規定による質問又は検査について、同条第三項の規定は前項の規定による権限について、それぞれ準用する。

（準用）

第三十条の三　第十二条から第十八条までの規定は、子育てのための施設等利用給付について準用する。この場合において、必要な技術的読替えは、政令で定める。

第八十二条　市町村は、条例で、正当な理由なしに、第十三条第一項（第三十条の三において準用する場合を含む。以下この項において同じ。）の規定による報告若しくは物件の提出若しくは提示をせず、若しくは虚偽の報告若しくは虚偽の物件の提出若しくは提示をし、又は第十三条第一項の規定による当該職員の質問に対して、答弁せず、若しくは虚偽の答弁をした者に対し十万円以下の過料を科する規定を設けることができる。

2　市町村は、条例で、正当な理由なしに、第十四条第一項（第三十条の三において準用する場合を含む。以下この項において同じ。）の規定による報告若しくは物件の提出若しくは提示をせず、若しくは虚偽の報告若しくは虚偽の物件の提出若しくは提示をし、又は第十四条第一項の規定による当該職員の質問に対して、答弁せず、若しくは虚偽の答弁をし、若しくは同項の規定による検査を拒み、妨げ、若しくは忌避した者に対し十万円以下の過料を科する規定を設けることができる。

3　（略）

注意

1　この検査証は、他人に貸与し、又は譲渡してはならない。

2　この検査証は、職名の異動を生じ、又は不用となったときは、速やかに返還しなければならない。

1．厚紙その他の材料を用い、使用に十分耐えうるものとする。

2．大きさは、縦54ミリメートル、横86ミリメートルとする。

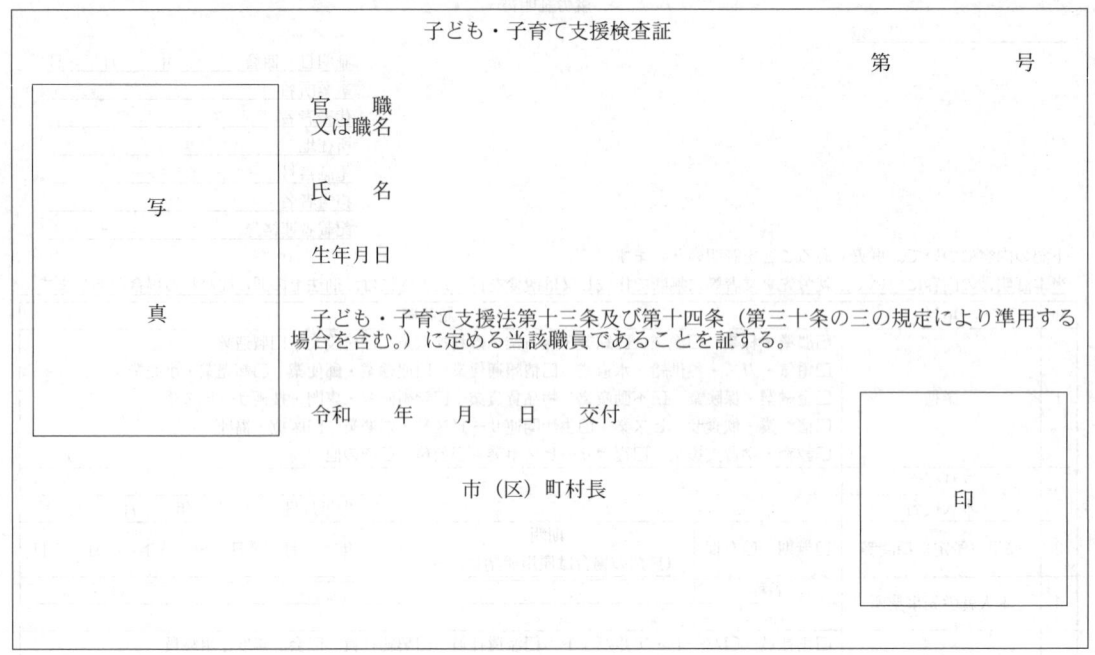

様式第三号（第六十条第二項関係）

（表面）

子ども・子育て支援検査証

第　　　　号

写

真

官　　職
又は職名

氏　　名

生年月日

子ども・子育て支援法第十五条（第三十条の三の規定により準用する場合を含む。）に定める当該職員であることを証する。

令和　　年　　月　　日　　交付

こども家庭庁長官

都道府県知事

印

（裏面）

子ども・子育て支援法（抄）

（報告等）

第十三条　（略）

2　前項の規定による質問を行う場合においては、当該職員は、その身分を示す証明書を携帯し、かつ、関係人の請求があるときは、これを提示しなければならない。

3　第一項の規定による権限は、犯罪捜査のために認められたものと解釈してはならない。

（内閣総理大臣又は都道府県知事の教育・保育に関する調査等）

第十五条　内閣総理大臣又は都道府県知事は、子どものための教育・保育給付に関して必要があると認めるときは、この法律の施行に必要な限度において、子どものための教育・保育給付に係る小学校就学前子ども若しくは小学校就学前子どもの保護者又はこれらの者であった者に対し、当該子どものための教育・保育給付に係る教育・保育の内容に関し、報告若しくは文書その他の物件の提出若しくは提示を命じ、又は当該職員に質問させることができる。

2　内閣総理大臣又は都道府県知事は、子どものための教育・保育給付に関して必要があると認めるときは、この法律の施行に必要な限度において、教育・保育を行った者若しくはこれを使用した者に対し、その行った教育・保育に関し、報告若しくは当該教育・保育の提供の記録、帳簿書類その他の物件の提出若しくは提示を命じ、又は当該職員に関係者に対して質問させることができる。

3　第十三条第二項の規定は前二項の規定による質問について、同条第三項の規定は前二項の規定による権限について、それぞれ準用する。

（準用）

第三十条の三　第十二条から第十八条までの規定は、子育てのための施設等利用給付について準用する。この場合において、必要な技術的読替えは、政令で定める。

（権限の委任）

第七十六条　内閣総理大臣は、この法律に規定する内閣総理大臣の権限（政令で定めるものを除く。）をこども家庭庁長官に委任する。

2　（略）

第七十八条　第十五条第一項（第三十条の三において準用する場合を含む。以下この条において同じ。）の規定による報告若しくは物件の提出若しくは提示をせず、若しくは虚偽の報告若しくは虚偽の物件の提出若しくは提示をし、又は同項の規定による当該職員の質問に対して、答弁せず、若しくは虚偽の答弁をした者は、三十万円以下の罰金に処する。

1．厚紙その他の材料を用い、使用に十分耐えうるものとする。

2．大きさは、縦54ミリメートル、横86ミリメートルとする。

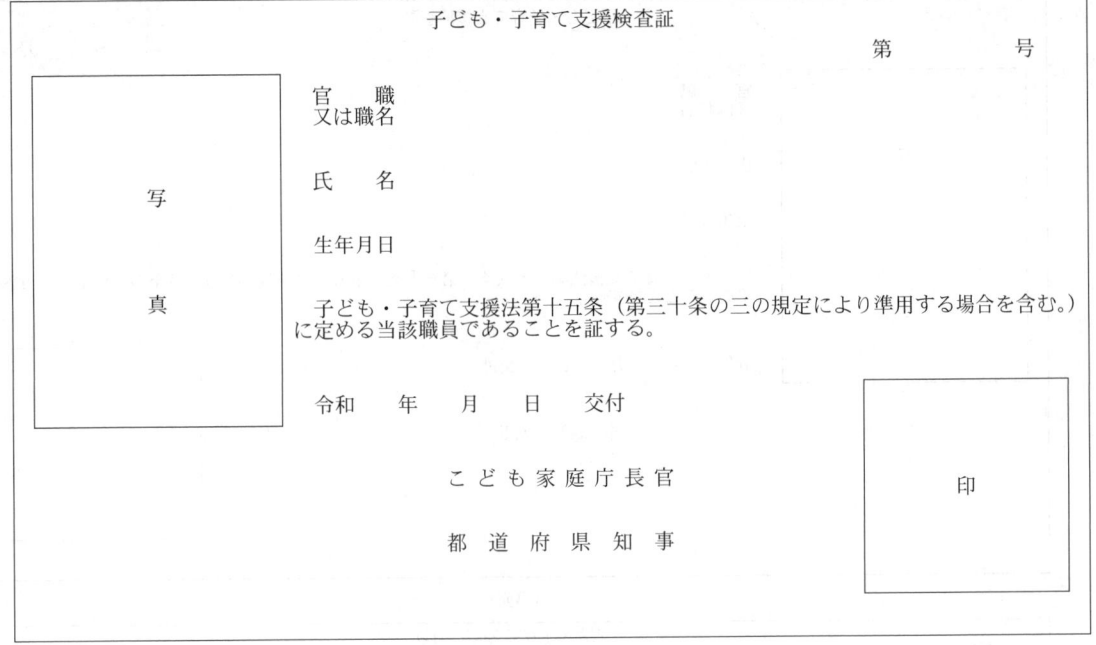

様式第四号（第六十条第三項関係）

（表面）

子ども・子育て支援検査証

第　　　号

写

真

官　職
又は職名

氏　名

生年月日

子ども・子育て支援法第三十八条、第五十条、第五十六条及び第五十八条の八に定める当該職員であることを証する。

令和　年　月　日　交付

市（区）町村長

印

（裏面）

子ども・子育て支援法（抄）

（報告等）
第十三条　（略）
2　前項の規定による質問を行う場合においては、当該職員は、その身分を示す証明書を携帯し、かつ、関係人の請求があるときは、これを提示しなければならない。
3　第一項の規定による権限は、犯罪捜査のために認められたものと解釈してはならない。

（報告等）
第三十八条　市町村長は、必要があると認めるときは、この法律の施行に必要な限度において、特定教育・保育施設若しくは特定教育・保育施設の設置者若しくは特定教育・保育施設の設置者であった者若しくは特定教育・保育施設の職員であった者（以下この項において「特定教育・保育施設の設置者であった者等」という。）に対し、報告若しくは帳簿書類その他の物件の提出若しくは提示を命じ、特定教育・保育施設の設置者若しくは特定教育・保育施設の職員若しくは特定教育・保育施設の設置者であった者等に対し出頭を求め、又は当該市町村の職員に関係者に対して質問させ、若しくは特定教育・保育施設、特定教育・保育施設の設置者の事務所その他特定教育・保育施設の運営に関係のある場所に立ち入り、その設備若しくは帳簿書類その他の物件を検査させることができる。
2　第十三条第二項の規定は前項の規定による質問又は検査について、同条第三項の規定は前項の規定による権限について、それぞれ準用する。

（報告等）
第五十条　市町村長は、必要があると認めるときは、この法律の施行に必要な限度において、特定地域型保育事業者若しくは特定地域型保育事業者であった者若しくは特定地域型保育事業所の職員であった者（以下この項において「特定地域型保育事業者であった者等」という。）に対し、報告若しくは帳簿書類その他の物件の提出若しくは提示を命じ、特定地域型保育事業者若しくは特定地域型保育事業所の職員若しくは特定地域型保育事業者であった者等に対し出頭を求め、又は当該市町村の職員に関係者に対して質問させ、若しくは特定地域型保育事業者の特定地域型保育事業所、事務所その他特定地域型保育事業に関係のある場所に立ち入り、その設備若しくは帳簿書類その他の物件を検査させることができる。
2　第十三条第二項の規定は前項の規定による質問又は検査について、同条第三項の規定は前項の規定による権限について、それぞれ準用する。

（報告等）
第五十六条　前条第二項の規定による届出を受けた市町村長等は、当該届出を行った特定教育・保育提供者（同条第四項の規定による届出を受けた市町村長等にあっては、同項の規定による届出を行った特定教育・保育提供者を除く。）における同条第一項の規定による業務管理体制の整備に関して必要があると認めるときは、この法律の施行に必要な限度において、当該特定教育・保育提供者に対し、報告若しくは帳簿書類その他の物件の提出若しくは提示を命じ、当該特定教育・保育提供者若しくは当該特定教育・保育提供者の職員に対し出頭を求め、又は当該市町村長等の職員に関係者に対し質問させ、若しくは当該特定教育・保育提供者の当該確認に係る教育・保育施設若しくは地域型保育事業所、事務所その他の教育・保育の提供に関係のある場所に立ち入り、その設備若しくは帳簿書類その他の物件を検査させることができる。
2～4　（略）
5　第十三条第二項の規定は第一項の規定による質問又は検査について、同条第三項の規定は第一項の規定による権限について準用する。

（報告等）
第五十八条の八　市町村長は、必要があると認めるときは、この法律の施行に必要な限度において、特定子ども・子育て支援を提供する施設若しくは特定子ども・子育て支援提供者若しくは特定子ども・子育て支援提供者であった者若しくは特定子ども・子育て支援を提供する施設若しくは事業所の職員であった者（以下この項において「特定子ども・子育て支援提供者であった者等」という。）に対し、報告若しくは帳簿書類その他の物件の提出若しくは提示を命じ、特定子ども・子育て支援提供者若しくは特定子ども・子育て支援を提供する施設若しくは事業所の職員若しくは特定子ども・子育て支援提供者であった者等に対し出頭を求め、又は当該市町村の職員に関係者に対して質問させ、若しくは特定子ども・子育て支援を提供する施設若しくは事業所、特定子ども・子育て支援提供者の事務所その他特定子ども・子育て支援施設等の運営に関係のある場所に立ち入り、その設備若しくは帳簿書類その他の物件を検査させることができる。
2　（略）
第七十九条　第三十八条第一項、第五十条第一項若しくは第五十八条の八第一項の規定による報告若しくは物件の提出若しくは提示をせず、若しくは虚偽の報告若しくは虚偽の物件の提出若しくは提示をし、又はこれらの規定による当該職員の質問に対して答弁をせず、若しくは虚偽の答弁をし、若しくはこれらの規定による検査を拒み、妨げ、若しくは忌避した者は、三十万円以下の罰金に処する。

注意
1　この検査証は、他人に貸与し、又は譲渡してはならない。
2　この検査証は、職名の異動を生じ、又は不用となったときは、速やかに返還しなければならない。

1．厚紙その他の材料を用い、使用に十分耐えうるものとする。
2．大きさは、縦54ミリメートル、横86ミリメートルとする。

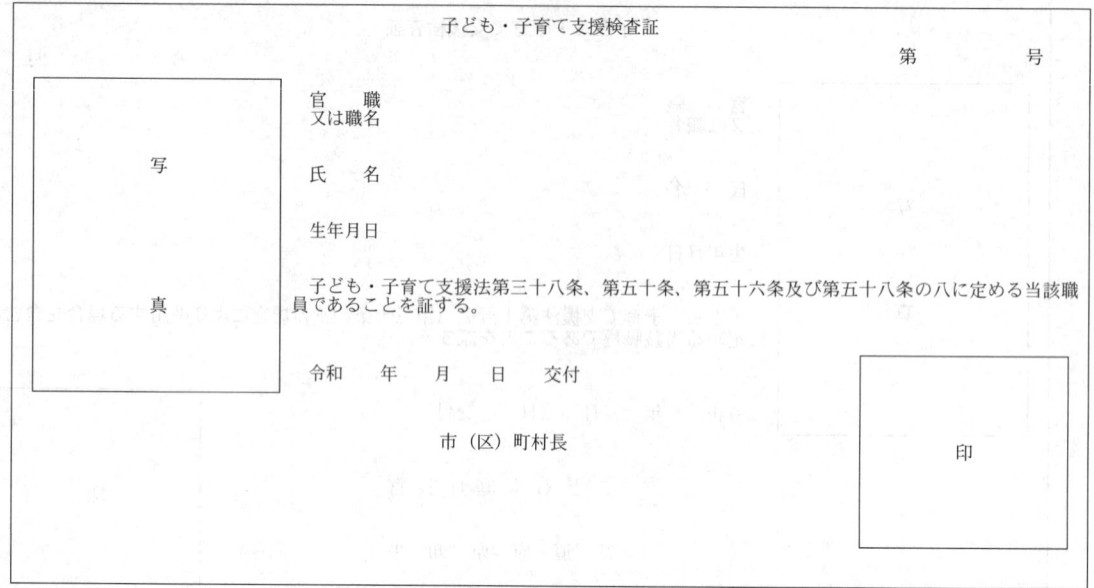

◉子ども・子育て支援法附則第４条の保育の需要及び供給の状況の把握に関する内閣府令

〔平成25年４月１日
内閣府令第20号〕

子ども・子育て支援法附則第４条に規定する国及び地方公共団体による保育の需要及び供給の状況の把握は、厚生労働大臣及び市町村（特別区を含む。以下同じ。）が、毎年度、当該年度の４月１日及び10月１日における次に掲げる事項その他の保育の利用状況に関し必要な事項を把握することにより行うものとする。

一　保育所利用児童（市町村が児童福祉法（昭和22年法律第164号）第24条第１項の規定に基づき保育所において行う保育（以下「保育所における保育」という。）を受ける児童をいう。）の数

二　保育所入所待機児童（児童福祉法第24条第２項の規定に基づき保育所における保育を行うことの申込みを行った保護者の当該申込みに係る児童であって保育所における保育が行われていないものをいう。ただし、市町村が家庭的保育事業（同法第６条の３第９項に規定するものをいう。）その他児童の保育に関する事業であって当該市町村が必要と認めるものを利用している児童及び保護者が入所を希望する保育所以外の保育所に入所することができる児童を除く。）の数

附　則

この命令は、公布の日〔平成25年４月１日〕から施行する。

◉教育・保育及び地域子ども・子育て支援事業の提供体制の整備並びに子ども・子育て支援給付並びに地域子ども・子育て支援事業及び仕事・子育て両立支援事業の円滑な実施を確保するための基本的な指針

〔平成26年7月2日
内閣府告示第159号〕

注　令和6年2月13日内閣府告示第20号改正現在

子ども・子育て支援法（平成24年法律第65号）第60条の規定に基づき、教育・保育及び地域子ども・子育て支援事業の提供体制の整備並びに子ども・子育て支援給付及び地域子ども・子育て支援事業の円滑な実施を確保するための基本的な指針を次のように定めたので、同条第4項の規定により公表する。

子ども・子育て支援については、少子化社会対策基本法（平成15年法律第133号）等に基づき、総合的な施策が講じられてきたところであるが、平成24年8月に、質の高い幼児期の学校教育・保育の総合的な提供、保育の量的拡大及び確保並びに地域における子ども・子育て支援の充実等を図るため、子ども・子育て支援法（平成24年法律第65号。以下「法」という。）の制定のほか、就学前の子どもに関する教育、保育等の総合的な提供の推進に関する法律の一部を改正する法律（平成24年法律第66号）及び児童福祉法（昭和22年法律第164号）の改正を含めた子ども・子育て支援法及び就学前の子どもに関する教育、保育等の総合的な提供の推進に関する法律の一部を改正する法律の施行に伴う関係法律の整備等に関する法律（平成24年法律第67号）が制定され、子ども・子育て支援の新たな制度が創設された。また、平成28年4月及び令和元年10月に、法の一部改正により、新たに仕事・子育て両立支援事業及び子育てのための施設等利用給付がそれぞれ創設された。

法においては、市町村（特別区を含む。以下同じ。）は、子ども・子育て支援給付及び地域子ども・子育て支援事業を総合的かつ計画的に行うこととし、国及び都道府県は、当該給付及び当該事業が適正かつ円滑に行われるよう必要な各般の措置を講じなければならないこととされている。

特に、子ども・子育て支援給付に係る教育・保育（法第7条第10項第5号に規定する教育・保育をいう。以下同じ。）及び地域子ども・子育て支援事業の提供体制の確保等を図るため、市町村は市町村子ども・子育て支援事業計画（法第61条第1項に規定する市町村子ども・子育て支援事業計画をいう。以下同じ。）を、都道府県は都道府県子ども・子育て支援事業支援計画（法第62条第1項に規定する都道府県子ども・子育て支援事業支援計画をいう。以下同じ。）を定めることとされている。

この基本指針は、この新たな制度の下、法第60条に基づき、教育・保育の提供体制の確保、子育てのための施設等利用給付の円滑な実施の確保並びに地域子ども・子育て支援事業及び仕事・子育て両立支援事業の実施に関する基本的事項並びに子ども・子育て支援事業計画（市町村子ども・子育て支援事業計画及び都道府県子ども・子育て支援事業支援計画をいう。以下同じ。）の記載事項等を定め、もって教育・保育及び地域子ども・子育て支援事業を提供する体制の整備その他法に基づく業務の円滑な実施が計画的に図られるようにすること等を目的とするものである。

目次

4　国と地方公共団体との連携及び協働
5　教育・保育施設等における事故防止

第3　子ども・子育て支援事業計画の作成に関する事項

一　子ども・子育て支援事業計画の作成に関する基本的事項
1　子ども・子育て支援事業計画の作成に関する基本的事項
2　子ども・子育て支援事業計画の作成のための体制の整備等
3　教育・保育及び地域子ども・子育て支援事業の利用状況及び利用希望の把握
4　計画期間における数値目標の設定
5　住民の意見の反映
6　他の計画との関係

二　市町村子ども・子育て支援事業計画の作成に関する基本的記載事項
1　教育・保育提供区域の設定に関する事項
2　各年度における教育・保育の量の見込み並びに実施しようとする教育・保育の提供体制の確保の内容及びその実施時期に関する事項
3　地域子ども・子育て支援事業の量の見込み並びに実施しようとする地域子ども・子育て支援事業の提供体制の確保の内容及びその実施時期に関する事項
4　子ども・子育て支援給付に係る教育・保育の一体的提供及び当該教育・保育の推進に関する体制の確保の内容に関する事項
5　子育てのための施設等利用給付の円滑な実施の確保の内容に関する事項

三　市町村子ども・子育て支援事業計画の作成に関する任意記載事項
1　産後の休業及び育児休業後における特定教育・保育施設又は特定地域型保育事業の円滑な利用の確保に関する事項
2　子どもに関する専門的な知識及び技術を要する支援に関する都道府県が行う施策との連携に関する事項
3　労働者の職業生活と家庭生活との両立が図られるようにするために必要な雇用環境の整備に関する施策との連携に関する事項
4　地域子ども・子育て支援事業を行う市町村その他の当該市町村において子ども・子育て支援の提供を行う関係機関相互の連携の推進に関する事項

四　都道府県子ども・子育て支援事業支援計画の作成に関する基本的記載事項
1　区域の設定に関する事項
2　各年度における教育・保育の量の見込み並びに実施しようとする教育・保育の提供体制の確保の内容及びその実施時期に関する事項
3　子ども・子育て支援給付に係る教育・保育の一体的提供及び当該教育・保育の推進に関する体制の確保の内容に関する事項
4　子育てのための施設等利用給付の円滑な実施の確保を図るために必要な市町村との連携に関する事項
5　特定教育・保育及び特定地域型保育を行う者並びに地域子ども・子育て支援事業に従事する者の確保及び資質の向上のために講ずる措置に関する事項
6　子どもに関する専門的な知識及び技術を要する支援に関する施策の実施に関する事項並びにその円滑な実施を図るために必要な市町村との連携に関する事項

五　都道府県子ども・子育て支援事業支援計画の作成に関する任意記載事項
1　市町村の区域を超えた広域的な見地から行う調整に関する事項
2　教育・保育情報の公表に関する事項
3　労働者の職業生活と家庭生活との両立が図られるようにするために必要な雇用環境の整備に関する施策との連携に関する事項

六　その他
1　子ども・子育て支援事業計画の作成の時期
2　子ども・子育て支援事業計画の期間
3　子ども・子育て支援事業計画の達成状況の点検及び評価
4　子ども・子育て支援事業計画の公表
5　東日本大震災による被害が甚大であった地方公共団体における子ども・子育て支援事業計画の作成等の取扱いについて
6　成育医療等の提供の確保について

第4　児童福祉法その他の関係法律による専門的な知識及び技術を必要とする児童の福祉増進のための施策との連携に関する事項

第5　労働者の職業生活と家庭生活との両立が図られるようにするために必要な雇用環境の整備に関する施策との連携に関する事項

一　子育て期間中を含めた働き方の見直し
二　父親も子育てができる働き方の実現
三　事業主の取組の社会的評価の推進
四　国民への周知、理解の促進等

第6　その他子ども・子育て支援のための施策の総合的な推進のために必要な事項

一　地方版子ども・子育て会議の設置に関する事項

二　地方版子ども・子育て会議における子ども・子育て支援策の点検・評価に関する事項
別表第１　市町村子ども・子育て支援事業計画必須記載事項
別表第２　教育・保育の参酌標準
別表第３　地域子ども・子育て支援事業の参酌標準
別表第４　市町村子ども・子育て支援事業計画任意記載事項
別表第５　都道府県子ども・子育て支援事業支援計画必須記載事項
別表第６　教育・保育の参酌標準
別表第７　都道府県子ども・子育て支援事業支援計画任意記載事項

第１　子ども・子育て支援の意義に関する事項

法は、「我が国における急速な少子化の進行並びに家庭及び地域を取り巻く環境の変化に鑑み、児童福祉法その他の子どもに関する法律による施策と相まって、子ども・子育て支援給付その他の子ども及び子どもを養育している者に必要な支援を行い、もって一人一人の子どもが健やかに成長することができる社会の実現に寄与する」ことを目的としている。

子ども・子育て支援については、この法の目的を達成するため、「子どもの最善の利益」が実現される社会を目指すとの考えを基本に、子どもの視点に立ち、子どもの生存と発達が保障されるよう、良質かつ適切な内容及び水準のものとすることが必要である。

また、法は、障害、疾病、虐待、貧困、家族の状況その他の事情により社会的な支援の必要性が高い子どもやその家族を含め、全ての子どもや子育て家庭を対象とするものである。このことを踏まえ、全ての子どもに対し、身近な地域において、法に基づく給付その他の支援を可能な限り講じるとともに、関連する諸制度との連携を図り、必要な場合には、これらの子どもに対する適切な保護及び援助の措置を講じることにより、一人一人の子どもの健やかな育ちを等しく保障することを目指す必要がある。

子どもは、社会の希望であり、未来をつくる存在である。子どもの健やかな育ちと子育てを支えることは、一人一人の子どもや保護者の幸せにつながることはもとより、将来の我が国の担い手の育成の基礎をなす重要な未来への投資であり、社会全体で取り組むべき最重要課題の一つである。

しかるに、子どもの育ちや子育てをめぐる状況は厳しく、結婚や出産に関する希望の実現をあきらめる人々や、悩みや不安を抱えながら子育てを行っている人々がいる。また、親自身は、周囲の様々な支援を受けながら、実際に子育てを経験することを通じて、親として成長していくものであり、全ての子育て家庭を対象に、こうしたいわゆる「親育ち」の過程を支援していくことが必要とされている。

このような状況に鑑みれば、行政が、子ども・子育て支援を質・量ともに充実させるとともに、家庭、学校、地域、職域その他の社会のあらゆる分野における全ての構成員が、子ども・子育て支援の重要性に対する関心や理解を深め、各々が協働し、それぞれの役割を果たすことが必要である。そうした取組を通じ、家庭を築き、子どもを産み育てるという人々の希望がかなえられるとともに、全ての子どもが健やかに成長できる社会を実現していかなければならない。

一　子どもの育ち及び子育てをめぐる環境

近年、核家族化の進展や地域のつながりの希薄化により、祖父母や近隣の住民等から、日々の子育てに対する助言、支援や協力を得ることが困難な状況となっている。また、現在の親世代の人々の兄弟姉妹の数が減少しており、自身の子どもができるまで赤ちゃんと触れ合う経験が乏しいまま親になることが増えている。このように、子育てをめぐる地域や家庭の状況は変化している。

また、経済状況や企業経営を取り巻く環境が依然として厳しい中、共働き家庭は増加し続けているとともに、非正規雇用割合は依然として高い水準にある。また、子育てに専念することを希望して退職する者がいる一方、就労の継続を希望しながらも、仕事と子育ての両立が困難であるとの理由により、出産を機に退職する女性が一定程度存在している。さらに、女性の活力による経済社会の活性化の視点から、仕事と子育ての両立を希望する者を支援する環境の整備が求められているが、都市部を中心に、依然として多くの待機児童が存在している。

また、長時間労働は全体的に減少傾向にあるものの、子育て期にある30代及び40代の男性で長時間労働を行う者の割合は依然として高い水準にある。父親の子育てへの参画に関する意識や意欲は高まってきているものの、子育て期の父親の家事・育児時間は、諸外国に比べ、依然として少ない時間にとどまっている。他方で、夫の家事・育児時間が長い夫婦ほど、第２子以降の出生割合が高い傾向が見られており、育児において父親が積極的に役割を果たすことが望まれる。

このような、社会や経済の環境の変化によりもたらされた子育て家庭を取り巻く環境の変化によって、就労の有無や状況にかかわらず、子育ての負担や不安、孤立感が高まっている。こうした状況の中、子どもの心身の健やかな発達を妨げ、ひいては生命をも脅かす児童虐待の発生も後を絶たない。

さらに、少子化により、子どもの数の減少とともに兄弟姉妹の数も減少しており、乳幼児期（小学校就学の始期に達するまでの時期をいう。以下同じ。）に異年齢の中で育つ機会が減少しているなど、子どもの育ちをめぐる環境も変容している。

以上のような子どもの育ちや子育てをめぐる環境に鑑みれば、子どもが安心して育まれるとともに、子ども同士が集団の中で育ち合うことができるよう、また、家庭における子育ての負担や不安、孤立感を和らげ、男女共に保護者がしっかりと子どもと向き合い、喜びを感じながら子育てができるよう、子どもの育ちと子育てを、行政や地域社会を始め社会全体で支援していくことが必要である。こうした取組を通じて、全ての子どもの健やかな育ちを実現する必要がある。

二　子どもの育ちに関する理念

人は生まれながらにして、自然に成長していく力とともに、周囲の環境に対して自分から能動的に働きかけようとする力を有している。発達とは、自然な心身の成長に伴い、人がこのように能動性を発揮して周囲の環境と関わり合う中で、生活に必要な能力、態度等を獲得していく過程である。

とりわけ、乳幼児期は、心情、意欲、態度、基本的生活習慣等、生涯にわたる人格形成の基礎が培われる重要な時期である。

乳児期（おおむね満１歳に達するまでの時期をいう。以下同じ。）は、一般に、身近にいる特定の大人（実親のほか、里親等の実親以外の養育者を含む。）との愛着形成により、情緒的な安定が図られるとともに、身体面の著しい発育・発達が見られる重要な時期である。子どもが示す様々な行動や欲求に、身近な大人が応答的かつ積極的に関わることにより、子どもの中に人に対する基本的信頼感が芽生え、情緒の安定が図られる。こうした情緒の安定を基盤として心身の発達が促されるなど、人として生きていく土台がこの時期に作られる。

幼児期（乳児期を除く小学校就学の始期に達するまでの時期をいう。以下同じ。）のうち、おおむね満３歳に達するまでの時期は、一般に、基本的な身体機能や運動機能が発達し、様々な動きを十分楽しみながら、人や物との関わりを広げ、行動範囲を拡大させていく時期である。自我が育ち、強く自己主張することも多くなるが、大人がこうした姿を積極的に受け止めることにより、子どもは自分に自信を持つ。自分のことを信じ、見守ってくれる大人の存在により、子どもは時間をかけて自分の感情を鎮め、気持ちを立て直すようになる。安心感や安定感を得ることにより、子どもは身近な環境に自ら働きかけ、好きな遊びに熱中したりやりたいことを繰り返し行ったりするなど、自発的に活動するようになる。こうした自発的な活動が主体的に生きていく基盤となる。また、特定の大人への安心感を基盤として、徐々に人間関係を広げ、その関わりを通じて社会性を身に付けていく。

幼児期のうち、おおむね満３歳以上の時期は、一般に、遊びを中心とした生活の中で、特に身体感覚を伴う多様な活動を経験することにより、豊かな感性とともに好奇心、探究心や思考力が養われ、それらがその後の生活や学びの基礎になる時期である。また、ものや人との関わりにおける自己表出を通して、幼児の育ちにとって最も重要な自我や主体性が芽生えるとともに、人と関わり、他人の存在に気付くことなどにより、自己を取り巻く社会への感覚を養うなど、人間関係の面でも日々急速に成長する時期である。このため、この時期における育ちは、その後の人間としての生き方を大きく左右する重要なものとなる。

以上に述べたような乳幼児期の発達は、連続性を有するものであるとともに、一人一人の個人差が大きいものであることに留意しつつ、乳幼児期の重要性や特性を踏まえ、発達に応じた適切な保護者の関わりや、質の高い教育・保育や子育て支援の安定的な提供を通じ、その間の子どもの健やかな発達を保障することが必要である。

また、小学校就学後の学童期は、生きる力を育むことを目指し、調和のとれた発達を図る重要な時期である。この時期は、自立意識や他者理解等の社会性の発達が進み、心身の成長も著しい時期である。学校教育とともに、遊戯やレクリエーションを含む、学習や様々な体験・交流活動のための十分な機会を提供し、放課後等における子どもの健全な育成にも適切に配慮することが必要である。

以上のように、乳児期におけるしっかりとした愛着形成を基礎とした情緒の安定や他者への信頼感の醸成、幼児期における他者との関わりや基本的な生きる力の獲得及び学童期における心身の健全な発達を通じて、一人一人がかけがえのない個性ある存在として認められるとともに、自己肯定感をもって育まれることが可能となる環境を整備することが、社会全体の責任である。

三　子育てに関する理念と子ども・子育て支援の意義

法を始めとする関係法律において明記されているとおり、「父母その他の保護者は、子育てについての第一義的責任を有する」という基本的認識を前提とし、また、家庭は教育の原点であり、出発点であるとの認識の下、前述の子ども・子育てをめぐる環境を踏まえ、子ども・子育て支援は進められる必要がある。

子育てとは本来、子どもに限りない愛情を注ぎ、その存在に感謝し、日々成長する子どもの姿に感動して、親も親として成長していくという大きな喜びや生きがいをもたらす尊い営みである。

したがって、子ども・子育て支援とは、保護者の育児を肩代わりするものではなく、保護者が子育てについての責任を果たすことや、子育ての権利を享受することが可能となるよう、地域や社会が保護者に寄り添い、子育てに対する負担や不安、孤立感を和らげることを通じて、保護者が自己肯定感を持ちながら子どもと向き合える環境を整え、親としての成長を支援し、子育てや子どもの成長に喜びや生きがいを感じることができるような支援をしていくことである。

このような支援により、より良い親子関係を形成していくことは、子どものより良い育ちを実現することに他ならない。

また、保護者が子育てについての第一義的な責任を有するという基本的認識については、子どもの最善の利益を実現する観点から、虐待等を理由として親子を分離し、実親以外の者が養育者となって子育てを担うことを妨げるものではない。むしろ、必要な場合には、社会的養護に係る措置を適切に講じ、もって子どもの健やかな育ちを保障することは、社会の責務である。

以上のような子ども・子育て支援の意義に関する理解の下、各々の子どもや子育て家庭の置かれた状況や地域の実情を踏まえ、幼児期の学校教育・保育、地域における多様な子ども・子育て支援の量的拡充と質的改善を図ることが必要である。

保護者以外の保育者の具体的な関わりにおいては、３歳未満の乳幼児では、その発達の特性を踏まえ、安心できる人的及び物的環境の下で、子どもの生命の保持及び情緒の安定を図るための援助や関わりが重要である。この時期の保育においては、疾病の発生が多いことから、一人一人の発育及び発達状態や健康状態についての適切な判断に基づく保健的な対応を行うことが必要である。また、一人一人の子どもの生育歴の違いに留意しつつ、欲求を適切に満たし、特定の保育者が応答的に関わるように努めることが必要である。保育においては、子どもが探索活動を十分経験できるよう、事故防止に努めながら活動しやすい環境を整え、全身を使う遊び等様々な遊びを取り入れることが必要である。また、子どもの自我の育ちを見守り、その気持ちを受け止めるとともに、保育者が仲立ちとなり、友達の気持ちや友達との関わり方を丁寧に伝えていくことが求められる。

３歳以上の幼児期は、知的・感情的な面でも、また人間関係の面でも、日々急速に成長する時期であり、この時期の教育の役割は極めて重要である。また、少子化の進行により子どもや兄弟姉妹の数が減少する中にあって、子どもの健やかな育ちにとって必要となる、同年齢や異年齢の幼児と主体的に関わる機会の確保が必要である。集団の生活は、幼児に人との関わりを深めさせ、規範意識の芽生えを培うものであり、異年齢交流は、年下への思いやりや責任感、年上への憧れや成長の意欲を生むものである。保育者は、一人一人の幼児に対する理解に基づき、環境を計画的に構成し、幼児の主体的な活動を援助していくことが求められる。また、幼児期の教育に際しては、小学校教育との連携・接続についても、十分配慮することが必要である。

また、教育・保育施設（法第７条第４項に規定する教育・保育施設をいう。以下同じ。）を利用する子どもの家庭のみならず、在宅の子育て家庭を含む全ての家庭及び子どもを対象として、地域のニーズに応じた多様かつ総合的な子育て支援を質・量両面にわたり充実させることが必要である。当該支援を実施するに当たっては、妊娠・出産期からの切れ目のない支援を行っていくこと、保護者の気持ちを受け止め、寄り添いながら相談や適切な情報提供を行うこと、発達段階に応じた子どもとの関わり方等に関する保護者の学びの支援を行うこと、安全・安心な活動場所等子どもの健全な発達のための良質な環境を整えること、及び地域の人材をいかしていくことに留意することが重要である。

全ての子どもの健やかな育ちを保障していくためには、以上に述べたような、発達段階に応じた質の高い教育・保育及び子育て支援が提供されることが重要である。質の高い教育・保育及び子育て支援を提供するためには、保護者以外に幼稚園教諭、保育士等子どもの育ちを支援する者の専門性や経験が極めて重要であり、研修等によりその専門性の向上を図ることが必要である。また、施設設備等の良質な環境の確保が必要である。さらに、こうした教育・保育及び子育て支援の質の確保・向上のためには、適切な評価を実施するとともに、その結果を踏まえた不断の改善努力を行うことが重要である。

四　社会のあらゆる分野における構成員の責務、役割

社会のあらゆる分野における全ての構成員が、父母その他の保護者が子育てについて責任を有していることを前提としつつ、全ての子どもの健やかな成長を実現するという社会全体の目的を共有し、子どもの育ち及び子育て支援の重要性に対する関心と理解を深め、各々の役割を果たすことが必要である。

法に基づく子ども・子育て支援給付及び地域子ども・子育て支援事業については、市町村が、幼児期の学校教育・保育及び地域の子ども・子育て支援を総合的に実施する主体となり、二に掲げる子どもの育ちに関する理念及び三に掲げる子育てに関する理念と子ども・子育て支援の意義を踏まえ、子どもの最善の利益の実現を念頭に、質を確保しながら、地域の実情に応じた取組を関係者と連携しつつ実施する。また、国及び都道府県は、市町村の取組を重層的に支える。

事業主においては、子育て中の労働者が男女を問わず子育てに向き合えるよう、職場全体の長時間労働の是正、労働者本人の希望に応じた育児休業や短時間勤務を取得しやすい環境づくり、職場復帰支援等の労働者の職業生活と家庭生活との両立（ワーク・ライフ・バランス）が図られるような雇用環境の整備を行うことが求められる。

子育てにおいては、保護者が、家庭の中のみならず、地域の中で、男女共に、保護者同士や地域の人々とのつながりを持ち、地域社会に参画し、連携し、地域の子育て支援に役割を果たしていくことも重要である。ＰＴＡ活動や保護者会活動を始め、家庭、地域、施設等子どもの生活の場を有機的に連携させ、地域コミュニティーの中で子どもを育むことが必要である。とりわけ、教育・保育施設においては、地域における子ども・子育て支援の中核的な役割を担うことが期待される。また、施設が地域に開かれ、地域と共にあることや、保護者のみならず地域の人々も子どもの活動支援や見守りに参加することは、子どもの健やかな育ちにとって重要である。

地域及び社会全体が、子育て中の保護者の気持ちを受け止め、寄り添い、支えることを通じ、保護者が子育てに不安や負担ではなく喜びや生きがいを感じることができ、そして未来の社会をつくり、担う存在である全ての子どもが大事にされ、健やかに成長できるような社会、すなわち「子どもの最善の利益」が実現される社会を目指す。

第2　教育・保育を提供する体制の確保、子育てのための施設等利用給付の円滑な実施の確保並びに地域子ども・子育て支援事業及び仕事・子育て両立支援事業の実施に関する基本的事項

一　教育・保育を提供する体制の確保、子育てのための施設等利用給付の円滑な実施の確保並びに地域子ども・子育て支援事業及び仕事・子育て両立支援事業の実施に関する基本的考え方

法、就学前の子どもに関する教育、保育等の総合的な提供の推進に関する法律の一部を改正する法律による改正後の就学前の子どもに関する教育、保育等の総合的な提供の推進に関する法律（平成18年法律第77号。以下「認定こども園法」という。）及び子ども・子育て支援法及び就学前の子どもに関する教育、保育等の総合的な提供の推進に関する法律の一部を改正する法律の施行に伴う関係法律の整備等に関する法律による改正後の関係法律に基づき実施する子ども・子育て支援に係る制度（仕事・子育て両立支援事業を除く。以下「子ども・子育て支援制度」という。）は、第1の子ども・子育て支援の意義に関する事項を踏まえ、市町村が制度を実施し、都道府県及び国が重層的に支える仕組みである。

市町村は、子ども・子育て支援制度の実施主体として、全ての子どもに良質な成育環境を保障するため、それぞれの家庭や子どもの状況に応じ、子ども・子育て支援給付を保障するとともに、地域子ども・子育て支援事業を実施し、妊娠・出産期からの切れ目ない支援を行う。

具体的には、市町村は、国及び都道府県等と連携し、地域の実情に応じて質の高い教育・保育そ

の他の子ども・子育て支援が適切に提供されるよう、計画的に提供体制を確保するとともに、その利用を支援する。その際、子育てに孤立感や負担感を感じている保護者が多いこと等を踏まえ、全ての子ども・子育て家庭に、それぞれの子どもや家庭の状況に応じ、子育ての安心感や充実感を得られるような親子同士の交流の場づくり、子育て相談や情報提供などの支援を行う。

このため、市町村は、子ども・子育て支援に係る現在の利用状況及び潜在的な利用希望を含めた利用希望を把握した上で、管内における教育・保育及び地域子ども・子育て支援事業の量の見込み並びに提供体制の確保の内容及びその実施時期等を盛り込んだ市町村子ども・子育て支援事業計画を作成し、当該計画をもとに、質の高い教育・保育及び地域子ども・子育て支援事業を計画的に実施する。

また、市町村は、子育てのための施設等利用給付についても円滑に実施する。

都道府県は、市町村が上記の役割を果たすために必要な支援を行うとともに、子ども・子育て支援のうち、特に専門性の高い施策及び各市町村の区域を超えた広域的な対応が必要な施策を講ずる。

また、市町村子ども・子育て支援事業計画を踏まえて都道府県子ども・子育て支援事業支援計画を作成し、当該計画をもとに、質の高い教育・保育が適切に提供されるよう、計画的に提供体制を確保するほか、市町村の区域を超えた広域的な調整、幼稚園教諭及び保育士等の人材の確保及び資質の向上に係る方策並びに保護を要する子どもの養育環境の整備等の専門的な知識及び技術を要する支援等を行う。

国は、市町村が行う子ども・子育て支援給付及び地域子ども・子育て支援事業等が適正かつ円滑に行われるよう、市町村及び都道府県と相互に連携を図りながら、必要な支援を行う。

また、子ども・子育て支援制度は質の高い教育・保育その他の子ども・子育て支援の提供を通じて全ての子どもが健やかに成長するように支援するものであり、市町村、都道府県及び国は、それぞれの役割に応じて、教育・保育その他の子ども・子育て支援の質の確保及び向上を図ることが必要である。具体的には、認定こども園、幼稚園及び保育所と小学校等との連携・接続のための取組の促進、幼稚園教諭、保育士等に対する研修の充実等による資質の向上、幼児教育・保育に関する専門的知識・技能に基づき助言その他の支援を行う者の配置、教育・保育に関する施策を総合的に実施するための拠点の整備、処遇改善を始めとする労働環境への配慮並びに教育・保育施設及び地域型保育事業（法第７条第５項に規定する地域型保育事業をいう。以下同じ。）を行う者並びに子ども・子育て支援施設等（法第７条第10項に規定する子ども・子育て支援施設等をいう。以下同じ。）に対する適切な指導監督、評価等の実施を通じて、質の高い教育・保育その他の子ども・子育て支援の提供を図り、市町村及び都道府県は、これらの事項について、子ども・子育て支援事業計画に具体的に記載する。このほか、市町村は、障害児、社会的養護が必要な子ども、貧困状態にある子ども、夜間の保育が必要な子ども、外国につながる幼児等特別な支援が必要な子どもが円滑に教育・保育等を利用できるようにするために必要な配慮を行うとともに、市町村、都道府県及び国は、必要な支援を行うことが求められる。

教育・保育施設は、教育・保育の質の確保及び向上を図るため、自己評価、関係者評価、第三者評価等を通じて運営改善を図ることが求められる。市町村、都道府県及び国はこのために必要な支援を行う。

国は、仕事・子育て両立支援事業について、二に掲げる子どもの育ちに関する理念及び三に掲げる子育てに関する理念と子ども・子育て支援の意義を踏まえ、保育の質を確保しつつ、多様な働き方に対応した仕事と子育てとの両立など事業の特色を踏まえ、事業を実施する。事業の実施に当たっては、保護者及び子どもの利便性に配慮する。

保育の質を確保するため、小規模保育事業や事業所内保育事業の職員配置及び設備等の認可基準を踏まえ、仕事・子育て両立支援事業に係る事業所内保育業務を行う施設（以下「企業主導型保育施設」という。）の助成等の対象を定めるなどの対応を行う。また、保育の質が維持されるよう、助成等を行った企業主導型保育施設等に対する助成要件の確認に係る指導・監査、助成決定の取消等の仕組みを設ける。

二　子ども・子育て支援に当たっての関係者の連携及び協働

質の高い教育・保育その他の子ども・子育て支援を提供するため、関係者は次に掲げる相互の連携及び協働を図り、総合的な体制の下に子ども・子育て支援を推進することが望ましい。

1　市町村内及び都道府県内の関係部局間の連携及び協働

子ども・子育て支援制度は、子ども・子育て支援事業計画に基づき、地域の実情に応じた質の高い教育・保育その他の子ども・子育て支援が総合的かつ効率的に提供されるよう、市町村及び都道府県がその提供体制を確保することを基本理念とするものであり、認定こども園、幼稚園及び保育所を通じた共通の給付が創設されるとともに、幼保連携型認定こども園の認可及び指導監督が一本化される。そのため、教育・保育その他の子ども・子育て支援を一元的に行うとともに、その他の小学校就学前子ども（法第６条第１項に規定する小学校就学前子どもをいう。以下同じ。）等に係る施策との緊密な連携を推進することが求められる。また、家庭教育の支援施策を行う市町村の関係部局との密接な連携を図ることが望ましい。

市町村及び都道府県は、質の高い教育・保育その他の子ども・子育て支援の提供を目指す子ども・子育て支援制度の総合的かつ効率的な推進を図るため、例えば、認定こども園、幼稚園、保育所等及び地域子ども・子育て支援事業の担当部局を一元化する、幼児教育センターとしての機能を担う体制を整備する、関係部局の併任職員を配置するなど、円滑な事務の実施が可能な体制を整備し、子ども・子育て支援事業計画の作成並びにこれに基づく質の高い教育・保育その他の子ども・子育て支援の実施を図ることが望ましい。ただし、教育委員会の独立性確保の観点から、公立幼稚園に関する教育委員会の権限は移管できないことに留意すること。

2　市町村相互間の連携及び協働並びに市町村と都道府県との連携及び協働

子ども・子育て支援制度の実施主体である市町村は、住民に最も身近な地方公共団体として、質の高い教育・保育その他の子ども・子育て支援の提供の責務を有し、教育・保育施設及び地域型保育事業を行う事業者並びに子ども・子育て支援施設等について、法第27条第１項及び第29条第１項並びに第30条の11第１項の確認を行うとともに、地域型保育事業を構成する家庭的保育事業（児童福祉法第６条の３第９項に規定する家庭的保育事業をいう。以下同じ。）、小規模保育事業（同条第10項に規定する小規模保育事業をいう。以下同じ。）、居宅訪問型保育事業（同条第11項に規定する居宅訪問型保育事業をいう。以下同じ。）及び事業所内保育事業（同条第12項に規定する事業所内保育事業をいう。以下同じ。）の認可を行う。

一方、教育・保育施設及び子ども・子育て支援施設等の認可、認定、届出に関する事項等は主に都道府県が行う。

このため、都道府県及び市町村は、教育・保育施設及び子ども・子育て支援施設等の認可、認定、届出に関する事項及び確認並びに指導監督に当たって、必要な情報を共有し、共同で指導監督を行うなど、相互に密接に連携を図ること。特に、市町村が私立幼稚園、認可外保育施設等の運営の状況等を円滑に把握することができるよう、都道府県は、市町村に必要な支援を行うこと。

子ども・子育て支援の実施に当たり、市町村は、地域の資源を有効に活用するため、地域の実情に応じ、必要に応じて近隣の市町村と連携、共同して事業を実施するなどの広域的取組を推進することが必要である。この場合において、関係市町村間の連携を図るとともに、必要に応じて都道府県が広域調整を行うこと。

3　教育・保育その他の子ども・子育て支援の提供に係る関係者の連携及び協働

市町村は、質の高い教育・保育その他の子ども・子育て支援を提供するため、地域の実情に応じて計画的に基盤整備を行う。この場合において、市町村と教育・保育施設、地域型保育事業を行う者その他の子ども・子育て支援を行う者が相互に連携し、協働しながら地域の実情に応じた取組を進めていく必要がある。

また、妊娠・出産期からの切れ目ない支援を行うとともに、質の高い教育・保育の提供並びに地域の子育て支援機能の維持及び確保等を図るため、子ども・子育て支援を行う者同士相互の密接な連携が必要である。特に、教育・保育施設である認定こども園、幼稚園及び保育所は、子ども・子育て支援において地域の中核的な役割を担い、地域型保育事業を行う者及び地域子ども・子育て支援事業を行う者等と連携し、必要に応じてこれらの者の保育の提供等に関する支援を行うことが求められる。

また、原則として満３歳未満の保育を必要とする子どもが利用する地域型保育事業について、満３歳以降も引き続き適切に質の高い教育・保育を利用できるよう、教育・保育施設と地域型保育事業を行う者との連携が必要である。この際、円滑な連携が可能となるよう、市町村が積極的に関与することが必要である。

また、保育を利用する子どもが小学校就学後に円滑に放課後児童健全育成事業を利用できるよう、相互の連携を図ることが望ましい。

4 国と地方公共団体との連携及び協働

国及び地方公共団体は、相互に連携を図りながら、子ども・子育て支援給付及び地域子ども・子育て支援事業が適切かつ円滑に行われるようにしなければならない。このため、国及び地方公共団体は恒常的に意見交換を行い、連携及び協働を図りながら地域の実情に応じた子ども・子育て支援を推進することが必要である。

国は、仕事・子育て両立支援事業の円滑な実施を図るため、地方公共団体への事業の内容や実施状況等の情報提供などを行う体制を整備する。また、例えば、地域枠の設定状況などの情報が地方公共団体に共有され、保育所等への入所を希望する保護者への案内につながるようにするなど、各地方公共団体における待機児童の解消等を図る観点から、地域の実情に応じ、企業主導型保育施設が活用されるよう必要な対応を行う。

5 教育・保育施設等における事故防止

教育・保育施設や認可外保育施設等においては、子どもが安全・安心で健やかに育つことが重要であり、子どもの死亡事故などの重大事故は本来あってはならないにもかかわらず、毎年発生している。このため、教育・保育施設等及び地方公共団体は、事故防止、事故発生時の対応、再発防止に係る取組を進めるとともに、国においても重大事故の発生や再発防止の取組を進めていく。

第3 子ども・子育て支援事業計画の作成に関する事項

一 子ども・子育て支援事業計画の作成に関する基本的事項

1 子ども・子育て支援事業計画の作成に関する基本的事項

市町村及び都道府県は、法の基本理念及び第1の子ども・子育て支援の意義に関する事項を踏まえ、子ども・子育て支援事業計画を作成すること。その際、次世代育成支援対策推進法（平成15年法律第120号）に基づき作成する市町村行動計画及び都道府県行動計画に記載して実施している次世代育成支援対策に係る分析、評価を行うこと。

2 子ども・子育て支援事業計画の作成のための体制の整備等

子ども・子育て支援事業計画の作成に当たっては、市町村及び都道府県は、例えば担当部局の一元化を行うなど関係部局間の連携を促進し、必要な体制の整備を図るとともに、法第72条第1項及び第4項に規定する審議会その他の合議制の機関又は子どもの保護者その他子ども・子育て支援に係る当事者の意見を聴くこと。

㈠ 市町村及び都道府県の関係部局相互間の連携

子ども・子育て支援事業計画の作成に当たっては、認定こども園、幼稚園、保育所等及び地域子ども・子育て支援事業等の担当部局が相互に連携することができる体制を整備することが必要であり、第2の二の1に基づき、例えば関係部局を一元化するなど、円滑な事務の実施が可能な体制を整備すること。

㈡ 子どもの保護者その他子ども・子育て支援に係る当事者の意見の聴取

子ども・子育て支援事業計画を地域の実情に即した実効性のある内容のものとするためには、地域の関係者の意見を反映することが必要である。このため、法第61条第7項及び第62条第5項の規定に基づき、市町村及び都道府県は、法第72条第1項及び第4項に規定する審議会その他の合議制の機関を設置している場合はその意見を、その他の場合は子どもの保護者その他子ども・子育て支援に係る当事者の意見を聴かなければならないこと。

㈢ 市町村間及び市町村と都道府県との間の連携

市町村は、市町村子ども・子育て支援事業計画の作成に当たって、二の2の㈡の(1)に規定する市町村域を超えた教育・保育等の利用が行われている場合等必要な場合には、量の見込み並びに提供体制の確保の内容及びその実施時期等について、関係市町村と調整を行うこと。

都道府県は、法第61条第9項の規定による市町村子ども・子育て支援事業計画の協議を受け、調整を行うことにより、教育・保育施設及び地域型保育事業の整備等に関する広域調整を行う役割を有している。このため、子ども・子育て支援事業計画を作成する過程では、市町村と都道府県との間の連携を図ることが必要である。

具体的には、市町村は、四半期ごと等の都道府県が定める一定の期間ごとに、市町村子ども・子育て支援事業計画の作成の進捗状況等の都道府県が定める事項を、都道府県に報告すること。

また、市町村が市町村子ども・子育て支援事業計画を作成するに当たって、私立幼稚園、認可外保育施設等の運営の状況等を円滑に把握することができるよう、都道府県は、市町村に必要な支援を行うこと。

3　教育・保育及び地域子ども・子育て支援事業の利用状況及び利用希望の把握

㈠　現状の分析

市町村子ども・子育て支援事業計画については、地域の人口構造や産業構造等の地域特性、教育・保育及び地域子ども・子育て支援事業の利用の現状、利用希望の実情、教育・保育施設等の地域資源の状況、更には子どもと家庭を取り巻く環境等の現状を分析して、それらを踏まえて作成することが必要である。

㈡　現在の利用状況及び利用希望の把握

市町村は、市町村子ども・子育て支援事業計画の作成に当たり、教育・保育及び地域子ども・子育て支援事業の現在の利用状況を把握するとともに、保護者に対する調査等（以下「利用希望把握調査等」という。）を行い、これらを踏まえて教育・保育及び地域子ども・子育て支援事業の量の見込みを推計し、具体的な目標設定を行うこと。なお、地域子ども・子育て支援事業のうち子育て短期支援事業、養育支援訪問事業、一時預かり事業、子育て世帯訪問支援事業、児童育成支援拠点事業又は親子関係形成支援事業（以下「家庭支援事業」という。）については、市町村は必要に応じて児童福祉法第21条の18第1項に規定する利用の勧奨及び支援（以下「利用勧奨」という。）並びに同条第2項に規定する支援の提供（以下「利用措置」という。）を行うこととされていることから、家庭支援事業の量の見込みの推計に当たっては、利用勧奨及び利用措置による事業の提供量についても勘案すること。

利用希望把握調査等の実施に当たっては、当該調査結果を踏まえて作成する市町村子ども・子育て支援事業計画及び市町村子ども・子育て支援事業計画を踏まえて作成する都道府県子ども・子育て支援事業支援計画が、教育・保育施設及び地域型保育事業の認可及び認定の際の需給調整の判断の基礎となることを勘案して、地域の実情に応じた適切な区域で行うこと。

また、都道府県は、利用希望把握調査等が円滑に行われるよう、市町村に対する助言、調整等に努めること。その際、私立幼稚園、認可外保育施設等の運営の状況等について市町村に対する情報提供を行う等、密接に連携を図ること。

4　計画期間における数値目標の設定

市町村及び都道府県は、地域の子どもが必要な教育・保育及び地域子ども・子育て支援事業を効果的、効率的に利用できるよう、二の2の㈠及び3の㈠並びに四の2の㈠に基づき、教育・保育及び地域子ども・子育て支援事業の現在の利用状況及び利用希望を把握し、地域の実情に応じて、子ども・子育て支援事業計画において、計画期間内における量の見込みを設定すること。

5　住民の意見の反映

市町村子ども・子育て支援事業計画を定め、又は変更しようとするときは、2の㈡により、法第72条第1項に規定する審議会その他の合議制の機関又は子どもの保護者その他子ども・子育て支援に係る当事者の意見を聴くほか、法第61条第8項の定めるところにより、あらかじめ、地域住民の意見を反映させるために必要な措置を講ずるよう努めること。

6　他の計画との関係

子ども・子育て支援事業計画は、地域福祉計画（社会福祉法（昭和26年法律第45号）第107条第1項に規定する市町村地域福祉計画及び同法第108条第1項に規定する都道府県地域福祉支援計画をいう。）、教育振興基本計画（教育基本法（平成18年法律第120号）第17条第2項の規定により市町村又は都道府県が定める教育の振興のための施策に関する基本的な計画をいう。）、自立促進計画（母子及び父子並びに寡婦福祉法（昭和39年法律第129号）第11条第2項第3号に規定する自立促進計画をいう。以下同じ。）、障害者計画（障害者基本法（昭和45年法律第84号）第11条第2項に規定する都道府県障害者計画及び同条第3項に規定する市町村障害者計画をいう。）、障害児福祉計画（児童福祉法

第33条の20第１項に規定する市町村障害児福祉計画及び同法第33条の22第１項に規定する都道府県障害児福祉計画をいう。)、児童福祉法第56条の４の２第１項に規定する市町村整備計画（以下「市町村整備計画」という。）その他の法律の規定により市町村又は都道府県が作成する計画であって、子ども・子育て支援に関する事項を定めるものその他の子ども・子育て支援に関する事項を定める計画との間の調和が保たれたものとすることが必要である。

なお、他の法律の規定により市町村又は都道府県が作成する計画であって、子ども・子育て支援事業計画と盛り込む内容が重複するものについては、子ども・子育て支援事業計画と一体のものとして作成して差し支えない。

二　市町村子ども・子育て支援事業計画の作成に関する基本的記載事項

市町村子ども・子育て支援事業計画において定めることとされた事項は、次に掲げる事項その他別表第１に掲げる事項とする。

なお、地方自治法（昭和22年法律第67号）第252条の19第１項の指定都市又は同法第252条の22第１項の中核市（以下「指定都市等」という。）及び児童相談所設置市（児童福祉法第59条の４第１項に規定する児童相談所設置市をいう。以下同じ。）にあっては、本指針において都道府県子ども・子育て支援事業支援計画に盛り込まれている内容のうち、指定都市等及び児童相談所設置市が処理することとされているものについては、適切に市町村子ども・子育て支援事業計画に盛り込むことが必要である。

１　教育・保育提供区域の設定に関する事項

市町村は、地理的条件、人口、交通事情その他の社会的条件、現在の教育・保育の利用状況、教育・保育を提供するための施設の整備の状況その他の条件を総合的に勘案して、小学校区単位、中学校区単位、行政区単位等、地域の実情に応じて、保護者や子どもが居宅より容易に移動することが可能な区域（以下「教育・保育提供区域」という。）を定める必要がある。

その際、教育・保育提供区域は、２の㈡の⑵に規定する地域型保育事業の認可の際に行われる需給調整の判断基準となることを踏まえて設定すること。

この場合において、教育・保育提供区域は、教育・保育及び地域子ども・子育て支援事業を通じて共通の区域設定とすることが基本となる。一方、教育・保育提供区域は、２の㈡の⑵に規定する地域型保育事業の認可の際に行われる需給調整の判断基準となること等から、法第19条各号に掲げる小学校就学前子どもの区分（以下「認定区分」という。）ごと、地域子ども・子育て支援事業の事業ごとに教育・保育施設等及び地域子ども・子育て支援事業の広域利用の実態が異なる場合には、実態に応じて、これらの区分又は事業ごとに設定することができる。

なお、市町村整備計画を作成する場合には、当該市町村整備計画に記載する保育提供区域（児童福祉法第56条の４の２第２項第１号に規定する保育提供区域をいう。）は、当該教育・保育提供区域と整合性が取れたものとすること。

２　各年度における教育・保育の量の見込み並びに実施しようとする教育・保育の提供体制の確保の内容及びその実施時期に関する事項

㈠　各年度における教育・保育の量の見込み

各年度における教育・保育提供区域ごとの教育・保育の量の見込みについては、市町村子ども・子育て支援事業計画を作成しようとするときにおける当該市町村に居住する子ども及びその保護者の教育・保育の利用状況及び利用希望把握調査等により把握する利用希望を踏まえて作成すること。具体的には、教育・保育の利用状況及び利用希望を分析し、かつ評価し、参酌標準（市町村子ども・子育て支援事業計画において教育・保育の量の見込みを定めるに当たって参酌すべき標準として別表第２に掲げるものをいう。別表第１において同じ。）を参考として、次に掲げる区分ごとに、それぞれ次に掲げる必要利用定員総数を定める。

その際、教育・保育提供区域ごとに均衡の取れた教育・保育の提供が行われるよう、地域の実情に応じた見込量を定めるとともに、必要利用定員総数の算定に当たっての考え方を示すことが必要である。

また、都市部を中心とする待機児童の存在に対応した基盤整備を図るため、市町村子ども・子育て支援事業計画において必要な教育・保育の量を見込むに当たっては、満３歳未満の子どもに待機児童が多いことに鑑み、地域の実情に応じて、満３歳未満の子どもの数全体に占める、認定こども園、保育所又は地域型保育事業に係る法第19条第3号に掲げる小学校就学前子どもに該当する満3歳未満の子どもの利用定員数の割合（以下「保育利用率」という。）について、計画期間内における目標値を設定すること。その際、満3歳未満の子どもであって地域型保育事業の利用者が満3歳に到達した際に円滑に教育・保育施設に移行することが可能となるよう配慮する必要がある点に留意が必要である。

保育利用率の設定においては、市町村は、現在の保育の利用状況及び利用希望を踏まえ、計画期間内の各年度における目標を設定すること。

必要利用定員総数及び保育利用率を定める際に、必要に応じて、地域の実情を踏まえて社会的流出入等を勘案することができる。この場合には、法第72条第1項及び第4項に規定する審議会その他の合議制の機関等（以下「地方版子ども・子育て会議」という。）においてその算出根拠を調査審議するなど、必要利用定員総数の算出根拠の透明化を図ること。

さらに、保護者の就業率が高まる中、地域の実情に応じて、幼稚園の利用を希望する保護者の子どもの中にも、保育を必要とする者の増加が見込まれることから、それに応じた提供体制を確保できるよう、これらの者の見込量を定めること。

(1) 法第19条第1号に掲げる小学校就学前子どもに該当する子ども　特定教育・保育施設（法第27条第1項に規定する特定教育・保育施設をいう。以下同じ。）（認定こども園及び幼稚園に限る。）に係る必要利用定員総数（特定教育・保育施設に該当しない幼稚園に係るものを含む。）

(2) 法第19条第2号に掲げる小学校就学前子どもに該当する子ども　特定教育・保育施設（認定こども園及び保育所に限る。）及び国家戦略特別区域小規模保育事業（国家戦略特別区域法（平成25年法律第107号）第12条の4第1項に規定する国家戦略特別区域小規模保育事業をいう。以下同じ。）に係る必要利用定員総数（認可外保育施設等を利用する小学校就学前子どものうち保育を必要とする者を含む。）

(3) 法第19条第3号に掲げる小学校就学前子どもに該当する子ども　満1歳未満並びに満1歳及び満2歳の区分（以下「年齢区分」という。）ごとの特定教育・保育施設（認定こども園及び保育所に限る。）及び特定地域型保育事業所（事業所内保育事業所（法第43条第1項に規定する事業所内保育事業所をいう。以下同じ。）にあっては、同項に規定する労働者等の監護する小学校就学前子どもに係る部分（以下「労働者枠」という。）を除く。）に係る必要利用定員総数の合計数（認可外保育施設等を利用する小学校就学前子どものうち保育を必要とする者を含む。）

(二) 実施しようとする教育・保育の提供体制の確保の内容及びその実施時期

(1) 実施しようとする教育・保育の提供体制の確保の内容及びその実施時期

市町村子ども・子育て支援事業計画においては、教育・保育提供区域ごと及び次のアからウまでに掲げる区分ごとに、それぞれ次のアからウまでに掲げる特定教育・保育施設及び特定地域型保育事業所に係る教育・保育の提供体制の確保の内容及びその実施時期を定める。

その際、子ども・子育て支援制度が、保護者の選択に基づき、多様な施設又は事業者から教育・保育を受けられるような提供体制の確保を目的の一つとしていることに鑑み、保護者の就労状況及びその変化等のみならず、子どもの教育・保育施設の利用状況等に配慮しつつ、柔軟に子どもを受け入れるための体制確保、地域の教育・保育施設の活用等も勘案し、現在の教育・保育の利用状況及び利用希望を十分に踏まえた上で定めること。また、保護者の就労状況等を勘案する際には、単に就労時間のみに着目するだけでなく、保護者の就労時間帯についても勘案することが重要である。

この場合において、教育の提供体制が不足する場合には、都道府県と市町村が連携して、幼稚園・認定こども園を運営する事業者との情報共有・意見交換を行った上で、当該事業者に対して定員の増加の検討を支援するとともに、市町村が設置する幼稚園・認定こども園の定員の増加・入園対象年齢の引下げについて積極的に検討し、教育の提供体制の確保の内容及びその実施時期を定めること。また、市町村は、幼稚園（特定教育・保育施設に該当しないものを含む。）の利用を希望する保護者の子どものうち、特に保育を必要とする者の預かりニーズに適切に対応した提供体制となるよう、地域の実情に応じて、幼稚園から認定こども園への移行に必要な支援及び幼稚園における預かり保育の充実（長時間化・通年化）の支援を行うことが必要である。

また、市町村は、「子育て安心プラン」（平成29年６月２日公表）及び「新子育て安心プラン」（令和２年12月21日公表）を踏まえ、必要となる特定教育・保育施設及び特定地域型保育事業を整備することを目指し、各年度における提供体制の確保の内容及びその実施時期を定めること。

その際、企業主導型保育施設について、企業主導型保育施設の設置者と調整を行い、地域枠について、市町村の利用者支援の対象とする場合には、イ又はウに定める確保の内容に含めて差し支えない。

また、幼稚園（特定教育・保育施設に該当しないものを含む。）において、預かり保育の充実（長時間化・通年化）により、保育を必要とする子どもの預かりニーズにも適切に対応可能であると認められる場合には、イに定める確保の内容に含めることができる。また、「子育て安心プラン」に基づく一時預かり事業（幼稚園型）による２歳児受入れや幼稚園における長時間預かり保育運営費支援事業による満３歳未満の子どもの受入れを行う場合には、ウに定める確保の内容に含めることができる。このため、都道府県と市町村が連携して、事業者との情報交換・意見交換を十分に行った上で、積極的な対応を検討すること。

なお、当該市町村に居住する子どもについて、他の市町村の教育・保育施設又は地域型保育事業により教育・保育の利用を確保する必要があると見込まれる場合には、あらかじめ、当該他の市町村と調整を行うとともに、必要に応じて、都道府県が広域的な観点から市町村間の調整を行うこと。

市町村は、保育の提供を行う意向を有する事業者の把握に努めた上で、情報の提供を適切に行う等、多様な事業者の参入を促進する工夫を図ることが必要である。

また、市町村は、障害児・外国につながる幼児等特別な支援が必要な子どもが円滑に教育・保育を利用できるよう、あらかじめ、関係部局と連携して、地域における特別な支援が必要な子どもの人数等の状況並びに特定教育・保育施設及び特定地域型保育事業所における特別な支援が必要な子どもの受入れについて可能な限り把握し、必要な調整を行った上で、教育・保育の提供体制を確保すること。なお、障害児・外国につながる幼児等特別な支援が必要な子どもが教育・保育を利用する際には、必要に応じて障害児相談支援等との連携を図ることや、当該子ども及びその保護者の使用可能な言語に配慮した案内を行うことなど、それぞれの事情に応じた丁寧な支援に取り組むとともに、利用手続を行う窓口において、教育・保育以外の関連施策についても基本的な情報や必要な書類の提供を行うことが望ましい。また、教育・保育施設、地域型保育事業を行う者等は、施設の設置、事業の運営に当たり、円滑な受入れに資するような配慮を行うことが望ましい。

なお、「子育て安心プラン」等により、認可外保育施設の認可施設への移行を支援しているところであるが、当分の間、イ及びウについてはイ及びウに定める確保の内容に加え、市町村又は都道府県が一定の施設基準に基づき運営費支援等を行っている認可外保育施設等による保育の提供体制について記載することを可能とする。

ア　法第19条第１号に掲げる小学校就学前子どもに該当する子ども　特定教育・保育施設及び幼稚園（特定教育・保育施設に該当するものを除く。）

イ　法第19条第２号に掲げる小学校就学前子どもに該当する子ども　特定教育・保育施設

ウ　法第19条第３号に掲げる小学校就学前子どもに該当する子ども　年齢区分ごとに係る特定教育・保育施設及び特定地域型保育事業所（事業所内保育事業所における労働者枠に係る部分を除く。）

(2)　市町村の認可に係る需給調整の考え方

ア　市町村の認可に係る需給調整の基本的考え方

市町村長（特別区長を含む。以下同じ。）は、児童福祉法第34条の15第５項の規定により、地域型保育事業に関する認可の申請があった場合において、当該地域型保育事業を行う者が所在する教育・保育提供区域における特定教育・保育施設及び特定地域型保育事業所（事業所内保育事業所における労働者枠に係る部分を除く。以下イにおいて同じ。）の利用定員の総数（法第19条第３号に掲げる小学校就学前子どもに係るものに限る。）が、市町村子ども・子育て支援事業計画において定める当該教育・保育提供区域における特定教育・保育施設及び特定地域型保育事業所に係る必要利用定員総数（当該年度に係る同号に掲げる小学校就学前子どもに係るものに限る。）に既に達しているか、又は当該認可申請に係る地域型保育事業所の設置によってこれを超えることになると認めるときは、地域型保育事業の認可をしないことができる。

この際、市町村長は、当該認可申請に係る地域型保育事業所が、児童福祉法第34条の15第３項の規定に基づく基準に該当し、かつ、同法第34条の16第１項の条例で定める基準に適合している場合は、認可するものとすることとされているため、認可に係る需給調整については、慎重に取り扱われるべきものであることに留意が必要である。

イ　子ども・子育て支援事業計画において実施しようとするものとして定められた教育・保育の提供体制の確保の内容に含まれない地域型保育事業の認可申請に係る需給調整

子ども・子育て支援事業計画に基づき、教育・保育施設又は地域型保育事業所の整備を行っている場合において、当該整備を行っている教育・保育施設又は地域型保育事業所の認可又は認定が行われる前に、地域型保育事業（⑴により、実施しようとする教育・保育の提供体制の確保の内容として子ども・子育て支援事業計画に定めたものを除く。）の認可の申請があったときは、市町村長は、認可申請に係る地域型保育事業所が所在する教育・保育提供区域における当該年度の特定教育・保育施設及び特定地域型保育事業所（事業所内保育事業所における労働者枠に係る部分を除き、当該子ども・子育て支援事業計画に基づき基盤整備を行っている教育・保育施設及び地域型保育事業所を含む。）の利用定員の総数（法第19条第３号に掲げる小学校就学前子どもに係るものに限る。）が、市町村子ども・子育て支援事業計画において定める当該教育・保育提供区域における当該年度の特定教育・保育施設及び特定地域型保育事業所に係る必要利用定員総数（同号に掲げる小学校就学前子どもに係るものに限る。）に既に達しているか、又は当該認可申請に係る地域型保育事業所の設置によってこれを超えることになると認めるときは、地域型保育事業の認可をしないことができる。この場合において、法第20条第４項に規定する教育・保育給付認定（以下「教育・保育給付認定」という。）を受けた保護者の認定区分ごとの人数が、当該認定区分に係る量の見込みを上回っており、機動的な対応が必要であると認められる場合には、市町村は、地域の実情に応じて、当該認可申請に係る地域型保育事業所の認可を行うことが望ましい。

ウ　当該年度の翌年度の教育・保育提供区域における特定教育・保育施設及び特定地域型保育事業所に係る必要利用定員総数（法第19条第１号に掲げる小学校就学前子どもに係るものを除く。以下ウにおいて同じ。）が当該年度の必要利用定員総数を上回る場合には、ア及びイにかかわらず、当該年度の翌年度の必要利用定員総数に基づき需給調整を行う。

3　地域子ども・子育て支援事業の量の見込み並びに実施しようとする地域子ども・子育て支援事業の提供体制の確保の内容及びその実施時期に関する事項

㈠　地域子ども・子育て支援事業の量の見込み

各年度における教育・保育提供区域ごとの地域子ども・子育て支援事業の量の見込みについては、市町村子ども・子育て支援事業計画を作成しようとするときにおける当該市町村に居住する子ども及びその保護者の地域子ども・子育て支援事業に該当する事業の利用状況及び利用希望把握調査等により把握する利用希望を踏まえて作成すること。また、地域子ども・子育て支援事業のうち家庭支援事業の量の見込みの推計に当たっては、利用勧奨及び利用措置による事業の提供量についても勘案すること。具体的には、例えば一時預かり事業の量の見込みについては、現行の一時預かり事業に加え、幼稚園における預かり保育の利用状況や利用希望を踏まえるなど、地域子ども・子育て支援事業に該当する事業の利用状況及び利用希望を分析し、かつ評価し、参酌標準（市町村子ども・子育て支援事業計画において地域子ども・子育て支援事業の量の見込みを定めるに当たって参酌すべき標準として別表第３に掲げるものをいう。別表第１において同じ。）を参考として、事業の種類ごとの量の見込みを定めるとともに、その算定に当たっての考え方を示すこと。

量の見込みを定める際に、必要に応じて、地域の実情を踏まえて社会的流出入等を勘案することができる。この場合には、地方版子ども・子育て会議においてその算出根拠を調査審議するなど、量の見込みの算出根拠の透明化を図ること。

㈡ 実施しようとする地域子ども・子育て支援事業の提供体制の確保の内容及びその実施時期

市町村子ども・子育て支援事業計画においては、㈠により定めた各年度の量の見込みに対応するよう、事業の種類ごとに、各年度における地域子ども・子育て支援事業の提供体制の確保の内容及びその実施時期を定める。

放課後児童健全育成事業の実施に当たっては、「新・放課後子ども総合プラン」（平成30年９月14日公表）における市町村子ども・子育て支援事業計画に盛り込むべき内容を踏まえつつ、放課後子供教室との一体型の推進を図るとともに、新たに放課後児童健全育成事業を整備する場合には、学校施設を徹底的に活用すること。加えて、地域の特性に応じて、子どもの健全な育成を図る中核的な活動拠点である児童館や社会教育施設等と連携し、その活用を検討するとともに、学校等とも連携し、放課後や週末等における子どもの安全かつ安心な居場所づくりを推進することが必要である。

また、放課後児童健全育成事業の設備及び運営の基準について条例を定めるに当たっては、放課後児童健全育成事業の設備及び運営に関する基準（平成26年厚生労働省令第63号）をどのように参酌したかなど、その根拠について保護者等に十分に説明し、理解を得るよう努めること。

また、地域子ども・子育て支援事業の実施に当たっては、妊娠・出産期からの切れ目ない支援に配慮することが重要であり、母子保健関連施策との連携の確保が必要である。このため、妊婦に対する健康診査を始め、母子保健に関する知識の普及、妊産婦等への保健指導その他の母子保健関連施策等を推進することが必要である。なお、その実施に当たっては、成育過程にある者及びその保護者並びに妊産婦に対し必要な成育医療等を切れ目なく提供するための施策の総合的な推進に関する法律（平成30年法律第104号）の趣旨を十分踏まえること。

４ 子ども・子育て支援給付に係る教育・保育の一体的提供及び当該教育・保育の推進に関する体制の確保の内容に関する事項

市町村は、認定こども園が幼稚園及び保育所の機能を併せ持ち、保護者の就労状況及びその変化等によらず柔軟に子どもを受け入れられる施設であることを踏まえ、現在の教育・保育の利用状況及び利用希望に沿って教育・保育施設の適切な利用が可能となるよう、幼稚園及び保育所から認定こども園への移行に必要な支援その他地域の実情に応じた認定こども園の普及に係る基本的考え方を記載すること。中でも幼保連携型認定こども園については、学校及び児童福祉施設として一の認可の仕組みとした制度改正の趣旨を踏まえ、その普及に取り組むことが望ましい。

また、幼稚園教諭と保育士の合同研修に対する支援等の市町村が行う必要な支援に関する事項を定めること。

また、第１の子ども・子育て支援の意義に関する事項並びに第２の一に掲げる教育・保育その他の子ども・子育て支援の質の確保及び向上に関する事項を踏まえ、質の高い教育・保育及び地域子ども・子育て支援事業の役割、提供の必要性等に係る基本的考え方及びその推進方策を定めること。その際、乳幼児期の発達が連続性を有するものであることや、幼児期の教育が生涯にわたる人格形成の基礎を培う重要なものであることに十分留意すること。さらに、第２

の二の3に掲げる教育・保育施設及び地域型保育事業を行う者の相互の連携・接続並びに認定こども園、幼稚園及び保育所と小学校等との連携についての基本的考え方を踏まえ、市町村におけるこれらの連携の推進方策を定めること。

5　子育てのための施設等利用給付の円滑な実施の確保の内容に関する事項

市町村は、子育てのための施設等利用給付の実施に当たって、公正かつ適正な支給の確保、保護者の経済的負担の軽減や利便性等を勘案しつつ、給付方法について検討を行うことを定めること。その際には、新制度に移行していない幼稚園に係る就園奨励費の事務との連続性にも配慮すること。なお、給付の実施回数については、年4回を目安とするとともに、法第30条の11に基づき特定子ども・子育て支援施設等に対して施設等利用費を給付する場合は、特定子ども・子育て支援施設等における資金繰りに支障を来す事の無いよう給付の時期についても配慮すること。

また、過誤請求・支払いの防止のため、預かり保育事業や認可外保育施設等に係る子育てのための施設等利用給付の給付申請は、当該利用者が主に利用している施設において取りまとめることが望ましい。

また、特定子ども・子育て支援施設等の確認や公示、指導監督等の法に基づく事務の執行や権限の行使について、都道府県に対し、施設等の所在、運営状況．監査状況等の情報提供、立入調査への同行、関係法令に基づく是正指導等の協力を要請することができることを踏まえ、都道府県との連携の方策を定めること。

三　市町村子ども・子育て支援事業計画の作成に関する任意記載事項

市町村子ども・子育て支援事業計画において地域の実情に応じて定めることとされた事項は、次に掲げる事項その他別表第4に掲げる事項とする。

1　産後の休業及び育児休業後における特定教育・保育施設又は特定地域型保育事業の円滑な利用の確保に関する事項

市町村は、小学校就学前子どもの保護者が、産前・産後休業、育児休業明けに希望に応じて円滑に特定教育・保育施設又は特定地域型保育事業を利用できるよう、産前・産後休業、育児休業期間中の保護者に対する情報提供や相談支援等を行うとともに、利用希望把握調査等の結果を踏まえて設定した教育・保育の量の見込みを基に、計画的に特定教育・保育施設又は特定地域型保育事業の整備を行うこと。

特に、現在、零歳児の子どもの保護者が、保育所等への入所時期を考慮して育児休業の取得をためらったり、取得中の育児休業を途中で切り上げたりする状況があることを踏まえ、育児休業満了時（原則1歳到達時）からの特定教育・保育施設又は特定地域型保育事業の利用を希望する保護者が、育児休業満了時から利用できるような環境を整えることが重要である。

これらの点を踏まえつつ、各市町村の実情に応じた施策を盛り込むこと。

2　子どもに関する専門的な知識及び技術を要する支援に関する都道府県が行う施策との連携に関する事項

次に掲げる施策を踏まえつつ、都道府県が行う施策との連携に関する事項及び各市町村の実情に応じた施策を記載すること。

㈠　児童虐待防止対策の充実

市町村においては、児童虐待の早期発見、早期対応のため、身近な場所における継続的な支援を行い、児童及び妊産婦の福祉に関し、実情の把握、情報の提供、相談、調査、指導等を行うこども家庭センター、地域子育て相談機関、利用者支援事業等により、地域における切れ目のない子育て支援を活用して虐待を予防するほか、児童相談所の権限や専門性を要する場合には、遅滞なく児童相談所へ事案を送致することや必要な助言を求めることが重要であり、このための関係機関との連携強化が不可欠である。

⑴　子どもの権利擁護

体罰によらない子育て等を推進するため、体罰や暴力が子どもに及ぼす悪影響や体罰によらない子育てに関する理解が社会で広まるよう、こども家庭センターや乳幼児健診の場、地域子育て支援拠点、地域子育て相談機関、保育所、学校等も活用して普及啓発活動を行う。また、保護者として監護を著しく怠ることは、ネグレクトに該当することを踏まえ、子どもを自宅や車内に放置してはならないことを母子手帳や乳幼児健診の機会などを活用し、周知する。

⑵　児童虐待の発生予防・早期発見

市町村における児童虐待の発生予防、早

期発見のため、産後の初期段階における母子に対する支援など、支援を必要とする妊婦への支援を行う。あわせて、乳幼児健康診査の未受診者及び受診後に経過観察等が必要な者、未就園の子ども並びに不就学等の子どもに関する定期的な安全確認や、乳児家庭全戸訪問事業の実施等を通じて、妊娠、出産及び育児期に養育支援を必要とする子どもや妊婦の家庭を早期に把握するとともに、支援が必要な者に対するサポートプラン（児童福祉法第10条第１項第４号に規定する計画及び母子保健法施行規則（昭和40年厚生省令第55号）第１条第１項に規定する母性並びに乳児及び幼児に対する支援に関する計画をいう。）を作成し、家庭支援事業等の適切な支援につなげることが重要である。こうした対応を円滑に行えるよう、市町村においては、全ての妊産婦、子育て世帯、子どもへ一体的に相談支援を行うこども家庭センターを整備し、児童福祉機能と母子保健機能の緊密な連携を図るとともに、地域子育て相談機関を始めとする地域における相談窓口や地域子育て支援拠点の設置を促進し、相談窓口の周知・徹底を含めた相談・支援につながりやすい仕組みづくりに努める。

市町村は、地理的条件、人口、交通事情その他の社会的条件、子育てに関する施設の整備の状況等を総合的に勘案して定める区域（中学校区を目安とする。）ごとに、その住民からの子育てに関する相談に応じ、必要な助言を行うことができる地域子育て相談機関の整備に努める。地域子育て相談機関においては、全ての妊産婦、子育て家庭又は子どもが気軽に相談できる身近な相談先として、子育て家庭と継続的につながり、支援を行うための工夫を行うとともに、こども家庭センターとの密接な連携を図る。

こうした取組をはじめとして、支援を要する妊婦、児童等を発見した医療機関や学校、福祉関係者等と市町村が効果的に情報の提供及び共有を行うためにこども家庭センターを中心とした連携体制の構築を図ることが必要である。

(3) 児童虐待発生時の迅速・的確な対応

ア 市町村における相談支援体制の強化

児童福祉法第10条の２の規定に基づき、並びに新たな児童虐待防止対策体制総合強化プラン（令和４年12月15日児童虐待防止対策に関する関係府省庁連絡会議決定。以下「新たなプラン」という。）において全市町村が令和８年度までに全ての妊産婦、子育て世帯及び子どもへ一体的に相談支援を行う体制を整備できるよう取り組むとされていることを踏まえ、児童等に対する相談支援を行うこども家庭センターの整備を行うことが必要である。

イ 関係機関との連携強化

地域の関係機関が情報の収集及び共有により支援の内容を協議する要保護児童対策地域協議会（以下「協議会」という。）の取組の強化が必要である。具体的には、協議会に、市町村（こども家庭センター、児童福祉、母子保健等の担当部局）、児童相談所、保健センター、保健所、福祉事務所、児童委員、民生委員、保育所、認定こども園及び児童家庭支援センターその他の児童福祉施設、地域子育て相談機関、学校、教育委員会、警察、医療機関、医師（産科医、小児科医、精神科医、法医学者等）、歯科医師、女性相談支援センター、女性相談支援員、配偶者暴力相談支援センター、性犯罪・性暴力被害者支援のためのワンストップ支援センター、ＮＰＯ、ボランティア等の民間団体並びに生活困窮者自立支援制度等の庁内関係部局等幅広い関係者の参加を得る。協議会においては、子どもの置かれた状況を含めた個別ケースに関し、その状況やアセスメントの情報共有、関係機関で役割分担の下、支援を行うとともに、その状況を定期的に確認する。こうした進行管理は、要保護児童対策調整機関（以下「調整機関」という。）が適切に行う。このため、調整機関及びこども家庭センターに専門的な知識及び技術を有する職員の計画的な人材確保、育成や、都道府県等が実施する研修・講習会等への参加を通じた市町村の体制の強化及び資質の向上を図り、協議会の効果的な運営並びに市町村の虐待相談対応における組織的な対応及び適切なアセスメントを確保する。

また、孤立した子育てによって虐待につながることのないよう、家庭支援事業、利用者支援事業、地域子育て支援拠点事業等の利用を促進するなど、子育て支援サービス等の地域資源の充実を図るとともに、こども家庭センターの整備及び住民の身近な場所で子育てに関する相談及び助言を行う地域子育て相談機関の整備に努める。

加えて、転居ケース等における転居情報後の共有や引継ぎを含め、児童相談所・市町村の情報共有をより効率的・効果的に行うため、ＩＣＴの活用による情報共有を進める。

市町村は、一時保護等の実施が適当と判断した場合など児童相談所の専門性や権限を要する場合には、遅滞なく児童相談所への事案送致や必要な助言を求める。さらに、都道府県と相互に協力して、児童虐待による死亡事例等の重大事例の検証を行う。

(4) 社会的養護施策との連携

市町村が子ども・子育て支援を推進するに際しては、子育て短期支援事業及び児童育成支援拠点事業の確保に努めるとともに、本事業を実施する児童養護施設等との連携、市町村の求めに応じて技術的助言等を行う児童家庭支援センターの活用等、社会的養護の地域資源を地域の子ども・子育て支援に活用するための連携が必要である。他方で、地域の里親や地域分散化を進める児童養護施設等において子どもが健やかに成長するためには、市町村、学校、民間団体等の地域の関係機関の理解と協力のほか、里親の開拓や里親支援につながる広報・啓発等における都道府県との連携により、地域の中で社会的養護が行えるような支援体制の整備をする。また、母子生活支援施設については、母子が一緒に生活しつつ母と子の関係に着目した支援を受けることができることから、福祉事務所、児童相談所、女性相談支援センター等の関係機関と連携し、その積極的な活用、支援機能の充実、広域利用の推進を図る。

なお、これら社会的養護施策との連携に当たっては、都道府県社会的養育推進計画策定要領（以下「推進計画策定要領」という。）に基づく都道府県社会的養育推進計画に規定する施策についても考慮する必要がある。

(二) 母子家庭及び父子家庭の自立支援の推進

母子家庭及び父子家庭の自立支援については、子育て短期支援事業、母子家庭日常生活支援事業、父子家庭日常生活支援事業、保育及び放課後児童健全育成事業の利用に際しての配慮等の各種支援策を推進するほか、母子及び父子並びに寡婦福祉法、同法に基づく国の基本方針及びこれに則して都道府県等が策定する自立促進計画等の定めるところにより、子育て・生活支援策、就業支援策、養育費の確保策及び経済的支援策を４本柱として総合的な自立支援を推進する。

(三) 障害児施策の充実等

障害の原因となる疾病及び事故の予防、早期発見並びに治療の推進を図るため、妊婦及び乳幼児に対する健康診査並びに学校における健康診断等を推進することが必要である。

また、障害児等特別な支援が必要な子どもの健全な発達を支援し、身近な地域で安心して生活できるようにする観点から、自立支援医療（育成医療）の給付のほか、年齢や障害等に応じた専門的な医療や療育の提供が必要である。また、保健、医療、福祉、教育等の各種施策の円滑な連携により、在宅支援の充実、就学支援を含めた教育支援体制の整備等の一貫した総合的な取組を推進するとともに、児童発達支援センター等による地域支援・専門的支援の強化や保育所等訪問支援の活用を通して地域の障害児等特別な支援が必要な子どもとその家族等に対する支援の充実に努めることが必要である。

人工呼吸器を装着している障害児その他の日常生活を営むために医療を要する状態にある障害児（医療的ケア児）が身近な地域で必要な支援が受けられるよう、総合的な支援体制の構築に向け、関連分野の支援を調整するコーディネーターとして養成された相談支援専門員等の配置を推進することが必要である。

また、自閉症、学習障害（ＬＤ）、注意欠陥多動性障害（ＡＤＨＤ）等の発達障害を含む障害のある子どもについては、障害の状態に応じて、その可能性を最大限に伸ばし、当該子どもが自立し、社会参加をするために必要な力を培うため、幼稚園教諭、保育士等の資質や専門性の向上を図るとともに、専門家等の協力も得ながら一人一人の希望に応じた適切な教育上必要な支援等を行うことが必要である。

そのためには、乳幼児期を含め早期からの教育相談や就学相談を行うことにより、本人や保護者に十分な情報を提供するとともに、認定こども園、幼稚園、保育所、小学校、特別支援学校等において、保護者を含めた関係者が教育上必要な支援等について共通理解を深めることにより、保護者の障害受容及びその後の円滑な支援につなげていくことが重要である。また、本人及び保護者と市町村、教育委員会、学校等とが、教育上必要な支援等について合意形成を図ることが求められる。

特に発達障害については、社会的な理解が十分になされていないことから、適切な情報の周知も必要であり、さらに家族が適切な子育てを行えるよう家族への支援を行うなど、発達障害者支援センターとの連携を密にしながら、支援体制整備を行うことが必要である。

特定教育・保育施設、特定地域型保育事業を行う者、放課後児童健全育成事業を行う者等は、障害児等特別な支援が必要な子どもの受入れを推進するとともに、受入れに当たっては、各関係機関との連携を図ることが必要である。

3 労働者の職業生活と家庭生活との両立が図られるようにするために必要な雇用環境の整備に関する施策との連携に関する事項

次に掲げる施策を踏まえつつ、各市町村の実情に応じた施策をその内容に盛り込むこと。

㈠ 仕事と生活の調和の実現のための働き方の見直し（長時間労働の抑制に取り組む労使に対する支援等を含む）

仕事と生活の調和の実現については、「仕事と生活の調和（ワーク・ライフ・バランス）憲章」（以下「憲章」という。）及び「仕事と生活の調和推進のための行動指針」（以下「行動指針」という。）において、労使を始め国民が積極的に取り組むこと、国や地方公共団体が支援すること等により、社会全体の運動として広げていく必要があるとされている。

このため、市町村は、地域の実情に応じ、自らの創意工夫の下に、次のような施策を進めることが望ましい。その際、都道府県、地域の企業、経済団体、労働者団体、都道府県労働局、仕事と生活の調和の実現のための働き方の見直しや子ども・子育て支援に取り組む民間団体等と相互に密接に連携し、協力し合いながら、地域の実情に応じた取組を進めることが必要である。

⑴ 仕事と生活の調和の実現に向けた労働者、事業主、地域住民の理解や合意形成の促進及び具体的な実現方法の周知のための広報、啓発

⑵ 法その他の関係法律に関する労働者、事業主、地域住民への広報、啓発

⑶ 仕事と生活の調和の実現のための働き方の見直し及び子ども・子育て支援に取り組む企業及び民間団体の好事例の情報の収集及び提供等

⑷ 仕事と生活の調和に関する企業における研修及びコンサルタント、アドバイザーの派遣

⑸ 仕事と生活の調和の実現に積極的に取り組む企業の認証、認定や表彰制度等仕事と生活の調和を実現している企業の社会的評価の促進

⑹ 融資制度や優遇金利の設定、公共調達における優遇措置等による、仕事と生活の調和の実現に積極的に取り組む企業における取組の支援

㈡ 仕事と子育ての両立のための基盤整備

保育及び放課後児童健全育成事業の充実、子育て援助活動支援事業の設置促進等の多様な働き方に対応した子育て支援を展開する。

4 地域子ども・子育て支援事業を行う市町村その他の当該市町村において子ども・子育て支援の提供を行う関係機関相互の連携の推進に関する事項

次に掲げる施策を踏まえつつ、各市町村の実情に応じた施策を盛り込むこと。その際、こども家庭センターは、全ての妊産婦、子育て家庭及び子どもへ一体的に相談支援を行い、様々な資源による支援をつなぐ機能を有することから、子育て支援に関わる関係機関と十分に連携を行うこと。加えて、住民の身近な場所で子育てに関する相談及び助言を行う地域子育て相談機関は、こども家庭センターと十分に連携する

ことで、子育て家庭を必要な支援につなげるとともに、地域の住民に対し、子育て支援に関する情報の提供を行うよう努めること。

㈠　関係機関の連携会議の開催等

妊娠・出産期からの切れ目ない支援を行っていくためには、管内の子ども・子育て支援を実施している事業所の特性を十分に把握し、それらを生かした体制整備を行うことが望まれる。その際、一の事業者が複数の事業を行い総合的な支援を実施している場合だけでなく、各事業を実施する機関が相互に連携し、協力を図ることで子育て家庭の状況に応じた支援を行う場合が考えられるが、特に関係機関が連携する場合には、市町村が主体的にその環境を整備することが重要である。

このため、市町村においては、それぞれの子どもの特性や家庭の状況に応じた適切な支援につなげるため、子育て支援に関わる関係機関（こども家庭センター、地域子育て相談機関、認定こども園、幼稚園、保育所、地域子ども・子育て支援事業を実施する事業所、保健センター、医療機関、小学校、児童相談所等）を集めた会議を少なくとも年に１回は開催し、各機関における課題等について議論し、共有するとともに、各機関の長同士だけでなく担当者同士も含め、日頃から互いの事業内容等に関する情報共有を図ることが考えられる。当該会議については、各市町村の規模に応じて、地域別に開催することや担当者の会議を開催することも考えられる。

㈡　関係機関の連携を推進する取組の促進

保護者が必要とするときに必要な支援を利用することができるよう、次に掲げる事業の実施に当たり、それぞれ次に定める取組を併せて行うことにより子育て支援に関わる関係機関の連携を促進することが考えられる。

⑴　利用者支援事業　専門的な知識及び経験を有する職員が、近隣の子育て支援又は母子保健等に関する事業を実施する各事業所等を巡回し、情報の収集及び共有を行うこと。加えて、地域子育て相談機関としてこども家庭センターと連携し、地域の住民に対し、子育てに関する相談及び助言を行うこと。

⑵　地域子育て支援拠点事業　保護者の子育てに対する不安を和らげ、男女共に保護者がしっかりと子どもと向き合い、子育てができるよう、必要に応じ関係機関の協力を得て、休日の育児参加促進に関する講習会を実施すること。

⑶　子育て援助活動支援事業　地域子育て支援拠点等との連携強化を図り、巡回等による見守り支援や、事故防止に関する講習等を実施すること。

四　都道府県子ども・子育て支援事業支援計画の作成に関する基本的記載事項

都道府県子ども・子育て支援事業支援計画において定めることとされた事項は、次に掲げる事項その他別表第５に掲げる事項とする。

１　区域の設定に関する事項

都道府県子ども・子育て支援事業支援計画においては、市町村が定める教育・保育提供区域を勘案して、教育・保育の量の見込み並びに実施しようとする教育・保育の提供体制の確保の内容及びその実施時期を定める単位となる区域を定めるものとされており、都道府県は、隣接市町村間等における広域利用等の実態を踏まえて、区域（以下「都道府県設定区域」という。）を定めること。その際、都道府県設定区域は、２の㈡の⑵に規定する教育・保育施設の認可、認定の際に行われる需給調整の判断基準となることを踏まえて設定すること。

この場合において、都道府県設定区域は、教育・保育及び地域子ども・子育て支援事業を通じて共通の区域設定とすることが基本となる。一方、都道府県設定区域は、２の㈡の⑵に規定する教育・保育施設の認可、認定の際に行われる需給調整の判断基準となること等から、認定区分ごと、地域子ども・子育て支援事業の事業ごとに教育・保育施設等及び地域子ども・子育て支援事業の広域利用の実態が異なる場合には、実態に応じて、これらの区分又は事業ごとに設定することができる。

２　各年度における教育・保育の量の見込み並びに実施しようとする教育・保育の提供体制の確保の内容及びその実施時期に関する事項

㈠　各年度における教育・保育の量の見込み

各年度における都道府県設定区域ごとの教育・保育の量の見込みについては、参酌標準（都道府県子ども・子育て支援事業支援計画において教育・保育の量の見込みを定めるに当たって参酌すべき標準として別表第６に掲げるものをいう。別表第５において同じ。）を参考として、原則として次に掲げる区分ごとに、それぞれ次に掲げる必要利用定員総数を定める。

また、都道府県設定区域ごとに均衡のとれた教育・保育の提供が行われるよう、地域の実情に応じた見込量を定めるとともに、その算定に当たっての考え方を示すことが必要である。

必要利用定員総数を定める際に、必要に応じて、地域の実情を踏まえて社会的流出入等を勘案することができる。この場合には、地方版子ども・子育て会議においてその算定根拠を調査審議するなど、必要利用定員総数の算定根拠の透明化を図ること。

なお、都道府県子ども・子育て支援事業支援計画の作成に当たっては、市町村子ども・子育て支援事業計画における数値を都道府県設定区域ごとに集計したものを基本として、これを更に都道府県全域で集計した結果が、都道府県子ども・子育て支援事業支援計画における見込みの数値と整合性がとれるよう、一の２の㈢に基づき都道府県は市町村に、一定期間ごとに報告を求める等の連携を図るとともに、広域的な観点から市町村子ども・子育て支援事業計画を調整する必要があると認められる場合には、十分な調整を図ること。

⑴　法第19条第１号に掲げる小学校就学前子どもに該当する子ども　特定教育・保育施設（認定こども園及び幼稚園に限る。）に係る必要利用定員総数（特定教育・保育施設に該当しない幼稚園に係るものを含む。）

⑵　法第19条第２号に掲げる小学校就学前子どもに該当する子ども　特定教育・保育施設（認定こども園及び保育所に限る。）及び国家戦略特別区域小規模保育事業に係る必要利用定員総数（認可外保育施設等を利用する小学校就学前子どものうち保育を必要とする者を含む。）

⑶　法第19条第３号に掲げる小学校就学前子どもに該当する子ども　年齢区分ごとの特定教育・保育施設（認定こども園及び保育所に限る。）及び特定地域型保育事業所（事業所内保育事業所における労働者枠に係る部分を除く。）に係る必要利用定員総数の合計数（認可外保育施設等を利用する小学校就学前子どものうち保育を必要とする者を含む。）

㈡　実施しようとする教育・保育の提供体制の確保の内容及びその実施時期等

⑴　実施しようとする教育・保育の提供体制の確保の内容及びその実施時期

都道府県子ども・子育て支援事業支援計画においては、都道府県設定区域ごと及び次のアからウまでに掲げる区分ごとに、それぞれ次のアからウまでに掲げる特定教育・保育施設及び特定地域型保育事業所に係る教育・保育の提供体制の確保の内容及びその実施時期を定める。

その際、子ども・子育て支援制度が、保護者の選択に基づき、多様な施設又は事業者から教育・保育を受けられるような提供体制の確保を目的の一つとしていることに鑑み、保護者の就労状況及びその変化等のみならず、子どもの教育・保育施設の利用状況等に配慮しつつ、柔軟に子どもを受け入れるための体制確保、地域の教育・保育施設の活用等も勘案し、現在の教育・保育の利用状況及び利用希望を十分に踏まえた上で定めること。また、保護者の就労状況等を勘案する際には、単に就労時間のみに着目するだけでなく、保護者の就労時間帯についても勘案することが重要である。

この場合において、都道府県は、「子育て安心プラン」を踏まえ、必要となる特定教育・保育施設及び特定地域型保育事業を整備することを目指し、各年度における提供体制の確保の内容及びその実施時期を定めること。

その際、企業主導型保育施設について、企業主導型保育施設の設置者と調整を行い、地域枠について、市町村の利用者支援の対象とする場合には、イ又はウに定める確保の内容に含めて差し支えない。

また、幼稚園（特定教育・保育施設に該当しないものを含む。）において、預かり保育の充実（長時間化・通年化）により、保育を必要とする子どもの預かりニーズにも適切に対応可能であると認められる場合には、イに定める確保の内容に含めることができる。また、「子育て安心プラン」に基づく一時預かり事業（幼稚園型）による２歳児受入れや幼稚園における長時間預かり保育運営費支援事業による満３歳未満の子どもの受入れを行う場合には、ウに定める確保の内容に含めることができる。このため、都道府県と市町村が連携して、事業者との情報交換・意見交換を十分に行った上で、積極的な対応を検討すること。

都道府県は、保育の提供を行う意向を有する事業者の把握に努めた上で、当該事業者への情報の提供を適切に行う等、多様な事業者の参入を促進する工夫を図ることが必要である。

なお、都道府県子ども・子育て支援事業支援計画の作成に当たっては、市町村子ども・子育て支援事業計画における数値を都道府県設定区域ごとに集計したものを基本として、これを更に都道府県全域で集計した結果が、都道府県子ども・子育て支援事業支援計画における実施しようとする教育・保育の提供体制の確保の内容及びその実施時期と整合性がとれるよう、一の２の㈢に基づき、都道府県は市町村に一定期間ごとに報告を求める等の連携を図るとともに、都道府県設定区域内の関係市町村の市町村子ども・子育て支援事業計画を調整する必要があると認められる場合には、円滑な調整を図ることが必要である。

なお、「子育て安心プラン」等により、認可外保育施設の認可施設への移行を支援しているところであるが、当分の間、イ及びウについては、市町村又は都道府県が一定の施設基準に基づき運営費支援等を行っている認可外保育施設等による保育の提供体制の確保について、イ及びウに定める確保の内容に加えて記載することを可能とする。

ア　法第19条第１号に掲げる小学校就学前子どもに該当する子ども　特定教育・保育施設及び幼稚園（特定教育・保育施設に該当するものを除く。）

イ　法第19条第２号に掲げる小学校就学前子どもに該当する子ども　特定教育・保育施設

ウ　法第19条第３号に掲げる小学校就学前子どもに該当する子ども　年齢区分ごとに係る特定教育・保育施設及び特定地域型保育事業所（事業所内保育事業所における労働者枠に係る部分を除く。）

⑵　都道府県の認可及び認定に係る需給調整の考え方

ア　都道府県の認可、認定に係る需給調整の基本的考え方

㈠　都道府県知事は、認定こども園法第３条第８項の規定により、認定こども園（幼保連携型認定こども園を除く。以下㈠において同じ。）に関する認定の申請があった場合において、当該認定こども園が所在する都道府県設定区域における次のａからｃまでに掲げる利用定員の総数が、それぞれ次のａからｃまでに定める都道府県子ども・子育て支援事業支援計画において定める当該都道府県設定区域における必要利用定員総数（当該年度に係るものをいう。）に既に達しているか、又は当該認定申請に係る認定こども園の設置によってこれを超えることになると認めるときは、認定こども園の認定をしないことができる。

この際、都道府県知事は、当該認定申請に係る認定こども園が、同条第５項の規定に基づく基準に該当し、かつ、同条第１項又は第３項の条例で定める基準に適合している場合は認定するものとすることとされているため、認定に係る需給調整については、慎重に取り扱われるべきものであることに留意が必要である。

ａ　特定教育・保育施設の利用定員の総数（法第19条第１号に掲げる小学校就学前子どもに係るものに限る。）　特定教育・保育施設に係る必要利用定員総数（同号に掲げる小学校就学前子どもに係るものに限る。）

ｂ　特定教育・保育施設の利用定員の総数（法第19条第２号に掲げる小学校就学前子どもに係るものに限る。）　特定教育・保育施設に係る必要利用定員総数（同号に掲げる小学校就学前子どもに係るものに限る。）

ｃ　特定教育・保育施設及び特定地域型保育事業所（事業所内保育事業所における労働者枠に係る部分を除く。）の利用定員の総数（法第19条第３号に掲げる小学校就学前子どもに係るものに限る。）　特定教育・保育施設及び特定地域型保育事業所に係る必要利用定員総数（同号に掲げ

る小学校就学前子どもに係るものに限る。）

(イ)　都道府県知事は、認定こども園法第17条第６項の規定により、幼保連携型認定こども園に関する認可の申請があった場合において、当該幼保連携型認定こども園が所在する都道府県設定区域における(ア)のａからｃまでに掲げる利用定員の総数が、それぞれ(ア)のａからｃまでに定める都道府県子ども・子育て支援事業支援計画において定める当該都道府県設定区域における必要利用定員総数（当該年度に係るものをいう。）に既に達しているか、又は認可申請に係る幼保連携型認定こども園の設置によってこれを超えることになると認めるときは、幼保連携型認定こども園の認可をしないことができる。

この際、都道府県知事は、当該認可申請に係る幼保連携型認定こども園が、同条第２項の規定に基づく基準に該当し、かつ、認定こども園法第13条第１項の条例で定める基準に適合している場合は認可するものとすることとされているため、認可に係る需給調整については、慎重に取り扱われるべきものであることに留意が必要である。

(ウ)　都道府県知事は、児童福祉法第35条第８項の規定により、保育所に関する認可の申請があった場合において、当該保育所が所在する都道府県設定区域における次のａ及びｂに掲げる利用定員の総数が、それぞれ次のａ及びｂに定める都道府県子ども・子育て支援事業支援計画において定める当該都道府県設定区域における必要利用定員総数（当該年度に係るものをいう。）に既に達しているか、又は当該認可申請に係る保育所の設置によってこれを超えることになると認めるときは、保育所の認可をしないことができる。

この際、都道府県知事は、当該認可申請に係る保育所が、同条第５項の規定に基づく基準に該当し、かつ、同法第45条第１項の条例で定める基準に適合している場合は認可するものとすることとされているため、認可に係る需給調整については、慎重に取り扱われるべきものであることに留意が必要である。

ａ　特定教育・保育施設の利用定員の総数（法第19条第２号に掲げる小学校就学前子どもに係るものに限る。）特定教育・保育施設に係る必要利用定員総数（同号に掲げる小学校就学前子どもに係るものに限る。）

ｂ　特定教育・保育施設及び特定地域型保育所（事業所内保育事業所における労働者枠に係る部分を除く。）の利用定員の総数（法第19条第３号に掲げる小学校就学前子どもに係るものに限る。）特定教育・保育施設及び特定地域型保育事業所に係る必要利用定員総数（同号に掲げる小学校就学前子どもに係るものに限る。）

イ　子ども・子育て支援事業計画において実施しようとするものとして定められた教育・保育の提供体制の確保の内容に含まれない教育・保育施設の認可及び認定の申請に係る需給調整

アにかかわらず、子ども・子育て支援事業計画に基づき、教育・保育施設又は地域型保育事業所の整備を行っている場合において、当該整備を行っている教育・保育施設又は地域型保育事業所の認可又は認定が行われる前に、教育・保育施設（(1)により、実施しようとする教育・保育の提供体制の確保の内容として子ども・子育て支援事業計画に定めたものを除く。）の認可又は認定の申請があったときは、都道府県知事は、次に掲げるときに該当するときは、教育・保育施設の認可又は認定をしないことができる。この場合において、教育・保育給付認定を受けた保護者の認定区分ごとの人数が、当該認定区分に係る量の見込みを上回っており、機動的な対応が必要であると認められる場合には、都道府県知事は、地域の実情に応じて、当該認可申請に係る教育・保育施設の認可を行うことが望ましい。

(ア)　認可又は認定の申請に係る教育・保育施設が所在する都道府県設定区域における当該年度の特定教育・保育施設

（当該子ども・子育て支援事業計画に基づき基盤整備を行っている教育・保育施設を含む。）の利用定員の総数（法第19条第１号に掲げる小学校就学前子どもに係るものに限る。）が、都道府県子ども・子育て支援事業支援計画において定める当該都道府県設定区域における当該年度の特定教育・保育施設に係る必要利用定員総数（同号に掲げる小学校就学前子どもに係るものに限る。）に既に達しているか、又は当該認可又は認定の申請に係る教育・保育施設の設置によってこれを超えることになると認めるとき。

(イ) 認可又は認定の申請に係る教育・保育施設が所在する都道府県設定区域における当該年度の特定教育・保育施設（当該子ども・子育て支援事業計画に基づき基盤整備を行っている教育・保育施設を含む。）の利用定員の総数（法第19条第２号に掲げる小学校就学前子どもに係るものに限る。）が、都道府県子ども・子育て支援事業支援計画において定める当該都道府県設定区域における当該年度の特定教育・保育施設に係る必要利用定員総数（同号に掲げる小学校就学前子どもに係るものに限る。）に既に達しているか、又は当該認可又は認定の申請に係る教育・保育施設の設置によってこれを超えることになると認めるとき。

(ウ) 認可又は認定の申請に係る教育・保育施設が所在する都道府県設定区域における当該年度の特定教育・保育施設及び特定地域型保育事業所（事業所内保育事業所における労働者枠に係る部分を除き、当該子ども・子育て支援事業計画に基づき基盤整備を行っている教育・保育施設及び地域型保育事業所を含む。）の利用定員の総数（法第19条第３号に掲げる小学校就学前子どもに係るものに限る。）が、都道府県子ども・子育て支援事業支援計画において定める当該都道府県設定区域における当該年度の特定教育・保育施設及び特定地域型保育事業所に係る必要利用定員総数（同号に掲げる小学校就学前子どもに係るものに限る。）に既に達しているか、又は当該認可又は認定の申請に係る教育・保育施設及び特定地域型保育事業所の設置によってこれを超えることになると認めるとき。

ウ 幼稚園及び保育所が認定こども園に移行する場合における需給調整

(ア) 都道府県知事は、アにかかわらず、幼稚園から幼保連携型認定こども園又は幼稚園型認定こども園（以下(ア)において「幼保連携型認定こども園等」という。）への移行の認可又は認定の申請があった場合において、当該幼保連携型認定こども園等が所在する都道府県設定区域における特定教育・保育施設及び特定地域型保育事業所（事業所内保育事業所における労働者枠に係る部分を除く。）の利用定員の総数（法第19条第２号及び第３号に掲げる小学校就学前子どもに係るものに限る。）が、都道府県子ども・子育て支援事業支援計画において定める当該都道府県設定区域における特定教育・保育施設及び特定地域型保育事業所の必要利用定員総数（当該年度に係る同条第２号及び第３号に掲げる小学校就学前子どもに係るものに限る。）に、都道府県子ども・子育て支援事業支援計画で定める数を加えた数に既に達しているか、又は当該認可若しくは認定の申請に係る幼保連携型認定こども園等の設置によってこれを超えることになると認めるときを除き、当該幼保連携型認定こども園等の認可又は認定をするものとする。なお、都道府県子ども・子育て支援事業支援計画で定める数は、認定こども園への移行を促進するため、認定こども園・幼稚園・保育所等の利用状況や認定こども園への移行の希望に十分配慮し、幼稚園の認定こども園への移行に関する意向等を踏まえて設定すること。この場合には、地方版子ども・子育て会議において当該都道府県子ども・子育て支援事業支援計画で定める数を調査審議するなど、その設定の透明化を図ること。

(イ) 都道府県知事は、アにかかわらず、保育所から幼保連携型認定こども園又は保育所型認定こども園（以下(イ)において「幼保連携型認定こども園等」という。）への移行の認可又は認定の申請があった場合において、当該幼保連携型認定こども園等が所在する都道府県設定区域における特定教育・保育施設の利用定員の総数（法第19条第１号に掲げる小学校就学前子どもに係るものに限る。）が、都道府県子ども・子育て支援事業支援計画において定める当該都道府県設定区域における特定教育・保育施設の必要利用定員総数（当該年度に係る同号に掲げる小学校就学前子どもに係るものに限る。）に、都道府県子ども・子育て支援事業支援計画で定める数を加えた数に既に達しているか、又は当該認可若しくは認定の申請に係る幼保連携型認定こども園等の設置によってこれを超えることになると認めるときを除き、当該幼保連携型認定こども園等の認可又は認定をするものとする。なお、都道府県子ども・子育て支援事業支援計画で定める数は、認定こども園への移行を促進するため、認定こども園・幼稚園・保育所等の利用状況や認定こども園への移行の希望に十分配慮し、保育所の認定こども園への移行に関する意向等を踏まえて設定すること。この場合には、地方版子ども・子育て会議において当該都道府県子ども・子育て支援事業支援計画で定める数を調査審議するなど、その設定の透明化を図ること。

エ　特定教育・保育施設に該当しない幼稚園が存在する場合に係る需給調整

都道府県知事は、アにかかわらず、教育・保育施設の認可又は認定の申請があったときは、当該認可又は認定の申請に係る教育・保育施設が所在する都道府県設定区域における当該年度の特定教育・保育施設の利用定員の総数（法第19条第１号に掲げる小学校就学前子どもに係るものに限る。）及び特定教育・保育施設に該当しない幼稚園の利用定員の総数の合計が、都道府県設定区域における当該年度の特定教育・保育施設に係る必要利用定員総数（同号に掲げる小学校就学前子どもに係るものに限る。）に既に達しているか、又は当該認可若しくは認定の申請に係る教育・保育施設の設置によってこれを超えることになると認める場合は、教育・保育施設の認可又は認定をしないことができる。

オ　当該年度の翌年度のア、イ又はウに係る必要利用定員総数（法第19条第１号に掲げる小学校就学前子どもに係るものを除く。以下オにおいて同じ。）がそれぞれ対応する当該年度の必要利用定員総数を上回る場合には、ア、イ及びウにかかわらず、当該年度の翌年度のそれぞれ対応する必要利用定員総数に基づき需給調整を行う。

3　子ども・子育て支援給付に係る教育・保育の一体的提供及び当該教育・保育の推進に関する体制の確保の内容に関する事項

都道府県は、認定こども園が幼稚園及び保育所の機能を併せ持ち、保護者の就労状況及びその変化等によらず柔軟に子どもを受け入れられる施設であることを踏まえ、現在の教育・保育の利用状況及び利用希望に沿って教育・保育施設の利用が可能となるよう、都道府県設定区域ごとの目標設置数及び設置時期、幼稚園及び保育所から認定こども園への移行に必要な支援その他地域の事情に応じた認定こども園の普及に係る基本的考え方を記載すること。中でも幼保連携型認定こども園については、学校及び児童福祉施設として１の認可の仕組みとした制度改正の趣旨を踏まえ、その普及に取り組むことが望ましい。

また、幼稚園教諭と保育士の合同研修に対する支援等の都道府県が行う必要な支援に関する事項を定めること。

また、第１の子ども・子育て支援の意義に関する事項並びに第２の一に掲げる教育・保育その他の子ども・子育て支援の質の確保及び向上に関する事項を踏まえ、教育・保育の役割提供の必要性等に係る基本的考え方及びその推進方策を定めること。その際、乳幼児期の発達が連続性を有するものであることや、幼児期の教育が生涯にわたる人格形成の基礎を培う重要なものであることに十分留意すること。さらに、第２の二の３に掲げる教育・保育施設及び地域型保育事業を行う者の相互の連携並びに認定こども園、幼稚園及び保育所と小学校等との連携についての基本的考え方を踏まえ、都道府県におけるこれらの連携の推進方策を定めること。

4　子育てのための施設等利用給付の円滑な実施の確保を図るために必要な市町村との連携に関する事項

都道府県は、市町村による子育てのための施設等利用給付の円滑な実施が行われるよう、特定子ども・子育て支援施設等の確認や公示、指導等の法に基づく市町村の事務の執行や権限の行使に際し、施設等の所在、運営状況、監査状況等の情報共有、立入調査への同行、関係法令に基づく是正指導等を行うなど、都道府県におけるこれらの連携の推進方策を定めること。

また、児童福祉法に基づく市町村への通知の積極的な運用はもとより、広域利用の実態を踏まえ、預かり保育事業や認可外保育施設等に係る基本的な情報について、市町村相互間及び市町村と都道府県間での連携が図られるよう方策を定めること。

5　特定教育・保育及び特定地域型保育を行う者並びに地域子ども・子育て支援事業に従事する者の確保及び資質の向上のために講ずる措置に関する事項

質の高い特定教育・保育及び特定地域型保育並びに地域子ども・子育て支援事業（以下「特定教育・保育等」という。）の提供に当たって基本となるのは人材であり、国、都道府県、市町村及び特定教育・保育等を提供する事業者は、特定教育・保育等に係る人材の確保及び養成を総合的に推進することが重要である。

都道府県は、このための中心的な役割を担っており、都道府県子ども・子育て支援事業支援計画において、保育教諭、幼稚園教諭、保育士その他の特定教育・保育及び特定地域型保育を行う者並びに地域子ども・子育て支援事業に従事する者の確保又は資質の向上のために講ずる措置に関する事項（特定教育・保育及び特定地域型保育を行う者の見込数を含む。）を定めること。この場合において、特定教育・保育及び特定地域型保育を行う者の養成及び就業の促進等に関する事項を盛り込むこと。その際、処遇改善を始めとする労働環境等にも配慮すること。また、地域子ども・子育て支援事業についても、従事する者の確保及び資質の向上が必要であることから、都道府県は、必要な支援を行うこと。

保育教諭については、認定こども園法附則第5条において、施行の日から起算して10年間は、幼稚園教諭の普通免許状又は保育士資格のいずれかを有する場合は保育教諭となることができることとし、国は、この間において、片方の免許又は資格のみを有している者の併有を促進するための特例措置を講じる。都道府県は、この特例措置について、対象者への周知等を行うことが望ましい。

また、待機児童の解消のためには、保育士の人材確保が重要であることから、国は、指定保育士養成施設、大学等との連携及び協働による研修等の充実や指定保育士養成施設の新規卒業者の確保、就業継続の支援、保育士資格を有しているものの保育士として保育現場において保育等に従事していないいわゆる「潜在保育士」の再就職等の支援等に係る必要な支援策等を講じるとともに、都道府県は、これらの施策等も活用して、積極的に保育士の人材確保及び質の向上を図ること。特に、保育士の質の向上を図るため、必要な研修等の実施体制の整備を含め、保育士を対象とした研修を積極的に実施すること。

また幼稚園教諭については、国は教育委員会、大学等との連携及び協働による研修等の充実や幼稚園教諭１種免許取得者数の増加に係る必要な支援策等を講じるとともに、都道府県は、これらの施策等も活用して、積極的に幼稚園教諭の人材確保及び質の向上を図ること。また、公立、私立を問わず幼稚園教諭等を対象とした研修を積極的に実施すること。

都道府県は、地域の実情に応じて研修の実施方法及び実施回数等を定めた研修計画を作成するとともに、研修受講者の記録の管理等を行うことなどにより、研修を計画的に実施することが必要である。

6　子どもに関する専門的な知識及び技術を要する支援に関する施策の実施に関する事項並びにその円滑な実施を図るために必要な市町村との連携に関する事項

次に掲げる施策を踏まえつつ、各都道府県の実情に応じた施策及びその実施のために必要な市町村との連携に関する事項を盛り込むこと。その際、子育て短期支援事業、乳児家庭全戸訪問事業、養育支援訪問事業、子育て世帯訪問支援事業、児童育成支援拠点事業、親子関係形成支援事業等の市町村が行う事業は、都道府県が行う専門的な知識等を要する施策と密接に関連しており、都道府県と市町村は、互いの役割分担や事業の実施状況等を踏まえ、計画策定段階から十分に調整、連携の上、取組を進める必要があることに留意が必要である。

㈠ 児童虐待防止対策の充実

児童虐待から子どもを守るためには、発生予防から早期発見、早期対応、子どもの保護及び支援、保護者への指導及び支援等の各段階での切れ目のない総合的な対策を講ずる必要がある。また、福祉、保健、医療、教育、警察等の関係機関が連携し、情報を共有して地域全体で子どもを守る体制の充実が必要であり、推進計画策定要領の規定するところのほか、以下の事項に沿って、市町村とも連携しつつ都道府県において計画を策定して推進する。

(1) 子どもの権利擁護

体罰によらない子育て等を推進するため、体罰や暴力が子どもに及ぼす悪影響や体罰によらない子育てに関する理解が社会で広まるよう、普及啓発活動を行う。また、児童相談所等は入所措置や一時保護等の際に子どもの最善の利益を考慮しつつ、その意見又は意向を勘案して措置を行うため、年齢、発達の状況その他の子どもの事情に応じ、適切に子どもの意見聴取を行う等の措置をとることとする。あわせて、都道府県は子どもの意見表明等の支援や子ども等からの申立てに基づき児童福祉審議会等が調査審議及び意見の具申を行う仕組みなど子どもの権利擁護に向けた必要な環境の整備を行う。

(2) 児童虐待の発生予防・早期発見

都道府県は、妊娠等に関して悩みを抱える妊婦等に対する相談体制の整備等の支援を行う。また、医療機関等と市町村との連携及び情報共有により、養育支援を必要とする子どもや妊婦の家庭を把握し、市町村等による必要な支援につなげるため、必要な環境整備や市町村等の取組への支援を行う。児童相談所と市町村その他の関係機関との適切な役割分担及び連携を図るため、児童相談所は、市町村（こども家庭センター及び児童福祉、母子保健等の担当部局）、保健センター、保健所、福祉事務所、児童委員、民生委員、保育所、認定こども園及び児童家庭支援センターその他の児童福祉施設、地域子育て相談機関、学校、教育委員会、警察、医師（産科医、小児科医、精神科医、法医学者等）、歯科医師、女性相談支援センター、女性相談支援員、配偶者暴力相談支援センター、性犯罪・性暴力被害者支援のためのワンストップ支援センター、ＮＰＯ、ボランティア等の民間団体並びに生活困窮者自立支援制度等の庁内関係部局の関係者との連携を強化する。また、都道府県は、対応が困難なケースには児童相談所が主体的に関与することを前提として、ケースに関する市町村との積極的な情報共有、支援方針の協議などの協働に努める。協議会における児童相談所の積極的な助言及び協議会関係者向けの研修の実施等により、協議会の機能強化や効果的運営を支援する。

加えて、児童相談所虐待対応ダイヤル「１８９（いちはやく）」の周知や、ＳＮＳ等を活用した相談・支援につながりやすい仕組みづくりを進めるとともに、女性に対する暴力をなくす運動の機会を捉え、ＤＶの特性や子どもへの影響等に係る啓発活動を推進することが必要である。

(3) 児童虐待発生時の迅速・的確な対応（児童相談所の体制強化等）

児童虐待防止対策の中心となる児童相談所の人員体制の強化及び専門性の向上が重要である。具体的には、新たなプランに基づき、ケースの組織的な管理及び対応、適切なアセスメント等を可能とするため、児童福祉司、児童心理司等を増員する等の職員の適切な配置、法律関係業務について常時弁護士による指導又は助言の下で対応するための体制整備、医学的な専門性確保のための医師の配置等の児童相談所の体制を強化することが必要である。また、研修等による職員の資質向上や親子再統合支援事業の実施により、保護者への指導及び支援を行うための専門性の確保を図る。加えて、一時保護等の介入的対応を行う職員と保護者支援を行う職員を分ける等の措置の実施や、第三者評価など児童相談所の業務に対する評価の実施、児童相談所業務の外部委託等の推進など、児童相談所の業務の見直しを進める。一時保護所については、子どもの視点に立って、権利が保障され、一時保護を必要とする子どもを適切な環境において保護できるよう、一時保護委託も含めて、個別対応できる居室の確保等の環境整備等機能及び体制の充実が必要である。

さらに、児童虐待による死亡事例等の重大事例について検証を行い、その結果に基づき再発防止のための措置を講じるほか、市町村が行う検証を支援する。

㈡　社会的養育の充実・強化

社会的養育の充実・強化については、平成28年の児童福祉法の改正において、児童が権利の主体として位置づけられるとともに、家庭養育の優先について規定された。こうした理念を実現するため、推進計画策定要領の規定するところに沿って、都道府県において計画を策定して推進する。

㈢　母子家庭及び父子家庭の自立支援の推進

母子家庭及び父子家庭の自立支援については、母子及び父子並びに寡婦福祉法、同法に基づく国の基本方針及びこれに則して都道府県等が策定する自立促進計画の定めるところにより、子育て・生活支援策、就業支援策、養育費の確保策及び経済的支援策を４本柱として、総合的な自立支援を推進する。

㈣　障害児施策の充実等

障害児等特別な支援が必要な子どもに対して、市町村における保健、医療、福祉、教育等の各種施策が体系的かつ円滑に実施されるよう、都道府県は専門的かつ広域的な観点からの支援を行うとともに、障害に応じた専門医療機関の確保等を通じ、適切な医療を提供するほか、教育支援体制の整備を図る等の総合的な取組を進めることが必要である。

医療的ケア児が身近な地域で必要な支援が受けられるよう、支援体制の充実を図る必要がある。さらに、心身の状況に応じた保健、医療、障害福祉、保育、教育等の各関連分野の支援が受けられるよう、保健所、病院・診療所、訪問看護ステーション、障害児通所支援事業所、障害児入所施設、障害児相談支援事業所、保育所、学校等の関係者が連携を図るための協議の場を設けること等により、各関連分野が共通の理解に基づき協働する総合的な支援体制を構築することが必要である。

また、障害児入所施設については、小規模グループケアの推進、身近な地域での支援の提供、本体施設の専門機能強化を進めることが必要である。

発達障害については、社会的な理解が十分なされていないことから適切な情報の周知も必要である。発達障害者支援センターについては、関係機関及び保護者に対する専門的情報の提供及び支援手法の普及が必要になっていることから、職員の専門性を十分確保するとともに、専門的情報及び支援手法の提供を推進することが必要である。また、特別支援学校については、特別支援学校教諭等免許状保有率の向上を図る等専門性の向上に努めるとともに、在籍する子どもへの教育や指導に加えて、幼稚園、小中学校等の教員の資質向上策への支援及び協力、地域の保護者等への相談支援並びに幼稚園、小中学校等における障害のある子どもへの教育的支援を行うことが必要である。

五　都道府県子ども・子育て支援事業支援計画の作成に関する任意記載事項

都道府県子ども・子育て支援事業支援計画において地域の実情に応じて定めることとされた事項は、次に掲げる事項その他別表第７に掲げる事項とする。

1　市町村の区域を超えた広域的な見地から行う調整に関する事項

市町村は、一の２の㈢により、市町村子ども・子育て支援事業計画の作成に当たって、市町村の区域を超えた教育・保育等の利用が行われている場合等必要な場合には、教育・保育の量の見込み並びに教育・保育の提供体制の確保の内容及びその実施時期等について、関係市町村と調整を行う。

都道府県は、当該市町村間の調整が整わない場合等必要な場合において、地域の実情に応じ、市町村の区域を超えた広域的な見地からの調整を行う。この調整は、一の２の㈢に規定する市町村子ども・子育て支援事業計画の作成に当たって行われる都道府県への報告等を通じて行われることから、都道府県子ども・子育て支援事業支援計画においては、当該報告その他の協議及び調整の手続等について定めること。

また、地域子ども・子育て支援事業については、四の６により、市町村子ども・子育て支援事業計画の作成段階から、都道府県が行う専門的な知識等を要する施策との関連性に配慮した十分な調整及び連携が必要であること等から、都道府県子ども・子育て支援事業支援計画において、市町村子ども・子育て支援事業計画の作成時における都道府県への協議及び調整について、必要な事項を定めること。

2 教育・保育情報の公表に関する事項

教育・保育を利用し、又は利用しようとする子どもの保護者等が適切かつ円滑に特定教育・保育施設又は特定地域型保育事業を利用する機会を確保するため、法第3章第1節第4款の規定による教育・保育情報の公表に係る体制の整備を始めとする教育・保育情報の公表に関する事項を定めること。

3 労働者の職業生活と家庭生活との両立が図られるようにするために必要な雇用環境の整備に関する施策との連携に関する事項

次に掲げる施策を踏まえつつ、各都道府県の実情に応じた施策をその内容に盛り込むこと。

㈠ 仕事と生活の調和の実現のための働き方の見直し（長時間労働の抑制に取り組む労使に対する支援等を含む）

仕事と生活の調和の実現については、憲章及び行動指針において、労使を始め国民が積極的に取り組むこと、国や地方公共団体が支援すること等により、社会全体の運動として広げていくことが必要とされている。

このため、地域の実情に応じ、自らの創意工夫の下に、次のような施策を進めることが望ましい。その際、市町村、地域の企業、経済団体、労働者団体、都道府県労働局、仕事と生活の調和の実現のための働き方の見直しや子ども・子育て支援に取り組む民間団体等と相互に密接に連携、協力し合いながら、地域の実情に応じた取組を進めることが必要である。具体的には、都道府県労働局に設置されている「仕事と生活の調和推進会議」に積極的に参画すること等により密接な連携を図ることが考えられる。

⑴ 仕事と生活の調和の実現に向けた労働者、事業主、地域住民の理解や合意形成の促進及び具体的な実現方法の周知のための広報・啓発

⑵ 法その他の関係法律に関する労働者、事業主、地域住民への広報・啓発

⑶ 仕事と生活の調和の実現のための働き方の見直し及び子ども・子育て支援に取り組む企業及び民間団体の好事例の情報の収集提供等

⑷ 仕事と生活の調和に関する企業における研修及びコンサルタント・アドバイザーの派遣

⑸ 仕事と生活の調和や子ども・子育て支援策に積極的に取り組む企業の認証、認定や表彰制度等仕事と生活の調和を実現している企業の社会的評価の促進

⑹ 融資制度や優遇金利の設定、公共調達における優遇措置等、仕事と生活の調和の実現に積極的に取り組む企業における取組の支援

㈡ 仕事と子育ての両立のための基盤整備

市町村と連携を図りつつ、広域的な観点から認定こども園や保育所の充実等多様な働き方に対応した子育て支援を展開する。

六 その他

1 子ども・子育て支援事業計画の作成の時期

市町村子ども・子育て支援事業計画については、法の施行の日までに作成することが必要であるが、教育・保育施設及び地域型保育事業の認可及び認定並びに特定教育・保育施設及び特定地域型保育事業の確認等の事務が法の施行の日の半年程度前に開始される予定であることに鑑み、教育・保育及び地域子ども・子育て支援事業の量の見込み並びに実施しようとする教育・保育及び地域子ども・子育て支援事業の提供体制の確保の内容及びその実施時期について、法の施行の日の半年程度前までにおおむねの案を取りまとめる必要がある。

また、都道府県子ども・子育て支援事業支援計画についても、教育・保育施設及び地域型保育事業の認可等の事務が法の施行の日の半年程度前に開始される予定であることに鑑み、教育・保育の量の見込み並びに実施しようとする教育・保育の提供体制の確保の内容及びその実施時期について、法の施行の日の半年程度前までにおおむねの案を取りまとめる必要がある。

2 子ども・子育て支援事業計画の期間

子ども・子育て支援事業計画は、法の施行の日から5年を1期として作成することとする。

3 子ども・子育て支援事業計画の達成状況の点検及び評価

市町村及び都道府県は、各年度において、子ども・子育て支援事業計画に基づく施策の実施状況（教育・保育施設や地域型保育事業の認可等の状況を含む。）や、これに係る費用の使途実績等について点検、評価し、この結果を公表

するとともに、これに基づいて対策を実施すること。この場合において、公立の教育・保育施設に係る施策の実施状況等についても、その対象とする必要があることに留意が必要である。この際、この一連の過程を開かれたものとするため、地方版子ども・子育て会議を活用することが望まれる。

評価においては、個別事業の進捗状況（アウトプット）に加え、計画全体の成果（アウトカム）についても点検・評価することが重要である。子ども・子育て支援の推進においては、利用者の視点に立った柔軟かつ総合的な取組が必要であり、このような取組を評価するため、利用者の視点に立った指標を設定し、点検及び評価を行い、施策の改善につなげていくことが望まれる。

法の施行後、教育・保育給付認定を受けた保護者の認定区分ごとの人数が、二の２の㈠若しくは四の２の㈠により定めた当該認定区分に係る量の見込みと大きく乖離している場合、又は地域子ども・子育て支援事業の利用状況や利用希望が、二の３の㈠により定めた地域子ども・子育て支援事業の量の見込みと大きく乖離している場合には、適切な基盤整備を行うため、計画の見直しが必要となる。このため、市町村は、教育・保育給付認定の状況を踏まえ、計画期間の中間年を目安として、必要な場合には、市町村子ども・子育て支援事業計画の見直しを行うこと。都道府県においても、市町村子ども・子育て支援事業計画の見直し状況等を踏まえ、必要な場合には、都道府県子ども・子育て支援事業支援計画の見直しを行うこと。なお、この場合において見直し後の子ども・子育て支援事業計画の期間は、当初の計画期間とすること。

４　子ども・子育て支援事業計画の公表

市町村は、市町村子ども・子育て支援事業計画を作成したときは、遅滞なく、これを都道府県知事に提出するほか、これを公表すること。

また都道府県は、都道府県子ども・子育て支援事業支援計画を作成したときは、遅滞なく、これを内閣総理大臣に提出するほか、これを公表すること。

５　東日本大震災による被害が甚大であった地方公共団体における子ども・子育て支援事業計画の作成等の取扱いについて

東日本大震災により甚大な被害を受けた市町村であって、将来の見通しを立てることが極めて困難なものにおいては、市町村子ども・子育て支援事業計画の作成に当たって、その実情に応じ、弾力的な取扱いを行っても差し支えないこととする。

６　成育医療等の提供の確保について

成育過程にある者及びその保護者並びに妊産婦に対し必要な成育医療等を切れ目なく提供するための施策の総合的な推進に関する法律の趣旨を踏まえ、妊娠・出産及び育児に関する問題、成育過程の各段階において生ずる心身の健康に関する問題等を包括的に捉えて適切に対応する医療及び保健並びにこれらに密接に関係する教育・福祉等に係るサービス等の提供が確保されるよう、都道府県子ども・子育て支援事業支援計画の作成に当たって適切な配慮をすることとする。

第４　児童福祉法その他の関係法律による専門的な知識及び技術を必要とする児童の福祉増進のための施策との連携に関する事項

市町村は、社会的養護施策等の対象となる要保護児童、障害児等特別な支援が必要な子ども等を含めた地域の子ども・子育て家庭全体を対象として、教育・保育及び地域子ども・子育て支援事業の基盤整備を行う。一方で、都道府県は、児童福祉法に基づき児童相談所の設置及び児童養護施設、障害児入所施設、児童発達支援センター等の設置認可を行うとともに、母子及び父子並びに寡婦福祉法に基づき自立促進計画に基づく施策を行うなど、要保護児童、障害児等特別な支援が必要な子ども等に係る専門性が高い施策を担う。このため、都道府県における必要な基盤整備を確保するとともに、市町村が第３の三の２により市町村子ども・子育て支援事業計画に定めた事項及び都道府県が第３の四の６により都道府県子ども・子育て支援事業支援計画に定めた事項を踏まえ、市町村と都道府県が行うこれらの施策の連携を確保し、支援を必要とする家庭に必要な支援が届くようにする必要がある。

市町村は、協議会の活用等により、特に養育支援を必要とする家庭を把握し、関係機関で情報共有、支援内容の協議等を行い、当該家庭に対し、児童福祉法第24条第５項の規定に基づく措置による保育所又は幼保連携型認定こども園への入所及び教育・保育の確実な利用の支援、同法第21条の18第２項の規定に基づく利用措置による家庭支援事業の利用その他の地域子ども・子育て支援事業等の活用等による支援を行うほか、都道府県の専門的な支援を必要とする場合には、都道府県と連携して対応する。

また、都道府県は、要保護児童等について、市町村による保育の措置及び地域子ども・子育て支援事業等による必要な支援を確保するほか、協議会の活用等により、これらの家庭に関する情報を市町村等の関係機関と共有し、支援方針を検討し、継続した支援を行う。

また、里親等委託を始めとする社会的養護により養育されている子どもや、社会的養護による養育から家庭復帰した子どもについても、市町村等の関係機関と連携し、地域の理解及び協力を得るとともに、地域の子ども・子育て支援等を活用することにより支援する。

第5　労働者の職業生活と家庭生活との両立が図られるようにするために必要な雇用環境の整備に関する施策との連携に関する事項

国民の希望する結婚、出産及び子育てを可能としつつ、働く意欲を持つ全ての若者の労働市場参加を実現し、男女が子育ての喜びを実感しながら仕事を続けられる社会をつくるためには、子ども・子育て支援施策の充実のみならず「働き方の改革」による仕事と生活の調和の双方を早期に実現することが必要である。

このため、国は、憲章及び行動指針を踏まえ、企業や労働者、国民の取組を積極的に支援するとともに、多様な働き方に対応した子ども・子育て支援のための社会的基盤づくりを積極的に行うため、以下の施策を推進する。

一　子育て期間中を含めた働き方の見直し

中小企業を含め、全ての企業において、育児休業及び短時間勤務等の柔軟な働き方に係る制度を利用しやすい環境整備を促進する等、子育て期間中を含めた男女双方の働き方の見直し

二　父親も子育てができる働き方の実現

子の出生直後の時期に柔軟に取得できる出生時育児休業（産後パパ育休）、父母ともに育児休業を取得する場合に休業期間を延長できる「パパ・ママ育休プラス」等を活用した男性の育児休業の取得促進、積極的に育児を担う男性を応援する男性の育児休業取得促進事業（イクメンプロジェクト）等による、職場や社会全体の意識の変革並びに男性の子育てへの関わりの支援及び促進

三　事業主の取組の社会的評価の推進

職業生活と家庭生活の両立に取り組む企業の取組を紹介するウェブサイトへの掲載等仕事と生活の調和を実現している企業の社会的評価の促進

四　国民への周知、理解の促進等

仕事と生活の調和の重要性に関する様々な機会を活用した国民の理解の促進、仕事と子育てを両立しやすい社会の実現に向けた社会的気運の醸成、インターネットによる周知・広報、両親学級等を通じた子育てに関する理解の促進等

第6　その他子ども・子育て支援のための施策の総合的な推進のために必要な事項

一　地方版子ども・子育て会議の設置に関する事項

市町村及び都道府県は、子ども・子育て支援事業計画等への子育て当事者等の意見の反映を始め、子ども・子育て支援施策を地域の子ども及び子育て家庭の実情を踏まえて実施することを担保するとともに、子ども・子育て支援事業計画を定期的に点検、評価し、必要に応じて改善を促すため、地方版子ども・子育て会議を置くことに努めること。

なお、地方版子ども・子育て会議の運営については、子どもの保護者、幼児期の学校教育、保育及び子育て支援の関係者等の参画を得るなど、会議が、地域の子ども及び子育て家庭の実情を十分に踏まえてその事務を処理することができるものとなるよう、留意すること。

二　地方版子ども・子育て会議における子ども・子育て支援策の点検・評価に関する事項

地方版子ども・子育て会議においては、毎年度、子ども・子育て支援事業計画に基づく施策その他の地域における子ども・子育て支援施策の実施状況（教育・保育施設や地域型保育事業の認可等の状況を含む。）や費用の使途実績等について点検、評価し、必要に応じて改善を促すこと。この場合において、公立の教育・保育施設に係る施策の実施状況等についても、その対象とする必要があることに留意が必要である。

市町村及び都道府県は、この結果を公表するとともに、これに基づいて必要な措置を講じること。

別表第１　市町村子ども・子育て支援事業計画必須記載事項

事　項	内　容
一　教育・保育提供区域の設定	教育・保育提供区域の設定の趣旨及び内容、各教育・保育提供区域の状況等を定めること。
二　各年度における教育・保育の量の見込み並びに実施しようとする教育・保育の提供体制の確保の内容及びその実施時期	一　各年度における教育・保育の量の見込み 別表第２の参酌標準を参考として、各年度における市町村全域及び各教育・保育提供区域について、認定区分ごと（法第19条第３号に掲げる小学校就学前子どもに該当する子どもにあっては、年齢区分ごと。次号、次表第２号及び別表第５第２号において同じ。）の教育・保育の量の見込み（満３歳未満の子どもについては保育利用率を含む。）を定め、その算定に当たっての考え方を示すこと。 二　実施しようとする教育・保育の提供体制の確保の内容及びその実施時期 認定区分ごと及び特定教育・保育施設（特定教育・保育施設に該当しない幼稚園を含む）又は特定地域型保育事業の区分ごとの提供体制の確保の内容及びその実施時期を定めること。
三　各年度における地域子ども・子育て支援事業の量の見込み並びに実施しようとする地域子ども・子育て支援事業の提供体制の確保の内容及びその実施時期	一　地域子ども・子育て支援事業の量の見込み 別表第３の参酌標準を参考として、各年度における市町村全域及び各教育・保育提供区域について、地域子ども・子育て支援事業の種類ごとの量の見込みを定め、その算定に当たっての考え方を示すこと。 二　実施しようとする地域子ども・子育て支援事業の提供体制の確保の内容及びその実施時期 地域子ども・子育て支援事業の種類ごとの提供体制の確保の内容及びその実施時期を定めること。
四　子ども・子育て支援給付に係る教育・保育の一体的提供及び当該教育・保育の推進に関する体制の確保の内容	認定こども園の普及に係る基本的考え方等を定めるほか、教育・保育及び地域子ども・子育て支援事業の役割、提供の必要性等に係る基本的考え方及びその推進方策、地域における教育・保育施設及び地域型保育事業を行う者の連携並びに認定こども園、幼稚園及び保育所と小学校等との連携の推進方策を定めること。
五　子育てのための施設等利用給付の円滑な実施の確保の内容	子育てのための施設等利用給付の実施に当たって、公正かつ適正な支給の確保、保護者の経済的負担の軽減や利便性等を勘案しつつ、給付方法について検討を行うこと等を定めること。

別表第２　教育・保育の参酌標準

事　項	内　容
一　法第19条第１号に掲げる小学校就学前子どもに該当する子ども	満３歳以上の小学校就学前子どもの数から法第19条第２号に掲げる小学校就学前子どもに該当する子どもの数を除いた数を基本として、保護者の利用希望等を勘案して、計画期間内における必要利用定員総数を設定すること。
二　法第19条第２号及び第３号に掲げる小学校就学前子どもに該当する子ども	認定区分ごとに、現在の保育の利用状況（認可外保育施設の利用及び幼稚園の預かり保育の定期的な利用を含む。）を基本として、保護者の利用希望等を勘案するとともに、「子育て安心プラン」を踏まえ、計画期間内における必要利用定員総数を設定すること。

別表第３　地域子ども・子育て支援事業の参酌標準

事　項	内　容
一　利用者支援に関する事業	利用希望把握調査等により把握した、子ども・子育て支援に係る情報提供、相談支援等の利用希望に基づき、子ども又は子どもの保護者の身近な場所で必要な支援を受けられるよう、地域の実情、関係機関との連携の体制の確保等に配慮しつつ、計画期間内における適切と考えられる目標事業量を設定すること。 目標事業量の設定に当たっては、地理的条件、人口、交通事情その他の社会的条件、子育てに関する施設の整備の状況等を総合的に勘案して定める区域（中学校区を目安とする。）ごとに、地域子育て相談機関の整備に努めることとされていることも考慮すること。
二　時間外保育事業	利用希望把握調査等により把握した、小学校就学前子どもの保育に係る希望利用時間帯を勘案して、計画期間内における適切と考えられる目標事業量を設定すること。
三　放課後児童健全育成事業	小学校就学前子どもに係る保育との連続性を重視しつつ、待機児童を解消する観点から、ニーズを幅広く想定し、前年度における５歳児のうち、法第19条第２号の認定を受けると見込まれる者や幼稚園における預か

	り保育の定期利用が見込まれる者等の数に基づき想定した利用希望又は利用希望把握調査により把握した放課後児童健全育成事業に係る利用希望を勘案して、計画期間内における適切と考えられる目標事業量を設定すること。
四　子育て短期支援事業	利用希望把握調査等により把握した、子育て短期支援事業の利用希望、児童虐待に係る相談に応じた実績、利用勧奨及び利用措置の見込み等に基づき、子育て援助活動支援事業等の他の事業による対応の可能性も勘案しながら、計画期間内における適切と考えられる目標事業量を設定すること。
五　乳児家庭全戸訪問事業	出生数等を勘案して、計画期間内における適切と考えられる目標事業量を設定すること。
六　養育支援訪問事業及び要保護児童対策地域協議会その他の者による要保護児童等に対する支援に資する事業	児童福祉法第6条の3第5項に規定する要支援児童及び特定妊婦並びに同条第8項に規定する要保護児童の数、児童虐待に係る相談に応じた実績、利用勧奨及び利用措置の見込み等を勘案して、計画期間内における適切と考えられる目標事業量を設定すること。
七　地域子育て支援拠点事業	利用希望把握調査等により把握した、地域子育て支援拠点事業の希望利用日数等に基づき、居宅より容易に移動することが可能な範囲で利用できるよう配慮しながら、計画期間内における適切と考えられる目標事業量を設定すること。
八　一時預かり事業	利用希望把握調査等により把握した、今後の利用希望、小学校就学前子どもを一時的に第三者に預けた日数（幼稚園の預かり保育を利用した日数（幼稚園の預かり保育を定期的に利用した場合を除く。）を含む。）の実績、利用勧奨及び利用措置の見込みを勘案して、子育て援助活動支援事業等の他の事業による対応の可能性も勘案しながら、計画期間内における適切と考えられる目標事業量を設定すること。
九　病児保育事業	以下のいずれかの方法で設定すること。 1　法第19条第2号又は第3号に掲げる小学校就学前子どもに該当する子どもの数を病児保育事業の利用可能性がある者と捉えた上で、利用希望把握調査等により把握した事業の利用実績及び利用希望を勘案して、計画期間内における適切と考えられる目標事業量を設定すること。 2　利用希望把握調査等により把握した事業の利用実績及び利用希望を勘案して、市町村が適切と考える区域ごとに整備されるよう、計画期間内における適切と考えられる目標事業量を設定すること。
十　子育て援助活動支援事業	利用希望把握調査等により把握した、子どもを一時的に第三者に預けた日数（幼稚園の預かり保育を定期的に利用した場合を除く。）の実績に基づき、一時預かり事業等の他の事業による対応の可能性も勘案しながら、計画期間内における適切と考えられる目標事業量を設定すること。
十一　妊婦に対して健康診査を実施する事業	母子保健法（昭和40年法律第141号）第13条第2項の規定による内閣総理大臣が定める望ましい基準及び各年度の同法第15条に規定する妊娠の届出件数を勘案して、計画期間内における適切と考えられる目標事業量を設定すること。

別表第4　市町村子ども・子育て支援事業計画任意記載事項

事　項	内　容
一　市町村子ども・子育て支援事業計画の理念等	市町村子ども・子育て支援事業計画に係る法令の根拠、基本理念、目的等を記載すること。
二　産後の休業及び育児休業後における特定教育・保育施設等の円滑な利用の確保に関する事項	育児休業満了時（原則1歳到達時）からの特定教育・保育施設又は特定地域型保育事業の利用を希望する保護者が、育児休業満了時から利用できるような環境を整えることが重要であることに留意しつつ、産前・産後休業、育児休業期間中の保護者に対する情報提供や相談支援等、特定教育・保育施設又は特定地域型保育事業の計画的な整備等、各市町村の実情に応じた施策を定めること。
三　子どもに関する専門的な知識及び技術を要する支援に関する都道府県が行う施策との連携に関する事項	児童虐待防止対策の充実、母子家庭及び父子家庭の自立支援の推進、障害児施策の充実等について、都道府県が行う施策との連携に関する事項及び各市町村の実情に応じた施策を定めること。
四　労働者の職業生活と家庭生活との両立が図られるようにするために必要な雇用環境の整	仕事と生活の調和の実現のための働き方の見直し及び仕事と子育ての両立のための基盤整備について、各市町村の実情に応じた施策を定めること。

備に関する施策との連携に関する事項	
四の二　地域子ども・子育て支援事業を行う市町村その他の当該市町村において子ども・子育て支援の提供を行う関係機関相互の連携の推進に関する事項	関係機関の連携会議の開催等及び関係機関の連携を推進する取組の促進について、各市町村の実情に応じた施策を定めること。
五　市町村子ども・子育て支援事業計画の作成の時期	市町村子ども・子育て支援事業計画の作成の時期を定めること。
六　市町村子ども・子育て支援事業計画の期間	市町村子ども・子育て支援事業計画の期間（５年間）を定めること。
七　市町村子ども・子育て支援事業計画の達成状況の点検及び評価	各年度における市町村子ども・子育て支援事業計画の達成状況を点検及び評価する方法等を定めること。

別表第５　都道府県子ども・子育て支援事業支援計画

必須記載事項

事　　項	内　　　　　　容
一　都道府県設定区域の設定	都道府県設定区域の趣旨及び内容、各都道府県設定区域の状況等を定めること。
二　各年度における教育・保育の量の見込み並びに実施しようとする教育・保育の提供体制の確保の内容及びその実施時期	一　各年度における教育・保育の量の見込み 別表第６の参酌標準を参考として、各年度における都道府県全域及び都道府県設定区域について、認定区分ごとの教育・保育の量の見込みを定め、その算定に当たっての考え方を示すこと。 二　実施しようとする教育・保育の提供体制の確保の内容及びその実施時期 認定区分ごと及び特定教育・保育施設（特定教育・保育施設に該当しない幼稚園を含む。）又は特定地域型保育事業の区分ごとの提供体制の確保の内容及びその実施時期を定めること。
三　子ども・子育て支援給付に係る教育・保育の一体的提供及び当該教育・保育の推進に関する体制の確保の内容に関する事項	都道府県設定区域ごとの認定こども園の目標設置数及び設置時期、幼稚園及び保育所から認定こども園への移行に必要な支援その他認定こども園の普及に係る基本的考え方等を定めるほか、教育・保育及び地域子ども・子育て支援事業の役割、提供の必要性等に係る基本的考え方及びその推進方策、地域における教育・保育施設及び地域型保育事業を行う者の連携並びに認定こども園、幼稚園及び保育所と小学校等との連携の推進方策を定めること。
四　子育てのための施設等利用給付の円滑な実施の確保を図るために必要な市町村との連携に関する事項	市町村による子育てのための施設等利用給付の円滑な実施が行われるよう、特定子ども・子育て支援施設等の確認や公示、指導等の法に基づく市町村の事務の執行や権限の行使に際し、施設等の所在、運営状況、監査状況等の情報共有、立入調査への同行、関係法令に基づく是正指導等を行うなど、都道府県におけるこれらの連携の推進方策等を定めること。
五　特定教育・保育及び特定地域型保育を行う者並びに地域子ども・子育て支援事業に従事する者の確保及び資質の向上のために講ずる措置に関する事項	特定教育・保育及び特定地域型保育を行う者並びに地域子ども・子育て支援事業に従事する者の確保又は質の向上のために講ずる措置に関する事項（特定教育・保育及び特定地域型保育を行う者の見込み数を含む。）等を定めること。
六　子どもに関する専門的な知識及び技術を要する支援に関する施策の実施に関する事項並びにその円滑な実施を図るために必要な市町村との連携に関する事項	児童虐待防止対策の充実、社会的養護体制の充実、母子家庭及び父子家庭の自立支援の推進並びに障害児施策の充実等について、都道府県の実情に応じた施策及びその実施のために必要な市町村との連携に関する事項を定めること。

別表第６　教育・保育の参酌標準

事　　項	内　　　　　　容
法第19条各号に掲げる小学校就学前子どもに係る教育・保育	市町村子ども・子育て支援事業計画における数値を都道府県設定区域ごとに集計したものを基本として、第３の五の１を踏まえて都道府県設定区域ごとの広域調整を行ったものを定めること。

別表第７　都道府県子ども・子育て支援事業支援計画

任意記載事項

事　項	内　容
一　都道府県子ども・子育て支援事業支援計画の基本理念等	都道府県子ども・子育て支援事業支援計画に係る法令の根拠、基本理念、目的及び特色等を記載すること。
二　市町村の区域を超えた広域的な見地から行う調整に関する事項	市町村子ども・子育て支援事業計画の作成時及び特定教育・保育施設の利用定員の設定時における都道府県と市町村の協議及び調整等に係る事項を定めること。
三　教育・保育情報の公表に関する事項	事業者が提供する教育・保育に係る教育・保育情報の公表に関する実施体制の整備を始めとする教育・保育情報の公表に関する事項を定めること。
四　労働者の職業生活と家庭生活との両立が図られるようにするために必要な雇用環境の整備に関する施策との連携に関する事項	仕事と生活の調和の実現のための働き方の見直し及び仕事と子育ての両立のための基盤整備について、各都道府県の実情に応じた施策を定めること。
五　都道府県子ども・子育て支援事業支援計画の作成の時期	都道府県子ども・子育て支援事業支援計画の作成の時期を定めること。
六　都道府県子ども・子育て支援事業支援計画の期間	都道府県子ども・子育て支援事業支援計画の期間（５年間）を定めること。
七　都道府県子ども・子育て支援事業支援計画の達成状況の点検及び評価	各年度における都道府県子ども・子育て支援事業支援計画の達成状況を点検及び評価する方法等を定めること。

○子ども・子育て支援法に基づく保育充実事業及び協議会の実施について

〔平成30年４月９日　府子本第350号・子保発0409第１号・29初幼教第18号
各都道府県・各指定都市・各中核市子ども・子育て支援新制度担当部・民政主管部局（長）・教育委員会幼稚園関係事務主管部課（長）宛　内閣府子ども・子育て本部参事官（子ども・子育て支援担当）・厚生労働省子ども家庭局保育・文部科学省初等中等教育局幼児教育課長連名通知〕

注　令和５年３月31日府子本第385号・子保発0331第１号・４初幼教第32号改正現在

「子ども・子育て支援法の一部を改正する法律」（平成30年法律第12号。以下「改正法」という。）により、保育の実施への需要が増大している市町村（特別区を含む。以下同じ。）等は、当分の間、保育の量的拡充及び質の向上を図るため、「保育充実事業」を行うことができることとするとともに、都道府県は、保育の需要に応ずるための市町村の取組を支援するため、当該都道府県、関係市町村等により構成される協議会を組織することができることとされた。

今般、改正法に基づく保育充実事業の実施及び協議会の設置に当たっての留意事項を下記のとおり定めた。

各都道府県におかれては、内容について十分御了知の上、貴管内市町村に対して遅滞なく周知を図られたい。

なお、本通知は地方自治法（昭和22年法律第67号）第245条の４第１項に規定する技術的助言として発出するものであることを申し添える。

記

第１　保育充実事業について

１　趣旨

待機児童の解消に向けた保育の受け皿の拡大は喫緊の課題である。このため、「新しい経済政策パッケージ（平成29年12月８日閣議決定）」において「子育て安心プラン」を前倒しし、2020年度末までに32万人分の保育の受け皿を整備することとしており、待機児童解消に向けた取組を集中的に行う必要がある。さらに、「子育て安心プラン」においては、保育の受け皿の拡大と保育の質の確保を「車の両輪」で進めることとしている。

このため、改正法において、保育の量的拡充及び質の向上を図るために行う小学校就学前子どもの保育に係る子ども・子育て支援に関する事業を保育充実事業として法律上に位置付け、当分の間、当該事業の集中的な取組を推進することとした。

その際、保育の受け皿の拡大については、一定の質が確保されている認可保育所等を整備していくことが望ましく、認可保育所等の整備に当たっては、既存の施設を活用することも重要であることから、

・認可保育所等への移行を目指す認可外保育施設に対して運営費を補助する事業（以下「認可化移行運営費支援事業」という。）

・幼保連携型認定こども園等への移行に向けて私立幼稚園が行う長時間預かり保育の運営費を補助する事業

を保育充実事業として規定するとともに、国は当該事業を行う市町村に対して補助することができることとした。

２　保育充実事業についての留意事項

(1)　特定市町村又は事業実施市町村について

①　特定市町村について

子ども・子育て支援法施行規則の一部を改正する内閣府令（平成30年内閣府令第21号）において、以下のイ又はロに該当する市町村を特定市町村としている。

イ　事業の実施の前年度の４月１日以降において待機児童がいること

ロ　事業の実施年度以降に特定教育・保育施設（認定こども園又は保育所に限る。）、特定地域型保育事業又は特例保育を行う施設の利用の申込みが増加することが見込まれること

イの待機児童の有無については、各年度の４月１日時点の保育所等利用待機児童数調査の結果によるほか、当該調査で待機児童がいない場合であっても、調査日以降に個別に待機児童を把握した場合には、特定市町村に該当すること。

また、ロについては、『「新子育て安心プラン」の実施方針について』（令和３年１月21日子保発0121第１号）による新子育て安心プラン実施計画の申込児童数の見込みによるほ

か、当該計画策定時には申込児童数が増加する見込みでない場合であっても、計画策定後の状況の変化により、申込児童数が増加する見込みとなった場合には、特定市町村に該当すること。

② 事業実施市町村について

事業実施市町村（特定市町村以外の市町村）については、保育の量的拡充及び質の向上を図るため特に必要があるときは保育充実事業を行うことができることとされているが、「特に必要があるとき」とは、例えば、管内の認可外保育施設の保育従事者数や資格、構造設備等に関して、保育の質の確保のために改善を図る必要がある場合や、比較的多くの児童が管内の認可外保育施設に通っている状況等が想定されること。

具体的には、管内の認可外保育施設の指導監査の結果や、市町村管内の小学校就学前児童に占める認可外保育施設に通う児童の割合等を踏まえ、認可外保育施設の認可化移行等の必要性から判断されるものであること。

(2) 保育充実事業の実施に当たっての手続的事項

子ども・子育て支援法（平成24年法律第65号。以下「法」という。）附則第14条第１項及び第２項において、特定市町村又は事業実施市町村が保育充実事業を実施するに当たっては、法第61条第１項に規定する市町村子ども・子育て支援事業計画（以下「市町村計画」という。）に定めることとしているが、できるだけ速やかに市町村計画を改定すること。

また、市町村計画に定める際には、法第61条第７項に基づき、市町村における審議会その他の合議制の機関（市町村子ども・子育て会議）等の意見を聴くこととされていることに留意すること。

(3) 保育充実事業の実施期間

法附則第14条第１項において、保育充実事業は当分の間行うこととしており、具体的な期限は定められていないが、令和２（2020）年12月に公表した「新子育て安心プラン」において、令和３（2021）年度から令和６（2024）年度末までの４年間で約14万人分の保育の受け皿を整備し、できる限り早く待機児童の解消を目指すこととしていることから、令和６年度末までの集中的な取組が重要であることに留意すること。

(4) 保育充実事業に対する国の補助

保育充実事業に対する補助の詳細については、「子どものための教育・保育給付費補助事業の実施について」（平成27年４月13日付け雇児発0413第36号厚生労働省雇用均等・児童家庭局長通知）及び「子どものための教育・保育給付費補助金の国庫補助について」（平成28年８月９日付け府子本第506号内閣総理大臣通知）を参照すること。

第２ 協議会について

１ 趣旨

法第62条第１項に基づき、都道府県は、当該都道府県内の教育・保育の提供体制の確保内容等の事項について、都道府県子ども・子育て支援事業支援計画（以下「都道府県計画」という。）に定めるとともに、法第３条第２項に基づき、市町村に対して必要な助言及び適切な援助を実施することとされている。

改正法において、待機児童解消を促進するための方策として、こうした現行の都道府県による市町村の取組の支援をより実効的なものとするため、都道府県は、小学校就学前子どもの保育に係る子ども・子育て支援に関する施策であって、市町村の区域を超えた広域的な見地から調整が必要なもの又は特に専門性の高いものについて、当該都道府県、関係市町村等により構成される協議会を組織することができることとした。

２ 協議会についての留意事項

(1) 協議会の設置に当たっての手続的事項

協議会の設置に当たっては、都道府県の条例に根拠を規定する必要はなく、必要に応じて設置に係る要綱等を作成するなどにより設置して差し支えないこと。

また、協議会の設置単位は、都道府県単位での設置に限られず、管内区域ごとに分割して複数設けることも可能であること。

(2) 協議会の構成員

都道府県が協議会を設置する際、協議会を通じて待機児童解消等の取組の支援をする必要があると認める市町村その他の構成員と事前に調整した上で、都道府県が構成員を決定すること。設置後の協議会の組織・運営は、協議会において定めること。

また、構成員とする市町村の範囲について、都道府県は、協議会を通じて待機児童解消等の取組の支援をする必要があると認める市町村を広く協議会の構成員とすることが望ましいが、全ての市町村を構成員とする必要はないこと。

なお、協議会は、待機児童の解消に向けた個別具体的な施策について、実務的な協議をすることが重要であるため、協議会の出席者は、都道府県・市町村の実務担当者等とすることが望ましいこと。

(3) 協議会の協議事項

協議会における協議事項は、地域の実情に応じて協議会が定めるものであること。また、協議を通じて、各協議事項について適切なＫＰＩ（達成すべき成果目標）及びその達成時期を定めること。また、協議会においてＰＤＣＡサイクルに基づき、協議が整った事項の進捗管理を行うこと。なお、協議事項の例としては、下記の事項が考えられること。

① 受け皿整備の推進
- 市境を越えた児童の受入れのための市町村間の広域利用に係る協定締結を支援すること
- 保育所等の多様な事業主体の参入を促進すること
- 市町村内の保育提供区域ごとの保育所等の整備計画の精査に関すること
- 市町村が独自で定める人員配置基準等の上乗せ基準について、保育利用者や学識経験者等の多様な視点から検証すること
- 保育所整備や幼稚園の活用等の先進事例の横展開に関すること

② 保育人材の確保・資質の向上
- 必要保育士数と予定確保数の推計や広域的な人材確保策に関すること
- 保育人材が不足している地域の求人票の優先的な紹介等による保育士需給の調整に関すること
- 保育士等キャリアアップ研修についての都道府県研修実施計画の分野別定員数の調整その他の保育士の養成に関すること
- 保育士確保のための広域的な広報活動の推進に関すること

③ 新たな待機児童対策提案型事業の実施
- 待機児童解消等に向けた先駆的な取組として実施しようとする事業の内容の検討に関すること
- 実施した取組を全国的に展開するための事業周知に関すること

④ その他保育に関する情報の共有・調整等
- 保育事業者の事務負担軽減のための都道府県の指導監査と市町村の確認監査の監査項目の調整に関すること
- 広域的な保育所等の利用が進むよう保育の利用申込みに係るシステムや書類の様式、利用調整に係る基準、保育料等の市町村間の差異を調整すること
- 空き定員の有効活用のため、保育所ごとの空き状況等の保育利用者が必要とする情報の把握及び「見える化」の徹底を行うこと

(4) 協議会設置の際の届出

子ども・子育て支援法施行規則（平成26年内閣府令第44号）附則第10条第４項の規定に基づく協議会設置の際の届出については、別紙様式例を参考に、遅滞なく行うこと。

なお、法附則第14条第１項に規定する特定市町村であって、協議会が協議する施策の対象とする特定市町村が実施する保育充実事業（認可化移行運営費支援事業に限る。）に対する補助の加算には、協議会設置の際の届出が必要となることに留意すること。

また、届出事項に変更が生じた場合又は協議会を休止若しくは廃止した場合には、別紙様式例を参考に届け出ること。

(5) 都道府県計画への反映

協議会で協議が調った事項の都道府県計画への反映については、保育に係る子ども・子育て支援に関する施策の円滑かつ確実な実施のための必要性の観点から、都道府県の判断により行うこと。なお、法第62条第２項各号に掲げる事項については都道府県計画に定めるとともに、同条第３項各号に掲げる事項については、都道府県計画に定めるよう努めること。

都道府県計画への反映に当たっては、協議会において決定したＫＰＩ及びその達成時期も含めて定めるとともに、都道府県が当該計画に基づきＰＤＣＡサイクルを回し、目標達成に向けた進捗管理を徹底することが重要であること。

また、都道府県計画に定める際には、法第62条第５項に基づき都道府県における審議会その他の合議制の機関（都道府県子ども・子育て会議）等の意見を聴くこととされていることから、協議会の協議を進めるに当たっては、その進捗状況を報告すること等により適切に当該機関等と連携をとること。

別紙様式例　略

○子ども・子育て支援法に基づく保育充実事業の実施及び協議会の設置に関する質疑応答集（Q＆A）について

〔平成30年４月16日　事務連絡
各都道府県・各指定都市・各中核市子ども・子育て支援新制度担当・民生主管部局・教育委員会幼稚園関係事務主管部課宛　内閣府子ども・子育て本部参事官（子ども・子育て支援担当）付・厚生労働省子ども家庭局保育・文部科学省初等中等教育局幼児教育課〕

平素より子ども・子育て支援施策の推進等につきまして、格別の御尽力を賜り厚く御礼申し上げます。

子ども・子育て支援法の一部を改正する法律（平成30年法律第12号）等の施行については、「子ども・子育て支援法の一部を改正する法律の公布等について」（平成30年４月２日付け府子本第326号）及び「子ども・子育て支援法に基づく保育充実事業及び協議会の実施について」（平成30年４月９日付け府子本第350号・子保発0409第１号・29初幼教第18号）において、改正概要及びその留意事項を通知したところです。

今般、保育充実事業の実施及び協議会の設置に関する詳細事項について、質疑応答集を別添のとおりとりまとめましたのでお示しします。

各都道府県におかれては、内容について十分御了知の上、貴管内市区町村に対して遅滞なく周知いただくようお願いします。

別　添

保育充実事業の実施及び協議会の設置に関する質疑応答集（Q＆A）

１　保育充実事業について

> Q１：認可化移行運営費支援事業について、５％の協議会設置加算のほか、どのような拡充を行うのでしょうか。

A：現行の認可化移行運営費支援事業は、認可保育所等の人員配置基準に対して実際に配置されている保育士数の比率に応じ、児童の年齢ごとに補助単価を設定していますが、平成30年度予算では、認可保育所等にならい、児童の年齢に加え、施設の規模（定員区分）に応じた単価を設定するとともに、その額を公定価格ベース（※）の２／３相当額に引き上げることとしています。

※公定価格（基本分＋所長設置加算）の公費負担額。

> Q２：協議会で協議する施策の対象となる市として協議会に参加する予定ですが、交付申請の時点で協議会の設置届が出ていません。この場合は協議会の設置加算を受けられるのでしょうか。

A：交付申請を行った後、当該年度中に協議会設置届出書が提出された場合には、交付申請の変更申請を行っていただく必要があります。

２　協議会について

> Q３：協議会の設置に必要な具体的な事務フローはどのようなものでしょうか。

A：別紙１をご参照ください。

> Q４：協議会の設置にあたって、都道府県は構成員とする市区町村をどのように決定すればよいでしょうか。

A：協議会を通じて待機児童解消等の取組を支援する必要がある市区町村（待機児童がいる市区町村など）や、協議会において協議する待機児童解消のための施策に関係する市区町村（空き定員がある保育所等が管内にある市区町村であって、市境を越えた待機児童の受入先と考えられる市区町村など）のように、協議会に参加していただく必要性がある市区町村のほか、管内市区町村からの協議会への参加の意向等を考慮し、都道府県において構成員とすべき市区町村を判断し、当該市区町村と事前に調整した上で、構成員を決定してください。

> Q５：保育事業者や学識経験者を協議会の構成員とせず、都道府県と市区町村だけで組織することは可能でしょうか。

A：都道府県と市区町村だけで組織することも可能です。ただし、協議事項によっては保育事業者や学識経験者など、多様な視点を踏まえて協議することが重要であることから、構成員としない場合であっても、必要に応じ、協議会の場で個別にヒアリングを実施するなどにより参加いただくことが望ましいです。

> Q６：より広域的な見地からの調整を行うため

に、同一県内にとどまらず、隣接する都道府県内の市区町村を含めた協議会を設置することは可能か。

A：子ども・子育て支援法施行規則附則第10条第２項第３号に基づき、隣接する他県の市区町村にも協議会に参加いただき、より広域的な見地から協議することは可能です。

Q７：国の機関を協議会の構成員として加えることも可能でしょうか。

A：都道府県が必要と認めるときは、保育人材の確保や都市公園における保育所整備等の観点から、都道府県からの要請により、ハローワークや地方整備局等の国の機関も構成員に加えることも可能です。

　なお、協議会の構成員とする場合は、当該国の機関と事前に調整していただくようお願いします。

Q８：協議会の協議事項については、どのような事例が考えられるでしょうか。

A：協議会の協議事項は、地域の実情に応じて各協議会において判断することとなりますが、協議事項の具体例としては、別紙２の事項が考えられます。

Q９：待機児童がいる市区町村が、独自に国を上回る人員配置基準や面積基準を定めている場合には、当該上乗せ基準について協議することになるのでしょうか。

A：協議事項の１つとなることも想定されますが、協議事項とするかどうかは、地域の実情に応じて各協議会において判断することとなります。

Q10：市区町村間の広域利用については、市区町村が個別に協議するのではなく、協議会の場で協議することでどのような効果が想定されるのでしょうか。

A：２つの市の間で個別に広域利用のための協定を締結する事例はありますが、例えば、特定の市区町村の待機児童を複数の市区町村が受け入れるような場合、個別に各市区町村それぞれと協定締結のための協議をする場合と異なり、多くの関係市区町村が参加する協議会では、機動的かつ効率的に協議を進めることが可能と考えています。

Q11：協議会における協議事項の１つとして、市区町村の保育所等の整備計画の精査に関することが例示されていますが、協議会において誰がどのように精査することをイメージしているでしょうか。

A：市町村子ども・子育て支援事業計画の精査については、当該計画の策定後の就学前児童数の動向（大規模マンションの建設による就学前児童数の増加、出生数の増加等）や保育ニーズの動向（女性就業率や共働き世帯割合の増加等）の変化を踏まえ、都道府県や学識経験者が各々の専門的又は広域的な視点から当該計画を確認し、精査することが考えられます。

Q12：協議会の協議事項について、ＫＰＩ（達成すべき目標）及びその達成時期を定めることとされていますが、具体的にはどのようなものでしょうか。

A：ＫＰＩは、協議事項それぞれについて、例えば受け皿整備量や保育人材の確保数など、可能な限り定量的な目標を定めていただくことが重要です。具体的なＫＰＩについては別紙３を参照してください。

Q13：都道府県は、協議会で定めたＫＰＩ及びその実施時期を計画に定めるとともに、当該計画に基づきＰＤＣＡサイクルを回し、目標達成に向けた進捗管理を徹底することとされていますが、具体的にはどのようにＰＤＣＡサイクルを回すことを想定しているでしょうか。

A：都道府県は、協議会で定めたＫＰＩ及びその実施時期に照らし、当該ＫＰＩの達成に向けて都道府県及び関係市区町村が実施する必要のある事項を洗い出し、具体的な工程表を策定するとともに、定期的に協議会を開催するなどして関係市区町村に対し状況の確認を行うことが重要です。また、進捗状況が当初の想定から遅れている場合には、都道府県から必要な援助・助言を行うことにより、進捗状況を適切に管理していただくことが重要です。

（例）協議会での協議の結果、平成31年度から平成32年度までの２年間でＡ市の待機児童100人分を隣接するＢ市、Ｃ市の保育所の空き定員を活用して受け入れるＫＰＩを設定した場合の協議会におけるＰＤＣＡサイクル例

・３市間の協定の締結に向け、都道府県が他の都道府県の好事例の調査・収集を行い、協定案を協議会の場で提示・調整（平成30年６月～）
・３市の協定の締結（平成30年10月）
・３市の市町村計画の改定案の協議（平成30年12月）

・３市で利用調整等の事務処理要領等改定案の調整（平成31年３月） ・Ｂ市・Ｃ市によるＡ市の待機児童受け入れの開始（平成31年４月）	・定期的な協議会の開催によりＡ市の待機児童及びＢ市・Ｃ市の受け入れ状況の確認・評価（平成31年４月～） ・必要に応じて、達成目標・時期の修正

別紙１

協議会の設置に関する手続きについて

都道府県は、小学校就学前子どもの保育に係る子ども・子育て支援に関する施策であって、市区町村の区域を超えた広域的な見地から調整が必要なもの又は特に専門性の高いものについて、当該都道府県、関係市区町村等により構成される協議会を組織することができる。

都道府県

①　待機児童解消等の取組を支援する市区町村等と協議事項等の方針を事前協議

↓

②　協議会の立ち上げ

↓

③　内閣総理大臣に対して以下の事項を届出
・協議会を設置した旨
・協議会の名称
・協議会で協議する施策の対象とする市区町村の名称

↓

協議会

④　市区町村の待機児童解消等の取組を支援する施策について協議。協議事項のＫＰＩや達成時期のとりまとめ

↓

都道府県

⑤　協議会でとりまとめられた事項について、必要に応じて都道府県子ども・子育て支援事業支援計画に反映するとともに、市区町村の取組を支援

↓

市区町村

⑥　協議会でとりまとめられた事項について、都道府県の支援を受けて実施

↓

協議会

⑦　ＰＤＣＡサイクルに基づき、市区町村の取組の進捗状況を評価し、必要に応じて取組の改善方策について協議

別紙２

協議会において協議することが考えられる事項

【受け皿確保の促進】

（遊休地等の活用）

・国有地、都市公園、郵便局、学校等の余裕教室等の活用による保育所等の設置促進

・大規模マンションでの保育所等の設置促進

・地域連携コーディネーターの活用方法を含む保育所等の整備のための民有地のマッチングの好事例の横展開

・賃借方式等も活用した保育の受け皿整備の検討

（小規模保育事業等の活用）

・小規模保育事業等の連携施設の設定の好事例の横展開

・家庭的保育の地域コンソーシアムの形成の好事例の横展開

・サテライト型小規模保育事業の促進

（認可化移行支援の活用）

・認可外保育施設の認可化移行支援の促進及び好事例の横展開

（企業主導型保育事業等の活用）

・企業と保育事業者のマッチングの好事例の横展開

・企業主導型保育事業や事業所内保育事業の地域枠の活用の好事例の横展開

（認定こども園の活用）

・認定こども園への移行促進

（幼稚園の活用）

・幼稚園における預かり保育（長時間化・通年化）及び一時預かり事業（幼稚園型Ⅱ）等による２歳児受入れの推進

（広域利用）

・市区町村間において，自治体をまたがる子どもの受入れのための広域利用に係る協定締結の支援

・広域的保育所等利用事業の活用の好事例の横展開

（受け皿の推計）

・市区町村の保育提供区域ごとの保育所等の整備計画の精査

（用地の確保）

・保育所等の土地を有料で貸し付けている所有者に対する固定資産税の減免に関する横展開

（人員配置基準等の検証）

・市区町村が独自で定める人員配置基準等の上乗せ基準について、保育利用者や学識経験者等の多様な視点からの検証

（多様な主体の参入促進）

・多様な保育所等の事業主体の参入促進

（地域住民との調整）

・地域住民との調整に関する好事例の横展開

【多様な就労形態に応じた保育】

（多様な保育の受け皿確保）

・自治体をまたがる土曜日共同保育、夜間保育、医療的ケア児への保育などの受け皿の確保の協議

（関係機関との連携）

・医療的ケア児への保育に関する医療機関等関係機関との連携等の好事例の横展開

【保育人材の確保及び資質の向上】

（保育人材の確保）

・市区町村での受け皿の整備予定等を踏まえた必要保育士数と予定確保数の推計や広域的な人材確保策の検討

・保育士養成校の学生の保育所等への就職促進

・保育人材が不足している地域の求人票の優先的な紹介等による保育士需給の調整

・保育士の子どもの優先入所の横展開

・保育士の子どもの優先入所について、勤務地と子どもの入所する保育所の在所地の自治体が異なる場合の取扱いの協議

・各種保育人材確保策の活用促進

・幼稚園教諭免許状を有する者の保育士資格取得の促進

・保育所等従事者の保育士資格取得の促進

・保育士確保のための広域的な広報活動の推進

（潜在保育士の復帰促進等）

・潜在保育士の把握・復帰促進に関する好事例の横展開

・保育士・保育所支援センターの活用促進

（多様な人材の活用）

・短時間正社員制度の活用に関する好事例の横展開

（業務負担軽減）

・保育補助者等の活用の好事例の横展開

・保育人材の業務負担軽減のためのＩＣＴ化に関する好事例の横展開や統一システムの導入

・保育所等における業務の集約化の好事例の横展開

・保育人材の雇用管理改善に関する好事例の横展開

（資質の向上）

・保育士等キャリアアップ研修についての都道府

県研修実施計画の分野別定員数の調整その他の保育士の養成に関すること

【保育に関する情報の共有・調整等】

（情報の共有）

・空き定員の有効活用のための保育所ごとの空き状況等の保育利用者が必要とする情報の把握及び「見える化」の徹底

・企業主導型保育事業等と市区町村の連携に関する協議

（監査の調整）

・保育事業者の事務負担軽減のための都道府県の指導監査と市区町村の確認監査の監査項目の調整

・指導監査における必要書類の軽減に関する協議

（運用の調整）

・意欲のある事業所の積極的な参入に向けた認可基準を満たす施設の積極的かつ公平・公正な認可のための自治体間の運用の調整

・広域的な保育所等の利用が進めるための保育の利用申込みに係るシステムや書類の様式、利用調整に係る基準、保育料等の市区町村間の差異の調整

・就労証明書等事業者が発行する書類の共通様式化

（保護者支援と利用調整）

・保育コンシェルジュの活用の好事例の横展開

別紙３

ＫＰＩについて

協議会では、待機児童解消に向けた取組の達成状況を評価するため、各協議事項について評価指標を設定することが重要。

協議事項（例）	ＫＰＩ（例）	具体的なＫＰＩの設定（例）
１．受け皿整備の推進		
各市区町村の保育ニーズの見込みの適正化	子育て安心プラン実施計画における保育ニーズの見込と実績の乖離を是正・解消した市区町村数	子育て安心プラン実施計画における平成30年度の保育ニーズの見込みに実績との乖離がみられた市が５市あった場合 【例】見込みと実績に乖離がみられた５市全ての翌年度の計画において、見込値をより精緻に分析して是正し乖離を解消 ※乖離の解消の例 H30.4　見込：1,000人　実績：1,500人　乖離率　50％ H31.4　見込：1,800人　実績：1,700人　乖離率　▲5.5％
認可外保育施設の認可化移行の促進	認可保育所等に移行した認可外保育施設数を設定	都道府県管内に認可外保育施設が10か所ある場合 【例】各年度の認可化移行施設数： H30.4.1　認可外保育施設　10か所 H31.4.1　認可外保育施設　８か所　認可化移行施設　２か所 H32.4.1　認可外保育施設　２か所　認可化移行施設　８か所 H33.4.1　認可外保育施設　０か所　認可化移行施設　10か所
保育所等の広域利用に係る協定の締結を支援	広域利用に係る協定の締結を目指す各市区町村の施設ごとの市境を越えた受け入れ児童数を設定	平成31年度から平成32年度末までに、Ａ市におけるＢ市又はＣ市の保育所に通園可能な地域に待機児童が50人発生する見込みの場合 【例】平成31年度・32年度でそれぞれ下記の児童数を市境を越えて受け入れ： ・Ｂ市…b1保育所４名　b2保育所６名　b3保育所５名 ・Ｃ市…c1保育所３名　c2保育所４名　c3保育所３名
公平・公正な認可制度の導入による多様な保育主体の参入促進	社会福祉施設又は学校法人以外の法人の認可について、経済的基礎、社会的信望、幹部職員の知識又は経験の基準を公表する自治体数を設定	市区町村が、児童福祉法第35条第５項第１号～３号に掲げる社会福祉法人又は学校法人以外の法人の認可について、法人の経済的基礎、法人経営者の社会的信望、実務担当幹部職員の知識又は経験についての基準を公表していない場合 【例】管内市区町村の80％が認可のために満たすべき基準を公表

協議事項（例）	ＫＰＩ（例）	具体的なＫＰＩの設定（例）
小規模保育事業等の卒園児の円滑な保育所等への入所促進	連携施設への円滑な入所ができない児童数の解消期限を設定	管内市区町村の小規模保育事業等において、３歳以降の継続入所を行っている児童が10名いる場合 【例】平成31年度までに３歳以降の継続入所の解消
２．保育人材の確保・資質の向上		
保育士が不足している地域の求人票の優先紹介による保育士確保	各事業所ごとの保育士不足数を確保目標として、「保育士・保育所支援センター」による当該施設の求人票紹介件数、就職件数を設定	「保育士・保育所支援センター」が把握したＡ市内のa1保育所の保育士不足数が10人、a2保育所の保育士不足数が20人の場合（常勤換算） 【例】○「保育士・保育所支援センター」による求人票の紹介件数：…a1保育所：50件　a2保育所：100件 ○「保育士・保育所支援センター」の紹介を受けた就職件数：…a1保育所：10件　a2保育所：20件
キャリアアップ研修の受講促進による職員の資質の向上	キャリアアップ研修についての分野別研修受講者数の受講希望者数に占める割合を設定	平成31年度の研修受講希望者及び受講希望分野を市区町村が把握し、都道府県が各市区町村ごとの分野別受講希望者数に基づき研修実施計画を調整する場合 【例】平成31年度に全分野で希望者全員の受講
潜在保育士の把握・復帰促進	潜在保育士の新規届出件数を設定	管内養成校の卒業生であって保育所等に就職しなかった者のうち、「保育士・保育所支援センター」に届出をしていない者がいる場合 【例】管内養成校の平成30年度の卒業生であって保育所等に就職しなかった者の90％が「保育士・保育所支援センター」に届出
保育士養成校の学生の保育所等への就職促進	保育士養成校の卒業生の保育所等への就職件数の増加数を設定	・管内市区町村の保育士不足数が100人 ・例年の保育士確保数に占める管内養成校の卒業生の割合が50％である場合 【例】平成31年度に管内の養成校の卒業生の保育所等への就職件数を50名増
３．保育に関する情報の共有・調整等		
市区町村を越えた保育コンシェルジュ間の保育所等に関する情報の共有	保育所等の情報を共有する保育コンシェルジュの割合	【例】管内市区町村の全ての保育コンシェルジュで保育所等に関する情報を共有
都道府県の指導監査と市区町村の確認監査の同時実施	監査回数に占める同時実施回数の割合	【例】都道府県が実地監査を行う施設の80％について、市町村の確認監査と合同実施
指導監査、給付関係の提出書類の様式の統一	統一様式を導入した市区町村の割合	【例】○監査の自主点検様式の統一様式を使用する市区町村の割合：80％ ○施設型給付請求書の統一様式を使用する市区町村の割合：80％

○地域の自主性及び自立性を高めるための改革の推進を図るための関係法律の整備に関する法律による子ども・子育て支援法の改正等について

〔令和２年９月10日　府子本第908号・２文科初第836号・子発0910第５号
各都道府県知事・各都道府県教育委員会教育長・各指定都市市長・各中核市市長・各指定都市・各中核市教育委員会教育長宛　内閣府子ども・子育て本部統括官・文部科学省初等中等教育・厚生労働省子ども家庭局長連名通知〕

第201回国会において成立し、令和２年６月10日に公布された地域の自主性及び自立性を高めるための改革の推進を図るための関係法律の整備に関する法律（令和２年法律第41号。以下「第10次地方分権一括法」という。）により、子ども・子育て支援法（平成24年法律第65号）が改正されました（別添１参照）。また、子ども・子育て支援法の一部改正に伴い、関係法令の整備を行いました（別添２～６参照）。これらの改正の概要は、下記のとおりです。あわせて、本改正を踏まえ、関係通知の改正を行いました（別添７～８参照）。

上記について、十分に御了知の上、事務処理上遺漏のないよう願います。

各都道府県知事におかれましては、域内の市区町村（指定都市・中核市を除く。）に対して、各都道府県教育委員会教育長におかれましては、域内の市区町村教育委員会（指定都市教育委員会・中核市教育委員会を除く。）に対して、本法令の周知を図るとともに、適切な事務処理が図られるよう配慮願います。

記

1　子ども・子育て支援法の一部改正（第10次地方分権一括法第１条関係）

(1)　改正の概要

第10次地方分権一括法による改正前の子ども・子育て支援法（以下「改正前子ども・子育て支援法」という。）第43条第２項においては、市町村（特別区含む。以下同じ。）の長が地域型保育給付費の支給に係る事業を行う者を確認する際の確認の効力につき、当該確認をする市町村長がその長である市町村の区域に居住地を有する者に対する地域型保育給付費等の支給について生じる旨限定していたため、当該確認を受ける地域型保育事業所の所在地の市町村（以下「事業所所在市町村」という。）以外の市町村に居住する者が事業所所在市町村において特定地域型保育を受ける場合は、当該利用者が居住する市町村（以下「利用者居住市町村」という。）の長による再度の確認を要することとしていた。

今般、保育所等の教育・保育施設と地域型保育事業所に係る確認の手続に差異をなくし、地域型保育事業所においても、教育・保育施設の場合と同様に、事業所所在市町村が他の市町村の判断に影響を受けることなく当該市町村の実情に即した運営基準のもとで確認等を行い、適切に事業を監督していけるよう、地域型保育事業を行う者に対する確認について、事業所所在市町村以外の市町村による確認を不要としたこと。

(2)　施行期日

施行日は、公布の日（令和２年６月10日）から起算して３月を経過した日（令和２年９月10日）であること（第10次地方分権一括法附則第１条本文）。

(3)　経過措置

今般の子ども・子育て支援法の改正により、地域型保育事業に係る市町村長による確認の効力が全国に及ぶこととなるため、現行制度において既に行われている確認の効力について、以下の経過措置を設けることとしたこと（第10次地方分権一括法附則第２条）。

①　第10次地方分権一括法の施行の際、現に、利用者居住市町村の長の確認を受けている場合、当該確認は、次に掲げるとおり、効力を失うこととしたこと。

(ア)　事業所所在市町村の長の確認を受けている場合

施行日（令和２年９月10日）に失効

(イ)　事業所所在市町村の長の確認を受けていない場合

施行日から起算して３月を経過した日（令和２年12月10日）に失効

②　①にかかわらず、事業所所在市町村の長の確認を受けていない地域型保育事業所が、事業所所在市町村の長の確認を受けたときは、当該確認がされた日に、利用者居住市町村の長の確認

の効力を失うこととしたこと。

③　事業所所在市町村の長の確認を受けていない地域型保育事業所について、①(イ)及び②の場合には、利用者居住市町村の長の確認の効力は、失効日の前日までの間、なお従前の例によることとしたこと。

2　関係政省令等の整備

(1)　子ども・子育て支援法施行令の一部改正

改正前子ども・子育て支援法上、利用者居住市町村の長による確認については、事業所所在市町村の長の同意を得なければならない（同法第43条第4項）が、事前に事業所所在地市町村の長との協議により、同意を要しないことの同意がある場合は、各事業所の確認の際に同意を得ることは不要としている（同条第4項ただし書）。また、同条第5項では、同条第4項ただし書の規定により同意を不要とする場合に確認があったものとみなす時点を定め、同条第6項では、確認の取消し又は効力の停止についても当該確認を行った市町村においてのみ効力を有する旨定めている。これらの利用者居住市町村の長による確認を前提とする規定について、同法第44条第2項において、確認の変更の申請があった場合について準用し、必要な技術的読替えを子ども・子育て支援法施行令（平成26年政令第213号）で定めているところ。

今般、第10次地方分権一括法により、改正前子ども・子育て支援法第43条第4項から第6項までの規定は削られ、利用者居住市町村の長による確認があることを前提とした同法第44条第2項における読み替え規定も不要としたこと。

(2)　その他関係府省令等の整備

子ども・子育て支援法の一部改正に伴い、削ることとなった法令上の規定を引用する次の府省令及び告示について、所要の整備を行ったこと。

・子ども・子育て支援法施行規則（平成26年内閣府令第44号）

第39条：利用者居住市町村の長の確認を前提とする文言を削る

第40条：法第44条第1項を法第44条に改める

第42条：令第21条を令第20条に改める

第43条：令第21条を令第20条に改める

・就学前の子どもに関する教育、保育等の総合的な提供の推進に関する法律施行規則（平成26年内閣府・文部科学省・厚生労働省令第2号）

附則第3条第1項第1号イ：法第43条第3項を法第43条第2項に改める

・児童福祉法施行規則（昭和23年厚生省令第11号）

第36条の36の5：法第43条第3項を法第43条第2項に改める

・地域の自主性及び自立性を高めるための改革の推進を図るための関係法律の整備に関する法律附則第4条の基準を定める省令（平成23年厚生労働省令第112号）

第1号イ：法第43条第3項を法第43条第2項に改める

・教育・保育及び地域子ども・子育て支援事業の提供体制の整備並びに子ども・子育て支援給付並びに地域子ども・子育て支援事業及び仕事・子育て両立支援事業の円滑な実施を確保するための基本的な指針（平成26年内閣府告示第159号）

第二の二の2：利用者居住市町村の長の確認を前提とする第3段落を削る

(3)　施行期日

施行日は、公布の日（令和2年6月10日）から起算して3月を経過した日（令和2年9月10日）であること。

以上

【別添資料】

別添1　第10次地方分権一括法（本文・新旧対照表（抜粋）・概要）　略

別添2　子ども・子育て支援法施行令の一部改正（本文・新旧対照表）　略

別添3　子ども・子育て支援法施行規則の一部改正　略

別添4　就学前の子どもに関する教育、保育等の総合的な提供の推進に関する法律施行規則の一部改正　略

別添5　児童福祉法施行規則及び地域の自主性及び自立性を高めるための改革の推進を図るための関係法律の整備に関する法律附則第四条の基準を定める省令の一部改正　略

別添6　教育・保育及び地域子ども・子育て支援事業の提供体制の整備並びに子ども・子育て支援給付並びに地域子ども・子育て支援事業及び仕事・子育て両立支援事業の円滑な実施を確保するための基本的な指針の一部改正　略

別添7　「子ども・子育て支援法に基づく支給認定等並びに特定教育・保育施設及び特定地域型保育事業者の確認に係る留意事項等について」の一部改正（改正後全文）　略

別添8　「子ども・子育て支援新制度における事業所内保育事業所の運用上の取扱いについて」の一部改正（改正後全文）　略

○こども家庭庁設置法、こども家庭庁設置法の施行に伴う関係法律の整備に関する法律及びこども基本法の公布について

〔令和４年６月22日　閣副第690号
各都道府県知事・各指定都市市長宛　内閣官房こども家庭庁設立準備室長通知〕

こども家庭庁設置法（令和４年法律第75号）、こども家庭庁設置法の施行に伴う関係法律の整備に関する法律（令和４年法律第76号）及びこども基本法（令和４年法律第77号）が、本日公布されました。

その内容は下記のとおりであり、その施行日は、一部の規定を除き、令和５年４月１日ですので、下記事項に御留意の上、その円滑な施行に向け、格別の配慮をお願いするとともに、各都道府県におかれては、貴都道府県内の指定都市を除く市町村に対してもこの旨周知願います。

なお、各法律の改正によらないその他の事務の移管等については、別紙４を併せて参照ください。

（参考）条文等は、下記のリンクを御参照ください。
（こども政策の推進（こども家庭庁の設置等））
https://www.cas.go.jp/jp/seisaku/kodomo_seisaku_suishin/index.html

記

こどもや若者に関する施策については、これまでも待機児童対策、幼児教育・保育の無償化及び児童虐待防止対策の強化など各般の施策の充実に取り組んできたものの、少子化の進行、人口減少に歯止めがかかっておらず、また、児童虐待相談や不登校の件数が過去最多になるなどこどもを取り巻く状況は深刻で、コロナ禍がそうした状況に拍車をかけている。このような危機的な状況を踏まえると、常にこどもの最善の利益を第一に考え、こどもに関する取組や政策を我が国社会の真ん中に据えて、強力に進めていくことが急務である。

このため、今般、こども政策を我が国社会の真ん中に据え、こどもを取り巻くあらゆる環境を視野に入れ、こどもを誰一人取り残さず、健やかな成長を社会全体で後押ししていくため、強い司令塔機能を有し、こどもの最善の利益を第一に考え、常にこどもの視点に立った政策を推進するこども家庭庁を設置するこども家庭庁設置法及び関係法律について所要の整備を行うこども家庭庁設置法の施行に伴う関係法律の整備に関する法律を定めることとした。また、こども施策の基本理念や基本となる事項を明らかにすることにより、こども施策を社会全体で総合的かつ強力に実施していくための包括的な基本法であるこども基本法が定められた。

第１　こども家庭庁設置法　※こども基本法附則第10条の改正を反映したもの

１　内閣府の外局として、こども家庭庁を設置することとし、こども家庭庁の長は、こども家庭庁長官（以下「長官」という。）とすることとした。（第２条関係）

２　こども家庭庁は、心身の発達の過程にある者（以下「こども」という。）が自立した個人としてひとしく健やかに成長することのできる社会の実現に向け、子育てにおける家庭の役割の重要性を踏まえつつ、こどもの年齢及び発達の程度に応じ、その意見を尊重し、その最善の利益を優先して考慮することを基本とし、こども及びこどものある家庭の福祉の増進及び保健の向上その他のこどもの健やかな成長及びこどものある家庭における子育てに対する支援並びにこどもの権利利益の擁護に関する事務を行うことを任務とすることとした。（第３条第１項関係）

３　２に定めるもののほか、こども家庭庁は、２の任務に関連する特定の内閣の重要政策に関する内閣の事務を助けることを任務とすることとした。（第３条第２項関係）

４　こども家庭庁は、３の任務を遂行するに当たり、内閣官房を助けるものとすることとした。（第３条第３項関係）

５　こども家庭庁は、２の任務を達成するため、次に掲げる事務をつかさどることとした。（第４条第１項関係）

（一）　小学校就学前のこどもの健やかな成長のための環境の確保及び小学校就学前のこどものある家庭における子育て支援に関する基本的な政策の企画及び立案並びに推進に関すること。

（二）　子ども・子育て支援法の規定による子ども・子育て支援給付その他の子ども及び子どもを養育している者に必要な支援に関すること（同法第69条第１項の規定による拠出金の徴収

に関することを除く。)。

(三) 就学前の子どもに関する教育、保育等の総合的な提供の推進に関する法律に規定する認定こども園に関する制度に関すること。

(四) こどもの保育及び養護に関すること。

(五) こどものある家庭における子育ての支援体制の整備並びに地域におけるこどもの適切な遊び及び生活の場の確保に関すること。

(六) こどもの福祉のための文化の向上に関すること。

(七) 母子家庭及び父子家庭並びに寡婦の福祉の増進に関すること。

(八) (四)から(七)までに掲げるもののほか、こども、こどものある家庭及び妊産婦その他母性の福祉の増進に関すること。

(九) こどもの安全で安心な生活環境の整備に関する基本的な政策の企画及び立案並びに推進に関すること。

(一〇) 独立行政法人日本スポーツ振興センターが行う独立行政法人日本スポーツ振興センター法第15条第1項第7号に規定する災害共済給付に関すること。

(一一) 青少年が安全に安心してインターネットを利用できる環境の整備等に関する法律第8条第1項に規定する基本計画の作成及び推進に関すること。

(一二) こどもの保健の向上に関すること(児童福祉法の規定による小児慢性特定疾病医療費の支給等に関することを除く。)。

(一三) 妊産婦その他母性の保健の向上に関すること。

(一四) 成育過程にある者及びその保護者並びに妊産婦に対し必要な成育医療等を切れ目なく提供するための施策の総合的な推進に関する法律第11条第1項に規定する成育医療等基本方針の策定及び推進に関すること。

(一五) 旧優生保護法に基づく優生手術等を受けた者に対する一時金の支給等に関する法律の規定による一時金の支給等に関すること。

(一六) こどもの虐待の防止に関すること。

(一七) いじめ防止対策推進法の規定によるいじめの防止等に関する相談の体制その他の地域における体制の整備に関すること。

(一八) (一六)及び(一七)に掲げるもののほか、こどもの権利利益の擁護に関すること(他省の所掌に属するものを除く。)。

(一九) こども基本法第9条第1項に規定するこども大綱の策定及び推進に関すること。

(二〇) 少子化社会対策基本法第7条に規定する大綱の策定及び推進に関すること。

(二一) 子ども・若者育成支援推進法第8条第1項に規定する子ども・若者育成支援推進大綱の策定及び推進に関すること。

(二二) (二一)に掲げるもののほか、子ども・若者育成支援(子ども・若者育成支援推進法第1条に規定する子ども・若者育成支援をいう。6の(三)において同じ。)に関する関係行政機関の事務の連絡調整及びこれに伴い必要となる当該事務の実施の推進に関すること。

(二三) 子どもの貧困対策の推進に関する法律第8条第1項に規定する大綱の策定及び推進に関すること。

(二四) 大学等における修学の支援に関する法律の規定による大学等における修学の支援に関する関係行政機関の経費の配分計画に関すること。

(二五) こども、こどものある家庭及び妊産婦その他母性に関する総合的な調査に関すること。

(二六) 所掌事務に係る国際協力に関すること。

(二七) 政令で定める文教研修施設において所掌事務に関する研修を行うこと。

(二八) (一)から(二七)までに掲げるもののほか、法律(法律に基づく命令を含む。)に基づきこども家庭庁に属させられた事務

6 5に定めるもののほか、こども家庭庁は、3の任務を達成するため、行政各部の施策の統一を図るために必要となる次に掲げる事項の企画及び立案並びに総合調整に関する事務(内閣官房が行う内閣法第12条第2項第2号に掲げる事務を除く。)をつかさどることとした。(第4条第2項関係)

(一) こどもが自立した個人としてひとしく健やかに成長することのできる社会の実現に向けた基本的な政策に関する事項

(二) 結婚、出産又は育児に希望を持つことができる社会環境の整備等少子化の克服に向けた基本的な政策に関する事項

(三) 子ども・若者育成支援に関する事項

7 5及び6に定めるもののほか、こども家庭庁は、3の任務を達成するため、内閣府設置法第4条第2項に規定する事務のうち、2の任務に関連する特定の内閣の重要政策について、当該重要政策に関して閣議において決定された基本的な方針に基づいて、行政各部の施策の統一を図るために必要となる企画及び立案並びに総合調整に関する

事務をつかさどることとした。（第４条第３項関係）

８　長官は、こども家庭庁の所掌事務を遂行するため必要があると認めるときは、関係行政機関の長に対し、資料の提出、説明その他必要な協力を求めることができることとした。（第５条関係）

９　こども家庭庁に、こども家庭審議会を置くこととした。（第６条第１項関係）

10　９に定めるもののほか、別に法律で定めるところによりこども家庭庁に置かれる審議会等は、旧優生保護法一時金認定審査会とし、旧優生保護法に基づく優生手術等を受けた者に対する一時金の支給等に関する法律（これに基づく命令を含む。）の定めるところによることとした。（第６条第２項関係）

11　こども家庭審議会について所要の規定を整備することとした。（第７条関係）

12　別に法律の定めるところによりこども家庭庁に置かれる特別の機関は、こども政策推進会議とすることとした。（第８条関係）

13　こども家庭庁は、内閣府設置法第53条第２項に規定する庁とすることとした。（第９条第１項関係）

14　内閣府設置法第53条第２項の規定に基づきこども家庭庁に置かれる官房及び局の数は、３以内とすることとした。（第９条第２項関係）

15　政府は、この法律の施行後５年を目途として、小学校就学前のこどもに対する質の高い教育及び保育の提供その他のこどもの健やかな成長及びこどものある家庭における子育てに対する支援に関する施策の実施の状況を勘案し、これらの施策を総合的かつ効果的に実施するための組織及び体制の在り方について検討を加え、必要があると認めるときは、その結果に基づいて所要の措置を講ずるものとした。（附則第２項関係）

16　この法律は、令和５年４月１日から施行することとした。

第２　こども家庭庁設置法の施行に伴う関係法律の整備に関する法律

１　こども家庭庁設置法の施行に伴い、児童福祉法その他の関係法律について、こども家庭庁長官の権限を定める等関係規定の整備を行うとともに、内閣府設置法その他の行政組織に関する法律について、任務、所掌事務の変更等関係規定の整備を行うこととした。（第１条～第46条関係）

２　この法律は、一部の規定を除き、こども家庭庁設置法の施行の日から施行するほか、この法律の施行に関し必要な経過措置等を定めることとした。

第３　こども基本法

１　総則

（一）　目的

この法律は、日本国憲法及び児童の権利に関する条約の精神にのっとり、次代の社会を担う全てのこどもが、生涯にわたる人格形成の基礎を築き、自立した個人としてひとしく健やかに成長することができ、心身の状況、置かれている環境等にかかわらず、その権利の擁護が図られ、将来にわたって幸福な生活を送ることができる社会の実現を目指して、社会全体としてこども施策に取り組むことができるよう、こども施策に関し、基本理念を定め、国の責務等を明らかにし、及びこども施策の基本となる事項を定めるとともに、こども政策推進会議を設置すること等により、こども施策を総合的に推進することを目的とすることとした。（第１条関係）

（二）　定義（第２条関係）

⑴　この法律において「こども」とは、心身の発達の過程にある者をいうこととした。

⑵　この法律において「こども施策」とは、次に掲げる施策その他のこどもに関する施策及びこれと一体的に講ずべき施策をいうこととした。

イ　新生児期、乳幼児期、学童期及び思春期の各段階を経て、おとなになるまでの心身の発達の過程を通じて切れ目なく行われるこどもの健やかな成長に対する支援

ロ　子育てに伴う喜びを実感できる社会の実現に資するため、就労、結婚、妊娠、出産、育児等の各段階に応じて行われる支援

ハ　家庭における養育環境その他のこどもの養育環境の整備

（三）　基本理念

こども施策は、次に掲げる事項を基本理念として行われなければならないこととした。（第３条関係）

⑴　全てのこどもについて、個人として尊重され、その基本的人権が保障されるとともに、差別的取扱いを受けることがないようにすること。

⑵　全てのこどもについて、適切に養育されること、その生活を保障されること、愛され保護されること、その健やかな成長及び発達並びにその自立が図られることその他の福祉に

係る権利が等しく保障されるとともに、教育基本法の精神にのっとり教育を受ける機会が等しく与えられること。

(3) 全てのこどもについて、その年齢及び発達の程度に応じて、自己に直接関係する全ての事項に関して意見を表明する機会及び多様な社会的活動に参画する機会が確保されること。

(4) 全てのこどもについて、その年齢及び発達の程度に応じて、その意見が尊重され、その最善の利益が優先して考慮されること。

(5) こどもの養育については、家庭を基本として行われ、父母その他の保護者が第一義的責任を有するとの認識の下、これらの者に対してこどもの養育に関し十分な支援を行うとともに、家庭での養育が困難なこどもにはできる限り家庭と同様の養育環境を確保することにより、こどもが心身ともに健やかに育成されるようにすること。

(6) 家庭や子育てに夢を持ち、子育てに伴う喜びを実感できる社会環境を整備すること。

(四) 責務等

(1) 国の責務

国は、(三)の基本理念（以下「基本理念」という。）にのっとり、こども施策を総合的に策定し、及び実施する責務を有することとした。(第4条関係)

(2) 地方公共団体の責務

地方公共団体は、基本理念にのっとり、こども施策に関し、国及び他の地方公共団体との連携を図りつつ、その区域内におけるこどもの状況に応じた施策を策定し、及び実施する責務を有することとした。(第5条関係)

(3) 事業主の努力

事業主は、基本理念にのっとり、その雇用する労働者の職業生活及び家庭生活の充実が図られるよう、必要な雇用環境の整備に努めるものとすることとした。(第6条関係)

(4) 国民の努力

国民は、基本理念にのっとり、こども施策について関心と理解を深めるとともに、国又は地方公共団体が実施するこども施策に協力するよう努めるものとすることとした。(第7条関係)

(五) 年次報告（第8条関係）

(1) 政府は、毎年、国会に、我が国におけるこどもをめぐる状況及び政府が講じたこども施策の実施の状況に関する報告を提出するとともに、これを公表しなければならないこととした。

(2) (1)の報告は、次に掲げる事項を含むものでなければならないこととした。

イ 少子化社会対策基本法第9条第1項に規定する少子化の状況及び少子化に対処するために講じた施策の概況

ロ 子ども・若者育成支援推進法第6条第1項に規定する我が国における子ども・若者の状況及び政府が講じた子ども・若者育成支援施策の実施の状況

ハ 子どもの貧困対策の推進に関する法律第7条第1項に規定する子どもの貧困の状況及び子どもの貧困対策の実施の状況

2 基本的施策

(一) こども施策に関する大綱（第9条関係）

(1) 政府は、こども施策を総合的に推進するため、こども施策に関する大綱（以下「こども大綱」という。）を定めなければならないこととした。

(2) こども大綱は、次に掲げる事項について定めるものとすることとした。

イ こども施策に関する基本的な方針

ロ こども施策に関する重要事項

ハ イ及びロに掲げるもののほか、こども施策を推進するために必要な事項

(3) こども大綱は、次に掲げる事項を含むものでなければならないこととした。

イ 少子化社会対策基本法第7条第1項に規定する総合的かつ長期的な少子化に対処するための施策

ロ 子ども・若者育成支援推進法第8条第2項各号に掲げる事項

ハ 子どもの貧困対策の推進に関する法律第8条第2項各号に掲げる事項

(4) こども大綱に定めるこども施策については、原則として、当該こども施策の具体的な目標及びその達成の期間を定めるものとすることとした。

(5) 内閣総理大臣は、こども大綱の案につき閣議の決定を求めなければならないこととした。

(6) 内閣総理大臣は、(5)の規定による閣議の決定があったときは、遅滞なく、こども大綱を公表しなければならないこととした。

(7) (5)及び(6)は、こども大綱の変更について準

用することとした。

（二）　都道府県こども計画等（第10条関係）

⑴　都道府県は、こども大綱を勘案して、当該都道府県におけるこども施策についての計画（以下「都道府県こども計画」という。）を定めるよう努めるものとすることとした。

⑵　市町村は、こども大綱（都道府県こども計画が定められているときは、こども大綱及び都道府県こども計画）を勘案して、当該市町村におけるこども施策についての計画（以下「市町村こども計画」という。）を定めるよう努めるものとすることとした。

⑶　都道府県又は市町村は、都道府県こども計画又は市町村こども計画を定め、又は変更したときは、遅滞なく、これを公表しなければならないこととした。

⑷　都道府県こども計画は、子ども・若者育成支援推進法第９条第１項に規定する都道府県子ども・若者計画、子どもの貧困対策の推進に関する法律第９条第１項に規定する都道府県計画その他法令の規定により都道府県が作成する計画であってこども施策に関する事項を定めるものと一体のものとして作成することができることとした。

⑸　市町村こども計画は、子ども・若者育成支援推進法第９条第２項に規定する市町村子ども・若者計画、子どもの貧困対策の推進に関する法律第９条第２項に規定する市町村計画その他法令の規定により市町村が作成する計画であってこども施策に関する事項を定めるものと一体のものとして作成することができることとした。

（三）　こども施策に対するこども等の意見の反映

国及び地方公共団体は、こども施策を策定し、実施し、及び評価するに当たっては、当該こども施策の対象となるこども又はこどもを養育する者その他の関係者の意見を反映させるために必要な措置を講ずるものとすることとした。（第11条関係）

（四）　こども施策に係る支援の総合的かつ一体的な提供のための体制の整備等

国は、こども施策に係る支援が、支援を必要とする事由、支援を行う関係機関、支援の対象となる者の年齢又は居住する地域等にかかわらず、切れ目なく行われるようにするため、当該支援を総合的かつ一体的に行う体制の整備その他の必要な措置を講ずるものとすることとした。（第12条関係）

（五）　関係者相互の有機的な連携の確保等（第13条及び第14条関係）

⑴　国は、こども施策が適正かつ円滑に行われるよう、医療、保健、福祉、教育、療育等に関する業務を行う関係機関相互の有機的な連携の確保に努めなければならないこととした。

⑵　都道府県及び市町村は、こども施策が適正かつ円滑に行われるよう、⑴の業務を行う関係機関及び地域においてこどもに関する支援を行う民間団体相互の有機的な連携の確保に努めなければならないこととした。

⑶　都道府県又は市町村は、⑵の有機的な連携の確保に資するため、こども施策に係る事務の実施に係る協議及び連絡調整を行うための協議会を組織することができることとした。

⑷　⑶の協議会は、⑵の関係機関及び民間団体その他の都道府県又は市町村が必要と認める者をもって構成することとした。

⑸　国は、⑴の有機的な連携の確保に資するため、個人情報の適正な取扱いを確保しつつ、⑴の関係機関が行うこどもに関する支援に資する情報の共有を促進するための情報通信技術の活用その他の必要な措置を講ずるものとすることとした。

⑹　都道府県及び市町村は、⑵の有機的な連携の確保に資するため、個人情報の適正な取扱いを確保しつつ、⑵の関係機関及び民間団体が行うこどもに関する支援に資する情報の共有を促進するための情報通信技術の活用その他の必要な措置を講ずるよう努めるものとすることとした。

（六）　この法律及び児童の権利に関する条約の趣旨及び内容についての周知

国は、この法律及び児童の権利に関する条約の趣旨及び内容について、広報活動等を通じて国民に周知を図り、その理解を得るよう努めるものとすることとした。（第15条関係）

（七）　こども施策の充実及び財政上の措置等

政府は、こども大綱の定めるところにより、こども施策の幅広い展開その他のこども施策の一層の充実を図るとともに、その実施に必要な財政上の措置その他の措置を講ずるよう努めなければならないこととした。（第16条関係）

3　こども政策推進会議

（一）　会議の設置及び所掌事務等（第17条関係）

⑴　こども家庭庁に、特別の機関として、こども政策推進会議（以下「会議」という。）を置くこととした。

⑵　会議は、次に掲げる事務をつかさどることとした。

イ　こども大綱の案を作成すること。

ロ　イに掲げるもののほか、こども施策に関する重要事項について審議し、及びこども施策の実施を推進すること。

ハ　こども施策について必要な関係行政機関相互の調整をすること。

ニ　イからハまでに掲げるもののほか、他の法令の規定により会議に属させられた事務

⑶　会議は、⑵によりこども大綱の案を作成するに当たり、こども及びこどもを養育する者、学識経験者、地域においてこどもに関する支援を行う民間団体その他の関係者の意見を反映させるために必要な措置を講ずるものとすることとした。

(二)　組織等（第18条関係）

⑴　会議は、会長及び委員をもって組織することとした。

⑵　会長は、内閣総理大臣をもって充てることとした。

⑶　委員は、次に掲げる者をもって充てることとした。

イ　内閣府設置法第９条第１項に規定する特命担当大臣であって、同項の規定により命を受けて同法第11条の３に規定する事務を掌理するもの

ロ　会長及びイに掲げる者以外の国務大臣のうちから、内閣総理大臣が指定する者

(三)　資料提出の要求等（第19条関係）

⑴　会議は、その所掌事務を遂行するために必要があると認めるときは、関係行政機関の長に対し、資料の提出、意見の開陳、説明その他必要な協力を求めることができることとした。

⑵　会議は、その所掌事務を遂行するために特に必要があると認めるときは、⑴の者以外の者に対しても、必要な協力を依頼することができることとした。

4　附則

(一)　国は、この法律の施行後５年を目途として、この法律の施行の状況及びこども施策の実施の状況を勘案し、こども施策が基本理念にのっとって実施されているかどうか等の観点からその実態を把握し及び公正かつ適切に評価する仕組みの整備その他の基本理念にのっとったこども施策の一層の推進のために必要な方策について検討を加え、その結果に基づき、法制上の措置その他の必要な措置を講ずるものとすることとした。（附則第２条関係）

(二)　この法律は、一部の規定を除き、令和５年４月１日から施行することとした。

別紙１～３　略

別紙４

こども家庭庁の設置に伴う所掌事務の変更等について

こども家庭庁の設置に伴う関係府省からこども家庭庁への所掌事務、主な法律等の移管については、「こども家庭庁設置法」及び「こども家庭庁設置法の施行に伴う関係法律の整備に関する法律」に規定しているとおりであるが、法律上の改正事項以外の主な事務の移管等については、以下のとおり。

また、このほか、こども家庭庁の組織体制・事務の移管等の基本的な考え方に関しては、「こども政策の新たな推進体制に関する基本方針」（令和３年12月21日閣議決定）のとおりであるので、併せて参照いただきたい。

1　各府省からこども家庭庁に移管される法律

「こども政策の新たな推進体制に関する基本方針」別添（別紙５）のとおり。

2　こども家庭庁から地方厚生局に事務委任する事務

「こども政策の新たな推進体制に関する基本方針」別添（別紙５）のとおり。

3　厚生労働省子ども家庭局が所管する事務のうち、引き続き厚生労働省の所管とする事務

こども家庭庁に組織が移管されることとなる厚生労働省子ども家庭局が所管する事務のうち、以下の事務については、こども家庭庁に移管することとはせず、引き続き、厚生労働省の所管とする。

・厚生労働省子ども家庭局で所管していた婦人保護事業に関する事務

・厚生労働省子ども家庭局で所管していた児童委員制度に関する事務のうち、児童委員の委嘱及び主任児童委員の指名に関する事務

4　厚生労働省社会・援護局障害保健福祉部が所管する障害児支援に関する事務の整理

厚生労働省社会・援護局障害保健福祉部が所管する障害児支援に関する事務については、原則、こども家庭庁に移管することとしている。また、障害児・障害者をともに対象としている施策について

は、障害者の日常生活及び社会生活を総合的に支援するための法律（平成17年法律第123号）等に基づくものは、原則厚生労働省とこども家庭庁の共管とし、その他については引き続き厚生労働省の単管とする。

なお、障害者の日常生活及び社会生活を総合的に支援するための法律に基づく事務については、今後、政令改正により、厚生労働省の単管とするものと、厚生労働省とこども家庭庁の共管とするものの整理を行う予定である。

別紙５

（別添）

１　こども家庭庁が所管等することとなる法律等

（移管する法律）

・地方青少年問題協議会法（昭和28年法律第83号）
・児童手当法（昭和46年法律第73号）
・少子化社会対策基本法（平成15年法律第133号）
・子ども・若者育成支援推進法（平成21年法律第71号）
・子ども・子育て支援法（平成24年法律第65号）
・児童福祉法（昭和22年法律第164号）（小児慢性特定疾患対策に係る部分を除く。）
・母体保護法（昭和23年法律第156号）
・児童扶養手当法（昭和36年法律第238号）
・母子及び父子並びに寡婦福祉法（昭和39年法律第129号）
・母子保健法（昭和40年法律第141号）
・こどもの国協会の解散及び事業の承継に関する法律（昭和55年法律第91号）
・児童虐待の防止等に関する法律（平成12年法律第82号）
・平成二十二年度等における子ども手当の支給に関する法律（平成22年法律第19号）
・平成二十三年度における子ども手当の支給等に関する特別措置法（平成23年法律第107号）
・母子家庭の母及び父子家庭の父の就業の支援に関する特別措置法（平成24年法律第92号）
・民間あっせん機関による養子縁組のあっせんに係る児童の保護等に関する法律（平成28年法律第110号）
・成育過程にある者及びその保護者並びに妊産婦に対し必要な成育医療等を切れ目なく提供するための施策の総合的な推進に関する法律（平成30年法律第104号）（文部科学省、厚生労働省は基本方針の作成に関与）
・旧優生保護法に基づく優生手術等を受けた者に対する一時金の支給等に関する法律（平成31年法律第14号）
・生殖補助医療の提供等及びこれにより出生した子の親子関係に関する民法の特例に関する法律（令和２年法律第76号）（厚生労働省子ども家庭局の所管部分をこども家庭庁に移管する。）
・医療的ケア児及びその家族に対する支援に関する法律（令和３年法律第81号）（厚生労働省社会・援護局障害保健福祉部及び子ども家庭局の所管部分をこども家庭庁に移管する。）

（共管や一定の関与を行う法律）

・就学前の子どもに関する教育、保育等の総合的な提供の推進に関する法律（平成18年法律第77号）（内閣府の所管部分及び厚生労働省の所管部分をこども家庭庁に移管し、主務大臣は内閣総理大臣及び文部科学大臣とする。）
・青少年が安全に安心してインターネットを利用できる環境の整備等に関する法律（平成20年法律第79号）（内閣府の所管部分をこども家庭庁に移管する。）
・子どもの貧困対策の推進に関する法律（平成25年法律第64号）（内閣府の所管部分及び厚生労働省子ども家庭局の所管部分についてこども家庭庁に移管する。教育の支援、保護者に対する就労の支援等の観点から、文部科学省及び厚生労働省との共管とする。）
・大学等における修学の支援に関する法律（令和元年法律第８号）
・学校教育法（昭和22年法律第26号）（文部科学省は、幼稚園の教育課程その他の保育内容に関する事項（同法第25条）の策定・改正に当たっては、こども家庭庁にあらかじめ協議する。一方、こども家庭庁は、保育所における保育の内容等（児童福祉法第45条第２項）に関する事項の策定・改正に当たっては、文部科学省にあらかじめ協議する。）
・独立行政法人日本スポーツ振興センター法（平成14年法律第162号）（独立行政法人日本スポーツ振興センターが行う災害共済給付の業務に関する事項の主務大臣を内閣総理大臣とし、災害共済給付に係る財務及び会計に関する事項の主務大臣を内閣総理大臣及び文部科学大臣とする。）
・いじめ防止対策推進法（平成25年法律第71号）（文部科学省は、いじめ防止基本方針の策定及び変更に当たっては、こども家庭庁にあらかじめ協議する。）

・義務教育の段階における普通教育に相当する教育の機会の確保等に関する法律（平成28年法律第105号）（文部科学省は、基本指針の策定及び変更に当たっては、こども家庭庁にあらかじめ協議する。）

・教育職員等による児童生徒性暴力等の防止等に関する法律（令和３年法律第57号）（文部科学省は、基本指針の策定及び変更に当たっては、こども家庭庁にあらかじめ協議する。）

・児童福祉法（昭和22年法律第164号）（小児慢性特定疾患対策に係る部分）（厚生労働省は、同法第21条の５の「良質かつ適切な小児慢性特定疾病医療支援の実施その他の疾病児童等の健全な育成に係る施策の推進を図るための基本的な方針」の策定及び変更に当たっては、こども家庭庁にあらかじめ協議する。）

・民生委員法（昭和23年法律第198号）（児童委員を所管するこども家庭庁と民生委員を所管する厚生労働省が、相互に連携を図りながら協力することとする連携規定を設ける。また、児童福祉法にも同様の連携規定を設ける。）

・医療法（昭和23年法律第205号）（厚生労働省は、同法第30条の３第１項の「良質かつ適切な医療を効率的に提供する体制の確保を図るための基本的な方針」の策定及び変更に当たっては、こども家庭庁にあらかじめ協議する。）

・社会福祉法（昭和26年法律第45号）（厚生労働省は、同法第89条第１項の「社会福祉事業等に従事する者の確保及び国民の社会福祉に関する活動への参加の促進を図るための措置に関する基本的な指針」の策定及び変更に当たっては、こども家庭庁にあらかじめ協議する。）

・中小企業等経営強化法（平成11年法律第18号）（厚生労働省子ども家庭局の所管する保育分野に係る事業分野別指針の策定等に係る部分をこども家庭庁に移管する。）

・児童買春、児童ポルノに係る行為等の規制及び処罰並びに児童の保護等に関する法律（平成11年法律第52号）（厚生労働省の所管部分をこども家庭庁に移管する。）

・健康増進法（平成14年法律第103号）（厚生労働省は、同法第７条第１項の「国民の健康の増進の総合的な推進を図るための基本的な方針」及び同法第９条第１項の「健康増進事業実施者に対する健康診査の実施等に関する指針」の策定及び変更に当たっては、こども家庭庁にあらかじめ協議する。）

・次世代育成支援対策推進法（平成15年法律第120号）（厚生労働省子ども家庭局の所管部分を移管し、法律をこども家庭庁の主管とする。一般事業主（民間事業主）の雇用環境の整備に関する部分は労働政策を担う厚生労働省が、それ以外の部分はこども家庭庁がそれぞれ所管する。）

・発達障害者支援法（平成16年法律第167号）（厚生労働省社会・援護局障害保健福祉部の所管する障害児に対する支援に係る部分を厚生労働省とこども家庭庁の共管とする。）

・障害者の日常生活及び社会生活を総合的に支援するための法律（平成17年法律第123号）（障害児に対する支援を担うこども家庭庁と障害者施策全般を担う厚生労働省の共管とする。）

・がん対策基本法（平成18年法律第98号）（厚生労働省は、同法第10条第１項の「がん対策の推進に関する基本的な計画」の策定及び変更に当たっては、こども家庭庁にあらかじめ協議する。）

・障害者虐待の防止、障害者の養護者に対する支援等に関する法律（平成23年法律第79号）（厚生労働省子ども家庭局の所管部分及び社会・援護局障害保健福祉部の所管する障害児に対する支援に係る部分を厚生労働省とこども家庭庁の共管とする。）

・国家戦略特別区域法（平成25年法律第107号）（厚生労働省子ども家庭局の所管する保育に係る部分をこども家庭庁に移管する。）

・アレルギー疾患対策基本法（平成26年法律第98号）（厚生労働省は、同法第11条第１項の「アレルギー疾患対策の推進に関する基本的な指針」の策定及び変更に当たっては、こども家庭庁にあらかじめ協議する。）

・健康寿命の延伸等を図るための脳卒中、心臓病その他の循環器病に係る対策に関する基本法（平成30年法律第105号）（厚生労働省は、同法第９条第１項の「循環器病対策の推進に関する基本的な計画」の策定及び変更に当たっては、こども家庭庁にあらかじめ協議する。）

（審議会等）

・子ども・子育て会議、社会保障審議会福祉文化分科会（児童福祉法に係る部分に限る。）、児童部会及び障害者部会（障害児施策に係る部分に限る。）、厚生科学審議会（母子保健施策に係る部分に限る。）、成育医療等協議会の機能を、こども家庭庁に置くこども政策審議会に移管。
・旧優生保護法一時金認定審査会
（国立施設）
・国立児童自立支援施設武蔵野学院・きぬ川学院
2　こども家庭庁から地方厚生局に事務委任する事務
・以下の補助金等に係る予算執行関係事務
－保育所等整備交付金
－次世代育成支援対策施設整備交付金
－社会福祉施設等施設整備費補助金（厚生労働省からこども家庭庁に移管する部分）
－社会福祉施設等災害復旧費補助金（厚生労働省からこども家庭庁に移管する部分）
－児童保護費負担金
－児童保護医療費負担金
－児童扶養手当給付費負担金
－沖縄振興公共投資交付金（文部科学省及び厚生労働省からこども家庭庁に移管する部分）
－子どものための教育・保育給付交付金
－子どものための教育・保育給付費補助金
－子育てのための施設等利用給付交付金
－子ども・子育て支援整備交付金
－このほか、以下の補助金等のうち、認定こども園に係る部分を文部科学省からこども家庭庁に移管して執行するもの（なお、執行に際しては補助金等の名称が変更になる可能性がある。）
・私立学校施設整備費補助金
・認定こども園施設整備交付金
・学校施設環境改善交付金
・私立学校建物其他災害復旧費補助金
・公立諸学校建物其他災害復旧費負担金
・公立諸学校建物其他災害復旧費補助金
・児童扶養手当の監査関係事務
・保育、助産及び母子保護の実施に要する費用並びに児童福祉施設への入所又は通所に要する費用の監査関係事務
・児童福祉法に基づく指定障害児事業者等に対する監督・命令等関係事務
・障害者の日常生活及び社会生活を総合的に支援するための法律に基づく指定障害福祉サービス事業者等に対する監督・命令等関係事務
・児童福祉法に基づく緊急時の事務執行関係事務
・母子保健法に基づく緊急時の指定養育医療機関に対する事務執行等関係事務
・児童委員の委嘱等関係事務
・中小企業等経営強化法に基づく経営力向上計画（保育分野に限る）に係る認定事務
（注）詳細については、引き続き検討。

○幼児教育・保育の無償化に伴う食材料費の取扱いの変更について

〔令和元年6月27日　府子本第219号・子保発0627第1号
各都道府県・各指定都市・各中核市子ども・子育て支援新制度担当部局(長)・民生主管部局(長)宛　内閣府子ども・子育て本部参事官（子ども・子育て支援担当）・厚生労働省子ども家庭局保育課長連名通知〕

幼児教育・保育の無償化については、本年5月17日に「子ども・子育て支援法の一部を改正する法律」（令和元年法律第7号）が公布されたが、幼児教育・保育の無償化に伴う食材料費の取扱いの変更については、「幼児教育・高等教育無償化の制度の具体化に向けた方針」（平成30年12月28日関係閣僚合意。以下「方針」という。）において、「幼稚園・保育所等の3歳から5歳までの子供たちの食材料費については、主食費・副食費ともに、施設による実費徴収を基本とする」とされたところである。

今般、方針において示された食材料費の取扱いの変更に関して、施設が徴収する2号認定子どもの副食費の徴収額の考え方等に関する留意事項を下記のとおり定めたので、各都道府県におかれては、内容について十分御了知の上、貴管内市町村（特別区を含む。以下同じ。）及び施設・事業者等に遅滞なく周知を図られたい。

なお、本通知は地方自治法（昭和22年法律第67号）第245条の4第1項に規定する技術的助言として発出するものであることを申し添える。

記

1　幼児教育・保育の無償化に伴う食材料費の取扱いの変更に関する基本的な考え方について

食材料費は、これまでも施設による徴収又は保育料の一部として、保護者の方に御負担いただいてきているところである。今般の幼児教育・保育の無償化に伴い、本年10月1日から、全ての1号認定子ども、2号認定子ども及び3号認定子どものうち住民税非課税世帯までの世帯の子どもの保育料が無償化されるが、食材料費については保護者の方に御負担

いただくという考え方を維持し、1号認定子ども及び2号認定子どもについては、主食費及び副食費について施設による徴収を基本とすることとした。

併せて、これまでも国基準で保育料を減免されていた方については、減免を維持するため、公定価格で副食費相当分の加算を行うとともに、その減免措置の対象範囲を年収360万円未満相当の世帯まで拡充することとした。

なお、当該加算の対象となる子どもがいる場合には、公定価格の申請において対応する必要があることから、各市町村におかれては、各施設・事業者にその旨が十分周知されるよう、御留意願いたい。

2　2号認定子どもの副食費の徴収額の計算方法について

1の食材料費の取扱いの変更に伴い、施設が徴収することとなった2号認定子どもの副食費の徴収額は、それぞれの施設において、実際に給食の提供に要した材料の費用を勘案して定めることになる。

この際、これまで2号認定子どもの副食費については、公定価格において積算し、保育料の一部として保護者に月額4500円の負担を求めてきた経緯がある。質の担保された給食を提供する上では一定の費用を要するものであり、今後施設で徴収する額を設定するに当たっても、この月額4500円を目安とする。

なお、施設が副食費を徴収するに当たっては、主食費等これまでも施設が徴収していた費用と同様に、その使途・額・理由の書面での明示、保護者への説明・同意が必要となる。各市町村におかれては、各施設・事業者にその旨が十分周知されるよう、御留意願いたい。

3　特別食や土曜日・欠席者等がいる場合の徴収額の考え方について

副食費の徴収額は、施設の子どもを通じて均一とする。アレルギー除去食等の特別食を提供する子どもについても、他の子どもと異なる徴収額とする必要は無い。

また、副食費の徴収額は月額を基本とする。ただし、土曜日に恒常的に施設を利用しない者や長期入院のような、施設があらかじめ子どもの利用しない日を把握し、配食準備に計画的に反映することが可能である場合には、徴収額の減額等の対応を行うことが考えられる。

なお、月途中の退園や入園の場合には、施設型給付費や地域型保育給付費と同様に、日割り計算等の減額調整を行って差し支えない。

4　保護者の方への説明等について

2においてお示ししたとおり、保育所における2号認定子どもの副食費は、市町村がこれまで保育料の一部として月額4500円を保護者から徴収してきた経緯があることを踏まえ、各市町村におかれては、施設が副食費を徴収する場合であっても、保護者に対して個別に、今般の幼児教育・保育の無償化に伴う食材料費の取扱いの変更の趣旨や、本通知でお示しした取扱いの詳細について、丁寧な説明を行い、相談を積極的に受け付ける等の対応をお願いしたい。

○国家戦略特別区域における地方裁量型認可化移行施設の設置について

（平成31年3月29日　子発0329第7号
各都道府県・各指定都市・各中核市児童福祉主管部（局）
長宛　厚生労働省子ども家庭局長通知）

平成30年6月14日の国家戦略特別区域諮問会議において、各自治体が独自の創意工夫のもと、待機児童解消に積極的に取り組めるよう、国家戦略特別区域において、待機児童が多い自治体が、自ら定める基準に基づく地方裁量型認可化移行施設の仕組みを設けることができることとされた。

これを踏まえ、別紙のとおり、「地方裁量型認可化移行施設設置要綱」を定め、平成31年4月1日から適用することとしたので通知する。

ついては、管内市町村（特別区を含む。）に対し周知をお願いするとともに、本事業の適切かつ円滑な実施に期されたい。

別　紙

地方裁量型認可化移行施設設置要綱

1　目的

国家戦略特別区域において、待機児童が多い都道府県が、独自の創意工夫の下、保育の質の確保・向上を図りつつ、積極的に待機児童解消に取り組めるよう、認可保育所、認定こども園、小規模保育事業A型又は保育所型事業所内保育事業への移行を希望する認可外保育施設や、保育士不足のため、認可保育所、認定こども園又は保育所型事業所内保育事業としての事業を維持できず休止し、再度、これらの事業を開始することを目指して認可外保育施設として事業を続ける施設について、都道府県が自ら定める基準を満たした場合に支援を行うことにより、保育の受け皿整備を図ることを目的とすること。

2　設置及び運営の主体

設置及び運営の主体は、「子どものための教育・保育給付費補助金の実施について」（平成30年8月21日付け子発0821第3号厚生労働省子ども家庭局長通知）別紙1「認可化移行運営費支援事業実施要綱」（以下「実施要綱」という。）に基づき、市町村を実施主体とする認可化移行運営費支援事業による支援を受ける認可外保育施設を設置及び運営する事業所であって都道府県が適当と認めたものとすること。

3　設置基準

地方裁量型認可化移行施設は、実施要綱に定める基準を満たすとともに、都道府県が地域の実情に応じて定める設置基準を満たすこと。

ただし、以下アからウまでに掲げる場合に応じてそれぞれ定める基準に基づき算定される必要な職員数（以下「必要職員数」という。）の職員が保育に従事しており、かつ、必要職員数のうち6割以上が保育士資格又は看護師（准看護師を含む。）の資格を有する者（以下「有資格者」という。）であること。

ア　認可保育所又は認定こども園への移行を目指す場合

児童福祉施設の設備及び運営に関する基準（昭和23年厚生省令第63号）第33条第2項

イ　小規模保育事業A型への移行を目指す場合

家庭的保育事業等の設備及び運営に関する基準（平成26年厚生労働省令第61号）第29条第2項

ウ　保育所型事業所内保育事業への移行を目指す場合

家庭的保育事業等の設備及び運営に関する基準第44条第2項

また、施設の運営状況について、以下①から③までに掲げる事項について、施設のホームページ等（施設の所在する都道府県のホームページを含む。）において公表すること。

①　子ども・子育て支援法施行規則（平成26年内閣府令第44号）別表第1及び第2に掲げる事項（子ども・子育て支援法（平成24年法律第65号）第58条に基づき、公表されることが必要なものとして、特定教育・保育施設等が都道府県知事に報告する情報）に準ずる事項

②　児童福祉法（昭和22年法律第164号）第59条第1項の規定に基づく都道府県（指定都市及び中核市を含む。4(3)イにおいて同じ。）の実地監査における指摘内容

③　保育士確保の取組（ハローワークや保育士・保育所支援センターでの一定期間以上の求人等）の状況

4　設置の条件

(1)　都道府県が当該都道府県における地方裁量型認可化移行施設の設置基準を定めること

(2)　設置しようとする地方裁量型認可化移行施設の所在地の市町村において、その設置の前年の4月1日の待機児童数が1人以上であること。

(3)　都道府県が以下の措置をとること。

ア　協議会の取組状況の公表

地方裁量型認可化移行施設が所在する都道府県においては、子ども・子育て支援法附則第14条第4項に規定する協議会（以下「協議会」という。）を設置し、保育人材の確保に向けた協議を行い、必要な対策を実施すること。また、その状況をホームページ等において公表すること。

イ　児童福祉法第59条第1項の規定に基づく実地監査の実施

地方裁量型認可化移行施設については、1年に1回以上、都道府県が、4(1)において定めた基準を遵守しているかどうかを実地につき検査すること（設置しようとする地方裁量型認可化移行施設が指定都市又は中核市に所在する場合は、都道府県は当該指定都市又は中核市に対し、1年に1回以上実地につき検査するよう依頼し、同意を得ること。）。

ウ　都道府県は、当該施設の設置に当たり、設置前に当該施設の所在する市町村に対し、協議を行うこと。

5　事業内容

地方裁量型認可化移行施設は、次に掲げる事業を実施すること。

①　児童福祉法第6条の3第10項若しくは第12項に規定する業務又は同法第39条第1項に規定する業務を目的とする施設の運営

②　実施要綱4(2)アに規定する認可化移行計画の策定及び同計画に基づく取組の実施

6　事業実施に当たっての特例

(1)　認可化移行計画の延長

通常の認可化移行運営費支援事業において、各施設等は、5年間を上限とする認可化移行計画を

策定することを原則としているが、地方裁量型認可化移行施設にあっては、「子どものための教育・保育給付費補助金の国庫補助について」(平成28年8月9日付け府子本第506号内閣総理大臣通知) 別紙「子どものための教育・保育給付費補助金交付要綱」の別表に定める地方単独保育施設加算の適用を受ける施設と同様、計画の期間の上限を設けないこととすること。

(2) 保育サポーター加算

地方裁量型認可化移行施設として都道府県が適当と認めた施設のうち、以下①から③までに掲げる要件をすべて満たすものは、保育サポーター加算を取得できること。

① 認可化移行運営費支援事業において、有資格者を6割以上配置する施設として、補助を受ける施設に該当すること (有資格者を9割以上配置する施設として、補助を受ける施設である場合を除く。)。

② 必要職員数に加え、追加で保育に従事する職員として、必要職員数の2割以上の数の職員が施設に配置されていること。

③ 施設に配置されている保育に従事する職員のうち、有資格者以外の職員 (必要職員数の2割を超えて追加で配置されている職員を除く。) については、保育の質の確保に向け、都道府県が適当と認める研修を受講している者であること。

この「都道府県が適当と認める研修」については、都道府県が都道府県や市町村の実情に応じて実施する (都道府県知事が指定する市町村その他の機関が実施する研修を含む。) こととするが、その内容や時間について、子育て支援員研修の「基本研修」及び「専門研修 (地域保育コースのうちの『地域型保育』)」と同等以上のものとすること。

(3) 認可保育所、認定こども園又は保育所型事業所内保育事業から地方裁量型認可化移行施設に移行する場合の手続について

認可保育所、認定こども園又は保育所型事業所内保育事業 (以下「認可施設」という。) であって保育士不足により運営が困難であるなど、保育士確保に関し緊急の対応が必要な施設については、認可としての事業を休止し、再度、認可としての事業を再開するまでの間について、地方裁量型認可化移行施設として認可化移行運営費支援事業による補助を行うことを認めること。

この「保育士確保に関し緊急の対応が必要な施設」の判断に当たっては、都道府県において、以下①から③までに掲げる事項について確認をすること。

① 当該施設において、保育士確保のための取組 (ハローワークや保育士・保育所支援センターでの一定期間以上の求人等) を行った上で、なお、保育士の確保が困難な状況であること。

② 利用児童数と定員数が乖離していないこと (利用児童数が定員数を超過しているなどの場合は、適切に定員数を見直すこと。)。

③ 当該施設の職員の給与が、他の認可施設と比して著しく低くないこと。

また、地方裁量型認可化移行施設は、利用児童に係る市町村による利用調整は不要であるが、認可施設から地方裁量型認可化移行施設に移行する場合は、既に当該施設を利用している児童については、特に転園の希望がない限り、継続して入所できるようにすること。地方裁量型認可化移行施設は、既に当該施設を利用している児童が転園を希望する場合には、市町村に速やかに連絡するとともに、市町村は、当該施設と緊密な連携を図りつつ、当該児童について他の認可施設の利用に係る利用調整を行うこと。

7 留意事項

(1) 国の措置

6(2)又は(3)の特例を活用する施設については、国において当該施設の保育の質について、可能な限り定量的に把握した上で、分析・評価することとすること。このため、当該施設並びに当該施設の所在する市町村及び都道府県はこれに協力すること。

(2) 国家戦略特別区域計画について

地方裁量型認可化移行施設の設置は、国家戦略特別区域における特例措置であることから、その設置に当たっては、当該特例措置が盛り込まれた国家戦略特別区域計画について、国家戦略特別区域法 (平成25年法律第107号) 第8条第9項の規定に基づく厚生労働大臣の同意を得た上で、第8条第7項の規定に基づく内閣総理大臣の認定を受ける必要があること。

厚生労働省大臣の同意に係る協議に当たっては、4(1)の基準の内容、区域計画で指定した区域が4(2)を満たす見通し、4(3)の措置の実施に係る体制のほか、当該施設が所在する都道府県における協議会の開催の状況、保育士の確保に向けた取組の状況、地方裁量型認可化移行施設の設置の必要性等について十分に説明すること。

○転出入時における事務手続の円滑化に向けた住民基本台帳担当部局との連携の強化について

〔令和２年10月26日　事務連絡
各都道府県・各指定都市・各中核市子ども・子育て支援新制度担当課宛　内閣府子ども・子育て本部参事官（子ども・子育て支援担当）付・（認定こども園担当）付・文部科学省初等中等教育局幼児教育課・厚生労働省子ども家庭局総務課少子化総合対策室・保育課〕

平素より、子ども・子育て支援施策の推進に御尽力いただき厚く御礼申し上げます。

昨年10月に施行された幼児教育・保育の無償化において、「子どものための教育・保育給付」または「子育てのための施設等利用給付」の受給に当たっては、無償化の対象となる小学校就学前子どもの保護者が、その居住する市町村に申請を行い、認定を受けることが必要ですが、一部で市町村事務に支障が生じている事例も承知しています。

その一つとして、施設等利用給付認定保護者が転出し、他の市町村へ転入した際、転入した日から数日後に施設等利用給付認定を行った場合、転出元市町村の施設等利用給付認定を取り消した日によっては、転入先市町村での認定起算日までの間、施設等利用給付認定期間の空白が生じてしまうという事例があります。これは、施設等利用給付認定の効力が、同認定を転入先市町村に申請した日以降にのみ発生することによるものです。

つきましては、転出入時に無償化の対象となる小学校就学前子どもの保護者が円滑に教育・保育給付認定及び施設等利用給付認定の手続を行うことができるよう、既にお取り組みいただいている市町村もあろうかと存じますが、同保護者の転出入時には、幼児教育・保育の無償化に関する手続を含め、幼稚園・保育所・認定こども園等に関する手続が必要になることから、住民基本台帳担当部局との連携を強化の上、例えば、以下のような取組を通じて、手続にご配慮いただくようお願いいたします。

①　転出元市町村においては、転出届を提出する住民のうち、無償化の対象となる小学校就学前子どもの保護者に対しては、転入後、速やかに転入先市町村において教育・保育給付認定及び施設等利用給付認定手続等が必要であることを周知すること。

②　転入先市町村においては、転入者に対して、住民基本台帳担当部局が転入時に必要な手続のお知らせ等を配布している場合、当該資料（書類）の中に教育・保育給付認定及び施設等利用給付認定手続等に関する内容を追加してもらうことなどにより周知すること。

また、各都道府県におかれましては、大変お手数ですが、管内市町村（指定都市及び中核市を除き、特別区を含む。）に対して、上述のことについて周知を図るとともに、内容を御了知くださいますようお願い申しあげます。

なお、本事務連絡については、総務省自治行政局住民制度課と協議済であることを申し添えます。

Ⅲ

保　育　所

1　運営基準等

◉児童福祉施設の設備及び運営に関する基準

〔昭和23年12月29日
厚生省令第63号〕

注　令和６年３月13日内閣府令第18号改正現在

目次　頁

第１章　総則

（趣旨）

第１条　児童福祉法（昭和22年法律第164号。以下「法」という。）第45条第２項の内閣府令で定める基準（以下「設備運営基準」という。）は、次の各号に掲げる基準に応じ、それぞれ当該各号に定める規定による基準とする。

一　法第45条第１項の規定により、同条第２項第１号に掲げる事項について都道府県が条例を定めるに当たつて従うべき基準　第８条第２項（入所している者の保護に直接従事する職員に係る部分に限る。）、第17条、第21条、第22条、第22条の２第１項、第27条、第27条の２第１項、第28条、第30条第２項、第33条第１項（第30条第１項において準用する場合を含む。）及び第２項、第38条、第42条、第42条の２第１項、第43条、第49条、第58条、第63条、第73条、第74条第１項、第80条、第81条第１項、第82条、第83条、第88条の３、第88条の６、第88条の７、第90条並びに第94条から第97条までの規定による基準

二　法第45条第１項の規定により、同条第２項第２号に掲げる事項について都道府県が条例を定めるに当たつて従うべき基準　第８条第２項（入所している者の居室及び各施設に特有の設備に係る部分に限る。）、第19条第１号（寝室及び観察室に係る部分に限る。）、第２号及び第３号、第20条第１号（乳幼児の養育のための専用の室に係る部分に限る。）及び第２号、第26条第１号（母子室に係る部分に限る。）、第２号（母子室を１世帯につき１室以上とする部分に限る。）及び第３号、第32条第１号（乳児室及びほふく室に係る部分に限る。）（第30条第１項において準用する場合を含む。）、第２号（第30条第１項において準用する場合を含む。）、第３号（第30条第１項において準用する場合を含む。）、第５号（保育室及び遊戯室に係る部分に限る。）（第30条第１項において準用する場合を含む。）及び第６号（保育室及び遊戯室に係る部分に限る。）（第30条第１項において準用する場合を含む。）、第41条第１号（居室に係る部分に限る。）（第79条第２項において準用する場合を含む。）及び第２号（面積に係る部分に限る。）（第79条第２項において準用する場合を含む。）、第48条第１号（居室に係る部分に限る。）及び第７号（面積に係る部分に限る。）、第57条第１号（病室に係る部分に限る。）、第62条第１項（発達支援室及び遊戯室に係る部分に限る。）、第２項（病室に係る部分に限る。）並びに第３項第１号（面積に係る部分に限る。）及び第２号並びに第72条第

1号（居室に係る部分に限る。）及び第2号（面積に係る部分に限る。）の規定による基準

三 法第45条第1項の規定により、同条第2項第3号に掲げる事項について都道府県が条例を定めるに当たつて従うべき基準 第6条の3、第6条の4、第9条、第9条の2、第9条の4、第10条第3項、第11条、第14条の2、第15条、第19条第1号（調理室に係る部分に限る。）、第26条第2号（調理設備に係る部分に限る。）、第32条第1号（調理室に係る部分に限る。）（第30条第1項において準用する場合を含む。）及び第5号（調理室に係る部分に限る。）（第30条第1項において準用する場合を含む。）、第32条の2（第30条第1項において準用する場合を含む。）、第35条、第41条第1号（調理室に係る部分に限る。）（第79条第2項において準用する場合を含む。）、第48条第1号（調理室に係る部分に限る。）、第57条第1号（給食施設に係る部分に限る。）、第62条第1項（調理室に係る部分に限る。）並びに第72条第1号（調理室に係る部分に限る。）の規定による基準

四 法第45条第1項の規定により、同条第2項各号に掲げる事項以外の事項について都道府県が条例を定めるに当たつて参酌すべき基準 この府令に定める基準のうち、前3号に定める規定による基準以外のもの

2 設備運営基準は、都道府県知事の監督に属する児童福祉施設に入所している者が、明るくて、衛生的な環境において、素養があり、かつ、適切な訓練を受けた職員（児童福祉施設の長を含む。以下同じ。）の指導又は支援により、心身ともに健やかにして、社会に適応するように育成されることを保障するものとする。

3 内閣総理大臣は、設備運営基準を常に向上させるように努めるものとする。

（最低基準の目的）

第2条 法第45条第1項の規定により都道府県が条例で定める基準（以下「最低基準」という。）は、都道府県知事の監督に属する児童福祉施設に入所している者が、明るくて、衛生的な環境において、素養があり、かつ、適切な訓練を受けた職員の指導又は支援により、心身ともに健やかにして、社会に適応するように育成されることを保障するものとする。

（最低基準の向上）

第3条 都道府県知事は、その管理に属する法第8条第2項に規定する都道府県児童福祉審議会（社会福祉法（昭和26年法律第45号）第12条第1項の規定により同法第7条第1項に規定する地方社会福祉審議会（以下この項において「地方社会福祉審議会」という。）に児童福祉に関する事項を調査審議させる都道府県にあつては、地方社会福祉審議会）の意見を聴き、その監督に属する児童福祉施設に対し、最低基準を超えて、その設備及び運営を向上させるように勧告することができる。

2 都道府県は、最低基準を常に向上させるように努めるものとする。

（最低基準と児童福祉施設）

第4条 児童福祉施設は、最低基準を超えて、常に、その設備及び運営を向上させなければならない。

2 最低基準を超えて、設備を有し、又は運営をしている児童福祉施設においては、最低基準を理由として、その設備又は運営を低下させてはならない。

（児童福祉施設の一般原則）

第5条 児童福祉施設は、入所している者の人権に十分配慮するとともに、一人一人の人格を尊重して、その運営を行わなければならない。

2 児童福祉施設は、地域社会との交流及び連携を図り、児童の保護者及び地域社会に対し、当該児童福祉施設の運営の内容を適切に説明するよう努めなければならない。

3 児童福祉施設は、その運営の内容について、自ら評価を行い、その結果を公表するよう努めなければならない。

4 児童福祉施設には、法に定めるそれぞれの施設の目的を達成するために必要な設備を設けなければならない。

5 児童福祉施設の構造設備は、採光、換気等入所している者の保健衛生及びこれらの者に対する危害防止に十分な考慮を払つて設けられなければならない。

（児童福祉施設と非常災害）

第6条 児童福祉施設（障害児入所施設及び児童発達支援センター（次条、第9条の4及び第10条第3項において「障害児入所施設等」という。）を除く。第9条の3及び第10条第2項において同じ。）においては、軽便消火器等の消火用具、非常口その他非常災害に必要な設備を設けるとともに、非常災害に対する具体的計画を立て、これに対する不断の注意と訓練をするように努めなければならない。

2 前項の訓練のうち、避難及び消火に対する訓練は、少なくとも毎月1回は、これを行わなければならない。

（非常災害対策）

第6条の2 障害児入所施設等は、消火設備その他非常災害の際に必要な設備を設けるとともに、非常災害に対する具体的計画を立て、非常災害の発生時の

関係機関への通報及び連絡体制を整備し、それらを定期的に職員に周知しなければならない。

２　障害児入所施設等は、非常災害に備えるため、避難及び消火に対する訓練にあつては毎月１回、救出その他必要な訓練にあつては定期的に行わなければならない。

３　障害児入所施設等は、前項に規定する訓練の実施に当たつて、地域住民の参加が得られるよう連携に努めなければならない。

（安全計画の策定等）

第６条の３　児童福祉施設（助産施設、児童遊園、児童家庭支援センター及び里親支援センターを除く。以下この条及び次条において同じ。）は、児童の安全の確保を図るため、当該児童福祉施設の設備の安全点検、職員、児童等に対する施設外での活動、取組等を含めた児童福祉施設での生活その他の日常生活における安全に関する指導、職員の研修及び訓練その他児童福祉施設における安全に関する事項についての計画（以下この条において「安全計画」という。）を策定し、当該安全計画に従い必要な措置を講じなければならない。

２　児童福祉施設は、職員に対し、安全計画について周知するとともに、前項の研修及び訓練を定期的に実施しなければならない。

３　保育所及び児童発達支援センターは、児童の安全の確保に関して保護者との連携が図られるよう、保護者に対し、安全計画に基づく取組の内容等について周知しなければならない。

４　児童福祉施設は、定期的に安全計画の見直しを行い、必要に応じて安全計画の変更を行うものとする。

（自動車を運行する場合の所在の確認）

第６条の４　児童福祉施設は、児童の施設外での活動、取組等のための移動その他の児童の移動のために自動車を運行するときは、児童の乗車及び降車の際に、点呼その他の児童の所在を確実に把握することができる方法により、児童の所在を確認しなければならない。

２　保育所及び児童発達支援センターは、児童の送迎を目的とした自動車（運転者席及びこれと並列の座席並びにこれらより１つ後方に備えられた前向きの座席以外の座席を有しないものその他利用の態様を勘案してこれと同程度に児童の見落としのおそれが少ないと認められるものを除く。）を日常的に運行するときは、当該自動車にブザーその他の車内の児童の見落としを防止する装置を備え、これを用いて前項に定める所在の確認（児童の降車の際に限る。）を行わなければならない。

（児童福祉施設における職員の一般的要件）

第７条　児童福祉施設に入所している者の保護に従事する職員は、健全な心身を有し、豊かな人間性と倫理観を備え、児童福祉事業に熱意のある者であつて、できる限り児童福祉事業の理論及び実際について訓練を受けた者でなければならない。

（児童福祉施設の職員の知識及び技能の向上等）

第７条の２　児童福祉施設の職員は、常に自己研鑽《さん》に励み、法に定めるそれぞれの施設の目的を達成するために必要な知識及び技能の修得、維持及び向上に努めなければならない。

２　児童福祉施設は、職員に対し、その資質の向上のための研修の機会を確保しなければならない。

（他の社会福祉施設を併せて設置するときの設備及び職員の基準）

第８条　児童福祉施設は、他の社会福祉施設を併せて設置するときは、必要に応じ当該児童福祉施設の設備及び職員の一部を併せて設置する社会福祉施設の設備及び職員に兼ねることができる。

２　前項の規定は、入所している者の居室及び各施設に特有の設備並びに入所している者の保護に直接従事する職員については、適用しない。ただし、保育所の設備及び職員については、その行う保育に支障がない場合は、この限りでない。

（入所した者を平等に取り扱う原則）

第９条　児童福祉施設においては、入所している者の国籍、信条、社会的身分又は入所に要する費用を負担するか否かによつて、差別的取扱いをしてはならない。

（虐待等の禁止）

第９条の２　児童福祉施設の職員は、入所中の児童に対し、法第33条の10各号に掲げる行為その他当該児童の心身に有害な影響を与える行為をしてはならない。

（業務継続計画の策定等）

第９条の３　児童福祉施設は、感染症や非常災害の発生時において、利用者に対する支援の提供を継続的に実施するための、及び非常時の体制で早期の業務再開を図るための計画（以下この条において「業務継続計画」という。）を策定し、当該業務継続計画に従い必要な措置を講ずるよう努めなければならない。

２　児童福祉施設は、職員に対し、業務継続計画について周知するとともに、必要な研修及び訓練を定期的に実施するよう努めなければならない。

３　児童福祉施設は、定期的に業務継続計画の見直しを行い、必要に応じて業務継続計画の変更を行うよう努めるものとする。

第９条の４　障害児入所施設等は、感染症や非常災害の発生時において、利用者に対する障害児入所支援又は児童発達支援の提供を継続的に実施するための、及び非常時の体制で早期の業務再開を図るための計画（以下この条において「業務継続計画」という。）を策定し、当該業務継続計画に従い必要な措置を講じなければならない。

２　障害児入所施設等は、職員に対し、業務継続計画について周知するとともに、必要な研修及び訓練を定期的に実施しなければならない。

３　障害児入所施設等は、定期的に業務継続計画の見直しを行い、必要に応じて業務継続計画の変更を行うものとする。

（衛生管理等）

第10条　児童福祉施設に入所している者の使用する設備、食器等又は飲用に供する水については、衛生的な管理に努め、又は衛生上必要な措置を講じなければならない。

２　児童福祉施設は、当該児童福祉施設において感染症又は食中毒が発生し、又はまん延しないように、職員に対し、感染症及び食中毒の予防及びまん延の防止のための研修並びに感染症の予防及びまん延の防止のための訓練を定期的に実施するよう努めなければならない。

３　障害児入所施設等は、当該障害児入所施設等において感染症又は食中毒が発生し、又はまん延しないように、次の各号に掲げる措置を講じなければならない。

一　当該障害児入所施設等における感染症及び食中毒の予防及びまん延の防止のための対策を検討する委員会（テレビ電話装置その他の情報通信機器を活用して行うことができるものとする。）を定期的に開催するとともに、その結果について、職員に周知徹底を図ること。

二　当該障害児入所施設等における感染症及び食中毒の予防及びまん延の防止のための指針を整備すること。

三　当該障害児入所施設等において、職員に対し、感染症及び食中毒の予防及びまん延の防止のための研修並びに感染症の予防及びまん延の防止のための訓練を定期的に実施すること。

４　児童福祉施設（助産施設、保育所及び児童厚生施設を除く。）においては、入所している者の希望等を勘案し、清潔を維持することができるよう適切に、入所している者を入浴させ、又は清拭しなければならない。

５　児童福祉施設には、必要な医薬品その他の医療品を備えるとともに、それらの管理を適正に行わなければならない。

（食事）

第11条　児童福祉施設（助産施設を除く。以下この項において同じ。）において、入所している者に食事を提供するときは、当該児童福祉施設内で調理する方法（第８条の規定により、当該児童福祉施設の調理室を兼ねている他の社会福祉施設の調理室において調理する方法を含む。）により行わなければならない。

２　児童福祉施設において、入所している者に食事を提供するときは、その献立は、できる限り、変化に富み、入所している者の健全な発育に必要な栄養量を含有するものでなければならない。

３　食事は、前項の規定によるほか、食品の種類及び調理方法について栄養並びに入所している者の身体的状況及び嗜好を考慮したものでなければならない。

４　調理は、あらかじめ作成された献立に従つて行わなければならない。ただし、少数の児童を対象として家庭的な環境の下で調理するときは、この限りでない。

５　児童福祉施設は、児童の健康な生活の基本としての食を営む力の育成に努めなければならない。

（入所した者及び職員の健康診断）

第12条　児童福祉施設（児童厚生施設、児童家庭支援センター及び里親支援センターを除く。第４項を除き、以下この条において同じ。）の長は、入所した者に対し、入所時の健康診断、少なくとも１年に２回の定期健康診断及び臨時の健康診断を、学校保健安全法（昭和33年法律第56号）に規定する健康診断に準じて行わなければならない。

２　児童福祉施設の長は、前項の規定にかかわらず、次の表の上欄に掲げる健康診断が行われた場合であつて、当該健康診断がそれぞれ同表の下欄に掲げる健康診断の全部又は一部に相当すると認められるときは、同欄に掲げる健康診断の全部又は一部を行わないことができる。この場合において、児童福祉施設の長は、それぞれ同表の上欄に掲げる健康診断の結果を把握しなければならない。

児童相談所等における児童の入所前の健康診断	入所した児童に対する入所時の健康診断
児童が通学する学校における健康診断	定期の健康診断又は臨時の健康診断

３　第１項の健康診断をした医師は、その結果必要な

事項を母子健康手帳又は入所した者の健康を記録する表に記入するとともに、必要に応じ入所の措置又は助産の実施、母子保護の実施若しくは保育の提供若しくは法第24条第5項若しくは第6項の規定による措置を解除又は停止する等必要な手続をとることを、児童福祉施設の長に勧告しなければならない。

4　児童福祉施設の職員の健康診断に当たつては、特に入所している者の食事を調理する者につき、綿密な注意を払わなければならない。

（給付金として支払を受けた金銭の管理）

第12条の2　乳児院、児童養護施設、障害児入所施設、児童心理治療施設及び児童自立支援施設は、当該施設の設置者が入所中の児童に係るこども家庭庁長官が定める給付金（以下この条において「給付金」という。）の支給を受けたときは、給付金として支払を受けた金銭を次に掲げるところにより管理しなければならない。

一　当該児童に係る当該金銭及びこれに準ずるもの（これらの運用により生じた収益を含む。以下この条において「児童に係る金銭」という。）をその他の財産と区分すること。

二　児童に係る金銭を給付金の支給の趣旨に従つて用いること。

三　児童に係る金銭の収支の状況を明らかにする帳簿を整備すること。

四　当該児童が退所した場合には、速やかに、児童に係る金銭を当該児童に取得させること。

（児童福祉施設内部の規程）

第13条　児童福祉施設（保育所を除く。）においては、次に掲げる事項のうち必要な事項につき規程を設けなければならない。

一　入所する者の援助に関する事項

二　その他施設の管理についての重要事項

2　保育所は、次の各号に掲げる施設の運営についての重要事項に関する規程を定めておかなければならない。

一　施設の目的及び運営の方針

二　提供する保育の内容

三　職員の職種、員数及び職務の内容

四　保育の提供を行う日及び時間並びに提供を行わない日

五　保護者から受領する費用の種類、支払を求める理由及びその額

六　乳児、満3歳に満たない幼児及び満3歳以上の幼児の区分ごとの利用定員

七　保育所の利用の開始、終了に関する事項及び利用に当たつての留意事項

八　緊急時等における対応方法

九　非常災害対策

十　虐待の防止のための措置に関する事項

十一　保育所の運営に関する重要事項

（児童福祉施設に備える帳簿）

第14条　児童福祉施設には、職員、財産、収支及び入所している者の処遇の状況を明らかにする帳簿を整備しておかなければならない。

（秘密保持等）

第14条の2　児童福祉施設の職員は、正当な理由がなく、その業務上知り得た利用者又はその家族の秘密を漏らしてはならない。

2　児童福祉施設は、職員であつた者が、正当な理由がなく、その業務上知り得た利用者又はその家族の秘密を漏らすことがないよう、必要な措置を講じなければならない。

（苦情への対応）

第14条の3　児童福祉施設は、その行つた援助に関する入所している者又はその保護者等からの苦情に迅速かつ適切に対応するために、苦情を受け付けるための窓口を設置する等の必要な措置を講じなければならない。

2　乳児院、児童養護施設、障害児入所施設、児童発達支援センター、児童心理治療施設及び児童自立支援施設は、前項の必要な措置として、苦情の公正な解決を図るために、苦情の解決に当たつて当該児童福祉施設の職員以外の者を関与させなければならない。

3　児童福祉施設は、その行つた援助に関し、当該措置又は助産の実施、母子保護の実施若しくは保育の提供若しくは法第24条第5項若しくは第6項の規定による措置に係る都道府県又は市町村から指導又は助言を受けた場合は、当該指導又は助言に従つて必要な改善を行わなければならない。

4　児童福祉施設は、社会福祉法第83条に規定する運営適正化委員会が行う同法第85条第1項の規定による調査にできる限り協力しなければならない。

（大都市等の特例）

第14条の4　地方自治法（昭和22年法律第67号）第252条の19第1項の指定都市（以下「指定都市」という。）にあつては、第1条第1項中「都道府県」とあるのは「指定都市」と、同条第2項中「都道府県知事」とあるのは「指定都市の市長」と、第2条中「都道府県が」とあるのは「指定都市が」と、「都道府県知事」とあるのは「指定都市の市長」と、第3条第1項中「都道府県知事」とあるのは「指定都市の市長」と、「都道府県に」とあるのは「指定都

市に」と、同条第２項中「都道府県」とあるのは「指定都市」と読み替えるものとする。

２ 地方自治法第252条の22第１項の中核市（以下「中核市」という。）にあつては、第１条第１項中「都道府県」とあるのは「都道府県（助産施設、母子生活支援施設又は保育所（以下「特定児童福祉施設」という。）については、中核市）」と、同条第２項中「都道府県知事」とあるのは「都道府県知事（特定児童福祉施設については、中核市の市長）」と、第２条中「都道府県が」とあるのは「都道府県（特定児童福祉施設については、中核市）が」と、「都道府県知事」とあるのは「都道府県知事（特定児童福祉施設については、中核市の市長）」と、第３条第１項中「都道府県知事」とあるのは「都道府県知事（特定児童福祉施設については、中核市の市長）」と、「都道府県に」とあるのは「都道府県（特定児童福祉施設については、中核市）に」と、同条第２項中「都道府県」とあるのは「都道府県（特定児童福祉施設については、中核市）」と読み替えるものとする。

３ 法第59条の４第１項の児童相談所設置市（以下「児童相談所設置市」という。）にあつては、第１条第１項中「都道府県」とあるのは「児童相談所設置市」と、同条第２項中「都道府県知事」とあるのは「児童相談所設置市の市長」と、第２条中「都道府県が」とあるのは「児童相談所設置市が」と、「都道府県知事」とあるのは「児童相談所設置市の市長」と、第３条第１項中「都道府県知事」とあるのは「児童相談所設置市の市長」と、「法第８条第２項に規定する都道府県児童福祉審議会（社会福祉法（昭和26年法律第45号）第12条第１項の規定により同法第７条第１項に規定する地方社会福祉審議会（以下この項において「地方社会福祉審議会」という。）に児童福祉に関する事務を調査審議させる都道府県にあつては、地方社会福祉審議会）」とあるのは「法第８条第３項に規定する児童福祉に関する審議会その他の合議制の機関」と、同条第２項中「都道府県」とあるのは「児童相談所設置市」と読み替えるものとする。

第２章 助産施設

（種類）

第15条 助産施設は、第１種助産施設及び第２種助産施設とする。

２ 第１種助産施設とは、医療法（昭和23年法律第205号）の病院又は診療所である助産施設をいう。

３ 第２種助産施設とは、医療法の助産所である助産施設をいう。

（入所させる妊産婦）

第16条 助産施設には、法第22条第１項に規定する妊産婦を入所させて、なお余裕のあるときは、その他の妊産婦を入所させることができる。

（第２種助産施設の職員）

第17条 第２種助産施設には、医療法に規定する職員のほか、１人以上の専任又は嘱託の助産師を置かなければならない。

２ 第２種助産施設の嘱託医は、産婦人科の診療に相当の経験を有する者でなければならない。

（第２種助産施設と異常分べん）

第18条 第２種助産施設に入所した妊婦が、産科手術を必要とする異常分べんをするおそれのあるときは、第２種助産施設の長は、速やかにこれを第１種助産施設その他適当な病院又は診療所に入所させる手続をとらなければならない。ただし、応急の処置を要するときは、この限りでない。

第３章 乳児院

（設備の基準）

第19条 乳児院（乳児又は幼児（以下「乳幼児」という。）10人未満を入所させる乳児院を除く。）の設備の基準は、次のとおりとする。

一 寝室、観察室、診察室、病室、ほふく室、相談室、調理室、浴室及び便所を設けること。

二 寝室の面積は、乳幼児１人につき2.47平方メートル以上であること。

三 観察室の面積は、乳児１人につき1.65平方メートル以上であること。

第20条 乳幼児10人未満を入所させる乳児院の設備の基準は、次のとおりとする。

一 乳幼児の養育のための専用の室及び相談室を設けること。

二 乳幼児の養育のための専用の室の面積は、１室につき9.91平方メートル以上とし、乳幼児１人につき2.47平方メートル以上であること。

（職員）

第21条 乳児院（乳幼児10人未満を入所させる乳児院を除く。）には、小児科の診療に相当の経験を有する医師又は嘱託医、看護師、個別対応職員、家庭支援専門相談員、栄養士及び調理員を置かなければならない。ただし、調理業務の全部を委託する施設にあつては調理員を置かないことができる。

２ 家庭支援専門相談員は、社会福祉士若しくは精神保健福祉士の資格を有する者、乳児院において乳幼児の養育に５年以上従事した者又は法第13条第３項各号のいずれかに該当する者でなければならない。

３ 心理療法を行う必要があると認められる乳幼児又はその保護者10人以上に心理療法を行う場合には、

心理療法担当職員を置かなければならない。

4　心理療法担当職員は、学校教育法（昭和22年法律第26号）の規定による大学（短期大学を除く。）若しくは大学院において、心理学を専修する学科、研究科若しくはこれに相当する課程を修めて卒業した者であつて、個人及び集団心理療法の技術を有するもの又はこれと同等以上の能力を有すると認められる者でなければならない。

5　看護師の数は、乳児及び満２歳に満たない幼児おおむね1.6人につき１人以上、満２歳以上満３歳に満たない幼児おおむね２人につき１人以上、満３歳以上の幼児おおむね４人につき１人以上（これらの合計数が７人未満であるときは、７人以上）とする。

6　看護師は、保育士（国家戦略特別区域法（平成25年法律第107号。以下「特区法」という。）第12条の５第５項に規定する事業実施区域内にある乳児院にあつては、保育士又は当該事業実施区域に係る国家戦略特別区域限定保育士。次項及び次条第２項において同じ。）又は児童指導員（児童の生活指導を行う者をいう。以下同じ。）をもつてこれに代えることができる。ただし、乳幼児10人の乳児院には２人以上、乳幼児が10人を超える場合は、おおむね10人増すごとに１人以上看護師を置かなければならない。

7　前項に規定する保育士のほか、乳幼児20人以下を入所させる施設には、保育士を１人以上置かなければならない。

第22条　乳幼児10人未満を入所させる乳児院には、嘱託医、看護師、家庭支援専門相談員及び調理員又はこれに代わるべき者を置かなければならない。

2　看護師の数は、７人以上とする。ただし、その１人を除き、保育士又は児童指導員をもつてこれに代えることができる。

（乳児院の長の資格等）

第22条の２　乳児院の長は、次の各号のいずれかに該当し、かつ、こども家庭庁長官が指定する者が行う乳児院の運営に関し必要な知識を習得させるための研修を受けた者であつて、人格が高潔で識見が高く、乳児院を適切に運営する能力を有するものでなければならない。

一　医師であつて、小児保健に関して学識経験を有する者

二　社会福祉士の資格を有する者

三　乳児院の職員として３年以上勤務した者

四　都道府県知事（指定都市にあつては指定都市の市長とし、児童相談所設置市にあつては児童相談所設置市の長とする。第27条の２第１項第４号、第28条第１号、第38条第２項第１号、第43条第１号、第82条第３号、第94条及び第96条を除き、以下同じ。）が前各号に掲げる者と同等以上の能力を有すると認める者であつて、次に掲げる期間の合計が３年以上であるもの又はこども家庭庁長官が指定する講習会の課程を修了したもの

イ　法第12条の３第２項第６号に規定する児童福祉司（以下「児童福祉司」という。）となる資格を有する者にあつては、相談援助業務（法第13条第３項第２号に規定する相談援助業務をいう。以下同じ。）（国、都道府県又は市町村の内部組織における相談援助業務を含む。）に従事した期間

ロ　社会福祉主事となる資格を有する者にあつては、相談援助業務に従事した期間

ハ　社会福祉施設の職員として勤務した期間（イ又はロに掲げる期間に該当する期間を除く。）

2　乳児院の長は、２年に１回以上、その資質の向上のためのこども家庭庁長官が指定する者が行う研修を受けなければならない。ただし、やむを得ない理由があるときは、この限りでない。

（養育）

第23条　乳児院における養育は、乳幼児の心身及び社会性の健全な発達を促進し、その人格の形成に資することとなるものでなければならない。

2　養育の内容は、乳幼児の年齢及び発達の段階に応じて必要な授乳、食事、排泄《せつ》、沐《もく》浴、入浴、外気浴、睡眠、遊び及び運動のほか、健康状態の把握、第12条第１項に規定する健康診断及び必要に応じ行う感染症等の予防処置を含むものとする。

3　乳児院における家庭環境の調整は、乳幼児の家庭の状況に応じ、親子関係の再構築等が図られるように行わなければならない。

（乳児の観察）

第24条　乳児院（乳幼児10人未満を入所させる乳児院を除く。）においては、乳児が入所した日から、医師又は嘱託医が適当と認めた期間、これを観察室に入室させ、その心身の状況を観察しなければならない。

（自立支援計画の策定）

第24条の２　乳児院の長は、第23条第１項の目的を達成するため、入所中の個々の乳幼児について、年齢、発達の状況その他の当該乳幼児の事情に応じ意見聴取その他の措置をとることにより、乳幼児の意見又は意向、乳幼児やその家庭の状況等を勘案して、その自立を支援するための計画を策定しなければならない。

（業務の質の評価等）

第24条の3 乳児院は、自らその行う法第37条に規定する業務の質の評価を行うとともに、定期的に外部の者による評価を受けて、それらの結果を公表し、常にその改善を図らなければならない。

（関係機関との連携）

第25条 乳児院の長は、児童相談所及び必要に応じ児童家庭支援センター、里親支援センター、児童委員、保健所、市町村保健センター等関係機関と密接に連携して乳幼児の養育及び家庭環境の調整に当たらなければならない。

第4章 母子生活支援施設

（設備の基準）

第26条 母子生活支援施設の設備の基準は、次のとおりとする。

一 母子室、集会、学習等を行う室及び相談室を設けること。

二 母子室は、これに調理設備、浴室及び便所を設けるものとし、1世帯につき1室以上とすること。

三 母子室の面積は、30平方メートル以上であること。

四 乳幼児を入所させる母子生活支援施設には、付近にある保育所又は児童厚生施設が利用できない等必要があるときは、保育所に準ずる設備を設けること。

五 乳幼児30人未満を入所させる母子生活支援施設には、静養室を、乳幼児30人以上を入所させる母子生活支援施設には、医務室及び静養室を設けること。

（職員）

第27条 母子生活支援施設には、母子支援員（母子生活支援施設において母子の生活支援を行う者をいう。以下同じ。）、嘱託医、少年を指導する職員及び調理員又はこれに代わるべき者を置かなければならない。

2 心理療法を行う必要があると認められる母子10人以上に心理療法を行う場合には、心理療法担当職員を置かなければならない。

3 心理療法担当職員は、学校教育法の規定による大学（短期大学を除く。）若しくは大学院において、心理学を専修する学科、研究科若しくはこれに相当する課程を修めて卒業した者であつて、個人及び集団心理療法の技術を有するもの又はこれと同等以上の能力を有すると認められる者でなければならない。

4 配偶者からの暴力を受けたこと等により個別に特別な支援を行う必要があると認められる母子に当該支援を行う場合には、個別対応職員を置かなければならない。

5 母子支援員の数は、母子10世帯以上20世帯未満を入所させる母子生活支援施設においては2人以上、母子20世帯以上を入所させる母子生活支援施設においては3人以上とする。

6 少年を指導する職員の数は、母子20世帯以上を入所させる母子生活支援施設においては、2人以上とする。

（母子生活支援施設の長の資格等）

第27条の2 母子生活支援施設の長は、次の各号のいずれかに該当し、かつ、こども家庭庁長官が指定する者が行う母子生活支援施設の運営に関し必要な知識を習得させるための研修を受けた者であつて、人格が高潔で識見が高く、母子生活支援施設を適切に運営する能力を有するものでなければならない。

一 医師であつて、精神保健又は小児保健に関して学識経験を有する者

二 社会福祉士の資格を有する者

三 母子生活支援施設の職員として3年以上勤務した者

四 都道府県知事（指定都市にあつては指定都市の市長とし、中核市にあつては中核市の市長とする。）が前各号に掲げる者と同等以上の能力を有すると認める者であつて、次に掲げる期間の合計が3年以上であるもの又はこども家庭庁長官が指定する講習会の課程を修了したもの

イ 児童福祉司となる資格を有する者にあつては、相談援助業務（国、都道府県又は市町村の内部組織における相談援助業務を含む。）に従事した期間

ロ 社会福祉主事となる資格を有する者にあつては、相談援助業務に従事した期間

ハ 社会福祉施設の職員として勤務した期間（イ又はロに掲げる期間に該当する期間を除く。）

2 母子生活支援施設の長は、2年に1回以上、その資質の向上のためのこども家庭庁長官が指定する者が行う研修を受けなければならない。ただし、やむを得ない理由があるときは、この限りでない。

（母子支援員の資格）

第28条 母子支援員は、次の各号のいずれかに該当する者でなければならない。

一 都道府県知事の指定する児童福祉施設の職員を養成する学校その他の養成施設を卒業した者（学校教育法の規定による専門職大学の前期課程を修了した者を含む。第38条第2項第1号及び第43条第1項第1号において同じ。）

二 保育士（特区法第12条の5第5項に規定する事業実施区域内にある母子生活支援施設にあつて

は、保育士又は当該事業実施区域に係る国家戦略特別区域限定保育士。第30条第２項において同じ。）の資格を有する者

三　社会福祉士の資格を有する者

四　精神保健福祉士の資格を有する者

五　学校教育法の規定による高等学校若しくは中等教育学校を卒業した者、同法第90条第２項の規定により大学への入学を認められた者若しくは通常の課程による12年の学校教育を修了した者（通常の課程以外の課程によりこれに相当する学校教育を修了した者を含む。）又は文部科学大臣がこれと同等以上の資格を有すると認定した者であつて、２年以上児童福祉事業に従事したもの

（生活支援）

第29条　母子生活支援施設における生活支援は、母子を共に入所させる施設の特性を生かしつつ、親子関係の再構築等及び退所後の生活の安定が図られるよう、個々の母子の家庭生活及び稼働の状況に応じ、就労、家庭生活及び児童の養育に関する相談、助言及び指導並びに関係機関との連絡調整を行う等の支援により、その自立の促進を目的とし、かつ、その私生活を尊重して行わなければならない。

（自立支援計画の策定）

第29条の２　母子生活支援施設の長は、前条の目的を達成するため、入所中の個々の母子について、年齢、発達の状況その他の当該母子の事情に応じ意見聴取その他の措置をとることにより、母子それぞれの意見又は意向、母子やその家庭の状況等を勘案して、その自立を支援するための計画を策定しなければならない。

（業務の質の評価等）

第29条の３　母子生活支援施設は、自らその行う法第38条に規定する業務の質の評価を行うとともに、定期的に外部の者による評価を受けて、それらの結果を公表し、常にその改善を図らなければならない。

（保育所に準ずる設備）

第30条　第26条第４号の規定により、母子生活支援施設に、保育所に準ずる設備を設けるときは、保育所に関する規定（第33条第２項を除く。）を準用する。

２　保育所に準ずる設備の保育士の数は、乳幼児おおむね30人につき１人以上とする。ただし、１人を下ることはできない。

（関係機関との連携）

第31条　母子生活支援施設の長は、福祉事務所、母子・父子自立支援員、児童の通学する学校、児童相談所、母子・父子福祉団体及び公共職業安定所並びに必要に応じ児童家庭支援センター、里親支援センター、女性相談支援センター等関係機関と密接に連携して、母子の保護及び生活支援に当たらなければならない。

第５章　保育所

（設備の基準）

第32条　保育所の設備の基準は、次のとおりとする。

一　乳児又は満２歳に満たない幼児を入所させる保育所には、乳児室又はほふく室、医務室、調理室及び便所を設けること。

二　乳児室の面積は、乳児又は前号の幼児１人につき1.65平方メートル以上であること。

三　ほふく室の面積は、乳児又は第１号の幼児１人につき3.3平方メートル以上であること。

四　乳児室又はほふく室には、保育に必要な用具を備えること。

五　満２歳以上の幼児を入所させる保育所には、保育室又は遊戯室、屋外遊戯場（保育所の付近にある屋外遊戯場に代わるべき場所を含む。次号において同じ。）、調理室及び便所を設けること。

六　保育室又は遊戯室の面積は、前号の幼児１人につき1.98平方メートル以上、屋外遊戯場の面積は、前号の幼児１人につき3.3平方メートル以上であること。

七　保育室又は遊戯室には、保育に必要な用具を備えること。

八　乳児室、ほふく室、保育室又は遊戯室（以下「保育室等」という。）を２階に設ける建物は、次のイ、ロ及びヘの要件に、保育室等を３階以上に設ける建物は、次に掲げる要件に該当するものであること。

イ　耐火建築物（建築基準法（昭和25年法律第201号）第２条第９号の２に規定する耐火建築物をいう。以下この号において同じ。）又は準耐火建築物（同条第９号の３に規定する準耐火建築物をいい、同号ロに該当するものを除く。）（保育室等を３階以上に設ける建物にあつては、耐火建築物）であること。

ロ　保育室等が設けられている次の表の上欄に掲げる階に応じ、同表の中欄に掲げる区分ごとに、それぞれ同表の下欄に掲げる施設又は設備が１以上設けられていること。

階	区分	施設又は設備
２階	常用	１　屋内階段 ２　屋外階段
	避難用	１　建築基準法施行令（昭和25年政令第338号）第123条第１項各号又は同条第３項

		各号に規定する構造の屋内階段（ただし、同条第１項の場合においては、当該階段の構造は、建築物の１階から２階までの部分に限り、屋内と階段室とは、バルコニー又は付室を通じて連絡することとし、かつ、同条第３項第３号、第４号及び第10号を満たすものとする。） ２　待避上有効なバルコニー ３　建築基準法第２条第７号の２に規定する準耐火構造の屋外傾斜路又はこれに準ずる設備 ４　屋外階段
３階	常用	１　建築基準法施行令第123条第１項各号又は同条第３項各号に規定する構造の屋内階段 ２　屋外階段
	避難用	１　建築基準法施行令第123条第１項各号又は同条第３項各号に規定する構造の屋内階段（ただし、同条第１項の場合においては、当該階段の構造は、建築物の１階から３階までの部分に限り、屋内と階段室とは、バルコニー又は付室を通じて連絡することとし、かつ、同条第３項第３号、第４号及び第10号を満たすものとする。） ２　建築基準法第２条第７号に規定する耐火構造の屋外傾斜路又はこれに準ずる設備 ３　屋外階段
４階以上	常用	１　建築基準法施行令第123条第１項各号又は同条第３項各号に規定する構造の屋内階段 ２　建築基準法施行令第123条第２項各号に規定する構造の屋外階段
	避難用	１　建築基準法施行令第123条第１項各号又は同条第３項各号に規定する構造の屋内階段（ただし、同条第１項の場合においては、当該階段の構造は、建築物の１階から保育室等が設けられている階までの部分に限り、屋内と階段室とは、バルコニー又は付室（階段室が同条第３項第２号に規定する構造を有する場合を除き、同号に規定する構造を有するものに限る。）を通じて連絡することとし、かつ、同条第３項第３号、第４号及び第10号を満たすものとする。） ２　建築基準法第２条第７号に規定する耐火構造の屋外傾斜路 ３　建築基準法施行令第123条第２項各号に規定する構造の屋外階段

ハ　ロに掲げる施設及び設備が避難上有効な位置に設けられ、かつ、保育室等の各部分からその一に至る歩行距離が30メートル以下となるように設けられていること。

ニ　保育所の調理室（次に掲げる要件のいずれかに該当するものを除く。ニにおいて同じ。）以外の部分と保育所の調理室の部分が建築基準法第２条第７号に規定する耐火構造の床若しくは壁又は建築基準法施行令第112条第１項に規定する特定防火設備で区画されていること。この場合において、換気、暖房又は冷房の設備の風道が、当該床若しくは壁を貫通する部分又はこれに近接する部分に防火上有効にダンパーが設けられていること。

⑴　スプリンクラー設備その他これに類するもので自動式のものが設けられていること。

⑵　調理用器具の種類に応じて有効な自動消火装置が設けられ、かつ、当該調理室の外部への延焼を防止するために必要な措置が講じられていること。

ホ　保育所の壁及び天井の室内に面する部分の仕上げを不燃材料でしていること。

ヘ　保育室等その他乳幼児が出入し、又は通行する場所に、乳幼児の転落事故を防止する設備が設けられていること。

ト　非常警報器具又は非常警報設備及び消防機関へ火災を通報する設備が設けられていること。

チ　保育所のカーテン、敷物、建具等で可燃性のものについて防炎処理が施されていること。

（保育所の設備の基準の特例）

第32条の２　次の各号に掲げる要件を満たす保育所は、第11条第１項の規定にかかわらず、当該保育所の満３歳以上の幼児に対する食事の提供について、当該保育所外で調理し搬入する方法により行うことができる。この場合において、当該保育所は、当該食事の提供について当該方法によることとしてもなお当該保育所において行うことが必要な調理のための加熱、保存等の調理機能を有する設備を備えるものとする。

一　幼児に対する食事の提供の責任が当該保育所にあり、その管理者が、衛生面、栄養面等業務上必要な注意を果たし得るような体制及び調理業務の受託者との契約内容が確保されていること。

二　当該保育所又は他の施設、保健所、市町村等の栄養士により、献立等について栄養の観点からの指導が受けられる体制にある等、栄養士による必要な配慮が行われること。

三　調理業務の受託者を、当該保育所における給食の趣旨を十分に認識し、衛生面、栄養面等、調理業務を適切に遂行できる能力を有する者とすること。

四　幼児の年齢及び発達の段階並びに健康状態に応じた食事の提供や、アレルギー、アトピー等への配慮、必要な栄養素量の給与等、幼児の食事の内容、回数及び時機に適切に応じることができること。

五　食を通じた乳幼児の健全育成を図る観点から、乳幼児の発育及び発達の過程に応じて食に関し配慮すべき事項を定めた食育に関する計画に基づき食事を提供するよう努めること。

（職員）

第33条　保育所には、保育士（特区法第12条の５第５項に規定する事業実施区域内にある保育所にあつては、保育士又は当該事業実施区域に係る国家戦略特別区域限定保育士。次項において同じ。）、嘱託医及び調理員を置かなければならない。ただし、調理業務の全部を委託する施設にあつては、調理員を置かないことができる。

2　保育士の数は、乳児おおむね３人につき１人以上、満１歳以上満３歳に満たない幼児おおむね６人につき１人以上、満３歳以上満４歳に満たない幼児おおむね15人につき１人以上、満４歳以上の幼児おおむね25人につき１人以上とする。ただし、保育所１につき２人を下ることはできない。

（保育時間）

第34条　保育所における保育時間は、１日につき８時間を原則とし、その地方における乳幼児の保護者の労働時間その他家庭の状況等を考慮して、保育所の長がこれを定める。

（保育の内容）

第35条　保育所における保育は、養護及び教育を一体的に行うことをその特性とし、その内容については、内閣総理大臣が定める指針に従う。

（保護者との連絡）

第36条　保育所の長は、常に入所している乳幼児の保護者と密接な連絡をとり、保育の内容等につき、その保護者の理解及び協力を得るよう努めなければならない。

（業務の質の評価等）

第36条の２　保育所は、自らその行う法第39条に規定する業務の質の評価を行い、常にその改善を図らなければならない。

2　保育所は、定期的に外部の者による評価を受けて、それらの結果を公表し、常にその改善を図るよう努めなければならない。

第36条の３　削除

第６章　児童厚生施設

（設備の基準）

第37条　児童厚生施設の設備の基準は、次のとおりとする。

一　児童遊園等屋外の児童厚生施設には、広場、遊具及び便所を設けること。

二　児童館等屋内の児童厚生施設には、集会室、遊戯室、図書室及び便所を設けること。

（職員）

第38条　児童厚生施設には、児童の遊びを指導する者を置かなければならない。

2　児童の遊びを指導する者は、次の各号のいずれかに該当する者でなければならない。

一　都道府県知事の指定する児童福祉施設の職員を養成する学校その他の養成施設を卒業した者

二　保育士（特区法第12条の５第５項に規定する事業実施区域内にある児童厚生施設にあつては、保育士又は当該事業実施区域に係る国家戦略特別区域限定保育士）の資格を有する者

三　社会福祉士の資格を有する者

四　学校教育法の規定による高等学校若しくは中等教育学校を卒業した者、同法第90条第２項の規定により大学への入学を認められた者若しくは通常の課程による12年の学校教育を修了した者（通常の課程以外の課程によりこれに相当する学校教育を修了した者を含む。）又は文部科学大臣がこれと同等以上の資格を有すると認定した者であつて、２年以上児童福祉事業に従事したもの

五　教育職員免許法（昭和24年法律第147号）に規定する幼稚園、小学校、中学校、義務教育学校、高等学校又は中等教育学校の教諭の免許状を有する者

六　次のいずれかに該当する者であつて、児童厚生施設の設置者（地方公共団体以外の者が設置する児童厚生施設にあつては、都道府県知事）が適当と認めたもの

イ　学校教育法の規定による大学において、社会福祉学、心理学、教育学、社会学、芸術学若しくは体育学を専修する学科又はこれらに相当する課程を修めて卒業した者（当該学科又は当該課程を修めて同法の規定による専門職大学の前期課程を修了した者を含む。）

ロ　学校教育法の規定による大学において、社会福祉学、心理学、教育学、社会学、芸術学若しくは体育学を専修する学科又はこれらに相当する課程において優秀な成績で単位を修得したことにより、同法第102条第２項の規定により大学院への入学が認められた者

ハ　学校教育法の規定による大学院において、社会福祉学、心理学、教育学、社会学、芸術学若しくは体育学を専攻する研究科又はこれらに相当する課程を修めて卒業した者

ニ　外国の大学において、社会福祉学、心理学、教育学、社会学、芸術学若しくは体育学を専修する学科又はこれらに相当する課程を修めて卒業した者

（遊びの指導を行うに当たつて遵守すべき事項）

第39条　児童厚生施設における遊びの指導は、児童の自主性、社会性及び創造性を高め、もつて地域における健全育成活動の助長を図るようこれを行うものとする。

（保護者との連絡）

第40条　児童厚生施設の長は、必要に応じ児童の健康及び行動につき、その保護者に連絡しなければならない。

第７章　児童養護施設

（設備の基準）

第41条　児童養護施設の設備の基準は、次のとおりとする。

一　児童の居室、相談室、調理室、浴室及び便所を設けること。

二　児童の居室の１室の定員は、これを４人以下とし、その面積は、１人につき4.95平方メートル以上とすること。ただし、乳幼児のみの居室の１室の定員は、これを６人以下とし、その面積は、１人につき3.3平方メートル以上とする。

三　入所している児童の年齢等に応じ、男子と女子の居室を別にすること。

四　便所は、男子用と女子用とを別にすること。ただし、少数の児童を対象として設けるときは、この限りでない。

五　児童30人以上を入所させる児童養護施設には、医務室及び静養室を設けること。

六　入所している児童の年齢、適性等に応じ職業指導に必要な設備（以下「職業指導に必要な設備」という。）を設けること。

（職員）

第42条　児童養護施設には、児童指導員、嘱託医、保育士（特区法第12条の５第５項に規定する事業実施区域内にある児童養護施設にあつては、保育士又は当該事業実施区域に係る国家戦略特別区域限定保育士。第６項及び第46条において同じ。）、個別対応職員、家庭支援専門相談員、栄養士及び調理員並びに乳児が入所している施設にあつては看護師を置かなければならない。ただし、児童40人以下を入所させる施設にあつては栄養士を、調理業務の全部を委託する施設にあつては調理員を置かないことができる。

2　家庭支援専門相談員は、社会福祉士若しくは精神保健福祉士の資格を有する者、児童養護施設において児童の指導に５年以上従事した者又は法第13条第３項各号のいずれかに該当する者でなければならない。

3　心理療法を行う必要があると認められる児童10人以上に心理療法を行う場合には、心理療法担当職員を置かなければならない。

4　心理療法担当職員は、学校教育法の規定による大学（短期大学を除く。）若しくは大学院において、心理学を専修する学科、研究科若しくはこれに相当する課程を修めて卒業した者であつて、個人及び集団心理療法の技術を有するもの又はこれと同等以上の能力を有すると認められる者でなければならない。

5　実習設備を設けて職業指導を行う場合には、職業指導員を置かなければならない。

6　児童指導員及び保育士の総数は、通じて、満２歳に満たない幼児おおむね1.6人につき１人以上、満２歳以上満３歳に満たない幼児おおむね２人につき１人以上、満３歳以上の幼児おおむね４人につき１人以上、少年おおむね5.5人につき１人以上とする。ただし、児童45人以下を入所させる施設にあつては、更に１人以上を加えるものとする。

7　看護師の数は、乳児おおむね1.6人につき１人以上とする。ただし、１人を下ることはできない。

（児童養護施設の長の資格等）

第42条の２　児童養護施設の長は、次の各号のいずれかに該当し、かつ、こども家庭庁長官が指定する者が行う児童養護施設の運営に関し必要な知識を習得させるための研修を受けた者であつて、人格が高潔で識見が高く、児童養護施設を適切に運営する能力を有するものでなければならない。

一　医師であつて、精神保健又は小児保健に関して学識経験を有する者

二　社会福祉士の資格を有する者

三　児童養護施設の職員として３年以上勤務した者

四　都道府県知事が前各号に掲げる者と同等以上の能力を有すると認める者であつて、次に掲げる期間の合計が３年以上であるもの又はこども家庭庁

長官が指定する講習会の課程を修了したもの

イ　児童福祉司となる資格を有する者にあつては、相談援助業務（国、都道府県又は市町村の内部組織における相談援助業務を含む。）に従事した期間

ロ　社会福祉主事となる資格を有する者にあつては、相談援助業務に従事した期間

ハ　社会福祉施設の職員として勤務した期間（イ又はロに掲げる期間に該当する期間を除く。）

2　児童養護施設の長は、２年に１回以上、その資質の向上のためのこども家庭庁長官が指定する者が行う研修を受けなければならない。ただし、やむを得ない理由があるときは、この限りでない。

（児童指導員の資格）

第43条　児童指導員は、次の各号のいずれかに該当する者でなければならない。

一　都道府県知事の指定する児童福祉施設の職員を養成する学校その他の養成施設を卒業した者

二　社会福祉士の資格を有する者

三　精神保健福祉士の資格を有する者

四　学校教育法の規定による大学（短期大学を除く。次号において同じ。）において、社会福祉学、心理学、教育学若しくは社会学を専修する学科又はこれらに相当する課程を修めて卒業した者

五　学校教育法の規定による大学において、社会福祉学、心理学、教育学又は社会学に関する科目の単位を優秀な成績で修得したことにより、同法第102条第２項の規定により大学院への入学を認められた者

六　学校教育法の規定による大学院において、社会福祉学、心理学、教育学若しくは社会学を専攻する研究科又はこれらに相当する課程を修めて卒業した者

七　外国の大学において、社会福祉学、心理学、教育学若しくは社会学を専修する学科又はこれらに相当する課程を修めて卒業した者

八　学校教育法の規定による高等学校若しくは中等教育学校を卒業した者、同法第90条第２項の規定により大学への入学を認められた者若しくは通常の課程による12年の学校教育を修了した者（通常の課程以外の課程によりこれに相当する学校教育を修了した者を含む。）又は文部科学大臣がこれと同等以上の資格を有すると認定した者であつて、２年以上児童福祉事業に従事したもの

九　教育職員免許法に規定する幼稚園、小学校、中学校、義務教育学校、高等学校又は中等教育学校の教諭の免許状を有する者であつて、都道府県知事が適当と認めたもの

十　３年以上児童福祉事業に従事した者であつて、都道府県知事が適当と認めたもの

2　前項第１号の指定は、児童福祉法施行規則（昭和23年厚生省令第11号）別表に定める教育内容に適合する学校又は施設について行うものとする。

（養護）

第44条　児童養護施設における養護は、児童に対して安定した生活環境を整えるとともに、生活指導、学習指導、職業指導及び家庭環境の調整を行いつつ児童を養育することにより、児童の心身の健やかな成長とその自立を支援することを目的として行わなければならない。

（生活指導、学習指導、職業指導及び家庭環境の調整）

第45条　児童養護施設における生活指導は、児童の自主性を尊重しつつ、基本的生活習慣を確立するとともに豊かな人間性及び社会性を養い、かつ、将来自立した生活を営むために必要な知識及び経験を得ることができるように行わなければならない。

2　児童養護施設における学習指導は、児童がその適性、能力等に応じた学習を行うことができるよう、適切な相談、助言、情報の提供等の支援により行わなければならない。

3　児童養護施設における職業指導は、勤労の基礎的な能力及び態度を育てるとともに、児童がその適性、能力等に応じた職業選択を行うことができるよう、適切な相談、助言、情報の提供等及び必要に応じ行う実習、講習等の支援により行わなければならない。

4　児童養護施設における家庭環境の調整は、児童の家庭の状況に応じ、親子関係の再構築等が図られるように行わなければならない。

（自立支援計画の策定）

第45条の２　児童養護施設の長は、第44条の目的を達成するため、入所中の個々の児童について、年齢、発達の状況その他の当該児童の事情に応じ意見聴取その他の措置をとることにより、児童の意見又は意向、児童やその家庭の状況等を勘案して、その自立を支援するための計画を策定しなければならない。

（業務の質の評価等）

第45条の３　児童養護施設は、自らその行う法第41条に規定する業務の質の評価を行うとともに、定期的に外部の者による評価を受けて、それらの結果を公表し、常にその改善を図らなければならない。

（児童と起居を共にする職員）

第46条　児童養護施設の長は、児童指導員及び保育士のうち少なくとも１人を児童と起居を共にさせなければならない。

（関係機関との連携）

第47条　児童養護施設の長は、児童の通学する学校及び児童相談所並びに必要に応じ児童家庭支援センター、里親支援センター、児童委員、公共職業安定所等関係機関と密接に連携して児童の指導及び家庭環境の調整に当たらなければならない。

第８章　福祉型障害児入所施設

（設備の基準）

第48条　福祉型障害児入所施設の設備の基準は、次のとおりとする。

一　児童の居室、調理室、浴室、便所、医務室及び静養室を設けること。ただし、児童30人未満を入所させる施設であつて主として知的障害のある児童を入所させるものにあつては医務室を、児童30人未満を入所させる施設であつて主として盲児又はろうあ児（以下「盲ろうあ児」という。）を入所させるものにあつては医務室及び静養室を設けないことができる。

二　主として知的障害のある児童を入所させる福祉型障害児入所施設には、職業指導に必要な設備を設けること。

三　主として盲児を入所させる福祉型障害児入所施設には、次の設備を設けること。

イ　遊戯室、支援室、職業指導に必要な設備及び音楽に関する設備

ロ　浴室及び便所の手すり並びに特殊表示等身体の機能の不自由を助ける設備

四　主としてろうあ児を入所させる福祉型障害児入所施設には、遊戯室、支援室、職業指導に必要な設備及び映像に関する設備を設けること。

五　主として肢体不自由（法第６条の２の２第２項に規定する肢体不自由をいう。以下同じ。）のある児童を入所させる福祉型障害児入所施設には、次の設備を設けること。

イ　支援室及び屋外遊戯場

ロ　浴室及び便所の手すり等身体の機能の不自由を助ける設備

六　主として盲児を入所させる福祉型障害児入所施設又は主として肢体不自由のある児童を入所させる福祉型障害児入所施設においては、階段の傾斜を緩やかにすること。

七　児童の居室の１室の定員は、これを４人以下とし、その面積は、１人につき4.95平方メートル以上とすること。ただし、乳幼児のみの居室の１室の定員は、これを６人以下とし、その面積は、１人につき3.3平方メートル以上とする。

八　入所している児童の年齢等に応じ、男子と女子の居室を別にすること。

九　便所は、男子用と女子用とを別にすること。

（職員）

第49条　主として知的障害のある児童（自閉症を主たる症状とする児童（以下「自閉症児」という。）を除く。次項及び第３項において同じ。）を入所させる福祉型障害児入所施設には、嘱託医、児童指導員、保育士（特区法第12条の５第５項に規定する事業実施区域内にある福祉型障害児入所施設にあつては、保育士又は当該事業実施区域に係る国家戦略特別区域限定保育士。以下この条において同じ。）、栄養士、調理員及び児童発達支援管理責任者（障害児通所支援又は障害児入所支援の提供の管理を行う者としてこども家庭庁長官が定めるものをいう。以下同じ。）を置かなければならない。ただし、児童40人以下を入所させる施設にあつては栄養士を、調理業務の全部を委託する施設にあつては調理員を置かないことができる。

２　主として知的障害のある児童を入所させる福祉型障害児入所施設の嘱託医は、精神科又は小児科の診療に相当の経験を有する者でなければならない。

３　主として知的障害のある児童を入所させる福祉型障害児入所施設の児童指導員及び保育士の総数は、通じておおむね児童の数を４で除して得た数以上とする。ただし、児童30人以下を入所させる施設にあつては、更に１以上を加えるものとする。

４　主として自閉症児を入所させる福祉型障害児入所施設には、第１項に規定する職員並びに医師及び看護職員（保健師、助産師、看護師又は准看護師をいう。以下この条及び第63条において同じ。）を置かなければならない。ただし、児童40人以下を入所させる施設にあつては栄養士を、調理業務の全部を委託する施設にあつては調理員を置かないことができる。

５　主として自閉症児を入所させる福祉型障害児入所施設の嘱託医については、第２項の規定を準用する。

６　主として自閉症児を入所させる福祉型障害児入所施設の児童指導員及び保育士の総数については、第３項の規定を準用する。

７　主として自閉症児を入所させる福祉型障害児入所施設の医師は、児童を対象とする精神科の診療に相当の経験を有する者でなければならない。

８　主として自閉症児を入所させる福祉型障害児入所施設の看護職員の数は、児童おおむね20人につき１人以上とする。

９　主として盲ろうあ児を入所させる福祉型障害児入所施設については、第１項の規定を準用する。

10　主として盲ろうあ児を入所させる福祉型障害児入所施設の嘱託医は、眼科又は耳鼻咽喉科の診療に相当の経験を有する者でなければならない。

11　主として盲ろうあ児を入所させる福祉型障害児入所施設の児童指導員及び保育士の総数は、通じて、児童おおむね４人につき１人以上とする。ただし、児童35人以下を入所させる施設にあつては、更に１人以上を加えるものとする。

12　主として肢体不自由のある児童を入所させる福祉型障害児入所施設には、第１項に規定する職員及び看護職員を置かなければならない。ただし、児童40人以下を入所させる施設にあつては栄養士を、調理業務の全部を委託する施設にあつては調理員を置かないことができる。

13　主として肢体不自由のある児童を入所させる福祉型障害児入所施設の児童指導員及び保育士の総数は、通じておおむね児童の数を3.5で除して得た数以上とする。

14　心理支援を行う必要があると認められる児童５人以上に心理支援を行う場合には心理支援担当職員を、職業指導を行う場合には職業指導員を置かなければならない。

15　心理支援担当職員は、学校教育法の規定による大学（短期大学を除く。）若しくは大学院において、心理学を専修する学科、研究科若しくはこれに相当する課程を修めて卒業した者であつて、個人及び集団心理療法の技術を有するもの又はこれと同等以上の能力を有すると認められる者でなければならない。

（生活指導及び学習指導）

第50条　福祉型障害児入所施設における生活指導は、児童が日常の起居の間に、当該福祉型障害児入所施設を退所した後、できる限り社会に適応するようこれを行わなければならない。

２　福祉型障害児入所施設における学習指導については、第45条第２項の規定を準用する。

（職業指導を行うに当たつて遵守すべき事項）

第51条　福祉型障害児入所施設における職業指導は、児童の適性に応じ、児童が将来できる限り健全な社会生活を営むことができるようこれを行わなければならない。

２　前項に規定するほか、福祉型障害児入所施設における職業指導については、第45条第３項の規定を準用する。

（入所支援計画の作成）

第52条　福祉型障害児入所施設の長は、児童の保護者及び児童の意向、児童の適性、児童の障害の特性その他の事情を踏まえた計画を作成し、これに基づき児童に対して障害児入所支援を提供するとともに、その効果について継続的な評価を実施することその他の措置を講ずることにより児童に対して適切かつ効果的に障害児入所支援を提供しなければならない。

（児童と起居を共にする職員）

第53条　福祉型障害児入所施設（主として盲ろうあ児を入所させる福祉型障害児入所施設を除く。）については、第46条の規定を準用する。

（保護者等との連絡）

第54条　福祉型障害児入所施設の長は、児童の保護者に児童の性質及び能力を説明するとともに、児童の通学する学校及び必要に応じ当該児童を取り扱つた児童福祉司又は児童委員と常に密接な連絡をとり、児童の生活指導、学習指導及び職業指導につき、その協力を求めなければならない。

（心理学的及び精神医学的診査）

第55条　主として知的障害のある児童を入所させる福祉型障害児入所施設においては、入所している児童を適切に保護するため、随時心理学的及び精神医学的診査を行わなければならない。ただし、児童の福祉に有害な実験にわたつてはならない。

（入所した児童に対する健康診断）

第56条　主として盲ろうあ児を入所させる福祉型障害児入所施設においては、第12条第１項に規定する入所時の健康診断に当たり、特に盲ろうあの原因及び機能障害の状況を精密に診断し、治療可能な者については、できる限り治療しなければならない。

２　主として肢体不自由のある児童を入所させる福祉型障害児入所施設においては、第12条第１項に規定する入所時の健康診断に当たり、整形外科的診断により肢体の機能障害の原因及びその状況を精密に診断し、入所を継続するか否かを考慮しなければならない。

第８章の２　医療型障害児入所施設

（設備の基準）

第57条　医療型障害児入所施設の設備の基準は、次のとおりとする。

一　医療型障害児入所施設には、医療法に規定する病院として必要な設備のほか、支援室及び浴室を設けること。

二　主として自閉症児を入所させる医療型障害児入所施設には、静養室を設けること。

三　主として肢体不自由のある児童を入所させる医療型障害児入所施設には、屋外遊戯場、ギブス室、特殊手工芸等の作業を支援するに必要な設備、義肢装具を製作する設備を設けること。ただし、義肢装具を製作する設備は、他に適当な設備がある場合は、これを設けることを要しないこと。

四　主として肢体不自由のある児童を入所させる医療型障害児入所施設においては、階段の傾斜を緩やかにするほか、浴室及び便所の手すり等身体の機能の不自由を助ける設備を設けること。

（職員）

第58条　主として自閉症児を入所させる医療型障害児入所施設には、医療法に規定する病院として必要な職員のほか、児童指導員、保育士（特区法第12条の５第５項に規定する事業実施区域内にある医療型障害児入所施設にあつては、保育士又は当該事業実施区域に係る国家戦略特別区域限定保育士。次項及び第５項において同じ。）及び児童発達支援管理責任者を置かなければならない。

２　主として自閉症児を入所させる医療型障害児入所施設の児童指導員及び保育士の総数は、通じておおむね児童の数を6.7で除して得た数以上とする。

３　主として肢体不自由のある児童を入所させる医療型障害児入所施設には、第１項に規定する職員及び理学療法士又は作業療法士を置かなければならない。

４　主として肢体不自由のある児童を入所させる医療型障害児入所施設の長及び医師は、肢体の機能の不自由な者の療育に関して相当の経験を有する医師でなければならない。

５　主として肢体不自由のある児童を入所させる医療型障害児入所施設の児童指導員及び保育士の総数は、通じて、乳幼児おおむね10人につき１人以上、少年おおむね20人につき１人以上とする。

６　主として重症心身障害児（法第７条第２項に規定する重症心身障害児をいう。以下同じ。）を入所させる医療型障害児入所施設には、第３項に規定する職員及び心理支援を担当する職員を置かなければならない。

７　主として重症心身障害児を入所させる医療型障害児入所施設の長及び医師は、内科、精神科、医療法施行令（昭和23年政令第326号）第３条の２第１項第１号ハ及びニ(2)の規定により神経と組み合わせた名称を診療科名とする診療科、小児科、外科、整形外科又はリハビリテーション科の診療に相当の経験を有する医師でなければならない。

（心理学的及び精神医学的診査）

第59条　主として自閉症児を入所させる医療型障害児入所施設における心理学的及び精神医学的診査については、第55条の規定を準用する。

（入所した児童に対する健康診断）

第60条　主として肢体不自由のある児童を入所させる医療型障害児入所施設においては、第12条第１項に規定する入所時の健康診断に当たり、整形外科的診断により肢体の機能障害の原因及びその状況を精密に診断し、入所を継続するか否かを考慮しなければならない。

（児童と起居を共にする職員等）

第61条　医療型障害児入所施設（主として重症心身障害児を入所させる施設を除く。以下この項において同じ。）における児童と起居を共にする職員、生活指導、学習指導及び職業指導並びに医療型障害児入所施設の長の保護者等との連絡については、第46条、第50条、第51条及び第54条の規定を準用する。

２　医療型障害児入所施設の長の計画の作成については、第52条の規定を準用する。

第８章の３　児童発達支援センター

（設備の基準）

第62条　児童発達支援センターの設備の基準は、発達支援室、遊戯室、屋外遊戯場（児童発達支援センターの付近にある屋外遊戯場に代わるべき場所を含む。）、医務室、相談室、調理室、便所、静養室並びに児童発達支援の提供に必要な設備及び備品等を設けることとする。

２　児童発達支援センターにおいて、肢体不自由のある児童に対して治療を行う場合には、前項に規定する設備（医務室を除く。）の基準に加えて、医療法に規定する診療所として必要な設備を設けることとする。

３　第１項の発達支援室及び遊戯室は、次に掲げる基準に適合するものでなければならない。

一　発達支援室の１室の定員は、これをおおむね10人とし、その面積は、児童１人につき2.47平方メートル以上とすること。

二　遊戯室の面積は、児童１人につき1.65平方メートル以上とすること。

（職員）

第63条　児童発達支援センターには、嘱託医、児童指導員、保育士（特区法第12条の５第５項に規定する事業実施区域内にある児童発達支援センターにあつては、保育士又は当該事業実施区域に係る国家戦略特別区域限定保育士。以下この条において同じ。）、栄養士、調理員及び児童発達支援管理責任者のほか、日常生活を営むのに必要な機能訓練を行う場合には機能訓練担当職員（日常生活を営むのに必要な機能訓練を担当する職員をいう。以下同じ。）を、日常生活及び社会生活を営むために医療的ケア（人工呼吸器による呼吸管理、喀痰《かくたん》吸引その他こども家庭庁長官が定める医療行為をいう。以下同じ。）を恒常的に受けることが不可欠である障害児に医療的ケアを行う場合には看護職員を、それぞれ置かなければならない。ただし、次に掲げる施設及び場合に応じ、それぞれ当該各号に定める職員を置かないことができる。

一　児童40人以下を通わせる施設　栄養士

二　調理業務の全部を委託する施設　調理員

三　医療機関等との連携により、看護職員を児童発達支援センターに訪問させ、当該看護職員が障害児に対して医療的ケアを行う場合　看護職員

四　当該児童発達支援センター（社会福祉士及び介護福祉士法（昭和62年法律第30号）第48条の３第１項の登録に係る事業所である場合に限る。）において、医療的ケアのうち喀痰《かくたん》吸引等（同法第２条第２項に規定する喀痰《かくたん》吸引等をいう。）のみを必要とする障害児に対し、当該登録を受けた者が自らの事業又はその一環として喀痰《かくたん》吸引等業務（同法第48条の３第１項に規定する喀痰《かくたん》吸引等業務をいう。）を行う場合　看護職員

五　当該児童発達支援センター（社会福祉士及び介護福祉士法附則第27条第１項の登録に係る事業所である場合に限る。）において、医療的ケアのうち特定行為（同法附則第10条第１項に規定する特定行為をいう。）のみを必要とする障害児に対し、当該登録を受けた者が自らの事業又はその一環として特定行為業務（同法附則第27条第１項に規定する特定行為業務をいう。）を行う場合　看護職員

2　児童発達支援センターにおいて、肢体不自由のある児童に対して治療を行う場合には、前項に規定する職員（嘱託医を除く。）に加えて、医療法に規定する診療所として必要な職員を置かなければならない。

3　児童発達支援センターの児童指導員、保育士、機能訓練担当職員及び看護職員の総数は、通じておおむね児童の数を４で除して得た数以上とし、そのうち半数以上は児童指導員又は保育士でなければならない。

4　児童発達支援センターの嘱託医は、精神科又は小児科の診療に相当の経験を有する者でなければならない。

5　第８条第２項の規定にかかわらず、保育所若しくは家庭的保育事業所等（家庭的保育事業等の設備及び運営に関する基準（平成26年厚生労働省令第61号）第１条第２項に規定する家庭的保育事業所等（居宅訪問型保育事業を行う場所を除く。）をいう。）に入所し、又は幼保連携型認定こども園に入園している児童と児童発達支援センターに入所している障害児を交流させるときは、障害児の支援に支障がない場合に限り、障害児の支援に直接従事する職員については、これら児童への保育に併せて従事させることができる。

（生活指導及び計画の作成）

第64条　児童発達支援センターにおける生活指導及び児童発達支援センターの長の計画の作成については、第50条第１項及び第52条の規定を準用する。

（保護者等との連絡）

第65条　児童発達支援センターの長は、児童の保護者に児童の性質及び能力を説明するとともに、必要に応じ当該児童を取り扱つた児童福祉司又は児童委員と常に密接な連絡をとり、児童の生活指導につき、その協力を求めなければならない。

第66条　削除

（心理学的及び精神医学的診査）

第67条　児童発達支援センターにおいて障害児に対して行う心理学的及び精神医学的診査は、児童の福祉に有害な実験にわたつてはならない。

第８章の４　削除

第68条から第71条まで　削除

第９章　児童心理治療施設

（設備の基準）

第72条　児童心理治療施設の設備の基準は、次のとおりとする。

一　児童の居室、医務室、静養室、遊戯室、観察室、心理検査室、相談室、工作室、調理室、浴室及び便所を設けること。

二　児童の居室の１室の定員は、これを４人以下とし、その面積は、１人につき4.95平方メートル以上とすること。

三　男子と女子の居室は、これを別にすること。

四　便所は、男子用と女子用とを別にすること。ただし、少数の児童を対象として設けるときは、この限りでない。

（職員）

第73条　児童心理治療施設には、医師、心理療法担当職員、児童指導員、保育士（特区法第12条の５第５項に規定する事業実施区域内にある児童心理治療施設にあつては、保育士又は当該事業実施区域に係る国家戦略特別区域限定保育士。第６項において同じ。）、看護師、個別対応職員、家庭支援専門相談員、栄養士及び調理員を置かなければならない。ただし、調理業務の全部を委託する施設にあつては、調理員を置かないことができる。

2　医師は、精神科又は小児科の診療に相当の経験を有する者でなければならない。

3　心理療法担当職員は、学校教育法の規定による大学（短期大学を除く。以下この項において同じ。）若しくは大学院において、心理学を専修する学科、研究科若しくはこれに相当する課程を修めて卒業した者又は同法の規定による大学において、心理学に関する科目の単位を優秀な成績で修得したことにより、同法第102条第2項の規定により大学院への入学を認められた者であつて、個人及び集団心理療法の技術を有し、かつ、心理療法に関する1年以上の経験を有するものでなければならない。

4　家庭支援専門相談員は、社会福祉士若しくは精神保健福祉士の資格を有する者、児童心理治療施設において児童の指導に5年以上従事した者又は法第13条第3項各号のいずれかに該当する者でなければならない。

5　心理療法担当職員の数は、おおむね児童10人につき1人以上とする。

6　児童指導員及び保育士の総数は、通じておおむね児童4.5人につき1人以上とする。

（児童心理治療施設の長の資格等）

第74条　児童心理治療施設の長は、次の各号のいずれかに該当し、かつ、こども家庭庁長官が指定する者が行う児童心理治療施設の運営に関し必要な知識を習得させるための研修を受けた者であつて、人格が高潔で識見が高く、児童心理治療施設を適切に運営する能力を有するものでなければならない。

一　医師であつて、精神保健又は小児保健に関して学識経験を有する者

二　社会福祉士の資格を有する者

三　児童心理治療施設の職員として3年以上勤務した者

四　都道府県知事が前各号に掲げる者と同等以上の能力を有すると認める者であつて、次に掲げる期間の合計が3年以上であるもの又はこども家庭庁長官が指定する講習会の課程を修了したもの

イ　児童福祉司となる資格を有する者にあつては、相談援助業務（国、都道府県又は市町村の内部組織における相談援助業務を含む。）に従事した期間

ロ　社会福祉主事となる資格を有する者にあつては、相談援助業務に従事した期間

ハ　社会福祉施設の職員として勤務した期間（イ又はロに掲げる期間に該当する期間を除く。）

2　児童心理治療施設の長は、2年に1回以上、その資質の向上のためのこども家庭庁長官が指定する者が行う研修を受けなければならない。ただし、やむを得ない理由があるときは、この限りでない。

（心理療法、生活指導及び家庭環境の調整）

第75条　児童心理治療施設における心理療法及び生活指導は、児童の社会的適応能力の回復を図り、児童が、当該児童心理治療施設を退所した後、健全な社会生活を営むことができるようにすることを目的として行わなければならない。

2　児童心理治療施設における家庭環境の調整は、児童の保護者に児童の状態及び能力を説明するとともに、児童の家庭の状況に応じ、親子関係の再構築等が図られるように行わなければならない。

（自立支援計画の策定）

第76条　児童心理治療施設の長は、前条第1項の目的を達成するため、入所中の個々の児童について、年齢、発達の状況その他の当該児童の事情に応じ意見聴取その他の措置をとることにより、児童の意見又は意向、児童やその家庭の状況等を勘案して、その自立を支援するための計画を策定しなければならない。

（業務の質の評価等）

第76条の2　児童心理治療施設は、自らその行う法第43条の2に規定する業務の質の評価を行うとともに、定期的に外部の者による評価を受けて、それらの結果を公表し、常にその改善を図らなければならない。

（児童と起居を共にする職員）

第77条　児童心理治療施設については、第46条の規定を準用する。

（関係機関との連携）

第78条　児童心理治療施設の長は、児童の通学する学校及び児童相談所並びに必要に応じ児童家庭支援センター、里親支援センター、児童委員、保健所、市町村保健センター等関係機関と密接に連携して児童の指導及び家庭環境の調整に当たらなければならない。

第10章　児童自立支援施設

（設備の基準）

第79条　児童自立支援施設の学科指導に関する設備については、小学校、中学校又は特別支援学校の設備の設置基準に関する学校教育法の規定を準用する。ただし、学科指導を行わない場合にあつてはこの限りでない。

2　前項に規定する設備以外の設備については、第41条（第2号ただし書を除く。）の規定を準用する。ただし、男子と女子の居室は、これを別にしなければならない。

（職員）

第80条　児童自立支援施設には、児童自立支援専門員

（児童自立支援施設において児童の自立支援を行う者をいう。以下同じ。）、児童生活支援員（児童自立支援施設において児童の生活支援を行う者をいう。以下同じ。）、嘱託医及び精神科の診療に相当の経験を有する医師又は嘱託医、個別対応職員、家庭支援専門相談員、栄養士並びに調理員を置かなければならない。ただし、児童40人以下を入所させる施設にあつては栄養士を、調理業務の全部を委託する施設にあつては調理員を置かないことができる。

2　家庭支援専門相談員は、社会福祉士若しくは精神保健福祉士の資格を有する者、児童自立支援施設において児童の指導に5年以上従事した者又は法第13条第3項各号のいずれかに該当する者でなければならない。

3　心理療法を行う必要があると認められる児童10人以上に心理療法を行う場合には、心理療法担当職員を置かなければならない。

4　心理療法担当職員は、学校教育法の規定による大学（短期大学を除く。以下この項において同じ。）若しくは大学院において、心理学を専修する学科、研究科若しくはこれに相当する課程を修めて卒業した者又は同法の規定による大学において、心理学に関する科目の単位を優秀な成績で修得したことにより、同法第102条第2項の規定により大学院への入学を認められた者であつて、個人及び集団心理療法の技術を有し、かつ、心理療法に関する1年以上の経験を有するものでなければならない。

5　実習設備を設けて職業指導を行う場合には、職業指導員を置かなければならない。

6　児童自立支援専門員及び児童生活支援員の総数は、通じておおむね児童4.5人につき1人以上とする。

（児童自立支援施設の長の資格等）

第81条　児童自立支援施設の長は、次の各号のいずれかに該当し、かつ、こども家庭庁組織規則（令和5年内閣府令第38号）第16条に規定する人材育成センターが行う児童自立支援施設の運営に関し必要な知識を習得させるための研修又はこれに相当する研修を受けた者であつて、人格が高潔で識見が高く、児童自立支援施設を適切に運営する能力を有するものでなければならない。

一　医師であつて、精神保健に関して学識経験を有する者

二　社会福祉士の資格を有する者

三　児童自立支援専門員の職にあつた者等児童自立支援事業に5年以上（人材育成センターが行う児童自立支援専門員として必要な知識及び技能を習得させるための講習の課程（以下「講習課程」という。）を修了した者にあつては、3年以上）従事した者

四　都道府県知事が前各号に掲げる者と同等以上の能力を有すると認める者であつて、次に掲げる期間の合計が5年以上（人材育成センターが行う講習課程を修了した者にあつては、3年以上）であるもの

イ　児童福祉司となる資格を有する者にあつては、相談援助業務（国、都道府県、指定都市又は児童相談所設置市の内部組織における相談援助業務を含む。）に従事した期間

ロ　社会福祉主事となる資格を有する者にあつては、相談援助業務に従事した期間

ハ　社会福祉施設の職員として勤務した期間（イ又はロに掲げる期間に該当する期間を除く。）

2　児童自立支援施設の長は、2年に1回以上、その資質の向上のためのこども家庭庁長官が指定する者が行う研修を受けなければならない。ただし、やむを得ない理由があるときは、この限りでない。

（児童自立支援専門員の資格）

第82条　児童自立支援専門員は、次の各号のいずれかに該当する者でなければならない。

一　医師であつて、精神保健に関して学識経験を有する者

二　社会福祉士の資格を有する者

三　都道府県知事の指定する児童自立支援専門員を養成する学校その他の養成施設を卒業した者（学校教育法の規定による専門職大学の前期課程を修了した者を含む。）

四　学校教育法の規定による大学(短期大学を除く。以下この号において同じ。)において、社会福祉学、心理学、教育学若しくは社会学を専修する学科若しくはこれらに相当する課程を修めて卒業した者又は同法の規定による大学において、社会福祉学、心理学、教育学若しくは社会学に関する科目の単位を優秀な成績で修得したことにより、同法第102条第2項の規定により大学院への入学を認められた者であつて、1年以上児童自立支援事業に従事したもの又は前条第1項第4号イからハまでに掲げる期間の合計が2年以上であるもの

五　学校教育法の規定による大学院において、社会福祉学、心理学、教育学若しくは社会学を専攻する研究科又はこれらに相当する課程を修めて卒業した者であつて、1年以上児童自立支援事業に従事したもの又は前条第1項第4号イからハまでに掲げる期間の合計が2年以上であるもの

六　外国の大学において、社会福祉学、心理学、教

育学若しくは社会学を専修する学科又はこれらに相当する課程を修めて卒業した者であつて、１年以上児童自立支援事業に従事したもの又は前条第１項第４号イからハまでに掲げる期間の合計が２年以上であるもの
七　学校教育法の規定による高等学校若しくは中等教育学校を卒業した者、同法第90条第２項の規定により大学への入学を認められた者若しくは通常の課程による12年の学校教育を修了した者（通常の課程以外の課程によりこれに相当する学校教育を修了した者を含む。）又は文部科学大臣がこれと同等以上の資格を有すると認定した者であつて、３年以上児童自立支援事業に従事したもの又は前条第１項第４号イからハまでに掲げる期間の合計が５年以上であるもの
八　教育職員免許法に規定する小学校、中学校、義務教育学校、高等学校又は中等教育学校の教諭の免許状を有する者であつて、１年以上児童自立支援事業に従事したもの又は２年以上教員としてその職務に従事したもの
２　前項第３号の指定については、第43条第２項の規定を準用する。
（児童生活支援員の資格）
第83条　児童生活支援員は、次の各号のいずれかに該当する者でなければならない。
一　保育士（特区法第12条の５第５項に規定する事業実施区域内にある児童自立支援施設にあつては、保育士又は当該事業実施区域に係る国家戦略特別区域限定保育士）の資格を有する者
二　社会福祉士の資格を有する者
三　３年以上児童自立支援事業に従事した者
（生活指導、職業指導、学科指導及び家庭環境の調整）
第84条　児童自立支援施設における生活指導及び職業指導は、すべて児童がその適性及び能力に応じて、自立した社会人として健全な社会生活を営んでいくことができるよう支援することを目的として行わなければならない。
２　学科指導については、学校教育法の規定による学習指導要領を準用する。ただし、学科指導を行わない場合にあつてはこの限りでない。
３　生活指導、職業指導及び家庭環境の調整については、第45条（第２項を除く。）の規定を準用する。
（自立支援計画の策定）
第84条の２　児童自立支援施設の長は、前条第１項の目的を達成するため、入所中の個々の児童について、年齢、発達の状況その他の当該児童の事情に応じ意見聴取その他の措置をとることにより、児童の意見又は意向、児童やその家庭の状況等を勘案して、その自立を支援するための計画を策定しなければならない。
（業務の質の評価等）
第84条の３　児童自立支援施設は、自らその行う法第44条に規定する業務の質の評価を行うとともに、定期的に外部の者による評価を受けて、それらの結果を公表し、常にその改善を図らなければならない。
（児童と起居を共にする職員）
第85条　児童自立支援施設の長は、児童自立支援専門員及び児童生活支援員のうち少なくとも１人を児童と起居を共にさせなければならない。
第86条　削除
（関係機関との連携）
第87条　児童自立支援施設の長は、児童の通学する学校及び児童相談所並びに必要に応じ児童家庭支援センター、里親支援センター、児童委員、公共職業安定所等関係機関と密接に連携して児童の指導及び家庭環境の調整に当たらなければならない。
（心理学的及び精神医学的診査等）
第88条　児童自立支援施設においては、入所している児童の自立支援のため、随時心理学的及び精神医学的診査並びに教育評価（学科指導を行う場合に限る。）を行わなければならない。

第11章　児童家庭支援センター

（設備の基準）
第88条の２　児童家庭支援センターには相談室を設けなければならない。
（職員）
第88条の３　児童家庭支援センターには、法第44条の２第１項に規定する業務（次条において「支援」という。）を担当する職員を置かなければならない。
２　前項の職員は、法第13条第３項各号のいずれかに該当する者でなければならない。
（支援を行うに当たつて遵守すべき事項）
第88条の４　児童家庭支援センターにおける支援に当たつては、児童、保護者その他の意向の把握に努めるとともに、懇切を旨としなければならない。
２　児童家庭支援センターにおいて、児童相談所、福祉事務所、児童福祉施設、民生委員、児童委員、母子・父子自立支援員、母子・父子福祉団体、公共職業安定所、女性相談支援員、保健所、市町村保健センター、精神保健福祉センター、学校等との連絡調整を行うに当たつては、その他の支援を迅速かつ的確に行うことができるよう円滑にこれを行わなければならない。
３　児童家庭支援センターにおいては、その附置され

ている施設との緊密な連携を行うとともに、その支援を円滑に行えるよう必要な措置を講じなければならない。

第11章の2　里親支援センター

（設備の基準）

第88条の5　里親支援センターには事務室、相談室等の里親及び里親に養育される児童並びに里親になろうとする者（次条第3項第3号において「里親等」という。）が訪問できる設備その他事業を実施するために必要な設備を設けなければならない。

（職員）

第88条の6　里親支援センターには、里親制度等普及促進担当者、里親等支援員及び里親研修等担当者を置かなければならない。

2　里親制度等普及促進担当者は、次の各号のいずれかに該当する者でなければならない。

一　法第13条第3項各号のいずれかに該当する者

二　里親として5年以上の委託児童（法第27条第1項第3号の規定により里親に委託された児童をいう。以下この条及び次条第2号において同じ。）の養育の経験を有する者又は小規模住居型児童養育事業の養育者等（児童福祉法施行規則第1条の10に規定する養育者等をいう。以下この条及び次条において同じ。）若しくは児童養護施設、乳児院、児童心理治療施設若しくは児童自立支援施設の職員として、児童の養育に5年以上従事した者であつて、里親制度その他の児童の養育に必要な制度への理解及びソーシャルワークの視点を有する者

三　里親制度その他の児童の養育に必要な制度の普及促進及び新たに里親になることを希望する者の開拓に関して、都道府県知事が前2号に該当する者と同等以上の能力を有すると認める者

3　里親等支援員は、次の各号のいずれかに該当する者でなければならない。

一　法第13条第3項各号のいずれかに該当する者

二　里親として5年以上の委託児童の養育の経験を有する者又は小規模住居型児童養育事業の養育者等若しくは児童養護施設、乳児院、児童心理治療施設若しくは児童自立支援施設の職員として、児童の養育に5年以上従事した者であつて、里親制度その他の児童の養育に必要な制度への理解及びソーシャルワークの視点を有する者

三　里親等への支援の実施に関して、都道府県知事が前2号に該当する者と同等以上の能力を有すると認める者

4　里親研修等担当者は、次の各号のいずれかに該当する者でなければならない。

一　法第13条第3項各号のいずれかに該当する者

二　里親として5年以上の委託児童の養育の経験を有する者又は小規模住居型児童養育事業の養育者等若しくは児童養護施設、乳児院、児童心理治療施設若しくは児童自立支援施設の職員として、児童の養育に5年以上従事した者であつて、里親制度その他の児童の養育に必要な制度への理解及びソーシャルワークの視点を有する者

三　里親及び里親になろうとする者への研修の実施に関して、都道府県知事が前2号に該当する者と同等以上の能力を有すると認める者

（里親支援センターの長の資格等）

第88条の7　里親支援センターの長は、次の各号のいずれかに該当し、かつ、法第11条第4項に規定する里親支援事業の業務の十分な経験を有する者であつて、里親支援センターを適切に運営する能力を有するものでなければならない。

一　法第13条第3項各号のいずれかに該当する者

二　里親として5年以上の委託児童の養育の経験を有する者又は小規模住居型児童養育事業の養育者等若しくは児童養護施設、乳児院、児童心理治療施設若しくは児童自立支援施設の職員として、児童の養育に5年以上従事した者であつて、里親制度その他の児童の養育に必要な制度への理解及びソーシャルワークの視点を有する者

三　都道府県知事が前2号に該当する者と同等以上の能力を有すると認める者

（里親支援）

第88条の8　里親支援センターにおける支援は、里親制度その他の児童の養育に必要な制度の普及促進、新たに里親になることを希望する者の開拓、里親、小規模住居型児童養育事業に従事する者及び里親になろうとする者への研修の実施、法第27条第1項第3号の規定による児童の委託の推進、里親、小規模住居型児童養育事業に従事する者、里親又は小規模住居型児童養育事業に従事する者に養育される児童及び里親になろうとする者への支援その他の必要な支援を包括的に行うことにより、里親に養育される児童が心身ともに健やかに育成されるよう、その最善の利益を実現することを目的として行わなければならない。

（業務の質の評価等）

第88条の9　里親支援センターは、自らその行う法第44条の3第1項に規定する業務の質の評価を行うとともに、定期的に外部の者による評価を受けて、それらの結果を公表し、常にその改善を図らなければ

ならない。

（関係機関との連携）

第88条の10　里親支援センターの長は、都道府県、市町村、児童相談所及び里親に養育される児童の通学する学校並びに必要に応じ児童福祉施設、児童委員等関係機関と密接に連携して、里親等への支援に当たらなければならない。

第12章　雑則

（電磁的記録）

第88条の11　児童福祉施設及びその職員は、記録、作成その他これらに類するもののうち、この府令の規定において書面（書面、書類、文書、謄本、抄本、正本、副本、複本その他文字、図形等人の知覚によつて認識することができる情報が記載された紙その他の有体物をいう。以下この条において同じ。）で行うことが規定されている又は想定されるものについては、書面に代えて、当該書面に係る電磁的記録（電子的方式、磁気的方式その他人の知覚によつては認識することができない方式で作られる記録であつて、電子計算機による情報処理の用に供されるものをいう。）により行うことができる。

附　則　抄

（施行の期日）

第89条　この省令は、公布の日〔昭和23年12月29日〕から、施行する。

（高等学校、大学の意味）

第90条　第28条第５号、第38条第２項第４号、第43条第８号及び第82条第７号にいう学校教育法の規定による高等学校は、中等学校令の規定による中等学校を含むものとする。

２　第21条第４項、第27条第３項、第38条第２項第６号イ、第42条第４項、第43条第４号、第73条第３項、第80条第４項及び第82条第４号にいう大学は、大学令の規定による大学を含むものとする。

（保育所の職員配置に係る特例）

第94条　保育の需要に応ずるに足りる保育所、認定こども園（子ども・子育て支援法（平成24年法律第65号）第27条第１項の確認を受けたものに限る。）又は家庭的保育事業等が不足していることに鑑み、当分の間、第33条第２項ただし書の規定を適用しないことができる。この場合において、同項本文の規定により必要な保育士が１人となる時は、当該保育士に加えて、都道府県知事（指定都市にあつては当該指定都市の市長とし、中核市にあつては当該中核市の市長とする。）が保育士と同等の知識及び経験を有すると認める者を置かなければならない。

第95条　前条の事情に鑑み、当分の間、第33条第２項に規定する保育士の数の算定については、幼稚園教諭若しくは小学校教諭又は養護教諭の普通免許状（教育職員免許法第４条第２項に規定する普通免許状をいう。）を有する者を、保育士とみなすことができる。

第96条　第94条の事情に鑑み、当分の間、１日につき８時間を超えて開所する保育所において、開所時間を通じて必要となる保育士の総数が、当該保育所に係る利用定員の総数に応じて置かなければならない保育士の数を超えるときは、第33条第２項に規定する保育士の数の算定については、都道府県知事（指定都市にあつては当該指定都市の市長とし、中核市にあつては当該中核市の市長とする。）が保育士と同等の知識及び経験を有すると認める者を、開所時間を通じて必要となる保育士の総数から利用定員の総数に応じて置かなければならない保育士の数を差し引いて得た数の範囲で、保育士とみなすことができる。

第97条　前２条の規定を適用する時は、保育士（法第18条の18第１項の登録を受けた者をいい、児童福祉施設最低基準の一部を改正する省令（平成10年厚生省令第51号）附則第２項又は前２条の規定により保育士とみなされる者を除く。）を、保育士の数（前２条の規定の適用がないとした場合の第33条第２項により算定されるものをいう。）の３分の２以上、置かなければならない。

附　則（平成10年４月９日厚生省令第51号）抄

（施行期日）

１　この省令は、公布の日から施行する。

（経過措置）

２　改正後の第33条第２項に規定する保育士の数の算定については、当分の間、当該保育所に勤務する保健師、看護師又は准看護師（以下この項において「看護師等」という。）を、１人に限って、保育士とみなすことができる。ただし、乳児の数が４人未満である保育所については、子育てに関する知識と経験を有する看護師等を配置し、かつ、当該看護師等が保育を行うに当たって当該保育所の保育士による支援を受けることができる体制を確保しなければならない。

附　則（令和６年３月13日内閣府令第18号）

（施行期日）

１　この府令は、令和６年４月１日から施行する。

（経過措置）

２　保育士及び保育従事者の配置の状況に鑑み、保育の提供に支障を及ぼすおそれがあるときは、当分の間、この府令による改正後の児童福祉施設の設備及び運営に関する基準（次項において「設備運営基準」という。）第33条第２項並びに改正後の家庭的保育事業等の設備及び運営に関する基準（次項において「家庭的保育事業等基準」という。）第29条第２項、第31条第２項、第44条第２項及び第47条第２項の規定は、適用しない。この場合において、この府令による改正前の児童福祉施設の設備及び運営に関する基準第33条第２項並びに家庭的保育事業等の設備及び運営に関する基準第29条第２項、第31条第２項、第44条第２項及び第47条第２項の規定は、この府令の施行の日以後においても、なおその効力を有する。

3　前項の場合を除き、この府令の施行の日から起算して１年を超えない期間内において、設備運営基準第33条第２項並びに家庭的保育事業等基準第29条第２項、第31条第２項、第44条第２項及び第47条第２項の規定による基準（満３歳以上満４歳に満たない児童及び満４歳以上の児童に対し保育を提供する保育士及び保育従事者の数に関する基準に限る。以下この項において同じ。）に従い定める児童福祉法第34条の16第１項に規定する市町村の条例又は同法第45条第１項に規定する都道府県の条例が制定施行されるまでの間は、設備運営基準第33条第２項並びに家庭的保育事業等基準第29条第２項、第31条第２項、第44条第２項及び第47条第２項の規定による基準は、当該市町村の条例又は当該都道府県の条例で定める基準とみなす。

◉地域の自主性及び自立性を高めるための改革の推進を図るための関係法律の整備に関する法律の一部の施行に伴う厚生労働省関係政令等の整備及び経過措置に関する政令(抄)

〔平成23年9月14日
政 令 第 289 号〕

注 令和4年12月23日政令第398号改正現在

(地域の自主性及び自立性を高めるための改革の推進を図るための関係法律の整備に関する法律附則第4条の政令で定める日)

第4条 地域の自主性及び自立性を高めるための改革の推進を図るための関係法律の整備に関する法律〔平成23年法律第37号〕(以下「法」という。)附則第4条の政令で定める日は、令和7年3月31日とする。

(保育所に係る居室の床面積の特例の適用)

第5条 第1条の規定による改正後の児童福祉法施行令第45条の3第1項の規定により適用される児童福祉法第45条第1項の規定により同法第59条の4第1項の児童相談所設置市が条例を定める場合においては、法附則第4条中「都道府県」とあるのは、「児童福祉法第59条の4第1項の児童相談所設置市」とする。

附 則

この政令は、平成24年4月1日から施行する。

◉地域の自主性及び自立性を高めるための改革の推進を図るための関係法律の整備に関する法律附則第４条の基準を定める内閣府令

〔平成23年９月２日
厚生労働省令第112号〕

注　令和５年３月31日厚生労働省令第48号改正現在

地域の自主性及び自立性を高めるための改革の推進を図るための関係法律の整備に関する法律（平成23年法律第37号。以下「整備法」という。）附則第４条の内閣府令で定める基準は、次の各号のいずれかに該当することとする。

一　次のいずれにも該当する市町村（特別区を含む。以下同じ。）であること。

イ　前々年の４月１日において、子ども・子育て支援法（平成24年法律第65号）第27条第１項に規定する特定教育・保育施設（就学前の子どもに関する教育、保育等の総合的な提供の推進に関する法律（平成18年法律第77号）第２条第６項に規定する認定こども園又は児童福祉法（昭和22年法律第164号）第39条第１項に規定する保育所に限る。）又は子ども・子育て支援法第43条第２項に規定する特定地域型保育事業（以下「特定教育・保育施設等」という。）の利用の申込みを行った同法第20条第４項に規定する教育・保育給付認定保護者（同法第19条第１項第２号又は第３号に掲げる小学校就学前子どもの保護者に限る。⑷から⑹までにおいて「教育・保育給付認定保護者」という。）の当該申込みに係る児童であって特定教育・保育施設等を利用していないもの（次のいずれかに該当するものを除く。）の数並びに当該市町村において特定教育・保育施設等を利用している児童であって、整備法附則第４条の規定及び就学前の子どもに関する教育、保育等の総合的な提供の推進に関する法律附則第２項の規定を適用しないものとした場合に特定教育・保育施設等を利用できないこととなるものの合計数が100人以上であること。

⑴　学校教育法（昭和22年法律第26号）第１条に規定する幼稚園（以下「幼稚園」という。）に通う児童であって、当該幼稚園において、適当な設備を備える等により、教育課程に係る教育時間の終了後に教育活動を行う事業（事業の実施に要する費用に係る国又は地方公共団体の補助（以下「事業実施補助」という。）を受けているものに限る。）又は児童福祉法施行規則（昭和23年厚生省令第11号）第36条の35第１項第２号に規定する幼稚園型一時預かり事業を利用しているもの

⑵　幼稚園において、適当な設備を備える等により、教育課程に係る教育時間外において教育活動を長時間行う事業であって、事業実施補助を受けているものを利用している児童

⑶　児童福祉法第59条第１項に規定する施設のうち同法第６条の３第９項から第12項まで又は第39条第１項に規定する業務を目的とするものであって、事業実施補助を受けているものを利用している児童

⑷　教育・保育給付認定保護者が利用を希望する特定教育・保育施設等以外の特定教育・保育施設等又は⑵に規定する事業若しくは⑶に規定する施設を利用することができる児童

⑸　育児休業中である教育・保育給付認定保護者（特定教育・保育施設等の利用が可能となった場合に就業する予定であると認められる者を除く。）の児童

⑹　子ども・子育て支援法施行規則（平成26年内閣府令第44号）第１条の５第６号に規定する求職活動を継続的に行っていることを事由として子ども・子育て支援法第20条第１項及び第３項の認定を受けた教育・保育給付認定保護者であって、当該求職活動を継続的に行っていないと認められるものの児童

ロ　前々年の１月１日において、当該市町村に属する地価公示法（昭和44年法律第49号）に規定する標準地（以下「標準地」という。）であって住宅地（都市計画法（昭和43年法律第100号）第７条第１項に規定する市街化区域内の同法第９条第１項に規定する第１種低層住居専用地域、同条第２項に規定する第２種低層住居専用地域、同条第３項に規定する第１種中高層住居専用地域、同条第４項に規定する第２種中高

層住居専用地域、同条第５項に規定する第１種住居地域及び同条第６項に規定する第２種住居地域並びにその他の同法第４条第２項に規定する都市計画区域（以下「都市計画区域」という。）内及び都市計画区域外の地価公示法第２条第１項に規定する公示区域内において居住用の建物の敷地の用に供されている土地をいう。以下同じ。）であるものについて同項の規定により公示された価格の平均額が、首都圏整備法（昭和31年法律第83号）第２条第３項に規定する既成市街地及び同条第４項に規定する近郊整備地帯、近畿圏整備法（昭和38年法律第129号）第２条第３項に規定する既成都市区域及び同条第４項に規定する近郊整備区域並びに中部圏開発整備法（昭和41年法律第102号）第２条第３項に規定する都市整備区域内の市町村に属する標準地であって住宅地であるものについて地価公示法第２条第１項の規定により公示された価格の平均額を超えていること。

二　次のいずれにも該当する市町村であること。

イ　前号イに該当すること。

ロ　前々年の１月１日において、当該市町村に属する標準地であって住宅地であるものについて地価公示法第２条第１項の規定により公示された価格の平均額が、首都圏整備法第２条第３項に規定する既成市街地若しくは同条第４項に規定する近郊整備地帯、近畿圏整備法第２条第３項に規定する既成都市区域若しくは同条第４項に規定する近郊整備区域又は中部圏開発整備法第２条第３項に規定する都市整備区域内の市町村に属する標準地であって住宅地であるものについて地価公示法第２条第１項の規定により公示された価格のうちの最低額を超えていること。

ハ　次に掲げる事項を公表していること。

⑴　特定教育・保育施設等の整備の用に供する土地の確保その他の教育・保育（子ども・子育て支援法第14条第１項に規定する教育・保育をいう。）の提供体制を確保するために講じている措置に関する事項

⑵　⑴の措置を講じてもなお特定教育・保育施設等の整備の用に供する土地を確保することが困難である旨及びその理由

附　則

この省令は、平成24年４月１日から施行する。

◉地域の自主性及び自立性を高めるための改革の推進を図るための関係法律の整備に関する法律附則第４条の規定に基づく内閣総理大臣が指定する地域

〔平成23年９月２日 厚生労働省告示第314号〕

注　令和６年３月28日内閣府告示第25号改正現在

地域の自主性及び自立性を高めるための改革の推進を図るための関係法律の整備に関する法律（平成23年法律第37号）附則第４条の規定に基づき、同条の厚生労働大臣が指定する地域を次のように定め、平成24年４月１日から適用する。

都道府県名	市　町　村　名
大阪府	大阪市

○地域の自主性及び自立性を高めるための改革の推進を図るための関係法律の整備に関する法律の一部の施行に伴う厚生労働省関係省令の整備に関する省令の施行について

〔平成23年10月28日　雇児発1028第１号
各都道府県知事・各指定都市市長・各中核市市長・各児童相談所設置市市長宛　厚生労働省雇用均等・児童家庭局長通知〕

地域の自主性及び自立性を高めるための改革の推進を図るための関係法律の整備に関する法律の一部の施行に伴う厚生労働省関係省令の整備に関する省令（平成23年厚生労働省令第127号。以下「改正省令」という。）が別添のとおり公布され、平成24年４月１日から施行されるところであるが、当局所管に係る改正省令の改正の趣旨及び概要は下記のとおりであるので、御了知の上、その運用に遺憾のないようにされたい。

なお、この通知は、地方自治法（昭和22年法律第67号）第245条の４第１項の規定に基づく技術的な助言であることを申し添える。

記

１　改正の趣旨

地域の自主性及び自立性を高めるための改革の推進を図るための関係法律の整備に関する法律（平成23年法律第37号。以下「整備法」という。）において、児童福祉法（昭和22年法律第164号）第45条等の改正がなされ、都道府県、指定都市、中核市（助産施設、母子生活支援施設又は保育所の場合に限る。）及び児童相談所設置市（以下「都道府県等」という。）が児童福祉施設の設備及び運営について条例で基準を定めることとされ、また、都道府県等が当該条例を定めるに当たって従うべき基準（以下「従うべき基準」という。）及び参酌すべき基準（以下「参酌すべき基準」という。）については厚生労働省令で定めることとされた。

これに伴い、都道府県等が条例を定める際の基準として、児童福祉施設最低基準（昭和23年厚生省令第63号）の規定を従うべき基準及び参酌すべき基準に区分する等、所要の改正を行うこととした。

（注）

①　「従うべき基準」とは、「条例の内容を直接的に拘束する、必ず適合しなければならない基準であり、当該基準に従う範囲内で地域の実情に応じた内容を定める条例は許容されるものの、異なる内容を定めることは許されないもの」である。（地方分権改革推進計画（平成21年12月15日閣議決定））よって、条例の内容は、法令の「従うべき基準」に従わなければならないものであり、本省令の「従うべき基準」を下回る内容を定めることは許容されないが、当該基準に従う範囲内で、地域の実情に応じ「従うべき基準」を上回る内容を定めることは許容されるものである。

②　「参酌すべき基準」とは、地方自治体が十分参酌した結果としてであれば、地域の実情に応じて、異なる内容を定めることが許容されるものである。（地方分権改革推進計画（平成21年12月15日閣議決定））

２　改正の概要

⑴　児童福祉施設最低基準の省令の名称変更等

児童福祉法第45条第１項により都道府県等が条例を定める際の同条第２項に規定する厚生労働省令で定める基準については、「児童福祉施設の設備及び運営に関する基準」（以下「設備運営基準」という。）と称することとし、児童福祉施設最低基準の省令の名称も「児童福祉施設の設備及び運営に関する基準」に改正する。（設備運営基準題名及び第１条第１項）

なお、児童福祉法第45条第１項により都道府県等が条例で定める基準については、最低基準と称することとする。（設備運営基準第２条）

⑵　設備運営基準の区分（設備運営基準第１条第１項）

児童福祉法第45条第２項に規定する設備運営基準は、従うべき基準及び参酌すべき基準に以下のとおり区分する。

・従うべき基準

①　児童福祉施設に配置する従業者及びその員数について、都道府県等が条例を定めるに当たって従うべき基準として、設備運営基準第１条第１項第１号に定める規定による基準

②　児童福祉施設に係る居室及び病室の床面積その他児童福祉施設の設備に関する事項であって児童の健全な発達に密接に関連するものとして厚生労働省令で定めるものについて、都道府県等が条例を定めるに当たって従うべき基準として、設備運営基準第１条第１

項第２号に定める規定による基準

③　児童福祉施設の運営に関する事項であって、児童（助産施設にあっては、妊産婦）の適切な処遇の確保及び秘密の保持、妊産婦の安全の確保並びに児童の健全な発達に密接に関連するものとして厚生労働省令で定めるものについて、都道府県等が条例を定めるに当たって従うべき基準として、設備運営基準第１条第１項第３号に定める規定による基準

・参酌すべき基準

設備運営基準第１条第１項第４号に定める規定による基準

⑶　設備運営基準の目的及び向上（設備運営基準第１条第２項及び第３項）

設備運営基準は、都道府県知事等の監督に属する児童福祉施設に入所している者が、明るくて、衛生的な環境において、素養があり、かつ、適切な訓練を受けた職員（児童福祉施設の長を含む。以下同じ。）の指導により、心身ともに健やかにして、社会に適応するように育成されることを保障するものとする。

また、厚生労働大臣は、当該設備運営基準を常に向上させるよう努めるものとする。

なお、当該設備運営基準は、都道府県知事等の監督に属する児童福祉施設をその対象とするものであるので、御留意いただきたい。

⑷　最低基準の目的及び向上（設備運営基準第２条及び第３条）

児童福祉法第45条第１項の規定により都道府県等が条例で定める最低基準は、都道府県知事等の監督に属する児童福祉施設に入所している者が、明るくて、衛生的な環境において、素養があり、かつ、適切な訓練を受けた職員の指導により、心身ともに健やかにして、社会に適応するように育成されることを保障するものとする。

また、都道府県等は、当該最低基準を常に向上させるよう努めるものとする。

なお、当該最低基準は、都道府県知事等の監督に属する児童福祉施設をその対象とするものであるので、御留意いただきたい。

⑸　大都市等の特例に関する読替規定（設備運営基準第14条の４）

平成23年８月30日に公布された「地域の自主性及び自立性を高めるための改革の推進を図るための関係法律の整備に関する法律の一部の施行に伴う総務省関係政令の整備及び経過措置に関する政令（平成23年政令第272号）」により、地方自治法施行令（昭和22年政令第16号）が、平成23年９月14日に公布された「地域の自主性及び自立性を高めるための関係法律の整備に関する法律の一部の施行に伴う厚生労働省関係政令等の整備及び経過措置に関する政令（平成23年政令第289号）」により、児童福祉法施行令（昭和23年政令第74号）がそれぞれ改正され、指定都市、中核市（助産施設、母子生活支援施設又は保育所の場合に限る。）及び児童相談所設置市（以下「指定都市等」という。）に条例で最低基準を定める事務が移譲されている。

これを受け、指定都市等の市長の監督に属する児童福祉施設については、これらの市が最低基準を定めることから、この省令の都道府県に関する規定のうち、これらの市に適用すべきものについて所要の読替えを行う。

なお、国立施設及び都道府県立施設については、指定都市等の区域内に施設が存在する場合であっても、指定都市等の市長の監督に属さないことから、指定都市等の条例で定める最低基準は適用されないので御留意いただきたい。

⑹　改正前の児童福祉施設最低基準の改正附則について

改正前の児童福祉施設最低基準の改正附則の経過措置に関する規定であって、現在も適用されるべきものについては、その経過措置が、今般の改正により従うべき基準に区分された基準に関するものであるときは、従うべき基準として整理され、参酌すべき基準に区分された基準に関するものであるときは、参酌すべき基準として整理されるものであるが、具体的には、以下のとおりであるので、条例を制定する上で御留意いただきたい。

・従うべき基準となる改正附則の規定

①　児童福祉施設最低基準等の一部を改正する省令（平成10年厚生省令第15号）附則第２条から第５条まで（当局所管施設に係る部分に限る。）

②　児童福祉施設最低基準の一部を改正する省令（平成10年厚生省令第51号）附則第２項

③　児童福祉施設最低基準の一部を改正する省令（平成19年厚生労働省令第29号）附則第２項

④　児童福祉施設最低基準等の一部を改正する省令（平成23年厚生労働省令第71号）附則第２条、第３条及び第５条（当局所管施設に係る部分に限る。）

⑤　児童福祉施設最低基準及び児童福祉法施行

規則の一部を改正する省令（平成23年厚生労働省令第110号）附則第２条

・参酌すべき基準となる改正附則の規定

改正附則の経過措置に関する規定のうち、従うべき基準となる規定以外のもの（当局所管施設に係る部分に限る。）

(7)　その他

①　設備運営基準第１条については、設備運営基準の趣旨について規定したものであり、都道府県等におかれては、設備運営基準第２条以下を基に条例の制定を行っていただきたい。

②　第32条第１号から第３号における、０歳児及び１歳児の居室面積基準については、子どもの発達段階に応じて乳児室又はほふく室を設けることを求める趣旨である。具体的には、年齢によらず、子どもが自らの意思で動き回る前の発達段階においては乳児室の１人当たり1.65㎡という基準が、子どもが自らの意思でほふくにより動き回ることができる発達段階に至った時点でほふく室の１人当たり3.3㎡という基準が、それぞれ適用となるものである。各自治体におかれては、同趣旨を踏まえ、条例制定を行っていただくようご留意いただきたい。

③　特区省令について

厚生労働省関係構造改革特別区域法第２条第３項に規定する省令の特例に関する措置及びその適用を受ける特定事業を定める省令（平成15年厚生労働省令第132号。以下「特区省令」という。）において、公立保育所における給食の外部搬入方式の容認事業等の特例が定められているが、この特区省令は、都道府県等が定める条例に対して直接適用されるものではない。

このため、既に特区認定を受けている、若しくは今後特区の認定の申請を予定している都道府県等にあっては、設備運営基準と特区省令の双方を参照し、特区省令の特例を反映できる形で、条例の制定を行っていただくよう御留意いただきたい。

④　整備法附則第４条の規定に基づき、都道府県等が保育所に係る居室の床面積の基準を定めるに当たっては、以下のとおり、分権省令で定める基準を標準として定める特例措置を設けているので、御留意いただきたい。

ア　特例措置の対象となる地域の基準について

地域の自主性及び自立性を高めるための改革の推進を図るための関係法律の整備に関する法律附則第４条の基準を定める省令（平成23年厚生労働省令第102号）により、特例措置の対象となる地域の基準は次のいずれの要件も満たす市町村(特別区を含む。以下同じ。）であること。

(ア)　当該年度の前々年度の４月１日時点において、当該市町村における待機児童の数が100人以上であること。

(イ)　当該年度の前々年の１月１日時点において、当該市町村の住宅地の公示価格の平均額が、三大都市圏の住宅地の公示価格の平均額を上回っていること。

イ　特例措置の対象となる期間について

地域の自主性及び自立性を高めるための改革の推進を図るための関係法律の整備に関する法律の一部の施行に伴う厚生労働省関係政令等の整備及び経過措置に関する政令（平成23年政令第289号）により、特例措置の対象となる期間については平成27年３月31日までとすること。

3　施行期日

改正省令は、平成24年４月１日から施行する。

別添　略

○「地域の自主性及び自立性を高めるための改革の推進を図るための関係法律の整備に関する法律の一部の施行に伴う厚生労働省関係省令の整備に関する省令について」の留意事項について

〔平成23年10月28日　雇児保発1028第１号
各都道府県知事・各指定都市市長・各中核市市長・各児童相談所設置市市長宛　厚生労働省雇用均等・児童家庭局保育課長通知〕

本日、「地域の自主性及び自立性を高めるための改革の推進を図るための関係法律の整備に関する法律の一部の施行に伴う厚生労働省関係省令の整備に関する省令の施行について」（平成23年10月28日雇児発1028第１号厚生労働省雇用均等・児童家庭局長通知）が発出され、児童福祉施設の設備及び運営に関する基準（昭和23年厚生省令第63号）第32条第１号から第３号に規定する保育所に関する基準の解釈が示されたところであるが、この取扱いについては下記の事項に留意されたい。

なお、この通知は、地方自治法（昭和22年法律第67号）第245条の４第１項の規定に基づく技術的な助言であることを申し添える。

記

1　新たに保育所の設置認可を行う場合における、乳児室又はほふく室の面積基準の取扱いについて

新規に保育所の設置認可を行う場合にあっては、当該保育所における０歳児及び１歳児の定員のうち、ほふくをしない子どもと、ほふくをする子ども（立ち歩きをはじめた子どもを含む。以下同じ。）の内訳（見込み）に基づき、ほふくをしない子どもに対しては乳児室を、ほふくをする子どもに対してはほふく室を確保できるよう、審査すること。乳児室とほふく室を一の部屋として運営する場合には、ほふくをする子どもとほふくをしない子どもが同時に在室することから、安全の確保に留意しつつ、ほふくをしない子ども１人につき1.65㎡、ほふくをする子ども１人につき3.3㎡の面積を確保するよう、審査すること。

なお、ほふくをしない子どもとほふくをする子どもの内訳（見込み）については、下記の事項に留意されたい。

⑴　一般に、１歳児にあっては、そのほとんどがほふくをする子どもであると考えられること。

⑵　一般に、０歳児にあっても、満１歳に達する以前にほふくをするに至る子どもが相当数みられること。

2　設置後の保育所（既存の施設を含む。）の指導監督を行う場合における、乳児室又はほふく室の面積基準の取扱い

設置後の保育所の指導監督を行う場合においては、指導監督を行う時点において、当該保育所で保育する０歳児及び１歳児のうち、ほふくをしない子ども１人につき1.65㎡、ほふくをする子ども１人につき3.3㎡が確保されるよう、指導監督を行うこと。

3　既設の保育所で、面積基準に抵触している場合の取扱い

既設の保育所で、上記の留意事項に照らして面積基準に抵触している場合については、既に当該保育所に入所している子どもの不利益にならないよう留意しつつ、できるだけ速やかに、面積基準を満たすよう指導されたい。

なお、上記の面積基準に抵触している場合の対処については、例えば下記のような方法が考えられる。

⑴　当該保育所の定員を調整する

⑵　当該保育所内の部屋割りを調整する。

○地域の自主性及び自立性を高めるための改革の推進を図るための関係法律の整備に関する法律附則第４条の基準を定める省令の一部を改正する省令の施行について

〔平成30年４月26日　子発0426第１号
各都道府県知事・各指定都市市長・各中核市市長宛　厚生労働省子ども家庭局長通知〕

都道府県（指定都市及び中核市を含む。以下同じ。）が保育所の居室の床面積に係る条例を定める際には、原則、児童福祉施設の設備及び運営に関する基準（昭和23年厚生省令第63号。以下「設備運営基準」という。）第32条に従うことが求められるところ、地域の自主性及び自立性を高めるための改革の推進を図るための関係法律の整備に関する法律附則第四条の基準を定める省令（平成23年厚生労働省令第102号）により、特例的に、合理的な理由がある範囲内で、国の基準と異なる内容の条例を制定することができる地域（以下「特例地域」という。）の要件を定めているところである。

今般、「平成29年の地方からの提案等に関する対応方針」（平成29年12月26日閣議決定。以下「分権対応方針」という。）を踏まえ、「地域の自主性及び自立性を高めるための改革の推進を図るための関係法律の整備に関する法律附則第四条の基準を定める省令の一部を改正する省令」（平成30年厚生労働省令第62号。以下「改正省令」という。）が平成30年４月26日付で別添のとおり公布され、同日施行されたところである。

改正省令の改正の趣旨及び概要並びに留意事項は下記のとおりであるので、貴職におかれては、十分御了知の上、貴管内の市町村（特別区を含む。以下同じ。）、関係団体等に対して遅滞なく周知を図られたい。

なお、本通知は、地方自治法（昭和22年法律第67号）第245条の４第１項の規定に基づく技術的助言であることを申し添える。

記

１　改正の趣旨

分権対応方針により、特例地域の要件について、「市町村が保育の受け皿整備のための土地確保施策を行ってもなお、当該市町村における土地確保が困難であり、その旨が当該市町村により明らかにされている場合の公示地価要件の在り方について検討し、平成29年度中に結論を得る」こととされたことを踏まえ、所要の改正を行ったこと。

２　改正の概要

⑴　特例地域の要件について

特例地域の要件について、下記①から③までの条件を満たす地域を追加すること。

①　当該年度の前々年の４月１日時点において、当該市町村における待機児童の数が100人以上であること。

②　当該年度の前々年の１月１日時点において、当該市町村の住宅地の公示価格の平均額が、三大都市圏の住宅地の公示価格のうちの最低額を超えていること。

③　次に掲げる事項を公表していること。

ア　特定教育・保育施設等の整備の用に供する土地の確保その他の教育保育の提供体制を確保するために講じている事項

イ　上記の措置を講じてもなお、特定教育・保育施設等の整備の用に供する土地を確保することが困難である旨及びその理由

⑵　特定教育・保育施設の整備の用に供する土地の確保のための事項及び公表について

⑴③アに掲げる事項としては、原則として、下記に掲げる事項全ての取組を行うこと。また、２⑴に掲げる特例の適用に当たっては、下記に掲げる事項に取り組んでいる旨及び土地を確保することが困難である旨並びにその理由をHPに公表すること。その際、市町村において下記事項の一部につき取り組んでいない場合には、その旨及び理由についても併せて公表すること。

なお、市町村において、下記事項以外に、独自に取り組んでいる特定教育・保育施設等の整備の用に供する土地の確保その他の教育保育の提供体制を確保するために講じている事項がある場合については、当該事項についても公表すること。

・国有地、都道府県有地、市町村有地、都市公園、郵便局、学校等の余裕教室、民有地マッチング等の活用による保育所等の設置促進

・大規模マンションでの保育所等の設置促進

・賃貸借方式を活用した保育の受け皿整備
・多様な保育の実施（小規模保育事業、家庭的保育事業　等）
・送迎バスにより広域的に保育所等を利用する事業の実施
・保育所等の土地を有料で貸し付けている所有者に対する固定資産税の減免
・認定こども園への移行促進
・幼稚園における預かり保育（長時間化・通年化）及び一時預かり事業（幼稚園型Ⅱ）等による２歳児受け入れの推進
・認可外保育施設の認可化移行支援の促進

3　特例地域の指定に向けた手続きについて

特例地域については、従前より、「地域の自主性及び自立性を高めるための改革の推進を図るための関係法律の整備に関する法律附則第四条の厚生労働大臣が指定する地域」（平成23年厚生労働省告示第314号）により厚生労働大臣が指定しているものであり、２(1)に掲げる特例の適用を受けることを希望する都道府県については、当該適用を受けようとする前年の７月１日までに、別紙様式及び関係書類（※）により、厚生労働省に申請すること。

※　関係書類とは、特定教育・保育施設の整備の用に供する土地の確保のための措置につき、市町村が取り組んでいる措置の内容に係る書類等を指す。

4　施行日

改正省令は、平成30年４月26日から施行する。

別添・別紙様式　略

○子ども・子育て支援新制度に係る児童福祉施設の設備及び運営に関する基準の一部改正について

〔平成26年９月５日　雇児発0905第４号
各都道府県知事・各指定都市市長・各中核市市長宛　厚生労働省雇用均等・児童家庭局長通知〕

子ども・子育て支援法（平成24年法律第65号）、就学前の子どもに関する教育、保育等の総合的な提供の推進に関する法律の一部を改正する法律（平成24年法律第66号）及び子ども・子育て支援法及び就学前の子どもに関する教育、保育等の総合的な提供の推進に関する法律の一部を改正する法律の施行に伴う関係法律の整備等に関する法律（平成24年法律第67号）の施行に伴い、並びに児童福祉法第45条第２項の規定に基づき、平成26年４月30日に、「児童福祉施設の設備及び運営に関する基準の一部を改正する省令」（平成26年４月30日厚生労働省令第62号）が公布されたところである。

同省令の改正項目のうち、子ども・子育て支援新制度に関連する改正部分の概要については以下のとおりであるので、「児童福祉施設の設備及び運営に関する基準の一部改正の取扱いについて（平成26年雇児発0905第５号厚生労働省雇用均等・児童家庭局長通知）」と併せて御了知の上、その運用に遺漏なきようにお願いする。

なお、この通知は、地方自治法（昭和22年法律第67号）第245条の４第１項に規定する技術的な助言である。

記

第１　改正の要点及び趣旨

子ども・子育て支援新制度が施行されるに伴い、子ども・子育て関連３法のうち、子ども・子育て支援法及び就学前の子どもに関する教育、保育等の総合的な提供の推進に関する法律の一部を改正する法律の施行に伴う関係法律の整備等に関する法律（平成24年法律第67号）の改正により、児童福祉法も改正され、子ども・子育て支援新制度とともに施行されることとなったが、それに伴い、保育所についても、特定教育・保育施設として、施設運営についての重要事項に関する規程を定めておくことや、自己評価や第三者評価の規定の改正により、施設の運営についての運営の透明性を高めるとともに、子ども・子育て支援法（平成24年法律第65号）や就学前の子どもに関する教育、保育等の総合的な提供の推進に関する法律の一部を改正する法律（平成24年法律第66号）が制定されたことに伴う所要の改正を行うこと。

第２　児童福祉施設内部の規程について（設備運営基準第13条）

保育所は、従前定めていた①入所する者の援助に関する事項、②その他施設の管理についての重要事項に代わり、特定教育・保育施設として、次の運営についての重要事項に関する規程を園則として定めること。

なお、次の定めるべき事項のうち、全部又は一部について、別途規定している場合、重ねて規定する必要はなく、当該別途定めている規定を示せば足りることとする。

1　施設の目的及び運営の方針

保育所としての目的及び運営の方針を記すこと。

2　提供する保育の内容

児童福祉施設の設備及び運営に関する基準（昭和23年厚生省令第63号）第35条の規定に基づき保育所における保育の内容について厚生労働大臣が定める指針に基づき提供する保育のほか、障害児の受入れ体制等その園の提供する保育についても積極的に記すこと。

3　職員の職種、員数及び職務の内容

園長、保育士、嘱託医及び調理員など、職員の職種、員数及び職務内容について記すこと。

4　保育の提供を行う日及び時間並びに提供を行わない日

保育の提供を行う日時及び行わない日を明確に記すこと。

5　保護者から受領する費用の種類、支払を求める理由及びその額

「特定教育・保育施設及び特定地域型保育の運営に関する基準（以下「運営基準」という。）」（平成26年内閣府令第39号）第13条の規定を踏まえ、適切に記すこと。

6　乳児、満3歳に満たない幼児及び満3歳以上の幼児の区分ごとの利用定員

子ども・子育て支援法（平成24年法律第65号）第19条第1号、第2号に加え、3号のうち、乳児及びその他の幼児ごとに利用定員を記すこと。

7　保育所の利用の開始、終了に関する事項及び利用に当たっての留意事項

保育所の入退所や利用に当たっての留意事項を記すこと。

8　緊急時等における対応方法

緊急時等における対応方針について、関係機関や保護者との連絡方法など記すこと。なお、別途、緊急時等における対応マニュアルを定めている場合においては、その旨を記すこと。

9　非常災害対策

火災や地震などの、非常災害等に対する対策を記すこと。なお、別途、非常災害対策等を定めている場合においては、その旨を記すこと。

10　虐待の防止のための措置に関する事項

虐待の防止のために講じている対策について記すこと。

11　保育所の運営に関する重要事項

その他保育所の運営に関する重要事項について記すこと。

第3　業務の質の評価等（設備運営基準第36条の2関係）

特定教育・保育施設として、自らの行う業務の質の評価を行い、常にその改善を図らなければならないこと。

また、定期的に外部評価を受けた上で、その結果を公表し、常に改善を図るよう努めなければならないこととされており、5年に1度程度の受審が可能となるよう、公定価格上の評価も行うこととしていることから、積極的に外部評価を受審するよう努めること。

第4　その他所要の規定の整理（設備運営基準第33条、第36条の3及び附則第94条）

子ども・子育て支援法及び改正後の就学前の子どもに関する教育、保育等の総合的な提供の推進に関する法律及びその下位法令が施行されることに伴う所要の整理を行うもの。

以上

○児童福祉施設の設備及び運営に関する基準の一部改正の取扱いについて

〔平成26年９月５日　雇児発0905第５号
各都道府県知事・各指定都市市長・各中核市市長宛　厚生労働省雇用均等・児童家庭局長通知〕

保育行政の推進については、かねてより格別の御配慮をいただいているところであるが、平成26年４月30日に、「児童福祉施設の設備及び運営に関する基準の一部を改正する省令」（平成26年４月30日厚生労働省令第62号）（以下「改正省令」という。）を公布したところである。

今般の改正省令改正の内容については、「子ども・子育て支援新制度に係る児童福祉施設の設備及び運営に関する基準の一部改正について」（平成26年雇児発0905第４号厚生労働省雇用均等・児童家庭局長通知）に記されているもののほか、以下のとおり取扱うこととしているので、関係方面へ周知いただくとともに、運用に遺漏なきよう御配慮願いたい。

なお、この通知は、地方自治法（昭和22年法律第67号）第245条の４第１項に規定する技術的な助言である。

記

第１　改正の要点及び趣旨

避難階段の基準の見直し

昭和42年に児童福祉施設最低基準（昭和23年厚生省令第63号）第32条が改正されて以来、一定の防災上の構造設備を具備する場合には、保育室又は遊戯室を２階以上に設けられることとしていたが、保育所設置に係る制度改正、都市部等における保育需要の高まり等を受け、平成14年に、保育所の設備基準を改正し、保育室及び遊戯室のほか、乳児室及びほふく室を２階以上に設ける事例や需要が増加していることにかんがみ、保育所における火災事例の分析、防災関係規制の合理化等を踏まえ、従前の保育所の設備基準の有する安全性の水準を前提としつつ、保育所設置に係る多様な選択肢を認めていたところ。

平成25年６月に閣議決定された「日本再興戦略」及び「規制改革実施計画」において、乳児室、ほふく室、保育室又は遊戯室（以下「保育室等」という。）を４階以上に設ける場合の避難用の屋外避難階段について、「同等の安全性と代替手段を前提として緩和がなされるよう、合理的な程度の避難基準の範囲及び代替手段について、今年度中に検討し、結論を得る」こととされたことから、建築・消防に関する学識経験者等による検討を行い、その結果を踏まえ、所要の改正を行うこととした。

改正省令により、既存の建物を活用するなどして４階以上に保育室等を設置する事例が増加することも考えられることから、その際に事前に検討すべき事項等について別添のとおり取りまとめたので、最低基準の改正及び認可の際の事前の検討等において活用するとともに、消防署等の関係機関と調整の上、乳幼児の安全が確保されるよう検討を行うこと。

第２　保育所の設備基準について（設備運営基準第32条第８項）

１　総則

(1)　保育室等を１階に設ける場合については、従前と変わりないこと。

(2)　保育室等は、特別の理由のない場合は、１階に設けることが望ましいこと。

なお、児童福祉施設の建物等については、最低基準に適合し、建築基準法等の関係諸規定に適合する必要があることは言うまでもないところであるが、特に保育室等を２階以上に設ける場合は、乳幼児の特殊性にかんがみ、防災設備の一層の向上に努めるとともに、設備運営基準第６条に基づく最低基準の規定による避難訓練の実施、消防機関の協力の確保等に万全を期するよう指導されたいこと。

また、保育室等に火気を使用する設備又は器具が設けられている場合は、階数にかかわらず、設備運営基準第６条第１項に基づく最低基準の規定に基づき、乳幼児の火遊び防止のために必要な進入防止措置を講じるよう努めること。

(3)　保育室等を２階以上の複数階に亘り設ける場合の基準については、その保育所の構造設備のすべてについて最も高い階に設ける場合の基準が適用されること。

(4)　保育室等を１階に設ける場合や屋上に屋外遊戯場を設ける場合においても、２方向避難の趣旨を踏まえ、通常の歩行経路のすべてに共通の重複区間があるときにおける当該重複区間の長さに配慮されたいこと。

２　保育室等を２階に設ける場合の要件については、次の点を留意されたいこと。

(1)　イについて

保育所の建物は、建築基準法（昭和25年法律第201号）第２条第９号の２に規定する耐火建築物又は同条第９号の３に規定する準耐火建築物（同号ロに該当するものを除く。）であることを要し、従来の簡易耐火建築物等に相当する同号ロに規定する準耐火建築物によることは認められないこと。

⑵　ロについて

㋐　階段については、常用の階段として、屋内階段又は屋外階段を１以上設ける必要があること。

また、避難用の階段として、屋内階段、待避上有効なバルコニー、屋外傾斜路若しくはこれに準ずる設備又は屋外階段を１以上設ける必要があること。

㋑　㋐の避難用の屋内階段は、建築基準法施行令（昭和25年政令第338号）第123条第１項各号又は同条第３項各号に規定する構造としなければならないこと。ただし、建築基準法施行令第123条第１項の場合は、併せて同条第３項第２号、第３号及び第９号を満たす特別避難階段に準じた構造とする必要があること。

㋒　㋑の特別避難階段に準じた屋内階段の設備は、屋内と階段室との間に階段室への煙の直接的な侵入を防ぐための次の要件を満たすバルコニー又は付室を有するものであること。この場合、バルコニー又は付室は、保育室等が設けられている階と避難階との間にある全ての階に設置されていること。

・バルコニー及び付室は、階段室以外の屋内に面する壁に出入口以外の開口部を設けないこととし、開口部を除き、耐火構造の壁で囲むこと。

・付室の天井及び壁の室内に面する部分は、仕上げを不燃材料でし、かつ、その下地を不燃材料で造ること。

・屋内からバルコニー又は付室に通ずる出入口には建築基準法施行令第112条第14項第２号に規定する構造の特定防火設備を設けること。

㋓　待避上有効なバルコニーは、「都市計画法及び建築基準法の一部を改正する法律等の施行について」（平成５年住指発第225号・住街発第94号建設省建築指導課長、市街地建築課長通知）等を踏まえ、次の要件を満たす構造とする必要があること。

・バルコニーの床は準耐火構造とすること。

・バルコニーは十分に外気に開放すること。

・バルコニーの待避に利用する各部分から２m以内にある当該建築物の外壁は準耐火構造とし、開口部がある場合は防火設備とすること。

・屋内からバルコニーに通じる出入口の戸の幅は0.75m以上、高さは1.8m以上、下端の床面からの高さは0.15m以下とすること。

・バルコニーの待避に利用する部分の面積は、その階の保育室等の面積の概ね８分の１以上とし、幅員概ね3.5m以上の道路又は空地に面すること。

なお、待避上有効なバルコニーは、建築基準法上の直通階段には該当しないため、建築基準法施行令第120条及び第121条に基づき、原則として保育室等から50m以内に直通階段が設置されていなければならないこと。

㋔　待避上有効なバルコニーは、一時的に待避し、消防隊による救助も期待するものであり、特に設備運営基準第６条に基づく最低基準の規定による避難訓練の実施、消防機関の協力の確保等に万全を期するよう指導されたいこと。

㋕　屋外傾斜路に準ずる設備とは、非常用滑り台をいうものであること。

㋖　屋外傾斜路は建築基準法第２条第７号の２に規定する準耐火構造とし、かつ、乳幼児の避難に適した構造とする必要があること。

㋗　屋外傾斜路、これに準ずる設備及び屋外階段は、十分緩やかな傾斜とし、踊場の面積、手すりの構造、地上に接する部分の状況等について、乳幼児の避難に際して転倒、転落等の事故の生じないよう安全確保に留意されたいこと。

⑶　へについて

保育室等、廊下、便所、テラス等乳幼児が通行、出入りする場所には、乳幼児の転落を防止するため金網、柵等を設け、又は窓の開閉を乳幼児が行なえないようにする等の設備が必要であること。

また、階段については、乳幼児が１人で昇降しないよう降り口に乳幼児が開閉できない柵を設ける等、乳幼児の転落防止に十分留意するほか、乳幼児が通常出入しない事務所等の場所についても、誤って乳幼児が立ち入ることのないよう留意するよう指導されたいこと。

3　保育室等を３階に設ける場合の要件については、次の点を留意されたいこと。

⑴　ロについて

㋐　階段については、常用の階段として、屋内階段又は屋外階段を１以上設ける必要があること。

また、避難用の階段として、屋内階段、屋外傾斜路若しくはこれに準ずる設備又は屋外階段を１以上設ける必要があること。

㋑　㋐の常用の屋内階段については、建築基準法施行令第123条第1項各号又は同条第3項各号に規定する構造としなければならないこと。また、避難用の屋内階段については、2の(2)(イ)及び(ウ)と同様であること。

(ウ) 屋外傾斜路は建築基準法第2条第7号に規定する耐火構造とすること。なお、乳幼児の避難に適した構造とする必要があることに留意すること。

(2) ハについて

(ア) 階段について、避難上有効な位置に設置されなければならないこととされているので、階段を複数の保育室等のそれぞれに配置する等により、一方の階段附近で火災が発生した場合等に、他の階段が使用できなくなるような事態が生じないよう留意する必要があること。

(イ) 保育室等からの迅速な避難に資するため保育室等から階段のうち一つの階段に至る距離は、30メートル以下としなければならないこと。この場合、距離は直線距離でなく、歩行距離をいうものであり、実際の測定は、保育室等の最も遠い部分から行なうこととなること。

(ウ) 階段は、乳幼児の避難に適したものであることを要するので、踏面、けあげ、手すり、踊場等が避難の際に、乳幼児の安全を確保し得るようなものであること。

(3) ニについて

(ア) 類焼又は保育所内の火気を取り扱う調理室からの延焼を防止するため、保育所の調理室以外の部分を調理室の部分から防火区画で区画すること。

ただし、調理室にスプリンクラー設備等又は外部への延焼防止措置を施した自動消火装置が設置されている場合は、調理室以外の部分との防火区画を設けなくてもよいこと。この場合、設備運営基準第6条第1項に基づく最低基準の規定に基づき、乳幼児の火遊び防止のために必要な進入防止措置を講じること。

なお、保育所の調理室以外の部分を当該建物の保育所以外の部分から防火区画で区画することについては、建築基準法施行令第112条第13項の規定によること。

(イ) スプリンクラー設備については、消防法施行令（昭和36年政令第37号）第12条に定めるとおりとし、また、スプリンクラー設備に類するもので自動式のものは、「パッケージ型自動消火設備の性能及び設置の基準について」（昭和63年消防予第136号消防庁予防課長通知）に規定するパッケージ型自動消火装置等とすること。

(ウ) (ア)の自動消火装置とは、対象火気設備等の位置、構造及び管理並びに対象火気器具等の取扱いに関する条例の制定に関する基準を定める省令（平成14年総務省令第24号）第11条に定める「自動消火装置」をいうこと。

また、その構造は、調理用器具の種類に応じ、次に掲げる装置から適切なものを選択しなければならないこととし、外部への延焼防止措置として、「火災予防条例（例）について」（昭和36年自消甲予発第73号消防庁長官通知）に基づき、不燃材料で造った壁、柱、床及び天井で区画し、防火設備又は不燃材料（ガラスを除く。）製の扉を設けることとする。

・レンジ用簡易自動消火装置（「フード等用簡易自動消火装置の性能及び設置の基準について」（平成5年消防予第331号消防庁予防課長通知）参照）
・フライヤー用簡易自動消火装置（同通知参照）
・レンジ・フライヤー用簡易自動消火装置（同通知参照）
・フード・レンジ用及びフード・フライヤー用簡易自動消火装置（同通知参照）

(エ) 強火力の火気設備を設けた厨房は、建築基準法上火気使用室として取り扱われ得ること。

(オ) 防火区画は、耐火構造の床若しくは壁又は建築基準法施行令第112条に規定する特定防火設備で区画することを要し、しっくい壁等は認められないこと。

(カ) 暖房設備等の風道が壁等を貫通する部分又はこれに近接する部分には、当該部分から出火を防止するため、有効にダンパーを設ける必要があること。

(4) ホについて

保育所の各室、廊下等の室内に面する部分の仕上げは、不燃材料でしなければならないこと。

(5) へについて

2の(3)と同様であること。

(6) トについて

(ア) 非常警報器具又は非常警報設備は、保育所内に火災の発生を報知する設備であって、鐘、ベル等の設備を設ける必要があること。

(イ) 消防機関等へ火災を報知する設備としては、電話が設けられていれば足りること。

(7) チについて

保育所内での火災の発生を防止するため、カーテン、敷物、建具等で可燃性のものに対しては、薬品による防炎処理を施すこと。

4 保育室等を4階以上に設ける場合の要件につい

ては、次の点を留意されたいこと。
(1)　ロについて
(ア)　階段については、常用の階段として、屋内階段又は屋外階段を1以上設ける必要があること。
　また、避難用の階段として、屋内階段、屋外傾斜路又は屋外階段を1以上設ける必要があること。
(イ)　(ア)の常用の屋内階段は、建築基準法施行令第123条第1項各号又は同条第3項各号に規定する構造としなければならないこと。
(ウ)　(ア)の避難用の屋内階段は、建築基準法施行令第123条第1項各号又は同条第3項各号に規定する構造としなければならないこと。
　ただし、建築基準法施行令第123条第1項に規定する構造とする場合は、屋内と階段室とは、屋内と階段室との間に階段室への煙の直接的な侵入を防ぐためのバルコニー又は外気に向かって開くことの出来る窓若しくは排煙設備（同条第3項第1号に規定する国土交通大臣が定めた構造方法を用いるものその他有効に排煙することができると認められるものに限る。）を有する付室を通じて連絡することとし、かつ、同条第3項第2号、第3号及び第9号を満たす特別避難階段に準じた構造とする必要があること。この場合、当該バルコニー又は付室は、保育室等が設けられている階と避難階との間にある全ての階に設置されていることが必要であること。
(エ)　(ウ)の特別避難階段に準じた屋内階段におけるバルコニー又は付室は、2の(2)(ウ)の各要件を満たすものであること。
(オ)　(ウ)の排煙設備は、建築基準法施行令第123条第3項第1号に規定する国土交通大臣が定めた構造方法を用いるものその他有効に排煙することができると認められるものに限られること。
　建築基準法施行令第123条第3項第1号に規定する国土交通大臣が定めた構造方法を用いるものとは、「特別避難階段の付室に設ける外気に向かつて開くことのできる窓及び排煙設備の構造方法を定める件」（昭和44年5月1日建設省告示第1728号）により国土交通大臣が定めた構造方法を用いるものであり、「その他有効に排煙することができると認められるもの」とは、建築基準法施行令第129条の2の規定により当該階が階避難安全性能を有するものであることについて国土交通大臣の認定を受けた場合の排煙設備又は同令第129条の2の2の規定により当該建築物が全館避難安全性能を有するものであることについて国土交通大臣の認定を受けた場合の排煙設備であること。なお、既にこれらの認定を受けている場合、保育室等から乳幼児が避難することを踏まえ、再度これらの性能を有するものであることについて認定を受けることが必要であること。
(カ)　屋外階段については、建築基準法施行令第123条第2項各号に規定する構造としなければならないこと。
(キ)　屋外傾斜路については、3の(1)(ウ)と同様であること。
(2)　ハからチまでについて
　3の(2)から(7)までと同様であること。
5　屋外遊戯場は、地上に設けるものが通例であるが、耐火建築物においては、屋上が利用できることに伴い、用地が不足する場合は、地上に利用可能な場所がない場合に限り、屋上を屋外遊戯場として利用することも考えられること。ただし、屋外遊戯場の性格にかんがみ、屋上に屋外遊戯場を設ける場合においては、設備運営基準第32条第6号に基づく最低基準の規定によるほか、次の点につき十分指導されたいこと。
(1)　保育所保育指針に示された保育内容の指導が、効果的に実施できるような環境とするよう配慮すること。
(2)　屋上施設として、便所、水飲場等を設けること。
(3)　防災上の観点から次の点に留意すること。
(ア)　当該建物が耐火建築物の場合に限り、かつ、職員、消防機関等による救出に際して支障のない程度の階数の屋上であること。
(イ)　屋上から地上又は、避難階に直通する避難用階段が設けられていること。
(ウ)　屋上への出入口の扉は、特定防火設備に該当する防火戸であること。
(エ)　油その他引火性の強いものを置かないこと。
(オ)　屋上の周囲には金網を設けるものとし、その構造は上部を内側にわん曲させる等乳幼児の転落防止に適したものとすること。
(カ)　警報設備は屋上にも通ずるものとし、屋上から非常を知らせる設備についても配慮すること。
(キ)　消防機関との連絡を密にし、防災計画等について指導をうけること。
6　その他
(1)　積雪地域において、屋外階段等外気に開放された部分を避難経路とする場合は、乳幼児の避難に支障が生じないよう、必要な防護措置を講じること。

(2) 人工地盤及び立体的遊歩道が、保育所を設置する建物の途中階に接続し、当該階が建築基準法施行令第13条の3に規定する避難階（直接地上へ通ずる出入口のある階）と認められる場合にあっては、最低基準の適用に際して当該階を1階とみなして差し支えないこと。この場合、建築主事と連携を図ること。

(3) 既存の建物を改修して床面積が100㎡以上の保育所を設けようとする場合にあっては、児童福祉法とは別に、建築基準法第87条に基づく用途変更の届け出が必要であること。

（別　添）

保育室等を高層階に設置するに当たって
事前に検討すべき事項

高層・複合ビルの場合、地上まで乳幼児を避難させることが困難な場合があり、階段室等において他の入居者と合流し、迅速な避難が妨げられる可能性もあることから、保育所の高層階への設置に当たっては、事前に以下の事項について検討を行うこと。

また、以下に掲げた事項のほか、保育室等を設置する建物の場所や他の入居者などといった当該建物の特性、保育室等を何階に設置するかなどを考慮して、消防署等の関係機関と調整の上、乳幼児の安全が確保されるよう検討を行うこと。

1　保育所を高層階に設置する場合の検討事項

① 当該建物内において乳幼児や避難誘導のための保育士等が安全に待避し、外部からの救助を待つことができる広さのスペースが確保できること。

※ 外部からの救助を待つことができるスペースとしては、避難階段前の付室や、区画された部屋、保育室とは別の階の外気に接することのできるような安全なスペースが考えられる。

② 複合ビルの場合には他の入居者と別の階段が使えるようにしておくなど、乳幼児が安全に避難できる階段を事前に確認しておくこと。

2　階段等の設置に関する検討事項

① 乳幼児が安全かつ円滑に降りることができるよう、階段室の手すりの高さや大きさ、階段の蹴上げの高さ等に留意するとともに、乳幼児が恐怖心を覚えないよう、下が見えないよう素通し防止を図ることが望ましいこと。

② 保育室等を4階以上に設置する場合における特別避難階段及び特別避難階段に準じた屋内避難階段については、バルコニー又は外気に向かって開くことができる窓若しくは排煙設備を有する付室を通じて屋内と階段室とを連絡するとともに、バルコニー及び付室については乳幼児が安全に一定時間待避できるよう十分な広さを確保することが必要であること。

3　災害への備えと避難訓練の実施

(1) 災害への備え

① 火災や地震等の災害発生に備え、消防計画を策定し、消防署に届け出るとともに、避難・消火訓練の実施、職員の役割分担の確認、緊急時の対応等について、マニュアルを作成し、その周知を図ること。

② 災害時には通常と異なる経路を使って避難する可能性もあることから、最終避難場所や子どもの保護者への引き渡し場所をあらかじめ決めておき、保護者への周知を図ること。

③ 児童福祉施設の設備及び運営に関する基準（昭和23年12月29日厚生省令第63号）においては、避難・消火訓練は、少なくとも毎月1回は行わなければならないとされており、各地方自治体の条例に基づき、定期的に避難及び消火に対する訓練を確実に実施すること。

④ 消防法（昭和23年7月24日法律第186号）の改正により、平成26年4月1日から、保育所が入居する3階以上の建物で、その管理について権原が分かれているもののうち「建物全体の収容人員が30名以上となるもの」は、建物全体の防火管理業務を統括する「統括防火管理者の選任・届出」や「建物全体の消防計画の作成」の義務化など、防火管理体制が強化されることとなっていることから、建物全体の防火管理体制の構築に積極的に参加する必要があること。

(2) 避難訓練の実施

① 避難・消火訓練計画を策定するに当たっては、実際に火災や地震等が発生した場合を想定するとともに、実際の保育士人数や保育所の設置階を踏まえた、実用性の高いものとすること。

特に、早朝、夜間やお昼寝の時間など、人員体制が手薄であったり、避難に時間がかかったりする時間帯に火災や地震等が発生した場合も想定すること。

また、通常、保育所においてはクラス別（日常的に保育を行っている単位別）に保育士等が介助し、避難誘導を行い、避難中の人数確認も必要であるため、その分避難時間が長くなることにも留意すること。

② 避難訓練を実施する際には、園児及び保育士等が実際に避難に利用するルートを使うとともに、人員体制が手薄な場合や避難に時間がかかる場合を想定して訓練を行うこと。

また、消防署や近隣の地域住民、同じビルの他の入居者、家庭と連携した訓練も行うこと。

※ 円滑な避難のためには、近隣の地域住民や同じビルの他の入居者と乳幼児が日頃から顔見知りになっておくことも重要。

③　避難経路については、乳幼児が慣れている日常動線による避難が望ましいが、非常用階段の利用についても日頃の訓練等を通じて慣れておくこと。また、高層階で非常用エレベータが設置されている場合には、非常用エレベータによる消防隊の救助を考慮に入れた避難計画の検討も考えられること。

④　外部からの救助を待つことができるスペースについて、当該スペースへの待避を想定した避難・消火訓練を実施しておくこと。また、当該スペースについて、乳幼児が安全に待避できるように日頃から管理しておくこと。

⑤　階段室に排煙設備を設置する場合には、訓練の際に当該排煙設備を動かすなど、非常時に使用する設備や器具について、日頃の訓練において有効に機能するか確認をしておくこと。

⑥　階段室の手前で乳幼児が滞留してしまわないよう、円滑な避難ができるようにすること。

※　例えば、年齢の高い乳幼児から避難させるなど、避難の順番を工夫することも考えられる。

○保育所等における短時間勤務の保育士の取扱いについて

〔令和３年３月19日　子発0319第１号
各都道府県・各指定都市・各中核市民生主管部（局）長宛
厚生労働省子ども家庭局長通知〕

注　令和５年４月21日こ成保21改正現在

保育施策の推進につきましては、日頃より御尽力を賜り厚く御礼申し上げます。

児童福祉施設の設備及び運営に関する基準（昭和23年厚生省令第63号）及び家庭的保育事業等の設備及び運営に関する基準（平成26年厚生労働省令第61号）（以下「最低基準」という。）で規定されている定数上の保育士の取扱いに関し、これまで「保育所における短時間勤務の保育士の導入について」（平成10年２月18日付け児発第85号厚生省児童家庭局長通知。以下「平成10年通知」という。）において、短時間勤務の保育士の取扱いをお示ししてきました。今般、最低基準上の保育士定数は常勤の保育士をもって確保することが原則であり、望ましいという前提の下で、常勤の保育士の確保が困難であることにより、保育所等（保育所並びに小規模保育事業所Ａ型、小規模保育事業所Ｂ型及び事業所内保育事業所をいう。以下同じ。）に空き定員があるにもかかわらず待機児童が発生している場合に限り、暫定的な措置として、短時間勤務の保育士（常勤の保育士（当該保育所等の就業規則において定められている常勤の従業者が勤務すべき時間数（１か月に勤務すべき時間数が120時間以上であるものに限る。）に達している者又は当該者以外の者であって、１日６時間以上かつ月20日以上勤務するもの）以外の者。以下同じ。）が従事する業務に関する特例的な対応を取っても差し支えないこととするなど、短時間勤務の保育士に関する取扱いを下記のとおり改めて整理し、令和３年４月１日から適用することとしましたので、十分御了知の上、貴管内の関係者に対して遺漏なく周知し、適切に運用いただくようお願いします。

これに伴い、平成10年通知は、令和３年３月31日限りで廃止することとします。

なお、本通知は、地方自治法（昭和22年法律第67号）第245条の４第１項の規定に基づく技術的助言であることを申し添えます。

記

1　最低基準における定数上の保育士の取扱い

保育の基本は乳幼児が健康、安全で情緒の安定した生活ができる環境の中で、健全な心身の発達を図ることであり、また、保育所等の利用児童数が年々増加する中で従来にも増して保育士の関わりは重要であるばかりでなく、保護者との連携を十分に図るためにも、今後とも最低基準上の保育士定数は、子どもを長時間にわたって保育できる常勤の保育士をもって確保することが原則であり、望ましいこと。しかしながら、保育所等本来の事業の円滑な運営を阻害せず、保育時間や保育児童数の変化に柔軟に対応すること等により、入所児童に対する保育の質の確保が図られる場合であって、次の条件の全てを満たすときには、最低基準上の保育士定数の一部に短時間勤務の保育士を充てても差し支えないものであること。なお、この適用に当たっては、組やグループ編成を適切に行うとともにこれを明確にしておくこと。

⑴　常勤の保育士が各組・各グループに１名以上（乳児を含む各組・各グループであって当該組・グループに係る最低基準上の保育士定数が２名以上の場合は、１名以上ではなく２名以上）配置されていること。

ただし、令和２年度以降の各年４月１日時点のいずれかの待機児童数が１人以上であり、かつ、その要因が、管内の保育所等において空き定員があるにもかかわらず、常勤の保育士の確保が困難であることにより、当該保育所等の利用を希望する子どもを受け入れることができないためであることと判断している市町村（特別区を含む。以下同じ。）において、待機児童解消のために当該市町村がやむを得ないと認める場合に限り、当該保育所等の利用を希望する子どもを受け入れるのに不足する常勤の保育士数の限りにおいて、１名の常勤の保育士に代えて２名の短時間勤務の保育士を充てても差し支えないものであること。その際、当該市町村においては、上記の判断に当たり管内の保育関係者と認識の共有を図るとともに、当該保育所等において、適切に常勤の保育士の募集等常勤の保育士を確保するための取組を行っていることを確認すること。常勤の保育士の募集を適切に実施しているかを確認する際には、例えば、当該保育所等に勤務する常勤の保育士よりも著しく低い処遇水準での募集が行われていないことや、ハローワークや職業紹介事業者等を通じ広く求人活動を一定期間行っていることその他適切な方法により募集を行っていることを確認することが考えられること。

なお、常勤の保育士が各組・各グループに１名以上（乳児を含む各組・各グループであって当該組・グループに係る最低基準上の保育士定数が２名以上の場合は、１名以上ではなく２名以上）配置されていることが原則であり、望ましいことに変わりはないため、常勤の保育士の確保が可能となった場合には、各組・各グループに１名以上常勤の保育士を配置し、上記ただし書きの取扱いについては、早期に解消を図り、当該業務に当たっていた短時間勤務の保育士の業務内容の見直しを行うこと。

(2) 常勤の保育士に代えて短時間勤務の保育士を充てる場合の勤務時間数が、常勤の保育士を充てる場合の勤務時間数を上回ること。

2　留意すべき事項

(1) 保育所等の長は、職員会議等を通じて職員間の情報共有及び連携を十分に図るとともに、保育士の職務の重要性及び児童福祉法（昭和22年法律第164号）第48条の４第２項の規定により保育士に資質向上に係る努力義務が課されていること等に鑑み、勤務形態を問わず各種研修への参加機会の確保等に努める必要があること。

特に、１(1)ただし書きの場合にあっては、複数の保育士が同一の組・グループの保育を共同で行うことが想定されることから、同一の組・グループを担当する短時間勤務の保育士が共同で指導計画及び保育の記録を作成することを通して、一貫した保育の提供及び保護者支援を可能とする機会を確保することや、保育士の交替に当たって、引継ぎを適切に行うための時間を確保することなど、利用児童に対する保育の質の確保や適切な保護者支援の実施に努めること。なお、利用児童に対し、安定的に保育を提供する観点から、同一の組・グループに対して、日によって異なる短時間勤務の保育士を配置することは適切ではないこと。あわせて、常勤職員など一部の職員に業務の負担が偏ることがないよう、周辺業務の効率化や分担を含めた保育所全体としての業務マネジメントが行われるよう留意すること。

(2) 短時間労働者及び有期雇用労働者の雇用管理の改善等に関する法律（平成５年法律第76号）や雇用保険法（昭和49年法律第116号）等の労働関係法規を遵守し、不安定な雇用形態や低処遇の保育士が生ずることのないよう留意すること。また、例えばグループの担任を務める短時間勤務の保育士の待遇に関し、同一労働同一賃金の観点から、同じくグループの担任を務める常勤の保育士の待遇との間に差を設けないなど、短時間勤務の保育士と常勤の保育士との間で不合理な待遇差を設けないこと。このため、短時間勤務の保育士を導入する保育所等にあっても導入しない保育所等と同様の保育単価とする取扱いとしている。

(3) 児童福祉法第48条の４第１項の規定に基づき、保育士の勤務形態の状況等について情報提供に努めること。

(4) 各都道府県知事及び各市町村の長は、管内の保育所等における１(1)ただし書きの適切な運用について、児童福祉法に基づき実施する指導監査において確認を行うこと。指導監査の実施に当たり、特に確認すべき事項としては、例えば、職員の確保及び定着化についての取組並びに労働基準法（昭和22年法律第49号）等関係法規の遵守状況の確認に際して、常勤の保育士を確保するための取組の状況や、短時間勤務の保育士に対する処遇の適正性を確認することや、指導計画等の作成に当たり、同一の組・グループを担当する短時間勤務保育士が共同で指導計画等を作成する機会が担保されているかを確認することが考えられること。その際、常勤の保育士を確保するための取組の状況については、１(1)ただし書きの適用に当たり、当該状況の確認を行っている市町村と、情報の共有を行うこと。

(5) 過去３年間の指導監査において、都道府県知事及び市町村の長から勧告や改善命令を受けている保育所等については、１(1)ただし書きの適用を認めないこととすること。

○保育所における調理業務の委託について

〔平成10年２月18日　児発第86号
各都道府県知事・各指定都市市長・各中核市市長宛　厚生省児童家庭局長通知〕

保育所における調理業務については、これまで施設の職員により行われるものとされていたが、地方分権推進委員会の第２次勧告の指摘等を踏まえ、給食の安全・衛生や栄養等の質の確保が図られていることを前提としつつ、保育所本来の事業の円滑な運営を阻害しない限りにおいて、下記の事項に留意の上、調理業務の委託を認めることとし、平成10年４月１日から適用することとしたので、適切な実施を期するよう、貴管下市区町村及び保育所に対し周知徹底及び指導方よろしくお願いしたい。

なお、本通知に従い調理業務の委託を行う施設のうち、全ての業務を委託する施設にあっては、児童福祉施設最低基準等の一部を改正する省令（平成10年厚生省令第15号）第１条により、調理員を置かないことができるものである。

記

1　調理業務の委託についての基本的な考え方

保育所における給食については、児童の発育段階や健康状態に応じた離乳食・幼児食やアレルギー・アトピー等への配慮など、安全・衛生面及び栄養面等での質の確保が図られるべきものであり、調理業務について保育所が責任をもって行えるよう施設の職員により行われることが原則であり、望ましいこと。しかしながら、施設の管理者が業務上必要な注意を果たし得るような体制及び契約内容により、施設職員による調理と同様な給食の質が確保される場合には、入所児童の処遇の確保につながるよう十分配慮しつつ、当該業務を第三者に委託することは差し支えないものであること。

2　調理室について

施設内の調理室を使用して調理させること。したがって、施設外で調理し搬入する方法は認められないものであること。

3　栄養面での配慮について

調理業務の委託を行う施設にあっては、保育所や保健所・市町村等の栄養士により献立等について栄養面での指導を受けられるような体制にあるなど栄養士による必要な配慮がなされていること。したがって、こうした体制がとられていない施設にあっては、調理業務の委託を行うことはできないものであること。

4　施設の行う業務について

施設は次に掲げる業務を自ら実施すること。

ア　受託事業者に対して、１の基本的な考え方の趣旨を踏まえ、保育所における給食の重要性を認識させること。

イ　入所児童の栄養基準及び献立の作成基準を委託業者に明示するとともに、献立表が当該基準どおり作成されているか事前に確認すること。

ウ　献立表に示された食事内容の調理等について、必要な事項を現場作業責任者に指示を与えること。

エ　毎回、検食を行うこと。

オ　受託業者が実施した給食業務従事者の健康診断及び検便の実施状況並びに結果を確認すること。

カ　調理業務の衛生的取扱い、購入材料その他契約の履行状況を確認すること。

キ　随時児童の嗜好調査の実施及び喫食状況の把握を行うとともに、栄養基準を満たしていることを確認すること。

ク　適正な発育や健康の保持増進の観点から、入所児童及び保護者に対する栄養指導を積極的に進めるよう努めること。

5　受託業者について

受託業者は次に掲げる事項のすべてを満たすものであること。

ア　保育所における給食の趣旨を十分認識し、適正な給食材料を使用するとともに所要の栄養量が確保される調理を行うものであること。

イ　調理業務の運営実績や組織形態からみて、当該受託業務を継続的かつ安定的に遂行できる能力を有すると認められるものであること。

ウ　受託業務に関し、専門的な立場から必要な指導を行う栄養士が確保されているものであること。

エ　調理業務に従事する者の大半は、当該業務について相当の経験を有するものであること。

オ　調理業務従事者に対して、定期的に、衛生面及び技術面の教育又は訓練を実施するものであること。

カ　調理業務従事者に対して、定期的に、健康診断及び検便を実施するものであること。

キ　不当廉売行為等健全な商習慣に違反する行為を行わないものであること。

6　業務の委託契約について

施設が調理業務を業者に委託する場合には、その契約内容、施設と受託業者との業務分担及び経費負担を明確にした契約書を取り交すこと。

なお、その契約書には、上記5のア、エ、オ及びカに係る事項並びに次に掲げる事項を明確にすること。

ア　受託業者に対して、施設側から必要な資料の提出を求めることができること。

イ　受託業者が契約書で定めた事項を誠実に履行しないと保育所が認めたとき、その他受託業者が適正な給食を確保する上で支障となる行為を行ったときは、契約期間中であっても保育所側において契約を解除できること。

ウ　受託業者の労働争議その他の事情により、受託業務の遂行が困難となった場合の業務の代行保証に関すること。

エ　受託業者の責任で法定伝染病又は食中毒等の事故が発生した場合及び契約に定める義務を履行しないため保育所に損害を与えた場合は、受託業者は保育所に対し損害賠償を行うこと。

7　その他

(1)　保育所全体の調理業務に対する保健衛生面・栄養面については、従来より保健所等による助言・指導をお願いしているところであるが、今後とも保健所や市町村の栄養士の活用等による指導が十分に行われるよう配慮すること。

(2)　都道府県知事又は指定都市若しくは中核市市長は、適宜、上記2から6までの条件の遵守等につき必要な指導を行うものとすること。

○保育所における乳児に係る保母の配置基準の見直し等について

〔平成10年4月9日　児発第305号
各都道府県知事・各指定都市市長・各中核市市長宛　厚生省児童家庭局長通知〕

児童や家庭を取り巻く環境が変化する中で、都市部を中心にして乳児等の待機児童が非常に多い状況にあり、こうした待機児童の解消が大きな課題となっている。このため、乳児保育について、全ての保育所で乳児保育を実施できる体制を整備するため、児童福祉施設最低基準の一部を改正する省令（平成10年厚生省令第51号）が、本日、別添のとおり公布されたところであるが、下記の事項に留意の上、その運用に遺憾なきを期されたい。

記

1　乳児保育の一般化について

(1)　乳児に係る保母の配置基準の見直しについて

保育所の保母の数については、児童福祉施設最低基準（昭和23年厚生省令第63号。以下「最低基準」という。）第33条第2項により、従来、乳児又は満3歳に満たない幼児おおむね6人につき1人以上とされていたが、乳児については、乳児おおむね3人につき1人以上に引き上げたこと。

(2)　保健婦又は看護婦に係る経過措置について

従来、乳児保育指定保育所の職員の配置については、保母のほか、乳児9人以上を入所させる保育所にあっては保健婦又は看護婦1人を置き、乳児6人以上を入所させる保育所にあっては保健婦又は看護婦1人を置くよう努めることとされ、保健婦又は看護婦が配置された場合には、これを保母の配置基準（保母定数）に含むものとされていたが、こうした点を踏まえ、乳児6人以上を入所させる保育所に係る最低基準上の保母定数については、当分の間、当該保育所に勤務する保健婦又は看護婦を、1人に限って、保母とみなすことができるものとしたこと。

2　留意事項

(1)　乳児保育指定保育所等の廃止について

乳児保育指定保育所及び乳児保育指定外特例保育所（以下「指定保育所等」という。）については、今般、平成10年4月8日児発第283号「特別保育事業の実施について」により廃止されたところであるが、今後とも、乳児の保育を行う保育所にあっては、従来の指定保育所等の要件となっていた設備及び職員の基準（乳児室及びほふく室の面積基準、保健室・調乳室・沐浴室の設置、乳児保育に経験を有する保母の配置及び保健婦（又は看護婦）の配置）を満たすよう指導すること。なお、乳児の待機が多い地域においては、一時的にこうした基準を満たせなくてもやむを得ないものであるが、この場合であっても、最低基準を遵守するとともに、こうした基準を満たすよう努力すること。

(2)　認可外保育施設に対する指導について

認可外保育施設については、昭和56年７月２日児発第566号「無認可保育施設に対する指導監督の実施について」(以下「指導通知」という。)の無認可保育施設に対する当面の指導基準により、認可外保育施設における保育に従事する者の数は、おおむね最低基準第33条第２項に定める数以上であることとされているが、今回、乳児に係る保母の配置基準が見直されたことに伴い、認可外保育施設についても、改正後の最低基準の規定に沿って、基準に適合するよう所要の指導を行うこと。

しかしながら、職員確保の問題等もあることから、平成10年度に限り、当面の指導基準に不適合の施設に対して、当該施設が従前の指導基準に適合している場合には、指導通知の４の規定に関わらず、当該規定の措置を講じなくても差し支えないものとすること。なお、この場合においても、早急に改善するよう指導すること。

(3)　児童福祉法施行令等の一部を改正する政令（平成10年政令第24号）の保母の名称変更に関する規定の施行後にあっては、本通知のうち「保母」とあるのは「保育士」と読み替えるものとすること。

別添　略

○保育所における保健師又は看護師の配置特例の全国展開について

〔平成26年２月14日　雇児発0214第４号
各都道府県知事・各指定都市市長・各中核市市長宛　厚生労働省雇用均等・児童家庭局長通知〕

保育行政の推進につきましては、平素より格段の御配慮を賜り、厚く御礼申し上げます。

さて、乳児を入所させる保育所に係る保育士の数の算定については、乳児６人以上を入所させる保育所につき、当該保育所に勤務する保健師又は看護師を１人に限って保育士と見なすことができるとされてきたところでありますが、「厚生労働省令関係構造改革特別区域法第２条第３項に規定する省令の特例に関する措置及びその適用を受ける特定事業を定める省令の一部を改正する省令の一部を改正する省令」（平成22年厚生労働省令第111号）に基づき、乳児を４人以上６人未満入所させる保育所についても、特区の認定を申請し、その認定を受けた場合に限り、保健師又は看護師を１人に限って保育士と見なして算入することを認めることとしていたところです。

今般、「厚生労働省関係構造改革特別区域法第34条に規定する政令等規制事業に係る省令の特例に関する措置を定める省令及び児童福祉施設最低基準の一部を改正する省令の一部を改正する省令」（平成26年厚生労働省令第10号）を公布、施行し、構造改革特別区域において実施してきたこの保育所における看護師等の配置の特例について全国展開を行うこととしましたので、十分御了知の上、貴管内市町村及び関係者へ周知し、事業が円滑に実施できるようご配意をお願いいたします。

なお、本通知の発出に伴い、「構造改革特別区域における「保育所における保育士配置要件の緩和事業」について」（平成22年雇児発1014第２号厚生労働省雇用均等・児童家庭局長通知）は廃止することとします。

また、本通知は地方自治法（昭和22年法律第67号）第245条の４第１項に規定する技術的助言として発出するものであることを申し添えます。

○保育所等における准看護師の配置に係る特例について

〔平成27年3月31日　雇児発0331第17号
各都道府県知事・各指定都市市長・各中核市市長宛　厚生労働省雇用均等・児童家庭局長通知〕

保育所における保健師又は看護師の配置については、児童福祉施設最低基準の一部を改正する省令（平成10年厚生省令第51号）附則第2項の規定により、乳児4人以上を入所させる保育所に係る保育士の数の算定について、当分の間、当該保育所に勤務する保健師又は看護師を、1人に限って、保育士とみなすことができることとされているが、「平成26年の地方からの提案等に対する対応方針」（平成27年1月30日閣議決定）を踏まえ、本日、児童福祉施設最低基準の一部を改正する省令及び家庭的保育事業等の設備及び運営に関する基準の一部を改正する省令（平成27年厚生労働省令第63号）が別添のとおり公布され、平成27年4月1日以後、当該保育所に係る保育士の数の算定について、保健師又は看護師に加え、准看護師についても保育士とみなすことができる等とされたところである。

ついては、下記の事項に留意の上、貴管内の関係者に対し、これを周知し、その運用に遺漏なきよう御配意願いたい。

なお、本通知は、地方自治法（昭和22年法律第67号）第245条の4第1項の規定に基づく技術的助言であることを申し添える。

記

1　改正の概要

乳児4人以上を入所させる保育所に係る保育士の数の算定について、当分の間、当該保育所に勤務する保健師又は看護師に加え、当該保育所に勤務する准看護師についても、1人に限って、保育士とみなすことができること等としたこと。

2　留意事項

(1)　医療機関との適切な連携体制の確保

今般の改正は、保育所において保健師又は看護師の確保が困難であるとの地域の実情に鑑みて行われたものである。これにより保育士とみなされることとなる准看護師については、保育所等において、准看護師としての知識を生かしながら、保育業務に従事することが想定される。

一方、嘱託医、かかりつけ医等の医療機関との連携体制の確保はこれまでと同様に必要であることから、適切にこれを確保するようにすること。

(2)　研修の受講勧奨等

ア　准看護師への研修の受講勧奨

保育業務に従事したことのない准看護師が保育所等において不安を抱えることなく適切に当該業務に従事できるようにするためには、当該業務に関する知識を付与する等の配慮をすることが求められる。

このため、准看護師を配置しようとする保育所等の長は、当該准看護師の保育業務への従事経験等に応じ、当該准看護師に対し、必要な研修の受講を勧奨することが望ましい。

なお、受講勧奨が考えられる研修としては、子育て支援員研修のうち「乳幼児の発達と心理」「地域保育の環境整備」「安全の確保とリスクマネジメント」「乳幼児の生活と遊び」「小児保健」といった科目のほか、乳幼児期の食物アレルギーの基礎知識等についての研修があること。また、保育に関する業務に十分な経験を有する看護師等が講師となる研修を受講する機会がある場合には、積極的に受講を勧奨するようにすること。

イ　都道府県又は市町村が行う研修の受講に関する便宜

都道府県又は市町村におかれては、アの勧奨を受けた准看護師が適切に研修を受講できるよう、都道府県又は市町村が実施する保育士又は子育て支援員になろうとする者を対象とする研修（他の者に委託して実施する研修を含む。）について、当該研修の企画立案、当該研修の実施回数の確保、当該研修の保育所等への情報提供、一部科目のみの受講に係る柔軟な取扱い等の必要な便宜を図っていただきたいこと。

ウ　保健師又は看護師への研修の受講勧奨

保育所等に配置することとなる保健師又は看護師に対しても、当該保健師又は看護師の保育業務への従事経験等に応じ、必要に応じ、アと同様、研修の受講勧奨をすることが望ましいこと。

別添　略

○保育所等における保育士配置に係る特例について

〔平成28年２月18日　雇児発0218第２号
各都道府県知事・各指定都市市長・各中核市市長宛　厚生労働省雇用均等・児童家庭局長通知〕

近年、待機児童対策として保育の受け皿拡大を大幅に進めている状況下で、保育士の有効求人倍率は年々高くなるなど、保育の担い手の確保は喫緊の課題であり、これまでも保育士の処遇改善等様々な対策を行っているところであるが、より一層の対応が必要な状況である。

このため、保育における労働力需要に対応するよう、保育の質を落とさずに、保育士が行う業務について要件を一定程度柔軟化することにより、保育の担い手の裾野を拡げるとともに、保育士の勤務環境の改善（就業継続支援）につなげることが必要である。

そこで、本日、「児童福祉施設の設備及び運営に関する基準及び家庭的保育事業等の設備及び運営に関する基準の一部を改正する省令」（平成28年厚生労働省令第22号。以下「改正省令」という。）を別添のとおり公布し、平成28年４月１日以後、当分の間、保育所等（保育所並びに小規模保育事業所Ａ型及び保育所型事業所内保育事業所をいう。以下同じ。）における保育士配置について、特例的運用を可能としたところである。

ついては、下記の事項に留意の上、貴管内の関係者に対して遅滞なく周知し、その運用に遺漏のないよう御配意願いたい。

なお、本通知は、地方自治法（昭和22年法律第67号）第245条の４第１項の規定に基づく技術的な助言であることを申し添える。

記

１　改正省令の概要

(1)　児童福祉施設の設備及び運営に関する基準の一部改正（改正省令第１条関係）

児童福祉施設の設備及び運営に関する基準（昭和23年厚生省令第63号。以下「基準」という。）第33条第２項に規定する保育所における職員配置について、保育の需要に対して保育の受け皿が不足していることに鑑み、当分の間、以下の特例を設けることとした。

①　朝夕等の児童が少数となる時間帯における保育士配置に係る特例（基準第94条関係）

基準第33条第２項ただし書の規定については、適用しないことができることとする。この場合であっても、児童の人数に応じて必要となる保育士の数が１名となる、朝夕等の児童が少数となる時間帯について、保育士１名に加えて、都道府県知事（指定都市にあっては、当該指定都市の市長、中核市にあっては当該中核市の市長とする。以下同じ。）が保育士と同等の知識及び経験を有すると認める者を置かなければならない。

基準第94条中「都道府県知事が保育士と同等の知識及び経験を有すると認める者」とは、保育所で保育業務に従事した期間が十分にある者、家庭的保育者、子育て支援員研修のうち地域型保育コースを修了した者等が想定される。

②　幼稚園教諭及び小学校教諭並びに養護教諭の活用に係る特例（基準第95条関係）

基準第33条第２項に規定する保育士の数の算定については、幼稚園教諭若しくは小学校教諭又は養護教諭（以下「幼稚園教諭等」という。）の普通免許状を有する者を、保育士とみなすことができることとする。

幼稚園教諭等が保育することができる児童の年齢については、幼稚園教諭等の専門性を十分に発揮するという観点から、幼稚園教諭については３歳以上児、小学校教諭については５歳児を中心的に保育することが望ましい。

また、保育に従事したことのない幼稚園教諭等に対しては、子育て支援員研修等の必要な研修の受講を促すこととする。

③　保育所における保育の実施に当たり必要となる保育士配置に係る特例（基準第96条関係）

保育所を１日につき８時間を超えて開所していること等により、認可の際に必要となる保育士に加えて保育士を確保しなければならない場合にあっては、基準第33条第２項に規定する保育士の数の算定について、追加的に確保しなければならない保育士の数の範囲内で、都道府県知事が保育士と同等の知識及び経験を有すると認める者を、保育士とみなすことができることとする。

基準第96条中「都道府県知事が保育士と同等の知識及び経験を有すると認める者」の要件については、基準第94条における保育士に加えて配置する者の要件と同様とする。併せて、保育士資格の取得を促していくこととする。

また、基準第96条中「保育所に係る利用定員の総数に応じておかなければならない保育士の数」とは、保育所の認可の基準として算定される保育士の数を意味している。

さらに、保育所における保育時間は、１日につき８時間を原則として保育所の長が定めるものであるが、８時間を超えて開所する保育所等では、各時間帯における必要保育士を配置するためには、「利用定員の総数に応じて置かなければならない保育士の数」に追加して保育士を確保する必要がある。同条中「開所時間を通じて必要となる保育士の総数」とは、このような場合における１日に配置しなければならない保育士の総数を意味している。

④　②及び③の特例を適用する場合における保育士の必要数（基準第97条関係）

②及び③の特例を適用する場合であっても、保育士資格を有する者（児童福祉法（昭和22年法律第164号）第18条の18第１項の登録を受けた者をいう。）を、各時間帯において必要となる保育士の数の３分の２以上置かなければならない。

(2)　家庭的保育事業等の設備及び運営に関する基準の一部改正（改正省令第２条関係）

家庭的保育事業等の設備及び運営に関する基準（平成26年厚生労働省令第61号）第29条第２項及び第44条第２項に規定する小規模保育事業所Ａ型及び保育所型事業所内保育事業所における保育士配置についても、１の(1)と同様の特例を設けることとした。

2　実施に係る留意事項

(1)　保育士確保に向けた取組の一層の強化について

保育所等における保育は、生涯にわたる人間形成の基礎を培うものであり、専門的知識と技術を有する保育士が行うことが原則である。そのため、各特例を実施するに当たっては、保育士が専門的業務に専念することができるよう、保育に直接的影響を及ぼさない事務的作業等は保育士以外の者が行うなど、業務負担の見直しを行うとともに、各自治体及び保育所等においても、保育士の確保対策の一層の強化に取り組むこととすること。

(2)　地域の実情に即した特例の実施について

各特例の実施に当たっては、各地域における待機児童の発生状況や保育士の不足状況等の事情を勘案して、改正省令の規定の範囲内において、限定的に実施することが可能であること。

(3)　各特例の対象となる保育所等の要件について

過去３年間の指導監査において、都道府県知事から勧告や改善命令等を受けている保育所等については、各特例の実施を認めないこととすること。また、各特例の適用範囲を、保育士等の処遇改善に取り組んでいる保育所等に限定することも考えられる。

(4)　各特例により保育士以外の者を保育士とみなす場合の公定価格上の取扱いについて

各特例を実施する場合の公定価格の算定に当たっては、保育士以外の者を保育士とみなして必要な算定を行うこととしており、保育士以外の者を保育士とみなす場合であっても、可能な限り、１名を超えた配置や保育士等の処遇改善に配慮しながら実施すること。

(5)　各特例の運用状況の把握に当たっての協力について

厚生労働省においては、各特例について、実施自治体及び保育所等の事例の把握を行い、継続的に検証していくこととしており、自治体及び保育所等にあっては、積極的に協力いただきたいこと。

3　施行期日

改正省令については、平成28年４月１日より施行するものであること。

別添　略

○保育所等における利用乳幼児がいない時間帯の保育士配置の考え方について

令和２年２月14日　子保発0214第１号
各都道府県・各指定都市・各中核市民生主管部(局)長宛
厚生労働省子ども家庭局保育課長通知

保育施策の推進につきましては、日頃よりご尽力を賜り厚く御礼申し上げます。

平成27年度より施行された子ども・子育て支援新制度については、子ども・子育て支援法（平成24年法律第65号）及び就学前の子どもに関する教育、保育等の総合的な提供の推進に関する法律（平成24年法律第66号）において、その施行後５年を目途として検討を加え、その結果に基づき所要の措置を講ずることとされています。

これを受け、子ども・子育て会議において検討を重ねた結果、令和元年12月20日に「子ども・子育て支援新制度施行後５年の見直しに係る対応方針について」（以下「対応方針」という。）が取りまとめられました。

対応方針においては、『保育士等の業務負担軽減等による働き方改革については、子どもが全員帰宅した後の取扱いに関し、「市町村や保護者から連絡があった場合に備えて確実な連絡手段や体制が確保されていること」など連絡体制の確保措置を要件にしたうえで、そうした時間については保育士がいなくても可とすることを明確化すべきである。』とされたところです。これを踏まえ、保育所等における利用乳幼児がいない時間帯の保育士配置について、下記のとおり考え方を取りまとめましたので、十分御了知の上、貴管内の関係者に対して遅滞なく周知し、その運用に遺漏なきようご配慮いただきますようお願いします。

なお、この通知は、地方自治法（昭和22年法律第67号）第245条の４第１項の規定に基づく技術的な助言であることを申し添えます。

記

1　現行の保育士配置に係る規定

保育所等における保育士等の職員配置については、児童福祉施設の設備及び運営に関する基準（昭和23年厚生省令第63号。以下「設備運営基準」という。）及び家庭的保育事業等の設備及び運営に関する基準（平成26年厚生労働省令第61号）において、事業類型ごとに利用乳幼児に応じた保育士の配置を求めているところ。その規定内容は別表のとおり。

2　利用乳幼児がいない時間帯の保育士配置について

現行の規定においては、設備運営基準第33条第２項ただし書等、保育所等における保育士の配置を担保するための規定を設けているところ。当該規定の趣旨は、設備運営基準第33条第２項に基づき算出される配置すべき職員数にかかわらず、利用乳幼児に対して保育を提供するために必要な保育士の配置を確保するものであり、施設が開所する全ての時間帯において保育士を配置することを求めるものではない。

保育所等において、開所時間中に、全ての利用乳幼児が帰宅するなどにより利用乳幼児のいない時間帯が生じた場合にあっては、保育士の配置を求めないこととすることも差し支えない。ただし、この場合においても、突発的な事由により、自治体又は保護者から保育所に対して至急連絡を取る必要が生じた際に、少なくとも保育所等の開所時間内においては、随時円滑に施設管理者への連絡を取れる体制を確保すること。

なお、保育所等においては、保育の必要性認定により市町村が認定した保育必要量の範囲内で、各保護者の希望に応じた保育の提供がなされるべきものであり、上記の取扱いを実施するに当たっては、当該取扱いの実施により、各保護者の希望に基づく保育所等の利用が阻害されることがないよう、十分に配慮する必要があることに留意すること。

（別　表）

施設類型	現行の規定
保育所	第三十三条　保育所には、保育士（特区法第十二条の五第五項に規定する事業実施区域内にある保育所にあっては、保育士又は当該事業実施区域に係る国家戦略特別区域限定保育士。次項において同じ。）、嘱託医及び調理員

	を置かなければならない。ただし、調理業務の全部を委託する施設にあっては、調理員を置かないことができる。 2　保育士の数は、乳児おおむね三人につき一人以上、満一歳以上満三歳に満たない幼児おおむね六人につき一人以上、満三歳以上満四歳に満たない幼児おおむね二十人につき一人以上、満四歳以上の幼児おおむね三十人につき一人以上とする。ただし、保育所一につき二人を下ることはできない。
小規模Ａ型	第二十九条　小規模保育事業所Ａ型には、保育士（特区法第十二条の五第五項に規定する事業実施区域内にある小規模保育事業所Ａ型にあっては、保育士又は当該事業実施区域に係る国家戦略特別区域限定保育士。次項において同じ。）、嘱託医及び調理員を置かなければならない。ただし、調理業務の全部を委託する小規模保育事業所Ａ型又は第十六条第一項の規定により搬入施設から食事を搬入する小規模保育事業所Ａ型にあっては、調理員を置かないことができる。 2　保育士の数は、次の各号に掲げる区分に応じ、当該各号に定める数の合計数に一を加えた数以上とする。 一　乳児　おおむね三人につき一人 二　満一歳以上満三歳に満たない幼児　おおむね六人につき一人 三　満三歳以上満四歳に満たない児童　おおむね二十人につき一人（法第六条の三第十項第二号又は特区法第十二条の四第一項の規定に基づき受け入れる場合に限る。次号において同じ。） 四　満四歳以上の児童　おおむね三十人につき一人
小規模Ｂ型	第三十一条　小規模保育事業Ｂ型を行う事業所（以下「小規模保育事業所Ｂ型」という。）には、保育士（特区法第十二条の五第五項に規定する事業実施区域内にある小規模保育事業所Ｂ型にあっては、保育士又は当該事業実施区域に係る国家戦略特別区域限定保育士。次項において同じ。）その他保育に従事する職員として市町村長が行う研修（市町村長が指定する都道府県知事その他の機関が行う研修を含む。）を修了した者（以下この条において「保育従事者」という。）、嘱託医及び調理員を置かなければならない。ただし、調理業務の全部を委託する小規模保育事業所Ｂ型又は第十六条第一項の規定により搬入施設から食事を搬入する小規模保育事業所Ｂ型にあっては、調理員を置かないことができる。 2　保育従事者の数は、次の各号に掲げる乳幼児の区分に応じ、当該各号に定める数の合計数に一を加えた数以上とし、そのうち半数以上は保育士とする。 一　乳児　おおむね三人につき一人 二　満一歳以上満三歳に

		満たない幼児　おおむね六人につき一人 三　満三歳以上満四歳に満たない児童　おおむね二十人につき一人（法第六条の三第十項第二号又は特区法第十二条の四第一項の規定に基づき受け入れる場合に限る。次号において同じ。） 四　満四歳以上の児童　おおむね三十人につき一人
事業所内保育事業	利用定員20人以上	第四十四条　保育所型事業所内保育事業所には、保育士（特区法第十二条の五第五項に規定する事業実施区域内にある保育所型事業所内保育事業所にあっては、保育士又は当該事業実施区域に係る国家戦略特別区域限定保育士。次項において同じ。）、嘱託医及び調理員を置かなければならない。ただし、調理業務の全部を委託する保育所型事業所内保育事業所又は第十六条第一項の規定により搬入施設から食事を搬入する保育所型事業所内保育事業所にあっては、調理員を置かないことができる。 2　保育士の数は、次の各号に掲げる区分に応じ、当該各号に定める数の合計数以上とする。ただし、保育所型事業所内保育事業所一につき二人を下回ることはできない。 一　乳児　おおむね三人につき一人 二　満一歳以上満三歳に満たない幼児　おおむね六人につき一人 三　満三歳以上満四歳に満たない児童　おおむね二十人につき一人（法第六条の三第十二項第二号の規定に基づき受け入れる場合に限る。次号において同じ。） 四　満四歳以上の児童　おおむね三十人につき一人
	利用定員19人以下	第四十七条　事業所内保育事業（利用定員が十九人以下のものに限る。以下この条及び次条において「小規模型事業所内保育事業」という。）を行う事業所（以下この条及び次条において「小規模型事業所内保育事業所」という。）には、保育士（特区法第十二条の五第五項に規定する事業実施区域内にある小規模型事業所内保育事業所にあっては、保育士又は当該事業実施区域に係る国家戦略特別区域限定保育士。次項において同じ。）その他保育に従事する職員として市町村長が行う研修（市町村長が指定する都道府県知事その他の機関が行う研修を含む。）を修了した者（以下この条において「保育従事者」という。）、嘱託医及び調理員を置かなければならない。ただし、調理業務の全部を委託する小規模型事業所内保育事業所又は第十六条第一項の規定により搬入施設から食事を搬入する小規模型事業所内保育事業所にあっては、調理員を置かないことができる。 2　保育従事者の数は、次の各号に掲げる区分に応じ、当該各号に定める数の合計数に一を加えた数以上とし、そのうち半数以上は保育士とする。

		一　乳児　おおむね三人につき一人 二　満一歳以上満三歳に満たない幼児　おおむね六人につき一人 三　満三歳以上満四歳に満たない児童　おおむね二十人につき一人（法第六条の三第十二項第二号の規定に基づき受け入れる場合に限る。次号において同じ。） 四　満四歳以上の児童　おおむね三十人につき一人	

◉内閣府の所管するこども家庭庁関係法令に係る構造改革特別区域法第35条に規定する政令等規制事業に係る主務省令の特例に関する措置を定める内閣府令（抄）

〔令和５年４月１日
内閣府令第43号〕

（児童福祉施設の設備及び運営に関する基準の特例）

第１条　地方公共団体が、その設定する構造改革特別区域法（平成14年法律第189号。以下「法」という。）第２条第１項に規定する構造改革特別区域内における保育所（児童福祉法（昭和22年法律第164号）第39条第１項に規定する保育所をいい、地方公共団体が設置するものに限る。以下この条及び附則第３条第１項において同じ。）について、次の各号に掲げる要件を満たしていることを認めて法第４条第９項の内閣総理大臣の認定（法第６条第１項の規定による変更の認定を含む。以下同じ。）を申請し、その認定を受けたときは、当該認定の日以後は、当該認定に係る保育所は、公立保育所における給食の外部搬入方式の容認事業（保育所外で調理し搬入する方法により当該保育所の乳児（児童福祉法第４条第１項第１号に規定する乳児をいう。）又は満３歳に満たない幼児（同項第２号に規定する幼児をいう。）（以下この条において「乳幼児」と総称する。）に対して食事の提供を行う事業をいう。）を実施することができる。この場合において、当該保育所は、当該食事の提供について当該方法によることとしてもなお当該保育所において行うことが必要な調理のための加熱、保存等の調理機能を有する設備を備えるものとする。

一　乳幼児に対する食事の提供の責任が当該保育所にあり、その管理者が、衛生面、栄養面等業務上必要な注意を果たし得るような体制及び調理業務の受託者との契約内容が確保されていること。

二　当該保育所又は他の施設、保健所、市町村等の栄養士により、献立等について栄養の観点からの指導が受けられる体制にある等、栄養士による必要な配慮が行われること。

三　調理業務の受託者を、当該保育所における給食の趣旨を十分に認識し、衛生面、栄養面等、調理業務を適切に遂行できる能力を有する者とすること。

四　乳幼児の年齢及び発達の段階並びに健康状態に応じた食事の提供や、アレルギー、アトピー等への配慮、必要な栄養素量の給与等、乳幼児の食事の内容、回数及び時機に適切に応じることができること。

五　食を通じた乳幼児の健全育成を図る観点から、乳幼児の発育及び発達の過程に応じて食に関し配慮すべき事項を定めた食育に関する計画に基づき食事を提供するよう努めること。

○保育所における食事の提供について

〔平成22年6月1日　雇児発0601第4号
各都道府県知事・各指定都市市長・各中核市市長宛　厚生労働省雇用均等・児童家庭局長通知〕

保育所における食事の提供に関して、施設外で調理し搬入すること（以下「外部搬入」という。）については、構造改革特別区域法（平成14年法律第189号）第3条に基づく構造改革特別区域基本方針（平成15年1月24日閣議決定）別表2の「920　公立保育所における給食の外部搬入の容認事業」（厚生労働省関係構造改革特別区域法第2条第3項に規定する省令の特例に関する措置及びその適用を受ける特定事業を定める省令（平成15年厚生労働省令第132号。以下「特区省令」という。）第1条により措置）により、特例措置が講じられてきたところであるが、当該特例措置については、「構造改革特別区域において講じられた規制の特例措置の評価に係る評価・調査委員会の意見に関する今後の政府の対応方針」（平成22年3月25日構造改革特別区域推進本部決定）において、「3歳以上児に対する給食については、特区における規制の特例措置の内容・要件のとおり、全国展開を行うこと。」とされたところである。

今般、この決定を踏まえ、これまで構造改革特別区域（以下「特区」という。）において行われてきた当該特例措置については、下記のとおり、本日公布、即日施行された「児童福祉施設最低基準等の一部を改正する省令」（平成22年厚生労働省令第75号。以下「改正省令」という。）により、満3歳以上の児童に対する食事の提供に限り、公立・私立を問わず全国展開することとし、満3歳に満たない児童に対する食事の提供については、引き続き、特区の認定を申請し、その認定を受けた場合に限り、外部搬入を認めることとした。

保育所における食事の提供について外部搬入を行うに当たっては、本通知の事項に御留意のうえ、その適正な実施に特段の御配慮をお願いしたい。また、本通知の発出に伴い、平成20年4月1日雇児発第0401002号厚生労働省雇用均等・児童家庭局長通知「構造改革特別区域における「公立保育所における給食の外部搬入方式の容認事業」について」（参考1）については、廃止する。

なお、本通知は地方自治法（昭和22年法律第67号）第245条の4第1項に規定する技術的助言として発出するものであることを申し添える。

記

Ⅰ　改正省令の概要

1　改正の趣旨

これまで保育所における食事の提供については、特区の認定を申請し、その認定を受けた公立保育所に限り、外部搬入を認めることとしていたが、満3歳以上の児童に対する食事の提供に限り、公立・私立を問わず全国展開することとし、満3歳に満たない児童に対する食事の提供については、引き続き、特区の認定を申請し、その認定を受けた場合に限り、外部搬入を認めることとするものである。また、併せて、所要の改正を行うものである。

2　児童福祉施設最低基準（昭和23年厚生省令第63号。以下「最低基準」という。）の改正内容（改正省令第1条関係）

以下の要件を満たす保育所においては、満3歳以上の児童に対する食事の提供について、外部搬入を実施することができること。（最低基準第32条の2関係）

⑴　幼児に対する食事の提供の責任が当該保育所にあり、その管理者が、衛生面、栄養面等業務上必要な注意を果たし得るような体制及び調理業務の受託者との契約内容が確保されていること。

⑵　当該保育所又は他の施設、保健所、市町村等の栄養士により、献立等について栄養の観点からの指導が受けられる体制にある等、栄養士による必要な配慮が行われること。

⑶　調理業務の受託者を、当該保育所における給食の趣旨を十分に認識し、衛生面、栄養面等、調理業務を適切に遂行できる能力を有する者とすること。

⑷　幼児の年齢及び発達の段階並びに健康状態に応じた食事の提供や、アレルギー、アトピー等への配慮、必要な栄養素量の給与等、幼児の食事の内容、回数及び時機に適切に応じることができること。

⑸　食を通じた乳幼児の健全育成を図る観点から、乳幼児の発育及び発達の過程に応じて食に関し配慮すべき事項を定めた食育に関する計画に基づき食事を提供するよう努めること。

3　特区省令の改正内容（改正省令第３条関係）

特区における公立保育所における給食の外部搬入方式の容認事業の対象を満３歳に満たない児童のみとすること。（特区省令第１条関係）

なお、今般の改正の施行前に、既に満３歳に満たない児童について、特区の認定を受けている地方公共団体については、改めて認定を受ける必要はないものであること。

Ⅱ　外部搬入実施に当たっての留意事項

外部搬入を実施するに当たっては、最低基準第32条の２又は特区省令第１条に規定する要件を満たす必要があること。また、この場合に、次の１から４までに留意すること。なお、満３歳以上の児童に対する食事の提供について外部搬入を実施するに当たっては（これまで特区で実施していた場合を含む。）、児童福祉法（昭和22年法律第164号）第35条第３項に規定する届出、児童福祉法施行規則（昭和23年厚生省令第11号）第37条第２項に規定する申請又は同条第４項若しくは第６項に規定する変更の届出を行うこと。

1　外部搬入を実施する保育所においては、調理室として加熱、保存、配膳等のために必要な調理機能を有する設備を有すること。具体的には、再加熱を行うための設備、冷蔵庫等の保存のための設備、給食を配膳するための適切な用具及びスペース、体調不良児等の対応に支障が生じない設備等を有すること。（最低基準第32条の２本文、特区省令第１条本文関係）

2　社会福祉施設において外部搬入を行う場合の衛生基準を遵守すること。また、保健衛生面・栄養面については保健所等による助言・相談に従うとともに、調理業務の委託・受託については、「保護施設等における調理業務の委託について」（昭和62年３月９日社施第38号）（参考２）及び「保育所における調理業務の委託について」（平成10年２月18日児発第86号）（参考３）の内容に十分留意すること。（最低基準第32条の２第１～３号、特区省令第１条第１～３号関係）

3　子どもの年齢、発達の段階や健康状態に応じた食事の提供や、アレルギー、アトピー等への配慮、必要な栄養素量の給与等子どもの食事の内容、回数や時機に適切に応じることができること。（最低基準第32条の２第４号、特区省令第１条第４号関係）

4　食を通じた子どもの健全育成（食育）を図る観点から、食育プログラムに基づき食事を提供するように努めること。食育プログラムとは、食育を図る観点から、発育・発達過程に応じて食に関し配慮すべき事項を定めたものである。なお、食育に関しては、「食を通じた子どもの健全育成（いわゆる「食育」）に関する取組の推進について（平成16年３月16日雇児発第0316007号）」及び「保育所における食を通じた子どもの健全育成（いわゆる「食育」）に関する取組の推進について（平成16年３月29日雇児保発第0329001号）」を参考にされたい。（最低基準第32条の２第５号、特区省令第１条第５号関係）

参考１～３　略

○待機児童解消に向けた児童福祉施設最低基準に係る留意事項等について

（平成13年３月30日　雇児保第11号
各都道府県・各指定都市・各中核市民生主管部(局)長宛
厚生労働省雇用均等・児童家庭局保育課長通知）

保育に欠ける児童が円滑に保育所に入所できるよう、これまで各般の施策を講じ、貴職はじめ関係者においても尽力されているところであるが、この間も保育需要は更に高まってきており、これに対応して、市町村において待機の状況がある場合に、地域の実情に応じつつ保育サービス量の拡大のために一層の取組みを進める必要がある。

今般、下記のとおり、待機児童解消に向けた児童福祉施設最低基準に係る留意事項をとりまとめるとともに、「保育所への入所の円滑化について（平成10年２月13日児保第３号）」の一部を改正することとしたので、御了知いただくとともに、市町村、保育所関係者等に周知して、これらに即した対応を進め、地域において必要とされる保育サービス量の確保が図られるよう、特段の御配慮をお願いしたい。

なお、この通知は、地方自治法（昭和22年法律第67号）第245条の４第１項の規定に基づく技術的助言である。

記

1　待機児童解消に向けた児童福祉施設最低基準に係る留意事項

(1)　乳児室及びほふく室の面積について

乳児の保育を行う保育所の乳児室及びほふく室の面積に関しては、「保育所における乳児に係る保育士の配置基準の見直し等について（平成10年４月９日児発第305号）」の２(1)に示されているところであるが、かつての乳児保育指定保育所に係る面積基準（５㎡）の故に乳児の待機が多く発生しているのであれば、それは当該通知の趣旨にそぐわないものである。乳児の待機が多い地域においては、児童福祉施設最低基準（昭和23年厚生省令第63号）を満たす限り、積極的に保育に欠ける乳児を受け入れるよう配慮されたい。

また、待機児童が多い地域において、保育所内の余裕室や子育て支援相談室における余裕スペース等を適切な保育環境を有する保育室、乳児室又はほふく室として活用でき得る場合においては、積極的にこれらを活用して児童受入れ能力の拡大が図られるよう配慮されたい。また、このような緊急的取扱いが継続する場合には、必要に応じて、保育室等の拡張整備を行うことや、「社会福祉施設等施設整備費における低年齢児受入拡大を図るための保育所の整備の促進について（平成11年１月７日児発第15号）」による面積加算制度の積極的な活用を図られたい。

おって、模様替え等に要する経費については、その内容に即して、大規模修繕に係る補助、乳児保育促進等事業のうち乳児保育環境改善事業に係る補助、特別保育事業等推進施設に係る補助等の利用が可能である。

(2)　屋外遊戯場について

児童福祉施設最低基準においては、満２歳以上の幼児を入所させる保育所は屋外遊戯場を設けることとされているが、併せて、屋外遊戯場に代わるべき公園、広場、寺社境内等が保育所の付近にあるのであれば、これを屋外遊戯場に代えて差し支えない旨も規定されているところである。土地の確保が困難で保育所と同一敷地内に屋外遊戯場を設けることが困難な都市部等において、屋外遊戯場に代わるべき場所に求められる条件は、次のとおりであり、合理的な理由なくこれら以外の条件を課すことによって保育所の整備が滞らないよう配慮されたい。

①　当該公園、広場、寺社境内等については、必要な面積があり、屋外活動に当たって安全が確保され、かつ、保育所からの距離が日常的に幼児が使用できる程度で、移動に当たって安全が確保されていれば、必ずしも保育所と隣接する必要はないこと。

②　当該公園、広場、寺社境内等については、保育所関係者が所有権、地上権、賃借権等の権限を有するまでの必要はなく、所有権等を有する者が地方公共団体又は公共的団体の他、地域の実情に応じて信用力の高い主体等保育所による安定的かつ継続的な使用が確保されると認められる主体であれば足りること。

2　「保育所への入所の円滑化について」の一部改正

略

○保育所における看護師等の配置特例の要件見直しに関する留意事項等について

〔令和４年11月30日　事務連絡
各都道府県・各市区町村保育主管部(局)宛　厚生労働省子ども家庭局保育課〕

本日、児童福祉施設の設備運営基準等の一部を改正する省令（令和４年厚生労働省令第159号。以下「改正省令」という。）が公布され、令和５年４月１日より施行されます。

保育所における保健師、看護師又は准看護師（以下「看護師等」という。）の配置については、児童福祉施設最低基準の一部を改正する省令（平成10年厚生省令第51号）附則第２項の規定により、経過措置として当分の間、看護師等を１人に限り保育士とみなすことができることとされています。ただし、乳児の保育が看護師等のみで行われることがないよう、乳児３人につき保育士１人が求められることを踏まえ、必ず乳児の保育のために保育士が２名以上配置されるよう、本経過措置については、乳児４人以上を入所させる保育所に限定しているところです。

今般、改正省令第３条の規定により、当該規定について、乳児の在籍人数の要件を撤廃することとしました。また、これに伴い、乳児が３名以下在籍している保育所の看護師等については、保育の質を保つため、別途、

①　保育士と合同で保育を行う旨の要件を課すとともに、

②　各々の看護師等の最低限の資質の確保の観点から、保育に係る一定の知識や経験を有すること

を要件として明確化することとしています。

つきましては、上記①、②及び留意すべき事項について以下のとおり整理していますので、各都道府県・市区町村の保育担当部局におかれては、当該内容を十分御了知の上、貴管内の保育所等に対して遺漏なく周知していただくようお願いします。

なお、認定こども園においても同様に、幼保連携型認定こども園の学級の編成、職員、設備及び運営に関する基準（平成26年内閣府・文部科学省・厚生労働省令第１号）及び就学前の子どもに関する教育、保育等の総合的な提供の推進に関する法律第３条第２項及び第４項の規定に基づき内閣総理大臣、文部科学大臣及び厚生労働大臣が定める施設の設備及び運営に関する基準（平成26年内閣府・文部科学省・厚生労働省告示第２号)を改正し、令和５年１月を目途に公布予定です。

記

【①保育士と合同で保育を行うことについて】

○　在籍乳児数が３名以下の保育所で看護師等が保育を行う場合は、保育士と合同の組・グループを編成し、原則として同一の乳児室など同一空間内で保育を行わなければならないこと。

【②保育に係る一定の知識や経験を有することについて】

○　保育所、幼保連携型認定こども園及び地域型保育事業所等（以下「保育所等」という。）での勤務経験が概ね３年に満たない看護師等が、在籍乳児数が３名以下の保育所で保育を行う場合、「子育て支援員研修事業の実施について」（平成27年５月21日付け雇児発0521第18号厚生労働省雇用均等・児童家庭局長通知）で定める子育て支援員研修のうち、地域型保育コースその他の都道府県知事が認める研修の修了（以下「子育て支援員研修等」という。）を必須とすること。

【留意すべき事項について】

(1)　看護師等と合同の組・グループを担当する保育士は、当該看護師等をフォローすることが求められるため、当該看護師等が勤務する保育所での勤続年数が概ね３年以上かつ、乳児への保育の経験を有している常勤の保育士であることが望ましいこと。また、当該保育士が休暇を取得する際等にフォローアップに入る保育士についても同様の要件を満たしていることが望ましいこと。

(2)　保育所の施設長は、職員間の連携を十分図るとともに、看護師等の資質向上のため、各種研修への参加機会の確保等に努める必要があること。あわせて、保育士に業務の負担が過剰に偏ることがないよう、業務効率化や業務改善を含めたマネジメントを行うとともに、適切な業務分担が行われるよう留意すること。

(3)　乳児の在籍数が３名以下の保育所が看護師等を新規採用するに当たり、当該看護師等を保育士とみなす前提で採用する場合は、原則として勤務開始前に子育て支援員研修等を修了していることが必要であるが、保育士の確保が困難であるなどこれによりがたい場合は、この限りでないこと。た

だし、この場合であっても、勤務開始後直近で開催される研修を受講するなど、できる限り早期に当該研修の受講を開始することとし、未修了の期間は同一グループでフォローする保育士だけでなく、施設長や主任保育士等が支援を行うことが望ましいこと。

(4) 乳児の在籍数の変動により年度途中で乳児の在籍数が３名以下となった場合についても、看護師等のみで乳児を保育することは適当ではないため、保育所の施設長は、保育士と合同の組・グループを編成するよう体制を組むこと。なお、当該ケースにおいて、保育士として勤務している看護師等の保育所等での勤務経験が概ね３年に満たない場合、本来は子育て支援員研修のうち地域型保育コースを修了していることが必要であることから、勤務経験が概ね３年に満たず、当該研修を修了していない場合については、できる限り早期に当該研修を受講することが望ましい。また、こうした場合にも対応が出来るよう、(5)のとおり、保育所等での勤務経験が概ね３年に満たない看護師等については、在籍する乳児の数にかかわらず、あらかじめ子育て支援員研修等の受講を勧奨すること。

(5) 乳児が４人以上在籍する保育所で勤務する看護師等においても、保育に係る一定の知識や経験を有していることは、保育所保育指針（平成29年厚生労働省告示第117号）第５章の２(2)に規定されているとおり、要件化されておらずとも求められるべきものであるため、これまでもお示ししてきているとおり、保育所等での勤務経験が概ね３年に満たない看護師等に対し、子育て支援員研修等の受講を勧奨すること。

(6) 都道府県、政令指定都市又は中核市は、管下の保育所への指導監査を行うに当たって、当該保育所の乳児の在籍数が３名以下である場合、本通知に沿った取扱いが適切に実施されているかについても確認を行うこと。

別添資料　略

以上

○保育所等におけるインクルーシブ保育に関する留意事項等について

〔令和４年12月26日　事務連絡
各都道府県・各市町村保育主管課・各都道府県・各指定都市・各中核市障害児支援担当課宛　厚生労働省子ども家庭局保育課・社会・援護局障害保健福祉部障害福祉課〕

令和４年11月30日、児童福祉施設の設備及び運営に関する基準等の一部を改正する省令（令和４年厚生労働省令第159号。以下「改正省令」という。）が公布され、令和５年４月１日より施行されます。

児童福祉施設の設備及び運営に関する基準（昭和23年厚生省令第63号）第８条及び家庭的保育事業等の設備及び運営に関する基準（平成26年厚生労働省令第61号）第10条の規定により、児童福祉施設及び家庭的保育事業所等（以下「保育所等」という。）が他の社会福祉施設を併設している場合であっても、入所している者の居室、各施設に特有の設備、入所している者の保護に直接従事する職員（以下「特有の設備・専従の人員」という。）については併設する施設の設備・職員を兼ねることができないこととされております。

この規定に基づき、例えば、保育所等に児童発達支援事業所が併設されている場合において、保育所等を利用する児童と児童発達支援事業所を利用する障害児をともに、「特有の設備」である当該保育所等の保育室において保育することは、仮に両児童を保育するのに必要な保育士や面積が確保されている場合であっても、認められないこととなっております。

今般、こうした点について、地域における保育所・保育士等の在り方に関する検討会（令和３年12月取りまとめ）における議論も踏まえ、保育所等の設備や職員を活用した、社会福祉サービスを必要とする児童等の社会参加への支援が進むよう、改正省令第１条及び第５条の規定により、上記規定に例外規定を設け、必要な保育士や面積を確保することを前提に、利用児童の保育に支障が生じない場合に限り、保育所等について他の社会福祉施設との併設を行う際に、特有の設備・専従の人員についても共用・兼務できることとしました。

同様に、児童福祉法に基づく指定通所支援の事業等の人員、設備及び運営に関する基準（平成24年厚生労働省令第15号）第５条等において、児童発達支援事業所等（児童発達支援事業所、児童発達支援センター及び医療型児童発達支援センターをいう。以下同じ。）において障害児の発達支援に従事する職員について、専従規定が設けられているため、保育所等に児童発達支援事業所等が併設されている場合に、当該職員が保育所等を利用する児童に支援を行うことができないことから、同条等について、改正省令第３条の規定により、障害児の支援に支障がない場合に限り、保育所等を利用する児童への支援も行うことができることとしました。

つきましては、具体的な留意事項等について以下のとおり整理していますので、各都道府県・市区町村の保育担当部局におかれては貴管内の保育所等に対して、各都道府県・指定都市・中核市障害児支援担当課におかれては貴管内の児童発達支援事業所等に対して、当該内容を十分御了知の上、遺漏なく周知していただくようお願いします。

記

１　実施に当たっての具体的な留意事項等

①　児童発達支援事業所等との併設・交流について

(1)　保育所等と児童発達支援事業所等が併設されている場合において、各施設に特有の設備・専従の人員の共用・兼務を行う際は、以下の要件を満たす必要がある。

・　保育所部分、児童発達支援事業所等部分のそれぞれにおいて、各事業の対象となる児童の年齢及び人数に応じて各事業の運営に必要となる職員が配置されていること（例：保育所の満３歳児40人が、併設する児童発達支援事業所の障害児20人と交流する場合、保育士の人員の基準については、それぞれ、保育所として満３歳児40人の基準である保育士２人以上、児童発達支援事業所として障害児20人の基準である保育士４人以上を満たしている必要がある。）

・　交流を行う設備（保育室等）については、各事業の対象となる児童の年齢及び人数に応じて各事業において必要となる面積を合計した面積が確保されていること（例：交流を行う保育室の面積について、それぞれの面積基準に基づき、保育所として30㎡必要、児童発達支援事業所として20㎡必要な場合、保育室の面積は50㎡以上必要となる。）

⑵　また、改正省令により、例えば、保育所と児童発達支援事業所等が、一日の活動の中で、設定遊び等において、こどもが一緒に過ごす時間を持ち、それぞれの人員基準以上の保育士等が混合して支援を行う等、一体的な支援が可能となるが、その交流の際、「障害児の支援に支障がない場合」として留意すべき点は以下の通りである。

・　児童福祉法に基づく指定通所支援の事業等の人員、設備及び運営に関する基準第27条第１項に規定される「児童発達支援計画」において、保育所等との交流における具体的なねらい及び支援内容等を明記し、障害児又はその保護者に対して説明を行い、同意を得ること

・　障害児一人一人の児童発達支援計画を考慮し、一日の活動の中で発達支援の時間が十分に確保されるように留意すること

・　通所する障害児やその保護者に対して、交流のねらいや障害児が共に過ごし、互いに学び合うことの重要性を丁寧に説明すること

・　障害児の発達状態及び発達の過程・特性等を理解し、一人一人の障害児の障害種別、障害の特性及び発達の状況に応じた適切な支援及び環境構成を行うこと

・　交流を行うにあたり、複数のグループに分かれて交流することや、一部の障害児のみが交流を行うことも想定されるが、その際には障害児の障害特性や情緒面への配慮、安全性が十分に確保される体制を整えるよう留意すること

・　交流を行う際の活動等については、障害児の障害特性や発達の段階等の共通理解が図られた上で設定されることが望ましいことから、交流する保育所等の保育士等も交えながら検討していくこと

・　支援を行う際には、「児童発達支援ガイドライン」の内容を参照し、また、「保育所保育指針」（平成29年厚生労働省告示第117号）等の内容についても理解することが重要であること

②　児童発達支援事業所等以外の社会福祉施設との併設・交流について

○　保育所等のサービスの対象である乳幼児を対象として通所での預かりを行う、一時預かり事業、病児保育事業及び地域子育て支援拠点事業を行う施設と保育所等が併設されている場合において、各施設に特有の設備・専従の人員の共用・兼務を行う際、①⑴で示した要件に準じた要件を満たす場合には、「その行う保育に支障がない場合」として取り扱って差し支え無い。

○　なお、上記①、②を踏まえ、保育所等とその併設先となる児童発達支援事業所等及び上記の児童発達支援事業所等以外の社会福祉施設（以下「社会福祉施設等」という。）において、共用・兼務が可能となる各施設に特有の設備・専従の人員及びその際の留意事項は別紙の参考①、②のとおりであるので留意すること。

2　その他

①　運営費の公定価格上の算定方法について

例えば、保育所において、児童発達支援事業所等の障害児と交流する場合における保育所への公定価格上の算定方法としては、あくまで交流しているものと整理し、保育所に対しては元々の利用児童数分のみを算定すること。

②　施設整備等に係る財産処分との関係について

保育所等と社会福祉施設等の併設・交流に当たり、補助金等の交付を受けて整備された保育所等について、本来の事業の目的として使用せずに他の用途に使用する場合は、施設等の転用として財産処分の手続が必要となるが、本来の事業目的に支障を及ぼさない範囲で他の用途に使用する場合には一時使用に該当する場合には手続が不要となるため、「多様な社会参加への支援に向けた地域資源の活用について」（令和３年３月31日付け通知）１⑷で示した取扱いも踏まえ適切な手続を行うこと。

③　多様な社会参加の支援に向けた保育所等の活用等について

今回の改正省令と関連する取組として、「多様な社会参加への支援に向けた地域資源の活用について」（令和３年３月31日付け通知）において、空きスペースを活用し、本来の業務に支障の無い範囲であれば積極的な事業の実施が可能である旨お示ししているところであり、当該通知に沿って、引き続き、保育所等の地域資源を活用し、こども食堂の実施等、多様な社会参加への支援に向けた取組を進めていただきたい。

また、保育所等の多機能化や他の機関との連携に関しては、②でお示しした社会福祉施設等以外にも、放課後児童クラブ、利用者支援事業等の施設等との併設・交流も考えられるが、その際に共用・兼務が可能となる設備・人員の考え方につい

ては、「地域の実情に合った総合的な福祉サービスの提供に向けたガイドライン（改訂版）」（令和４年６月）において既にお示ししているところであり、当該ガイドラインに沿って取組を進めていただきたい。

以上

別　紙

【参考①：保育所等の人員及び設備基準】

○　改正省令により、保育所等と社会福祉施設等（児童発達支援事業所等（児童発達支援事業所、児童発達支援センター及び医療型児童発達支援センターをいう。）並びに１②に掲げる一時預かり事業、病児保育事業及び地域子育て支援拠点事業を行う施設をいう。以下同じ。）が併設されている場合において、社会福祉施設等の児童への支援にも用い又は支援も行うことが可能となる保育所等に特有の設備・専従の人員は下線部。

○　なお、下線部以外の各施設に特有の設備・専従の人員以外の設備・人員については、「地域の実情に合った総合的な福祉サービスの提供に向けたガイドライン（改訂版）」（令和４年６月）において、共用・兼務が可能であることを既に示している。

	人員	設備
保育所	・保育士 ・嘱託医 ・調理員	・乳児室・ほふく室 ・屋外遊技場 ・保育室・遊戯室 ・医務室 ・調理室 ・便所 ・軽便消火器等の消火器具、非常口その他非常災害に必要な設備
小規模保育事業（Ａ・Ｂ型）	・保育士 ・嘱託医 ・調理員	・乳児室・ほふく室 ・屋外遊技場 ・保育室・遊戯室 ・調理設備 ・便所 ・軽便消火器等の消火器具、非常口その他非常災害に必要な設備
小規模保育事業（Ｃ型）	・家庭的保育者 ・嘱託医 ・調理員	・乳児室・ほふく室 ・屋外遊技場 ・保育室・遊戯室 ・調理設備 ・便所 ・軽便消火器等の消火器具、非常口その他非常災害に必要な設備
家庭的保育事業	・家庭的保育者 ・嘱託医 ・調理員	・乳幼児の保育を行う専用の部屋 ・屋外における遊戯等に適した広さの庭 ・調理設備 ・便所 ・軽便消火器等の消火器具、非常口その他非常災害に必要な設備
事業所内保育事業	※定員20名以上：保育所の基準と同様 ※定員19名以下：小規模保育事業（Ａ・Ｂ型）と同様	

【参考②：社会福祉施設等の人員及び設備基準】

○　改正省令により、社会福祉施設等において、保育所等との併設・交流に当たり、保育所等の児童への支援にも用い又は支援も行うことが可能となる各施設に特有の設備・専従の人員は下線部。

○　なお、下線部以外の各施設に特有の設備・専従の人員以外の設備・人員については、「地域の実情に合った総合的な福祉サービスの提供に向けたガイドライン（改訂版）」（令和４年６月）において、共用・兼務が可能であることを既に示している。

	人員	設備	留意事項
児童発達支援	【児童発達支援センター（福祉型）】 ・嘱託医 ・児童指導員又は保育士 ・機能訓練担当職員 ・看護職員 ・栄養士 ・調理員 ・児童発達支援管理責任者	【児童発達支援センター（福祉型）】 ・指導訓練室 ・遊戯室 ・屋外遊技場、医務室、相談室 ・調理室 ・静養室 ・聴力検査室 ・指定児童発達支援の提供に必要な設備及び備品 ・消火設備その他非常災害に際して必要な設備	・記１①に記載の具体的な留意事項等を踏まえること。
	【児童発達支援事業所】 ・児童指導員又は保育士 ・機能訓練担当職員 ・看護職員 ・児童発達支援管理責任者	【児童発達支援事業所】 ・指導訓練室 ・指定児童発達支援の提供に必要な設備及び備品 ・訓練に必要な機械器具等 ・消火設備その他非常災害に際して必要な設備	
医療型児童発達支援	【児童発達支援センター（医療型）】 ・保育士 ・児童指導員 ・理学療法士又は作業療法士 ・機能訓練担当職員 ・看護職員 ・児童発達支援管理責任者	【児童発達支援センター（医療型）】 ・指導訓練室 ・屋外訓練場 ・相談室 ・調理室 ・浴室及び便所には手すり等身体の機能の不自由を助ける設備 ・消火設備その他非常災害に際して必要な設備 ・医療法に規定する診療所に必要とされる設備	
一時預かり事業	【一般型】 ・保育従事者（保育所に準じ、子どもの人数に応じた数） 【地域密着Ⅱ型】 ・乳幼児を処遇する者	【一般型】 ・必要な設備（保育所に準じ、子どもの人数に応じた設備（医務室、調理室及び屋外遊戯場を除く）） ※食事の提供を行う場合は、調理のための加熱、保存等の調理機能を有する設備 【地域密着Ⅱ型】 ・実施場所で兼務が可能な人員	・保育従事者について、一体的に行う保育所の職員による支援を受けることができ、当該職員が保育士である場合に兼務可能。

病児保育事業	【病児対応型】 ・病児の看護を担当する看護師等 ・保育士 【病後児対応型】 ・病後児の看護を担当する看護師等 ・保育士 【体調不良児対応型】 ・看護師等		
地域子育て支援拠点事業	【一般型】 ・子育て親子の支援に関して意欲があり、子育てに関する知識・経験を有する者（専任である２名を除く。） 【経過措置（小規模型指定施設）】 ・育児、保育に関する相談指導等について相当の知識・経験を有する者（専任である１名を除く。） 【連携型】 ・子育て親子の支援に関して意欲があり、子育てに関する知識・経験を有する者（専任である１名を除く。）	・適当な設備 ・授乳コーナー、流し台、ベビーベッド等	

○保育所等における常勤保育士及び短時間保育士の定義について

〔令和５年４月21日　こ成保21
各都道府県知事・各指定都市市長・各中核市市長宛　こども家庭庁成育局長通知〕

保育施策の推進につきましては、日頃より御尽力を賜り厚く御礼申し上げます。

児童福祉施設の設備及び運営に関する基準（昭和23年厚生省令第63号）及び家庭的保育事業等の設備及び運営に関する基準（平成26年厚生労働省令第61号）（以下「最低基準」という。）で規定されている定数上の保育士の取扱いに関し、これまで「保育所等における短時間勤務の保育士の取扱いについて」（令和３年３月19日付け子発0319第１号厚生労働省子ども家庭局長通知。以下「令和３年通知」という。）において、保育所等（保育所並びに小規模保育事業所Ａ型、小規模保育事業所Ｂ型及び事業所内保育事業所をいう。以下同じ。）における短時間勤務の保育士の取扱いをお示ししてきました。今般、保育士の勤務形態の多様化に対応し、保育士確保を円滑に行う観点から、最低基準上の保育士定数は、こどもを長時間にわたり保育できる常勤の保育士であることが原則であるとの考え方は維持しつつ、短時間勤務の保育士の定義を見直し、併せて常勤の保育士の定義を明確化しましたので、十分御了知の上、貴管内の関係者に対して遺漏なく周知し、適切に運用いただくようお願いします。

なお、本通知は、地方自治法（昭和22年法律第67号）第245条の４第１項の規定に基づく技術的助言であることを申し添えます。

記

1　常勤の保育士及び短時間勤務の保育士の定義について

最低基準における定数上の保育士について、「常勤の保育士」とは、次に掲げる者をいい、「短時間勤務の保育士」とは次のいずれにも該当しない者をいうものとする。

①　当該保育所等の就業規則において定められている常勤の従業者が勤務すべき時間数（１か月に勤務すべき時間数が120時間以上であるものに限る。）に達している者

②　上記以外の者であって、１日６時間以上かつ月20日以上勤務するもの

2　その他

本通知に伴い、令和３年通知の一部を別紙のとおり改正する。

以上

【添付資料】

・（別紙１）「保育所等における短時間勤務の保育士の取扱いについて」（令和３年３月19日付け子発0319第１号厚生労働省子ども家庭局長通知）の一部改正【新旧対照表】　略

・（別紙２）「保育所等における短時間勤務の保育士の取扱いについて」（令和３年３月19日付け子発0319第１号厚生労働省子ども家庭局長通知）の一部改正【改正後全文】　略

2　確認・設置認可

◉特定教育・保育施設及び特定地域型保育事業並びに特定子ども・子育て支援施設等の運営に関する基準

〔平成26年４月30日
内閣府令第39号〕

注　令和５年12月26日内閣府令第86号改正現在

目次　頁

第１章　特定教育・保育施設及び特定地域型保育事業者の運営に関する基準

第１節　総則

（趣旨）

第１条　特定教育・保育施設に係る子ども・子育て支援法〔平成24年法律第65号〕（以下「法」という。）第34条第３項の内閣府令で定める基準及び特定地域型保育事業に係る法第46条第３項の内閣府令で定める基準は、次の各号に掲げる基準に応じ、それぞれ当該各号に定める規定による基準とする。

一　法第34条第２項の規定により、同条第３項第１号に掲げる事項について市町村（特別区を含む。以下同じ。）が条例を定めるに当たって従うべき基準　第４条の規定による基準

二　法第34条第２項の規定により、同条第３項第２号に掲げる事項について市町村が条例を定めるに当たって従うべき基準　第５条、第６条（第５項を除く。）、第７条、第13条、第15条、第24条から第27条まで、第32条、第35条及び第36条並びに附則第２条の規定による基準

三　法第46条第２項の規定により、同条第３項第１号に掲げる事項について市町村が条例を定めるに当たって従うべき基準　第37条及び附則第４条の規定による基準

四　法第46条第２項の規定により、同条第３項第２号に掲げる事項について市町村が条例を定めるに当たって従うべき基準　第24条から第27条まで（第50条において準用する場合に限る。）、第32条（第50条において準用する場合に限る。）、第38条、第39条（第４項を除く。）、第40条、第42条第１項から第８項まで、第43条、第44条、第51条及び第52条並びに附則第５条の規定による基準

五　法第34条第２項又は第46条第２項の規定により、法第34条第３項各号又は第46条第３項各号に掲げる事項以外の事項について市町村が条例を定めるに当たって参酌すべき基準　この府令に定める基準のうち、前４号に定める規定による基準以外のもの

（定義）

第２条　この府令において、次の各号に掲げる用語の定義は、それぞれ当該各号に定めるところによる。

一　小学校就学前子ども　法第６条第１項に規定する小学校就学前子どもをいう。

二　認定こども園　法第７条第４項に規定する認定こども園をいう。

三　幼稚園　法第７条第４項に規定する幼稚園をいう。

四　保育所　法第７条第４項に規定する保育所をいう。

五　家庭的保育事業　児童福祉法（昭和22年法律第164号）第６条の３第９項に規定する家庭的保育事業をいう。

六　小規模保育事業　児童福祉法第６条の３第10項

に規定する小規模保育事業をいう。
七 居宅訪問型保育事業 児童福祉法第6条の3第11項に規定する居宅訪問型保育事業をいう。
八 事業所内保育事業 児童福祉法第6条の3第12項に規定する事業所内保育事業をいう。
九 教育・保育給付認定 法第20条第4項に規定する教育・保育給付認定をいう。
十 教育・保育給付認定保護者 法第20条第4項に規定する教育・保育給付認定保護者をいう。
十一 教育・保育給付認定子ども 法第20条第4項に規定する教育・保育給付認定子どもをいう。
十二 満3歳以上教育・保育給付認定子ども 子ども・子育て支援法施行令（平成26年政令第213号。以下「令」という。）第4条第1項に規定する満3歳以上教育・保育給付認定子どもをいう。
十三 特定満3歳以上保育認定子ども 令第4条第1項第2号に規定する特定満3歳以上保育認定子どもをいう。
十四 満3歳未満保育認定子ども 令第4条第2項に規定する満3歳未満保育認定子どもをいう。
十五 市町村民税所得割合算額 令第4条第2項第2号に規定する市町村民税所得割合算額をいう。
十六 負担額算定基準子ども 令第13条第2項に規定する負担額算定基準子どもをいう。
十七 支給認定証 法第20条第4項に規定する支給認定証をいう。
十八 教育・保育給付認定の有効期間 法第21条に規定する教育・保育給付認定の有効期間をいう。
十九 特定教育・保育施設 法第27条第1項に規定する特定教育・保育施設をいう。
二十 特定教育・保育 法第27条第1項に規定する特定教育・保育をいう。
二十一 法定代理受領 法第27条第5項（法第28条第4項において準用する場合を含む。）又は法第29条第5項（法第30条第4項において準用する場合を含む。）の規定により市町村が支払う特定教育・保育又は特定地域型保育に要した費用の額の一部を、教育・保育給付認定保護者に代わり特定教育・保育施設又は特定地域型保育事業者が受領することをいう。
二十二 特定地域型保育事業者 法第29条第1項に規定する特定地域型保育事業者をいう。
二十三 特定地域型保育 法第29条第1項に規定する特定地域型保育をいう。
二十四 特別利用保育 法第28条第1項第2号に規定する特別利用保育をいう。
二十五 特別利用教育 法第28条第1項第3号に規定する特別利用教育をいう。
二十六 特別利用地域型保育 法第30条第1項第2号に規定する特別利用地域型保育をいう。
二十七 特定利用地域型保育 法第30条第1項第3号に規定する特定利用地域型保育をいう。

（一般原則）
第3条 特定教育・保育施設及び特定地域型保育事業者（以下「特定教育・保育施設等」という。）は、良質かつ適切であり、かつ、子どもの保護者の経済的負担の軽減について適切に配慮された内容及び水準の特定教育・保育又は特定地域型保育の提供を行うことにより、全ての子どもが健やかに成長するために適切な環境が等しく確保されることを目指すものでなければならない。
2 特定教育・保育施設等は、当該特定教育・保育施設等を利用する小学校就学前子どもの意思及び人格を尊重して、常に当該小学校就学前子どもの立場に立って特定教育・保育又は特定地域型保育を提供するように努めなければならない。
3 特定教育・保育施設等は、地域及び家庭との結び付きを重視した運営を行い、都道府県、市町村、小学校、他の特定教育・保育施設等、地域子ども・子育て支援事業を行う者、他の児童福祉施設その他の学校又は保健医療サービス若しくは福祉サービスを提供する者との密接な連携に努めなければならない。
4 特定教育・保育施設等は、当該特定教育・保育施設等を利用する小学校就学前子どもの人権の擁護、虐待の防止等のため、責任者を設置する等必要な体制の整備を行うとともに、その従業者に対し、研修を実施する等の措置を講ずるよう努めなければならない。

第2節 特定教育・保育施設の運営に関する基準

第1款 利用定員に関する基準

第4条 特定教育・保育施設（認定こども園及び保育所に限る。）は、その利用定員（法第27条第1項の確認において定めるものに限る。以下この節において同じ。）の数を20人以上とする。
2 特定教育・保育施設は、次の各号に掲げる特定教育・保育施設の区分に応じ、当該各号に定める小学校就学前子どもの区分ごとの利用定員を定めるものとする。ただし、法第19条第3号に掲げる小学校就学前子どもの区分にあっては、満1歳に満たない小学校就学前子ども及び満1歳以上の小学校就学前子どもに区分して定めるものとする。
一 認定こども園 法第19条各号に掲げる小学校就学前子どもの区分

二　幼稚園　法第19条第１号に掲げる小学校就学前子どもの区分

三　保育所　法第19条第２号に掲げる小学校就学前子どもの区分及び同条第３号に掲げる小学校就学前子どもの区分

第２款　運営に関する基準

（内容及び手続の説明及び同意）

第５条　特定教育・保育施設は、特定教育・保育の提供の開始に際しては、あらかじめ、利用の申込みを行った教育・保育給付認定保護者（以下「利用申込者」という。）に対し、第20条に規定する運営規程の概要、職員の勤務体制、第13条の規定により支払を受ける費用に関する事項その他の利用申込者の教育・保育の選択に資すると認められる重要事項を記した文書を交付して説明を行い、当該提供の開始について利用申込者の同意を得なければならない。

（正当な理由のない提供拒否の禁止等）

第６条　特定教育・保育施設は、教育・保育給付認定保護者から利用の申込みを受けたときは、正当な理由がなければ、これを拒んではならない。

２　特定教育・保育施設（認定こども園又は幼稚園に限る。以下この項において同じ。）は、利用の申込みに係る法第19条第１号に掲げる小学校就学前子どもの数及び当該特定教育・保育施設を現に利用している同号に掲げる小学校就学前子どもに該当する教育・保育給付認定子どもの総数が、当該特定教育・保育施設の同号に掲げる小学校就学前子どもの区分に係る利用定員の総数を超える場合においては、抽選、申込みを受けた順序により決定する方法、当該特定教育・保育施設の設置者の教育・保育に関する理念、基本方針等に基づく選考その他公正な方法（第４項において「選考方法」という。）により選考しなければならない。

３　特定教育・保育施設（認定こども園又は保育所に限る。以下この項において同じ。）は、利用の申込みに係る法第19条第２号又は第３号に掲げる小学校就学前子どもの数及び当該特定教育・保育施設を現に利用している同条第２号又は第３号に掲げる小学校就学前子どもに該当する教育・保育給付認定子どもの総数が、当該特定教育・保育施設の同条第２号又は第３号に掲げる小学校就学前子どもの区分に係る利用定員の総数を超える場合においては、法第20条第４項の規定による認定に基づき、保育の必要の程度及び家族等の状況を勘案し、保育を受ける必要性が高いと認められる教育・保育給付認定子どもが優先的に利用できるよう、選考するものとする。

４　前２項の特定教育・保育施設は、選考方法をあらかじめ教育・保育給付認定保護者に明示した上で、選考を行わなければならない。

５　特定教育・保育施設は、利用申込者に係る教育・保育給付認定子どもに対し自ら適切な教育・保育を提供することが困難である場合は、適切な特定教育・保育施設又は特定地域型保育事業を紹介する等の適切な措置を速やかに講じなければならない。

（あっせん、調整及び要請に対する協力）

第７条　特定教育・保育施設は、当該特定教育・保育施設の利用について法第42条第１項の規定により市町村が行うあっせん及び要請に対し、できる限り協力しなければならない。

２　特定教育・保育施設（認定こども園又は保育所に限る。以下この項において同じ。）は、法第19条第２号又は第３号に掲げる小学校就学前子どもに該当する教育・保育給付認定子どもに係る当該特定教育・保育施設の利用について児童福祉法第24条第３項（同法附則第73条第１項の規定により読み替えて適用する場合を含む。）の規定により市町村が行う調整及び要請に対し、できる限り協力しなければならない。

（受給資格等の確認）

第８条　特定教育・保育施設は、特定教育・保育の提供を求められた場合は、必要に応じて、教育・保育給付認定保護者の提示する支給認定証（教育・保育給付認定保護者が支給認定証の交付を受けていない場合にあっては、子ども・子育て支援法施行規則（平成26年内閣府令第44号）第７条第２項の規定による通知）によって、教育・保育給付認定の有無、教育・保育給付認定子どもの該当する法第19条各号に掲げる小学校就学前子どもの区分、教育・保育給付認定の有効期間及び保育必要量等を確かめるものとする。

（教育・保育給付認定の申請に係る援助）

第９条　特定教育・保育施設は、教育・保育給付認定を受けていない保護者から利用の申込みがあった場合は、当該保護者の意思を踏まえて速やかに当該申請が行われるよう必要な援助を行わなければならない。

２　特定教育・保育施設は、教育・保育給付認定の変更の認定の申請が遅くとも教育・保育給付認定保護者が受けている教育・保育給付認定の有効期間の満了日の30日前には行われるよう必要な援助を行わなければならない。ただし、緊急その他やむを得ない理由がある場合には、この限りではない。

（心身の状況等の把握）

第10条　特定教育・保育施設は、特定教育・保育の提供に当たっては、教育・保育給付認定子どもの心身の状況、その置かれている環境、他の特定教育・保育施設等の利用状況等の把握に努めなければならない。

（小学校等との連携）

第11条　特定教育・保育施設は、特定教育・保育の提供の終了に際しては、教育・保育給付認定子どもについて、小学校における教育又は他の特定教育・保育施設等において継続的に提供される教育・保育との円滑な接続に資するよう、教育・保育給付認定子どもに係る情報の提供その他小学校、特定教育・保育施設等、地域子ども・子育て支援事業を行う者その他の機関との密接な連携に努めなければならない。

（教育・保育の提供の記録）

第12条　特定教育・保育施設は、特定教育・保育を提供した際は、提供日、内容その他必要な事項を記録しなければならない。

（利用者負担額等の受領）

第13条　特定教育・保育施設は、特定教育・保育を提供した際は、教育・保育給付認定保護者（満３歳未満保育認定子どもに係る教育・保育給付認定保護者に限る。）から当該特定教育・保育に係る利用者負担額（満３歳未満保育認定子どもに係る教育・保育給付認定保護者についての法第27条第３項第２号に掲げる額をいう。）の支払を受けるものとする。

２　特定教育・保育施設は、法定代理受領を受けないときは、教育・保育給付認定保護者から、当該特定教育・保育に係る特定教育・保育費用基準額（法第27条第３項第１号に掲げる額をいう。次項において同じ。）の支払を受けるものとする。

３　特定教育・保育施設は、前２項の支払を受ける額のほか、特定教育・保育の提供に当たって、当該特定教育・保育の質の向上を図る上で特に必要であると認められる対価について、当該特定教育・保育に要する費用として見込まれるものの額と特定教育・保育費用基準額との差額に相当する金額の範囲内で設定する額の支払を教育・保育給付認定保護者から受けることができる。

４　特定教育・保育施設は、前３項の支払を受ける額のほか、特定教育・保育において提供される便宜に要する費用のうち、次に掲げる費用の額の支払を教育・保育給付認定保護者から受けることができる。

一　日用品、文房具その他の特定教育・保育に必要な物品の購入に要する費用

二　特定教育・保育等に係る行事への参加に要する費用

三　食事の提供（次に掲げるものを除く。）に要する費用

イ　次の⑴又は⑵に掲げる満３歳以上教育・保育給付認定子どものうち、その教育・保育給付認定保護者及び当該教育・保育給付認定保護者と同一の世帯に属する者に係る市町村民税所得割合算額がそれぞれ⑴又は⑵に定める金額未満であるものに対する副食の提供

⑴　法第19条第１号に掲げる小学校就学前子どもに該当する教育・保育給付認定子ども　７万7101円

⑵　法第19条第２号に掲げる小学校就学前子どもに該当する教育・保育給付認定子ども（特定満３歳以上保育認定子どもを除く。ロ⑵において同じ。）　５万7700円（令第４条第２項第６号に規定する特定教育・保育給付認定保護者にあっては、７万7101円）

ロ　次の⑴又は⑵に掲げる満３歳以上教育・保育給付認定子どものうち、負担額算定基準子ども又は小学校第３学年修了前子ども（小学校、義務教育学校の前期課程又は特別支援学校の小学部の第１学年から第３学年までに在籍する子どもをいう。以下ロにおいて同じ。）が同一の世帯に３人以上いる場合にそれぞれ⑴又は⑵に定める者に該当するものに対する副食の提供（イに該当するものを除く。）

⑴　法第19条第１号に掲げる小学校就学前子どもに該当する教育・保育給付認定子ども　負担額算定基準子ども又は小学校第３学年修了前子ども（そのうち最年長者及び２番目の年長者である者を除く。）である者

⑵　法第19条第２号に掲げる小学校就学前子どもに該当する教育・保育給付認定子ども　負担額算定基準子ども（そのうち最年長者及び２番目の年長者である者を除く。）である者

ハ　満３歳未満保育認定子どもに対する食事の提供

四　特定教育・保育施設に通う際に提供される便宜に要する費用

五　前４号に掲げるもののほか、特定教育・保育において提供される便宜に要する費用のうち、特定教育・保育施設の利用において通常必要とされるものに係る費用であって、教育・保育給付認定保護者に負担させることが適当と認められるもの

５　特定教育・保育施設は、前４項の費用の額の支払を受けた場合は、当該費用に係る領収証を当該費用の額を支払った教育・保育給付認定保護者に対し交付しなければならない。

6　特定教育・保育施設は、第３項及び第４項の金銭の支払を求める際は、あらかじめ、当該金銭の使途及び額並びに教育・保育給付認定保護者に金銭の支払を求める理由について書面によって明らかにするとともに、教育・保育給付認定保護者に対して説明を行い、文書による同意を得なければならない。ただし、第４項の規定による金銭の支払に係る同意については、文書によることを要しない。

（施設型給付費等の額に係る通知等）

第14条　特定教育・保育施設は、法定代理受領により特定教育・保育に係る施設型給付費（法第27条第１項の施設型給付費をいう。以下同じ。）の支給を受けた場合は、教育・保育給付認定保護者に対し、当該教育・保育給付認定保護者に係る施設型給付費の額を通知しなければならない。

2　特定教育・保育施設は、前条第２項の法定代理受領を行わない特定教育・保育に係る費用の額の支払を受けた場合は、その提供した特定教育・保育の内容、費用の額その他必要と認められる事項を記載した特定教育・保育提供証明書を教育・保育給付認定保護者に対して交付しなければならない。

（特定教育・保育の取扱方針）

第15条　特定教育・保育施設は、次の各号に掲げる施設の区分に応じて、それぞれ当該各号に定めるものに基づき、小学校就学前子どもの心身の状況等に応じて、特定教育・保育の提供を適切に行わなければならない。

一　幼保連携型認定こども園（就学前の子どもに関する教育、保育等の総合的な提供の推進に関する法律（平成18年法律第77号。以下「認定こども園法」という。）第２条第７項に規定する幼保連携型認定こども園をいう。以下同じ。）　幼保連携型認定こども園教育・保育要領（認定こども園法第10条第１項の規定に基づき主務大臣が定める幼保連携型認定こども園の教育課程その他の教育及び保育の内容に関する事項をいう。次項において同じ。）

二　認定こども園（認定こども園法第３条第１項又は第３項の認定を受けた施設及び同条第10項の規定による公示がされたものに限る。）　次号及び第４号に掲げる事項

三　幼稚園　幼稚園教育要領（学校教育法（昭和22年法律第26号）第25条第１項の規定に基づき文部科学大臣が定める幼稚園の教育課程その他の教育内容に関する事項をいう。）

四　保育所　児童福祉施設の設備及び運営に関する基準（昭和23年厚生省令第63号）第35条の規定に基づき保育所における保育の内容について内閣総理大臣が定める指針

2　前項第２号に掲げる認定こども園が特定教育・保育を提供するに当たっては、同号に掲げるもののほか、幼保連携型認定こども園教育・保育要領を踏まえなければならない。

（特定教育・保育に関する評価等）

第16条　特定教育・保育施設は、自らその提供する特定教育・保育の質の評価を行い、常にその改善を図らなければならない。

2　特定教育・保育施設は、定期的に当該特定教育・保育施設を利用する教育・保育給付認定保護者その他の特定教育・保育施設の関係者（当該特定教育・保育施設の職員を除く。）による評価又は外部の者による評価を受けて、それらの結果を公表し、常にその改善を図るよう努めなければならない。

（相談及び援助）

第17条　特定教育・保育施設は、常に教育・保育給付認定子どもの心身の状況、その置かれている環境等の的確な把握に努め、当該教育・保育給付認定子ども又は当該教育・保育給付認定子どもに係る教育・保育給付認定保護者に対し、その相談に適切に応じるとともに、必要な助言その他の援助を行わなければならない。

（緊急時等の対応）

第18条　特定教育・保育施設の職員は、現に特定教育・保育の提供を行っているときに教育・保育給付認定子どもに体調の急変が生じた場合その他必要な場合は、速やかに当該教育・保育給付認定子どもに係る教育・保育給付認定保護者又は医療機関への連絡を行う等の必要な措置を講じなければならない。

（教育・保育給付認定保護者に関する市町村への通知）

第19条　特定教育・保育施設は、特定教育・保育を受けている教育・保育給付認定子どもに係る教育・保育給付認定保護者が偽りその他不正な行為によって施設型給付費の支給を受け、又は受けようとしたときは、遅滞なく、意見を付してその旨を市町村に通知しなければならない。

（運営規程）

第20条　特定教育・保育施設は、次に掲げる施設の運営についての重要事項に関する規程（第23条において「運営規程」という。）を定めておかなければならない。

一　施設の目的及び運営の方針

二　提供する特定教育・保育の内容

三　職員の職種、員数及び職務の内容

四　特定教育・保育の提供を行う日（法第19条第１

号に掲げる小学校就学前子どもの区分に係る利用定員を定めている施設にあっては、学期を含む。以下この号において同じ。）及び時間、提供を行わない日

五 第13条の規定により教育・保育給付認定保護者から支払を受ける費用の種類、支払を求める理由及びその額

六 第４条第２項各号に定める小学校就学前子どもの区分ごとの利用定員

七 特定教育・保育施設の利用の開始、終了に関する事項及び利用に当たっての留意事項（第６条第２項及び第３項に規定する選考方法を含む。）

八 緊急時等における対応方法

九 非常災害対策

十 虐待の防止のための措置に関する事項

十一 その他特定教育・保育施設の運営に関する重要事項

（勤務体制の確保等）

第21条 特定教育・保育施設は、教育・保育給付認定子どもに対し、適切な特定教育・保育を提供することができるよう、職員の勤務の体制を定めておかなければならない。

2 特定教育・保育施設は、当該特定教育・保育施設の職員によって特定教育・保育を提供しなければならない。ただし、教育・保育給付認定子どもに対する特定教育・保育の提供に直接影響を及ぼさない業務については、この限りでない。

3 特定教育・保育施設は、職員の資質の向上のために、その研修の機会を確保しなければならない。

（定員の遵守）

第22条 特定教育・保育施設は、利用定員を超えて特定教育・保育の提供を行ってはならない。ただし、年度中における特定教育・保育に対する需要の増大への対応、法第34条第５項に規定する便宜の提供への対応、児童福祉法第24条第５項又は第６項に規定する措置への対応、災害、虐待その他のやむを得ない事情がある場合は、この限りでない。

（掲示等）

第23条 特定教育・保育施設は、当該特定教育・保育施設の見やすい場所に、運営規程の概要、職員の勤務の体制、利用者負担その他の利用申込者の特定教育・保育施設の選択に資すると認められる重要事項を掲示するとともに、電気通信回線に接続して行う自動公衆送信（公衆によって直接受信されることを目的として公衆からの求めに応じ自動的に送信を行うことをいい、放送又は有線放送に該当するものを除く。）により公衆の閲覧に供しなければならない。

（教育・保育給付認定子どもを平等に取り扱う原則）

第24条 特定教育・保育施設においては、教育・保育給付認定子どもの国籍、信条、社会的身分又は特定教育・保育の提供に要する費用を負担するか否かによって、差別的取扱いをしてはならない。

（虐待等の禁止）

第25条 特定教育・保育施設の職員は、教育・保育給付認定子どもに対し、児童福祉法第33条の10各号に掲げる行為その他当該教育・保育給付認定子どもの心身に有害な影響を与える行為をしてはならない。

第26条 削除

（秘密保持等）

第27条 特定教育・保育施設の職員及び管理者は、正当な理由がなく、その業務上知り得た教育・保育給付認定子ども又はその家族の秘密を漏らしてはならない。

2 特定教育・保育施設は、職員であった者が、正当な理由がなく、その業務上知り得た教育・保育給付認定子ども又はその家族の秘密を漏らすことがないよう、必要な措置を講じなければならない。

3 特定教育・保育施設は、小学校、他の特定教育・保育施設等、地域子ども・子育て支援事業を行う者その他の機関に対して、教育・保育給付認定子どもに関する情報を提供する際には、あらかじめ文書により当該教育・保育給付認定子どもに係る教育・保育給付認定保護者の同意を得ておかなければならない。

（情報の提供等）

第28条 特定教育・保育施設は、特定教育・保育施設を利用しようとする小学校就学前子どもに係る教育・保育給付認定保護者が、その希望を踏まえて適切に特定教育・保育施設を選択することができるように、当該特定教育・保育施設が提供する特定教育・保育の内容に関する情報の提供を行うよう努めなければならない。

2 特定教育・保育施設は、当該特定教育・保育施設について広告をする場合において、その内容を虚偽のもの又は誇大なものとしてはならない。

（利益供与等の禁止）

第29条 特定教育・保育施設は、利用者支援事業（法第59条第１号に規定する事業をいう。）その他の地域子ども・子育て支援事業を行う者（次項において「利用者支援事業者等」という。）、教育・保育施設若しくは地域型保育を行う者等又はその職員に対し、小学校就学前子ども又はその家族に対して当該特定教育・保育施設を紹介することの対償として、金品その他の財産上の利益を供与してはならない。

2　特定教育・保育施設は、利用者支援事業者等、教育・保育施設若しくは地域型保育を行う者等又はその職員から、小学校就学前子ども又はその家族を紹介することの対償として、金品その他の財産上の利益を収受してはならない。

（苦情解決）

第30条　特定教育・保育施設は、その提供した特定教育・保育に関する教育・保育給付認定子ども又は教育・保育給付認定保護者その他の当該教育・保育給付認定子どもの家族（以下この条において「教育・保育給付認定子ども等」という。）からの苦情に迅速かつ適切に対応するために、苦情を受け付けるための窓口を設置する等の必要な措置を講じなければならない。

2　特定教育・保育施設は、前項の苦情を受け付けた場合には、当該苦情の内容等を記録しなければならない。

3　特定教育・保育施設は、その提供した特定教育・保育に関する教育・保育給付認定子ども等からの苦情に関して市町村が実施する事業に協力するよう努めなければならない。

4　特定教育・保育施設は、その提供した特定教育・保育に関し、法第14条第１項の規定により市町村が行う報告若しくは帳簿書類その他の物件の提出若しくは提示の命令又は当該市町村の職員からの質問若しくは特定教育・保育施設の設備若しくは帳簿書類その他の物件の検査に応じ、及び教育・保育給付認定子ども等からの苦情に関して市町村が行う調査に協力するとともに、市町村から指導又は助言を受けた場合は、当該指導又は助言に従って必要な改善を行わなければならない。

5　特定教育・保育施設は、市町村からの求めがあった場合には、前項の改善の内容を市町村に報告しなければならない。

（地域との連携等）

第31条　特定教育・保育施設は、その運営に当たっては、地域住民又はその自発的な活動等との連携及び協力を行う等の地域との交流に努めなければならない。

（事故発生の防止及び発生時の対応）

第32条　特定教育・保育施設は、事故の発生又はその再発を防止するため、次の各号に定める措置を講じなければならない。

一　事故が発生した場合の対応、次号に規定する報告の方法等が記載された事故発生の防止のための指針を整備すること。

二　事故が発生した場合又はそれに至る危険性がある事態が生じた場合に、当該事実が報告され、その分析を通じた改善策を従業者に周知徹底する体制を整備すること。

三　事故発生の防止のための委員会及び従業者に対する研修を定期的に行うこと。

2　特定教育・保育施設は、教育・保育給付認定子どもに対する特定教育・保育の提供により事故が発生した場合は、速やかに市町村、当該教育・保育給付認定子どもの家族等に連絡を行うとともに、必要な措置を講じなければならない。

3　特定教育・保育施設は、前項の事故の状況及び事故に際して採った処置について記録しなければならない。

4　特定教育・保育施設は、教育・保育給付認定子どもに対する特定教育・保育の提供により賠償すべき事故が発生した場合は、損害賠償を速やかに行わなければならない。

（会計の区分）

第33条　特定教育・保育施設は、特定教育・保育の事業の会計をその他の事業の会計と区分しなければならない。

（記録の整備）

第34条　特定教育・保育施設は、職員、設備及び会計に関する諸記録を整備しておかなければならない。

2　特定教育・保育施設は、教育・保育給付認定子どもに対する特定教育・保育の提供に関する次に掲げる記録を整備し、その完結の日から５年間保存しなければならない。

一　第15条第１項各号に定めるものに基づく特定教育・保育の提供に当たっての計画

二　第12条の規定による特定教育・保育の提供の記録

三　第19条の規定による市町村への通知に係る記録

四　第30条第２項に規定する苦情の内容等の記録

五　第32条第３項に規定する事故の状況及び事故に際して採った処置についての記録

第３款　特例施設型給付費に関する基準

（特別利用保育の基準）

第35条　特定教育・保育施設（保育所に限る。以下この条において同じ。）が法第19条第１号に掲げる小学校就学前子どもに該当する教育・保育給付認定子どもに対し特別利用保育を提供する場合には、法第34条第１項第３号に規定する基準を遵守しなければならない。

2　特定教育・保育施設が、前項の規定により特別利用保育を提供する場合には、当該特別利用保育に係る法第19条第１号に掲げる小学校就学前子どもに該当する教育・保育給付認定子どもの数及び当該特定教育・保育施設を現に利用している同条第２号に掲げる小学校就学前子どもに該当する教育・保育給付認定子どもの総数が、第４条第２項第３号の規定により定められた法第19条第２号に掲げる小学校就学前子どもに係る利用定員の数を超えないものとする。

3　特定教育・保育施設が、第１項の規定により特別利用保育を提供する場合には、特定教育・保育には特別利用保育を、施設型給付費には特例施設型給付費（法第28条第１項の特例施設型給付費をいう。次条第３項において同じ。）を、それぞれ含むものとして、前款（第６条第３項及び第７条第２項を除く。）の規定を適用する。この場合において、第６条第２項中「特定教育・保育施設（認定こども園又は幼稚園に限る。以下この項において同じ。）」とあるのは「特定教育・保育施設（特別利用保育を提供している施設に限る。以下この項において同じ。）」と、「同号に掲げる小学校就学前子どもに該当する教育・保育給付認定子ども」とあるのは「同号又は同条第２号に掲げる小学校就学前子どもに該当する教育・保育給付認定子ども」と、第13条第２項中「法第27条第３項第１号に掲げる額」とあるのは「法第28条第２項第２号の内閣総理大臣が定める基準により算定した費用の額」と、同条第４項第３号ロ⑴中「教育・保育給付認定子ども」とあるのは「教育・保育給付認定子ども（特別利用保育を受ける者を除く。）」と、同号ロ⑵中「教育・保育給付認定子ども」とあるのは「教育・保育給付認定子ども（特別利用保育を受ける者を含む。）」とする。

（特別利用教育の基準）

第36条　特定教育・保育施設（幼稚園に限る。以下この条において同じ。）が法第19条第２号に掲げる小学校就学前子どもに該当する教育・保育給付認定子どもに対し、特別利用教育を提供する場合には、法第34条第１項第２号に規定する基準を遵守しなければならない。

2　特定教育・保育施設が、前項の規定により特別利用教育を提供する場合には、当該特別利用教育に係る法第19条第２号に掲げる小学校就学前子どもに該当する教育・保育給付認定子どもの数及び当該特定教育・保育施設を現に利用している同条第１号に掲げる小学校就学前子どもに該当する教育・保育給付認定子どもの総数が、第４条第２項第２号の規定により定められた法第19条第１号に掲げる小学校就学前子どもに係る利用定員の数を超えないものとする。

3　特定教育・保育施設が、第１項の規定により特別利用教育を提供する場合には、特定教育・保育には特別利用教育を、施設型給付費には特例施設型給付費を、それぞれ含むものとして、前款（第６条第３項及び第７条第２項を除く。）の規定を適用する。この場合において、第６条第２項中「特定教育・保育施設（認定こども園又は幼稚園に限る。以下この項において同じ。）」とあるのは「特定教育・保育施設（特別利用教育を提供している施設に限る。以下この項において同じ。）」と、「利用の申込みに係る法第19条第１号に掲げる小学校就学前子どもの数」とあるのは「利用の申込みに係る法第19条第２号に掲げる小学校就学前子どもの数」と、「同号に掲げる小学校就学前子どもに該当する教育・保育給付認定子どもの総数」とあるのは「同条第１号又は第２号に掲げる小学校就学前子どもに該当する教育・保育給付認定子どもの総数」と、「同号に掲げる小学校就学前子どもの区分に係る利用定員の総数」とあるのは「同条第１号に掲げる小学校就学前子どもの区分に係る利用定員の総数」と、第13条第２項中「法第27条第３項第１号に掲げる額」とあるのは「法第28条第２項第３号の内閣総理大臣が定める基準により算定した費用の額」と、同条第４項第３号ロ⑴中「教育・保育給付認定子ども」とあるのは「教育・保育給付認定子ども（特別利用教育を受ける者を含む。）」と、同号ロ⑵中「教育・保育給付認定子ども」とあるのは「教育・保育給付認定子ども（特別利用教育を受ける者を除く。）」とする。

第３節　特定地域型保育事業者の運営に関する基準

第１款　利用定員に関する基準

第37条　特定地域型保育事業（事業所内保育事業を除く。）の利用定員（法第29条第１項の確認において定めるものに限る。以下この節において同じ。）の数は、家庭的保育事業にあっては１人以上５人以下、小規模保育事業Ａ型（家庭的保育事業等の設備及び運営に関する基準（平成26年厚生労働省令第61号）第28条に規定する小規模保育事業Ａ型をいう。第42条第３項第１号において同じ。）及び小規模保育事業Ｂ型（同令第31条に規定する小規模保育事業Ｂ型をいう。第42条第３項第１号において同じ。）にあっては６人以上19人以下、小規模保育事業Ｃ型（同令第33条に規定する小規模保育事業Ｃ型をいう。附則第４条において同じ。）にあっては６人以上10人以下、居宅訪問型保育事業にあっては１人とする。

2　特定地域型保育事業者は、特定地域型保育の種類及び当該特定地域型保育の種類に係る特定地域型保育事業を行う事業所（以下「特定地域型保育事業所」

という。）ごとに、法第19条第３号に掲げる小学校就学前子どもに係る利用定員（事業所内保育事業を行う事業所にあっては、家庭的保育事業等の設備及び運営に関する基準第42条の規定を踏まえ、その雇用する労働者の監護する小学校就学前子どもを保育するため当該事業所内保育事業を自ら施設を設置して行う事業主に係る当該小学校就学前子ども（当該事業所内保育事業が、事業主団体に係るものにあっては事業主団体の構成員である事業主の雇用する労働者の監護する小学校就学前子どもとし、共済組合等（児童福祉法第６条の３第12項第１号ハに規定する共済組合等をいう。）に係るものにあっては共済組合等の構成員（同号ハに規定する共済組合等の構成員をいう。）の監護する小学校就学前子どもとする。）及びその他の小学校就学前子どもごとに定める法第19条第３号に掲げる小学校就学前子どもに係る利用定員とする。）を、満１歳に満たない小学校就学前子どもと満１歳以上の小学校就学前子どもに区分して定めるものとする。

第２款　運営に関する基準

（内容及び手続の説明及び同意）

第38条　特定地域型保育事業者は、特定地域型保育の提供の開始に際しては、あらかじめ、利用申込者に対し、第46条に規定する運営規程の概要、第42条に規定する連携施設の種類、名称、連携協力の概要、職員の勤務体制、第43条の規定により支払を受ける費用に関する事項その他の利用申込者の保育の選択に資すると認められる重要事項を記した文書を交付して説明を行い、当該提供の開始について利用申込者の同意を得なければならない。

（正当な理由のない提供拒否の禁止等）

第39条　特定地域型保育事業者は、教育・保育給付認定保護者から利用の申込みを受けたときは、正当な理由がなければ、これを拒んではならない。

２　特定地域型保育事業者は、利用の申込みに係る法第19条第３号に掲げる小学校就学前子どもの数及び特定地域型保育事業所を現に利用している満３歳未満保育認定子ども（特定満３歳以上保育認定子どもを除く。以下この節において同じ。）の総数が、当該特定地域型保育事業所の同号に掲げる小学校就学前子どもの区分に係る利用定員の総数を超える場合においては、法第20条第４項の規定による認定に基づき、保育の必要の程度及び家族等の状況を勘案し、保育を受ける必要性が高いと認められる満３歳未満保育認定子どもが優先的に利用できるよう、選考するものとする。

３　前項の特定地域型保育事業者は、前項の選考方法をあらかじめ教育・保育給付認定保護者に明示した上で、選考を行わなければならない。

４　特定地域型保育事業者は、地域型保育の提供体制の確保が困難である場合その他利用申込者に係る満３歳未満保育認定子どもに対し自ら適切な教育・保育を提供することが困難である場合は、連携施設その他の適切な特定教育・保育施設又は特定地域型保育事業を紹介する等の適切な措置を速やかに講じなければならない。

（あっせん、調整及び要請に対する協力）

第40条　特定地域型保育事業者は、特定地域型保育事業の利用について法第54条第１項の規定により市町村が行うあっせん及び要請に対し、できる限り協力しなければならない。

２　特定地域型保育事業者は、満３歳未満保育認定子どもに係る特定地域型保育事業の利用について児童福祉法第24条第３項（同法附則第73条第１項の規定により読み替えて適用する場合を含む。）の規定により市町村が行う調整及び要請に対し、できる限り協力しなければならない。

（心身の状況等の把握）

第41条　特定地域型保育事業者は、特定地域型保育の提供に当たっては、満３歳未満保育認定子どもの心身の状況、その置かれている環境、他の特定教育・保育施設等の利用状況等の把握に努めなければならない。

（特定教育・保育施設等との連携）

第42条　特定地域型保育事業者（居宅訪問型保育事業を行う者を除く。以下この項から第５項までにおいて同じ。）は、特定地域型保育が適正かつ確実に実施され、及び必要な教育・保育が継続的に提供されるよう、次に掲げる事項に係る連携協力を行う認定こども園、幼稚園又は保育所（以下「連携施設」という。）を適切に確保しなければならない。ただし、離島その他の地域であって、連携施設の確保が著しく困難であると市町村が認めるものにおいて特定地域型保育事業を行う特定地域型保育事業者については、この限りでない。

一　特定地域型保育の提供を受けている満３歳未満保育認定子どもに集団保育を体験させるための機会の設定、特定地域型保育の適切な提供に必要な特定地域型保育事業者に対する相談、助言その他の保育の内容に関する支援を行うこと。

二　必要に応じて、代替保育（特定地域型保育事業所の職員の病気、休暇等により特定地域型保育を提供することができない場合に、当該特定地域型保育事業者に代わって提供する特定教育・保育をいう。以下この条において同じ。）を提供すること。

三　当該特定地域型保育事業者により特定地域型保育の提供を受けていた満３歳未満保育認定子ども（事業所内保育事業を利用する満３歳未満保育認定子どもにあっては、第37条第２項に規定するその他の小学校就学前子どもに限る。以下この号及び第４項第１号において同じ。）を、当該特定地域型保育の提供の終了に際して、当該満３歳未満保育認定子どもに係る教育・保育給付認定保護者の希望に基づき、引き続き当該連携施設において受け入れて教育・保育を提供すること。

2　市町村長は、特定地域型保育事業者による代替保育の提供に係る連携施設の確保が著しく困難であると認める場合であって、次の各号に掲げる要件の全てを満たすと認めるときは、前項第２号の規定を適用しないこととすることができる。

一　特定地域型保育事業者と前項第２号に掲げる事項に係る連携協力を行う者との間でそれぞれの役割の分担及び責任の所在が明確化されていること。

二　前項第２号に掲げる事項に係る連携協力を行う者の本来の業務の遂行に支障が生じないようにするための措置が講じられていること。

3　前項の場合において、特定地域型保育事業者は、次の各号に掲げる場合の区分に応じ、それぞれ当該各号に定める者を第１項第２号に掲げる事項に係る連携協力を行う者として適切に確保しなければならない。

一　当該特定地域型保育事業者が特定地域型保育事業を行う場所又は事業所（次号において「事業実施場所」という。）以外の場所又は事業所において代替保育が提供される場合　小規模保育事業Ａ型若しくは小規模保育事業Ｂ型又は事業所内保育事業を行う者（次号において「小規模保育事業Ａ型事業者等」という。）

二　事業実施場所において代替保育が提供される場合　事業の規模等を勘案して小規模保育事業Ａ型事業者等と同等の能力を有すると市町村が認める者

4　市町村長は、次のいずれかに該当するときは、第１項第３号の規定を適用しないこととすることができる。

一　市町村長が、児童福祉法第24条第３項（同法附則第73条第１項の規定により読み替えて適用する場合を含む。）の規定による調整を行うに当たって、特定地域型保育事業者による特定地域型保育の提供を受けていた満３歳未満保育認定子どもを優先的に取り扱う措置その他の特定地域型保育事業者による特定地域型保育の提供の終了に際して、当該満３歳未満保育認定子どもに係る教育・保育給付認定保護者の希望に基づき、引き続き必要な教育・保育が提供されるよう必要な措置を講じているとき

二　特定地域型保育事業者による第１項第３号に掲げる事項に係る連携施設の確保が著しく困難であると認めるとき（前号に該当する場合を除く。）

5　前項（第２号に係る部分に限る。）の場合において、特定地域型保育事業者は、児童福祉法第59条第１項に規定する施設のうち、次に掲げるもの（入所定員が20人以上のものに限る。）又は国家戦略特別区域法（平成25年法律第107号）第12条の４第１項に規定する国家戦略特別区域小規模保育事業を行う事業所であって、市町村長が適当と認めるものを第１項第３号に掲げる事項に係る連携協力を行う施設又は事業所として適切に確保しなければならない。

一　法第59条の２第１項の規定による助成を受けている者の設置する施設（児童福祉法第６条の３第12項に規定する業務を目的とするものに限る。）

二　児童福祉法第６条の３第12項に規定する業務又は同法第39条第１項に規定する業務を目的とする施設であって、同法第６条の３第９項第１号に規定する保育を必要とする乳児・幼児の保育を行うことに要する費用に係る地方公共団体の補助を受けているもの

6　居宅訪問型保育事業を行う者は、家庭的保育事業等の設備及び運営に関する基準第37条第１号に規定する乳幼児に対する保育を行う場合にあっては、第１項本文の規定にかかわらず、当該乳幼児の障害、疾病等の状態に応じ、適切な専門的な支援その他の便宜の供与を受けられるよう、あらかじめ、連携する障害児入所支援施設（児童福祉法第42条に規定する障害児入所施設をいう。）その他の市町村の指定する施設（以下この項において「居宅訪問型保育連携施設」という。）を適切に確保しなければならない。ただし、離島その他の地域であって、居宅訪問型保育連携施設の確保が著しく困難であると市町村が認めるものにおいて居宅訪問型保育を行う居宅訪問型保育事業者については、この限りでない。

7　事業所内保育事業（第37条第２項の規定により定める利用定員が20人以上のものに限る。次項において「保育所型事業所内保育事業」という。）を行う者については、第１項本文の規定にかかわらず、連携施設の確保に当たって、第１項第１号及び第２号

に係る連携協力を求めることを要しない。

8　保育所型事業所内保育事業を行う者のうち、児童福祉法第6条の3第12項第2号に規定する事業を行うものであって、市町村長が適当と認めるもの（附則第5条において「特例保育所型事業所内保育事業者」という。）については、第1項本文の規定にかかわらず、連携施設の確保をしないことができる。

9　特定地域型保育事業者は、特定地域型保育の提供の終了に際しては、満3歳未満保育認定子どもについて、連携施設又は他の特定教育・保育施設等において継続的に提供される教育・保育との円滑な接続に資するよう、満3歳未満保育認定子どもに係る情報の提供その他連携施設、特定教育・保育施設等、地域子ども・子育て支援事業を実施する者等との密接な連携に努めなければならない。

（利用者負担額等の受領）

第43条　特定地域型保育事業者は、特定地域型保育を提供した際は、教育・保育給付認定保護者から当該特定地域型保育に係る利用者負担額（法第29条第3項第2号に掲げる額をいう。）の支払を受けるものとする。

2　特定地域型保育事業者は、法定代理受領を受けないときは、教育・保育給付認定保護者から、当該特定地域型保育に係る特定地域型保育費用基準額（法第29条第3項第1号に掲げる額をいう。次項において同じ。）の支払を受けるものとする。

3　特定地域型保育事業者は、前2項の支払を受ける額のほか、特定地域型保育の提供に当たって、当該特定地域型保育の質の向上を図る上で特に必要であると認められる対価について、当該特定地域型保育に要する費用として見込まれるものの額と特定地域型保育費用基準額との差額に相当する金額の範囲内で設定する額の支払を教育・保育給付認定保護者から受けることができる。

4　特定地域型保育事業者は、前3項の支払を受ける額のほか、特定地域型保育において提供される便宜に要する費用のうち、次に掲げる費用の額の支払を教育・保育給付認定保護者から受けることができる。

一　日用品、文房具その他の特定地域型保育に必要な物品

二　特定地域型保育等に係る行事への参加に要する費用

三　特定地域型保育事業所に通う際に提供される便宜に要する費用

四　前3号に掲げるもののほか、特定地域型保育において提供される便宜に要する費用のうち、特定地域型保育事業の利用において通常必要とされるものに係る費用であって、教育・保育給付認定保護者に負担させることが適当と認められるもの

5　特定地域型保育事業者は、前4項の費用の額の支払を受けた場合は、当該費用に係る領収証を当該費用の額を支払った教育・保育給付認定保護者に対し交付しなければならない。

6　特定地域型保育事業者は、第3項及び第4項の金銭の支払を求める際は、あらかじめ、当該金銭の使途及び額並びに教育・保育給付認定保護者に金銭の支払を求める理由について書面によって明らかにするとともに、教育・保育給付認定保護者に対して説明を行い、文書による同意を得なければならない。ただし、第4項の規定による金銭の支払に係る同意については、文書によることを要しない。

（特定地域型保育の取扱方針）

第44条　特定地域型保育事業者は、児童福祉施設の設備及び運営に関する基準第35条の規定に基づき保育所における保育の内容について内閣総理大臣が定める指針に準じ、それぞれの事業の特性に留意して、小学校就学前子どもの心身の状況等に応じて、特定地域型保育の提供を適切に行わなければならない。

（特定地域型保育に関する評価等）

第45条　特定地域型保育事業者は、自らその提供する特定地域型保育の質の評価を行い、常にその改善を図らなければならない。

2　特定地域型保育事業者は、定期的に外部の者による評価を受けて、それらの結果を公表し、常にその改善を図るよう努めなければならない。

（運営規程）

第46条　特定地域型保育事業者は、次の各号に掲げる事業の運営についての重要事項に関する規程（第50条において準用する第23条において「運営規程」という。）を定めておかなければならない。

一　事業の目的及び運営の方針

二　提供する特定地域型保育の内容

三　職員の職種、員数及び職務の内容

四　特定地域型保育の提供を行う日及び時間、提供を行わない日

五　第43条の規定により教育・保育給付認定保護者から支払を受ける費用の種類、支払を求める理由及びその額

六　利用定員

七　特定地域型保育事業の利用の開始、終了に関する事項及び利用に当たっての留意事項（第39条第2項に規定する選考方法を含む。）

八　緊急時等における対応方法

九　非常災害対策

十 虐待の防止のための措置に関する事項
十一 その他特定地域型保育事業の運営に関する重要事項

（勤務体制の確保等）

第47条 特定地域型保育事業者は、満３歳未満保育認定子どもに対し、適切な特定地域型保育を提供することができるよう、特定地域型保育事業所ごとに職員の勤務の体制を定めておかなければならない。

２ 特定地域型保育事業者は、特定地域型保育事業所ごとに、当該特定地域型保育事業所の職員によって特定地域型保育を提供しなければならない。ただし、満３歳未満保育認定子どもに対する特定地域型保育の提供に直接影響を及ぼさない業務については、この限りでない。

３ 特定地域型保育事業者は、職員の資質の向上のために、その研修の機会を確保しなければならない。

（定員の遵守）

第48条 特定地域型保育事業者は、利用定員を超えて特定地域型保育の提供を行ってはならない。ただし、年度中における特定地域型保育に対する需要の増大への対応、法第46条第５項に規定する便宜の提供への対応、児童福祉法第24条第６項に規定する措置への対応、災害、虐待その他のやむを得ない事情がある場合は、この限りでない。

（記録の整備）

第49条 特定地域型保育事業者は、職員、設備及び会計に関する諸記録を整備しておかなければならない。

２ 特定地域型保育事業者は、満３歳未満保育認定子どもに対する特定地域型保育の提供に関する次に掲げる記録を整備し、その完結の日から５年間保存しなければならない。

一 第44条に定めるものに基づく特定地域型保育の提供に当たっての計画
二 次条において準用する第12条の規定による特定地域型保育の提供の記録
三 次条において準用する第19条の規定による市町村への通知に係る記録
四 次条において準用する第30条第２項に規定する苦情の内容等の記録
五 次条において準用する第32条第３項に規定する事故の状況及び事故に際して採った処置についての記録

（準用）

第50条 第８条から第14条まで（第10条及び第13条を除く。）、第17条から第19条まで及び第23条から第33条までの規定は、特定地域型保育事業者、特定地域型保育事業所及び特定地域型保育について準用する。この場合において、第11条中「教育・保育給付認定子どもについて」とあるのは「教育・保育給付認定子ども（満３歳未満保育認定子どもに限り、特定満３歳以上保育認定子どもを除く。以下この款において同じ。）について」と、第12条の見出し中「教育・保育」とあるのは「地域型保育」と、第14条の見出し中「施設型給付費」とあるのは「地域型保育給付費」と、同条第１項中「施設型給付費（法第27条第１項の施設型給付費をいう。以下」とあるのは「地域型保育給付費（法第29条第１項の地域型保育給付費をいう。以下この項及び第19条において」と、「施設型給付費の」とあるのは「地域型保育給付費の」と、同条第２項中「特定教育・保育提供証明書」とあるのは「特定地域型保育提供証明書」と、第19条中「施設型給付費」とあるのは「地域型保育給付費」と読み替えるものとする。

第３款 特例地域型保育給付費に関する基準

（特別利用地域型保育の基準）

第51条 特定地域型保育事業者が法第19条第１号に掲げる小学校就学前子どもに該当する教育・保育給付認定子どもに対し特別利用地域型保育を提供する場合には、法第46条第１項に規定する地域型保育事業の認可基準を遵守しなければならない。

２ 特定地域型保育事業者が、前項の規定により特別利用地域型保育を提供する場合には、当該特別利用地域型保育に係る法第19条第１号に掲げる小学校就学前子どもに該当する教育・保育給付認定子どもの数及び特定地域型保育事業所を現に利用している満３歳未満保育認定子ども（次条第１項の規定により特定利用地域型保育を提供する場合にあっては、当該特定利用地域型保育の対象となる法第19条第２号に掲げる小学校就学前子どもに該当する教育・保育給付認定子どもを含む。）の総数が、第37条第２項の規定により定められた利用定員の数を超えないものとする。

３ 特定地域型保育事業者が、第１項の規定により特別利用地域型保育を提供する場合には、特定地域型保育には特別利用地域型保育を、地域型保育給付費には特例地域型保育給付費（法第30条第１項の特例地域型保育給付費をいう。次条第３項において同じ。）を、それぞれ含むものとして、この節（第40条第２項を除き、前条において準用する第８条から第14条まで（第10条及び第13条を除く。）、第17条から第19条まで及び第23条から第33条までを含む。次条第３項において同じ。）の規定を適用する。この場合において、第39条第２項中「利用の申込みに係る法第19条第３号に掲げる小学校就学前子どもの数」とあるのは「利用の申込みに係る法第19条第１号に掲げる小学校就学前子どもの数」と、「満３歳未満保育認定子ども（特定満３歳以上保育認定子どもを除く。以下この節において同じ。）」とあるのは「同条第１号又は第３号に掲げる小学校就学前子どもに該当する教育・保育給付認定子ども（第52条第１項の規定により特定利用地域型保育を提供する場合にあっては、当該特定利用地域型保育の対象となる法第19条第２号に掲げる小学校就学前子どもに該当する教育・保育給付認定子どもを含む。）」と、「同号」とあるのは「法第19条第３号」と、「法第20条第４項の規定による認定に基づき、保育の必要の程度及び家族等の状況を勘案し、保育を受ける必要性が高いと認められる満３歳未満保育認定子どもが優先的に利用できるよう、」とあるのは「抽選、申込みを受けた順序により決定する方法、当該特定地域型保育事業者の保育に関する理念、基本方針等に基づく選考その他公正な方法により」と、第43条第１項中「教育・保育給付認定保護者」とあるのは「教育・保育給付認定保護者（特別利用地域型保育の対象となる法第19条第１号に掲げる小学校就学前子どもに該当する教育・保育給付認定子どもに係る教育・保育給付認定保護者を除く。）」と、同条第２項中「法第29条第３項第１号に掲げる額」とあるのは「法第30条第２項第２号の内閣総理大臣が定める基準により算定した費用の額」と、同条第３項中「前２項」とあるのは「前項」と、同条第４項中「前３項」とあるのは「前２項」と、「掲げる費用」とあるのは「掲げる費用及び食事の提供（第13条第４項第３号イ又はロに掲げるものを除く。）に要する費用」と、同条第５項中「前４項」とあるのは「前３項」とする。

（特定利用地域型保育の基準）

第52条　特定地域型保育事業者が法第19条第２号に掲げる小学校就学前子どもに該当する教育・保育給付認定子どもに対し特定利用地域型保育を提供する場合には、法第46条第１項に規定する地域型保育事業の認可基準を遵守しなければならない。

２　特定地域型保育事業者が、前項の規定により特定利用地域型保育を提供する場合には、当該特定利用地域型保育に係る法第19条第２号に掲げる小学校就学前子どもに該当する教育・保育給付認定子どもの数及び特定地域型保育事業所を現に利用している同条第３号に掲げる小学校就学前子どもに該当する教育・保育給付認定子ども（前条第１項の規定により特別利用地域型保育を提供する場合にあっては、当該特別利用地域型保育の対象となる法第19条第１号に掲げる小学校就学前子どもに該当する教育・保育給付認定子どもを含む。）の総数が、第37条第２項の規定により定められた利用定員の数を超えないものとする。

３　特定地域型保育事業者が、第１項の規定により特定利用地域型保育を提供する場合には、特定地域型保育には特定利用地域型保育を、地域型保育給付費には特例地域型保育給付費を、それぞれ含むものとして、この節の規定を適用する。この場合において、第43条第１項中「教育・保育給付認定保護者」とあるのは「教育・保育給付認定保護者（特定利用地域型保育の対象となる法第19条第２号に掲げる小学校就学前子どもに該当する教育・保育給付認定子ども（特定満３歳以上保育認定子どもに限る。）に係る教育・保育給付認定保護者に限る。）」と、同条第２項中「法第29条第３項第１号に掲げる額」とあるのは「法第30条第２項第３号の内閣総理大臣が定める基準により算定した費用の額」と、同条第４項中「掲げる費用」とあるのは「掲げる費用及び食事の提供（特定利用地域型保育の対象となる特定満３歳以上保育認定子どもに対するもの及び満３歳以上保育認定子ども（令第４条第１項第２号に規定する満３歳以上保育認定子どもをいう。）に係る第13条第４項第３号イ又はロに掲げるものを除く。）に要する費用」とする。

第２章　特定子ども・子育て支援施設等の運営に関する基準

（趣旨）

第53条　法第58条の４第２項の内閣府令で定める特定子ども・子育て支援施設等（法第30条の11第１項に規定する特定子ども・子育て支援施設等をいう。）の運営に関する基準は、この章に定めるところによる。

（教育・保育その他の子ども・子育て支援の提供の記録）

第54条　特定子ども・子育て支援提供者（法第30条の11第３項に規定する特定子ども・子育て支援提供者をいう。以下同じ。）は、特定子ども・子育て支援（同条第１項に規定する特定子ども・子育て支援をいう。以下同じ。）を提供した際は、提供した日及び時間帯、当該特定子ども・子育て支援の具体的な内容その他必要な事項を記録しなければならない。

（利用料及び特定費用の額の受領）

第55条　特定子ども・子育て支援提供者は、特定子ども・子育て支援を提供したときは、施設等利用給付認定保護者（法第30条の５第３項に規定する施設等利用給付認定保護者をいう。以下同じ。）から、その者との間に締結した契約により定められた特定子ども・子育て支援の提供の対価（子ども・子育て支援法施行規則第28条の16に規定する費用（以下「特定費用」という。）に係るものを除く。以下「利用料」という。）の額の支払を受けるものとする。

2　特定子ども・子育て支援提供者は、前項の規定により支払を受ける額のほか、特定費用の額の支払を施設等利用給付認定保護者から受けることができる。この場合において、特定子ども・子育て支援提供者は、あらかじめ、当該支払を求める金銭の使途及び額並びに理由について書面により明らかにするとともに、施設等利用給付認定保護者に対して説明を行い、同意を得なければならない。

（領収証及び特定子ども・子育て支援提供証明書の交付）

第56条　特定子ども・子育て支援提供者は、前条の規定による費用の支払を受ける際、当該支払をした施設等利用給付認定保護者に対し、領収証を交付しなければならない。この場合において、当該領収証は、利用料の額と特定費用の額とを区分して記載しなければならない。ただし、前条第２項に規定する費用の支払のみを受ける場合は、この限りでない。

2　前項の場合において、特定子ども・子育て支援提供者は、当該支払をした施設等利用給付認定保護者に対し、当該支払に係る特定子ども・子育て支援を提供した日及び時間帯、当該特定子ども・子育て支援の内容、費用の額その他施設等利用費の支給に必要な事項を記載した特定子ども・子育て支援提供証明書を交付しなければならない。

（法定代理受領の場合の読替え）

第57条　特定子ども・子育て支援提供者が法第30条の11第３項の規定により市町村から特定子ども・子育て支援に係る施設等利用費の支払を受ける場合における前２条の規定の適用については、第55条第１項中「額」とあるのは「額から法第30条の11第３項の規定により市町村から支払を受けた施設等利用費の額を控除して得た額」と、前条第１項中「利用料の額」とあるのは「利用料の額から法第30条の11第３項の規定により市町村から支払を受けた施設等利用費の額を控除して得た額」と、前条第２項中「前項の場合において、」とあるのは「法第30条の11第３項の規定により市町村から特定子ども・子育て支援に係る施設等利用費の支払を受ける」と、「当該支払をした」とあるのは「当該市町村及び当該」と、「交付しなければならない。」とあるのは「交付し、及び当該施設等利用給付認定保護者に対し、当該施設等利用給付認定保護者に係る施設等利用費の額を通知しなければならない。ただし、当該特定子ども・子育て支援が、特定子ども・子育て支援施設等である認定こども園、幼稚園若しくは特別支援学校又は法第７条第10項第５号に掲げる事業において提供されるものである場合には、当該市町村及び当該施設等利用給付認定保護者に対し、特定子ども・子育て支援提供証明書を交付することを要しない。」とする。

（施設等利用給付認定保護者に関する市町村への通知）

第58条　特定子ども・子育て支援提供者は、特定子ども・子育て支援を受けている施設等利用給付認定子ども（法第30条の８第１項に規定する施設等利用給付認定子どもをいう。以下同じ。）に係る施設等利用給付認定保護者が偽りその他不正な行為によって施設等利用費の支給を受け、又は受けようとしたときは、遅滞なく、意見を付してその旨を当該支給に係る市町村に通知しなければならない。

（施設等利用給付認定子どもを平等に取り扱う原則）

第59条　特定子ども・子育て支援提供者は、施設等利用給付認定子どもの国籍、信条、社会的身分又は特定子ども・子育て支援の提供に要する費用を負担するか否かによって、差別的取扱いをしてはならない。

（秘密保持等）

第60条　特定子ども・子育て支援を提供する施設若しくは事業所の職員及び管理者は、正当な理由がなく、その業務上知り得た施設等利用給付認定子ども又はその家族の秘密を漏らしてはならない。

2　特定子ども・子育て支援提供者は、職員であった者が、正当な理由がなく、その業務上知り得た施設等利用給付認定子ども又はその家族の秘密を漏らすことがないよう、必要な措置を講じなければならない。

3　特定子ども・子育て支援提供者は、小学校、他の特定子ども・子育て支援提供者その他の機関に対して、施設等利用給付認定子どもに関する情報を提供する際には、あらかじめ文書により当該施設等利用給付認定子どもに係る施設等利用給付認定保護者の同意を得ておかなければならない。

（記録の整備）

第61条　特定子ども・子育て支援提供者は、職員、設備及び会計に関する諸記録を整備しておかなければならない。

2　特定子ども・子育て支援提供者は、第54条の規定による特定子ども・子育て支援の提供の記録及び第

58条の規定による市町村への通知に係る記録を整備し、その完結の日から５年間保存しなければならない。

第３章　雑則

（電磁的記録等）

第62条　特定教育・保育施設、特定地域型保育事業者又は特定子ども・子育て支援提供者（以下この条において「特定教育・保育施設等」という。）は、記録、作成、保存その他これらに類するもののうち、この府令の規定において書面等（書面、書類、文書、謄本、抄本、正本、副本、複本その他文字、図形等人の知覚によって認識することができる情報が記載された紙その他の有体物をいう。以下この条において同じ。）により行うことが規定されているものについては、当該書面等に代えて、当該書面等に係る電磁的記録（電子的方式、磁気的方式その他人の知覚によっては認識することができない方式で作られる記録であって、電子計算機による情報処理の用に供されるものをいう。以下この条において同じ。）により行うことができる。

2　特定教育・保育施設等は、この府令の規定による書面等の交付又は提出については、当該書面等が電磁的記録により作成されている場合には、当該書面等の交付又は提出に代えて、第４項で定めるところにより、教育・保育給付認定保護者又は施設等利用給付認定保護者（以下この条において「教育・保育給付認定保護者等」という。）の承諾を得て、当該書面等に記載すべき事項（以下この条において「記載事項」という。）を電子情報処理組織（特定教育・保育施設等の使用に係る電子計算機と、教育・保育給付認定保護者等の使用に係る電子計算機とを電気通信回線で接続した電子情報処理組織をいう。以下この条において同じ。）を使用する方法その他の情報通信の技術を利用する方法であって次に掲げるもの（以下この条において「電磁的方法」という。）により提供することができる。この場合において、当該特定教育・保育施設等は、当該書面等を交付又は提出したものとみなす。

一　電子情報処理組織を使用する方法のうちイ又はロに掲げるもの

イ　特定教育・保育施設等の使用に係る電子計算機と教育・保育給付認定保護者等の使用に係る電子計算機とを接続する電気通信回線を通じて送信し、受信者の使用に係る電子計算機に備えられたファイルに記録する方法

ロ　特定教育・保育施設等の使用に係る電子計算機に備えられたファイルに記録された記載事項を電気通信回線を通じて教育・保育給付認定保護者等の閲覧に供し、教育・保育給付認定保護者等の使用に係る電子計算機に備えられた当該教育・保育給付認定保護者等のファイルに当該記載事項を記録する方法（電磁的方法による提供を受ける旨の承諾又は受けない旨の申出をする場合にあっては、特定教育・保育施設等の使用に係る電子計算機に備えられたファイルにその旨を記録する方法）

二　電磁的記録媒体（電磁的記録に係る記録媒体をいう。）をもって調製するファイルに記載事項を記録したものを交付する方法

3　前項各号に掲げる方法は、教育・保育給付認定保護者等がファイルへの記録を出力することによる文書を作成することができるものでなければならない。

4　特定教育・保育施設等は、第２項の規定により記載事項を提供しようとするときは、あらかじめ、当該記載事項を提供する教育・保育給付認定保護者等に対し、その用いる次に掲げる電磁的方法の種類及び内容を示し、文書又は電磁的方法による承諾を得なければならない。

一　第２項各号に規定する方法のうち特定教育・保育施設等が使用するもの

二　ファイルへの記録の方式

5　前項の規定による承諾を得た特定教育・保育施設等は、当該教育・保育給付認定保護者等から文書又は電磁的方法により、電磁的方法による提供を受けない旨の申出があったときは、当該教育・保育給付認定保護者等に対し、第２項に規定する記載事項の提供を電磁的方法によってしてはならない。ただし、当該教育・保育給付認定保護者等が再び前項の規定による承諾をした場合は、この限りでない。

6　第２項から第５項までの規定は、この府令の規定による書面等による同意の取得について準用する。この場合において、第２項中「書面等の交付又は提出」とあり、及び「書面等に記載すべき事項（以下この条において「記載事項」という。）」とあるのは「書面等による同意」と、「第４項」とあるのは「第６項において準用する第４項」と、「提供する」とあるのは「得る」と、「書面等を交付又は提出した」とあるのは「書面等による同意を得た」と、「記載事項」とあるのは「同意に関する事項」と、「提供を受ける」とあるのは「同意を行う」と、「受けない」とあるのは「行わない」と、「交付する」とあるのは「得る」と、第３項中「前項各号」とあるのは「第６項において準用する前項各

号」と、第４項中「第２項」とあるのは「第６項において準用する第２項」と、「記載事項を提供しよう」とあるのは「同意を得よう」と、「記載事項を提供する」とあるのは「同意を得ようとする」と、同項第１号中「第２項各号」とあるのは「第６項において準用する第２項各号」と、第５項中「前項」とあるのは「第６項において準用する前項」と、「提供を受けない」とあるのは「同意を行わない」と、「第２項に規定する記載事項の提供」とあるのは「この府令の規定による書面等による同意の取得」と読み替えるものとする。

附 則

（施行期日）

第１条 この府令は、子ども・子育て支援法の施行の日〔平成27年４月１日〕から施行する。

（特定保育所に関する特例）

第２条 特定保育所（法附則第６条第１項に規定する特定保育所をいう。以下同じ。）が特定教育・保育を提供する場合にあっては、当分の間、第13条第１項中「教育・保育給付認定保護者（満３歳未満保育認定子ども」とあるのは「教育・保育給付認定保護者（満３歳未満保育認定子ども（特定保育所（法附則第６条第１項に規定する特定保育所をいう。次項において同じ。）から特定教育・保育（保育に限る。第19条において同じ。）を受ける者を除く。以下この項において同じ。）」と、同条第２項中「当該特定教育・保育」とあるのは「当該特定教育・保育（特定保育所における特定教育・保育（保育に限る。）を除く。）」と、同条第３項中「額の支払を」とあるのは「額の支払を、市町村の同意を得て、」と、第19条中「施設型給付費の支給を受け、又は受けようとしたとき」とあるのは「法附則第６条第１項の規定による委託費の支払の対象となる特定教育・保育の提供を受け、又は受けようとしたとき」とし、第６条及び第７条の規定は適用しない。

2 特定保育所は、市町村から児童福祉法第24条第１項の規定に基づく保育所における保育を行うことの委託を受けたときは、正当な理由がない限り、これを拒んではならない。

第３条 削除

（利用定員に関する経過措置）

第４条 小規模保育事業Ｃ型にあっては、この府令の施行の日から起算して５年を経過する日までの間、第37条第１項中「６人以上10人以下」とあるのは「６人以上15人以下」とする。

（連携施設に関する経過措置）

第５条 特定地域型保育事業者（特例保育所型事業所内保育事業者を除く。）は、連携施設の確保が著しく困難であって、法第59条第４号に規定する事業による支援その他の必要な適切な支援を行うことができると市町村が認める場合は、第42条第１項本文の規定にかかわらず、この府令の施行の日から起算して10年を経過する日までの間、連携施設を確保しないことができる。

○子ども・子育て支援法に基づく教育・保育給付認定等並びに特定教育・保育施設及び特定地域型保育事業者の確認に係る留意事項等について

〔平成26年9月10日　府政共生第859号・26文科初第651号・雇児発0910第2号
各都道府県知事・各都道府県教育委員会・各指定都市市長・各中核市市長・各指定都市・各中核市教育委員会宛　内閣府政策統括官（共生社会政策担当）・文部科学省初等中等教育・厚生労働省雇用均等・児童家庭局長連名通知〕

注　令和5年3月31日府子本第383号・4文科初第2781号・子発0331第5号改正現在

子ども・子育て支援法（平成24年法律第65号）に基づく子どものための教育・保育給付の支給に係る認定等並びに特定教育・保育施設及び特定地域型保育事業者の確認については、同法、子ども・子育て支援法施行令（平成26年政令第213号）、子ども・子育て支援法施行規則（平成26年内閣府令第44号）及び特定教育・保育施設及び特定地域型保育事業並びに特定子ども・子育て支援施設等の運営に関する基準（平成26年内閣府令第39号）に定めるもののほか、下記のとおり取り扱うこととしますので、各都道府県知事及び各指定都市・中核市市長におかれては、十分御了知の上、貴管内の関係者に対して遅滞なく周知し、教育委員会等の関係部局と連携の上、その運用に遺漏のないよう配意願います。

なお、本通知は、地方自治法（昭和22年法律第67号）第245条の4第1項の規定に基づく技術的助言であることを申し添えます。

記

第1　用語の意義

この通知において、次の各号に掲げる用語の意義は、それぞれ当該各号に定めるところによること。

1　法　子ども・子育て支援法

2　令　子ども・子育て支援法施行令

3　規則　子ども・子育て支援法施行規則

4　運営基準　特定教育・保育施設及び特定地域型保育事業並びに特定子ども・子育て支援施設等の運営に関する基準

5　保育の必要性　小学校就学前子どもについて、保護者の労働又は疾病その他の規則第1条の5各号に定める事由により家庭において必要な保育を受けることが困難であること

6　教育標準時間認定　法第20条第1項の規定による認定であって法第19条第1号に掲げる小学校就学前子どもの区分に係るもの

7　1号認定子ども　教育標準時間認定を受けた小学校就学前子ども

8　2号認定　法第20条第1項の規定による認定であって法第19条第2号に掲げる小学校就学前子どもの区分に係るもの

9　2号認定子ども　2号認定を受けた小学校就学前子ども

10　3号認定　法第20条第1項の規定による認定であって法第19条第3号に掲げる小学校就学前子どもの区分に係るもの

11　3号認定子ども　3号認定を受けた小学校就学前子ども

12　保育標準時間認定　法第20条第3項の規定による保育必要量の認定のうち、規則第4条第1項の規定により、保育の利用について1月当たり平均275時間まで（1日当たり11時間までに限る。）の区分により行われるもの

13　保育短時間認定　法第20条第3項の規定による保育必要量の認定のうち、規則第4条第1項の規定により、保育の利用について1月当たり平均200時間まで（1日当たり8時間までに限る。）の区分により行われるもの

14　保育所等　2号認定子ども又は3号認定子どもが利用する保育所、認定こども園又は地域型保育事業

第2　子どものための教育・保育給付の支給に係る認定等に係る事務

1　保育の必要性に係る事由（法第19条第2号及び第3号、規則第1条の5）

(1)　趣旨

ア　保育の必要性に係る事由として、従前の「保育に欠ける事由」（児童福祉法施行令等の一部を改正する政令（平成26年政令第300号）による改正前の児童福祉法施行令（昭和23年政令第74号）第27条）に加え、各市町村（特別区を含む。以下同じ。）における取扱いの

平準化や広域利用時の対応を考慮して、昼間以外の就労、妊娠・出産、保護者の疾病・障害、同居の親族の介護・看護、災害復旧、求職活動、就学・職業訓練及び育児休業取得時の継続利用を明記したこと。

イ　また、近年の児童を取り巻く環境等に着目し、児童虐待のおそれがあると認められること及び配偶者からの暴力により保育を行うことが困難であると認められること（以下「虐待又はＤＶのおそれがあること」という。）についても、保育の必要性に係る事由として追加したこと。

ウ　従前の「保育に欠ける事由」として規定していた「同居の親族その他の者が当該児童を保育することができないと認められる場合」については、保育の必要性に係る事由としては規定せず、市町村が保育所等に係る優先的な利用を判断する際の考慮要素としたこと。具体的には、いわゆる「調整指数」（市町村が保育所等の利用について調整を行うため、保育所等の利用の優先度等に応じて定める指数をいう。以下同じ。）を減点するなどの方法が考えられる。また、その際、高齢や要介護など、当該同居の親族その他の者の心身の状況を併せて考慮することもできること。

⑵　留意事項

ア　規則第１条の５第１号（就労）

㈠　いわゆるフルタイム就労のほか、パートタイム就労、夜間の就労など、基本的にすべての就労を対象とするものであること。

㈡　就労の形態については、居宅外での労働のほか、居宅内で当該児童と離れて日常の家事以外の労働をすることを常態としていること（自営業、在宅勤務等）も対象とするものであること。

㈢　就労時間については、１か月において、48時間から64時間までの範囲内で月を単位に市町村が定める時間以上労働することを常態とすることを要件としている。

これは、保育必要量の認定（以下の３参照）が、保育標準時間認定と保育短時間認定の２区分に分けて行うこととされたことに伴い、保育短時間認定における就労時間の範囲の設定に関する次の考え方を踏まえたものであること。

・　保育短時間認定に係る範囲については、保護者の就労実態等を踏まえ、適切な保育の利用を通じて、子どもの健やかな成長を保障し、ひいては子どもの最善の利益を確保していく上で必要な水準を定める。

・　保育の必要性の認定に当たっては、全国的な公平性の確保の観点からは、極力、収れん・一本化していくことが必要であり、その際、一時預かり事業で対応可能な短時間の就労は除き、フルタイム就労のほか、パートタイム就労などすべての就労形態に対応していくことを基本とする。

・　保育短時間認定に当たっては、その対象として主にパートタイム就労を想定していることから、フルタイム就労よりも時間が短いことを前提に、一定の時間以上の就労について対象とする。

・その際には、多様な就労形態に対応する観点や、各市町村における実態を踏まえつつ、フルタイム就労の場合とのバランスを考慮して設定する。具体的には、フルタイム就労者は

①　１週当たりの就労日数を週５日としていることが一般的と考えられること

②　１日当たりの就労時間を７時間以上としている事業所が大半であること

を踏まえ、この半分以上、就労していることを目安として設定する。

・　その上で、地域ごとの就労の実情が多様であり、それを反映した市町村の運用にも幅があることを踏まえ、１か月48時間以上64時間以下の範囲で、市町村が地域の就労実態等を考慮して定める時間とすることを基本とする。

イ　規則第１条の５第４号（同居の親族の介護又は看護）

当該子どもの兄弟姉妹が小児慢性疾患や障害を抱え、常時、介護又は看護を必要とするような場合についても対象とするものであること。

ウ　規則第１条の５第９号（育児休業取得時の継続利用）

㈠　保護者が育児休業を取得することになった場合、休業開始前に既に保育所等を利用していた子どもについては、保護者の希望や地域における保育の実情を踏まえた上で、①次年度に小学校入学を控えるなど、

子どもの発達上環境の変化に留意する必要がある場合、②保護者の健康状態やその子どもの発達上環境の変化が好ましくないと考えられる場合など市町村が児童福祉の観点から必要と認めるときは、保育の必要性に係る事由に該当するものとして、継続して利用を可能とすることとしたものであること。なお、休業開始前に認定こども園を利用していた２号認定子どもについては、当該認定こども園の１号認定子どもに係る利用定員に空きがある場合は、教育標準時間認定へ変更したとしても、当該認定こども園を継続して利用することが可能であるため、そのような取扱いとすることも考えられること。

(イ) 育児休業取得前に保育所等を利用している場合で、(ア)に該当しないため、一旦保育所等を退所し、育児休業からの復帰に伴い、再度保育所等を利用することを希望する場合は、優先利用（以下の７参照）の枠組みの中で対応すること。

エ その他の事項

(ア) インターンシップの取扱い

インターンシップについては、その具体的な態様・期間などの状況に応じて、「就労（規則第１条の５第１号）」、「求職活動（同条第６号）」等に該当するものとして認定を考慮するほか、一時預かり事業により対応するといった柔軟な対応をとること。

(イ) ボランティア活動の取扱い

ボランティア活動については、その具体的な態様・期間などの状況に応じて、一時預かり事業で対応するほか、「災害復旧（規則第１条の５第６号）」又は「市町村が認める事由（同条第10号）」に該当するものとして認定を考慮するといった柔軟な対応をとること。

2 教育・保育給付認定の申請及び支給認定証の交付（法第20条、規則第２条、第５条、第６条）

(1) 教育・保育給付認定手続に関する基本的考え方

ア 法に基づく給付を受けて特定教育・保育を受けるためには、保護者は、法第20条第１項の規定による認定を受けるほか、特定教育・保育施設の利用申込み等の手続を行う必要がある。

このことについて、市町村及び保護者の事務負担軽減や従来の幼稚園における園児募集との整合性の観点から、教育標準時間認定を希望する場合には、令和元年９月以前の幼稚園就園奨励費の事務も参考に、保護者が入園予定の施設（認定こども園及び幼稚園）を通じて、市町村に認定の申請を行い、支給認定証の交付を受ける仕組みを基本とすること。（規則第２条第３項、第５条）

ただし、入園予定の施設の内定が得られていない、年度途中に転居したなど、入園予定の施設が決まっていない場合等においては、保護者が市町村に直接認定の申請を行うことも考えられること。

イ 上記アの場合において、保護者が施設に願書を提出した時点（入園申込みを行った時点）では、入園予定の施設が１つに特定されないことから、入園内定が得られた時点以降に、当該施設を通じて上記アの手続を行うことが考えられること。

ウ アと同様、事務負担軽減等の観点から、市町村が定めるところにより、保護者が保育標準時間認定又は保育短時間認定を希望する場合には、施設（認定こども園及び保育所）又は特定地域型保育事業者を通じて、市町村に認定の申請を行い、支給認定証の交付を受けることができること。（規則第２条第４項、第５条）

エ 保育の必要性に係る事由に該当する満３歳以上の子どもについて、保護者が幼稚園又は認定こども園（教育標準時間認定に係る利用定員に限る。）と保育所又は認定こども園（２号認定に係る利用定員に限る。）の利用申込みを併願する場合には、当該子どもは２号認定を受けることとなる。この場合において、当該幼稚園又は認定こども園については、上記アと同様に事前に認定を受けることなく施設に直接利用申込みを行うが、認定の申請は当該幼稚園又は認定こども園経由では行わないこととし、それと並行して、当該保育所又は認定こども園について、２号認定の申請及び当該保育所又は認定こども園の利用申込みを市町村（上記ウの取扱いをする市町村にあっては、当該保育所又は認定こども園）に行って、２号認定を受けた上で利用調整を受ける取扱いとすること。

オ エの場合において、２号認定を受けた子どもが最終的に幼稚園に入園することとなった場合、教育課程に基づく教育時間が特例施設型給付の対象となり、それ以外の日時の利用に対しては、一時預かり事業の活用により適切に対応することが可能であるとともに、転園の意思がないときは、２号認定を教育標準時間認定へ変更することも考えられること。

２号認定を受けた子どもが最終的に認定こども園（教育標準時間認定に係る利用定員に限る。）に入園することとなった場合、特例施設型給付の仕組みの適用はなく、入園までに教育・保育給付認定を教育標準時間認定へ変更するとともに、教育課程に基づく教育時間以外の日時の利用に対しては、一時預かり事業の活用により適切に対応すること。

３号認定を受けて地域型保育事業を利用していた子どもが満３歳に達したことにより２号認定を受け、最終的に幼稚園又は認定こども園（教育標準時間認定に係る利用定員に限る。）に入園することとなった場合についても、それぞれ同様に対応すること。

カ 特定教育・保育施設には該当しない国立大学附属幼稚園や確認を受けない私立幼稚園や、地域子ども・子育て支援事業を利用する場合にあっては、教育・保育給付認定の申請は不要であること。

(2) 保護者の選択の尊重

子ども・子育て支援制度（以下「本制度」という。）は、子ども・保護者の置かれている環境に応じ、保護者の選択に基づき、多様な施設・事業者から、良質かつ適切な教育・保育、子育て支援を総合的に提供する体制を確保することを基本理念の１つとしている。保育の必要性の認定の対象となり得る子どもについても、幼稚園の預かり保育・一時預かりを含め、多様な提供手段が選択肢として確保される必要がある。このため、保育の必要性に係る事由に該当する場合であっても、保育所等における保育の利用を保護者が希望しないときは、保育の必要性の認定の申請は不要であること。また、保育の利用を希望するか否かについては、兄弟姉妹によって異なることもあり得ること。保育の必要性に係る事由に該当する満３歳以上の子どもについては、教育標準時間認定を受けることも保育の必要性の認定を受けることも可能であり、特定教育・保育施設の種類や利用時間、教育・保育の内容、職員配置、設備等に関する情報を踏まえた保護者の選択が適切に行われるよう、情報提供や申請の援助を行うこと。

(3) 支給認定証の記載事項（規則第６条）

支給認定証には、教育・保育給付認定保護者の氏名、居住地及び生年月日（規則第６条第１号）、当該教育・保育給付認定に係る小学校就学前子どもの氏名及び生年月日（同条第２号）、保育の必要性に係る事由及び保育必要量（同条第５号）等同条各号に掲げる事項を記載することとされている。なお、利用者負担額については、毎年、市町村が市町村民税額等を確認の上、その階層区分ごとに定めることとなるため、支給認定証とは別途、利用者負担額に関する事項を通知することとしている（規則第７条）。このため、支給認定証にはこれを記載しないようにすること。

(4) 保護者が子どものための教育・保育給付を受ける資格を有すると認められないときの通知（法第20条第５項）

法第20条第５項の規定による通知は、当該保護者が異議申立て等を行うことを妨げないよう、児童福祉法（昭和22年法律第164号）第24条第３項及び第73条第１項の規定による利用調整の状況等にかかわらず、できる限り速やかに行うよう努めること。

(5) 認定に関する処理期間（法第20条第６項）

法第20条第６項の規定により、同条第１項の認定の申請に対する処分は当該申請のあった日から30日以内にしなければならないとされているところ、同条第６項ただし書の「当該申請に係る保護者の労働又は疾病の状況の調査に日時を要することその他の特別な理由がある場合」には、当該申請に係る保護者に処理見込期間及びその理由を通知し、これを延期することができるとされている。

この「特別な理由がある場合」には、当該申請に係る事務が特定の時期に集中し、審査に時間を要する場合が含まれるものであること。

この場合であっても、特定の者のみ処分時期を不合理に遅くするなど、申請者間の公平性を欠く対応としないよう留意することとし、申請者の希望入園時期を失することとならないよう適切な時期に認定すること。

また、当該理由の通知の方法については、各市町村の判断により、次のような方法とすることが考えられること。

① 当該申請を受理した際に、申請者に対し、一律に、「次年度４月の利用に向けた認定事

務が集中するため審査に時間を要することから、審査結果は○月にお知らせする」旨を通知する方法

② 申請に当たって、「次年度４月の利用に向けた認定事務が集中するため審査に時間を要することから、審査結果は○月にお知らせする」旨を案内し、これに同意する保護者の意思を、認定の申請に併せて書面により確認する方法

3 保育必要量の認定（法第20条第３項、令第１条の２、規則第３条、第４条）

(1) 趣旨

ア 保育必要量の認定は、主に両親ともフルタイムで就労する場合又はそれに近い場合を想定した保育標準時間認定と、主に両親の一方がフルタイムで就労し、他方がパートタイムで就労する場合又はいずれもがパートタイムで就労する場合を想定した保育短時間認定の２区分により行うこととしたこと。

これは、子どもに対する保育が細切れにならないようにする観点や、施設・事業者において職員配置上の対応を円滑にできるようにする観点などを考慮したものであること。

イ 保育必要量は、給付（委託費）の支給対象として、それぞれの家庭の就労状況等に応じて、その範囲の中で利用することが可能な最大限の枠として設定するものであり、施設・事業者においては、利用定員に応じ、その枠に対応した体制をとることとすること。

この考え方に基づき、年間の日数の枠としては、本制度施行前における保育所の年間開所日数（約300日）と同様としたこと。（保育所の開所日数については、日曜日のほか、国民の祝日の日数を考慮し、約300日（１か月25日間）の開所を前提としている。）

ウ 保育必要量と実際の保護者の利用時間並びに保育所等の開園する日数及び時間との関係については、本制度施行前における保育所の利用実態として、土曜日の保育所の利用は平日よりも大幅に少なく、平日において閉園時間よりも前に迎えに来る保護者も多いところであるが、新制度においても、実際の保育の利用の日数及び時間については、保護者の就労時間帯での保育の確保や子どもの育成上の配慮の観点から必要な範囲での利用を想定していることに留意すること。

(2) 留意事項

ア 保育必要量に係る時間数

保育必要量に係る時間数については、「保育標準時間認定」「保育短時間認定」の区分に応じて、次のとおりとすること。

(ア) 「保育標準時間認定」の保育必要量については、原則的な保育時間を８時間とした上で、休憩時間や通勤時間も考慮し、本制度施行前における保育所の開所時間である１日11時間までの利用に対応するものとして、１か月当たり平均275時間（最大292時間・最低212時間）とすること。

(イ) 「保育短時間認定」の保育必要量については、原則的な保育時間である１日当たり８時間までの利用に対応するものとして、１か月当たり平均200時間（最大212時間）とすることを基本とすること。

イ 保育の必要性に係る事由が就労である場合における「保育標準時間認定」「保育短時間認定」の区分

(ア) 保育の必要性に係る事由が就労（規則第１条の５第１号）である場合における保育必要量の認定は、就労時間を勘案して行うこととし、就労時間が１か月当たり120時間以上である場合には原則として保育標準時間認定と、就労時間が１か月当たり120時間未満である場合には原則として保育短時間認定とすること。

(イ) 就労時間が１か月当たり120時間以上である場合であっても、保護者が保育短時間認定を希望するときは、市町村の判断により、保育短時間認定とすることもできること。

(ウ) 現に保育所を利用している者については、市町村は、法の施行後に保育短時間認定を受けると見込まれる者のうち市町村が定める要件に該当するものについて保育標準時間認定を行う等の適切な経過措置を講ずる必要があること。（6(2)参照）

ウ 保育の必要性に係る事由が就労以外の事由である場合における「保育標準時間認定」「保育短時間認定」の区分

(ア) 就労以外の事由については、例えば同居の親族を常時介護又は看護している場合（規則第１条の５第４号）であっても、付添いに必要な時間が人によって異なることが考えられることから、保育標準時間認定又は保育短時間認定の区分を設けることを

基本とすること。

ただし、妊娠・出産（同条第２号）、災害復旧（同条第５号）及び虐待又はＤＶのおそれがあること（同条第８号）といった事由については、一律に保育標準時間認定とすること。（規則第４条第１項）

(ｲ)　保護者の疾病・障害（規則第１条の５第３号）、求職活動（同条第６号）及び育児休業取得時の継続利用（同条第９号）といった事由については、市町村の判断により、保育標準時間認定又は保育短時間認定の区分を設けないことができること。（規則第４条第２項）

エ　延長保育事業との関係

通常の利用日及び利用時間帯以外の日及び時間において保育を行う延長保育事業との関係については、本制度施行前の取扱いを踏まえ、１日当たりの保育必要量との関係を基に整理し、別途示すこととしていること。

4　教育・保育給付認定の有効期間（法第21条、規則第８条）

(1)　教育標準時間認定の有効期間は、その効力発生日から小学校就学の始期に達するまでの期間としたこと。（規則第８条第１号）

(2)　２号認定及び３号認定（保育標準時間認定及び保育短時間認定）の有効期間は、満３歳以上の子どもに係る認定についてはその効力発生日から小学校就学の始期に達するまでの期間、満３歳未満の子どもに係る認定についてはその効力発生日から満３歳に達する日の前日までの期間とし、保育の必要性の認定に係る事由に該当しなくなった場合は、その時点までとすることを基本としたこと。（規則第８条第２号から第13号まで）

なお、「求職活動」の事由に係る有効期間については、雇用保険制度に基づく失業等給付（基本手当）の給付日数が90日を基礎としていること（被保険者期間10年未満の者が倒産、解雇等以外の理由により離職した場合）を踏まえ、90日を限度として市町村が定める期間を経過する日が属する月の末日までの期間としたものであること。（同条第４号及び第10号）

(3)　「求職活動」の事由に係る有効期間の経過後も引き続き求職活動により保育が必要な状況にあると認められる場合には、その状況を確認の上、再度認定することも可能であること。

5　現況届（法第22条、規則第９条）

現況届は、保育の必要性に係る事由に引き続き該当していることや利用者負担の切替えの要否を確認する観点から、１年に１回を基本に求めることとしたこと。

6　経過措置（規則附則第２条等）

(1)　趣旨

法の施行により保育必要量の認定について保育標準時間認定及び保育短時間認定の区分が設けられることに伴い、法の施行前に現に保育所を利用している者が、法の施行後に、保育所を退所し、又は保育所を利用することができる時間数が減少することにならないよう、経過措置として、現に保育所を利用することができる時間数を保障しながら、段階的に保育短時間認定を適用する等の措置を講ずることができることとしたこと。

(2)　経過措置の内容及び留意事項

ア　法の施行の日から起算して10年を経過する日までの間は、保育の必要性の認定に係る事由のうち「就労」（規則第１条の５第１号）について、１か月当たりの労働時間数を48時間から64時間までの範囲に限定せず、市町村が定めることができることとしたこと。（規則附則第２条）

イ　アに掲げるもののほか、市町村は、現に保育所等を利用している者であって法の施行後にその保護者が保育短時間認定を受けると見込まれるものその他法の施行により不利益が生ずると見込まれる者については、当該者が引き続き従来どおり保育所等を利用することができるよう、適切な経過措置を講ずること。

その際、法の施行に伴い定められた「就労」の事由に係る１か月当たりの労働時間数の下限が、本制度施行前において定める労働時間数の下限より引き上げられた場合及び引き下げられた場合のいずれについても配慮すること。

ウ　経過措置の例として、保育短時間認定を受けると見込まれる者のうち市町村が必要と認めるものについては、保育標準時間認定を行うこととすることが考えられること。

エ　上記に掲げるもののほか、保育短時間認定を受けるに至らないと見込まれる短時間の就労者の保育の需要に対しては、一時預かり事業を柔軟に活用するなど、市町村の実情に応じた適切な対応を行うこと。

7　優先利用

(1) 趣旨

本制度施行前において、特に保育の需要に応ずるに足りる保育所等が不足している市町村においては、保育所等の利用に係る優先度を踏まえてその利用の調整を行うため、独自に「調整指数」を定めるとともに、ひとり親家庭等の一定の要件に該当する者に対しては調整指数を加点する措置を講じ、当該者を優先的に保育所等に利用させる取扱い(以下「優先利用」という。)を行っている事例が見られた。

本制度の施行に伴い、市町村は、保育の必要性の認定を行うこととされたほか、児童福祉法第24条第３項及び第73条第１項の規定により、保育所、認定こども園又は家庭的保育事業等の利用について調整を行う（利用調整）等とされた。

これらを踏まえ、法に基づく保育の必要性の認定及びこれを踏まえた保育所等の利用に係る利用の調整を適切に行うため、優先利用に関する基本的考え方を明らかにするものであること。

なお、本通知に定めるもののほか、児童福祉法第24条第３項及び第73条第１項の規定による利用調整に関し必要な事項については、別途示すこととしていること。

(2) 優先利用に関する基本的考え方

ア　待機児童の発生状況に加え、事前の予測可能性や個別事案ごとへの対応の必要性等の観点を踏まえ、事案に応じて調整指数上の優先度を高めることにより、優先利用を可能とする仕組みを基本とすること。

その際、優先的な受入れが実際に行われるよう、地域における受入体制を確認し、市町村子ども・子育て支援事業計画に基づく提供体制の確保等を着実に実施していくことが必要となること。

イ　虐待又はＤＶのおそれがあること（規則第１条の５第８号）に該当する場合など、社会的養護が必要な場合には、より確実な手段である児童福祉法第24条第５項に基づく措置制度も併せて活用すること。

ウ　「優先利用」の対象として考えられる事項について例示をすると、次のとおりであること。ただし、それぞれの事項については、適用される子ども・保護者、状況、体制等が異なることが想定されるため、運用面の詳細を含め、実施主体である市町村において、それぞれ検討・運用する必要があること。

①　ひとり親家庭

※　母子及び父子並びに寡婦福祉法（昭和39年法律第129号）に基づく配慮義務がある。

②　生活保護世帯（就労による自立支援につながる場合等）

③　主として生計を維持する者の失業により、就労の必要性が高い場合

④　虐待又はＤＶのおそれがあることに該当する場合など、社会的養護が必要な場合

※　被虐待児童については、児童虐待の防止等に関する法律(平成12年法律第82号)に基づく配慮義務がある。また、家庭での養育が困難又は適当でない児童についても、児童福祉法に基づき、必要な措置を講じる義務がある。

※　社会的養護が必要な場合として、里親委託が行われている場合を含む。

⑤　子どもが障害を有する場合

※　例えば、障害児保育を実施している保育所については、障害児が優先的に利用できるようにする必要性が高いため。

⑥　育児休業を終了した場合

(例)

・　育児休業取得前に特定教育・保育施設等を利用しており、特定教育・保育施設等の利用を再度希望する場合

・　育児休業取得前に認可外保育施設等を利用しており、特定教育・保育施設又は地域型保育事業の利用を希望する場合

・　１歳時点まで育児休業を取得しており、復帰する場合

⑦　兄弟姉妹（多胎で生まれた者や、１号認定子どもである兄姉が認定こども園を利用している場合であってその弟妹が３号認定を受けて当該認定こども園の利用を希望する場合を含む。）について同一の保育所等の利用を希望する場合

⑧　小規模保育事業など地域型保育事業の卒園児童

※　運営基準第42条の規定により、特定地域型保育事業者は、同条第１項各号に規定する連携施設を適切に確保しなければならないこととされ、また、運営基準附則第５条の規定により、必要な適切な支援を行うことができると市町村が認める

場合は、法の施行の日から起算して10年を経過する日までの間は、連携施設を確保しないことができるとされている。

この「必要な適切な支援を行うことができると市町村が認める場合」には、市町村が児童福祉法第24条第３項及び第73条第１項の規定による利用調整に当たっての優先度を高め、地域型保育事業において保育を受けていた子どもが卒園後に円滑に特定教育・保育施設において継続して教育・保育を受けることができるようにするため必要な措置を講じている場合が含まれるものであること。

※　運営基準第42条第４項の規定により、同条第１項第３号に規定する連携施設を不要とする場合は、市町村において、特定地域型保育事業者による特定地域型保育の提供を受けていた満３歳未満保育認定子どもを優先的に取り扱う措置その他の特定地域型保育事業者による特定地域型保育の提供の終了に際して、当該満３歳未満保育認定子どもに係る教育・保育給付認定保護者の希望に基づき、引き続き必要な教育・保育が提供されるよう必要な措置を適切に講じること。

⑨　その他市町村が定める事由

※　このほか、選考の際に、保護者の疾病・障害の状況や各世帯の経済状況（所得等）を考慮することも考えられる。

※　また、市町村の判断により、人材確保、育成や就業継続による全体へのメリット等の観点から、保育士、幼稚園教諭、保育教諭の子どもの利用に当たって配慮することも考えられる。

※　併せて、放課後児童クラブの指導員等の子どもの利用に当たって配慮することも考えられる。

8　保育の必要性の認定に関する子ども・子育て会議の意見

保育の必要性の認定に関しては、平成26年１月15日に開催された子ども・子育て会議の場において、別添のとおり、「保育の必要性の認定に関する基準案取りまとめに当たっての附帯意見」が、同会議の意見としてまとめられたところである。

このため、保育の必要性の認定の運用に当たっては、当該意見に十分留意し、適切な措置を講ずるようお願いしたいこと。

第３　特定教育・保育施設及び特定地域型保育事業者の確認等に係る事務

1　特定教育・保育施設の確認

⑴　利用定員（法第31条第１項、運営基準第４条）

ア　利用定員に関する基本的考え方

利用定員は、教育・保育施設の設置者又は地域型保育事業を行う者からの申請に基づき市町村長が法第31条又は第43条の規定による確認を行う際に、定めるものである。

利用定員は、認可定員（教育・保育施設の設置に当たり認可若しくは認定され、又はその後の変更につき適正な手続を経た定員のことをいい、幼稚園については学校教育法施行規則（昭和22年文部省令第11号）第４条第１項第５号の収容定員、保育所については児童福祉施設の設備及び運営に関する基準（昭和23年厚生省令第63号）第13条第２項第６号に掲げる利用定員、幼保連携型認定こども園については就学前の子どもに関する教育、保育等の総合的な提供の推進に関する法律施行規則（平成26年内閣府・文部科学省・厚生労働省令第２号）第16条第４号の利用定員、幼稚園型認定こども園、保育所型認定こども園及び地方裁量型認定こども園については就学前の子どもに関する教育、保育等の総合的な提供の推進に関する法律（平成18年法律第77号）第４条第１項第３号の利用定員と第４号の利用定員（満３歳以上の者に係るものに限る。）を合計したもの。以下同じ。）に一致させることを基本としつつ、原則として認可定員を超えない範囲内で利用状況を反映して設定する必要があるが、具体的な人数設定に関し、全国一律の基準を設けるものではないこと。

利用定員は、当該確認を受けた教育・保育施設又は地域型保育事業において、質の高い教育・保育が提供されるよう設定する必要がある。このため、市町村においては、申請者との意思疎通を図り、その意向を十分に考慮しつつ、当該施設での最近における実利用人員の実績や今後の見込みなどを踏まえ、適切に利用定員を設定していただく必要があること。

なお、利用定員を認可定員に一致させるよう設定した場合に、当該地域における利用定員の総数（供給）が必要利用定員総数（需要）を上回ることが考えられるが、この場合において、必要利用定員総数（需要）に応じて利用定員の総数（供給）を減少させることを求める趣旨ではないこと。

イ　幼稚園並びに幼稚園型認定こども園及び地方裁量型認定こども園の取扱い

(ア)　幼稚園については、現行の取扱いを踏まえ、最低利用定員を設けないこととしたこと。

(イ)　幼稚園型認定こども園及び地方裁量型認定こども園については、施設全体で利用定員を20人以上に設定すること。

ウ　利用定員の区分

法第19条第１号及び第２号に掲げる小学校就学前子どもの利用定員については年齢ごとの区分を設けない一方、法第19条第３号に掲げる小学校就学前子どもの利用定員については満１歳に満たない小学校就学前子ども及び満１歳以上の小学校就学前子どもに区分して定めることとしているが、これは、年度中における子どもやその保護者の状況の変化に柔軟に対応できるようにするとともに、子ども・子育て支援事業計画における「量の見込み」等の区分との整合性を考慮したものであること。同様に、利用定員に係る保育標準時間認定及び保育短時間認定の区分についても、これを設けないこととしたこと。なお、これらについては、地域の実情等に応じてさらに細かい区分で設定することも可能であること。

エ　利用定員と認可定員との関係

(ア)　実際の利用者数が恒常的に認可定員を下回る状況にある施設については、当該認可定員にかかわらず、実際の利用者数及び今後の見込み等を勘案して、当該施設の利用定員を定めること。なお、この場合において、認可定員を利用定員に合わせて減少させる必要はないこと。

(イ)　実際の利用者数が認可定員を超える状況にある施設については、当該認可定員の範囲内で利用定員を設定することが原則であることから、認可権者において、認可基準を満たすように必要な指導監督を行うとともに、利用実態に応じた認可定員に変更することが必要である。ただし、当該施設が私立幼稚園（認定こども園を含む）である場合に、認可権者の判断により、法第27条第１項の規定による確認を受けてから５年を超えない範囲内で都道府県が認める期間に限り、実際の利用者数に応じた認可基準を満たしており、かつ、認可定員の適正化に取り組んでいる場合（認可定員の増加の認可申請中又は申請予定である場合や、新規入園者の計画的な減少等による実際の利用者数の適正化に取り組んでいる場合）であって認可権者が適当と認めるときは、例外的に認可定員を超えて利用定員を設定することを可能とすること。この取扱いは、市町村子ども・子育て支援事業計画に係る協議の際に、都道府県の私立幼稚園担当部局において当該変更内容を確認すること。

オ　利用定員を超える受入れ

(ア)　運営基準第22条ただし書の「やむを得ない事情がある場合」に該当するか否かについては、市町村の判断に委ねられるが、同条ただし書に規定される例示に限られず、当該施設を利用する子どもの保護者の就労状況の変化等により、２号認定子どもが保育の必要性に係る事由に該当しなくなったこと又は１号認定子どもが保育の必要性に係る事由に該当するようになったことから、当該施設において法第19条第１号及び第２号の区分ごとの利用定員を超えた受入れを行う必要が生じた場合や、保護者と直接契約を締結する認定こども園、幼稚園等において、入園を辞退する者が想定よりも少ない等の理由により実際の利用者数が利用定員を超えることとなる場合が含まれること。また、同条ただし書の「年度中における特定教育・保育に対する需要の増大への対応」には、特定教育・保育施設において、年度当初から利用定員を超える受入れが必要となる場合が含まれること。

(イ)　特定教育・保育施設は、運営基準第22条ただし書に掲げる場合には、その利用定員を超えて特定教育・保育の提供を行うことができるが、その場合であっても、実際の利用者数が当該利用定員を恒常的に上回っているときは、当該利用定員を適切に見直し、法第32条の規定による確認の変更を行う必要があること。

(ウ)　連続する過去一定年度間（幼稚園及び認定こども園（１号認定）にあっては２年間、保育所及び認定こども園（２・３号認定）にあっては５年間）常に実際の利用者数が利用定員を超えており、かつ、各年度の年間平均の利用率が120％以上の場合であって、(イ)の見直しが行われないときは、法に基づく給付費を減算する等の措置を講ずること。

(エ)　実際の利用者数が利用定員又は認可定員を超えることとなる場合の法に基づく給付費の減算の取扱い等については、別途通知すること。

カ　利用定員を下回る場合の定員変更

上記エ(ア)のとおり、実際の利用者数が恒常的に認可定員を下回る状況にある施設については、実際の利用者数及び今後の見込み等を勘案して、当該施設の利用定員を定めること。その際、利用定員の減少は、法第35条第2項又は第47条第2項の規定により届出で足りるものであるため、市町村は、必要な事項を盛り込んだ届出を受理せず利用定員の減少を認めないといった対応を取ることはできないことに留意すること。

一方で、市町村は、市町村子ども・子育て支援事業計画に基づき教育・保育の提供体制の確保を行うこととされていることから、施設・事業者は、利用定員の減少の届出に際しても、事前に市町村と相談することが適当であり、市町村は、日頃から利用定員の設定に関し施設・事業者との意思疎通を図る必要がある。

また、利用定員の減少により、地域の教育・保育の利用定員と市町村子ども・子育て支援事業計画に定める教育・保育の確保方策に差が生じる場合には、その要因等を把握した上で、必要に応じて、計画期間の中間年を目安として行う見直し等により市町村子ども・子育て支援事業計画に定める量の見込み及び確保方策の見直しを行うことが考えられること。

なお、当該利用定員の減少が保育士・幼稚園教諭等の確保が困難である等の理由によるものであれば、都道府県・市町村は、施設・事業者に対して保育士・幼稚園教諭等の確保を支援することが適当である。

キ　利用定員に係る情報提供

特定教育・保育施設は、年齢別の利用定員について、その利用者に対し情報提供するよう努めること。

(2)　合議制の機関等からの意見聴取（法第31条第2項）

法第31条第2項の規定による合議制の機関等からの意見聴取は、個々の施設の利用定員について行う必要があるが、その際、当該施設ごとに個別に付議するのではなく、複数の施設をまとめて付議するなど、各自治体の判断等により、適宜簡素化することも差し支えないこと。

(3)　確認の効力の及ぶ範囲

特定教育・保育施設の確認については、市町村長による確認の効力が全国に及ぶものであり、当該市町村長がその長である市町村以外の市町村（(3)において「他の市町村」という。）の区域に居住地を有する者が当該施設を利用しようとする場合に、当該他の市町村の長が別途改めて確認を行う必要はないこと。

(4)　経過措置（規則附則第5条及び第6条）

ア　規則附則第5条に規定するみなし認定こども園等（イにおいて「みなし認定こども園等」という。）の利用定員を定めようとするときは、あらかじめ都道府県知事に協議しなければならないこととされている（規則附則第5条）が、その際、当該施設ごとに個別に協議するのではなく、例えば全施設の一覧表を作成して協議するなど、都道府県と市町村との間の協議により、適宜簡素化することも差し支えないこと。

イ　みなし認定こども園等の利用定員を定めるに当たっての法第72条第1項の合議制の機関等からの意見聴取については、法令上の義務は課せられておらず、各市町村の判断に委ねられるものであること。

ウ　市町村は、規則附則第5条の規定により、法の施行前に認定を受けた認定こども園（以下「既設認定こども園」という。）の利用定員を定めようとするときは、既設認定こども園の設置者の意向を十分に考慮するとともに、保育所又は幼稚園が新たに認定こども園に移行する場合における需給調整に係る特例措置（就学前の子どもに関する教育、保育等の総合的な提供の推進に関する法律施行規則（平成26年内閣府・文部科学省・厚生労働省令第2号）第7条及び第22条）が設けられた趣旨を踏まえ、適切にその利用定員を設定すること。

なお、既設認定こども園の「施設において保育する児童福祉法第39条第1項に規定する乳児又は幼児の数（満3歳未満の者の数及び満3歳以上の者に区分）」及び「施設において保育する児童福祉法第39条第１項に規定する乳児又は幼児以外の子どもの数（満３歳未満の者の数及び満３歳以上の者に区分)」の変更については、幼稚園の収容定員の変更を伴うものを除き、届出で足りることとされている。このため、当該届出と既設認定こども園の利用定員の設定との間で整合性が損なわれることのないよう、市町村は、必要に応じ、既設認定こども園の設置者との十分な意思疎通を図ること。

２　特定地域型保育事業者の確認

(1)　利用定員の区分（法第43条、運営基準第37条）

特定地域型保育事業の利用定員については、特定教育・保育施設の利用定員（法第19条第３号に掲げる小学校就学前子どもの利用定員に限る。）と同様に、満１歳に満たない小学校就学前子ども及び満１歳以上の小学校就学前子どもに区分して定めることとしたこと。

(2)　確認の効力の及ぶ範囲

特定地域型保育事業者の確認については、事業所の所在地の市町村長による確認の効力が全国に及ぶものであり、当該市町村長がその長である市町村以外の市町村（(2)において「他の市町村」という。）の区域に居住地を有する者が当該施設を利用しようとする場合に、当該他の市町村の長が別途改めて確認を行う必要はないこと。

第４　その他

第１から第３までに掲げる教育・保育給付認定及び確認に係る留意事項以外の規則及び運営基準の取扱いに係る留意事項については、別途通知する。

別添　略

○保育所の設置認可等について

〔平成12年3月30日　児発第295号
各都道府県知事・各指定都市市長・各中核市市長宛　厚生
省児童家庭局長通知〕

注　平成26年12月12日雇児発1212第5号改正現在

保育所の設置認可等については、「保育所の設置認可等について」（昭和38年3月19日児発第271号。以下「児発第271号通知」という。）により行ってきたところであるが、待機児童の解消等の課題に対して地域の実情に応じた取組みを容易にする観点も踏まえ、今般、保育所の設置認可の指針を下記のとおり改めたので、貴職において保育所の設置認可を行う際に適切に配意願いたい。

また、保育所の設置認可に係る申請があった際に、その内容が児童福祉法（昭和22年法律第164号）第45条第1項の基準その他の関係法令に適合するものでなければ認可してはならないことは当然であり、この点については従来の取扱いと変更がないものであるので、念のため申し添える。

記

第1　保育所設置認可の指針

1　認可制度の見直しについて

今回、法第35条第5項各号に保育所の設置認可に関する審査基準等が定められるとともに、当該地域で保育需要が充足されていない場合には、設置主体を問わず、審査基準に適合している者から保育所の設置に係る申請があった場合には、認可するものとするとされており、認可に当たっては、法の規定を踏まえて審査を行うこと。

2　地域の状況の把握及び保育所認可に係る基本的な需給調整の考え方

子ども・子育て支援新制度においては、教育・保育及び地域子ども・子育て支援事業の提供体制の整備並びに子ども・子育て支援給付及び地域子ども・子育て支援事業の円滑な実施を確保するための基本的な指針（平成26年7月2日内閣府告示第159号。以下「基本指針」という。）に即し、市町村においては子ども・子育て支援事業計画を、都道府県においては、子ども・子育て支援事業支援計画を定めることとされており、都道府県知事（指定都市及び中核市においては市長。以下同じ。）においては、当該計画に基づき、基本指針第三の四の2の㈡の⑵「都道府県の認可及び認定に係る需給調整の考え方」を踏まえて、保育所設置認可申請への対応を行うこと。

3　認可申請に係る審査等

保育所設置認可申請については、2で把握した地域の状況を踏まえつつ、個別の申請の内容について、以下の点を踏まえ審査等を行うこと。

⑴　定員

保育所の定員は、20人以上とすること。

⑵　社会福祉法人又は学校法人による設置認可申請

認可の申請をした者が社会福祉法人又は学校法人である場合にあっては、都道府県知事は、法第45条第1項の条例で定める基準（保育所に係るものに限る。）に適合するかどうかを審査するほか、法第35条第5項第4号に掲げられた基準によって審査すること。

⑶　社会福祉法人及び学校法人（以下「社会福祉法人等」という。）以外の者による設置認可申請

①　審査の基準

社会福祉法人等以外の者から保育所の設置認可に関する申請があった場合には、法第45条第1項の条例で定める基準（保育所に係るものに限る。）に適合するかどうかを審査するほか、法第35条第5項各号に掲げられた基準によって審査すること。その際の基準については以下のとおりであること。

ア　保育所を経営するために必要な経済的基礎があること。

「必要な経済的基礎がある」とは、以下の(ア)及び(イ)のいずれも満たすものをいうこと。また、当該認可を受ける主体が他事業を行っている場合については(ウ)も満たすこと。

(ア)　原則として、保育所の経営を行うために直接必要なすべての物件について所有権を有しているか、又は国若しくは地方公共団体から貸与若しくは使用許可を受けていること。ただし、「不動産の貸与を受けて保育所を設置する場合の要件緩

和について」（平成16年５月24日雇児発第0524002号、社援発第0524008号）に定められた要件を満たしている場合には、「必要な経済的基礎がある」と取り扱って差し支えないこと。

(イ) 保育所の年間事業費の12分の１以上に相当する資金を、普通預金、当座預金等により有していること。

(ウ) 直近の会計年度において、保育所を経営する事業以外の事業を含む当該主体の全体の財務内容について、３年以上連続して損失を計上していないこと。

イ 当該保育所の経営担当役員（業務を執行する社員、取締役、執行役又はこれらに準ずる者をいう。以下同じ。）が社会的信望を有すること。

ウ 実務を担当する幹部職員が社会福祉事業に関する知識又は経験を有すること。

「実務を担当する幹部職員が社会福祉事業に関する知識又は経験を有すること」とは(ア)及び(イ)のいずれにも該当するか、又は(ウ)に該当すること。なお、この場合の「保育所等」とは、保育所並びに保育所以外の児童福祉施設、認定こども園、幼稚園、家庭的保育事業、小規模保育事業、居宅訪問型保育事業及び事業所内保育事業をいうこと。

(ア) 実務を担当する幹部職員が、保育所等において２年以上勤務した経験を有する者であるか、若しくはこれと同等以上の能力を有すると認められる者であるか、又は、経営担当役員者に社会福祉事業について知識経験を有する者を含むこと。

(イ) 社会福祉事業について知識経験を有する者、保育サービスの利用者（これに準ずる者を含む。）及び実務を担当する幹部職員を含む運営委員会（保育所の運営に関し、当該保育所の設置者の相談に応じ、又は意見を述べる委員会をいう。）を設置すること。

(ウ) 経営担当役員者に、保育サービスの利用者（これに準ずる者を含む。）及び実務を担当する幹部職員を含むこと。

エ 法第35条第５項第４号に掲げられた基準に該当しないこと。

② 社会福祉法人以外の者に対する設置認可の際の条件

社会福祉法人以外の者に対して保育所の設置認可を行う場合には、設置者の類型を勘案しつつ、以下の条件を付すことが望ましいこと。

ア 法第45条第１項の基準を維持するために、設置者に対して必要な報告を求めた場合には、これに応じること。

イ 特定教育・保育施設及び特定地域型保育事業の運営に関する基準（平成26年内閣府令第39号）第33条を踏まえ、収支計算書又は損益計算書において、保育所を経営する事業に係る区分を設けること。

ウ 保育所を経営する事業については、積立金・積立資産明細書を作成すること。

エ 学校法人会計基準及び企業会計の基準による会計処理を行っている者は、イに定める区分ごとに、別紙１の積立金・積立資産明細書を作成すること。

なお、企業会計の基準による会計処理を行っている者は、イに定める区分ごとに、企業会計の基準による貸借対照表（流動資産及び流動負債のみを記載）、及び別紙２の借入金明細書、及び別紙３の基本財産及びその他の固定資産（有形固定資産）の明細書を作成すること。

オ 毎会計年度終了後３か月以内に、次に掲げる書類に、保育所を経営する事業に係る現況報告書を添付して、都道府県知事に対して提出すること。

(ア) 前会計年度末における貸借対照表

(イ) 前会計年度の収支計算書又は損益計算書

(ウ) 保育所を経営する事業に係る前会計年度末における積立金・積立資産明細書

ただし、学校法人会計基準及び企業会計による会計処理を行っている者については、保育所を経営する事業に係る前会計年度末における別紙１の積立金・積立資産明細書

また、企業会計の基準による会計処理を行っている者は、保育所を経営する事業に係る前会計年度末における企業会計の基準による貸借対照表（流動資産及び

流動負債のみを記載）、別紙２の借入金明細書、別紙３の基本財産及びその他の固定資産（有形固定資産）の明細書

③　認可の取消しについて

都道府県知事は、法第58条第１項の規定を踏まえ、保育所が法若しくは法に基づいて発する命令又はこれらに基づいてなす処分に違反したときは、当該保育所に対し、期限を定めて必要な措置をとるべき旨を命じ、さらに当該保育所がその命令に従わないときは、期間を定めて事業の停止を命じることがあり、その際、当該保育所がその命令に従わず他の方法により運営の適正を期しがたいときは、認可の取消しを行うことがあること。

ただし、当該違反が、乳幼児の生命身体に著しい影響を与えるなど、社会通念上著しく悪質であり、改善の見込みがないと考えられる場合については、速やかな事業の停止や認可の取消しを検討すること。

④　市町村との契約

社会福祉法人等以外の者と市町村との間で保育の実施に係る委託契約を締結する際には、以下の事項を当該契約の中に盛り込むことが望ましいこと。

ア　特定教育・保育施設及び特定地域型保育事業の運営に関する基準（平成26年内閣府令第39号）第33条を踏まえ、収支計算書又は損益計算書において、保育所を経営する事業に係る区分を設けること。

イ　保育所を経営する事業については、積立金・積立資産明細書を作成すること。

ウ　学校法人会計基準及び企業会計の基準による会計処理を行っている者は、区分ごとに、別紙１の積立金・積立資産明細書を作成すること。

なお、企業会計の基準による会計処理を行っている者は、区分ごとに、企業会計の基準による貸借対照表（流動資産及び流動負債のみを記載）、及び別紙２の借入金明細書、及び別紙３の基本財産及びその他の固定資産（有形固定資産）の明細書を作成すること。

エ　保育所の認可に対して付された条件を遵守すること。

第２　実施期日等

この通知は子ども・子育て支援法及び就学前の子どもに関する教育、保育等の総合的な提供の推進に関する法律の一部を改正する法律の施行に伴う関係法律の整備等に関する法律（平成24年法律第67号）の施行の日から施行する。なお、「「保育所の設置認可等について」の取扱いについて」（平成12年３月30日児保第10号厚生省児童家庭局保育課長通知）はこの通知の施行に伴って廃止する。

なお、この通知は、地方自治法（昭和22年法律第67号）第245条の４に規定する技術的な勧告に当たるものである。

別紙１

積立金・積立資産明細書

自　　年　　月　　日
至　　年　　月　　日

区　分＿＿＿＿＿＿＿＿＿＿

（単位：円）

区　　分	前期末残高	当期増加額	当期減少額	期末残高	適　　用
○○積立金					
△△積立金					
××積立金					
合　　計					

（単位：円）

区　　分	前期末残高	当期増加額	当期減少額	期末残高	適　　用
○○積立資産					
△△積立資産					
××積立資産					
合　　計					

別紙２

借入金明細書（短期運営資金借入金を除く）

自　　年　　月　　日
至　　年　　月　　日

（単位：円）

区分	借入先	区分	期首残高①	当期借入金②	当期償還額③	差引期末残高④＝①＋②－③（うち１年以内償還予定額）	元金償還補助金	利率％	支払利息		返済期限	使途	担保資産		
									当期支出額	利息補助金収入			種類	地番または内容	帳簿価額
設備資金借入金						（　　）									
						（　　）									
						（　　）									
						（　　）									
						（　　）									
	計					（　　）									
長期運営資金借入金						（　　）									
						（　　）									
						（　　）									
						（　　）									
						（　　）									
	計					（　　）									
合計						（　　）									

別紙３

基本財産及びその他の固定資産（有形固定資産）の明細書

自　　年　　月　　日
至　　年　　月　　日

区　分＿＿＿＿＿＿＿＿＿＿＿＿＿

資産の種類及び名称	期首帳簿価額（A）		当期増加額（B）		当期減価償却額（C）		当期減少額（D）		期末帳簿価額（E＝A＋B－C－D）		減価償却累計額（F）		期末取得原価（G＝E＋F）		摘要
		うち国庫補助金等の額		うち国庫補助金等の額		うち国庫補助金等の額		うち国庫補助金等の額		うち国庫補助金等の額		うち国庫補助金等の額		うち国庫補助金等の額	
基本財産（有形固定資産）															
土地															
建物															
基本財産合計															
その他の固定資産（有形固定資産）															
土地															
建物															
車輌運搬費															
○○○															
その他の固定資産（有形固定資産）合計															
基本財産及びその他の固定資産（有形固定資産）計															
将来入金予定の償還補助金の額															
差　　引															

○新制度を見据えた保育所の設置認可等について

〔平成25年５月15日　雇児発0515第12号
各都道府県知事・各指定都市市長・各中核市市長宛　厚生
労働省雇用均等・児童家庭局長通知〕

保育所の設置認可については、「保育所の設置認可等について」（平成12年３月30日児発第295号）を指針として行っていただいているところである。保育所入所待機児童（以下「待機児童」という。）の解消等の課題への取組を容易にするため、上記通知により保育所の設置主体の制限をなくした結果、平成24年４月１日現在、２万3711箇所の保育所の設置主体別の内訳は、株式会社が376箇所、特定非営利活動法人が85箇所、学校法人が508箇所などとなっている。また、平成23年度中に保育所全体で326箇所増となっている中で、設置主体別では、株式会社が88箇所増、特定非営利活動法人が10箇所増、学校法人が74箇所増などとなっており、待機児童の解消に向けて成果を挙げている地方公共団体の中には、多様な主体による保育所の設置が進んでいるものもみられる。

平成24年８月22日には、子ども・子育て支援法（平成24年法律第65号）、就学前の子どもに関する教育、保育等の総合的な提供の推進に関する法律の一部を改正する法律（平成24年法律第66号）及び子ども・子育て支援法及び就学前の子どもに関する教育、保育等の総合的な提供の推進に関する法律の一部を改正する法律の施行に伴う関係法律の整備等に関する法律（平成24年法律第67号）が公布され、現在、その施行に向けた準備が進められているところである。上記の法律の施行後の保育所に係る制度（以下「新制度」という。）においては、保育所の設置認可に係る取扱いが別添のように改められ、当該地域で保育需要が充足されていない場合には、設置主体を問わず、審査基準に適合している者から保育所の設置に係る申請があった場合には、認可するものとされた。

待機児童の解消は、喫緊の課題であって、本年４月19日に内閣総理大臣から公表された「待機児童解消加速化プラン」においても国と地方公共団体が、ともに全力を挙げて取り組むこととされており、保育需要が充足されていない地域において、その解決のための積極的な対応が求められている。

このため、保育需要が充足されていない地域においては、新制度施行前の現時点においても、新制度施行後を見据え、積極的かつ公平・公正な認可制度の運用をしていただくようお願いする。

また、併せて、保育の実施主体である管内市町村（特別区を含む。）に対しても、本通知の趣旨を周知していただくようお願いする。

なお、この通知は、地方自治法（昭和22年法律第67号）第245条の４第１項の規定に基づく技術的助言であることを申し添える。

【別　添】

「子ども・子育て支援法、就学前の子どもに関する教育、保育等の総合的な提供の推進に関する法律の一部を改正する法律並びに子ども・子育て支援法及び就学前の子どもに関する教育、保育等の総合的な提供の推進に関する法律の一部を改正する法律の施行に伴う関係法律の整備等に関する法律の公布について」（平成24年８月31日府政共生第678号・24文科初第616号・雇児発0831第１号）（抄）

第３　整備法関係

２　主な改正内容及び留意事項

(1)　児童福祉法の一部改正関係

⑧　保育所の認可について（第35条及び第39条関係）

i)　都道府県知事は、保育所に関する認可の申請があったときは、児童福祉施設の設備及び運営についての条例で定める基準（保育所に係るものに限る。）に適合するかを審査するほか、保育所を行うために必要な経済的基礎があること等の基準（申請者が社会福祉法人又は学校法人でない場合に限る。）及び第35条第５項第４号に規定する欠格事由に該当しないこととする基準によって、その申請を審査しなければならないこととしたこと。（第35条第５項関係）

iv)　都道府県知事は、審査の結果、その申請が児童福祉施設の設備及び運営についての条例で定める基準に適合しており、かつ、その設置者が第35条第５項各号に掲げる基準（その者が社会福祉法人又は学校法人である場合にあっては、同項第４号に掲げる基準に限る。）に該当すると認めるときは、保育所の認可をするものとしたこと。（第35条第８項関係）

ⅴ）都道府県知事は、特定教育・保育施設の利用定員の総数が、都道府県子ども・子育て支援事業支援計画において定める必要利用定員総数に既に達している場合等は、保育所の認可をしないことができることとしたこと。（第35条第８項関係）

○不動産の貸与を受けて保育所を設置する場合の要件緩和について

〔平成16年5月24日　雇児発第0524002号・社援発第0524008号
各都道府県知事・各指定都市市長・各中核市市長宛　厚生労働省雇用均等・児童家庭・社会・援護局長連名通知〕

注　平成26年12月12日雇児発1212第7号・社援発1212第8号改正現在

従来、国又は地方公共団体以外の者から不動産の貸与を受け保育所を設置することについては、「社会福祉法人の認可について」（平成12年12月1日障第890号・社援第2618号・老発第794号・児発第908号厚生省大臣官房障害保健福祉部長・社会・援護局長・老人保健福祉局長・児童家庭局長連名通知）のほか、「不動産の貸与を受けて設置する保育所の認可について」（平成12年3月30日児発第297号厚生省児童家庭局長通知。以下「旧通知」という。）に定めるとおりの取扱いとしてきたところです。

保育所を経営する事業が安定的、継続的に行われるためには、保育所の設置に必要な土地及び建物いずれについても、保育所の設置者が所有権を有しているか、又は国若しくは地方公共団体から貸与若しくは使用許可を受けていることが原則であって望ましいところですが、一方、待機児童の解消等の課題に対し、保育所の緊急整備が求められているところです。

そのため、今般、「規制改革・民間開放推進3か年計画」（平成16年3月19日閣議決定）等も踏まえ、地域の実情に応じた取組を容易にする観点から、これまでの取扱いを改め、国又は地方公共団体以外の者から不動産の貸与を受けて保育所を設置する場合においては、下記のとおり要件緩和を行うこととしましたので、貴職において適切な御配慮をお願いします。

記

第1　要件緩和の内容

1　既設法人が保育所を設置する場合

既に第1種社会福祉事業（社会福祉法（昭和26年法律第45号）第2条第2項第2号、第3号又は第4号に掲げるものに限る。）又は第2種社会福祉事業のうち保育所を経営する事業若しくは障害福祉サービス事業（療養介護、生活介護、自立訓練、就労移行支援又は就労継続支援を行うものに限る。）を行っている社会福祉法人（以下「既設法人」という。）が保育所を設置する場合には、「国又は地方公共団体以外の者から不動産の貸与を受けて既設法人が通所施設を設置する場合の要件緩和について」（平成12年9月8日障第670号・社援第2029号・老発第628号・児発第732号厚生省大臣官房障害保健福祉部長・社会・援護局長・老人保健福祉局長・児童家庭局長連名通知）に定めるとおりの取扱いとして差し支えないこと。

2　既設法人以外の社会福祉法人が保育所を設置する場合

(1)　既設法人以外の社会福祉法人については、これまで都市部等土地の取得が極めて困難な地域において、施設用地の貸与を受けて設置することが認められていたが、これを、都市部等地域以外の地域であって緊急に保育所の整備が求められている地域にも拡大すること。

(2)　貸与を受けている土地については、原則として、地上権又は賃借権を設定し、かつこれを登記しなければならないこと。ただし、貸主が、地方住宅公社若しくはこれに準ずる法人、又は、地域における基幹的交通事業者等の信用力の高い主体である場合などのように、安定的な事業の継続性の確保が図られると判断できる場合には、地上権又は賃借権の登記を行わないこととしても差し支えないこと。

(3)　賃借料が、地域の水準に照らして適正な額以下であるとともに、安定的に賃借料を支払い得る財源が確保されていること。また、賃借料及びその財源が収支予算書に計上されていること。

3　社会福祉法人以外の者が保育所を設置する場合

(1)　社会福祉法人以外の者が保育所を設置する場合には、当該保育所の用に供する土地又は建物について、国及び地方公共団体以外の者から貸与を受けていても差し支えないこと。

(2)　貸与を受けている土地又は建物については、原則として、地上権又は賃借権を設定し、かつこれを登記しなければならないこと。ただし、次のいずれかに該当する場合などのように、安定的な事業の継続性の確保が図られると判断できる場合には、地上権又は賃借権の登記を行わないこととしても差し支えないこと。

①　建物の賃貸借期間が賃貸借契約において10年以上とされている場合

②　貸主が、地方住宅公社若しくはこれに準ず

る法人、又は、地域における基幹的交通事業者等の信用力の高い主体である場合

(3)　賃借料が、地域の水準に照らして適正な額以下であること。

(4)　賃借料の財源について、安定的に賃借料を支払い得る財源が確保されていること。また、これとは別に、当面の支払いに充てるための①１年間の賃借料に相当する額と②1,000万円（１年間の賃借料が1,000万円を超える場合には当該１年間の賃借料相当額）を基本として、事業規模に応じ、当該保育所が安定的に運営可能と都道府県（指定都市・中核市を含む。）が認めた額の合計額の資金を安全性がありかつ換金性の高い形態（普通預金、定期預金、国債等）により保有していること。

(5)　(4)②で認めた額については、地上権・賃借権の登記、賃貸借契約期間の長さ等施設使用の安定性の高さ、当該主体の総合的な財政力の高さ、公的補助による継続的な賃借料補助、これまでの施設の経営・運営実績等過去の安定性の高さ等を勘案し、賃貸施設であっても安定的に事業経営が認められる場合には、２分の１を目途とする範囲内で当該額を減額して差し支えないこと。

(6)　賃借料及びその財源が収支予算書に適正に計上されていること。

第２　施行期日等

この通知は平成16年５月24日から施行し、旧通知はこの施行に伴って廃止する。

なお、この通知は、地方自治法（昭和22年法律第67号）第245条の４に規定する技術的な助言である。

○国又は地方公共団体以外の者から不動産の貸与を受けて既設法人が通所施設を設置する場合の要件緩和について

〔平成12年９月８日　障第670号・社援第2029号・老発第628号・児発第732号
各都道府県知事・各指定都市市長・各中核市市長宛　厚生省大臣官房障害保健福祉部・社会・援護局・老人保健福祉局・児童家庭局長連名通知〕

注　令和２年１月23日子発0123第１号・社援発0123第３号・障発0123第２号・老発0123第３号改正現在

従来、社会福祉法人（以下「法人」という。）が通所施設を設置する場合には、通所施設を経営する事業を行うために直接必要なすべての物件について、当該通所施設の設置者たる法人が所有権を有していることを条件にしてきたところです。

法人による通所施設の経営が安定的、継続的に行われるためには、通所施設の設置に必要な不動産のすべてについて、当該通所施設の設置者たる法人が所有権を有しているか、又は国若しくは地方公共団体から貸与若しくは使用許可を受けていることが原則であって望ましいことですが、その一方で、通所施設は入所施設と比較してその整備の機動性・弾力性を確保する必要があります。

そのため、今般、地域の実情に応じた取組みを容易にする観点から、従来の取扱いを改めることとし、既設法人が国又は地方公共団体以外の者から不動産の貸与を受けて通所施設を設置する場合においては、下記のとおり要件緩和を行うこととしましたので、貴職において適切な御配意をお願いします。

なお、当該通知については、地方自治法（昭和22年法律第67号）第245条の４第１項の規定に基づく技術的助言として発出するものです。

記

１　要件緩和の内容

(1)　既設法人（第１種社会福祉事業（社会福祉法（昭和26年法律第45号）第２条第２項第２号、第３号又は第４号に掲げるものに限る。）又は第２種社会福祉事業のうち放課後児童健全育成事業、保育所を経営する事業若しくは障害福祉サービス事業（療養介護、生活介護、自立訓練、就労移行支援又は就労継続支援を行うものに限る。）が以下に掲げる通所施設を整備する場合には、当該通所施設の用に供する不動産の全てについて、国及び地方公共団体以外の者から貸与を受けていても差し支えないこと。

①　障害児通所支援事業所

②　情緒障害児短期治療施設（通所部に限る。）又は児童自立支援施設（通所部に限る。）

③　障害福祉サービス事業（生活介護、自立訓練（宿泊型自立訓練を除く。）、就労移行支援又は就労継続支援に限る。）

④　放課後児童健全育成事業所、保育所又は児童家庭支援センター

⑤　母子福祉施設

⑥　老人デイサービスセンター、老人福祉センター又は老人介護支援センター

⑦　身体障害者福祉センター、補装具製作施設又は視聴覚障害者情報提供施設

⑧　地域活動支援センター

(2)　貸与を受けている不動産については、原則として、地上権又は賃借権を設定し、かつこれを登記しなければならないこと。ただし、次のいずれかに該当する場合などのように、安定的な事業の継続性の確保が図られると判断できる場合には、地上権又は賃借権の登記を行わないこととしても差し支えないこと。

①　建物の賃貸借期間が賃貸借契約において10年以上とされている場合

②　貸主が、地方住宅公社若しくはこれに準ずる法人、又は、地域における基幹的交通事業者等の信用力の高い主体である場合

(3)　賃借料が、地域の水準に照らして適正な額以下であるとともに、安定的に賃借料を支払い得る財源が確保されていること。また、賃借料及びその財源が収支予算書に適正に計上されていること。

２　施行期日

この通知は平成12年９月８日から施行するものとすること。

○夜間保育所の設置認可等について

〔平成12年３月30日　児発第298号
各都道府県知事・各指定都市市長・各中核市市長宛　厚生省児童家庭局長通知〕

保育所の設置認可等の取扱いについては、「保育所の設置認可等について」（昭和38年３月19日児発第271号）により、また、このうち夜間保育所に関しては、併せて「夜間保育所の設置認可等について」（平成７年６月28日児発第642号。以下「児発第642号通知」という。）により行ってきたところであるが、今般、保育所の設置認可については、「保育所の設置認可等について」（平成12年３月30日児発第295号。以下「児発第295号通知」という。）により行うこととし、また、夜間保育所の設置認可等の方針についても下記のとおり改めたので、これらにより夜間保育所の設置認可等について適切にお取り扱い願いたい。

記

１　保育所の設置認可等の取扱方針については、児発第295号通知により示されたところであるが、夜間保育所の設置認可申請については、同通知に定める事項に加え、次の基準に照らして審査を行うこと。

⑴　設置経営主体

夜間保育の場合は、生活面への対応や個別的な援助がより一層求められることから、児童の保育に関し、長年の経験を有し、良好な成果をおさめているものであること。

⑵　定員

入所定員は、20名以上とすること。

⑶　対象児童

夜間、保護者の就労等により保育に欠けるため、市町村が保育の実施を行う児童であること。

⑷　職員

施設長は、保育士の資格を有し、直接児童の保育に従事することができるものを配置するよう努めること。保育士については、児童福祉施設最低基準（昭和23年厚生省令第63号）等に定めるところにより所定の数を配置すること。

⑸　設備及び備品

①　仮眠のための設備及びその他夜間保育のために必要な設備、備品を備えていること。

②　既存の施設に夜間の保育所を併設する場合にあっては、直接児童の保育の用に供する設備については専用でなければならないが、管理部門等については運営に支障を生じない範囲で既存の施設の設備と共用することも差し支えないこと。

③　地域の実情に応じて、分園（平成10年４月９日児発第302号「保育所分園の設置運営について」に定める分園をいう。）を設置することができる。

⑹　保育の方法

開所時間は原則として概ね11時間とし、おおよそ午後10時までとすること。

２　夜間保育所に対する費用の支弁については、「児童福祉法による保育所運営費国庫負担金について」（昭和51年４月16日厚生省発児第59号の２）に定める保育単価が適用され、この他別に定める加算分保育単価を加えて適用されること。

ただし、定員20人及び21人から30人までとする夜間保育所については、各々「小規模保育所の設置認可等について」（平成12年３月30日児発第296号）の第１の２で定める特別保育単価に別に定める加算分保育単価を加えて適用されること。

３　都道府県知事、指定都市又は中核市の市長は、夜間保育所の設置認可を行った場合又は届出を受けた場合は、速やかに別紙様式により当省に報告すること。

４　夜間保育所を設置経営する市町村及び社会福祉法人等に夜間保育所の運営についての報告を求めることがある。

５　この通知は平成12年３月30日から施行し、児発第642号通知はこの施行に伴って廃止する。

なお、本通知（２を除く）は、地方分権の推進を図るための関係法律の整備等に関する法律（平成11年法律第87号）による改正後の地方自治法（昭和22年法律第67号）第245条の４に規定する技術的な勧告に当たるものである。

別紙様式

番　　　号
年　月　日

厚　生　大　臣　殿

都道府県知事
指定都市市長　㊞
中核市市長

夜間保育所の承認について（報告）

標記について、平成　年　月　日児発第　　号通知「夜間保育所の設置認可等について」に基づき、夜間保育所の設置認可を行ったため、次の関係書類を添えて報告する。

1　平成　年度夜間保育所の承認状況（別表）
2　その他参考となる書類（参考）

別表

平成　年度夜間保育所の承認状況

1　保育所名
2　所在地
3　設置主体名
4　経営主体名
5　承認施設の状況
(1)　承認年月日
(2)　事業開始（予定）年月日
(3)　独立、併設等の区分
(4)　定員
(5)　入所児童数

0　歳　児	1・2歳児	3　歳　児	4歳以上児	計
人	人	人	人	人

(6)　保育時間（時間帯）
(7)　その他参考事項

○夜間保育所の設置認可等の取扱いについて

〔平成12年３月30日　児保第15号
各都道府県知事・各指定都市市長・各中核市市長宛　厚生省児童家庭局保育課長通知〕

今般、平成12年３月30日児発第298号厚生省児童家庭局長通知「夜間保育所の設置認可等について」により行うこととされたところであるが、これが取扱いについては、次の事項に留意されたい。

なお、この通知は、平成12年３月30日から適用し、平成７年６月28日児保第17号本職通知「夜間保育所の設置認可等の取扱いについて」は廃止する。

1　施設の形態について

夜間保育を行う保育所は、夜間保育のみを行う夜間保育専門の保育所及び既存の施設（保育所、乳児院、母子生活支援施設等）に併設された保育所を原則とするが、これ以外に例えば既設の保育所において、当該施設の認可定員の範囲内で、通常の保育と夜間保育とを行うもの等であっても差し支えないこと。なお、この場合は、認可定員の保育単価が適用されるものであり、平成12年３月30日児発第298号児童家庭局長通知「夜間保育所の設置認可等について」の２に定める加算分保育単価は適用されないこと。

2　既存の施設に夜間保育所を併設して実施する場合の取扱いについて

既存の施設に夜間保育所を併設して夜間保育を実施する場合には、当該夜間保育所は、独立した保育所として取り扱われるものであること。したがって、施設の認可を要するとともに職員の任用、財務会計については、他の施設と区別できることが必要であるが、その他施設の運営全般にわたっては、夜間保育の遂行に支障がない場合は、他の施設との交流を行う等弾力的な処遇を行っても差し支えないこと。

ただし、設備のうち医務室及び調理室並びに保育士休憩室、倉庫等の管理部門は、他の施設との兼用でも差し支えない。また、便所、屋外遊戯場は他の施設との共用であっても差し支えないこと。

なお、設備を他の施設と兼用又は共用する場合には、運営費の経理について必要に応じ児童数、職員数等に基づき費用を按分するものとし、あらかじめ費用の按分方法を定めておくこと。

3　その他

⑴　保育児童台帳等の記載に当たっては、夜間保育の対象児童である旨を明らかにしておくこと。

⑵　夜間保育を実施する保育所に係る保育所運営費支弁台帳の記載に当たっては、「措置費（運営費）支弁台帳について」（平成10年５月１日児発第365号厚生省児童家庭局長通知）の定めるところによるほか、夜間保育の対象児童であることを明らかにしておくこと。

○保育所分園の設置運営について

（平成10年４月９日　児発第302号
各都道府県知事・各指定都市市長・各中核市市長宛　厚生省児童家庭局長通知）

注　平成21年７月９日雇児発0709第６号改正現在

保育行政の推進については、かねてより特段のご配慮を煩わしているところであるが、今般、都市部等における待機児童の解消や過疎地域等における入所児童の減少等に対応するため、別紙のとおり「保育所分園設置運営要綱」を定めたので、その適正かつ円滑な運営を図られたく通知する。なお、本通知（別紙の７を除く。）は地方自治法（昭和22年法律第67号）第245条の４に規定する技術的な勧告に当たるものである。

また、分園を設置した場合は、設置した日から１月以内に、別紙様式により当省へ報告されるようお願いする。

本通知の施行に伴い、平成12年６月８日児発第582号の５厚生省児童家庭局長通知「分園を設置した保育所に係る保育単価について」は平成21年３月31日限りで廃止する。

（別　紙）

保育所分園設置運営要綱

１　目的

保育所分園は、児童福祉法（昭和22年法律第164号）の規定に基づく保育所に分園を設置することにより、認可保育所の設置が困難な地域における保育の実施を図ることを目的とする。

２　設置経営主体

分園の設置及び経営主体は、本体となる保育所（以下、「中心保育所」という。）を設置経営する地方公共団体、社会福祉法人等とする。

なお、保育所を現に経営していない主体が分園を設置することは認められない。

３　定員規模

１分園の規模は原則として30人未満とするが、中心保育所の規模や中心保育所との距離等を勘案して一体的な運営が可能であれば30人以上とすることができる。

４　職員

中心保育所と分園のいずれもが、児童福祉施設最低基準（昭和23年厚生省令第63号。以下「最低基準」という。）第33条に規定する職員を配置することとするが、嘱託医及び調理員については、中心保育所に配置されていることから分園には置かないことができることとする。分園においても入所児童の安全を確保する観点から常時２名以上の保育士を配置することとする。

５　設置・管理・運営

(1)　設置について

分園の設置については、地域の実情を勘案し、１に定める目的に照らして適切に設置するものであること。なお、同一敷地内に設置されているものは分園とは認められないこと。

(2)　管理・運営について

①　分園の管理・運営は、中心保育所の所長のもとに中心保育所と一体的に施設運営が行われるものとし、中心保育所と分園との距離については、通常の交通手段により、30分以内の距離を目安とする。

なお、児童の処遇や保護者との連絡体制等を十分確保して、中心保育所と分園の開所時間に差を設けることが可能であること。

さらに、構造、設備及び職員配置の観点から十分な機能を有している、又は他の社会福祉施設等との連携体制が整備されている場合にあっては、分園が夜間保育（夜間保育所の設置認可等について（平成12年３月30日児発第298号）１(6)のとおり開所時間を原則として概ね11時間とし、おおよそ午後10時までとすることをいう。）を行うことが可能であること。

②　「地方公共団体が設置する保育所に係る委託について」（平成13年３月30日雇児保第10号）に基づく委託に関する指針に即して公立保育所の分園を他の主体に委託することが可能であること。

③　中心保育所において定員内の受入れ枠があるにもかかわらず、分園での受入れを意図的に行うことがないようにすること。

ただし、利用者の居住地付近に中心保育所がない等やむを得ない事由があるときは、前段で言う「分園での受け入れを意図的に行うこと」には該当しないこととする。

④　分園を設置している保育所の入所の円滑化については、中心保育所と分園の定員規模を合算した定員により、「保育所への入所の円滑化に

ついて」（平成10年２月13日児保第３号厚生省児童家庭局保育課長通知）を適用すること。

6　構造及び設備

⑴　最低基準における取扱い

構造及び設備は、中心保育所と分園のいずれもが、児童福祉施設最低基準を満たしていることとするが、調理室及び医務室については中心保育所にあることから設けないことができることとする。

⑵　留意すべき事項

①　調理室及び医務室に関して⑴後段の取扱いとする場合にあっては、中心保育所の調理室の能力を十分勘案して衛生上及び防火上不備が生じることのないよう留意し、また分園において医薬品を備えること。

②　分園が夜間保育を行う場合は、仮眠のための設備及びその他夜間保育のために必要な設備、備品を備えていること。

③　これらに対応するため、各分園の運営に対して「特別保育事業の実施について」（平成20年６月９日雇児発第0609001号）の「休日・夜間保育事業実施要綱」により夜間保育推進事業、「待機児童解消促進等事業実施要綱」により保育所分園推進事業として補助できるものである。

7　費用の支弁及び費用徴収

分園を設置する保育所に係る費用の支弁については、中心保育所、分園それぞれの定員規模による定員区分を適用し、以下の通り行うものとする。

⑴　分園に係る費用の支弁について

定員規模20人及び21人から30人の分園については、「小規模保育所の設置認可等について」（平成12年３月30日児発第296号厚生省児童家庭局長通知。以下、「児発第296号通知」という。）の第１の２ただし書において適用することとしている別途通知による小規模保育所に係る各々の「基本分保育単価」及び「民間施設給与等改善費加算額」にそれぞれ100分の85を乗じた額（10円未満切り捨て）とし、定員規模31人以上の分園については、「児童福祉法による保育所運営費国庫負担金について」（昭和51年４月16日厚生省発児第59号の２。以下「交付要綱」という。）の第３に定める各々の「基本分保育単価」及び「民間施設給与等改善費加算額」にそれぞれ100分の85を乗じた額（10円未満切り捨て）により支弁を行うものとする。

その他の加算については、中心保育所と分園の定員規模を合算した定員区分による加算額を基本分保育単価に加算する。

⑵　中心保育所に係る支弁について

中心保育所の定員規模により「児発第296号通知」の第１の２ただし書において適用することとしている別途通知による小規模保育所に係る各々の「基本分保育単価」及び「民間施設給与等改善費加算額」又は、交付要綱の第３に定める各々の「基本分保育単価」及び「民間施設給与等改善費加算額」を適用し行うこととする。

その他の加算については、中心保育所と分園の定員規模を合算した定員区分による加算額を基本分保育単価に加算する。

⑶　費用徴収について

費用の徴収については、いずれの場合においても交付要綱の第４により行うものとする。

⑷　留意すべき事項

①　⑴､⑵により算出した中心保育所と分園の「基本分保育単価」及び「民間施設給与等改善費加算額」の合計額が、中心保育所と分園の定員規模を合算した定員区分による「基本分保育単価」及び「民間施設給与等改善費加算額」を下回る場合は、中心保育所と分園の定員規模を合算した定員区分による「基本分保育単価」及び「民間施設給与等改善費加算額」を支弁することとする。

②　中心保育所、分園それぞれにおいて定員規模を超えて受入れた児童に係る費用の支弁については、中心保育所と分園の定員規模を合算した定員区分を適用し、交付要綱の第３により行うものとする。

③　中心保育所、分園それぞれの定員規模による定員区分を適用した児童が、月途中において中心保育所と分園の間で異動した場合、中心保育所と分園それぞれにおいて交付要綱の第３の４算式２及び３により算定した額により行うものとする。

④　定員が19人以下の分園は、中心保育所と分園を合算した定員区分を適用し、交付要綱の第３により行うものとする。

8　土地及び建物の取扱い

分園の土地及び建物については、設置主体が所有権を有しているか、又は国若しくは地方公共団体から貸与若しくは使用許可を受けていることを原則とするが、次の要件を満たす場合には、国又は地方公共団体以外の者から貸与を受けたもので差し支えないものとする。

⑴　継続的かつ安定的に事業が実施できる程度の期間について、その地上権又は賃借権を設定し、かつ、これを登記しなければならないこと。

ただし、事業実施に合わせ、登記を行うことができない特別の事情がある場合において、分園における事業運営が困難となった場合に中心保育所において保育を行うことができることなど適切な対応がとられている場合はこの限りでない。

(2) 賃借料が適正な額であり、その賃借料を支払い得る確実な財源があること。なお、賃借料については、「保育所運営費の経理等について」（平成12年３月30日児発第299号）の規定により充てることができるものである。

別紙様式　略

○保育所の認可状況及び公有施設等を活用した保育所の設置状況の報告について

（平成19年３月30日　雇児保発第0330004号
各都道府県・各指定都市・各中核市民生主管部(局)長宛
厚生労働省雇用均等・児童家庭局保育課長通知）

社会福祉法人以外の民間主体が設置する保育所等の認可状況等の把握については、「保育所の認可状況及び公立保育所の委託状況の報告について」（平成13年３月28日雇児保発第７号。以下「平成13年通知」という。）によって行ってきたところであるが、併せて、公有施設等を活用した保育所の設置状況を把握するため、報告方法等を変更することとしたので、別紙概要のとおり御報告をお願いしたい。

なお、この通知は、平成19年４月から適用することとし、平成13年通知は廃止する。

（別　紙）

保育所の認可状況及び公有施設等を活用した保育所の設置状況に係る調査の概要

1　調査目的

本調査は、保育所の認可状況及び公有施設等を活用した保育所の設置状況を把握することにより、増大する保育需要に的確に対応した保育施策を推進するための基礎資料を得ることを目的とする。

2　調査期日

各年度４月１日

3　調査事項

・前年度の保育所の設置認可・届出状況【別添１、別添２の調査票】
・当該年度４月１日の保育所の設置数【別添１の調査票】
・前年度の公有施設等を活用した保育所の設置状況【別添１、別添３の調査票】
・当該年度４月１日の公有施設等を活用した保育所の設置状況【別添１の調査票】

4　調査方法

調査票の配布及び提出は、以下のとおり、電子媒体により行うものとする。

① 保育課企画法令係より、毎年度３月25日までに、電子メールにて各都道府県、指定都市及び中核市の保育担当部署あてに調査票を添付した電子媒体を電子メールにより送付する。

② 各都道府県、指定都市及び中核市の保育担当部署において、調査事項の入力を行い、提出期限までに５の提出先の電子メールアドレスあてに、調査票を添付した電子メールを送付する。

5　調査票の提出期限及び提出先

提出期限：毎年度５月15日

提出先　：電子メールにて次のアドレスあてに提出

電子メールアドレス　hoikuninka@mhlw.go.jp

問い合わせ先：厚生労働省雇用均等・児童家庭局
保育課　企画法令係
電話　03-5253-1111（内線7920）

別添１

（都道府県市名：　　　　　　　）

1　保育所の設置認可・届出状況（平成18年４月１日～19年３月31日）

（単位：件数）

市町村（届出）	社会福祉法人	社団法人	財団法人	学校法人	宗教法人	ＮＰＯ	株式会社	個人	その他【　】	計
										（　）

注１　（　）内には認可外保育施設を認可保育所として認可した件数を記入すること。

注２　各施設についてそれぞれ別添２を作成すること。

注３　その他【　】には、設置主体名を記入すること。

2　保育所の設置数（平成19年４月１日現在）

（単位：件数）

市町村（届出）	社会福祉法人	社団法人	財団法人	学校法人	宗教法人	ＮＰＯ	株式会社	個人	その他【　】	計

注１　その他【　】には、設置主体名を記入すること。

3　公有施設等を活用した保育所の設置状況（平成18年４月１日～19年３月31日）

（単位：か所）

委託	貸与	譲渡	計

注１　各施設についてそれぞれ別添３を作成すること。

4　公有施設等を活用した保育所の設置状況（平成19年４月１日現在）

（単位：か所）

委託	貸与	譲渡	計

別添２

（都道府県市名：　　　　　　）

保育所の設置認可・届出状況

保育所名	
所在地	
設置主体名	市町村　　社会福祉法人　　社団法人　　財団法人　　学校法人　　宗教法人　　NPO 個人　　株式会社　　その他（　　　） （名称：　　　　　　）
（主たる事業内容）	
運営主体名	市町村　　社会福祉法人　　社団法人　　財団法人　　学校法人　　宗教法人　　NPO 個人　　株式会社　　その他（　　　） （名称：　　　　　　）
（主たる事業内容）	
認可年月日	平成　　年　　月　　日
開所時間	：　　～　　：
定員数	人　20人以上30人未満
入所児童数 （　年　月　日現在）	０歳児　人　１歳児　人　２歳児　人　３歳児　人　４歳児　人　５歳児　人　計　人
実施予定の特別保育事業	
運営主体の保育事業の経営実績 （認可前）	認可保育所経営　　認可外保育施設経営 その他（　　　）　経営実績なし
保育所建物の認可前の状況	公立保育所(民間移管)　　公立幼稚園　　私立幼稚園 認可外保育施設　　その他（　　　）　創設
資産の状況 （土地）	自己所有　　賃貸　　※賃貸の場合は下記の項目も記入 ・所有者　国・地方公共団体　　その他（　　　） ※保育所（設置者）との関係 無 有　→ ・契約期間　平成　年　月　日　～　平成　年　月　日 ・賃料　月額　　年額　　円 ・登記の状況　地上権　有　　無 賃借権　有　　無
資産の状況 （建物）	自己所有　　賃貸　　※賃貸の場合は下記の項目も記入 ・所有者　国・地方公共団体　　その他（　　　） ※保育所（設置者）との関係 無 有　→ ・契約期間　平成　年　月　日　～　平成　年　月　日 ・賃料　月額　　年額　　円 ・登記の状況　賃借権　有　　無
備　考	

※所在地については市町村名まで記入すること。

別添3

（都道府県市名：　　　　　　）

公有施設等を活用した保育所の設置状況

新規・変更・廃止	新規		変更		廃止									
委託・貸与・譲渡の別	委託		貸与		譲渡									
保育所名														
所在地														
設置主体名	市町村		社会福祉法人		社団法人		財団法人		学校法人		宗教法人		NPO	
	個人		株式会社		その他（　　　）									
	（名称：　　　）													
（主たる事業内容）														
運営主体名	市町村		社会福祉法人		社団法人		財団法人		学校法人		宗教法人		NPO	
	個人		株式会社		その他（　　　）									
	（名称：　　　）													
（主たる事業内容）														
認可年月日	平成　　年　　月　　日													
委託・貸与・譲渡年月日	平成　　年　　月　　日													
指定管理者の導入状況	1. 指定管理者を導入している		2. 指定管理者を導入していない											
指定管理者の業務内容 ※１を選んだ場合	保育の実施		施設の保守等		保育料の収納		その他（　　　）							
土地の形態	有償		無償											
建物の形態	有償		無償											
開所時間	：　～　：													
定員数	人													
入所児童数 （　年　月　日現在）	0歳児	1歳児	2歳児	3歳児	4歳児	5歳児	計							
	人	人	人	人	人	人	人							
実施予定の特別保育事業														
委託・貸与・譲渡前の状況	保育所		幼稚園		認可外保育施設		創設		その他（　　　）					
備　考														

※所在地については市町村名まで記入すること。

※開所時間、定員数、入所児童数、実施予定の特別保育事業については、委託・貸与・譲渡した後のデータを記入すること。

※委託・貸与・譲渡の形態が変更となった場合も提出すること。（例：委託→譲渡）

※分園を民営化した場合についても備考欄に記入すること。

○地方公共団体が設置する保育所に係る委託について

（平成13年３月30日　雇児保第10号
各都道府県・各指定都市・各中核市民生主管部(局)長宛
厚生労働省雇用均等・児童家庭局保育課長通知）

地方公共団体が設置する保育所の運営業務（施設の維持・保存、利用者へのサービス提供等）については、「規制緩和推進３か年計画」（平成13年３月30日閣議決定）のとおり、事実上の行為として、地方自治法（昭和22年法律第67号）第244条の２第３項の適用はなく、同項に規定する公の施設の管理受託者の要件を満たさない民間事業者にも当該業務を委託することは可能である。即ち、保育所の運営業務の委託先主体は、公共団体（一部事務組合等）、公共的団体（社会福祉法人、農業協同組合、生活協同組合等）又は普通地方公共団体が出資している法人で政令で定めるもの（地方自治法施行令第173条の３、地方自治法施行規則第17条）に限られず、これら以外の民間主体（ＮＰＯ、株式会社等）への委託も可能である。

今般、公立保育所の運営業務を委託する場合の指針について、下記のとおり考え方を整理したので、貴職におかれては、適切に配意願いたい。

なお、この通知は、地方自治法第245条の４第１項に基づく技術的助言であり、また本通知発出に当たって関係省とも相談済みであることを申し添える。

記

1　委託に関する指針

(1)　保育所の運営業務の委託先主体については、「保育所の設置認可等について（平成12年３月30日児発第295号）」等の保育所の設置主体に関する取扱いを準用すること。

したがって、委託先主体が具備すべき要件については、同通知等に即して適切に審査を行われたいこと。

(2)　運営業務を委託した保育所についての児童福祉施設最低基準（昭和23年厚生省令第63号）の遵守義務は、設置者たる地方公共団体にあること。また、保育所に係る安全配慮義務も設置者たる地方公共団体にあり、施設整備費、設備整備費、保育所運営費や各種補助等の申請・被交付主体も設置者たる地方公共団体であること。

2　その他

保育所の土地及び建物等を普通財産とした上で、適切な主体に有償又は無償で譲渡又は貸与する場合は、上記の運営委託による場合と異なり、当該保育所の設置者は、地方公共団体ではなく、譲渡又は貸与先となること。

○幼稚園と保育所の施設の共用化等に関する指針について

〔平成10年３月10日　文初幼第476号・児発第130号
各都道府県知事・各都道府県教育委員会・各指定都市市長・各指定都市教育委員会・各中核市市長・各中核市教育委員会宛　文部省初等中等教育・厚生省児童家庭局長連名通知〕

注　平成17年５月13日17文科初第262号・雇児発第0513003号改正現在

幼稚園と保育所の今後の在り方については、近年における少子化の進行、共働き家庭の一般化などに伴う保育ニーズの多様化等を背景として、地方分権推進委員会第１次勧告（平成８年12月）において、地域の実情に応じた幼稚園・保育所の施設の共用化等、弾力的な運用を確立することが求められました。

このような状況を踏まえ、文部省と厚生省は共同して、国民の多様なニーズに対応できるよう、望ましい運営や施設の在り方を幅広い観点から検討するため、平成９年４月に「幼稚園と保育所の在り方に関する検討会」を発足させました。

この検討会においては、当面、幼稚園と保育所を合築し、併設し、又は同一敷地内に設置するに当たっての施設の共用化等に関する取扱いを中心に検討を行い、この度、別紙のとおりこの指針を取りまとめましたので、貴職におかれては管下の市町村その他関係者に周知徹底の上、適切に指導し、幼児教育・保育の充実に一層の御配慮をお願いします。

（別　紙）

幼稚園と保育所の施設の共用化等に関する指針

1　目的

多様なニーズに的確に対応できるよう、幼稚園と保育所の施設・運営の共用化、職員の兼務などについて地域の実情に応じて弾力的な運用を図り、幼児教育環境の質的な向上を推進し、共用化された施設について保育の内容等運営が工夫され、有効利用が図られることを目的とする。

2　内容

⑴　幼稚園及び保育所について、保育上支障のない限り、その施設及び設備について相互に共用することができる。

⑵　共用化された施設について必要とされる基準面積は、原則として、それぞれ幼稚園設置基準、児童福祉施設最低基準により幼児数を基に算定するものとする。

ただし、この方法によることが適切でないと認められる場合には実情に即した方法により算定するものとする。

共用部分については、原則として幼稚園及び保育所の各々の専有面積により按分して管理する。

⑶　幼稚園と保育所が共用化されている施設における職員の数については、それぞれ幼稚園設置基準、児童福祉施設最低基準により算定するものとする。

⑷　幼稚園及び保育所に備えられている園具・教具・用具について、幼稚園及び保育所は相互に使用することができる。

⑸　幼稚園と保育所が共用化されている施設においては、教育・保育内容に関し、合同で研修を実施するように努める。

⑹　施設設備の維持保全、清掃等の共通する施設管理業務について一元的な処理に努める。

⑺　共用化指針により共用化された施設における幼稚園児及び保育所児の合同活動並びに幼稚園及び保育所の保育室の共用化については、平成17年５月13日付け17文科初第262号・雇児発第0513003号「共用化指針により共用化された施設における幼稚園児及び保育所児の合同活動並びに保育室の共用化に係る取扱いについて」別紙１の共用化指針により共用化された施設における幼稚園児及び保育所児の合同活動並びに保育室の共用化に関する指針（以下「合同活動指針」という。）にしたがって実施するものとする。

なお、この場合において、合同活動指針２⑴⑤により合同活動を行う幼稚園児及び保育所児それぞれの定員数で按分して管理することとされた共用化された保育室のうち、当該按分された面積については、上記⑵の専有面積とみなすことができるものとする。

○共用化指針により共用化された施設における幼稚園児及び保育所児の合同活動並びに保育室の共用化に係る取扱いについて

〔平成17年5月13日　17文科初第262号・雇児発第0513003号
各都道府県知事・各都道府県教育委員会・各指定都市市長・各指定都市教育委員会・各中核市市長・各中核市教育委員会・各附属学校を置く国立大学法人学長宛　文部科学省初等中等教育・厚生労働省雇用均等・児童家庭局長連名通知〕

平成10年3月10日付け文初幼第476号・児発第130号「幼稚園と保育所の施設の共用化等に関する指針について」(以下「共用化指針」という。)により共用化された施設における幼稚園児及び保育所児の合同活動並びに保育室の共用化に係る取扱いについては、構造改革特別区域法（平成14年法律第189号）第3条に基づく構造改革特別区域基本方針（平成15年1月24日閣議決定。以下「基本方針」という。）別表1の「807　幼稚園における幼稚園児及び保育所児等の合同活動事業」(文部科学省関係構造改革特別区域法第2条第3項に規定する省令の特例に関する措置及びその適用を受ける特定事業を定める省令（平成15年文部科学省令第18号。以下「特区省令」という。）第4条により措置)、「914　保育所における保育所児及び幼稚園児の合同活動事業」(平成15年8月26日付け雇児発第0826002号「構造改革特別区域における「保育所における保育所児及び幼稚園児の合同活動事業」について」により措置)、「823及び921　幼稚園と保育所の保育室の共用化事業」(平成16年3月29日付け15文科初第1313号・雇児発第0329003号「構造改革特別区域における「幼稚園と保育所の保育室の共用化事業」について」により措置)、「831　保育所と合同活動を行う場合の幼稚園の面積基準の特例事業」(特区省令第5条により措置)により特例措置が講じられてきたところですが、これらの措置については、「構造改革特別区域基本方針の一部変更について」(平成17年4月22日閣議決定）により全国展開することとされたところです。

今般、この決定を踏まえ、これまで構造改革特別区域において行われてきた特例のうち、基本方針別表1の「807　幼稚園における幼稚園児及び保育所児等の合同活動事業」及び「831　保育所と合同活動を行う場合の幼稚園の面積基準の特例事業」を全国展開することをその内容とする幼稚園設置基準の一部を改正する省令（平成17年文部科学省令第35号）を別添のとおり、本日付けで公布・施行するとともに、「914　保育所における保育所児及び幼稚園児の合同活動事業」及び「823及び921　幼稚園と保育所の保育室の共用化事業」を全国展開することをその内容とする「共用化指針により共用化された施設における幼稚園児及び保育所児の合同活動並びに保育室の共用化に関する指針」を別紙1のとおり、策定しました。また、上記指針の策定に伴い、別紙2のとおり、共用化指針の一部を改正しました。

貴職におかれては域内の市区町村教育委員会及び児童福祉担当部局その他関係者に周知徹底の上、適切に指導し、幼児教育・保育の充実に一層の御配慮をいただけるようお願いします。

なお、平成15年8月26日付け雇児発第0826002号「構造改革特別区域における「保育所における保育所児及び幼稚園児の合同活動事業」について」及び平成16年3月29日付け15文科初第1313号・雇児発第0329003号「構造改革特別区域における「幼稚園と保育所の保育室の共用化事業」について」は本通知をもって廃止します。

（別紙1）

共用化指針により共用化された施設における幼稚園児及び保育所児の合同活動並びに保育室の共用化に関する指針

1　内容

経済的社会的条件の変化に伴い乳児及び幼児の数が減少したことその他の事情により適正規模の集団保育が困難であり、幼児の心身の健全な育成のために特に必要があるときは、平成10年3月10日付け文初幼第476号・児発第130号「幼稚園と保育所の施設の共用化等に関する指針について」により共用化された施設において、一定の条件を満たす場合、幼稚園児と保育所児を合同で教育・保育することができることとするとともに、幼稚園と保育所の保育室を共用することができることとする。

2　留意事項

(1)　1の取扱いを実施するに当たっては、次の①から⑤までを満たすことが必要であること。

①　幼稚園児と保育所児が一緒に活動する保育室は、幼児（幼稚園児及び保育所児）の数の合計により児童福祉施設最低基準（昭和23年厚生省令第63号）第32条及び第33条の面積基準及び職員配置基準を満たしていること。
②　幼稚園設置基準第５条第５項の規定により行われる幼稚園児と保育所児による合同活動であること。
③　幼児の教育・保育に直接従事する職員は、幼稚園教諭免許及び保育士資格を併有し、合同活動を行う幼稚園児及び保育所児がそれぞれ在籍する幼稚園の幼稚園教諭及び保育所の保育士を兼務していること。
④　合同活動の内容は、幼稚園教育要領と保育所保育指針に沿ったものであること。
⑤　共用化された保育室は、当該保育室において合同活動を行う幼稚園児及び保育所児それぞれの定員数で按分して管理すること。なお、合同活動を行う各保育室の幼児数が増減しても、共用する保育室全体における合同活動を行う保育所児及び幼稚園児の定員数の合計数の範囲内である限りは、改めて按分する必要はなく、財産処分の手続きは必要ないこと。

(2)　１の取扱いを実施するに当たっては、幼児教育担当部局と児童福祉担当部局との間で情報交換等を密に行い、十分な連携・調整を図ることにより、１の取扱いが円滑に実施できるよう努めること。

別添・別紙２　略

○保育所の調理室と学校の給食施設の共用化について

〔平成16年３月31日　雇児発第0331027号
各都道府県知事・各指定都市市長・各中核市市長宛　厚生
労働省雇用均等・児童家庭局長通知〕

保育所における調理業務については、原則、施設内の専用の調理室を使用することとし、例外的に、「幼稚園と保育所の施設の共用化等に関する指針について」（平成10年３月10日文初幼第476号・児発第130号）に基づく施設においては、保育所の調理室について、幼稚園の給食施設との共用を認めてきたところである。

今般、規制改革推進３か年計画（再改定）（平成15年３月28日閣議決定）なども踏まえ、保育所の調理室については、幼稚園に加え、一定の要件を満たす場合、学校教育法（昭和22年法律第26号）第１条に規定されている学校（以下「学校」という。）の給食施設との共用することを認めることとしたので、下記に留意して実施するよう、管内市区町村及び関係者に周知し、当該措置が円滑に実施できるよう御配意をお願いする。

なお、本通知は、地方自治法（昭和22年法律第67号）第245条の４第１項の規定に基づく技術的な助言に該当するものである。

1　内容

待機児童解消等のために、地域において、例えば、学校の余裕教室を活用して保育所の整備を行う必要がある場合など、特段の必要性がある場合、学校の給食施設について、保育所と合築し、併設し、又は同一敷地内にあれば、２の留意事項を満たす限り、保育所の調理室と学校の給食施設を共用することができることとするものである。

2　留意事項

保育所における調理業務については、児童の発達段階や健康状態に応じた離乳食、幼児食やアレルギー・アトピー等への配慮など安全・衛生面及び栄養面等での質の確保が図られるべきものであり、保育所が責任をもって行えるよう、施設内の専用の調理室を使用して行うことが望ましいが、待機児童解消等のため、地域において、特段の必要性があることにより、１の措置を実施するに当たっては、次の点に留意すること。

①　離乳食、幼児食やアレルギー食等への対応が可能である設備・体制を整えること。

②　入所児童の食事の内容・回数・時機に適切に応じることができること。

③　学校給食の円滑な実施に影響を与えないよう教育委員会と密接に連携し実施すること。

3　調理室の管理について

学校の給食施設と共用する保育所の調理室については、教育委員会や学校と密接に連携し、適切に管理すること。

○幼稚園と保育所との関係について

〔昭和38年10月28日　文初初第400号・児発第1046号
各都道府県知事宛　文部省初等中等教育・厚生省児童局長
連名通知〕

幼児教育の充実振興については、かねてから種々御配慮を煩わしているところでありますが、近時、人間形成の基礎をつちかう幼児教育の重要性が認識され、幼稚園および保育所の普及と内容の改善充実の必要が強調されていることにかんがみ、文部、厚生両省においては、幼稚園と保育所との関係について協議を進めた結果、今後下記により、その適切な設置運営をはかることにいたしましたので、このことを貴管下の市町村長、市町村教育委員会等に周知徹底させ、幼児教育の振興について、今後いっそうの御配意を願います。

記

1　幼稚園は幼児に対し、学校教育を施すことを目的とし、保育所は、「保育に欠ける児童」の保育（この場合幼児の保育については、教育に関する事項を含み保育と分離することはできない。）を行なうことを、その目的とするもので、両者は明らかに機能を異にするものである。現状においては両者ともその普及の状況はふじゅうぶんであるから、それぞれがじゅうぶんその機能を果たしうるよう充実整備する必要があること。

2　幼児教育については、将来その義務化についても検討を要するので、幼稚園においては、今後5歳児および4歳児に重点をおいて、いっそうその普及充実を図るものとすること。この場合においても当該幼児の保育に欠ける状態があり得るので保育所は、その本来の機能をじゅうぶん果たし得るよう措置するものとすること。

3　保育所のもつ機能のうち、教育に関するものは、幼稚園教育要領に準ずることが望ましいこと。このことは、保育所に収容する幼児のうち幼稚園該当年齢の幼児のみを対象とすること。

4　幼稚園と保育所それぞれの普及については、じゅうぶん連絡のうえ計画的に進めるものとすること。この場合、必要に応じて都道府県または市町村の段階で緊密な連絡を保ち、それぞれ重複や偏在を避けて適正な配置が行なわれるようにすること。

5　保育所に入所すべき児童の決定にあたっては、今後いっそう厳正にこれを行なうようにするとともに、保育所に入所している「保育に欠ける幼児」以外の幼児については、将来幼稚園の普及に応じて幼稚園に入園するよう措置すること。

6　保育所における現職の保母試験合格保母については、幼稚園教育要領を扱いうるよう現職教育を計画するとともに、将来保母の資格等については、検討を加え、その改善を図るようにすること。

○保育所の設置認可に係る規制緩和に伴う保育所を設置する社会福祉法人による幼稚園の設置について

〔平成12年3月31日　文初幼第523号
各都道府県知事宛　文部省初等中等教育局長通知〕

このたび、別添のとおり、平成12年3月30日付けで厚生省児童家庭局長から各都道府県知事、指定都市市長及び中核市市長あてに、社会福祉法人以外の者による保育所の設置を認めること等を内容とする「保育所の設置認可等について」の通知がなされました。これにより、今後、幼稚園を設置する学校法人も保育所を設置することができることとなります。

幼稚園の新設については、各都道府県においてこれまで基本的に学校法人が行うこととして設置認可の事務処理が行われてきているところでありますが、上記の厚生省通知により、幼稚園を設置する学校法人が保育所を設置することができることとされたことに伴い、今後、幼稚園と保育所との均衡の確保等の観点から、保育所を設置する社会福祉法人から私立の幼稚園の設置認可に関する申請があった場合には、その取扱いについて適切な御配慮をお願いします。

別添　略

○都市基盤整備公団から建物等の貸与を受けて特別養護老人ホーム等を設置する場合の取扱いについて

〔平成12年12月27日　社援第2809号・老発第862号・児発第987号
北海道知事宛　厚生省社会・援護・老人保健福祉・児童家庭局長連名通知〕

今般、平成12年度補正予算において、都市基盤整備公団（以下「公団」という。）が賃貸住宅の建て替えを行う際に、社会福祉法人（以下「法人」という。）が特別養護老人ホーム、老人短期入所施設、老人デイサービスセンター、老人福祉センター、老人介護支援センター及び保育所（以下「特別養護老人ホーム等」という。）を設置することを支援する目的で同賃貸住宅の敷地の一部を法人に賃貸する場合の賃料を低減する措置が別紙１のとおり建設省により実施されたところです。

また、法人が特別養護老人ホーム等を設置する場合の土地及び建物の所有者に係る要件について、今般の公団による上記措置の対象となる施設については、公団を国又は地方公共団体に準じるものとして扱うこととし、それぞれの施設に係る取扱いについては下記のとおりとすることとしました。

つきましては、貴職において適切な御配意をお願いするとともに、上記措置について貴管内市区町村（指定都市及び中核市を除く。）に対して周知を図られるようお願いいたします。また、上記措置に係る具体的な手続等の参考例は別紙２のとおりですので、併せて周知を図られるようお願いいたします。

なお、当該通知については、地方自治法（昭和22年法律第67号）第245条の４第１項の規定に基づく技術的助言として発出するものです。

記

１　公団が、賃貸住宅の建て替えを行う際に、法人が特別養護老人ホーム等を設置することを支援する目的で同賃貸住宅の敷地の一部を法人に賃貸する場合及び公団が同敷地に建設した特別養護老人ホーム等の施設を法人に賃貸する場合には、公団は、「社会福祉法人の認可について（通知）」（平成12年12月１日障第890号、社援第2618号、老発第794号、児発第908号厚生省大臣官房障害保健福祉部長、社会・援護局長、老人保健福祉局長、児童家庭局長通知）別紙１「社会福祉法人審査基準」の適用については、国とみなすこと。

２　「社会福祉施設等施設整備費及び社会福祉施設等設備整備費の国庫負担（補助）について」（平成３年11月25日厚生省社第409号事務次官通知）第２の７(2)の「既存建物を買収することが建物を新築することより、効率的であると認められる場合」とは、公団の建設した特別養護老人ホーム等（本補助金の対象ではない老人福祉センターを除く。）を買収する場合を含むこと。したがって、その場合には、自ら建物を建設した場合と同様に同補助金の対象となること。

（別紙１）

施策賃貸住宅供給促進運用金の拡充

〔平成12年11月
建　設　省〕

１　目的

都市基盤整備公団の既存賃貸住宅の建替えに際し、少子・高齢社会の進展を踏まえ、特定の社会福祉施設等の用に供する土地の社会福祉法人への賃貸を施策賃貸住宅供給促進運用金の対象事業に追加するとともに、当該施設が不足しているものの、新たな用地の取得等が困難である都市部において、郊外部並みの賃料で土地を提供するための措置を講ずることにより、その立地を促進し、公団賃貸住宅に居住する高齢者等及び周辺地域の高齢者等の生活環境の整備を推進する。

２　既存制度の概要

(1)　対象事業

①　既存賃貸住宅の改善による高齢者向け優良賃貸住宅の供給又は管理

②　既存賃貸住宅の建替えに際して行う、公営住宅及び社会福祉施設等の用に供する土地の地方公共団体への賃貸又は割賦譲渡

③　建替えにより新たに建設される賃貸住宅の公営住宅としての地方公共団体への賃貸

(2)　土地の賃貸の場合の運用益充当額

（土地の時価）×（財投金利）－（地代）＋（固定資産税・都市計画税相当額）

ただし、以下の額を限度。

（土地の時価）×（財投金利－非営利目的貸付料率）

３　制度拡充の内容

(1)　対象事業の追加等

特定の社会福祉施設等*の用に供する土地の社会福祉法人への賃貸を追加する。

＊老人デイサービスセンター、老人短期入所施設、老人福祉センター、老人介護支援センター、特別養護老人ホーム、保育所

なお、特定の社会福祉施設等の用に供する土地の賃貸にあっては、現行制度の対象事業分も含め、地方公共団体が当該土地に係る固定資産税等を全額免除する場合等に限るものとする。〔要件強化〕

⑵ 特定の社会福祉施設等の用に供する土地の賃貸に係る運用益充当額の特例

大都市地域の既成市街地*における特定の社会福祉施設等の用に供する土地の賃貸に係る運用益充当額の限度を

（土地の時価）×（財投金利－非営利目的貸付料率×0.5）

とする。

＊首都圏整備法の既成市街地、近畿圏整備法の既成都市区域、政令市の昭和45年人口集中地区

（別紙2）

公団の賃貸住宅の建て替えの際の特別養護老人ホーム等の併設について（標準的な手続例）

1 標記に係る手続については、通常は、各公団賃貸住宅において建て替え計画を策定する中で、住民側の要望を踏まえ、公団側と各都道府県・市区町村の福祉担当部局、住宅担当部局、社会福祉法人等との間で具体的な相談が行われることとなる。

2 上記を経た後、各賃貸住宅の敷地等の状況に応じ、おおむね次の3つの方式のうちいずれかの形で特別養護老人ホーム等の併設が行われることとなる。

⑴ 社会福祉法人が、公団から賃貸住宅の敷地の一部を賃借し、建物については自らの責任において建設し、特別養護老人ホーム等を設置する場合

・建物の建設については、通常どおり、社会福祉施設等施設整備費補助金の対象となる。

⑵ 社会福祉法人が、公団から賃貸住宅の敷地の一部を賃借した上で、公団により建設された建物を買い取って特別養護老人ホーム等を設置する場合

・ この場合に建物を買い取ることについても、社会福祉施設等施設整備費補助金の対象となる。

⑶ 社会福祉法人が、公団から、賃貸住宅の敷地の一部に加え、公団により建設された建物も併せて賃借して特別養護老人ホーム等を設置する場合

・ この場合には、社会福祉施設等施設整備費補助金の対象とはならないため、注意を要する。

＊ なお、今回新設されたのは社会福祉法人に係る土地賃料の低減措置であるが、市区町村において公立の施設を設置する場合には既に同様の措置が講じられているところである。

＊ また、本制度については、新設法人・既設法人の別なく対象とされているが、土地及び建物の両方について公団から賃借している法人の場合には、平成12年12月1日以降に設立された法人については1000万円以上に相当する資産を基本財産として有していなければならないことに注意する必要がある。（「社会福祉法人の認可について（通知）」（平成12年12月1日障第890号、社援第2618号、老発第794号、児発第908号厚生省大臣官房障害保健福祉部長、社会・援護局長、老人保健福祉局長、児童家庭局長通知）別紙1「社会福祉法人審査基準」第2の2⑴イを参照）

3 各都道府県・市区町村の福祉担当部局においては、住宅担当部局、公団関係者等との間で公団賃貸住宅の建て替えの具体的な場所・時期・対象となる社会福祉施設の整備計画等について情報交換を事前に行い、その上で必要に応じ具体的な計画を立案することが望ましい。また、その際には、必要に応じ本省の担当部局に相談されたい。

（別添）

通知発出先（公団賃貸住宅の建て替えの可能性のある都道府県知事及び当該都道府県管内の指定都市及び中核市市長）

北海道知事、札幌市長、旭川市長、
宮城県知事、仙台市長、
東京都知事、
茨城県知事、
千葉県知事、千葉市長、
神奈川県知事、横浜市長、川崎市長、
埼玉県知事、
静岡県知事、静岡市長、浜松市長、
愛知県知事、名古屋市長、豊橋市長、豊田市長、
三重県知事、
滋賀県知事、
大阪府知事、大阪市長、堺市長、
京都府知事、京都市長、
奈良県知事、
和歌山県知事、和歌山市長、
兵庫県知事、神戸市長、姫路市長、
岡山県知事、岡山市長、
広島県知事、広島市長、福山市長、
山口県知事、
福岡県知事、福岡市長、北九州市長、
鹿児島県知事、鹿児島市長
（合計21知事、23市長）

○大規模マンションにおける保育施設の設置促進について

〔平成29年10月18日　子保発1018第1号・国都計第75号・国住街第115号
各都道府県・各指定都市児童福祉所管部(局)長・都市計画行政担当部長・特定行政庁宛　厚生労働省子ども家庭局保育・国土交通省都市局都市計画・住宅局市街地建築課長連名通知〕

平素より児童福祉行政、都市計画・建築行政に関するご高配を賜り厚く御礼申し上げます。

子育て安心プラン（平成29年6月2日）（別紙1）においては、

「○大規模マンションでの保育園の設置促進

・容積率緩和の特例措置を活用したマンション建設時の保育施設併設のモデル事例を地方自治体に周知する。

・さらに、容積率緩和の特例措置を活用して建設される大規模マンションにおいて保育施設の適切な確保が図られるよう地方自治体に要請する。」

とされたところです。

これを踏まえ、容積率緩和の特例措置を活用したマンション建設時の保育施設等併設のモデル事例等について、別紙2のとおり取りまとめましたので、保育施設等併設を促進する際の参考として頂きますようお願いいたします。

また、子育て安心プランの内容に則し、容積率緩和の特例措置を活用して建設される大規模マンションにおいては、下記事項に留意し、保育施設の適切な確保を図って頂きますようお願いいたします。

都道府県におかれましては、貴管内の市町村（指定都市を除く）に対しましても、本通知を周知頂きますようお願いいたします。

記

(1)　容積率緩和の特例措置を活用しようとする大規模マンションの建設時には、特に保育施設に対する局所的な需要増が生じる可能性があることから、周辺地区の状況を含めた保育施設の必要性の有無、必要な規模等について検討し、建設に関する都市計画の立案時点や、総合設計制度等の許可申請時点から、都市計画部局、建築部局及び保育部局で連携し、情報共有に努めること。

(2)　検討の結果、需要増により新たな保育施設の確保が必要と見込まれる場合には、必要に応じて、保育施設の設置を都市計画の内容や総合設計制度の許可条件として反映し、その適用が図られるように検討すること。

(3)　当該大規模マンションの開発を行う事業者に対し、児童福祉政策の観点から保育施設の確保の必要性を示し、保育施設の設置を要請するとともに、必要に応じて、モデル事例について情報提供すること。

(4)　保育施設に係る容積率緩和の特例措置の適用に当たっては、当該施設の性質上、その需要が入居者及び周辺住民の年代構成に左右されることに鑑み、将来、保育施設の需要が減少した場合に許容されうる用途変更の範囲について、あらかじめ示しておくことが考えられること（別紙3）。

以上

別紙1　略

別紙2

容積率緩和の特例措置を活用したマンション建設時の保育施設等の併設事例

所在地	地区名等 (竣工年月日)	緩和手法	緩和後の容積率 (指定容積率)	住戸数	併設保育施設等	住宅以外の 併設用途
埼玉県 川口市	川口金山町12番 (H26.3)	高度 利用地区	350% (200%)	約360戸	保育所 定員：112名	事務所 店舗
東京都 港区	浜松町一丁目地区 (H31.5予定)	高度 利用地区	900% (600%)	約560戸	保育所 定員：40名	事務所 店舗
東京都 文京区	春日・後楽園駅前地区 (H33.11予定)	高度 利用地区	850%／950%／600% (600%)	約770戸	保育所（予定） 定員：未定	事務所 店舗
東京都 品川区	目黒駅前地区 (H29.11予定)	高度 利用地区	896%,550% (300%／500%／700%)	約940戸	保育所 定員：120名	事務所
東京都 豊島区	東池袋四丁目地区 (H33予定)	高度 利用地区	600%／1,000% (300%／400%／600%)	約230戸	保育所（予定） 定員：約60名	事務所 店舗
兵庫県 明石市	明石駅前南地区 (H29.3)	高度 利用地区	700% (600%)	約220戸	保育所 定員：38名	市役所窓口 図書館

東京都 中央区	勝どき五丁目地区 （H28.12）	再開発等 促進区	1070％ （400％）	約1,440戸	保育所 定員：45名	事務所 店舗
東京都 中央区	勝どき六丁目地区 （H20.1）	再開発等 促進区	960％ （400％）	約2,800戸	保育所 定員：45名	店舗
大阪府 大阪市	—※	総合設計 制度	500％ （300％）	約260戸	キッズルーム 63㎡	—
兵庫県 神戸市	—※	総合設計 制度	230％ （200％）	約250戸	遊び場（プレイロット） 925㎡	—

※個別のマンション名のため非掲載。国の総合設計許可準則（以下「準則」という。）で示す保育所等以外の保育施設について容積率を緩和した事例。

大規模マンションでの保育施設等の併設に係る地方公共団体の取り組み

保育施設等の併設を公共貢献として評価する運用基準等の例

1．都市計画諸制度

自治体名	運用基準等の名称	容積緩和の手法	保育施設に係る容積率緩和の内容
東京都	新しい都市づくりのための都市開発諸制度活用方針等	高度利用地区 特定街区 再開発等促進区	保育施設等の子育て支援施設の床面積に応じて容積率を緩和。
福岡市	福岡市都心部機能更新誘導方策	再開発等促進区	同上

2．総合設計制度（国の準則で示す保育所等以外の保育施設について容積率を緩和した事例）

自治体名	運用基準等の名称	国の準則で示す保育所等以外の保育施設に係る容積率緩和の内容
大阪市	大阪市総合設計許可取扱要綱実施基準	大阪市子育て安心マンションの認定を受ける共同住宅の一定のキッズルーム等について、当該施設に供する部分の容積率を緩和。
神戸市	神戸市総合設計制度許可取扱要領	こうべ子育て応援マンションの認定基準を満たした遊び場（プレイロット）について、公開空地に準ずる空地として扱い、容積率を緩和。

大規模マンションの建設に際し保育施設等の併設を求める条例等の例

自治体名	条例の名称	対象となる規模	内容
東京都 台東区	大規模マンション等の建設における保育所等の整備に係る事前届出等に関する条例	・共同住宅で総戸数100戸以上 ・敷地面積2,000㎡以上又は延べ面積1万㎡以上	保育施設等の設置が必要と認められる場合、整備の協力を要請。
東京都 世田谷区	世田谷区建築物の建築に係る住環境の整備に関する条例	・住戸専用面積が40㎡以上の住戸の数が50以上 ・住宅の用途に供する部分の床面積の合計が5,000㎡以上	建築の届け出前に、子育て施設等の設置について協議を行わなければならない。

別紙3

（参考：東京都作成資料より抜粋）

子育て支援施設や元気高齢者の交流施設の整備の促進（東京都）

平成29年3月30日改定、同年4月1日施行

都市開発諸制度活用方針等の改定について（東京都）

○容積率割増しの評価を受けた子育て支援施設※1について、将来の地域における子育て支援施設の需要や区市町との協議を踏まえ、他施設への転用を可能とします。
○元気高齢者の交流施設※2を容積率の割増しの評価対象とします。

	改定項目	改定前	改訂後
子育て支援施設	容積率割増しの評価を受けた施設の他施設への転用	子育て支援施設又は高齢者福祉施設※3	将来の子育て支援施設の需要を踏まえ、区市町との協議により定めた施設への転用を可能とする
高齢者向け施設	容積率割増しの評価対象	高齢者福祉施設	高齢者福祉施設及び元気高齢者の交流施設

【改定する東京都の都市開発諸制度】

○特定街区、高度利用地区、再開発等促進区を定める地区計画、総合設計許可

※1：保育所、認定こども園、放課後児童健全育成事業の用に供する施設、一時預かり事業の用に供する施設、その他これらに類する施設

※2：ふれあいサロンや老人クラブなど元気高齢者の活動拠点となる、区市町との協議を踏まえて設ける施設

※3：特別養護老人ホーム、グループホーム、有料老人ホーム、通所介護施設、小規模多機能型居宅介護施設、その他これらに類する施設

3　利用調整

○児童福祉法に基づく保育所等の利用調整の取扱いについて

〔平成27年２月３日　府政共生第98号・雇児発0203第３号
各都道府県知事・各指定都市市長・各中核市市長宛　内閣府政策統括官（共生社会政策担当）・厚生労働省雇用均等・児童家庭局長連名通知〕

子ども・子育て支援新制度（以下「新制度」という。）においては、国会における法案修正により、子ども・子育て支援法及び就学前の子どもに関する教育、保育等の総合的な提供の推進に関する法律の一部を改正する法律の施行に伴う関係法律の整備等に関する法律（平成24年法律第67号）による改正後の児童福祉法（昭和22年法律第164号。以下「法」という。）附則第73条第１項により読み替えられた法第24条第３項に基づき、当分の間、すべての市町村は、保育の必要性の認定を受けた子どもが、保育所、認定こども園、法第24条第２項に規定する家庭的保育事業等を利用するに当たり、利用調整を行った上で、各施設・事業者に対して利用の要請を行うこととされている。今般、その取扱いをお示しすることとしたので、貴管内の関係者に対して、これを周知し、その運用に遺漏なきよう御配意願いたい。

なお、本通知は、地方自治法（昭和22年法律第67号）第245条の４第１項の規定に基づく技術的助言であることを申し添える。

記

1　児童福祉法に基づく利用調整の基本的な考え方について

新制度においては、認定こども園、保育所、家庭的保育事業等（以下「保育所等」という。）につき、保育利用するに当たっては、すべての市町村（特別区を含む。以下同じ。）は、子ども・子育て支援法（平成24年法律第65号。以下「支援法」という。）第20条第１項の規定に基づき、支援法第19条第１項第２号又は同項第３号の区分に係る認定（以下「保育認定」という。）を受けた子どもについて、市町村が法第24条第３項及び附則第73条第１項に規定する利用調整を行った上で、各施設・事業者に対して利用の要請を行うこととしており、直接契約施設・事業である認定こども園及び家庭的保育事業等についても、保育所と同様、市町村が利用調整を行うこととなる。

保育認定を受けた子どもが、支援法第27条第１項に規定する特定教育・保育施設及び支援法第29条第１項に規定する特定地域型保育（以下「特定教育・保育施設等」という。）を利用するに当たって、利用申込みに係る支援法第20条第１項の規定に基づき、支援法第19条第１項第２号に係る認定（以下「２号認定」という。）を受けた子ども及び支援法第20条第１項の規定に基づき、支援法第19条第１項第３号に係る認定（以下「３号認定」という。）を受けた子ども並びに現に利用している２号認定を受けた子ども（以下「２号認定子ども」という。）及び３号認定を受けた子ども（以下「３号認定子ども」という。）の総数が、特定教育・保育施設等が設定している２号認定及び３号認定の利用定員を上回る場合、当該特定教育・保育施設等は、保育の必要度の高い順に受け入れることが求められている。そのため、市町村がすべての特定教育・保育施設等に係る利用調整を行うこととされ、特定教育・保育施設等は、利用の申込みを受けたときは、正当な理由なく、当該申込みを拒むことはできず、また、市町村の行う利用調整に対し協力義務が課せられている。

この利用調整の規定については、待機児童（「保育所等利用待機児童数調査について」（平成27年雇児保発0114第１号厚生労働省雇用均等・児童家庭局保育課長通知）に基づき、厚生労働省に報告を行うものをいう。以下同じ。）が多い自治体に限らず、すべての市町村がその保育利用につき、利用調整を行うことを求めており、国会における法案修正の結果、保育の実施義務を有する市町村に対し、保育利用の強い関与と調整を求める規定とされている。

2　利用調整までの流れについて

(1)　行政による情報提供について

支援法第58条第２項の規定により、特定教育・保育施設等における保育の利用に当たって、都道府県は、保護者の選択に資するよう、地域にある特定教育・保育施設等の情報を一覧性ある形で提供することが求められている。

このため、地域に存在する特定教育・保育施設等の一覧や、提供される教育・保育の内容、求められる利用者負担（「特定教育・保育施設及び特定地域型保育事業の運営に関する基準」（平成26年内閣府令第39号）第13条第３項又は第４項に規定する額についても含む）等について、保護者に分かりやすい形で示すことにより、利用調整の前提となる保護者の希望の基礎を固める。

なお、情報公表制度については都道府県が実施することとなっているが、一方、児童福祉法第21条の11の規定等を踏まえ、市町村による子育て支援事業の情報提供も実施されていることから、地域の保育資源について熟知している市町村からも、随時提供する体制を構築することが望ましいと考えられる。

その際、市町村事業である利用者支援事業等の活用により積極的に保護者の求めているサービスにつき情報提供等の適切な支援を行うことが望ましい。

⑵　施設・事業者による事前広報

⑴による情報提供のほか、特定教育・保育施設及び特定地域型保育事業の運営に関する基準（平成26年内閣府令第39号）第23条又は第50条に基づき、各施設・事業者が定める運営規程の概要、職員体制、利用者負担など、利用申込み者の施設・事業者の選択に資する重要事項を掲示することを含め、保護者の選択に資するよう、各施設・事業者において保育内容や設備環境等を保護者に知らせることや、保護者による見学希望に適宜対応する。

⑶　保育の必要性の認定

その上で、保護者からの申請により、市町村は、支援法第20条第１項に基づき、保育認定を行う。その際、市町村が利用調整を行うに当たって必要となる保護者の施設・事業の希望の聴取を同時に行うことも可能な取扱いとする。

支援法第20条第６項に基づき、市町村は、原則的に、30日以内に保育認定の可否を保護者に対し通知するものとする。

3　利用調整について

⑴　原則的な取扱い

市町村が利用調整を行うに当たって、２のとおり、保育認定を行った上で、支援法第27条第１項又は支援法第29条第１項に基づく確認を受けた保育所等について、利用調整の前提となる保護者の希望を聴取した上で、利用調整を行うこととなる。

具体的には、支援法第20条第３項等に基づき、各市町村は保育の必要性の認定を行うこととなるが、その際、子ども・子育て支援法施行規則（平成26年内閣府令第44号）第１条に定める保育の必要性の事由、同令第４条に定める保育必要量の認定、「子ども・子育て支援法に基づく支給認定等並びに特定教育・保育施設及び特定地域型保育事業者の確認に係る留意事項等について」（平成26年府政共生第859号・26文科発第651号・雇児発0910第２号内閣府政策統括官（共生社会政策担当）・文部科学省初等中等教育局長・厚生労働省雇用均等・児童家庭局長連名通知）第２の７に規定する優先利用を踏まえ、各市町村において、利用者ごとに保育の必要度について指数（優先順位）づけを行う。

その上で、市町村は、施設・事業所ごとに当該申請者の指数と利用希望順位を踏まえ、施設・事業所ごとに申請者の指数が高い方から順に利用をあっせんすることとし、高い指数の順番からあっせんした上で、同じ指数であれば、利用希望順位を踏まえて利用をあっせんすることとする。

⑵　直接契約施設・事業における利用調整の取扱い

(i)　基本的な考え方

直接契約施設・事業である認定こども園や家庭的保育事業等の利用に係る利用調整についても、保育所と同様に、⑴のとおり、市町村内のすべての施設・事業類型を通じて、保育の必要度の高い人から保育所等の利用のあっせんを行う調整方法を原則としている。

その上で、認定こども園や家庭的保育事業等は、直接契約施設・事業であることを踏まえ、待機児童がおらず、施設・事業につき利用状況に余裕のある市町村や待機児童解消の見込みが立っている市町村においては、直接契約である施設・事業の利用を希望する保護者の意見を最優先に尊重しつつ、的確な利用調整により、保育所等の利用が概ね可能な状況であることから、以下のとおり、保護者の希望をより踏まえた形で利用調整を行うことも可能な取扱いとする。

(ii)　対象となる市町村について

保育の必要度に応じた利用の保障をしながら、保護者の希望を可能な限り満たすため、次の①②のいずれかに該当する市町村については、以下(iii)(イ)の方法によることも差し支えない。

①　待機児童がおらず、保育所等の保育利用の状況に余裕のある市町村

過去３年間、以下の要件(a)(b)を満たし、各市町村における子ども・子育て会議において説明し、了解を得た市町村

(a)　４月１日時点における待機児童が０人であること

(b)　保育所等の利用定員数が当該市町村にお

ける利用児童数を上回っていること

② 待機児童が0人又はそれに比較的近い状況の市町村であって、翌年度には待機児童0人を達成又は維持出来る見込みが立つ市町村

(A)の対象市町村が、(B)の要件を満たし、保育の確保方策に係る責務を果たしていると認められる場合

(A) 対象市町村

以下の(ア)(イ)のいずれかに該当する市町村とする。

(ア) 対象となる市町村(1)：過去3年間、以下の(a)(b)の要件をいずれも満たす市町村

(a) 4月1日時点の待機児童が0人であること

(b) (iii)(イ)の方法に基づき利用調整を行うこととなる認定こども園等の利用定員が地方単独事業による認可外保育施設の定員を上回っていること

(イ) 対象となる市町村(2)：以下の(a)(b)の要件をいずれも満たす市町村

(a) 待機児童が50人未満であり、かつ、翌年4月時点において待機児童0人を達成又は維持できる見込みがある市町村

(b) (iii)(イ)の方法に基づき利用調整を行うこととなる認定こども園等の利用定員が、地方単独事業による認可外保育施設の定員を上回っていること

なお、翌年4月に、結果として、待機児童0人が達成又は維持できない場合、翌々年度の募集に当たっては(1)の原則的な利用調整方法によることとする。

(B) 対象となるための要件

以下のａ～ｃの要件をいずれも満たすこと

ａ 各市町村における子ども・子育て会議において調整方法を提示、了解を得ること

ｂ 利用者支援事業を活用する等し、保護者の幅広い選択をサポートすること

ｃ 当該認定こども園や家庭的保育事業等の利用調整の結果、利用があっせんできない場合、保護者に通知した上で、選考に漏れた保護者を利用調整により、第2希望以下の保育所等にあっせんできるようにすること

なお、①②に当てはまらない市町村については、(1)の原則的な利用調整方法によることとする。

ただし、①②に当てはまらない市町村であっても、一般的には、3歳以上児に関しては3歳未満児と比較して待機児童の発生状況が異なり、かつ、年度途中の変動も大きくないことから、こうした市町村であっても、2号認定子どもの待機児童が0人又はそれに近い市町村であって、翌年度に待機児童が0人を達成又は維持することができる見込みが立つ場合、直接契約である施設・事業の利用を希望する保護者の意見を最優先に尊重しつつ、的確な利用調整を行うことで、保育所等の利用が概ね可能な状況であるため、2号認定子どもに限って以下の(iii)(イ)の利用調整の取扱いを行うことを可能とする。

具体的には、(iii)(イ)による利用調整の対象となる認定こども園等の2号認定子どもに係る利用定員が、地方単独事業による認可外保育施設の定員（3歳以上）を上回っており、(ii)②(B)の要件を満たす市町村とする。

ただし、結果的に、翌年4月に2号認定子どもの待機児童0人が達成又は維持できない場合、翌々年度の募集に当たっては、(1)の原則的な利用調整方法によることとする。

(iii) 調整方法について

利用調整については、(ア)上記(i)のとおり、すべての施設・事業類型を通じて利用調整を行う方法で行うことが標準的な調整方法であるが、保護者の希望を可能な限り踏まえるという観点から、(ii)①②に該当する市町村については、(イ)直接契約施設・事業である認定こども園及び家庭的保育事業等において、それぞれ当該施設・事業を第1希望で利用希望する保護者の中から利用調整を行い、保育の必要度の高い順に決定する方法をとることも可能とする。この場合、例えば、市町村内の他の施設類型の利用調整の時期と揃える取扱いとすることも、園の希望時期を尊重する取扱いとすることも可能であるが、最終的に利用調整の時期は市町村が定めるものとする。

(イ)の利用調整方法を実施する場合、基本的には、施設・事業を通じて利用募集を行った上で、市町村が利用調整を行うこととする。なお、施設・事業を通じて第1希望の利用希望を申し込む際に保育認定の申請を同時に行っても差し支えない。

また、市町村において、当該利用調整方法を行うに当たっては、保護者が保育認定を申請する際、次年度の募集要項を配布する際等を活用して周知することを必須とする。

この取扱いを可能とする保護者の第１希望である施設・事業については、保育認定を受けた子ども１人につき１か所に限るものとし、第１希望の利用をあっせんできない場合、第２希望以下の施設・事業で通常の利用調整を行うこと。

仮に、第２希望以下の記載がない場合、保護者にその他の施設・事業の利用の意思がないかを明示的に確認すること。

(3)　家庭的保育事業等の連携施設に関する取扱い

家庭的保育事業等については、原則として０～２歳児を対象としていることから、当該事業を利用している保護者は、家庭的保育事業等の卒園後、２号認定子どもが通う施設を探す必要がある。特に、０～２歳の時点で就労し、保育を利用している保護者は、３歳の時点で保育の受け皿を利用する必要性は高いと考えられる。このため、卒園後の保育の受け皿を確保することにより、保護者に対する安心感や事業としての安定性につながることから、家庭的保育事業等の設備及び運営に関する基準（平成26年厚生労働省令第61号）第６条及び「家庭的保育事業等の設備及び運営に関する基準の運営上の取扱いについて」（平成26年雇児発0905第２号厚生労働省雇用均等・児童家庭局長通知）２(2)を踏まえ、家庭的保育事業者等に対し、連携施設を設定することを求めている。

(i)　連携施設について

家庭的保育事業等の連携施設については、認定こども園、保育所又は幼稚園とし、連携施設である場合については、受入施設である連携施設においてもホームページや募集要項等において連携施設である旨を明示した上で、連携施設の類型に応じ、①～③のとおり、連携施設がその利用定員を設定するに当たって、特定の家庭的保育事業等の卒園児が優先的に利用することができる枠（以下「優先的利用枠」という。）を設定することとする。

①　認定こども園

支援法第20条第１項に基づき、支援法第19条第１項第１号の認定（以下「１号認定」という。）及び２号認定を受けた子どものための利用定員の設定において、連携先である特定の家庭的保育事業等ごとに優先的利用枠を設定する。この範囲を基本として、利用調整の際に優先的に取り扱うことを予め当該認定こども園及び市町村が明示することにより、透明性を確保しつつ、特定の家庭的保育事業等から卒園する予定の保育認定を受けた子どもの保護者のうち、利用を希望する者の数に応じた最終的な次年度の優先的利用枠を設定し、優先的に利用を決定する。

②　保育所

２号認定を受けた子どものための利用定員の設定において、連携先である特定の家庭的保育事業等ごとに優先的利用枠を設定する。この範囲を基本として、利用調整の際に優先的に取り扱うことを予め当該保育所及び市町村が明示することにより、透明性を確保しつつ、特定の家庭的保育事業等から卒園する予定の保育認定を受けた子どもの保護者のうち、利用を希望する者の数に応じた最終的な次年度の優先的利用枠を設定し、優先的に利用させる。

③　幼稚園

１号認定を受けた子どものための利用定員の設定において、連携先である特定の家庭的保育事業等ごとに優先的利用枠を設定する。この範囲を基本として、入園選考時に優先的に取り扱うことを予め当該幼稚園が明示することにより、透明性を確保しつつ、特定の家庭的保育事業等から卒園する予定の保育認定を受けた子どもの保護者のうち、利用を希望する者の数に応じた最終的な次年度の優先的利用枠を設定し、優先的に入園させる。

連携施設の設定に当たっては、「家庭的保育事業等の設備及び運営に関する基準の運用上の取扱いについて」（平成26年雇児発0905第２号厚生労働省雇用均等・児童家庭局長通知）２(2)③を踏まえ、地域の実情に応じて、市町村がルールを定めた上で、例えば、当該家庭的保育事業等の卒園後の連携施設の利用につき、実際の利用実績等を踏まえた受入定員枠を目安として設けた上で、より実効性を持たせるよう、家庭的保育事業者等の利用者の卒園後の利用希望を把握してから最終的な受入枠を設けることとするなどが考えられる。

(ii)　連携施設に係る利用調整の取扱いについて

連携施設に係る利用調整については、「子ども・子育て支援法に基づく支給認定等並びに特定教育・保育施設及び特定地域型保育事業者の確認に係る留意事項等について」（平成26年府政共生第859号・26文科初第651号・雇児初0910第２号内閣府政策統括官（共生社会政策担当）・文部科学省初等中等教育局長・厚生労働省雇用均等・児童家庭局長連名通知）第２の７(2)ウ⑧を踏まえ、家庭的保育事業等の卒園後、連携施設の利用を希望する場合については、これを優先利用の対象とすることとする。

その上で、当該連携施設については、利用定員数から当該連携に基づき受け入れる家庭的保育事業等の卒園児の数を除いて利用調整を行うこととする。

ただし、連携施設が、連携に基づく家庭的保育事業等の卒園後の受入数を設定することは、もとより連携施設に通う０～２歳児の継続的利用を妨げるものではないことに留意すること。

なお、連携施設は、連携に基づく家庭的保育事業等の卒園後の受入数を設定することが求められるが、保護者の希望等に応じて、卒園後、連携施設以外の保育の受け皿を利用することも可能である。

その際は、利用調整を行う市町村において、調整に当たっての優先度を上げるなど、３歳以降のスムーズな利用を結びつけるための措置を講ずることも考えられる。

(4) 広域利用の際の利用調整の取扱いについて

保育認定を受けた子どもが居住する市町村と異なる市町村に存在する保育所又は認定こども園（認定こども園については、保育認定に係る利用に限る。）の利用を希望する場合については、保護者が居住する市町村（以下「居住地市町村」という。）と施設・事業が所在する市町村（以下「所在地市町村」という。）の間の調整が必要となる。

この場合は、所在地市町村において、他市町村に居住する住民の利用に関する優先度の取扱いに基づき、調整を行った上で、居住地市町村が利用のあっせんを行うこととなる。

その際に、所在地市町村においては、当該保護者の保育の必要度を踏まえつつ、

・各市町村間における住民の広域利用の実態
・地域における待機児童の発生状況や保育所等の利用定員の状況

等を勘案し、調整を行うこととする。

その際、市町村間で予め調整のうえ、事業計画において広域利用を前提とした保育の提供体制の確保方策を位置づけた場合については、所在地市町村において、当該位置づけに特に配慮した調整を行うこととする。

また、家庭的保育事業等については、支援法第43条第２項に基づき、確認の効力は確認権者である市町村の区域に居住地を有する者にのみ効力を有することとしており、所在地市町村以外の市町村に居住する者が利用しようとする場合、支援法第43条第４項に基づき、当該居住地市町村が確認を行うことに対し、所在地市町村が同意する必要があるなど、原則的には、所在地市町村に居住する者が利用することを想定している。

このため、保護者が居住地市町村以外に存在する家庭的保育事業等の利用を希望するためには、居住地市町村と所在地市町村が連絡・調整の上、所在地市町村の同意が得られることを前提に、上記の流れに従い、利用することを可能とする。

なお、事業所内保育事業における地域枠についても、事業所内保育事業の所在地市町村以外に居住する保護者であって、当該事業所内保育事業の近隣に所在する他の事業所に通勤等をしているものが、当該事業所内保育事業の地域枠の利用を希望することも考えられるが、この場合の調整についても、上記と同様に行うことが可能である。

○児童福祉法等の一部を改正する法律の施行に伴う関係政令の整備に関する政令等の施行について

〔平成９年９月25日　児発第596号
各都道府県知事・各指定都市市長・各中核市市長宛　厚生省児童家庭局長通知〕

注　平成28年８月31日雇児発0831第５号改正現在

児童福祉法等の一部を改正する法律（平成９年法律第74号。以下「改正法」という。）は、別添１のとおり平成９年６月11日に公布され、これに伴い、児童福祉法等の一部を改正する法律の施行に伴う関係政令の整備に関する政令（平成９年政令第291号。以下「改正政令」という。）が、別添２のとおり平成９年９月25日に公布され、また、児童福祉法施行規則等の一部を改正する省令（平成９年厚生省令第72号。以下「改正省令」という。）が別添３のとおり、同日公布されたところであるので、下記事項に留意の上、その運用に遺憾なきを期されたい。なお、改正法の施行に際し、留意すべきその他の事項については、別途追って通達することとしているので、念のため申し添える。

記

Ⅰ　改正政令の概要

１　放課後児童健全育成事業（改正政令第１条）

放課後児童健全育成事業を行う際の政令で定める基準として、利用する児童の健全な育成が図られるよう、衛生及び安全が確保された設備を備える等により、適切な遊び及び生活の場を与えて行うことを規定したものであること。

本事業の運営に当たっては、本事業が児童福祉の観点から実施されるものであることを踏まえ、福祉部局、教育委員会等関係行政機関及び児童館や地域の児童や青少年の健全育成を行う団体との連携を図りながら、地域の実情等に応じて、就労等により昼間保護者のいない家庭の小学校低学年児童の健全育成に努めることが必要であること。

２　保育の実施基準（改正政令第９条の３関係）

保育の実施基準については、改正政令第９条の３で定める基準に従い市町村（特別区を含む。以下同じ。）が定める条例により定めることとされており、条例の制定について、管下市町村（指定都市及び中核市を除く。）を指導されたいこと。

その際の参考となるよう、別紙１のとおり条例準則を作成したので、これを参照し、条例の制定等所要の規定の整備を図り、平成10年４月１日から円滑に保育の実施が行われるよう諸準備を進められたいこと。

なお、政令で定める基準の基本的考え方については、法改正前の入所措置基準の考え方を変更するものではないこと。

３　措置に当たっての児童福祉審議会の運営について（改正政令第９条の８関係）

⑴　改正法第27条第８項の規定に基づき、政令の定めるところにより措置を採る際に都道府県児童福祉審議会（又は指定都市児童福祉審議会。以下同じ。）の意見を聴かなければならない場合として、当該措置と児童若しくはその保護者の意向が一致しないとき又は都道府県知事（又は指定都市市長）が必要と認めたときを規定したものであること。

また、緊急を要する場合であらかじめ都道府県児童福祉審議会の意見を聴くいとまがない場合は、速やかに採った措置について都道府県児童福祉審議会に報告しなければならない旨規定したものであること。

なお、都道府県児童福祉審議会に対しては、児童相談所における相談や措置の状況も適宜報告することが望ましいこと。

⑵　都道府県知事（又は指定都市市長）が必要と認める場合としては、予定している措置と児童又はその保護者の意向は一致はしているが、措置又は措置解除後の処遇への対応について、法律や医療等の観点から専門的知見が必要と児童相談所長が認める場合等が考えられること。

⑶　都道府県児童福祉審議会の運営にあたっては、法律、医療等の専門家を含めた数名からなる専門の部会を設置して毎月審議を行うなど円滑な運営に配慮すること。

なお、地域の実情に応じて、専門の部会は複数設置しても差し支えないものであること。

４　児童自立生活援助事業（改正政令第９条の９）

⑴　児童自立生活援助事業は、里親に委託する措置又は児童養護施設、情緒障害児短期治療施設若しくは児童自立支援施設に入所させる措置を解除されたものその他都道府県知事が当該児童の自立のために援助及び生活指導が必要と認め

るものを対象として行うものであること。

(2) 児童自立生活援助事業を行う際の基準としては、児童が自立した生活を営むことができるよう、当該児童の身体及び精神の状況並びにその置かれている環境に応じて適切な援助及び生活指導を行うことを規定していること。

事業の運営を行うに当たっては、児童の内面の悩みや生育環境、現在の状況に対する深い理解に基づき、児童との信頼関係の上に立って援助及び生活指導を行うことが重要であること。

5 関係政令の整備関係

児童福祉施設の名称変更等に伴う所要の規定の整備を行ったものであること。

Ⅱ 保育所の入所に関する事項

1 保育所入所等の手続

(1) 保育の実施を希望する保護者は、「保育所入所申込書」(別表第1号様式)(以下「入所申込書」という。)に必要事項を記入した上で、その居住地の市町村長(特別区の区長を含む。以下同じ。)あてに当該入所申込書を提出すること。

(2) 市町村は、保育の実施基準の適正なる適用等の観点から、入所申込書の記載事項及び添付書類に基づき、保育に欠けるという事実を確認すること。その際、こうした確認のために必要な書類の簡素化を図るなど、申込者にとって過度の負担とならないよう十分配慮すること。

(3) 入所者の選考は基本的には保育所に対する申込者が当該保育所の定員を超える場合に行うこととし、入所を希望する保育所への受入れが可能である場合には当該保育所に入所させること。

(4) 市町村は、保育の実施を決定した児童ごとに「保育児童台帳」(別表第2号様式)を作成するとともに、保護者に対して「保育所入所承諾書」(別表第3号様式)(以下「入所承諾書」という。)を交付し、あわせて入所保育所に対しても当該入所承諾書の写を送付すること。なお、多数の児童について同時に保育所に送付する場合は、入所承諾書の写に代えて、入所承諾書の写に掲げられている事項を記載した表によって一括して行うことができること。また、保育所に対して、保育児童台帳の写を送付するか、又はこれに掲げられている入所児童の世帯の状況、保育の実施理由等を通知し、その保育所が児童票等を作成する場合の便宜に供すること。

(5) 市町村は、保育の実施を行わない場合には、保護者に「保育所入所保留通知書」(別表第4号様式)を交付し、入所を認められない旨及びその理由等を通知すること。

(6) 市町村は、保育所への入所の承諾に際して、保育所の利用に関する留意事項、保育料の納付等必要事項について十分説明を行うよう努めること。

(7) 保育の実施期間の満了前に入所児童の保育の実施理由の消滅、転出、死亡等によって保育の実施を解除した場合、保護者及び入所中の保育所に「保育実施解除通知書」(別表第5号様式)を交付すること。また、保育の実施の解除に際して事前に説明及び意見の聴取の手続をとるなど、福祉の措置及び保育の実施の解除に係る説明等に関する省令(平成6年厚生省令第62号)に十分留意すること。

(8) 市町村は、入所申込書の記載事項の変更の届出により保育児童台帳の記載事項に変更があったときのほか、毎年入所児童の家庭の状況等について事実の確認を行い、保育児童台帳の記載事項に変更があったときは、随時これを補正し、かつ、その旨を明確にしておくこと。

特に、徴収金に係る世帯の階層区分の認定に必要な所得税等の課税状況については、保護者から必要な書類を求めることなどにより把握に努めるとともに、税務関係機関と連携を図りつつ、誤りのないよう十分な事務処理体制で確認し、その迅速適正な処理に努めること。

(9) なお、(1)、(4)、(5)及び(7)の書類の記入注意及びその運用については、別紙2「市町村における保育の実施に伴う関係様式の記入注意及びその運用について」により適正なる事務処理を期すること。

(10) 本通知の実施前からすでに入所している児童についても「保育児童台帳」はなるべく新様式を踏まえた修正を行うよう指導すること。

2 保育所入所申込書の提出の代行

(1) 改正法第24条第2項の規定により入所申込書の提出を代行する保育所は、日頃から関係市町村の入所申込手続について十分に把握し、保護者から代行の依頼があった場合に当該保護者の了解を得た上で入所申込書の記載事項を確認し、記入もれ等を防ぐなど保護者の負担軽減に資するよう努めること。

(2) 入所申込書の提出の代行に関わる者は、当該代行により知り得た、児童や家庭に関する秘密を正当な理由なく漏らしてはならないこと。

3 公正な方法による選考

(1) 改正法第24条第3項の公正な方法による選考

については、保育所や申込みのあった児童の家庭の状況等地域の実情を十分に踏まえ、市町村において客観的な選考方法や選考基準を定めるとともに、これらについて、あらかじめ地域住民に対して適切な方法で情報を提供すること。

(2)　前記の選考方法として優先度の点数化等を行う場合には、客観的な評価が行われるよう留意するとともに、その際に優先する要素（例えば、母子家庭や父子家庭、その他兄弟の入所状況、延長保育・障害児保育の必要度等）がある場合には、当該要素を選考基準において明確にしておくこと。

(3)　保育所の入所申込みに関しては、従来と同様、行政不服審査法（昭和37年法律第160号）の規定による不服申立ての対象となること。

4　情報提供

(1)　改正法第24条第5項の規定による市町村が行うべき情報提供は、次に掲げる事項に関する情報を、保育所一覧簿の備付け等地域住民が自由に利用できる方法で提供すること。

(ア)　各保育所の名称、位置及び設置者に関する事項（設置者と運営者が異なる場合にはそれら両方）

(イ)　各保育所の施設及び設備の状況に関する事項

(ウ)　各保育所の運営の状況に関する事項

・　保育所の入所定員、入所状況、職員の状況、開所している時間（開所時間及び閉所時間）

・保育所の保育の方針

・　その他保育所の行う事業に関する事項

保育の実施に関する事業のその他の実施状況（1日の過ごし方、年間行事予定、父母会等の有無等）、延長保育、一時保育、障害児保育等の特別保育事業の実施状況（実施の有無、利用料、実施時間、職員の状況等）やその他の保育所が自主的に取り組んでいる事業（放課後児童健全育成事業、休日保育、子育て相談等）の実施状況等

(エ)　保育料に関する事項

(オ)　保育所への入所手続に関する事項（申込手続、選考方法、選考基準等）

(カ)　市町村の保育の実施の概況（入所希望児童数、入所児童数、待機児童数、公私別の保育コスト、特別保育事業への取組み状況等）

なお、情報提供に際しては、例えば保育所の付近図を示すことや保育所の施設の写真・図面を示すなど、利用者がわかりやすいような方法で実施するよう努めること。

(2)　市町村は(1)の方法による情報提供のほか、広報誌、パンフレット、インターネット、ケーブルテレビ等を活用し、保育所に関する情報について地域住民に広く周知するよう努めること。

(3)　改正法第48条の3の規定により保育所が情報提供に努めるべき事項としては、1日の過ごし方、年間行事予定、当該保育所の保育方針、職員の状況その他当該保育所が実施している保育の内容に関する事項をいうものであること。

(4)　市町村は、認可外保育施設についても、「認可外保育施設に対する指導監督の実施について」（平成13年3月29日雇児発第177号）の第6の2を踏まえ、児童福祉法第59条の2の5第2項等の規定に基づき都道府県から提供された情報等について、(1)に準じた情報提供に努めること。また、都道府県、指定都市及び中核市は、認可外保育施設に対して、(3)の事項に関する情報提供に努めるよう指導すること。

5　広域入所

(1)　先般の児童福祉法の改正により、保育の実施に関する地方公共団体の連絡調整の義務が法律に規定されたことに鑑み、保育に欠ける児童を居住地の市町村以外の市町村にある保育所に入所させること（以下「広域入所」という。）に関する需要が見込まれる市町村は、こうした需要に的確に対応できるよう、あらかじめ関係市町村との間で十分に連絡調整を図り、広域入所の体制整備に努めること。

(2)　広域入所を希望する保護者は、居住地の市町村に入所の申込みを行うこと。

(3)　都道府県は、広域入所に係る市町村間の総合的調整を行うとともに、都道府県を越える広域入所について、必要に応じ保育所が所在する都道府県及び市町村との連絡調整を行うこと。

6　実施期日

本通知は、平成10年度から実施するものであるが、実施前であっても、今後の入所手続については、できる限り改正法の趣旨を踏まえた対応を行うよう努めること。

7　その他

(1)　昭和36年12月12日児発第1324号「保育所入所申請書その他保育所への入所措置に伴う関係書類の様式について」、昭和44年12月27日児発第809号「保育所の入所措置及び運営管理の適正

化について」、昭和50年6月10日児発第354号「保育所入所措置等の適正実施について」及び昭和52年12月15日児発第785号「保育所への入所措置及び運営の適正実施について」は、廃止する。

(2)　「保育所入所手続き等に関する運用改善等について」（平成8年3月27日児発第275号）の一部改正　略

別添1～3　略

（別紙1）

保育の実施に関する条例準則

（趣旨）

第1条　この条例は、児童福祉法（昭和22年法律第164号）第24条第1項の規定に基づき、保育の実施に関し必要な事項を定めるものとする。

（保育の実施基準）

第2条　保育の実施は、児童の保護者のいずれもが次の各号のいずれかに該当することにより、当該児童を保育することができないと認められる場合であって、かつ、同居の親族その他の者が当該児童を保育することができないと認められる場合に行うものとする。

一　居宅外で労働することを常態としていること。

二　居宅内で当該児童と離れて日常の家事以外の労働をすることを常態としていること。

三　妊娠中であるか又は出産後間がないこと。

四　疾病にかかり、若しくは負傷し、又は精神若しくは身体に障害を有していること。

五　長期にわたり疾病の状態にある又は精神若しくは身体に障害を有する同居の親族を常時介護していること。

六　震災、風水害、火災その他の災害の復旧に当たっていること。

（○　地域の実情に応じて、必要があれば前各号に類する事項を規定する。）

七　市［町村］長が認める前各号に類する状態にあること。

（申込手続等）

第3条　この条例に定めるものの外、申込手続その他保育の実施に関し必要な事項は、市［町村］長が別にこれを定める。

附　則

この条例は、平成10年4月1日から施行する。

（第１号様式）

※第　　　　号

保育所入所申込書

平成　　年　　月　　日

保護者住所

氏　名

市町村長（福祉事務所長）　　　殿

保育所への入所につき次のとおり申込みます。

入所児童	氏　名	生年月日	性別	備　考
	（ふりがな）	平成　年　月　日生	男・女	
入所を希望する保育所名	第１希望	（希望理由）		
	第２希望	（希望理由）		
	第３希望	（希望理由）		
保育の実施を希望する期間	平成　年　月　日から　平成　年　月　日まで			
保育の実施を必要とする理由	両親等：（　）、（　）			

○入所児童の家庭の状況

区分	氏　名	入所児童との続柄	生年月日	性　別	職業	課税の有無 前年度分市町村民税	課税の有無 前年分所得税	備　考
入所児童の世帯員	（ふりがな）			男・女		有・無	有・無	
				男・女		有・無	有・無	
				男・女		有・無	有・無	
				男・女		有・無	有・無	
				男・女		有・無	有・無	
				男・女		有・無	有・無	
生活保護の状況			適用なし　　適用あり（平成　年　月　日保護開始）					

※市町村記載欄	入所申込みの承諾	保育の実施の要否	保育の実施期間	保育の実施基準の番号
		要・否 （理由） 平成 年　月　日承諾	自平成　年　月　日 至平成　年　月　日	両親等：（　）、（　）
			入所保育所	
			備　考	

○裏面の注意をよく読んでから記入して下さい。※印の欄には記入する必要がありません。

○字は楷書ではっきりと書いて下さい。

記入上の注意

この入所申込書は、保護者が次の点に注意し記入のうえ市町村役場（市については福祉事務所）に提出して下さい。なお、その家庭から２人以上の児童が同時に入所を申込む場合は、それぞれの児童ごとに１枚の用紙を用いて下さい。

1　「入所児童」の欄は、「氏名」にふりがなを付し、「性別」の欄は該当するものを○で囲んで下さい。

2　「入所を希望する保育所名」は希望する順位に従い保育所名を記入し、また、その保育所を希望する理由（例えば、既に兄弟が入所しているため、延長保育を実施しているため、距離が近いため等）を記入して下さい。

3　「保育の実施を希望する期間」には、小学校就学始期に達するまでの４の保育の実施を必要とする理由に該当すると見込まれる期間の範囲内で記入して下さい。

4　保育所へ入所できる基準は次の表に掲げるような場合で、かつ、両親以外の同居している親族等が児童の保育をできない場合に限られます。「保育の実施を必要とする理由」の欄については、（　）内に両親（両親と別居している場合には、現在児童の面倒を実際にみている者）が下の表の(1)から(6)までに掲げるいずれの場合に該当するかを判断して、その該当する番号を全て記入し、かつ、その具体的な状況について、同欄に記入して下さい。（例えば、(1)や(2)に該当する場合は勤務先・就労時間・就労日数等、(3)では親の具体的状況等、(4)では傷病名や治療見込み期間等、(5)では看護している病人等の傷病名や治療見込み期間等、(6)では災害の程度・復旧見込み期間等）

なお、具体的な状況を確認できる書類があればあわせて添付して下さい。

5　「入所児童の世帯員」の欄は、入所児童本人以外の入所児童の両親（同居・別居の別を「備考」に記入してください）及び同居している親族等の全員について記入するとともに、「性別」及び「課税の有無」の欄は、該当するものを○で囲んで下さい。また、世帯員の中で入所児童の他に保育所、幼稚園又は認定こども園に入所している者がいる場合は、当該施設名、所在地及び電話番号を「備考」に記入して下さい。

なお、保育料の決定のために必要な書類をあわせて添付して下さい。

6　保育所への入所については、

・保育所へ入所できる基準に該当しないために入所が認められない場合

・希望者が多数いるため希望する保育所へ入所できない場合

・保育所へ入所できる基準の該当事由により保育の実施期間の希望に添えない場合

がありますから、あらかじめご承知下さい。

保育所へ入所できる基準

保育所へ入所できる児童は、両親いずれも（両親と別居している場合には児童の面倒をみている者）が次のいずれかの事情にある場合です。

(1)　（家庭外労働）児童の親が家庭の外で仕事をすることが普通なので、その児童の保育ができない場合

(2)　（家庭内労働）児童の親が家庭で児童とはなれて日常の家事以外の仕事をすることが普通なので、その児童の保育ができない場合

(3)　（親のいない家庭）死亡、行方不明、拘禁などの理由により親がいない家庭の場合

(4)　（母親の出産等）親が出産の前後、病気、負傷、心身に障害があったりするので、その児童の保育ができない場合

(5)　（病人の看護等）その児童の家庭に長期にわたる病人や、心身に障害のある人があるため、親がいつもその看護にあたっており、その児童の保育ができない場合

(6)　（家庭の災害）火災や、風水害や、地震などの不幸があり、その家庭を失ったり、破損したため、その復旧の間、児童の保育ができない場合

（第２号様式）

（表　面）

保　育　児　童　台　帳

第　　号		
保護者住所		
保護者氏名	入所保育所名	
保育の実施を必要とする理由		

		氏　　名	入所児童との続柄	年　　齢	性　別	職業	備　　考
入所児童の家庭の状況	入所児童	（ふりがな）	本　　人	平成　　年　月　日生	男・女		
	入所児童の世帯員				男・女		
					男・女		
					男・女		
					男・女		
					男・女		
					男・女		

摘　要

入所申込の年月日	保育の実施期間	保育の実施の解除の年月日	解除の理由
平成　年　月　日	平成　年　月　日から 平成　年　月　日まで	平成　年　月　日	

（裏　　面）

保育の実施の経過

<table>
<tr><td rowspan="4">入所申込みの承諾</td><td>保育の実施の要否</td><td colspan="2">保育の実施期間</td><td>保育の実施基準の番号</td></tr>
<tr><td rowspan="3">要・否
（理由）

平成
年　月　日承諾</td><td colspan="2">自平成　年　月　日
至平成　年　月　日</td><td>両親等：(　)、(　)</td></tr>
<tr><td>入所保育所</td><td colspan="2"></td></tr>
<tr><td>備　　考</td><td colspan="2"></td></tr>
<tr><td>その後の経過</td><td colspan="4"></td></tr>
</table>

世帯階層区分の認定経過

<table>
<tr><td rowspan="3">課税の状況</td><td rowspan="2">前年度分市町村民税</td><td>均等割</td><td>円</td><td>円</td><td>円</td><td>円</td></tr>
<tr><td>所得割</td><td>円
平成　年　月　日</td><td>円
平成　年　月　日</td><td>円
平成　年　月　日</td><td>円
平成　年　月　日</td></tr>
<tr><td colspan="2">前年分所得税額</td><td>円
平成　年　月　日</td><td>円
平成　年　月　日</td><td>円
平成　年　月　日</td><td>円
平成　年　月　日</td></tr>
<tr><td colspan="3">生活保護法適用の有無</td><td>有・無
平成　年　月　日
開始
平成　年　月　日
廃・停止</td><td>有・無
平成　年　月　日
開始
平成　年　月　日
廃・停止</td><td>有・無
平成　年　月　日
開始
平成　年　月　日
廃・停止</td><td>有・無
平成　年　月　日
開始
平成　年　月　日
廃・停止</td></tr>
<tr><td colspan="3">世帯階層区分の認定</td><td></td><td></td><td></td><td></td></tr>
<tr><td colspan="3">保　育　料</td><td>円</td><td>円</td><td>円</td><td>円</td></tr>
</table>

（第３号様式）

第　　　　号

保　育　所　入　所　承　諾　書

文書番号

平成　　年　　月　　日

市町村長（福祉事務所長）氏名　　　　　　㊞

殿

申込みのありました保育所への入所について次のとおり承諾いたします。

入所する児童の氏名及び生年月日	平成　　年　　月　　日生
入所する保育所の名称及び所在地	
保育の実施期間	平成　　年　　月　　日から平成　　年　　月　　日まで
保育料の月額及び納入方法	円

備考　1　保育料について変更のあった場合はその旨通知いたします。

2　保育所入所申込書の記載事項に変更が生じた場合には、速やかにその旨を届け出て下さい。

3　保育の実施期間中であっても保育所へ入所できる基準に該当しなくなった場合には保育の実施を解除いたします。

（第４号様式）

第　　　　号

保　育　所　入　所　保　留　通　知　書

文書番号

平成　　年　　月　　日

市町村長（福祉事務所長）氏名　　　　　　　　　印

殿

申込みのありました保育所の入所については、次の理由により保留となりましたので通知いたします。

児童の氏名及び生年月日	平成　　年　　月　　日生
保留となった理由	
保留の有効期限	平成　　年　　月　　日
備考	

本決定について不服があるときは、この決定があったことを知った日の翌日から起算して３月以内に審査請求をすることができます。

また、本決定の取消しを求める訴えをする場合は、この決定があったことを知った日から６か月以内に、市町村を被告として（訴訟において市町村を代表する者は市町村長となります。）当該訴えを提起することができます。ただし、正当な理由がない限り、この決定の日から１年を経過したときは、提起することができません。

なお、保留の有効期限中に、申込みのありました保育所に欠員が生じる等、当該保育所に入所可能となった場合には、その旨を御連絡いたします。

（第５号様式）

第　　　号

保　育　実　施　解　除　通　知　書

文書番号

平成　　年　　月　　日

市町村長（福祉事務所長）氏名　　　　　印

殿

次の児童についての保育の実施を解除することにいたしましたから、通知いたします。

入所する児童の氏名及び生年月日	平成　　年　　月　　日生
入所する保育所の名称及び所在地	
保育の実施の解除の年　　月　　日	平成　　年　　月　　日
保育の実施の解除の理　　　由	

備考　本決定について不服があるときは、この決定があったことを知った日の翌日から起算して60日以内に異議申し立てをすることができます。

（別紙２）

市町村における保育の実施に伴う関係様式の記入注意及びその運用について

第１　保育所入所申込書（第１号様式）関係

この入所申込書の下表の「市町村記載欄」は、市町村長が申込みに係る児童について保育の実施を決定する際に用いるものであるから、次の点に留意すること。

1　申込みを受け付ける際、入所申込書に記入もれ、誤記等があれば随時これを補正し正確を期すること。

2　入所申込書の「入所児童の家庭の状況」の表の「備考」の欄は、各世帯員の労働状況（勤務先、勤務時間など）、健康状況（病名、治ゆ期間など）等保育の実施につき参考となるべき事項を具体的に記入すること。

3　「保育の実施期間」の欄には、申込者からの希望期間のうち希望の小学校就学始期に達するまでの間で保育に欠けると見込まれる期間を記入し、「保育の実施基準の番号」の欄には保育の実施基準の各号におけるその適用項目の番号を記入すること。なお、児童福祉法（昭和22年法律第164号）第39条第２項に規定する児童の場合は、「保育の実施期間」は１年の範囲内においてその期間を記入する。

4　選考を行った場合には、「保育の実施の要否」の「備考」の欄に、選考の結果を記入すること。

第２　保育児童台帳（第２号様式）関係

1　この台帳の表面の表は、「保育所入所申込書」を基礎として転記し作成すること。したがってこの表の記入上の注意事項は入所申込書の場合の取扱いと同様であること。なお「解除の理由」の欄は、保育の実施期間満了の場合は「保育の実施期間満了」と記入し、保育の実施期間満了前の場合は「保育の実施理由消滅」、「転出」、「本人死亡」と記入すること。

2　この台帳の裏面の「保育の実施の経過」の表の「入所申込みの承諾」の欄は、入所申込書の下表の「市町村記載欄」の欄の記入事項をそのまま転記すること。

「その後の経過」の欄は、保育の実施期間到来前に、入所申込書の記載事項の変更の届出がある場合、又はその家庭の状況等について確認を行う場合に用いるものであり、保育児童台帳の当初の記載事項に変更があったときは随時これを補正し、かつ、その旨を明確にしておくこと。

3　「保育の実施期間」の満了前に児童の保育の実施理由の消滅、転出、死亡等によって保育の実施を解除した場合は当該欄にその解除した日及びその旨を記載しておくこと。

4　この台帳の裏面の「世帯階層区分の認定経過」の表の記入は負担金交付の基礎となるものであるから、課税の状況等について十分確認の上記入しておくこと。また、記入にあたっては次の点に留意すること。

(ア)　「課税の状況」の欄の「前年度分市町村民税」又は「前年分所得税額」の課税額の記入にあたっては、入所児童と同一世帯に属して生計を一にしている父母及びそれ以外の扶養義務者（家計の主宰者である場合に限る。）のすべてについて、各人の課税額の内訳及びその合計額を明確に記入すること。

ただし、私立認定保育所（就学前の子どもに関する教育、保育等の総合的な提供の推進に関する法律（平成18年法律第77号）第10条第１項第５号に規定する私立認定保育所をいう。）の入所児童については、当該入所児童と同一世帯に属して生計を一にしている父母及びそれ以外の保育の実施に係る保護者（家計の主宰者である場合に限る。）のすべてについて、各人の課税額の内訳及びその合計額を明確に記入すること。

(イ)　「生活保護法適用の有無」の欄は、各月初日現在において保護の適用又は非適用（休止の場合を含む。）の状況を認定し、保護の開始及び廃止（休止の場合を含む。）の年月日を記入すること。

(ウ)　「世帯階層区分の認定」の欄は、負担金の交付基準に定めるところにより当該世帯の階層の区分を記入すること。

(エ)　「保育料」の欄は、市町村がその保護者から各月実際に徴収する額を記入すること。

第３　保育所入所承諾書（第３号様式）関係

「保育料の月額及び納入方法」の欄には、改正法第56条第３項の規定に基づき徴収する保育料の月額を記入するとともに、保育料を納入すべき期日や方法について記入すること。

第４　保育所入所不承諾通知書（第４号様式）関係

この通知書は、保育所入所申込みについて不承諾とした場合に保護者に交付すること。

第５　保育実施解除通知書（第５号様式）関係

この通知書は入所承諾書の「保育の実施期間」の満了前に入所児童の保育の実施理由の消滅、転出、死亡等によって保育の実施を解除した場合のみに用いること。保育の実施期間満了の場合はその保育の実施は自然消滅するから、この通知書の交付は要しないこと。

第6　その他

以上の様式に掲げられている事項のほか、都道府県又は市町村において必要がある事項があるときは、これを加えて様式を定めて差し支えないこと。

○地方分権の推進を図るための関係法律の整備等に関する法律の施行に伴う厚生省児童家庭局所管法令の改正等について（抄）

〔平成12年3月31日　児発第350号
各都道府県知事・各指定都市市長・各中核市市長宛　厚生省児童家庭局長通知〕

今般、「地方分権の推進を図るための関係法律の整備等に関する法律」（平成11年法律第87号。以下「地方分権一括法」という。）及び「地方分権の推進を図るための関係法律の整備等に関する法律の施行に伴う厚生省関係政令の整備等に関する政令」（平成11年政令第393号。以下「厚生省分権一括政令」という。）が本年4月1日より施行されることに伴い、厚生省児童家庭局が所管する省令についても、「児童福祉法施行規則の一部を改正する省令」（平成12年厚生省令第43号）、「児童福祉施設最低基準の一部を改正する省令」（平成12年厚生省令第44号）、「母体保護法施行規則の一部を改正する省令」（平成12年厚生省令第45号）及び「母子及び寡婦福祉法施行規則の一部を改正する省令」（平成12年厚生省令第46号）により改正が行われ、同日付で施行されることとなったところである。その内容及び留意事項は下記のとおりであるので、管下市町村に周知の上、適切な事務の処理をお願いいたしたい。

なお、法定受託事務とされた事務については、地方自治法第245条の9において、地方公共団体が処理するに当たりよるべき基準（処理基準）を定めることができることとされているところであるが、これに関連して、これまで発出された通知の取扱い等について、地方分権推進委員会と現在協議中であり、その結果を踏まえて別途通知する予定である。

記

1　地方分権一括法の施行に伴う厚生省児童家庭局所管法令の主な改正内容

⑴　児童福祉法関係（障害児関係を除く。）

①　児童福祉法の一部改正関係

㋐　都道府県・市町村児童福祉審議会の組織、名称に関する必置規制を弾力化すること。（第8条関係）

㋑　児童福祉司の職務上の名称に関する規制を廃止すること。（第11条及び第11条の2関係）

㋒　児童の利益を保護するために緊急の必要があると認められる場合においては、指定療育機関の管理者、児童福祉施設の長、里親、保護受託者並びに認可外児童福祉施設の設置者若しくは管理者に対して都道府県知事が行うことのできる命令等を直接厚生大臣が執行することができるものとすること。（第59条の5関係）

㋓　国立児童福祉施設に入所した児童に係る費用徴収の際の都道府県知事による負担能力認定事務は地方自治法第2条第9項第1号に規定する第1号法定受託事務とされたこと。（第59条の6関係）

②　児童福祉法施行令の一部改正関係

㋐　⑴①㋐の改正に伴い、都道府県・市町村児童福祉審議会の運営方法の規制を廃止すること。（第2条から第7条の2まで関係）

㋑　国以外の者が設置する児童福祉施設の最低基準の遵守についての都道府県知事による実地検査の回数をおおむね6か月に1回から年1回以上へと改めること。（第12条の2関係）

㋒　従来児童福祉法施行規則に規定されていた指定保育士養成施設の厚生大臣指定の申請等に係る都道府県の経由事務を規定すること。（第13条関係）

㋓　児童福祉施設等の建築等に要する費用の負担に係る厚生大臣による関与の方法を、厚生大臣の承認から、厚生大臣への同意を要する協議に改めること。（第15条関係）

③　児童福祉法施行規則の一部改正関係

㋐　療育医療を行う病院の指定等を行った場合の都道府県知事の告示事務を廃止すること。（第12条及び第14条から第17条まで関係）

㋑　保育の申込みがない場合における市町村による保育の実施の勧奨の規定を削除するこ

と。(第23条第5項関係)

(ウ)　①②(ウ)の改正に伴い、所要の規定の整備を行うこと。(第39条の2から第39条の5まで関係)

(エ)　児童福祉司等の指定養成施設の厚生大臣指定に係る都道府県知事の経由事務を廃止すること。(第39条の6関係)

④　児童福祉施設最低基準の一部改正関係

(1)①(ア)の改正に伴い、都道府県児童福祉審議会及び児童福祉司に関する所要の改正を行うこと。(第3条及び第25条関係)

3　市町村による保育の実施の勧奨について

児童福祉法施行規則の改正事項中、1(1)③(イ)の改正は、児童福祉法第24条第4項及び第5項において、既に保育の実施の申込みに係る勧奨及び情報の提供が市町村の事務として義務づけられており、地方分権一括法により、地方公共団体は法律又は政令に規定された事務を処理するとされたこと(地方自治法第2条第2項)に伴い、削除することとしたものである。

したがって、市町村におかれては、保育に欠ける児童が適切に保育所に入所できるよう、引き続き、児童福祉法第24条第4項及び第5項に基づく保育の実施の申込みに係る勧奨及び情報の提供の事務を適切に行われたいこと。

○「民法等の一部を改正する法律の施行に伴う関係政令の整備に関する政令」及び「民法等の一部を改正する法律の施行に伴う厚生労働省関係省令の整備に関する省令」の施行について

〔平成23年12月28日　雇児発1228第4号
各都道府県知事・各指定都市市長・各児童相談所設置市市長宛　厚生労働省雇用均等・児童家庭局長通知〕

平成24年4月1日から、民法等の一部を改正する法律(平成23年法律第61号。以下「改正法」という。)が施行されることに伴い、「民法等の一部を改正する法律の施行に伴う関係政令の整備に関する政令」(平成23年政令第396号。以下「改正政令」という。)については、平成23年12月16日に別添1のとおり公布された。

また、「民法等の一部を改正する法律の施行に伴う厚生労働省関係省令の整備に関する省令」(平成23年厚生労働省令第157号。以下「改正省令」という。)については、平成23年12月28日に別添2のとおり公布された。

ついては、改正の内容は下記のとおりであるので、御了知の上、その運用に遺漏なきを期されるとともに、児童相談所等の関係機関、管内市町村及び関係団体等に対する周知を図られたく通知する。

なお、本通知は、地方自治法(昭和22年法律第67号)第245条の4第1項の規定に基づく技術的助言である。

記

第1　略

第2　児童福祉法施行規則(昭和23年厚生省令第11号)の一部改正(改正省令第2条関係)

1　保護者が法人である場合等の保育所の入所申込

改正法により、未成年後見人に法人を選任することが可能となったことに伴い、当該法人が保護者となる場合については、市町村に提出する保育所入所申込書への記載事項として、当該法人の名称等を記載することとし、申込書の提出先は、児童の居住地の市町村とする。

なお、改正後の民法第840条第2項の規定により、未成年後見人が複数選任され、児童の保護者が複数となる場合の保育所入所申込書への記載については、複数の保護者のうち、いずれかの記載で足りることとし、保護者に交付する書類についても同様とする。

2～4　略

第3～5　略

第6　施行期日(改正政令附則及び改正省令附則関係)

改正政令及び改正省令は、平成24年4月1日から施行するものとする。

別添1・2　略

○保育所入所手続き等に関する運用改善等について

〔平成８年３月27日　児発第275号
各都道府県知事・各指定都市市長・各中核市市長宛　厚生省児童家庭局長通知〕

注　平成29年５月31日雇児発0531第１号改正現在

保育所制度の運用については、利用者、保育関係者等からの要望をも踏まえ、時間延長型保育、一時的保育等の実施方法、補助要件等について、改善・規制緩和を図ったところである（平成６年８月31日児保第４号、平成７年３月15日児保第６号、平成７年４月25日児発第445号、平成７年６月16日児発第599号、平成７年６月16日児保第15号及び平成７年６月27日児保第16号）。

保育所入所手続き等に関しては、地域の実情に合わせて実施されてきていると考えているが、今後さらに、下記の配慮事項及び規制緩和事項に留意しつつ、制度の弾力的な運用を図られたく、貴管下市区町村及び保育所に対して周知するとともに、現下の多様な保育ニーズに応えた利用しやすい保育所となるよう特段の指導を願いたい。

また、下記の事項を含め、市区町村及び保育所において講じる利用者の利便に資する措置については、広報等により利用者に周知するよう併せて指導願いたい。

記

1　入所申込時期

就労形態が多様化していることにかんがみ、画一的な受付締切時期や入所時期を設定することのないようにすること。

特に、育児休業を取得し、職場に復帰する事例が増加していることにかんがみ、妊娠中からの入所申込の受付を開始するよう努めることにより、育児休業に入る前や出産前に入所時期を決定することを含め、入所時期より遡って早い時期に入所時期を利用者に教示できるようにすること。なお、年度途中の入所を受け入れる保育所の側にとっても年度が始まる前にその年度の入所予定者が決まっている方が保育士の配置計画等が立てやすいことにもかんがみ、市区町村の保育担当部局と母子保健担当部局が連携し、妊婦データを基に年度途中の入所希望を積極的に把握するような工夫を講じることも一法である。

さらに、入所時期を月の初日に限ることなく、利用者の入所希望時期に応じて月途中の入所ができるようにすること。これに対応し、月途中の入退所に係る運営費の国庫負担については、平成８年度から日割方式を導入する。

2　年度途中の定員超過入所

保育所への保育の実施を定員を超えて行うことについては、母親の産休期間の満了等の理由により年度の途中で緊急に保育の実施が必要となった児童に限り、これを認めてきたところであるが、就労形態等が多様化してきていることにかんがみ、当該理由を問わず、年度途中に定員を超えて保育の実施を行っても差し支えないこととする。

このため、次の関係通知の改正を行う。

昭和57年８月24日児発第714号「保育所への年度途中における入所について」及び（別紙）「保育所への年度途中入所円滑化対策実施要綱」の１中「緊急に」及び「緊急」を削る。

同（別紙）の２を削り、３を２とし、４を３とする。

3　登所等の方法

保育所への登所や保育所からの降所に際し、保育所が保有するバス等を利用することについては、認めない指導をしてきたところであるが、保育所の設置場所等の地域状況を勘案して、このような方法を用いても差し支えないこととする。

この場合において、バス等の設置・運行に係る経費は、利用する児童の保護者から実費を徴収することを原則とする。

○保育所入所手続き等に関する運用改善等について

〔平成８年６月28日　児保第12号
各都道府県・各指定都市・各中核市民生主管部(局)長宛
厚生省児童家庭局企画・保育課長連名通知〕

標記については、平成８年３月27日児発第275号により通知したところであるが、その具体的な取扱い及び関係通知の改正を下記のとおり取りまとめたので、貴管下市区町村及び保育所に対し周知されたい。

記

第１　具体的な取扱い

（問１）「保育に欠ける」要件の確認に関しては、客観的挙証資料の整備が必要とされてきたが、これが不要となるのか。

（答）

市区町村担当者の面接調査、電話照会、窓口における事情聴取等により、的確に確認できればそれをもって足りるものとする。

なお、この場合、確認した旨を記録にとどめておくこととする。

（問２）月途中入退所の希望がある場合、市区町村において必ず、月途中から措置の開始又は解除をしなければならないか。

（答）

月途中の措置の開始又は解除を行うかどうかは市区町村の判断である。

（問３）月途中で措置の開始又は解除をした場合、市区町村において必ず、日割の措置費支弁・費用徴収を行わなければならないか。

（答）

1　日割による措置費の支弁について

月途中で措置の開始又は解除を行った場合は、日割の措置費の支弁を行うことが望ましい。

しかしながら、市区町村の実情に応じて、日割によらず月単位（月額保育単価）で支弁を行うこととしてもやむを得ないものとする。

ただし、いずれの場合も、国との精算は、昭和51年４月16日厚生省発児第59号の２「児童福祉法による保育所措置費国庫負担金について」（以下「交付要綱」という。）に定める日割の算式により行う。

2　日割による費用徴収について

月途中で措置の開始又は解除を行った場合の扶養義務者からの費用徴収の方法については、市区町村の判断に委ねる。

ただし、国との精算は、交付要綱に定める日割の算式により行う。

（問４）従来、保育単価の年齢区分は、入所措置が行われた日の属する月の初日の年齢を用いており、その年度が終わるまでの間その年齢とすることとされているが、月途中入所児童の場合はどうなるのか。

（答）

月途中入所児童の場合も同様であり、従来の取扱いを変更するものではない。

（問５）交付要綱の日割の措置費支弁・費用徴収の算式における「月途中入所日」及び「月途中退所日」とはいずれの日をいうのか。

また、「開所日数」とはどのように考えればよいか。

（答）

「月途中入所日」とは措置が開始された日であり、「月途中退所日」とは措置が解除された日である。

また、「開所日数」とは、日曜日、国民の祝日及び休日を除いた日数である。

したがって、各保育所の自主的な休所日等（例えば、お盆休みの休所や行事の代替休所）については、「開所日数」として取り扱うこととする。

（問６）月途中で、すでに入所している児童の兄弟姉妹が入退所した場合（同一世帯から２人以上の児童が措置された場合）の徴収金の軽減の取扱いについてはどうなるのか。

（答）

月途中入所の場合において、月途中入所児童が軽減を受けることとなる場合は月途中入所の日から軽減を行い、すでに入所している児童が軽減を受けることとなる場合は月途中入所のあったその月初日の時点から軽減を行うこととする。

月途中退所の場合において、月途中退所児童が軽減を受けていた場合は月途中退所の日の前日まで軽減を行い、月途中退所児童以外の児童が軽減を受けていた場合は、月途中退所児童が退所したその月末日時点まで軽減を行うこととする。

（問７）　従来、各月初日の児童数に応じて補助金が交付されていた、乳児保育指定保育所及び産休・育休明け入所予約モデル事業保育所の７人以上分、乳児保育指定外特例分並びに障害児保育分のそれぞれについて、月途中に入退所した児童に係る分は日割で補助金が交付されるのか。

（答）

市区町村の事務等にかんがみ、当面、従来どおりの取り扱いとする。

（問８）　入所措置期間に関して、臨時雇用の保護者の場合に、６か月より更に短い期限を付す取り扱いをしてきたが、今後もこの取り扱いをしてよいか。

（答）

市区町村の判断に委ねる。利用者の負担に配慮して、期間を付す場合の対象者及び期間を精査し、適切に取り扱われたい。

（問９）　定員の10％の枠内で、母親の産休期間の満了等の理由にかかる児童を優先的に入所させてもよいか。

（答）

市区町村の事情により、優先入所させる児童を判断して差し支えない。

（問10）　登所バス等の購入費及び修理費、レンタル費、ガソリン費、運転手雇上費、損害賠償保険料等の経費は、どのように負担すればよいか。

（答）

登所バス等に係る経費については、利用する児童の保護者からその実費を徴収することを原則とするが、適正な施設運営が確保されている場合には、施設会計において処理することとしても差し支えない。

なお、登所バス等の購入に当たり、備品等購入引当金及び繰越金を充てることができるものとする。

（問11）　保育所で登所バス等を保有する場合、都道府県や市区町村の許可が必要か。

（答）

一義的には保育所の判断で足りる。なお、地域に保育所が複数ある等の事情により、通所地域等を行政において調整する方が適当な場合は、都道府県や市区町村が指導を行うこともあり得る。

第２　関係通知の改正

昭和57年５月25日児企第18号「児童福祉法による収容施設措置費国庫負担金交付基準等の運用上の疑義及び回答について」の別紙の第２中問１及び問７をそれぞれ次のように改正する。

問１　削除

問７　削除

○保育所への入所の円滑化について

〔平成10年２月13日　児発第73号
各都道府県知事・各指定都市市長・各中核市市長宛　厚生省児童家庭局長通知〕

夫婦共働き家庭の一般化や家庭と地域の子育て機能の低下等が進行する中で、都市部を中心にして乳児等の待機児童が非常に多い状況にあり、こうした待機児童の解消が大きな課題となっている。

保育所への入所については、これまでも年度途中において認可上の定員を超えて保育所へ入所させることができることとしていたが、こうした待機児童の状況に鑑み、入所の一層の円滑化を図るため、別紙のとおり「保育所への入所円滑化対策実施要綱」を定め、平成10年４月１日から実施することとしたので、その適正かつ円滑な実施を期されたい。

なお、これに伴い、昭和57年８月24日児発第714号「保育所への年度途中における入所について」及び平成４年３月５日児発第169号「育児休業に伴う保育所への年度の途中での円滑な受入れ等について」は平成10年３月31日限りをもって廃止することとした。

〔別　紙〕

保育所への入所円滑化対策実施要綱

１　目的

保育所における保育の実施は、定員の範囲内で行うこととされているが、年度の途中で保育の実施が必要となった児童が発生した場合、受け入れ体制のある保育所において定員を超えて保育の実施を行うことができることとするとともに、待機の状況等にある市町村においては、当分の間、年度当初についても同様に保育の実施を行うことができることとし、保育所への入所の円滑化を図ることを目的とする。

２　対象保育所

施設の設備又は職員数が定員を超えて保育の実施が行われた児童を含めた入所児童数に照らし、児童福祉施設最低基準（昭和23年12月29日厚生省令第63号）及びその他の関係通達に定める基準を満たし得る保育所であること。

３　経費

本制度の対象児童にかかる費用の支弁及び徴収については、当該保育所の定員内の児童の例により行うものとすること。

○保育所への入所の円滑化について

〔平成10年2月13日　児保第3号
各都道府県・各指定都市・各中核市民生主管部(局)長宛
厚生省児童家庭局保育課長通知〕

注　平成22年2月17日雇児保発0217第1号改正現在

標記について、本日別途厚生省児童家庭局長から通知されたところであるが、その取扱いについては、下記の事項に留意されたい。

記

1　保育所への入所円滑化対策について

実施要綱に基づく定員を超えての保育の実施については、以下の通り行うものとする。

(1)　実施要綱において定めるとおり、保育の実施は定員の範囲内で行うことが原則であり、定員を超えている状況が恒常的に亘る場合には、定員の見直し等に積極的に取り組むこと。この場合の恒常的に亘るとは、連続する過去の2年度間常に定員を超えており、かつ、各年度の年間平均在所率（当該年度内における各月の初日の在所人員の総和を各月の初日の認可定員の総和で除したものをいう。）が120％以上の状態をいうものであること。

なお、定員の見直しにあたっては、平成21年度の一部改正により、昭和51年4月16日厚生省発児第59号の2「児童福祉法による保育所運営費国庫負担金について」の保育単価表の定員区分の細分化を行い、定員変更への取り組みを阻害しないようとした趣旨を踏まえること。

(2)　定員を超えて保育の実施を行う場合は、地域において年度途中における保育所入所の受入体制を整えること。

(3)　保護者が産後休暇及び育児休業終了後に就業するに際し、休業開始前既に保育所に入所していた児童を当該保育所に入所させる場合には、例えば同一年度に再入所するような場合に徴収金関係書類の省略や申込書類等の簡素化を図るなど、利用者の負担軽減に資するよう申込手続をできる限り簡素化するようにすること。

(4)　都道府県知事・指定都市市長・中核市市長は、該当施設について指導監査等を通じ児童福祉施設最低基準（昭和23年12月29日厚生省令第63号）及びその他の関係通知に定める基準の遵守状況の把握に留意すること。

2　私的契約児の入所について

私的契約児については、定員に空きがある場合に、既に入所している児童の保育に支障を生じない範囲で入所させることは差し支えないものであること。

3　その他

(1)　本制度の趣旨は、待機児童の状況に鑑み、保育所への入所の一層の円滑化を図ることを目的としており、例えば、意図的に、定員を減員して定員区分を変更しながら、本制度により定員を超えて児童を入所させるなどないようにすること。

(2)　前年度において本制度を適用し定員を超えて保育の実施を行い、当該年度においても保育ニーズがあるにもかかわらず、意図的に入所児童数を調整することがないようにすること。

(3)　都道府県知事は、該当施設から定員の見直しの届出があった場合には、あらかじめ、地域の保育需要の見通し等に関し、市町村長の意見を求めること。

(4)　定員の見直しは、昭和51年4月16日厚生省発児第59号の2「児童福祉法による保育所運営費国庫負担金について」における一般分保育単価表の定員区分に見合って行われる必要はなく、また、地域事情の変化により定員を減員する場合においても、柔軟に対応するよう努められたいこと。

(5)　本制度の運用にあたり、実施要綱により難い場合等があるときには随時当省に協議されたいこと。

(6)　本通知は、平成22年4月1日から適用するものであるが、1(1)における定員を超えている状況が恒常的に亘る場合における定員の見直し等の取組は、平成23年4月1日から適用する。

ただし、平成22年4月1日時点の取扱いについては、なお従前の例による。

○保育所における私的契約児の弾力的な受入れに係る取扱いについて

（平成19年３月30日　雇児発第0330032号
各都道府県知事・各指定都市市長・各中核市市長宛　厚生労働省雇用均等・児童家庭局長通知）

保育所における私的契約児の弾力的な受入れについては、構造改革特別区域法（平成14年法律第189号）第３条に基づく構造改革特別区域基本方針（平成15年１月24日閣議決定。以下「基本方針」という。）別表１の「913　保育所における私的契約児の弾力的な受け入れの容認事業」（平成15年８月26日雇児発第0826001号「構造改革特別区域における「保育所における私的契約児の弾力的な受入れの容認事業」について」（以下「平成15年通知」という。）により措置）により、特例措置が講じられてきたところですが、当該特例措置については、第21回構造改革特別区域推進本部決定（平成19年３月30日）において、「認定こども園制度により全国展開を図ることとし、規制所管省庁は、本特例措置の内容が認定こども園制度によって実現できることについて周知・徹底を図ること。なお、現在本特例措置の活用をしている地域について、規制所管省庁は、各施設が認定こども園へ円滑に移行できるよう制度の周知等を図るとともに、認定こども園に移行するまでの間本特例措置で実施している取組を引き続き行うことができるよう措置すること。」とされたところです。

今般、この決定を踏まえ、これまで構造改革特別区域において行われてきた当該特例措置については、下記のとおり、平成18年10月１日に施行された「就学前の子どもに関する教育、保育等の総合的な提供の推進に関する法律」（平成18年法第77号）による認定こども園制度の活用により全国展開することとしました。

貴職におかれては、下記の取扱いについて貴管内の市区町村に対して周知を図られるようお願いいたします。

なお、平成15年通知は本通知をもって廃止します。

また、本通知は、地方自治法（昭和22年法律第67号）第245条の４第１項の規定に基づく技術的な助言に該当するものです。

記

１　内容

経済的社会的条件の変化に伴い乳児及び幼児の数が減少したことその他の事情により、保育所以外の施設の統廃合等に伴い、私的契約児を保育所の定員を超えて受け入れることが特に必要であるときは、「就学前の子どもに関する教育、保育等の総合的な提供の推進に関する法律」による認定こども園制度を活用し、保育に欠けない子どもについても、定員の設定を行った上で受け入れることとする。

なお、既に当該特区事業の認定を受けて特例措置を実施している保育所においては、できるだけ早く認定こども園へ移行することが望ましいが、当分の間、２の事項に留意し、私的契約児を保育所の定員を超えて受け入れる場合に、保育所の定員の改定を行うこととして差し支えないものとする。

２　特例措置を継続して実施する際の留意事項

(1)　児童福祉施設最低基準（昭和23年厚生省令第63号）は、保育所児と私的契約児の合計の乳幼児数に対して適用されるものであること。

(2)　市町村の担当部局間で情報交換等を密に行い、十分な連携・調整を図ること。

○保育士等の子どもを対象とする保育所等の優先利用等について（周知）

〔平成28年２月15日　事務連絡
各都道府県・各指定都市・各中核市子ども・子育て支援新制度・保育担当課宛　内閣府子ども・子育て本部参事官（子ども・子育て支援担当）・厚生労働省雇用均等・児童家庭局保育課〕

平成27年４月に施行された子ども・子育て支援新制度における保育所等の優先利用の考え方については、「子ども・子育て支援法に基づく支給認定等並びに特定教育・保育施設及び特定地域型保育事業者の確認に係る留意事項等について」（平成26年９月10日付け府政共生第859号・26文科初第651号・雇児発0910第２号。以下「留意事項通知」という。）第２の７においてお示ししているところですが、「まち・ひと・しごと創生総合戦略」（平成26年12月27日閣議決定）の記載を踏まえ、「多子世帯を対象とする保育所等の優先利用について（依頼）」（平成27年１月22日付け事務連絡）により、第３子以降を保育所等の優先利用の対象と位置づけることについて検討をお願いしておりました。

その結果について、別紙のとおりとりまとめましたのでお知らせします。貴課におかれては、別紙の内容を十分御了知の上、貴管内の市町村に対し周知をお願いします。

また、留意事項通知第２の７においては、保育士等の子どもの保育所等の利用について、「その他市町村が定める事由」として、「人材確保、育成や就業継続による全体へのメリット等の観点から、保育士、幼稚園教諭、保育教諭の子どもの利用に当たって配慮することも考えられる。」と示しています。

政府においては、今般、「待機児童解消加速化プラン」に基づく平成29年度末までの整備目標を40万人から50万人へと上積みし、待機児童解消に向けて保育の受け皿拡大を大幅に進めていますが、保育士自身の子どもが保育所を利用できず待機児童となる場合があり、潜在保育士の職場復帰を阻害する要因の一つとなっています。

待機児童解消に向けて保育の受け皿拡大を大幅に進めており、全国的に有効求人倍率が高まる中、保育の担い手の確保が喫緊の課題となってきていることも踏まえると、保育士等の子どもを優先利用の対象とすることについて、留意事項通知第２の７⑵ウ⑨（その他市町村が定める事由）に該当するものとして位置付けることが考えられますので、改めてお知らせします。

貴課におかれては、その趣旨を十分御了知の上、貴管内の市町村に対し周知し、可能な限り上記の趣旨を踏まえた対応を行っていただきますようお願いします。

別紙　略

○保育士等の子どもの優先入所等に係る取扱いについて

〔平成29年９月29日　府子本809号・29初幼教第９号・子保発0929第１号
各都道府県私立学校・民生主管部(局)長・教育委員会教育長・各指定都市・各中核市民生主管部(局)長宛　内閣府子ども・子育て本部参事官（子ども・子育て支援担当）・文部科学省初等中等教育局幼児教育・厚生労働省子ども家庭局保育課長連名通知〕

保育施策の推進については、日頃より格別の御尽力を賜り厚く御礼申し上げます。

「「子育て安心プラン」について」（平成29年６月２日付け事務連絡）においてお示しした「６つの支援パッケージ」については、各都道府県又は各市町村（特別区を含む。以下同じ。）が行っている保育関連業務に係る内容が盛り込まれています。今般、本内容の一部に係る具体的な留意事項等を下記のとおりお示ししますので、内容を十分御了知の上、貴管内の市町村への周知を行うとともに、本内容の趣旨を踏まえて対応いただきますようお願いします。

記

児童福祉法（昭和22年法律第164号）第24条第３項及び附則第73条第１項に規定する利用調整を行うに当たっては、保育園等の利用に係る優先度を踏まえるため、「子ども・子育て支援法に基づく支給認定等並びに特定教育・保育施設及び特定地域型保育事業者の確認に係る留意事項等について」（平成26年９月10日付け府政共生第859号・26文科初第651号・雇児発0910第２号内閣府・文部科学省・厚生労働省通知。以下「留意事項通知」という。）第２の７で示している「優先利用に関する基本的考え方」等を踏まえ、独自に点数付けを行うなどの取扱いを行っている事例が多く見られるところである。

これまでも留意事項通知において、保育人材の確保・育成や就業継続による全体へのメリット等の観点から、市町村の判断により、保育士、幼稚園教諭、保育教諭（以下「保育士等」という。）の子どもの利用に当たって配慮することも考えられる旨示しているが、保育士等の子どもの保育園等への入園の可能性が大きく高まるような点数付けを行い、可能な限り速やかに入園を確定させることは、

・当該保育士等の勤務する保育園等が早期に当該保育士等の子どもの入園決定を把握して当該保育士の職場への復帰を確定させ、利用定員を増やすことを可能にし、保育の受け入れ枠の増加に大きく寄与するとともに、
・保育士等が妊娠・出産後、円滑に職場復帰できる環境を整えることにより、高い使命感と希望をもって保育の道を選んだ方々が、仕事と家庭の両立を実現しながら、将来にわたって活躍することが可能となり、保育士の処遇の改善にも大きな効果が見込まれることから、待機児童の解消等のために保育人材の確保が必要な市町村においては、このような取組を行うよう努めること。

その際、市町村と都道府県が連携の上、平成27年度補正予算で創設された未就学児を持つ保育士等に対する保育料の一部貸付事業の周知を徹底し、当該事業を積極的に活用した人材確保に取り組むこと。

また、以下のような事例について、市町村によって対応にばらつきがみられることから、以下の点についてもあわせて留意すること。

(1)　保育士等が勤務している保育園等については、一律に当該保育士等の子どもを入園させない取扱いとしている市町村がみられるが、保育士等が勤務する保育園等に当該保育士等の子どもが入園できる環境を整えることは、保育士等の仕事と家庭の両立の実現や長期的な就業継続に大きく寄与することから、扱いに差を設けず、他の保育園等の場合と同様に入園の対象とすること。なお、その際、必要に応じて、当該保育士等の子どもを当該保育士等以外の者が担任を務めるクラスに入園させる等の配慮を行うことも考えられる。

(2)　保育士等の子どもの優先利用の実施に当たっては、

・市町村の圏域を超えた利用調整の実施を行っていない市町村や
・市町村の圏域を超えた利用調整は実施しているものの、当該保育士等の市町村内の保育園等への勤務を条件としている市町村

が相当数存在するが、保育士等の中には、その居住する市町村以外の市町村に所在する保育園等に勤務する者も多数存在しており、当該保育士等について、その居住する市町村内の保育園等への勤務を条件とせずに市町村の圏域を超えた利用調整を行うことで、より多くの保育士等の職場への復帰が可能となり、当該市町村における待機児童の解消にも、広域的な待機児童の解消にも大きな効果が見込まれる

ことから、こうした利用調整が行われるよう、積極的に各市町村間で協定を結ぶ等の連携・調整を行うこと。

なお、保育士等に限らず、市町村の圏域を超えた利用調整の実施については、「児童福祉法に基づく保育所等の利用調整の取扱いについて（通知）」（平成27年２月３日府政共生第98号・雇児発0203第３号内閣府政策統括官（共生社会政策担当）・厚生労働省雇用均等・児童家庭局長通知）を踏まえ、所在地市町村において、他市町村に居住する住民の利用に関する優先度の取扱いに基づき、調整をお願いしているところであるが、居住する市町村以外の市町村に所在する保育園等への入園を希望する住民が一定数存在し得ることに鑑み、市町村の圏域を超えた利用調整がなされるよう、積極的に各市町村間の連携・調整に努めること。また、その際、各都道府県においても、その域内に所在する市町村の担当者が参集して広域的な利用調整に向けた協議を行うことが可能となる場を提供するなど、積極的に広域調整の役割を果たすこと。

○多様な働き方に応じた保育所等の利用調整等に係る取扱いについて

（平成29年12月28日　事務連絡
各都道府県・各指定都市・各中核市子ども・子育て支援新制度担当・保育担当課宛　内閣府子ども・子育て本部参事官（子ども・子育て支援担当）・厚生労働省子ども家庭局保育課）

保育施策の推進については、日頃より格別の御尽力を賜り厚く御礼申し上げます。

今般、保護者の多様な働き方が広がっている現状に鑑み、保育所等の利用調整に関して、具体的な留意事項等を下記のとおりお示ししますので、内容を十分御了知の上、貴管内の市町村への周知を行うとともに、本内容の趣旨を踏まえて対応いただきますようお願いします。

記

児童福祉法（昭和22年法律第164号）第24条第３項及び附則第73条第１項に規定する利用調整を行うに当たっては、保育所等の利用に係る優先度を踏まえるため、「子ども・子育て支援法に基づく支給認定等並びに特定教育・保育施設及び特定地域型保育事業者の確認に係る留意事項等について」（平成26年９月10日付け府政共生第859号・26文科初第651号・雇児発0910第２号内閣府・文部科学省・厚生労働省通知。以下「留意事項通知」という。）等を踏まえ、独自に点数付けを行うなどの取扱いを行っている事例が多く見られるところである。

留意事項通知第２の１の⑵のアの（イ）において、「就労の形態については、居宅外での労働のほか、居宅内で当該児童と離れて日常の家事以外の労働をすることを常態としていること（自営業、在宅勤務等）も対象とする」と示しているところ、多様な働き方が広がっていることに鑑み、それぞれの保護者の就労状況をきめ細かく把握し、実態に応じた取扱いが可能となるような点数付けが望ましいことから、以下の点に留意すること。

⑴　居宅内での労働と居宅外での労働について、一律に点数に差異を設けている市町村がみられるが、居宅内で労働しているからといって、必ずしも居宅外での労働に比べて仕事による拘束時間が短い、子どもの保育を行いやすいというわけではないことから、居宅内での労働か、居宅外での労働かという点のみをもって一律に点数に差異を設けることは望ましくなく、

・就労時間、休憩時間や移動時間等の詳細な実態
・店頭に立っている、打ち合わせ等で取引先の職場に赴いている等、具体的な就労場所
・危険な行為を伴う、集中して行う必要がある等、実際の仕事の内容・性質

等を見て、個々の保護者の就労状況を十分に把握した上で判断すべきであること。

⑵　留意事項通知第２の７の⑵のウの⑥において、「育児休業を終了した場合」について優先利用の対象として考えられる旨示しているが、自営業で育児休業制度の利用が困難である等の理由で、育児休業という形ではないが、育児に伴って休業する保護者も存在するところ、当該保護者についても育児休業中の保護者と同様に取り扱っている市町村もみられるため、このような取扱いに取り組

むこと。

(3) 保護者が取引先の理解を得て子どもを取引先の職場に連れて行くケースなど、保護者が必要に迫られてその子どもを居宅外で保育している場合について、一定程度子どもを保育できている状態であるとして点数付けにおいて減点対象としている市町村がみられるが、当該保護者はやむをえず子どもを居宅外で保育している状態であるところ、こうした場合を保育の優先順位が低いと捉えて一律に不利な点数付けを行うことは不適切であること。

(4) 保護者の就労状況の実態を把握するに当たっては、保護者からの申告内容と就労実態が一致しているか等を確認するために保護者に対しスケジュール表や確定申告書、請負契約書等各種書類の提出を求めることが考えられるが、自営業や在宅勤務等を行っている保護者については、会社勤務や在宅外労働をしている保護者と比べて提出を求められる書類が多岐にわたる傾向がみられるため、

・働き方に応じて提出書類が異なる場合は、必要な提出書類について、保育所等の利用申込みについての手引き・パンフレット等に具体的に提示するなど詳細に記載する、説明会の際に明示的に説明する等、十分な周知に努めること

・勤務実態や給与等を報告させるための所定の書式を整備すること

・提出書類として「帳簿の写し」を求める際は、保護者が帳簿を用意していない場合は契約書や請求書等の写しをもって代えることを可能にする等、必要な提出書類について、それぞれの勤務実態や職業特性に応じた柔軟な対応を心がけること

等を通じ、自営業や在宅勤務等を行っている保護者が保育の利用にあたって会社勤務や居宅外労働をしている保護者と比べて過度の負担を負うことがないよう努めること。

なお、所定の書式の整備を行うにあたっては、

・被用者・自営業ともに同じ様式を用いている例（文京区の「在職・採用内定証明書」。被用者は表面のみの記載で足り、自営業の場合は裏面に１週間の就労状況を記載する。）

・記入例が具体的であり、わかりやすい例（世田谷区の「記入例（月間スケジュール表）」）

などを参考とし、自営業や在宅勤務等を行っている保護者にとって負担の少ない書式となるよう心がけること。

（※） 文京区の「在職・採用内定証明書」のＵＲＬ
http://www.city.bunkyo.lg.jp/var/rev0/0143/3721/1.zaisyoku.pdf

（※） 世田谷区の「記入例（月間スケジュール表）」のＵＲＬ
http://www.city.setagaya.lg.jp/kurashi/103/129/1809/d00005733_d/fil/kinyuureigekkanschedule.pdf

(5) 就労状況をはじめとする保護者の意向や状況については、市区町村において、面談、電話連絡等により積極的かつ丁寧に把握し、利用可能な保育所等の情報を提供した上で、それぞれの保護者のニーズに応じた適切な保育の提供を行うことが重要である。こうした保護者への「寄り添う支援」に取り組む市区町村を支援するため、平成29年度予算において、子ども・子育て支援交付金における「利用者支援事業」の拡充を行っているので、引き続き積極的に活用すること。

○保護者求職中の取扱い等保育所の入所要件等について

〔平成12年2月9日　児保第2号
各都道府県・各指定都市・各中核市民生主管部(局)長宛
厚生省児童家庭局保育課長通知〕

注　平成14年2月22日雇児保発第0222001号改正現在

保育所入所手続に関する運用については、「保育所入所手続き等に関する運用改善等について（平成8年3月27日児発第275号）」及び「児童福祉法等の一部を改正する法律の施行に伴う関係政令の整備に関する政令等の施行について(平成9年9月25日児発第596号)」等において、周知徹底を図ってきたところであるが、特に照会の多く寄せられている事項等について、以下のとおり、当職の考え方をとりまとめたので、引き続き、下記に留意しつつ、利用しやすい保育所となるよう特段の配意をお願いする。

記

1　保護者求職中の取扱い

保護者が求職中の場合については、一般に、児童福祉法施行令（昭和23年政令第74号）第9条の3第6号に該当するものと考えられ、求職中でも保育所に入所申込みができることを入所案内等に記載するなどの周知を図られたい。

なお、保護者の求職中を理由に入所決定する場合には、保育の実施期間に留意するとともに、入所後の保護者の求職活動等の状況把握に努められたい。

2　速やかな入所決定

保育所の入所決定については、選考方法、選考基準を明確にして行うことはもちろん、市町村全体の年度当初入所決定を一度に通知するのではなく、入所が確定した者や施設、地域ごとに順次通知するなど、利用者の利便に配慮し、地域の実情に応じた速やかな入所決定に努められたい。

3　いわゆる「ならし保育」の実施に関する情報提供

児童福祉法（昭和22年法律第164号）第24条第5項において、市町村は、保護者の選択に資するため、保育所に関する情報の提供を行わなければならないこととされているが、新規に入所する児童について、集団生活への適応等を目的として、短期間、通常の保育の実施よりも短い時間に限定して保育する、いわゆる「ならし保育」を行う保育所にあっては、利用者の利便を考慮し、その旨を入所案内等に明記し、かつ、入所申請の際に窓口で説明を行うなどにより、保育所の行う事業に関する事項の一つとして、利用者へ予め十分な情報提供を行われたい。

○育児休業に伴う入所の取扱いについて

〔平成14年２月22日　雇児保発第0222001号
各都道府県・各指定都市・各中核市民生主管部(局)長宛
厚生労働省雇用均等・児童家庭局保育課長通知〕

育児休業に伴う入所の取扱いについて、疑義照会が多く寄せられていることから、下記のとおり当職の考え方をとりまとめたので通知する。

また、これに伴い、「保護者求職中の取扱い等保育所の入所要件等について」（平成12年２月９日児保第２号厚生省児童家庭局保育課長通知）の３を削除し、４を３とする。

なお、この通知は、地方自治法（昭和22年法律第67号）第245条の４第１項に基づく技術的助言である。

記

家庭での保育は子どもの育成の上で重要なことではあるが、保護者が育児休業することとなった場合に、休業開始前既に保育所へ入所していた児童については、下記に掲げる場合等児童福祉の観点から必要があると認める場合には、地域における保育の実情を踏まえた上で、継続入所の取扱いとして差し支えないものである。

(1)　次年度に小学校への就学を控えているなど、入所児童の環境の変化に留意する必要がある場合

(2)　当該児童の発達上環境の変化が好ましくないと思料される場合

なお、この場合であっても、「児童福祉法等の一部を改正する法律の施行に伴う関係政令の整備に関する政令等の施行について」（平成９年９月25日児発第596号厚生省児童家庭局長通知）のⅡの１の(8)において定めるとおり、入所児童の家庭の状況等について毎年、事実の確認を行い、入所に関し公平な状況を保ち、地域としての適切な保育の実施に留意されたい。

○１歳以降の育児休業期間に係る育児休業給付（育児休業基本給付金）を申請する際に必要となる「保育所における保育の実施が行われない」事実を証明する書類について

〔平成18年７月５日　雇児保発第0705002号
各都道府県・各指定都市・各中核市民生主管部(局)長宛
厚生労働省雇用均等・児童家庭局保育課長通知〕

育児休業、介護休業等育児又は家族介護を行う労働者の福祉に関する法律等の一部を改正する法律（平成16年法律第160号）が平成17年４月１日から施行されたことに伴い、雇用保険法（昭和49年法律第116号）第61条の４第１項の規定に基づく雇用保険法施行規則（昭和50年労働省令第３号）第101条の11の２第１号の規定により、保育所における保育の実施を希望し、申込みを行っているが、当該子が１歳に達する日後の期間について、当面その実施が行われない場合には、１歳６か月に満たない子を養育するための休業期間についても育児休業給付（育児休業基本給付金）(以下「育児休業給付金」という。)の対象となることについては、「育児休業、介護休業等育児又は家族介護を行う労働者の福祉に関する法律等の一部を改正する法律等の施行について」（平成17年３月31日付け雇児保発第0331002号。以下「育介法施行通知」という。）により周知したところである。

育介法施行通知においては、育児休業給付金の申請にあたり、市町村が発行する保育所の入所不承諾の通知書（「児童福祉法等の一部を改正する法律の施行に伴う整備政令等の施行について」（平成９年９月25日児発第596号。以下「平成９年施行通知」という。）Ⅱ１⑸による別表第４号様式を参照のこと。）など、当面保育所における保育の実施が行われない事実を証明する書類を提出することとされている。

しかしながら、一部の市区町村においては、保育に欠ける児童には該当するものの、優先順位が低いなどの理由から入所待ちの状況（待機児童）となっている等、当該市区町村として入所不承諾書の交付には至っていないが、現実に保育所を利用できていない者に対して、当該事実に関する何らの証明もなされない結果、育児休業給付金の申請に支障が生じている場合が生じている。

このため、育児休業給付金の延長について円滑な申請が可能となるよう、こうした者に対し、子が１歳に達する日の翌日において保育が行われない旨が明らかとなる書面の交付等を行うことについて、管内の市区町村並びに関係職員及び関係団体等に周知を図り、その運用に遺漏のないようお願いする（なお、育児休業を取得している者であって、第１希望の保育所での受入れができない者についても、必要に応じて、子が１歳に達する日の翌日において保育が行われない旨の証明書を交付していただくようお願いする)。

なお、育児休業給付金の申請に必要な書類としては、「市町村から、少なくとも、子が１歳に達する日の翌日において保育が行われない旨」が明らかにされている書類であれば足り、必ずしも、平成９年施行通知に記載されている「入所不承諾通知書」といった名称の書類である必要はない。

また、育介法施行通知にも記載されているとおり、公共職業安定所又は都道府県労働局の職員等から、子が１歳に達する日以後において、引き続き待機状態にあるか否か等について照会がなされた場合には、各市町村において必要な協力が図られるよう、貴職より管区市区町村への周知方お願いする。

なお、この通知は、地方自治法（昭和22年法律第67号）第245条の４第１項の規定に基づく技術的助言である。

○育児休業終了予定日が子が１歳に達する日後である場合における１歳以降の育児休業期間に係る育児休業給付金を申請する際に必要となる「保育所における保育の実施が行われない」事実を証明する書面の交付について

〔平成22年６月28日　雇児保発0628第１号
各都道府県・各指定都市・各中核市民生主管部(局)長宛
厚生労働省雇用均等・児童家庭局保育課長通知〕

育児休業給付金の支給対象期間の延長について円滑な申請が可能となるよう、子が１歳に達する日の翌日において保育所における保育の実施が行われない旨が明らかとなる書面の交付等を行うことについては、平成18年７月５日厚生労働省雇用均等・児童家庭局保育課長通知「１歳以降の育児休業期間に係る育児休業給付（育児休業基本給付金）を申請する際に必要となる「保育所における保育の実施が行われない」事実を証明する書面について」（以下、「平成18年課長通知」という。）により通知したところである。

今般、育児休業、介護休業等育児又は家族介護を行う労働者の福祉に関する法律及び雇用保険法の一部を改正する法律（平成21年法律第65号）が本年６月30日に本格的に施行されることに伴い、「パパ・ママ育休プラス制度（父母ともに育児休業を取得する場合の育児休業取得可能期間の延長）」の利用により育児休業を取得し、育児休業給付における一定の要件を満たした場合は、子が１歳２か月に達する日の前日までの間に、最大１年間までが育児休業給付金の支給対象となる。また、これにより、育児休業終了予定日が子が１歳に達する日後となる場合は、当該育児休業終了予定日後において、保育所による保育が実施されない等の延長事由に該当する場合は、子が１歳６か月に達する日の前日まで支給対象となる。

このため、パパ・ママ育休プラス制度の利用によって一定の要件を満たすことにより、育児休業終了予定日が子が１歳に達する日後となる場合であって、かつ当該育児休業終了予定日後の期間について育児休業給付金の支給対象期間の延長を申請する場合、保育所における保育の実施が行われない旨が明らかとなる書面の交付が必要となるのは、子が１歳に達する日の翌日ではなく、当該育児休業終了予定日の翌日であることについて、管内の市区町村並びに関係職員及び関係団体等に周知を図り、その運用に遺漏のないようお願いする（なお、育児休業を取得している者であって、第１希望の保育所での受入れができない者についても、必要に応じて、当該育児休業終了予定日の翌日において保育が行われない旨の証明書を交付していただくようお願いする。）。

また、公共職業安定所又は都道府県労働局の職員等から、子が育児休業終了予定日の翌日（ただし、当該育児休業終了予定日が子が１歳２か月に達する日である場合は子が１歳２か月に達する日）以後等において、引き続き待機状態にあるか否か等について照会がなされた場合には、各市町村において必要な協力が図られるよう、貴職より管区市区町村への周知方お願いする。

なお、育児休業終了予定日が子が１歳に達する日以前の場合に係る証明書の発行については、平成18年課長通知に基づき、従前のとおりである。

本通知は、地方自治法（昭和22年法律第67号）第245条の４第１項の規定に基づく技術的助言である。

○育児休業期間終了時における保育所入所の弾力的取扱いについて

〔平成18年７月５日　雇児保発第0705001号
各都道府県・各指定都市・各中核市民生主管部(局)長宛
厚生労働省雇用均等・児童家庭局保育課長通知〕

保育所入所手続に関する運用については、「保育所入所手続き等に関する運用改善等について（平成８年３月27日児発第275号）」及び「児童福祉法等の一部を改正する法律の施行に伴う関係政令の整備に関する政令等の施行について(平成９年９月25日児発第596号)」等において、周知徹底を図ってきたところであるが、標記について、下記のとおり、当職の考え方をまとめたので通知する。

なお、この通知は、地方自治法（昭和22年法律第67号）第245条の４第１項に基づく技術的助言である。

記

育児休業期間中は、基本的には、児童の保護者のいずれもが当該児童を保育することができないと認められる場合に該当しないため、当該児童を保育所に入所させるときは、多くの市町村において、育児休業期間の終了日以降を保育所の入所日として取り扱っている。

一方、保育所によっては、育児休業期間終了時を含め、新規に保育所に入所する児童については、集団生活への適応等を目的として、通常の保育の実施よりも時間を短縮して行う、いわゆる「ならし保育」が実施されている場合がある。

こうした通常１～２週間程度の「ならし保育」の期間中に、児童の保護者が育児休業期間の終了に伴い職場に復帰する場合、午前中で帰宅しなければならない等のときは、有給休暇の活用等により保護者が個別に対応していることが多い状況にある。

このように、１～２週間程度の「ならし保育」の期間中は、通常の勤務形態による就労が困難となることが多いと考えられることから、地域における保育の実情を踏まえた上で、次のような取り扱いを行って差し支えないものとする。

⑴　「ならし保育」として適当と考えられる１～２週間程度の期間内において、育児休業終了前に保育所への入所決定を行い入所させること。

⑵　育児休業期間終了時に限らず新たに就職する場合等についても、⑴と同様の取り扱いを行うこと。

（参考）

○一般的と考えられる取扱い

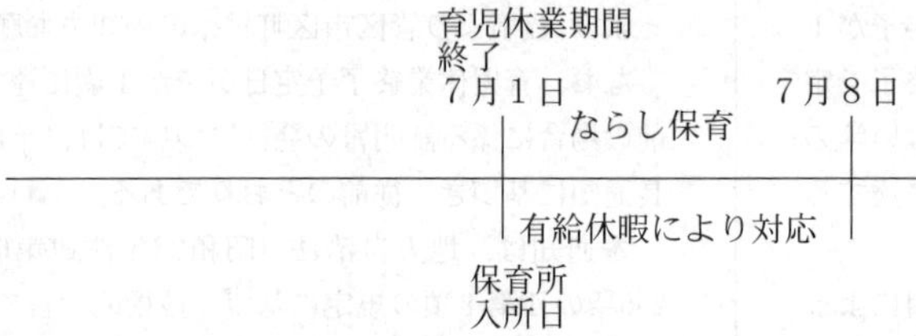

○弾力的な対応を行った場合の取扱い

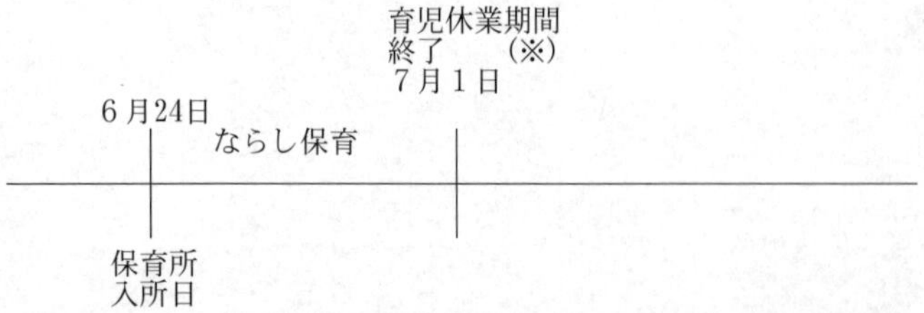

※企業独自の取組として「ならし保育」に対応するための休暇制度を設けている場合を含む。

○育児休業・給付の適正な運用・支給及び公平な利用調整の実現等に向けた運用上の工夫等について

〔平成31年２月７日　事務連絡
各都道府県・各指定都市・各中核市保育担当課宛　厚生労働省子ども家庭局保育課〕

保育施策の推進については、日頃より格段の御尽力を賜り、厚く御礼申し上げます。

地方分権の閣議決定（平成30年の地方からの提案等に関する対応方針（平成30年12月25日閣議決定））においては、別紙１のとおり、育児休業及び育児休業給付金の期間延長に係る手続については、保育所等の利用調整における公平性を確保するとともに、育児休業等の制度の適切な運用を図ることとされたところです。今般、別紙１の一部について、市町村の選択により実施する場合の具体的な留意事項等を下記のとおりお示ししますので、本内容を十分御了知の上、貴管内の市町村への周知を行うとともに、本内容の趣旨を踏まえて対応いただきますようお願いします。

また、本内容については、厚生労働省雇用環境・均等局職業生活両立課及び職業安定局雇用保険課と協議済みであり、追って労働者や企業、ハローワーク等に対しても周知することとしています。

なお、本事務連絡は、地方自治法（昭和22年法律第67号）第245条第１項の規定に基づく技術的助言であることを申し添えます。

記

第１　本事務連絡の趣旨

育児休業・給付は、原則として子が１歳に達するまで取得・受給することができるが、保育所等に入れない場合等には、最長２歳に達するまで延長が可能とされている。この保育所等に入れないことの証明としては、保育所入所保留通知書（「児童福祉法等の一部を改正する法律の施行に伴う関係政令の整備に関する政令等の施行について」（平成９年９月25日児発第596号厚生労働省児童家庭局長通知。以下「施行通知」という。）第４号様式。以下「入所保留通知書」という。）の提出を求めている。今般、当面復職の意思がなく、当初から育児休業の延長を希望する方が入所保留通知書の入手を目的として入園申込みを行い、市町村の事務手続に混乱が生じており、また真に入園を希望する方に不利益が生じているとの意見が、平成30年の地方分権改革に関する提案募集（以下「提案募集」という。）により寄せられたところである。

これを踏まえ、市町村の選択による、公平な利用調整の実現等を図るための、保育所等の利用調整を行う際の工夫及び入所保留通知書の作成に当たっての留意事項をお示しする。

第２　利用調整を行う際の工夫について

１　具体的な工夫の方法

児童福祉法（昭和22年法律第164号）第24条第３項及び附則第73条第１項に規定する利用調整を行うに当たっては、保育所等の利用に係る優先度を設定するため、「子ども・子育て支援法に基づく支給認定等並びに特定教育・保育施設及び特定地域型保育事業者の確認に係る留意事項等について」（平成26年９月10日付け府政共生第859号・26文科初第651号・雇児発0910第２号内閣府・文部科学省・厚生労働省通知。以下「留意事項通知」という。）第２の７で示している「優先利用に関する基本的考え方」等を踏まえ、市町村が独自に調整指数の点数付けを行うなどの取扱いを行っていただいていると承知している。

第１に示した趣旨を踏まえ、利用調整の具体的な工夫としては、以下のものが考えられる。なお、以下の工夫はあくまで考えられる一例であることを申し添える。

①　利用調整に際して、申込者の内面の意思を外形的に確認するため、利用申込書に、「直ちに復職希望」「希望する保育所等に入所できない場合は、育児休業の延長も許容できる」との選択肢を設ける。

②　「希望する保育所等に入所できない場合は、育児休業の延長も許容できる」について選択した者については、利用調整に当たっての調整指数を減点する。

③　その結果、当該項目を選択しなかった者については、優先的に取り扱われることで、希望する園に入れる可能性が高まることとなる。

２　留意事項

第１のとおり、育児休業・給付は原則として、子が１歳に達するまで取得・受給することができるが、保育所等に入れない場合等には、最長２歳に達するまで延長することが可能とされている。すなわち、育児休業・給付の延長は保育所等に入れない場合等に限られた例外的措置であるため、今回の工夫を行うに当たっても、育児休業・給付の制度趣旨を利用者に丁寧に説明することが望ましい。

また、利用者が「希望する保育所等に入所できない場合は、育児休業の延長も許容できる」を選択する場合には、その結果、調整指数が減点されることを事前に十分に説明する必要がある。例えば、申請書に「当該項目を選択した場合、調整指数が減点となる」ことを利用者の目に留まりやすい箇所に明確に記載しておくこと等の配慮を行うことが考えられる。細かな注釈等の記載のみでは、内容が利用者に伝わらない可能性があることに十分留意すること。

第３　第一次申込みにおいて内定したにもかかわらず辞退し、第二次申込みで落選した者に対する入所保留通知書の記載について

今般の提案募集において、公平な利用調整を困難にする具体的な支障事例として、一斉入所の申込みの際、入所保留通知書の取得を目的として入所申込みをしたものの、第一次申込みで保育所が内定したので、これを辞退し、第二次申込みの際、第一次申込みで既に入所枠の埋まっている保育所をあえて希望して再度入所申込みをする、といった事例が生じている旨の指摘があった。

こうした事例で、育児休業・給付が延長されるのは法律・制度の趣旨に反するものであり、また、これをもって、地方自治体の事務負担が増え、公平な利用調整が阻害されるとするのであれば、是正を図っていくことが適切である。

このため、市町村の選択により、こうした育児休業・給付の申込みについて、勤務先・ハローワークにおいて適切に確認・審査を行うための工夫として、第二次申込みに対する入所保留通知書の備考欄に「第一次申込みで希望した園に内定した上で辞退した」旨や内定辞退の有無を付記することが考えられるので、各市町村の状況を踏まえた上で、この運用の実施についてご協力いただきたい。

また、上記対応を行う場合、併せて、第一次申込みに内定した場合の保育所入所承諾書（施行通知第３号様式）の備考欄においても、「やむを得ない理由なく内定を辞退した場合、勤務先・ハローワークにおいて確認・審査が行われ、育児休業・給付の延長が認められない場合がある」旨を記載するなど、取扱いの周知について配慮をお願いしたい。

第４　その他

上記第１から第３までの内容について、FAQを別紙２のとおりまとめているので、参照願いたい。

別紙１　略

（別紙２）　本事務連絡に関するFAQ

＜第１及び第２について＞

問．今回の事務連絡の内容について、自治体の方で必ず対応する必要があるのでしょうか。

（答）

○　本事務連絡は、市町村の選択による利用調整の工夫をお示しさせていただいたものですので、必ずしも御対応いただく必要はありません。地域の実情に応じて実施の検討を行っていただくようお願いいたします。

問．本事務連絡第２の取扱いについて、どの時点の利用調整から実施すればよいでしょうか。平成31年４月からの利用調整で対応する必要はありますでしょうか。

（答）

○　実施時期については、各市町村の実情に応じてご判断いただくものとなります。そのため、平成32年度以降の利用調整から実施していただくことで構いません。

問．本事務連絡第２の取扱いの内容は、結果として入所保留通知書を取得する目的での保育所への申込みを追認することになるのではないでしょうか。

（答）

○　本事務連絡第２の取扱いは、保育の公平な利用調整に向け、保育の必要性が高い方を把握し、必要性の高さに応じて優先的に入園できるようにするものです。また、申込みをした方については、入園を希望した保育所等に空きがあれば入園することとなります。

問．「希望する保育所等に入所できない場合は、育児休業の延長も許容できる」を選択し、調整指数が減点された者であっても、利用調整の結果、希望する保育所に入園できることになっても構いませんか。

（答）

○　「希望する保育所等に入所できない場合は、育児休業の延長でも許容できる」を選択し、調整指数が減点された場合であっても、保育所への入園を希望している者であることから、市町村において保育を

実施していただく必要があります。

○　そのため、こうした調整指数が減点された者についても、定員に空きがある場合などは、当然希望する保育所等に入所することとなります。

問．「希望する保育所等に入所できない場合は、育児休業の延長も許容できる」を選択した者については、一律に入所保留とするようなこととしても、差し支えありませんか。

（答）

○　保育所等の利用申込みをしている者は、「希望する保育所等に入所できない場合は、育児休業の延長も許容できる」を選択しているかにかかわらず、保育所への入園を希望している者であることから、利用調整を行わず一律に入所保留にすることは適切ではありません。

問．「希望する保育所等に入所できない場合は、育児休業の延長も許容できる」を選択した者に対しても、希望していた園に欠員が出る等により、入所可能となった場合、その旨を通知した方がよろしいでしょうか。

（答）

○　「希望する保育所等に入所できない場合は、育児休業の延長も許容できる」を選択した者についても、保育の必要がある子どもについては、市町村において保育を実施していただく必要があり、利用調整における調整指数に応じて、入所可能となった場合には、その旨を通知していただくこととなります。

問．「希望する保育所等に入所できない場合は、育児休業の延長も許容できる」を選択した結果、入所保留となった者について、待機児童数に含めるのでしょうか。

（答）

○　「希望する保育所等に入所できない場合は、育児休業の延長も許容できる」の選択肢を選択し、入所保留になった者についても、「保育所等利用待機児童数調査要領」（平成30年４月17日付け厚生労働省子ども家庭局保育課長通知別紙）に沿って御対応いただくこととなります。

＜第３について＞

問．入所保留通知書の備考欄に、第一次申込みをした保育所等から内定の連絡を受けたにもかかわらず、それを辞退するとともに第二次申込みを行い、第二次申込みで落選した旨を記載するために、システム改修が必要となりますが、改修に対応する補助金はありますか。

（答）

○　システム改修費の補助は予定しておらず、各市町村の予算により対応していただくこととなります。

問．入所保留通知書は、行政処分の処分決定通知ですが、こうした文書に、行政処分と無関係の内容の記載があることは問題ないでしょうか。

（答）

○　備考欄に、処分決定の内容と区分して記載があることについては問題ありません。

問．備考欄に記載された者について、育児休業・給付については延長されなくなるということでしょうか。

（答）

○　内定辞退後に再度の入所申込みを行ったことにやむを得ない理由がある場合には、勤務先やハローワークの判断により育児休業・給付の延長が可能となります。

問．ハローワークや企業等への周知については、どのように実施する予定でしょうか。全国的に制度が周知されるということでよろしいでしょうか。

（答）

○　厚生労働省の関係部局から、ハローワークや企業、労働者等に対して周知を行う予定です。

○保育所に入所している障害のある児童が障害児通所支援を受ける場合の取扱いについて

（平成24年7月3日　雇児保発0703第1号・障障発0703第1号
各都道府県・各指定都市・各中核市民生主管部(局)長宛
厚生労働省雇用均等・児童家庭局保育・社会・援護局障害保健福祉部障害福祉課長連名通知）

児童福祉行政及び障害福祉行政の推進については、かねてより特段のご配慮を煩わせているところであるが、今般、標記について、平成24年4月1日より下記のとおり取り扱うこととしたので、十分ご留意の上、遺漏のないようにされたい。

なお、本通知の施行に伴い、「保育所に入所している障害をもつ児童の専門的な治療・訓練を障害児通園施設で実施する場合の取扱いについて」（平成10年11月30日付児保第31号厚生省大臣官房障害保健福祉部障害福祉課長・児童家庭局保育課長連名通知）は廃止するが、平成23年度以前の取扱いについては、従前の例によるものとする。

また、各都道府県におかれては、貴管内市区町村（指定都市、中核市を除く。）に周知徹底を図るようご配慮願いたい。

記

1　保育所入所児童が障害児通所支援を受ける場合の取扱いについて

保育所入所児童であって、当該児童が障害を有しているため、障害児支援利用計画及び個別支援計画（以下「障害児支援利用計画等」という。）に基づき、障害児通所支援を受ける必要がある場合には、保育所に入所していることが障害児通所支援を受けることを妨げるものではないこと。

なお、この場合にあっては、保育所と障害児通所支援事業所において、障害の状況等に合わせた一貫した支援を提供すること等が重要であることから、保育所の保育内容を踏まえた障害児支援利用計画等にするとともに、保育所と障害児通所支援事業所の担当者間で十分連携して取り組むなど、児童にとって効果的なものになるよう配慮すること。

（注1）障害児通所支援とは、障がい者制度改革推進本部等における検討を踏まえて障害保健福祉施策を見直すまでの間において障害者等の地域生活を支援するための関係法律の整備に関する法律（平成22年法律第71号。以下「整備法」という。）による改正後の児童福祉法（以下「改正児童福祉法」という。）第6条の2第1項に規定する児童発達支援、医療型児童発達支援及び保育所等訪問支援をいう。

なお、平成24年4月1日から改正児童福祉法が施行されたことに伴い、整備法第4条による改正前の児童福祉法第7条第1項に規定する知的障害児通園施設、児童福祉施設の設備及び運営に関する基準の一部を改正する省令（平成24年厚生労働省令第17号）による改正前の児童福祉施設の設備及び運営に関する基準（昭和23年厚生省令第63号。以下「旧基準」という。）第60条第2項第1号に規定する難聴幼児通園施設、旧基準第68条第2号に規定する肢体不自由児通園施設及び整備法第2条による改正前の障害者自立支援法第5条第7項に規定する児童デイサービスが、障害児通所支援に一元化された。

（注2）障害児支援利用計画とは、改正児童福祉法第6条の2第7項に基づき、障害児相談支援事業者が、障害児通所支援を利用する障害児に対し、心身の状況やその置かれている環境等を勘案し、利用する支援の種類や内容等を定めた計画をいう。

（注3）個別支援計画とは、児童福祉法に基づく指定通所支援の人員、設備及び運営に関する基準（平成24年厚生労働省令第15号）第27条及び第64条で準用する場合並びに第79条で準用する場合の規定に基づき、児童発達支援管理責任者が障害児通所支援を利用する障害児に対し、本人及びその家族のニーズ等を反映させて支援の内容等を定めた計画をいう。

2　費用の支弁等について

(1)　保育所運営費の支弁

保育所運営費の支弁については、「児童福祉法による保育所運営費国庫負担金について」（昭和51年4月16日厚生省発児第59号の2厚生事務次官通知、以下「保育所運営費交付要綱」という。）及び「「児童福祉法による保育所運営費国庫負担金について」通知の施行について」（昭和51年4月16日厚生省発児第59号の5厚生省児童家庭局長通知）により月額を支弁する。

(2)　障害児通所支援に係る給付費の支給

障害児通所支援に係る給付費については、契約による利用となることから、「児童福祉法に基づく指定通所支援及び基準該当通所支援に要する費用の額の算定に関する基準」別表の障害児通所給付費等単位数表により算定する単位数に「厚生労働大臣が定める一単位の単価」を乗じて得た額から、障害児の保護者が障害児通所支援事業所に支払う３の⑵に規定する額を控除して得た額とする。

３　費用の徴収について

⑴　保育所運営費の費用徴収

保育所運営費の国庫精算上の費用徴収については、保育所運営費交付要綱の第４で定める「保育所徴収金（保育料）基準額表」により、月額を徴収する。

⑵　障害児通所支援に係る費用負担

障害児通所支援の利用に係る費用負担については、障害児の保護者は、通常の契約利用と同様に原則改正児童福祉法第21条の５の２及び第21条の５の28に基づき障害児通所支援に要した費用の額等に応じ、算定された額を障害児通所支援事業所に支払うこと。

○里親及びファミリーホームに委託されている児童が保育所へ入所する場合等の取扱いについて

（平成11年８月30日　児家第50号
各都道府県・各指定都市・各中核市民生主管部(局)長宛
厚生省大臣官房障害保健福祉部障害福祉・児童家庭局家庭福祉・保育課長連名通知）

注　令和３年３月31日子家発0331第１号・子保発0331第１号・障障発0331第１号改正現在

児童福祉行政及び障害福祉行政の推進については、かねてより特段の御配慮を煩わせているところであるが、今般、標記について、別紙のとおり取り扱うこととしたので、十分御留意の上、遺憾のないようにされたい。

別　紙

１　里親及びファミリーホームに委託されている児童が保育所へ入所する場合の取扱いについて

ア　取扱い

里親又は小規模住居型児童養育事業を行う者（以下「ファミリーホーム」という。）の就労等により里親又はファミリーホームに委託されている児童の保育の必要性が生じた場合において、当該児童の最善の利益の観点から、当該里親又はファミリーホームへの委託を継続することが適切と認められる場合には、当該児童につき里親又はファミリーホームに委託されていることが、保育所（子ども・子育て支援法（平成24年法律第65号）に定める特定教育・保育施設（幼稚園を除く。）及び特定地域型保育事業を行う事業所をいう。以下同じ。）へ入所することを妨げないものとすること。

児童を既に就労等している里親又はファミリーホームに委託することが、当該児童の最善の利益に適うと認められる場合についても、同様の取り扱いであること。

本取扱いを行うに際しては、児童相談所と市町村の間で十分に連携を図り、当該児童について最善の措置を採ること。

イ　費用の支弁

①　里親及びファミリーホームに対する支弁

里親及びファミリーホーム委託に係る措置費の支弁については、「児童福祉法による児童入所施設措置費等国庫負担金について」（平成11年４月30日厚生省発児第86号厚生事務次官通知。以下「児童入所施設措置費等交付要綱」という。）及び「「児童福祉法による児童入所施設措置費等国庫負担金について」通知の施行について」（平成11年４月30日児発第416号厚生省児童家庭局長通知。以下「児童入所施設措置費等施行通知」という。）により、月額を支弁する。

②　保育所に対する支弁

子どものための教育・保育給付費の支弁については、「子どものための教育・保育給付費の国庫負担について」（平成28年５月２日府子本第303号内閣府総理大臣通知）に定めるところによる。

ウ　費用の徴収

①　里親及びファミリーホーム委託に係る費用徴収

里親及びファミリーホーム委託に係る措置費の国庫精算上の費用徴収については、児童入所施設措置費等交付要綱の第５に定める「児童入所施設徴収金基準額表」により、月額を徴収する。

②　保育所入所に係る費用徴収

徴収を免除する。

２　里親及びファミリーホームに委託されている児童が障害児通所支援を受ける場合の取扱いについて

ア　取扱い

児童が里親又はファミリーホームに委託されており、障害児通所支援を受けることが必要と認められる場合は、里親については「里親制度の運営について」（平成14年9月5日雇児発第0905002号厚生労働省雇用均等・児童家庭局長通知。以下「里親制度運営要綱」という。）第5の1の(1)のキにより、障害児通所支援を受けさせることができることとされているところであるが、その取扱いについては、下記に留意するとともにファミリーホームについても同様の取扱いとされたい。

本取扱いを行うに際しては、

① 児童相談所は、障害児通所支援の必要性や心身の状況、日常生活全般の状況等の評価を通じて、生活全般の解決すべき課題や必要な支援内容等について自立支援計画上に位置づけること（自立支援計画の見直し）。

② 児童相談所は見直した自立支援計画について、里親又はファミリーホーム、市町村（親権を行う者が所在する市町村を原則とする。以下同じ。）等の障害児支援の担当者を招集して行う会議の開催等により、内容を共有すること。

③ 市町村は、関係者間で共有された自立支援計画を勘案して、障害児通所支援の提供の委託の可否を判断すること。

④ 既に障害児通所支援を受けている児童が里親又はファミリーホームへ委託される場合についても、上記①から③と同様の取扱いであること。

イ　費用の支弁（支給）

① 里親及びファミリーホームに対する支弁

里親及びファミリーホーム委託に係る措置費の支弁については、児童入所施設措置費等交付要綱及び児童入所施設措置費等施行通知により月額を支弁する。

② 障害児通所支援に係る費用の支給

障害児通所支援に係る費用については、措置の扱いとなることから「やむを得ない事由による措置（障害児通所支援）を行った場合の単価等の取扱いについて」（平成24年6月25日障障発0625第1号障害福祉課長通知）に基づき、「児童福祉法に基づく指定通所支援及び基準該当通所支援に要する費用の額の算定に関する基準」（平成24年厚生労働省告示第122号）に準じて算定した額とする。

ウ　費用の徴収

① 里親及びファミリーホーム委託に係る費用徴収

里親及びファミリーホーム委託に係る措置費の国庫精算上の費用徴収については、児童入所施設措置費等交付要綱の第5に定める「児童入所施設徴収金基準額表」により、月額を徴収する。

② 障害児通所支援に係る費用徴収

徴収を免除する。

3　里親及びファミリーホームに委託されている児童が、居宅介護、重度訪問介護、同行援護、行動援護、生活介護又は短期入所（以下「居宅介護等」という。）を受ける場合の取扱いについて

ア　取扱い

児童が里親又はファミリーホームに委託されており、居宅介護等を受けることが必要と認められる場合は、里親については里親制度運営要綱第5の1の(1)のキにより、居宅介護等を受けさせることができることとされているところであるが、その取扱いについては、下記に留意するとともにファミリーホームについても同様の取扱いとされたい。

本取扱いを行うに際しては、

① 児童相談所は、居宅介護等の必要性や心身の状況、日常生活全般の状況等の評価を通じて、生活全般の解決すべき課題や必要な支援内容等について自立支援計画上に位置づけること（自立支援計画の見直し）。

② 児童相談所は見直した自立支援計画について、里親又はファミリーホーム、市町村等の障害児支援等の担当者を招集して行う会議の開催等により、内容を共有すること。

③ 市町村は、関係者間で共有された自立支援計画を勘案して、居宅介護等の提供の委託の可否を判断すること。

④ 既に居宅介護等を受けている児童が里親又はファミリーホームへ委託される場合についても、上記①から③と同様の取扱いであること。

⑤ 重度訪問介護又は生活介護（以下「重度訪問看護等」という。）については、15歳以上で、児童福祉法第63条の2又は第63条の3の規定により児童相談所長が重度訪問介護等を利用することが適切であると認め、市町村の長に通知した場合に、障害者とみなされるものであることに留意すること。

イ　費用の支弁（支給）

① 里親及びファミリーホームに対する支弁

里親及びファミリーホーム委託に係る措置費の支弁については、児童入所施設措置費等交付

要綱及び児童入所施設措置費等施行通知により月額を支弁する。

② 居宅介護等に係る費用の支給

居宅介護等に係る費用については、措置の扱いとなることから「やむを得ない事由による措置を行った場合の単価等の取扱いについて」(平成18年11月17日障障発第1117002号厚生労働省社会・援護局障害保健福祉部障害福祉課長通知)に基づき、「障害者の日常生活及び社会生活を総合的に支援するための法律に基づく指定障害福祉サービス等及び基準該当障害福祉サービスに要する費用の額の算定に関する基準」(平成18年厚生労働省告示第523号)に準じて算定した額とする。

ウ 費用の徴収

① 里親及びファミリーホーム委託に係る費用徴収

里親及びファミリーホーム委託に係る措置費の国庫精算上の費用徴収については、児童入所施設措置費等交付要綱の第5に定める「児童入所施設徴収金基準額表」により、月額を徴収する。

② 居宅介護等に係る費用徴収

徴収を免除する。

4 母子生活支援施設入所児童が障害児通所支援を受ける場合の取扱いについて

ア 取扱い

児童が母子生活支援施設に入所しており、障害児通所支援を受けることが必要と認められる場合は、当該児童につき、母子生活支援施設に入所していることが、障害児通所支援を受けることを妨げないものとする。なお、その取扱いについては、下記に留意されたい。

① 本取扱いを行うに際しては、児童相談所と福祉事務所又は市町村の間で十分連携を図り、当該児童において最善の措置を採ること。

② 既に障害児通所支援を受けている児童が母子生活支援施設へ入所する場合についても、同様の取扱いであること。

イ 費用の支弁(支給)

① 母子生活支援施設に対する支弁

母子生活支援施設措置費の支弁については、児童入所施設措置費等交付要綱及び児童入所施設措置費等施行通知により月額を支弁する。

② 障害児通所支援に係る費用の支給

障害児通所支援に係る費用については、契約による利用となることから、「児童福祉法に基づく指定通所支援及び基準該当通所支援に要する費用の額の算定に関する基準」別表の障害児通所給付費単位数表により算定する単位数に「厚生労働大臣が定める一単位の単価」(平成24年厚生労働省告示第128号)を乗じて得た額から、障害児の保護者が障害児通所支援事業所に支払うウ②に規定する額を控除して得た額とする。

ウ 費用の徴収

① 母子生活支援施設入所に係る費用徴収

母子生活支援施設措置費の国庫精算上の費用徴収については、児童入所施設措置費等交付要綱の第5に定める「児童入所施設徴収金基準額表」により、月額を徴収する。

② 障害児通所支援に係る費用負担

障害児通所支援の利用に係る費用負担については、障害児の保護者は、通常の契約利用と同様に原則児童福祉法第21条の5の3及び同法第21条の5の28に基づき障害児通所支援に要した費用の額等に応じ、算定された額を障害児通所支援事業所に支払うこと。

5 里親及びファミリーホームに委託されている児童、児童養護施設に入所している児童又は母子生活支援施設に入所している母が、就労移行支援、就労継続支援A型、就労継続支援B型(以下「就労移行支援等」という。)を受ける場合の取扱いについて

ア 取扱い

里親及びファミリーホームに委託されている児童、児童養護施設に入所している児童又は母子生活支援施設に入所している母について、就労移行支援等を受けることが必要と認められる場合は、当該児童等につき、里親及びファミリーホームに委託又は児童養護施設及び母子生活支援施設に入所していることが、就労移行支援等を受けることを妨げないものとする。なお、その取扱いについては、下記に留意されたい。

(1) 里親及びファミリーホームに委託されている児童の場合

本取扱いを行うに際しては、

① 児童相談所は、就労移行支援等の必要性や心身の状況、日常生活全般の状況等の評価を通じて、生活全般の解決すべき課題や必要な支援内容等について自立支援計画上に位置づけること(自立支援計画の見直し)。

② 児童相談所は見直した自立支援計画について、里親又はファミリーホーム、市町村等の障害児支援等の担当者を招集して行う会議の

開催等により、内容を共有すること。

③　市町村は、関係者間で共有された自立支援計画を勘案して、就労移行支援等の提供の委託の可否を判断すること。

④　既に就労移行支援等を受けている児童等が里親及びファミリーホームに委託される場合についても、上記①から③と同様の取扱いであること。

⑤　就労移行支援等については、15歳以上の児童で、児童福祉法第63条の２又は第63条の３の規定により児童相談所長が就労移行支援等を利用することが適切であると認め、市町村の長に通知した場合に、障害者とみなされるものであることに留意すること。

(2)　児童養護施設に入所している児童の場合

本取扱いを行うに際しては、

①　児童養護施設は、児童相談所と十分連携し、就労移行支援等の必要性や心身の状況、日常生活全般の状況等の評価を通じて、生活全般の解決すべき課題や必要な支援内容等について自立支援計画（児童養護施設に新規入所時点で本取扱いを行う場合は児童相談所が作成する援助指針）上に位置づけること（自立支援計画の見直し）。

②　児童相談所は児童養護施設が見直した自立支援計画について、市町村等の障害児支援等の担当者を招集して行う会議の開催等により、内容を共有すること。

③　市町村は、関係者間で共有された自立支援計画を勘案して、就労移行支援等の提供の委託の可否を判断すること。

④　既に就労移行支援等を受けている児童等が児童養護施設へ入所する場合についても、上記①から③の取扱いであること。

⑤　就労移行支援等については、15歳以上の児童で、児童福祉法第63条の２又は第63条の３の規定により児童相談所長が就労移行支援等を利用することが適切であると認め、市町村の長に通知した場合に、障害者とみなされるものであることに留意すること。

(3)　母子生活支援施設に入所している母及び児童の場合

①　本取扱いを行うに際しては、児童相談所と福祉事務所又は市町村の間で十分連携を図り、当該児童等において最善の措置を採ること。

②　既に就労移行支援等を受けている児童等が里親及びファミリーホームに委託又は児童養護施設及び母子生活支援施設へ入所する場合についても、同様の取扱いであること。

イ　費用の支弁（支給）

①　里親、ファミリーホーム、児童養護施設及び母子生活支援施設に対する支弁について

里親、ファミリーホーム、児童養護施設及び母子生活支援施設に係る措置費支弁については、児童入所施設措置費等交付要綱及び児童入所施設措置費等施行通知により月額を支弁する。

②　就労移行支援等に係る費用の支給

里親及びファミリーホームの委託児童又は児童養護施設の入所児童が就労移行支援等を受ける際の費用については、措置の扱いとなることから「やむを得ない事由による措置を行った場合の単価等の取扱いについて」（平成18年11月17日障障発第1117002号）に基づき、「障害者の日常生活及び社会生活を総合的に支援するための法律に基づく指定障害福祉サービス等及び基準該当障害福祉サービスに要する費用の額の算定に関する基準」（平成24年厚生労働省告示第128号）に準じて算定した額とする。

母子生活支援施設に入所している母が就労移行支援等を受ける際の費用については、契約による利用になることから、「障害者の日常生活及び社会生活を総合的に支援するための法律に基づく指定障害者福祉サービス等及び基準該当障害福祉サービスに要する費用の額の算定に関する基準」別表の介護給付費等単位数表により算定する単位数に「厚生労働大臣が定める一単位の単価」（平成18年厚生労働省告示第539号）を乗じて得た額から、障害児の保護者が就労移行支援等事業所に支払うウ②に規定する額を控除して得た額とする。

ウ　費用の徴収

①　里親及びファミリーホーム委託又は児童養護施設及び母子生活支援施設入所に係る費用徴収

里親、ファミリーホーム、児童養護施設及び母子生活支援施設に係る措置費の国庫精算上の費用徴収については、児童入所施設措置費等交付要綱の第５に定める「児童入所施設徴収金基準額表」により、月額を徴収する。

②　就労移行支援等に係る費用徴収

里親及びファミリーホームに委託されている児童又は児童養護施設に入所している児童については、徴収を免除し、母子生活支援施設に入所している母については、通常の利用と同様に

原則障害者の日常生活及び社会生活を総合的に支援するための法律第28条第２項に基づき就労移行支援等に要した費用の額等に応じ、算定された額を就労移行支援等事業所に支払うこと。

6　乳児院に入所している乳幼児が障害児通所支援を受ける場合の取扱いについて

ア　取扱い

乳幼児が乳児院に入所しており、障害児通所支援を受けることが必要と認められる場合は、当該乳幼児につき、乳児院に入所していることが、障害児通所支援を受けることを妨げないものとする。なお、その取扱いについては、下記に留意されたい。

本取扱いを行うに際しては、

①　乳児院は、児童相談所と十分連携し、障害児通所支援の必要性や心身の状況、日常生活全般の状況等の評価を通じて、生活全般の解決すべき課題や必要な支援内容等について自立支援計画上（乳児院に新規入所時点で本取扱いを行う場合は児童相談所が作成する援助指針）に位置づけること（自立支援計画の見直し）。

②　児童相談所は乳児院が見直した自立支援計画について、市町村等の障害児支援の担当者を招集して行う会議の開催等により、内容を共有すること。

③　市町村は、関係者間で共有された自立支援計画を勘案して、障害児通所支援の提供の委託の可否を判断すること。

④　既に障害児通所支援を受けている乳幼児が乳児院へ入所する場合についても、上記①から③と同様の取扱いであること。

イ　費用の支弁（支給）

①　乳児院に対する支弁

乳児院措置費の支弁については、児童入所施設措置費等交付要綱及び児童入所施設措置費等施行通知により月額を支弁する。

②　障害児通所支援に係る費用の支給

障害児通所支援に係る費用については、措置の扱いとなることから「やむを得ない事由による措置（障害児通所支援）を行った場合の単価等の取扱いについて」（平成24年６月25日障障発0625第１号厚生労働省社会・援護局障害保健福祉部障害福祉課長通知）に基づき、算定した額とする。

ウ　費用の徴収

①　乳児院入所に係る費用徴収

乳児院措置費の国庫精算上の費用徴収については、児童入所施設措置費等交付要綱の第５に定める「児童入所施設徴収金基準額表」により、月額を徴収する。

②　障害児通所支援に係る費用徴収

徴収を免除する。

7　児童養護施設に入所している児童が障害児通所支援を受ける場合の取扱いについて

ア　取扱い

児童が児童養護施設に入所しており、障害児通所支援を受けることが必要と認められる場合は、当該児童につき、児童養護施設に入所していることが、障害児通所支援を受けることを妨げないものとする。なお、その取扱いについては、下記に留意されたい。

本取扱いを行うに際しては、

①　児童養護施設は、児童相談所と十分連携し、障害児通所支援の必要性や心身の状況、日常生活全般の状況等の評価を通じて、生活全般の解決すべき課題や必要な支援内容等について自立支援計画（児童養護施設に新規入所時点で本取扱いを行う場合は児童相談所が作成する援助指針）上に位置づけること（自立支援計画の見直し）。

②　児童相談所は児童養護施設が見直した自立支援計画について、市町村等の障害児支援の担当者を招集して行う会議の開催等により、内容を共有すること。

③　市町村は、関係者間で共有された自立支援計画を勘案して、障害児通所支援の提供の委託の可否を判断すること。

④　既に障害児通所支援を受けている児童が児童養護施設へ入所する場合についても、上記①から③と同様の取扱いであること。

イ　費用の支弁（支給）

①　児童養護施設に対する支弁

児童養護施設措置費の支弁については、児童入所施設措置費等交付要綱及び児童入所施設措置費等施行通知により月額を支弁する。

②　障害児通所支援に係る費用の支給

障害児通所支援に係る費用については、措置の扱いとなることから「やむを得ない事由による措置（障害児通所支援）を行った場合の単価等の取扱いについて」（平成24年６月25日障障発0625第１号厚生労働省社会・援護局障害保健福祉部障害福祉課長通知）に基づき、算定した額とする。

ウ　費用の徴収

①　児童養護施設入所に係る費用徴収

児童養護施設措置費の国庫精算上の費用徴収については、児童入所施設措置費等交付要綱の第5に定める「児童入所施設徴収金基準額表」により、月額を徴収する。

②　障害児通所支援に係る費用徴収

徴収を免除する。

8　その他

里親及びファミリーホームに委託されている児童又は児童養護施設及び母子生活支援施設に入所している児童が、児童心理治療施設又は児童自立支援施設へ通所する場合の費用の支弁及び徴収については次のとおりとする。

ア　費用の支弁

里親、ファミリーホーム、児童養護施設、母子生活支援施設、児童心理治療施設通所部及び児童自立支援施設通所部措置費の支弁については、児童入所施設措置費等交付要綱及び児童入所施設措置費等施行通知により月額を支弁する。

イ　費用の徴収

①　里親及びファミリーホーム委託又は児童養護施設及び母子生活支援施設入所に係る費用徴収

里親及びファミリーホーム委託に係る措置費又は児童養護施設及び母子生活支援施設措置費の国庫精算上の費用徴収については、児童入所施設措置費等交付要綱の第5に定める「児童入所施設徴収金基準額表」により、月額を徴収する。

②　児童心理治療施設通所部又は児童自立支援施設通所部に係る費用徴収

徴収を免除する。

○里親に委託されている児童が保育所へ入所する場合の取扱いに係る留意点等について

〔平成11年8月30日　児家第51号
各都道府県・各指定都市・各中核市民生主管部(局)長宛
厚生省児童家庭局家庭福祉課長通知〕

里親に委託されている児童が保育所へ入所する場合の取り扱いについては、「里親に委託されている児童が保育所へ入所する場合等の取扱いについて」(平成11年8月30日児家第50号厚生省大臣官房障害保健福祉部障害福祉課長、児童家庭局家庭福祉課長、保育課長通知)により通知したところであるが、その取り扱いの趣旨及び取り扱いに係る留意点は下記のとおりであるので、御了知の上、管下の市町村、児童相談所等関係機関、関係団体等に対してその周知徹底を図るとともに、適切な指導を行い、その運用に遺漏のないようにされたい。

記

1　取り扱いの趣旨

現に里親に委託されている児童が里親の就労、妊娠・出産、疾病、障害、介護等の理由から保育に欠けることとなった場合において、当該児童につき保育所に入所することを妨げないこととしているところであるが、この取り扱いは、当該児童を他の里親や児童養護施設等に措置変更するよりも、当該里親に引き続き養育させ委託を継続することの方が、当該児童の最善の利益の観点から見て適切な場合に採られる取り扱いであり、児童の養育の継続性を確保し、健全な育成を図るために採られるものであること。

児童を既に就労している里親に委託する場合においても、当該児童につき保育所に入所することを妨げないこととしているところであるが、この取り扱いは、児童相談所が当該児童の最善の利益の観点から判断して、当該児童を児童養護施設等に入所させるよりも里親に委託することの方が望ましく、なおかつ当該里親が最も適切であると認める場合に採られる取り扱いであり、特に家庭的環境での養護が必要と認められる児童に最適な養護環境を提供し、健全な育成を図るために採られるものであること。

本取り扱いは、以上を通じ、里親制度の普及促進と積極的活用を図ることを目的とするものであること。

2　取り扱いに係る留意点

児童相談所長は、現に里親委託中の児童について本取り扱いを採る場合であっても、当該児童の意向を聴取した上必要な調査・診断等を行い、処遇会議において本取り扱いを決定すること。

また、児童相談所長は、当該里親の指導担当者をして定期的に里親家庭を訪問させ、当該児童の意向と養育状況を把握した上必要な指導を行うとともに、保育所での当該児童の状況についても把握に努めること。

◉母子及び父子並びに寡婦福祉法（抄）

〔昭和39年７月１日
法 律 第 129 号〕

注　令和５年５月17日法律第28号改正現在

（特定教育・保育施設の利用等に関する特別の配慮）

第28条　市町村は、子ども・子育て支援法第27条第１項に規定する特定教育・保育施設（次項において「特定教育・保育施設」という。）又は同法第43条第２項に規定する特定地域型保育事業（次項において「特定地域型保育事業」という。）の利用について、同法第42条第１項若しくは第54条第１項の規定により相談、助言若しくはあつせん若しくは要請を行う場合又は児童福祉法第24条第３項の規定により調整若しくは要請を行う場合には、母子家庭の福祉が増進されるように特別の配慮をしなければならない。

2　特定教育・保育施設の設置者又は子ども・子育て支援法第29条第１項に規定する特定地域型保育事業者は、同法第33条第２項又は第45条第２項の規定により当該特定教育・保育施設を利用する児童（同法第19条第２号又は第３号に該当する児童に限る。以下この項において同じ。）又は当該特定地域型保育事業者に係る特定地域型保育事業を利用する児童を選考するときは、母子家庭の福祉が増進されるように特別の配慮をしなければならない。

3　市町村は、児童福祉法第６条の３第２項に規定する放課後児童健全育成事業その他の内閣府令で定める事業を行う場合には、母子家庭の福祉が増進されるように特別の配慮をしなければならない。

○保育所の入所等におけるひとり親家庭の取扱いについて

〔平成26年９月30日　雇児発0930第21号
各都道府県・各指定都市・各中核市民生主管部（局）長宛
厚生労働省雇用均等・児童家庭局長通知〕

注　平成27年３月31日雇児発0331第12号改正現在

母子及び父子並びに寡婦福祉法（以下「法」という。）第28条（第31条の８において準用する場合を含む。以下同じ。）において、市町村が保育の必要性の認定を受けた子どもの保育所、認定こども園又は地域型保育事業（以下「保育所等」という。）の利用に関して利用調整を行う際のひとり親家庭への特別の配慮義務が規定され、平成27年４月１日から施行されるところである。

また、ひとり親家庭の利用に関して特別の配慮が求められる事業として、母子及び父子並びに寡婦福祉法施行規則（昭和39年厚生省令第32号）第６条の２において、従来の放課後児童健全育成事業、子育て短期支援事業及び一時預かり事業に加え、新たに延長保育事業及び子育て援助活動支援事業を規定し、平成27年４月１日から施行することとしている。

各地方公共団体においては、法第28条の規定の趣旨を踏まえ、下記事項に御留意いただき、ひとり親家庭の子育てを支援するとともに、ひとり親家庭の児童の心身の健全な育成が図られるよう、格段の御配慮をお願いする。

なお、この通知は、地方自治法（昭和22年法律第67号）第245条の４第１項の規定に基づく技術的助言である。

おって、平成15年３月31日雇児発第0331011号厚生労働省雇用均等・児童家庭局長通知「保育所の入所等の選考の際における母子家庭等の取扱いについて」は廃止する。

記

１　法第28条の規定の趣旨について

ひとり親家庭の親は、子育てと生計の担い手という二重の役割を一人で担っており、家庭内での児童のしつけや教育にかける時間や労力には制約があるため、ひとり親家庭の児童がその置かれている環境にかかわらず、心身ともに健やかに成長するために、その児童に対する保育や子育て支援を充実する必要がある。このため、保育所の入所等に関する特別の配慮義務が規定されたものであること。

２　保育所等の利用及び放課後児童クラブの利用に係る特別の配慮について

⑴　児童福祉法（昭和22年法律第164号）第24条第３項の規定により、保育所等の利用調整を行う場合においては、ひとり親家庭を利用の必要性が高いものとして優先的に取り扱うこと。

特に、都市部等の待機児童の多い地域にあっては、ひとり親家庭の優先的取り扱いが徹底されるよう配慮すること。

また、児童福祉法第６条の３第２項の規定により、市町村が放課後児童健全育成事業を実施する場合においては、ひとり親家庭を放課後児童クラブの利用の必要性が高いものとして優先的に取り扱うこと。

⑵　ひとり親家庭のうち、離婚等の直後にある者であって生活の激変を緩和する必要があるなど、特に自立の促進を図ることが必要と認められるものについては、最優先的に取り扱うこと。

⑶　母子家庭をめぐる就労条件や就職環境が厳しいこと等を踏まえ、母子家庭が求職活動、職業訓練等を行っている場合にあっては、求職活動等を行っている日数、時間等に応じて、就労している場合と同等の事情にあるものとして、優先的に取り扱うこと。

⑷　市町村は、母子家庭に係る保育所等及び放課後児童クラブの利用の選考を行うに当たって、母子家庭の就労状況等の把握に努めること。

⑸　都道府県は、市町村が保育所等及び放課後児童クラブの利用の選考を行うに当たって、母子家庭の就労状況に関する情報提供に努めること。

３　母子及び父子並びに寡婦福祉法施行規則第６条の２に規定する事業の利用に係る特別の配慮について

市町村が次の事業を実施する場合においては、ひとり親家庭を事業の利用の必要性が高いものとして優先的に取り扱うなど特別の配慮をすること。

ア　子ども・子育て支援法（平成24年法律第65号）第59条第２号に規定する事業

イ　児童福祉法第６条の３第３項に規定する子育て短期支援事業

ウ　児童福祉法第６条の３第７項に規定する一時預かり事業

エ　児童福祉法第６条の３第14項に規定する子育て援助活動支援事業

○特別の支援を要する家庭の児童の保育所入所における取扱い等について

〔平成16年８月13日　雇児発第0813003号
各都道府県知事・各指定都市市長・各中核市市長宛　厚生労働省雇用均等・児童家庭局長通知〕

今般、「児童虐待の防止等に関する法律の一部を改正する法律」（平成16年法律第30号。以下「改正法」という。）が第159回国会において全会一致で成立し、平成16年10月１日より施行されることに伴い、「「児童虐待の防止等に関する法律の一部を改正する法律」の施行について」（平成16年８月13日雇児発第0813002号厚生労働省雇用均等・児童家庭局長通知）を発出したところである。

同通知の第１の10⑴において、改正法による改正後の児童虐待の防止等に関する法律（平成12年法律第82号）第13条の２第１項について周知しているが、その具体的な取扱いについて下記のとおり定めたので、御了知の上、管内の市町村並びに関係機関及び関係団体等に周知を図り、その運用に遺漏のないようお願いする。

なお、この通知は、地方自治法（昭和22年法律第67号）第245条の４第１項の規定に基づく技術的助言である。

記

1　保育所の入所に係る特別の配慮等について

⑴　児童福祉法第24条第３項の規定により、保育所に入所する児童を選考する場合においては、児童虐待の防止に寄与するため、特別の支援を要する家庭を保育所入所の必要性が高いものとして優先的に取り扱うこと。

この場合において「特別の支援を要する家庭」とは、

①　児童虐待防止の観点から、児童福祉法第25条の２第３号又は第26条第１項第４号の規定により、保育の実施が必要である旨の報告又は通知を受けた児童のある家庭

②　市町村域に設置された児童虐待防止ネットワークなどにおいて、児童虐待防止の観点から保育の実施が特に必要であると考えられる児童のいる家庭

をいうこと。

特に、都市部等の待機児童の多い地域にあっては、こうした特別の支援を要する家庭の児童の優先的取り扱いが徹底されるよう配慮すること。

なお、こうした特別の支援を要する家庭の児童に対する保育の実施については、当該児童の保護者が児童福祉法施行令（昭和23年政令第74号）第27条第６号に規定する「前各号に類する状態にあること」に該当するものとして行うものである。

⑵　市町村は、特別の支援を要する家庭について、⑴の保育所入所に関する優先的取扱に加え、改正児童虐待防止法の趣旨を踏まえ、児童福祉施設等において行われる特定保育事業やつどいの広場事業などの子育て支援事業の利用についても優先的に取り扱うなどの措置を講じるよう努めること。

2　留意点について

⑴　都道府県及び市町村は、児童相談所長や福祉事務所長に対し、児童虐待の防止の観点から、保育の実施が必要である児童については、児童福祉法第25条の２第３号又は第26条第１項第４号の規定に基づく市町村の長への報告又は通知を適切に行うよう周知すること。

⑵　市町村は、児童相談所長又は福祉事務所長から⑴の報告又は通知を受けたときは、児童福祉法第24条第４項の規定に基づき、児童の保護者に対し保育の実施の申込みを勧奨すること。

○行政事件訴訟法の一部改正等に伴う保育所入所不承諾通知書及び保育実施解除通知書の様式の変更について

〔平成17年６月３日　雇児保発第0603003号
各都道府県・各指定都市・各中核市民生主管部(局)長宛
厚生労働省雇用均等・児童家庭局保育課長通知〕

行政事件訴訟法の一部を改正する法律（平成16年法律第84号。別添１参照。）については、平成16年６月９日に公布され、行政事件訴訟法の一部を改正する法律の施行期日を定める政令（平成16年10月15日政令第311号。別添２参照。）により、平成17年４月１日から施行されているところである。この法律による改正後の行政事件訴訟法（昭和37年法律第139号。以下「改正行政事件訴訟法」という。）第46条においては、行政庁による取消訴訟等の提起に関する事項の教示について規定されており、これに伴う保育所入所不承諾通知の取扱いにつき疑義照会が寄せられていることから、下記のとおり通知する。

貴職におかれては、下記内容を御了知の上、管内市区町村に御周知頂くよう、お願いする。

なお、この通知は、地方自治法（昭和22年法律第67号）第245条の４第１項に基づく技術的助言である。

記

１　保育所入所不承諾等における行政事件訴訟法の適用について

保育所の入所については、保護者の意思表示を前提とした申込みを受け、市町村が保育サービスを提供し、当該サービスの提供を受けた利用者が市町村の定める保育料を支払うという双務関係に基づく利用契約と位置付けられている。

この契約については、市町村には、保育の実施責任を負っていることによる締結義務が課されている一方、保育所利用申込者が保育の実施基準に該当するか否かを判断し、やむを得ない場合には保育所入所児童を公正な方法で選考する権限が児童福祉法上認められているところであり（児童福祉法第24条第１項及び第３項)、こうした性質にかんがみ、保育所入所の不承諾又は保育の実施の解除は、行政事件訴訟法上の取消訴訟の対象となる。

２　改正行政事件訴訟法の教示制度

改正行政事件訴訟法第46条は、出訴期間等の取消訴訟等の提起に関する事項について情報提供をすべき行政庁の義務を定めることにより、国民が行政事件訴訟により権利利益の救済を得る機会を十分に確保しようとするものである。取消訴訟等の提起に関する事項を行政庁が教示しなければならない場合と、それぞれの場合における教示すべき事項は次のとおりであり、いずれの場合も、口頭による処分は教示義務の対象外とされている。

(1)　取消訴訟を提起することができる処分又は裁決をする場合（同条第１項）

この場合には、その処分又は裁決の相手方に対し、以下の事項を書面で教示しなければならない。

①　処分又は裁決に係る取消訴訟の被告とすべき者（同項第１号）

②　処分又は裁決に係る取消訴訟の出訴期間（同項第２号）

③　法律にその処分についての審査請求に対する裁決を経た後でなければ処分の取消訴訟を提起することができない旨（いわゆる不服申立ての前置）の定めがあるときは、その旨（同項第３号）

(2)　裁決主義の定めがある場合（同条第２項）

法律に処分についての審査請求に対する裁決に対してのみ取消訴訟を提起することができる旨（いわゆる裁決主義）の定めがある場合には、その処分をするときは、その処分の相手方に対し、法律にその定めがある旨を書面で教示しなければならない。

(3)　形式的当事者訴訟を提起することができる処分又は裁決をする場合（同条第３項）

当事者間の法律関係を確認し又は形成する処分又は裁決に関する訴訟で法令の規定によりその法律関係の当事者の一方を被告とするもの（いわゆる形式的当事者訴訟）を提起することができる処分又は裁決をする場合には、その処分又は裁決の相手方に対し、以下の事項を書面で教示しなければならない。

①　その訴訟の被告とすべき者（同項第１号）

②　その訴訟の出訴期間（同項第２号）

３　保育所入所等の手続における取消訴訟の教示

１で示したとおり保育所入所不承諾等は取消訴訟の対象となることから、市町村は、当該決定の際には、改正行政事件訴訟法の規定により取消訴訟の提起に関する事項を教示しなければならない。

保育所の入所不承諾等については、不服審査前置の規定も裁決主義の規定もなく、また、形式的当事者訴訟に係るものでもないので、当該教示の内容は、取消訴訟の被告とすべき者（改正行政事件訴訟法第46条第１項第１号）及び取消訴訟の出訴期間（同項第２号）となる。取消訴訟の被告とすべき者は市町村であり（同法第11条第１項第１号）、市町村長が訴訟の代表者となる（同条第６項）。また、出訴期間は保育所入所不承諾等の決定を知った日から６か月以内である（同法第14条第１項）。

4　保育所入所不承諾通知書及び保育実施解除通知書の様式の変更

保育所の入所等の手続については、「児童福祉法等の一部を改正する法律の施行に伴う関係政令の整備に関する政令等の施行について」（平成９年９月25日児発第596号。以下「施行通知」という。）により御対応頂いているところである。

その中で、保育の実施を行わない場合には、「保育所入所不承諾通知書」（施行通知別表第４号様式）により、また保育の実施を解除した場合には、「保育実施解除通知書」（施行通知別表第５号様式）により、行政不服審査法に基づく不服申立てについての教示がなされているが、これらの場合には、３で示したとおり、今般の改正行政事件訴訟法の施行に伴い、取消訴訟についても教示を行う必要がある。

ついては、管内市区町村において、施行通知別表第４号様式及び別表第５号様式を、それぞれ別紙１及び別紙２の様式に変更して頂くなど、適切な対応を図られたい。

別添１・２　略

（別紙１）

（第４号様式）

第　　　　号

保　育　所　入　所　不　承　諾　通　知　書

文書番号

平成　　年　　月　　日

市町村長（福祉事務所長）氏名　　　　　　　印

殿

申込みのありました保育所の入所については、次の理由により入所できませんので通知いたします。

（理　由）

なお、本決定について不服があるときは、この決定があったことを知った日の翌日から起算して60日以内に異議申立てをすることができます。

また、本決定の取消しを求める訴えをする場合は、この決定があったことを知った日から６か月以内に、市町村を被告として（訴訟において市町村を代表する者は市町村長となります。）当該訴えを提起することができます。ただし、正当な理由がない限り、この決定の日から１年を経過したときは、提起することができません。

（別紙2）
（第5号様式）

第　　　号

保育実施解除通知書

文書番号

平成　　年　　月　　日

市町村長（福祉事務所長）氏名　㊞

殿

次の児童についての保育の実施を解除することにいたしましたから、通知いたします。

入所する児童の氏名及び生年月日	平成　　年　　月　　日生
入所する保育所の名称及び所在地	
保育の実施の解除の年月日	平成　　年　　月　　日
保育の実施の解除の理由	

備考　本決定について不服があるときは、この決定があったことを知った日の翌日から起算して60日以内に異議申立てをすることができます。

また、本決定の取消しを求める訴えをする場合は、この決定があったことを知った日から6か月以内に、市町村を被告として（訴訟において市町村を代表する者は市町村長となります。）当該訴えを提起することができます。ただし、正当な理由がない限り、この決定の日から1年を経過したときは、提起することができません。

○保育所入所不承諾通知書の名称等の変更について

〔平成28年８月31日　雇児発0831第５号
各都道府県知事・各指定都市市長・各中核市市長宛　厚生労働省雇用均等・児童家庭局長通知〕

子ども・子育て支援新制度（以下「新制度」という。）においては、児童福祉法（昭和22年法律第164号）第24条第３項及び附則第73条第１項に基づき、当分の間、すべての市町村（特別区を含む。以下同じ。）が利用調整を行うこととされており、当該利用調整の結果、入所決定に至らなかった場合、「児童福祉法等の一部を改正する法律の施行に伴う関係政令の整備に関する政令等の施行について」（平成９年９月25日付け児発第596号厚生省児童家庭局長通知。以下「施行通知」という。）において示している「保育所入所不承諾通知書」（施行通知別表第４号様式）等により、申込者に対して通知を行っているところである。

今般、当該通知書について、保育サービスを希望する保護者の個別ニーズや状況にあった利用調整の一環として、保護者の心情等に対する一層の配慮を図るため、その名称等を以下のとおり変更することとしたので、十分御了知の上、貴管内の関係者に対して遅滞なく周知し、その運用に遺漏のないよう配意願いたい。

また、当該通知書については、新制度におけるその他の保育サービスに係る申込等においても、必要に応じて適宜活用願いたい。

なお、本通知は、地方自治法（昭和22年法律第67号）第245条の４第１項の規定に基づく技術的な助言であることを申し添える。

記

保育所入所不承諾通知書について、その名称を「保育所入所保留通知書」と変更することとしたので、施行通知中「保育所入所不承諾通知書」とあるのは「保育所入所保留通知書」と改めるとともに、施行通知別表第４号様式を、別紙の様式に変更する。ただし、各市町村において、地域の実情等に応じて適宜記載事項を追加することは差し支えない。

なお、利用調整における選考過程の透明化を図り、もって保育所等の入所申込者の十分な理解が得られるよう、利用調整に当たって指数（優先順位）付け等を行っている市町村においては、当該申込者に係る指数等についても併せて通知するなど、申込者に対するきめ細かな支援を積極的に行うよう努めること。

また、入所申込者に対して通知書を送付する際には、各市町村において行っている様々な措置や支援等に関する情報提供を併せて行うとともに、利用者支援事業を活用し、４月以降も継続した丁寧な相談を行うなどの地域の実情に応じたきめ細かな支援に努めること。

（別　紙）
（第４号様式）

第　　　　号

保 育 所 入 所 保 留 通 知 書

文書番号

平成　　年　　月　　日

市町村長（福祉事務所長）氏名　　　　　印

殿

申込みのありました保育所の入所については、次の理由により保留となりましたので通知いたします。

児童の氏名及び生年月日	平成　　年　　月　　日生
保留となった理由	
保留の有効期限	平成　　年　　月　　日
備考	

本決定について不服があるときは、この決定があったことを知った日の翌日から起算して３月以内に審査請求をすることができます。

また、本決定の取消しを求める訴えをする場合は、この決定があったことを知った日から６か月以内に、市町村を被告として（訴訟において市町村を代表する者は市町村長となります。）当該訴えを提起することができます。ただし、正当な理由がない限り、この決定の日から１年を経過したときは、提起することができません。

なお、保留の有効期限中に、申込みのありました保育所に欠員が生じる等、当該保育所に入所可能となった場合には、その旨を御連絡いたします。

○社会福祉の増進のための社会福祉事業法等の一部を改正する等の法律の一部の施行等に伴う児童家庭局所管の福祉サービスの利用の際の情報提供等について

〔平成12年6月7日　児発第578号
各都道府県知事・各指定都市市長・各中核市市長宛　厚生省児童家庭局長通知〕

本日付けで公布された「社会福祉の増進のための社会福祉事業法等の一部を改正する等の法律（平成12年法律第111号）」については、同日付けでその一部が施行されたところであり、関係政省令の改正も同日付けで公布・施行されたところである。

今般、社会福祉事業法の一部改正においては、社会福祉サービスの共通事項として、福祉サービスに関する情報の提供、利用の援助及び苦情の解決に関する規定を整備し、福祉サービスの利用者の利益の保護を図る等の関係規定が施行されたところであり、その内容及び趣旨については、平成12年6月7日障第451号・社援第1351号・児発第574号厚生省大臣官房障害保健福祉部長・社会・援護局長・児童家庭局長通知「社会福祉の増進のための社会福祉事業法等の一部を改正する等の法律の一部の施行（平成12年6月7日）及びそれに伴う政省令の改正について」（以下「施行通知」という。）により通知しているところであるが、児童家庭局所管の福祉サービスの利用の際の事業者による情報提供等において必要な対応について、地方自治法（昭和22年法律第67号）第245条の4の規定に基づき、下記のとおりの助言を行うこととしたので、管内市町村及び関係機関等への周知方をよろしくお願いする。

記

1　利用契約の締結時に書面交付が義務づけられる事業について

今回の改正による社会福祉法の規定により、利用者が契約時に受けていた説明と異なる処遇により不利益を被ることのないよう、契約関係を明確にするため、また、実際に不利益を被った場合における事後的な救済に資するため、社会福祉事業の経営者に対し、契約成立後遅滞なく、社会福祉事業の経営者の名称等についての書面を交付しなければならない義務が課されることとされたところである。（詳細については、施行通知を参照）

このため、社会福祉法第2条に規定される放課後児童健全育成事業及び父子家庭居宅介護等事業については、施行通知を参照し、契約に際し、同法第76条の規定に基づき、当該サービスを利用するための契約の内容及びその履行に関する事項を説明するよう努めるとともに、同法第77条の規定に基づき書面交付を行うこととされたいこと。また、父子家庭居宅介護等事業と一体として実施されている母子家庭居宅介護等事業及び寡婦居宅介護等事業についても、同様の対応をお願いしたいこと。

2　利用契約の締結時に書面交付を要しないこととされる事業（3に掲げるものを除く。）について

施行通知において示したとおり、各種相談事業をはじめ、事業の性格上、社会福祉法第77条に規定する書面の交付を社会福祉事業の経営者に対して義務付ける実益に乏しい事業と考えられる児童家庭支援センターを経営する事業、児童の福祉の増進について相談に応ずる事業及び母子福祉施設を経営する事業とともに、保育所を経営する事業及び児童厚生施設を経営する事業については、利用契約の締結時に書面交付を行う法律上の義務はないが、今回の改正の趣旨に鑑み、以下の点に留意するようお願いしたいこと。

(1)　保育所を経営する事業について

ア　情報の提供（社会福祉法第75条関係）

保育に関しては、市町村及び保育所の情報提供について、児童福祉法第24条第5項及び第48条の2に既に規定されており、この運用については、平成9年9月25日児発第596号本職通知「児童福祉法等の一部を改正する法律の施行に伴う関係政令の整備に関する政令等の施行について」に示されているところであるので、これに基づき、必要な情報提供に努めること。

イ　利用契約の申込み時の説明（社会福祉法第76条関係）

保育所の経営者は、保育所の事業として行う延長保育や一時保育に関して、利用希望者から申込みがあった場合は、他の福祉サービスと同様に、当該サービスを利用するための契約の内容及びその履行に関する事項を説明するよう努めなければならないものであること。

ウ　利用契約の成立時の書面の交付（社会福祉法第77条関係）

保育所の経営者は、当該保育所のサービスを

初めて利用する者に対しては、1日の過ごし方、年間行事予定、当該保育所の保育方針、職員の状況その他当該保育所が実施している保育の内容に関する事項に加え、

・経営者の名称及び主たる事務所の所在地
・利用者が支払うべき額（延長保育及び一時保育に限る。）
・サービスの提供開始年月日（一時保育を除く。）
・苦情を受け付けるための窓口

に関する事項を、パンフレット、チラシ等の書面の形であらかじめ情報提供し、利用者に説明することが望ましいものであること。

(2)　児童厚生施設について

児童厚生施設の経営者は、施設の形態に応じて

・経営者の名称及び主たる事務所の所在地
・提供されるサービスの内容
・利用者が支払うべき額
・苦情を受け付けるための窓口

等に関する事項を施設内に掲示すること等により、必要な情報を利用者に提供することが望ましいものであること。

3　児童養護施設等の措置により入所させる児童福祉施設等について

(1)　施設入所時の情報提供等について

児童養護施設等の措置により入所させる児童福祉施設及び児童自立生活援助事業その他の当該措置に伴う事業については、利用契約に基づき入所等を行うものではないことから、今回の改正により利用契約の締結時の書面交付が義務づけられるものではないが、当該改正の趣旨を踏まえ、入所に際して、入所者又はその保護者等に対して、パンフレット等を活用するなど分かり易い手段により、以下についての情報提供がなされることが望ましいこと。なお、助産施設については、医療法（昭和23年法律第205号）第69条及び第71条に規定する広告の制限に留意し情報提供を行う必要があること。

ア　当該社会福祉事業の経営者の名称及び主たる事務所の所在地
イ　当該社会福祉事業の経営者が提供する福祉サービスの内容（施設の設備や生活の流れ等）
ウ　福祉サービスに係る苦情を受け付ける窓口

(2)　児童相談所による情報提供について

また、児童相談所においては、児童を児童福祉施設等に入所させる措置を採る場合には、児童、保護者に措置の理由等について十分な説明を行うとともに、入所させようとする児童福祉施設等の名称、所在地、施設の特色及び措置中の費用に関する事項について児童、保護者に告げることや、児童が有する権利や施設生活の規則等についても児童の年齢や様態等に応じ懇切に説明するとともに、児童自身がいつでも電話や来所等の方法により児童相談所に相談できることを告げる等とされているところ（児童相談所運営指針（平成10年3月31日児発第247号本職通知参照））であり、今後も当改正の趣旨を踏まえ、引き続き徹底をお願いしたいこと。

○就労証明書の標準的な様式の改定について

〔令和３年７月５日　府子本第782号・子保発0705第１号
各都道府県・各政令指定都市・各中核市子ども・子育て支援新制度担当部局宛　内閣府子ども・子育て本部参事官（子ども・子育て支援担当）・厚生労働省子ども家庭局保育課長通知〕

平素より、子ども・子育て支援施策の推進に御尽力いただき、厚く御礼申し上げます。

多くの市区町村において保育所等の利用申請手続の際に添付書類として求めている就労証明書については、これまでも標準的な様式の活用をお願いしてきました。しかしながら、各市区町村による独自項目の自由追加や記載要領による指示の差異などにより、作成する企業等事業者側において業務効率化や電子的作成が困難である状況が続いておりました。

標準的な様式に係る取組は、作成する企業等事業者側の負担軽減を目指すものであると同時に、将来的に、電子的に作成された就労証明書を市区町村にオンラインで提出できる仕組みの構築を前提とするもので、電子的に提出された情報を電子的に管理することで市区町村の事務負担の軽減も目指すものです。

こうした状況を踏まえ、デジタル化に対応する就労証明書の新たな標準的な様式として「就労証明書（簡易版）」（別添１）及び「就労証明書（詳細版）」（別添２）の２種類を作成いたしました。

つきましては、下記について十分に御留意の上、市区町村におかれましては、積極的な活用をお願いするとともに、都道府県の御担当部局におかれましては、市区町村（政令指定都市、中核市を除く。）に対する展開及び積極的な活用に向けた周知をお願いいたします。

記

１　新たな標準的な様式について

⑴　就労証明書（簡易版）

平成29年８月に公表した「標準的様式」（「保育の必要性の認定の際に用いる就労証明書の標準的様式について」（平成29年８月８日付け府子本第559号・子保発0808第１号内閣府子ども・子育て本部参事官（子ども・子育て支援担当）及び厚生労働省子ども家庭局保育課長連名通知）別添１）につき、「就労証明書（簡易版）」に移行することとしました。

「就労証明書（簡易版）」については、一定程度の市区町村で自営業等の場合に求めている民生・児童委員による証明欄以外は、項目の加除修正は行えない設定としており、各市区町村においてそのまま活用いただきたく存じます。「就労証明書（簡易版）」では利用調整等のための情報が不足する場合は、⑵で示す「就労証明書（詳細版）」の活用をお願いいたします。

また、「就労証明書（簡易版）」につきましては、保育の必要性の認定の際に基本的に必要となる項目を盛り込んだものとなっておりますので、利用調整の必要が生じず、調整指数等に必要な詳細情報が不要な場合の現況届（子ども・子育て支援法第22条及び同法第30条の７）の添付書類としては、「就労証明書（簡易版）」の積極的な活用をお願いいたします。

⑵　就労証明書（詳細版）

令和元年８月に公表した「大都市向け標準的様式」（「保育の必要性の認定の際に用いる就労証明書の大都市向け標準的様式について」（令和元年８月14日付け府子本第357号・子保発0814第１号内閣府子ども・子育て本部参事官（子ども・子育て支援担当）及び厚生労働省子ども家庭局保育課長連名通知）別添１）につき、「就労証明書（詳細版）」に移行することとしました。

「就労証明書（詳細版）」については、⑴で示した「就労証明書（簡易版）」と異なり、各市区町村の利用調整の実態に即し、設定した項目内での標準項目の非表示やオプション項目の追加が可能です。「就労証明書（詳細版）」の具体的な操作方法については、別添３「標準的な様式の改定趣旨」及び別添４「自治体職員向け就労証明書操作マニュアル」を御参照ください。

⑶　記載要領

⑴及び⑵の標準的な様式のそれぞれについて、併せて記載要領を作成しております。記載要領につきましても、企業等事業者が複数の市区町村の就労証明書の作成をシステム的に行うことができるよう、内容について市区町村における記載の変更等を行わないようにお願いいたします。

なお、記載要領については、分量が多くなっていることから、各市区町村において、印刷時に、記載内容を一切変更せずレイアウトのみ変更する対応を行っていただくことは問題ありません。

⑷　活用開始時期等

市区町村におかれましては、今後は原則として

「就労証明書（簡易版）」又は「就労証明書（詳細版）」のいずれかを御活用ください。

保育所等利用申込と併せて行われる保育の必要性の認定申請の際の添付書類としての就労証明書に関しては、できる限り令和４年４月入所分（令和３年10月頃）から、遅くとも令和５年４月入所分（令和４年10月頃）からの活用をお願いいたします。

また、保育の必要性の状況に変わりないかなどを確認する現況届の添付書類としての就労証明書に関しては、できる限り令和３年度分からの活用をお願いいたします。

その他、随時受け付けている保育所等の利用申込と併せて行われる保育の必要性の認定申請の際の添付書類としての就労証明書に関しては、対応可能な時期から随時活用いただくようお願いいたします。

２　押印について

今般の様式改正に当たり、従前の標準的な様式にあった押印欄を削除することといたしました。押印については、昨年度よりお知らせしているとおり、感染症拡大の局面で現れた国民意識・行動の変化などの新たな動きを社会変革の契機と捉え、「新たな日常」を実現し、その原動力となる社会全体のデジタル化を強力に推進する一環として、「経済財政運営と改革の基本方針2020」（令和２年７月17日閣議決定）において「書面・押印・対面を前提とした我が国の制度・慣行を見直し、実際に足を運ばなくても手続できるリモート社会の実現に向けて取り組む。このため、全ての行政手続を対象に見直しを行い、原則として書面・押印・対面を不要とし、デジタルで完結できるように見直す」方針が明記され、原則として押印を不要とし行政手続のオンライン化に係る取組を進めているところです。

各市区町村におかれては、こうした状況を踏まえ、保育所等入所に係る手続き等についてオンライン化を検討するとともに、押印を求めないこととしていただくよう、お願いいたします。なお、押印がない場合でも、有印私文書偽造罪、有印私文書変造罪又は私電磁的記録不正作出罪の構成要件に該当すると認められる場合には、各罪が成立し得ると考えられる（「就労証明書等における押印の取扱いについて（通知）」令和２年８月31日付け府子本第882号・子保発0831第１号内閣府子ども・子育て本部参事官（子ども・子育て支援担当）及び厚生労働省子ども家庭局保育課長連名通知参照）ことから、今般の新たな標準的な様式においては、その旨の注意書きを追加しています。

また、一部市区町村より、電子押印等の導入の希望がございましたが、各市区町村の判断により、電子押印・電子署名等、オンラインで行える証明方法を指定することは可能です。その場合は、電子押印・電子署名等をする企業等事業者及び確認する市区町村の双方が対応し得る方法を取ることとし、企業等事業者又は市区町村のいずれかが対応し得ない場合は、当該電子押印・電子署名等による証明は行わないこととしてください。

３　活用状況調査の実施について

今般の新たな標準的な様式については、令和４年４月入所分（令和３年10月頃）より活用いただくことを想定しています。

つきましては、令和３年８月から９月頃に、令和３年10月１日時点の各市区町村における活用状況を調査し、「就労証明書（詳細版）」を活用する市区町村においては、設定項目等について確認したものを取りまとめの上、子ども・子育て本部内ホームページ等において公表する予定です。

各市区町村におかれましては、調査実施の際は御協力をお願いいたします。

４　留意事項

デジタル化に係る状況は大きく変動しており、令和７年度を目標時期として各自治体において対応に向けた準備をしていただくことになる業務プロセス・情報システムの標準化に向けても、関係書類の様式の標準化は必須と考えられます。

各市区町村においても、こうした状況を踏まえ、就労証明書の新たな標準的な様式の活用及び従前の様式から新たな様式への移行をお願いいたします。

別添１～４　略

○就労証明書の標準的な様式の原則使用等について

（令和４年12月27日　府子本第1101号・子保発1227第１号
各都道府県・各政令指定都市・各中核市子ども・子育て支援新制度担当部局長宛　内閣府子ども・子育て本部参事官（子ども・子育て支援担当）・厚生労働省子ども家庭局保育課長連名通知）

平素より、子ども・子育て支援施策の推進に御尽力いただき、厚く御礼申し上げます。

多くの市区町村において保育所等の利用申請手続の際に添付書類として求めている就労証明書については、これまでも標準的な様式の活用をお願いしてきました。

直近では、令和３年７月、デジタル化に対応する就労証明書の新たな標準的な様式として「就労証明書（簡易版）」（別添１）（以下「簡易版」という。）及び「就労証明書（詳細版）」（別添２）（以下「詳細版」という。）の２種類（以下「令和３年標準様式」という。）を作成し、できる限り令和４年４月入所分（令和３年10月頃）からの活用等をお願いしているところです。

標準的な様式に係る取組は、作成する企業等事業者側の負担軽減を目指すものであると同時に、将来的に、電子的に作成された就労証明書を市区町村にオンラインで提出できる仕組みの構築の前提となるもので、電子的に提出された情報を電子的に管理することで市区町村の事務負担の軽減にも資するものです。

今般、デジタル臨時行政調査会や規制改革推進会議において、改めて、標準的な様式への統一化や提出手続のオンライン化等に関して議論がなされたことも踏まえ、保育所等の利用申請手続における就労証明書の提出に係る事務負担の軽減をより一層推進する観点から、国において、下記の取組を行っていくこととしました。

つきましては、市区町村におかれましては、下記について御承知おきいただくとともに、都道府県の御担当部局におかれましては、市区町村（政令指定都市、中核市を除く。）に対する周知をお願いいたします。

なお、下記の取組の詳細については、今後検討の上、改めて御連絡いたします。

記

１　標準的な様式の原則使用

市区町村におかれては、令和６年４月入所分（令和５年10月頃）より、原則として、標準的な様式を用いていただくようお願いします。

その際、２のとおり、今後、簡易版を基本とした単一の標準的な様式に改定する予定であるため、これを基本とするようお願いいたします。

また、これにあわせて、令和６年４月入所分に間に合うよう、標準的な様式の原則使用について法令上の措置を行うこととしており、具体的な措置の内容は現在検討中ですが、後日改めてお示ししますので、ご承知おき願います。

２　標準的な様式の統一化

標準的な様式については、簡易版と詳細版で様式が異なっており、多数の市区町村の様式に記入することとなる企業等事業者の負担が大きいことから、令和６年４月入所分（令和５年10月頃）に間に合うよう、簡易版を基本とした単一の標準的な様式に改定することとしました。

ただし、新しい標準的な様式においては、詳細版のみに係る記載項目について、企業等事業者に記載していただく必要性を改めて各市区町村において検討し、必要不可欠な項目に限定した上で、新しい標準的な様式の追加的記載項目とすることも可能とする予定です。

また、この追加的記載項目については、定期的に各市区町村における設定状況を内閣府において把握・公表し、待機児童の状況等も踏まえつつ、各市区町村における利用調整事務等における必要性に応じて設定項目を限定するよう、継続的に各市区町村に促していく予定です。

３　オンラインで提出できる環境の整備

令和６年４月入所分（令和５年10月頃）に間に合うよう、マイナポータルの「ぴったりサービス」を通じて、企業等事業者が市区町村に就労証明書を直接提出できる環境について、内閣府子ども・子育て本部及びデジタル庁が連携して整備することとしました。

また、これにあわせて、就労証明書に関して、原則、すべての市区町村がオンラインで対応できる環境整備の実現に向け、法令上の措置も行うこととしています。詳細は今後検討してまいります。

４　押印について

押印欄については、令和３年標準様式においてすでに廃止しているところですが、「書面・押印・対面を前提とした我が国の制度・慣行を見直し、実際に足を運ばなくても手続できるリモート社会の実現に向けて取り組む。このため、全ての行政手続を対象に見直しを行い、原則として書面・押印・対面を不要とし、デジタルで完結できるように見直す」という方針（「経済財政運営と改革の基本方針2020」（令和２年７月17日閣議決定））を踏まえ、各市区町村におかれては、就労証明書における押印欄の廃止の更なる徹底をお願いいたします。

その際、押印がない場合でも、有印私文書偽造罪、有印私文書変造罪又は私電磁的記録不正作出罪の構成要件に該当すると認められる場合には、各罪が成立し得ると考えられる（「就労証明書等における押印の取扱いについて（通知）」（令和２年８月31日付け府子本第882号・子保発0831第１号内閣府子ども・子育て本部参事官（子ども・子育て支援担当）及び厚生労働省子ども家庭局保育課長連名通知）参照）ことにも改めてご留意ください。

4　保育指針

◉保育所保育指針

〔平成29年3月31日
厚生労働省告示第117号〕

目次　頁

第１章　総則

この指針は、児童福祉施設の設備及び運営に関する基準（昭和23年厚生省令第63号。以下「設備運営基準」という。）第35条の規定に基づき、保育所における保育の内容に関する事項及びこれに関連する運営に関する事項を定めるものである。各保育所は、この指針において規定される保育の内容に係る基本原則に関する事項等を踏まえ、各保育所の実情に応じて創意工夫を図り、保育所の機能及び質の向上に努めなければならない。

1　保育所保育に関する基本原則

⑴　保育所の役割

ア　保育所は、児童福祉法（昭和22年法律第164号）第39条の規定に基づき、保育を必要とする子どもの保育を行い、その健全な心身の発達を図ることを目的とする児童福祉施設であり、入所する子どもの最善の利益を考慮し、その福祉を積極的に増進することに最もふさわしい生活の場でなければならない。

イ　保育所は、その目的を達成するために、保育に関する専門性を有する職員が、家庭との緊密な連携の下に、子どもの状況や発達過程を踏まえ、保育所における環境を通して、養護及び教育を一体的に行うことを特性としている。

ウ　保育所は、入所する子どもを保育するとともに、家庭や地域の様々な社会資源との連携を図りながら、入所する子どもの保護者に対する支援及び地域の子育て家庭に対する支援等を行う役割を担うものである。

エ　保育所における保育士は、児童福祉法第18条の４の規定を踏まえ、保育所の役割及び機能が適切に発揮されるように、倫理観に裏付けられた専門的知識、技術及び判断をもって、子どもを保育するとともに、子どもの保護者に対する保育に関する指導を行うものであり、その職責を遂行するための専門性の向上に絶えず努めなければならない。

⑵　保育の目標

ア　保育所は、子どもが生涯にわたる人間形成にとって極めて重要な時期に、その生活時間の大半を過ごす場である。このため、保育所の保育は、子どもが現在を最も良く生き、望ましい未来をつくり出す力の基礎を培うために、次の目標を目指して行わなければならない。

㋐　十分に養護の行き届いた環境の下に、くつろいだ雰囲気の中で子どもの様々な欲求を満たし、生命の保持及び情緒の安定を図ること。

㋑　健康、安全など生活に必要な基本的な習慣や態度を養い、心身の健康の基礎を培うこと。

㋒　人との関わりの中で、人に対する愛情と信頼感、そして人権を大切にする心を育てるとともに、自主、自立及び協調の態度を養い、道徳性の芽生えを培うこと。

㋓　生命、自然及び社会の事象についての興味や関心を育て、それらに対する豊かな心情や思考力の芽生えを培うこと。

㋔　生活の中で、言葉への興味や関心を育て、話したり、聞いたり、相手の話を理解しようとするなど、言葉の豊かさを養うこと。

㋕　様々な体験を通して、豊かな感性や表現力を育み、創造性の芽生えを培うこと。

イ　保育所は、入所する子どもの保護者に対し、その意向を受け止め、子どもと保護者の安定した関係に配慮し、保育所の特性や保育士等の専門性を生かして、その援助に当たらなければならない。

⑶　保育の方法

保育の目標を達成するために、保育士等は、次の事項に留意して保育しなければならない。

ア　一人一人の子どもの状況や家庭及び地域社会での生活の実態を把握するとともに、子どもが安心感と信頼感をもって活動できるよう、子どもの主体としての思いや願いを受け止めること。

イ　子どもの生活のリズムを大切にし、健康、安全で情緒の安定した生活ができる環境や、自己を十分に発揮できる環境を整えること。

ウ　子どもの発達について理解し、一人一人の発達過程に応じて保育すること。その際、子どもの個人差に十分配慮すること。

エ　子ども相互の関係づくりや互いに尊重する心を大切にし、集団における活動を効果あるものにするよう援助すること。

オ　子どもが自発的・意欲的に関われるような環境を構成し、子どもの主体的な活動や子ども相互の関わりを大切にすること。特に、乳幼児期にふさわしい体験が得られるように、生活や遊びを通して総合的に保育すること。

カ　一人一人の保護者の状況やその意向を理解、受容し、それぞれの親子関係や家庭生活等に配慮しながら、様々な機会をとらえ、適切に援助すること。

(4)　保育の環境

保育の環境には、保育士等や子どもなどの人的環境、施設や遊具などの物的環境、更には自然や社会の事象などがある。保育所は、こうした人、物、場などの環境が相互に関連し合い、子どもの生活が豊かなものとなるよう、次の事項に留意しつつ、計画的に環境を構成し、工夫して保育しなければならない。

ア　子ども自らが環境に関わり、自発的に活動し、様々な経験を積んでいくことができるよう配慮すること。

イ　子どもの活動が豊かに展開されるよう、保育所の設備や環境を整え、保育所の保健的環境や安全の確保などに努めること。

ウ　保育室は、温かな親しみとくつろぎの場となるとともに、生き生きと活動できる場となるように配慮すること。

エ　子どもが人と関わる力を育てていくため、子ども自らが周囲の子どもや大人と関わっていくことができる環境を整えること。

(5)　保育所の社会的責任

ア　保育所は、子どもの人権に十分配慮するとともに、子ども一人一人の人格を尊重して保育を行わなければならない。

イ　保育所は、地域社会との交流や連携を図り、保護者や地域社会に、当該保育所が行う保育の内容を適切に説明するよう努めなければならない。

ウ　保育所は、入所する子ども等の個人情報を適切に取り扱うとともに、保護者の苦情などに対し、その解決を図るよう努めなければならない。

2　養護に関する基本的事項

(1)　養護の理念

保育における養護とは、子どもの生命の保持及び情緒の安定を図るために保育士等が行う援助や関わりであり、保育所における保育は、養護及び教育を一体的に行うことをその特性とするものである。保育所における保育全体を通じて、養護に関するねらい及び内容を踏まえた保育が展開されなければならない。

(2)　養護に関わるねらい及び内容

ア　生命の保持

(ア)　ねらい

①　一人一人の子どもが、快適に生活できるようにする。

②　一人一人の子どもが、健康で安全に過ごせるようにする。

③　一人一人の子どもの生理的欲求が、十分に満たされるようにする。

④　一人一人の子どもの健康増進が、積極的に図られるようにする。

(イ)　内容

①　一人一人の子どもの平常の健康状態や発育及び発達状態を的確に把握し、異常を感じる場合は、速やかに適切に対応する。

②　家庭との連携を密にし、嘱託医等との連携を図りながら、子どもの疾病や事故防止に関する認識を深め、保健的で安全な保育環境の維持及び向上に努める。

③　清潔で安全な環境を整え、適切な援助や応答的な関わりを通して子どもの生理的欲求を満たしていく。また、家庭と協力しながら、子どもの発達過程等に応じた適切な生活のリズムがつくられていくようにする。

④　子どもの発達過程等に応じて、適度な運動と休息を取ることができるようにする。また、食事、排泄《せつ》、衣類の着脱、身の回りを清潔にすることなどについて、子どもが意欲的に生活できるよう適切に援助する。

イ　情緒の安定

(ア)　ねらい

①　一人一人の子どもが、安定感をもって過ごせるようにする。

②　一人一人の子どもが、自分の気持ちを安心して表すことができるようにする。

③　一人一人の子どもが、周囲から主体として受け止められ、主体として育ち、自分を肯定する気持ちが育まれていくようにする。

④　一人一人の子どもがくつろいで共に過ご

し、心身の疲れが癒されるようにする。

(イ) 内容

① 一人一人の子どもの置かれている状態や発達過程などを的確に把握し、子どもの欲求を適切に満たしながら、応答的な触れ合いや言葉がけを行う。

② 一人一人の子どもの気持ちを受容し、共感しながら、子どもとの継続的な信頼関係を築いていく。

③ 保育士等との信頼関係を基盤に、一人一人の子どもが主体的に活動し、自発性や探索意欲などを高めるとともに、自分への自信をもつことができるよう成長の過程を見守り、適切に働きかける。

④ 一人一人の子どもの生活のリズム、発達過程、保育時間などに応じて、活動内容のバランスや調和を図りながら、適切な食事や休息が取れるようにする。

3 保育の計画及び評価

(1) 全体的な計画の作成

ア 保育所は、1の(2)に示した保育の目標を達成するために、各保育所の保育の方針や目標に基づき、子どもの発達過程を踏まえて、保育の内容が組織的・計画的に構成され、保育所の生活の全体を通して、総合的に展開されるよう、全体的な計画を作成しなければならない。

イ 全体的な計画は、子どもや家庭の状況、地域の実態、保育時間などを考慮し、子どもの育ちに関する長期的見通しをもって適切に作成されなければならない。

ウ 全体的な計画は、保育所保育の全体像を包括的に示すものとし、これに基づく指導計画、保健計画、食育計画等を通じて、各保育所が創意工夫して保育できるよう、作成されなければならない。

(2) 指導計画の作成

ア 保育所は、全体的な計画に基づき、具体的な保育が適切に展開されるよう、子どもの生活や発達を見通した長期的な指導計画と、それに関連しながら、より具体的な子どもの日々の生活に即した短期的な指導計画を作成しなければならない。

イ 指導計画の作成に当たっては、第2章及びその他の関連する章に示された事項のほか、子ども一人一人の発達過程や状況を十分に踏まえるとともに、次の事項に留意しなければならない。

(ア) 3歳未満児については、一人一人の子どもの生育歴、心身の発達、活動の実態等に即して、個別的な計画を作成すること。

(イ) 3歳以上児については、個の成長と、子ども相互の関係や協同的な活動が促されるよう配慮すること。

(ウ) 異年齢で構成される組やグループでの保育においては、一人一人の子どもの生活や経験、発達過程などを把握し、適切な援助や環境構成ができるよう配慮すること。

ウ 指導計画においては、保育所の生活における子どもの発達過程を見通し、生活の連続性、季節の変化などを考慮し、子どもの実態に即した具体的なねらい及び内容を設定すること。また、具体的なねらいが達成されるよう、子どもの生活する姿や発想を大切にして適切な環境を構成し、子どもが主体的に活動できるようにすること。

エ 一日の生活のリズムや在園時間が異なる子どもが共に過ごすことを踏まえ、活動と休息、緊張感と解放感等の調和を図るよう配慮すること。

オ 午睡は生活のリズムを構成する重要な要素であり、安心して眠ることのできる安全な睡眠環境を確保するとともに、在園時間が異なることや、睡眠時間は子どもの発達の状況や個人によって差があることから、一律とならないよう配慮すること。

カ 長時間にわたる保育については、子どもの発達過程、生活のリズム及び心身の状態に十分配慮して、保育の内容や方法、職員の協力体制、家庭との連携などを指導計画に位置付けること。

キ 障害のある子どもの保育については、一人一人の子どもの発達過程や障害の状態を把握し、適切な環境の下で、障害のある子どもが他の子どもとの生活を通して共に成長できるよう、指導計画の中に位置付けること。また、子どもの状況に応じた保育を実施する観点から、家庭や関係機関と連携した支援のための計画を個別に作成するなど適切な対応を図ること。

(3) 指導計画の展開

指導計画に基づく保育の実施に当たっては、次の事項に留意しなければならない。

ア 施設長、保育士など、全職員による適切な役割分担と協力体制を整えること。

イ 子どもが行う具体的な活動は、生活の中で様々に変化することに留意して、子どもが望ましい方向に向かって自ら活動を展開できるよう必要な援助を行うこと。

ウ　子どもの主体的な活動を促すためには、保育士等が多様な関わりをもつことが重要であることを踏まえ、子どもの情緒の安定や発達に必要な豊かな体験が得られるよう援助すること。

エ　保育士等は、子どもの実態や子どもを取り巻く状況の変化などに即して保育の過程を記録するとともに、これらを踏まえ、指導計画に基づく保育の内容の見直しを行い、改善を図ること。

(4)　保育内容等の評価

ア　保育士等の自己評価

(ア)　保育士等は、保育の計画や保育の記録を通して、自らの保育実践を振り返り、自己評価することを通して、その専門性の向上や保育実践の改善に努めなければならない。

(イ)　保育士等による自己評価に当たっては、子どもの活動内容やその結果だけでなく、子どもの心の育ちや意欲、取り組む過程などにも十分配慮するよう留意すること。

(ウ)　保育士等は、自己評価における自らの保育実践の振り返りや職員相互の話し合い等を通じて、専門性の向上及び保育の質の向上のための課題を明確にするとともに、保育所全体の保育の内容に関する認識を深めること。

イ　保育所の自己評価

(ア)　保育所は、保育の質の向上を図るため、保育の計画の展開や保育士等の自己評価を踏まえ、当該保育所の保育の内容等について、自ら評価を行い、その結果を公表するよう努めなければならない。

(イ)　保育所が自己評価を行うに当たっては、地域の実情や保育所の実態に即して、適切に評価の観点や項目等を設定し、全職員による共通理解をもって取り組むよう留意すること。

(ウ)　設備運営基準第36条の趣旨を踏まえ、保育の内容等の評価に関し、保護者及び地域住民等の意見を聴くことが望ましいこと。

(5)　評価を踏まえた計画の改善

ア　保育所は、評価の結果を踏まえ、当該保育所の保育の内容等の改善を図ること。

イ　保育の計画に基づく保育、保育の内容の評価及びこれに基づく改善という一連の取組により、保育の質の向上が図られるよう、全職員が共通理解をもって取り組むことに留意すること。

4　幼児教育を行う施設として共有すべき事項

(1)　育みたい資質・能力

ア　保育所においては、生涯にわたる生きる力の基礎を培うため、1の(2)に示す保育の目標を踏まえ、次に掲げる資質・能力を一体的に育むよう努めるものとする。

(ア)　豊かな体験を通じて、感じたり、気付いたり、分かったり、できるようになったりする「知識及び技能の基礎」

(イ)　気付いたことや、できるようになったことなどを使い、考えたり、試したり、工夫したり、表現したりする「思考力、判断力、表現力等の基礎」

(ウ)　心情、意欲、態度が育つ中で、よりよい生活を営もうとする「学びに向かう力、人間性等」

イ　アに示す資質・能力は、第2章に示すねらい及び内容に基づく保育活動全体によって育むものである。

(2)　幼児期の終わりまでに育ってほしい姿

次に示す「幼児期の終わりまでに育ってほしい姿」は、第2章に示すねらい及び内容に基づく保育活動全体を通して資質・能力が育まれている子どもの小学校就学時の具体的な姿であり、保育士等が指導を行う際に考慮するものである。

ア　健康な心と体

保育所の生活の中で、充実感をもって自分のやりたいことに向かって心と体を十分に働かせ、見通しをもって行動し、自ら健康で安全な生活をつくり出すようになる。

イ　自立心

身近な環境に主体的に関わり様々な活動を楽しむ中で、しなければならないことを自覚し、自分の力で行うために考えたり、工夫したりしながら、諦めずにやり遂げることで達成感を味わい、自信をもって行動するようになる。

ウ　協同性

友達と関わる中で、互いの思いや考えなどを共有し、共通の目的の実現に向けて、考えたり、工夫したり、協力したりし、充実感をもってやり遂げるようになる。

エ　道徳性・規範意識の芽生え

友達と様々な体験を重ねる中で、してよいことや悪いことが分かり、自分の行動を振り返ったり、友達の気持ちに共感したりし、相手の立場に立って行動するようになる。また、きまりを守る必要性が分かり、自分の気持ちを調整し、友達と折り合いを付けながら、きまりをつくったり、守ったりするようになる。

オ　社会生活との関わり

家族を大切にしようとする気持ちをもつとと

もに、地域の身近な人と触れ合う中で、人との様々な関わり方に気付き、相手の気持ちを考えて関わり、自分が役に立つ喜びを感じ、地域に親しみをもつようになる。また、保育所内外の様々な環境に関わる中で、遊びや生活に必要な情報を取り入れ、情報に基づき判断したり、情報を伝え合ったり、活用したりするなど、情報を役立てながら活動するようになるとともに、公共の施設を大切に利用するなどして、社会とのつながりなどを意識するようになる。

カ　思考力の芽生え

身近な事象に積極的に関わる中で、物の性質や仕組みなどを感じ取ったり、気付いたりし、考えたり、予想したり、工夫したりするなど、多様な関わりを楽しむようになる。また、友達の様々な考えに触れる中で、自分と異なる考えがあることに気付き、自ら判断したり、考え直したりするなど、新しい考えを生み出す喜びを味わいながら、自分の考えをよりよいものにするようになる。

キ　自然との関わり・生命尊重

自然に触れて感動する体験を通して、自然の変化などを感じ取り、好奇心や探究心をもって考え言葉などで表現しながら、身近な事象への関心が高まるとともに、自然への愛情や畏敬の念をもつようになる。また、身近な動植物に心を動かされる中で、生命の不思議さや尊さに気付き、身近な動植物への接し方を考え、命あるものとしていたわり、大切にする気持ちをもって関わるようになる。

ク　数量や図形、標識や文字などへの関心・感覚

遊びや生活の中で、数量や図形、標識や文字などに親しむ体験を重ねたり、標識や文字の役割に気付いたりし、自らの必要感に基づきこれらを活用し、興味や関心、感覚をもつようになる。

ケ　言葉による伝え合い

保育士等や友達と心を通わせる中で、絵本や物語などに親しみながら、豊かな言葉や表現を身に付け、経験したことや考えたことなどを言葉で伝えたり、相手の話を注意して聞いたりし、言葉による伝え合いを楽しむようになる。

コ　豊かな感性と表現

心を動かす出来事などに触れ感性を働かせる中で、様々な素材の特徴や表現の仕方などに気付き、感じたことや考えたことを自分で表現したり、友達同士で表現する過程を楽しんだりし、表現する喜びを味わい、意欲をもつようになる。

第２章　保育の内容

この章に示す「ねらい」は、第１章の１の(2)に示された保育の目標をより具体化したものであり、子どもが保育所において、安定した生活を送り、充実した活動ができるように、保育を通じて育みたい資質・能力を、子どもの生活する姿から捉えたものである。また、「内容」は、「ねらい」を達成するために、子どもの生活やその状況に応じて保育士等が適切に行う事項と、保育士等が援助して子どもが環境に関わって経験する事項を示したものである。

保育における「養護」とは、子どもの生命の保持及び情緒の安定を図るために保育士等が行う援助や関わりであり、「教育」とは、子どもが健やかに成長し、その活動がより豊かに展開されるための発達の援助である。本章では、保育士等が、「ねらい」及び「内容」を具体的に把握するため、主に教育に関わる側面からの視点を示しているが、実際の保育においては、養護と教育が一体となって展開されることに留意する必要がある。

１　乳児保育に関わるねらい及び内容

(1)　基本的事項

ア　乳児期の発達については、視覚、聴覚などの感覚や、座る、はう、歩くなどの運動機能が著しく発達し、特定の大人との応答的な関わりを通じて、情緒的な絆《きずな》が形成されるといった特徴がある。これらの発達の特徴を踏まえて、乳児保育は、愛情豊かに、応答的に行われることが特に必要である。

イ　本項においては、この時期の発達の特徴を踏まえ、乳児保育の「ねらい」及び「内容」については、身体的発達に関する視点「健やかに伸び伸びと育つ」、社会的発達に関する視点「身近な人と気持ちが通じ合う」及び精神的発達に関する視点「身近なものと関わり感性が育つ」としてまとめ、示している。

ウ　本項の各視点において示す保育の内容は、第１章の２に示された養護における「生命の保持」及び「情緒の安定」に関わる保育の内容と、一体となって展開されるものであることに留意が必要である。

(2)　ねらい及び内容

ア　健やかに伸び伸びと育つ

健康な心と体を育て、自ら健康で安全な生活をつくり出す力の基盤を培う。

(ｱ)　ねらい

①　身体感覚が育ち、快適な環境に心地よさ

を感じる。

② 伸び伸びと体を動かし、はう、歩くなどの運動をしようとする。

③ 食事、睡眠等の生活のリズムの感覚が芽生える。

(イ) 内容

① 保育士等の愛情豊かな受容の下で、生理的・心理的欲求を満たし、心地よく生活をする。

② 一人一人の発育に応じて、はう、立つ、歩くなど、十分に体を動かす。

③ 個人差に応じて授乳を行い、離乳を進めていく中で、様々な食品に少しずつ慣れ、食べることを楽しむ。

④ 一人一人の生活のリズムに応じて、安全な環境の下で十分に午睡をする。

⑤ おむつ交換や衣服の着脱などを通じて、清潔になることの心地よさを感じる。

(ウ) 内容の取扱い

上記の取扱いに当たっては、次の事項に留意する必要がある。

① 心と体の健康は、相互に密接な関連があるものであることを踏まえ、温かい触れ合いの中で、心と体の発達を促すこと。特に、寝返り、お座り、はいはい、つかまり立ち、伝い歩きなど、発育に応じて、遊びの中で体を動かす機会を十分に確保し、自ら体を動かそうとする意欲が育つようにすること。

② 健康な心と体を育てるためには望ましい食習慣の形成が重要であることを踏まえ、離乳食が完了期へと徐々に移行する中で、様々な食品に慣れるようにするとともに、和やかな雰囲気の中で食べる喜びや楽しさを味わい、進んで食べようとする気持ちが育つようにすること。なお、食物アレルギーのある子どもへの対応については、嘱託医等の指示や協力の下に適切に対応すること。

イ 身近な人と気持ちが通じ合う

受容的・応答的な関わりの下で、何かを伝えようとする意欲や身近な大人との信頼関係を育て、人と関わる力の基盤を培う。

(ア) ねらい

① 安心できる関係の下で、身近な人と共に過ごす喜びを感じる。

② 体の動きや表情、発声等により、保育士等と気持ちを通わせようとする。

③ 身近な人と親しみ、関わりを深め、愛情や信頼感が芽生える。

(イ) 内容

① 子どもからの働きかけを踏まえた、応答的な触れ合いや言葉がけによって、欲求が満たされ、安定感をもって過ごす。

② 体の動きや表情、発声、喃《なん》語等を優しく受け止めてもらい、保育士等とのやり取りを楽しむ。

③ 生活や遊びの中で、自分の身近な人の存在に気付き、親しみの気持ちを表す。

④ 保育士等による語りかけや歌いかけ、発声や喃《なん》語等への応答を通じて、言葉の理解や発語の意欲が育つ。

⑤ 温かく、受容的な関わりを通じて、自分を肯定する気持ちが芽生える。

(ウ) 内容の取扱い

上記の取扱いに当たっては、次の事項に留意する必要がある。

① 保育士等との信頼関係に支えられて生活を確立していくことが人と関わる基盤となることを考慮して、子どもの多様な感情を受け止め、温かく受容的・応答的に関わり、一人一人に応じた適切な援助を行うようにすること。

② 身近な人に親しみをもって接し、自分の感情などを表し、それに相手が応答する言葉を聞くことを通して、次第に言葉が獲得されていくことを考慮して、楽しい雰囲気の中での保育士等との関わり合いを大切にし、ゆっくりと優しく話しかけるなど、積極的に言葉のやり取りを楽しむことができるようにすること。

ウ 身近なものと関わり感性が育つ

身近な環境に興味や好奇心をもって関わり、感じたことや考えたことを表現する力の基盤を培う。

(ア) ねらい

① 身の回りのものに親しみ、様々なものに興味や関心をもつ。

② 見る、触れる、探索するなど、身近な環境に自分から関わろうとする。

③ 身体の諸感覚による認識が豊かになり、表情や手足、体の動き等で表現する。

(イ) 内容

① 身近な生活用具、玩具や絵本などが用意された中で、身の回りのものに対する興味や好奇心をもつ。

② 生活や遊びの中で様々なものに触れ、音、形、色、手触りなどに気付き、感覚の働きを豊かにする。

③ 保育士等と一緒に様々な色彩や形のものや絵本などを見る。

④ 玩具や身の回りのものを、つまむ、つかむ、たたく、引っ張るなど、手や指を使って遊ぶ。

⑤ 保育士等のあやし遊びに機嫌よく応じたり、歌やリズムに合わせて手足や体を動かして楽しんだりする。

(ウ) 内容の取扱い

上記の取扱いに当たっては、次の事項に留意する必要がある。

① 玩具などは、音質、形、色、大きさなど子どもの発達状態に応じて適切なものを選び、その時々の子どもの興味や関心を踏まえるなど、遊びを通して感覚の発達が促されるものとなるように工夫すること。なお、安全な環境の下で、子どもが探索意欲を満たして自由に遊べるよう、身の回りのものについては、常に十分な点検を行うこと。

② 乳児期においては、表情、発声、体の動きなどで、感情を表現することが多いことから、これらの表現しようとする意欲を積極的に受け止めて、子どもが様々な活動を楽しむことを通して表現が豊かになるようにすること。

(3) 保育の実施に関わる配慮事項

ア 乳児は疾病への抵抗力が弱く、心身の機能の未熟さに伴う疾病の発生が多いことから、一人一人の発育及び発達状態や健康状態についての適切な判断に基づく保健的な対応を行うこと。

イ 一人一人の子どもの生育歴の違いに留意しつつ、欲求を適切に満たし、特定の保育士が応答的に関わるように努めること。

ウ 乳児保育に関わる職員間の連携や嘱託医との連携を図り、第3章に示す事項を踏まえ、適切に対応すること。栄養士及び看護師等が配置されている場合は、その専門性を生かした対応を図ること。

エ 保護者との信頼関係を築きながら保育を進めるとともに、保護者からの相談に応じ、保護者への支援に努めていくこと。

オ 担当の保育士が替わる場合には、子どものそれまでの生育歴や発達過程に留意し、職員間で協力して対応すること。

2 1歳以上3歳未満児の保育に関わるねらい及び内容

(1) 基本的事項

ア この時期においては、歩き始めから、歩く、走る、跳ぶなどへと、基本的な運動機能が次第に発達し、排泄《せつ》の自立のための身体的機能も整うようになる。つまむ、めくるなどの指先の機能も発達し、食事、衣類の着脱なども、保育士等の援助の下で自分で行うようになる。発声も明瞭になり、語彙も増加し、自分の意思や欲求を言葉で表出できるようになる。このように自分でできることが増えてくる時期であることから、保育士等は、子どもの生活の安定を図りながら、自分でしようとする気持ちを尊重し、温かく見守るとともに、愛情豊かに、応答的に関わることが必要である。

イ 本項においては、この時期の発達の特徴を踏まえ、保育の「ねらい」及び「内容」について、心身の健康に関する領域「健康」、人との関わりに関する領域「人間関係」、身近な環境との関わりに関する領域「環境」、言葉の獲得に関する領域「言葉」及び感性と表現に関する領域「表現」としてまとめ、示している。

ウ 本項の各領域において示す保育の内容は、第1章の2に示された養護における「生命の保持」及び「情緒の安定」に関わる保育の内容と、一体となって展開されるものであることに留意が必要である。

(2) ねらい及び内容

ア 健康

健康な心と体を育て、自ら健康で安全な生活をつくり出す力を養う。

(ア) ねらい

① 明るく伸び伸びと生活し、自分から体を動かすことを楽しむ。

② 自分の体を十分に動かし、様々な動きをしようとする。

③ 健康、安全な生活に必要な習慣に気付き、自分でしてみようとする気持ちが育つ。

(イ) 内容

① 保育士等の愛情豊かな受容の下で、安定感をもって生活をする。

② 食事や午睡、遊びと休息など、保育所における生活のリズムが形成される。

③ 走る、跳ぶ、登る、押す、引っ張るなど全身を使う遊びを楽しむ。

④ 様々な食品や調理形態に慣れ、ゆったり

とした雰囲気の中で食事や間食を楽しむ。

⑤　身の回りを清潔に保つ心地よさを感じ、その習慣が少しずつ身に付く。

⑥　保育士等の助けを借りながら、衣類の着脱を自分でしようとする。

⑦　便器での排泄《せつ》に慣れ、自分で排泄《せつ》ができるようになる。

(ウ)　内容の取扱い

上記の取扱いに当たっては、次の事項に留意する必要がある。

①　心と体の健康は、相互に密接な関連があるものであることを踏まえ、子どもの気持ちに配慮した温かい触れ合いの中で、心と体の発達を促すこと。特に、一人一人の発育に応じて、体を動かす機会を十分に確保し、自ら体を動かそうとする意欲が育つようにすること。

②　健康な心と体を育てるためには望ましい食習慣の形成が重要であることを踏まえ、ゆったりとした雰囲気の中で食べる喜びや楽しさを味わい、進んで食べようとする気持ちが育つようにすること。なお、食物アレルギーのある子どもへの対応については、嘱託医等の指示や協力の下に適切に対応すること。

③　排泄《せつ》の習慣については、一人一人の排尿間隔等を踏まえ、おむつが汚れていないときに便器に座らせるなどにより、少しずつ慣れさせるようにすること。

④　食事、排泄《せつ》、睡眠、衣類の着脱、身の回りを清潔にすることなど、生活に必要な基本的な習慣については、一人一人の状態に応じ、落ち着いた雰囲気の中で行うようにし、子どもが自分でしようとする気持ちを尊重すること。また、基本的な生活習慣の形成に当たっては、家庭での生活経験に配慮し、家庭との適切な連携の下で行うようにすること。

イ　人間関係

他の人々と親しみ、支え合って生活するために、自立心を育て、人と関わる力を養う。

(ア)　ねらい

①　保育所での生活を楽しみ、身近な人と関わる心地よさを感じる。

②　周囲の子ども等への興味や関心が高まり、関わりをもとうとする。

③　保育所の生活の仕方に慣れ、きまりの大切さに気付く。

(イ)　内容

①　保育士等や周囲の子ども等との安定した関係の中で、共に過ごす心地よさを感じる。

②　保育士等の受容的・応答的な関わりの中で、欲求を適切に満たし、安定感をもって過ごす。

③　身の回りに様々な人がいることに気付き、徐々に他の子どもと関わりをもって遊ぶ。

④　保育士等の仲立ちにより、他の子どもとの関わり方を少しずつ身につける。

⑤　保育所の生活の仕方に慣れ、きまりがあることや、その大切さに気付く。

⑥　生活や遊びの中で、年長児や保育士等の真似をしたり、ごっこ遊びを楽しんだりする。

(ウ)　内容の取扱い

上記の取扱いに当たっては、次の事項に留意する必要がある。

①　保育士等との信頼関係に支えられて生活を確立するとともに、自分で何かをしようとする気持ちが旺盛になる時期であることに鑑み、そのような子どもの気持ちを尊重し、温かく見守るとともに、愛情豊かに、応答的に関わり、適切な援助を行うようにすること。

②　思い通りにいかない場合等の子どもの不安定な感情の表出については、保育士等が受容的に受け止めるとともに、そうした気持ちから立ち直る経験や感情をコントロールすることへの気付き等につなげていけるように援助すること。

③　この時期は自己と他者との違いの認識がまだ十分ではないことから、子どもの自我の育ちを見守るとともに、保育士等が仲立ちとなって、自分の気持ちを相手に伝えることや相手の気持ちに気付くことの大切さなど、友達の気持ちや友達との関わり方を丁寧に伝えていくこと。

ウ　環境

周囲の様々な環境に好奇心や探究心をもって関わり、それらを生活に取り入れていこうとする力を養う。

(ア)　ねらい

①　身近な環境に親しみ、触れ合う中で、様々なものに興味や関心をもつ。

② 様々なものに関わる中で、発見を楽しんだり、考えたりしようとする。

③ 見る、聞く、触るなどの経験を通して、感覚の働きを豊かにする。

(イ) 内容

① 安全で活動しやすい環境での探索活動等を通して、見る、聞く、触れる、嗅ぐ、味わうなどの感覚の働きを豊かにする。

② 玩具、絵本、遊具などに興味をもち、それらを使った遊びを楽しむ。

③ 身の回りの物に触れる中で、形、色、大きさ、量などの物の性質や仕組みに気付く。

④ 自分の物と人の物の区別や、場所的感覚など、環境を捉える感覚が育つ。

⑤ 身近な生き物に気付き、親しみをもつ。

⑥ 近隣の生活や季節の行事などに興味や関心をもつ。

(ウ) 内容の取扱い

上記の取扱いに当たっては、次の事項に留意する必要がある。

① 玩具などは、音質、形、色、大きさなど子どもの発達状態に応じて適切なものを選び、遊びを通して感覚の発達が促されるように工夫すること。

② 身近な生き物との関わりについては、子どもが命を感じ、生命の尊さに気付く経験へとつながるものであることから、そうした気付きを促すような関わりとなるようにすること。

③ 地域の生活や季節の行事などに触れる際には、社会とのつながりや地域社会の文化への気付きにつながるものとなることが望ましいこと。その際、保育所内外の行事や地域の人々との触れ合いなどを通して行うこと等も考慮すること。

エ 言葉

経験したことや考えたことなどを自分なりの言葉で表現し、相手の話す言葉を聞こうとする意欲や態度を育て、言葉に対する感覚や言葉で表現する力を養う。

(ア) ねらい

① 言葉遊びや言葉で表現する楽しさを感じる。

② 人の言葉や話などを聞き、自分でも思ったことを伝えようとする。

③ 絵本や物語等に親しむとともに、言葉のやり取りを通じて身近な人と気持ちを通わせる。

(イ) 内容

① 保育士等の応答的な関わりや話しかけにより、自ら言葉を使おうとする。

② 生活に必要な簡単な言葉に気付き、聞き分ける。

③ 親しみをもって日常の挨拶に応じる。

④ 絵本や紙芝居を楽しみ、簡単な言葉を繰り返したり、模倣をしたりして遊ぶ。

⑤ 保育士等とごっこ遊びをする中で、言葉のやり取りを楽しむ。

⑥ 保育士等を仲立ちとして、生活や遊びの中で友達との言葉のやり取りを楽しむ。

⑦ 保育士等や友達の言葉や話に興味や関心をもって、聞いたり、話したりする。

(ウ) 内容の取扱い

上記の取扱いに当たっては、次の事項に留意する必要がある。

① 身近な人に親しみをもって接し、自分の感情などを伝え、それに相手が応答し、その言葉を聞くことを通して、次第に言葉が獲得されていくものであることを考慮して、楽しい雰囲気の中で保育士等との言葉のやり取りができるようにすること。

② 子どもが自分の思いを言葉で伝えるとともに、他の子どもの話などを聞くことを通して、次第に話を理解し、言葉による伝え合いができるようになるよう、気持ちや経験等の言語化を行うことを援助するなど、子ども同士の関わりの仲立ちを行うようにすること。

③ この時期は、片言から、二語文、ごっこ遊びでのやり取りができる程度へと、大きく言葉の習得が進む時期であることから、それぞれの子どもの発達の状況に応じて、遊びや関わりの工夫など、保育の内容を適切に展開することが必要であること。

オ 表現

感じたことや考えたことを自分なりに表現することを通して、豊かな感性や表現する力を養い、創造性を豊かにする。

(ア) ねらい

① 身体の諸感覚の経験を豊かにし、様々な感覚を味わう。

② 感じたことや考えたことなどを自分なりに表現しようとする。

③ 生活や遊びの様々な体験を通して、イ

メージや感性が豊かになる。

(イ)　内容

①　水、砂、土、紙、粘土など様々な素材に触れて楽しむ。

②　音楽、リズムやそれに合わせた体の動きを楽しむ。

③　生活の中で様々な音、形、色、手触り、動き、味、香りなどに気付いたり、感じたりして楽しむ。

④　歌を歌ったり、簡単な手遊びや全身を使う遊びを楽しんだりする。

⑤　保育士等からの話や、生活や遊びの中での出来事を通して、イメージを豊かにする。

⑥　生活や遊びの中で、興味のあることや経験したことなどを自分なりに表現する。

(ウ)　内容の取扱い

上記の取扱いに当たっては、次の事項に留意する必要がある。

①　子どもの表現は、遊びや生活の様々な場面で表出されているものであることから、それらを積極的に受け止め、様々な表現の仕方や感性を豊かにする経験となるようにすること。

②　子どもが試行錯誤しながら様々な表現を楽しむことや、自分の力でやり遂げる充実感などに気付くよう、温かく見守るとともに、適切に援助を行うようにすること。

③　様々な感情の表現等を通じて、子どもが自分の感情や気持ちに気付くようになる時期であることに鑑み、受容的な関わりの中で自信をもって表現をすることや、諦めずに続けた後の達成感等を感じられるような経験が蓄積されるようにすること。

④　身近な自然や身の回りの事物に関わる中で、発見や心が動く経験が得られるよう、諸感覚を働かせることを楽しむ遊びや素材を用意するなど保育の環境を整えること。

(3)　保育の実施に関わる配慮事項

ア　特に感染症にかかりやすい時期であるので、体の状態、機嫌、食欲などの日常の状態の観察を十分に行うとともに、適切な判断に基づく保健的な対応を心がけること。

イ　探索活動が十分できるように、事故防止に努めながら活動しやすい環境を整え、全身を使う遊びなど様々な遊びを取り入れること。

ウ　自我が形成され、子どもが自分の感情や気持ちに気付くようになる重要な時期であることに鑑み、情緒の安定を図りながら、子どもの自発的な活動を尊重するとともに促していくこと。

エ　担当の保育士が替わる場合には、子どものそれまでの経験や発達過程に留意し、職員間で協力して対応すること。

3　3歳以上児の保育に関するねらい及び内容

(1)　基本的事項

ア　この時期においては、運動機能の発達により、基本的な動作が一通りできるようになるとともに、基本的な生活習慣もほぼ自立できるようになる。理解する語彙数が急激に増加し、知的興味や関心も高まってくる。仲間と遊び、仲間の中の一人という自覚が生じ、集団的な遊びや協同的な活動も見られるようになる。これらの発達の特徴を踏まえて、この時期の保育においては、個の成長と集団としての活動の充実が図られるようにしなければならない。

イ　本項においては、この時期の発達の特徴を踏まえ、保育の「ねらい」及び「内容」について、心身の健康に関する領域「健康」、人との関わりに関する領域「人間関係」、身近な環境との関わりに関する領域「環境」、言葉の獲得に関する領域「言葉」及び感性と表現に関する領域「表現」としてまとめ、示している。

ウ　本項の各領域において示す保育の内容は、第1章の2に示された養護における「生命の保持」及び「情緒の安定」に関わる保育の内容と、一体となって展開されるものであることに留意が必要である。

(2)　ねらい及び内容

ア　健康

健康な心と体を育て、自ら健康で安全な生活をつくり出す力を養う。

(ア)　ねらい

①　明るく伸び伸びと行動し、充実感を味わう。

②　自分の体を十分に動かし、進んで運動しようとする。

③　健康、安全な生活に必要な習慣や態度を身に付け、見通しをもって行動する。

(イ)　内容

①　保育士等や友達と触れ合い、安定感をもって行動する。

②　いろいろな遊びの中で十分に体を動かす。

③　進んで戸外で遊ぶ。

④　様々な活動に親しみ、楽しんで取り組む。

⑤　保育士等や友達と食べることを楽しみ、

食べ物への興味や関心をもつ。

⑥ 健康な生活のリズムを身に付ける。

⑦ 身の回りを清潔にし、衣服の着脱、食事、排泄《せつ》などの生活に必要な活動を自分でする。

⑧ 保育所における生活の仕方を知り、自分たちで生活の場を整えながら見通しをもって行動する。

⑨ 自分の健康に関心をもち、病気の予防などに必要な活動を進んで行う。

⑩ 危険な場所、危険な遊び方、災害時などの行動の仕方が分かり、安全に気を付けて行動する。

(ウ) 内容の取扱い

上記の取扱いに当たっては、次の事項に留意する必要がある。

① 心と体の健康は、相互に密接な関連があるものであることを踏まえ、子どもが保育士等や他の子どもとの温かい触れ合いの中で自己の存在感や充実感を味わうことなどを基盤として、しなやかな心と体の発達を促すこと。特に、十分に体を動かす気持ちよさを体験し、自ら体を動かそうとする意欲が育つようにすること。

② 様々な遊びの中で、子どもが興味や関心、能力に応じて全身を使って活動することにより、体を動かす楽しさを味わい、自分の体を大切にしようとする気持ちが育つようにすること。その際、多様な動きを経験する中で、体の動きを調整するようにすること。

③ 自然の中で伸び伸びと体を動かして遊ぶことにより、体の諸機能の発達が促されることに留意し、子どもの興味や関心が戸外にも向くようにすること。その際、子どもの動線に配慮した園庭や遊具の配置などを工夫すること。

④ 健康な心と体を育てるためには食育を通じた望ましい食習慣の形成が大切であることを踏まえ、子どもの食生活の実情に配慮し、和やかな雰囲気の中で保育士等や他の子どもと食べる喜びや楽しさを味わったり、様々な食べ物への興味や関心をもったりするなどし、食の大切さに気付き、進んで食べようとする気持ちが育つようにすること。

⑤ 基本的な生活習慣の形成に当たっては、家庭での生活経験に配慮し、子どもの自立心を育て、子どもが他の子どもと関わりながら主体的な活動を展開する中で、生活に必要な習慣を身に付け、次第に見通しをもって行動できるようにすること。

⑥ 安全に関する指導に当たっては、情緒の安定を図り、遊びを通して安全についての構えを身に付け、危険な場所や事物などが分かり、安全についての理解を深めるようにすること。また、交通安全の習慣を身に付けるようにするとともに、避難訓練などを通して、災害などの緊急時に適切な行動がとれるようにすること。

イ 人間関係

他の人々と親しみ、支え合って生活するために、自立心を育て、人と関わる力を養う。

(ア) ねらい

① 保育所の生活を楽しみ、自分の力で行動することの充実感を味わう。

② 身近な人と親しみ、関わりを深め、工夫したり、協力したりして一緒に活動する楽しさを味わい、愛情や信頼感をもつ。

③ 社会生活における望ましい習慣や態度を身に付ける。

(イ) 内容

① 保育士等や友達と共に過ごすことの喜びを味わう。

② 自分で考え、自分で行動する。

③ 自分でできることは自分でする。

④ いろいろな遊びを楽しみながら物事をやり遂げようとする気持ちをもつ。

⑤ 友達と積極的に関わりながら喜びや悲しみを共感し合う。

⑥ 自分の思ったことを相手に伝え、相手の思っていることに気付く。

⑦ 友達のよさに気付き、一緒に活動する楽しさを味わう。

⑧ 友達と楽しく活動する中で、共通の目的を見いだし、工夫したり、協力したりなどする。

⑨ よいことや悪いことがあることに気付き、考えながら行動する。

⑩ 友達との関わりを深め、思いやりをもつ。

⑪ 友達と楽しく生活する中できまりの大切さに気付き、守ろうとする。

⑫ 共同の遊具や用具を大切にし、皆で使う。

⑬ 高齢者をはじめ地域の人々などの自分の生活に関係の深いいろいろな人に親しみを

もつ。

(ウ)　内容の取扱い

上記の取扱いに当たっては、次の事項に留意する必要がある。

①　保育士等との信頼関係に支えられて自分自身の生活を確立していくことが人と関わる基盤となることを考慮し、子どもが自ら周囲に働き掛けることにより多様な感情を体験し、試行錯誤しながら諦めずにやり遂げることの達成感や、前向きな見通しをもって自分の力で行うことの充実感を味わうことができるよう、子どもの行動を見守りながら適切な援助を行うようにすること。

②　一人一人を生かした集団を形成しながら人と関わる力を育てていくようにすること。その際、集団の生活の中で、子どもが自己を発揮し、保育士等や他の子どもに認められる体験をし、自分のよさや特徴に気付き、自信をもって行動できるようにすること。

③　子どもが互いに関わりを深め、協同して遊ぶようになるため、自ら行動する力を育てるとともに、他の子どもと試行錯誤しながら活動を展開する楽しさや共通の目的が実現する喜びを味わうことができるようにすること。

④　道徳性の芽生えを培うに当たっては、基本的な生活習慣の形成を図るとともに、子どもが他の子どもとの関わりの中で他人の存在に気付き、相手を尊重する気持ちをもって行動できるようにし、また、自然や身近な動植物に親しむことなどを通して豊かな心情が育つようにすること。特に、人に対する信頼感や思いやりの気持ちは、葛藤やつまずきをも体験し、それらを乗り越えることにより次第に芽生えてくることに配慮すること。

⑤　集団の生活を通して、子どもが人との関わりを深め、規範意識の芽生えが培われることを考慮し、子どもが保育士等との信頼関係に支えられて自己を発揮する中で、互いに思いを主張し、折り合いを付ける体験をし、きまりの必要性などに気付き、自分の気持ちを調整する力が育つようにすること。

⑥　高齢者をはじめ地域の人々などの自分の生活に関係の深いいろいろな人と触れ合い、自分の感情や意志を表現しながら共に楽しみ、共感し合う体験を通して、これらの人々などに親しみをもち、人と関わることの楽しさや人の役に立つ喜びを味わうことができるようにすること。また、生活を通して親や祖父母などの家族の愛情に気付き、家族を大切にしようとする気持ちが育つようにすること。

ウ　環境

周囲の様々な環境に好奇心や探究心をもって関わり、それらを生活に取り入れていこうとする力を養う。

(ア)　ねらい

①　身近な環境に親しみ、自然と触れ合う中で様々な事象に興味や関心をもつ。

②　身近な環境に自分から関わり、発見を楽しんだり、考えたりし、それを生活に取り入れようとする。

③　身近な事象を見たり、考えたり、扱ったりする中で、物の性質や数量、文字などに対する感覚を豊かにする。

(イ)　内容

①　自然に触れて生活し、その大きさ、美しさ、不思議さなどに気付く。

②　生活の中で、様々な物に触れ、その性質や仕組みに興味や関心をもつ。

③　季節により自然や人間の生活に変化のあることに気付く。

④　自然などの身近な事象に関心をもち、取り入れて遊ぶ。

⑤　身近な動植物に親しみをもって接し、生命の尊さに気付き、いたわったり、大切にしたりする。

⑥　日常生活の中で、我が国や地域社会における様々な文化や伝統に親しむ。

⑦　身近な物を大切にする。

⑧　身近な物や遊具に興味をもって関わり、自分なりに比べたり、関連付けたりしながら考えたり、試したりして工夫して遊ぶ。

⑨　日常生活の中で数量や図形などに関心をもつ。

⑩　日常生活の中で簡単な標識や文字などに関心をもつ。

⑪　生活に関係の深い情報や施設などに興味や関心をもつ。

⑫　保育所内外の行事において国旗に親しむ。

(ウ)　内容の取扱い

上記の取扱いに当たっては、次の事項に留意する必要がある。

① 子どもが、遊びの中で周囲の環境と関わり、次第に周囲の世界に好奇心を抱き、その意味や操作の仕方に関心をもち、物事の法則性に気付き、自分なりに考えることができるようになる過程を大切にすること。また、他の子どもの考えなどに触れて新しい考えを生み出す喜びや楽しさを味わい、自分の考えをよりよいものにしようとする気持ちが育つようにすること。

② 幼児期において自然のもつ意味は大きく、自然の大きさ、美しさ、不思議さなどに直接触れる体験を通して、子どもの心が安らぎ、豊かな感情、好奇心、思考力、表現力の基礎が培われることを踏まえ、子どもが自然との関わりを深めることができるよう工夫すること。

③ 身近な事象や動植物に対する感動を伝え合い、共感し合うことなどを通して自分から関わろうとする意欲を育てるとともに、様々な関わり方を通してそれらに対する親しみや畏敬の念、生命を大切にする気持ち、公共心、探究心などが養われるようにすること。

④ 文化や伝統に親しむ際には、正月や節句など我が国の伝統的な行事、国歌、唱歌、わらべうたや我が国の伝統的な遊びに親しんだり、異なる文化に触れる活動に親しんだりすることを通じて、社会とのつながりの意識や国際理解の意識の芽生えなどが養われるようにすること。

⑤ 数量や文字などに関しては、日常生活の中で子ども自身の必要感に基づく体験を大切にし、数量や文字などに関する興味や関心、感覚が養われるようにすること。

エ 言葉

経験したことや考えたことなどを自分なりの言葉で表現し、相手の話す言葉を聞こうとする意欲や態度を育て、言葉に対する感覚や言葉で表現する力を養う。

(ア) ねらい

① 自分の気持ちを言葉で表現する楽しさを味わう。

② 人の言葉や話などをよく聞き、自分の経験したことや考えたことを話し、伝え合う喜びを味わう。

③ 日常生活に必要な言葉が分かるようになるとともに、絵本や物語などに親しみ、言葉に対する感覚を豊かにし、保育士等や友達と心を通わせる。

(イ) 内容

① 保育士等や友達の言葉や話に興味や関心をもち、親しみをもって聞いたり、話したりする。

② したり、見たり、聞いたり、感じたり、考えたりなどしたことを自分なりに言葉で表現する。

③ したいこと、してほしいことを言葉で表現したり、分からないことを尋ねたりする。

④ 人の話を注意して聞き、相手に分かるように話す。

⑤ 生活の中で必要な言葉が分かり、使う。

⑥ 親しみをもって日常の挨拶をする。

⑦ 生活の中で言葉の楽しさや美しさに気付く。

⑧ いろいろな体験を通じてイメージや言葉を豊かにする。

⑨ 絵本や物語などに親しみ、興味をもって聞き、想像をする楽しさを味わう。

⑩ 日常生活の中で、文字などで伝える楽しさを味わう。

(ウ) 内容の取扱い

上記の取扱いに当たっては、次の事項に留意する必要がある。

① 言葉は、身近な人に親しみをもって接し、自分の感情や意志などを伝え、それに相手が応答し、その言葉を聞くことを通して次第に獲得されていくものであることを考慮して、子どもが保育士等や他の子どもと関わることにより心を動かされるような体験をし、言葉を交わす喜びを味わえるようにすること。

② 子どもが自分の思いを言葉で伝えるとともに、保育士等や他の子どもなどの話を興味をもって注意して聞くことを通して次第に話を理解するようになっていき、言葉による伝え合いができるようにすること。

③ 絵本や物語などで、その内容と自分の経験とを結び付けたり、想像を巡らせたりするなど、楽しみを十分に味わうことによって、次第に豊かなイメージをもち、言葉に対する感覚が養われるようにすること。

④ 子どもが生活の中で、言葉の響きやリズ

ム、新しい言葉や表現などに触れ、これらを使う楽しさを味わえるようにすること。その際、絵本や物語に親しんだり、言葉遊びなどをしたりすることを通して、言葉が豊かになるようにすること。

⑤　子どもが日常生活の中で、文字などを使いながら思ったことや考えたことを伝える喜びや楽しさを味わい、文字に対する興味や関心をもつようにすること。

オ　表現

感じたことや考えたことを自分なりに表現することを通して、豊かな感性や表現する力を養い、創造性を豊かにする。

(ア)　ねらい

①　いろいろなものの美しさなどに対する豊かな感性をもつ。

②　感じたことや考えたことを自分なりに表現して楽しむ。

③　生活の中でイメージを豊かにし、様々な表現を楽しむ。

(イ)　内容

①　生活の中で様々な音、形、色、手触り、動きなどに気付いたり、感じたりするなどして楽しむ。

②　生活の中で美しいものや心を動かす出来事に触れ、イメージを豊かにする。

③　様々な出来事の中で、感動したことを伝え合う楽しさを味わう。

④　感じたこと、考えたことなどを音や動きなどで表現したり、自由にかいたり、つくったりなどする。

⑤　いろいろな素材に親しみ、工夫して遊ぶ。

⑥　音楽に親しみ、歌を歌ったり、簡単なリズム楽器を使ったりなどする楽しさを味わう。

⑦　かいたり、つくったりすることを楽しみ、遊びに使ったり、飾ったりなどする。

⑧　自分のイメージを動きや言葉などで表現したり、演じて遊んだりするなどの楽しさを味わう。

(ウ)　内容の取扱い

上記の取扱いに当たっては、次の事項に留意する必要がある。

①　豊かな感性は、身近な環境と十分に関わる中で美しいもの、優れたもの、心を動かす出来事などに出会い、そこから得た感動を他の子どもや保育士等と共有し、様々に表現することなどを通して養われるようにすること。その際、風の音や雨の音、身近にある草や花の形や色など自然の中にある音、形、色などに気付くようにすること。

②　子どもの自己表現は素朴な形で行われることが多いので、保育士等はそのような表現を受容し、子ども自身の表現しようとする意欲を受け止めて、子どもが生活の中で子どもらしい様々な表現を楽しむことができるようにすること。

③　生活経験や発達に応じ、自ら様々な表現を楽しみ、表現する意欲を十分に発揮させることができるように、遊具や用具などを整えたり、様々な素材や表現の仕方に親しんだり、他の子どもの表現に触れられるよう配慮したりし、表現する過程を大切にして自己表現を楽しめるように工夫すること。

(3)　保育の実施に関わる配慮事項

ア　第1章の4の(2)に示す「幼児期の終わりまでに育ってほしい姿」が、ねらい及び内容に基づく活動全体を通して資質・能力が育まれている子どもの小学校就学時の具体的な姿であることを踏まえ、指導を行う際には適宜考慮すること。

イ　子どもの発達や成長の援助をねらいとした活動の時間については、意識的に保育の計画等において位置付けて、実施することが重要であること。なお、そのような活動の時間については、保護者の就労状況等に応じて子どもが保育所で過ごす時間がそれぞれ異なることに留意して設定すること。

ウ　特に必要な場合には、各領域に示すねらいの趣旨に基づいて、具体的な内容を工夫し、それを加えても差し支えないが、その場合には、それが第1章の1に示す保育所保育に関する基本原則を逸脱しないよう慎重に配慮する必要があること。

4　保育の実施に関して留意すべき事項

(1)　保育全般に関わる配慮事項

ア　子どもの心身の発達及び活動の実態などの個人差を踏まえるとともに、一人一人の子どもの気持ちを受け止め、援助すること。

イ　子どもの健康は、生理的・身体的な育ちとともに、自主性や社会性、豊かな感性の育ちとがあいまってもたらされることに留意すること。

ウ　子どもが自ら周囲に働きかけ、試行錯誤しつつ自分の力で行う活動を見守りながら、適切に援助すること。

エ　子どもの入所時の保育に当たっては、できるだけ個別的に対応し、子どもが安定感を得て、次第に保育所の生活になじんでいくようにするとともに、既に入所している子どもに不安や動揺を与えないようにすること。

オ　子どもの国籍や文化の違いを認め、互いに尊重する心を育てるようにすること。

カ　子どもの性差や個人差にも留意しつつ、性別などによる固定的な意識を植え付けることがないようにすること。

(2)　小学校との連携

ア　保育所においては、保育所保育が、小学校以降の生活や学習の基盤の育成につながることに配慮し、幼児期にふさわしい生活を通じて、創造的な思考や主体的な生活態度などの基礎を培うようにすること。

イ　保育所保育において育まれた資質・能力を踏まえ、小学校教育が円滑に行われるよう、小学校教師との意見交換や合同の研究の機会などを設け、第１章の４の(2)に示す「幼児期の終わりまでに育って欲しい姿」を共有するなど連携を図り、保育所保育と小学校教育との円滑な接続を図るよう努めること。

ウ　子どもに関する情報共有に関して、保育所に入所している子どもの就学に際し、市町村の支援の下に、子どもの育ちを支えるための資料が保育所から小学校へ送付されるようにすること。

(3)　家庭及び地域社会との連携

子どもの生活の連続性を踏まえ、家庭及び地域社会と連携して保育が展開されるよう配慮すること。その際、家庭や地域の機関及び団体の協力を得て、地域の自然、高齢者や異年齢の子ども等を含む人材、行事、施設等の地域の資源を積極的に活用し、豊かな生活体験をはじめ保育内容の充実が図られるよう配慮すること。

第３章　健康及び安全

保育所保育において、子どもの健康及び安全の確保は、子どもの生命の保持と健やかな生活の基本であり、一人一人の子どもの健康の保持及び増進並びに安全の確保とともに、保育所全体における健康及び安全の確保に努めることが重要となる。

また、子どもが、自らの体や健康に関心をもち、心身の機能を高めていくことが大切である。

このため、第１章及び第２章等の関連する事項に留意し、次に示す事項を踏まえ、保育を行うこととする。

１　子どもの健康支援

(1)　子どもの健康状態並びに発育及び発達状態の把握

ア　子どもの心身の状態に応じて保育するために、子どもの健康状態並びに発育及び発達状態について、定期的・継続的に、また、必要に応じて随時、把握すること。

イ　保護者からの情報とともに、登所時及び保育中を通じて子どもの状態を観察し、何らかの疾病が疑われる状態や傷害が認められた場合には、保護者に連絡するとともに、嘱託医と相談するなど適切な対応を図ること。看護師等が配置されている場合には、その専門性を生かした対応を図ること。

ウ　子どもの心身の状態等を観察し、不適切な養育の兆候が見られる場合には、市町村や関係機関と連携し、児童福祉法第25条に基づき、適切な対応を図ること。また、虐待が疑われる場合には、速やかに市町村又は児童相談所に通告し、適切な対応を図ること。

(2)　健康増進

ア　子どもの健康に関する保健計画を全体的な計画に基づいて作成し、全職員がそのねらいや内容を踏まえ、一人一人の子どもの健康の保持及び増進に努めていくこと。

イ　子どもの心身の健康状態や疾病等の把握のために、嘱託医等により定期的に健康診断を行い、その結果を記録し、保育に活用するとともに、保護者が子どもの状態を理解し、日常生活に活用できるようにすること。

(3)　疾病等への対応

ア　保育中に体調不良や傷害が発生した場合には、その子どもの状態等に応じて、保護者に連絡するとともに、適宜、嘱託医や子どものかかりつけ医等と相談し、適切な処置を行うこと。看護師等が配置されている場合には、その専門性を生かした対応を図ること。

イ　感染症やその他の疾病の発生予防に努め、その発生や疑いがある場合には、必要に応じて嘱託医、市町村、保健所等に連絡し、その指示に従うとともに、保護者や全職員に連絡し、予防等について協力を求めること。また、感染症に関する保育所の対応方法等について、あらかじめ関係機関の協力を得ておくこと。看護師等が配置されている場合には、その専門性を生かした対応を図ること。

ウ　アレルギー疾患を有する子どもの保育については、保護者と連携し、医師の診断及び指示に基づき、適切な対応を行うこと。また、食物アレルギーに関して、関係機関と連携して、当該保育所の体制構築など、安全な環境の整備を行うこと。看護師や栄養士等が配置されている場合には、その専門性を生かした対応を図ること。

エ　子どもの疾病等の事態に備え、医務室等の環境を整え、救急用の薬品、材料等を適切な管理の下に常備し、全職員が対応できるようにしておくこと。

2　食育の推進

(1)　保育所の特性を生かした食育

ア　保育所における食育は、健康な生活の基本としての「食を営む力」の育成に向け、その基礎を培うことを目標とすること。

イ　子どもが生活と遊びの中で、意欲をもって食に関わる体験を積み重ね、食べることを楽しみ、食事を楽しみ合う子どもに成長していくことを期待するものであること。

ウ　乳幼児期にふさわしい食生活が展開され、適切な援助が行われるよう、食事の提供を含む食育計画を全体的な計画に基づいて作成し、その評価及び改善に努めること。栄養士が配置されている場合は、専門性を生かした対応を図ること。

(2)　食育の環境の整備等

ア　子どもが自らの感覚や体験を通して、自然の恵みとしての食材や食の循環・環境への意識、調理する人への感謝の気持ちが育つように、子どもと調理員等との関わりや、調理室など食に関わる保育環境に配慮すること。

イ　保護者や地域の多様な関係者との連携及び協働の下で、食に関する取組が進められること。また、市町村の支援の下に、地域の関係機関等との日常的な連携を図り、必要な協力が得られるよう努めること。

ウ　体調不良、食物アレルギー、障害のある子どもなど、一人一人の子どもの心身の状態等に応じ、嘱託医、かかりつけ医等の指示や協力の下に適切に対応すること。栄養士が配置されている場合は、専門性を生かした対応を図ること。

3　環境及び衛生管理並びに安全管理

(1)　環境及び衛生管理

ア　施設の温度、湿度、換気、採光、音などの環境を常に適切な状態に保持するとともに、施設内外の設備及び用具等の衛生管理に努めること。

イ　施設内外の適切な環境の維持に努めるとともに、子ども及び全職員が清潔を保つようにすること。また、職員は衛生知識の向上に努めること。

(2)　事故防止及び安全対策

ア　保育中の事故防止のために、子どもの心身の状態等を踏まえつつ、施設内外の安全点検に努め、安全対策のために全職員の共通理解や体制づくりを図るとともに、家庭や地域の関係機関の協力の下に安全指導を行うこと。

イ　事故防止の取組を行う際には、特に、睡眠中、プール活動・水遊び中、食事中等の場面では重大事故が発生しやすいことを踏まえ、子どもの主体的な活動を大切にしつつ、施設内外の環境の配慮や指導の工夫を行うなど、必要な対策を講じること。

ウ　保育中の事故の発生に備え、施設内外の危険箇所の点検や訓練を実施するとともに、外部からの不審者等の侵入防止のための措置や訓練など不測の事態に備えて必要な対応を行うこと。また、子どもの精神保健面における対応に留意すること。

4　災害への備え

(1)　施設・設備等の安全確保

ア　防火設備、避難経路等の安全性が確保されるよう、定期的にこれらの安全点検を行うこと。

イ　備品、遊具等の配置、保管を適切に行い、日頃から、安全環境の整備に努めること。

(2)　災害発生時の対応体制及び避難への備え

ア　火災や地震などの災害の発生に備え、緊急時の対応の具体的内容及び手順、職員の役割分担、避難訓練計画等に関するマニュアルを作成すること。

イ　定期的に避難訓練を実施するなど、必要な対応を図ること。

ウ　災害の発生時に、保護者等への連絡及び子どもの引渡しを円滑に行うため、日頃から保護者との密接な連携に努め、連絡体制や引渡し方法等について確認をしておくこと。

(3)　地域の関係機関等との連携

ア　市町村の支援の下に、地域の関係機関との日常的な連携を図り、必要な協力が得られるよう努めること。

イ　避難訓練については、地域の関係機関や保護者との連携の下に行うなど工夫すること。

第4章　子育て支援

保育所における保護者に対する子育て支援は、全ての子どもの健やかな育ちを実現することができるよう、第1章及び第2章等の関連する事項を踏まえ、子どもの育ちを家庭と連携して支援していくとともに、保護者及び地域が有する子育てを自ら実践する力の向上に資するよう、次の事項に留意するものとする。

1　保育所における子育て支援に関する基本的事項

(1)　保育所の特性を生かした子育て支援

ア　保護者に対する子育て支援を行う際には、各地域や家庭の実態等を踏まえるとともに、保護者の気持ちを受け止め、相互の信頼関係を基本に、保護者の自己決定を尊重すること。

イ　保育及び子育てに関する知識や技術など、保育士等の専門性や、子どもが常に存在する環境など、保育所の特性を生かし、保護者が子どもの成長に気付き子育ての喜びを感じられるように努めること。

(2)　子育て支援に関して留意すべき事項

ア　保護者に対する子育て支援における地域の関係機関等との連携及び協働を図り、保育所全体の体制構築に努めること。

イ　子どもの利益に反しない限りにおいて、保護者や子どものプライバシーを保護し、知り得た事柄の秘密を保持すること。

2　保育所を利用している保護者に対する子育て支援

(1)　保護者との相互理解

ア　日常の保育に関連した様々な機会を活用し子どもの日々の様子の伝達や収集、保育所保育の意図の説明などを通じて、保護者との相互理解を図るよう努めること。

イ　保育の活動に対する保護者の積極的な参加は、保護者の子育てを自ら実践する力の向上に寄与することから、これを促すこと。

(2)　保護者の状況に配慮した個別の支援

ア　保護者の就労と子育ての両立等を支援するため、保護者の多様化した保育の需要に応じ、病児保育事業など多様な事業を実施する場合には、保護者の状況に配慮するとともに、子どもの福祉が尊重されるよう努め、子どもの生活の連続性を考慮すること。

イ　子どもに障害や発達上の課題が見られる場合には、市町村や関係機関と連携及び協力を図りつつ、保護者に対する個別の支援を行うよう努めること。

ウ　外国籍家庭など、特別な配慮を必要とする家庭の場合には、状況等に応じて個別の支援を行うよう努めること。

(3)　不適切な養育等が疑われる家庭への支援

ア　保護者に育児不安等が見られる場合には、保護者の希望に応じて個別の支援を行うよう努めること。

イ　保護者に不適切な養育等が疑われる場合には、市町村や関係機関と連携し、要保護児童対策地域協議会で検討するなど適切な対応を図ること。また、虐待が疑われる場合には、速やかに市町村又は児童相談所に通告し、適切な対応を図ること。

3　地域の保護者等に対する子育て支援

(1)　地域に開かれた子育て支援

ア　保育所は、児童福祉法第48条の４の規定に基づき、その行う保育に支障がない限りにおいて、地域の実情や当該保育所の体制等を踏まえ、地域の保護者等に対して、保育所保育の専門性を生かした子育て支援を積極的に行うよう努めること。

イ　地域の子どもに対する一時預かり事業などの活動を行う際には、一人一人の子どもの心身の状態などを考慮するとともに、日常の保育との関連に配慮するなど、柔軟に活動を展開できるようにすること。

(2)　地域の関係機関等との連携

ア　市町村の支援を得て、地域の関係機関等との積極的な連携及び協働を図るとともに、子育て支援に関する地域の人材と積極的に連携を図るよう努めること。

イ　地域の要保護児童への対応など、地域の子どもを巡る諸課題に対し、要保護児童対策地域協議会など関係機関等と連携及び協力して取り組むよう努めること。

第５章　職員の資質向上

第１章から前章までに示された事項を踏まえ、保育所は、質の高い保育を展開するため、絶えず、一人一人の職員についての資質向上及び職員全体の専門性の向上を図るよう努めなければならない。

1　職員の資質向上に関する基本的事項

(1)　保育所職員に求められる専門性

子どもの最善の利益を考慮し、人権に配慮した保育を行うためには、職員一人一人の倫理観、人間性並びに保育所職員としての職務及び責任の理解と自覚が基盤となる。

各職員は、自己評価に基づく課題等を踏まえ、保育所内外の研修等を通じて、保育士・看護師・調理員・栄養士等、それぞれの職務内容に応じた専門性を高めるため、必要な知識及び技術の修得、維持及び向上に努めなければならない。

(2)　保育の質の向上に向けた組織的な取組

保育所においては、保育の内容等に関する自己評価等を通じて把握した、保育の質の向上に向けた課題に組織的に対応するため、保育内容の改善や保育士等の役割分担の見直し等に取り組むとともに、それぞれの職位や職務内容等に応じて、各職員が必要な知識及び技能を身につけられるよう努めなければならない。

2　施設長の責務

⑴　施設長の責務と専門性の向上

施設長は、保育所の役割や社会的責任を遂行するために、法令等を遵守し、保育所を取り巻く社会情勢等を踏まえ、施設長としての専門性等の向上に努め、当該保育所における保育の質及び職員の専門性向上のために必要な環境の確保に努めなければならない。

⑵　職員の研修機会の確保等

施設長は、保育所の全体的な計画や、各職員の研修の必要性等を踏まえて、体系的・計画的な研修機会を確保するとともに、職員の勤務体制の工夫等により、職員が計画的に研修等に参加し、その専門性の向上が図られるよう努めなければならない。

3　職員の研修等

⑴　職場における研修

職員が日々の保育実践を通じて、必要な知識及び技術の修得、維持及び向上を図るとともに、保育の課題等への共通理解や協働性を高め、保育所全体としての保育の質の向上を図っていくためには、日常的に職員同士が主体的に学び合う姿勢と環境が重要であり、職場内での研修の充実が図られなければならない。

⑵　外部研修の活用

各保育所における保育の課題への的確な対応や、保育士等の専門性の向上を図るためには、職場内での研修に加え、関係機関等による研修の活用が有効であることから、必要に応じて、こうした外部研修への参加機会が確保されるよう努めなければならない。

4　研修の実施体制等

⑴　体系的な研修計画の作成

保育所においては、当該保育所における保育の課題や各職員のキャリアパス等も見据えて、初任者から管理職員までの職位や職務内容等を踏まえた体系的な研修計画を作成しなければならない。

⑵　組織内での研修成果の活用

外部研修に参加する職員は、自らの専門性の向上を図るとともに、保育所における保育の課題を理解し、その解決を実践できる力を身に付けることが重要である。また、研修で得た知識及び技能を他の職員と共有することにより、保育所全体としての保育実践の質及び専門性の向上につなげていくことが求められる。

⑶　研修の実施に関する留意事項

施設長等は保育所全体としての保育実践の質及び専門性の向上のために、研修の受講は特定の職員に偏ることなく行われるよう、配慮する必要がある。また、研修を修了した職員については、その職務内容等において、当該研修の成果等が適切に勘案されることが望ましい。

○保育所保育指針の適用に際しての留意事項について

〔平成30年３月30日　子保発0330第２号
各都道府県・各指定都市・各中核市民生主管部(局)長宛
厚生労働省子ども家庭局保育課長通知〕

平成30年４月１日より保育所保育指針（平成29年厚生労働省告示第117号。以下「保育所保育指針」という。）が適用されるが、その適用に際しての留意事項は、下記のとおりであるため、十分御了知の上、貴管内の市区町村、保育関係者等に対して遅滞なく周知し、その運用に遺漏のないよう御配慮願いたい。

なお、本通知は、地方自治法（昭和22年法律第67号）第245条の４第１項の規定に基づく技術的助言である。

また、本通知をもって、「保育所保育指針の施行に際しての留意事項について」（平成20年３月28日付け雇児保発第0328001号厚生労働省雇用均等・児童家庭局保育課長通知）を廃止する。

記

1　保育所保育指針の適用について

(1)　保育所保育指針の保育現場等への周知について

平成30年４月１日より保育所保育指針が適用されるに当たり、その趣旨及び内容が、自治体の職員、保育所、家庭的保育事業者等及び認可外保育施設の保育関係者、指定保育士養成施設の関係者、子育て中の保護者等に十分理解され、保育現場における保育の実践、保育士養成課程の教授内容等に十分反映されるよう、改めて周知を図られたい。

なお、周知に当たっては、保育所保育指針の内容の解説、保育を行う上での留意点等を記載した「保育所保育指針解説」を厚生労働省のホームページに公開しているので、当該解説を活用されたい。

○保育所保育指針解説
http://www.mhlw.go.jp/file/06-Seisakujouhou-11900000-Koyoukintoujidoukateikyoku/kaisetu.pdf

(2)　保育所保育指針に関する指導監査について

「児童福祉行政指導監査の実施について」（平成12年４月25日付け児発第471号厚生省児童家庭局長通知）に基づき、保育所保育指針に関する保育所の指導監査を実施する際には、以下①から③までの内容に留意されたい。

①　保育所保育指針において、具体的に義務や努力義務が課せられている事項を中心に実施すること。

②　他の事項に関する指導監査とは異なり、保育の内容及び運営体制について、各保育所の創意工夫や取組を尊重しつつ、取組の結果のみではなく、取組の過程（※１）に着目して実施すること。

（※１　保育所保育指針第１章の３(1)から(5)までに示す、全体的な計画の作成、指導計画の作成、指導計画の展開、保育の内容等の評価及び評価を踏まえた計画の改善等）

③　保育所保育指針の参考資料として取りまとめた「保育所保育指針解説」のみを根拠とした指導等を行うことのないよう留意すること。

2　小学校との連携について

保育所においては、保育所保育指針に示すとおり、保育士等が、自らの保育実践の過程を振り返り、子どもの心の育ち、意欲等について理解を深め、専門性の向上及び保育実践の改善に努めることが求められる。また、その内容が小学校（義務教育学校の前期課程及び特別支援学校の小学部を含む。以下同じ。）に適切に引き継がれ、保育所保育において育まれた資質・能力を踏まえて小学校教育が円滑に行われるよう、保育所と小学校との間で「幼児期の終わりまでに育ってほしい姿」を共有するなど、小学校との連携を図ることが重要である。

このような認識の下、保育所と小学校との連携を確保するという観点から、保育所から小学校に子どもの育ちを支えるための資料として、従前より保育所児童保育要録が送付されるよう求めているが、保育所保育指針第２章の４(2)「小学校との連携」に示す内容を踏まえ、今般、保育所児童保育要録について、

・養護及び教育が一体的に行われるという保育所保育の特性を踏まえた記載事項
・「幼児期の終わりまでに育ってほしい姿」の活用、特別な配慮を要する子どもに関する記載内容等の取扱い上の注意事項

等について見直し（※２）を行った。見直し後の保育所児童保育要録の取扱い等については、以下(1)及び(2)に示すとおりであるので留意されたい。

（※2　見直しの趣旨等については、別添2「保育所児童保育要録の見直し等について（検討の整理）（2018（平成30）年2月7日保育所児童保育要録の見直し検討会）」参照）

⑴　保育所児童保育要録の取扱いについて

ア　記載事項

保育所児童保育要録には、別添1「保育所児童保育要録に記載する事項」に示す事項を記載すること。

なお、各市区町村においては、地域の実情等を踏まえ、別紙資料を参考として様式を作成し、管内の保育所に配布すること。

イ　実施時期

本通知を踏まえた保育所児童保育要録の作成は、平成30年度から実施すること。なお、平成30年度の保育所児童保育要録の様式を既に用意している場合には、必ずしも新たな様式により保育所児童保育要録を作成する必要はないこと。

ウ　取扱い上の注意

㋐　保育所児童保育要録の作成、送付及び保存については、以下①から③までの取扱いに留意すること。また、各市区町村においては、保育所児童保育要録が小学校に送付されることについて市区町村教育委員会にあらかじめ周知を行うなど、市区町村教育委員会との連携を図ること。

①　保育所児童保育要録は、最終年度の子どもについて作成すること。作成に当たっては、施設長の責任の下、担当の保育士が記載すること。

②　子どもの就学に際して、作成した保育所児童保育要録の抄本又は写しを就学先の小学校の校長に送付すること。

③　保育所においては、作成した保育所児童保育要録の原本等について、その子どもが小学校を卒業するまでの間保存することが望ましいこと。

㋑　保育所児童保育要録の作成に当たっては、保護者との信頼関係を基盤として、保護者の思いを踏まえつつ記載するとともに、その送付について、入所時や懇談会等を通して、保護者に周知しておくことが望ましいこと。その際には、個人情報保護及び情報開示の在り方に留意すること。

㋒　障害や発達上の課題があるなど特別な配慮を要する子どもについて「保育の過程と子どもの育ちに関する事項」及び「最終年度に至るまでの育ちに関する事項」を記載する際には、診断名及び障害の特性のみではなく、その子どもが育ってきた過程について、その子どもの抱える生活上の課題、人との関わりにおける困難等に応じて行われてきた保育における工夫及び配慮を考慮した上で記載すること。

なお、地域の身近な場所で一貫して効果的に支援する体制を構築する観点から、保育所、児童発達支援センター等の関係機関で行われてきた支援が就学以降も継続するように、保護者の意向及び個人情報の取扱いに留意しながら、必要に応じて、保育所における支援の情報を小学校と共有することが考えられること。

㋓　配偶者からの暴力の被害者と同居する子どもについては、保育児童保育要録の記述を通じて就学先の小学校名や所在地等の情報が配偶者（加害者）に伝わることが懸念される場合がある。このような特別の事情がある場合には、「配偶者からの暴力の被害者の子どもの就学について（通知）」（平成21年7月13日付け21生参学第7号文部科学省生涯学習政策局男女共同参画学習課長・文部科学省初等中等教育局初等中等教育企画課長連名通知）を参考に、関係機関等との連携を図りながら、適切に情報を取り扱うこと。

㋔　保育士等の専門性の向上や負担感の軽減を図る観点から、情報の適切な管理を図りつつ、情報通信技術の活用により保育所児童保育要録に係る事務の改善を検討することも重要であること。なお、保育所児童保育要録について、情報通信技術を活用して書面の作成、送付及び保存を行うことは、現行の制度上も可能であること。

㋕　保育所児童保育要録は、児童の氏名、生年月日等の個人情報を含むものであるため、個人情報の保護に関する法律（平成15年法律第57号）等を踏まえて適切に個人情報を取り扱うこと。なお、個人情報の保護に関する法令上の取扱いは以下の①及び②のとおりである。

①　公立の保育所については、各市区町村が定める個人情報保護条例に準じた取扱いとすること。

②　私立の保育所については、個人情報の保護に関する法律第2条第5項に規定する個人情報取扱事業者に該当し、原則として個

人情報を第三者に提供する際には本人の同意が必要となるが、保育所保育指針第２章の４⑵ウに基づいて保育所児童保育要録を送付する場合においては、同法第23条第１項第１号に掲げる法令に基づく場合に該当するため、第三者提供について本人（保護者）の同意は不要であること。

エ　保育所型認定こども園における取扱い

保育所型認定こども園においては、「幼保連携型認定こども園園児指導要録の改善及び認定こども園こども要録の作成等に関する留意事項等について（通知）」（平成30年３月30日付け府子本第315号・29初幼教第17号・子保発0330第３号内閣府子ども・子育て本部参事官（認定こども園担当）・文部科学省初等中等教育局幼児教育課長・厚生労働省子ども家庭局保育課長連名通知）を参考にして、各市区町村と相談しつつ、各設置者等の創意工夫の下、同通知に基づく認定こども園こども要録（以下「認定こども園こども要録」という。）を作成することも可能であること。その際、送付及び保存についても同通知に準じて取り扱うこと。また、認定こども園こども要録を作成した場合には、同一の子どもについて、保育所児童保育要録を作成する必要はないこと。

⑵　保育所と小学校との間の連携の促進体制について

保育所と小学校との間の連携を一層促進するためには、地域における就学前後の子どもの育ち等について、地域の関係者が理解を共有することが重要であり、

・保育所、幼稚園、認定こども園、小学校等の関係者が参加する合同研修会、連絡協議会等を設置するなど、関係者の交流の機会を確保すること、

・保育所、幼稚園、認定こども園、小学校等の管理職が連携及び交流の意義及び重要性を理解し、組織として取組を進めること

等が有効と考えられるため、各自治体において、関係部局と連携し、これらの取組を積極的に支援・推進すること。

別添１・２・別紙　略

○「保育所における自己評価ガイドライン」の改訂について

令和２年３月19日　子保発0319第７号
各都道府県・各指定都市・各中核市児童福祉主管部(局)長
宛　厚生労働省子ども家庭局保育課長通知

児童福祉行政につきましては、格別の御高配を賜り、厚く御礼申し上げます。

「保育所における自己評価ガイドライン」は、保育所保育指針に基づき、保育所における保育内容等に関する自己評価の基本を示すものとして、平成21年３月に策定され、各保育所において活用いただいています。

本ガイドラインについて、策定から11年が経過し、その間、保育所保育指針の改定が行われるとともに、保育の現場においてはそれぞれの実情に応じた保育内容等の自己評価の取組が進められてきています。こうした状況を踏まえ、今般、有識者による「保育所等における保育の質の確保・向上に関する検討会」における検討を経て、別添のとおり、本ガイドラインの改訂を行いました。

併せて、本ガイドラインを踏まえた取組を行う際の具体的な留意点や工夫例について、「保育を楽しく保育所における自己評価ガイドラインハンドブック」も作成いたしました。（別添１：概要資料、別添２：ガイドライン本体、別添３：ハンドブック）

貴職におかれましては、本ガイドラインの改訂内容について御了知いただくとともに、本ガイドラインが貴管内の保育所をはじめとする多様な保育の現場において広く活用されるよう、管内市町村、保育関係者等に周知いただくよう、お願いいたします。

なお、本通知は、地方自治法（昭和22年法律第67号）第245条の４第１項に規定する技術的助言として発出することを申し添えます。

○「保育所における自己評価ガイドライン（2020年改訂版）」　略

https://www.mhlw.go.jp/content/000609915.pdf

別添　略

○「人権を大切にする心を育てる」保育について

〔平成９年４月１日　児保第10号
各都道府県・各指定都市・各中核市民生主管部(局)長宛
厚生省児童家庭局保育課長通知〕

保育行政の推進については、従来から特段のご尽力を煩わせているところである。

さて、これまで、同和対策審議会答申の趣旨を踏まえ、同和問題の解決のための諸施策が総合的に推進され、その一環として人権尊重の精神に貫かれた人間の育成を目指す保育が行われてきたところであるが、昨年５月、地域改善対策協議会から「同和問題の早期解決に向けた今後の方策の基本的な在り方について」の意見具申がなされ、同和問題に対する新たな方向が示されたところである。

この意見具申においては、「同和問題に関する国民の差別意識は解消へ向けて進んでいるものの依然として根深く存在しており、その解消に向けた教育及び啓発は引き続き積極的に推進していかなければならない」、差別意識の解消を図るに当たっては、「同和問題を人権問題の重要な柱として捉え、この問題に固有の経緯等を十分に認識しつつ、国際的な潮流とその取組みを踏まえて積極的に推進すべきである」と指摘されているところである。

また、この意見具申を踏まえ、人権の擁護に関する施策の推進について、国の責務を明らかにするとともに、必要な体制を整備し、人権の擁護に資することを目的とする「人権擁護施策推進法」が昨年12月に制定されたところである。

さらに、国連総会の決議の趣旨を踏まえ、昨年12月「人権教育のための国連10年」に関する国内行動計画（中間まとめ）が策定され、公表されたところであり、その中で、あらゆる場を通じて人権教育を推進するとともに、児童分野においては、児童の人権の尊重及び保護に向けた取り組みを推進することとされている。

ついては、こうした人権尊重の潮流の中で、乳幼児期は、乳幼児が生涯にわたる人間形成の基礎を培う極めて大切な時期にあり、この時期に一人一人の子どもの人格や個性が尊重され、豊かな人間性が育まれることは、その後の成長にとって極めて重要であることにかんがみ、これまでの取り組みに関する経緯も踏まえ、保育所保育指針の目標に掲げる「人権を大切にする心を育てる」保育をさらに推進するため、別紙のとおり留意点をまとめたので、貴職におかれては今後の施策の推進に資するとともに、貴管下市町村等に対し、この通知の趣旨を踏まえた保育が適切に行われるようご指導願いたい。

なお、昭和56年４月28日児福第17号通知「『同和保育について』の作成について」は廃止する。

（別　紙）

「人権を大切にする心を育てる」保育についての留意点

1　保育所は、乳幼児が生涯にわたる人間形成の基礎を培う極めて重要な時期にその生活時間の大半を過ごすところであるので、家庭や地域社会との連携を密にして、子どもが健康、安全で情緒の安定した生活ができる環境を用意するとともに、子どもが現在を最もよく生き、望ましい未来をつくり出す力の基礎を培うことを目標として保育を行うこと。

2　乳幼児期は、心身の成長・発達が著しく、一人一人の子どもの個人差が大きいので、保育に当たっては、発達の過程や生活環境など子どもの発達の全体的な姿を把握し、一人一人の子どもの特性や発達の課題に十分留意して保育を行うこと。

特に、家庭環境に対する配慮や地域との連携などきめ細かな保育を必要とする子どもについては、その家庭及び地域の実態を十分に把握し、保護者の理解と自覚を高めつつ、家庭との密接な連携のもとに、子どもの健康、基本的生活習慣、社会性や言葉の発達など日常生活の基礎的事項について子どもが十分に身に付けることができるよう配慮した保育を行うこと。

3　子どもは大人によって生命を守られ、愛され、信頼されることによって、自分も人を愛し、信頼していくようになること、すなわち、大人との相互作用の中で、人への信頼感と自己の主体性を形成することができることを踏まえ、人とのかかわりの中で、人に対する愛情と信頼感、そして人権を大切にする心を育てるとともに、自主、協調の態度、社会性の芽生えを培うことを目指して保育を行うこと。

4　一人一人の人格が尊重される集団の中でこそ、子どもの能力や個性が発揮されることを踏まえ、一人一人が人間を尊重する気持ちを持てるような、差別を生まない人間関係づくりに努めるとともに、すべての子どもが将来にわたって思いやりと協調性に富み、いじめや差別を生まない、お互いの人権を尊重し合える人間として、また、異った文化を持った人達と共生できる人間として、自立できるよう保育すること。

5　人権を大切にする心を育てる保育を適切に行うため、保育所の職員は、あらゆる場を通じて、同和問題、障害者、外国人などの人権問題について正しい理解と認識を深めるなど必要な研鑽に努めること。

○保育所における食を通じた子どもの健全育成（いわゆる「食育」）に関する取組の推進について

〔平成16年３月29日　雇児保発第0329001号
各都道府県・各指定都市・各中核市児童福祉主管部（局）長
宛　厚生労働省雇用均等・児童家庭局保育課長通知〕

近年、子どもの食をめぐっては、発育・発達の重要な時期にありながら、朝食の欠食等の食習慣の乱れや、思春期のやせにみられるような心と身体の健康問題が生じている現状にかんがみ、乳幼児期からの適切な食事のとり方や望ましい食習慣の定着、食を通じた豊かな人間性の育成など、心身の健全育成を図ることの重要性が増している。

このため、子ども一人ひとりの“食べる力”を豊かに育むための支援づくりを進める必要があることから、平成16年３月16日雇児発第0316007号厚生労働省雇用均等・児童家庭局長通知「食を通じた子どもの健全育成（いわゆる「食育」）に関する取組の推進について」を発出し、地域の実情に応じた「食育」の取組の推進をお願いしたところである。

保育所は、乳幼児が１日の生活時間の大半を過ごすところであり、保育所における食事の意味は大きい。食事は空腹を満たすだけでなく、人間関係の信頼関係の基礎をつくる営みでもあり、豊かな食体験を通じて、食を営む力の基礎を培う「食育」を実践していくことが重要である。

保育所における「食育」については、保育所保育指針を基本として取り組まれているところであるが、平成15年度児童環境づくり等総合調査研究事業として『楽しく食べる子どもに～保育所における食育に関する指針～』報告書が取りまとめられたところであり、保育所における食育の計画作成の際の参考とされるよう管内市町村に周知を図られたい。

なお、報告書については、㈶こども未来財団の運営によるインターネットを活用した「ｉ—子育てネット」に掲載するので、保育所等で広く活用されるよう併せて周知を図られたい。

〔別　添〕

楽しく食べる子どもに～保育所における食育に関する指針～

〔平成16年３月
平成15年度　児童環境づくり等総合調査研究事業　保育所における食育のあり方に関する研究班〕

第１章　総則

朝食欠食等の食習慣の乱れや思春期やせに見られるような心と体の健康問題が生じている現状にかんがみ、乳幼児期から正しい食事のとり方や望ましい食習慣の定着及び食を通じた人間性の形成・家族関係づくりによる心身の健全育成を図るため、発達段階に応じた食に関する取組を進めることが必要である。

食べることは生きることの源であり、心と体の発達に密接に関係している。乳幼児期から、発達段階に応じて豊かな食の体験を積み重ねていくことにより、生涯にわたって健康で質の高い生活を送る基本となる「食を営む力」を培うことが重要である。

保育所は１日の生活時間の大半を過ごすところであり、保育所における食事の意味は大きい。食事は空腹を満たすだけでなく、人間的な信頼関係の基礎をつくる営みでもある。子どもは身近な大人からの援助を受けながら、他の子どもとのかかわりを通して、豊かな食の体験を積み重ねることができる。楽しく食べる体験を通して、子どもの食への関心を育み、「食を営む力」の基礎を培う「食育」を実践していくことが重要である。

保育所における「食育」は、保育所保育指針を基本とし、「食を営む力」の基礎を培うことを目標として実施される。「食育」の実施に当たっては、家庭や地域社会と連携を図り、保護者の協力のもと、保育士、調理員、栄養士、看護師などの全職員がその有する専門性を活かしながら、共に進めることが重要である。

また、保育所は地域子育て支援の役割をも担っていることから、在宅の子育て家庭からの乳幼児の食に関する相談に応じ、助言を行うよう努める。

１　食育の原理

(1)　食育の目標

現在を最もよく生き、かつ、生涯にわたって健康で質の高い生活を送る基本としての「食を営む力」の育成に向け、その基礎を培うことが保育所における食育の目標である。このため、保育所における食育は、楽しく食べる子どもに成長していくことを期待しつつ、次にかかげる子ども像の実現を目指して行う。

①　お腹がすくリズムのもてる子ども
②　食べたいもの、好きなものが増える子ども
③　一緒に食べたい人がいる子ども
④　食事づくり、準備にかかわる子ども
⑤　食べものを話題にする子ども

上にかかげた子ども像は、保育所保育指針で述べられている保育の目標を、食育の観点から、具体的な子どもの姿として表したものである。

保育所保育指針では以下の６つの保育の目標がある。

ア　十分に養護の行き届いた環境の下に、くつろいだ雰囲気の中で子どもの様々な欲求を適切に満たし、生命の保持及び情緒の安定を図ること。

イ　健康、安全など生活に必要な基本的な習慣や態度を養い、心身の健康の基礎を培うこと。

ウ　人とのかかわりの中で、人に対する愛情と信頼感、そして人権を大切にする心を育てるとともに、自主、協調の態度を養い、道徳性の芽生えを培うこと。

エ　自然や社会の事象についての興味や関心を育て、それらに対する豊かな心情や思考力の基礎を培うこと。

オ　生活の中で、言葉への興味や関心を育て、喜んで話したり、聞いたりする態度や豊かな言葉を養うこと。

カ　様々な体験を通して、豊かな感性を育て、創造性の芽生えを培うこと。

これらの一つ一つがそれぞれに影響を及ぼしながら、統合されることで「その子どもが、現在を最もよく生き、望ましい未来をつくり出す力の基礎を培う」目標が達成される。

食育における５つの子ども像はこれらの保育の目標からみた期待する子どもの姿である。

①　「お腹がすくリズムのもてる子ども」になるには、子ども自身が「お腹がすいた」という感覚が持てる生活を送れることが必要である。そのためには目標のアとイで述べられているように、子どもが十分に遊び、充実した生活が保障されているかどうかが重要である。保育所において、１日の生活リズムの基本的な流れを確立し、その流れを子ども自身が感じ、自らそれを押しすすめる実感を体験する中で、空腹感や食欲を感じ、それを満たす心地よさのリズムを子どもに獲得させたい。

②　「食べたいもの、好きなものが増える子ども」となるには、子どもが意欲的に新しい食べものに興味や関心をもち、食べてみようと試みることができる環境が重要である。目標のエやカに述べられているような様々な体験を通して、いろいろな食べものに親しみ、食べものへの興味や関心を育てることが必要である。子ども自身が、自分が成長しているという自覚と結びつけながら、必要な食べものを食べるという行為を引き出したい。

③　「一緒に食べたい人がいる子ども」となるには、子どもが一人で食べるのではなく、一緒に食べたいと思う親しい人がいる子どもに育つような環境が必要である。目標のウで述べられているように、子どもは人とのかかわりの中で人に対する愛情や信頼感が育つことで、食べるときも「人と一緒に食べたい」と思う子どもに育っていく。食事の場面を皆で準備し、皆で一緒に食べ、食事を皆で楽しむという集いを形成させたい。

④　「食事づくり、準備にかかわる子ども」となるには、子ども自身が食事をはじめ、食べる行為を本当に楽しく、待ち望むものであるような体験を積むことが必要である。子どもにとって、食に関する魅力的な活動をどのように環境として用意するのかが課題である。食べるという行為を実感するためには、自分自身が生き続けられるように、食事をつくることと食事の場を準備することとを結びつけることで、食べることは、生きる喜びにつながっていることを自覚させたい。

⑤　「食べものを話題にする子ども」となるためには、食べものを媒介として人と話すことができるような環境が多くあることが望ましい。食べるという行為は、食べものを人間の中に取り入れて、生きる喜びを感じるものである。また、食べる行為が食材の栽培などいのちを育む営みとつながっているという事実を子どもたちに体験させ、自分でつくったものを味わい、生きる喜びにつなげたい。

これらの食育における５つの子ども像は個々にあるのではなく、それぞれが互いに影響し合いながら、統合されて一人の子どもとして成長していくことを目標としている。

(2)　食育の方法

食育においては、大人の言動が子どもに大きな影響を与える。したがって、常に研修などを通して、自ら、人間性と専門性の向上に努める必要がある。また、倫理観に裏付けられた知性と技術を備え、豊かな感性と愛情を持って、一人一人の子どもにかかわらなければならない。具体的には保育所保育指針の保育の方法を踏襲するものである。

2　食育の内容構成の基本方針

(1)　ねらい及び内容

食育の内容は、「ねらい」及び「内容」から構成される。

「ねらい」は食育の目標をより具体化したものである。これは「子どもが身につけることが望まれる心情、意欲、態度などを示した事項」である。

「内容」はねらいを達成するために援助する事項である。これらを、食と子どもの発達の観点から、心身の健康に関する項目「食と健康」、人とのかかわりに関する項目「食と人間関係」、食の文化に関する項目「食と文化」、いのちとのかかわりに関する項目「いのちの育ちと食」、料理とのかかわりに関する「料理と食」としてまとめ、示した。なお、この5項目は、3歳未満児については、その発達の特性からみて各項目を明確に区分することが困難な面が多いので、5項目に配慮しながら、一括して示してある。

また、食育は、保育と同様に、具体的な子どもの活動を通して展開されるものである。そのため、子どもの活動は一つの項目だけに限られるものではなく、項目の間で相互に関連を持ちながら総合的に展開していくものである。

(2) 食育の計画

食育は、食事の時間を中心としつつも、入所している子どもの生活全体を通して進めることにより、第1章の1に示した目標の達成を期待するものである。食育が一つの領域として扱われたり、食事の時間の援助と他の保育活動の援助が全く別々に行われたり、保育士と栄養士、調理員などの役割・連携が不明確であっては、食育の目標を効果的に達成することはできない。したがって食育は、全職員の共通理解のもとに計画的・総合的に展開されなければならない。

そのため、「食育の計画」は、「保育所保育指針」に示された保育所における全体的な計画である「保育計画」と、保育計画に基づいて保育を展開するために具体的な計画として立案される「指導計画」の中にしっかり位置づくかたちで作成される必要がある。作成に当たっては柔軟で発展的なものとなるように留意することが重要である。同時に、各年齢を通して一貫性のあるものとする必要がある。

さらに、現代社会特有の食環境の変化に対し、家庭や地域社会の実態を踏まえ、各保育所の特性を考慮した柔軟な食育の計画を作成し、適切に対応することが必要である。

また、食育の計画を踏まえて実践が適切に進められているかどうかを把握し、次の食育実践の資料とするため、その経過や結果を記録し、自己の食育実践を評価し、改善するように努めることが必要である。

第2章　子どもの発育・発達と食育

乳幼児期は、将来にわたって健康でいきいきとした生活を送る基本としての「食を営む力」の基礎を培う時期である。

乳幼児期は、発育・発達が旺盛な時期であり、個人差も大きい。そのため、家庭と密接に連携をとりながら、家庭の状況、子どもの食欲、食べられる量、食べものの嗜好など個人差に十分に配慮し、一人一人の発育・発達に応じた食育を進めていく必要がある。

1　6か月未満

生後6か月までの時期は、身長や体重の増加が大きく、著しい発育・発達を示す。子どもは最初、原始反射としての哺乳行動によってエネルギーや栄養素を確保する。消化器官は未熟であり、感染に対する抵抗力は十分でない。また、個人差が非常に大きいことも、この時期の特徴である。

授乳時における大人からのやさしい言葉かけとそれに応じた子どもの哺乳行動は、人と人とのやりとりの原初的な形態である。子どもは、大人からの言葉かけ、微笑みに対して答えを返すように哺乳する。満腹になると乳首をくわえたまま気持ちよさそうに眠ることもある。

4か月頃になると、哺乳量、哺乳時間も徐々に規則的になっていく。一人一人の子どもの状態、家庭の状態にあわせて、きめ細やかに乳（母乳・ミルク）を与えられる中で、子どもは、お腹がすいたというリズム、満足感を得る。そして徐々に、睡眠と覚醒の生活リズムが整ってくる。心地よい眠りのあと機嫌のよいときは、じっと見つめたり、周りを見まわしたりする。食事の場面でも、大人が食べているものを見つめ、食べることに興味を示し始める。手指の機能も徐々に発達してくるので、目の前にある食べものや食具に手を伸ばしてつかもうとする行動もみられるようになる。

2　6か月から1歳3か月未満児

6か月を過ぎると、乳歯が生え始め、吸うばかりでなく、舌や歯茎でつぶす行動がみられるようになる。また、大人が食べている様子を見つめながら、よだれをだすこともある。母乳・ミルクだけでは必要な栄養素が不足するため、栄養補給のためにも離乳食が必要になってくる。

離乳期にはいると、子どもはさまざまな食べものの味、形、色、口当たりを経験するようになる。大人からの温かい援助のなかで、少しずつ摂取できる食品の量や種類を増やしていく。その経験が味覚や視覚、触覚を刺激し、これらの発達を促すと同時に、子どもの好奇心を育てていく。離乳食を喜んで食べ、心地よい生活を経験することが、食べものへの興味、食べようとする意欲を高めていく。

この時期には人見知りが激しくなる。これは、特定の親しい大人とそうでない大人を識別できるようになったことの証でもある。親しい大人に積極的にかかわりを持とうとする子どもの気持ちを大切に受け入れ、応答することが情緒の安定にとって重要である。親しい大人との安定したかかわりのなかで、子どもは食の満足感と人への共感を体験する。

3　１歳３か月から２歳未満児

この時期になると、子どもは歩き始め、運動機能がめざましく発達し、生活空間が広がってくる。乳歯も徐々に揃い、咀嚼・嚥下機能、消化・吸収機能が発達する。手指の運動機能も発達し、自分で食具を使って食べられるようになる。なめる、かじる、つまむ、にぎる、転がす、スプーンを使う、コップを持つなど運動の種類が確実に豊かになっていく。また、身近な人の興味ある行動を模倣し、自分の活動に取り入れるようになる。新しい行動の獲得によって、自分にもできるという気持ちを持ち、自信を獲得し、自発性を高めていく。大人の言うことがわかるようになり、自分の気持ちも言葉で表現できるようになる。言葉で表現できないことは、指さし、身振りなどで示そうとする。

自分でやりたい、自分で食べたいという気持ちも強くなる。食べさせてもらうことを嫌がるようになり、食べものをつまんだり、つかんだり、手でこねたりしながら、自分で食べようとする行動が顕著になってくる。また、食欲や食事の好みに偏りが現れやすくなる。大人にとっては、いたずらが激しくなったと感じられることも多くなる。自分でやりたいという子どもの気持ちを尊重し、大人が適切な声かけをすることで、子どもは進んで食べようとする意欲を高めていく。

4　２歳児

２歳を過ぎると、歩行の機能は一段と進み、走る、跳ぶなどの基本的な運動機能が伸び、体を自分の思うように動かせるようになる。指先の動きも急速に進歩し、発声、構音機能も急速に発達して、発声はより明瞭になり、語彙の増加もめざましい。自分がやりたいこと、してほしいことを言葉で表出できるようになる。

自分でやろうとする意欲がさらに強くなり、大人の手を借りずに自分で食べようという行動がますます顕著になる。現実にはすべてが自分でできるわけではないので、自分でできないことにいらだったり、大人からの制止に対してかんしゃくを起こしたりする。これは、自我が順調に育っていることの証でもある。

他の子どもに対する関心も高まってくる。他の子どもとの間で物を仲立ちとした触れ合いや物の取り合いも激しくなる。食事の場面でも、他の子どもとのかかわりを徐々に求めるようになる。他の子どもの近くに座り、食べものを仲立ちとしたやりとりがみられるようになる。こうした経験が、他の人々と一緒に食べることの喜びへとつながっていく。

5　３歳以上児

３歳頃には、運動能力やコミュニケーションの基礎的な部分は完成する。大人との関係を中心として行動していた子どもも、徐々にひとりの独立した存在として行動しようとし、自我がよりはっきりとしてくる。４歳頃には、身体の動きはますます巧みになり、自分と他者の区別がはっきりとしてくる。自分と他者が異なる視点をもつ存在であることに気づくようにもなり、自意識が芽生えてくる。さらに、５歳頃には、日常生活はほぼ自立して行えるようになり、自分で考えて判断する力も育ってくる。

遊びや食事などの諸活動がバランスよく組み立てられた生活を送る中で、徐々に、お腹がすくリズムが育っていく。また、周囲の大人や他の子どもとの温かいかかわりを通して経験した「おいしい」という気持ちが、食べたいという気持ち、食べようとする意欲へとつながっていく。家庭での食習慣が確立してくるため、量だけでなく、食べ慣れている食べものの種類についても個人差が一層大きくなってくる。周囲の大人が暖かな励ましの目をもって関わることにより、子どもは慣れない食べものや嫌いな食べものにも挑戦しようとする意欲をもち、さまざまな食べものを進んで食べるようになる。親しい人と一緒に食べることの楽しさ、なごやかなコミュニケーション、同じものを分けあって食べる経験を通して、子どもは他の人々への愛情や信頼感をもつようになる。そして、それが、自分自身の安定感や効力感を育てていく。

子どもは徐々に、他の人々の役に立つことをうれしいと感じ、手伝いをすることを誇らしく思うようになる。運動機能の発達により、食事の片付けや準備などに、実際にかかわることができるようになる。手伝いの経験の中から、食材に興味を持ち、調理のやり方を身につけ、味や盛り付けを考え、主体的に食事に関わる態度が育っていく。また、手伝いの経験を通して、子どもは人と人が助け合うことの大切さ、いつも調理してくれる人々への感謝、そして自分が感謝されることの喜びを実感する。

季節の食材や行事食などを通じて、子どもは、旬の食材や地域の産物、そして食文化のもつさまざまな意味に気づくようになる。食材の栽培や動物の飼育にかかわることは、食べものの由来に触れ、生物一般にとってのいのちの大切さを知る機会となる。さらに、大人からの温かな援助を得て、子どもは食具を正しく使い、気持ちよく挨拶し、きちんとした姿勢で、楽しい話をしながら食の場に参加できるようになる。そうした経験を積み重ねる中で、徐々に、他の人々とともに豊かな「食を営む力」がつくり出されていく。

第３章　食育のねらい及び内容

1　６か月未満児の食育のねらい及び内容

(1)　ねらい

①　お腹がすき、乳（母乳・ミルク）を飲みたい時、飲みたいだけゆったりと飲む。

②　安定した人間関係の中で、乳を吸い、心地よい生活を送る。

(2)　内容

①　よく遊び、よく眠る。

②　お腹がすいたら、泣く。

③　保育士にゆったり抱かれて、乳（母乳・ミルク）を飲む。

④　授乳してくれる人に関心を持つ。

(3)　配慮事項

①　一人一人の子どもの安定した生活のリズムを大切にしながら、心と体の発達を促すよう配慮すること。

②　お腹がすき、泣くことが生きていくことの欲求の表出につながることを踏まえ、食欲を育むよう配慮すること。

③　一人一人の子どもの発育・発達状態を適切に把握し、家庭と連携をとりながら、個人差に配慮すること。

④　母乳育児を希望する保護者のために冷凍母乳による栄養法などの配慮を行う。冷凍母乳による授乳を行うときには、十分に清潔で衛生的に処置をすること。

⑤　食欲と人間関係が密接な関係にあることを踏まえ、愛情豊かな特定の大人との継続的で応答的な授乳中のかかわりが、子どもの人間への信頼、愛情の基盤となるように配慮すること。

2　６か月から１歳３か月未満児の食育のねらい及び内容

(1)　ねらい

①　お腹がすき、乳を吸い、離乳食を喜んで食べ、心地よい生活を味わう。

②　いろいろな食べものを見る、触る、味わう経験を通して自分で進んで食べようとする。

(2)　内容

①　よく遊び、よく眠り、満足するまで乳を吸う。

②　お腹がすいたら、泣く、または、喃語によって、乳や食べものを催促する。

③　いろいろな食べものに関心を持ち、自分で進んで食べものを持って食べようとする。

④　ゆったりとした雰囲気の中で、食べさせてくれる人に関心を持つ。

(3)　配慮事項

①　一人一人の子どもの安定した生活のリズムを大切にしながら、心と体の発達を促すよう配慮すること。

②　お腹がすき、乳や食べものを催促することが生きていくことの欲求の表出につながることを踏まえ、いろいろな食べものに接して楽しむ機会を持ち、食欲を育むよう配慮すること。

③　一人一人の子どもの発育・発達状態を適切に把握し、家庭と連携をとりながら、個人差に配慮すること。

④　子どもの咀嚼や嚥下機能の発達に応じて、食品の種類、量、大きさ、固さなどの調理形態に配慮すること。

⑤　食欲と人間関係が密接な関係にあることを踏まえ、愛情豊かな特定の大人との継続的で応答的な授乳及び食事でのかかわりが、子どもの人間への信頼、愛情の基盤となるように配慮すること。

3　１歳３か月から２歳未満児の食育のねらい及び内容

(1)　ねらい

①　お腹がすき、食事を喜んで食べ、心地よい生活を味わう。

②　いろいろな食べものを見る、触る、噛んで味わう経験を通して自分で進んで食べようとする。

(2)　内容

①　よく遊び、よく眠り、食事を楽しむ。

②　いろいろな食べものに関心を持ち、手づかみ、または、スプーン、フォークなどを使って自分から意欲的に食べようとする。

③　食事の前後や汚れたときは、顔や手を拭き、きれいになった快さを感じる。

④　楽しい雰囲気の中で、一緒に食べる人に関心

を持つ。

(3)　配慮事項

①　一人一人の子どもの安定した生活のリズムを大切にしながら、心と体の発達を促すよう配慮すること。

②　子どもが食べものに興味を持って自ら意欲的に食べようとする姿を受けとめ、自立心の芽生えを尊重すること。

③　食事のときには、一緒に噛むまねをして見せたりして、噛むことの大切さが身につくように配慮すること。また、少しずついろいろな食べものに接することができるよう配慮すること。

④　子どもの咀嚼や嚥下機能の発達に応じて、食品の種類、量、大きさ、固さなどの調理形態に配慮すること。

⑤　清潔の習慣については、子どもの食べる意欲を損なわぬよう、一人一人の状態に応じてかかわること。

⑥　子どもが一緒に食べたい人を見つけ、選ぼうとする姿を受けとめ、人への関心の広がりに配慮すること。

4　2歳児の食育のねらい及び内容

(1)　ねらい

①　いろいろな種類の食べものや料理を味わう。

②　食生活に必要な基本的な習慣や態度に関心を持つ。

③　保育士を仲立ちとして、友達とともに食事を進め、一緒に食べる楽しさを味わう。

(2)　内容

①　よく遊び、よく眠り、食事を楽しむ。

②　食べものに関心を持ち、自分で進んでスプーン、フォーク、箸などを使って食べようとする。

③　いろいろな食べものを進んで食べる。

④　保育士の手助けによって、うがい、手洗いなど、身の回りを清潔にし、食生活に必要な活動を自分でする。

⑤　身近な動植物をはじめ、自然事象をよく見たり、触れたりする。

⑥　保育士を仲立ちとして、友達とともに食事を進めることの喜びを味わう。

⑦　楽しい雰囲気の中で、一緒に食べる人、調理をする人に関心を持つ。

(3)　配慮事項

①　一人一人の子どもの安定した生活のリズムを大切にしながら、心と体の発達を促すよう配慮すること。

②　食べものに興味を持ち、自主的に食べようとする姿を尊重すること。また、いろいろな食べものに接することができるよう配慮すること。

③　食事においては個人差に応じて、食品の種類、量、大きさ、固さなどの調理形態に配慮すること。

④　清潔の習慣については、一人一人の状態に応じてかかわること。

⑤　自然や身近な事物などへの触れ合いにおいては、安全や衛生面に留意する。また、保育士がまず親しみや愛情を持ってかかわるようにして、子どもが自らしてみようと思う気持ちを大切にすること。

⑥　子どもが一緒に食べたい人を見つけ、選ぼうとする姿を受けとめ、人への関心の広がりに配慮すること。また、子ども同士のいざこざも多くなるので、保育士はお互いの気持ちを受容し、他の子どもとのかかわり方を知らせていく。

⑦　友達や大人とテーブルを囲んで、食事をすすめる雰囲気づくりに配慮すること。また、楽しい食事のすすめ方を気づかせていく。

5　3歳以上児の食育のねらい及び内容

「食と健康」

食を通じて、健康な心と体を育て、自ら健康で安全な生活をつくり出す力を養う。

(1)　ねらい

①　できるだけ多くの種類の食べものや料理を味わう。

②　自分の体に必要な食品の種類や働きに気づき、栄養バランスを考慮した食事をとろうとする。

③　健康、安全など食生活に必要な基本的な習慣や態度を身につける。

(2)　内容

①　好きな食べものをおいしく食べる。

②　様々な食べものを進んで食べる。

③　慣れない食べものや嫌いな食べものにも挑戦する。

④　自分の健康に関心を持ち、必要な食品を進んでとろうとする。

⑤　健康と食べものの関係について関心を持つ。

⑥　健康な生活リズムを身につける。

⑦　うがい、手洗いなど、身の回りを清潔にし、食生活に必要な活動を自分でする。

⑧　保育所生活における食事の仕方を知り、自分たちで場を整える。

⑨　食事の際には、安全に気をつけて行動する。

(3)　配慮事項

① 食事と心身の健康とが、相互に密接な関連があるものであることを踏まえ、子どもが保育士や他の子どもとの暖かな触れ合いの中で楽しい食事をすることが、しなやかな心と体の発達を促すよう配慮すること。

② 食欲が調理法の工夫だけでなく、生活全体の充実によって増進されることを踏まえ、食事はもちろんのこと、子どもが遊びや睡眠、排泄などの諸活動をバランスよく展開し、食欲を育むよう配慮すること。

③ 健康と食べものの関係について関心を促すに当たっては、子どもの興味・関心を踏まえ、全職員が連携のもと、子どもの発達に応じた内容に配慮すること。

④ 食習慣の形成に当たっては、子どもの自立心を育て、子どもが他の子どもとかかわりながら、主体的な活動を展開する中で、食生活に必要な習慣を身につけるように配慮すること。

「食と人間関係」

食を通じて、他の人々と親しみ支え合うために、自立心を育て、人とかかわる力を養う。

(1) ねらい

① 自分で食事ができること、身近な人と一緒に食べる楽しさを味わう。

② 様々な人々との会食を通して、愛情や信頼感を持つ。

③ 食事に必要な基本的な習慣や態度を身につける。

(2) 内容

① 身近な大人や友達とともに、食事をする喜びを味わう。

② 同じ料理を食べたり、分け合って食事することを喜ぶ。

③ 食生活に必要なことを、友達とともに協力して進める。

④ 食の場を共有する中で、友達とのかかわりを深め、思いやりを持つ。

⑤ 調理をしている人に関心を持ち、感謝の気持ちを持つ。

⑥ 地域のお年寄りや外国の人など様々な人々と食事を共にする中で、親しみを持つ。

⑦ 楽しく食事をするために、必要なきまりに気づき、守ろうとする。

(3) 配慮事項

① 大人との信頼関係に支えられて自分自身の生活を確立していくことが人とかかわる基盤となることを考慮し、子どもと共に食事をする機会を大切にする。また、子どもが他者と食事を共にする中で、多様な感情を体験し、試行錯誤しながら自分の力で行うことの充実感を味わうことができるよう、子どもの行動を見守りながら適切な援助を行うように配慮すること。

② 食に関する主体的な活動は、他の子どもとのかかわりの中で深まり、豊かになるものであることを踏まえ、食を通して、一人一人を生かした集団を形成しながら、人とかかわる力を育てていくように配慮する。また、子どもたちと話し合いながら、自分たちのきまりを考え、それを守ろうとすることが、楽しい食事につながっていくことを大切にすること。

③ 思いやりの気持ちを培うに当たっては、子どもが他の子どもとのかかわりの中で他者の存在に気付き、相手を尊重する気持ちを持って行動できるようにする。特に、葛藤やつまずきの体験を重視し、それらを乗り越えることにより、次第に芽生える姿を大切にすること。

④ 子どもの食生活と関係の深い人々と触れ合い、自分の感情や意志を表現しながら共に食を楽しみ、共感し合う体験を通して、高齢者をはじめ、地域、外国の人々などと親しみを持ち、人とかかわることの楽しさや人の役に立つ喜びを味わうことができるようにする。また、生活を通して親の愛情に気づき、親を大切にしようとする気持ちが育つようにすること。

「食と文化」

食を通じて、人々が築き、継承してきた様々な文化を理解し、つくり出す力を養う。

(1) ねらい

① いろいろな料理に出会い、発見を楽しんだり、考えたりし、様々な文化に気づく。

② 地域で培われた食文化を体験し、郷土への関心を持つ。

③ 食習慣、マナーを身につける。

(2) 内容

① 食材にも旬があることを知り、季節感を感じる。

② 地域の産物を生かした料理を味わい、郷土への親しみを持つ。

③ 様々な伝統的な日本特有の食事を体験する。

④ 外国の人々など、自分と異なる食文化に興味や関心を持つ。

⑤ 伝統的な食品加工に出会い、味わう。

⑥ 食事にあった食具（スプーンや箸など）の使い方を身につける。

⑦　挨拶や姿勢など、気持ちよく食事をするためのマナーを身につける。

(3)　配慮事項

①　子どもが、生活の中で様々な食文化とかかわり、次第に周囲の世界に好奇心を抱き、その文化に関心を持ち、自分なりに受け止めることができるようになる過程を大切にすること。

②　地域・郷土の食文化などに関しては、日常と非日常いわゆる「ケとハレ」のバランスを踏まえ、子ども自身が季節の恵み、旬を実感することを通して、文化の伝え手となれるよう配慮すること。

③　様々な文化があることを踏まえ、子どもの人権に十分配慮するとともに、その文化の違いを認め、互いに尊重する心を育てるよう配慮する。また、必要に応じて一人一人に応じた食事内容を工夫するようにすること。

④　文化に見合った習慣やマナーの形成に当たっては、子どもの自立心を育て、子どもが積極的にその文化にかかわろうとする中で身につけるように配慮すること。

「いのちの育ちと食」

食を通じて、自らも含めたすべてのいのちを大切にする力を養う。

(1)　ねらい

①　自然の恵みと働くことの大切さを知り、感謝の気持ちを持って食事を味わう。

②　栽培、飼育、食事などを通して、身近な存在に親しみを持ち、すべてのいのちを大切にする心を持つ。

③　身近な自然にかかわり、世話をしたりする中で、料理との関係を考え、食材に対する感覚を豊かにする。

(2)　内容

①　身近な動植物に関心を持つ。

②　動植物に触れ合うことで、いのちの美しさ、不思議さなどに気づく。

③　自分たちで野菜を育てる。

④　収穫の時期に気づく。

⑤　自分たちで育てた野菜を食べる。

⑥　小動物を飼い、世話をする。

⑦　卵や乳など、身近な動物からの恵みに、感謝の気持ちを持つ。

⑧　食べものを皆で分け、食べる喜びを味わう。

(3)　配慮事項

①　幼児期において自然のもつ意味は大きく、その美しさ、不思議さ、恵みなどに直接触れる体験を通して、いのちの大切さに気づくことを踏まえ、子どもが自然とのかかわりを深めることができるよう工夫すること。

②　身近な動植物に対する感動を伝え合い、共感し合うことなどを通して自らかかわろうとする意欲を育てるとともに、様々なかかわり方を通してそれらに対する親しみ、いのちを育む自然の摂理の偉大さに畏敬の念を持ち、いのちを大切にする気持ちなどが養われるようにすること。

③　飼育・栽培に関しては、日常生活の中で子ども自身が生活の一部として捉え、体験できるように環境を整えること。また、大人の仕事の意味が分かり、手伝いなどを通して、子どもが積極的に取り組めるように配慮すること。

④　身近な動植物、また飼育・栽培物の中から保健・安全面に留意しつつ、食材につながるものを選び、積極的に食する体験を通して、自然と食事、いのちと食事のつながりに気づくように配慮すること。

⑤　小動物の飼育に当たってはアレルギー症状などを悪化させないように十分な配慮をすること。

「料理と食」

食を通じて、素材に目を向け、素材にかかわり、素材を調理することに関心を持つ力を養う。

(1)　ねらい

①　身近な食材を使って、調理を楽しむ。

②　食事の準備から後片付けまでの食事づくりに自らかかわり、味や盛りつけなどを考えたり、それを生活に取り入れようとする。

③　食事にふさわしい環境を考えて、ゆとりある落ち着いた雰囲気で食事をする。

(2)　内容

①　身近な大人の調理を見る。

②　食事づくりの過程の中で、大人の援助を受けながら、自分でできることを増やす。

③　食べたいものを考える。

④　食材の色、形、香りなどに興味を持つ。

⑤　調理器具の使い方を学び、安全で衛生的な使用法を身につける。

⑥　身近な大人や友達と協力し合って、調理することを楽しむ。

⑦　おいしそうな盛り付けを考える。

⑧　食事が楽しくなるような雰囲気を考え、おいしく食べる。

(3)　配慮事項

①　自ら調理し、食べる体験を通して、食欲や主体性が育まれることを踏まえ、子どもが食事づ

くりに取り組むことができるように工夫すること。

② 一人一人の子どもの興味や自発性を大切にし、調理しようとする意欲を育てると共に、様々な料理を通して素材に目を向け、素材への関心が養われるようにすること。

③ 安全・衛生面に配慮しながら、扱いやすい食材、調理器具などを日常的に用意し、子どもの興味・関心に応じて自分で調理することができるように配慮すること。そのため、保育所の全職員が連携し、栄養士や調理員が食事をつくる場面を見たり、手伝う機会を大切にすること。

第４章 食育の計画作成上の留意事項

保育所における食育実践は、子どもが食欲を中心とした自らの意欲をもって食事及び食環境にかかわる体験を通して、第１章に示した目標の達成を図るものである。

保育所においてはこのことを踏まえ、乳幼児期にふさわしい食生活が展開され、適切な援助が行われるよう、次の事項に留意した組織的・発展的な「食育の計画」を作成し、子どもの生活に沿った柔軟な援助が行われなければならない。

1 保育計画と指導計画への位置づけ

保育所では、「保育所保育指針」に示されているとおり、入所している子どもの生活全体を通じて、保育の目標が達成されるように、全体的な「保育計画」と具体的な「指導計画」とから成る「保育の計画」を作成する。

この「保育の計画」は、すべての子どもが、入所している間、常に適切な養護と教育を受け、安定した生活を送り、充実した活動ができるように柔軟で、発展的なものとし、また、一貫性のあるものとなるように配慮することが重要である。「食育の計画」もこの「保育の計画」にしっかり位置づくかたちで作成される必要がある。

その際、保育計画に位置づく食育の計画は、第３章に示すねらい及び内容を基に、食環境の変化、地域の実態、子どもの発達、家庭状況や保護者の意向、保育時間などを考慮して作成する。作成の内容は、乳幼児期に培うべき「食を営む力」の基礎について、一貫した系統性のあるものとして構成される必要がある。したがって、保育計画に盛り込まれた食育の計画は、各保育所独自の食育に関する基本方針として不変性の高いものとなることが望ましい。

また、指導計画に位置づく食育の計画は、この保育計画に基づき、子どもの食生活状況を考慮して、乳幼児期にふさわしい生活の中で、一人一人の子どもに必要な食体験が得られる実践が展開されるように具体的に作成する。したがって、指導計画に盛り込まれた食育の計画は、保育所の全職員が各組の子どもの実態に即して柔軟に修正されうるものとして可変性の高いものとなることが望ましい。

さらに、指導計画の一部には、給食を実施するための計画も含まれる。したがって食育実践上、指導計画の一部として位置づけられる献立作成は、保育所の全職員の連携のもと、おいしく、そして楽しい食事として示されることが望ましい。

2 長期的指導計画と短期的指導計画における食育の計画の作成

(1) 各保育所では、子どもの食生活や食に関する発達特性を見通した年、期、月など長期的な指導計画と、それと関連しながらより具体的な子どもの生活に即した、週、日などの短期的な指導計画を作成して、保育が適切に展開されるようにすること。

(2) 指導計画は、子どもの個人差、家庭状況の多様さに即して保育できるように作成すること。

(3) 食育の内容を指導計画に盛り込むに当たっては、長期的な見通しを持って、子どもの生活にふさわしい具体的なねらいと内容を明確に設定し、適切な環境を構成することなどにより、活動が展開できるようにすること。

ア 具体的なねらい及び内容は、保育所での食生活における乳幼児の食に関する発達の過程を見通し、生活の連続性、季節の変化などを考慮して、子どもの実態に応じて設定すること。

イ 食環境を構成するに当たっては、子どもの食にかかわる姿や食環境への興味・関心などを考慮して、具体的なねらいを達成するために適切に構成し、子どもが主体的に活動を展開していくことができるようにすること。

ウ 子どもの食事は、生活の流れと相互関係にあることに留意し、健康でいきいきとした生活に向けて、子どもが意欲的で充実した生活が展開できるように必要な援助をすること。

(4) 生活時間の大半を保育所で生活する子どもの食に関する行動は、保育の時間帯によって、多様な形態が展開されるが、いずれの場合も保育所全体の職員による協力体制のもとに、一人一人の子どもの食欲を引き出し、かつ十分満足させるように適切に援助すること。

(5) 食に関する子どもの主体的な活動を促すためには、保育所のそれぞれの職員が多様なかかわりを持つことが重要であることを踏まえ、発育に必要な栄養や子どもの情緒の安定、発達に必要な豊かな体験が得られるように援助を行うこと。

⑹　長期的な指導計画の作成に当たっては、年齢、保育年数の違いなど組の編成の特質に即して、一人一人の子どもが順調な発達を続けていけるようにするとともに、季節や地域の行事などを考慮し、子どもの生活に変化と潤いを持たせるように配慮すること。

なお、子どもの食と関連する各種の行事については、子どもが楽しく参加でき、食体験が豊かなものになるように、日常の保育との調和のとれた計画を作成して実施すること。

⑺　短期の指導計画の作成に当たっては、長期的な指導計画の具体化を図るとともに、その時期の子どもの実態や生活に即した実践が柔軟に展開されるようにすること。その際、日課との関連では、１日の生活の流れの中に昼食、及びおやつ、補食など子どもの食事と、食に関する活動が調和的に組み込まれるようにすること。

⑻　献立作成に当たっては、給食を実施するための様々な条件を検討し、子どもに対しておいしく、そして楽しい食事を提供するためのシステムを構築して食事内容を設定すること。

３　３歳未満児の食育の指導計画

３歳未満児については、その発達特性から見て、項目別に食育に関する活動を区分することが困難な面があることに配慮し、指導計画を作成することが重要である。また、子どもの個人差に即して実践できるよう、第３章に示された事項を基に一人一人の子どもの生育歴、心身の発達及び活動の実態などに即して、個別的な計画を立てるなど必要な配慮をすることも必要である。特に、食の充実が１日24時間の生活との連続性の中で保たれるように、全職員の協力体制の中で、家庭との連携を密にし、配慮されることが重要である。

４　３歳以上児の食育の指導計画

３歳以上児については、第３章に示す事項を基に、食育の具体的なねらいと内容を保育活動全体に組み込むかたちで指導計画を作成する必要がある。また、５項目についても、食育の観点を示してあることに留意し、食育及び各項目を一つの領域として扱うことがないように配慮すること。

さらに、３歳以上児の場合、食育も含めて計画は組など集団生活での作成が中心となるが、食に関する発達特性や食体験の個人差を考慮し、個別的な援助が必要な場合には、その点に留意した計画も作成する必要がある。その上で、一人一人の子どもが自己を発揮し、主体的な活動ができるように配慮すること。

なお、異年齢で編成される組やグループで保育を行う場合の指導計画作成にあたっては、各年齢の発達特性を配慮しつつ、異年齢児のかかわり合いを通した食の充実に向けた適切な環境構成や援助を十分に配慮すること。

５　計画の評価・改善と職員の協力体制

計画は、それに基づいて行われた実践の過程を、子どもの実態や子どもを取り巻く状況の変化などに即して反省、評価し、その改善に努めることが重要である。

特に、実践に身近で具体性の高い指導計画はその可変性を保つためにも、実践に当たった全職員による見直しが不可欠である。見直しに当たっては、全職員が協力・分担し、実践過程を記録しておくことが必要である。その記録を基に、実践を反省、評価し、次なる指導計画の修正、実践の充実を図ることが望ましい。そのため、日、週、月、期、年単位で計画の見直し、実践の改善に向けた定期的な会議の設置も望まれる。

また、不変性の高い保育計画に関しては、数年単位の実践の積み重ねと時代ごとの食環境の変化に対応し、保育所の全職員で見直すことが望ましい。そのため、日頃から全職員の協力体制を作り、適切な役割分担をして食育の実践に取り組むことが重要である。

さらに、評価・改善を充実させるためには、職員の日常の自己学習、研鑽も不可欠である。全職員がその力量の維持・向上に努め、保育活動での経験、及び研修を通じて深められた知識、技術並びに人間性を活かし、豊かな保育を実践していくことが大切である。

第５章　食育における給食の運営

保育所での食事は、第１章に示した「食育の目標」を達成するために、子どもが食欲を中心とした自らの意欲をもって食事及び食環境にかかわる体験の場を構成するものである。子どもが、保育所での食事を通して、「食を営む力」の基礎を培うことができるよう、一貫した系統性のあるものとして構成する必要がある。保育所の給食は、このことを踏まえ、第３章のねらい及び内容を基に、子ども主体の食育を実践できるシステムを構築して組織的・発展的に計画し、その上で、一人一人の子どもの食生活に沿って柔軟な実践を行わなければならない。

１　食育における保育所の食事の位置づけ

保育所の食事は、第１章に掲げた子ども像の実現を目指して行う「食育」が達成できるよう環境を構成し、食育の計画に沿って運営することが重要である。

子どもは、毎日の保育所での食事を通して、食事をつくる人を身近に感じ、つくられた食事をおいしく、楽しく食べ、それが「生きる」ことにつながっていく。それを実感できる環境を構成することが望ましい。たとえ、保育所という集団の場であっても、家庭での食の営みとかけ離れないように、食事をつくる場と食べる場をつなげ、子どもに生産者や食事をつくる人の顔が見えるように工夫することが「食育の目標」を達成するために大切である。

2　保育所での栄養管理と、発達段階に応じた食事内容への配慮

保育所では食事を提供することによって子どもの栄養管理を行っているが、それは「食育の目標」を十分に考慮して展開することが重要である。すなわち、一人一人の子どもの発育・発達状況、栄養状態、喫食状況、家庭での生活状況などを把握し、これらに基づいて食事を提供し、品質管理を行うよう努めることが必要である。ここでいう品質管理とは、提供する食事の量と質について計画を立て、その計画どおりに調理及び提供が行われたか評価を行い、その評価に基づき、食事の品質を改善することである。その際、嘱託医などにも相談し、家庭との連携により、保育所の食事を１日の生活の中で捉えることを十分に配慮することが重要である。

乳幼児期は特に発達の著しい時期であるため、食事の内容は次の点を考慮するよう努めることが重要である。

乳汁については、一人一人の子どものお腹がすくリズムがもてるよう、個々の状態に応じた授乳の時刻、回数、量、温度に配慮することが必要である。また、冷凍母乳の受け入れ体制も整え、母乳育児の継続を支援できるように配慮する。

離乳食については、一人一人の子どもの発育状況、咀嚼や嚥下機能の発達状況に応じて、食品の種類や量を増やし、調理形態や食具に配慮することが大切である。

１～２歳児の食事については、咀嚼や摂食行動の発達を促していくことができるよう食品や料理の種類を広げる。また、食べることが楽しい、自分で食べたいという意欲を培うことができるような食事内容や、食具・食器の種類などに配慮することが必要である。

３歳以上児の食事については、様々な食べものを食べる楽しさが味わえるように、多様な食品や料理を組み合わせるよう配慮する。特に、食材の栽培や食事の準備、簡単な調理のような子どもの主体的な活動によって仲間と一緒に楽しく食事したり、食べものの話題をする機会を増やすことができるよう、食事の内容についても配慮することが重要である。

また、第６章に示したように、子どもの多様なニーズに対応できるよう食事の内容を配慮することが望ましい。

3　食事提供のための実態把握

一人一人の子どもに応じた食事を提供するためには、入所前、現在の発育・発達状況や毎日の健康状態、保育所での生活、喫食状況などを十分に把握することが重要である。特に、１日全体の栄養管理の観点からも、家庭と連携して、家庭での食事時刻、食事の内容、量などの喫食状況を十分に把握するよう努める。

4　献立作成

⑴　厚生労働省が示す栄養給与目標算出例を基に、個々の保育所での目標を設定する。

⑵　その目標値を目安として、必要な栄養素量を確保するとともに、生活習慣病の予防も考慮し、献立を作成する。

⑶　献立作成に当たっては、季節感や地域性などを考慮し、品質が良く、幅広い種類の食材を取り入れるように努める。

⑷　「子どもが食べたいもの、好きなものが増える」ように、子どもの要望を取り入れる機会を設けることが望ましい。

⑸　子ども自身が栽培・収穫した食材を計画的・積極的に取り入れるように工夫する。

⑹　食と関連する各種の行事については、子どもが楽しく参加でき、食体験が豊かなものになるように、日常の保育との調和をとり、献立に取り入れる。

⑺　地域への理解を深めるためにも、食材に地域の産物を取り入れ、郷土料理などの食文化に触れる機会を増やすことができるよう配慮する。

5　調理

⑴　子どもが自分で食べる意欲を培うことができるように、子ども一人一人の咀嚼・嚥下機能や手指機能、食具使用の発達状況を十分に観察し、その発達を促すことができるように、大きさ、切り方、固さなどの調理形態に配慮する。

⑵　多様な味の体験ができるように、様々な食材を用い、その持ち味を生かした調味にも工夫する。

⑶　子どもが「お腹のすくリズムをもてる」ように、調理による音、匂いを身近に感じ、調理をする人

と言葉を交わしたりできるよう心がける。

(4)　子ども自身が「食事づくりや準備にかかわる」ことができるよう配慮する。

6　盛り付け・配膳

(1)　子ども一人一人の個人差を考慮して盛りつけ量を加減できるように工夫する。また、その日の活動量などに応じて、おかわりもできるように配慮する。

(2)　子どもの目の前で、食事の出来上がりを見せるよう工夫をする。

(3)　温かい料理は温かく、冷たい料理は冷たい状態で整えることができるように配慮する。

(4)　子ども自ら配膳する機会を設ける場合には、子どもが食事の目安量を確認しつつ、自分の適量を把握し、盛りつけることができるように工夫する。なお、盛りつけるための器具については、子どもが使いやすいように大きさや形状に配慮する。

7　食事

(1)　子どもにその日その日の献立を知らせるよう配慮する。

(2)　ゆとりある時間と、採光や安全性の高い食事の空間を確保し、暖かい雰囲気になるように配慮する。

(3)　テーブルや、椅子、食器、食具の材質や形などは子どもの発達に応じて選択し、食べる場に暖かみを感じることができるよう配慮する。

(4)　時には戸外で食べるなど、様々な食事のスタイルを工夫する。

(5)　保育士は子どもが食べることを援助すると共に、一緒に食べる。

(6)　栄養士・調理員などの食事をつくることにかかわる人も子どもと一緒に食事をし、「食べものの話題をする」ことができるよう配慮する。この場面を通して、子どもの喫食状況を把握し、次なる食事の内容の充実に努める。

(7)　「一緒に食べたい人がいる」という気持ちを培うために、異年齢の子どもや、地域の様々な人と食事を共にする機会をつくるように配慮する。

8　衛生管理

安全性の高い食事を提供するために、食材・調理食品の衛生管理、保管時、調理後の温度管理の徹底、施設・設備の衛生面への留意と保守点検、検食、保存食を行い、衛生管理体制を確立させる。同時に、栄養士・調理員は健康管理に十分に気をつけることが重要である。また、食事が衛生的に配慮されたものであることを子どもにも認識できるよう配慮する。

9　家庭への喫食状況の報告

1日全体の栄養管理の観点から、家庭に日々の献立を示すと共に、子どもの喫食状況を保護者に知らせることが大切である。

乳汁や食事を与えた際、嘔吐、下痢、発疹などの体の状態の変化を常に観察し、異常がみられたときには、安易な食事制限などは行わず、保護者や嘱託医などと相談し、食事について必要な対応を行う。

10　食事の評価・改善

「食育」の視点を重視して食事をより良いものにするためには、実践の過程と、子どもの喫食状況の実態や子どもを取り巻く状況の変化などについて評価し、食事の品質の改善に努めることが重要である。

食事を見直すに当たっては、実践に当たった全職員が協力・分担し、実践過程を記録しておくことが必要である。その記録を基に、実践を評価し、食事の内容を修正し、実践の充実を図ることが望ましい。そのためにも、日、月、期、年単位で見直し、「食育」の一環として給食の運営の改善に向けた定期的な会議の設置が望まれる。

第6章　多様な保育ニーズへの対応

1　体調不良の子どもへの対応

(1)　一人一人の子どもの体調を把握し、それに応じて、食材を選択し、調理形態を工夫した食事と、水分補給に配慮する。

(2)　家庭との連携を密にし、必要に応じて専門機関からの助言を受け、適切に対応する。

(3)　保育中に体調が悪くなった子どもについては、嘱託医などに相談して、水分や適切な食事が提供できるように配慮する。

2　食物アレルギーのある子どもへの対応

(1)　食物アレルギーが疑われるときには、嘱託医やその子どものかかりつけの医師に診断を受け、その指示に従う。また、家庭との連絡を密にし、その対応に相違がないように十分に心がける。

(2)　安易な食事制限やみだりに除去食を提供せず、嘱託医などの指示を受けるようにする。

(3)　医師の指示があり、食品の除去、代替食などを必要とする場合には、可能な限り対応する。ショック症状や喘息など、強い症状が出現する場合には厳格に除去する。食品の除去や代替の対応が困難な場合には、家庭からの協力を得る。

(4)　卵、牛乳・乳製品、大豆などのたんぱく質性食品や、小麦粉、米などの炭水化物を除去する場合には、身体発育に必要な栄養素が不足しないように、栄養バランスのとれた食事になるように調整する。

(5)　食品の除去、代替などを必要とする場合にも、皆と同じものを食べたい子どもの気持ちを大切にし、同じような献立になるように配慮する。

(6) 献立作成に当たっては、保護者に使用食材を説明し、食品の除去や代替の対応をする。

(7) 安易に長期間制限を続けるのではなく、家庭との連携のもと、定期的に主治医を受診し、指示を受けるなど、適切に対応する。

3 障がいのある子どもへの対応

(1) 子どもの障がいの状況を把握し、それに応じた食事を提供する。

(2) 咀嚼や嚥下機能に障がいがみられる場合、大きさ、固さ、温度、粘性、飲み込みやすさなどの調理形態を配慮する。

(3) 子どもの障がいの状況に応じて、テーブルや、椅子、食器・食具を工夫し、子どもの食べようとする意欲を大切にしながら、適切な援助を行う。

(4) 家庭との連携を密にし、必要に応じて専門機関からの助言を受け、適切に対応する。

4 延長保育や夜間保育への対応

(1) 一人一人の子どもの年齢、健康状態、生活習慣、生活リズムを把握し、それに応じて、子どもに必要な量や調理形態、食事の時間帯に配慮した食事を提供する。

(2) 延長保育に伴うおやつの給与については栄養所要量の10％程度、夕食の給与については栄養所要量の25～30％程度を目安とするが、保育時間や家庭での状況を勘案し、柔軟に対応する。

(3) 延長保育での食事は、昼食やおやつと同様、ゆとりある時間と空間を確保し、暖かい雰囲気になるように配慮する。

5 一時保育への対応

(1) 一人一人の子どもの年齢、健康状態、生活習慣、生活リズムを把握し、それに応じて、子どもに必要な量や調理形態、食事の時間帯に配慮した食事を提供する。

(2) 一時保育における子どもの集団構成は、定型的、継続的な通常保育の集団構成と異なることから、食事の雰囲気や食事の内容に慣れないことを十分に配慮して保護者との面談を十分に行い、その適切な対応に努める。

第７章　食育推進のための連携

食育は、家庭や地域社会と連携のもと、実践することが必要である。地域の自然、人材、行事や公共施設などを積極的に活用し、子どもが豊かな食の体験ができるように工夫することが重要である。特に、地域と連携した食に関する行事を行う場合は、実施の趣旨を全職員が理解し、日常の保育として子どもの生活に負担がないように、指導計画の中に盛り込んでいくことが必要である。

また、乳幼児期の食育が「食を営む力」の基礎を培うものであることを考慮すれば、小学校との連携も不可欠となる。食に関する子どもの連続的な発達について、小学校と連絡・協議する場を持ち、互いに理解を深めることが大切である。子どもが入学に向かって期待感を持ち、自信と積極性を持って生活できるように配慮することが重要である。

1 保育所職員の研修及び連携

今日、社会、地域から求められている保育所の機能や役割は、保育所の通常業務である保育に加え、延長保育、休日保育などの拡充、また、地域の子育て家庭に対する相談・支援など一層拡大しており、これらの取組に当たっては、保育所の全職員による連携が不可欠である。

食育の取組においても、保育士、調理員、栄養士、看護師などの全職員が食育に関して共通した認識のもと、研修等を通じ、専門性を高めつつ、相互連携を強化して進めていくことが重要である。

2 家庭との連携

子どもの「食を営む力」の育成を目指し、保育所と家庭は、連携・協力して食育を進めていく。家庭に対し、保育所での子どもの食事の様子や、保育所が食に関してどのように取り組んでいるのかを伝えることは、家庭での食育の関心を高めていくことにつながる。また、家庭からの食に関する相談に応じ、助言・支援を積極的に行う。

具体的取組としては、保育所から家庭への通信、日々の連絡帳、給食を含めた保育参観、給食やおやつの試食会、保護者の参加による調理実践、行事などが考えられる。

家庭において食育の関心が高まると、家庭での実践が保育所に伝えられるようにもなるので、懇談会などを通して、保護者同士の情報交流を図ることにより、家庭における食育の実践が広がるように努める。

3 地域と連携した食育活動事業

保育所で食育を進めるに当たっては、他の保育所などの保育関係施設、小学校などの教育機関、保健所や保健センターなどの医療・保健関係機関、食料生産・流通関係機関などと密接な連携をとりながら、食育の目標を共有し、地域における食育のニーズを把握し、それに基づいて食育の実践を展開することが重要である。そのためには、日頃から保育所の全職員が、地域の食育に関する情報の把握に努めることが必要である。

小学校については、子どもの連続的な発達などを考慮し、相互理解を深めるように努める。また、保護者に対して、子どもを対象とした地域の食育活動に積極的に参加することを勧めるなど、地域と連携した食育活動の推進に努める。

第8章　地域の子育て家庭への食に関する相談・支援

子育てにおいて、食に関する不安・心配は決して少なくない。保育所は、在宅の子育て家庭に対しても、保育を通じて蓄積された子育ての知識、経験、技術を活用し、相談・支援することができる機会を積極的につくっていくことが求められている。

保育所における地域活動事業は、保育所が地域に開かれた児童福祉施設として、保育所の有する専門的機能を地域住民のために活用し、子どもの健全育成及び子育て家庭の支援を図るものである。保育所が拠点となり、食育を通して、地域の子育て家庭の不安を軽減するような取組が求められる。このため、通常業務に支障を及ぼさないよう配慮を行いつつ、保育所が拠点となり、積極的に地域での食育活動に取り組み、子育て家庭の食に関する不安、負担軽減に努める。特に、保育所の調理室を活用して、食事を提供できる特徴を十分に活かした食育活動の展開が期待される。

具体的な相談内容としては、子どもの食事内容や食事量、調理方法、好き嫌いが多いなどの食べ方について、また、大人の食べさせ方など食をめぐる問題が考えられる。保育所で実際に提供している食事や、食べることへの援助活動などの参観を通して、専門性が高く、かつ、具体的でわかりやすい助言は効果的であろう。また、食事の工夫だけではなく、十分な運動と睡眠など生活リズムの改善指導など、子どもの生活全般を見通した食育の助言を行うことも重要である。

相談・助言の内容については、必ず記録に残し、必要に応じ保育所内の関係職員間で事例検討を行う。なお、助言等を行うに当たっては、保育所における相談や対応の限界についても考慮し、医療機関、保健所、保健センター、地域子育て支援センターなどの他機関との連携のもと、必要に応じて機関紹介・斡旋を行う。その場合には、原則として利用者の了解を得るなど、相談者の意向を尊重する。

保育所が橋渡し役となって、子育て家庭が地域とのかかわりを持つことを援助していくことは、子育ての不安を軽減するとともに、家庭や地域の子育て力の向上にもつながっていく。

保育所におけるさまざまな食育の実践が出発点となって、「子どもから家庭、そして地域へ」と、地域における食育活動が広がっていくことが望まれる。保育所が地域の子育て支援センターとしての役割を担っている現在、保育所が地域全体の子育て家庭への食育の発信拠点、食育推進の核（センター）のひとつとなることが期待される。

保育所からの発信

—考えよう！食を通じた乳幼児の健全育成を

支えよう！保育所、そして家庭、地域とともに—

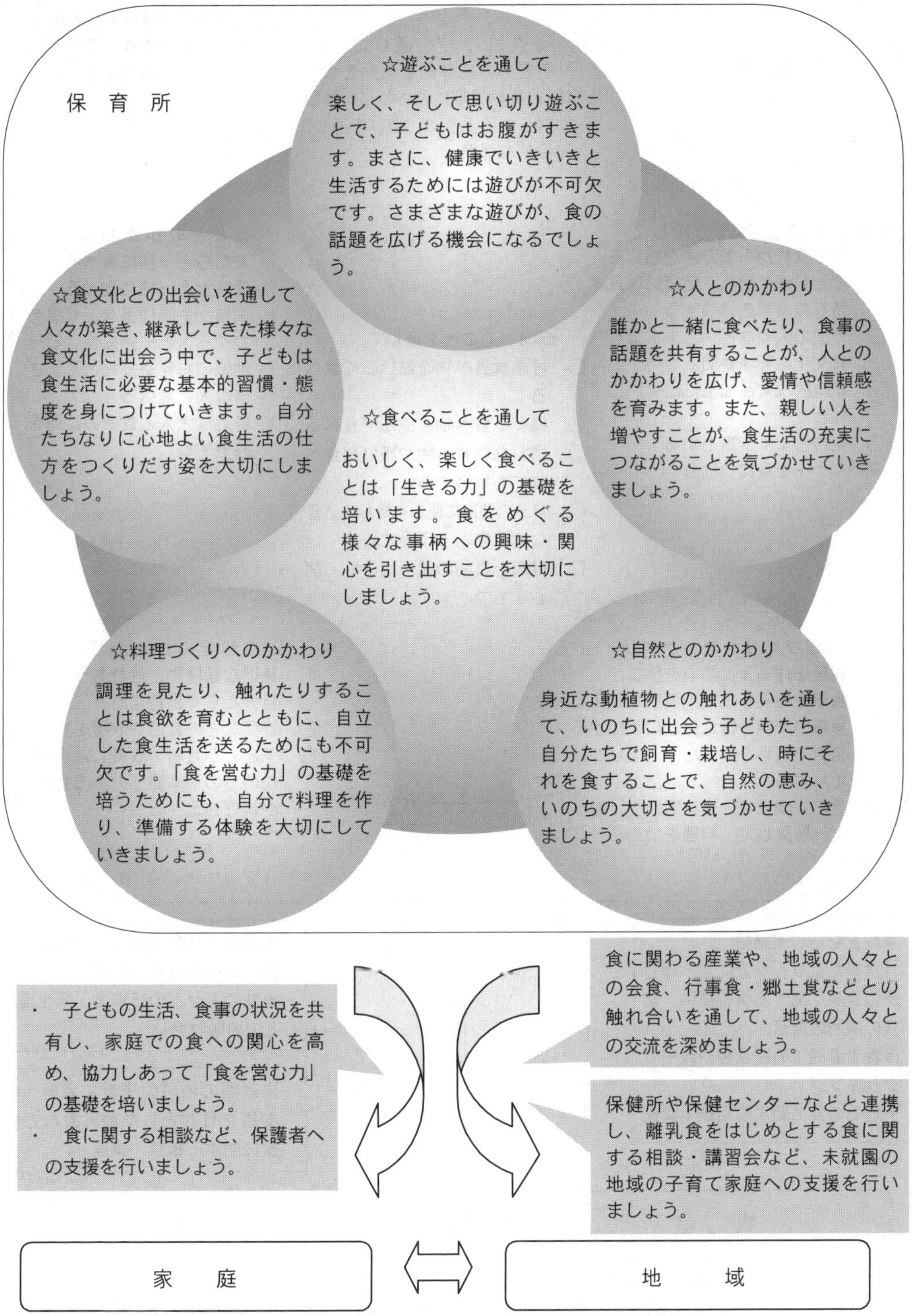
保　育　所
☆遊ぶことを通して
楽しく、そして思い切り遊ぶことで、子どもはお腹がすきます。まさに、健康でいきいきと生活するためには遊びが不可欠です。さまざまな遊びが、食の話題を広げる機会になるでしょう。
☆食文化との出会いを通して
人々が築き、継承してきた様々な食文化に出会う中で、子どもは食生活に必要な基本的習慣・態度を身につけていきます。自分たちなりに心地よい食生活の仕方をつくりだす姿を大切にしましょう。
☆人とのかかわり
誰かと一緒に食べたり、食事の話題を共有することが、人とのかかわりを広げ、愛情や信頼感を育みます。また、親しい人を増やすことが、食生活の充実につながることを気づかせていきましょう。
☆食べることを通して
おいしく、楽しく食べることは「生きる力」の基礎を培います。食をめぐる様々な事柄への興味・関心を引き出すことを大切にしましょう。
☆料理づくりへのかかわり
調理を見たり、触れたりすることは食欲を育むとともに、自立した食生活を送るためにも不可欠です。「食を営む力」の基礎を培うためにも、自分で料理を作り、準備する体験を大切にしていきましょう。
☆自然とのかかわり
身近な動植物との触れあいを通して、いのちに出会う子どもたち。自分たちで飼育・栽培し、時にそれを食することで、自然の恵み、いのちの大切さを気づかせていきましょう。
・　子どもの生活、食事の状況を共有し、家庭での食への関心を高め、協力しあって「食を営む力」の基礎を培いましょう。
・　食に関する相談など、保護者への支援を行いましょう。
食に関わる産業や、地域の人々との会食、行事食・郷土食などとの触れ合いを通して、地域の人々との交流を深めましょう。
保健所や保健センターなどと連携し、離乳食をはじめとする食に関する相談・講習会など、未就園の地域の子育て家庭への支援を行いましょう。
家　庭
地　域

引用：厚生労働省『楽しく食べる子どもに～食からはじまる健やかガイド～』

「食を通じた子どもの健全育成（「いわゆる「食育」」のあり方に関する検討会）報告書 p.22, 2004

保育所における具体的な実践例

保　育　所

「食育」の視点を含めた指導計画の作成、及び評価・改善を踏まえて

☆遊ぶことを通して
子どもの主体的な活動を大切にし、乳幼児期にふさわしい体験が得られるように、遊びを通した総合的な保育

☆食文化との出会いを通して
- ○　旬の食材から季節感を感じる
- ○　郷土料理に触れ、伝統的な日本特有の食事を体験する
- ○　外国の人々など、さまざまな食文化に興味や関心を持つ
- ○　伝統的な食品加工に出会い、味わう
- ○　気持ちよく食事をするマナーを身につける

☆食べることを通して
- ○　好きな食べ物をおいしく食べる
- ○　様々な食べ物を進んで食べる
- ○　慣れない食べ物や嫌いな食べ物にも挑戦する
- ○　自分の健康に関心を持ち、必要な食品をとろうとする
- ○　健康と食物の関係について関心をもつ

☆人とのかかわり
- ○　友だちと一緒に食べる
- ○　保育士と一緒に食べる
- ○　栄養士や調理員など食事をつくる人と一緒に食べる
- ○　地域のお年寄りなどさまざまな人と食べる
- ○　身近な大人と食事の話題を共有する

☆料理づくりへのかかわり
- ○　料理を作る人に関心を持つ
- ○　食事を催促したり、要望を伝える
- ○　食事の準備や後片付けに参加する
- ○　自分で料理を選んだり、盛りつけたりする
- ○　見て、嗅いで、音を聞いて、触って、味見して、料理をつくる

☆自然とのかかわり
- ○　身近な動植物と触れあう
- ○　自分たちで飼育する
- ○　野菜などの栽培や収穫をする
- ○　子どもが栽培・収穫した食材、旬のものや季節感のある食材や料理を食べる

家　庭

- ・家庭とを結ぶ連絡帳
- ・「食事だより」などによる保育所の食事に関する情報提供、給食の実物の展示
- ・保護者参観での試食会や親子クッキング
- ・子どもの食に関する相談・講座

地　域

- ・地域での農業や食品の製造業従事者によるお話や、実演
- ・地域の人々との行事食・郷土食などでの触れ合い

未就園の地域の子育て家庭への支援を目的とした離乳食などの食に関する相談・講座

引用：厚生労働省『楽しく食べる子どもに～食からはじまる健やかガイド～』
「食を通じた子どもの健全育成（「いわゆる「食育」」のあり方に関する検討会）報告書 p.23，2004

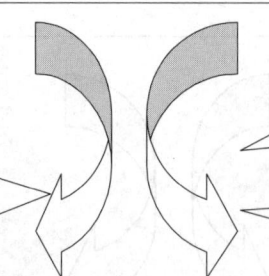

「保育所における食育のあり方に関する研究班」名簿

大木	師礎生	日本保育園保健協議会副会長
小川	清実	東京学芸大学教育学部講師
倉田	新	埼玉純真女子短期大学講師
○酒井	治子	山梨県立女子短期大学助教授
外山	紀子	津田塾大学学芸学部助教授
林	薫	東京成徳短期大学講師
師岡	章	白梅学園短期大学助教授

（○主任研究者）

○「第４次食育推進基本計画」に基づく保育所における食育の推進について

〔令和３年４月１日　子保発0401第２号
各都道府県・各市町村児童福祉主管部(局)長宛　厚生労働省子ども家庭局保育課長通知〕

食育基本法（平成17年法律第63号）第16条第１項に基づく標記計画の決定に伴い、先般、「第４次食育推進基本計画の決定について」（令和３年４月１日医政発0401第11号・健発0401第16号・生食発0401第26号・子発0401第３号・老発0401第13号厚生労働省医政局長、健康局長、医薬・生活衛生局生活衛生・食品安全審議官、子ども家庭局長、老健局長連名通知）が発出されたところであり、下記の事項に特段のご配慮をお願いするとともに、保育所における食育の更なる推進に努めていただきたい。併せて、都道府県におかれては、管内市町村に対する適切な支援をお願いする。また、地域型保育事業においても、保育所と同様に食育の推進に努めていただきたい。

なお、「第４次食育推進基本計画」に基づく母子保健及び児童福祉分野における食育の推進については、同日付けで、厚生労働省子ども家庭局母子保健課長より各都道府県・市町村・特別区母子保健主管部（局）長あて同趣旨の通知を発出していることを申し添える（「「第４次食育推進基本計画」に基づく母子保健及び児童福祉分野における食育の推進について」（令和３年４月１日子母発0401第２号厚生労働省子ども家庭局母子保健課長通知））。

記

１　保育所における「食育の計画」の見直し等について

保育所においては、「保育所保育指針」に基づき、乳幼児期にふさわしい食生活が展開され、適切な援助が行われるよう、食事の提供を含む食育の計画を作成し、保育の計画に位置付けるとともに、その評価及び改善に努めることとしている。第４次食育推進基本計画の決定を踏まえ、保育所において、施設長、保育士、栄養士、調理員等の協力の下、各地域や施設の特性に応じた食育の計画の見直しや策定が推進されるよう、支援をお願いする。

２　保育所における食育の取組の推進について

子どもへの食育は、健全な心身と豊かな人間性を育んでいく基礎をなすものであり、子どもの成長や発達に合わせた切れ目のない取組の推進が重要である。

取組に当たっては、健康な生活の基本としての「食を営む力」の育成に向け、その基礎を培うことを目標とし、子どもが生活と遊びの中で意欲をもって食に関わる体験を積み重ねていく取組の推進をお願いしたい。その際、自然の恵みとしての食材や、調理する人への感謝の気持ちを育み、伝承されてきた地域の食文化に親しむことができる取組を推進するとともに、子どもの親世代への啓発も含めた取組の推進をお願いする。

また、児童福祉施設における食事の提供に関するガイドラインを活用すること等により、乳幼児の成長や発達の過程に応じた食事の提供や食育の取組が実施されるよう努めるとともに、食に関わる保育環境についても配慮いただきたい。

加えて、保育所の人的・物的資源を生かし、在籍する子ども及びその保護者のみならず、地域における子育て家庭からの乳幼児の食に関する相談への対応や情報提供等に努めるほか、地域の関係機関や関係団体等と連携・協働し、地域の特性に応じた、多様で積極的な取組の推進をお願いする。

その際、社会環境の変化や様々な生活様式等、食をめぐる状況の変化に伴い、健全な食生活を送ることが難しい子どもの存在にも配慮いただきたい。

３　多様な関係者の連携・協力の強化による取組の推進について

食育は幅広い分野にわたる取組が求められる上、様々な家庭の状況や生活の多様化といった食育をめぐる状況の変化を踏まえると、より一層きめ細やかな対応や食育を推進しやすい社会環境づくりが重要であることから、保育所においても、地方公共団体、教育関係者、農林漁業者、食品関連事業者、ボランティア等、食育に係る様々な関係者と主体的かつ多様に連携・協働した取組の推進をお願いする。

○「生命（いのち）の安全教育」の教材等について（周知）

〔令和３年４月30日　事務連絡
各都道府県・各市町村児童福祉主管部(局)宛　厚生労働省
子ども家庭局保育課〕

保育行政の推進につきましては、平素より格別の御尽力を賜り厚く御礼申し上げます。

令和２年６月に政府が決定した「性犯罪・性暴力対策の強化の方針」（以下「強化の方針」という。）では、子どもたちが性暴力の加害者、被害者、傍観者にならないよう生命の尊さを学び生命を大切にする教育、自分や相手、一人一人を尊重する教育を推進することとされており、特に幼児期では、被害に気づき予防できるよう、自分の身を守ることの重要性や嫌なことをされたら訴えることの必要性を子どもに教えることとされています。

今般、内閣府と文部科学省において、「生命の安全教育調査研究事業」を踏まえ、幼児期をはじめとした子どもの発達段階に応じた教育に活用できる「生命（いのち）の安全教育」の教材及び指導の手引きが作成されました。

つきましては、保育所においても、生命の尊さを学び生命を大切にする教育、自分や相手、一人一人を尊重する教育を推進するため、本教材等を活用いただけますよう、管下の保育所等に対して周知をお願いいたします。

※教材等については添付をしておりますが、以下ＵＲＬからもダウンロードすることができます。
https://www.mext.go.jp/a_menu/danjo/anzen/index.html

○児童の転園の際の転園元から転園先への情報提供について

〔令和４年３月24日　事務連絡
各都道府県・各市町村保育主管部(局)宛　厚生労働省子ども家庭局保育課〕

保育所等（保育所及び地域型保育事業所をいう。以下同じ。）の利用児童が他施設（幼保連携型認定こども園及び幼稚園を含む。）に転園する際の転園元から転園先への情報提供については、現在も必要に応じ、各保育所等において作成している児童の育ち等に関する記録を転園先に送付する等の方法により行っていただいているところですが、転園先での円滑な保育に当たっては、児童の育ち等に関する記録について、保護者の同意を得た上で転園先の保育所に送付いただくことが望ましいことから、各保育所等において可能な限り、保護者の同意を得た上で実施いただくようお願いします。

なお、送付に当たっては、児童の氏名、生年月日等の個人情報を含むものであるため、個人情報の保護に関する法律（平成15年法律第57号）等を踏まえて適切に個人情報を取り扱うこととしてください。

個人情報の保護に関する法令上の取扱いは以下のとおりです。

① 公立の保育所等については、各市区町村が定める個人情報保護条例に準じた取扱いとすること。

② 私立の保育所等については、個人情報の保護に関する法律第２条第５項に規定する個人情報取扱事業者に該当し、原則として個人情報を第三者に提供する際には本人の同意が必要となるため、第三者提供について本人（保護者）の同意を得ること。

あわせて、情報提供に当たって各保育所等で作成している児童の育ち等に関する記録を送付する際には、統一の様式による情報共有を行うことが効率的な実施の観点からも望ましいことから、各保育所等においては、児童の育ち等を記録するに当たり必要な項目を盛り込んだ「保育分野の業務負担軽減・業務の再構築のためのガイドライン」（令和３年厚生労働省子ども家庭局）に示す児童票の様式を活用することを検討してください。

各市区町村におかれては、上記内容について十分御了知の上、管内の保育所等に対して周知していただくようお願いします。

（参考１）「保育分野の業務負担軽減・業務の再構築のためのガイドライン」
https://www.mhlw.go.jp/content/000763301.pdf

（参考２）令和３年の地方からの提案等に関する対応方針（令和３年12月21日閣議決定）（抜粋）

保育所等の利用児童が他施設に転園する際の児童に関する情報提供については、「保育分野の業務負担軽減・業務の再構築のためのガイドライン」（令３厚生労働省子ども家庭局）に示す児童票の様式を活用するなど、保育士の事務負担に配慮した上で、可能な限り情報提供を行うことを保育所等に促すよう、地方公共団体に令和３年度中に通知する。

5　給食・保健・衛生

（給食）

○児童福祉施設における食事の提供に関する援助及び指導について

〔令和２年３月31日　子発0331第１号・障発0331第８号
各都道府県知事・各指定都市市長・各中核市市長宛　厚生労働省子ども家庭局長・社会・援護局障害保健福祉部長連名通知〕

児童福祉施設における食事の提供に当たっては、日本人の食事摂取基準（2015年版）を参考に実施されているところである。

今般、「日本人の食事摂取基準（2020年版）」策定検討会報告書が策定されたことに伴い、別紙のとおり「食事による栄養摂取量の基準」（令和２年１月21日厚生労働省告示第10号。以下「食事摂取基準」という。）が改正され、令和２年４月１日から適用することとされたので、児童福祉施設における食事の提供に関する援助及び指導については、同年４月１日以降、下記の事項に留意の上、貴管内児童福祉施設への対応方よろしく御配意願いたい。

また、児童発達支援（児童発達支援センターにおいて行う場合を除く）、放課後等デイサービス、放課後児童健全育成事業、家庭的保育事業、小規模保育事業、居宅訪問型保育事業及び事業所内保育事業においても、児童福祉施設と同様に取り扱うことが望ましいため、よろしくお取り計らい願いたい。

なお、本通知の施行に伴い、「児童福祉施設における食事の提供に関する援助及び指導について」（平成27年３月31日付け雇児発0331第１号・障発0331第16号厚生労働省雇用均等・児童家庭局長・社会・援護局障害保健福祉部長連名通知）は令和２年３月31日をもって廃止する。

また、本通知は、地方自治法（昭和22年法律第67号）第245条の４第１項の規定に基づく技術的助言である。

記

1　児童福祉施設における食事の提供に係る留意事項について

(1)　入所施設における栄養素の量（以下「給与栄養量」という。）の目標については、別紙のとおり令和２年度から適用される「食事摂取基準」によることとするので参考とされたいこと。なお、通所施設において昼食など１日のうち特定の食事を提供する場合には、対象となる子どもの生活状況や栄養摂取状況を把握、評価した上で、１日全体の食事に占める特定の食事から摂取されることが適当とされる給与栄養量の割合を勘案し、その目標を設定するよう努めること。

(2)　提供する食事の量と質についての計画（以下「食事計画」という。）について、「食事摂取基準」を活用する場合には、施設や子どもの特性に応じた適切な活用を図ること。障害や疾患を有するなど身体状況や生活状況等が個人によって著しく異なる場合には、一律に適用することが困難であることから、個々人の発育・発達状況、栄養状態、生活状況等に基づき給与栄養量の目標を設定し、食事計画を立てること。

(3)　食事計画の実施に当たっては、子どもの発育・発達状況、栄養状態、生活状況等について把握・評価するとともに、計画どおりに調理及び提供が行われたか評価を行うこと。この際、施設における集団の長期的評価を行う観点から、特に幼児について、定期的に子どもの身長及び体重を測定するとともに、幼児身長体重曲線（性別・身長別標準体重）等による肥満度に基づき、幼児の肥満及びやせに該当する者の割合が増加していないかどうか評価し、食事計画の改善を図ること。

(4)　日々提供される食事について、食事内容や食事環境に十分配慮すること。また、子どもや保護者等に対する献立の提示等食に関する情報の提供や、食事づくり等食に関する体験の機会の提供を行うとともに、将来を見据えた食を通じた自立支援につながる「食育」の実践に努めること。

(5)　食事の提供に係る業務が衛生的かつ安全に行われるよう、食中毒や感染症の発生防止に努めること。

(6)　子どもの健康と安全の向上に資する観点から、子どもの食物アレルギー等に配慮した食事の提供を行うとともに、児童福祉施設における食物アレルギー対策に取り組み、食物アレルギーを有する子どもの生活がより一層、安心・安全なものとなるよう誤配及び誤食等の発生予防に努めること。

なお、多くの児童福祉施設では、食物アレルギーなどへの対応を行っている。また、子ども自身が自分の食物アレルギーの状況を自覚し、食物アレルギーを有していることを自身の言葉で伝えることが困難である場合なども踏まえ、施設内の職員は、生活管理指導表等を活用（※）して、状況を把握するよう留意するとともに、子どもの異変時の対応等に備え、平素より危機管理体制を構築しておくこと。

※具体的な活用方法については「保育所におけるアレルギー対応ガイドライン（2019年改訂版）」を参照 https://www.mhlw.go.jp/content/000511242.pdf

(7)　災害等の発生に備えて、平常時から食料等を備蓄するとともに、災害時等の連絡・協力体制を事前に確認するなど体制を構築しておくよう努めること。

2　食事の提供に関する援助及び指導に係る留意事項について

(1)　児童福祉施設の食事の提供に関する援助及び指導に当たっては、児童福祉施設の所管部（局）が主体となり、栄養改善及び衛生管理等に関し、衛生主管部（局）と連携を図り、必要に応じて助言を得ながら実施すること。なお、認定こども園について、教育委員会が所管している場合には、教育委員会とも連携を図ること。

(2)　子どもの特性に応じて提供することが適当なエネルギー及び給与栄養量が確保できる食事の提供について、必要な援助及び指導を行うこと。

(3)　食事の提供に当たっては、子どもの発育・発達状況、栄養状態、生活状況等について把握し、提供する食事の量と質についての食事計画を立てるとともに、摂食機能や食行動の発達を促すよう食品や調理方法に配慮した献立作成を行い、それに基づき食事の提供が行われるよう援助及び指導を行うこと。特に、小規模グループケア、グループホーム化を実施している児童養護施設や乳児院においては留意すること。

(4)　食事を適正に提供するため、定期的に施設長を含む関係職員による情報の共有を図るとともに、常に施設全体で、食事計画・評価を通して食事の提供に係る業務の改善に努めるよう、援助及び指導を行うこと。また、家庭的養護の観点から、小規模グループケアやグループホーム化を推進する施設においては、調理をすることにより食を通じた関わりが豊かに持てることの意義を踏まえ、施設の栄養士などが施設内での調理に積極的に関わることができるよう支援を行うこと。

(5)　施設職員、特に施設長に対して、食事の提供に係る業務の重要性についての認識の向上を図るとともに、食事の提供に関係する職員に対しては、適時、講習会、研究会等により知識及び技能の向上を図るよう、援助及び指導を行うこと。

(6)　適切な食事のとり方や望ましい食習慣の定着、食を通じた豊かな人間性の育成等、心身の健全育成を図る観点から、食事の提供やその他の活動を通して「食育」の実践に努めるよう、援助及び指導を行うこと。

(7)　食物アレルギー対策の観点から、児童福祉施設に適切な情報を提供するとともに、施設が適確に対応できるよう、施設や関係機関等と調整を行い、必要な支援体制を構築するよう努めること。

(8)　災害等の発生に備えて、地域防災計画に栄養・食生活支援の具体的な内容を位置づけるよう、関係部局と調整を行うこと。

○児童福祉施設における「食事摂取基準」を活用した食事計画について

〔令和２年３月31日　子母発0331第１号
各都道府県・各指定都市・各中核市民生主管部（局）長宛
厚生労働省子ども家庭局母子保健課長通知〕

「食事による栄養摂取量の基準」（令和２年１月21日厚生労働省告示第10号。以下「食事摂取基準」という。）が改正され令和２年４月１日から適用されることに伴い、「児童福祉施設における食事の提供に関する援助及び指導について」（令和２年３月31日子発0331第１号・障発0331第８号厚生労働省子ども家庭局長・社会・援護局障害保健福祉部長連名通知）を発出したところであるが、児童福祉施設における食事の提供の基本となる食事計画について、下記の事項に留意の上、効果的に実施されるよう、貴管内児童福祉施設への周知方よろしく御配意願いたい。

なお、本通知の施行に伴い、平成27年３月31日雇児母発0331第１号本職通知「児童福祉施設における「食事摂取基準」を活用した食事計画について」は令和２年３月31日をもって廃止する。

また、本通知は、地方自治法（昭和22年法律第67号）第245条の４第１項の規定に基づく技術的助言である。

記

１　児童福祉施設における「食事摂取基準」を活用した食事計画の基本的考え方

(1)　「食事摂取基準」は、エネルギーについて、成人においては「ボディ・マス・インデックス（ＢＭＩ)」、参考として「推定エネルギー必要量」、栄養素については「推定平均必要量」「推奨量」「目安量」「耐容上限量」「目標量」といった複数の設定指標により構成されていることから、各栄養素及び指標の特徴を十分理解して活用すること。

(2)　「食事摂取基準」は、健康な個人及び集団を対象とし、国民の健康の保持・増進、生活習慣病の予防を目的とし、エネルギー及び各栄養素の摂取量の基準を示すものである。よって、児童福祉施設において、障害や疾患を有するなど身体状況や生活状況等が個人によって著しく異なる場合には、一律の適用が困難であることから、個々人の発育・発達状況、栄養状態、生活状況等に基づいた食事計画を立てること。

(3)　子どもの健康状態及び栄養状態に応じて、必要な栄養素について考慮すること。子どもの健康状態及び栄養状態に特に問題がないと判断される場合であっても、基本的にエネルギー、たんぱく質、脂質、ビタミンＡ、ビタミンB_1、ビタミンB_2、ビタミンＣ、カルシウム、鉄、ナトリウム（食塩)、カリウム及び食物繊維について考慮するのが望ましい。

(4)　食事計画を目的として「食事摂取基準」を活用する場合には、集団特性を把握し、それに見合った食事計画を決定した上で、献立の作成及び品質管理を行った食事の提供を行い、一定期間ごとに摂取量調査や対象者特性の再調査を行い、得られた情報等を活かして食事計画の見直しに努めること。その際、管理栄養士等による適切な活用を図ること。

２　児童福祉施設における「食事摂取基準」を活用した食事計画の策定に当たっての留意点

(1)　子どもの性、年齢、発育・発達状況、栄養状態、生活状況等を把握・評価し、提供することが適当なエネルギー及び栄養素の量（以下「給与栄養量」という。）の目標を設定するよう努めること。なお、給与栄養量の目標は、子どもの発育・発達状況、栄養状態等の状況を踏まえ、定期的に見直すように努めること。

(2)　エネルギー摂取量の計画に当たっては、参考として示される推定エネルギー必要量を用いても差し支えないが、健全な発育・発達を促すために必要なエネルギー量を摂取することが基本となることから、定期的に身長及び体重を計測し、成長曲線に照らし合わせるなど、個々人の成長の程度を観察し、評価すること。

(3)　たんぱく質、脂質、炭水化物の総エネルギーに占める割合（エネルギー産生栄養素バランス）については、三大栄養素が適正な割合によって構成されることが求められることから、たんぱく質については13％～20％、脂質については20％～30％、炭水化物については50％～65％の範囲を目安とすること。

(4)　１日のうち特定の食事（例えば昼食）を提供する場合は、対象となる子どもの生活状況や栄養摂取状況を把握、評価した上で、１日全体の食事に占める特定の食事から摂取することが適当とされる給与栄養量の割合を勘案し、その目標を設定するよう努めること。

(5)　給与栄養量が確保できるように、献立作成を行うこと。

(6)　献立作成に当たっては、季節感や地域性等を考慮し、品質が良く、幅広い種類の食品を取り入れるように努めること。また、子どもの咀《そ》嚼《しゃく》や嚥《えん》下《げ》機能、食具使用の発達状況等を観察し、その発達を促すことができるよう、食品の種類や調理方法に配慮するとともに、子どもの食に関する嗜好や体験が広がりかつ深まるよう、多様な食品や料理の組み合わせにも配慮すること。また、特に、小規模グループケアやグループホーム化を実施している児童養護施設や乳児院においては留意すること。

３　児童福祉施設における食事計画の実施上の留意点

(1)　子どもの健全な発育・発達を目指し、子どもの身体活動等を含めた生活状況や、子どもの栄養状態、摂食量、残食量等の把握により、給与栄養量の目標の達成度を評価し、その後の食事計画の改善に努めること。

(2)　献立作成、調理、盛りつけ・配膳、喫食等各場面を通して関係する職員が多岐にわたることから、定期的に施設長を含む関係職員による情報の共有を図り、食事の計画・評価を行うこと。

⑶　日々提供される食事が子どもの心身の健全育成にとって重要であることに鑑み、施設や子どもの特性に応じて、将来を見据えた食を通じた自立支援にもつながる「食育」の実践に努めること。

⑷　食事の提供に係る業務が衛生的かつ安全に行われるよう、食事の提供に関係する職員の健康診断及び定期検便、食品の衛生的取扱い並びに消毒等保健衛生に万全に期し、食中毒や感染症の発生防止に努めること。

○「保育所における食事の提供ガイドライン」について

〔平成24年３月30日　雇児保発0330第１号
各都道府県・各指定都市・各中核市民生主管部（局）長宛
厚生労働省雇用均等・児童家庭局保育課長通知〕

平成21年４月に施行された「保育所保育指針」（平成20年厚生労働省告示第141号）では、第５章「健康及び安全」の中で、「食育の推進」を位置付け、施設長の責任のもと、保育士、調理員、栄養士、看護師、など全職員が協力し、各保育所の創意工夫のもとに食育を推進していくことを求めている。

また、「保育所保育指針」と同時に策定された「保育所における質の向上のためのアクションプログラム」において、「子どもの健康及び安全の確保」が掲げられている。

一方、保育所の食事の提供の形態は、自園調理が中心であるものの、外部委託や外部搬入など、多様化してきている。

こうした現状を踏まえ、厚生労働省においては、子どもの健康と安全の向上に資する観点から、保育所職員、保育所の施設長や行政の担当者など、保育所の食事の運営に関わる幅広い方々が、保育所における食事をより豊かなものにしていくための参考となるよう「保育所における食事の提供ガイドライン」を作成したので別添のとおり送付する。

ついては本ガイドラインを厚生労働省のホームページ（http://www.mhlw.go.jp/seisakunitsuite/bunya/kodomo/kodomo_kosodate/hoiku/index.html）に掲載するので、貴管内の保育所で広く活用されるよう、周知を図られたい。

なお、本通知は、地方自治法（昭和22年法律第67号）第245条の４第１項に規定する技術的な助言として発出するものであることを申し添える。

別添　略

○子ども食堂の活動に関する連携・協力の推進及び子ども食堂の運営上留意すべき事項の周知について

〔平成30年６月28日　子発0628第４号・社援発0628第１号・障発0628第２号・老発0628第３号
各都道府県知事・各指定都市市長・各中核市市長宛　厚生労働省子ども家庭・社会・援護局長・社会・援護局障害保健福祉部長・老健局長連名通知〕

昨今、地域のボランティアが子どもたちに対し、無料又は安価で栄養のある食事や温かな団らんを提供する取組を行う、いわゆる子ども食堂（子どもに限らず、その他の地域住民を含めて対象とする取組を含みます。以下単に「子ども食堂」といいます。）が、各地で開設されています。

子ども食堂は、子どもの食育や居場所づくりにとどまらず、それを契機として、高齢者や障害者を含む地域住民の交流拠点に発展する可能性があり、地域共生社会の実現に向けて大きな役割を果たすことが期待されます。

一方で、地域住民、福祉関係者の子ども食堂に対する関心が薄く、取組を発展させる機運の醸成が十分に図られていない地域や、学校・教育委員会の協力が得られないといった課題を抱えている地域もあるとの指摘があります。また、食品衛生などの面において、子ども食堂の運営者（以下「運営者」といいます。）の安全管理に関する取組の促進により、利用者や地域住民の子ども食堂に対する理解と安心感を醸成することが課題との指摘もあります。

こうした状況を踏まえ、本通知においては、子ども食堂の意義を確認しつつ、地域住民、福祉関係者及び教育関係者に対し、子ども食堂の活動に関する理解と協力を促すようお願いするとともに、子ども食堂における安全管理について留意すべき点を整理することとしましたので、御了知のうえ、子ども食堂の活動に関して運営者や関係機関との連携・協力を図るとともに、本通知の内容につき、運営者のほか、地域住民及び福祉関係者に周知されますよう、管内市区町村又は関係団体への協力要請等よろしくお取り計らい願います。併せて、教育関係者に対しても周知されますよう、教育関係部局への協力要請等よろしくお取り計らい願います。

なお、本通知は、地方自治法（昭和22年法律第67号）第245条の４第１項の規定に基づく技術的助言であること、厚生労働省医薬・生活衛生局に協議済みであること、同局から都道府県等衛生主管部局に情報提供していること、当方から内閣府、農林水産省及び文部科学省に情報提供済みであること、本通知の趣旨に関し文部科学省から都道府県教育委員会等に対して別途通知が行われることを申し添えます。

記

1　子ども食堂の活動に関する連携・協力の推進

(1)　子ども食堂の現状

現在、子ども食堂は全国各地で開設されており、その活動の在り方は、困難を抱える子どもたちへの支援を中心に活動するもの、地域の様々な子どもたちを対象とした交流拠点を設けようとするもの、「地域食堂」等の名称により、子どもたちに限らず、その他の地域住民を含めて対象とし、交流拠点を設けようとするものなど、多岐にわたります。

いずれの活動も、困難を抱える子どもたちを含め、様々な子どもたちに対し、食育や貴重な団らん、地域における居場所確保の機会を提供しているという意義を有しているものと認められます。

(2)　子ども食堂の活動への協力

厚生労働省においては、子ども、高齢者、障害者など全ての人々が地域、暮らし、生きがいを共に創り、高め合うことができる地域共生社会の実現を目指し、地域における取組への支援を進めています。

こうした観点から、(1)で示したような子ども食堂の意義について、行政のほか、子ども食堂を取り巻く地域の住民、福祉関係者及び教育関係者等が、運営者と認識を共有しながら、その活動について、積極的な連携・協力を図ることが重要です。このため、日頃から運営者等と顔の見える関係を築くよう努めるとともに、(3)や２(2)に掲げる事項について具体的な相談等を受けた場合には、運営者と連携を図りつつ、適切に対応いただくようお願いします。

この際、学校、公民館等の社会教育施設、ＰＴＡ及び地域学校協働本部や、教育委員会等が実施する学習・体験活動等の事業関係者を通じて、困難を抱える子どもたちを含む様々な子どもたちに地域の子ども食堂の情報が行き届くよう、行政において、福祉部局と教育委員会等が連携し、子ども食堂の活動について情報共有を図るなど、ご協力をお願いいたします。

⑶　活用可能な政府の施策

厚生労働省において実施している以下のような施策と連携し、又は一体的に実施することで、子ども食堂の活動についてより効果的に展開することが期待されます。各施策の詳細については、それぞれ別添をご参照ください。なお、こうした施策を一体的に実施した場合の費用の計上に関して、昨年3月に通知を発出しておりますので、併せてご参照ください（別添1参照）。

・　母子家庭等対策総合支援事業における子どもの生活・学習支援事業（別添2参照）
・　生活困窮者自立支援制度における子どもの学習支援事業（別添3参照）
・　介護保険法（平成9年法律第123号）に基づく介護予防・日常生活支援総合事業（別添4参照）
・　障害者の日常生活及び社会生活を総合的に支援するための法律（平成17年法律第123号）に基づく地域活動支援センター事業（別添5参照）

また、内閣府においては、子どもの貧困対策の観点から、子ども食堂にも資する施策として以下を推進しています。各施策の詳細については、それぞれ別添をご参照ください。

・　地域における総合的な支援体制の確立に向けた地方自治体の取組に活用できる地域子供の未来応援交付金（別添6参照）
・　マッチング・ネットワーク推進協議会を通じた企業等との連携の促進（別添7参照）

⑷　参考資料

子ども食堂を地域に推進するために構成された「広がれ、こども食堂の輪！」全国ツアー実行委員会（事務局：一般社団法人全国食支援活動協力会）において、運営者や関係機関に対し、運営の在り方や支援に関する啓発を行うことを目的として、各種パンフレット（広がれ、こども食堂の輪！活動ガイドブック等）が作成されています（※1）。

また、農林水産省において、子ども食堂が抱える課題の解決や、食育の取組（共食の機会の提供、食文化の継承等）の充実に向けて、子ども食堂の取組に関心を持ち支援を考えている行政・団体関係者や地域の方々に活用いただくことを目的として、事例紹介などのパンフレットが作成されています（※2）。

子ども食堂の活動を理解するに当たり、適宜ご参照ください。

（※1）　http://www.mow.jp/archive.htm（一般社団法人全国食支援活動協力会ホームページ）

（※2）　http://www.maff.go.jp/j/syokuiku/kodomosyokudo.html（農林水産省ホームページ）

2　子ども食堂の運営上留意すべき事項

子ども食堂の運営上留意すべき事項として、以下の内容について、運営者等への周知を図っていただくようお願いいたします。

⑴　食品安全管理に関して留意すべき事項

食中毒の発生防止のために、運営者、調理担当者等に向けて、守っていただきたい衛生管理のポイントを別添8のとおりまとめましたのでご参照ください。また、万一、食中毒が発生した場合、保健所に連絡を取るようお願いします。

⑵　その他留意すべき事項

①　安全管理に関して留意すべき事項

子ども食堂の活動を始め、ボランティア活動中に不幸にして、怪我や食中毒等の事故が起きることがあります。万一の備えとして、個人や団体向けの保険に加入することが考えられます。保険加入については、最寄りの市区町村社会福祉協議会などで相談することが可能です。

②　生活困窮者自立支援制度との連携

運営者におかれては、その活動を通じて、生活に困窮する子どもや家庭を把握し、支援が必要と考えられる場合には、最寄りの生活困窮者自立支援制度の自立相談支援窓口にご連絡ください。

③　社会福祉法人との連携

社会福祉法人は、社会福祉法（昭和26年法律第45号）第24条第2項の規定に基づき、地域ニーズ等に応じて、自主性・創意工夫の下、「地域における公益的な取組」に取り組むこととされており、その一環として、地域住民の交流や協働の場の創出等（子ども食堂の運営を含みます。）に取り組んでいる場合があります。（別添9参照）

運営者におかれては、こうした地域の社会福祉法人の取組と連携して活動を展開していくことも効果的と考えられます。

④　養育に支援が必要な家庭や子どもを把握した場合の対応

運営者におかれては、その活動を通じて、保護者の養育を支援することが必要と考えられる家庭や子どもを把握した場合、速やかに、市区町村の子育て支援の相談窓口又は児童相談所にご連絡ください。

なお、市区町村や児童相談所におかれては、相談を受けた場合は、関係機関が連携しながら早期に必要な支援を行うことができるよう、ご協力をお願いいたします。

別添１～９　略

○保育所等における子ども食堂等の地域づくりに資する取組の実施等について

〔令和５年９月７日　こ成保152・５初幼教第21号
各都道府県・各市区町村保育主管部(局)長・各都道府県教育委員会教育長・私立学校主管部(局)長・附属幼稚園を置く各国立大学法人の長宛　こども家庭庁成育局保育政策・文部科学省初等中等教育局幼児教育課長連名通知〕

昨今、地域のボランティアがこどもたちに対し、無料又は安価で栄養のある食事や温かな団らんを提供する取組を行う、いわゆる子ども食堂（子どもに限らず、その他の地域住民を含めて対象とする取組を含む。以下単に「子ども食堂」という。）が、各地で開設され、保育所や認定こども園等において子ども食堂を実施する事例も見受けられています。

保育所、認可外保育施設及び地域型保育事業所並びに幼保連携型認定こども園並びに幼稚園（以下「保育所等」という。）は、現に入所・入園しているこどもに対して教育又は保育を行うことが本来の役割・業務ですが、その役割を全うすることを前提とした上で、保育所等の自発的意思に基づく地域貢献活動の一環として、保育所等において子ども食堂その他の地域の子育て世帯等が集う場等（以下「子ども食堂等」という。）を開設及び実施することも考えられます。

子ども食堂の実施に係る取扱いについては「子ども食堂の活動に関する連携・協力の推進及び子ども食堂の運営上留意すべき事項の周知について」（平成30年６月28日厚生労働省子ども家庭局長等連名通知。以下「平成30年通知」という。）等においてお示ししているところですが、地域づくりに資する取組を行いたいと考えている保育所等が、円滑にその取組を実施できるよう、保育所等において子ども食堂等の地域づくりに資する取組を実施する際に特に留意していただきたい事項等について、下記のとおり整理しました。各都道府県・市区町村の保育主管部局長におかれては貴管内の保育所等（幼稚園を除く）に対して、各都道府県教育委員会教育長におかれては所管の幼稚園及び域内の市区町村教育委員会に対して、各都道府県私立学校主管部局長におかれては所轄の私立幼稚園に対して、附属幼稚園を置く国立大学法人の長におかれてはその設置する幼稚園に対して、当該内容を十分御了知の上、遺漏なく周知していただくようお願いします。

なお、食事を提供する際の衛生管理に係る内容については、厚生労働省健康・生活衛生局と協議済みであることを申し添えます。

記

１　保育所等において地域づくりに資する取組を行う意義

○　地域において保育所等は、現に利用しているこどもや保護者だけではなく、かつて保育所等を利用していたこどもや地域住民、保育所等において勤務していた職員その他保育所等と連携して活動する地域の主体とも関わり合う存在である。

○　そうした場において地域づくりに資する取組を行うことは、こども・子育て支援や生活困窮世帯に対する支援のみならず、高齢者、障害者その他の地域住民の交流拠点に発展することが期待されており、子育て世帯に限らない地域住民の居場所づくり、地域の賑わいの創出等の意味においても意義のあることであると考えられる。

○　特に人口減少地域においてこどもや子育て世帯その他の若い世代が集う場は貴重かつ重要なものであり、保育所等がその拠点となることは、保育所等の多機能化の一つの例である。

○　なお、地域づくりに資する取組は保育所等の自発的意思と創意工夫に基づくものであり、子ども食堂に限ったものではなく、例えば休日に保育所等において子育て世帯への相談会を実施することなどが挙げられる。

２　保育所等における子ども食堂等の実施について

○　子ども食堂等を含む多様な社会参加への支援については、「多様な社会参加への支援に向けた地域資源の活用について」（令和３年３月31日厚生労働省子ども家庭局長等連名通知。以下「令和３年通知」という。）において示されているが、保育所等において子ども食堂等を実施する場合には、次のように整理される。

・　施設等の業務時間外や休日を利用し、本来の事業に支障を及ぼさない範囲で一時的に子ども食堂等の実施のために保育所等の設備を使用す

る場合のほか、

・　保育の提供時間内であっても、令和３年通知１(2)の整理に基づき、定員に空きがある場合において、保育所等の運営に支障を及ぼさない範囲で子ども食堂等の実施のために保育所等の設備を一時的に使用する場合には、一時使用に該当するものであり、財産処分の手続は不要となるため、令和３年通知１(4)で示した取扱いも踏まえ適切な手続を行うこと。

○　なお、保育所等において子ども食堂等を実施する場合には、その旨を所轄庁に連絡し、必要な助言及び指導を受けること。

3　実施に当たっての具体的な留意事項等

(1)　食事を提供する際の衛生管理について

○　子ども食堂を実施し、食事を提供する際には、実施内容によっては営業許可又は届出等が必要なこともあることから、子ども食堂を実施しようとする者に対し、事前に保健所に相談し、必要な助言及び指導を受けるよう助言すること。

○　営業許可及び届出等が不要とされた場合、子ども食堂の実施に当たっての衛生管理については、平成30年通知においてお示ししているところであり、保育所等の施設を利用して子ども食堂を実施する場合においても同通知を踏まえて、衛生管理を実施する必要があること。

○　営業許可又は届出が必要となる場合、HACCPに沿った衛生管理が必要となることから、「中小規模で調理を行う児童福祉施設等における衛生管理について」（令和４年８月31日厚生労働省子ども家庭局等連名通知）等を参考に、各施設の実態に応じ実施する必要があること。

(※)　いずれの場合も月１回以上の検便等を求めている「大量調理施設衛生管理マニュアル」（平成９年３月24日衛食第85号）に基づく対応を求めるものではない。

(2)　消耗品費、水道光熱費等の経費等の取扱いについて

○　まず、保育所等において子ども食堂等を実施する際の消耗品費、水道光熱費等の経費について、子ども食堂等の取組の規模が本来の事業に支障を及ぼさない範囲である場合にあっては、保育所等の運営と子ども食堂等の実施とを区分して経理することを要しない。

○　ただし、子ども食堂等の取組の規模が相当程度に大きくなり、経費について保育所等の本来の事業に支障を及ぼすと考えられる場合にあっては、保育所等の運営と子ども食堂等の実施とを区分して、それぞれ適切に経理することを要する。その際には、事務の簡素化等の観点から、子ども食堂等の実施に要した消耗品費、水道光熱費等の経費と見込まれる額を、月次、年次等の一定の期間における両事業の利用人数に応じて按分する等の一定の合理的な方法により算出し、両区分間で繰り入れる等の簡便な運用も可能と考えられる。なお、保育所で子ども食堂等の取組を行う場合には、委託費に使途制限があることから、特に留意する必要がある。

○　他方で、保育所等における食事の提供に要する費用については、通常は、保護者からの実費徴収により賄われていることから、子ども食堂等を実施する際の食材料費については、区分して経理することが原則である。また、保育所等における食事の提供に際して、余剰となった食材料等を活用する場合にも、あらかじめ、保護者に説明を行い、同意を得ることが望ましい。

別添資料１　「子ども食堂の活動に関する連携・協力の推進及び子ども食堂の運営上留意すべき事項の周知について」（平成30年６月28日厚生労働省子ども家庭局長等連名通知）

略

別添資料２　「多様な社会参加への支援に向けた地域資源の活用について」（令和３年３月31日厚生労働省子ども家庭局長等連名通知）

（抄）略

以上

（保健・衛生）

○「保育所における感染症対策ガイドライン」の一部改訂について

〔令和５年５月２日　こ成基第22号
各都道府県・各指定都市・各中核市保育所・認定こども園主管部(局)長宛　こども家庭庁成育局成育基盤企画課長通知〕

「保育所における感染症対策ガイドライン」（以下「ガイドライン」という。）について、新型コロナウイルス感染症の「感染症の予防及び感染症の患者に対する医療に関する法律（平成10年法律第114号）」上の位置づけが本年５月８日から５類感染症に見直されることを踏まえ、新型コロナウイルス感染症の「登園のめやす」を設定するなど、別添のとおり同日付で改訂しますので、通知します。

貴職におかれては、本件の内容について御了知いただくとともに、同日以降、改訂後ガイドラインが貴管内の保育所や認定こども園をはじめとする多様な保育の現場において広く活用されるよう、管内市区町村、保育関係者等への周知をお願いします。

なお、本通知は、地方自治法（昭和22年法律第67号）第245条の４第１項に規定する技術的な助言として発出するものであることを申し添えます。

【こども家庭庁HP「保育所における感染症対策ガイドライン（2023（令和５）年５月一部改訂）」参照】

https://www.cfa.go.jp/policies/hoiku/

○「保育所におけるアレルギー対応ガイドライン」の改訂について

〔平成31年４月25日　子保発0425第２号
各都道府県・各指定都市・各中核市児童福祉主管部(局)長宛　厚生労働省子ども家庭局保育課長通知〕

児童福祉行政につきましては、格別の御高配を賜り、厚く御礼申し上げます。

「保育所におけるアレルギー対応ガイドライン」は、乳幼児期の特性を踏まえた保育所におけるアレルギー疾患を有する子どもへの対応の基本を示すものとして、平成23年３月に策定され、各保育所において活用いただいています。

本ガイドラインについて、策定から８年が経過し、その間、保育所保育指針の改定や関係法令等の制定がなされるとともに、アレルギー疾患対策に関する最新の知見が得られています。こうした状況を踏まえ、有識者による「保育所におけるアレルギー対応ガイドラインの見直し検討会」における検討を経て、別添のとおり、本ガイドラインの改訂を行いました。（別添１：概要資料、別添２：ガイドライン本体）

貴職におかれましては、本ガイドラインの改訂内容について御了知いただくとともに、本ガイドラインが貴管内の保育所をはじめとする多様な保育の現場において広く活用されるよう、管内市町村、保育関係者等に周知いただくよう、お願いいたします。

なお、本通知は、地方自治法（昭和22年法律第67号）第245条の４第１項に規定する技術的助言として発出することを申し添えます。

○「保育所におけるアレルギー対応ガイドライン（2019年改訂版）」

https://www.mhlw.go.jp/stf/seisakunitsuite/bunya/kodomo/kodomo_kosodate/hoiku/index.html

○自己注射が可能な「エピペン®」(エピネフリン自己注射薬)を処方されている入所児童への対応について（依頼）

（平成23年10月14日　雇児保発1014第２号
各都道府県・各指定都市・各中核市民生主管部(局)長宛
厚生労働省雇用均等・児童家庭局保育課長通知）

厚生労働省においては、子どもの健康と安全の向上に資する観点から、保育所職員、保護者、嘱託医等が共通理解の下で、保育所におけるアレルギー対応に取り組み、アレルギー疾患を持つ子どもの保育所での生活がより一層、安全・安心なものとなるよう「保育所におけるアレルギー対応ガイドライン」を作成いたしました（平成23年３月17日雇児保発0317第１号「保育所におけるアレルギー対応ガイドライン」について当職通知）。

本ガイドラインにおいて、保育所における「エピペン®」使用の際の注意点として、「子どもや保護者自らが「エピペン®」を管理、注射することが基本であるが、保育所においては低年齢の子どもが自ら管理、注射することは困難なため、アナフィラキシーが起こった場合、嘱託医または医療機関への搬送により、救急処置ができる体制をつくっておくことが必要である。」としているところです。

つきましては、下記事項について、所管の保育所等に周知の上、消防機関と保育所等との連携の推進を図るよう指導方お願いいたします。

なお、消防庁救急企画室長より各都道府県消防防災主管部（局）長あてに同趣旨の通知が発出予定であることを申し添えます。

また、この通知は、地方自治法（昭和22年法律第67号）第245条の４第１項に規定する技術的助言として発出するものであります。

記

1　入所児童がアナフィラキシーショックとなり、「エピペン®」（エピネフリン自己注射薬）を自ら注射することができないなど緊急の場合、「保育所におけるアレルギー対応ガイドライン」を参考に迅速な対応を行うこと。

2　「エピペン®」（エピネフリン自己注射薬）の処方を受けている入所児童がアナフィラキシーショックとなり、保育所等から消防機関に救急要請（119番通報）をする場合、「エピペン®」（エピネフリン自己注射薬）が処方されていることを消防機関に伝えること。

3　「エピペン®」（エピネフリン自己注射薬）の処方を受けている入所児童がいる保育所等においては、保護者の同意を得た上で、事前に地域の消防機関に情報を提供するなど、日ごろから消防機関など地域の関係機関との連携を図ること。

○児童福祉施設等における衛生管理の強化について（抄）

〔昭和39年８月１日　児発第669号
各都道府県知事・各指定都市市長宛　厚生省児童家庭局長
通知〕

〔別　添〕

衛生管理における留意事項

1　年間を通じた予防対策の強化

従来、赤痢の発生は夏に多く、食中毒は夏から秋にかけて多かったが最近では夏のみならず秋から冬にかけても頻発する傾向が強いので予防対策も季節に関係なく強力にすすめるようにすること。

2　地域社会との連絡の強化

児童福祉施設特に保育所は地域社会との関係が深いため赤痢発生などは施設の給食が直接原因となるものよりも幼児間の接触による感染で集団発生している例が多い。

すなわち、児童福祉施設における接触感染は、患者又は保菌者の排便後ちり紙を通して手に附着した赤痢菌が便所の把手等に附着し、この赤痢菌でそれ以後便所を利用する児童に感染する場合が多い。

従って、管轄保健所と緊密な連絡をはかり絶えず地域内の赤痢、食中毒発生状況を把握することに努めるとともに患者、保菌者等が発生した場合は当該保健所長又は、管轄市町村長の指示を受けて適切な処置を講ずるようにすること。

また、家庭との連絡を密にして家族で下痢等をしている者のいるときは、児童を施設に来させないような処置を講ずることも必要であること。

3　給食施設、設備の衛生管理

調理室の出入口、窓、排水口にはそ族、昆虫の防除設備を設けること。調理室の入口には流水式の手洗い設備（衛生水栓が好ましい。）或は消毒液（逆性石けん液）を必ず備えること。調理室には関係者以外の立入りを禁止するほか、調理室専用の履物を備え室外のものと区別すること。

また、毎月特別清掃日を設けて定例的に特に調理室内外の清掃につとめること。

4　食品取扱の衛生管理

冷蔵庫は食品の冷却はできても殺菌はできないのでその効果を過信しないよう、調理したものはできるだけ早く供食し翌日に繰り越して供食することのないよう注意すること。特に魚介類及びその加工品、サラダ類、煮豆、ちらしずしなどは食中毒菌や病原菌の繁殖しやすい食品であるのでその取扱いには特に注意すること。

また、食品の入手に際しては粗悪品特に鮮度不良のものの鑑別等を十分に行なうようにすること。

5　施設職員特に給食関係従事者の健康管理

施設職員特に給食関係従事者が調理や配食にあたる際は手洗いの習慣を徹底させること。また、定期的健康診断、検便の実施を怠ることのないよう、必要に応じてはその実施の状況について報告を求め、指導の参考とすること。

また、できれば各施設において調理場に給食従事者の衛生上の心得等を記載したポスター等を掲げ、絶えず注意を喚起させるような処置が望ましいこと。

6　児童の健康管理

児童の健康管理の徹底をはかるため、毎朝必ず児童の下痢、軟便、腹痛、発熱の有無等を調べるほか、顔色をよくみるなど健康状態の観察を行ない患児の早期発見に努めること。

また、児童に対しては食事前、おやつの前に手を流水で石けんを使って十分洗わせることはもちろん、児童はすぐによごすおそれもあるので食卓につかせてから消毒液（逆性石けん液）を浸した布巾で一人一人手をていねいに拭かせるよう指導することが望ましいこと。

また、児童の健康状態の保持に留意し、特に夏期においては過労をさけるため休養室等を活用して十分昼寝させること。夜間睡眠時、昼寝時には寝冷えをさせないようにすること。衛生的に不安全な買食いなどはなるべく避けるようにするなど健康保持のための適切な配慮がなされるようにすること。

なお、特に抵抗力の弱い乳幼児を保育する保育所においては健康管理について格別の注意を払い、特に昼寝は保育内容の１つに定められ単に夏期のみでなく、年間を通じて実施することとなっているが、更にその必要性を周知徹底すること。昼寝をしやすくするよう昼寝に要すると思われる暗幕を整えるなど施設設備の充実改善を図ること。児童に健康上異常のある場合には保護者からその旨口頭もしくは文書でその都度担当保母もしくは所長に連絡させるよう指導すること。

また、精神薄弱児施設における赤痢集団発生率は特に著しいので上記に準ずるほか下痢、発熱等初発伝染病疑似患者の隔離場所として静養室を充分に活用し、伝染病の集団発生を未然に防止するよう格別の配慮が必要であること。

○社会福祉施設における食中毒事故発生防止の徹底について

〔平成８年６月18日　社援施第97号
各都道府県・各指定都市・各中核市民生主管部（局）長宛
厚生省社会・援護局施設人材・老人保健福祉局老人福祉計画・児童家庭局企画課長連名通知〕

社会福祉施設の運営指導については、平素から御尽力いただいているところであるが、全国における本年の食中毒の発生状況をみると、現時点で病原性大腸菌Ｏ－157による食中毒での死者２名及びサルモネラ菌による食中毒での死者２名と合計４名の死者を数えるなど例年になく細菌性食中毒による死者数が多くなっている状況にある。

また、例年の傾向からみると、これから夏期に向けて食中毒による事故が増加することが予想される。

ついては、現在、当省生活衛生局より食中毒の発生防止に関して別添のとおりの通知を出し指導徹底を図っているところであるが、貴職におかれても別添の通知を了知の上、管下の社会福祉施設に対して周知徹底させると共に、衛生部局と十分な連携を図り、食中毒の事故防止等に万全を期されたい。

なお、主な留意点は下記のとおりである。

記

1　食中毒事故の発生防止について

⑴　調理及び盛りつけ時の衛生には特に注意すること。

新鮮な食品の入手、適温保管をはじめ、特に調理、盛りつけ時の衛生（なま物はなるべく避け、加熱を十分行う、盛りつけは手で行わない等）には十分留意すること。

また調理後はなるべく速やかに喫食させるようにし、やむを得ない場合は冷蔵保存等に努めること。

なお、食器具等の十分な洗浄消毒、衛生的保管にも十分注意すること。

⑵　原料食品の購入に当たっては、品質、鮮度、汚染状態等に留意する等検収を確実に実施し、事故発生の防止に努めること。

⑶　調理従事者及び入所者等の健康管理・衛生管理に努めること。

調理に従事する者及び入所者等の日常からの健康管理に努め、特に調理、喫食前の手洗いの励行に努めること。

2　食中毒事故が発生した場合の事後対策について

万一、食中毒事故が発生した場合、あるいはその疑いが生じた場合には医師の診察を受けるとともに、速やかに最寄りの保健所に連絡を取り指示を仰ぐなどの措置を取り、事故の拡大を最小限にとどめるように徹底すること。

（別　添）

1　「食中毒事故発生防止の徹底について」平成８年６月６日衛食第146号（生活衛生局食品保健課長通知）

2　「病原性大腸菌Ｏ157による食中毒防止の徹底について」平成８年６月12日衛食第151号（生活衛生局食品保健課長通知）

3　「病原性大腸菌Ｏ－157による食中毒に対する今後の対応について」平成８年６月17日衛食第155号（生活衛生局長通知）

別添１

食中毒事故発生防止の徹底について

〔平成８年６月６日　衛食第146号
各都道府県・各政令市・各特別区衛生主管部（局）長宛
厚生省生活衛生局食品保健課長通知〕

食中毒事故の発生防止については、平素から御尽力をいただいているところであるが、本年の食中毒の発生状況をみると、既にサルモネラ菌を病因物質とする食中毒事故において死者２名、また本年５月28日には岡山県において発生した病原性大腸菌Ｏ157を病因物質とする食中毒事故において死者２名が発生し、現時点で計４名の死者を数えているところであり、例年になく細菌性食中毒による死者数が多い。また、例年の傾向からみると、これから夏期に向けて食中毒による事故が増加することが予想される。

ついては、食品関係営業施設等の監視指導を徹底し、食中毒事故発生の防止に万全を期するようお願いする。

（参考資料）

病原性大腸菌による下痢症

1　発生状況

一般に、乳幼児及び小児が罹患しやすい。

2　分類及び症状

病原大腸菌の性質によって次の四者に区別できる。

⑴　侵襲型（赤痢型）

腹痛、発熱、血便等の赤痢症状を呈する。

⑵　非侵襲型（サルモネラ型）

多くの病原大腸菌はこの型に属している。（O18、O126等）

サルモネラに似た急性胃腸炎の形で発病する。

⑶　毒素原性大腸菌

易熱性の毒素（ＬＴ）、耐熱性の毒素（ＳＴ）によって下痢をひきおこす。水や食物による集団発生のあることが認められている。

⑷　出血性大腸菌（O157等）

1982年に初めて報告された。Verocytotoxinを産生し出血をおこす。

3　予防対策

病原性大腸菌の感染源は、患者の糞便及びそれに汚染された食品、水、器物、手指である。したがって、予防対策としては以下の３点に注意する必要がある。

⑴　食品の衛生的な取扱い（保存、運搬、調理）をして汚染を防ぐとともに、低温に温度管理し菌の増殖を抑えること。

⑵　飲料水について定期的に水質検査を行い、衛生管理に努めること。

⑶　手指をよく洗い、器物も十分洗浄して用いること。

4　潜伏期

一般に12～72時間、O157は４～９日（平均5.7日）

5　予後

乳児を侵したある劇的な流行では30～50％の死亡率が報告されているが、通常死亡率は５％以下である。

6　治療

いずれの型にも症状出現後早めに抗生物質を投与し、菌の増殖を抑えるべきである。抗生物質の選択は、感受性検査を行い決定するが、通常ＴＣやニューキノロン系が使用される。

赤痢型、サルモネラ型大腸菌では、抗生物質により治療を継続するが、毒素原性大腸菌では下痢による脱水症状をおこしやすいので輸液が必要となる（対症療法）。出血性大腸菌による症状には、輸血等の対症療法が必要である。

別添２

病原性大腸菌O157による食中毒防止の徹底について

〔平成８年６月12日　衛食第151号
各都道府県・各政令市・各特別区衛生主管部(局)長宛
厚生省生活衛生局食品保健課長通知〕

食中毒事故発生防止については、平成８年６月６日付け当職通知（衛食第146号）「食中毒発生防止の徹底について」において対策に万全を期するようお願いしたところであるが、その後、岡山県に引き続き、広島県においても病原性大腸菌O157による食中毒事故が発生する事態となったところである。

当該事故については、現在、二次感染の防止及び発生事故の原因究明等が行われているところであるが、貴職におかれても、事態の重要性にかんがみ、下記の事項に留意の上、病原性大腸菌O157による食中毒防止の徹底につき万全を期するようよろしくお願いする。

記

1　病原性大腸菌O157の症状、感染防止策、治療法は別添のとおりであること。

2　病原性大腸菌O157による食中毒事故については、過去においては、学校給食等集団給食施設が関係する例が見られることから、貴管下関係施設における衛生管理についての監視指導に努められたいこと。

3　病原性大腸菌O157による食中毒患者については、死亡事例が見られることより、万一病原性大腸菌O157による食中毒事故が発生した場合には、患者への対応について万全を期すとともに、十分な二次感染防止策を講じられたいこと。

4　食中毒事故の発生の報告、連絡は、昭和39年７月13日付け環境衛生局長通知（環発第214号）にもとづき行われているところであるが、万一、病原性大腸菌O157が疑われる食中毒事故が発生した場合には、当職あて電話等により連絡するとともに、貴管下関係部局等との連絡についても十分密にされたいこと。

〔別添〕

病原性大腸菌O157について

本菌によって起こる典型的な症状が出血性大腸炎であることから、一般に腸管出血性大腸菌（ＥＨＥＣ）と呼ばれている。しかし、本菌によって起こる症状は大腸炎に限らず、溶血性尿毒症症候群においては様々である。

1982年アメリカにおいてハンバーガーを原因とする集団下痢症で、初めて患者ふん便から分離された。

日本では、1990年埼玉県浦和市の幼稚園で死者２名を含む268名に及ぶ集団発生以降、注意を要する食中毒菌として注目されている。

潜伏期は4～8日と、他の食中毒菌と比べて長いため、原因究明に苦慮することが多い。

［症状］

①　出血性大腸炎

初発症状の多くは、腹痛を伴う粘液成分の少ない水溶性の下痢である。その後の下痢の回数は次第に増加し、1～2病日で鮮血の混入を認め、典型例では、便成分をほとんど認めない血性下痢となる。

本菌による症状は、発症後4～8日で自然に治癒するが、5歳以下の乳幼児や基礎疾患を有する老人では、本菌に対する感受性が高く、重症に至る例もある。このような患者では、溶血性尿毒症症候群となるケースがあり、死に至ることもある。

②　溶血性尿毒症症候群（HUS）

赤血球が破壊されることによる溶血性貧血、腎機能低下による尿毒症症状、血小板破壊による出血が主徴である。しばしば中枢神経症状（けいれん）を伴い、死に至ることもある。

［感染防止策］

・汚染された食肉から他の食品への二次汚染、並びに人から人への経口二次汚染防止
・食品の十分な加熱
・飲料水の衛生管理（井戸水、受水槽）
・手指の洗浄、消毒
・患者ふん便の衛生的な処理

［治療法］

症状発現後、早めに抗生物質を投与し、菌の増殖を抑えるべきである。抗生物質の選択は、感受性検査を行い決定するが、通常テトラサイクリン系抗生物質やニューキノロン系抗菌剤が使用される。

病原性大腸菌では、下痢による脱水症状を改善するために輸液等の対症療法が行われるが、腸管出血性大腸菌の場合は、透析及び輸血等の対症療法が必要である。

別添3

病原性大腸菌O―157による食中毒に対する今後の対応について

〔平成8年6月17日　衛食第155号
各都道府県知事・各政令市市長・各特別区区長宛　厚生省生活衛生局長通知〕

病原性大腸菌O―157による食中毒事故については、平成8年5月下旬よりこれまで計4件が続発し、死者及び入院中の重症者がみられるほか、2次感染のおそれがある状況にかんがみ、平成8年6月14日、食品衛生調査会食中毒部会大規模食中毒等対策に関する分科会を開催し、検討した結果、別添のとおり意見がとりまとめられたので通知する。

貴職におかれては、別添の意見を踏まえ、特に、乳幼児、小児及び高齢者に食事を提供する施設に対して、衛生管理の監視指導を行い、病原性大腸菌O―157による食中毒に対する対応に万全を期するようよろしくお願いする。また、別添の意見の別紙「病原性大腸菌の予防対策等について」の内容については、パンフレット等を作成して管下に周知することにより正しい知識の普及に努めるようお願いする。

なお、別添の意見については、文部省体育局長及び社団法人日本医師会会長あて別途通知し、協力方要請していることを念のため申し添える。

（別添）

食品衛生調査会食中毒部会大規模食中毒等に関する分科会における病原性大腸菌O―157による食中毒に関する緊急検討結果について

本日、標記分科会において病原性大腸菌O―157による食中毒について検討され、下記のとおり意見がとりまとめられた。

記

1　本年に入り5月下旬より続発している病原性大腸菌O―157による食中毒の発生防止策としては、既に厚生省が6月6日及び6月12日に通知した内容を遵守させることが妥当であること。したがって、各自治体に本通知の徹底を図るよう周知することが肝要であること。

2　また、国民に対して病原性大腸菌O―157についての正しい知識の普及を行うことが、本菌による食中毒の未然防止や被害拡大の防止、更には不安の解消に必要であることから、本菌の特徴や予防策等についてわかりやすく解説することが肝要であること。（別紙参照）

3　本菌による食中毒が発生した場合、二次感染等の被害拡大の防止を図る意味からも、特に血便を伴う下痢症を診察した場合には、病原性大腸菌O―157による可能性を疑い、その検査を行うことが肝要であること。

4　今回の一連の本菌による食中毒事件については、関係自治体において調査が進行中であり、現在までに原因食品は特定されていないが、喫食されたもののうち、一連の事件間で同一のものは認められないこと。

5　過去に発生した10例の病原性大腸菌O―157による食中毒等の事故の原因は一例を除いて不明であるので、原因の究明に必要な方法等について、今後、食品衛生調査会で検討を行うこと。

6　厚生省は関係省庁と連携を密にし、さらなる情報収集に努め、大規模食中毒の防止対策等について、引き続き食品衛生調査会において検討を行うこと。

（別紙）

病原性大腸菌の予防対策等について

1　病原性大腸菌とは

大腸菌は、正常な人の腸にも存在する細菌ですが、最近、数県において発生し、死亡者まで出している大腸菌は、病原性大腸菌O—157と分類されています（正確には、死亡者を出すような毒性の強い菌は「大腸菌O—157：H７」と細かく分類されています。）。この菌による下痢は、はじめは水様性ですが、後には、出血性となることがあることから、腸管出血性大腸菌とも呼ばれています。

この菌は、ベロ毒素と言われる毒素を産生することが特徴で、これにより腎臓や脳に重篤な障害をきたすことがあり、菌の感染力や毒力は、赤痢菌なみと言われています。

これまで我が国で報告されている死者は、全て乳幼児及び小児ですので、乳幼児、小児や基礎疾患を有する高齢者の方（以下「乳幼児等」と略します。）では、重症に至る場合もあるので、特に注意を要します。なお、本菌は家畜等の糞便中に見つかることがあります。

2　我が国での発生状況等について

この菌は、アメリカで1982年ハンバーガーを原因とする集団下痢症が起こったときに、はじめて患者の糞便から見つかりました。

日本においては、1990年に埼玉県浦和市の幼稚園で汚染された井戸水により死者２名を含む268名に及ぶ集団発生が報告された以降、注意を要する食中毒の原因菌として知られています。

平成７年度までに、我が国でもこの菌により10件の集団食中毒等の事例が報告されて、合計３名の死者が出ています。

3　予防対策は

本菌を含む家畜あるいは感染者の糞便等により汚染された食品や水（井戸水等）の飲食による経口感染がほとんどですが、この菌は、他の食中毒菌と同様熱に弱く、加熱により死滅します。また、どの消毒剤でも容易に死滅します。なお、以下のことを行えば、感染を最小限に食い止められますので、心配はいりません。

⑴　感染予防には、以下のことが有効です。

①　食品の保存、運搬、調理に当っては、衛生的に取り扱い、かつ、本菌による汚染が心配されるものについては、十分な加熱を行ってください。

②　食品を扱う場合には、手や調理器具を流水で十分に洗ってください。

③　飲料水の衛生管理に気を付けてください。特に、井戸水や受水槽の取り扱いに当っては、注意してください。

⑵　なお、万一、出血を伴う下痢を生じた場合には、以下の事項に気を付けてください。

①　ただちにかかりつけの医師の診察を受け、その指示に従ってください。乳幼児等は特に注意してください。

②　患者の糞便を処理する時には、ゴム手袋を使用する等衛生的に処理してください。また、患者の糞便に触れた時には、触れた部分を逆性石鹸や70％アルコールで消毒した後、流水で十分洗い流してください。

③　患者の糞便に汚染された衣服等は、煮沸や薬剤で消毒したうえで、家族のものとは別に洗濯し、天日で十分に乾かしてください。

⑶　患者がお風呂を使用する場合には乳幼児等との混浴を控えてください。

○社会福祉施設における衛生管理について

〔平成９年３月31日　社援施第65号
各都道府県・各指定都市・各中核市民生主管部(局)長宛
厚生省大臣官房障害保健福祉部企画・社会・援護局施設人材・老人保健福祉局老人福祉計画・児童家庭局企画課長連名通知〕

今般、食品衛生調査会の意見具申を踏まえ、当省生活衛生局において「大量調理施設衛生管理マニュアル」ほかを作成したこと等について、別紙のとおり当省生活衛生局長から通知されたところである。

この「大量調理施設衛生管理マニュアル」は、同一メニューを１回300食以上又は１日750食以上を提供する調理施設に適用するものであるが、社会福祉施設における食中毒を予防するため、適用されない社会福祉施設についても、可能な限り本マニュアルに基づく衛生管理に努められるよう管下の社会福祉施設に対して周知願いたい。

なお、「社会福祉施設における衛生管理について」(平成８年９月24日社援施第143号本職通知）は廃止する。

（別　紙）

大規模食中毒対策等について

〔平成９年３月24日　衛食第85号
各都道府県知事・各政令市市長・各特別区区長宛　厚生省生活衛生局長通知〕

注　平成31年３月29日生食発0329第17号改正現在

食中毒予防対策については、日頃より格別の御尽力を頂いているところであるが、近年の食中毒事件の大規模化傾向、昨年の腸管出血性大腸菌Ｏ157による食中毒事件の続発等に対応し、大規模食中毒の発生を未然に防止するとともに、食中毒事件発生時の食中毒処理の一層の迅速化・効率化を図るため、今般、食品衛生調査会の意見具申を踏まえ、別添のとおり、大量調理施設衛生管理マニュアル及び食中毒調査マニュアルを作成するとともに、下記のとおり、食中毒処理要領の一部を改正したので通知する。

貴職におかれては、大規模食中毒の発生を未然に防止するため、大量調理施設衛生管理マニュアルに基づき、貴管下の集団給食施設、弁当屋・仕出し屋等営業施設等の監視指導の徹底を図るとともに、食中毒処理要領及び食中毒調査マニュアルに基づき、食中毒発生時の原因究明に万全を期するようお願いする。

なお、「学校給食施設における衛生管理について」(平成８年８月16日衛食第219号生活衛生局長通知）は廃止する。また、今後、「病原性大腸菌Ｏ－157」は「腸管出血性大腸菌Ｏ157」と統一して表記することとしたので御了知願いたい。

記

「食中毒処理要領の改正について」（昭和39年７月13日環発第214号厚生省環境衛生局長通知）の一部を次のように改正する。

次のよう　略

（別　添）

大量調理施設衛生管理マニュアル

Ⅰ　趣旨

本マニュアルは、集団給食施設等における食中毒を予防するために、ＨＡＣＣＰの概念に基づき、調理過程における重要管理事項として、

①　原材料受入れ及び下処理段階における管理を徹底すること。

②　加熱調理食品については、中心部まで十分加熱し、食中毒菌等（ウイルスを含む。以下同じ。）を死滅させること。

③　加熱調理後の食品及び非加熱調理食品の２次汚染防止を徹底すること。

④　食中毒菌が付着した場合に菌の増殖を防ぐため、原材料及び調理後の食品の温度管理を徹底すること。

等を示したものである。

集団給食施設等においては、衛生管理体制を確立し、これらの重要管理事項について、点検・記録を行うとともに、必要な改善措置を講じる必要がある。また、これを遵守するため、更なる衛生知識の普及啓発に努める必要がある。

なお、本マニュアルは同一メニューを１回300食以上又は１日750食以上を提供する調理施設に適用する。

Ⅱ　重要管理事項

1　原材料の受入れ・下処理段階における管理

(1)　原材料については、品名、仕入元の名称及び所在地、生産者（製造又は加工者を含む。）の名称及び所在地、ロットが確認可能な情報（年月日表示又はロット番号）並びに仕入れ年月日を記録し、１年間保管すること。

(2)　原材料について納入業者が定期的に実施する微生物及び理化学検査の結果を提出させること。その結果については、保健所に相談するなどして、原材料として不適と判断した場合には、納入業者の変更等適切な措置を講じること。検査結果については、１年間保管すること。

(3)　加熱せずに喫食する食品（牛乳、発酵乳、プリン等容器包装に入れられ、かつ、殺菌された

食品を除く。）については、乾物や摂取量が少ない食品も含め、製造加工業者の衛生管理の体制について保健所の監視票、食品等事業者の自主管理記録票等により確認するとともに、製造加工業者が従事者の健康状態の確認等ノロウイルス対策を適切に行っているかを確認すること。

(4) 原材料の納入に際しては調理従事者等が必ず立ち会い、検収場で品質、鮮度、品温（納入業者が運搬の際、別添１に従い、適切な温度管理を行っていたかどうかを含む。）、異物の混入等につき、点検を行い、その結果を記録すること。

(5) 原材料の納入に際しては、缶詰、乾物、調味料等常温保存可能なものを除き、食肉類、魚介類、野菜類等の生鮮食品については１回で使い切る量を調理当日に仕入れるようにすること。

(6) 野菜及び果物を加熱せずに供する場合には、別添２に従い、流水（食品製造用水[注1]として用いるもの。以下同じ。）で十分洗浄し、必要に応じて次亜塩素酸ナトリウム等で殺菌[注2]した後、流水で十分すすぎ洗いを行うこと。特に高齢者、若齢者及び抵抗力の弱い者を対象とした食事を提供する施設で、加熱せずに供する場合（表皮を除去する場合を除く。）には、殺菌を行うこと。

注１：従前の「飲用適の水」に同じ。（「食品、添加物等の規格基準」（昭和34年厚生省告示第370号）の改正により用語のみ読み替えたもの。定義については同告示の「第１　食品　B　食品一般の製造、加工及び調理基準」を参照のこと。）

注２：次亜塩素酸ナトリウム溶液又はこれと同等の効果を有する亜塩素酸水（きのこ類を除く。）、亜塩素酸ナトリウム溶液（生食用野菜に限る。）、過酢酸製剤、次亜塩素酸水並びに食品添加物として使用できる有機酸溶液。これらを使用する場合、食品衛生法で規定する「食品、添加物等の規格基準」を遵守すること。

2　加熱調理食品の加熱温度管理

加熱調理食品は、別添２に従い、中心部温度計を用いるなどにより、中心部が75℃で１分間以上（二枚貝等ノロウイルス汚染のおそれのある食品の場合は85～90℃で90秒間以上）又はこれと同等以上まで加熱されていることを確認するとともに、温度と時間の記録を行うこと。

3　二次汚染の防止

(1) 調理従事者等（食品の盛付け・配膳等、食品に接触する可能性のある者及び臨時職員を含む。以下同じ。）は、次に定める場合には、別添２に従い、必ず流水・石けんによる手洗いによりしっかりと２回（その他の時には丁寧に１回）手指の洗浄及び消毒を行うこと。なお、使い捨て手袋を使用する場合にも、原則として次に定める場合に交換を行うこと。

① 作業開始前及び用便後

② 汚染作業区域から非汚染作業区域に移動する場合

③ 食品に直接触れる作業にあたる直前

④ 生の食肉類、魚介類、卵殻等微生物の汚染源となるおそれのある食品等に触れた後、他の食品や器具等に触れる場合

⑤ 配膳の前

(2) 原材料は、隔壁等で他の場所から区分された専用の保管場に保管設備を設け、食肉類、魚介類、野菜類等、食材の分類ごとに区分して保管すること。この場合、専用の衛生的なふた付き容器に入れ替えるなどにより、原材料の包装の汚染を保管設備に持ち込まないようにするとともに、原材料の相互汚染を防ぐこと。

(3) 下処理は汚染作業区域で確実に行い、非汚染作業区域を汚染しないようにすること。

(4) 包丁、まな板などの器具、容器等は用途別及び食品別（下処理用にあっては、魚介類用、食肉類用、野菜類用の別、調理用にあっては、加熱調理済み食品用、生食野菜用、生食魚介類用の別）にそれぞれ専用のものを用意し、混同しないようにして使用すること。

(5) 器具、容器等の使用後は、別添２に従い、全面を流水で洗浄し、さらに80℃、５分間以上の加熱又はこれと同等の効果を有する方法[注3]で十分殺菌した後、乾燥させ、清潔な保管庫を用いるなどして衛生的に保管すること。

なお、調理場内における器具、容器等の使用後の洗浄・殺菌は、原則として全ての食品が調理場から搬出された後に行うこと。

また、器具、容器等の使用中も必要に応じ、同様の方法で熱湯殺菌を行うなど、衛生的に使用すること。この場合、洗浄水等が飛散しないように行うこと。なお、原材料用に使用した器具、容器等をそのまま調理後の食品用に使用するようなことは、けっして行わないこと。

(6) まな板、ざる、木製の器具は汚染が残存する可能性が高いので、特に十分な殺菌[注4]に留意すること。なお、木製の器具は極力使用を控えることが望ましい。

(7) フードカッター、野菜切り機等の調理機械は、最低１日１回以上、分解して洗浄・殺菌[注5]し

た後、乾燥させること。

(8)　シンクは原則として用途別に相互汚染しないように設置すること。特に、加熱調理用食材、非加熱調理用食材、器具の洗浄等に用いるシンクを必ず別に設置すること。また、二次汚染を防止するため、洗浄・殺菌[注5]し、清潔に保つこと。

(9)　食品並びに移動性の器具及び容器の取り扱いは、床面からの跳ね水等による汚染を防止するため、床面から60cm以上の場所で行うこと。ただし、跳ね水等からの直接汚染が防止できる食缶等で食品を取り扱う場合には、30cm以上の台にのせて行うこと。

(10)　加熱調理後の食品の冷却、非加熱調理食品の下処理後における調理場等での一時保管等は、他からの二次汚染を防止するため、清潔な場所で行うこと。

(11)　調理終了後の食品は衛生的な容器にふたをして保存し、他からの二次汚染を防止すること。

(12)　使用水は食品製造用水を用いること。また、使用水は、色、濁り、におい、異物のほか、貯水槽を設置している場合や井戸水等を殺菌・ろ過して使用する場合には、遊離残留塩素が0.1mg／Ｌ以上であることを始業前及び調理作業終了後に毎日検査し、記録すること。

注３：塩素系消毒剤（次亜塩素酸ナトリウム、亜塩素酸水、次亜塩素酸水等）やエタノール系消毒剤には、ノロウイルスに対する不活化効果を期待できるものがある。使用する場合、濃度・方法等、製品の指示を守って使用すること。浸漬により使用することが望ましいが、浸漬が困難な場合にあっては、不織布等に十分浸み込ませて清拭すること。

（参考文献）「平成27年度ノロウイルスの不活化条件に関する調査報告書」

(http://www.mhlw.go.jp/file/06-Seisakujouhou-11130500-Shokuhinanzenbu/0000125854.pdf)

注４：大型のまな板やざる等、十分な洗浄が困難な器具については、亜塩素酸水又は次亜塩素酸ナトリウム等の塩素系消毒剤に浸漬するなどして消毒を行うこと。

注５：80℃で５分間以上の加熱又はこれと同等の効果を有する方法（注３参照）。

４　原材料及び調理済み食品の温度管理

(1)　原材料は、別添１に従い、戸棚、冷凍又は冷蔵設備に適切な温度で保存すること。

　また、原材料搬入時の時刻、室温及び冷凍又は冷蔵設備内温度を記録すること。

(2)　冷凍又は冷蔵設備から出した原材料は、速やかに下処理、調理を行うこと。非加熱で供される食品については、下処理後速やかに調理に移行すること。

(3)　調理後直ちに提供される食品以外の食品は、食中毒菌の増殖を抑制するために、10℃以下又は65℃以上で管理することが必要である。（別添３参照）

①　加熱調理後、食品を冷却する場合には、食中毒菌の発育至適温度帯（約20℃～50℃）の時間を可能な限り短くするため、冷却機を用いたり、清潔な場所で衛生的な容器に小分けするなどして、30分以内に中心温度を20℃付近（又は60分以内に中心温度を10℃付近）まで下げるよう工夫すること。

　この場合、冷却開始時刻、冷却終了時刻を記録すること。

②　調理が終了した食品は速やかに提供できるよう工夫すること。

　調理終了後30分以内に提供できるものについては、調理終了時刻を記録すること。また、調理終了後提供まで30分以上を要する場合は次のア及びイによること。

ア　温かい状態で提供される食品については、調理終了後速やかに保温食缶等に移し保存すること。この場合、食缶等へ移し替えた時刻を記録すること。

イ　その他の食品については、調理終了後提供まで10℃以下で保存すること。

　この場合、保冷設備への搬入時刻、保冷設備内温度及び保冷設備からの搬出時刻を記録すること。

③　配送過程においては保冷又は保温設備のある運搬車を用いるなど、10℃以下又は65℃以上の適切な温度管理を行い配送し、配送時刻の記録を行うこと。

　また、65℃以上で提供される食品以外の食品については、保冷設備への搬入時刻及び保冷設備内温度の記録を行うこと。

④　共同調理施設等で調理された食品を受け入れ、提供する施設においても、温かい状態で提供される食品以外の食品であって、提供まで30分以上を要する場合は提供まで10℃以下で保存すること。

　この場合、保冷設備への搬入時刻、保冷設備内温度及び保冷設備からの搬出時刻を記録すること。

(4) 調理後の食品は、調理終了後から2時間以内に喫食することが望ましい。

5 その他

(1) 施設設備の構造

① 隔壁等により、汚水溜、動物飼育場、廃棄物集積場等不潔な場所から完全に区別されていること。

② 施設の出入口及び窓は極力閉めておくとともに、外部に開放される部分には網戸、エアカーテン、自動ドア等を設置し、ねずみや昆虫の侵入を防止すること。

③ 食品の各調理過程ごとに、汚染作業区域(検収場、原材料の保管場、下処理場)、非汚染作業区域(さらに準清潔作業区域(調理場)と清潔作業区域(放冷・調製場、製品の保管場)に区分される。)を明確に区別すること。なお、各区域を固定し、それぞれを壁で区画する、床面を色別する、境界にテープをはる等により明確に区画することが望ましい。

④ 手洗い設備、履き物の消毒設備(履き物の交換が困難な場合に限る。)は、各作業区域の入り口手前に設置すること。

なお、手洗い設備は、感知式の設備等で、コック、ハンドル等を直接手で操作しない構造のものが望ましい。

⑤ 器具、容器等は、作業動線を考慮し、予め適切な場所に適切な数を配置しておくこと。

⑥ 床面に水を使用する部分にあっては、適当な勾配(100分の2程度)及び排水溝(100分の2から4程度の勾配を有するもの)を設けるなど排水が容易に行える構造であること。

⑦ シンク等の排水口は排水が飛散しない構造であること。

⑧ 全ての移動性の器具、容器等を衛生的に保管するため、外部から汚染されない構造の保管設備を設けること。

⑨ 便所等

ア 便所、休憩室及び更衣室は、隔壁により食品を取り扱う場所と必ず区分されていること。なお、調理場等から3m以上離れた場所に設けられていることが望ましい。

イ 便所には、専用の手洗い設備、専用の履き物が備えられていること。また、便所は、調理従事者等専用のものが設けられていることが望ましい。

⑩ その他

施設は、ドライシステム化を積極的に図ることが望ましい。

(2) 施設設備の管理

① 施設・設備は必要に応じて補修を行い、施設の床面(排水溝を含む。)、内壁のうち床面から1mまでの部分及び手指の触れる場所は1日に1回以上、施設の天井及び内壁のうち床面から1m以上の部分は1月に1回以上清掃し、必要に応じて、洗浄・消毒を行うこと。施設の清掃は全ての食品が調理場内から完全に搬出された後に行うこと。

② 施設におけるねずみ、昆虫等の発生状況を1月に1回以上巡回点検するとともに、ねずみ、昆虫の駆除を半年に1回以上(発生を確認した時にはその都度)実施し、その実施記録を1年間保管すること。また、施設及びその周囲は、維持管理を適切に行うことにより、常に良好な状態に保ち、ねずみや昆虫の繁殖場所の排除に努めること。

なお、殺そ剤又は殺虫剤を使用する場合には、食品を汚染しないようその取扱いに十分注意すること。

③ 施設は、衛生的な管理に努め、みだりに部外者を立ち入らせたり、調理作業に不必要な物品等を置いたりしないこと。

④ 原材料を配送用包装のまま非汚染作業区域に持ち込まないこと。

⑤ 施設は十分な換気を行い、高温多湿を避けること。調理場は湿度80%以下、温度は25℃以下に保つことが望ましい。

⑥ 手洗い設備には、手洗いに適当な石けん、爪ブラシ、ペーパータオル、殺菌液等を定期的に補充し、常に使用できる状態にしておくこと。

⑦ 水道事業により供給される水以外の井戸水等の水を使用する場合には、公的検査機関、厚生労働大臣の登録検査機関等に依頼して、年2回以上水質検査を行うこと。検査の結果、飲用不適とされた場合は、直ちに保健所長の指示を受け、適切な措置を講じること。なお、検査結果は1年間保管すること。

⑧ 貯水槽は清潔を保持するため、専門の業者に委託して、年1回以上清掃すること。なお、清掃した証明書は1年間保管すること。

⑨ 便所については、業務開始前、業務中及び業務終了後等定期的に清掃及び消毒剤による消毒を行って衛生的に保つこと[注6]。

⑩ 施設(客席等の飲食施設、ロビー等の共用施設を含む。)において利用者等が嘔吐した場合には、消毒剤を用いて迅速かつ適切に嘔

吐物の処理を行うこと[注6]により、利用者及び調理従事者等へのノロウイルス感染及び施設の汚染防止に努めること。

注６：「ノロウイルスに関するＱ＆Ａ」（厚生労働省）を参照のこと。

(3)　検食の保存

検食は、原材料及び調理済み食品を食品ごとに50ｇ程度ずつ清潔な容器（ビニール袋等）に入れ、密封し、－20℃以下で２週間以上保存すること。

なお、原材料は、特に、洗浄・殺菌等を行わず、購入した状態で、調理済み食品は配膳後の状態で保存すること。

(4)　調理従事者等の衛生管理

①　調理従事者等は、便所及び風呂等における衛生的な生活環境を確保すること。また、ノロウイルスの流行期には十分に加熱された食品を摂取する等により感染防止に努め、徹底した手洗いの励行を行うなど自らが施設や食品の汚染の原因とならないように措置するとともに、体調に留意し、健康な状態を保つように努めること。

②　調理従事者等は、毎日作業開始前に、自らの健康状態を衛生管理者に報告し、衛生管理者はその結果を記録すること。

③　調理従事者等は臨時職員も含め、定期的な健康診断及び月に１回以上の検便を受けること。検便検査[注7]には、腸管出血性大腸菌の検査を含めることとし、10月から３月までの間には月に１回以上又は必要に応じて[注8]ノロウイルスの検便検査に努めること。

④　ノロウイルスの無症状病原体保有者であることが判明した調理従事者等は、検便検査においてノロウイルスを保有していないことが確認されるまでの間、食品に直接触れる調理作業を控えるなど適切な措置をとることが望ましいこと。

⑤　調理従事者等は下痢、嘔吐、発熱などの症状があった時、手指等に化膿創があった時は調理作業に従事しないこと。

⑥　下痢又は嘔吐等の症状がある調理従事者等については、直ちに医療機関を受診し、感染性疾患の有無を確認すること。ノロウイルスを原因とする感染性疾患による症状と診断された調理従事者等は、検便検査においてノロウイルスを保有していないことが確認されるまでの間、食品に直接触れる調理作業を控えるなど適切な処置をとることが望ましいこと。

⑦　調理従事者等が着用する帽子、外衣は毎日専用で清潔なものに交換すること。

⑧　下処理場から調理場への移動の際には、外衣、履き物の交換等を行うこと。（履き物の交換が困難な場合には履き物の消毒を必ず行うこと。）

⑨　便所には、調理作業時に着用する外衣、帽子、履き物のまま入らないこと。

⑩　調理、点検に従事しない者が、やむを得ず、調理施設に立ち入る場合には、専用の清潔な帽子、外衣及び履き物を着用させ、手洗い及び手指の消毒を行わせること。

⑪　食中毒が発生した時の原因究明を確実に行うため、原則として、調理従事者等は当該施設で調理された食品を喫食しないこと。

ただし、原因究明に支障を来さないための措置が講じられている場合はこの限りでない。（試食担当者を限定すること等）

注７：ノロウイルスの検査に当たっては、遺伝子型によらず、概ね便１ｇ当たり10^5オーダーのノロウイルスを検出できる検査法を用いることが望ましい。ただし、検査結果が陰性であっても検査感度によりノロウイルスを保有している可能性を踏まえた衛生管理が必要である。

注８：ノロウイルスの検便検査の実施に当たっては、調理従事者の健康確認の補完手段とする場合、家族等に感染性胃腸炎が疑われる有症者がいる場合、病原微生物検出情報においてノロウイルスの検出状況が増加している場合などの各食品等事業者の事情に応じ判断すること。

(5)　その他

①　加熱調理食品にトッピングする非加熱調理食品は、直接喫食する非加熱調理食品と同様の衛生管理を行い、トッピングする時期は提供までの時間が極力短くなるようにすること。

②　廃棄物（調理施設内で生じた廃棄物及び返却された残渣をいう。）の管理は、次のように行うこと。

ア　廃棄物容器は、汚臭、汚液がもれないように管理するとともに、作業終了後は速やかに清掃し、衛生上支障のないように保持すること。

イ　返却された残渣は非汚染作業区域に持ち込まないこと。

ウ　廃棄物は、適宜集積場に搬出し、作業場に放置しないこと。

エ　廃棄物集積場は、廃棄物の搬出後清掃するなど、周囲の環境に悪影響を及ぼさないよう管理すること。

Ⅲ　衛生管理体制

1　衛生管理体制の確立

(1)　調理施設の経営者又は学校長等施設の運営管理責任者（以下「責任者」という。）は、施設の衛生管理に関する責任者（以下「衛生管理者」という。）を指名すること。

なお、共同調理施設等で調理された食品を受け入れ、提供する施設においても、衛生管理者を指名すること。

(2)　責任者は、日頃から食材の納入業者についての情報の収集に努め、品質管理の確かな業者から食材を購入すること。また、継続的に購入する場合は、配送中の保存温度の徹底を指示するほか、納入業者が定期的に行う原材料の微生物検査等の結果の提出を求めること。

(3)　責任者は、衛生管理者に別紙点検表に基づく点検作業を行わせるとともに、そのつど点検結果を報告させ、適切に点検が行われたことを確認すること。点検結果については、１年間保管すること。

(4)　責任者は、点検の結果、衛生管理者から改善不能な異常の発生の報告を受けた場合、食材の返品、メニューの一部削除、調理済み食品の回収等必要な措置を講ずること。

(5)　責任者は、点検の結果、改善に時間を要する事態が生じた場合、必要な応急処置を講じるとともに、計画的に改善を行うこと。

(6)　責任者は、衛生管理者及び調理従事者等に対して衛生管理及び食中毒防止に関する研修に参加させるなど必要な知識・技術の周知徹底を図ること。

(7)　責任者は、調理従事者等を含め職員の健康管理及び健康状態の確認を組織的・継続的に行い、調理従事者等の感染及び調理従事者等からの施設汚染の防止に努めること。

(8)　責任者は、衛生管理者に毎日作業開始前に、各調理従事者等の健康状態を確認させ、その結果を記録させること。

(9)　責任者は、調理従事者等に定期的な健康診断及び月に１回以上の検便を受けさせること。検便検査には、腸管出血性大腸菌の検査を含めることとし、10月から３月の間には月に１回以上又は必要に応じてノロウイルスの検便検査を受けさせるよう努めること。

(10)　責任者は、ノロウイルスの無症状病原体保有者であることが判明した調理従事者等を、検便検査においてノロウイルスを保有していないことが確認されるまでの間、食品に直接触れる調理作業を控えさせるなど適切な措置をとることが望ましいこと。

(11)　責任者は、調理従事者等が下痢、嘔吐、発熱などの症状があった時、手指等に化膿創があった時は調理作業に従事させないこと。

(12)　責任者は、下痢又は嘔吐等の症状がある調理従事者等について、直ちに医療機関を受診させ、感染性疾患の有無を確認すること。ノロウイルスを原因とする感染性疾患による症状と診断された調理従事者等は、検便検査においてノロウイルスを保有していないことが確認されるまでの間、食品に直接触れる調理作業を控えさせるなど適切な処置をとることが望ましいこと。

(13)　責任者は、調理従事者等について、ノロウイルスにより発症した調理従事者等と一緒に感染の原因と考えられる食事を喫食するなど、同一の感染機会があった可能性がある調理従事者等について速やかにノロウイルスの検便検査を実施し、検査の結果ノロウイルスを保有していないことが確認されるまでの間、調理に直接従事することを控えさせる等の手段を講じることが望ましいこと。

(14)　献立の作成に当たっては、施設の人員等の能力に余裕を持った献立作成を行うこと。

(15)　献立ごとの調理工程表の作成に当たっては、次の事項に留意すること。

ア　調理従事者等の汚染作業区域から非汚染作業区域への移動を極力行わないようにすること。

イ　調理従事者等の１日ごとの作業の分業化を図ることが望ましいこと。

ウ　調理終了後速やかに喫食されるよう工夫すること。

また、衛生管理者は調理工程表に基づき、調理従事者等と作業分担等について事前に十分な打ち合わせを行うこと。

(16)　施設の衛生管理全般について、専門的な知識を有する者から定期的な指導、助言を受けることが望ましい。また、従事者の健康管理については、労働安全衛生法等関係法令に基づき産業医等から定期的な指導、助言を受けること。

(17)　高齢者や乳幼児が利用する施設等においては、平常時から施設長を責任者とする危機管理体制を整備し、感染拡大防止のための組織対応を文書化するとともに、具体的な対応訓練を行っておくことが望ましいこと。また、従業員あるいは利用者において下痢・嘔吐等の発生を迅速に把握するために、定常的に有症状者数を調査・監視することが望ましいこと。

（別添１）原材料、製品等の保存温度

食品名	保存温度
穀類加工品（小麦粉、デンプン）	室温
砂糖	室温
食肉・鯨肉	10℃以下
細切した食肉・鯨肉を凍結したものを容器包装に入れたもの	−15℃以下
食肉製品	10℃以下
鯨肉製品	10℃以下
冷凍食肉製品	−15℃以下
冷凍鯨肉製品	−15℃以下
ゆでだこ	10℃以下
冷凍ゆでだこ	−15℃以下
生食用かき	10℃以下
生食用冷凍かき	−15℃以下
冷凍食品	−15℃以下
魚肉ソーセージ、魚肉ハム及び特殊包装かまぼこ	10℃以下
冷凍魚肉ねり製品	−15℃以下
液状油脂	室温
固形油脂 （ラード、マーガリン、ショートニング、カカオ脂）	10℃以下
殻付卵	10℃以下
液卵	８℃以下
凍結卵	−18℃以下
乾燥卵	室温
ナッツ類	15℃以下
チョコレート	15℃以下
生鮮果実・野菜	10℃前後
生鮮魚介類（生食用鮮魚介類を含む。）	５℃以下
乳・濃縮乳 脱脂乳 クリーム	10℃以下
バター チーズ 練乳	15℃以下
清涼飲料水 （食品衛生法の食品、添加物等の規格基準に規定のあるものについては、当該保存基準に従うこと。）	室温

（別添２）標準作業書

（手洗いマニュアル）

１　水で手をぬらし石けんをつける。

２　指、腕を洗う。特に、指の間、指先をよく洗う。（30秒程度）

３　石けんをよく洗い流す。（20秒程度）

４　使い捨てペーパータオル等でふく。（タオル等の共用はしないこと。）

５　消毒用のアルコールをかけて手指によくすりこむ。

（本文のⅡ３⑴で定める場合には、１から３までの手順を２回実施する。）

（器具等の洗浄・殺菌マニュアル）

１　調理機械

①　機械本体・部品を分解する。なお、分解した部品は床にじか置きしないようにする。

②　食品製造用水（40℃程度の微温水が望ましい。）で３回水洗いする。

③　スポンジタワシに中性洗剤又は弱アルカリ性洗剤をつけてよく洗浄する。

④　食品製造用水（40℃程度の微温水が望ましい。）でよく洗剤を洗い流す。

⑤　部品は80℃で５分間以上の加熱又はこれと同等の効果を有する方法で殺菌[注1]を行う。

⑥　よく乾燥させる。

⑦　機械本体・部品を組み立てる。

⑧　作業開始前に70％アルコール噴霧又はこれと同等の効果を有する方法で殺菌を行う。

２　調理台

①　調理台周辺の片づけを行う。

②　食品製造用水（40℃程度の微温水が望ましい。）で３回水洗いする。

③　スポンジタワシに中性洗剤又は弱アルカリ性洗剤をつけてよく洗浄する。

④　食品製造用水（40℃程度の微温水が望ましい。）でよく洗剤を洗い流す。

⑤　よく乾燥させる。

⑥　70％アルコール噴霧又はこれと同等の効果を有する方法で殺菌[注1]を行う。

⑦　作業開始前に⑥と同様の方法で殺菌を行う。

３　まな板、包丁、へら等

①　食品製造用水（40℃程度の微温水が望ましい。）で３回水洗いする。

②　スポンジタワシに中性洗剤又は弱アルカリ性洗剤をつけてよく洗浄する。

③　食品製造用水（40℃程度の微温水が望ましい。）でよく洗剤を洗い流す。

④　80℃で５分間以上の加熱又はこれと同等の効果を有する方法で殺菌[注2]を行う。

⑤　よく乾燥させる。

⑥　清潔な保管庫にて保管する。

４　ふきん、タオル等

①　食品製造用水（40℃程度の微温水が望ましい。）で３回水洗いする。

②　中性洗剤又は弱アルカリ性洗剤をつけてよく洗浄する。

③　食品製造用水（40℃程度の微温水が望ましい。）でよく洗剤を洗い流す。

④　100℃で５分間以上煮沸殺菌を行う。

⑤　清潔な場所で乾燥、保管する。

注１：塩素系消毒剤（次亜塩素酸ナトリウム、亜塩素酸水、次亜塩素酸水等）やエタノール系消毒剤には、ノロウイルスに対する不活化効果を期待できるものがある。使用する場合、濃度・方法等、製品の指示を守って使用すること。浸漬により使用することが望ましいが、浸漬が困難な場合にあっては、不織布等に十分浸み込ませて清拭すること。

（参考文献）「平成27年度ノロウイルスの不活化条件に関する調査報告書」
（http://www.mhlw.go.jp/file/06-Seisakujouhou-11130500-Shokuhinanzenbu/0000125854.pdf）

注２：大型のまな板やざる等、十分な洗浄が困難な器具については、亜塩素酸水又は次亜塩素酸ナトリウム等の塩素系消毒剤に浸漬するなどして消毒を行うこと。

（原材料等の保管管理マニュアル）

１　野菜・果物[注3]

①　衛生害虫、異物混入、腐敗・異臭等がないか点検する。異常品は返品又は使用禁止とする。

②　各材料ごとに、50ｇ程度ずつ清潔な容器（ビニール袋等）に密封して入れ、－20℃以下で２週間以上保存する。（検食用）

③　専用の清潔な容器に入れ替えるなどして、10℃前後で保存する。（冷凍野菜は－15℃以下）

④　流水で３回以上水洗いする。

⑤　中性洗剤で洗う。

⑥　流水で十分すすぎ洗いする。

⑦　必要に応じて、次亜塩素酸ナトリウム等[注4]で殺菌[注5]した後、流水で十分すすぎ洗いする。

⑧　水切りする。

⑨　専用のまな板、包丁でカットする。

⑩　清潔な容器に入れる。

⑪　清潔なシートで覆い（容器がふた付きの場合

を除く。)、調理まで30分以上を要する場合には、10℃以下で冷蔵保存する。

注3：表面の汚れが除去され、分割・細切されずに皮付きで提供されるみかん等の果物にあっては、③から⑧までを省略して差し支えない。

注4：次亜塩素酸ナトリウム溶液（200mg／Lで5分間又は100mg／Lで10分間）又はこれと同等の効果を有する亜塩素酸水（きのこ類を除く。)、亜塩素酸ナトリウム溶液（生食用野菜に限る。)、過酢酸製剤、次亜塩素酸水並びに食品添加物として使用できる有機酸溶液。これらを使用する場合、食品衛生法で規定する「食品、添加物等の規格基準」を遵守すること。

注5：高齢者、若齢者及び抵抗力の弱い者を対象とした食事を提供する施設で、加熱せずに供する場合（表皮を除去する場合を除く。）には、殺菌を行うこと。

2　魚介類、食肉類

①　衛生害虫、異物混入、腐敗・異臭等がないか点検する。異常品は返品又は使用禁止とする。

②　各材料ごとに、50ｇ程度ずつ清潔な容器（ビニール袋等）に密封して入れ、－20℃以下で2週間以上保存する。(検食用)

③　専用の清潔な容器に入れ替えるなどして、食肉類については10℃以下、魚介類については5℃以下で保存する。(冷凍で保存するものは－15℃以下)

④　必要に応じて、次亜塩素酸ナトリウム等[注6]で殺菌した後、流水で十分すすぎ洗いする。

⑤　専用のまな板、包丁でカットする。

⑥　速やかに調理へ移行させる。

注6：次亜塩素酸ナトリウム溶液（200mg／ℓで5分間又は100mg／ℓで10分間）又はこれと同等の効果を有する亜塩素酸水、亜塩素酸ナトリウム溶液（魚介類を除く。)、過酢酸製剤（魚介類を除く。)、次亜塩素酸水、次亜臭素酸水（魚介類を除く。）並びに食品添加物として使用できる有機酸溶液。これらを使用する場合、食品衛生法で規定する「食品、添加物等の規格基準」を遵守すること。

(加熱調理食品の中心温度及び加熱時間の記録マニュアル)

1　揚げ物

①　油温が設定した温度以上になったことを確認する。

②　調理を開始した時間を記録する。

③　調理の途中で適当な時間を見はからって食品の中心温度を校正された温度計で3点以上測定し、全ての点において75℃以上に達していた場合には、それぞれの中心温度を記録するとともに、その時点からさらに1分以上加熱を続ける（二枚貝等ノロウイルス汚染のおそれのある食品の場合は85～90℃で90秒間以上)。

④　最終的な加熱処理時間を記録する。

⑤　なお、複数回同一の作業を繰り返す場合には、油温が設定した温度以上であることを確認・記録し、①～④で設定した条件に基づき、加熱処理を行う。油温が設定した温度以上に達していない場合には、油温を上昇させるため必要な措置を講ずる。

2　焼き物及び蒸し物

①　調理を開始した時間を記録する。

②　調理の途中で適当な時間を見はからって食品の中心温度を校正された温度計で3点以上測定し、全ての点において75℃以上に達していた場合には、それぞれの中心温度を記録するとともに、その時点からさらに1分以上加熱を続ける（二枚貝等ノロウイルス汚染のおそれのある食品の場合は85～90℃で90秒間以上)。

③　最終的な加熱処理時間を記録する。

④　なお、複数回同一の作業を繰り返す場合には、①～③で設定した条件に基づき、加熱処理を行う。この場合、中心温度の測定は、最も熱が通りにくいと考えられる場所の1点のみでもよい。

3　煮物及び炒め物

調理の順序は食肉類の加熱を優先すること。食肉類、魚介類、野菜類の冷凍品を使用する場合には、十分解凍してから調理を行うこと。

①　調理の途中で適当な時間を見はからって、最も熱が通りにくい具材を選び、食品の中心温度を校正された温度計で3点以上（煮物の場合は1点以上）測定し、全ての点において75℃以上に達していた場合には、それぞれの中心温度を記録するとともに、その時点からさらに1分以上加熱を続ける（二枚貝等ノロウイルス汚染のおそれのある食品の場合は85～90℃で90秒間以上)。

なお、中心温度を測定できるような具材がない場合には、調理釜の中心付近の温度を3点以上（煮物の場合は1点以上）測定する。

②　複数回同一の作業を繰り返す場合にも、同様に点検・記録を行う。

（別添３）

調理後の食品の温度管理に係る記録の取り方について
（調理終了後提供まで30分以上を要する場合）

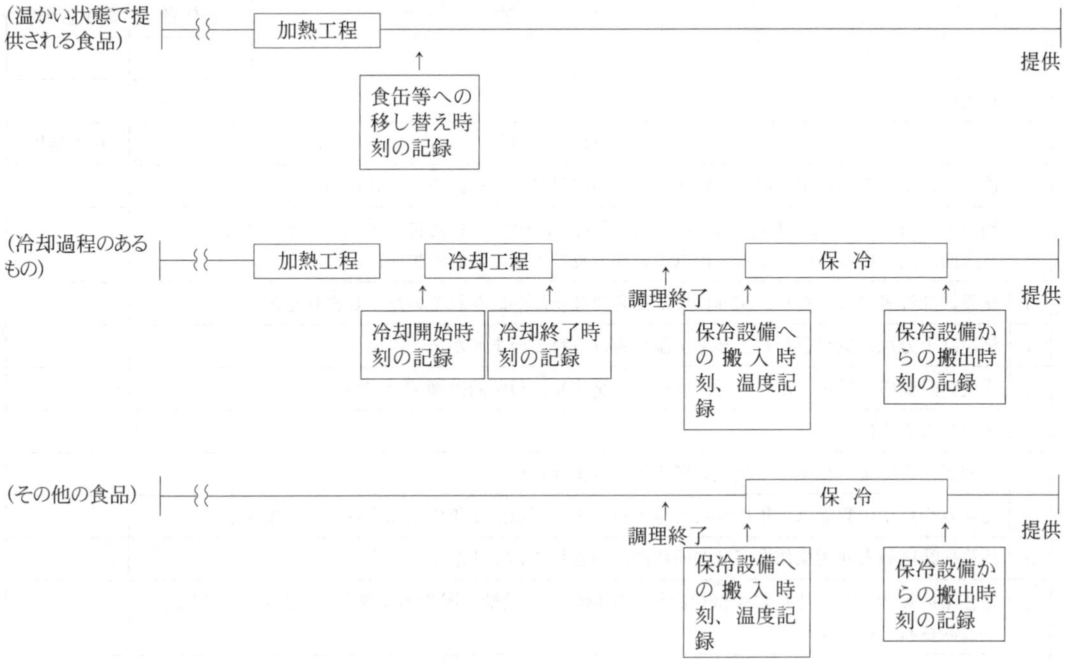

（別紙）

調理施設の点検表

平成　　年　　月　　日

責任者	衛生管理者

1　毎日点検

	点　検　項　目	点検結果
1	施設へのねずみや昆虫の侵入を防止するための設備に不備はありませんか。	
2	施設の清掃は、全ての食品が調理場内から完全に搬出された後、適切に実施されましたか。 （床面、内壁のうち床面から１m以内の部分及び手指の触れる場所）	
3	施設に部外者が入ったり、調理作業に不必要な物品が置かれていたりしませんか。	
4	施設は十分な換気が行われ、高温多湿が避けられていますか。	
5	手洗い設備の石けん、爪ブラシ、ペーパータオル、殺菌液は適切ですか。	

2　1か月ごとの点検

1	巡回点検の結果、ねずみや昆虫の発生はありませんか。	
2	ねずみや昆虫の駆除は半年以内に実施され、その記録が１年以上保存されていますか。	
3	汚染作業区域と非汚染作業区域が明確に区別されていますか。	
4	各作業区域の入り口手前に手洗い設備、履物の消毒設備（履物の交換が困難な場合に限る。）が設置されていますか。	
5	シンクは用途別に相互汚染しないように設置されていますか。	
	加熱調理用食材、非加熱調理用食材、器具の洗浄等を行うシンクは別に設置されていますか。	
6	シンク等の排水口は排水が飛散しない構造になっていますか。	
7	全ての移動性の器具、容器等を衛生的に保管するための設備が設けられていますか。	
8	便所には、専用の手洗い設備、専用の履物が備えられていますか。	
9	施設の清掃は、全ての食品が調理場内から完全に排出された後、適切に実施されましたか。 （天井、内壁のうち床面から１m以上の部分）	

3　3か月ごとの点検

1	施設は隔壁等により、不潔な場所から完全に区別されていますか。	
2	施設の床面は排水が容易に行える構造になっていますか。	
3	便所、休憩室及び更衣室は、隔壁により食品を取り扱う場所と区分されていますか。	

〈改善を行った点〉
〈計画的に改善すべき点〉

従事者等の衛生管理点検表

平成　　年　　月　　日

責任者	衛生管理者

氏名	下痢	嘔吐	発熱等	化膿創	服装	帽子	毛髪	履物	爪	指輪等	手洗い

<table>
<tr><th></th><th colspan="2">点検項目</th><th>点検結果</th></tr>
<tr><td>1</td><td colspan="2">健康診断、検便検査の結果に異常はありませんか。</td><td></td></tr>
<tr><td>2</td><td colspan="2">下痢、嘔吐、発熱などの症状はありませんか。</td><td></td></tr>
<tr><td>3</td><td colspan="2">手指や顔面に化膿創がありませんか。</td><td></td></tr>
<tr><td>4</td><td colspan="2">着用する外衣、帽子は毎日専用で清潔なものに交換されていますか。</td><td></td></tr>
<tr><td>5</td><td colspan="2">毛髪が帽子から出ていませんか。</td><td></td></tr>
<tr><td>6</td><td colspan="2">作業場専用の履き物を使っていますか。</td><td></td></tr>
<tr><td>7</td><td colspan="2">爪は短く切っていますか。</td><td></td></tr>
<tr><td>8</td><td colspan="2">指輪やマニキュアをしていませんか。</td><td></td></tr>
<tr><td>9</td><td colspan="2">手洗いを適切な時期に適切な方法で行っていますか。</td><td></td></tr>
<tr><td>10</td><td colspan="2">下処理から調理場への移動の際には外衣、履き物の交換（履き物の交換が困難な場合には、履き物の消毒）が行われていますか。</td><td></td></tr>
<tr><td>11</td><td colspan="2">便所には、調理作業時に着用する外衣、帽子、履き物のまま入らないようにしていますか。</td><td></td></tr>
<tr><td rowspan="3">12</td><td rowspan="3">調理、点検に従事しない者が、やむを得ず、調理施設に立ち入る場合には、専用の清潔な帽子、外衣及び履き物を着用させ、手洗い及び手指の消毒を行わせましたか。</td><td>立ち入った者</td><td>点検結果</td></tr>
<tr><td></td><td></td></tr>
<tr><td></td><td></td></tr>
</table>

〈改善を行った点〉
〈計画的に改善すべき点〉

原材料の取扱い等点検表

平成　　年　　月　　日

責任者	衛生管理者

①　原材料の取扱い（毎日点検）

	点　検　項　目	点検結果
1	原材料の納入に際しては調理従事者等が立ち会いましたか。	
	検収場で原材料の品質、鮮度、品温、異物の混入等について点検を行いましたか。	
2	原材料の納入に際し、生鮮食品については、１回で使い切る量を調理当日に仕入れましたか。	
3	原材料は分類ごとに区分して、原材料専用の保管場に保管設備を設け、適切な温度で保管されていますか。	
	原材料の搬入時の時刻及び温度の記録がされていますか。	
4	原材料の包装の汚染を保管設備に持ち込まないようにしていますか。	
	保管設備内での原材料の相互汚染が防がれていますか。	
5	原材料を配送用包装のまま非汚染作業区域に持ち込んでいませんか。	

②　原材料の取扱い（月１回点検）

	点　検　項　目	点検結果
	原材料について納入業者が定期的に実施する検査結果の提出が最近１か月以内にありましたか。	
	検査結果は１年間保管されていますか。	

③　検食の保存

	点　検　項　目	点検結果
	検食は、原材料（購入した状態のもの）及び調理済み食品（配膳後のもの）を食品ごとに50ｇ程度ずつ清潔な容器に密封して入れ、－20℃以下で２週間以上保存されていますか。	

〈改善を行った点〉
〈計画的に改善すべき点〉

検収の記録簿

平成　　年　　月　　日

責任者	衛生管理者

納品の時刻	納入業者名	品目名	生産地	期限表示	数量	鮮度	包装	品温	異物
:									
:									
:									
:									
:									
:									
:									
:									
:									

〈進言事項〉

調理器具等及び使用水の点検表

平成　　年　　月　　日

責任者	衛生管理者

① 調理器具、容器等の点検表

	点　検　項　目	点検結果
1	包丁、まな板等の調理器具は用途別及び食品別に用意し、混同しないように使用されていますか。	
2	調理器具、容器等は作業動線を考慮し、予め適切な場所に適切な数が配置されていますか。	
3	調理器具、容器等は使用後（必要に応じて使用中）に洗浄・殺菌し、乾燥されていますか。	
4	調理場内における器具、容器等の洗浄・殺菌は、全ての食品が調理場から搬出された後、行っていますか。（使用中等やむをえない場合は、洗浄水等が飛散しないように行うこと。）	
5	調理機械は、最低１日１回以上、分解して洗浄・消毒し、乾燥されていますか。	
6	全ての調理器具、容器等は衛生的に保管されていますか。	

② 使用水の点検表

採取場所	採取時期	色	濁り	臭い	異物	残留塩素濃度
						mg／L
						mg／L
						mg／L
						mg／L

③ 井戸水、貯水槽の点検表（月１回点検）

	点　検　項　目	点検結果
1	水道事業により供給される水以外の井戸水等の水を使用している場合には、半年以内に水質検査が実施されていますか。	
	検査結果は１年間保管されていますか。	
2	貯水槽は清潔を保持するため、１年以内に清掃が実施されていますか。	
	清掃した証明書は１年間保管されていますか。	

〈改善を行った点〉
〈計画的に改善すべき点〉

調理等における点検表

平成　　年　　月　　日

責任者	衛生管理者

① 下処理・調理中の取扱い

	点　検　項　目	点検結果
1	非汚染作業区域内に汚染を持ち込まないよう、下処理を確実に実施していますか。	
2	冷凍又は冷蔵設備から出した原材料は速やかに下処理、調理に移行させていますか。	
	非加熱で供される食品は下処理後速やかに調理に移行していますか。	
3	野菜及び果物を加熱せずに供する場合には、適切な洗浄（必要に応じて殺菌）を実施していますか。	
4	加熱調理食品は中心部が十分（75℃で１分間以上（二枚貝等ノロウイルス汚染のおそれのある食品の場合は85～90℃で90秒間以上）等）加熱されていますか。	
5	食品及び移動性の調理器具並びに容器の取扱いは床面から60cm以上の場所で行われていますか。（ただし、跳ね水等からの直接汚染が防止できる食缶等で食品を取り扱う場合には、30cm以上の台にのせて行うこと。）	
6	加熱調理後の食品の冷却、非加熱調理食品の下処理後における調理場等での一時保管等は清潔な場所で行われていますか。	
7	加熱調理食品にトッピングする非加熱調理食品は、直接喫食する非加熱調理食品と同様の衛生管理を行い、トッピングする時期は提供までの時間が極力短くなるようにしていますか。	

② 調理後の取扱い

	点　検　項　目	点検結果
1	加熱調理後、食品を冷却する場合には、速やかに中心温度を下げる工夫がされていますか。	
2	調理後の食品は、他からの二次感染を防止するため、衛生的な容器にふたをして保存していますか。	
3	調理後の食品が適切に温度管理（冷却過程の温度管理を含む。）を行い、必要な時刻及び温度が記録されていますか。	
4	配送過程があるものは保冷又は保温設備のある運搬車を用いるなどにより、適切な温度管理を行い、必要な時間及び温度等が記録されていますか。	
5	調理後の食品は２時間以内に喫食されていますか。	

③ 廃棄物の取扱い

	点　検　項　目	点検結果
1	廃棄物容器は、汚臭、汚液がもれないように管理するとともに、作業終了後は速やかに清掃し、衛生上支障のないように保持されていますか。	
2	返却された残渣は非汚染作業区域に持ち込まれていませんか。	
3	廃棄物は、適宜集積場に搬出し、作業場に放置されていませんか。	
4	廃棄物集積場は、廃棄物の搬出後清掃するなど、周囲の環境に悪影響を及ぼさないよう管理されていますか。	

〈改善を行った点〉
〈計画的に改善すべき点〉

食品保管時の記録簿

平成　　年　　月　　日

責任者	衛生管理者

① 原材料保管時

品　目　名	搬入時刻	搬入時設備内（室内）温度	品　目　名	搬入時刻	搬入時設備内（室内）温度

② 調理終了後30分以内に提供される食品

品　目　名	調理終了時刻	品　目　名	調理終了時刻

③ 調理終了後30分以上に提供される食品

ア　温かい状態で提供される食品

品　目　名	食缶等への移し替え時刻

イ　加熱後冷却する食品

品　目　名	冷却開始時刻	冷却終了時刻	保冷設備への搬入時刻	保冷設備内温度	保冷設備からの搬出時刻

ウ　その他の食品

品　目　名	保冷設備への搬入時刻	保冷設備内温度	保冷設備からの搬出時刻

〈進言事項〉

食品の加熱加工の記録簿

平成　　年　　月　　日

責任者	衛生管理者

<table>
<tr><td>品　目　名</td><td colspan="3">No.1</td><td colspan="2">No.2
(No.1で設定した条件に基づき実施)</td></tr>
<tr><td rowspan="7">(揚げ物)</td><td>①　油温</td><td colspan="2">℃</td><td>油温</td><td>℃</td></tr>
<tr><td>②　調理開始時刻</td><td colspan="2">:</td><td colspan="2">No.3
(No.1で設定した条件に基づき実施)</td></tr>
<tr><td rowspan="3">③　確認時の中心温度</td><td>サンプルA</td><td>℃</td><td>油温</td><td>℃</td></tr>
<tr><td>B</td><td>℃</td><td colspan="2">No.4
(No.1で設定した条件に基づき実施)</td></tr>
<tr><td>C</td><td>℃</td><td>油温</td><td>℃</td></tr>
<tr><td>④　③確認後の加熱時間</td><td colspan="2"></td><td colspan="2">No.5
(No.1で設定した条件に基づき実施)</td></tr>
<tr><td>⑤　全加熱処理時間</td><td colspan="2"></td><td>油温</td><td>℃</td></tr>
</table>

<table>
<tr><td>品　目　名</td><td colspan="3">No.1</td><td colspan="2">No.2
(No.1で設定した条件に基づき実施)</td></tr>
<tr><td rowspan="6">(焼き物、蒸し物)</td><td>①　調理開始時刻</td><td colspan="2">:</td><td>確認時の中心温度</td><td>℃</td></tr>
<tr><td rowspan="3">②　確認時の中心温度</td><td>サンプルA</td><td>℃</td><td colspan="2">No.3
(No.1で設定した条件に基づき実施)</td></tr>
<tr><td>B</td><td>℃</td><td>確認時の中心温度</td><td>℃</td></tr>
<tr><td>C</td><td>℃</td><td colspan="2">No.4
(No.1で設定した条件に基づき実施)</td></tr>
<tr><td>③　②確認後の加熱時間</td><td colspan="2"></td><td>確認時の中心温度</td><td>℃</td></tr>
<tr><td>⑤　全加熱処理時間</td><td colspan="2"></td></tr>
</table>

<table>
<tr><td>品　目　名</td><td colspan="3">No.1</td><td colspan="3">No.2</td></tr>
<tr><td rowspan="2">(煮物)</td><td>①　確認時の中心温度</td><td>サンプル</td><td>℃</td><td>①　確認時の中心温度</td><td>サンプル</td><td>℃</td></tr>
<tr><td>②　①確認後の加熱時間</td><td colspan="2"></td><td>②　①確認後の加熱時間</td><td colspan="2"></td></tr>
<tr><td rowspan="4">(炒め物)</td><td rowspan="3">①　確認時の中心温度</td><td>サンプルA</td><td>℃</td><td rowspan="3">①　確認時の中心温度</td><td>サンプルA</td><td>℃</td></tr>
<tr><td>B</td><td>℃</td><td>B</td><td>℃</td></tr>
<tr><td>C</td><td>℃</td><td>C</td><td>℃</td></tr>
<tr><td>②　①確認後の加熱時間</td><td colspan="2"></td><td>②　①確認後の加熱時間</td><td colspan="2"></td></tr>
</table>

〈改善を行った点〉
〈計画的に改善すべき点〉

配送先記録簿

平成　　年　　月　　日

責任者	記録者

出発時刻		⇨	帰り時刻	

保冷設備への搬入時刻（　　：　　）
保冷設備内温度　　　（　　　　　）

配送先	配送先所在地	品目名	数量	配送時刻
				：
				：
				：
				：
				：
				：
				：
				：

〈進言事項〉

（別添）食中毒調査マニュアル　略

○児童福祉施設等における衛生管理の改善充実及び食中毒発生の予防について

〔平成９年６月30日　児企第16号
各都道府県・各指定都市・各中核市児童福祉主管部(局)長
宛　厚生省児童家庭局企画課長通知〕

児童福祉施設等（認可外保育施設を含む。）における衛生管理については、かねてから適正な指導をお願いしているところである。

しかしながら、本年の食中毒の発生をみると、昨年と同様に腸管出血性大腸菌（O157）による食中毒が多発しているところである。特に乳幼児は、腸管出血性大腸菌（O157）等に感染しやすく、また、重症化しやすいことから、児童福祉施設等においては、調理従事者だけでなくすべての職員が連携を図りつつ、下記の点に留意し、感染の予防に努めることが重要である。

また、社会福祉施設における衛生管理については、平成９年３月31日社援施第65号により同一メニューを１回300食以上又は１日750食以上を提供する調理施設以外の施設においても可能な限り大量調理施設衛生管理マニュアルに基づく衛生管理に努められるよう周知したところであるが、児童福祉施設等については、感染予防の実効を期するため、大量調理施設衛生管理マニュアルを参考にするとともに、当面別添参考資料Ⅰを参照するなどにより、管下の児童福祉施設等に対し衛生管理を徹底するよう指導されたい。

記

１　感染症予防のためには、手洗いの励行が重要かつ有効であり、児童、職員ともに手洗いの徹底を図ること。食事の直前及び排便又は排便の世話をした直後には、石鹸を使って流水で十分に手指を洗うこと。

２　特に、下痢便の排泄後又は下痢便の排泄の世話をした後は、直ちに石鹸を使って流水で十分に手指を洗った上で、消毒液で手指を消毒すること。

３　使用するタオルは、他人と共用しないこと。なお、タオルの個人専用化が難しい場合には、使い捨てペーパータオル等の利用も有効であること。

４　ビニールプール等を使用して水遊びをする際には、水に入る前に腰等を中心に体をよく洗うとともに、こまめに水の入れ替えを行うなど水の汚染防止に努めること。特に、下痢気味の児童等については、水に入れないよう十分注意すること。また、風呂で入浴する場合も、同様の扱いとすること。

５　保育所等においては、児童の健康状態等について日頃から家庭と緊密な情報交換を行い、入所施設においても帰宅訓練時等に家庭との情報交換に努めるとともに、嘱託医・保健所等との連携を図り、児童の健康管理に努めること。

また、一人ひとりの児童の健康を守るためには、家庭における健康管理が重要であることから、別添参考資料Ⅱを参照して保護者に対する食中毒予防等の注意喚起を行うこと。

（参考資料Ⅰ）

１　調理室等の汚染防止について

大量調理施設衛生管理マニュアル（以下「マニュアル」という。）Ⅱ―３―⑶のとおり汚染作業区域（検収場、原材料の保管場、下処理場）と非汚染作業区域（さらに準清潔作業区域（調理場）と清潔作業区域（放冷・調製場、製品の保管場）に区分される。）を明確に区分することがどうしても難しい場合には、下処理済のもの（例えば野菜に付いている土を洗い落としたもの）を購入するなどにより、食材を通して調理室内が汚染される危険性の高い作業の減少を図り、調理室等の非汚染作業区域の汚染を防止するよう工夫すること。

２　シンクの清潔確保について

マニュアルⅡ―３―⑻のとおりシンクを用途別に各々設けることがどうしても難しい場合には、調理工程を汚染作業（食材の検収・保管・下処理）と非汚染作業（調理・盛り付け等）とに分け、汚染作業から非汚染作業に移るときは、下記の作業手順によりシンクを洗浄消毒すること。また、加熱調理用食材の洗浄作業から非加熱調理用食材の洗浄作業へ移るときも、同様の方法でシンクを必ず洗浄消毒し、シンクを通じて食材が汚染されないように十分注意するとともに、洗浄水等がシンク以外に飛散しないように留意すること。

（シンクの洗浄消毒作業手順）

①　飲用適の水（40℃程度の微温水が望ましい。）で３回水洗いする。

②　スポンジタワシに中性洗剤又は弱アルカリ性洗剤をつけてよく洗浄する。

③　飲用適の水（40℃程度の微温水が望ましい。）でよく洗剤を洗い流す。

④　水分をペーパータオル等で十分拭き取る。

⑤　70％アルコール噴霧又はこれと同等の効果を有する方法で殺菌を行う。

3　汚染作業区域と非汚染作業区域の区別等について

マニュアルⅡ―5―⑴―③④によれば調理室内において汚染作業区域と非汚染作業区域を明確に区別し、手洗い施設、履き物の消毒施設を各区域の入口手前に設けることとあるが、これがどうしても難しい場合には、調理工程の見直しを図り、汚染作業と非汚染作業を明確に区分し、食材の相互汚染を防止すること。なお、洗浄消毒作業を行う際には、洗浄水等が飛散しないように留意すること。

また、調理済食品が汚染されないように清潔作業区域を確保し、盛り付け・配膳後の食品等にハエ等が触れることのないよう十分注意すること。

4　調理器具・食器等の衛生的な保管について

マニュアルⅡ―5―⑴―⑧のとおり外部から汚染されない構造の保管設備を設けることにより清潔な環境の保持及び作業の軽減が図られるところであるが、食器消毒保管庫等を直ちに設置することがどうしても難しい場合には、調理器具・食器等の消毒を行い、乾燥させた上で清潔な場所に保管すること。なお、ネズミ・ゴキブリ・ハエ等が調理器具・食器等に触れることのないよう十分注意すること。

5　原材料等の保管管理の徹底について

原材料等の保管管理については、下記の原材料等の保管管理手順に沿って行い、温度の記録については、少なくとも①原材料の保管温度は適切であったか、②調理が終了した食品を速やかに提供したか、③調理終了後30分を超えて提供される食品の保存温度が適切であったかを実施献立表等に点検項目を設け、その適否を記録しておくこと。

（原材料等の保管管理手順）

⑴　野菜・果物

①　衛生害虫、異物混入、腐敗・異臭等がないか点検する。異常品は返品又は使用禁止とする。

②　各材料ごとに、50ｇ程度ずつ清潔な容器（ビニール袋等）に密封して入れ、－20℃以下で2週間以上保存する。（検食用）

③　専用の清潔な容器に入れ替えるなどして、10℃前後で保存する。（冷凍野菜は－15℃以下）

④　流水で3回以上水洗いする。

⑤　中性洗剤で洗う。

⑥　流水で十分すすぎ洗いする。

⑦　必要に応じて、次亜塩素酸ナトリウム等で殺菌した後、流水で十分すすぎ洗いする。

⑧　水切りする。

⑨　専用のまな板、包丁でカットする。

⑩　清潔な容器に入れる。

⑪　清潔なシートで覆い（容器がふた付きの場合を除く）、調理まで30分以上を要する場合には、10℃以下で冷蔵保存する。

⑵　魚介類、食肉類

①　衛生害虫、異物混入、腐敗・異臭等がないか点検する。異常品は返品又は使用禁止とする。

②　各材料ごとに、50ｇ程度ずつ清潔な容器（ビニール袋等）に密封して入れ、－20℃以下で2週間以上保存する。（検食用）

③　専用の清潔な容器に入れ替えるなどして、食肉類については10℃以下、魚介類については5℃以下で保存する（冷凍で保存するものは－15℃以下）。

④　専用のまな板、包丁でカットする。

⑤　速やかに調理へ移行させる。

6　加熱調理食品の加熱加工の徹底について

加熱調理食品の加熱加工については、中心部温度計を用いるなどして、中心部が75℃以上の温度で1分以上又はこれと同等以上まで加熱したかを確認し、実施献立表等に点検項目を設け、その適否を記録しておくこと。

（参考資料Ⅱ）

家庭でできる食中毒予防の6つのポイント―家庭で行うＨＡＣＣＰ（宇宙食から生まれた衛生管理）

1996年は、学校給食等が原因となった、過去に例を見ない規模の腸管出血性大腸菌Ｏ157による集団食中毒が多発しました。

1997年に入っても、家庭が原因と疑われる散発的な発生が続き、死亡した例も報告されています。

食中毒は家庭でも発生します。

食中毒というと、レストランや旅館などの飲食店での食事が原因と思われがちですが、毎日食べている家庭の食事でも発生していますし、発生する危険性がたくさん潜んでいます。

ただ、家庭での発生では症状が軽かったり、発症する人が1人や2人のことが多いことから風邪や寝冷えなどと思われがちで、食中毒とは気づかれず重症になったり、死亡する例もあります。

あなたの食事作りをチェックしてみましょう！

食中毒予防のポイントは6つです。

ポイント　1　食品の購入

ポイント　2　家庭での保存

ポイント　3　下準備

ポイント　4　調理
ポイント　5　食事
ポイント　6　残った食品

ポイント　1　食品の購入

■肉、魚、野菜などの生鮮食品は新鮮な物を購入しましょう。

■表示のある食品は、消費期限などを確認し、購入しましょう。

■購入した食品は、肉汁や魚などの水分がもれないようにビニール袋などにそれぞれ分けて包み、持ち帰りましょう。

■特に、生鮮食品などのように冷蔵や冷凍などの温度管理の必要な食品の購入は、買い物の最後にし、購入したら寄り道せず、まっすぐ持ち帰るようにしましょう。

ポイント　2　家庭での保存

■冷蔵や冷凍の必要な食品は、持ち帰ったら、すぐに冷蔵庫や冷凍庫に入れましょう。

■冷蔵庫や冷凍庫の詰めすぎに注意しましょう。めやすは、7割程度です。

■冷蔵庫は10℃以下、冷凍庫は、－15℃以下に維持することがめやすです。温度計を使って温度を計ると、より庫内温度の管理が正確になります。
細菌の多くは、10℃では増殖がゆっくりとなり、－15℃では増殖が停止しています。しかし、細菌が死ぬわけではありません。早めに使いきるようにしましょう。

■肉や魚などは、ビニール袋や容器に入れ、冷蔵庫の中の他の食品に肉汁などがかからないようにしましょう。

■肉、魚、卵などを取り扱う時は、取り扱う前と後に必ず手指を洗いましょう。せっけんを使い洗った後、流水で十分に洗い流すことが大切です。
簡単なことですが、細菌汚染を防ぐ良い方法です。

■食品を流し台の下に保存する場合は、水漏れなどに注意しましょう。また、直接床に置いたりしてはいけません。

ポイント　3　下準備

■台所を見渡してみましょう。
ゴミは捨ててありますか？　タオルやふきんは清潔なものと交換してありますか？　せっけんは用意してありますか？　調理台の上はかたづけて広く使えるようになっていますか？　もう一度、チェックをしましょう。

■井戸水を使用している家庭では、水質に十分注意してください。

■手を洗いましょう。

■生の肉、魚、卵を取り扱った後には、また、手を洗いましょう。途中で動物に触ったり、トイレに行ったり、おむつを交換したり、鼻をかんだりした後の手洗いも大切です。

■肉や魚などの汁が、果物やサラダなど生で食べる物や調理の済んだ食品にかからないようにしましょう。

■生の肉や魚を切った後、洗わずにその包丁やまな板で、果物や野菜など生で食べる食品や調理の終わった食品を切ることはやめましょう。
洗ってから熱湯をかけたのち使うことが大切です。包丁やまな板は、肉用、魚用、野菜用と別々にそろえて、使い分けるとさらに安全です。

■ラップしてある野菜やカット野菜もよく洗いましょう。

■冷凍食品など凍結している食品を調理台に放置したまま解凍するのはやめましょう。
室温で解凍すると、食中毒菌が増える場合があります。
解凍は冷蔵庫の中や電子レンジで行いましょう。また、水を使って解凍する場合には、気密性の容器に入れ、流水を使います。

■料理に使う分だけ解凍し、解凍が終わったらすぐ調理しましょう。
解凍した食品をやっぱり使わないからといって、冷凍や解凍を繰り返すのは危険です。冷凍や解凍を繰り返すと食中毒菌が増殖したりする場合もあります。

■包丁、食器、まな板、ふきん、たわし、スポンジなどは、使った後すぐに、洗剤と流水で良く洗いましょう。ふきんのよごれがひどい時には、清潔なものと交換しましょう。漂白剤に1晩つけ込むと消毒効果があります。
包丁、食器、まな板などは、洗った後、熱湯をかけたりすると消毒効果があります。たわしやスポンジは、煮沸すればなお確かです。

ポイント　4　調理

■調理を始める前にもう一度、台所を見渡してみましょう。
下準備で台所がよごれていませんか？　タオルやふきんは乾いて清潔なものと交換しましょう。そして、手を洗いましょう。

■加熱して調理する食品は十分に加熱しましょう。
加熱を十分に行うことで、もし、食中毒菌がいたとしても殺すことができます。めやすは、中心部の温度が75℃で1分間以上加熱することです。

■料理を途中でやめてそのまま室温に放置すると、

細菌が食品に付いたり、増えたりします。途中でやめるような時は、冷蔵庫に入れましょう。

再び調理をするときは、十分に加熱しましょう。

■電子レンジを使う場合は、電子レンジ用の容器、ふたを使い、調理時間に気を付け、熱の伝わりにくい物は、時々かき混ぜることも必要です。

ポイント　5　食事

■食卓に付く前に手を洗いましょう。

■清潔な手で、清潔な器具を使い、清潔な食器に盛りつけましょう。

■温かく食べる料理は常に温かく、冷やして食べる料理は常に冷たくしておきましょう。めやすは、温かい料理は65℃以上、冷やして食べる料理は10℃以下です。

■調理前の食品や調理後の食品は、室温に長く放置してはいけません。

例えば、O157は室温でも15～20分で２倍に増えます。

ポイント　6　残った食品

■残った食品を扱う前にも手を洗いましょう。

残った食品はきれいな器具、皿を使って保存しましょう。

■残った食品は早く冷えるように浅い容器に小分けして保存しましょう。

■時間が経ち過ぎたら、思い切って捨てましょう。

■残った食品を温め直す時も十分に加熱しましょう。めやすは75℃以上です。

味噌汁やスープなどは沸騰するまで加熱しましょう。

■ちょっとでも怪しいと思ったら、食べずに捨てましょう。口に入れるのは、やめましょう。

食中毒予防の三原則は、食中毒菌を「付けない、増やさない、殺す」です。「６つのポイント」はこの三原則から成っています。

これらのポイントをきちんと行い、家庭から食中毒をなくしましょう。

食中毒は簡単な予防方法をきちんと守れば予防できます。

それでも、もし、お腹が痛くなったり、下痢をしたり、気持ちが悪くなったりしたら、かかりつけのお医者さんに相談しましょう。

○社会福祉施設における保存食の保存期間等について

（平成８年７月25日　社援施第117号
各都道府県・各指定都市・各中核市民生主管部(局)長宛
厚生省大臣官房障害保健福祉部企画・社会・援護局施設人材・老人保健福祉局老人福祉計画・児童家庭局企画課長連名通知）

標記については、平成８年７月18日社施第115号「社会福祉施設における保存食の保存期間について」をもって、暫定的に保存食を１週間以上冷蔵保存すること等通知したところであるが、平成８年７月23日の食品衛生調査会の緊急提言を踏まえ、食中毒事件の原因究明のための徹底事項について当省生活衛生局長より別添１のとおり通知されたところである。また、遊泳用プールの衛生管理の徹底について当省生活衛生局企画課長より別添２のとおり、さらに、腸管出血性大腸菌による食中毒に係る二次感染予防の徹底について当省健康政策局計画課長、保健医療局エイズ結核感染症課長、生活衛生局食品保健課長より別添３のとおりそれぞれ通知されたところである。

ついては、貴職におかれても別添通知を了知の上、衛生部局と十分な連携を図り、次の事項について管下の社会福祉施設に対して周知徹底されたい。

なお、現在把握している社会福祉施設での食中毒の発生状況は参考のとおりであるが、乳幼児、小児や基礎疾患を有する高齢者が感染した場合、重症に至る場合もあるとのことであり、社会福祉施設における同様の事故の発生を防止することが重要であることから、正確な情報の把握と関係者に対する情報の提供を図るようお願いする。

今後、管下の社会福祉施設において同様の食中毒等が発生した場合には、状況を把握の上速やかに所管課まで連絡いただくようお願いする。

1　保存食の保存期間等について

社会福祉施設における保存食は、原材料及び調理済み食品を食品ごとに50ｇ程度ずつ清潔な容器（ビニール袋等）に密封して入れ、－20℃以下で２週間以上保存すること。

なお、原材料は、特に、洗浄・消毒等を行わず、購入した状態で保存すること。

2　遊泳用プールの衛生管理について

遊泳用プールを有する社会福祉施設においては、平成４年４月28日付け衛企第45号厚生省生活衛生局長通知「遊泳用プールの衛生基準について」及び同日付け衛企第46号厚生省生活衛生局企画課長通知

「遊泳用プールの衛生基準について」を遵守するよう周知すること。

3　二次感染予防について

平成８年７月23日付け健政計第28号、健医感発第75号、衛食第197号厚生省健康政策局計画課長、保健医療局エイズ結核感染症課長、生活衛生局食品保健課長連名通知「腸管出血性大腸菌による食中毒にかかる二次感染予防の徹底について」の内容を周知徹底すること。

（別添１）

食中毒事件の原因究明のための徹底事項について

〔平成８年７月25日　衛食第201号
各都道府県知事・各政令市市長・各特別区区長宛　厚生省生活衛生局長通知〕

食中毒事件の原因究明等には、日頃からご尽力いただいているところであるが、今般、平成８年７月23日の食品衛生調査会の緊急提言を踏まえ、病原性大腸菌Ｏ－157等による食中毒事件の原因の調査をより円滑かつ確実に実施するため、下記事項に留意の上、その実施に遺憾のないようにされたい。

このうち、検食の保存期間等については、特に学校給食等の集団給食施設、弁当屋、仕出し屋等の大量調理施設を対象として、早期に実施されるよう指導方お願いする。

記

1　検食の保存期間等について

検食は、原材料及び調理済み食品を食品ごとに50ｇ程度ずつ清潔な容器（ビニール袋等）に密封して入れ、－20℃以下で２週間以上保存すること。

なお、原材料は、特に、洗浄・消毒等を行わず、購入した状態で保存すること。

2　流通経路調査について

(1)　原因食品の究明については、既にその製造・加工施設、生産地等まで遡って、調査が実施されているところであるが、さらに流通段階ごとに収去検査を行い、原因食品の流通経路を早急に明らかにすること。

(2)　収去検査に当たっては、製造・加工施設等のふきとり検査も併せて行うこと。その際、施設、器具等のふきとりサンプリングだけでなく、排水溝や冷蔵庫の排水等の施設に関連する場所、また、必要に応じ、調理等従事者の検便等についても幅広くサンプリングの対象とすること。

(3)　流通経路の調査において、他の都道府県等に所在する施設等が流通に関与していることが判明した場合には、速やかに当該都道府県等に連絡すること。また、この連絡を受けた都道府県等は、当該施設等について所要の調査を行うこと。

（別添２）

遊泳用プールの衛生管理の徹底について

〔平成８年７月19日　衛企第83号
各都道府県・各政令市・各特別区衛生主管部（局）長宛
厚生省生活衛生局企画課長通知〕

遊泳用プールの衛生確保については、日頃より格別のご尽力を煩わせているところである。

さて、最近、病原性大腸菌Ｏ－157による感染症が多発しているが、遊泳用プールにおいては、その維持管理が適切であれば感染者からの二次感染のおそれはないと考えられる。しかし、平成８年１月29日付け衛企第10号本職通知「遊泳用プールの衛生水準の確保の状況等の調査について」により平成７年の遊泳用プールの衛生管理の状況について全国調査を実施した結果（途中経過）によると、遊離残留塩素濃度調査については13,535件中不適合が2,027件（不適合率15.0％）、大腸菌群数調査については11,198件中不適合が175件（不適合率1.6％）、遊離残留塩素濃度検査回数調査については11,749件中不適合が312件（不適合率2.7％）という状況であった。このように未だ遊泳用プールの衛生水準を満たしていないプールがあることは極めて憂慮すべき事態であり、今後夏休みに入り、遊泳用プールの利用が増えることが予想されることから、平成４年４月28日付け衛企第45号厚生省生活衛生局長通知「遊泳用プールの衛生基準について」及び同日付け衛企第46号本職通知「遊泳用プールの衛生基準について」に定める基準を遵守し、衛生管理に万全を期すよう貴管下の遊泳用プールの運営者に対するご指導方よろしくお願いする。

おって、平成７年遊泳用プール調査の結果については、まとまり次第送付することとしている。

（別添３）

腸管出血性大腸菌感染症に係る二次感染予防の徹底について

〔平成８年７月23日　健政計第28号・健医感発第75号・衛食第197号
各都道府県・各政令市・各特別区衛生主管部（局）長宛
厚生省健康政策局計画・保健医療局エイズ結核感染症・生活衛生局食品保健課長連名通知〕

注　平成８年８月12日健政計第35号・健医感発第87号・衛食第218号改正現在

標記感染症に係る二次感染予防については、格別のご尽力を煩わせているところであるが、今般大阪府堺市において二次感染を疑わせる患者が見受けられることから下記事項に留意の上、二次感染予防の徹底に万全を期するようお願いする。

記

1　患者等対策について

(1)　健康相談及び健康診断の周知

感染のおそれのために健康に不安がある者に対しては、保健所において、健康相談を受けられること及び健康診断により検便を受けられることを広く周知すること。

(2)　消毒方法に関する情報提供

次の(3)のイ　消毒等の実施についての消毒方法を分かりやすく患者（病原体保有者を含む。以下同じ。）又はその保護者等に情報提供すること。

(3)　日常生活の留意事項の周知

患者又はその保護者等に対し、次の留意事項を周知すること。

ア　手洗い等の励行について

(ア)　患者は、調理や食事の前及び用便後における流水による十分な手洗いと、逆性石鹸又は消毒用アルコールによる消毒を励行すること。

(イ)　患者と乳幼児が生活を共にする際は、特に手洗い等の励行に努めること。

イ　消毒等の実施について

(ア)　患者の糞便を処理するときは、ゴム手袋を使用する等衛生的に処理すること。特に乳幼児のおむつの交換時に保護者等が汚染を受けることがないよう十分気をつけること。なお、おむつは消毒を行い扱う場所を決めるなど衛生的な取扱いを行うこと。

(イ)　患者の糞便に触れた者は直ちに流水で十分に手洗いを行い、かつ、糞便に触れた部分を逆性石鹸又は消毒用アルコールで消毒をすること。

なお、患者の用便後は、水洗トイレのとっ手やドアのノブなど患者が触れた可能性のある部分の消毒を行うこと。

(ウ)　患者の糞便に汚染された衣服等は、煮沸や薬剤で消毒したうえで、家族の衣服等とは別に洗濯し、天日で十分に乾燥させること。

(エ)　患者の糞便が付着した物品等は、煮沸や薬剤で消毒を行うこと。

ウ　入浴等について

(ア)　患者が風呂を使用する場合には、混浴を避けるとともに、使用後に乳幼児を入浴させないこと。また、風呂の水は毎日換えること。

(イ)　患者等が家庭用のビニールプール等を使用する場合には、乳幼児と一緒の使用は避けるとともに、使用時毎に水を交換すること。

2　食品の取扱い等について

食品を取扱う際には、次の留意事項を遵守するように指導すること。

(1)　食品の保存、運搬及び調理に当たっては、衛生的な取扱いに十分注意すること。

(2)　患者のいる家庭では、病気が治るまでの間、野菜を含め、食品すべてに十分な加熱を行うこと。食品によっては、まわりが焼けていても中心部が加熱されていない場合があるので、薄くのばし、火がとおりやすい形にするなど調理の工夫を行うこと。

(3)　調理した食品は、なるべく保存を避け、速やかに食べること。なお、調理した食品を保存する場合は、低温で保存し細菌の増殖を防ぐこと。

(4)　食品を扱う場合には、手や調理器具を流水で十分に洗うこと。

(5)　生肉が触れたまな板、包丁、食器等は熱湯等で十分消毒し、手も洗うこと。また、消毒を行っていないまな板等は他の食品の調理に使用しないこと。

3　一般的な留意事項について

患者以外の者に対しても、帰宅時、用便後、食事前等には手洗いを励行するとともに、睡眠を十分に取り暴飲暴食を控える等により体調を整えるよう周知すること。

○腸管出血性大腸菌感染症の指定伝染病への指定等に伴う社会福祉施設における対応について

〔平成８年８月７日　社援施第122号
各都道府県・各指定都市・各中核市民生主管部(局)長宛
厚生省大臣官房障害保健福祉部企画・社会・援護局施設人材・老人保健福祉局老人福祉計画・児童家庭局企画課長連名通知〕

病原性大腸菌Ｏ－157による食中毒防止については、その徹底を図るようお願いしているところであるが、伝染病予防法第１条第２項に基づき、平成８年８月６日付け厚生省告示第199号により腸管出血性大腸菌感染症が同法により予防方法を施行すべき伝染病として指定されるとともに、関係省令が同日より施行されることとなったところであり、この件に関して当省保健医療局長より別添１のとおり、また、同局エイズ結核感染症課長及び生活衛生局食品保健課長より別添２のとおりそれぞれ通知されたところである。

社会福祉施設における主な留意点は、下記のとおりであるので、その取扱いに遺憾のないようご配意願うとともに、貴管下の社会福祉施設に対する周知方よろしくお取り計らい願いたい。

記

1　就業制限について

(1)　患者及び病原体保有者は、社会福祉施設において調理業務等、直接食品に接触する業務に従事することができなくなること。

ただし、就業制限の適用範囲がいたずらに拡大することのないよう留意すること。

従って、同じ職場内であっても、直接食品に接触する業務以外の業務に従事することは差し支えないこと。

(2)　就業制限は、菌陰性となった時点で、当然に適用対象から除外されるものであること。なお、具体的な判断基準については、別添２の課長通知の第３の３の３に掲げるとおりであること。

2　都道府県知事が行う予防措置としての健康診断等について

都道府県知事は、伝染病予防上必要と認める場合には、社会福祉施設に立入検査を行うこと及び健康診断（検便）を行うことができることとされているので、社会福祉施設において健康診断が実施される場合には、必要な協力を行うこと。

なお、別添１の局長通知により、食中毒が発生している地域においては、社会福祉施設における調理担当職員に対し優先的に検便を行うこととされているものであること。

3　患者及び保菌者への対応について

患者や保菌者であって社会福祉施設において調理業務等、直接食品に接触する業務に従事することができなくなった者に対して解雇等の不利益が生じないよう注意すること。

また、社会福祉施設の入所者や利用者である患者や保菌者についても差別的な取扱いが行われることのないよう十分配慮すること。

〔別添１〕

腸管出血性大腸菌感染症の指定伝染病への指定及び「腸管出血性大腸菌感染症について適用される伝染病予防法の規定等を定める省令」の施行について

〔平成８年８月６日　健医発第940号
各都道府県知事・各政令市市長・各特別区区長宛　厚生省保健医療局長通知〕

伝染病予防法第１条第２項の規定に基づき、平成８年８月６日付け厚生省告示第199号により腸管出血性大腸菌感染症が同法により予防方法を施行すべき伝染病として指定されるとともに、同日付けで、厚生省令第47号「腸管出血性大腸菌感染症について適用される伝染病予防法の規定等を定める省令」が公布、即日施行されることとなり、同日以降、本疾病には、伝染病予防法の一部の規定並びに伝染病予防法施行令及び伝染病予防法施行規則が適用されることとなった。

これら告示及び省令の要点、施行上の留意事項等は下記のとおりであるので、円滑な施行に万全を期されるよう御配意願うとともに、貴管下市町村、関係機関、関係団体に対する周知方よろしくお取り計らい願いたい。

記

第１　指定の趣旨

腸管出血性大腸菌感染症については、国際的にも例を見ない規模で全国で患者が発生しており、食中毒としてのみならず、感染症としての観点から、感染経路の究明と二次感染を防止することが急務であり、既に二次感染予防の徹底等につき各般の対策が取られているところであるが、同感染症の有する伝染性及び高い危険性並びにその予防対策の緊急性等に鑑み、伝染病予防法上の指定伝染病に指定し、その予防対策の強化を図ることとされたものであること。

また、今般の指定伝染病としての指定に当たっては、伝染病予防法の適用上患者等の人権に十分に配慮する必要があるとの公衆衛生審議会伝染病予防部会の意見を踏まえ、同法の規定のうちの患者の隔離、交通遮断等の規定については適用を除外し、一部の規定に限定した適用とされたものであること。

第2　告示及び省令の要点

1　伝染病予防法により予防方法を施行すべき伝染病を指定する告示について

伝染病予防法（以下「法」という。）第1条第2項の規定に基づき、腸管出血性大腸菌感染症が予防方法を施行すべき伝染病として指定されたこと。これにより、病原性大腸菌O－157を含め腸管出血性大腸菌による同感染症が対象となるものであること。

2　「腸管出血性大腸菌感染症について適用される伝染病予防法の規定等を定める省令」について

同省令は、腸管出血性大腸菌感染症について適用される法の規定を定めるとともに、同感染症に関する清潔方法及び消毒方法並びに患者の就業を制限する業務の範囲を定めるものであり、これにより具体的な法の適用は次のとおりとなること。

1　病原体保有者に対する法の適用

法第2条ノ2の規定により、病原体保有者に対しても法の適用が行われること。

2　病原体検査の請求

法第2条ノ3の規定により、病原体保有者又はその保護者は都道府県知事に対し病原体検査の請求ができること。

3　医師の届出

(1)　法第3条の規定により、医師に対し、患者又は病原体保有者と診断したとき等についての保健所長への届出の義務が課されることとなったこと。なお、法第3条のうち消毒方法の指示に係る部分については適用されないものであること。

(2)　医師の届出については、施行日（平成8年8月6日）以降に菌が検出されたものに限って適用があること。

(3)　法第4条の規定による世帯主の届出義務は適用されないこと。

4　消毒等の実施

(1)　法第16条の規定により、都道府県知事の指示に従い市町村は清潔方法及び消毒方法等の予防上必要な措置を行わなければならないこと。

(2)　消毒を行うべき場合において薬物消毒の方法によるときは、アルコール系消毒剤、界面活性剤系消毒剤、ビグアニド系消毒剤、塩素系消毒剤又はフェノール系消毒剤を用いなければならないこと。

(3)　清潔方法及び消毒方法については、他の伝染病について既に施行規則において定められている清潔方法及び消毒方法に準拠すること。

(4)　なお、この清潔方法及び消毒方法については、市町村が公共施設に対し行うものであり、法第5条の規定による家庭における清潔方法及び消毒方法の施行義務は適用されないこと。

5　就業制限

法第8条ノ2の規定により、患者及び病原体保有者は一定の業務に従事することができなくなること。また、腸管出血性大腸菌感染症について就業が制限される業務の範囲は、施行規則第31条第1項第1号に定める業務とされたこと。ただし、就業制限の運用に当たっては、人権尊重の観点から限定的に運用されるべきであること。

6　家宅等への立入り

法第14条の規定により、伝染病予防上必要と認めるときは当該吏員はその事由を管理人又は代理者等に告知して家宅、事業所等への立入りができること。これにより、例えば、食品の検査等を行うために必要な場合には立入りができるものであること。

7　都道府県知事が行う予防措置

法第19条第1項第1号、第5号及び第7号の規定により、都道府県知事は伝染病の予防上必要があると認めるときは次の措置を行うことができること。

(1)　健康診断等

(2)　伝染病毒伝播の媒介となる飲食物の販売、授受の禁止等の処分

(3)　井戸、受水槽等の使用停止その他の措置

8　特別区又は保健所設置市の特例

法第19条第2項の規定により、特別区又は保健所設置市においては、上記7の(1)から(3)に掲げる事項については、区長又は市長がこれを行うものとすること。

9　その他

(1)　法第15条（市町村の伝染病予防委員）、第18条ノ2（都道府県の防疫員）及び第19条ノ3（他の都道府県の防疫員による応援）の規定の適用があること。

(2) 法第17条ノ2の規定（市町村の家用水の供給義務）の適用があること。

(3) 法第21条から第25条までの規定（市町村、都道府県及び国の費用負担に関する規定）の適用があること。

(4) 法第20条（官立施設における予防措置の特例）、第28条（大都市等の特例）及び第28条ノ2（特別区の特例）の規定による予防措置を行う者の特例の適用があること。

(5) 法第28条ノ3の規定による再審査請求の適用があること。

(6) 法第29条から第31条までの規定による罰則の適用があること。

第3　施行上の留意事項

今般の指定伝染病としての指定に当たっては、患者及び保菌者の人権への配慮から法の規定のうち必要な規定のみに限定した適用とされたものであること。また、適用される規定の運用に当たっても、患者及び保菌者の人権に十分配慮し、プライバシーの保護に努めるとともに、患者及び保菌者への偏見や差別が生じないよう、広く啓発・周知を図ること。

1　就業制限に当たっての留意事項

1　法第8条ノ2に規定する就業制限は、人権尊重の観点から、直接に食品に接触する業務で、かつ、他に感染させる可能性が高いものに限定するものとし、適用範囲がいたずらに拡大することのないよう留意すべきこと。

2　従って、同じ職場内であっても、直接食品に接触する業務以外の業務に従事することは差し支えないこと。

3　保菌者は自分が菌陰性であることを証明するためにいつでも病原体検査の請求をなしうる旨の了知を徹底されたいこと。その結果、陰性が確認された者については、就業制限の必要はないこと。

2　家宅等への立入に当たっての留意事項

1　法第14条に規定する家宅等への立入は、伝染病予防上必要とされる場合に限って認められるものであること。

2　具体的には、感染源と疑われる食品の検査等を行うために必要な場合など、伝染病予防上必要な措置を行う目的で立入る場合に限って認められるものであり、必要のない施設に対してまで立入の権限を行使することのないよう、周知徹底されたいこと。

3　健康診断（検便）の実施に当たっての留意事項

1　検便の実施に当たっては、検査を受ける者の理解を十分得て行うこととし、検査を受ける者の人権を侵害することのないよう特に配慮すること。

2　二次感染を防止するため、次の事項を考慮して検便を行うこと。

(1) 食中毒が発生している地域においては、現に患者又は病原体保有者がいる家族を最優先し、次に感染源の広がりの状況を考慮した上で、食事・弁当等の提供施設や社会福祉施設、医療施設、学校等における調理担当職員を優先的に行うこと。

(2) それ以外の地域においては、伝染病予防上必要と認めるときに状況に応じて行うこと。

3　なお、感染源の究明のため、施設等への立入に伴って関係者への検便を行う必要が生じた場合には、法第19条第1項第1号の規定に基づいて検便を行うものであること。

4　検査の結果により陽性であった者に対しては、十分なインフォームド・コンセントのもとに、適切な医療措置を受けるべく勧奨を行い、二次感染防止への理解を求めること。

4　食品衛生所管部局と伝染病予防所管部局との連携

今回の指定伝染病への指定の趣旨に鑑み、食品衛生上の対策とあいまって、総合的な予防対策を講じることが必要であるので、食品衛生所管部局と伝染病予防所管部局とが密接な連携をとって対策を講ずべきであること。

〔別添2〕

腸管出血性大腸菌感染症防疫対策について

（平成8年8月6日　健医感発第82号・衛食第209号
各都道府県・各政令市・各特別区衛生主管部(局)長宛
厚生省保健医療局エイズ結核感染症・生活衛生局食品保健課長通知）

平成8年8月6日健医発第940号をもって、腸管出血性大腸菌感染症の指定伝染病への指定及び「腸管出血性大腸菌感染症について適用される伝染病予防法の規定等を定める省令」の施行について保健医療局長から通知したところであるが、その運用に当たっては下記の事項について御配慮願うとともに、貴管下市町村、関係機関、関係団体に対する周知方よろしくお取り計らい願いたい。

記

第1　腸管出血性大腸菌感染症の指定の趣旨

腸管出血性大腸菌感染症は、主に飲食物を介して感染するが、感染経路を特定することが困難であり、かつ、二次感染を起こすため、単なる食品衛生上の対応だけでは、十分な総合的防疫対策を講じることができない。このため、今回、指定伝染病として指定し、食品衛生上の対策と相俟って、効果的な防疫対策を講じることとしたこと。

なお、指定にあたっては、人権上の配慮から、伝染病予防法の必要最少限度の規定を適用することとしたこと。

従って、腸管出血性大腸菌感染症の防疫対策は、防疫関係者、食品衛生関係者等の緊密なる連携の下に行わなければならないものであること。また、住民が無用の不安・偏見等にとらわれたり、患者等の人権が損なわれることのないように、正しい知識の啓発普及活動には十分に留意されたいこと。あわせて、患者等のプライバシーの保護についても万全の注意を払われたいこと。

第2　腸管出血性大腸菌感染症の範囲及び確認方法

腸管出血性大腸菌感染症の範囲は、O－157をはじめとするベロ（Vero）毒素産生性の腸管出血性大腸菌による感染症であり、現在、O－157以外の原因菌としては、O－26、O－111などが報告されていること。ベロ毒素産生性か否かについては、菌型のみでは判断が困難であるので、ベロ毒素産生性を確認した上で、本症の確定を行うものとすること。

なお、集団発生事例に際しては、初期事例においてベロ毒素産生性が確認されている場合、同菌型による症例についてはベロ毒素産生性であるとみなして取り扱っても差し支えないこと。

第3　実施にあたっての留意点

1　普及啓発の徹底

国民への普及啓発については、平成8年7月23日付け健康政策局計画課長、保健医療局エイズ結核感染症課長、生活衛生局食品保健課長連名通知「腸管出血性大腸菌による食中毒に係る二次感染予防の徹底について」（健政計第28号、健医感発第75号、衛食第197号）の日常生活の留意事項の周知を徹底すること。

また、あわせて、二次感染防止の観点から、食品関係者、福祉施設関係者、学校給食関係者等に対し、食品衛生、社会福祉及び教育関係部局との連携の下に、予防対策実施のための普及啓発に努めること。

2　病原体保有者の取扱いについて

1　病原体保有者は、伝染病予防法第2条ノ3により、都道府県知事等に菌検査を請求できることとされていることから、病原体保有者から保健所に対して菌検査の請求があった場合は、都道府県知事等に対する請求がされたものとして取扱い、保健所において直ちに検便を行うこと。

2　病原体保有者であった者が、1回の検便で病原体が検出されなかった場合は、病原体保有者でないと見做してよいこと。

3　なお、病原体保有者に対する医療については、別添の「一次、二次医療機関のためのO－157感染症治療のマニュアル」も参考とされたいこと。

3　就業制限について

1　就業制限のしくみ

伝染病予防法第8条ノ2の定める就業制限は、都道府県知事等の命令を必要とすることなく、患者又は病原体保有者となったという事実が発生した時点で、法律上当然に発生する制限であること。

2　就業制限の遵守についての指導

就業制限の遵守の状況については、大規模な二次感染の発生を防止する観点から、当面、社会福祉施設、医療施設、学校及び1日通例250食以上食事・弁当等を提供する施設で確実に実施されるよう留意すること。

3　就業制限の期間

就業制限は、菌陰性となった時点で、当然に適用対象から除外されるものであること。具体的には、患者については、溶血性尿毒症症候群（HUS）等の合併症が残っていても、24時間以上の間隔を置いた連続2回（抗菌剤を投与した場合は、服薬中と服薬中止後48時間以上経過した時点の連続2回）の検便によって、いずれも病原体が検出されなければ、菌陰性が確認されたものとして就業制限の対象からは除外されること。病原体保有者については、1回の菌検査で菌陰性が確認されれば、同様に就業制限の対象からは除外されること。

4　健康診断（検便）の実施について

検便の実施に当たっては、平成8年8月6日付け厚生省保健医療局長通知「腸管出血性大腸菌感染症の指定伝染病への指定及び「腸管出血性大腸菌感染症について適用される伝染病予防法の規定等を定める省令」の施行について」（健医発第940号）第3の3によるほか次の点に留意すること。

1　前記局長通知第3の3の2の⑴にいう「食事・弁当等の提供施設」については、当面の間、1日通例250食以上食事・弁当等を提供する施設とすること。

2　検便の実施については、保健所は、検便の対象となる施設との連絡を密にし、十分な協力の下、適切な手段で検体の回収等を行うこと。

3　検査の必要性が生じた直近の時点において、既に菌検査を受け、陰性の結果を得た者については、検便の必要はないこと。

4　患者等のプライバシーを保護する観点から、保健所による検便の結果については、必ず書面により、本人にのみ通知すること。

5　保健所長は、検便の結果陽性であった者で、飲食物に直接手を触れる業務に従事している者の就業については、基本的には、本人と事業主との間で処理されるべき問題であるが、必要な場合には、本人の意思を確認した上で、事業主に説明をするなど、本人に解雇等の不利益が生じないよう適切な指導・助言を行われたいこと。

5　食品衛生所管部局と伝染病予防所管部局との連携について

本症については、原因菌が判明するまでの間は専ら食中毒事件として取り扱われることとなるが、腸管出血性大腸菌感染症と判明した後であっても、従来、食品衛生上の対策として講じなければならない対策については従前のとおりとし、食中毒の原因食品等又はその疑いのある食品等、患者又は病原体保有者により汚染された食品等又はその疑いのある食品等を問わず、食品等については、食品衛生部門において、食品衛生上の報告徴収、臨検検査、収去、営業許可の取消等の権限を行使するとともに、必要な指導を行うこととしているので、緊密な連携と役割分担の下でとり行うこと。

別添　略

○腸管出血性大腸菌感染症の指定伝染病への指定等に伴う保育所等における対応について

〔平成８年８月８日　児企発第26号
各都道府県・各指定都市・各中核市児童福祉主管部(局)長宛　厚生省児童家庭局企画・母子保健課長連名通知〕

腸管出血性大腸菌感染症の指定伝染病への指定等に伴う社会福祉施設における留意点については、「腸管出血性大腸菌感染症の指定伝染病への指定等に伴う社会福祉施設における対応について」平成８年８月７日社援施第122号により通知したところですが、保育所等児童福祉施設における具体的な対応方について別紙のとおり取りまとめましたので、管下市町村及び児童福祉施設に対して周知方よろしくお取り計らい願います。

別　紙

1　伝染病予防法が適用される場合の対応について

(1)　保育所等児童福祉施設の入所児又は調理員等が腸管出血性大腸菌感染症に罹患した場合に、施設を休園する必要はありません。

万が一保育所等において、腸管出血性大腸菌感染症に集団感染した場合は、休園するかどうかは施設長が市町村等と相談の上、適切な対応を取って下さい。

(2)　調理員その他の施設職員で腸管出血性大腸菌感染症に罹患した者（保菌者であることが明らかになった者を含む。）は、直接食品に触れる業務に就くことはできません。

なお、同じ職場で直接食品に接触する業務以外の業務に従事することは差し支えありません。

ただし、この場合でも児童へ接触する機会もあることから、用便後の逆性石けん等による手洗いの励行といった衛生管理には十分気をつけて下さい。

(3)　腸管出血性大腸菌感染症に罹患した場合でも、患者が隔離されたり、移動を制限されることはありません。

(4)　都道府県知事が必要と認める場合、保育所等への立入検査及び職員への検便を行うことができるとされておりますのでご協力下さい。

なお、腸管出血性大腸菌感染症が集団発生した地域では、当面、二次感染防止のため、患者の家族、学校、保育所等の施設、病院及び１日に250食以上の食事、弁当を提供する施設の調理員に対し優先的に検便を行うことになります。

この場合には、自己負担はありません。

検便は、保健所から連絡のあった時に施設ごとにまとめて実施することになっています。

また、最近医療機関で検便を行い、陰性であることがわかっている場合には、検便の必要はありません。

2　個々の保育所入所児への具体的対応について

(1)　激しい腹痛を伴う頻回の水様便または血便などの症状がある場合（下記①、②）

病原体の検出の有無にかかわらず、できるだけ早く医療機関で受診させて、主治医の指示に従って下さい。

(2)　激しい腹痛を伴う頻回の水様便または血便などの症状がない場合（下記③、④）

検便の結果、病原体が検出された場合、施設長は保護者から児童の身体の状況をよく聞き、むやみに登園を制限することのないように対応して下さい。（下記③）

病原体が検出されない場合、食事の前や用便の後における手洗いの励行など日常的な予防対策を徹底して下さい。（下記④）

(3)　いずれにしても、嘱託医又はかかりつけ医の指示に従い、日常的な予防対策を徹底して下さい。（下記①、②、③、④）

（参考）

	病原体が検出された場合	・病原体が検出されなかった場合 ・検査結果が出ていない場合 ・検査をしていない場合
症状あり	①できるだけ早く医療機関で受診させて、主治医の指示に従う	②できるだけ早く医療機関で受診させて、主治医の指示に従う
症状なし	③施設長は保護者から児童の身体の状	④食事の前や用便の後における手洗い

	況をよく聞き、むやみに登園を制限することのないように対応	の励行など日常的な予防対策を徹底する

3　その他

腸管出血性大腸菌感染症は、従来の法定伝染病・指定伝染病と違って患者の隔離の必要はありません。

また、二次感染は、調理や食事の前後及び用便後における手洗いの励行等日常的な予防対策で防止できるものであり、職員や保護者の方々のより一層の徹底をお願いします。

腸管出血性大腸菌感染症に対する正しい知識をお持ちいただき、いたずらに不安を抱かないように、また、患者及び病原体保有者であることを理由にいじめや不当な扱いを受けることがないよう、関係者のご理解とご協力を得られるよう努めて下さい。

○腸管出血性大腸菌感染症による患者の集団発生について

〔平成14年7月5日　健感発第0705001号・食監発第0705003号
各都道府県・各政令市・各特別区衛生主管部(局)長宛　厚生労働省健康局結核感染症・医薬局食品保健部監視安全課長連名通知〕

標記について、本年4月下旬に兵庫県等関西地区で焼肉チェーン店を原因とした集団発生の後、6月下旬以降、福岡市及び千葉県において患者の集団発生の報告があり、また一部の地域でも散発事例の増加が報告されているところである。

本感染症・食中毒の予防及び発生時の対策については、すでに関係通知等により所要の措置をお願いしてきたところであるが、さらに下記に掲げる事項について、万全を期すようよろしくお願いする。

記

1　集団給食施設や社会福祉施設等大量調理施設に対する食品の衛生的な取扱い、汚物の消毒等の予防対策に係るさらなる注意喚起等について、指導を徹底されたい。

2　貴管内における腸管出血性大腸菌感染症の発生動向に十分留意するとともに、患者及び無症状病原体保有者が確認された場合には、直ちに分離菌株を国立感染症研究所細菌第一部あて送付されたい。なお、当該自治体で菌のＤＮＡ分析を行う場合であっても、迅速に国立感染症研究所あて送付すること。

3　患者が発生した場合にあっては、

(1)　積極的に公表を行い広く注意喚起に努めること。

(2)　疫学調査、食品検査等の調査状況については、その結果のみならず経過についても迅速に厚生労働省結核感染症課及び監視安全課あてに情報を提供すること。

(参考通知等)

1　治療法等については、下記厚生労働省ホームページからも情報入手可能である。

(1)　「一次、二次医療機関のための腸管出血性大腸菌（Ｏ157等）感染症治療の手引き」(http://www1.mhlw.go.jp/houdou/0908/h0821-1.html)

(2)　「Ｏ157 Ｑ ＆ Ａ」(http://www1.mhlw.go.jp/o-157/o157q_a/index.html)

(3)　「家庭で出来る食中毒予防６つのポイント」(http://www1.mhlw.go.jp/houdou/0903/h0331-1.html)

2　と畜場等における衛生管理の徹底については、平成14年6月28日付監視安全課長通知食監発第0628001号を参照されたい。

3　食品関係営業者等に対する監視指導の強化については、平成14年6月20日付食品保健部長通知食発第0620004号を参照されたい。

○保育所等における衛生管理の自主点検の実施について

〔平成９年８月８日　児保第19号
各都道府県・各指定都市・各中核市児童福祉主管部(局)長宛　厚生省児童家庭局保育課長通知〕

保育所等（認可外保育施設を含む。）の運営指導の実施については、格段の配慮をいただいているところであり、特に衛生管理については、昨年来適正な指導をお願いしているところである。

さて、今般、平成９年８月８日社援施第117号厚生省大臣官房障害保健福祉部障害福祉課長、社会・援護局施設人材課長、老人保健福祉局老人計画課長、児童家庭局企画課長連名通知「社会福祉施設における衛生管理の自主点検の実施について」が施行されたところであるが、その取扱いについては、かねてよりお願いしているように認可外保育施設についても同様の取扱いであるので、管下施設に対し自主点検の実施につき指導されるようお願いする。

○社会福祉施設における衛生管理の自主点検の実施について

〔平成９年８月８日　社援施第117号
各都道府県・各指定都市・各中核市民生主管部(局)長宛
厚生省大臣官房障害保健福祉部障害福祉・社会・援護局施設人材・老人保健福祉局老人福祉計画・児童家庭局企画課長連名通知〕

社会福祉施設の運営指導については、平素から御尽力いただいているところであるが、昨年の腸管出血性大腸菌Ｏ157による食中毒の発生により、施設の衛生管理の徹底について、特に指導をお願いしているところである。

しかし、本年も昨年と同様に腸管出血性大腸菌Ｏ157等による食中毒が多発し、また、社会福祉施設においても発生している状況にある。

食中毒の発生は、昨年の例からも食中毒の多発する夏期を過ぎても急激な減少が見受けられないため、今後とも、引き続きその予防について徹底を図る必要がある。

ついては、管下社会福祉施設の食中毒予防とその意識高揚を一層図るため、衛生管理の自主点検を別紙「社会福祉施設における衛生管理の自主点検実施要領」に基づき、遺漏なく実施されるようお願いする。

（別　紙）

社会福祉施設における衛生管理の自主点検実施要領

1　目的

社会福祉施設が改めて衛生管理の自主点検を行うことにより、食中毒予防とその意識高揚を一層図ることを目的とする。

2　対象施設

社会福祉施設

3　実施期間

平成９年８月中の早い時期（実施日数は１日）

4　実施方法

⑴　調理施設の衛生管理に関する責任者が、上記の実施期間内に別添の「自主点検票」に基づき実施する。

⑵　自主点検を実施した施設は、その結果について当該施設を所管する都道府県、指定都市及び中核市（以下「都道府県等」という。）民生主管部（局）担当課に報告する。

⑶　都道府県等の民生主管部（局）担当課は、各施設からの報告を基に改善指導を行う。

また、都道府県等の民生主管部（局）担当課は、必要に応じて、都道府県等の衛生部局に情報を提供するなど連携を図る。

⑷　都道府県等の民生主管部（局）担当課は、改善の状況について確認する。

（別　添）

自主点検票

平成　　年　　月　　日

施設名（　　　　　　　）

1　施設・設備

	点　検　項　目	結果	備　考
1	調理施設は隔壁等により不潔な場所から完全に区別されていますか。		
2	便所、休憩室及び更衣室は隔壁により食品を取り扱う場所と区分されていますか。		
3	ねずみやこん虫の駆除は半年以内に実施され、その記録が保存されていますか。		
4	調理施設へのねずみやこん虫の侵入を防止するための設備に不備はありませんか。		
5	ねずみやこん虫の発生はありませんか。		
6	汚染作業区域と非汚染作業区域が明確に区別されていますか。		
	ただし、これにより難い場合は、下処理済みのものを購入するなどにより、食材を通して調理室内が汚染される危険性の高い作業の減少を図っていますか。	※	
7	各作業区域の入り口手前に手洗い設備、履き物の消毒設備（履き物の交換が困難な場合に限る。）が設置されていますか。		
	ただし、これにより難い場合は、調理工程の見直しを図り、汚染作業と非汚染作業を明確に区分し、食材の相互汚染を防止していますか。	※	
8	調理施設は十分な換気が行われ、高温多湿が避けられていますか。		
9	シンクは用途別に相互汚染しないように設置されていますか。		
	ただし、これにより難い場合は、調理工程を汚染作業と非汚染作業とに分け、汚染作業から非汚染作業に移るときはシンクを洗浄消毒していますか。	※	
	加熱調理用食材、非加熱調理用食材、器具の洗浄等を行うシンクは別に設置されていますか。		
	ただし、これにより難い場合は、調理工程を汚染作業と非汚染作業とに分け、汚染作業から非汚染作業に移るときはシンクを洗浄消毒していますか。	※	
10	シンク等の排水口は排水が飛散しない構造になっていますか。		
11	調理施設の床面は排水が容易に行える構造になっていますか。		
12	全ての移動性の器具、容器等を衛生的に保管するための設備が設けられていますか。		
	ただし、これにより難い場合は、調理器具・食器等の消毒を行い、乾燥させた上で清潔な場所に保管されていますか。	※	
13	調理施設の清掃は、全ての食品が調理施設内から完全に搬出された後、適切に実施されましたか。		
14	手洗い設備の石けん、爪ブラシ、ペーパータオル、殺菌液は適切ですか。		
15	調理施設に部外者が入ったり、調理作業に不必要な物品が置かれていたりしませんか。		
16	便所には、専用の手洗い設備、専用の履き物が備えられていますか。		

2　従事者等

	点　検　項　目	結果	備　考
1	健康診断、検便が適切に実施されていますか。		
2	着用する外衣、帽子は毎日専用で清潔なものに交換されていますか。		
3	作業場専用の履物を使用されていますか。		
4	手洗いを適切な時期に適切な方法で行われていますか。		
5	下処理から調理場への移動の際には外衣、履き物の交換（履き物の交換が困難な場合には、履物の殺菌）が行われていますか。		
6	便所には、調理作業時に着用する外衣、帽子、履き物のまま入らないようにされていますか。		

3　原材料の取扱い等

	点　検　項　目	結果	備　考
1	原材料について納入業者が定期的に実施する検査結果の提出が最近１か月以内にありましたか。		
	検査結果は１年間保管されていますか。		
2	原材料の納入に際しては調理従事者等が立ち会われていますか。		
	検収場で原材料の品質、鮮度、品温、異物の混入等について点検を行われましたか。		
3	原材料の納入に際し、生鮮食品については、１回で使い切る量を調理当日に仕入れられましたか。		
4	原材料は分類ごとに区分して、原材料専用の保管場に保管設備を設け、適切な温度で保管されていますか。		
	原材料の搬入時の時刻及び温度の記録がされていますか。		
5	原材料の包装の汚染（泥等）を保管設備に持ち込まないようにされていますか。		
	保管設備内での原材料の相互汚染が防がれていますか。		
6	非汚染作業区域内に汚染を持ち込まないよう、下処理が確実に実施されていますか。		
7	冷蔵庫又は冷凍庫から出した原材料は速やかに調理に移行させていますか。		
	非加熱で供される食品は下処理後速やかに調理に移行させていますか。		
8	原材料を配送用包装のまま調理場に持ち込まれていませんか。		

4　調理器具、容器等

	点　検　項　目	結果	備　考
1	包丁、まな板等の調理器具は用途別及び食品別に用意し、混同しないように使用されていますか。		

2	調理器具、容器等は作業動線を考慮し、予め適切な場所に適切な数が配置されていますか。		
3	調理器具、容器等は使用後（必要に応じて使用中）に洗浄・殺菌し、乾燥されていますか。		
4	調理場内における器具、容器等の洗浄・殺菌は、全ての食品が調理場から搬出された後、行われていますか。（使用中等やむを得ない場合は、洗浄水等が飛散しないように行うこと。）		
5	調理機械は、最低１日１回以上、分解して洗浄・消毒し、乾燥されていますか。		
6	全ての調理器具、容器等は衛生的に保管されていますか。		

5　使用水、井戸水、貯水槽等の点検表

	点　検　項　目	結果	備　考
1	水道事業により供給される水以外の井戸水等の水を使用する場合には、半年以内に水質検査が行われていますか。		
	検査結果は１年間保管されていますか。		
2	貯水槽は清潔を保持するため、１年以内に清掃されていますか。		
	清掃した証明書は１年間保管されていますか。		

6　調理等

	点　検　項　目	結果	備　考
1	野菜及び果物を加熱せずに供する場合には、適切な洗浄（必要に応じて殺菌）を実施されていますか。		
2	加熱調理食品は中心部が十分（75℃で１分間以上等）加熱されていますか。		
3	食品及び移動性の調理器具並びに容器の取扱いは床面から60cm以上の場所で行われていますか。（ただし、跳ね水等からの直接汚染が防止できる食缶等で食品を取り扱う場合には、30cm以上の台にのせて行うこと。）		
4	加熱調理後の食品の冷却、非加熱調理食品の下処理後における調理場等での一時保管等は清潔な場所で行われていますか。		
5	加熱調理食品にトッピングする非加熱調理食品は、直接喫食する非加熱調理食品と同様の衛生管理が行われ、トッピングする時期は提供までの時間が極力短くなるようにされていますか。		
6	加熱調理後、食品を冷却する場合には、速やかに中心温度を下げる工夫がされていますか。		
7	調理後の食品は衛生的な容器にふたをして、他からの２次汚染が防止されていますか。		
8	調理後の食品が適切に温度管理（冷却過程の温度管理を含む。）が行われ、必要な時刻及び温度が記録されていますか。		

9	配送過程があるものは保冷又は保温設備のある運搬車を用いるなどにより、適切な温度管理が行われ、必要な時間及び温度等が記録されていますか。		
10	調理後の食品は２時間以内に喫食されていますか。		

7　廃棄物の取扱い

	点　検　項　目	結果	備　考
1	廃棄物容器は、汚臭、汚液がもれないように管理するとともに、作業終了後は速やかに清掃し、衛生上支障のないように保持されていますか。		
2	返却された残渣は非汚染作業区域に持ち込まれていませんか。		
3	廃棄物は、適宜集積場に搬出し、作業場に放置されていませんか。		
4	廃棄物集積場は、廃棄物の搬出後清掃するなど、周囲の環境に悪影響を及ぼさないよう管理されていますか。		

8　検食の保存

	点　検　項　目	結果	備　考
	検食は、原材料（購入した状態のもの）及び調理済み食品を食品ごとに50ｇ程度ずつ清潔な容器に密封して入れ、－20℃以下で２週間以上保存されていますか。		

（記入方法）

1　点検結果は、結果欄に「○」又は「×」で記入する。ただし、※印の欄は上段の欄が「×」の場合記入する。また、結果欄が「×」の場合で、その理由があれば備考欄に記入する。

2　納入業者が零細事業主等で検査結果の提出が不可能なために、「３－１」を「×」と記入する場合には、その旨備考欄に記入すること。

○社会福祉施設における飲用井戸及び受水槽の衛生確保について

（平成８年７月19日　社援施第116号
各都道府県・各指定都市・各中核市民生主管部(局)長宛
厚生省大臣官房障害保健福祉部企画・社会・援護局施設人材・老人保健福祉局老人福祉計画・児童家庭局企画課長連名通知）

社会福祉施設の運営指導については、平素から御尽力いただいているところであるが、飲用井戸及び受水槽の衛生確保について当省生活衛生局より各都道府県・政令市・特別区衛生行政主管部（局）長あて別添のとおり通知されたところである。

ついては、貴職におかれても別添の通知を了知の上、衛生部局と連絡・連携を密にして、下記の事項について、必要に応じて管下の社会福祉施設に対して周知徹底されたい。

記

1　飲用井戸を設置している社会福祉施設の施設長に対し、井戸水中の大腸菌群を検査するよう周知すること。

2　受水槽を設置している社会福祉施設の施設長に対し、受水槽の水の残留塩素の有無について検査するよう周知すること。

（別　添）

飲用井戸及び受水槽の衛生確保について

（平成８年７月18日　衛企第81号・衛水第229号
各都道府県・各政令市・各特別区衛生行政主管部(局)長宛　厚生省生活衛生局企画・水道環境部水道整備課長連名通知）

注　平成16年３月30日健水発第0330004号改正現在

飲用井戸及び受水槽の衛生確保については、平素より種々ご尽力賜り厚くお礼申し上げます。

さて、最近、病原性大腸菌等による感染症が多発しておりますが、飲用井戸及び受水槽により供給される飲用水についても、それらの感染症の原因となる微生物の感染媒体となるおそれがあることから、管理の徹底を図ることが必要であります。

つきましては、「飲用井戸等衛生対策要領の実施について」（昭和62年１月29日衛水第12号厚生省生活衛生局長通知）によるほか、下記により飲用井戸及び受水槽の衛生確保に万全を期されるようお願いします。

なお、水道事業者における対策等については、別添１により水道行政主管部（局）長あて通知していることを申し添えます。

記

Ⅰ　飲用井戸対策

1　飲用井戸の設置者又は管理者に対し、井戸水中の大腸菌群を検査するよう周知すること。その際、検査が可能な保健所、衛生研究所、水道法第20条に規定する厚生労働大臣の登録を受けた者その他の検査実施機関の連絡先及び検査料金を情報として提供すること。特に、病院、学校、飲食店等多数の者が利用する飲用井戸については、関係部局と連絡・連携を密にして、大腸菌群の検査が確実に実施されるよう措置すること。なお、検査の実施について、別添２により全国給水衛生検査協会あて周知方依頼していること。

2　検査実施機関に対し、水質検査を行った場合にはその依頼者に結果を連絡するとともに、貴職あて結果を報告するよう指示又は依頼すること。

3　大腸菌群が検出された飲用井戸の利用者に対しては、その事実を周知するとともに、次の措置を講じられたいこと。

(1)　当該井戸の利用者が水道の給水区域内に居住している場合には、水道に接続するよう指導を徹底すること。また、接続されるまでの間は、煮沸してから飲用その他の経口で摂取する用途に使用するよう飲用指導を徹底すること。

(2)　当該井戸の利用者が水道の給水区域外に居住している場合には、煮沸してから飲用その他の経口で摂取する用途に使用するよう飲用指導を徹底すること。

4　貴職におかれては、当分の間、飲用井戸のリストを作成し、水質検査の実施状況、検査の結果、講じられた措置の内容をとりまとめておくとともに、別紙の集計表を月ごとに作成し、当職あて報告願いたいこと。

Ⅱ　受水槽対策

1　受水槽（建築物における衛生的環境の確保に関する法律に基づく特定建築物に設置されている貯水槽のうち簡易専用水道に該当しないものを除く。以下同じ。）の設置者又は管理者に対し、受水槽の水の残留塩素の有無について検査するよう周知すること。その際、検査が可能な保健所、衛生研究所、水道法第34条の２に規定する厚生労働大臣の登録を受けた者その他の検査実施機関の連絡先及び料金を情報として提供すること。なお、検査の実施について、別添２により全国給水衛生検査協会へ周知方依頼していること。

2　検査実施機関に対し、検査を行った場合にはその依頼者に結果を連絡するとともに、貴職あて結果を報告するよう指示又は依頼すること。

3　残留塩素が検出されない場合には、当該受水槽の設置者又は管理者に対し、以下の措置を早急に講ずるよう指導すること。

(1)　当該受水槽の清掃を行う。

(2)　受水槽に亀裂等がある場合には、直ちにその補修等を行い、補修等が不可能な場合又は亀裂等が大きな場合には、受水槽の改造、建て替え等を行う。

4　貴職におかれては、当分の間、受水槽のリストを作成し、残留塩素に係る検査の実施状況、検査結果、講じられた措置の内容をとりまとめておくとともに、別紙の集計表を月ごとに作成し、当職あて報告願いたいこと。

Ⅲ　建築物における衛生的環境の確保に関する法律に規定する特定建築物における給水の管理

1　建築物における衛生的環境の確保に関する法律に規定する特定建築物における給水の管理については、同法施行規則第４条各号に掲げる給水に関する衛生上必要な措置等に基づく管理を徹底するよう、特定建築物維持管理権原者に指導されたいこと。

2　貯水槽の掃除等に関しては、特に衛生上の配慮が必要と思料されるので、社団法人全国ビルメンテナンス協会等関係団体に別添３のとおり通知を発出していることを申し添えるとともに、関係者への周知方あわせてお願いしたいこと。

別添１～３　略

別　紙

飲用井戸及び受水槽の水質検査等の状況
（平成　年　月　日～　月　日）

都道府県＿＿＿＿＿＿＿　担当課＿＿＿＿＿＿＿　記入者氏名＿＿＿＿＿＿＿＿

対　　象	飲　用　井　戸	受　水　槽
設　　置　　数	（　年　月現在）	簡易専用水道； 上記以外の受水槽； 合　　　計　； （　年　月現在）
検　査　項　目	大腸菌群	残留塩素の有無
水質検査実施施設数	行政検査； 依頼検査； 合計；	簡易専用水道； 上記以外の受水槽； 合計；
水質に異常のあった施設数	給水区域内； 給水区域外； 合計；	簡易専用水道； 上記以外の受水槽； 合計；
対策の内容と実施した施設数	〈給水区域内〉 水道加入； 煮沸して飲用； その他； 合計； 〈給水外区域内〉 煮沸して飲用； 水道加入； その他； 合計；	清掃の実施； 水槽の補修； 水槽の改造； 建て替え； その他； 合計；

○児童福祉施設における冷却塔等の衛生確保について

〔平成８年９月19日　児企第30号
各都道府県・各指定都市・各中核市児童福祉主管部(局)長
宛　厚生省児童家庭局企画課長通知〕

児童福祉施設の運営指導については、平素よりご尽力いただいているところであるが、別添のとおり、平成８年９月13日付衛企第113号をもって、厚生省生活衛生局長より建築物における冷却塔等の衛生確保について通知されたところである。

ついては、貴職におかれても衛生部局と十分な連携を図り、管下の児童福祉施設に対して周知されたい。

別　添

建築物における冷却塔等の衛生確保について

〔平成８年９月13日　衛企第113号
各都道府県知事・各政令市市長宛　厚生省生活衛生局長通知〕

建築物における衛生的環境の確保に関する法律施行規則第３条第３項に規定する中央管理方式の空気調和設備等の維持管理については、昭和57年11月16日厚生省告示第194号「中央管理方式の空気調和設備等の維持管理及び清掃等に係る技術上の基準」、昭和58年３月18日環企第27号厚生省環境衛生局長通知及び昭和58年３月18日環企第28号厚生省環境衛生局長通知（以下「告示等」という。）において示しているところであるが、その維持管理が不適切な場合、冷却塔等においてレジオネラ属菌が繁殖する可能性がある。

先般、レジオネラ症により新生児が死亡した病院の給湯設備等からレジオネラ属菌が検出され、また今般、公共建築物の空調設備の冷却塔及び給湯設備においてもレジオネラ属菌が繁殖しているとの報告があったところである。このようなレジオネラ属菌の繁殖した給湯設備等及び冷却塔は、特に当該建築物を使用又は利用する者で抵抗力の劣る者等に対し、レジオネラ症の感染源となるおそれがあるため、当面の対策として下記の点に留意の上、関係部局間における連携を確保しつつ、貴管下関係行政機関及び関係者に対する指導に遺憾なきを期されたい。

なお、本通知の内容は厚生省大臣官房障害保健福祉部、厚生省健康政策局、厚生省社会・援護局、厚生省児童家庭局及び厚生省老人保健福祉局と協議済みであることを申し添える。

記

1　建築物における衛生的環境の確保に関する法律に規定する特定建築物については、特定建築物維持管理権原者に対し、レジオネラ属菌に関する知識の普及、啓発を行うとともに、告示等に基づき冷却塔及び加湿・減湿装置の維持管理を適切に行うこと。

2　特定建築物の給湯設備についてもレジオネラ属菌の繁殖を防止するため、給湯温度の適正な管理及び給湯設備内における給湯水の滞留の防止に努め、定期に給湯設備の消毒及び清掃を行うこと。

また、装飾用噴水等その他の設備についても定期に当該設備の消毒及び清掃を行うこと。

3　病院、老人保健施設、社会福祉施設等の特定建築物以外の建築物についても、所有者、占有者その他の者で当該建築物の維持管理の権原を有する者に対し、レジオネラ属菌に関する知識の普及、啓発に努めるとともに、維持管理に関する相談等に応じられたいこと。

4　建築物におけるレジオネラ属菌の繁殖の抑制に関しては、平成４年度厚生科学研究費補助金による「在郷軍人病予防のためのガイドライン作成調査研究（主任研究者　渡辺一男）」の報告書を中心に財団法人ビル管理教育センターがとりまとめた「レジオネラ症防止指針」(別添）を参考にされたいこと。

また、給湯設備の維持管理については、財団法人ビル管理教育センターが独自にとりまとめた「建築物内中央式給湯設備の設計・維持管理指針（水質）に関する調査研究報告書」(平成８年９月12日に同センターから各都道府県及び政令市あて送付済み。）があるので参考とされたいこと。

別添　略

○保育所等におけるレジオネラ症防止対策について

〔平成11年11月26日　児保第34号
各都道府県・各指定都市・各中核市児童福祉主管部(局)長
宛　厚生省児童家庭局保育課長通知〕

保育所等の運営に関しては、従来より種々御配慮いただいているところである。

今般、平成11年11月26日社援施第47号厚生省大臣官房障害保健福祉部障害福祉課長、社会・援護局施設人材課長、老人保健福祉局老人福祉計画課長、児童家庭局企画課長名通知「社会福祉施設におけるレジオネラ症防止対策について」が発出されたところであるが、保育所はもとより認可を受けていない保育施設等に対しても、「新版レジオネラ症防止指針」に基づき、レジオネラ症患者の発生防止に万全を期すよう周知をお願いする。

○社会福祉施設におけるレジオネラ症防止対策について

〔平成11年11月26日　社援施第47号
各都道府県・各指定都市・各中核市民生主管部(局)長宛
厚生省大臣官房障害保健福祉部障害福祉・社会・援護局施設人材・老人保健福祉局老人福祉計画・児童家庭局企画課長連名通知〕

社会福祉施設におけるレジオネラ属菌等の汚染への対応については、従来よりご指導いただいているところであるが、今般、厚生省生活衛生局長より別添「建築物等におけるレジオネラ症防止対策について」が発出され、空調設備の冷却塔及び冷却水系、給水・給湯設備、循環式浴槽、加湿装置等の取り扱いにおける留意事項について注意喚起がなされたところである。

社会福祉施設においては、昨年、都内の特別養護老人ホームで使用されていた循環式浴槽を感染源とするレジオネラ症患者が発生し、うち１名がレジオネラ肺炎で死亡したという報告があったことから、一般に抵抗力の弱い者が入所している施設内に設置されている循環式浴槽等の維持管理について、特に注意が必要である。

ついては、管下社会福祉施設に対し、別添通知の記の１及び２に留意の上、同通知に添付されている「新版レジオネラ症防止指針」(本文及び概要〔略〕) に基づき、レジオネラ症患者の発生防止に万全を期すよう周知願いたい。

別　添

建築物等におけるレジオネラ症防止対策について

〔平成11年11月26日　生衛発第1679号
各都道府県知事・各政令市市長宛　厚生省生活衛生局長通知〕

建築物等におけるレジオネラ症防止対策については、「建築物における冷却塔等の衛生確保について」(平成８年９月13日衛企第113号本職通知) により行われているところであるが、先般、都内の特別養護老人ホームにおいて使用されていた循環式浴槽を感染源とするレジオネラ症患者が発生し、うち１名がレジオネラ肺炎で死亡したという報告があった。このような設備は、適切な維持管理をしなければ、一般に抵抗力の弱い者等に対しレジオネラ症の感染源となるおそれがあるため、当面の対策として、改めて下記のとおり留意事項を定めたので、関係部局間における連携を確保しつつ、貴管下関係行政機関及び関係者に対する指導に遺漏なきを期されたい。

なお、本通知の内容は厚生省大臣官房障害保健福祉部、健康政策局、医薬安全局、社会・援護局、老人保健福祉局及び児童家庭局と協議済みであることを申し添える。

記

1　建築物における衛生的環境の確保に関する法律 (昭和45年法律第20号) に規定する特定建築物については、特定建築物の維持管理権原者に対し、レジオネラ属菌に関する知識の普及、啓発を行うとともに、レジオネラ属菌の増殖を抑制する具体的方法としては、

(1)　空調設備の冷却塔及び冷却水系については、「中央管理方式の空気調和設備等の維持管理及び清掃等に係る技術上の基準」(昭和57年厚生省告示第194号)、「中央管理方式の空気調和設備等の維持管理及び清掃等に係る技術上の基準 (告示) に規定する別に定める基準について」(昭和58年環企第27号厚生省環境衛生局長通知) 及び「建築物における衛生的環境の維持管理について」(昭和58年環企第28号厚生省環境衛生局長通知) (以下「告示等」という。) に基づき、冷却水の交換、消毒

及び清掃を行うこと、

⑵　給水設備については、告示等に基づき、定期に給水設備の消毒及び清掃を行うとともに、外部からのレジオネラ属菌の侵入防止に努めること、

⑶　給湯設備については、給湯温度の適正な管理及び給湯設備内における給湯水の滞留の防止に努め、定期に給湯設備の消毒及び清掃を行うこと、

⑷　循環式浴槽（特に生物浄化方式のもの）については、定期に換水、消毒及び清掃を行うとともに、浴槽水のシャワーへの使用や気泡ジェット等のエアロゾル発生器具の使用を避けること、

⑸　加湿装置については、当該設備に用いる水が水道法（昭和32年法律第177号）第４条に規定する水質基準に準ずるものとするとともに、定期に水抜き及び清掃を行うこと、

⑹　装飾用噴水等その他の設備については、定期に当該設備の消毒及び清掃を行うこと

があることについて指導されたいこと。

2　病院、老人保健施設、社会福祉施設等特定建築物以外の建築物についても、1に準じて所有者、占有者その他の者で当該施設の維持管理の権原を有する者に対し、レジオネラ属菌に関する知識の普及、啓発に努めるとともに、維持管理に関する相談等に応じ、必要な指導等を行われたいこと。

3　家庭で用いられる循環式浴槽（いわゆる24時間風呂）及び加湿器についても、1に準じて住民一般に対し、レジオネラ属菌に関する知識の普及、啓発に努めるとともに、維持管理に関する相談等に応じ、必要な指導等を行われたいこと。

4　建築物等におけるレジオネラ属菌の繁殖の抑制に関しては、平成９年度厚生科学研究費補助金による「シックビル症候群に関する研究（主任研究者小川博）」の報告書を踏まえて、平成11年11月に財団法人ビル管理教育センターがとりまとめた「新版レジオネラ症防止指針」（本文及び概要：別添〔略〕）を参考にされたいこと。

○児童福祉施設におけるインフルエンザ様疾患の感染予防等について

〔平成９年１月30日　児企第２号
各都道府県・各指定都市・各中核市児童福祉主管部（局）長宛
厚生省児童家庭局企画課長通知〕

標記については、昭和32年６月24日児母衛発第64号「児童福祉施設におけるインフルエンザの予防について」によりご配慮いただいているところであるが、最近においてインフルエンザ様疾患の流行状況が例年になく高い数値を示しているところであり、その対策について、別添１のとおり保健医療局エイズ結核感染症課長から注意喚起の通知が発出されたところである。

ついては、下記事項に留意の上、衛生主管部局と連携を図りながら管下市町村及び管下児童福祉施設（障害保健福祉部所管施設を除く。以下同じ。）に対して周知徹底されるとともに適切な指導をお願いしたい。

記

１　患者発生状況の把握等について

(1)　施設長は所轄保健所等と密接な連絡をとるとともにその地域におけるインフルエンザの発生及び流行状況を早急に把握するよう努めること。

(2)　保育所にあっては、毎日の児童の欠席の状況に注意を払うこと。

２　インフルエンザ予防のための一般的注意事項

(1)　入所施設について

ア　入所者及び職員に、手洗い、うがいを励行させること。

イ　職員に毎日児童の健康観察を励行させること。

ウ　職員の健康管理に留意し、職員からの感染を防止すること。

エ　風邪の症状を示す面会者等には必要に応じ遠慮願うなど、外部からの感染に注意すること。

オ　就学している児童については、学校と連携をとりながらその予防に努めること。

(2)　保育所について

ア　入所者及び職員に、手洗い、うがいを励行させること。

イ　職員に毎日児童の登園時の健康観察を励行させること。

ウ　職員の健康管理に留意し、職員からの感染を防止すること。

エ　児童の保護者に対してもインフルエンザ予防のため払うべき必要な注意を喚起して、その予防につき協力を求めること。

３　ワクチン接種について

インフルエンザの重症化防止のためのワクチン接種については、別添１の厚生省保健医療局エイズ結核感染症課長通知により、感染した場合に重症化しやすい方々（具体例を示せば別添２のとおり。）に対する呼びかけが行われているが、児童福祉施設におけるワクチン接種については、それぞれ次による取り扱いをすること。

(1)　入所施設について

入所児童が接種を希望する場合には、施設長等が保護者及び嘱託医等とよく相談の上、インフルエンザの症状を軽くするなどのために効果的と判断される場合に接種が受けられるよう配慮し、当該費用については措置費の医療費から支弁すること。

また、併せて職員の任意接種についても必要に応じて受けられるよう配慮すること。

なお、母子寮の入所者及び母子寮を含めた入所施設の職員の接種の費用については原則として本人負担であるが、施設の判断により措置費から支出しても差し支えないこと。

(2)　保育所について

インフルエンザに感染した場合に重症化しやすい方々に該当する児童等が接種を希望する場合には、嘱託医等とよく相談の上、インフルエンザの症状を軽くするなどのために効果的と判断される場合に接種が受けられるよう配慮し、併せて職員の任意接種についても必要に応じて受けられるよう配慮すること。

なお、当該接種の費用については原則として本人負担であるが、施設の判断により措置費から支出しても差し支えないこと。

（別添１）

インフルエンザ予防対策の徹底について

〔平成９年１月24日　健医感発第４号
各都道府県・各指定都市・各中核市衛生主管部（局）長宛
厚生省保健医療局エイズ結核感染症課長通知〕

インフルエンザ予防対策の徹底については、先般開催された全国衛生主管部局長会議で依頼したところであるが、感染症サーベイランス事業においては、定点あたりのインフルエンザ様疾患の報告数は、依然として高い値で推移しており、インフルエンザの流行は予断を許さない状況にある。

今般、別添のとおり、国民に対し広く注意喚起を行ったので、貴管下市町村、関係機関、関係団体に対する周知及びインフルエンザ予防対策の徹底方よろしくお取り計らい願いたい。

なお、インフルエンザは、高齢者等に感染した場合、重篤な症状をきたすことがあることから、民生部局に対する情報提供等の連携を図られたい。

〔別添〕

インフルエンザ様疾患の流行状況について

1　発生状況について

感染症サーベイランス事業においては、昨年12月下旬頃から全国的にインフルエンザ様疾患の流行の兆しが見られ、年末年始にかけて過去10年間で最も報告数が多かった。本年第2週は、一昨年同時期の定点あたり報告数（23.41）より少ないものの、昨年第52週の定点あたり報告数（19.07）を上回り、依然として高い値（19.58）で推移している。

特に大分県（定点あたり41.1）、高知県（同39.64）、富山県（同38.19）からの報告が多くなっている。

2　今後の流行状況について

今後の流行状況を予測することは難しいが、例年1月から2月下旬にかけて報告数が多いことから、引き続き流行が続く可能性がある。

3　対策について

①　帰宅後の手洗い、うがいの励行、必要がないなら人混みを避ける。

②　睡眠をよくとり、暴飲、暴食をせず、休養をとる。

③　高齢の方は、インフルエンザの症状があまりでないが、長引くと肺炎など重症になる可能性があるので、かぜの症状がでれば早めに医療機関を受診する。

④　インフルエンザの重症化を防止するためには、ワクチン接種が有効であり、高齢者や基礎疾患を有する人は、かかりつけ医とよく相談の上で、接種を受けることが望ましい（別紙参照）。

などが重要である。

（別紙）

インフルエンザのワクチンについて

国立予防衛生研究所によれば、現在流行しているA香港型（H_3N_2）のインフルエンザウイルスは、今年生産されたワクチン成分（H_3N_2型、H_1N_1型、B型）と合致していることから、ワクチンの接種によりインフルエンザの症状を軽くしたり、重篤な合併症を防ぐ効果があります。

現在までに例年より多くの感染者数が報告されており、これから2月にかけて流行が続く可能性がありますので、65歳以上の方、基礎疾患を有する方（心疾患、肺疾患、腎疾患など）は、かかりつけ医とよく相談のうえ、早めに接種を受けることをおすすめします。

インフルエンザのワクチンはおよそ1～4週間の間隔を置いて2回接種を行いますが、大人であれば過去のA香港型インフルエンザ流行時の免疫を有していると考えられ、1回の接種であっても1週間程度で追加免疫効果が期待できるという専門家の意見もありますので、今回の流行においては、まずは接種をおすすめします。

インフルエンザのワクチンは他のかぜウイルスによる普通感冒を防止することはできません。また、過去のワクチン接種でアレルギー歴のある人などには接種をすすめられませんので、接種時には医師と十分相談してください。

（別添2）

感染した場合に重症化しやすい方々
（ハイリスクグループ）

1　高齢者（65歳以上）

2　慢性気管支肺炎疾患患者（気管支ぜんそく、慢性気管支炎、肺結核など）

3　心疾患患者（僧帽弁膜症、鬱血性心不全など）

4　腎疾患患者（慢性腎不全、血液透析患者、腎移植患者など）

5　代謝異常患者（糖尿病、アヂソン病など）

6　免疫不全状態の患者

○児童福祉施設等における衛生管理等について

〔平成16年1月20日　雇児発第0120001号・障発第0120005号
各都道府県知事・各指定都市市長・各中核市市長宛　厚生労働省雇用均等・児童家庭局長・社会・援護局障害保健福祉部長連名通知〕

近年、O157等腸管出血性大腸菌感染症による食中毒発生事例や、レジオネラ症の発生事例が相次ぎ、また、重症急性呼吸器症候群（SARS）やインフルエンザ等の流行が懸念されるなど、感染症や食中毒等の発生防止について、社会福祉施設においても適切な対応を行うことが重要となっております。

このため、今般、「児童福祉施設最低基準」（昭和23年厚生省令第63号）、「婦人保護施設の設備及び運営に関する最低基準」（平成14年厚生労働省令第49号）、「婦人保護事業実施要領」（昭和38年3月19日厚生省発社第34号）及び「母子福祉施設設置要綱」（昭和40年6月12日厚生省発児第145号）の一部を改正し、衛生管理等に関する規定の整備を行いました。これを踏まえ、児童福祉施設、婦人保護施設、婦人相談所一時保護所、母子福祉施設（以下「児童福祉施設等」という。）における具体的な衛生管理等について、下記のとおり定めましたので、貴職におかれましては、御了知の上、貴管内の関係機関・関係団体に対する周知等よろしくお取り計らい願います。

なお、本通知は、地方自治法（昭和22年法律第67号）第245条の4第1項の規定に基づく技術的な助言であることを申し添えます。

記

児童福祉施設等の衛生管理等に当たっては、次の点に留意するものとする。

(1)　水道法（昭和32年法律第177号）の適用されない小規模の水道についても、市営水道、専用水道等の場合と同様、水質検査、塩素消毒法等衛生上必要な措置を講ずること。

(2)　常に施設内外を清潔に保つとともに、毎年1回以上大掃除を行うこと。

(3)　食中毒及び感染症の発生を防止するための措置等について、必要に応じ保健所の助言、指導を求めるとともに、密接な連携を保つこと。

(4)　特にインフルエンザ対策、腸管出血性大腸菌感染症対策、レジオネラ症対策等については、その発生及びまん延を防止するための措置について、別途通知等が発出されているので、これに基づき、適切な措置を講ずること。

(5)　定期的に、調理に従事する者の検便等を行うこと。

(6)　空調設備等により、施設内の適温の確保に努めること。

○社会福祉施設等における感染症等発生時に係る報告について

〔平成17年２月22日　健発第0222002号・薬食発第0222001号・雇児発第0222001号・社援発第0222002号・老発第0222001号
各都道府県知事・各指定都市市長・各中核市市長・各保健所政令市市長・各特別区区長宛　厚生労働省健康・医薬食品・雇用均等・児童家庭・社会・援護・老健局長連名通知〕

注　令和５年４月28日こ成総第18号・こ支総第９号・健発0428第３号・生食発0428第８号・社援発0428第18号・障発0428第１号・老発0428第９号改正現在

広島県福山市の特別養護老人ホームで発生したノロウイルスの集団感染を受けて、「高齢者施設における感染性胃腸炎の発生・まん延防止策の徹底について」（平成17年１月10日老発第0110001号）等の中で、速やかな市町村保健福祉部局への連絡等の徹底をお願いしたところであるが、高齢者、乳幼児、障害者等が集団で生活又は利用する社会福祉施設及び介護老人保健施設等（その範囲は別紙のとおり。以下「社会福祉施設等」という。）においては、感染症等の発生時における迅速で適切な対応が特に求められる。

今般、下記により、社会福祉施設等において衛生管理の強化を図るとともに、市町村等の社会福祉施設等主管部局への報告を求め、併せて保健所へ報告することを求めることとしたので、管内市町村及び管内社会福祉施設等に対して、下記の留意事項の周知徹底を図っていただくようお願いする。

なお、本件に関しては、追って各社会福祉施設等に係る運営基準等を改正する予定であることを申し添える。また、下記の取扱いに当たっては、公衆衛生関係法規を遵守しつつ、民生主管部局と衛生主管部局が連携して対応することが重要であることから、関係部局に周知方よろしくお願いする。

記

1　社会福祉施設等においては、職員が利用者の健康管理上、感染症や食中毒を疑ったときは、速やかに施設長に報告する体制を整えるとともに、施設長は必要な指示を行うこと。

2　社会福祉施設等の医師及び看護職員は、感染症若しくは食中毒の発生又はそれが疑われる状況が生じたときは、施設内において速やかな対応を行わなければならないこと。

また、社会福祉施設等の医師、看護職員その他の職員は、有症者の状態に応じ、協力病院を始めとする地域の医療機関等との連携を図るなど適切な措置を講ずること。

3　社会福祉施設等においては、感染症若しくは食中毒の発生又はそれが疑われる状況が生じたときの有症者の状況やそれぞれに講じた措置等を記録すること。

4　社会福祉施設等の施設長は、次のア、イ又はウの場合は、市町村等の社会福祉施設等主管部局に迅速に、感染症又は食中毒が疑われる者等の人数、症状、対応状況等を報告するとともに、併せて保健所に報告し、指示を求めるなどの措置を講ずること。

ア　同一の感染症若しくは食中毒による又はそれらによると疑われる死亡者又は重篤患者が１週間内に２名以上発生した場合

イ　同一の感染症若しくは食中毒の患者又はそれらが疑われる者が10名以上又は全利用者の半数以上発生した場合

ウ　ア及びイに該当しない場合であっても、通常の発生動向を上回る感染症等の発生が疑われ、特に施設長が報告を必要と認めた場合

5　４の報告を行った社会福祉施設等においては、その原因の究明に資するため、当該患者の診察医等と連携の上、血液、便、吐物等の検体を確保するよう努めること。

6　４の報告を受けた保健所においては、必要に応じて感染症の予防及び感染症の患者に対する医療に関する法律（平成10年法律第114号。以下「感染症法」という。）第15条に基づく積極的疫学調査又は食品衛生法（昭和22年法律第233号）第63条に基づく調査若しくは感染症若しくは食中毒のまん延を防止するために必要な衛生上の指導を行うとともに、都道府県等を通じて、その結果を厚生労働省に報告すること。

7　４の報告を受けた市町村等の社会福祉施設等主管部局と保健所は、当該社会福祉施設等に関する情報交換を行うこと。

8　社会福祉施設等においては、日頃から、感染症又

は食中毒の発生又はまん延を防止する観点から、職員の健康管理を徹底し、職員や来訪者の健康状態によっては利用者との接触を制限する等の措置を講ずるとともに、職員及び利用者に対して手洗いやうがいを励行するなど衛生教育の徹底を図ること。また、職員を対象として衛生管理に関する研修を定期的に行うこと。

9　なお、医師が、感染症法又は食品衛生法の届出基準に該当する患者又はその疑いのある者を診断した場合には、これらの法律に基づき保健所等への届出を行う必要があるので、留意すること。

別　紙

対象となる社会福祉施設等

【介護・老人福祉関係施設】

○　養護老人ホーム
○　特別養護老人ホーム
○　軽費老人ホーム
○　老人デイサービス事業を行う事業所、老人デイサービスセンター
○　老人短期入所事業を行う事業所、老人短期入所施設
○　小規模多機能型居宅介護事業を行う事業所
○　老人福祉センター
○　認知症グループホーム
○　生活支援ハウス
○　有料老人ホーム
○　サービス付き高齢者向け住宅
○　介護老人保健施設
○　看護小規模多機能型居宅介護事業を行う事業所
○　介護医療院

【保護施設】

○　救護施設
○　更生施設
○　授産施設
○　宿所提供施設

【ホームレス関係施設】

○　ホームレス自立支援センター
○　緊急一時宿泊施設

【その他施設】

○　社会事業授産施設
○　無料低額宿泊所（日常生活支援住居施設含む）
○　隣保館
○　生活館

【児童・婦人関係施設等】

○　助産施設
○　乳児院
○　母子生活支援施設
○　保育所
○　認定こども園
※　幼保連携型・幼稚園型については、学校保健安全法第18条（保健所との連絡）等の規定にも留意すること。
○　児童厚生施設
○　児童養護施設
○　児童心理治療施設
○　児童自立支援施設
○　児童家庭支援センター
○　児童相談所一時保護所
○　婦人保護施設
○　婦人相談所一時保護所

【障害関係施設】

○　障害福祉サービス事業所（訪問系サービスのみを提供する事業所を除く）
○　障害者支援施設
○　福祉ホーム
○　障害児入所施設
○　児童発達支援センター
○　障害児通所支援事業所
○　身体障害者社会参加支援施設
○　地域活動支援センター
○　盲人ホーム

○社会福祉施設、介護保険施設等におけるノロウイルスによる感染性胃腸炎の発生・まん延対策について

平成19年９月20日　雇児総発第0920001号・社援基発第0920001号・障企発第0920001号・老計発第0920001号
各都道府県・各指定都市・各中核市民生主管部(局)長宛
厚生労働省雇用均等・児童家庭局総務・社会・援護局福祉基盤・障害保健福祉部企画・老健局計画課長連名通知

社会福祉施設、介護保険施設等（以下、「社会福祉施設等」という。）における感染症の発生及びまん延の防止については、「社会福祉施設等における感染症発生時に係る報告について」（平成17年２月22日健発第0222002号、薬食発第0222001号、雇児発第0222001号、社援発第0222002号、老発第0222001号厚生労働省健康局長、医薬食品局長、雇用均等・児童家庭局長、社会・援護局長、老健局長連名通知）等により施設内の衛生管理や感染症等発生時における報告等の対応をお願いしているところです。

過去４年間のノロウイルスによる感染性胃腸炎の報告は、第40週（10月初旬）頃より増加する傾向にあり、本年は、第36週（９月３日から９月９日）までに特別養護老人ホーム等において集団感染および死亡事例が発生しております。これから冬季をむかえ、空気の乾燥等により、感染が拡がりやすい状況になることも予想されます。このため、社会福祉施設等においては、感染を防止するための取り組み、おむつ交換や排泄介助時をはじめとする日頃からの手洗い、うがいの励行や衛生管理の徹底を指導するとともに、施設入所者および職員に、ノロウイルスによる感染が疑われる症状が表れた場合には、吐ぶつによる誤嚥や窒息の予防、吐ぶつやふん便の処理および施設内の消毒を徹底し、速やかに医療機関を受診するべき旨の注意喚起をして頂くようお願いします。

貴職におかれましては、保健衛生部局と連携しながら、管内市町村、関係団体、所管の施設等に対して、この旨を周知していただきますようお願いします。

なお、ノロウイルスに関する基礎知識や感染予防等については、「ノロウイルスに関するＱ＆Ａ」http://www.mhlw.go.jp/topics/syokuchu/kanren/yobou/dl/040204-1.pdfに掲載されておりますことを申し添えます。

○保育所における嘱託歯科医の設置について

昭和58年４月21日　児発第284号
各都道府県知事・各指定都市市長宛　厚生省児童家庭局長通知

保育所における歯科保健については、児童福祉施設最低基準（以下「最低基準」という。）及び保育所保育指針において歯科健康診断の実施が定められているところであるが、乳幼児期における歯科保健の重要性にかんがみ、さらにその充実を図るため、最低基準に定める職員のほか嘱託歯科医を置くよう、下記の点に留意のうえ、管下の施設に対して指導されたい。

記

1　嘱託歯科医の設置の必要性

乳幼児のう蝕は年々減少傾向にあるが、他の疾患に比し、そのり患率はいまだに高く、しかも自然治ゆがないため、予防について正しい知識の普及と指導の徹底を図ることが、乳幼児の健やかな発育成長のために重要である。このため、嘱託歯科医を各保育所に設置し、入所児童に対する歯科保健の充実を図る必要がある。

2　設置にあたっての留意事項

⑴　嘱託歯科医の選定については、なるべく乳幼児の扱いに習熟し、熱意と理解のある歯科医が望ましいものであること。

⑵　設置にあたっては、地域歯科医師会、保健所等関係機関と連携を密にし、円滑なる実施に努めること。

3　歯科健康診断について

歯科健康診断については、嘱託歯科医が行うものとし、その結果については記録し、食生活指導、歯の清掃指導等その後の保育指導に反映させることが大切であり、保護者に対しても密接な連絡、適切な指導を行うものとする。

○医療ネグレクトにより児童の生命・身体に重大な影響がある場合の対応について

〔平成24年３月９日　雇児総発0309第２号
各都道府県・各指定都市・各児童相談所設置市児童福祉主管部(局)長宛　厚生労働省雇用均等・児童家庭局総務課長通知〕

保護者が児童に必要とされる医療を受けさせないいわゆる「医療ネグレクト」により児童の生命・身体に重大な影響がある場合については、これまで親権喪失宣告の申立て等により対応していたが、本年４月１日に施行される「民法等の一部を改正する法律」（平成23年法律第61号。以下「改正法」という。）により、親権の停止制度が新設されたことなどに伴い、対応方法に変更が生じることから、下記のとおり改正法施行後における考え方や必要な手続等を整理したので、その内容をご了知いただくとともに、管内の児童相談所並びに市町村及び関係団体等に周知を図られたい。

なお、本通知の施行に伴い、平成20年３月31日雇児総発第0331004号本職通知「医療ネグレクトにより児童の生命・身体に重大な影響がある場合の対応について」は廃止する。

また、本通知は、地方自治法（昭和22年法律第67号）第245条の４第１項の規定に基づく技術的助言であることを申し添える。

記

１　本通知の対象となる事例

保護者が児童に必要とされる医療を受けさせないことにより児童の生命・身体に重大な影響があると考えられ、その安全を確保するため医療行為が必要な事例であって、医療機関が医療行為を行うに当たり親権者等による同意を必要とするものの、親権者等の同意が得られないため、医療行為を行うことができない場合が対象となる。

なお、児童に必要とされる精神科医療を受けさせないことにより、児童の生命・身体に重大な影響があると考えられ、その安全を確保するため医療行為が必要な事例についても対象に含まれる。

２　児童相談所長及び施設長等の監護措置

児童相談所長は、一時保護中の児童について、親権を行う者又は未成年後見人（以下「親権者等」という。）のあるものであっても、監護に関しその児童の福祉のため必要な措置をとることができる（児童福祉法第33条の２第２項）。

また、児童福祉施設の施設長、小規模住居型児童養育事業における養育者又は里親（以下「施設長等」という。）は、入所中又は受託中の児童等について、親権者等のあるものであってもこれらの措置をとることができる（同法第47条第３項）。

児童相談所長又は施設長等（以下「児童相談所長等」という。）は、保護者が児童に必要とされる医療を受けさせない事案の場合も含め、これらの規定に基づく監護措置として児童に必要とされる医療を受けさせることができる。

しかしながら、児童に重大な影響がある医療行為を行うに当たり、上記の監護措置の権限においても、親権者等の同意がない場合や親権者等が反対しているため、医療機関が医療行為の実施を手控え、結果として児童の監護に支障が生じる場合がある。このような場合には、事例に応じ、３に掲げる各措置をとることで、児童に必要な医療を受けさせることができる。

３　対応方法

(1)　親権停止の審判による未成年後見人又は親権を代行する児童相談所長等による措置

改正法により、新たに親権停止制度が設けられ、「父又は母による親権の行使が困難又は不適当であることにより子の利益を害するとき」に家庭裁判所が２年以内の期間を定め、親権を停止することができることとなった（民法第834条の２）。

また、親権喪失の原因がある場合でも、２年以内にその原因が消滅する見込みがあるときは、親権喪失の審判をすることができないとされた（同法第834条ただし書）。

このため、従来、親権喪失制度により対応していた医療ネグレクトの事案には、原則として親権停止の審判により対応することとなる。具体的には、児童相談所長が家庭裁判所に親権停止の審判を請求し、審判の確定により親権が停止した後、未成年後見人又は親権を代行する児童相談所長等が医療行為に同意することにより、医療機関が必要な医療行為を行うことができる。

なお、当該医療ネグレクト以外にも児童への虐待行為が認められるなど、親権喪失の原因が２年以内に消滅する見込みのない場合には、当初から親権喪失審判を請求することもできるが、要件がより厳格となることに留意されたい。

一方、親権停止の要件は、従来の親権喪失とは異なることから、これまで親権喪失の要件を満たさなかった事案についても、家庭裁判所の判断により親権停止の対象となり得るため、親権者が児童に必要とされる医療を受けさせない場合には、必要に応じ親権停止審判の請求を検討されたい。

また、同意入所等（施設入所等の措置であって、児童福祉法第28条の規定によるものを除く。）による措置児童について親権停止審判を請求する場合に、親権者が入所等への同意を撤回したときには、児童相談所長は、当該措置の解除及び一時保護をした上で対応することとなる。

(2)　(1)の親権停止審判の請求を本案とする保全処分（親権者の職務執行停止・職務代行者選任）による職務代行者又は親権を代行する児童相談所長等による措置

児童相談所長が親権停止の審判を請求した場合に、これを本案として、本案の審判の効力が生じるまでの間、親権者の職務執行を停止し、更に必要に応じて職務代行者を選任する審判前の保全処分を申し立てることができる（家事審判規則第74条）。家庭裁判所は、申立てにより、子の利益のため必要があるときは、親権者の職務の執行を停止し、また必要に応じて、その職務代行者を選任する。

職務代行者が選任された場合には職務代行者が、職務代行者がない場合には親権を代行する児童相談所長等が医療行為に同意し、医療機関が必要な医療行為を行うことができる。

(3)　児童の生命・身体の安全確保のため緊急の必要があると認めるときに親権者等の意に反しても行うことができる旨の規定に基づく児童相談所長等による措置

改正法により、児童相談所長等による監護措置については、児童の生命・身体の安全を確保するため緊急の必要があると認めるときは、親権者等の意に反してもとることができる旨が明確化された（児童福祉法第33条の2第4項、同法第47条第5項）。

よって、生命・身体に危険が生じている緊急事態であるにもかかわらず親権者等による医療行為への同意を得られない場合（緊急に親権者等の意向を把握できない場合を含む。）には、この規定を根拠として児童相談所長等が医療行為に同意し、医療機関が必要な医療行為を行うことができる。

4　方法の選択

(1)　選択順位

いずれの対応方法を選択するかは、医療行為を行う緊急性の程度により判断することが原則となる。具体的には、医療行為が行われなかった場合の生命・身体への影響の重大性を前提として、医療の観点からの時間的な緊急性のみならず、各手続に要する日数等の時間的余裕などの諸事情も考慮に入れ、時間的な観点から緊急の程度を個別事案ごとに判断する必要がある。

その結果、緊急性が極めて高く、親権停止審判及び保全処分の手続では時間的に間に合わないと判断される場合には、3(3)の措置をとる。他方、児童の生命・身体に重大な影響があると考えられるため対応が急がれるものの親権停止審判及び保全処分の手続によっても時間的に間に合う場合には3(1)及び3(2)の措置をとる。保全処分によらず、親権停止審判の確定を待っても時間的に間に合う場合には3(1)のみの措置をとる。

ただし、3(1)及び3(2)の措置や3(1)のみの措置をとった場合であっても、保全処分の決定又は親権停止審判の確定がなされる前に、児童の状態が急変するなどにより生命・身体の安全確保のために緊急に医療行為が必要になったときにはためらうことなく3(3)の措置により対応する。

また、3(3)の措置をとった上で引き続き継続的に医療行為が必要な場合にも3(1)及び3(2)の措置をとる。

(2)　選択上の留意事項

これらの判断に当たっては、客観性を担保する観点から、時間的な余裕があれば可能な限り都道府県児童福祉審議会の意見や主治医以外の医師の意見の聴取等を行うことが望ましいが、対応に遅れが生じないよう留意する必要がある。

また、日頃から家庭裁判所との間で、この種の事案を家庭裁判所に請求するに当たっての留意点、審判手続上の問題点、調査及び審理に関する留意点等について協議するとともに、家庭裁判所における円滑な審理に資するように、適時適切な審判請求等を行うことが必要である。

なお、親権停止審判又は保全処分の手続に要する日数は、事案により異なることから、一概にはいえないが、上記の日頃からの家庭裁判所との協議の中で一般的に手続に要する期間についての情報を得ておくことが考えられる。

上記の手続の選択に当たっては、児童相談所において個別の事案の実情を十分に考慮し、児童の生命・身体の安全確保を第一に考え、適切に対応されたい。

(3) 精神保健福祉法との関係

精神疾患の対象事例について、精神科病院への入院を要する場合には、任意入院（精神保健及び精神障害者福祉に関する法律（昭和25年法律第123号。以下「精神保健福祉法」という。）第22条の3）によることが考えられるが、これによることができない場合には、医療保護入院（精神保健福祉法第33条）によることが考えられる。

医療保護入院を行う場合には、親権者等の同意が要件とされていることから3(3)の措置によることはできないため、緊急性が高い場合には3(1)及び3(2)の措置により対応し、親権停止審判の確定を待っても時間的に間に合う場合には3(1)のみの措置をとることとなる。

ただし、当該児童に自傷他害のおそれがある場合には、任意入院や医療保護入院ではなく、措置入院（同法第29条）により対応する。措置入院の解除後も引き続き入院が必要な場合には、改めて入院形態ごとに必要な手続をとる。

5 対応別の具体的手続等

(1) 親権停止審判による場合

ア 請求手続に係る留意事項

医療ネグレクト事案について親権停止審判を請求する場合の留意事項は次のとおりである。親権停止審判の請求に係る具体的な手続は児童相談所運営指針を参照されたい。

(ア) 申立書の留意事項

申立書には、申立ての実情として疾患と医療ネグレクトの状況を記載する必要がある。具体的には、児童に対して医療を受けさせる必要があるにもかかわらず、必要な医療を受けさせないことにより児童の生命・身体に重大な影響を及ぼすに至っている具体的な実情を記載して、親権者本人の親権の行使が困難又は不適当であり、児童の利益を害することを明らかにする。

(イ) 添付書類の留意事項

医師の意見書（別紙様式例参照）のほか、疾患や治療方法などの内容を明確にするために医学書等の写し等を添付する必要がある。申立て先の家庭裁判所から指示があった場合には適切に対応する。

イ 審判確定後の対応

親権停止期間中は当該児童には親権者がいないこととなることから、未成年後見人の選任請求を行い、選任された未成年後見人がその権限において医療行為に同意することにより対応することが原則である。ただし、親権停止後、未成年後見人があるに至るまでの間に必要な場合は、当該児童に係る措置内容に応じ、以下の者が親権代行者として医療行為に同意することにより対応することとなる。

(ア) 児童福祉施設入所中の児童の場合

施設長（児童福祉法第47条第1項）

(イ) 小規模住居型児童養育事業を行う者又は里親に委託中の児童の場合

児童相談所長（同法第47条第2項）

(ウ) 一時保護中の児童の場合

児童相談所長（同法第33条の2第1項）

(エ) 上記以外で児童相談所長が未成年後見人を選任請求している児童の場合

児童相談所長（同法第33条の8第2項）

(2) 親権者の職務執行停止・職務代行者選任の保全処分による場合

ア 申立手続に係る留意事項

医療ネグレクト事案について保全処分を申し立てる場合の留意事項は次のとおりである。保全処分の申立てに係る具体的な手続は児童相談所運営指針を参照されたい。

(ア) 申立書の留意事項

a 本案認容の蓋然性

本案が認容される蓋然性が高い旨の説明として、疾患と医療ネグレクトの状況を記載する必要がある。具体的には本案と同様である。

b 保全の必要性

児童に医療を受けさせる必要があるにもかかわらず、親権者が児童に必要とされる医療を受けさせず、一方で、本案の審判確定を待つ時間的余裕もない旨など、保全処分の必要がある旨を端的に記載する。

(イ) 添付書類の留意事項

添付資料については、親権停止の審判の申立ての場合と同様である。

なお、本案認容の蓋然性及び保全の必要性については疎明（一応確からしいと認められること）することが求められる。

イ 処分決定後の対応

保全処分の決定により職務代行者が選任されたときには職務代行者が、また、職務代行者の選任がないときには当該児童に係る措置内容に応じ、以下の者が親権代行者として医療行為に同意することにより対応することとなる。

(ア)　児童福祉施設入所中の児童の場合
施設長（児童福祉法第47条第１項）
(イ)　小規模住居型児童養育事業を行う者又は里親に委託中の児童の場合
児童相談所長（同法第47条第２項）
(ウ)　一時保護中の児童の場合
児童相談所長（同法第33条の２第１項）
(エ)　上記以外で児童相談所長が未成年後見人を選任請求している児童の場合
児童相談所長（同法第33条の８第２項）

(3)　児童の生命・身体の安全確保のため緊急の必要があると認めるときの児童相談所長等の措置による場合

ア　一時保護中における児童相談所長の同意

一時保護中の児童については、児童相談所長が必要な医療行為に同意する。

医療機関からの通告により医療ネグレクトを認知した場合など、一時保護又は施設入所等の措置がとられていない児童については、一時保護（一時保護委託）した上で、児童相談所長が必要な医療行為に同意する。

その際、児童の生命・身体の安全を確保するため緊急の必要があるにもかかわらず、親権者等が同意しなかった旨や医療行為の具体的内容等、児童相談所長の同意により医療行為が行われた経緯について記録するとともに、医師の意見書（別紙様式例参照）や医学書の写し等、当該児童の疾患や治療方法などについての内容を明確にするための資料を記録に添付する。

また、児童相談所長は、当該措置により対応した旨を事後に都道府県児童福祉審議会に報告することが望ましい。

イ　入所中又は委託中における施設長等の同意

施設入所等の措置がとられている児童については、当該児童を監護する施設長等が必要な医療行為に同意する。

この場合、児童の生命・身体の安全を最優先に考え、速やかに施設長等が医療行為に同意する必要があるが、緊急性の程度によっては、親権停止審判や保全処分による対応を検討する必要がある。このため、施設等において児童の生命・身体の安全確保のため緊急の対応が必要な事態が生じた場合には、施設長等から児童相談所に速やかに連絡することとし、連携して緊急性の判断や対応方法の検討を行うことが望ましい。

また、一時保護の場合と同様、施設長等の同意により医療行為が行われた経緯についての記録等を行う。

なお、施設長等は、児童の生命・身体の安全を確保するため緊急の必要があると認めて行った内容について、速やかに児童福祉法第27条第１項第３号等の措置を行った都道府県又は市町村の長に報告しなければならない（児童福祉法第47条第５項後段）ことに留意されたい。報告の方法等については児童相談所運営指針を参照されたい。

6　医療行為が実施された後の対応

必要な医療行為が実施された後は、児童の福祉の観点から親権又は職務執行を停止された者が再び親権を行使することに支障がないと判断される場合や、一時保護を継続する必要がないと判断される場合には、児童相談所長は、親権停止等の審判の確定後であれば、その取消しを申し立て、本案である親権停止等の審判が係属中であれば、その申立ての取下げや一時保護の解除を行うなど、実施後の状況を踏まえ適切に対応する。

具体的には、医療ネグレクト以外の養育上の問題が見られるかどうか、退院後にも医療行為を継続する必要があるか、その必要がある場合に当該医療行為について親権又は職務執行を停止された者等が同意するかどうかなどについて個別事情に照らして判断する必要があるため、申立ての取下げ等の可否とともに、退院後の処遇や支援方針について、医療機関と協議して決定する。

（別　紙）

医師の意見書様式例

意見書

患者氏名	
年齢・性別	年　月　日生（　歳　か月）男・女
疾患名　（注１）	
現在の問題点　（注２）	
今回必要な医療行為の内容及び根拠 （注３）	
予測される効果と今後必要な医療行為　（注４）	
当該行為を行わなかった場合に予測される結果及び緊急性の程度（実施すべき時期）　（注５）	
当該行為に伴う合併症等の危険性 （注６）	
親権者等に対する説明の実施状況 （注７）	
その他特記事項	

記載日：　　年　　月　　日

医療機関名：＿＿＿＿＿＿＿＿主治医名（自筆）：＿＿＿＿＿＿＿＿

（注１）日本語で記載、略語は不可。

（注２）箇条書き等簡潔に記載すること。

（注３）手術術式、投与薬剤名などを記載すること。また、標準的な医療行為であることを示すため、根拠となるガイドライン等を記載し、コピーを添付すること。

（注４）当該医療行為によって改善される点及び今後必要な医療行為を具体的に記載すること。

（注５）当該医療行為を実施しない場合の自然歴、死亡や重大な後遺症が起きる理由など、緊急性が明らかになるよう実施すべき時期を含め記載すること。

（注６）当該医療行為によって生じ得る合併症等の症状、死亡や後遺症の危険率等を記載すること。

（注７）親権者等に対し必要な医療行為について説明した内容、説明後に親権者等が意思表示した内容などを記載すること。

※この意見書は、児童相談所での記録となるほか、親権停止審判等が行われる場合には、家庭裁判所に証拠書類として提出されるものである。

（記載例）

医師の意見書様式例

意見書	
患者氏名	○○　○○
年齢・性別	○年　○月　○日生（0歳4か月）男・女
疾患名　（注1）	ファロー四徴症、肺動脈閉鎖、22番染色体部分欠失
現在の問題点　（注2）	・チアノーゼ、哺乳困難、体重増加不良を認める。 ・日齢0よりＮＩＣＵにて管理し、長期入院中。 ・肺動脈血流は、薬剤（プロスタグランディン製剤の持続点滴）で拡張した動脈管で保持されている。薬剤がなければ動脈管は自然閉鎖する可能性が高い。
今回必要な医療行為の内容及び根拠　（注3）	・薬剤により確保している肺動脈血流を、短絡手術（鎖骨下動脈—肺動脈短絡手術）で確保することが必要。 ・上記の手術は、肺動脈閉鎖に対して、我が国においても○○年代頃より開始され、今日では外科治療の基本手技の一つとして定着している（参考文献参照）。
予測される効果と今後必要な医療行為　（注4）	・肺動脈血流の増加によるチアノーゼの改善、プロスタグランディン製剤の持続点滴からの離脱、肺動脈の発育が期待される。 ・短絡手術後は、抗凝固療法（内服治療）が必要になる。これは、中断せず、継続することが必要であり、定期検査と薬用量調整を要する。 ・将来的には根治手術が必要である。
当該行為を行わなかった場合に予測される結果及び緊急性の程度（実施すべき時期）　（注5）	・動脈管は無治療では閉鎖する。薬剤の効果は日齢にしたがい減弱し、薬剤の増量は無呼吸発作などの合併症の危険が増加し、手術なしに長期生存は見込めない。 ・動脈管による肺血流量のみでは、根治手術に向けた肺動脈の発育は期待できないため、○週間以内に鎖骨下動脈—肺動脈短絡手術が必要である。
当該行為に伴う合併症等の危険性　（注6）	・手術死亡の危険率は1％未満（過去10年間で当施設での手術死亡例は認めない。） ・手術合併症の危険率は5％未満（創部感染、短絡血管閉塞、心不全など）
親権者等に対する説明の実施状況　（注7）	実父母に対し、入院時（○年○月○日）に、薬物治療などを含めたＮＩＣＵ管理についての説明には同意を得た。その後は面会も少なく、手術治療についての面談には拒絶的である。
その他特記事項	

記載日：　○年　○月　○日

医療機関名：　○○　○○　主治医名（自筆）：　○○　○○

（注1）日本語で記載、略語は不可。

（注2）箇条書き等簡潔に記載すること。

（注3）手術術式、投与薬剤名などを記載すること。また、標準的な医療行為であることを示すため、根拠となるガイドライン等を記載し、コピーを添付すること。

（注4）当該医療行為によって改善される点及び今後必要な医療行為を具体的に記載すること。

（注5）当該医療行為を実施しない場合の自然歴、死亡や重大な後遺症が起きる理由など、緊急性が明らかになるよう実施すべき時期を含め記載すること。

（注6）当該医療行為によって生じ得る合併症等の症状、死亡や後遺症の危険率等を記載すること。

（注7）親権者等に対し必要な医療行為について説明した内容、説明後に親権者等が意思表示した内容などを記載すること。

※この意見書は、児童相談所での記録となるほか、親権停止審判等が行われる場合には、家庭裁判所に証拠書類として提出されるものである。

○児童福祉法第47条第５項に基づき児童福祉施設の長等が緊急措置をとった場合の都道府県知事又は市町村長に対する報告について

（平成24年３月27日　雇児総発0327第１号・雇児福発0327第２号・雇児保発0327第１号・雇児母発0327第１号・障障発0327第１号
各都道府県・各指定都市・各中核市児童福祉主管部（局）長宛　厚生労働省雇用均等・児童家庭局総務・家庭福祉・保育・母子保健・社会・援護局障害保健福祉部障害福祉課長連名通知）

児童福祉施設の長、小規模住居型児童養育事業における養育者又は里親（以下「施設長等」という。）は、入所中又は受託中の児童又は児童以外の満20歳に満たない者（以下「児童等」という。）について、親権を行う者又は未成年後見人（以下「親権者等」という。）のあるものであっても、監護等に関し、その児童等の福祉のために必要な措置をとることができる（児童福祉法第47条第３項）が、本年４月１日に施行される民法等の一部を改正する法律（平成23年法律第61号）において、その措置を児童等の生命又は身体の安全を確保するために緊急の必要があると認めてとった場合には、速やかにそのとった措置（以下「緊急措置」という。）について、当該児童等に係る通所給付決定若しくは入所給付決定、児童福祉法第21条の６若しくは同法第27条第１項第３号の措置又は保育の実施等を行った都道府県又は市町村の長に報告しなければならないとされた（改正後の児童福祉法第47条第５項）。

そのため、施設長等がこれらの緊急措置をとった場合の報告先等について整理したのでご了知いただくとともに、管内の児童相談所、福祉事務所並びに市町村及び関係団体等に周知を図り、対応に遺漏のないよう努められたい。

なお、本通知は、地方自治法（昭和22年法律第67号）第245条の４第１項の規定に基づく技術的助言であることを申し添える。

記

１　規定の趣旨

改正後の児童福祉法第47条第５項においては、施設長等は、親権者等がいる入所中又は受託中の児童等に対し、その児童等の福祉のためにとることができる必要な監護等の措置について、当該措置が児童等の生命又は身体の安全を確保するため緊急の必要があると認めるときは、親権者等の意に反してもとることができることとし、当該緊急措置をとった場合には、都道府県知事又は市町村長に報告しなければならないとされた。

これは、施設長等は、児童等の生命・身体に関わる緊急の事案においては、親権者等の意に反しても児童等の保護という目的を達するために必要な措置をとらなければならない一方で、児童等の生命・身体に関わる重要な事案であることに鑑み、当該緊急措置をとった場合においてその妥当性を担保するために、施設入所の措置等を行った都道府県知事又は市町村長へ報告する義務を課すものである。

２　緊急措置の報告先

改正後の児童福祉法第47条第５項に基づく緊急措置をとることのできる児童等に係る措置等は、通所給付決定（児童福祉法第21条の５の５第１項）、入所給付決定（同法第24条の３第４項）、障害児通所支援の措置（同法第21条の６）、施設入所等（小規模住居型児童養育事業を行う者若しくは里親委託を含む。以下同じ。）の措置（同法第27条第１項第３号）、助産の実施（同法第22条第２項）、母子保護の実施（同法第23条第２項）及び保育の実施（同法第24条第４項）をいう。

⑴　通所給付決定又は障害児通所支援の措置

通所給付決定又は障害児通所支援の措置に係る児童等に緊急措置をとった場合にあっては、給付費の支給を決定又は通所支援措置を行った市町村長に報告する。

なお、障がい者制度改革推進本部等における検討を踏まえて障害保健福祉施策を見直すまでの間において障害者等の地域生活を支援するための関係法律の整備に関する法律（平成22年法律第71号。以下「障がい者制度整備法」という。）により、平成24年４月１日より障害児通所支援の措置の権限が都道府県から市町村に移行されるが、施行前の都道府県がとった措置については、障がい者制度整備法附則第32条第１項の規定により施行日に市町村が行った措置とみなされるため、移行前の都道府県知事の措置に係る児童等の緊急措置に関する報告先は市町村長である。

⑵　入所給付決定又は施設入所等の措置

障害児施設への入所給付決定又は施設入所等の

措置に係る児童等に緊急措置をとった場合にあっては、給付費の支給を決定又は入所等の措置を行った都道府県知事（指定都市又は児童相談所設置市の場合は市長）に報告する。

⑶　助産の実施又は母子保護の実施

助産施設又は母子生活支援施設への入所に係る児童等に緊急措置をとった場合にあっては、助産の実施又は母子保護の実施を行っている都道府県知事、市又は福祉事務所を設置する町村の長に報告する。

⑷　保育の実施

保育所への入所に係る児童に緊急措置をとった場合にあっては、保育の実施を行っている市町村長に報告する。

3　留意事項等

報告事項については別紙の様式例を参考とし、入所措置等の事務を所管する部局課、児童相談所又は福祉事務所に提出させるものとする。

なお、改正後の児童福祉法第47条第5項において、緊急措置は親権者等の意に反してもとることができるとされているところ、都道府県知事又は市町村長への報告については、規定上、緊急措置をとった場合において要することとされていることから、当該緊急措置が親権者等の意に反したか否かにかかわらず、緊急措置をとった場合には都道府県知事又は市町村長へ報告しなければならないことに留意されたい。

また、施設長等において緊急措置をとる必要が想定される事例としては、保護者が児童に必要とされる医療を受けさせないいわゆる医療ネグレクトへの対応（緊急に保護者の意向が把握できない場合の対応を含む。）が考えられることから、平成24年3月9日雇児総発0309第2号厚生労働省雇用均等・児童家庭局総務課長通知「医療ネグレクトにより児童の生命・身体に重大な影響がある場合の対応について」を参照の上、必要に応じ児童相談所と連携して対応されたい。

別　紙（様式例）

発第　　　　　号
平成　　年　　月　　日

○○○○知事　殿

○○　○○　印

児童福祉法第47条第５項に基づき、次のとおり、報告します。

児童等	氏　　名	
	生年月日	平成　　年　　月　　日生（　　歳）
緊急措置が必要となった原因となる事象	発生日時	平成　　年　　月　　日午　　時　　分
	場　　所	
	内　　容 （診断名）	
緊急措置	措置日時	平成　　年　　月　　日午　　時　　分
	場　　所	
	内　　容	
今後の見込み		
連絡先住所 連絡先電話番号		

○食品衛生法等の一部を改正する法律の施行に伴う集団給食施設の取扱いについて

〔令和２年８月５日　薬生食監発0805第３号
厚生労働省子ども家庭局総務課長宛　厚生労働省医薬・生活衛生局食品監視安全課長通知〕

「食品衛生法等の一部を改正する法律」（平成30年法律第46号。以下「改正法」という。）については、平成30年６月13日に公布され、また、改正法の施行に伴う関係政省令が令和元年11月７日及び同年12月27日に公布されたところです。

この改正により、令和２年６月１日から、原則、全ての食品等事業者は、 HACCPに沿った衛生管理を実施することとなったこと及び食品衛生責任者を選任することとなったことに加え、令和３年６月１日からは、営業許可の対象とならない業種の営業者については、施設の所在地を所管する都道府県知事等に営業の届出をしなければならないこととなります（ただし、HACCPに沿った衛生管理及び食品衛生責任者の選任については、施行から１年間は経過措置期間とし、その間は従来の基準が適用されます。また、営業の届出については、令和３年６月１日の施行日時点において現に稼働している施設については、６か月間の経過措置期間が設けられています）。

これらの規定は、営業以外の場合で学校、病院その他の施設において継続的に不特定又は多数の者に食品を供与する施設（以下「集団給食施設」という。）についても準用されることから、貴課が所管する関係機関又は施設に対して、下記の点を踏まえて、制度の周知をし、必要に応じて指導を行っていただきますよう、御協力方よろしくお願いいたします。

記

一　HACCPに沿った衛生管理について

(1)　従来通知している「大量調理施設衛生管理マニュアル（平成９年３月24日付け衛食第85号別添　最終改正：平成29年６月16日付け生食発0616第１号)」（※１）は、 HACCPの概念に基づき策定されていることから、既にこれに従って衛生管理を実施している場合は、新たな対応は生じないこと。これまで「大量調理施設衛生管理マニュアル」を活用していない中小規模等の集団給食施設においては、関係業界団体等が作成し、厚生労働省が内容を確認した手引書（※２）を参考にしてHACCPに沿った衛生管理を実施することも可能なこと。

※１：「大量調理施設衛生管理マニュアル（平成９年３月24日付け衛食第85号別添　最終改正：平成29年６月16日付け生食発0616第１号）」（https://www.mhlw.go.jp/file/06-Seisakujouhou-11130500-Shokuhinanzenbu/0000168026.pdf）

※２：小規模な一般飲食店向けや旅館・ホテル向けの手引書等（厚生労働省ホームページ　HACCPの考え方を取り入れた衛生管理のための手引書（https://www.mhlw.go.jp/stf/seisakunitsuite/bunya/0000179028_00003.html）

(2)　食品衛生責任者には、医師、歯科医師、薬剤師、獣医師、調理師、栄養士等のほか、都道府県知事等が行う講習会又は都道府県知事等が適正と認める講習会を受講した者を当てることが可能であること（※）。講習会の開催予定等の詳細については管轄の保健所等に確認されたいこと。

※食品衛生責任者は次のいずれかに該当する者とすること。

(1)　食品衛生法第30条に規定する食品衛生監視員又は第48条に規定する食品衛生管理者の資格要件を満たす者

(2)　調理師、製菓衛生師、栄養士、船舶料理士、と畜場法第７条に規定する衛生管理責任者若しくは第10条に規定する作業責任者又は食鳥処理の事業の規制及び食鳥検査に関する法律第12条に規定する食鳥処理衛生管理者

(3)　都道府県知事等が行う講習会又は都道府県知事等が適正と認める講習会を受講した者

二　営業の届出について

(1)　集団給食施設の設置者又は管理者は、施設の所在地、名称等について、施設の所在地を管轄する保健所等に届け出ること（令和３年６月１日の施行日時点において現に稼働している集団給食施設については、令和３年11月30日までに届け出ること。）。また、電子申請システムによる届出も可能となること（※）。

※食品衛生申請等システム　リーフレット

(https://www.mhlw.go.jp/content/000649302.pdf)

(2) なお、施設の設置者又は管理者が、調理業務を外部事業者に委託する場合、施設の調理場を使用するか否かにかかわらず、受託事業者は令和３年６月１日までに通常の営業と同様に飲食店営業の許可を受ける必要があること。

三　少数特定の者を対象とする給食施設について

１回の提供食数が20食程度未満の給食施設については、 HACCPに沿った衛生管理、食品衛生責任者の選任及び営業の届出の規定は適用されないこと。その場合であっても、上記手引書や「中小規模調理施設における衛生管理の徹底について（平成９年６月30日付け衛食第201号）」（※）等を参考に、自主的な衛生管理の徹底及び向上に努められたいこと。

※「中小規模調理施設における衛生管理の徹底について（平成９年６月30日付け衛食第201号）」

(https://www.mhlw.go.jp/web/t_doc?dataId=00ta5920&dataType=1&pageNo=1)

参考

「HACCPに沿った衛生管理の制度化に関するQ&A」（令和２年６月１日最終改正）(https://www.mhlw.go.jp/stf/seisakunitsuite/bunya/0000153364_00001.html)

6　安全管理

○児童福祉施設における事故防止について

〔昭和46年7月31日　児発第418号
各都道府県知事・各指定都市市長宛　厚生省児童家庭局長通知〕

標記については、すでに従来から通知等により、たびたび注意を喚起してきたところであり、貴職におかれても管下の児童福祉施設に対し十分な指導を行なっておられることと思うが、先般、精神薄弱児施設の入所児童がキャンプ中にテントが燃えたため死亡するという事故があったほか、重症心身障害児施設、保育所等において死亡事故などが発生したことは、まことに遺憾である。

とくに、夏季においては、水泳、キャンプ等の行事が多く、水の事故をはじめとした児童の不慮の事故が起こりやすい時期であるとともに、赤痢、食中毒等が多発する時期でもあるので、下記事項に留意のうえ、貴管内の児童福祉施設従事者および関係者の注意を喚起され、いやしくも施設従事者の不注意などによる事故が発生することのないようより一そう指導の徹底を図られたい。

なお、万一不慮の事故が発生した場合には、適切な処置をとるとともに、速やかに本職あて詳細をご報告願いたい。

記

1　児童福祉施設においては、入所児童の習癖、性向などについてつねにその実態を把握し、指導にあたっては、個人差に即したものにするなど適切な配慮をすること。

2　児童福祉施設従事者の研修、訓練に努め、児童処遇上必要な知識・技能の向上を図ること。

3　消防署、警察、病院等関係機関との連絡を密にして、緊急の場合には、適切な協力体制がとれるよう配慮すること。

4　その他児童福祉施設最低基準の趣旨、目的を尊重するなど児童の安全管理に努めること。

○保育所及び認可外保育施設における事故防止について

〔平成25年3月8日　雇児保発0308第1号
各都道府県・各指定都市・各中核市児童福祉主管部(局)長宛　厚生労働省雇用均等・児童家庭局保育課長通知〕

保育所及び認可外保育施設における事故防止については、かねてより「児童福祉施設における事故防止について」(昭和46年7月31日児発第418号厚生省児童家庭局長通知)及び、「保育所及び認可外保育施設における事故の報告について」(平成22年1月19日雇児保発0119第1号厚生労働省雇用均等・児童家庭局保育課長通知)により、事故防止の徹底と当課への報告を求めているところであり、平成24年には18件の死亡事故が当課に報告されている。この件数は、平成22年以降増加する傾向にある。

保育所等において死亡事故等の重篤な事故が発生した場合には、上記の通知に基づき、保育所から市町村(特別区を含む。以下同じ。)への報告、認可外保育施設から都道府県への報告がなされているところであるが、上記の状況を踏まえ、事故の状況を的確に把握し、効果的な事故防止対策を実施するために、事故発生時の保育所等からの報告が速やかに行われるよう一層の指導をお願いする。

また、保育所において死亡事故等の重篤な事故が発生した場合には、保育の実施者である市町村において、再発防止のための必要な検証が行われるよう、管内市町村への周知を図られたい。

○教育・保育施設等における事故防止及び事故発生時の対応のためのガイドラインについて

〔平成28年３月31日　府子本第192号・27文科初第1789号・雇児保発0331第３号
各都道府県子ども・子育て支援新制度担当部局・私立学校・民生主管部(局)・教育委員会・各指定都市・各中核市子ども・子育て支援新制度担当部局・民生主管部(局)の長宛　内閣府子ども・子育て本部参事官・文部科学省初等中等教育局幼児教育・厚生労働省雇用均等・児童家庭局保育課長連名通知〕

子ども・子育て支援新制度において、特定教育・保育施設及び特定地域型保育事業者は、事故の発生又は再発を防止するための措置及び事故が発生した場合に市町村、家族等に対する連絡等の措置を講ずることとされている。このことを踏まえ、国の子ども・子育て会議において、行政による再発防止に関する取組のあり方等について検討すべきとされた。

これを受け、平成26年９月８日「教育・保育施設等における重大事故の再発防止策に関する検討会」が設置され、昨年12月に重大事故の発生防止のための今後の取組みについて最終取りまとめが行われたところである。

この取りまとめでは、各施設・事業者や地方自治体が事故発生の防止等や事故発生時の対応に取り組み、それぞれの施設・事業者や地方自治体ごとの実態に応じて教育・保育等の実施に当たっていくために参考とするガイドライン等を作成するよう提言を受けた。

今般、この取りまとめを踏まえ、特に重大事故が発生しやすい場面ごとの注意事項や、事故が発生した場合の具体的な対応方法等について、各施設・事業者、地方自治体における事故発生の防止等や事故発生時の対応の参考となるよう「教育・保育施設等における事故防止及び事故発生時の対応のためのガイドライン」を作成したので別添のとおり送付する。

ついては、本ガイドラインを内閣府、文部科学省、厚生労働省のホームページに掲載するので、管内の市町村（特別区を含む。）、関係機関及び施設・事業者等で広く活用されるよう周知を図られたい。

なお、本通知は地方自治法（昭和22年法律第67号）第245条の４第１項に規定する技術的助言として発出するものであることを申し添える。

別添　略

（参　考）

・内閣府ホームページ
http://www8.cao.go.jp/shoushi/shinseido/meeting/index.html

・文部科学省ホームページ
http://www.mext.go.jp/a_menu/shotou/youchien/1352254.htm

・厚生労働省ホームページ
http://www.mhlw.go.jp/stf/seisakunitsuite/bunya/kodomo/kodomo_kosodate/hoiku/index.html

○教育・保育施設等におけるてんかん発作時の坐薬挿入に係る医師法第17条の解釈について

〔平成29年８月22日　府子本第683号・29生社教第10号・医政医発0822第１号・子保発0822第１号・子子発0822第１号
各都道府県衛生・各都道府県・各指定都市・各中核市児童福祉主管部(局)長・各都道府県教育委員会教育長・各指定都市市長・各中核市市長・各指定都市・各中核市教育委員会教育長・附属幼稚園を置く各国立大学法人の長宛　内閣府子ども・子育て本部参事官（認定こども園担当）・文部科学省生涯学習政策局社会教育・厚生労働省医政局医事・子ども家庭局保育・子育て支援課長連名通知〕

学校におけるてんかん発作時の坐薬挿入については、「学校におけるてんかん発作時の坐薬挿入について」（平成28年２月29日付け文部科学省初等中等教育局健康教育・食育課事務連絡）（別紙）により、学校現場等で児童生徒がてんかんによるひきつけを起こし、生命が危険な状態等である場合に、現場に居合わせた教職員が、坐薬を自ら挿入できない本人に代わって挿入する行為については、４つの条件を満たす場合は、医師法違反とはならない旨、周知されているところです。

これを踏まえ、保育園、幼保連携型認定こども園、放課後児童健全育成事業、放課後子供教室等（以下「教育・保育施設等」という。）におけるてんかん発作時の坐薬挿入について、下記のとおり示しますので、貴職におかれては、十分御了知の上、貴管内の関係者に対して遅滞なく周知し、関係部局と連携の上、適切に対応くださいますよう、よろしくお願いいたします。

なお、一連の行為の実施に当たっては、てんかんという疾病の特性上、教育・保育施設等において子どものプライバシー保護に十分配慮がなされるよう強くお願いいたします。

記

教育・保育施設等において子どもがてんかんによるひきつけを起こし、生命が危険な状態等である場合に、現場に居合わせた教育・保育施設等の職員又はスタッフ（以下「職員等」という。）が、坐薬を自ら挿入できない本人に代わって挿入する場合が想定されるが、当該行為は緊急やむを得ない措置として行われるものであり、次の４つの条件を満たす場合には、医師法違反とはならない。

①　当該子ども及びその保護者が、事前に医師から、次の点に関して書面で指示を受けていること。
・　教育・保育施設等においてやむを得ず坐薬を使用する必要性が認められる子どもであること
・　坐薬の使用の際の留意事項

②　当該子ども及びその保護者が、教育・保育施設等に対して、やむを得ない場合には当該子どもに坐薬を使用することについて、具体的に依頼（医師から受けた坐薬の挿入の際の留意事項に関する書面を渡して説明しておくこと等を含む。）していること。

③　当該子どもを担当する職員等が、次の点に留意して坐薬を使用すること。
・　当該子どもがやむを得ず坐薬を使用することが認められる子ども本人であることを改めて確認すること
・　坐薬の挿入の際の留意事項に関する書面の記載事項を遵守すること
・　衛生上の観点から、手袋を装着した上で坐薬を挿入すること

④　当該子どもの保護者又は職員等は、坐薬を使用した後、当該子どもを必ず医療機関での受診をさせること。

○児童虐待防止対策に係る学校等及びその設置者と市町村・児童相談所との連携の強化について

〔平成31年２月28日　府子本第189号・30文科初第1616号・子発0228第２号・障発0228第２号
各都道府県知事・各都道府県教育委員会教育長・各指定都市市長・各指定都市教育委員会教育長・各中核市市長・各児童相談所設置市市長・附属学校を置く各国立大学法人学長・附属学校を置く各公立大学法人学長・小中高等学校を設置する学校設置会社を所管する構造改革特別区域法第12条第１項の認定を受けた各地方公共団体の長・独立行政法人国立高等専門学校機構理事長・高等専門学校を設置する各地方公共団体の長・高等専門学校を設置する各公立大学法人の理事長・高等専門学校を設置する各学校法人の理事長宛　内閣府子ども・子育て本部統括官・文部科学省総合教育政策・初等中等教育・高等教育・厚生労働省子ども家庭局長・社会・援護局障害保健福祉部長連名通知〕

児童虐待については、児童相談所への児童虐待相談対応件数が年々増加の一途をたどっており、子どもの生命が奪われるなど重大な事件も後を絶たないなど依然として深刻な社会問題となっている。

このような状況から、学校等（幼稚園、小学校、中学校、義務教育学校、高等学校、中等教育学校、特別支援学校、高等専門学校、高等課程を置く専修学校、保育所、地域型保育事業所、認定こども園、認可外保育施設（児童福祉法（昭和22年法律第164号）第59条の２第１項に規定する施設をいう。）及び障害児通所支援事業所をいう。以下同じ。）及びその設置者や市町村・児童相談所等の関係機関に対しては、「児童虐待防止対策の強化に向けた緊急総合対策」（平成30年７月20日児童虐待防止対策に関する関係閣僚会議決定）等を踏まえた対応をお願いしているところであるが、本年１月に千葉県野田市で発生した小学校４年生死亡事案を受け、「「児童虐待防止対策の強化に向けた緊急総合対策」の更なる徹底・強化について」（平成31年２月８日児童虐待防止対策に関する関係閣僚会議決定）が決定され、児童相談所及び学校における子どもの緊急安全確認を実施するなど緊急点検を実施し、抜本的な体制強化を図ることとされた。

こうした対応を受け、増加する児童虐待に対応するため、とりわけ、学校等における児童虐待の早期発見・早期対応、被害を受けた子どもの適切な保護等について、学校等及びその設置者と市町村・児童相談所が連携した対応が図られるよう、下記に掲げる取組の徹底を改めてお願いする。

なお、児童虐待への対応に当たっては、

・学校等においては、児童虐待の早期発見・早期対応に努め、市町村や児童相談所等への通告や情報提供を速やかに行うこと
・児童相談所においては、児童虐待通告や学校等の関係機関からの情報提供を受け、子どもと家族の状況の把握、対応方針の検討を行った上で、一時保護の実施や来所によるカウンセリング、家庭訪問による相談助言、保護者への指導、里親委託、児童福祉施設への入所措置など必要な支援・援助を行うこと
・市町村においては、自ら育児不安に対する相談に応じるとともに、市町村に設置する要保護児童対策地域協議会の調整機関として、支援を行っている子どもの状況把握や支援課題の確認、並びに支援の経過などの進行管理を恒常的に行い、自ら相談支援を行うことはもとより関係機関がその役割に基づき対応に当たれるよう必要な調整を行うこと
・警察においては110番通報や児童相談所等の関係機関からの情報提供を受け、関係機関と連携しながら子どもの安全確保、保護を行うとともに、事案の危険性・緊急性を踏まえ、事件化すべき事案については厳正な捜査を行うこと

等といった固有の責務を関係機関それぞれが有しており、こうした責務を最大限に果たしていくことを前提として下記の連携などの取組を進めることが必要である。

都道府県においては管内市区町村、所轄の私立学校及び関係機関へ、都道府県教育委員会・指定都市教育委員会においては管内市区町村教育委員会、所管の学校及び関係機関へ、指定都市・中核市・児童相談所設置市においては関係機関へ、附属学校を置く国立大学法人及び公立大学法人においては附属学校へ、独立行政法人国立高等専門学校機構並びに高等専門学校を設置する地方公共団体、公立大学法人及び学校法人においてはその設置する学校へ、構造改革特別区域法第12条第１項の認定を受けた地方公共団体においては認可した学校へそれぞれ周知いただきたい。

なお、本通知については、警察庁生活安全局と協議

済であることを申し添える。

記

1　今回事案を踏まえて対策の強化を図るべき事項

⑴　要保護児童等の通告元に関する情報の取扱いについて

市町村・児童相談所においては、保護者に虐待を告知する際には子どもの安全を第一とするとともに、通告者保護の観点から、通告元（児童虐待の防止等に関する法律第６条第１項に規定する児童虐待に係る通告を行った者をいう。）は明かせない旨を保護者に伝えることを徹底すること。

⑵　要保護児童等の情報元に関する情報の取扱いについて

学校等及びその設置者においては、保護者から情報元（虐待を認知するに至った端緒や経緯をいう。以下同じ。）に関する開示の求めがあった場合は、情報元を保護者に伝えないこととするとともに、児童相談所等と連携しながら対応すること。

さらに、市町村・児童相談所においては、子どもの安全が確保されない限り、子どもからの虐待の申し出等の情報元を保護者に伝えないこと。

現に、保護者との関係等を重視しすぎることで、子どもの安全確保が疎かになり、重大な事態に至ってしまう事例が生じていることに十分留意すべきである。

＜児童虐待防止対策の強化に向けた緊急総合対策の更なる徹底・強化『２新たなルールの設定』＞

⑶　保護者からの要求への対応について

学校等は、保護者が、児童虐待の通告や児童相談所による一時保護、継続指導等に関して不服があり、保護者から学校等に対して威圧的な要求や暴力の行使等が予想される場合には、複数の教職員等で対応するとともに、即座に設置者に連絡した上で組織的に対応すると同時に、設置者と連携して速やかに市町村・児童相談所・警察等の関係機関や弁護士等の専門家と情報共有することとし、関係機関が連携して対応すること。

学校等の設置者は、保護者が、児童虐待の通告や児童相談所による一時保護、継続指導等に関して不服があり、保護者から学校等又はその設置者に対して威圧的な要求や暴力の行使等が予想される場合には、児童相談所・警察等の関係機関や弁護士等の専門家と情報共有することとし、関係機関が連携して対応すること。

また、学校等又はその設置者と関係機関が連携して対応した結果については、要保護児童対策地域協議会（児童福祉法（昭和22年法律第164号）第25条の２に規定する要保護児童対策地域協議会をいう。以下同じ。）において、事案を共有し、今後の援助方針の見直し等に活用すること。

＜児童虐待防止対策の強化に向けた緊急総合対策の更なる徹底・強化『２新たなルールの設定』＞

⑷　定期的な情報共有に係る運用の更なる徹底について

学校等から市町村又は児童相談所への定期的な情報提供については、本通知と同日付けで「学校、保育所、認定こども園及び認可外保育施設等から市町村又は児童相談所への定期的な情報提供について」（平成31年２月28日付け内閣府子ども・子育て本部統括官、文部科学省総合教育政策局長、文部科学省初等中等教育局長、文部科学省高等教育局長、厚生労働省子ども家庭局長、厚生労働省社会・援護局障害保健福祉部長連名通知）を発出し、要保護児童等（要保護児童対策地域協議会において、児童虐待ケースとして進行管理台帳に登録されており、学校等に在籍する子ども。）の出欠状況や欠席理由等について、学校等から市町村又は児童相談所へ定期的に情報提供を行うこととし、その適切な運用をお願いしたところである。

当該通知の運用に当たっては、当該要保護児童等に関して、不自然な外傷、理由不明の欠席が続く、虐待の証言が得られた、帰宅を嫌がる、家庭環境の変化など、新たな児童虐待の兆候や状況の変化等を把握した時は、定期的な情報提供の期日を待つことなく、市町村又は児童相談所へ情報提供又は通告すること及び学校等又はその設置者から情報提供を受けた市町村又は児童相談所は、当該学校等又はその設置者から更に詳しく事情を聞き、組織的に評価した上で、状況確認、主担当機関の確認、援助方針の見直し等を行うこととともに「児童虐待防止対策の強化に向けた緊急総合対策」を踏まえて適切に警察と情報共有することについて、徹底されたい。

また、学校等は保護者等から要保護児童等が学校等を欠席する旨の連絡があるなど、欠席の理由について説明を受けている場合であっても、その理由の如何にかかわらず、休業日を除き引き続き７日以上欠席した場合（不登校等による欠席であって学校等が定期的な家庭訪問等により本人に面会でき、状況の把握を行っている場合や、入院による欠席であって学校等が医療機関等からの情報等により状況の把握を行っている場合を除く。）

には、定期的な情報提供の期日を待つことなく、速やかに市町村又は児童相談所に情報提供することについても、徹底されたい。（なお、障害児通所支援事業所におけるこれらの取扱いは、原則として当該障害児通所支援事業所をほぼ毎日利用している子どもを想定しているが、障害児通所支援事業所の利用頻度が低い又は利用が不定期である子どもについては、本取扱いに準じた取扱いとすることとし、具体的な内容については、別途お示しする。）

その際、学校等又はその設置者から情報提供を受けた市町村又は児童相談所は、当該学校等又はその設置者から更に詳しく事情を聞き、組織的に評価した上で、状況確認、主担当機関の確認、援助方針の見直し等を行うとともに、「児童虐待防止対策の強化に向けた緊急総合対策」を踏まえて適切に警察と情報共有すること。

※詳細は、「学校、保育所、認定こども園及び認可外保育施設等から市町村又は児童相談所への定期的な情報提供について」（平成31年２月28日付け内閣府子ども・子育て本部統括官、文部科学省総合教育政策局長、文部科学省初等中等教育局長、文部科学省高等教育局長、厚生労働省子ども家庭局長、厚生労働省社会・援護局障害保健福祉部長連名通知）を参照されたい。

＜児童虐待防止対策の強化に向けた緊急総合対策『関係機関（警察・学校・病院等）間の連携強化』＞

＜児童虐待防止対策の強化に向けた緊急総合対策の更なる徹底・強化『２新たなルールの設定』＞

(5)　児童虐待に関する研修の更なる充実について

３ (1)記載のような研修の機会を活用するとともに、児童相談所の職員を講師に招くなどして、研修の充実に努めるほか、学校長等の管理職に対しても、児童虐待に関する具体的な事例を想定することなどによる実践的な研修に取り組まれたい。

＜児童虐待防止対策の強化に向けた緊急総合対策の更なる徹底・強化『３児童相談所、市町村、学校及び教育委員会の抜本的な体制強化』＞

２　ケース対応において留意すべき事項

(1)　学校等からの通告・相談における連携

市町村・児童相談所は、学校等又はその設置者からの通告は、地域、近隣住民あるいは家族、親族からの相談とは異なり、通告した機関が特定される可能性が高いことを説明すること。学校等又はその設置者からは通告の事実を保護者に伝えないようにすること。その際、保護者に対する対応方法について、市町村・児童相談所と事前に綿密な協議を行った上で、連携した対応を図られたい。

＜子ども虐待対応の手引き　第３章通告・相談の受理はどうするか　１．通告・相談時に何を確認すべきか　(4)通告・相談者別の対応のあり方　⑥『保育所、学校等からの通告相談』＞

(2)　保護者への告知の方法

保護者に虐待の告知をすることで、保護者の怒りが子ども本人に向かい、さらなる虐待を誘発することを避けるよう何よりも注意すること。在宅での援助を続けることを前提に虐待の告知を行う場合は、子どもの安全は守られるという見通しを持って行うことが不可欠であり、そのためには、援助の方向性を示すことで養育を改善することはできると保護者が感じられるような方針を持って説明をすることなどを心がけること。

また、虐待の告知をした後、「余計なことは言うな」などと保護者が子どもの口を封じるなどして、子どもが正直に話さなくなることもあり得るので、その点も念頭に置いて、子どもの所属する機関（学校等）などと連携しながら子どもの様子に十分な注意を払うこと。

保護者が虐待の告知を受け止められず、虐待であることを否認して養育態度を改める姿勢がないような場合には、子どもの保護を図るなど、在宅での援助という方針自体を再検討しなければならないこと。　＜子ども虐待対応の手引き『告知の方法』＞

＜子ども虐待対応の手引き　第４章調査及び保護者と子どもへのアプローチをどう進めるか　２．虐待の告知をどうするか　(4)告知の方法　①『虐待通告を受けて在宅で支援する場合の告知』＞

(3)　一時保護解除後の対応

一時保護解除等により子どもが家庭復帰した後、児童相談所への来所が滞ったり、家庭訪問を拒んだり、不在が続くなど支援機関との関係が疎遠になるときは、子どもにとっての危機のサインであると考える必要があるため、学校等及びその設置者と市町村・児童相談所の間において、子どもから直接ＳＯＳを出せるような方法を確認しておくとともに、特に学齢期以降の子どもには関係機関の連絡先を伝えておくよう対応されたい。

＜子ども虐待対応の手引き　第10章施設入所及び里親委託中の援助　５．家庭復帰の際の支援　(4)家庭復帰後のケア＞

3　児童虐待防止対策の強化を図るべき事項

(1)　児童虐待防止に係る研修の実施について

児童虐待を発見しやすい立場にある教職員等に対する児童虐待に関する研修の実施を促進されたい。

学校等及びその設置者におかれては、教職員等が、虐待を発見するポイントや発見後の対応の仕方等についての理解を一層促進するため、以下の研修について受講を勧奨されたい。

また、都道府県・市町村におかれては、主催する児童虐待防止に関する各種研修会について、教職員等の参加を呼びかけ、受講を促進されたい。

なお、教職員等を対象とした研修事業（国庫補助事業）は以下のとおりであるので、積極的に活用されたい。

＜児童虐待防止対策の強化に向けた緊急総合対策『児童虐待に関する研修の充実』＞

○子どもの虹情報研修センター主催　『教育機関・児童福祉関係職員合同研修』

学校や教育委員会で児童虐待に携わる者、市町村で児童虐待を担当する者、児童相談所職員による合同研修

○都道府県主催　『虐待対応関係機関専門性強化事業』

地域で活動する主任児童委員、保育所職員、児童養護施設職員、ケースワーカー、家庭相談員等の子どもの保護・育成に熱意のある者を対象とした児童虐待等に関する専門研修。

（以上）

○学校、保育所、認定こども園及び認可外保育施設等から市町村又は児童相談所への定期的な情報提供について

〔平成31年２月28日　府子本第190号・30文科初第1618号・子発0228第３号・障発0228第３号
各都道府県知事・各都道府県教育委員会教育長・各指定都市市長・各指定都市教育委員会教育長・各中核市市長・各児童相談所設置市市長・附属学校を置く各国立大学法人学長・附属学校を置く各公立大学法人学長・小中高等学校を設置する学校設置会社を所管する構造改革特別区域法第12条第１項の認定を受けた各地方公共団体の長・独立行政法人国立高等専門学校機構理事長・高等専門学校を設置する各地方公共団体の長・高等専門学校を設置する各公立大学法人の理事長・高等専門学校を設置する各学校法人の理事長宛　内閣府子ども・子育て本部統括官・文部科学省総合教育政策・初等中等教育・高等教育・厚生労働省子ども家庭局長・社会・援護局障害保健福祉部長連名通知〕

児童虐待については、児童相談所への児童虐待相談対応件数が年々増加の一途をたどっており、重篤な児童虐待事件も後を絶たないなど依然として深刻な社会問題となっている。

こうした中、平成30年３月に東京都目黒区で発生した児童虐待事案を受けて、「児童虐待防止対策の強化に向けた緊急総合対策」（平成30年７月20日児童虐待防止対策に関する関係閣僚会議決定）に基づき、学校、保育所等と市町村、児童相談所との連携の推進を図るため、「学校、保育所、認定こども園及び認可外保育施設から市町村又は児童相談所への定期的な情報提供に関する指針」に基づく運用をお願いしているところであるが、本年１月に千葉県野田市で発生した小学校４年生死亡事案を踏まえ、今般、「学校、保育所、認定こども園及び認可外保育施設等から市町村又は児童相談所への定期的な情報提供に関する指針」（別添）を定め、一層推進すべき取組として周知徹底を図るものであるので、適切な運用を図られたい。

都道府県においては管内市区町村、所轄の私立学校及び関係機関へ、都道府県教育委員会・指定都市教育委員会においては管内市区町村教育委員会、所管の学校及び関係機関へ、指定都市・中核市・児童相談所設置市においては関係機関へ、附属学校を置く国立大学法人及び公立大学法人においては附属学校へ、独立行政法人国立高等専門学校機構並びに高等専門学校を設置する地方公共団体、公立大学法人及び学校法人においてはその設置する学校へ、構造改革特別区域法第12条第１項の認定を受けた地方公共団体においては認可した学校へそれぞれ周知いただきたい。

なお、「学校、保育所、認定こども園及び認可外保育施設から市町村又は児童相談所への定期的な情報提供について」（平成30年７月20日付け内閣府子ども・子育て本部統括官、文部科学省初等中等教育局長、厚生労働省雇用均等・児童家庭局長通知）については廃止する。

また、本通知は地方自治法（昭和22年法律第67号）

第245条の４第１項の規定に基づく技術的助言であることを申し添える。

（別　添）

学校、保育所、認定こども園及び認可外保育施設等から市町村又は児童相談所への定期的な情報提供に関する指針

1　趣旨

本指針は、幼稚園、小学校、中学校、義務教育学校、高等学校、中等教育学校、特別支援学校、高等専門学校、高等課程を置く専修学校（以下「学校」という。）、保育所、地域型保育事業所、認定こども園、認可外保育施設（児童福祉法（昭和22年法律第164号）第59条の２第１項に規定する施設をいう。以下同じ。）及び障害児通所支援事業所（以下「学校・保育所等」という。）から市町村又は児童相談所（以下「市町村等」という。）への児童虐待防止に係る資料及び情報の定期的な提供（以下「定期的な情報提供」という。）に関し、定期的な情報提供の対象とする児童、情報提供の頻度・内容、依頼の手続等の事項について、児童虐待の防止等に関する法律（平成12年法律第82号。以下「虐待防止法」という。）第13条の４の規定に基づく基本的な考え方を示すものである。

2　定期的な情報提供の対象とする児童

(1)　市町村が情報提供を求める場合

要保護児童対策地域協議会（児童福祉法第25条の２に規定する要保護児童対策地域協議会をいう。以下「協議会」という。）において、児童虐待ケースとして進行管理台帳（注）に登録されており、かつ、学校に在籍する幼児児童生徒学生、保育所、地域型保育事業所、認定こども園、認可外保育施設及び障害児通所支援事業所に在籍する乳幼児（以下「幼児児童生徒等」という。）を対象とする。

（注）進行管理台帳とは、市町村内における虐待ケース等に関して、子ども及び保護者に関する情報やその状況の変化等を記載し、協議会において絶えずケースの進行管理を進めるための台帳であり、協議会の中核機関である調整機関において作成するものである。

(2)　児童相談所が情報提供を求める場合

児童相談所（児童福祉法第12条に規定する児童相談所をいう。以下同じ。）が管理している児童虐待ケースであって、協議会の対象となっておらず、かつ、学校・保育所等から通告があったものなど、児童相談所において必要と考える幼児児童生徒等を対象とする。

3　定期的な情報提供の頻度・内容

(1)　定期的な情報提供の頻度

定期的な情報提供の頻度は、おおむね１か月に１回を標準とする。

(2)　定期的な情報提供の内容

定期的な情報提供の内容は、上記２(1)及び(2)に定める幼児児童生徒等について、対象期間中の出欠状況、（欠席した場合の）家庭からの連絡の有無、欠席の理由とする。

4　定期的な情報提供の依頼の手続

(1)　市町村について

市町村は、上記２(1)に定める幼児児童生徒等について、当該幼児児童生徒等が在籍する学校・保育所等に対して、対象となる幼児児童生徒等の氏名、上記３(2)に定める定期的な情報提供の内容、提供を希望する期間等を記載した書面を送付する。

(2)　児童相談所について

児童相談所は、上記２(2)に定める幼児児童生徒等について、当該幼児児童生徒等が在籍する学校・保育所等に対して、対象となる幼児児童生徒等の氏名、上記３(2)に定める定期的な情報提供の内容、提供を希望する期間等を記載した書面を送付する。

5　機関（学校・保育所等を含む。）間での合意

(1)　上記４により、市町村等が学校・保育所等に対し、定期的な情報提供の依頼を行う場合は、この仕組みが円滑に活用されるよう、市町村等と学校・保育所等との間で協定を締結するなど、事前に機関の間で情報提供の仕組みについて合意した上で、個別の幼児児童生徒等の情報提供の依頼をすることが望ましいこと。

(2)　協定の締結等による機関間での合意に際しては、本指針に掲げる内容を基本としつつも、より実効性のある取組となるよう、おおむね１か月に１回程度を標準としている定期的な情報提供の頻度や、対象となる幼児児童生徒等の範囲について、定期的な情報提供の内容をより幅広く設定するなど、地域の実情を踏まえたものにすること。

(3)　学校は、市町村等と協定の締結等により機関間での合意をしたときは、その内容等を設置者等（私立学校にあっては当該学校の所轄庁を含む。以下同じ。）に対しても報告すること。

6　定期的な情報提供の方法等

(1)　情報提供の方法

学校・保育所等は、市町村等から上記４の依頼文書を受けた場合、依頼のあった期間内におい

て、定期的に上記3に定める定期的な情報提供を書面にて行う。

(2)　設置者等への報告等

学校が市町村等へ定期的な情報提供を行った場合は、併せて設置者等に対してもその写しを送付すること。また、市町村等へ定期的な情報提供を行うに際しては、地域の実情に応じて設置者等を経由することも可能とする。

7　緊急時の対応

定期的な情報提供の期日より前であっても、学校・保育所等において、不自然な外傷がある、理由不明又は連絡のない欠席が続く、対象となる幼児児童生徒等から虐待についての証言が得られた、帰宅を嫌がる、家庭環境に変化があったなど、新たな児童虐待の兆候や状況の変化等を把握したときは、定期的な情報提供の期日を待つことなく、適宜適切に市町村等に情報提供又は通告をすること。

また、学校・保育所等は保護者等から対象となる幼児児童生徒等が学校・保育所等を欠席する旨の連絡があるなど、欠席の理由について説明を受けている場合であっても、その理由の如何にかかわらず、休業日を除き引き続き7日以上欠席した場合（不登校等による欠席であって学校・保育所等が定期的な家庭訪問等により本人に面会ができ、状況の把握を行っている場合や、入院による欠席であって学校・保育所等が医療機関等からの情報等により状況の把握を行っている場合を除く。）には、定期的な情報提供の期日を待つことなく、速やかに市町村等に情報提供すること。

なお、障害児通所支援事業所におけるこれらの取扱いは、原則として当該障害児通所支援事業所をほぼ毎日利用している幼児児童生徒等を想定しているが、障害児通所支援事業所の利用頻度が低い又は利用が不定期である幼児児童生徒等については、本取扱いに準じた取扱いとすることとし、具体的な内容については、別途お示しする。

8　情報提供を受けた市町村等の対応について

(1)　市町村について

①　学校・保育所等から上記6の定期的な情報提供又は上記7の緊急時における情報提供を受けた市町村は、必要に応じて当該学校・保育所等から更に詳しく事情を聞くこととし、これらの情報を複数人で組織的に評価する。

なお、詳細を確認する内容としては、外傷、衣服の汚れ、学校・保育所等での相談、健康診断の回避、家庭環境の変化、欠席の背景、その他の虐待の兆候をうかがわせる事実を確認できた場合には当該事項等が考えられる。

②　①の評価を踏まえて、必要に応じて関係機関にも情報を求める、自ら又は関係機関に依頼して家庭訪問を行う、個別ケース検討会議を開催するなど状況把握及び対応方針の検討を組織として行うとともに「児童虐待防止対策の強化に向けた緊急総合対策」を踏まえて適切に警察と情報共有すること。

③　対応が困難な場合には児童相談所に支援を求めるとともに、専門的な援助や家庭への立入調査等が必要と考えられる場合は、速やかに児童相談所へ送致又は通知を行う。

④　協議会においては、市町村内における全ての虐待ケース（上記2(2)の場合を除く。）について進行管理台帳を作成し、実務者会議の場において、定期的に（例えば3か月に1度）、状況確認、主担当機関の確認、援助方針の見直し等を行うことを徹底すること。

(2)　児童相談所について

①　児童相談所が学校・保育所等から上記6の定期的な情報提供又は上記7の緊急時における情報提供を受けた場合

ア　学校・保育所等から上記6の定期的な情報提供又は上記7の緊急時における情報提供を受けた児童相談所は、必要に応じて当該学校・保育所等から更に詳しく事情を聞くこととし、これらの情報について援助方針会議等の合議による組織的な評価を行うとともに、「児童虐待防止対策の強化に向けた緊急総合対策」を踏まえて適切に警察と情報共有すること。

なお、詳細を確認する内容としては、外傷、衣服の汚れ、学校・保育所等での相談、健康診断の回避、家庭環境の変化、欠席の背景、その他の虐待の兆候をうかがわせる事実を確認できた場合には当該事項等が考えられる。

イ　アの評価を踏まえて、必要に応じて関係機関にも情報を求める、自ら家庭訪問を行う、個別ケース検討会議の開催を市町村に求めるなど状況把握及び対応方針の検討を組織として行う。

ウ　必要に応じて立入調査、出頭要求、児童の一時保護等の対応をとる。

②　市町村が学校・保育所等から上記6の定期的な情報提供又は上記7の緊急時における情報提供を受けた場合、市町村の求めに応じて積極的

に支援するものとする。

9　個人情報の保護に対する配慮

(1)　虐待防止法においては、市町村等から児童虐待に係る情報の提供を求められた場合、地方公共団体の機関は情報を提供することができると従前から規定されていた一方、児童虐待の兆しや疑いを発見しやすい立場にある民間の医療機関、児童福祉施設、学校等は提供できる主体に含まれておらず、これらの機関等が児童虐待に係る有益な情報を有しているような場合であっても、個人情報保護や守秘義務の観点を考慮し、情報提供を拒むことがあった。

児童虐待が疑われるケースについては、児童や保護者の心身の状況、置かれている環境等の情報は、市町村等において、児童の安全を確保し、対応方針を迅速に決定するために必要不可欠であることから、「児童福祉法等の一部を改正する法律」（平成28年法律第63号）においては、地方公共団体の機関に加え、病院、診療所、児童福祉施設、学校その他児童の医療、福祉又は教育に関係する機関や医師、看護師、児童福祉施設の職員、学校の教職員その他児童の医療、福祉又は教育に関連する職務に従事する者（以下「関係機関等」という。）も、児童相談所長等から児童虐待の防止等に関する資料又は情報の提供を求められたときは、当該児童相談所長等が児童虐待の防止等に関する事務又は業務の遂行に必要な限度で利用し、かつ、利用することに相当の理由があるときは、これを提供することができるものとされた。ただし、当該資料又は情報を提供することによって、当該資料又は情報に係る児童等又は第三者の権利利益を不当に侵害するおそれがあると認められるときは、この限りでないとされた（虐待防止法第13条の４）。

(2)　このため、学校・保育所等から市町村等に対して、定期的な情報提供を行うに当たって、「個人情報の保護に関する法律」（平成15年法律第57号。以下「個人情報保護法」という。）第16条及び第23条においては、本人の同意を得ない限り、①あらかじめ特定された利用目的の達成に必要な範囲を超えて個人情報を取り扱ってはならず、②第三者に個人データを提供してはならないこととされている。しかしながら、「法令に基づく場合」は、これらの規定は適用されないこととされており、虐待防止法第13条の４の規定に基づき資料又は情報を提供する場合は、この「法令に基づく場合」に該当するため、個人情報保護法に違反することにならない。

なお、地方公共団体の機関からの情報提供については、各地方公共団体の個人情報保護条例において、個人情報の目的外利用又は提供禁止の除外規定として、「法令に定めがあるとき」等を定めていることが一般的であり、虐待防止法第13条の４に基づく情報提供は「法令に定めがあるとき」に該当するため、条例にこのような除外規定がある場合には条例違反とはならないと考えられる。

ただし、幼児児童生徒等、その保護者その他の関係者又は第三者の権利利益を不当に侵害することのないよう十分な配慮の下、必要な限度で行わなければならないので留意すること。

また、当該情報提供は、虐待防止法第13条の４の規定に基づくものであるため、同規定の趣旨に沿って行われる限り、刑法（明治40年法律第45号）や関係資格法で設けられている守秘義務規定に抵触するものではないことに留意されたい。

(3)　市町村が学校・保育所等から受けた定期的な情報提供の内容について、協議会の実務者会議及び個別ケース検討会議において情報共有を図ろうとする際は、市町村において、学校・保育所等から提供のあった情報の内容を吟味し、情報共有すべき内容を選定の上、必要な限度で行うこと。

また、協議会における幼児児童生徒等に関する情報の共有は、幼児児童生徒等の適切な保護又は支援を図るためのものであり、協議会の構成員及び構成員であった者は、正当な理由がなく、協議会の職務に関して知り得た秘密を漏らしてはならないこととされているので、このことに十分留意し、協議会の適切な運営を図ること。

10　その他

市町村等が学校・保育所等以外の関係機関に状況確認や見守りの依頼を行った場合にも、当該関係機関との連携関係を保ち、依頼した後の定期的な状況把握に努めるものとする。

○未就学児が日常的に集団で移動する経路の交通安全の確保の徹底について

〔令和元年６月18日　府政共生160号・府子本第172号・府子本第174号・元教参学第９号・子少発0618第１号・子保発0618第１号・障障発0618第１号
各都道府県民生主管部(局)・私立学校主管課・各都道府県・各指定都市教育委員会学校安全主管課・附属幼稚園及び附属特別支援学校幼稚部を置く各国立大学法人担当課・各都道府県・各指定都市特別支援学校担当課・各都道府県認定こども園主管課・保育・障害児担当部(局)・各指定都市・各中核市民生主管部(局)・保育・障害児担当部(局)の長宛　内閣府政策統括官（共生社会政策担当）付参事官（交通安全対策担当）・内閣府子ども・子育て本部参事官（子ども・子育て支援担当）・（認定こども園担当）・文部科学省総合教育政策局男女共同参画共生社会学習・安全課長・厚生労働省子ども家庭局総務課少子化総合対策室長・保育・社会・援護局障害保健福祉部障害福祉課長連名通知〕

本年５月、滋賀県大津市において、集団で歩道を通行中の園児らが死傷する痛ましい交通事故が発生しました。このように子供が犠牲となる交通事故を受け、関係閣僚会議が開催され、政府において、未就学児を中心とした子供が日常的に集団で移動する経路の安全確保方策を早急に取りまとめ、対策を講じることとし、本方策の一つとして、未就学児が日常的に集団で移動する経路の緊急安全点検を実施することとなりました。

ついては、別紙のとおり、「未就学児が日常的に集団で移動する経路の緊急安全点検等実施要領」を作成したので、同実施要領に沿って、関係機関と連携して安全点検及び安全対策を講じていただくようお願いします。

（別　紙）

未就学児が日常的に集団で移動する経路の緊急安全点検等実施要領

1　実施対象

以下に掲げる対象施設において、未就学児が日常的に集団で移動する経路（必要に応じてこれに準ずる経路を含む。以下「集団移動経路等」という。）

※　対象施設

公立幼稚園、私立幼稚園、国立大学附属幼稚園、公立特別支援学校幼稚部、私立特別支援学校幼稚部、国立大学附属特別支援学校幼稚部、保育所・地域型保育事業所、認定こども園、認可外保育施設（企業主導型保育事業を含む。）、児童発達支援（医療型を含む。）事業所

2　実施主体

対象施設を所管又は担当する機関（以下「所管機関」という。）、上記１の対象施設、道路管理者、対象施設の所在地を管轄する警察署（以下「地元警察署」という。）

※　対象施設ごとの所管機関については別表を参照。

3　実施期間及び報告期限

⑴　実施期間

４⑴及び⑵については令和元年９月末までに、４⑶アについては同年10月末までに実施する。

⑵　府省に対する報告期限

４⑶イの合同点検等の実施結果の報告については令和元年10月末までに、４⑸の交通安全対策の実施状況の報告については令和２年１月末時点における実施状況を同年２月末までに報告する。

4　実施内容（別添　対象施設ごとのフローチャート図参照）

⑴　対象施設による危険箇所の抽出

対象施設において、上記１の実施対象の点検を実施し、交通安全の観点から危険があると認められる箇所（以下「危険箇所」という。）を抽出して以下の３類型に分類した上で、様式１（対象施設から所管機関に対する報告）により、所管機関に報告する。

なお、危険箇所の抽出に当たっては、地域の実情に応じ、参考「交通の方法に関する教則（抜粋）」及び「交通安全教育指針（抜粋）」を参考とされたい。

また、本年度、既に実施対象について点検を実施している場合は、その実施内容や状況に応じ、その結果をもって危険箇所の抽出に代えることができる。

【類型】

○第１類型

集団移動経路等の変更など対象施設におい

て単独で対応できる箇所

○第２類型

「通学路における緊急合同点検」(「通学路の交通安全の確保の徹底について」(平成24年５月30日文部科学省スポーツ・青少年局学校健康教育課長通知)により実施依頼したもの)において既に危険箇所として抽出されている箇所で、対策の実施が予定されている箇所

※　上記箇所については、所管機関が市町村教育委員会等から情報を収集して対象施設に必要に応じて提供するなどの対応を行う。その際、都道府県が所管機関である場合にあっては、市町村教育委員会等からの情報収集にあたり、必要に応じて都道府県教育委員会等の協力を得ることも差し支えない。

○第３類型

第１類型及び第２類型以外の危険箇所

(2)　合同点検の実施及び交通安全対策が必要な箇所の抽出

所管機関及び対象施設は、上記(1)で抽出した危険箇所につき、道路管理者及び地元警察署等の関係機関と共有するとともに、このうち第３類型に分類された危険箇所について、道路管理者及び地元警察署等の関係機関と連携し、合同で点検を実施する。

所管機関及び対象施設は、合同点検実施後、合同点検の結果を集約した上で、合同点検に参加した関係機関で協議の上、交通安全対策が必要な箇所(以下「対策必要箇所」という。)を抽出する。

※　合同点検の実施に係る日程調整は、原則として所管機関が行うものとする。

※　合同点検は、地域の実情により、所管機関及び対象施設の双方が参加できない場合は、いずれか一方が参加して実施することもできる。

※　本年度、既に関係機関等が合同で点検を実施している場合には、その実施内容や状況に応じ、その結果をもって合同点検及び対策必要箇所の抽出に代えることができる。

※　所管機関が都道府県である場合であって、合同点検の実施に向けた調整、合同点検の実施及び対策案の作成に当たり特に必要である場合、適宜、都道府県教育委員会や福祉部局、市町村教育委員会や福祉部局からの協力を得ることは差し支えない。

(3)　対策案の作成・提出、合同点検等の実施結果の報告

ア　対策案の作成・提出

所管機関及び対象施設(地域の実情に応じ、所管機関又は対象施設のいずれか一方でも可とする。)は、上記(2)で抽出した対策必要箇所について、道路管理者及び地元警察署から技術的な助言を得つつ、対策案を作成し、要望として道路管理者及び地元警察署に提出する。

※　対象施設のみが対策案を作成する場合にあっては、所管機関にも併せて対策案を提出する。

イ　合同点検等の実施結果の報告

対象施設は、様式１により、合同点検等の実施結果を所管機関に報告する(市町村が所管機関である場合は、報告を受けた市町村は様式２(国等に対する報告)により都道府県に報告する。)。

所管機関は、対象施設又は市町村から報告のあった様式１を取りまとめて様式２を作成し、対象施設を所管する府省に報告する(市町村が所管機関である場合は、報告を受けた都道府県は市町村から受領した様式２を取りまとめて様式２を作成し、府省に報告する。)。

※　国立大学法人が所管する対象施設は様式１により合同点検等の実施結果を当該法人に報告し、報告を受けた当該法人は様式２により文部科学省に報告する。

(4)　交通安全対策の実施

所管機関及び対象施設、道路管理者並びに地元警察署は、上記(3)の対策案を踏まえてそれぞれ交通安全対策を実施する。その際、所管機関及び対象施設は、保護者等と連携を図るとともに、道路管理者及び地元警察署の対策実施にかかる地元住民との調整に協力する。

道路管理者及び地元警察署は、交通安全対策の実施状況を所管機関へ報告する。

(5)　交通安全対策の実施状況の報告

対象施設は、様式１により、交通安全対策の実施状況を所管機関に報告する(市町村が所管機関である場合は、報告を受けた市町村は様式２により都道府県に報告する。)。

所管機関は、対象施設又は市町村から報告のあった様式１を取りまとめて様式２を作成し、対象施設を所管する府省に報告する(市町村が所管機関である場合は、報告を受けた都道府県は市町村から受領した様式２を取りまとめて様式２を作成し、府省に報告する。)。

※ 国立大学法人が所管する対象施設は様式１により交通安全対策の実施状況を当該法人に報告し、報告を受けた当該法人は様式２により文部科学省に報告する。

○本件についての問合せ先・報告先

（本件全般について）

内閣府 政策統括官（共生社会政策担当）付交通安全対策担当

TEL：03-5253-2111（内線38272、38280）

FAX：03-3581-0902

E-mail:g.kotsuanzen.g5tr@cao.go.jp

（認定こども園について）

内閣府 子ども・子育て本部参事官（認定こども園担当）付

TEL：03-5253-2111（内線38446）

FAX：03-3581-2521

E-mail:kodomokosodate1kai@cao.go.jp

（幼稚園、特別支援学校について）

文部科学省 総合教育政策局 男女共同参画共生社会学習・安全課

安全教育推進室 交通安全・防犯教育係

TEL：03-5253-4111（内線2695）

FAX：03-6734-3736

E-mail:anzen-chousa@mext.go.jp

（保育所・地域型保育事業所について）

厚生労働省 子ども家庭局 保育課

TEL：03-5253-1111（内線4854、4839）

FAX：03-3595-2674

E-mail:hoikuka@mhlw.go.jp

（認可外保育施設（企業主導型保育事業を含む。）について）

厚生労働省 子ども家庭局 総務課 少子化総合対策室

TEL：03-5253-1111（内線4838）

FAX：03-3595-2313

E-mail:ninkagaihoiku@mhlw.go.jp

内閣府 子ども・子育て本部参事官（子ども・子育て支援担当）付

TEL：03-5253-2111（内線38454）

FAX：03-3581-6501

E-mail:kodomokosodate1kai@cao.go.jp

※上記の２府省に報告されたい。

（児童発達支援（医療型を含む。）事業所について）

厚生労働省 社会・援護局 障害保健福祉部 障害福祉課

障害児・発達障害者支援室

TEL：03-5253-1111（内線3037、3102）

FAX：03-3591-8914

E-mail：shougaijishien@mhlw.go.jp

（別表）

対象施設	所管機関
公立幼稚園	市町村教育委員会
私立幼稚園	都道府県私立学校担当部局
国立大学附属幼稚園 国立大学附属特別支援学校幼稚部	国立大学法人
市立特別支援学校幼稚部	市町村教育委員会特別支援学校担当部局
県立特別支援学校幼稚部	都道府県教育委員会特別支援学校担当部局
私立特別支援学校幼稚部	都道府県私立学校担当部局
保育所・地域型保育事業所	市町村保育担当部局
認定こども園	市町村認定こども園担当部局
認可外保育施設（企業主導型保育事業を含む。）	都道府県保育担当部局
児童発達支援（医療型を含む。）事業所	市町村障害福祉担当部局

別添・様式１・２・参考 略

○保育所等における園外活動時の留意事項について

〔令和元年６月21日　事務連絡
各都道府県・各指定都市・各中核市保育担当課宛　厚生労働省子ども家庭局総務課少子化総合対策室・保育課〕

保育施策の推進については、日頃より格段の御尽力を賜り、厚く御礼申し上げます。

先般、滋賀県大津市において、保育所外での移動中に発生した事故を受け、別添１「保育所等での保育における安全管理の徹底について」（令和元年５月10日付け事務連絡）にて、園外活動を行う際の安全管理の徹底をお願いしたところです。

この度、散歩等の園外活動時における安全管理に関する留意事項について別添２のとおりまとめましたので、内容について御了知いただくとともに、御活用いただくよう、お願いします。また、各都道府県におかれましては管内市区町村に周知いただきますよう、お願いします。

なお、別途「未就学児が日常的に集団で移動する経路の交通安全の確保の徹底について」（令和元年６月18日付け府政共生第160号・府子本第172号・元教参学第９号・子少発0618第１号・子保発0618第１号・障障発0618第１号内閣府政策統括官（共生社会政策担当）付参事官（交通安全対策担当）・内閣府子ども・子育て本部参事官（子ども・子育て支援担当）・内閣府子ども・子育て本部参事官（認定こども園担当）・文部科学省総合教育政策局男女共同参画共生社会学習・安全課長・厚生労働省子ども家庭局総務課少子化総合対策室長・厚生労働省子ども家庭局保育課長・厚生労働省社会・援護局障害保健福祉部障害福祉課長連名通知。以下「緊急安全点検通知」という。）を発出し、未就学児が日常的に集団で移動する経路について緊急的に安全点検を実施するよう依頼していますが、本事務連絡で示す留意事項は保育所等で園外活動を行う際、日常的に行うべき安全管理の留意事項をまとめたものとなります。

緊急安全点検で抽出された危険箇所に対し、本事務連絡等を参考に安全管理を実施することで、当該危険箇所の危険性が低下した場合には、当該危険箇所を緊急安全点検通知別紙「未就学児が日常的に集団で移動する経路の緊急安全点検等実施要領」４(1)に規定する第１類型に分類して差し支えないことを申し添えます。

別添１

○保育所等での保育における安全管理の徹底について

〔令和元年５月10日　事務連絡
各都道府県・各指定都市・各中核市保育担当課宛　内閣府子ども・子育て本部参事官（子ども・子育て支援担当）・厚生労働省子ども家庭局保育課〕

保育施策の推進については、日頃より格段の御尽力を賜り、厚く御礼申し上げます。

先般、滋賀県大津市において、保育所外での移動中に園児２名が亡くなるという大変痛ましい事故が発生しました。

当該事故において、現時点では保育所の対応に問題のある点は確認されておりませんが、保育中の事故防止及び安全対策については、保育所保育指針（平成29年厚生労働大臣告示第117号。以下「指針」という。）及びその解説においてお示ししているところであり（別紙参照）、保育所外での活動の際の移動経路の安全性や職員の体制などの再確認を含め、改めてその取扱いの徹底を管内市町村及び保育所等に周知いただきますようお願いいたします。

併せて、指針及びその解説でお示ししているとおり（別紙参照）、保育所外での活動は、保育において、子どもが身近な自然や地域社会の人々の生活に触れ、豊かな体験を得る機会を設ける上で重要な活動であり、移動も含め安全に十分配慮しつつ、引き続き積極的に活用いただきますようお願いいたします。

別紙　略

別添２

保育所等における園外活動時の安全管理に関する留意事項

保育所等における散歩等の園外活動は、保育において、子どもが身近な自然や地域社会の人々の生活に触れ、豊かな経験を得る機会を設ける上で重要な活動である。

この園外活動が、安全に配慮された上で積極的に行われるよう、保育所保育指針（平成29年厚生労働省告示第117号）及びその解説において示している内容とあわせ、安全管理に関する留意事項を以下のとおりお示しする。

1　保育所等における園外活動について

○　保育所等において、散歩等の園外活動を行うことは、子どもが身近な自然や地域社会の人々の生活に触れ、豊かな体験を得る機会を設ける上で重要である。

○　園外活動を行う際には、子どもの発達やその時々の状態を丁寧に把握し、一人一人の子どもにとって無理なく充実した体験となるよう、指導計画に基づいて実施することが重要である。

○　この上で、園外活動の際には、公園等の目的地や保育所等までの移動時も含めて、安全に十分配慮することが必要となる。

○　子どもの発達によって、身体の大きさ・運動能力・視野等の周囲の状況の認知の特性、交通ルールの理解等は変わってくる。園外活動の計画時、実際の活動時を通じて、乳幼児の特性を踏まえた対策をとることが重要である。

2　園外活動における具体的な安全管理の取組

（安全に園外活動を行うための取組）

○　園外で活動する場合、活動場所、活動状況等が極めて多岐にわたるため、子どもの発達や活動場所等の特性に応じた安全管理が必要となる。目的地や経路について事前に安全の確認を行い、職員間で情報を共有するとともに、園外活動時の職員体制とその役割分担、緊急事態が発生した場合の連絡方法等について検討し、必要な対策を実施する。

※　園外活動における具体的な安全管理の取組の例として、特に保育所等で日常的に行われる散歩時の安全管理の取組（例）を別紙1に示す。

　なお、遠足等の園外活動を行う際も、同様に子どもの安全管理に留意することが重要である。

○　事故防止のために、日常どのような点に留意すべきかについて明確にし、全職員の協力体制の下、日常的な安全点検や安全に関する指導等を積み重ねていくことが重要である。また、あと一歩で事故になるところであったというヒヤリ・ハット事例を記録、分析し、事故予防対策に活用することが大切である。

（事故発生時の対応に関する日常の備え）

○　事故が実際に発生してしまった際に適切な対応を行えるよう、緊急時に職員がとるべき措置の具体的内容及び手順を定めたマニュアルを作成し、全職員の共通理解を図る。さらに、職員に対する救急救命講習や、事故対応に関する実践的な訓練及び園内研修の機会を設けるなど、事故発生時の対応についても、日頃より取組を行うことが重要である。

○　緊急時に備えた連絡体制や協力体制を、保護者や消防、警察、医療機関等の関係機関との間で整えておく。緊急時に協力や援助を仰げるよう、日頃から地域の中で様々な機関や人々と関係を築いておくことも大切である。

※　園外活動を含む保育所等での事故防止及び事故発生時の対応については、「教育・保育施設等における事故防止及び事故発生時の対応のためのガイドライン～施設・事業者向け～」（平成28年3月）も合わせて確認すること。

・「教育・保育施設等における事故防止及び事故発生時の対応のためのガイドライン～施設・事業者向け～」（平成28年3月）

https://www8.cao.go.jp/shoushi/shinseido/meeting/kyouiku_hoiku/pdf/guideline1.pdf

（子どもに対する安全の指導）

○　子どもが交通安全の習慣（例えば、道路の端を歩くこと、急に走り出さないこと、交通状況を確認すること等）を身に付けることができるよう、日常の生活における具体的な体験を通して、交通ルール（信号に従った行動、横断歩道の使用等）に関心をもたせるなど、年齢に応じた適切な指導を繰り返し行うことが求められる。この際には、地域の関係機関と連携して、子どもが交通安全について学ぶ機会を設けるなど指導の工夫を図るとともに、家庭においても交通安全の習慣を身に付けられるよう、保護者との連携を図ることが重要である。

別紙1

散歩時の安全管理の取組（例）

(1)　事前準備

○　散歩の経路、目的地における危険箇所の確認

・交通量、道路設備、工事箇所等を確認し、事故の危険がある場所の確認を行う。

・また、危険な動植物と接触する可能性がある場所、不審者との遭遇に注意すべき場所についても確認を行う。

・特に、日常的に目的地としていない場所や、前回訪れた際から間隔が空いた場所については、事前の下見を行う。また、経路に変更がないとしても、工事等により危険箇所が新たに発生する場合もあることに留意する。

・確認した箇所については、記録を付け、他の職員への情報の共有につなげる。

○　危険箇所等に関する情報の共有

・危険箇所の確認を通じて得られた情報を全職員で共有し、認識の共有を図る。

・認識の共有に当たっては、危険箇所の一覧表や散歩マップ（目的地までの想定経路、病院・交番・ＡＥＤ設置場所等の情報を含む。）の作成、現地の写真の活用等の工夫を行うことが考えられる。

・また、保育所等の周辺の安全に関する情報を、保護者や地域住民、関係機関と共有することも重要である。

○　散歩計画の作成（※散歩計画の例は別紙２参照）

・散歩の目的地、ねらい、行程（時刻、経路、所要時間）、子どもの人数、引率者等について計画を作成する。

・この際には、共有された危険箇所を元に、安全な目的地や経路を設定する。

・子どもの年齢・人数に応じた職員の配置、位置関係、引率を適切に行うために必要な職員間の役割分担を確認する。

⑵　出発前

○　天気、職員体制、携行品等の確認

・当日の天気を確認する。天気にあわせた持ち物等の準備が必要かについても確認する。

・事前に作成した散歩計画に、当日の状況（天気、子どもの人数、引率者）を反映する。

・職員間で安全対策や子どもに関する事項について、情報共有を行い、役割分担を確認する。

・必要な携行品を所持しているか、また、適切に作動するかについて確認を行う。携行品については、必要に応じて、複数職員で携行する。

※　携行品の例：救急用品、携帯電話、緊急連絡先リスト、子どもの名簿、防犯ブザー、ホイッスル、筆記用具等

※　園ごとの状況に応じ、必ず携行する持ち物、状況に応じて携行する持ち物を整理しておくことも重要。

・ベビーカーや散歩バギーの乗車時の安全確認を行う。ブレーキやタイヤの点検を行うとともに、ベルトの使用や適正な乗車人数等、適切な使用方法について確認する。

○　子どもの状況等の確認

・子どもの健康状態を確認の上、散歩参加の可否を判断し、実際に散歩を行う子どもの人数を確認する。

・個別に配慮が必要な子どもの有無について確認する。

・迷子等の緊急時に備え、出発時の子ども全員の服装を確認する。必要に応じてカメラによる撮影等を行い記録する。

・子どもの服装について、安全性、体調、天気や気温等への配慮（裾を踏んで転倒したり、フード等が遊具等に絡まったりひっかかったりする恐れがないか、暑すぎたり寒すぎたりしないか等）といった観点から確認し、衣服の調節を行う。

○　保育所等に残る職員等に対する情報共有

・出発する前に、散歩計画に実際の出発時刻等を記入し、園長等の責任者や保育所等に残る職員と散歩に出発した旨を共有する。

⑶　道路の歩き方

○　道路を歩く際の体制・安全確認等

・車道の歩行は避け、歩道の白線の内側、ガードレールの内側を歩く。

・職員は子どもの列の前後（加えて人数に応じて列の中）を歩く、職員は子どもより車道側に位置し、子どもが車道から遠い側を歩く等のルールを決め、移動する。

・交差点、歩道の切れ目、曲がり角、一時停止場所等では、一時停止し、安全確認を行う。

・交差点等で待機する際には、車道から離れた位置に待機する。また、ガードレールの有無等の状況について注意を払う。

・道路や踏切の横断時には、特に安全確保に注意を払い、職員の位置取りや子どもの列の組み方、横断に必要な時間等に注意を払う。

・ベビーカー等を使用する際には、指、腕、頭を挟んだり、ぶつけたりしないよう注意する。また、停止時にはブレーキがかかっていることを確認する。

・常に道路周囲の状況、危険物、障害物の有無を確認し、駐車中の車・バイク等、動植物、落ちているごみ等に子どもが触れる可能性に注意を払う。

・自動車や自転車とすれ違う際には、止まって待つ。また、歩行者等とすれ違う際、相手が手に持っているもの（傘、カバン、たばこ等）に子どもが接触する可能性に注意を払う。手をつないでいる場合には、一列になる。

・階段昇降時には、状況に応じて、子ども同士がつないでいた手を離し、個々のペースで昇降できるようにする。段差があるなど子どもがバランスを崩しやすい個所では、子どもの発達等に応じて、転倒しないようそばについて手助けをしたり、声をかけ見守ったりする。

⑷　目的地

○　現地の状況確認

・構造物や植え込み等による死角の有無を確認する。

・遊具等に危険が無いか安全点検を行う。

・ガラス片や犬・猫の糞、たばこの吸い殻等の危険物や不衛生なものが無いか確認し、除去する。

・他の利用者と譲り合って利用し、スペースを共有する。

○　子どもの行動把握

・子どもの健康状態を確認する。熱中症を避けるため、暑いときには必要に応じて水分補給を行うなど、健康管理を十分に行う。

・道路等へ飛び出さないように注意する。

・遊具等を利用する際には、子どもの発達を勘案し、特に安全確保に注意を払う。

・砂場では、砂を目や口に入れないように見守る。

・不審者には近づかないよう注意を払う。

○　子どもの人数や健康状態の確認

・目的地への到着時や出発時に加え、必要に応じて人数や健康状態を確認する。

⑸　帰園後

○　子どもの人数、健康状態等の確認

・子どもの人数を確認する。

・子どもの健康状態、ケガの有無を確認する。熱中症を避けるため、暑いときには必要に応じて水分補給を行うなど、健康管理を十分に行う。

○　帰園の報告

・帰園後、散歩計画に実際の帰園時刻等を記入し、園長等の責任者や保育所等に残る職員と散歩から帰った旨を共有する。

○　散歩後の振り返り

・散歩経路や目的地に新たな危険な場所を見つけたり、伝えておくべき情報があったりした場合には、職員間で共有する。

・個々の子どもについて、保育上の配慮等に関する気づきがあった場合には職員間で共有する。

・散歩時に子どものケガ等の事故やヒヤリ・ハット事例があった場合には職員間で共有する。

⑹　その他

・園の状況に応じ、必要があれば、散歩マニュアルやチェックリスト、お散歩マップ、緊急時等の連絡先一覧等を作成するとともに、定期的な見直しを行う。

別紙２

散歩計画表（参考例）

日にち 曜日	クラス	散歩の経路・目的地 及びねらい	出発（予定） 出発（実績）	帰園（予定） 帰園（実績）	子どもの 人数	引率者	持ち出し 携帯電話	備考 （注意事項、気づき等）	確認者
／ （　）	組		： ：	： ：					
／ （　）	組		： ：	： ：					
／ （　）	組		： ：	： ：					
／ （　）	組		： ：	： ：					
／ （　）	組		： ：	： ：					
／ （　）	組		： ：	： ：					
／ （　）	組		： ：	： ：					
／ （　）	組		： ：	： ：					
／ （　）	組		： ：	： ：					
／ （　）	組		： ：	： ：					
／ （　）	組		： ：	： ：					
／ （　）	組		： ：	： ：					

○キッズ・ゾーンの設定の推進について（依頼）

〔令和元年11月12日　府子本第636号・府子本第638号・子少発1112第１号・子保発1112第１号・障障発1112第１号
各都道府県・各指定都市・各中核市保育担当部(局)・障害児担当部(局)宛　内閣府子ども・子育て本部参事官（子ども・子育て支援担当）・(認定こども園担当)・厚生労働省子ども家庭局総務課少子化総合対策室長・保育課・社会・援護局障害保健福祉部障害福祉課長連名通知〕

平素より、内閣府及び厚生労働省の行政に対する御理解・御協力を賜り、厚く御礼申し上げます。

去る５月に、滋賀県大津市において、保育所外の移動中に園児が交通事故により亡くなるという大変痛ましい事故が発生し、その後も度々子どもが被害者となる交通事故が発生しております。

政府においては、相次ぐ交通事故の発生を受け、「昨今の事故情勢を踏まえた交通安全対策に関する関係閣僚会議」を開催し、６月18日に「未就学児等及び高齢者運転の交通安全緊急対策」を決定したところです。

当該対策に基づく施策として、保育所等が行う散歩等の園外活動の安全を確保するため、今般、小学校等の通学路に設けられているスクールゾーンに準ずるキッズ・ゾーンを創設するとともに、「平成31年度厚生労働省交通安全業務計画」の改訂を予定しています。キッズ・ゾーンを設定する目的や手順等は下記のとおりですので、各市町村（認可外保育施設にあっては、都道府県、指定都市又は中核市。以下「各市町村等」という。）におかれましては、キッズ・ゾーン創設の趣旨についてご理解いただくとともに、地域の実情に合わせ、キッズ・ゾーンの設定についてご検討いただくようお願いいたします。また、今回のキッズ・ゾーンの創設に当たっては、(警察庁、国土交通省が出す通知等）により、各道路管理者及び都道府県警察に対しても周知されているところですので、各機関と連携いただくようお願いいたします。

なお、都道府県におかれましては、管内市町村（特別区を含む。）に対する周知をお願いいたします。

記

(1)　キッズ・ゾーン設定の目的

キッズ・ゾーンの設定は保育所、地域型保育事業所、保育所型認定こども園、地方裁量型認定こども園、認可外保育施設（企業主導型保育事業を含む。）、児童発達支援（医療型を含む。）事業所等（以下「保育所等」という。）が行う散歩等の園外活動等の安全を確保するため、

・保育所等の周辺で園児等に対する注意をすべきという意識の啓発
・関係機関の協力により、特に配慮する必要がある箇所に対しての安全対策の一層の推進
・それによる、保育所等の周辺の道路における自動車の運転手等に対する注意喚起

を行うことを目的とするものである。

(2)　キッズ・ゾーン設定の手順

キッズ・ゾーンの設定に当たっては、①キッズ・ゾーンの範囲を設定した上で、②キッズ・ゾーン内における具体的な交通安全対策を実施することとする。

①　キッズ・ゾーンの範囲の設定

市町村等においては、管轄内の保育所等の周囲半径500メートルを原則として、対象の保育所等、道路管理者及び都道府県警察と協議の上、キッズ・ゾーンを設定する。なお、「未就学児が日常的に集団で移動する経路の交通安全の確保の徹底について」(令和元年６月18日府政共生第160号・府子本第172号・府子本第174号・元教参学第９号・子少発0618第１号・子保発0618第１号・障障発0618第１号内閣府政策統括官（共生社会政策担当）付参事官（交通安全対策担当)、内閣府子ども・子育て本部参事官（子ども・子育て支援担当)、内閣府子ども・子育て本部参事官（認定こども園担当)、文部科学省総合教育政策局男女共同参画共生社会学習・安全課長、厚生労働省子ども家庭局総務課少子化総合対策室長、厚生労働省子ども家庭局保育課長、厚生労働省社会・援護局障害保健福祉部障害福祉課長連名通知）による緊急安全点検（以下「緊急安全点検」という。）時に構築した体制等既存の枠組みがある場合は、これを活用することが望ましい。

キッズ・ゾーンの範囲は、地域の実情に応じて柔軟に設定すべきものであり、散歩コースの経路等に鑑み、範囲を変更することが可能である。

なお、保育所等が近接することによりキッズ・

ゾーンの範囲が重なる場合についても、それぞれの保育所等につき、キッズ・ゾーンの範囲を設定することとするが、キッズ・ゾーンが重なった範囲において、同一の交通安全対策（後述）をとることがありうる。

② キッズ・ゾーンにおける交通安全対策の実施

キッズ・ゾーンを設定したのち、保育所等を管轄する市町村等の保育担当部局等が中心となり、道路管理者、都道府県警察等と協力しつつ、キッズ・ゾーンの範囲内で実施するエリア対策等といった具体的な交通安全対策を検討する。

交通安全対策の具体策については、緊急安全点検や「保育所等における園外活動時の留意事項について」（令和元年６月21日厚生労働省子ども家庭局総務課少子化総合対策室、厚生労働省子ども家庭局保育課連名事務連絡）等で確認した箇所を中心に、保育所等を管轄する市町村等が必要と判断した箇所について講じることとする。

この際、緊急安全点検で危険箇所とされた箇所を中心に、優先度が高い箇所から取組みを進めることが重要である。また、その具体策について、後述するキッズ・ガードの配置の積極的な推進など、ソフト面での対応を検討するほか、ガードレールの設置等のハード面や交通規制面での対応の可否については、道路管理者、都道府県警察と協議の上で検討する。

具体策の実施に当たっては、近隣住民の意向なども踏まえ、地域の実情に即して対応することが必要である。近隣住民との調整に際しては、保育所等を管轄する市町村等の保育担当部局等が中心となり、道路管理者及び都道府県警察と協力しつつ、調整を行う。

（具体的な交通安全対策の例）

・キッズ・ガードの配置

保育体制強化事業（※）により、保育支援者が保育所外等での活動において見守り活動を行い、子どもが集団で移動する際の安全確保を図る。

（※）園外活動時の見守り等といった保育に係る周辺業務を行う者（保育支援者）の配置の支援を行い、保育士の業務負担の軽減を図る制度。

・路面の塗装等による注意喚起

散歩コースの安全点検の結果等を踏まえ、散歩コース箇所等に「キッズ・ゾーン」の文字を路面に塗装し、未就学児童が通行する可能性があることを自動車の運転手等に周知する。また、大津市においても同様の取組みを行っているところ。

(3) キッズ・ゾーンを設定する際の留意事項

キッズ・ゾーンの設定を検討している箇所が既にスクールゾーンとして設定されている場合は、混乱を招かないよう、原則、既存の交通安全対策を優先させる。なお、スクールゾーンは朝夕の登下校時間に限って対策を行っている場合もあることから、日中に行われる保育所等の園外活動等について更なる交通安全対策が必要な場合は、別途対策の必要性を検討する。

なお、キッズ・ゾーンの設定に先駆けて、教育委員会、幼稚園等及び小学校等が、道路管理者及び都道府県警等の協力を得て実施しているスクールゾーンの設定の枠組みや取組みが既にある場合には、それを参考にすることが考えられる。

また、こうした協議体制を構築するに当たっては、各自治体で行われている「通学路の交通安全の確保に向けた着実かつ効果的な取組の推進について」（平成25年12月６日文部科学省、国土交通省、警察庁連名通知）に基づく各教育委員会や道路管理者、都道府県警察による推進体制の枠組みを参考にすることも考えられる。

○保育所等の園外活動時等における園児の見落とし等の発生防止に向けた取組の徹底について

〔令和４年４月11日　事務連絡
各都道府県・各市区町村保育・認可外保育施設主管部（局）・各都道府県・各指定都市・各中核市認定こども園主管課宛　厚生労働省子ども家庭局総務課少子化総合対策室・保育課・内閣府子ども・子育て本部参事官（認定こども園担当）・（子ども・子育て支援担当）〕

一部の保育所、地域型保育事業所、認定こども園及び認可外保育施設（以下「保育所等」という。）の園外活動時等において、園児のみが当該活動を行った場所に取り残された状態で保育士等がその場を離れる事案（以下「園児の見落とし等」という。）が発生しているところです。

園児の見落とし等は事故に至る危険性のある事態であり、園児の安全確保の観点からあってはならないことから、各都道府県及び市区町村の担当各位におかれては、以下の点に留意していただくとともに、管下の保育所等に対する周知をお願いします。また、各都道府県・指定都市・中核市認定こども園主管課におかれては、域内の市区町村認定こども園主管課及び所轄の認定こども園に対する周知をお願いします。

記

【園児の見落とし等に関連する法令上の取扱い】

○　保育所における保育の内容を定める保育所保育指針（平成29年厚生労働省告示第117号）においては「保育中の事故防止のために、子どもの心身の状態等を踏まえつつ、施設内外の安全点検に努め、安全対策のために全職員の共通理解や体制づくりを図る」とされ、同指針に基づく解説では、事故防止及び安全管理の観点から、「保育中、常に全員の子どもの動きを把握し、職員間の連携を密にして子どもたちの観察の空白時間が生じないようにする」ことを示している。また、幼保連携型認定こども園教育・保育要領（平成29年３月内閣府・文部科学省・厚生労働省告示第１号）及び同解説においても同様のことを示している。これらを踏まえ、各保育所等におかれては、園外活動時も含め、保育活動時は常に園児の行動の把握に努め、職員間の役割分担を確認し、見失うことなどがないよう留意していただくとともに、不在の園児に気付いた際には、早急にその所在の探索を行うように対応されたいこと。【別添１、２参照】

○　特定教育・保育施設及び特定地域型保育事業[1]（以下「特定施設等」という。）に該当する保育所等については、子ども・子育て支援法に基づく法令上[2]、事故発生の防止のための指針を整備するとともに、事故が発生した場合やそれに至る危険性がある事態が生じた場合に、当該事実が報告され、その分析を通じた改善策を従業者に周知徹底する体制を整備しなければならないこととされている。

特定施設等となっている各保育所等におかれては、重大事故防止のためのガイドライン[3]も参照していただきながら、これら事故発生防止指針の策定と周知、いわゆるヒヤリ・ハット事案の園内共有と対応等について、改めて徹底していただくようお願いする。

また、各市区町村におかれては、子ども・子育て支援法に基づく指導監査に当たって、各特定施設等が、園児の見落とし等といった事故に至る危険性があった事態が生じた際に当該事実が施設内で報告され、改善策を検討しているか等の安全確保に関する取組が行われているかを確認していただきたいこと。【別添３、４参照】

1　子ども・子育て支援法（平成24年法律第65号）に基づく特定教育・保育施設及び特定地域型保育事業

2　特定教育・保育施設及び特定地域型保育事業並びに特定子ども・子育て支援施設等の運営に関する基準（平成26年内閣府令第39号）

3　教育・保育施設等における事故防止及び事故発生時の対応のためのガイドライン【事故防止のための取組み】～施設・事業者向け～（平成28年３月）
https://www8.cao.go.jp/shoushi/shinseido/meeting/kyouiku_hoiku/pdf/guideline1.pdf

【園外活動時の安全管理に関する取組】

○　園外活動時の安全管理については、「保育所等における園外活動時の安全管理に関する留意事

項[4]」や当該留意事項の別紙１「散歩時の安全管理の取組（例）」でお示ししているとおり、例えば、

・　園外活動時には、目的地や経路について事前に安全の確認を行うこと
・　確認した内容を職員間で情報共有すること
・　園外活動時の職員体制とその役割分担、緊急事態が発生した場合の連絡方法等について検討すること
・　目的地への到着時や出発時だけでなく、必要に応じて随時、人数や健康状態を確認すること
・　散歩マップ（目的地までの想定経路、病院・交番・ＡＥＤ設置場所等の情報を含む）の作成、散歩計画（散歩の目的地、狙い、行程、園児の人数、引率者等）の作成について検討すること

などが考えられることから、各保育所等は、改めて園外活動時に行うべき安全対策の取組を見直し、必要な取組を行っていただきたいこと。【別添５参照】

４　令和元年６月21日付厚生労働省子ども家庭局総務課少子化総合対策室及び保育課事務連絡「保育所等における園外活動時の留意事項について」

○　そのほか、園児の見落とし等の事案の防止に関しては、都道府県及び市区町村において様々な取組が行われており、今般、厚生労働省でいくつかの都道府県及び市区町村の取組例や実例を踏まえて留意すべきと考えられる事項を取りまとめている。【別添６参照】

○　各都道府県及び市区町村におかれては、これらの取組例や留意事項を適宜参照し、先述の特定施設等に対する市区町村による指導監査のほか、都道府県等による児童福祉法に基づく指導監査、市区町村等による保育所等への巡回支援、その他管内の保育所等に対する各種説明会や研修会などあらゆる機会を活用して、各保育所等に対して改めて注意喚起や指導・助言を行うとともに、各保育所等における取組状況を確認することなどにより、園児の安全管理の取組を推進いただきたいこと。

○　各保育所等におかれては、別添５や別添６に示される園外活動時等の安全確保に関する取組について、保育士等の職員の一人一人が認識、理解できるよう、回覧に付すことや印刷して配布することなど、閲覧に供することにより、周知の徹底を行っていただきたいこと。

【園外活動時の安全管理に関する各種事業での支援】

○　園外活動においては、園児の所在を把握できる体制で臨むことが求められるが、所在把握は必ずしも保育士資格を有する者のみで行う必要はなく、厚生労働省としても、令和４年度予算において、園外活動時の見守りを含む周辺業務を行う者（保育支援者）の配置に関する支援（保育体制強化事業）を行っている。

本事業は、補助基準額を一施設当たり月額10万円としているが、雇い上げた保育支援者が園外活動時の見守りを行う場合には、一施設当たり月額14万5000円としている。また、令和４年度より、補助要件を見直し、保育士等の人数の増減状況にかかわらず、実施計画書の提出により実施可能としている。各都道府県及び市区町村においては、本事業の活用を積極的に検討し、保育所、幼保連携型認定こども園に周知いただくとともに、各保育所、幼保連携型認定こども園においては、体制上の必要に応じ、保育支援者の雇入れを検討いただきたいこと。【別添７参照】

○　また、保育所等における事故の防止等を含む保育の質の向上に関する助言や指導を行うコンサルタントが、各保育所等を巡回し、支援する事業（若手保育士や保育事業者等への巡回支援事業）を活用して、地域全体での事故防止等に関する取組強化を行うことも考えられるため、各市区町村におかれては、積極的な活用を検討いただきたいこと。【別添８参照】

【認可外保育施設における取扱い】

○　認可外保育施設については、認可外保育施設指導監督基準において、施設の安全確保に関して、脚注３の「教育・保育施設等における事故防止及び事故発生時の対応のためのガイドライン」を参考にすることとされていることや、脚注４の「保育所等における園外活動時の留意事項について」の内容は、認可外保育施設においても認可保育所と同様に留意する必要があることから、これらの内容と本事務連絡を踏まえ、管下の認可外保育施設に対して、改めて園外活動時の園児の安全確保に関する各種取組の実施を促すとともに、子ども・子育て支援法に基づく指導監査を実施する市区町村と必要に応じて連携しつつ、立入調査の機会などを捉えて、実施状況を点検し、その結果を踏まえて、必要な取組を講じていただきたいこと。

以上

別添１～５・７・８　略

（別添６）

園児の見落とし等の防止に関する各自治体の取組例や実例を踏まえた留意事項

【未然防止のための取組】

＜現場への注意喚起＞

○　保育中の園児の確認の仕方や点呼の際の留意事項をチラシにして各園に配布する

○　自治体の元職員が巡回職員として、各園の散歩などの園外活動時に同行し、気になる点などを適宜指導する

＜園外活動時の人的支援＞

○　園外活動に当たって、保育支援者（キッズ・ガード）の活用を促進している

○　散歩中の見守りのため短時間勤務職員を雇い上げている

＜指導監査時の対応＞

○　園児が行方不明となった場合の対応マニュアル（フローチャート等）を作成しているかについて、指導監査の際に項目化し、確認を徹底する

○　指導監査時にヒヤリ・ハット事案も含めて発生した事故を確認し、起きた要因や施設として何が足りなかったのかを把握し、指導する

○　指導監査時に事故発生報告を確実に行政に報告しているかなどを点検し、各園の安全管理体制をチェックする

＜事故報告の共有＞

○　園児の見落とし等を含む事故の発生状況について、年次報告として取りまとめ、各園に共有する

【実例を踏まえた留意事項】

○　行き慣れない公園には、死角を正確に把握していないことなどにより、園児を見失うケースがあった

⇒　あらかじめ職員による下見を確実に行うことなどが考えられる

○　公園への散歩から園舎に戻る際、人数確認を行ったものの、人数確認に時間を要した結果、確認中に園児が離脱していたケースがあった

⇒　複数の職員で連携して園児の確認を行うことや、開かれた場所で人数確認を行うなどの取組が考えられる

○　朝夕の保護者の出入りが多くなるタイミングで、園児の抜け出し事案が起きたケースがあった

⇒　保護者の出入りの多い時間帯は、特に門扉が確実に閉まっているかなどの確認を徹底することなどが考えられる

○　園舎に隣接している施設での活動であったため、園児の確認が疎かになったケースがあった

⇒　園外活動時かどうかにかかわらず、保育中は、常に全員の園児の動きを把握することを徹底することなどが考えられる

○　公園などで、複数の園が同時に活動する場合に、自園の園児が他園の園児の中に紛れ、見失ってしまうようなケースがあった

⇒　・　自園の目印となるような帽子などを着用させるなど、自園の園児であることを視認しやすくするための工夫を行う

・　確認時には、園児を列に並べて顔及び名前を確認する、複数の職員により複数回確認する

・　他園と連携を図り、同じ公園の中でも遊び場所を分けること、帰園時に声を掛け合う

ことなどが考えられる

○教育・保育施設等においてプール活動・水遊びを行う場合の事故の防止について

〔令和４年６月13日　府子本679号・４初幼教第９号・子少発0613第１号・子保発0613第１号
各都道府県民生・児童福祉・私立学校主管部(局)長・教育委員会教育長・認定こども園担当部(局)長・各指定都市・各中核市民生・児童福祉主管部(局)長・認定こども園担当部(局)長・附属学校を置く各国立大学法人の長宛　内閣府子ども・子育て本部参事官（子ども・子育て支援担当）・（認定こども園担当）・文部科学省初等中等教育局幼児教育課長・スポーツ庁政策課企画調整室長・厚生労働省子ども家庭局総務課少子化総合対策室長・保育課長連名通知〕

教育・保育施設等における重大事故の防止について、日頃から御尽力いただき厚く御礼申し上げます。

標題については、従来から、平成28年３月31日に発出した「教育・保育施設等における事故防止及び事故発生時の対応のためのガイドライン」（以下「ガイドライン」という。）において、プール活動・水遊び等を行う場合の監視体制、緊急事態への対応等について、十分な事前教育の実施や、日常的な点検、組織的な取組等の事故の発生防止のための取組を示すとともに、毎年、各教育・保育施設等（以下「各施設等」という。）でのプール活動・水遊び等の開始時期に合わせて、安全管理及び事故防止について周知徹底を図っているところです。

今年度についても引き続き、事故の発生を防止するため、管内の各施設等及び市町村に対して、プール活動・水遊びを行う場合の安全管理及び事故防止の徹底について改めて周知（下記１）していただくとともに、事故防止のために必要な取組が各施設等において確実に取られるよう、各地方公共団体において必要な取組を行っていただくようお願いいたします。（下記２）

その際、「水泳等の事故防止について」（令和４年５月11日付４ス庁第230号（スポーツ庁））の通知（別添①）及び消費者安全調査委員会作成の教材（別添②及び③）についても、参考にしていただくようお願いします。

また、プール活動を行う場合の新型コロナウイルス感染症対策については、参考資料①～③を参考に、適切に対応していただくよう、併せてお願い申し上げます。

記

１　各施設等及び市町村への周知徹底

各地方公共団体は、各施設等でプール活動・水遊びを行う場合に次の⑴から⑶までの取組を行うよう、管内の各施設等及び市町村に対して一層の周知徹底を図ること。また、安全確保策の充実及び各施設等への指導監査等を通じて、各施設等において、適切な監視・指導体制の確保と緊急時への備えが行われるよう指導すること。

⑴　監視体制

プール活動・水遊びを行う場合は、監視体制の空白が生じないよう、水の外で監視に専念する人員とプール指導等を行う人員を分けて配置するとともに、それぞれの役割分担を明確にすること。水の外で監視に専念する人員を配置することができない場合には、プール活動・水遊びを中止すること。

⑵　注意事項に係る職員への事前教育

事故を未然に防止するため、プール活動・水遊びに関わる職員に対して、子供のプール活動・水遊びの監視を行う際に見落としがちなリスクや注意すべきポイントについての事前教育を十分に行うこと。

＜「プール活動・水遊びの際に注意すべきポイント」ガイドラインｐ２＞
① 監視者は監視に専念する。
② 監視エリア全域をくまなく監視する。
③ 動かない子どもや不自然な動きをしている子どもを見つける。
④ 規則的に目線を動かしながら監視する。
⑤ 十分な監視体制の確保ができない場合については、プール活動の中止も選択肢とする。
⑥ 時間的余裕をもってプール活動を行う。等

⑶　救急救命講習等の研修、緊急時の体制・対応方針の整理

事故発生時に適切に対処することができるよう、職員に対して、心肺蘇生を始めとした応急手当等を含む救急救命講習等の研修の機会を設けること。

また、一刻を争う状況にも対処できるよう、119番通報を含めた緊急時の体制及び対応方針を

事前に整理し職員間で共有しておくとともに、必要な知識や技術を実践することができるよう、日常的に訓練を行うこと。

※　事前教育や研修等の実施に当たっては、新型コロナウイルス感染症対策に十分配慮し、その内容・目的に応じて実施方法の検討を行うこと。特に、実技を伴う研修を実施する場合は、開催場所、回数及び参加人数等の調整を行い、密集する状況をつくらない等の工夫を行い、感染リスクに充分配慮すること。

2　地方公共団体における取組

(1)　各施設等における事前教育の支援

各地方公共団体は、1(2)に関して、各施設等が、プール活動・水遊びに関わる職員に対する事前教育を効果的に行うことができるよう、施設長に対する研修を実施する、職員が専門家から学ぶ機会を設けるほか、マニュアル・チェックシート、危険予知トレーニングツール、事故事例紹介、DVDや動画等の必要な資料を提供するなど、必要な取組を行うこと。

なお、チェックシートについては、消費者安全調査委員会による「消費者安全法第33条に基づく意見」（平成26年６月20日付消安委第50号）のフォローアップとして実施した実態調査結果中の参考資料１及び２の「プール活動・水遊びに関するチェックリスト（別添③）」も適宜活用すること。

(2)　研修の実施等

各地方公共団体は、1(3)に関して、子供の特性を踏まえたものとなるよう、救急救命講習等の研修の実施、専門家の派遣及び実施機関に関する情報提供など、必要な取組を行うこと。

なお、救命救急講習等の研修の開催案内については、認可外保育施設を含めた管内の全ての施設等に対して確実に送付すること。

(3)　各施設等の自発的な取組の促進

各地方公共団体は、各施設等への啓発を通じて、プール活動・水遊びを行う場合に、子供の安全を最優先するという認識を管理者・職員が日頃から共有するなど、各施設等における自発的な安全への取組を促すこと。

【添付資料】

別添①「水泳等の事故防止について」（令和４年５月11日付４ス庁第230号（スポーツ庁））

別添②「プール活動・水遊び監視のポイント」（消費者安全調査委員会）

別添③「プール活動・水遊びに関するチェックリスト」（消費者安全調査委員会）

※　消費者安全委員会では、上記のほか、溺れ事故を防ぐための監視のポイントについての動画、プール活動・水遊びの際の監視や指導、子供たちの危ない行為のイラストを作成していますので御活用ください。

【動画「幼稚園等のプール活動・水遊びでの溺れ事故を防ぐために」】

https://www.caa.go.jp/policies/council/csic/teaching_material/movie_001/

【関連イラスト集】

https://www.caa.go.jp/policies/council/csic/teaching_material/illustration/

なお、過去のコンテンツも含めた教材全体のページはこちらです。

https://www.caa.go.jp/policies/council/csic/teaching_material/

参考資料①「保育所等における新型コロナウイルスへの対応にかかるQ＆Aについて（第十五報）」（令和４年５月25日付事務連絡（厚生労働省子ども家庭局保育課））（抜粋）

※　全体版はこちら（厚生労働省保育所等における新型コロナウイルス対応関連情報）

https://www.mhlw.go.jp/stf/newpage_09762.html

参考資料②「学校の水泳授業における感染症対策について」（令和３年４月９日付事務連絡（スポーツ庁政策課学校体育室、文部科学省初等中等教育局幼児教育課））

参考資料③「認定こども園のプール活動における感染症対策について」（令和３年４月19日付事務連絡（内閣府子ども・子育て本部参事官付（認定こども園担当）））

○バス送迎に当たっての安全管理の徹底に関する緊急対策「こどものバス送迎・安全徹底プラン」について

〔令和４年10月12日　事務連絡
各都道府県・各市町村保育・各指定都市教育委員会学校安全・各私立学校主管課・附属幼稚園又は特別支援学校を置く各国立大学法人担当課・各都道府県・各指定都市・各中核市認定こども園主管課宛　厚生労働省子ども家庭局総務課少子化総合対策室・保育・文部科学省総合教育政策局男女共同参画共生社会学習・安全・初等中等教育局幼児教育・特別支援教育課・内閣府子ども・子育て本部参事官（子ども・子育て支援担当）・（認定こども園担当）付〕

平素より保育所等の安全管理の徹底について、御理解・御尽力をいただきありがとうございます。

この度、静岡県牧之原市において発生した、認定こども園の送迎バスに子どもが置き去りにされ、亡くなるという大変痛ましい事案を受け、別添１のとおりバス送迎に当たっての安全管理の徹底に関する緊急対策「こどものバス送迎・安全徹底プラン」を政府として取りまとめましたので、送付します。

また、緊急対策本体に記載していることのほか、御留意いただきたい点について、下記のとおり整理しました。

つきましては、各都道府県・市町村保育主管課におかれては域内の保育所（認可外保育施設を含む。）に対して、各都道府県・指定都市教育委員会学校安全主管課におかれては所管の幼稚園及び特別支援学校並びに域内の市町村教育委員会に対して、各都道府県私立学校主管課におかれては所轄の幼稚園及び特別支援学校に対して、国立大学法人担当課におかれては附属の幼稚園及び特別支援学校に対して、各都道府県・指定都市・中核市認定こども園主管課におかれては域内の市区町村認定こども園主管課及び所管・所轄の認定こども園に対して、このことについて周知いただくようお願いします。

記

１　所在確認や安全装置の装備の義務付けについて

(1)　関係改正府省令等の内容については、別途お示しする予定であるが、本改正を受けて各都道府県等においては、児童福祉法第45条第１項の規定により定める条例等を施行日までに改正いただく必要があるので留意すること。

(2)　緊急対策ｐ６に記載しているとおり、所在確認や安全装置の装備の義務付けについては、関係府省令等を今年12月に公布し、来年４月より施行する予定であること。また、「②送迎用バスへの安全装置の装備」については、施行から１年間は、経過措置を設ける予定であること。ただし、可能な限り早期に装備するよう促すこととし、来年６月末までに安全装置を装備するよう現場へ働きかけていただきたいこと。

(3)　経過措置期間内において安全装置の装備がなされるまでの間についても、バス送迎における安全管理を徹底するとともに、例えば、運転席に確認を促すチェックシートを備え付けるとともに、車体後方に子どもの所在確認を行ったことを記録する書面を備えるなど、子どもが降車した後に運転手等が車内の確認を怠ることがないようにするための所要の代替措置を講じることとする予定であるため、留意すること。

２　安全管理マニュアルについて

別添２のとおりであること。そのうち「毎日使えるチェックシート」と「送迎業務モデル例」については、編集可能媒体を内閣府ウェブサイトに掲載していること。

本マニュアルは、バス送迎の安全管理に当たって、既にある園のマニュアルに追加して使用する、マニュアルを見直す際に参考にするなど、各園等での取組の補助資料として活用いただきたいこと。なお、現場で運用していく中で、地方自治体や現場から出された工夫すべき点等の意見や、静岡県の特別指導監査の結果等を踏まえ、今後の改訂には柔軟に対応するものであること。

３　万一重大な事案が発生した場合等の対応について

バス送迎においても、安全管理については、言うまでもなく、未然防止の徹底が肝要であること。その上で、万一重大な事案が発生した場合等には、各園等において、特に以下の点等について留意いただきたいこと。

(1)　バス送迎における安全管理の体制や手順がどうなっていたのかを点検するとともに、一時的に当該業務を休止した上で再発防止策を講じるなど、子どもの安全を最優先に対応すること。また、その際、保護者等に対して、誠実な姿勢で、経緯や考えられる原因、園の安全管理、事故後の対応等について、丁寧に説明すること。

(2) 当事者家族や在園児、その保護者等への精神的なケアも重要であり、必要に応じ、スクールカウンセラーの派遣や、ＣＲＴ（Crisis Response Team）、精神保健福祉センター、各都道府県の公認心理師協会等の関係機関・関係団体との連携等を通じて外部の支援を積極的に得ること。

(3) 重大事案の背景には、いわゆる「ヒヤリ・ハット」があると考えられる。「教育・保育施設等における事故防止及び事故発生時の対応のためのガイドライン」（平成28年３月）を踏まえ、重大事故の発生防止、予防のための組織的な取組を行うこと。なお、国においては、今後、行政や他の施設に共有すべき、命の危険につながりかねないようなヒヤリ・ハット事例の収集などについて、有識者や現場をよく知る団体関係者、先進自治体などの意見も伺いつつ、調査研究を実施する予定であること。

4 その他

バス送迎以外についても、「教育・保育施設等における事故防止及び事故発生時の対応のためのガイドライン」や「学校の危機管理マニュアル作成の手引」（平成30年２月）等を踏まえ、安全管理に遺漏のないよう適切に取り組まれたいこと。

また、幼児専用車に係る衝突時の安全対策については、「幼児専用車の車両安全性向上のためのガイドライン」（平成25年３月車両安全対策検討会）において、シートバックの後面に緩衝材を装備すること等が望ましいとされていることにも留意すること。

別添１ 略

〔別添２〕

こどものバス送迎・安全徹底マニュアル

※ 本マニュアルは、保育所、幼稚園、認定こども園及び特別支援学校におけるバス送迎に当たり、こどもの安全・確実な登園・降園のための安全管理の徹底に関するマニュアルです。

みんなの点呼で
幼い生命を守る。

令和４年１０月１２日

内閣官房
内閣府
文部科学省
厚生労働省

施設長・園長のみなさんへのお願い（本マニュアルの使い方）

本マニュアルは、園（注）の現場で送迎にかかわるすべての人を対象に作成しています。

・既にある園のマニュアルに追加して使用する、マニュアルを見直す際に参考にするなど、各園での取組の補助資料としてご活用ください。

・「１．**毎日使えるチェックシート**」は、日々の送迎時におけるこどもの**見落とし防止にすぐに活用いただけるシート**です。チェックシートを運転手席に備え付けておくなどして、ご活用ください。

・「２．**園の体制の確認**」「３．**送迎業務モデル例**」は、日々の園の取組について、立ち止まって確認いただきたいことについてまとめました。これらを参考に、**園長自ら定期的に園での取組状況を確認**するとともに、**園長のリーダーシップの下、研修や職員会議**等の機会に送迎業務モデル例を用いて園の取組の振り返りや認識合わせをするなど、各園の実情に応じてご活用ください。

・その他、「４．**ヒヤリ・ハットの共有**」「５．**こどもたちへの支援**」「６．**送迎用バスの装備等**」は、留意いただきたい点をまとめています。園長や主任職員、担任職員、運転手等の皆様に是非ご一読いただき、日々の保育・教育等に活かしていただくようお願いします。

（注）「園」には、保育所及び特別支援学校も含む。以下、本マニュアルにおいて同じ。

＜目　次＞

＊ 毎日使えるチェックシート（印刷用）は最終ページです。

１．毎日使えるチェックシート

○バス送迎をどなたが担当しても、確実に見落としを防ぐことが重要です。
○最終ページのシートを印刷して運転手席に備え付けておくなどして、見落としがないかの確認を毎日確実に行いましょう。

※活用例

10月1日（月）：登 園／降 園

☑ **同乗職員は、バスに乗る こどもの数を数えた。**

☑ **同乗職員は、バスから降りた こどもの数を数え、全員が降りたことを確認した。**

☑ **同乗職員は、連絡のない こどもの欠席について、出席管理責任者に確認した。**

☑ **運転手は、バスを離れる前に、車内に こどもが残っていないことを、椅子の下まで見落としがないか見て、確認した。**

運 転 手：＿＿＿＿＿＿＿＿

同乗職員：＿＿＿＿＿＿＿＿

上記報告を受けた：＿＿＿＿＿＿＿＿

２．園の体制の確認

バス送迎におけるこどもの安全の確保のためには、
○ **全職員・関係者が共通認識をもって取り組むこと**
○ **園長の責任の下で、こどもの安全・確実な登園・降園のための安全管理を徹底する体制を作ること**
が重要です。

※　園長自ら体制を定期的に確認しましょう。特に年度初めや職員の異動がある場合には必ず確認するようにしましょう。

（安全管理の体制づくり）
□　送迎時の具体的な手順と役割分担を定めたマニュアル等を作成している。
□　出欠確認を行う時間、記録や共有方法等のルールを定めている。
□　運転手の他に職員が同乗する体制を作っている。
□　定期的に研修等を実施している。
□　マニュアル等について全職員に周知・徹底している。
□　マニュアル等を送迎用バス内、又は全職員が分かる場所に設置している。
※通常送迎用バスを運転・同乗する職員とは別の職員等が対応する場合に備え、運転・同乗する職員以外の職員も研修の参加対象とすることか必要です。
□　ヒヤリ・ハットを共有する体制を作っている。
□　送迎用バスの運行を外部業者に委託している場合は、園で運行する場合と同様の安全管理体制を敷いているか確認している。

（保護者との連絡体制の確保）
□　保護者に、欠席等の理由により送迎用バスを利用しない場合の園への連絡の時間や方法等のルールを伝えている。
□　園の送迎用バスのマニュアルを保護者と共有している。
※園の取組を保護者に伝え、日頃から理解・協力を得ることが大切です。

（園長の責務）
□　園長は現場の責任者として、高い意識を持って、こどもの命を守るための安全管理に取り組んでいる。
□　園長は、職員相互の協力体制を築き、職員とともに安全管理に取り組んでいる。

3．送迎業務モデル例

※バス送迎業務のモデル例をまとめました。各園の業務の組立ての参考にしてください。

①登園時

事前準備

□ 運転手は、車両の点検（ライト、ランプの動作確認等）をしている。

□ 園長・主任職員等は、運転手の健康状態を確認している。

□ 出席管理責任者は、当日の出欠を確認し、乗車名簿に反映している。

□ 出席管理責任者は、乗車名簿を運転手、同乗職員、園長、主任職員、担任（担当）職員と共有している。

□ 同乗職員は、緊急連絡用の携帯電話等が車内に準備されているか、乗車前に確認している。

乗車時（こどもが所定の場所で順次乗車）

□ 同乗職員は、こどもの顔を目視し、点呼等し、乗車を確認し、記録している。

□ 同乗職員は、バス停に乗車すべきこどもがいない場合や乗車しないはずのこどもがいる場合などは、速やかに出席管理責任者に連絡している。

⇒□ 連絡を受けた出席管理責任者は、保護者に速やかに連絡して確認している。

□ 運転手は、乗車したこどもの着席を確認してから発車している。

降車時（園に到着後、こどもが一斉に降車）

□ 同乗職員は、こどもの顔を目視し、点呼等し、降車を確認し、記録している。

□ 運転手は、見落としがないか、車内の先頭から最後尾まで歩き、座席下や物かげなども含め一列ずつ車内全体を見回り、確認している。

⇒□ その日の確認業務を補助する職員も同様に確認している。

□ 運転手は、バスの置き去り防止を支援する安全装置が動作していることを確認している。

※「出席管理責任者」や「その日の確認業務を補助する職員」は、各園の実情に応じて主任職員等と兼務することも考えられます。

降車後（こどもが全員降車後）

□ 担任（担当）職員は、乗車名簿とその日の出欠状況を照合し、出席管理責任者に報告している。

⇒□ 情報に齟齬がある場合、出席管理責任者は、速やかに出欠について確認を行うとともに、園長等に報告している。

□ 車内清掃・点検等を行う者は、見落としがないか最終確認している。

②降園時

事前準備～乗車時（こどもが一斉に乗車）

□ 出席管理責任者は、当日の出欠を反映させた乗車名簿を運転手、同乗職員、園長、主任職員、担任（担当）職員と共有している。

□ 同乗職員は、緊急連絡用の携帯電話等が車内に準備されているか、乗車前に確認している。

□ 同乗職員は、こどもの顔を目視し、点呼等し、乗車を確認し、記録している。

降車時（こどもが所定の場所で順次降車）

□ 同乗職員は、こどもの顔を目視し、点呼等し、降りる場所でこどもを保護者に引き渡したことを確認し、記録している。

□ 運転手は、降車したこどもの安全を確認してから発車している。

降車後（こどもが全員降車後）

□ 運転手は、見落としがないか、車内の先頭から最後尾まで歩き、座席下や物かげなども含め一列ずつ車内全体を見回り、確認している。

⇒□ その日の確認業務を補助する職員も同様に確認している。

□ 運転手は、バスの置き去り防止を支援する安全装置が動作していることを確認している。

□ 車内清掃・点検等を行う者は、見落としがないか最終確認している。

※ 送迎用バス内におけるこどもの席を指定しておくことは、所在確認をしやすくし、見落としを防止する効果が期待されます。

４．ヒヤリ・ハットの共有

※ 以下のポイントも、こどもの安全を守る上で重要です。
　園長のリーダーシップの下、園の実情に応じて毎日の安全管理の取組に盛り込むことが重要です。

□ ヒヤリ・ハット事例に気付いた職員は、すぐに園長に報告することとしている。
□ ヒヤリ・ハット事例について職員間で共有する機会を設けるとともに、日頃から報告しやすい雰囲気づくりを行っている。
□ 報告のあったヒヤリ・ハット事例を踏まえ、再発防止策を講じている。

※　安全は日々の積み重ねで築かれます。職員の入れ替わり、こどもの入れ替わり等がありますので日々学び続けることが重要です。ヒヤリ・ハットから学び続ける姿勢が園の安全管理に関する機運を高めます。
※　日々のミーティングや、定例の職員会議等でヒヤリ・ハットを取り上げる時間を設け、また、**報告者に感謝を示す等して報告を推奨することが大切です**。こうした取組によって、安全管理を大切にすることが職員の共通認識となります。

５．こどもたちへの支援

○　大人が万全の対応をすることでこどもを絶対に見落とさないことが重要ですが、万が一車内に取り残された場合の危険性をこどもたちに伝えるとともに、緊急時には外部に助けを求めるための行動がとれるよう、こどもの発達に応じた支援を行うことも考えられます。
○　その際、こどもたちが園生活を通じてのびのびと育つことを第一に考え、送迎用バスに乗ることに不安を与えないよう十分留意する必要があります。

〔支援の例〕
・ 周囲に誰もいなくなってしまった場合を想定してクラクションを鳴らす訓練を実施
・ 乗降口付近に、こどもの力でも簡単に押せ、エンジンを切った状態の時だけクラクションと連動して鳴らすことができるボタンを設置

６．送迎用バスの装備等

（置き去り防止を支援する安全装置について）
○　園の送迎用バスについて、置き去り防止を支援する安全装置の装備を義務化します。
○　バスの置き去り防止を支援する安全装置については、現在、様々な企業が開発に取り組んでいるところですが、安全装置として必要とされる仕様に関するガイドラインを国として令和４年中に定めることとしています。
○　園での購入・設置に当たっては、ガイドラインに適合している製品かどうかに留意してください。
※ ガイドラインに適合している製品について、ウェブサイトに掲載する等の対応を予定しています。
○　安全装置の装備後は、定期的に、動作していることを確認することが必要です。日々の送迎時において動作を確認するほか、園の安全計画等に定期的な点検について記載し、対応してください。

（ラッピング・バス等について）
○ 紫外線等を防止しこどもの健康や安全を守る等の観点から、送迎用バスにラッピングやスモークガラス等を使用する場合は、こどもの状況や保護者の意見なども踏まえて各園において適切な対応を決めていくことが重要です。
○ その際、外から車内の様子がほとんど見えないほどのラッピングやスモークガラス等を使用することは、車内のこどもの存在が、外から全く気付いてもらえなくなってしまい、置き去りによる事故発生のリスクを高めることにつながりますので、避けるべきと考えられます。

※本ページをコピーしてご利用ください。

月　日(　　)：登園／降園

☐ 同乗職員は、
バスに乗る こどもの数を数えた。

☐ 同乗職員は、
バスから降りた こどもの数を数え、
全員が降りたことを確認した。

☐ 同乗職員は、
連絡のない こどもの欠席について、
出席管理責任者に確認した。

☐ 運転手は、バスを離れる前に、
車内に こどもが残っていないことを、
椅子の下まで見落としがないか見て、
確認した。

運 転 手：＿＿＿＿＿＿＿＿

同乗職員：＿＿＿＿＿＿＿＿

上記報告を受けた：＿＿＿＿＿＿＿＿

○こどもの出欠状況に関する情報の確認、バス送迎に当たっての安全管理等の徹底について

〔令和４年11月14日　事務連絡
各都道府県・各市町村保育・各指定都市教育委員会学校安全・各私立学校主管課・附属幼稚園又は特別支援学校幼稚部を置く各国立大学法人担当課・各都道府県・各指定都市・各中核市認定こども園主管課宛　厚生労働省子ども家庭局総務課少子化総合対策室・保育課・文部科学省総合教育政策局男女共同参画共生社会学習・安全課・初等中等教育局幼児教育・特別支援教育課・内閣府子ども・子育て本部参事官（子ども・子育て支援担当）・（認定こども園担当）付〕

平素より学校や児童福祉施設の安全管理について、御理解・御尽力を頂き有難うございます。

さて、静岡県牧之原市において発生した大変痛ましい事故を受け、国においては、10月12日に緊急対策をとりまとめ、その着実な推進を図っているとともに、各都道府県・市町村担当課等において、バス送迎に当たっての安全管理に関する実地調査を実施いただくなどしているところです。

ところが、こども自身のＳＯＳや学級担任の適切な対応等により大事には至らなかったものの、繰り返し同様の送迎用バスにおける置き去り事案が起きています。また、11月12日には、大阪府岸和田市において、保育所を利用する保護者の車に置き去りにされたこどもが亡くなるという大変痛ましい事案が発生しましたが、当該保育所では当該こどもの出欠状況に関する保護者への確認が漏れていました。こうした事態が生じていることは、極めて遺憾です。

ついては、下記について、各主管課において、現在行っていただいている実地調査を含め、様々な機会を捉えて改めて別表の各施設に対し、周知徹底を図るようよろしくお願いします。

記

1　こどもの欠席連絡等の出欠状況に関する情報については、バスによる送迎を行うこどもかどうかにかかわらず、「保育所、幼稚園、認定こども園及び特別支援学校幼稚部におけるバス送迎に当たっての安全管理の徹底について（再周知）」（令和４年９月６日付け事務連絡）等でもお示ししているとおり、保護者への速やかな確認及び職員間における情報共有を徹底していただきたいこと。なお、参考２のとおり、11月８日に閣議決定された令和４年度第２次補正予算案において、こどもの登降園の状況について、保護者からの連絡を容易にするとともに、職員間での確認・共有を支援するための登園管理システムの導入支援を含む「こどもの安心・安全対策支援パッケージ」の推進のための所要の経費を計上している。予算が成立した際には、積極的にご活用いただきたいこと。

2　10月12日に発出した「こどものバス送迎・安全徹底マニュアル」においても、「同乗職員は、バスから降りたこどもの数を数え、全員が降りたことを確認した」かどうかを含むチェックシートや、「送迎用バスの運行を外部業者に委託している場合は、園で運行する場合と同様の安全管理体制を敷いているか確認している」ことを含めた「安全管理の体制づくり」などを含めて示しており、こうしたものを改めて確認し、安全管理を徹底いただきたいこと。

3　こどもの通園や園外活動等のために自動車を運行する場合、こどもの乗降車の際に点呼等の方法により必ず所在を確認することについて、今後、関係府省令等を改正して法令上も義務付ける予定だが、こうしたことは法令の規定の有無にかかわらず、本来行われるべきものであり、改正前であっても徹底していただきたいこと。

4　送迎用の自動車を運行する場合は、今後、関係府省令等を改正して、当該自動車にブザーその他の車内のこどもの見落としを防止する装置を装備することを義務付ける予定だが、当該装備を備えていなくても、例えば、運転席に確認を促すチェックシートを備え付けるとともに、車体後方にこどもの所在確認を行ったことを記録する書面を備えるなど、こどもが降車した後に運転者等が車内の確認を怠ることがないようにするための措置を講じて、降車の際のこどもの所在確認について、徹底していただきたいこと。

5　けがなどの事故には至らなかったが、事故につながりかねない危険な状況、いわゆるヒヤリ・ハット事案が発生した場合には、施設内で事案の報告と改善策の共有を行い、事故の予防を図っていただきたいこと。また、他の施設で発生したいわゆるヒヤリ・ハット事案を知った場合も、自らの施設で同種の事案が発生しないか改めて施設内で議論するな

ど、事故防止につなげるよう努めていただきたいこと。

6　バス送迎以外についても、「教育・保育施設等における事故防止及び事故発生時の対応のためのガイドライン」（平成28年３月）や「学校の危機管理マニュアル作成の手引」（平成30年２月）等を踏まえ、安全管理に遺漏のないよう適切に取り組まれたいこと。

参考２　略

（別　表）

周知先	担当主管課
域内の保育所（地域型保育事業、認可外保育施設を含む。）	各都道府県・市町村保育主管課
所管の幼稚園及び特別支援学校並びに域内の市町村教育委員会	各都道府県・指定都市教育委員会学校安全主管課
所轄の私立幼稚園及び私立特別支援学校	各都道府県私立学校主管課
附属の幼稚園及び特別支援学校	附属幼稚園又は特別支援学校を置く国立大学法人担当課
域内の市区町村認定こども園主管課及び所轄の認定こども園	各都道府県・指定都市・中核市認定こども園主管課

（参考１）上記の資料

「こどものバス送迎・安全徹底プラン」や「こどものバス送迎・安全徹底マニュアル」 https：//www8.cao.go.jp/shoushi/shinseido/meeting/anzen_kanri.html
「教育・保育施設等における事故防止及び事故発生時の対応のためのガイドライン」（平成28年３月） https：//www8.cao.go.jp/shoushi/shinseido/data/index.html
「学校の危機管理マニュアル作成の手引」（平成30年２月） http：//www.mext.go.jp/a_menu/kenko/anzen/1401870.htm

○保育所等における虐待等に関する対応について

〔令和４年12月７日　事務連絡
各都道府県・各市町村保育・各都道府県・各指定都市・各中核市認定こども園主管課宛　厚生労働省子ども家庭局総務課少子化総合対策室・保育課・内閣府子ども・子育て本部参事官（子ども・子育て支援担当）付・（認定こども園担当）付〕

先般、静岡県裾野市の保育所において不適切な保育が行われていたという事案が発生しました。このほか、富山県富山市の認定こども園や、宮城県仙台市の企業主導型保育施設においても、不適切な保育が行われていたという事案が発生するなど、全国で同様の事案が相次いでいるところです。

保育所、地域型保育事業所、認可外保育施設及び認定こども園（以下「保育所等」という。）については、

・例えば、児童福祉施設の設備及び運営に関する基準（昭和23年厚生省令第63号）第９条の２において「児童福祉施設の職員は、入所中の児童に対し、（中略）当該児童の心身に有害な影響を与える行為をしてはならない」との不適切な保育や虐待を禁止する旨の規定が置かれている（幼保連携型認定こども園については、幼保連携型認定こども園の学級の編制、職員、設備及び運営に関する基準（平成26年内閣府・文部科学省・厚生労働省令第１号）第13条により準用）、
・保育所保育指針解説（平成30年３月）においても、「子どもに対する体罰や言葉の暴力が決してあってはならないことはもちろんのこと、日常の保育においても、子どもに身体的、精神的苦痛を与えることがないよう、子どもの人格を尊重するとともに、子どもが権利の主体であるという認識をもって保育に当たらなければならない。」ことを示している
・令和３年４月には、「不適切な保育の未然防止及び発生時の対応についての手引き」（以下「手引き」という。）を作成し、周知している

など、これまでも虐待等に関する対応を行ってきたところですが、こうした中、このような事案が発生したことは、誠に遺憾です。

多くの保育所等においては適切に保育を行っていただいているものと考えていますが、今回の事案も受けて改めて保育所等における虐待等に関する対応についての留意事項等を以下のとおり整理していますので、「手引き」に加え、当該内容を十分御了知の上、各都道府県・市町村保育主管課におかれては域内の保育所、地域型保育事業所及び認可外保育施設に対して、各都道府県・指定都市・中核市認定こども園主管課におかれては、域内の市区町村認定こども園主管課及び所管・所轄の認定こども園（類型は問わない。）に対して、遺漏なく周知していただくようお願いします。なお、幼稚園等における不適切な教育・保育に関する対応については、文部科学省より事務連絡が発出される予定となっていることを申し添えます。

記

1　保育所等における虐待の防止について

○　保育所保育指針（平成29年厚生労働省告示第117号）や幼保連携型認定こども園教育・保育要領（平成29年内閣府・文部科学省・厚生労働省告示第１号）において、こどもの生命の保持や情緒の安定を図ることを求めている。こどもの安全・安心が最も配慮されるべき保育所等において、虐待はあってはならず、保育所等において改めて虐待の発生防止を徹底いただきたい。

○　その際、初めは虐待ではなく、少し気になりつつも見過ごされてしまうような不適切な保育であっても、それが繰り返されていくうちに問題が深刻化し、虐待につながっていくこともあり得るため、早い段階で改善を促し、虐待を未然に防止することが重要であり、「手引き」や全国保育士会が作成した「保育所・認定こども園等における人権擁護のためのセルフチェックリスト」（以下「セルフチェックリスト」という。）も活用し、今一度保育の在り方を点検していただきたい。

（参考）「手引き」で示した不適切な保育の行為類型
・こども一人一人の人格を尊重しない関わり
・物事を強要するような関わり・脅迫的な言葉がけ
・罰を与える・乱暴な関わり
・こども一人一人の育ちや家庭環境への配慮に欠ける関わり
・差別的な関わり

※「セルフチェックリスト」においては、上記５項目を「人権擁護の視点から「良くない」と考えられるかかわり」とし、こうしたかかわりの具体的な事例をチェックリスト形式で

示している。

2　虐待が疑われる事案が発生した場合の対応

(1)　市区町村・都道府県への情報提供・相談等について

○　「手引き」でお示ししたとおり、保育所等において虐待が疑われる事案を把握した場合、保育所等は状況を正確に把握した上で、市区町村や都道府県に設置されている相談窓口や担当部署に対して、把握した状況等を速やかに情報提供し、今後の対応について協議することが必要である。

○　また、「手引き」の対応に加え、保育所等において不適切事案や虐待が起きてしまった場合に基本となるのは、「隠さない」「嘘をつかない」という誠実な対応である。そうした誠実な対応は、管理者等が日頃から行うべきことであり、こどもや保護者への適切なケアを含め、そのような対応が早期に行われないことは、改善の機会を遅らせ、こどもに対して大きな不利益を与えることになる。

○　こうした対応を組織として行うことが重要であり、園長、副園長、教頭、主幹保育教諭、主任保育士、副主任保育士といった園のなかでのリーダー層の意識と適切な対応が必要不可欠である。このため、各市区町村及び各都道府県においては、園長や主任保育士等を対象とした会議やキャリアアップ研修を含む研修等の機会を通じ、園長や主任保育士等の管理者等に対してもこうした意識の醸成や適切な対応についての周知徹底をお願いしたい。

○　また、保育所等が組織として適切な対応を行わない場合、虐待が疑われる事案の発見者は一人で抱え込まずに速やかに市区町村や都道府県に設置されている相談窓口や担当部署に相談することが重要である。

なお、公益通報者保護法（平成16年法律第122号）第５条には、公益通報をしたことを理由として、降格、減給その他不利益な取扱いをしてはならないと規定されている。

（参考）　公益通報者に対する保護規定

・①解雇の無効

・②その他不利益な取扱（降格、減給、訓告、自宅待機命令、給与上の差別、退職の強要、専ら雑務に従事させること、退職金の減給・没収等）の禁止

(2)　行政における迅速な事実確認や継続的な助言・指導の実施について

○　「手引き」でお示ししたとおり、市区町村及び都道府県が、不適切な保育に関する相談窓口等において、不適切な保育が疑われる事案の相談を受けた場合、まず、市区町村及び都道府県の担当部局等において迅速に対応方針を協議し、方針を定めることが必要である。

特に、市区町村においては、不適切な保育が疑われる事案を把握した場合、事案の重大性に応じ、担当部局にとどまらず、市区町村の組織全体として迅速に事案を共有し、対応することも重要である。市区町村及び都道府県において、指導監査等による事実関係の確認を行う場合、相談者や保育所等関係者から丁寧に状況等を聞き取りつつ事実関係を正確に把握することとし、そうして把握した、不適切な保育が行われた原因や保育所等が抱える組織的な課題を踏まえ、助言・指導を継続的に行うことが必要である。

○　また、市区町村においては、児童福祉法（昭和22年法律第164号）や就学前の子どもに関する教育、保育等の総合的な提供の推進に関する法律（平成18年法律第77号。いわゆる「認定こども園法」）に基づく指導監督権限を有する都道府県に対しても迅速に情報共有を行うことが重要である。

○　さらに、事案の性質や重大性等に応じ、事案の公表等の対応も判断していくことが重要である。

(3)　保育士登録の取消等について

○　禁錮以上の刑に処せられた場合や、児童の福祉に関する法律により罰金刑に処せられた場合、都道府県は保育士登録を取り消さなければならないとされているほか、児童福祉法第18条の19第２項（信用失墜行為又は秘密保持義務規定の違反）により、登録を取り消すことができるとされている。

○　信用失墜行為による保育士登録の取消の事例としては、これまでに、児童生徒性暴力等を行った事案のほか、園児に対する虐待行為により取消が行われた事案もある。こうしたことも踏まえ、保育所等において虐待の事案があった場合には、十分に事実確認を行った上で、適切に対応いただきたい。

○　なお、教員免許状についても、禁錮以上の刑に処せられた者、教員であって懲戒免職や教員に必要な適格性を欠くこと等による分限免職となった者又はこれらの免職事由に相当する事由

により解雇された者については、教員免許状の失効又は取上げの対象となること。また、教員免許状を有する者であって現在教員以外の者についても法令の規定に故意に違反し、又は教員たるにふさわしくない非行があって、その情状が重いと認められるときは、免許管理者は、その教員免許状を取り上げることができること。

3　不適切な保育への対応の実態の把握について

○　令和２年度子ども・子育て支援推進調査研究事業において、各自治体における不適切な保育への対応の実態を把握するための調査を実施している。今後の対応にも活かしていく観点から、改めて、保育所等における実態や、各自治体における不適切な保育への対応の実態を把握する。詳細は追ってお示しする。

○保育士による児童生徒性暴力等の防止等に関する基本的な指針について

（令和５年３月27日　子発0327第５号
各都道府県知事・各指定都市市長・各中核市市長宛　厚生労働省子ども家庭局長通知）

注　令和６年３月29日こ成基第42号改正現在

「児童福祉法等の一部を改正する法律」（令和４年法律第66号）により、「教育職員等による児童生徒性暴力等の防止等に関する法律」（令和３年法律第57号）第２条第３項に規定する児童生徒性暴力等を行った保育士について、登録取消しや再登録の制限などの資格管理の厳格化が行われることを踏まえ、その基本的な考え方等を示すとともに、保育士による児童生徒性暴力等の防止及び早期発見並びに児童生徒性暴力等への対処に関する施策を総合的かつ効果的に推進するため、別添のとおり「保育士による児童生徒性暴力等の防止等に関する基本的な指針」を策定し、令和５年４月１日より適用することとしたので通知する。

貴職におかれては、内容について御了知の上、その運用に遺漏なきよう期するとともに、管内市町村（特別区含む。）、関係機関及び関係団体に対する周知を図られたい。

なお、本通知は、地方自治法（昭和22年法律第67号）第245条の４第１項の規定に基づく技術的助言であることを申し添える。

（別　添）

保育士による児童生徒性暴力等の防止等に関する基本的な指針

第１　保育士による児童生徒性暴力等の防止等に関する基本的な方針

１　本指針の目的等

（本指針の目的）

○　児童を守り育てる立場にある保育士[1]が、児童に対して性暴力等を行い、当該児童の尊厳と権利を著しく侵害し、生涯にわたって回復しがたい心理的外傷や心身に対する重大な影響を与えるなどということは、断じてあってはならない。加えて、一部の保育士による加害行為により、児童と日々真摯に向き合い、児童が心身ともに健やかに成長していくことを真に願う、大多数の保育士の社会的な尊厳が毀損されることはあってはならない。

○　こうしたことを踏まえ、「児童福祉法等の一部を改正する法律」（令和４年法律第66号。以下「改正法」という。）により、児童福祉法（昭和22年法律第164号。以下「法」という。）を改正し、児童生徒性暴力等を行った保育士について、登録取消しや再登録の制限などの資格管理の厳格化に関する規定が整備されることとなった。なお、教員等については、「教育職員等による児童生徒性暴力等の防止等に関する法律」（令和３年法律第57号。以下「教育職員性暴力等防止法」という。）等により、既に資格管理の厳格化が行われている。

○　本指針（以下「基本指針」という。）は、改正法を踏まえ、都道府県において資格管理の厳格化に関する運用が適切に実施されるよう基本的な考え方等を示すとともに、保育士による児童生徒性暴力等の防止及び早期発見並びに児童生徒性暴力等への対処（以下「児童生徒性暴力等の防止等」という。）に関する施策を総合的かつ効果的に推進するために策定するものである。

○　なお、今般の資格管理の厳格化は、保育士の従事先施設の種別や児童の年齢にかかわらず適用されるものであり、例えば、保育所以外の児童福祉施設に勤務する保育士が児童生徒性暴力等を行った場合についても、当然に登録取消しや再登録の制限などの対象となる。本指針においては、特段の記載がない限り、保育所、認定こども園及び地域型保育事業を行う事業所（以下「保育所等」という。）に勤務する保育士が、当該保育所等を利用する乳幼児に対して児童生徒性暴力等を行った場合を前提として記載しているが、保育所等以外の児童福祉施設等についても、本指針の内容に準じた取扱いが必要である。

（改正法の内容）

○　改正法においては、児童生徒性暴力等を行った保育士の資格管理の厳格化に関し、以下の事項を規定している。

・欠格期間の見直し
・児童生徒性暴力等を行ったと認められる場合について、保育士登録を取り消さなければならない事由に追加
・児童生徒性暴力等を行ったことにより保育士登録を取り消された者及びこれら以外の者で

あって、保育士登録を取り消された者のうち保育士登録を受けた日以後に児童生徒性暴力等を行っていたことが判明した者（以下「特定登録取消者」という。）に係る保育士資格の再登録制限

・保育士を任命し、又は雇用するもの（以下「任命権者等」という。）による都道府県知事への報告義務

・特定登録取消者の氏名及び特定登録取消者の登録の取消しの事由等に関する情報に係るデータベースの整備等

（改正法の施行期日）

○　保育士の資格管理の厳格化に関する改正法の規定の施行期日は令和５年４月１日としている。ただし、上記のデータベースに係る規定（法第18条の20の４）は公布の日（令和４年６月15日）から起算して２年を超えない範囲内において政令で定める日から施行することとしている。

○　改正後の規定は、法施行日以後の行為について適用されることから、令和５年３月31日以前の行為に係る欠格事由や登録の取消しについては、従前の例によることとなる。また、再登録審査の対象となるのは、令和５年４月１日以降に児童生徒性暴力等を行った者となる。

2　児童生徒性暴力等の定義

○　児童生徒性暴力等は、次に掲げる行為（教育職員性暴力等防止法第２条第３項に規定する児童生徒性暴力等）をいう（法第18条の19第１項第３号）。

①　児童生徒等に性交等（刑法（明治40年法律第45号）第177条第１項に規定する性交等をいう。）をすること又は児童生徒等をして性交等をさせること（児童生徒等から暴行又は脅迫を受けて当該児童生徒等に性交等をした場合及び児童生徒等の心身に有害な影響を与えるおそれがないと認められる特別の事情がある場合を除く。）。（教育職員性暴力等防止法第２条第３項第１号）

②　児童生徒等にわいせつな行為をすること又は児童生徒等をしてわいせつな行為をさせること（①に掲げるものを除く。）。（教育職員性暴力等防止法第２条第３項第２号）

③　刑法第182条の罪、児童買春、児童ポルノに係る行為等の規制及び処罰並びに児童の保護等に関する法律（平成11年法律第52号。以下「児童ポルノ法」という。）第５条から第８条までの罪又は性的な姿態を撮影する行為等の処罰及び押収物に記録された性的な姿態の影像に係る電磁的記録の消去等に関する法律（令和５年法律第67号。以下「性的姿態撮影等処罰法」という。）第２条から第６条までの罪（児童生徒等に係るものに限る。）に当たる行為をすること（①及び②に掲げるものを除く。）。（教育職員性暴力等防止法第２条第３項第３号）

④　児童生徒等に次に掲げる行為（児童生徒等の心身に有害な影響を与えるものに限る。）であって児童生徒等を著しく羞恥させ、若しくは児童生徒等に不安を覚えさせるようなものをすること又は児童生徒等をしてそのような行為をさせること（①～③に掲げるものを除く。）。（教育職員性暴力等防止法第２条第３項第４号）

イ　衣服その他の身に着ける物の上から又は直接に人の性的な部位（児童ポルノ法第２条第３項第３号に規定する性的な部位をいう。）その他の身体の一部に触れること。

ロ　通常衣服で隠されている人の下着又は身体を撮影し、又は撮影する目的で写真機その他の機器を差し向け、若しくは設置すること。

⑤　児童生徒等に対し、性的羞恥心を害する言動であって、児童生徒等の心身に有害な影響を与えるものをすること（①～④に掲げるものを除く。）。（教育職員性暴力等防止法第２条第３項第５号）

○　児童生徒性暴力等については、児童の同意や暴行・脅迫等の有無を問わない。また、刑事罰が科されなかった行為も児童生徒性暴力等に該当し得る。

○　①について、刑法第177条の不同意性交等罪、法第34条第１項第６号の淫行罪に当たる行為や、いわゆる青少年健全育成条例により禁止される性交等が該当し得る。

○　②については、刑法第176条の不同意わいせつ罪、法第34条第１項第６号の淫行罪に当たる行為（①の場合を除く。）や、いわゆる青少年健全育成条例により禁止されるわいせつ行為が該当し得る。

○　③については、

・刑法第182条の罪[2]：16歳未満の者に対するわいせつ目的での面会要求（同条第１項）、面会（同条第２項）、性的な姿態を撮影した映像の要求（同条第３項。いわゆる自撮り要求等）、

・児童ポルノ法第５条から第８条までの罪に当たる行為：児童買春周旋（同法第５条）、児童買春勧誘（同法第６条）、児童ポルノ所持、提供等（同法第７条）、児童買春等目的人身売買等（同法第８条）（児童買春（同法第４条）は明記されていないが、これは性交等に係る他の規定との重複を避けるためであり、児童買春は児童生徒性暴力等の対象となる）、

・性的姿態撮影等処罰法第２条から第６条までの罪に当たる行為（児童生徒等に係るものに限る。）[3]：児童生徒等に係る性的姿態等の撮影（同法第２条）、性的影像記録の提供等（同法第３条）及び当該行為をする目的での保管（同法第４条）、性的姿態等の影像の影像送信（同法第５条）、及び記録（同法第６条）

がここに含まれる。

○　④については、いわゆる迷惑防止条例により禁止される痴漢や③に含まれない盗撮などの行為などが該当し得る。

○　なお、④には身体の一部に触れることが内容に含まれている。保育所等の保育士においては、例えば、以下のような場面で、業務上児童の身体に触れる必要があると考えられるが、これらの正当な業務上の行為については、必要な範囲・態様にとどまる限りにおいて、児童生徒性暴力等の対象とはならないと考えられる。

＜正当な業務上の行為として身体接触が必要と考えられる場面の例＞

・保育中の抱っこやおんぶ、午睡時の寝かしつけ

・おむつ交換や排泄等の介助

・着替えの介助

・沐浴、ふれあい遊びや体操など身体接触を伴う活動　等

○　⑤については、児童に対する悪質なセクシュアル・ハラスメント（児童を不快にさせる性的な言動[4]）などが該当し得る。

3　国、都道府県、市町村、任命権者等、保育所等の役割

（国の役割）

○　国においては、改正法の趣旨を踏まえ、保育士による児童生徒性暴力等の防止等に関する施策を総合的に策定し、実施する。

（都道府県の役割）

○　都道府県は、改正法の趣旨を踏まえ、保育士による児童生徒性暴力等の防止等に関する施策について、国と協力しつつ、その地域の状況に応じた施策を策定し、実施する。また、保育士の資格管理の実施主体として、児童生徒性暴力等を行ったと認められる保育士について必要な措置を講ずる。

（市町村の役割）

○　市町村は、改正法の趣旨を踏まえ、都道府県や保育所等の関係者との連携を図りつつ、保育の実施主体として、保育士による児童生徒性暴力等の防止等のために必要な措置を講ずる。

（任命権者等の役割）

○　任命権者等は、保育士を任命し、又は雇用しようとするときは、データベースを活用するとともに、任命又は雇用する保育士について、当該保育士が児童生徒性暴力等を行ったと思料するときは、速やかにその旨を都道府県知事に報告する。

（保育所等の役割）

○　保育所等は、改正法の趣旨を踏まえ、関係者との連携を図りつつ、保育所等における保育士による児童生徒性暴力等の防止等に取り組むとともに、当該保育所等に在籍する児童が保育士による児童生徒性暴力等を受けたと思われるときは、適切かつ迅速にこれに対処する。

第２　保育士による児童生徒性暴力等の防止等に関する施策の内容に関する事項

1　児童生徒性暴力等の防止に関する施策

⑴　保育士に対する啓発

○　国においては、全ての保育士が法の内容を理解し、児童生徒性暴力等の防止等に向けて適切に対応することができるよう、児童生徒性暴力等の特徴や法及び基本指針により求められる措置等について周知を図るとともに、都道府県、児童生徒性暴力等の防止等に係る専門家と連携し、保育士に対し、児童の人権、特性等に関する理解及び児童生徒性暴力等の防止等に関する理解を深めるための研修及び啓発の充実を図る。

　また、都道府県、市町村における児童生徒性暴力等の防止等に向けた保育士の研修等についての取組状況を調査し、取組事例の共有を図る。

○　都道府県、市町村においては、保育士による児童生徒性暴力等の防止等のための対策が専門的知識に基づき適切に行われるよう、保育士の研修及び啓発の充実を図る。

○　保育所等においては、全ての保育士の共通理解を図るため、外部専門家を活用したり、

ロールプレイ形式・ディベート形式を導入したりするなどの効果的な研修の工夫を図りつつ、保育士による児童生徒性暴力等の問題に関する園内研修や保育の振り返りなど様々な機会を捉えて実施するなど取組の充実を図る。

(2)　保育士養成課程を履修する学生への理解促進

○　保育現場において児童に対する児童生徒性暴力等を未然に防止していくため、指定保育士養成施設においては、保育士養成課程を履修する学生に対して例えば以下の科目等を通じた指導や、保育実習の事前指導等の授業において、児童生徒性暴力等の防止等に関する理解を深めるための取組を行うこととする。

・法における保育士の欠格事由、信用失墜行為や保育士の専門的倫理に関する科目
・性的虐待を含む子ども虐待や子どもの人権擁護に関する科目
・子どもの最善の利益を考慮した保育の基本的な考え方などについて定めた「保育所保育指針」(平成29年厚生労働省告示第117号）に関する科目

○　国においては、指定保育士養成施設に対し、保育士養成課程を履修する学生への入学時や保育士養成課程の履修ガイダンス等の機会を捉えた指導など児童生徒性暴力等の防止等のための取組の充実を促す。

(3)　児童及び保護者に対する啓発

○　国、都道府県、市町村、保育所等においては、児童の尊厳を保持するため、児童及び保護者に対して、何人からも児童生徒性暴力等により自己の身体を侵害されることはあってはならないことについて周知啓発に努める。また、児童に対して、職員等による児童生徒性暴力等により自己の身体を侵害されることがあってはならないこと並びに被害を受けた児童に対して保護及び支援が行われること等について周知啓発に努める。

○　児童が被害に気付き、被害を予防できるよう、自分の身を守ることの重要性や嫌なことをされたら訴えることの必要性等を児童の発達段階に応じて身に付けさせるため、国において取組を進めている[5]、生命を大切にし、子供たちを性暴力等の加害者・被害者・傍観者にさせないための「生命（いのち）の安全教育」について、作成・公表している教材や指導の手引き等について周知徹底を図るとともに、多様な指導方法や地域における取組事例の普及を図り、全国の保育所等において、地域の実情に応じた児童への啓発を推進する取組を支援していく。

(4)　その他の施策

（児童生徒性暴力等を未然に防止するための取組の推進）

○　保育所等は、保育士による児童生徒性暴力等を未然に防止するための取組を推進することが重要であり、保育士に対して児童生徒性暴力等につながる行為をさせないことに加え、そのような行為につながる可能性がある環境や組織体制などに潜むリスクを取り除く必要がある。

○　このため、保育士に対する研修や啓発の取組を効果的なものに充実させ、継続的に実施することなどにより、繰り返し児童生徒性暴力等の防止等に関する服務規律の徹底を図るとともに、保育所等は、必要なルールや取組等を整理・周知し、全ての保育士で共通理解を図りながら組織的に対応を進めることが必要である。

○　さらに、被害を未然に防止する観点から、他の保育士の目が行き届きにくい環境となる場面をできる限り減らしていくことが重要であり、環境の見直しによる密室状態の回避や組織的な支援体制の構築など、予防的な取組等を強化することが必要である。児童や職員の数が少ない環境や時間帯などについては、特に留意して措置を講ずる必要がある。

2　保育士による児童生徒性暴力等の早期発見及び児童生徒性暴力等への対処に関する施策

(1)　早期発見のための措置及び相談体制の整備

（早期発見のための措置）

○　保育士による児童生徒性暴力等の早期発見のため、市町村及び保育所等は、保護者や保育士に対する定期的なアンケート調査や相談の実施等により、被害を把握するための体制を整えるとともに、地域、家庭と連携して児童を見守ることが必要である。

○　アンケート調査を実施する際には、無記名にしたり、担任や保育所等を通さず直接に市町村へ提出することも可能とするなど、被害児童の保護者の心情にも配慮した工夫を行うことが必要である。

（相談体制の整備）

○　都道府県は、保育士による児童生徒性暴力等に関する通報及び相談を受け付けるための体制の整備等に必要な措置を講ずる。

○　相談体制の整備等に当たっては、任命権者等や被害児童の保護者等が相談しやすくなるよう、複数の相談窓口が確保され、また、同性の相談員に相談できるようにするなど相談者が安心して相談できる環境が整えられるとともに、被害児童に対する保護・支援や事案への対処など、必要な措置に迅速につなげることが重要である。

○　都道府県においては、各都道府県警察や性犯罪・性暴力被害者のためのワンストップ支援センターの相談窓口も含め、これらが被害児童の保護者から活用されるよう周知を行う。

○　その際、あらかじめ都道府県教育委員会等との間で必要な調整を行った上で、教育職員性暴力等防止法に基づき設けられた相談窓口を活用することなども考えられる。

○　また、例えば、都道府県は電話やSNS等を活用するなど相談の充実を図る等、多様な相談窓口を確保し、所管の保育所等を通じて児童の保護者等、関係各者に広く相談窓口を周知するとともに、被害児童の保護者や任命権者等からの通報が市町村に行われる場合もあることから、保育士による児童生徒性暴力等と思われる事案を把握した市町村は速やかに都道府県に報告する等、都道府県と市町村が相互に連携・協力して円滑に対応を行うことが求められる。

○　なお、児童及びその保護者が被害に係る情報を相談することは、精神的負担が大きいものであることや、その後の対応によっては被害児童及びその保護者をさらに傷付けることになりかねないことに十分留意し、児童や保護者から相談や訴えがあった場合には、真摯に傾聴するとともに、相談内容を過少評価したり、相談を受けたにもかかわらず真摯に対応しなかったりすることは、あってはならない。

(2)　保育士による児童生徒性暴力等の事実があると思われるときの措置

（基本的な考え方）

○　都道府県は、児童や保護者からの相談などにより、保育士による児童生徒性暴力等の事実があると思われるときは、被害児童の負担に十分に留意しつつ、保育所等、市町村及び所轄警察署との間で情報共有を図り、迅速に事案に対処するとともに、被害児童やその保護者に対して、必要な保護・支援を行う必要がある。

○　また、都道府県は、保育所等が所在する市町村と必要な連携を図りつつ、初期の段階から事案の対処のために積極的に対応する必要があり、保育所等に対して必要な指導・助言を行う（都道府県が法や就学前の子どもに関する教育、保育等の総合的な提供の推進に関する法律（平成18年法律第77号。以下「認定こども園法」という。）に基づく指導監督権限を有さない保育所等の場合は、当該指導監督権限を有する自治体に対して迅速に情報共有を行う）とともに、事案の関係者と直接の人間関係や特別の利害関係のない専門家の協力を得て、公正性・中立性が確保されるよう事実確認の調査を行い、保育士の登録の取消しなどの厳正な対処につなげることが必要である。

○　都道府県においては、児童や保護者からの相談などにより、保育士による児童生徒性暴力等の事実があると思われるときの対応方針について、基本指針を参考とし、市町村との連携、児童生徒性暴力等に係る相談を受けた場合の保育士や保育所等の対応方法や手順、専門家の協力を得た調査の実施方法、被害児童に対する保護・支援やこれらに関する留意事項などを予め整理し、所管の保育所等に係る保育士に対して研修等を通じて周知を行うことが望ましい。

（任命権者等による都道府県への報告）

○　任命権者等は、その任命又は雇用する保育士による児童生徒性暴力等の事実があると思料するときは、速やかにその旨を都道府県知事に報告しなければならない。この報告は虚偽又は過失によるものを除き、守秘義務の規定に抵触するものと解してはならない（法第18条の20の３）。

○　「児童生徒性暴力等の事実があると思料するとき」とは、何らの根拠無く主観的な嫌疑を有するといったことのみでは該当しないものの、例えば、他の職員からの具体的な証言や児童の様子についての保護者からの具体的な相談があった場合など、嫌疑をかけるに足りる一定の根拠があれば該当すると考えられる。そのため、確定的な根拠がなければこれに該当しないなどとして必要な報告を怠るようなことがあってはならない。

　また、保育士による児童生徒性暴力等の事実に関し、保育所等に通報があった場合等、児童生徒性暴力等の事実が疑われる場合には、任命権者等は被害児童やその保護者への確認のほか、他の職員や児童からの聴取、防犯カメラ映像の確認などにより、当該事実の有無の確認を行った上で、当該事実があると思料するに至った場合は速やかに都道府県への報告を行うことが求められる。

なお、保育士による児童生徒性暴力等の事実があると思料するときは、当該保育士が児童生徒性暴力等を行ったことを認めているかどうかにかかわらず、都道府県への報告は必要となることに留意が必要である。

○　任命権者等において、保育士による児童生徒性暴力等の事実の有無の確認を行うに当たっては、児童の人権及び特性に配慮するとともに、その名誉及び尊厳を害しないよう注意しつつ、また、被害児童やその保護者の負担に配慮することが求められる。ただし、いたずらに被害児童への配慮やプライバシーの保護などを盾に必要な事実確認を怠るようなことがあってはならない。

○　任命権者等から都道府県への報告にあたっては、別添様式１の提出によることを基本とする。任命権者等においては、都道府県から事実確認等に関する要請があった場合には、必要な協力を行うとともに、あわせて、例えば、職員からの具体的な証言や保護者からの相談の記録、防犯カメラ映像等の児童生徒性暴力等の事実があると思料する根拠となる客観的な資料を適切に保存することが求められる。

（所轄警察署への通報等）

○　児童生徒性暴力等の中には、犯罪行為として取り扱われるべきと認められ、早期に警察に相談することが重要なものや、児童の生命身体に重大な被害が生じるような、直ちに警察に通報することが必要なものが含まれており、被害児童を徹底して守り通すという観点や被害児童に対してさらに重ねて累次の聴き取りを行うことを避ける観点からも、任命権者等はためらうことなく所轄警察署と連携して対処することが必要である。なお、任命権者等は、都道府県による児童生徒性暴力等の事実確認の結果を待たずに所轄警察署に通報することができることに留意する必要がある。

○　任命権者等が公務員である場合、その職務を行うことにより、合理的根拠に基づき犯罪があると思料するときは、刑事訴訟法[6]（昭和23年法律第131号。以下「刑事訴訟法」という。）の定めるところにより告発をすることが求められる。

なお、任命権者等が保育所等の設置者である市町村に報告し、報告を受けたこれらの者が告発を行う場合には、重ねて告発を行う必要はないと考えられる場合もあり得る。

○　また、保育士登録の取消しに係る調査等の過程で公務員（都道府県職員）が、刑法、青少年健全育成条例、迷惑防止条例違反等の犯罪があると思料するときは、告発を行うこととなる（刑事訴訟法第239条第２項）。

都道府県や市町村により本来告発されるべき事案が告発されないということが生じないようにすることが必要であり、捜査機関等と連携して厳正に対応することが求められる。他方で、児童生徒性暴力等が犯罪行為として取り扱われる事案においては、被害児童や保護者の精神的負担、名誉、プライバシー等を特に尊重する必要があり、都道府県等が告発することについての被害児童やその保護者の意向によっては、事案により、これを尊重し、告発を差し控えることも考えられる。

○　任命権者等以外の者であって、保育士、市町村の職員その他の児童又はその保護者からの相談に応じる者等についても、上記に準じて、保育士による児童生徒性暴力等の事実があると思われるときは、任命権者等、都道府県又は所轄警察署への通報その他適切な措置をとることが求められる。その際、通報等を行った者に対して当該通報等を行ったことを理由として、懲戒等の不利益処分や平等取扱いの原則に反する処分等の不利益な取扱いをしてはならないことに留意が必要である。

○　特に、保育所等が都道府県への報告に先立って市町村に報告を行う場合も考えられるため、児童生徒性暴力等と思料される事案を把握した市町村は速やかに都道府県に報告するとともに、都道府県から事実確認のための調査等に関して協力の要請があった場合には、必要な情報提供等を行うことが求められる。

（都道府県による事実確認のための調査）

○　都道府県は、任命権者等からの報告等により、保育士による児童生徒性暴力等の事実があると思われるときは、任命権者等や市町村等と連携し、被害児童の人権及び特性に配慮するとともに、その名誉及び尊厳を害しないよう注意しつつ、また、被害児童やその保護者の負担に配慮しながら、当該事実の有無の確認を行うための調査（質問や報告徴求等）を行うことが求められる。

　当該調査に当たっては、下記「事実確認等の実施」、「都道府県間の連携」、「その他の事実確認等に関する留意事項」の内容を踏まえて実施することが考えられる。

　なお、都道府県知事は保育士が児童生徒性暴力等を行ったと認められる場合にはその登録を取り消さなければならないこととされており（法第18条の19第１項）、本規定に基づき、都道府県は上記の調査を行う権限を有するものである。

○　また、上記調査は、法や認定こども園法に基づく保育所等への指導監査や、法に基づく被措置児童の虐待に係る調査と併せて効率的に実施することも考えられ、都道府県内の関係部局や市町村と連携を図ることが重要である。

○　上記調査については、被害を受けたとされる児童の尊厳の保持及び再発防止についても調査の目的とされることに留意するとともに、医療、心理、福祉及び法律に関する専門的な知識を有する者の協力を得つつ、事実関係を客観的に確認し、公正かつ中立な調査が行われることを旨とする必要がある。

○　医療、心理、福祉及び法律に関する専門的な知識を有する者としては、医師、弁護士、警察経験者、学識経験者等が考えられ、事案に応じた適切な専門家の協力を得ることが必要である。

○　協力を得る専門家については、当該事案の関係者と直接の人間関係又は特別の利害関係を有しない者（第三者）について、職能団体や学会からの推薦等により参加を得ることにより、当該調査の公正性・中立性を確保するよう努めることが求められる。

○　その際、教育職員性暴力等防止法第19条に基づいて学校の設置者が行う調査に協力することとなっている専門家を保育士による児童生徒性暴力等の調査及び事実確認においても活用することについて、あらかじめ都道府県教育委員会等との間で必要な調整を行い、協力を得られる体制を整えておくことなどが考えられる。

（事実確認等の実施）

○　事実関係の明確化に当たっては、被害児童や保護者等から聴き取りを行うことが考えられる。都道府県が調査を行うに当たり、特に自ら被害を訴えることが困難な児童本人への聴取にあたっては、適切な支援と配慮を行う必要がある。具体的には、児童の負担を軽減するとの観点から、児童からの聴取回数は少ない方が望ましいという指摘があるほか、児童については、誘導や暗示の影響を受けやすく、聴取方法や時期、回数についての留意が必要であるとの指摘があることを踏まえ、捜査機関等においては、代表者聴取の取組[7]を行っているところであるので、被害児童から聴き取りを行うに当たって、こうした取組に留意が必要である。

○　被害児童に対して聴き取りを行う場合、弁護士や医師、学識経験者等の外部の専門家で児童生徒性暴力等の事案に係る聴き取りに長けた者の協力を得て丁寧な事実確認を行うことは非常に有効であると考えられる。また、被害者の意向等により、保育所等の管理職や担任等により聴き取りを行う場合であっても、聴き取り項目や方法が適切かどうかや、聞き取った内容について補充の質問等が必要かどうかなど、外部の専門家の助言を得つつ行うことが必要であると考えられる。

○　その際、仮に、将来的に当該保育士が特定登録取消者となり、欠格期間後に保育士の再登録を申請した場合、再登録の審査においては、上記の事実関係で判明した児童生徒性暴力等を行った事実に基づき当該特定登録取消者が児童生徒性暴力等を再び行わないことの蓋然性等に係る検討が行われることを踏まえ、事実確認段階においては、当該保育士が行った児童生徒性暴力等を適切に把握しておくことが重要になることに留意する必要がある。

○　また、児童のプライバシー保護に十分に留意する必要があり、例えば、都道府県や任命権者等が、調査の初期の段階で十分な確たる情報がない中、断片的な情報で他の職員や他の利用児童の保護者等に誤解を与えたりすることのないよう留意する必要がある。

（都道府県間の連携）

○　任命権者等から、法第18条の20の３に基づき報告を受けた都道府県知事（以下「報告受付知事」という。）は、当該報告に係る保育士の登録先が他の都道府県である場合、登録先の都道府県知事（以下「登録先知事」という。）にその旨を通知（別添様式2により通知）するものとする。

○　その上で、保育士による児童生徒性暴力等の事実の有無の確認及び登録取消しの判断は、登録先知事の責任において行うこととなるが、報告受付知事は、登録先知事から児童福祉法施行規則（昭和23年厚生省令第11号）第6条の34の2に基づく書類の提示や情報の提供などの求めがあった場合には、当該保育士が行った児童生徒性暴力等の事実確認のための調査等に資する協力を行うことが求められる。

また、登録先知事が、法第18条の19に基づき当該保育士の登録を取り消した場合は、当該保育士に送付した保育士登録の取消しを行った旨の通知の写しを報告受付知事に送付するものとする。

○　なお、児童生徒性暴力等を行った保育士の登録取消しの流れ（イメージ）は「別添2」のとおりである。

○　また、これまで児童福祉法施行令（昭和23年政令第74号）第20条において、都道府県知事は、他の都道府県知事の登録を受けた保育士について、登録の取消しを適当と認めるときは、理由を付して、登録を行った都道府県知事に、その旨を通知しなければならないとされていたことを踏まえ、報告受付知事が保育士登録の取消しを適当と認めるとして、その旨を登録先知事に通知した場合は、この通知をもって児童福祉法施行令第20条に基づく通知を行ったものとして差し支えない。

（その他の事実確認等に関する留意事項）

○　保育士による児童生徒性暴力等に関する事実確認は、個々の事案の具体的な内容に基づいて行われるものであり、抽象的、一般的な基準に従って判断されるべきものではないが、例えば、以下のような点を踏まえて事実確認・事実関係の明確化を行うことが考えられる。

・児童生徒性暴力等により懲戒免職・懲戒解雇されたこと（懲戒処分の判断を行う原因となった事実の確認）
・本人への聴取の結果、児童生徒性暴力等を行ったことを認めたこと
・医療、心理、福祉及び法律に関する専門的な知識を有する者など第三者の意見の聴取
・刑事裁判又は民事裁判の事件記録等の活用

○　また、以下のような事例については、一律に児童生徒性暴力等に該当しないと判断すべきではなく、被害児童やその保護者への確認のほか、他の職員や児童からの聴取、防犯カメラ映像の確認など事実関係の調査を行い、その結果、保育士が児童生徒性暴力等を行ったと合理的に認められる場合には、各都道府県の判断により、法第18条の19第1項第3号の「児童生徒性暴力等を行ったと認められる場合」に該当するものと解することができることに留意が必要である。

・児童生徒性暴力等を行ったと報告された者が事実確認のための調査に応じない場合
・児童生徒性暴力等を行ったと報告された者の所在が分からない場合
・被害を報告した者等と児童生徒性暴力等を行ったと報告された保育士の言い分が異なる（否認している）場合

○　幼保連携型認定こども園の保育教諭等、幼稚園教諭免許状と保育士資格を併有している者であって児童生徒性暴力等により幼稚園教諭免許状の失効又は取上げの処分を受けた者については、二度にわたる本人への聴取や事実確認のための調査等を行う必要がないよう、免許の失効又は取上げの処分に至った事実をもとに、児童生徒性暴力等の事実を認定し、登録取消しを決定することも考えられることから、教員免許所管部局と連携等を行うこと。

○　都道府県は、保育士が児童生徒性暴力等を行ったおそれのある事案に関する情報を迅速に把握し、事実確認のための調査等を行う必要があることから、任命権者等からの法第18条の20の3に規定する都道府県への報告が行われていない場合であっても、このような事案を通報、報道等で把握したときは、任命権者等に対して事実関係の有無や同条に基づく報告の見込み等について確認することや、必要に応じて捜査機関への情報提供の依頼、被害児童の保護者への事実確認、当該保育士への質問等などにより事実確認を行うことが求められる。

○　保育士が保育所等の外で児童生徒性暴力等を行った場合や、児童福祉施設等に勤務していない保育士が児童生徒性暴力等を行った場合であっても、保育士登録の取消しの対象となることから、このような事案を通報、報道等で把握したときは、都道府県は事実確認の

ための調査を行うこととなる。この場合においては、都道府県は、捜査機関への情報提供の依頼、被害児童の保護者への事実確認、当該保育士への質問などにより事実確認を行うことが求められる。

（児童と保育士の接触回避等）

○　任命権者等は、法第18条の20の３に規定する都道府県への報告の前においても、保育士による児童生徒性暴力等を受けたと思われる児童と当該保育士との接触を避ける等児童の保護に必要な措置を講ずる必要がある。例えば、各保育所等において、当該保育士を担任から外したり、児童と接触しない事務作業に従事させるなど、児童への影響が生じないようにすることが考えられる。

（保育所等に在籍する児童の保護及び支援等）

○　都道府県、市町村及び保育所等は、医療、心理、福祉及び法律に関する専門的な知識を有する者の協力を得つつ、被害児童の保護やその保護者への支援を継続的に行うとともに、被害児童と同じ保育所等に在籍する児童やその保護者に対する必要な心理的支援等を行う必要がある。

○　保護及び支援等としては、事案に応じて、例えば、ワンストップ支援センターなどの相談機関を被害児童の保護者等に紹介するとともに、被害児童やその保護者等からの相談等に継続的かつ適切に対応し、落ち着いて保育を受けられる環境の確保や関係機関との連携等を行うことが考えられる。

○　保育所等全体の児童や保護者、地域にも不安や動揺が広がったり、事実に基づかない風評等が流れたりする場合には、都道府県、市町村及び保育所等は、マスコミ等への対応も含め、被害児童を守りつつ、予断のない一貫した対応を行う必要がある。

（保育所等において児童と接する業務に従事する者による児童生徒性暴力等の防止等）

○　保育士以外の保育所等において児童と接する業務（当該施設等の管理下におけるものに限る。）に従事する者による児童生徒性暴力等（当該施設等の児童に対するものに限る。）についても、早期発見のためのアンケートの対象にすることや、児童生徒性暴力等を受けたと思われる児童との接触を回避するなど、保育士に準じた取扱いとする。

○　保育所等において児童と接する業務に従事する者の職については、業務の内容・範囲や職の名称、児童と接する度合い等が地域や施設の実情に応じて異なること、また、時代の変化等によりこれまでになかった業務に従事する者が絶えず新たに生じることから、網羅的に示すことは困難であるため、職の名称等で機械的に判断するのではなく、各施設の実態を踏まえつつ、児童の権利利益の擁護に資するようにする観点から、対象となる者を判断することが必要である。その上で、現時点で考えられる職としては次のようなものが考えられる。

・事務職員、嘱託医、看護師、栄養士、調理員、保育補助者、保育支援者（キッズ・ガード）等

(3)　保育士登録の取消し

（改正法による規定）

○　改正法により、児童生徒性暴力等を行ったと認められる場合について、保育士登録を取り消さなければならない事由に追加する改正を行っている。

○　保育士による児童生徒性暴力等は決して許されないことであり、改正法の趣旨を踏まえ、こうした非違行為があった場合には、保育士登録の取消しについて、適正かつ厳格な実施を図る必要がある。

（留意事項）

○　保育士登録の取消しは不利益処分に該当することから、行政手続法（平成５年法律第88号）第13条に基づく聴聞が必要となる。

○　従前は事実関係を争っていなかった保育士が、聴聞の段階で事実関係を争った場合であっても、一律に児童生徒性暴力等の事実が認められないと判断すべきではなく、例えば、①確定した裁判で児童生徒性暴力等の事実が認定されている、②従前は事実を認めた上で被害児童側と示談した、③従前は事実関係を争っていなかった理由や主張を変遷させた理由に合理的な説明がないなどの事情があり、当該弁明内容に信用性が認められず、児童生徒性暴力等を行ったと合理的に認められる事情があれば、「児童生徒性暴力等を行ったと認められる場合」に該当することに留意する必要がある。

○　都道府県知事は、特定登録取消者となった者に対し、登録証の返納を求める際や、保育士の登録の取消処分を行った旨の通知を行う際などにおいて、特定登録取消者に該当する旨及び再度登録を受けるためには、その者の

行った児童生徒性暴力等の内容等を踏まえ、改善更生の状況その他その後の事情により再び保育士の登録を行うのが適当であると認められる場合に限り、再び保育士の登録を行うことができる旨等を示すものとする。

○　なお、保育士登録の取消し後に、人違いなどの理由で無罪判決が確定したなどにより児童生徒性暴力等の事実がなかったことが明らかになった場合は、都道府県知事は当該保育士に対する登録の取消処分の取消しを行うとともに、保育士登録簿の記録の回復や登録証の再交付、法第18条の20の４に基づくデータベースにおける当該保育士に係る記録の消除などを行う必要がある。

3　保育士の任命又は雇用に関する施策

(1)　データベースの整備及び特定登録取消者に関する情報の記録

○　国は、特定登録取消者の氏名及び特定登録取消者の登録の取消しの事由等に関する情報に係るデータベースを整備し、令和６年４月１日より運用を開始する（法第18条の20の４、附則第１条、児童福祉法等の一部を改正する法律の一部の施行期日を定める政令（令和５年政令第372号））。

○　任命権者等が、保育士を任命し、又は雇用しようとするときに、個人情報の取扱いやセキュリティの確保を含め、データベースが適切かつ有効に管理及び活用されるよう、国は、都道府県の協力も得ながら、具体的な運用マニュアルの作成及び周知徹底等の必要な措置を講ずる。

○　都道府県は、当該都道府県において登録を行った者が特定登録取消者に該当するに至ったときは、「児童福祉法第18条の20の４第１項の規定に基づきこども家庭庁長官が定める事項」[8]で規定する特定登録取消者に関する情報をデータベースに迅速に記録するものとする[9]（法第18条の20の４第２項）。この場合の「迅速に記録する」とは、保育士が児童生徒性暴力等を行ったことによりその登録を取り消した日の翌日又は保育士の登録を取り消した者（児童生徒性暴力等を行ったことにより保育士の登録を取り消した者を除く。）の保育士の登録を受けた日以後の行為が児童生徒性暴力等に該当していたと判明した日の翌日（行政機関の休日に関する法律（昭和63年法律第91号）第１条第１項各号に定める休日を除く。）までに行うべきものとする。

○　データベースに記録する情報の期間は、当面、少なくとも40年間分の記録を蓄積していくこととするが、記録情報の正確さを担保するためにも、各都道府県においては、文書管理規則等に則った上で、特定登録取消者の登録の取消しに関する行政文書の適切な保存期間等に留意する必要がある。

○　法第18条の20の４第２項に基づくデータベースへの記録の入力については、改正法の趣旨等を踏まえ、法の施行日より前に児童生徒性暴力等に相当するような行為を行ったことにより登録の取消処分となった者に関する情報についても、データベースに記録するものとする。

○　児童生徒性暴力等以外の理由で登録の取消しを行った者のうち、後から児童生徒性暴力等が判明した者（法第18条の20の２第１項第２号に該当）については、重ねて取消しを行うことはできないが、児童生徒性暴力等が判明した時点で、特定登録取消者に該当する旨などの内容を本人に文書で通知するとともに、データベースに掲載するものとする。

○　児童生徒性暴力等を行った者のうち、児童生徒性暴力等を行ったことによる登録の取消し（法第18条の19第１項第３号）の前に、禁錮以上の刑が確定したことにより、登録の取消しとなる（法第18条の19第１項第１号）ケースもあり得るが、その際、当該登録の取消しを受けた者が児童生徒性暴力等を行ったことにより禁錮以上の刑に処せられたかどうか等を正確に識別するため、例えば、地方検察庁に対して刑事確定訴訟記録法（昭和62年法律第64号）に基づく保管記録の閲覧請求を行うことが考えられる。なお、法第18条の19第１項第１号に該当する者のうち、児童生徒性暴力等を行った者の登録の取消しにあたっては、同号及び同項第３号に基づいて行うものとする。

○　データベースに記録された情報は、機微な個人情報であることから、情報に触れる者は任命又は雇用の判断の権限を有する者に限定すること、当該権限を有する者のみがデータベースにアクセスするためのユーザーID・パスワードを付与されるものとし、付与された者は当該ユーザーID・パスワードを第三者に使用されないよう適切に管理すること、当該権限を有する者が権限を喪失した場合はユーザー情報を変更又は廃止すること、データベースを不正の目的により利用させないこと、検索結果等の情報は紛失・盗難・漏えい防止措置を講じること、使用用途の終了した情報は速やかに復元不可能な形で破棄することを実施することに加え、「個人情報の保護に関する法律についてのガイドライン（通則編）」（平成28年個人情報保護委員会告示第6号）に例示された安全管理措置を適切に施すこと。

(2) 保育士を任命又は雇用しようとするときのデータベースの活用等

○ 保育士を任命又は雇用する者は、保育士を任命し、又は雇用しようとするときは、国のデータベースを活用するものとする（法第18条の20の4第3項）。データベースの活用は、保育士を任命し、又は雇用しようとするときに限られ、目的外の用途に活用してはならない。

○ データベースの活用にあたっては、機微な個人情報の適正な管理に加え、不正利用を防止する必要があることから、データベースを活用することができるのは、保育士を置くこと等が法令等により明らかであり、かつ、所管する自治体による指導監督権限が及ぶ施設・事業所（別添4の表1及び表2）とする。

○ データベースの活用は、公私立の別や、前職の有無、常勤・非常勤といった任用形態（任期の定めのない常勤職員・任期付職員・臨時的任用職員・再任用職員・会計年度任用職員等）、フルタイム・パートタイム等の勤務時間等によらず、保育士を任命し、又は雇用しようとする場合に任命権者等に義務付けられているものであること。

○ データベースの活用は、機微な個人情報に係る情報である特定登録取消者に該当するか否かの確認であり、その結果によって任命権者等の雇用の判断にも影響がある行為であることを踏まえ、任命権者等は、保育士を任命し、又は雇用しようとするとき、具体的には、採用内定予定者である保育士についてのみ行うこととする。

なお、任命権者等が本データベースを検索して採用内定予定者（特定登録取消者に該当しないことが確認されれば、採用内定者となる者のことを言う。以下、同じ。）の情報を確認するにあたっては、任命権者等からこども家庭庁への個人データまたは保有個人情報の提供が生じるが、当該提供は個人情報の保護に関する法律（平成15年法律第57号。以下、「個人情報保護法」という。）第27条第1項第1号又は同法第69条第1項に定める「法令に基づく場合」に該当し、本人の同意は必ずしも求められるものではないが、本データベースでの検索の結果に照らして採用しないとの判断をすることがあり得ることを踏まえ、任命権者等は、保育士の公募等の段階においてあらかじめ、保育士としての採用を希望するものに対して、採用内定前にデータベースの検索を行うことや、検索の結果、特定登録取消者に該当することが判明した場合は採用しない場合があることを書面等により提示するとともに、特定登録取消者に該当する場合はあらかじめその旨を申告するよう求めることが望ましい。

○ 採用内定予定者が特定登録取消者に該当することがデータベースの活用等により判明した場合、その情報を端緒として、採用面接等を通じて本人に経歴等より詳細な確認を行ったり、本人の同意を得た上で過去の勤務先に事実関係の確認を行うなど、法の趣旨にのっとり、十分に慎重に、適切な任命又は雇用の判断を行う必要がある。その際には、個人情報の保護に関する法律（平成15年法律第57号）及び職業安定法（昭和22年法律第141号）にのっとり、適正に情報を取り扱うこと。

○ 特定登録取消者の任命又は雇用を行う場合は、児童生徒性暴力等が保育士の登録取消事由とされていることを踏まえ、当該希望者が児童生徒性暴力等を再び行わないことの高度の蓋然性を確認するなど、慎重な判断が求められることに留意が必要である。

○ なお、児童生徒性暴力等を行ったことにより登録が取消しとなった事実を秘匿することを意図して改名の上、任命又は雇用されようとするケースも考えられることから、新規学卒者でない者など保育士資格取得から一定期間が経っている場合には、本人確認書類等に記載された氏名（現在の氏名）と併せて、旧姓や改名前の氏名が判明している場合には、両方でデータベースを検索するものとする。

○ 採用選考時の関係書類においても、賞罰欄等を設けた上で、刑事罰のみでなく、児童生徒性暴力等の懲戒処分の原因となった具体的な理由の明記を求めたりすることなどにより、任命又は雇用を希望する者の経歴等を十分に確認し、適切な判断を行うことが必要であること。経歴等を十分に確認した上での適切な判断は、前職の有無や、常勤・非常勤といった任用形態（任期の定めのない常勤職員・任期付職員・臨時的任用職員・再任用職員・会計年度任用職員等）、フルタイム・パートタイム等の勤務時間等によらず、全ての場合において必要であること。

４　特定登録取消者に対する保育士の再登録に関する施策

⑴　特定登録取消者に対する保育士の再登録

（改正法による規定）

○　改正法により、刑事裁判で所定の罪の罰金又は禁錮以上の刑に処せられた保育士の登録に係る欠格期間については、同じく児童と接する教員の場合と同様、以下のように規定している。

・禁錮以上の刑に処せられた場合は無期限
・法の規定その他児童の福祉に関する法律の規定であって政令で定めるものにより罰金の刑に処せられた場合や登録取消し等による場合は３年

○　なお、禁錮以上の刑に処せられた場合の欠格期間について無期限としているが、教員の場合と同様、刑法における刑の消滅規定（刑法第34条の２）[10]の適用は受けることから、刑の執行を終了し、罰金以上の刑に処せられないで10年を経過したときは、刑の言渡しは効力を失うため、保育士の再登録は可能となる。なお、執行猶予の場合には、猶予期間満了により刑の言渡しが効力を失う（刑法第27条）[11]ため、執行猶予期間満了時から保育士の再登録は可能となる。

○　特定登録取消者について、その者の行った児童生徒性暴力等の内容等を踏まえ、当該特定登録取消者の改善更生の状況その他その後の事情により再び保育士の登録を行うのが適当であると認められる場合に限り、再び保育士の登録を行うことができることとする。（法第18条の20の２第１項）

○　特定登録取消者には、児童生徒性暴力等を行ったことにより保育士登録を取り消された者のほか、これら以外の者であって、保育士登録を取り消された者のうち保育士登録を受けた日以後に児童生徒性暴力等を行っていたことが判明した者も含まれる（法第18条の20の２第１項第２号）。例えば、傷害事件で懲役刑を受け、保育士登録を取り消された者が、傷害事件とは別に保育士である期間中に児童生徒性暴力等も行っていたことが取消しの後で判明したケースについては、仮に執行猶予期間の満了等により刑の言渡しが効力を失い、法第18条の５第２号（禁錮以上の刑に処せられた場合）に該当しなくなった者であっても、再登録審査の対象となる。

○　都道府県知事は、法第18条の20の２第１項の規定による登録をしようとする際に必要があると認めるときは、当該保育士の登録を取り消した都道府県知事その他の関係機関に対し、当該特定登録取消者の行った児童生徒性暴力等の内容等を調査し、保育士の登録を行うかどうかを判断するために必要な情報の提供を求めることができることとする。（法第18条の20の２第３項）

○　なお、国家戦略特別区域限定保育士であって、児童生徒性暴力等を行ったことにより国家戦略特別区域限定保育士資格が取り消された者について、仮に当該者が欠格期間の経過後に保育士試験に合格する等により保育士資格を有することとなった場合、保育士資格としては新規の登録となるが、保育士の登録にあたっては制限をかけるべきであり、再登録審査の対象としている（法第18条の20の２第１項各号）。

（再登録審査の基本的な考え方）

○　再登録審査の基本的な趣旨は、児童生徒性暴力等を行ったことにより登録取消し等となった保育士が、保育の現場に戻ってくるという事態はあってはならないということであり、再登録の審査に当たって、都道府県においては、都道府県児童福祉審議会の意見を踏まえ、加害行為の重大性、本人の更生度合い、被害児童及びその関係者の心情等に照らして、総合的に判断することが求められる。

○　改正法の趣旨等を踏まえ、再登録を行うためには、少なくとも児童生徒性暴力等を再び行わないことの高度の蓋然性が必要である。児童生徒性暴力等を再び行う蓋然性が否定できない場合は基本的に再登録を行わないことが適当であり、都道府県は、このような考え方の下、自らの権限及び責任において、十分に慎重に判断する必要がある。

○　その際、再登録が適当であることの証明責任は申請者自身にあり、特定登録取消者が再登録を希望する場合、当該申請者において申請の前提となる基礎的な情報を示す書類に加え、改しゅんの情が顕著であり、再び児童生徒性暴力等を行わないことの高度の蓋然性を証明し得る書類を都道府県に提出し、自身が再登録を受けることが適当であることを証明する必要がある（審査における主な考慮要素と提出書類例は、別紙を参照）。

（再登録が不適当と考えられる例）

○　上記の再登録審査の基本的な考え方を踏まえると、例えば、以下のような者に対し再登録することは、基本的に不適当であると考えられる。

・過去に行った児童生徒性暴力等に高い悪質性が認められる者
・加害行為の再犯防止のために一定の条件を要する者（例えば、医師による治療・服薬指導等を継続する場合に限り加害行為の再犯が見込まれない等）
・保育士登録の取消期間中を含め、長期間に渡り児童と接しない職業等において加害行為を犯さなかったとしても、保育士として復職することにより児童と接することが契機（トリガー）となって、再び児童生徒性暴力等を行う可能性が排除できない者
・過去、特定登録取消者となった後に再登録を拒否され、その時から審査内容に関して大きな状況変化がない者
・自己申告内容の重要な部分に明らかな虚偽が認められる者　等

（留意事項）

○　申請者や都道府県が被害児童及びその関係者に接し、当時の事案を想起させてしまうことで、被害児童等が再び心情を害するなどの二次的被害につながることがないよう、再登録申請・審査に関する過程において、申請者や都道府県による被害児童等への接触は原則として行わないよう配慮することが望ましい。

○　都道府県は、再登録を希望する特定登録取消者が、自身が特定登録取消者であることを悪意をもって隠ぺいして又は認識せずに申請する可能性があることを踏まえ、申請者から特定登録取消者であるとの自己申告がないときでも、登録簿により当該申請者の過去の登録取消事由を確認するなど、申請者が特定登録取消者に該当するか否かを確認するよう留意するものとする。

(2)　都道府県児童福祉審議会の意見聴取

○　都道府県による特定登録取消者に対する保育士資格の再登録を行うに当たって、あらかじめ都道府県児童福祉審議会（以下「審議会」という。）に意見を聴かなければならない（法第18条の20の２第２項）。

○　再登録審査の公平・公正性や専門性を確保するため、審議会には、児童生徒性暴力等に関する学識経験を有する者（医療、心理、福祉、法律の専門家等）を参画させることが考えられ、当該児童生徒性暴力等の事案と直接の人間関係又は特別の利害関係を有しない者（第三者）により議決を行うものとする。なお、第三者性の確保の観点から、都道府県の職員は、審議会の委員としては参画しないものとする。

○　審議会は、都道府県に対し、特定登録取消者について再び登録を行うことが適当であると認められる旨の意見を述べるに当たっては、出席委員全員から意見を聴いた上で、原則として、出席委員の全員一致をもって行うよう努めなければならない。ただし、審議会において議論を尽くしても、出席委員全員の意見が一致しないときは、出席委員の過半数の同意を得た意見を審議会の意見とすることができる。

○　国は、再登録審査に関して全国で統一的な運用を図るとともに、都道府県における専門家の適切な確保に資するよう、職能団体等の協力も得ながら、専門家の候補者となる者の情報共有や専門家の共通理解を図る取組等、必要な支援を行う。なお、委員は他の都道府県の審議会又は教育職員性暴力等防止法第23条に規定する都道府県教育職員免許状再授与審査会で同様の業務を兼務すること（いわゆる掛け持ち）も可能である。

○　審議会の公開については、個人情報を取り扱うこととなり、また、会議の公正又は円滑な運営に支障が生じるおそれもあるため、基本的に非公開となることが想定されるが、当該都道府県の関係条例等を踏まえ、適切に判断する。その際、例えば、会議は非公開としつつ、事後的に議事要旨を公にすることも考えられる。なお、審議会の委員は、特別職の地方公務員（地方公務員法第３条第３項第２号該当）の身分を有し、同法上の守秘義務等は課されないこととなるため、規則等で守秘義務に関する規定を定める必要がある。

○　都道府県児童福祉審議会の職務等に関する必要な事項については、各都道府県の児童福

祉審議会規則等により定める必要がある。なお、具体的な委員の委嘱のタイミング等については、地域の実情や申請状況等も踏まえつつ、柔軟に対応することも可能である。

[1] 保育士には、保育士登録を受けて保育教諭として幼保連携型認定こども園で勤務する者等も含む。

[2] 第211回国会における、刑法及び刑事訴訟法の一部を改正する法律及び性的姿態撮影等処罰法の成立により追記。

[3] 具体的には、正当な理由がないのに、16歳未満（相手が13歳以上16歳未満の子どもであるときは、行為者が5歳以上年長である場合）の子どもの「性的姿態等」を撮影等が該当する。なお、これらの行為における「正当な理由」とは、例えば、こどもの生活の様子を保護者に伝えるために遊びの場面を撮影する場合、自園の保護者のみが視聴できるようにした上でそうした影像を影像送信する場合、けがや病気に際して保護者や医師に症状を伝えるために、あるいは、虐待のおそれがあるときに記録のために撮影する場合等が一般的には考えられる。また、「性的姿態等」とは、性的な部位（性器・肛門・これらの周辺部、臀部又は胸部）、身に着けている下着のうち現に性的な部位を直接・間接に覆っている部分、わいせつな行為・性交等がされている間における人の姿をいう。

[4] 「言動」には、口頭での発言に限らず、ソーシャルネットワーキングサービスや電子メール等を用いることも含まれる。

[5] 文部科学省において取組が進められている。

[6] ○刑事訴訟法（昭和23年法律第131号）

第239条　（略）

2　官吏又は公吏は、その職務を行うことにより犯罪があると思料するときは、告発をしなければならない。

[7] 児童生徒等が犯罪の被害者や目撃者等の参考人である事件において、児童生徒等から事情聴取を行うに当たって、児童生徒等の負担軽減及びその供述の信用性確保の観点から、検察、警察及び児童相談所の3機関が、早期に情報共有や協議を行い、そのうちの代表者が児童の供述特性を踏まえた方法（いわゆる司法面接的手法）等で当該児童生徒等からの面接・聴取を行う取組をいう。

[8] ○児童福祉法第18条の20の4第1項の規定に基づきこども家庭庁長官が定める事項（令和6年こども家庭庁告示第6号）

一　保育士登録簿（国家戦略特別区域法第12条の5第8項において準用する場合にあっては、国家戦略特別区域限定保育士登録簿。第9号において同じ。）の氏名（平仮名で振り仮名を付するものとする。）

二　保育士（国家戦略特別区域法第12条の5第8項において準用する場合にあっては、国家戦略特別区域限定保育士。第5～8号において同じ。）の登録の取消しに係る根拠規定

三　行った児童生徒性暴力等が相当する教職員等による児童生徒性暴力等の防止等に関する法律（令和3年法律第57号）第2条第3項に掲げる行為の号番号

四　生年月日

五　保育士の登録番号

六　保育士の登録年月日

七　保育士の登録都道府県名

八　保育士の登録の取消年月日

九　氏名（登録を取り消した際の氏名が保育士登録簿のものと異なっていた場合に限る。）（振り仮名が確認できる場合は、片仮名で振り仮名を付するものとする。）

十　保育士登録証（国家戦略特別区域法第12条の5第8項において準用する場合にあっては、国家戦略特別区域限定保育士登録証）に記載されている旧姓

[9] 改正法（データベース関係規定を除く。）の施行後からデータベース関係規定の施行までの期間に、特定登録取消者となった者については、データベースが未構築であることから直ちにデータベースへの情報の記録はできないものの、法第18条の18に規定する保育士登録簿に特定登録取消者に該当する旨を記載するとともに、登録証の返納を確実に行わせること。登録証の返納を行わない者については、当該者の保育士登録番号を都道府県ホームページに掲載するなど、当該者が保育士と偽って保育に関する業務に従事することがないよう適切な措置を講じること。

[10] ○刑法（明治40年法律第45号）

（刑の消滅）

第34条の2　禁錮以上の刑の執行を終わり又はその執行の免除を得た者が罰金以上の刑に処せられないで10年を経過したときは、刑の言渡しは、効力を失う。罰金以下の刑の執行を終わり又はその執行の免除を得た者が罰金以上の刑に処せられないで5年を経過したときも、同様とする。

2　（略）

[11] ○刑法（明治40年法律第45号）

（刑の全部の執行猶予の猶予期間経過の効果）

第27条　刑の全部の執行猶予の言渡しを取り消されることなくその猶予の期間を経過したときは、刑の言渡しは、効力を失う。

別紙

再登録審査における主な考慮要素及び提出書類例

○　再登録審査において、都道府県が考慮すべき主な要素や、申請者が自らの証明責任の下で提出することが想定される、①申請の前提となる基礎的な情報を示す書類に加え、②改しゅんの情が顕著であり、再び児童生徒性暴力等を行わないことの高度の蓋然性の証明に資する書類の例は、以下の表のとおり。なお、いずれの考慮要素も必ずしも独立して判断できるものではなく、他の要素との兼ね合いも踏まえつつ総合的に判断されることとなると考えられる点に留意が必要である。

	考慮すべき主な要素	提出書類例
①	・加害行為の悪質性[(注1)]	・登録取消しの原因となった児童生徒性暴力等の事実関係に関する自己申告書[(注2)] （登録取消しの原因となった児童生徒性暴力等に関する刑事又は民事裁判がある場合はその判決謄本等を含む。）
	・再登録審査の申請歴	・特定登録取消者となった後の再登録審査の申請歴に関する自己申告書 （他の都道府県に申請中でないことの確認、過去の申請歴がある場合はその結果通知及びその後の状況変化を示す書類を含む。）
②	・社会的活動等の状況	・特定登録取消者となった後の職歴・社会的活動歴、再犯防止策に関する自己申告書[(注3)]
	・治療・更生等の程度	・複数の医師等による診断書・意見書 （診断名、治療内容（期間、服薬名等）、症状の安定性・治癒の見込み、業務への支障の程度、その他特記事項）[(注4)] ・更生プログラム等の受講等歴・評価書 ・申請者の現在の勤務先による勤務状況等証明書 ・申請者の復職を求める嘆願書
	・反省の程度（被害児童等との関係性を含む。）	・申請者の反省文 ・被害児童等に対する慰謝措置（謝罪、損害賠償等）や被害児童等との示談等に関する自己申告書

（注１）悪質性を判断するための要素として、過去の裁判例等を踏まえると、例えば、加害行為の動機・内容・回数・期間・常習性、被害児童の年齢・人数、保育士という立場・信頼関係の利用（自園内・勤務時間内・担当等）、計画性、撮影行為、被害児童に自責の念を抱かせる言動や秘密の共有・口止め・脅迫、犯行の重大性への認識・反省、被害当事者及び関係者の苦痛及び長期的影響や処罰感情、社会的影響等が考えられる。

（注２）申請者の申立書の審査に当たっては、登録が取消しとなった当時の都道府県等に対し、申請者の自己申告の内容が真正であることや、登録の取消し等の原因となった児童生徒性暴力等以外に判明している加害行為の有無の確認など、必要な情報を補完的に問い合わせることも可能であり、問合せを受けた関係機関は、法の趣旨を踏まえ、適切に対応することが求められている。その際、実務上、当時の都道府県等に、書面による情報提供を求めることのほか、例えば、参考人として参加する協力を求めることも考えられる。児童生徒性暴力等により禁錮以上の刑に処された者については、必要に応じて、地方検察庁に対して刑事確定訴訟記録法に基づき、当時の事件記録について、保管記録の閲覧請求を行うことも考えられる。

（注３）申請者が仮に特定登録取消者となった後に児童生徒性暴力等を行っていないとしても、それだけでは、復職時に児童に接することが契機（トリガー）となり、再犯につながる可能性もあることに留意する必要がある。

（注４）申請者が必ずしもいわゆる小児性愛その他の精神疾患により児童生徒性暴力等を行ったとは限らない点にも留意が必要である。

別添１　略

別添２

児童生徒性暴力等を行った保育士の登録取消しの流れ（イメージ）

１　管内の保育所等において児童生徒性暴力等が行われた場合
（自らの都道府県で保育士登録をした保育士の場合）

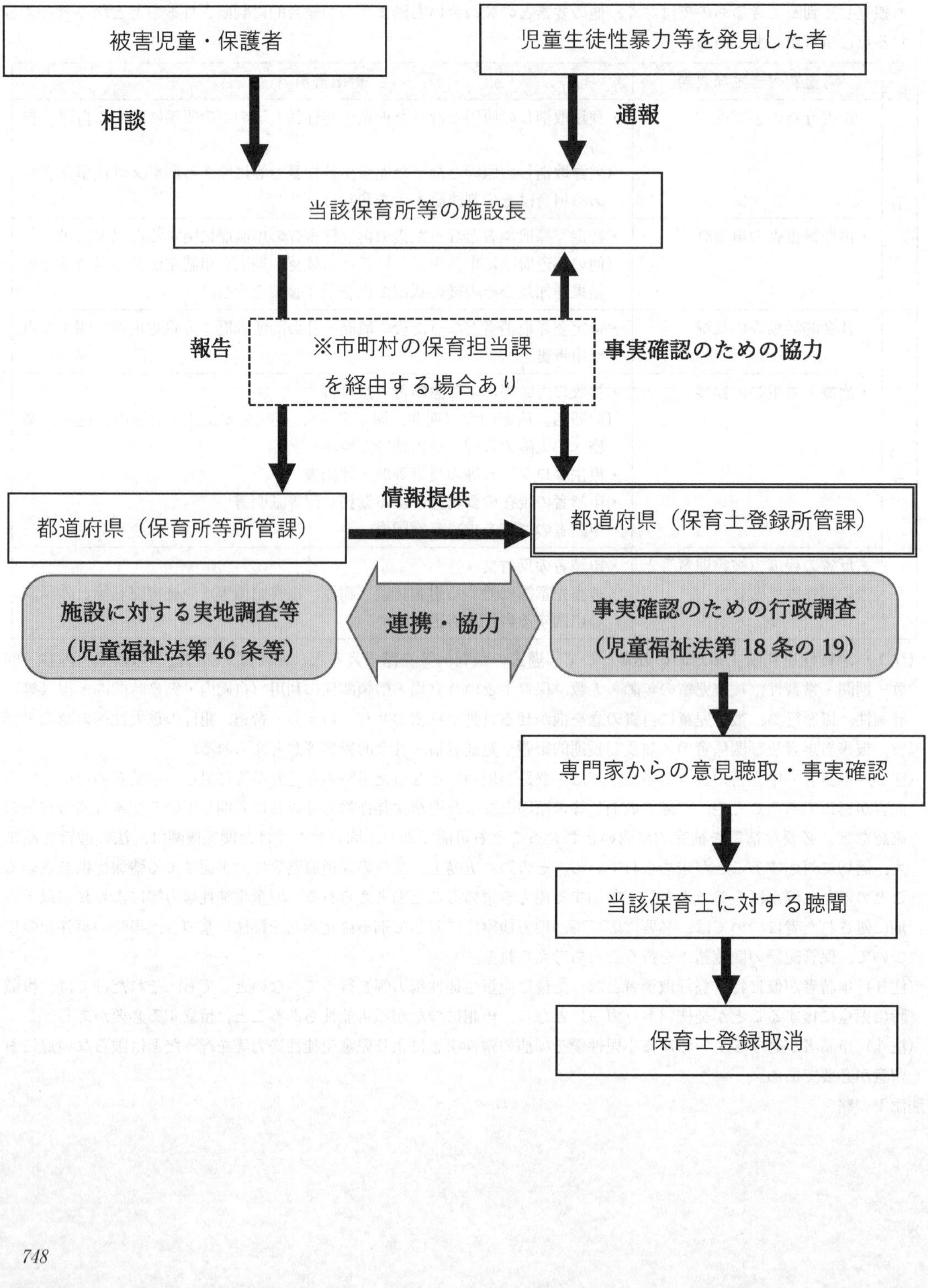

2　管内の保育所等において児童生徒性暴力等が行われた場合
　（他の都道府県で保育士登録をした保育士の場合）

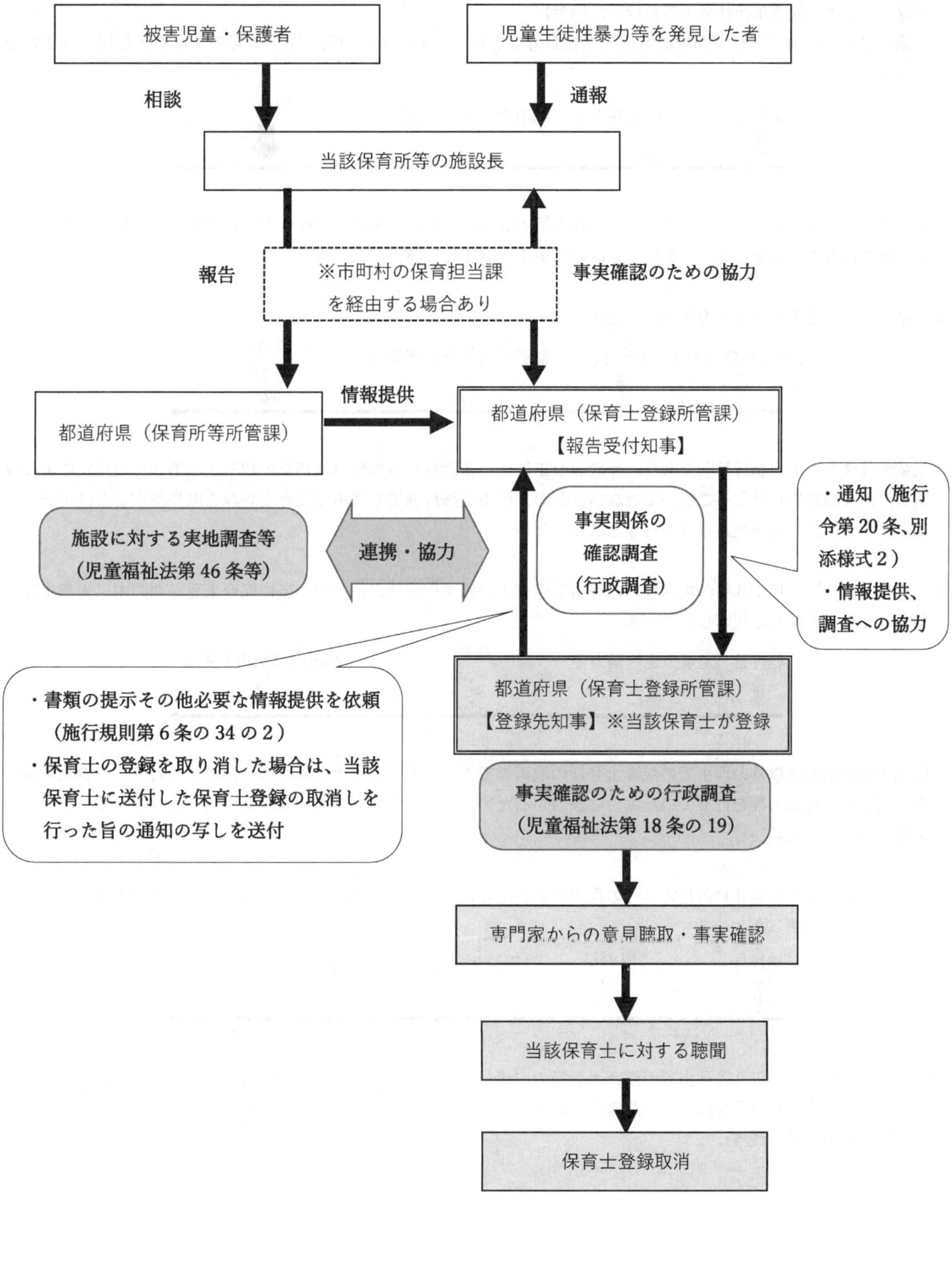

別添３

児童生徒性暴力等が行われた時点、取消事由と再登録審査の対象について

【保育士登録後に児童生徒性暴力等を行った場合】

①　施行日後、保育士登録期間中に児童生徒性暴力等を行い、第18条の19第１項第３号の規定により取り消されたケース

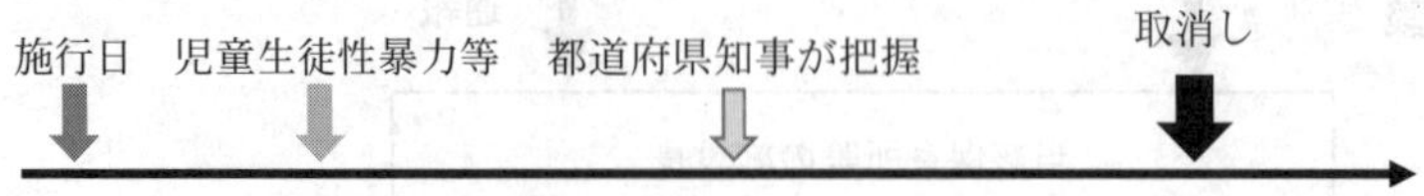

⇒想定されるメインのケースであり、児童生徒性暴力等を行ったことを理由に保育士登録を取り消されていることから、再登録審査の対象となる（第18条の20の２第１項第１号に該当）。

②　施行日前に児童生徒性暴力等を行ったケース

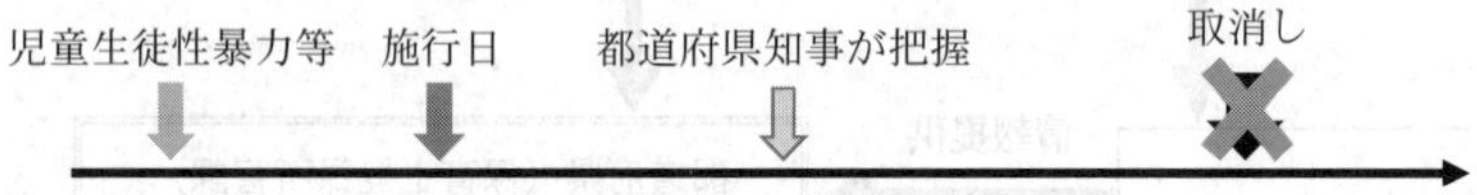

⇒児童生徒性暴力等が施行日前であり、今般の改正に伴い新設される措置（第18条の19第１項第３号の規定による取消し、再登録審査）はとることができない。なお、信用失墜行為等を理由に保育士登録を取り消すことは可能であるが、その場合にも再登録審査の対象とはならない。

③　第18条の19第１項第３号の規定以外の理由で保育士登録を取り消されたが、後に保育士登録期間中に児童生徒性暴力等を行っていたと判明したケース

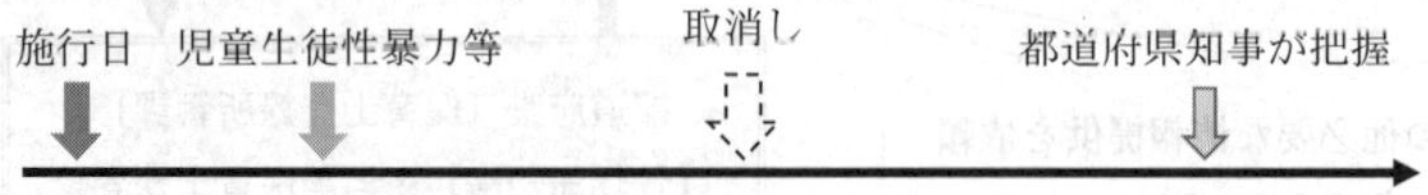

⇒児童生徒性暴力等以外の理由での保育士登録の取消しであっても、保育士登録を取り消された者で、保育士登録以後に児童生徒性暴力等を行っていた場合に該当するため、判明した場合は再登録審査の対象となる（第18条の20の２第１項第２号に該当）。

④　第18条の19第１項第３号の規定以外の理由で保育士登録を取り消されたが、登録取消し後に児童生徒性暴力等を行っていたと判明したケース

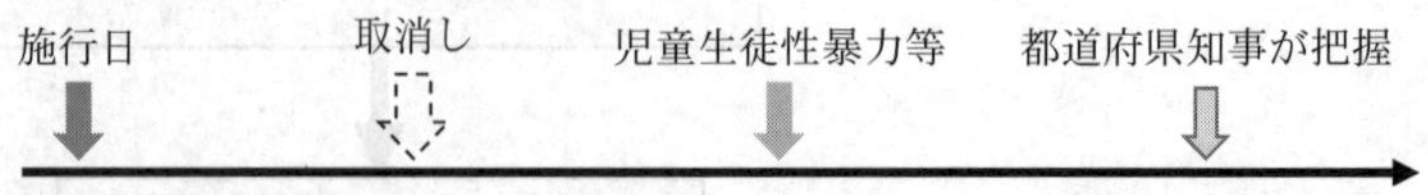

⇒　児童生徒性暴力等以外の理由での保育士登録の取消しであっても、保育士登録を取り消された者で、保育士登録以後に児童生徒性暴力等を行っていた場合に該当するため、判明した場合は再登録審査の対象となる（第18条の20の２第１項第２号に該当）。

【保育士登録前に児童生徒性暴力等を行った場合】

⑤　保育士登録前の児童生徒性暴力等が、保育士登録後に発覚し、第18条の21（信用失墜行為）または第18条の19第1項第1号（禁錮以上の刑に処せられた場合等）の規定により保育士登録を取り消されたケース

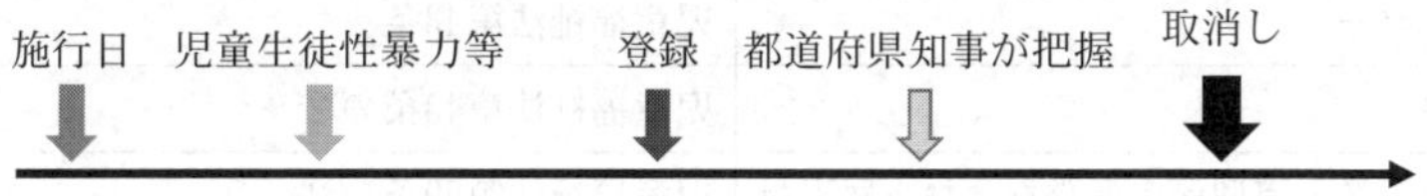

⇒　登録前の児童生徒性暴力等については、直接第18条の19第1項第3号により取り消すことができないが、第18条の21（信用失墜行為）または第18条の19第1項第1号（禁錮以上の刑に処せられた場合等）の規定により取り消すことが可能であり、この場合、児童生徒性暴力等を起因とする取消しとなることから、再登録審査の対象となる（第18条の20の2第1項第1号に該当）。

⬇…児童生徒性暴力等を理由とした取消し　⇣…児童生徒性暴力等を理由としない取消し

別添4

データベース活用対象施設・事業一覧

○　データベースの活用対象は、保育士を置くこと等が法令等により明らかであり、かつ、自治体による指導監督権限が及ぶ以下の表1又は表2に掲げる施設等とする。

○　表1及び表2に掲げる施設等のデータベースの活用の方法については、<活用の方法>に定める方法とする。

【表1】　継続的に保育士を任命・雇用し保育事業を行うものとして施設等ごとにユーザーIDの付与先が明確である施設等

<活用の方法>　施設等に対して付与されたデータベースのユーザーIDにより、当該施設等の任命権者等が保育士を任命・雇用しようとする際に検索を実施

施設・事業名	根拠法令
児童発達支援（児童発達支援センターで行われるもの以外）	児童福祉法第6条の2の2第2項
放課後等デイサービス	児童福祉法第6条の2の2第3項
一時預かり事業	児童福祉法第6条の3第7項
家庭的保育事業	児童福祉法第6条の3第9項
小規模保育事業	児童福祉法第6条の3第10項
居宅訪問型保育事業	児童福祉法第6条の3第11項
事業所内保育事業	児童福祉法第6条の3第12項
病児保育事業	児童福祉法第6条の3第13項
一時保護施設	児童福祉法第12条の4
病院（結核児童に対する療育の給付を行う指定療育機関）	児童福祉法第20条第1項
乳児院	児童福祉法第37条
母子生活支援施設	児童福祉法第38条
保育所	児童福祉法第39条第1項
児童養護施設	児童福祉法第41条

福祉型障害児入所施設	児童福祉法第42条第１号
医療型障害児入所施設	児童福祉法第42条第２号
児童発達支援センター	児童福祉法第43条
児童心理治療施設	児童福祉法第43条の２
認可外保育施設（企業主導型保育事業を含む、届出対象の施設。保育士を任命・雇用して行うものに限る。）	児童福祉法第59条の２
預かり保育（子ども・子育て支援法に基づくもの）	子ども・子育て支援法第７条第10項第５号
認定こども園（全類型）	就学前の子どもに関する教育、保育等の総合的な提供の推進に関する法律第２条第６項
女性相談支援センター	困難な問題を抱える女性への支援に関する法律第９条第１項
女性自立支援施設	困難な問題を抱える女性への支援に関する法律第12条第１項

【表２】　必ずしも継続的ではないが、保育士を任命・雇用して保育事業を行い、法令に基づき自治体へ毎年度の運営状況報告を行っている施設等

<活用の方法>　保育士を任命・雇用する施設等からの申請に応じて国がデータベースを確認し、結果を当該施設等の任命権者等に通知する

施設・事業名	根拠法令
認可外保育施設（届出対象外施設。児童福祉法施行規則第49条の２第１号イ（買い物中の顧客の乳幼児のみの保育を行うことが明確に書面等に示されているショッピングモールの託児所等）及び同条第２号（半年を限度として臨時に設置される施設）に該当するものに限る。）	児童福祉法第59条 児童福祉法施行規則第49条の２第１号イ、第２号

（別添様式１）

令和○年○月○日
（報告年月日）

保育士を雇用する者等から都道府県への報告様式（参考様式）

１．報告者
・法人名：
・施設名・所在地：
・役職・氏名：
・連絡先電話番号：

２．被害児童の状況
・氏名・性別・年齢・生年月日：

３．事案の発生年月日及び時間

４．事案の発生場所

５．児童生徒性暴力等を行ったと思われる保育士
・役職・氏名・性別：
・保育士登録をしている都道府県名：
・保育士登録番号：

６．発覚した事案の内容
（何をしたのか、本人の認否、把握した経緯等を分かるように記述）

（別添様式２）

令和○年○月○日
（通知年月日）

他の都道府県に登録している保育士に関する通知様式（参考様式）

１．事案が発生した施設
・法人名：
・施設名・所在地：
・施設長の氏名：
・連絡先電話番号：

２．被害児童の状況
・氏名・性別・年齢・生年月日：
・本事案の通知に関する保護者の同意の有無：

３．事案の発生年月日及び時間

４．事案の発生場所

５．児童生徒性暴力等を行ったと思われる保育士
・役職・氏名・性別：
・保育士登録をしている都道府県名：
・保育士登録番号：

６．発覚した事案の内容
（何をしたのか、本人の認否、把握した経緯等を分かるように記述）

７．通知をした都道府県の見解（登録取消に相当するか否か等の参考意見）

８．通知をした都道府県
・都道府県名・所属・担当者名：
・担当者の連絡先電話番号：

○教育・保育施設等における睡眠中及び食事中の事故防止に向けた取組の徹底について

令和５年４月27日　事務連絡
各都道府県民生・児童福祉・私立学校主管部(局)・各都道府県・各指定都市教育委員会・各都道府県認定こども園担当部(局)・各指定都市・各中核市民生・児童福祉主管部(局)・認定こども園担当部(局)・附属学校を置く各国立大学法人担当課宛　こども家庭庁成育局安全対策・保育政策・成育基盤企画課・保育政策課認可外保育施設担当室・文部科学省総合教育政策局男女共同参画共生社会学習・安全・初等中等教育局幼児教育・特別支援教育課

教育・保育施設等における重大事故の防止について、日頃から御尽力いただき厚く御礼申し上げます。

４月は進級や新入園等により、各教育・保育施設等（以下「各施設等」という。）において環境が大きく変わる時期です。各施設等での事故の発生を防止するため、従来から、平成28年３月31日に発出した「教育・保育施設等における事故防止及び事故発生時の対応のためのガイドライン」（以下「ガイドライン」という。）において、重大事故が発生しやすい場面について、十分な事前教育の実施や、日常的な点検、組織的な取組等の事故の発生防止のための取組を示しているところですが、改めて内容を確認の上、取組を徹底いただきますようお願いいたします。

とりわけ、重大事故につながりやすい睡眠中のうつぶせ寝や食事中の誤嚥については、注意すべきポイント等について改めて周知（下記１）していただくとともに、事故防止のために必要な取組が各施設等において確実に取られるよう、各地方公共団体等において取組を行っていただくようお願いいたします。（下記２）

記

１　各施設等及び市町村への周知徹底

各地方公共団体等は、各施設等で睡眠中の事故及び食事中の事故（誤嚥）の防止を行う場合に次の⑴から⑶までの取組を行うよう、管内の各施設等及び市町村に対して一層の周知徹底を図ること。また、安全確保策の充実及び各施設等への指導監査等を通じて、各施設等において、適切な監視・指導体制の確保と緊急時への備えが行われるよう指導すること。

⑴　重大事故が発生しやすい場面ごとの注意事項

ア　睡眠中

医学的な理由で医師からうつぶせ寝をすすめられている場合以外は、乳児の顔が見える仰向けに寝かせることが重要。何よりも、一人にしないこと。寝かせ方に配慮を行うこと。

イ　食事中

○職員は、こどもの食事に関する情報（咀嚼・嚥下機能や食行動の発達状況、喫食状況）について共有すること。また、食事の前には、保護者から聞き取った内容も含めた当日のこどもの健康状態等について情報を共有すること。

○こどもの年齢月齢によらず、普段食べている食材が窒息につながる可能性があることを認識して、食事の介助及び観察をすること。

※りんごや梨等の果物については、咀嚼により細かくなったとしても食塊の固さ、切り方によってはつまりやすいので、（離乳食）完了期までは加熱して提供すること。

ぶどうは、球形というだけでなく皮も口に残るので危険なため、給食での使用を避けること。

汁物などの水分を適切に与えること。

食事中に眠くなっていないか注意すること。

⑵　注意事項に係る職員への周知等

事故を未然に防止するため、睡眠や食事に関わる職員に対して、こどもの睡眠や食事の介助を行う際に見落としがちなリスクや注意すべきポイントについての周知等を十分に行うこと。

⑶　職員の資質の向上

事故発生時に適切に対処することができるよう、職員に対して、心肺蘇生を始めとした応急手当等を含む救急対応の実技講習等の研修の機会を設けること。また、一刻を争う状況にも対処できるよう、119番通報の訓練を含めた事故発生時の対処方法を身につける実践的な研修を通じて、事故防止に係る職員の資質の向上に努めること。

２　地方公共団体等における取組

⑴　各施設等における周知・研修等の支援

各地方公共団体等は、１⑵に関して、各施設等が、こどもの睡眠や食事に関わる職員に対する、周知・研修等を効果的に行うことができるよう、施設長に対する研修を実施するとともに、職員が専門家から学ぶ機会を設けるほか、マニュアル・チェックシート、危険予知トレーニングツール、事故事例紹介、ＤＶＤや動画等の資料を提供するなど、必要な取組を行うこと。

⑵　継続的な研修の実施等

各地方公共団体等は、研修がこどもの特性を踏まえたものとなるよう、救急対応の実技講習等の実施、専門家の派遣及び関係機関等による研修の実施に関する情報提供など、必要な取組を行うこと。

なお、救急対応の実技講習等の開催案内については、認可外保育施設を含めた管内の全ての施設等に対して確実に送付すること。

⑶　指導監査等の実施、各施設等への周知及び取組の推進

各地方公共団体等は、事故の発生・再発防止の観点から、指導監査等を実施する他、事故防止に係る通知等について各施設等に周知し、事故発生防止に関する取組を推進すること。

【添付資料】

ポスター（睡眠中の死亡事故の防止）

https://www8.cao.go.jp/shoushi/shinseido/meeting/kyouiku_hoiku/pdf/miniposter.pdf

ポスター（食品による窒息・誤嚥事故の防止）

https://www.caa.go.jp/policies/policy/consumer_safety/caution/caution_047/assets/caution_047_210120_1.pdf

ポスター（令和３年度内閣府子ども・子育て支援調査研究事業「教育・保育施設等における重大事故防止対策に係る調査研究」において作成した資料（本件関連１ページ、４ページ））

https://www.jeri.co.jp/wp/wp-content/themes/jeri/pdf/parenting-r3_report4.pdf

教育・保育施設等における事故防止及び事故発生時の対応のためのガイドライン【事故防止のための取組み】～施設・事業者向け～（平成28年３月）

https://www8.cao.go.jp/shoushi/shinseido/law/kodomo3houan/pdf/h280331/guideline-1.pdf

○昨年来の保育所等における不適切事案を踏まえた今後の対策について

〔令和５年５月12日　こ成保44・５文科初第420号
各都道府県知事・各指定都市市長・各中核市市長・各都道府県教育委員会教育長・各指定都市・各中核市教育委員会教育長・各国立大学法人の長宛　こども家庭庁成育・文部科学省初等中等教育局長連名通知〕

保育所、地域型保育事業所、認可外保育施設、認定こども園（全類型。以下同じ。）、幼稚園及び特別支援学校幼稚部における虐待等への対応については、「保育所等における虐待等の不適切な保育への対応等に関する実態調査について」（令和４年12月27日付け事務連絡）に基づき、保育所、地域型保育事業所、認可外保育施設及び認定こども園（以下「保育所等」という。）における実態や、各自治体等（都道府県、市町村（特別区を含む。以下同じ。）及び国立大学法人をいう。以下同じ。）における不適切な保育への対応の実態を把握するための実態調査を実施したところです。

今般、昨年来の保育所等における不適切事案を踏まえた今後の対策を行うことといたしましたので、下記のとおりお示しします。

つきましては、各都道府県知事におかれては所管・所轄の保育所等並びに幼稚園及び幼稚部を設置する特別支援学校（以下「幼稚園等」という。）に対して、各指定都市・中核市市長におかれては所管の保育所等及び幼稚園等に対して、各都道府県教育委員会教育長におかれては所管の幼稚園等及び域内の市区町村教育委員会（指定都市・中核市教育委員会を除く。）に対して、各指定都市・中核市教育委員会教育長におかれては所管の幼稚園等に対して、各国立大学法人の長におかれては、その設置する幼稚園等に対して、遺漏なく周知していただきますようお願いいたします。

記

○　昨年来、保育所等における不適切事案が多く明らかになったが、虐待等はあってはならないことである一方で、日々の保育実践の中で過度に委縮し、安心して保育に当たれないといった不安もあるものと承知している。こうしたことを受け、今般の実態調査の結果も踏まえ、次の２点を基本的な考え方として、今後の対策を進めていくこととする。

①　１つ目は、こどもや保護者が不安を抱えることなく安心して保育所等に通う・こどもを預けられるようにすること、

②　２つ目は、保育所等、保育士等の皆様が日々の保育実践において安心して保育を担っていただくことである。

○　具体的には、以下及び別紙１のとおり、昨年来の保育所等における不適切事案を踏まえた今後の対策として、「保育所等における虐待等の防止及び発生時の対応等に関するガイドライン」（以下単に「ガイドライン」という。）を策定し、「不適切な保育」の考え方を明確化するなど、虐待等を未然に防止できるような環境・体制づくり、負担軽減策や保育実践における不安等に寄り添う巡回支援の強化を行うこととしている。

⑴　ガイドラインの策定

○　実態調査の結果、「不適切な保育」の捉え方、保育所等、自治体等における取組・対応にばらつきが見られた。

○　こうした中で、保育現場において少しでも気になる行為が直ちに「虐待等」になってしまうのではないかと心配し、日々の保育実践の中での過度な萎縮につながってしまうことや、「不適切な保育」や「虐待等」それぞれで取るべき対応が必ずしも整理されていないことから各都道府県、市町村においても必要な対応の遅れにつながることなどの懸念も指摘されている。

○　こうしたことから、今般、国において、手引きの内容を整理し、

・　「不適切な保育」の考え方の明確化を行うとともに、

・　保育所等における虐待等の防止及び発生時の対応に関して、保育所等や各都道府県・市町村にそれぞれ求められる事項等

について、別紙２のとおりガイドラインとして改めて整理して示すこととした。

○　各保育所等、各自治体等におかれては、本ガイドラインを踏まえて適切に対応いただくとともに、「不適切な保育の未然防止及び発生時の対応についての手引き」（令和３年３月株式会社キャンサースキャン）で示した自治体における先進的な取組事例や、各保育所等や各自治体

等で策定されているチェックリストやガイドラインなども踏まえ、行政担当者と保育関係者が連携し、地域の実情に合わせた対応を検討・実施いただきたい。

○ その上で、各保育所等におかれては、本調査結果やガイドラインを踏まえ、より良い保育に向けて、改めて日々の保育実践を振り返っていただきたい。

○ また、各自治体等におかれては、ガイドラインを踏まえ、域内の保育所等に対しては、行政指導等の対応のほか、必要な相談・支援等を行うなど、事案に応じた適切な対応を行っていただきたい。また、各自治体等における虐待等の防止及び発生時の対応に関する体制等や未然防止の取組について、適切に振り返り、改善等を行っていただきたい。

(2) 児童福祉法の改正による制度的対応の検討

○ 児童養護施設等職員、障害者施設職員、高齢者施設職員による虐待に対する制度上の仕組み[1]と比較して、保育所等の職員による虐待に対する制度上の仕組みは限定的である。

1 それぞれ、児童福祉法（昭和22年法律第164号）、障害者虐待の防止、障害者の養護者に対する支援等に関する法律（平成23年法律第79号）、高齢者虐待の防止、高齢者の養護者に対する支援等に関する法律（平成17年法律第124号）に基づく対応

○ こうしたことから、国においては、保育所等の職員による虐待等の発見時の通報義務の創設を含め、保育所等における虐待等への対応として児童福祉法の改正による制度的対応を検討していきたいと考えている。

○ なお、各市町村におかれては、上記制度的対応に先立って、ガイドラインの「3 市区町村・都道府県における対応」の(4)虐待等と判断した場合（ガイドライン739頁～）に記載のとおり、虐待等に該当すると判断した場合には、こども家庭庁の下記連絡先に対しても情報共有を行っていただきたい。

・ 認可保育所、地域型保育事業における事案について：
こども家庭庁成育局保育政策課企画法令第一係
Tel：03-6858-0058
Mail：hoikuseisaku.hourei1@cfa.go.jp

・ 認定こども園における事案について
こども家庭庁成育局保育政策課企画法令第二係
Tel：03-6858-0059
Mail：hoikuseisaku.hourei2@cfa.go.jp

・ 認可外保育施設における事案について
こども家庭庁成育局保育政策課認可外保育施設担当室
Tel：03-6858-0133
Mail：ninkagaihoikushisetsu.shidou@cfa.go.jp

(3) 虐待等の未然防止に向けた保育現場の負担軽減と巡回支援の強化

○ 保育所等において虐待等が起きる背景として、保育現場に余裕がないといったことも指摘されている。

○ このため、「虐待等の未然防止に向けた保育現場の負担軽減と巡回支援の強化について」（令和5年5月12日付けこども家庭庁成育局成育基盤企画課、保育政策課、文部科学省初等中等教育局幼児教育課、特別支援教育課連名事務連絡）において、保育現場の負担軽減に資するよう、運用上で見直し・工夫が考えられる事項についてお示しするとともに、日々の保育実践における不安等にも寄り添えるような支援の取組を拡げていく観点から、巡回支援事業の更なる活用等についてもお示ししたところであるため、併せてご参照いただきたい。

(4) 幼稚園等について

○ 幼稚園等においても、体罰に準ずる行為はもちろんのこと、幼児の心身に悪影響を及ぼすような不適切な保育はあってはならず、こどもの安全・安心が最も配慮されるべきである。各幼稚園等におかれては、ガイドライン「2(1) より良い保育に向けた日々の保育実践の振り返り等」を参照しつつ、日頃から自らの指導の在り方を見直し、指導力の向上に取り組むとともに、不適切な保育の未然防止に取り組んでいただきたい。

○ また、ガイドライン「2(2) 虐待等に該当するかどうかの確認」、「2(3) 市町村等への相談」を参照しつつ、不適切な保育であると幼稚園等として確認した場合には、所轄庁等に対して、把握した状況等を速やかに情報提供・相談し、今後の対応について協議いただきたい。なお、幼稚園等が組織として適切な対応を行わない場合には、不適切な保育の発見者は1人で抱え込まずに速やかに所轄庁等に相談していただきたい。

○　幼稚園等の所轄庁等におかれては、ガイドライン「3　市町村、都道府県における対応」を参照しつつ、対応窓口の設置や研修の実施などによって不適切な保育の未然防止に取り組むとともに、不適切な保育の相談や通報を受けた場合には、事案の重大性によって初動対応や緊急性を速やかに判断し、事案に応じた適切な対応を行っていただきたい。

○　なお、現場の負担軽減に資するよう、各幼稚園等におかれても「虐待等の未然防止に向けた保育現場の負担軽減と巡回支援の強化について」（令和5年5月12日付けこども家庭庁成育局成育基盤企画課、保育政策課、文部科学省初等中等教育局幼児教育課、特別支援教育課連名事務連絡）を併せてご参照いただきたい。

【添付資料】

・（別紙1）昨年来の保育所等における不適切事案を踏まえた今後の対策について　略

・（別紙2）保育所等における虐待等の防止及び発生時の対応等に関するガイドライン（令和5年5月こども家庭庁）

〔別紙2〕

保育所等における虐待等の防止及び発生時の対応等に関するガイドライン

〔令和5年5月
こども家庭庁〕

目次　頁

1　はじめに

⑴　本ガイドラインの位置づけ

○　こどもの安全・安心が最も配慮されるべき保育所、地域型保育事業所、認可外保育施設及び認定こども園（以下「保育所等」という。）において、虐待等はあってはならず、これまでも保育所等における保育士・保育教諭等職員によるこどもへの虐待等に関しては、以下のような対応を行ってきた。

・　児童福祉施設の設備及び運営に関する基準（昭和23年厚生省令第63号）第9条の2においては、「児童福祉施設の職員は、入所中の児童に対し、法第33条の10各号に掲げる行為その他当該児童の心身に有害な影響を与える行為をしてはならない」と、施設内での虐待等を禁止する旨の規定が置かれている[1]。

1　幼保連携型認定こども園については、幼保連携型認定こども園の学級の編制、職員、設備及び運営に関する基準（平成26年内閣府・文部科学省・厚生労働省令第1号）第13条により準用、それ以外の認定こども園については、就学前の子どもに関する教育、保育等の総合的な提供の推進に関する法律第3条第2項及び第4項の規定に基づき内閣総理大臣、文部科学大臣及び厚生労働大臣が定める施設の設備及び運営に関する基準（平成26年内閣府・文部科学省・厚生労働省告示第2号）第五の五の8により規定

・　保育所保育指針解説（平成30年3月）においては、「子どもに対する体罰や言葉の暴力が決してあってはならないことはもちろんのこと、日常の保育においても、子どもに身体的、精神的苦痛を与えることがないよう、子どもの人格を尊重するとともに、子どもが権利の主体であるという認識をもって保育に当たらなければならない。」ことを示している。

・「不適切な保育の未然防止及び発生時の対応についての手引き」（令和3年3月株式会社キャンサースキャン。以下「手引き」という。）を作成、周知している。

○　一方で、全国各地の保育所等において、虐待等が行われていたという事案が相次いでおり、令和4年12月には、国において、改めて虐待等への対応について周知を図るとともに、保育施設における虐待等の実態や、通報等があった場合の自治体等（都道府県、市町村（特別区を含む。以下同じ。）、国立大学法人）における対応や体制についての全国的な実態調査を実施した。

○　当該実態調査では、少しでも気になる行為等

は不適切な保育に当たると考え、多くの不適切な保育の事例を報告した保育所等もあれば、虐待等と同義に厳密に捉え、事例は０件と報告した保育所等もあると考えられるなど、各施設、各自治体によってこれまで手引き等で示していた不適切な保育にあたる行為等の捉え方や対応に差が見られる結果となった。また、調査に回答するにあたり、不適切な保育の取扱いを改めて明確にしたうえで、各施設、各自治体が取るべき対応を改めて整理してほしいといった意見も寄せられたところである。

このような状況を踏まえると、保育現場において少しでも気になる行為が直ちに虐待等になってしまうのではないかと心配し、日々の保育実践の中での過度な萎縮につながってしまうことや、不適切な保育や虐待等それぞれで取るべき対応が必ずしも整理されていないことから各自治体においても必要な対応の遅れにつながることなどの懸念も指摘されている。

○　こうしたことから、今般、国において、手引きの内容を整理し、

・　不適切な保育や虐待等の考え方の明確化を行うとともに、

・　保育所等における虐待等の防止及び発生時の対応に関して、保育所等や自治体にそれぞれ求められる事項等について、本ガイドラインにおいて改めて整理して示すこととした。

○　各保育所等、各自治体におかれては、本ガイドラインを踏まえて適切に対応いただくとともに、手引きで示した自治体における先進的な取組事例や、各自治体で策定されているチェックリストやガイドラインなども踏まえ、行政担当者と保育関係者が連携し、地域の実情に合わせた対応を検討・実施いただきたい。

○　なお、本ガイドラインは、現場で運用していく中で、工夫すべき点など、様々な意見が出てくることが想定される。これらの意見なども踏まえ、本ガイドラインの改訂には柔軟に対応していく旨申し添える。

(2)　虐待等と不適切な保育の考え方について

＜虐待等について＞

○　保育所等における虐待等については、前述のとおり児童福祉施設の設備及び運営に関する基準などにおいて、「児童福祉施設の職員は、入所中の児童に対し、法第33条の10各号に掲げる行為その他当該児童の心身に有害な影響を与える行為をしてはならない」と規定されており、虐待等の行為は禁止されている。

一方で、保育所等における虐待等の具体例についてはこれまで明記されていなかったことから、本ガイドラインにおいて、禁止される虐待等の考え方を下記のとおり明確化し、整理することとする。

○　まず、保育所等における虐待とは、保育所等の職員が行う次のいずれかに該当する行為である。また、下記に示す行為のほか保育所等に通うこどもの心身に有害な影響を与える行為である「その他当該児童の心身に有害な影響を与える行為」を含め、虐待等と定義される。

①　身体的虐待：保育所等に通うこどもの身体に外傷が生じ、又は生じるおそれのある暴行を加えること。

②　性的虐待：保育所等に通うこどもにわいせつな行為をすること又は保育所等に通うこどもをしてわいせつな行為をさせること。

③　ネグレクト：保育所等に通うこどもの心身の正常な発達を妨げるような著しい減食又は長時間の放置、当該保育所等に通う他のこどもによる①②又は④までに掲げる行為の放置その他の保育所等の職員としての業務を著しく怠ること。

④　心理的虐待：保育所等に通うこどもに対する著しい暴言又は著しく拒絶的な対応その他の保育所等に通うこどもに著しい心理的外傷を与える言動を行うこと。

○　各行為類型の具体例としては下記のとおりである。なお、これらはあくまで例であり、また、明らかに虐待等と判断できるものばかりでなく、個別の行為等について考えたとき、虐待等であるかどうかの判断しづらい場合もある。そうした場合には、保育所等に通うこどもの状況、保育所等の職員の状況等から総合的に判断すべきだが、その際にも、当該こどもの立場に立って判断すべきことに特に留意する必要がある。

保育所等における、職員によるこどもに対する虐待

行為類型	具体例
身体的虐待	・　首を絞める、殴る、蹴る、叩く、投げ落とす、激しく揺さぶる、熱湯をかける、布団蒸しにする、溺れさせる、逆さ吊りにする、異物を飲ませる、ご飯を押し込む、食事を与えない、戸外に閉め出す、縄などにより身体的に拘束するなどの外傷を生じさせるおそれのある行為及び意図的にこどもを病気にさせる行為 ・　打撲傷、あざ（内出血）、骨折、頭蓋内出血などの頭部外傷、内臓損傷、刺傷など外見的に明らかな傷害を生じさせる行為　など
性的虐待	・　下着のままで放置する ・　必要の無い場面で裸や下着の状態にする ・　こどもの性器を触るまたはこどもに性器を触らせる性的行為（教唆を含む） ・　性器を見せる ・　本人の前でわいせつな言葉を発する、又は会話する。性的な話を強要する（無理やり聞かせる、無理やり話させる） ・　こどもへの性交、性的暴行、性的行為の強要・教唆を行う ・　ポルノグラフィーの被写体などを強要する又はポルノグラフィーを見せる　など
ネグレクト	・　こどもの健康・安全への配慮を怠っているなど。例えば、体調を崩しているこどもに必要な看護等を行わない、こどもを故意に車の中に放置するなど ・　こどもにとって必要な情緒的欲求に応えていない（愛情遮断など） ・　おむつを替えない、汚れている服を替えないなど長時間ひどく不潔なままにするなど ・　泣き続けるこどもに長時間関わらず放置する ・　視線を合わせ、声をかけ、抱き上げるなどのコミュニケーションをとらず保育を行う ・　適切な食事を与えない ・　別室などに閉じ込める、部屋の外に締め出す ・　虐待等を行う他の保育士・保育教諭などの第三者、他のこどもによる身体的虐待や性的虐待、心理的虐待を放置する ・　他の職員等がこどもに対し不適切な指導を行っている状況を放置する ・　その他職務上の義務を著しく怠ること　など
心理的虐待	・　ことばや態度による脅かし、脅迫を行うなど ・　他のこどもとは著しく差別的な扱いをする ・　こどもを無視したり、拒否的な態度を示したりするなど ・　こどもの心を傷つけることを繰り返し言うなど（例えば、日常的にからかう、「バカ」「あほ」など侮蔑的なことを言う、こどもの失敗を執拗に責めるなど） ・　こどもの自尊心を傷つけるような言動を行うなど（例えば、食べこぼしなどを嘲笑する、「どうしてこんなことができないの」などと言う、こどもの大切にしているものを乱暴に扱う、壊す、捨てるなど） ・　他のこどもと接触させないなどの孤立的な扱いを行う ・　感情のままに、大声で指示したり、叱責したりする　など

※このほか、こどもの心身に有害な影響を与える行為を含め、虐待等と定義する。
※個別の行為等が虐待等であるかどうかの判断は、こどもの状況、保育所等の職員の状況等から総合的に判断する。その際、保育所等に通うこどもの立場に立って判断すべきことに特に留意する必要がある。
※上記具体例は、「被措置児童等虐待対応ガイドライン」や「障害者福祉施設等における障害者虐待の防止と対応の手引き」等で示す例を参照し、保育所等向けの例を記載したもの。

＜不適切な保育について＞

○　手引きにおいては、不適切な保育は、「保育所での保育士等による子どもへの関わりについて、保育所保育指針に示す子どもの人権・人格の尊重の観点に照らし、改善を要すると判断される行為」であるとし、全国保育士会の「保育所・認定こども園等における人権擁護のためのセルフチェックリスト～「子どもを尊重する保育」のために～」(以下「保育士会チェックリスト」)を参考に、当該チェックリストに記載される、人権擁護の観点から「『良くない』と考えられるかかわり」の５つのカテゴリー((1)子ども一人ひとりの人格を尊重しないかかわり、(2)物事を強要するようなかかわり・脅迫的な言葉がけ、(3)罰を与える・乱暴なかかわり、(4)一人ひとりの子どもの育ちや家庭環境を考慮しないかかわり、(5)差別的なかかわり)を不適切な保育の具体的な行為類型として示している[2]。

一方、保育士会チェックリストは、保育の振り返りを行うためのツールとして用いられることを主眼としている。具体的には、保育士・保育教諭が各項目についてチェックを行い、「『良くない』と考えられるかかわり」を「している(したことがある)」にチェックした場合、「していない」とチェックした場合どちらも、本チェックリストに掲載されている「より良いかかわり」へのポイント等を用いて、自らの保育をとらえなおし、保育の専門職としてさらなる保育の質の向上を目指すといった趣旨のものである。

このため、保育士会チェックリストの「『良くない』と考えられるかかわり」の５つのカテゴリーの具体的なかかわりの中には、不適切な保育とまではいえないものも含まれており、当該カテゴリーと不適切な保育とを同じものとして解することは必ずしも適当ではない。

2　手引きにおいては、不適切な保育の意味を「保育所での保育士等による子どもへの関わりについて、保育所保育指針に示す子どもの人権・人格の尊重の観点に照らし、改善を要すると判断される行為」と解することとしている。

また、不適切な保育の具体的な行為類型としては、例えば、次のようなものが考えられるとしている。

①　子ども一人一人の人格を尊重しない関わり

②　物事を強要するような関わり・脅迫的な言葉がけ

③　罰を与える・乱暴な関わり

④　子ども一人一人の育ちや家庭環境への配慮に欠ける関わり

⑤　差別的な関わり

○　こうしたことから、本ガイドラインでは、手引きの不適切な保育の位置づけを見直すこととし、不適切な保育は、保育士会チェックリストの「『良くない』と考えられるかかわり」の５つのカテゴリーと同じものとは解さず、「虐待等と疑われる事案」と捉えなおすこととする。

○　このため、不適切な保育の中には虐待等が含まれ得るものであり、不適切な保育自体が未然防止や改善を要するものであるとして、必要な対応を講じていく必要がある。

また、こどもの人権擁護の観点から「望ましい」と考えられるかかわりができているかどうかといった、より良い保育に向けた日々の保育実践の振り返り等の取組は、不適切な保育や虐待等そのものへの対応とは峻別して、各保育所や自治体において取り組まれるべきものである。

○　ただし、例えば、本人はこどもへの親しみを表しているつもりの行為で、振り返りの中で改善が図られていくべきものであっても、周囲の職員は見過ごしてしまったり少し気になりつつも指摘せずに済ませてしまったりする中で、それが繰り返されるうちに問題が深刻化し、不適切な保育や虐待等につながることが考えられることから、日々の保育実践の振り返り等の取組と、不適切な保育や虐待等への対応は密接に関連することにも留意が必要である。

重要なのは、日々の保育実践において、より良い保育に向けた振り返りが実施され、改善につながる一連の「流れ」ができていることである。そうした不断の取組が、虐待等と疑われる事案(不適切な保育)があった際にも、行政も含めた施設内外に風通しよく共有され、適切な対応につながると考えられる。

○　なお、こどもの人権擁護の観点から「望ましくない」と考えられるかかわりや虐待等と疑われる事案(不適切な保育)といったものの具体例については、本ガイドラインにおいて言及していないが、今後議論を深めながら、本ガイドラインの改訂には柔軟に対応していく旨申し添える。

（「虐待等」と「虐待等と疑われる事案（不適切な保育）」の概念図）

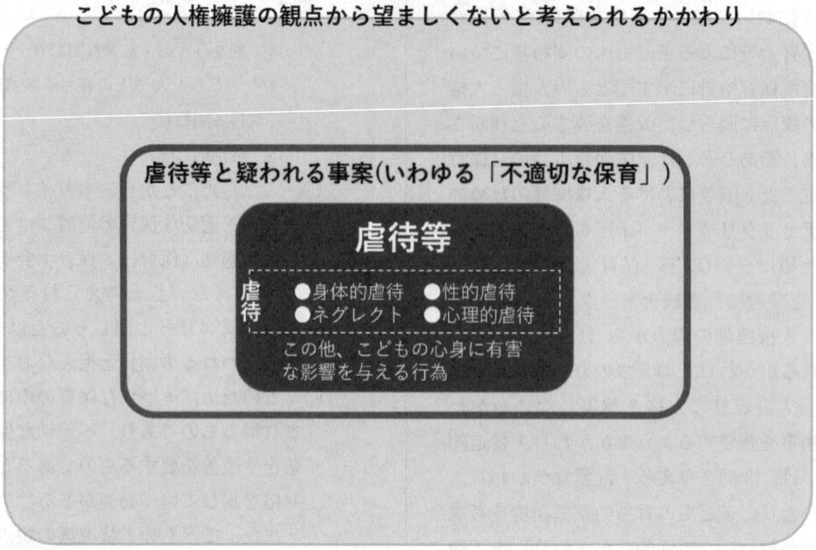

⑶　保育所等、市町村及び都道府県における対応のフローチャート

○　上記の整理を踏まえ、保育所等における虐待等の防止に向けた対応や発生時の対応に関して、保育所等、自治体に求められる対応を次頁のフローチャートに整理している。各保育所等、各自治体におかれては、フローチャートの番号に沿って具体的な対応をまとめた下記２、３をそれぞれ参照し、必要な対応を講じていただきたい。

2　保育所等における対応

⑴　より良い保育に向けた日々の保育実践の振り返り等

＜こどもの権利擁護について＞

○　まず、保育所等はこどもの最善の利益を第一に考慮し、こども一人一人にとって心身ともに健やかに育つために最もふさわしい生活の場であることが求められる。

○　保育所保育指針（平成29年厚生労働省告示第117号）や幼保連携型認定こども園教育・保育要領（平成29年内閣府・文部科学省・厚生労働省告示第１号）においては、こどもの生命の保持や情緒の安定を図ることを求めており、こどもの安全・安心が最も配慮されるべき保育所等において、虐待等はあってはならず、虐待等の発生を未然に防がなければならない。

○　保育所等における虐待等の未然防止にあたっては、

・　各職員や施設単位で、日々の保育実践における振り返りを行うこと

・　職員一人一人がこどもの人権・人格を尊重する意識を共有することが重要である。

＜各職員や施設単位で、日々の保育実践における振り返りを行うこと＞

○　保育所保育指針解説において「子どもの人権に配慮した保育となっているか、常に全職員で確認することが必要である」と示されている[3]とおり、日々の保育実践の振り返りにあたっては、常に「こどもにとってどうなのか」という視点から考えていくことが何より大切である。自らのかかわりや施設の保育が「こどもの人権への配慮」や「一人一人の人格を尊重」したものとなっているかを振り返る際には、例えば、保育士会チェックリスト等を活用することが考えられる。

3　幼保連携型認定こども園教育・保育要領においても、「園児が将来、性差や個人差などにより人を差別したり、偏見をもったりすることがないよう、人権に配慮した教育及び保育を心掛け、保育教諭等自らが自己の価値観や言動を省察していくことが必要である。」等としている。

○　チェックリスト等を活用して、言葉でうまく伝えられないこどもの気持ちを汲み取り、こども人権擁護の観点から「望ましい」と考えられるかかわりができているかどうか振り返り、「望ましくない」と考えられるかかわりをしていた場合もしていなかった場合も、個々の振り返りや職員間のミーティング等における対話を

保育所等、市町村及び都道府県における対応のフローチャート

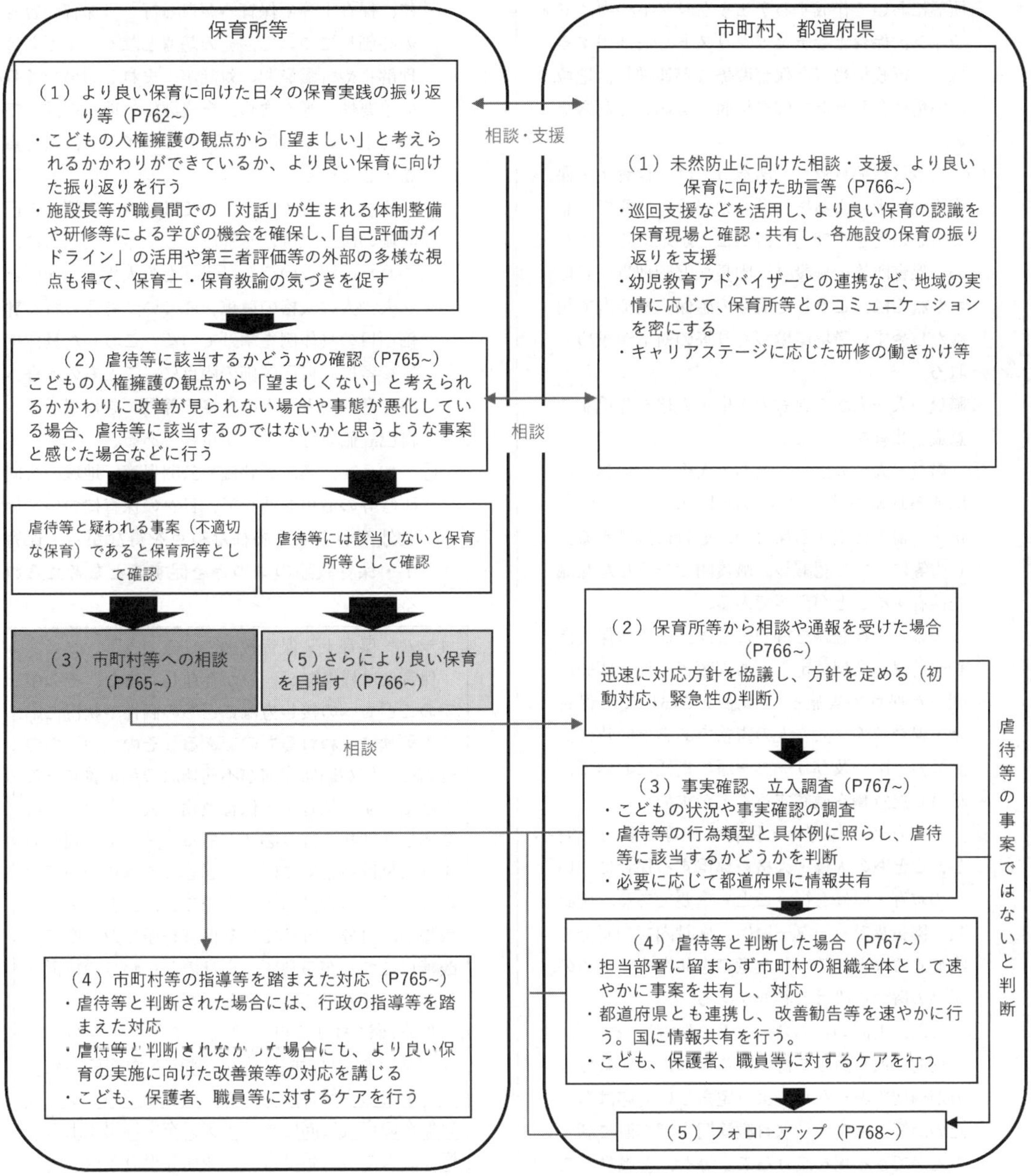

通じて保育の実践をとらえなおし、保育の専門職としてさらなる保育の質の向上を目指すことが重要である。

○　また、こうした振り返りにあたって、日々の保育に不安等があれば、巡回支援の場面などで、積極的に市町村等に相談を行う等、市町村等とのコミュニケーションを密にしていくことも重要である。

○　こうした日々の振り返りを行ってもなお、こどもの人権擁護の観点から「望ましくない」と考えられるかかわりに改善が見られない場合や事態が悪化している場合、虐待等に該当するのではないかと思うような事案と感じた場合などには、保育所等の会議の場などで共有し、保育所等として、本ガイドラインの虐待等と疑われる事案（不適切な保育）かどうか確認されたい

（(2)へ続く）。

○　上記の対応にあたっては、各自治体や各保育所等において作成するチェックリストやガイドライン、保育士会チェックリスト等を活用するなど、行政担当者と保育関係者が連携し、地域の実情に合わせた対応を検討・実施いただきたい。

○　こうした振り返りにあたっては、保育士・保育教諭同士による振り返りの場や、施設での話し合いの場を定期的に持つことが求められるため、保育所等の施設長・園長など管理責任者におかれては、こうした機会の確保、組織内で相談がしやすい職場環境づくり等の対応が求められる。

＜職員一人一人がこどもの人権・人格を尊重する意識の共有をすること＞

○　職員一人一人が、こどもの人権や人格尊重に関する理解を十分に深めた上で、こどもの人権・人格を尊重する保育や、それに抵触する接し方等について認識し、職員間でそうした意識を共有することが重要である。

このような意識を持つことは、保育所保育指針や幼保連携型認定こども園教育・保育要領に則った保育の実施という意味において、保育士・保育教諭一人一人の責務であると同時に、施設長・園長及びリーダー層の責任において、そうした意識を徹底することが求められる。

○　このため、保育士・保育教諭等の職員に対し、こどもの人権・人格を尊重する保育についての教育・研修を行うことも重要である。施設長・園長及びリーダー層は、施設内での研修を実施するなど、そうした意識を共有するための学びの機会を設ける必要がある。

○　また、上記のとおり、日々の保育について、定期的に振り返りを行い、こどもに対する接し方が適切であったか、より望ましい対応はあったのか等、保育士・保育教諭同士で率直に話すことができる場を設けること等も、全職員がこどもの人権・人格を尊重する保育を行うための意識を共有する上で、非常に重要な取組である。

○　こうしたことから、施設内の研修等にとどまらず、保育内容等に関する自己評価を行うことが重要である。「保育所における自己評価ガイドライン（2020年改訂版）」（「「保育所における自己評価ガイドライン」の改訂について（通知）」（令和２年３月19日厚生労働省子ども家庭局保育課長通知））では、保育所保育指針に基づき、保育の質の確保・向上を図ることを目的に、保育士等や保育所が自ら行う「保育内容等の評価」について、その基盤となる「子どもの理解」や「職員間の対話が生まれる環境づくりの重要性」等を含め、自己評価の取組を進めていく上での基本的な考え方やポイント、留意点を示している。

また、同ガイドラインでは保育内容等の自己評価の観点（例）を別添として示すとともに、これらの観点のうち「子どもの人権への配慮と一人一人の人格の尊重」について考えられる評価項目の具体例を挙げている。こうした具体例を参考に、自己評価の観点に「こどもの人権への配慮、一人一人の人格の尊重」を位置づけ、自己評価を行うことが重要である。

○　加えて、第三者評価や公開保育、地域の合同研修等の活用を通じて、日々の保育について施設外部からより多様な視点を得ながら、保育士・保育教諭の気づきを促すことも考えられる。

コラム：保育士・保育教諭の“気づき”

保育には様々なシーンが存在し、また、その中でのこどもへの接し方はこどもの個性や状況に応じて柔軟に行われるものである。その一つ一つの行為を、何が適切で何が不適切なのか定義することはできず、保育士・保育教諭一人一人が、状況に応じた判断を行う必要がある。そうした判断力を身に付けるためには、こどもの人権についての理解を深めるのはもちろんのこと、保育士・保育教諭が、自分が行っている保育を振り返る中で、改善点につながる課題、自身のかかわりの特徴等への気づきを得ていく必要がある。

保育所における自己評価ガイドラインハンドブックでも、「保育士等が、評価を適切に実施して、子どもや保育についての理解を深め、よりよい保育の実現に向けたアイデアを生み出す上で、様々な人たちと語り合い、多様な視点を取り入れたり、自分の思いや直感を言葉にして発信したりすることは、とても大きな意味を持」つとされ、そのための職員間での「こどもへのかかわりや配慮、保育の状況などについての対話」が推奨されている。

保育所において、職員間での「対話」が生まれる体制を整備し、保育士・保育教諭等が“気づき”を得られる環境を作っていくことは、施設長・園長やリーダー層の重要な役割である。

(2)　虐待等に該当するかどうかの確認

○　(1)の日々の保育実践の振り返りを行ってもなお、こどもの人権擁護の観点から「望ましくない」と考えられるかかわりの改善が見られない場合や虐待等に該当するのではないかと疑われるような事案であると感じた場合には、保育所等の会議の場などで共有し、本ガイドラインの虐待等と疑われる事案（不適切な保育）かどうか、保育所等として確認する必要がある。

○　なお、保育所等として、虐待等に該当しないと確認することに迷いが生じたり、リーダー層の間でも判断が分かれたりしたときには、積極的に市町村等に情報提供、相談を行うことが望ましい。

○　また、虐待等と疑われる事案（不適切な保育）といったものの具体例については、本ガイドラインにおいて言及していないが、今後議論を深めながら、本ガイドラインの改訂には柔軟に対応していく旨申し添える。

(3)　市町村等への相談

＜虐待等と疑われる事案（不適切な保育）と確認した場合＞

○　虐待等と疑われる事案（不適切な保育）であると保育所等として確認した場合には、保育所等は状況を正確に把握するとともに市町村や都道府県に設置されている相談窓口や担当部署に対して、把握した状況等を速やかに情報提供・相談し、今後の対応について協議する必要がある。

○　その際に基本となるのが、「隠さない」「嘘をつかない」という誠実な対応である。そうした誠実な対応は、管理者等が日頃から行うべきことであり、こどもや保護者への適切なケアを含め、そのような対応が早期に行われないことは、改善の機会を遅らせ、こどもに対して大きな不利益を与え続けることになる。

○　こうした対応を組織として行うことが重要であり、施設長・園長、副施設長、副園長、教頭、主幹保育教諭、主任保育士、副主任保育士といった施設のなかでのリーダー層の意識と適切な対応が必要不可欠である。このため、各市町村及び各都道府県においては、施設長・園長や主任保育士等を対象とした会議やキャリアアップ研修を含む研修等の機会を通じ、施設長・園長や主任保育士等の管理者等に対してこうした意識の醸成や適切な対応についての周知徹底を図ることが重要である。

○　また、保育所等が組織として適切な対応を行わない場合、虐待等と疑われる事案（不適切な保育）の発見者は一人で抱え込まずに速やかに市町村や都道府県に設置されている相談窓口や担当部署に相談することが重要である。

なお、公益通報者保護法（平成16年法律第122号）第５条には、公益通報をしたことを理由として、降格、減給その他不利益な取扱いをしてはならないと規定されている[4]。

4　（参考）公益通報者に対する保護規定：①解雇の無効、②その他不利益な取扱い（降格、減給、訓告、自宅待機命令、給与上の差別、退職の強要、専ら雑務に従事させること、退職金の減給・没収等）の禁止

＜虐待等に該当しないと確認した場合＞

○　虐待等に該当しないと保育所等として確認した場合には、引き続き(1)の対応を進めていくとともに、保育の専門職としてさらなる保育の質の向上を目指していくことが重要である（(5)へ続く）。

また、巡回支援の場面など、指導監査等の場面に限らず、自治体への相談をする機会を活用し、相談を行うことが重要である。

(4)　市町村等の指導等を踏まえた対応

○　当該事案が、市町村等において虐待等と判断されたかどうかにかかわらず、今後のより良い保育の実施を目指し、同様の事案が生じないための環境を整備することが重要である。

そのため、個別の事案だけに焦点を当てた改善の検討を行うのではなく、その背景にある原因を理解した上で、保育所等の組織全体として改善するための方法を市町村等とともに探ることが重要である。保育所等は、虐待等と疑われる事案（不適切な保育）が確認された場合、施設長・園長・法人本部等が中心となり、改善に向けた行動計画を策定し、保育所等全体で改善に取り組むことが求められる。

○　また、市町村等において虐待等と判断された場合、その対象となったこどものみならず、その他の保育所等を利用するこども、虐待等に関わっていない職員も含め、十分な心のケアを行う必要がある。併せて、虐待等が行われた経緯や今後の保育所等としての対応方針等について、保育所等を利用するこどもの保護者に対して、丁寧に説明し、理解を得ることが重要である。その際、虐待等を受けたこどもの保護者から、他の保護者に対して事案の経緯等を説明す

ることの同意を得る必要が生じる場合があることに留意する必要がある。

(5)　さらにより良い保育を目指す

○　(4)において、市町村に虐待等に該当しないと判断された場合においても、引き続き(1)の対応を進め、どうすればより良い保育を行うことができるのか保育所等として検討を行うとともに、保育の専門職としてさらなる保育の質の向上を目指していくことが重要である。

3　市町村、都道府県における対応

(1)　未然防止に向けた相談・支援、より良い保育に向けた助言等

○　市町村においては、“こどもの最善の利益”を考慮した保育の実現に向けて、保育所等と緊密に連携する立場として、助言・指導を行うことが期待される。このため、巡回支援などを積極的に実施し、より良い保育の認識を保育現場と確認・共有し、各施設の振り返りを支援することが考えられる。

　また、巡回支援の他、保育所、幼稚園、幼保連携型認定こども園等に対して、質の高い保育を実施するための助言等を行う幼児教育アドバイザーとの連携など、地域の実情に応じて、保育所等とのコミュニケーションを密にして、積極的に日々の保育実践の支援に取り組んでいくことが重要である。

○　また、保育士・保育教諭等や保護者が、保育所等において行われる保育に対して違和感を覚えた場合に相談できる先として、対応窓口を設けることが重要である。

　例えば、虐待等と疑われる事案（不適切な保育）の対応窓口として、相談窓口やコールセンターを設置している自治体も一定数存在しており、こうした取組を参考にすることも考えられる。また、当該窓口は、例えば「虐待等が疑われる事案に関する相談窓口」といった名称をつけてわかりやすく掲示・周知するなど、広く一般に認知されるよう工夫を行うこと。

　仮に専用の対応窓口を設けない場合にも、保育所等において行われる日々の保育実践に疑義が生じた際に相談を受け付ける担当部署の連絡先を周知しておくことが望ましい。

　その際、内部告発者や保護者は、事実を訴えることで不利益を被る状態にある恐れがあることに留意し、必要な配慮を行うこと。

○　さらに、施設長・園長やリーダー層に対しては、職場環境も虐待等が発生する要因となり得ることについても十分に理解を求めるとともに、保育所等としてどのように虐待等の未然防止に取り組んでいくかを検討するきっかけを提供することが望まれる。例えば、中堅層に対するキャリアアップ研修による人権意識の醸成とともに、新任研修や施設長・園長等向けの研修などキャリアステージに応じた働きかけも有効と考えられる。

　また、保育現場で実際に保育に従事する保育士・保育教諭等に対して、こどもの人権・人格を尊重する保育や、それに抵触する接し方等についての研修等を行う中で、グループワーク形式で“日々の保育を通したこどもへのかかわりについて気づいたこと、感じたこと”等を話し合う場を設けるなど、保育士・保育教諭同士の話合いの中で“気づき”を促す工夫を行っている自治体も見られる。また、市町村主催の研修という形とは別に、保育現場で定期的にそのような話合いの場を持つよう推奨している自治体も見られるところである。こうした各自治体における取組の好事例については、手引きにおいて事例集として示しているため、参照されたい。

(2)　保育所等からの相談や通報を受けた場合

○　市町村及び都道府県における虐待等に関する相談窓口等において、虐待等と疑われる事案（不適切な保育）の相談や通報を受けた場合には、まず、市町村及び都道府県の担当部局等において迅速に対応方針を協議し、方針を定めることが必要である。その際、事案の重大性によって、例えば下記のように、初動対応や緊急性を速やかに判断することが大変重要である。

＜初動対応の決定＞

○　相談・通報を受けた際は、直ちに緊急対応が必要な場合であるかどうかを判断する必要がある[5]。これらは相談等の受付者個人ではなく、担当部局管理職や事案を担当することとなる者などによって組織的に行うことが重要である。

5　相談等の受付者が委託を受けた職員である場合などには、市町村において通報内容の詳細を確認することが必要。

○　初動対応において、こどもや保育士・保育教諭等の状況に関する更なる事実確認の方法や関係機関への連絡・情報提供依頼等に関する今後の対応方針、行政職員の役割分担等を決定する。また、事実確認の日時の決定と事実確認の結果を受けて会議の開催日時まで決定しておく

ことで、緊急性の判断や対応をスムーズに進めることが可能である。また、平日日中だけでなく、夜間や休日等の緊急の事態に速やかに対応ができるよう、事前に、責任者やメンバー、各々の具体的な役割を明確化しておくことも考えられる。

＜初動対応のための緊急性の判断について＞

○　受付記録の作成後（場合によっては詳細な受付記録の作成に先立ち）、直ちに相談等の受付者が担当部局の管理職（又はそれに準ずる者）等に相談し、担当部局として判断を行う。緊急性の判断の際には保育士・保育教諭等の職員への支援の視点も意識しつつ、こどもの安全確保が最優先であることに留意が必要である。情報が不足する等から緊急性の程度を判断できない場合には、こどもの安全が確認できるまで、さらに調査を進めることが重要である。

＜緊急性の判断後の対応＞

○　緊急性が高いと判断したときには、

・　保育所等に通うこどもの生命や身体に重大な危険が生じるおそれがあると判断した場合、虐待等を受けたとされるこどもの安全を目視により確認することを原則とする。

○　緊急性は低いと判断したときには、

・　緊急性が低いと判断できる場合には、その後の調査方針と担当者を決定し、遅滞なく計画的に事実関係の確認と指導・助言を行う。その際、調査項目と情報収集する対象機関を明らかにして職員間で分担する。

○　また、上記いずれの場合においても、

・　決定内容は会議録に記録し、速やかに責任者の確認を受けて保存しつつ、

・　複数対応を原則とし、性的虐待が疑われる場合は、対応する職員の性別にも配慮することが重要である[6]。

6　なお、性的虐待への対応に関しては、「保育士による児童生徒性暴力等の防止に関する基本的な指針」についても参照すること。

○　また、特に、市町村においては、虐待等と疑われる事案（不適切な保育）を把握した場合、事案の重大性に応じ、担当部局にとどまらず、市町村の組織全体として迅速に事案を共有するとともに、児童福祉法（昭和22年法律第164号）や就学前の子どもに関する教育、保育等の総合的な提供の推進に関する法律（平成18年法律第77号。いわゆる「認定こども園法」）に基づく指導監督権限を有する都道府県に対しても迅速に情報共有を行うことが重要である。

○　対応方針の協議、都道府県に対する情報提供を行ったうえで、速やかに事実確認、立入調査等の対応を講じる必要がある（(3)へ続く）。

(3)　事実確認、立入調査

○　(2)を踏まえ、市町村及び都道府県において、指導監査等による事実関係の確認を行う場合には、相談者や保育所等関係者から丁寧に状況等を聞き取りつつ事実関係を正確に把握することが重要である。

　この場合、相談者や保育所等の関係者から丁寧に状況等を聞き取りつつ事実関係を正確に把握し、市町村及び都道府県の間で緊密に情報を共有することが望ましい。

○　事実関係等の聞き取りを行うにあたり、虐待等が保育所等における保育の一連の流れの中で生じるものであるという特性を踏まえ、事情を的確に把握するために、保育経験者（施設長・園長経験者など）である専門職員等が立ち合うことも考えられる。

○　そのうえで、虐待等に該当するかどうかを判断する必要がある。

＜虐待等に該当すると判断した場合＞

○　虐待等に該当すると判断した場合には、(4)に従って対応する必要がある（(4)へ続く）。

＜虐待等に該当しないと判断した場合＞

○　虐待等に該当しないと判断した場合には、

・　引き続き注視が必要な施設として、当該施設の状況等を担当部署内都道府県に情報共有すること、

・　巡回支援などの機会を増やし、必要な相談、支援等を行うこと

・　指導監査の場面で特にフォローすること

などの対応が考えられる。

(4)　虐待等と判断した場合

○　指導監査等を実施した結果、保育所等において虐待等が行われたと判断する場合には、虐待等が行われた要因や改善に向けての課題も含め、指導監査により是正を求める立場である都道府県や、保育所等と連携して改善に向けた助言・指導を行う立場である市町村として、丁寧に把握することが重要である。また、虐待等に該当すると判断した場合には、市町村において、国（こども家庭庁）に対しても情報共有を行っていただきたい。

○　また、状況を丁寧に把握したうえで、当該保育所等に対して、書面指導や改善勧告等による

改善の指示を適切に行う必要がある。改善勧告等のみでなく、引き続き、当該保育所等に対するフォローアップが求められる（(5)へ続く）。

○　さらに、事案の性質や重大性等に応じ、事案の公表等の対応も判断していくことが重要である。公表は保育所等における虐待等の防止に向けた各自治体の取組に反映していくことを目的とするものであり、公表することにより当該施設に対して制裁を与えることを目的とするものではないことに配慮するとともに、虐待等を受けたこどもやほかのこどもへの影響に十分配慮する形の公表とすることに留意が必要である。

○　また、各自治体においては、当該事案を個別の保育所等の事案として対応するのみでなく、管内の保育所等において同様の事案が生じないよう、必要な対策の検討を行うべきである。

○　虐待等を行った保育士・保育教諭の保育士資格の登録の取消等についても、都道府県等と市町村が連携し、十分に事実確認を行った上で、適切に対応することが必要である[7]。

7　信用失墜行為による保育士登録の取消（児童福祉法第18条の19第２項）の事例としては、これまで園児に対する虐待行為により取消が行われた事例もある。また、児童生徒性暴力等を行ったと認められる場合については、都道府県知事は保育士登録を取り消さなければならないこととされている（児童福祉法第18条の19）。

○　このほか、当該虐待等の対象となったこどものみならず、その他の保育所等を利用するこども、虐待等に関与していない職員も含め、十分な心のケアを行う必要がある。併せて、虐待等が行われた経緯や今後の保育所等としての対応方針等について、保育所等とも連携のうえ、保育所等を利用するこどもの保護者に対して、丁寧に説明し、理解を得ることが重要である。

その際、虐待等を受けたこどもの保護者から、他の保護者に対して事案の経緯等を説明することの同意を得る必要が生じる場合があることに留意する必要がある。

(5)　フォローアップ

○　虐待等が行われた保育所等に対するフォローアップにおいては、虐待等が行われた原因や保育所等が抱える組織的な課題を踏まえ、助言・指導を継続的に行うことが必要である。

○　保育の実施主体である市町村及び認可・指導監査実施主体である都道府県は、保育所等に対して、書面指導や改善勧告等により改善を求めることとなるが、その際には、実際に生じた個別の事案だけを改善するのではなく、その背景にある原因を理解した上で、保育所等の組織全体としての改善を図るための指示を行うことが期待される。

具体的には、指導監査等の事実確認において把握した、虐待等が行われた原因や保育所等が抱える組織的な課題を踏まえ、市町村及び都道府県が緊密に連携して、保育所等が策定する改善計画の立案を支援・指導するとともに、その実現に向けた取組に対する助言・指導を継続的に行うことが求められる。

虐待等が行われた背景や保育者が抱える組織的な課題は、個々のケースにより異なる。その改善のための取組の在り方も様々であるが、例えば、次のような支援が考えられる。

・　他の施設等で保育を経験した立場からの助言
・　他の保育所等の取組等を知る立場からの助言や、具体的ケースの共有
・　保育所等の組織マネジメントに関する助言・指導
・　保育士・保育教諭等の職員への研修や指導に関する助言・指導

○　なお、虐待等が行われた保育所等に対し、継続的な支援を市町村及び都道府県が実施することは重要であるが、虐待等が行われた場合に限らず、日頃から保育所等と市町村及び都道府県が密にコミュニケーションを取りつつ、虐待等の未然防止や保育の質の向上に取り組んでいくことが望ましいことに留意する必要がある。

○保育所等から市町村又は児童相談所への定期的な情報提供について（周知）

〔令和５年８月４日　こ成保123・こ支虐117
各都道府県知事・各指定都市市長・各中核市市長・各児童相談所設置市市長宛　こども家庭庁成育・支援局長連名通知〕

児童虐待への対応については、児童相談所や市町村が関係機関と緊密に連携し、こども・子育て家庭の状況を適切に把握し、こどもの安全確保を最優先に行うことが重要です。

これまで、「児童虐待防止対策の強化に向けた緊急総合対策」（平成30年７月20日児童虐待防止対策に関する関係閣僚会議決定）に基づき、学校、保育所等と市町村、児童相談所との連携の推進を図るため、「学校、保育所、認定こども園及び認可外保育施設等から市町村又は児童相談所への定期的な情報提供について」（平成31年２月28日付け内閣府子ども・子育て本部統括官・文部科学省総合教育政策局長・文部科学省初等中等教育局長・文部科学省高等教育局長・厚生労働省子ども家庭局長・厚生労働省社会・援護局障害保健福祉部長連名通知。以下「連名通知」という。）（別添１）をお示しし、学校、保育所等から市町村及び児童相談所に対する定期的な情報提供並びに緊急時の対応等についてお願いをしてきたところです。

昨今の児童虐待が疑われる死亡事例についても、従前と同様、各自治体やこども家庭審議会児童虐待防止対策部会児童虐待等要保護事例の検証に関する専門委員会等において検証が行われ、判明した課題等に応じ、必要な対応が行われることとなりますが、まずは、こどもと日々の接点を有する学校、保育所、認定こども園及び認可外保育施設等（以下「学校等」という。）と市町村・児童相談所等との間で、こどもの異変（あざ・理由不明の欠席等）に係る情報やリスク判断の鍵となる重要な情報の認識が十分に共有された上で、こどもや家族の状況等を踏まえたアセスメントやそれに基づく適切な対応がとられる等の連携体制の構築が重要です。

これを踏まえ、連名通知の趣旨、目的及び内容について、保育所等の関係機関について改めて周知徹底を図るよう、お願いします。

また、この平成31年の連名通知について、学校等において参照いただくことを目的とし、別添２のとおり内容のポイントとなる事項を整理しています。本資料について、市町村の虐待担当部署及び児童相談所の連絡先も含めて管内の学校等に対して周知いただくとともに、それぞれの学校等において、こどもと日々の接点を有する教諭、保育士等に対し、職員会議等の機会において周知することや職員室等の各教諭、保育士等が参照しやすい場所へ掲示すること等の方法により、恒常的に確認されるような対応をお願いします。

さらに、市町村の児童虐待担当部署及び児童相談所においては、学校等から情報提供又は通告を受けた場合には、平成31年の連名通知及び「気づきのポイント情報共有ツール」（令和４年度厚生労働省保健福祉調査委託費調査研究事業「要保護児童対策地域協議会のあり方に関する調査報告書）（別添３）等を踏まえ、組織的なリスク評価等を実施するとともに、家庭訪問等による安全確認や、市町村の児童虐待担当部署から児童相談所への通告等の適切な対応に引き続き尽力をいただくようお願いします。

都道府県におかれましては、管内市区町村（児童福祉主管部局）（指定都市、中核市及び児童相談所設置市を除く。）及び関係機関への周知をお願いいたします。

なお、本通知については、別途文部科学省より、都道府県（私立学校主管部局）、都道府県教育委員会、指定都市教育委員会、附属学校を置く国立大学法人及び公立大学法人、独立行政法人国立高等専門学校機構並びに高等専門学校を設置する公立大学法人及び学校法人並びに小中高等学校を設置する学校設置会社を所管する構造改革特別区域法第12条第１項の認定を受けた地方公共団体へ周知するとともに、都道府県（私立学校主管部局）から所轄の私立学校へ、都道府県教育委員会から管内市区町村教育委員会及び所管の学校へ、指定都市教育委員会から所管の学校へ、附属学校を置く国立大学法人及び公立大学法人から附属学校へ、独立行政法人国立高等専門学校機構並びに高等専門学校を設置する公立大学法人及び学校法人からその設置する学校へ、構造改革特別区域法第12条第１項の認定を受けた地方公共団体から認可した小中高等学校へ周知されますので、申し添えます。

また、公立の小中学校に別添２を周知する際には、市町村の児童虐待担当部署等において連絡先を記入し、市町村教育委員会へ周知媒体を送付するようお願いいたします。

別添１・３　略

別添２

こどもを家庭内の虐待から守るために、保育士・教職員等の皆さまの力が必要です！

―　こどもの異変（あざ・理由不明の欠席等）に気付いたら、躊躇なく市町村・児童相談所へ連絡を　―

Ｑ１　どんなこどもが対象なの？具体的に何をすればいいの？

○定期的な連絡を要するケース

市町村や児童相談所が「児童虐待の可能性がある」と評価しており、保育所等に通園しているこどもが対象です。こどもの名前等は、個別に市町村等から連絡されます。おおむね１か月に１度を目安に、出欠状況、欠席時の家庭からの連絡有無、欠席理由を連絡します。

○緊急で連絡を要するケース

こどもに不自然な外傷がある・理由不明で欠席するといった兆候がある場合や、理由を問わず７日以上欠席が続く場合には、躊躇なく、ただちに市町村等に連絡してください。

Ｑ２　Ｑ１の場合以外にこどもに虐待（ネグレクト含む）のおそれが感じられるときは？

Ｑ１の場合以外でも、虐待のおそれや気になる様子が見られる場合は、躊躇なく、市町村の児童虐待担当部署や児童相談所へ相談してください。

→　詳しくは２枚目を参照！

Ｑ３　個人のプライバシーなど、親とのトラブルが不安

国の法律等に則った連絡であり、個人情報保護法等には抵触しません。また、連絡を受けた市町村・児童相談所は、連絡を誰から受けたのか等を秘密にする義務があります。

気になる点があれば、必ず連絡をしてください。

○○市役所児童福祉課：○○―○○○○―○○○○

××児童相談所　　　：○○―○○○○―○○○○

※居住自治体以外の学校等に在籍する場合にはこどもの居住地の市町村等に連絡してください。

～こども・子育て家庭の見守り時注意ポイント～

これらは全て、児童虐待対策の専門家や児童虐待事案に対処してきた自治体職員等が「特に気を付けるべき」としているポイントです。

これに限らず、日常的な関わりの中で気になる様子や状況に気づいたときは、市町村や児童相談所に相談するようにしましょう。

＜こどもの様子＞

・表情が乏しく、受け答えが少ない
・落ち着きがなく、過度に乱暴
・担当教師、保育士等を独占したがる、用事が無くてもそばに近づいてくるなど過度のスキンシップ
・保護者の顔色をうかがう
・保護者といるとおどおどし、落ち着きがない
・からだや衣服の不潔感（髪を洗っていない汚れ・匂い・垢の付着、爪が伸びている等）
・虫歯の治療が行われていない
・食べ物への執着が強く過度に食べる、極端な食欲不振がみられる
・理由がはっきりしない欠席・遅刻が多い
・連絡のない欠席を繰り返す
・なにかと理由をつけてなかなか家に帰りたがらない

＜保護者、家族の様子＞

・発達にそぐわない厳しいしつけ、行動制限がある
・かわいくない、にくい等の差別的な発言がある
・こどもの発達に無関心、育児に対して拒否的な発言
・こどもを繰り返し馬鹿にする、激しく叱る・ののしる
・きょうだいに対しての差別的な言動、特定のこどもに対して拒否的な態度をとる
・ささいなことで激しく怒る、感情コントロールができない
・長期にわたる欠席があってもこどもに会わせようとしない
・行事に参加しない、連絡を取ることが難しい

○「教育・保育施設等における事故の報告等について」における意識不明事故の取扱いについて

〔令和５年12月14日　事務連絡
各都道府県・各指定都市・各中核市保育・児童福祉主管部（局）・認定こども園担当課・各都道府県・各指定都市・各中核市・各児童相談所設置市認可外保育施設担当課（室）・各都道府県・各指定都市・各中核市子育て援助活動支援事業（ファミリー・サポート・センター事業）担当・各都道府県教育委員会学校安全担当・私立学校主管・附属学校を置く各国立大学法人担当課宛　こども家庭庁成育局安全対策・保育政策課・保育政策課認可外保育施設担当室・成育環境・文部科学省総合教育政策局男女共同参画共生社会学習・安全課〕

平素から教育・保育施設等における安全管理の徹底について、御理解・御協力いただき、ありがとうございます。

教育・保育施設等において重大事故が発生した場合については、「特定教育・保育施設等における事故の報告等について」（令和５年４月１日付け、こ成安第２号・４教参学第21号）に基づき、都道府県等を経由して国へ報告を行うこととしてきました。

しかし、「報告の対象となる重大事故の範囲」における意識不明について、その定義が必ずしも明確にされていなかったため、報告の要否や、報告される場合でもその内容に大きなばらつきがありました。

そこで、意識不明事故については、令和４年度に実施した「教育・保育施設等で発生した重大事故等における意識不明事案に関する調査研究」等の結果を踏まえて、下記のとおり取り扱うこととし、令和６年１月１日以降の報告分から適用しますので、別紙参照の上、今後の報告に誤りがないよう留意するとともに、所管する施設・事業所に周知徹底を図っていただきますようお願いします。

なお、意識不明事故の取扱いを整理することに伴い、本件に関連する「教育・保育施設等における事故の報告等について」及び「教育・保育施設等における重大事故の再発防止のための事後的な検証について」の通知文２通についても、本日付けで再発出したことから、御確認いただきますようお願いします。

記

１　運用開始日

令和６年１月１日

（同日以降の国への報告分を対象とする。）

２　報告の対象となる重大事故の範囲

(1)　変更前

・　死亡事故

・　治療に要する期間が30日以上の負傷や疾病を伴う重篤な事故等（意識不明（人工呼吸器をつける、ICUに入る等）の事故を含み、意識不明の事故についてはその後の経過にかかわらず、事案が生じた時点で報告すること。）

(2)　変更後

・　死亡事故

・　意識不明事故（どんな刺激にも反応しない状態に陥ったもの）

・　治療に要する期間が30日以上の負傷や疾病を伴う重篤な事故

３　意識不明事故の定義

「教育・保育施設等における事故の報告等について」（令和５年12月14日付け、こ成安第142号・５教参学第30号）における意識不明事故とは、事故が原因で意識不明となった事案であって、AVPUスケールにより評価した意識レベルが、「U：どんな刺激にも反応しない」に該当する場合をいう。

※　AVPUスケール（小児の意識レベル評価）

A：Alert	意識がはっきりしている
V：Voice	声を掛けると反応するが、意識はもうろうとしている
P：Pain	痛み刺激には反応するが、声を掛けても反応がない
U：Unresponsive	どんな刺激にも反応しない

（痛み刺激を行う際の例）

肩をたたく。踵をたたく。

胸骨の真ん中を、手をグーにして指の関節で押す。

爪の生え際（半月があるあたり）を２本の指で挟む。など

※　２つの手技を組み合わせて判断するとよい。

４　意識不明に関する報告要否の判断基準

意識不明を伴う事案が発生した場合の国への報告の要否については、意識不明となった原因を判断基準とし、以下のとおりとする。

(1)　「事故」が原因である場合

国への報告を必要とする。

※　事故の具体例…転倒、衝突、誤嚥、食物アレルギー、熱中症等

⑵　明らかに「病気」が原因である場合

国への報告は不要とする。

ただし、当初は「病気」が原因であると判断された場合でも、1週間経過後も意識が回復しない場合は、その時点で国へ報告する。

※　病気の具体例…てんかん、けいれん（熱性・無熱性・憤怒）等

⑶　原因が「不明」な場合

国への報告を必要とする。

報告後、その原因が「事故」又は「病気」であることが判明した場合には、その旨を国へ追加報告する。

5　その他参考事項

⑴　国が公表する事故報告集計との関係

国においては、例年、教育・保育施設等で発生した重大事故を集計し、事故報告集計として公表しているが、4⑵記載のとおり、当初は「病気」が原因であると判断された場合でも、1週間経過後も意識が回復しない場合で国に報告されたもの及び4⑶記載のとおり、原因が「不明」な場合として報告がなされたものの、原因が「病気」であることが判明して国に追加報告されたものについては、事故報告集計に計上しない。

⑵　事後的な検証との関係

地方自治体においては、「教育・保育施設等における重大事故の再発防止のための事後的な検証について」（令和5年12月14日付け、こ成安第143号・5教参学第31号）に基づき、重大事故の再発防止のための事後的な検証を行うものであるが、今後、意識不明事故として報告したものについては、事後的な検証を実施すること。

ただし、4⑵記載のとおり、当初は「病気」が原因であると判断された場合でも、1週間経過後も意識が回復しないとして報告したもの及び4⑶記載のとおり、原因が「不明」な場合として報告したものの、原因が「病気」として国へ追加報告したものは除く。

【参考資料】

○　教育・保育施設等で発生した重大事故等における意識不明事案に関する調査研究

https://www.cfa.go.jp/policies/child-safety/effort/report/

別　紙

意識不明事故の取扱い等に関する変更点について

変更内容	変更後（令和6年1月1日以降）	変更前（令和5年12月31日以前）
1. 国への報告対象となる重大事故の範囲	・　死亡事故 ・　意識不明事故（どんな刺激にも反応しない状態に陥ったもの） ・　治療に要する期間が30日以上の負傷や疾病を伴う重篤な事故	・　死亡事故 ・　治療に要する期間が30日以上の負傷や疾病を伴う重篤な事故等（意識不明（人工呼吸器をつける、ICUに入る等）の事故を含み、意識不明の事故についてはその後の経過にかかわらず、事案が生じた時点で報告すること。）
2. 意識不明事故の定義	事故が原因で意識不明となった事案であって、AVPUスケールにより評価した意識レベルが、「U：どんな刺激にも反応しない」に該当する場合をいう。 ※　AVPUスケール（小児の意識レベル評価） A：Alert　意識がはっきりしている V：Voice　声を掛けると反応するが、意識はもうろうとしている P：Pain　痛み刺激には反応するが、声を掛けても反応がない U：Unresponsive　どんな刺激にも反応しない	定義なし
3. 意識不明に関する国への報告要否の判断基準	国への報告の要否は、意識不明となった原因を判断基準とする。 (1)「事故」が原因である場合（**国への報告　⇒　「必要」**） ※　事故の具体例・・・転倒、衝突、誤嚥、食物アレルギー、熱中症等 (2) 明らかに「病気」が原因である場合（**国への報告　⇒　「不要」**） ※　ただし、当初は「病気」が原因であると判断された場合でも、1週間経過後も意識が回復しない場合は、その時点で国へ報告する。 ※　病気の具体例・・・てんかん、けいれん（熱性・無熱性・憤怒）等 (3) 原因が「不明」な場合（**国への報告　⇒　「必要」**） ※　報告後、その原因が「事故」又は「病気」であることが判明した場合には、その旨を国へ追加報告する。	意識不明の事故についてはその後の経過にかかわらず、事案が生じた時点で報告すること。
4. 報告様式	新様式により報告	旧様式（別紙1～4）により報告
5. 地方自治体による再発防止のための事後的検証の対象となる事故の範囲	(1) 死亡事故 ※　乳幼児突然死症候群（SIDS）や死因不明とされた事例も含む。 (2) 意識不明事故（どんな刺激にも反応しない状態に陥ったもの） ※　意識不明の原因が病気であると判明したものを除く。 (3) 死亡事故、意識不明事故以外の重大事故で、都道府県又は市町村において検証が必要と判断した事故 ※　都道府県又は市町村が検証を実施しない事故や、いわゆるヒヤリ・ハット事例等については、各施設・事業者等において検証を実施する。	(1) 死亡事故 ※　乳幼児突然死症候群（SIDS）や死因不明とされた事例も含む。 (2) 死亡事故以外の重大事故で、都道府県又は市町村において検証が必要と判断した事例（例えば、意識不明等） ※　都道府県又は市町村が検証を実施しない事故や、いわゆるヒヤリ・ハット事例等については、各施設・事業者等において検証を実施する。

○学校等における重症の低血糖発作時のグルカゴン点鼻粉末剤（バクスミー®）投与について

〔令和６年１月25日　事務連絡
各都道府県・各指定都市・各中核市保育所・認定こども園等主管課・各都道府県・各市区町村地域子ども・子育て支援事業・認可外保育施設主管課・各都道府県・各指定都市・各中核市障害保健福祉・児童福祉主管課・各都道府県・各指定都市教育委員会学校保健・幼稚園事務担当課・各都道府県私立学校主管部課・各都道府県・各指定都市・各中核市教育委員会地域学校協働活動担当課・附属学校を置く各国公立大学法人附属学校事務主管課・各文部科学大臣所轄学校法人担当課・構造改革特別区域法第12条第１項の認定を受けた各地方公共団体の学校設置会社担当課宛
こども家庭庁成育局成育基盤企画・保育政策課・保育政策課認可外保育施設担当室・成育環境課・支援局障害児支援課・文部科学省総合教育政策局地域学習推進・初等中等教育局幼児教育・健康教育・食育課〕

平素より学校等の保健の推進に御尽力いただき御礼申し上げます。

さて、今般、学校、保育所、幼保連携型認定こども園、放課後児童健全育成事業、放課後子供教室、認可外保育施設、児童発達支援、放課後等デイサービス等において児童生徒等が重症の低血糖発作を起こした場合に、当該児童生徒等に代わって教職員等がグルカゴン点鼻粉末剤（バクスミー®）の投与を行うことについて、文部科学省等から厚生労働省医政局医事課に対して別紙１のとおり照会を行ったところ、別紙２のとおり回答がありましたので、お知らせします。

重症の低血糖発作においては、当該児童生徒等が意識を失っている場合も想定されることから、傷病者発生時の対応に準じて、教職員等が連携して、迅速・的確な応急手当（一次救命処置）、緊急連絡・救急要請などを行うことが重要です。その上で、グルカゴン点鼻粉末剤を使用した場合には、低血糖発作を起こした児童生徒等が受診することとなる医療機関の医療従事者が、使用済みの容器をもとにその投与状況を確認するため、当該医療従事者又は救急搬送を行う救急隊に使用済みの容器を受け渡すとともに、実施した内容を伝える等の対応が必要となります。

グルカゴン点鼻粉末剤の使い方等を理解するに当たっては、日本イーライリリー株式会社のホームページ（https://www.diabetes.co.jp/consumer/usage-baqsimi/teacher）も御参照ください。

また、本事務連絡は消防庁と協議済みであることを申し添えます。

ついては、都道府県・指定都市・中核市保育所・認定こども園等主管課におかれては所管の保育所・認定こども園等及び域内の市（指定都市及び中核市を除く。）区町村保育所・認定こども園等主管課に対して、地域子ども・子育て支援事業主管課及び認可外保育施設主管課におかれては域内の放課後児童健全育成事業の事業者及び認可外保育施設に対して、都道府県・指定都市・中核市障害保健福祉主管課・児童福祉主管課におかれては域内の児童発達支援、放課後等デイサービス事業所に対して、都道府県・指定都市教育委員会担当課におかれては所管の学校及び域内の市（指定都市を除く。）区町村教育委員会に対して、都道府県私立学校主管部課におかれては所轄の学校法人等を通じてその設置する学校に対して、国公立大学法人担当課におかれてはその設置する附属学校に対して、文部科学大臣所轄学校法人担当課におかれてはその設置する学校に対して、構造改革特別区域法（平成14年法律第189号）第12条第１項の認定を受けた地方公共団体の学校設置会社担当課におかれては所轄の学校設置会社及び学校に対して周知されるようお願いします。

別紙１

医師法第17条の解釈について（照会）

〔令和６年１月22日　こ成基第１号・こ成環第１号・こ支障第４号・５初健食第14号
厚生労働省医政局医事課長宛　こども家庭庁成育局成育基盤企画・成育環境・支援局障害児支援・文部科学省総合教育政策局地域学習推進・初等中等教育局幼児教育・健康教育・食育課長連名通知〕

標記の件について、下記のとおり照会しますので、御回答いただくようお願いします。

記

学校、保育所、幼保連携型認定こども園、放課後児童健全育成事業、放課後子供教室、認可外保育施設、児童発達支援、放課後等デイサービス等（以下「学校等」という。）に在籍する幼児、児童、生徒、学生又は学校等を利用する児童（以下「児童等」という。）

が重症の低血糖発作を起こし、生命が危険な状態等である場合に、現場に居合わせた教職員を含む職員又はスタッフ（以下「教職員等」という。）が、グルカゴン点鼻粉末剤（「バクスミー®」）を自ら投与できない本人に代わって投与する場合が想定されるが、当該行為は緊急やむを得ない措置として行われるものであり、次の４つの条件を満たす場合には、医師法（昭和23年法律第201号）違反とはならないと解してよいか。

① 当該児童等及びその保護者が、事前に医師から、次の点に関して書面で指示を受けていること。
・ 学校等においてやむを得ずグルカゴン点鼻粉末剤を使用する必要性が認められる児童等であること
・ グルカゴン点鼻粉末剤の使用の際の留意事項

② 当該児童等及びその保護者が、学校等に対して、やむを得ない場合には当該児童等にグルカゴン点鼻粉末剤を使用することについて、具体的に依頼（医師から受けたグルカゴン点鼻粉末剤の使用の際の留意事項に関する書面を渡して説明しておくこと等を含む。）していること。

③ 当該児童等を担当する教職員等が、次の点に留意してグルカゴン点鼻粉末剤を使用すること。
・ 当該児童等がやむを得ずグルカゴン点鼻粉末剤を使用することが認められる児童等本人であることを改めて確認すること
・ グルカゴン点鼻粉末剤の使用の際の留意事項に関する書面の記載事項を遵守すること

④ 当該児童等の保護者又は教職員等は、グルカゴン点鼻粉末剤を使用した後、当該児童等を必ず医療機関で受診させること。

以上

別紙２

医師法第17条の解釈について（回答）

〔令和６年１月22日　医政医発0122第３号
こども家庭庁成育局成育基盤企画・成育環境・支援局障害児支援・文部科学省総合教育政策局地域学習推進・初等中等教育局幼児教育・健康教育・食育課長宛
厚生労働省医政局医事課長通知〕

令和６年１月22日付けこ成基第１号、こ成環第１号、こ支障第４号及び５初健食第14号をもって照会のあった件について、下記のとおり回答します。

記

貴見のとおり。

なお、一連の行為の実施に当たっては、児童等のプライバシーの保護に十分配慮がなされるよう強くお願いする。

○教育・保育施設等における事故の報告等について

〔令和６年３月22日　こ成安第36号・５教参学第39号
各都道府県・各指定都市・各中核市保育・児童福祉主管部（局）長・認定こども園担当課長・各都道府県・各指定都市・各中核市・各児童相談所設置市認可外保育施設担当課（室）長・各都道府県・各指定都市・各中核市子育て援助活動支援事業（ファミリー・サポート・センター事業）担当課長・各都道府県教育委員会学校安全担当課長・私立学校主管課長・附属学校を置く国立大学法人担当課長宛　こども家庭庁成育局安全対策・保育政策課長・保育政策課認可外保育施設担当室長・成育環境・文部科学省総合教育政策局男女共同参画共生社会学習・安全課長連名通知〕

子ども・子育て支援新制度においては、特定教育・保育施設及び特定地域型保育事業者は、特定教育・保育施設及び特定地域型保育事業の運営に関する基準（平成26年内閣府令第39号）に基づき、放課後児童健全育成事業者は、放課後児童健全育成事業の設備及び運営に関する基準（平成26年厚生労働省令第63号）に基づき、事故の発生又は再発を防止するための措置及び事故が発生した場合における市町村（特別区を含む。以下同じ。）、家族等に対する連絡等の措置を講ずることとされている。

また、児童福祉法施行規則の一部を改正する省令（平成29年厚生労働省令第123号）が施行されたことに伴い、子育て短期支援事業、一時預かり事業、病児保育事業、子育て援助活動支援事業及び認可外保育施設については、事故の発生及び再発防止に関する努力義務や事故が発生した場合における都道府県への報告義務が課されたところである。加えて、児童福祉法等の一部を改正する法律の施行に伴うこども家庭庁関係内閣府令の整備等に関する内閣府令（令和５年内閣府令第72号）が令和６年４月１日から施行されることに伴い、既存の教育・保育施設等と同様に子育て世帯訪問支援事業については都道府県、児童育成支援拠点事業については市町村への報告義務が課されることとなる。

教育・保育施設等において事故が発生した場合の対応については、「教育・保育施設等における重大事故の再発防止策に関する検討会」の中間とりまとめ（別紙参照）、「学校事故対応に関する指針」（平成28年３月31日付け、27文科初第1,785号）及び児童福祉法施行規則改正等を踏まえ、「教育・保育施設等における事故の報告等について」（令和５年12月14日付け、こ成安第142号・５教参学第30号、以下「旧通知」という。）に基づき運用してきた。

今般、新たに子育て世帯訪問支援事業及び児童育成支援拠点事業が重大事故としての報告の対象となる施設・事業の範囲に加わることから、下記のとおり通知するので、御了知の上、管内の市町村、関係機関及び施設・事業者等に対して周知いただくとともに、その運用に遺漏のないようお願いする。

本通知については、令和６年４月１日から運用するので、本通知の運用開始に伴い、旧通知は廃止する。

なお、本通知は、地方自治法（昭和22年法律第67号）第245条の４第１項に規定する技術的助言として発出するものであることを申し添える。

記

１　事故が発生した場合の報告について

特定教育・保育施設、幼稚園（特定教育・保育施設でないもの。）、特定地域型保育事業、延長保育事業及び放課後児童健全育成事業（以下「放課後児童クラブ」という。）については、特定教育・保育施設及び特定地域型保育事業の運営に関する基準（平成26年内閣府令第39号）、学校事故対応に関する指針（平成28年３月31日付け、27文科初第1,785号）及び放課後児童健全育成事業の設備及び運営に関する基準（平成26年厚生労働省令第63号）により、事故が発生した場合には速やかに指導監督権限を持つ自治体、こどもの家族等に連絡を行うこと。

また、子育て短期支援事業、一時預かり事業、病児保育事業、子育て援助活動支援事業（以下「ファミリー・サポート・センター事業」という。）、子育て世帯訪問支援事業、児童育成支援拠点事業及び認可外保育施設については、児童福祉法施行規則（昭和23年厚生省令第11号）により、事故が発生した場合には事業に関する指導監督権限を持つ自治体への報告等を行うこと。

このうち重大事故については、事故の再発防止のための事後的な検証に資するよう、施設・事業者から報告を求めるとともに、以下の２から７までに定めるところにより、都道府県等を経由して国へ報告を行うこと。

２　重大事故としての報告の対象となる施設・事業の範囲

⑴　特定教育・保育施設

⑵　幼稚園（特定教育・保育施設でないもの。）

(3) 特別支援学校幼稚部
(4) 特定地域型保育事業
(5) 延長保育事業
(6) 放課後児童クラブ
(7) 子育て短期支援事業
(8) 一時預かり事業
(9) 病児保育事業
(10) ファミリー・サポート・センター事業
(11) 子育て世帯訪問支援事業
(12) 児童育成支援拠点事業
(13) 認可外保育施設

3 報告の対象となる重大事故の範囲
(1) 死亡事故
(2) 意識不明事故（どんな刺激にも反応しない状態に陥ったもの）
(3) 治療に要する期間が30日以上の負傷や疾病を伴う重篤な事故

4 報告様式
別添1「教育・保育施設等事故報告書」のとおり
なお、データベース掲載用シートについては、自治体において記載すること。

5 報告期限
国への第1報は、原則事故発生当日（遅くとも事故発生翌日）、第2報は、原則1か月以内程度とし、状況の変化や必要に応じて追加の報告を行うこと。
また、事故発生の要因分析や検証等の結果については、作成され次第報告すること。

6 報告要領
別添2「報告ルート」のとおり
(1) 特定教育・保育施設、特定地域型保育事業、延長保育事業、放課後児童クラブ、ファミリー・サポート・センター事業及び児童育成支援拠点事業
施設又は事業者から市町村へ報告を行い、市町村は都道府県へ報告すること。また、都道府県は国へ報告を行うこと。
(2) 幼稚園（特定教育・保育施設でないものに限る。）及び特別支援学校幼稚部（幼稚園について）
施設から各自治体等の実態に合わせて市区町村あるいは都道府県・指定都市、国立大学法人等へ報告することとし、市区町村あるいは都道府県・指定都市、国立大学法人等は国へ報告を行うこと。
(3) 特別支援学校幼稚部（特別支援学校幼稚部について）
施設から設置者へ報告することとし、設置者は国へ報告を行うこと。なお、市町村（指定都市を除く。）については、都道府県を経由すること。
(4) 子育て短期支援事業、一時預かり事業、病児保育事業及び子育て世帯訪問支援事業
市町村からの委託等により事業を実施している事業者については、事業者から市町村へ報告を行うこと。
市町村（指定都市、中核市又は児童相談所設置市を除く。）は都道府県へ報告し、都道府県（指定都市、中核市又は児童相談所設置市を含む。）は国へ報告を行うこと。
上記以外の場合には、事業者から都道府県（指定都市、中核市又は児童相談所設置市の区域内に所在する事業者については、当該指定都市、中核市又は児童相談所設置市）へ報告し、都道府県（指定都市、中核市又は児童相談所設置市を含む。）は国へ報告を行うこと。
(5) 認可外保育施設
施設から都道府県（指定都市、中核市又は児童相談所設置市の区域内に所在する施設については、当該指定都市、中核市又は児童相談所設置市）へ報告し、都道府県（指定都市、中核市又は児童相談所設置市を含む。）は国へ報告を行うこと。
また、都道府県はその内容を当該施設の所在地の市町村長に通知すること。
なお、企業主導型保育施設からは、上記の都道府県のほか、企業主導型保育事業の実施機関である公益財団法人児童育成協会にも通知すること。

7 国の報告先
(1) 6により国へ報告を行うこととされている都道府県（指定都市、中核市又は児童相談所設置市を含む。）は、別添1「教育・保育施設等事故報告書」により、各施設・事業の所管省庁であるこども家庭庁又は文部科学省へ報告すること。
ア 幼稚園及び幼稚園型認定こども園
○ 文部科学省総合教育政策局
男女共同参画共生社会学習・安全課安全教育推進室学校安全係
・TEL：03-5253-4111（内線2966）
・MAIL：anzen@mext.go.jp
○ 文部科学省初等中等教育局幼児教育課
・MAIL：youji@mext.go.jp
イ 特別支援学校幼稚部
○ 文部科学省総合教育政策局
男女共同参画共生社会学習・安全課安全教育推進室学校安全係
・TEL：03-5253-4111（内線2966）

・MAIL：anzen@mext.go.jp

○　文部科学省初等中等教育局特別支援教育課

・MAIL：toku-sidou@mext.go.jp

ウ　特定教育・保育施設（幼稚園、幼稚園型認定こども園を除く。）、特定地域型保育事業、一時預かり事業（幼稚園又は幼稚園型認定こども園で実施する場合を除く。）、病児保育事業（幼稚園又は幼稚園型認定こども園で実施する場合を除く。）及び認可外保育施設（企業主導型保育施設を含む。）

○　こども家庭庁成育局保育政策課認可外保育施設担当室指導係

・TEL：03-6858-0133

・MAIL：ninkagaihoikushisetsu.shidou@cfa.go.jp

エ　放課後児童クラブ

○　こども家庭庁成育局成育環境課健全育成係

・TEL：03-6861-0303

・MAIL：seiikukankyou.kenzen@cfa.go.jp

オ　子育て短期支援事業、子育て世帯訪問支援事業及び児童育成支援拠点事業

○　こども家庭庁成育局成育環境課家庭支援係

・TEL：03-6861-0224

・MAIL：seiikukankyou.katei@cfa.go.jp

カ　ファミリー・サポート・センター事業

○　こども家庭庁成育局成育環境課子育て支援係

・TEL：03-6861-0519

・MAIL：seiikukankyou.kosodate@cfa.go.jp

キ　その他、事故の報告等の制度全般

○　こども家庭庁成育局安全対策課事故対策係

・TEL：03-6858-0183

・MAIL：anzentaisaku.jikotaiou@cfa.go.jp

(2)　施設・事業者から報告を受けた市町村又は都道府県は、都道府県又は国への報告とともに、別添1「教育・保育施設等事故報告書」により、消費者庁消費者安全課に報告（消費者安全法に基づく通知）を行うこと。

なお、第1報のみではなく、第2報以降も報告すること。

○　消費者庁消費者安全課

・TEL：03-3507-9201

・MAIL：i.syouhisya.anzen@caa.go.jp

8　公表等

都道府県・市町村は、報告があった事故について、類似事故の再発防止のため、事案に応じて公表を行うとともに、事故が発生した要因や再発防止策等について、管内の施設・事業者等へ情報提供すること。

併せて、再発防止策についての好事例は、こども家庭庁又は文部科学省へそれぞれ情報提供すること。

なお、公表等に当たっては、保護者の意向や個人情報保護の観点に十分に配慮すること。

また、6により報告された情報については、全体としてこども家庭庁において集約の上、事故の再発防止に資すると認められる情報について、公表するものとする。

【別　紙】

「教育・保育施設等における重大事故の再発防止策に関する検討会」中間取りまとめについて（平成26年11月28日）抜粋

事故が発生した場合には、省令等に基づき施設・事業者から市町村又は都道府県に報告することとされており、適切な運用が必要である。

このうち重大事故については、事故の再発防止のための事後的な検証に資するよう、施設・事業者から報告を求めるとともに、都道府県を経由して国へ報告を求めることが必要である（なお、事後的な検証の対象範囲については、死亡・意識不明のケース以外は今後検討が必要）。

さらに、重大事故以外の事故についても、例えば医療機関を受診した負傷及び疾病も対象とし、市町村が幅広く事故情報について把握することが望ましいという意見もある。

一方、自治体の限られた事務処理体制の中で、効果的・効率的な事故対応により質の確保を図るという観点も考慮すべきとの意見もある。

これらの意見も踏まえ、重大事故以外の事故についても、一定の範囲においては自治体に把握されるべきという考え方を前提として、どこまでの範囲で施設・事業者から報告を求めるべきかについては、各自治体の実情も踏まえ、適切な運用がなされるべきである。

別添１

教育・保育施設等事故報告書

ver.4
（表面）

基本情報							
事故報告回数				施設・事業所名称			
事故報告年月日				施設・事業所所在地			
事故報告自治体 （都道府県・市区町村）				施設・事業所代表者等			
施設・事業所種別				施設・事業所設置者等 （社名・法人名・自治体名等）			
認可・認可外の区分				施設・事業開始年月日 （開設、認可、事業開始等）			

事故に遭ったこどもの情報					
こどもの年齢（月齢）				こどもの性別	
施設入所年月日 （入園年月日、事業利用開始年月日等）				所属クラス等	
特記事項 （事故と因子関係がある持病、アレルギー、既往症、発育・発達状況等）					

事故発生時の状況								
事故発生年月日				事故発生時間帯				
事故発生場所				事故発生クラス等				
事故発生時のこどもの人数			事故発生時の 教育・保育等従事者数			うち保育教諭・幼稚園教諭・保育士・放課後児童支援員等		
事故発生時のこどもの人数の内訳	0歳	1歳	2歳	3歳	4歳	5歳以上	学童	その他
事故発生時の状況								
事故の誘因								
事故の転帰								
（死亡の場合）死因								
（負傷の場合）受傷部位								
（負傷の場合）負傷状況								
診断名、病状、病院名	診断名							
	病状							
	病院名							
事故の発生状況 （当日登園時からの健康状況、発生後の処置を含めて可能な限り詳細に記載。第１報で可能な範囲で記載し、第２報以降で修正。）								
事故発生後の対応 （報道発表を行う（行った）場合にはその予定（実績）。第２報以降で追記。）								

※　第１報は、本報告書（表面）を記載して報告してください。
※　第１報は、原則事故発生当日（遅くとも事故発生翌日）、第２報は原則１か月以内程度に報告してください。
※　第２報は、記載内容について保護者の了解を得た後に、各自治体へ報告してください。
※　直近の指導監査の状況報告及び発生時の状況図（写真等を含む）を添付してください。
※　意識不明事故に該当しないものの、意識不明に陥った後に死亡事故や重篤な事故となった場合は、意識不明時の状況も記載してください。
※　「（負傷の場合）負傷状況」欄における「骨折（重篤な障害が疑われるもの）」については、医師の所見等により、骨折に伴う重篤な障害（偽関節、著しい運動障害、著しい変形等）が残ることが疑われる場合に選択してください。
※　記載欄は適宜広げて記載してください。

教育・保育施設等事故報告書

ver.4
（裏面）

ソフト面

事故防止マニュアル		具体的内容			
事故防止に関する研修		実施頻度 （回／年）		具体的内容	
職員配置		具体的内容			
その他の要因・分析・特記事項					
改善策【必須】					

ハード面

施設の安全点検		実施頻度 （回／年）		具体的内容	
遊具の安全点検		実施頻度 （回／年）		具体的内容	
玩具の安全点検		実施頻度 （回／年）		具体的内容	
その他の要因・分析・特記事項					
改善策【必須】					

環境面

教育・保育の状況		具体的内容	
その他の要因・分析・特記事項			
改善策【必須】			

人的面

対象児の動き		具体的内容	
担当職員の動き		具体的内容	
他の職員の動き		具体的内容	
その他の要因・分析・特記事項			
改善策【必須】			

自治体コメント【必須】

（自治体による事故発生の要因分析等を記載してください。施設・事業者は記載しないでください。）

【施設・事業所別の報告先】

① 特定教育・保育施設（幼稚園、幼稚園型認定こども園を除く。）、特定地域型保育事業、一時預かり事業（幼稚園、幼稚園型認定こども園で実施する場合を除く。）、病児保育事業（幼稚園、幼稚園型認定こども園で実施する場合を除く。）及び認可外保育施設（企業主導型保育施設を含む。）

→ こども家庭庁成育局保育政策課認可外保育施設担当室指導係（ninkagaihoikushisetsu.shidou@cfa.go.jp）

② 幼稚園、幼稚園型認定こども園

→ 文部科学省総合教育政策局男女共同参画共生社会学習・安全課安全教育推進室学校安全係（anzen@mext.go.jp）

→ 文部科学省初等中等教育局幼児教育課（youji@mext.go.jp ）

③ 特別支援学校幼稚部

→ 文部科学省総合教育政策局男女共同参画共生社会学習・安全課安全教育推進室学校安全係（anzen@mext.go.jp）

→ 文部科学省初等中等教育局特別支援教育課（toku-sidoui@mext.go.jp）

④ 放課後児童健全育成事業（放課後児童クラブ）

→ こども家庭庁成育局成育環境課健全育成係（seiikukankyou.kenzen@cfa.go.jp）

⑤ 子育て短期支援事業（ショートステイ、トワイライトステイ）、子育て世帯訪問支援事業及び児童育成支援拠点事業

→ こども家庭庁成育局成育環境課家庭支援係（seiikukankyou.katei@cfa.go.jp）

⑥ 子育て援助活動支援事業（ファミリー・サポート・センター事業）

→ こども家庭庁成育局成育環境課子育て支援係（seiikukankyou.kosodate@cfa.go.jp）

【全施設・事業所共通の報告先】

→ 消費者庁消費者安全課（i.syouhisya.anzen@caa.go.jp）

※ 【施設・事業所別の報告先】及び【全施設・事業所共通の報告先】ともに報告をお願いします。
※ 裏面の記載事項は、大半部分を公表する予定であるため、個人情報（対象児氏名、搬送先病院名等）は記載しないでください。

教育・保育施設等事故報告書（記載例）

ver.4
（表面）

基本情報

事故報告回数	第1報			施設・事業所名称	Cこども園		
事故報告年月日	令和6年	1月	11日	施設・事業所所在地	B市中央区D町１－１－１		
事故報告自治体 （都道府県・市区町村）	A県	B市		施設・事業所代表者等	E山　F男		
施設・事業所種別	幼保連携型認定こども園			施設・事業所設置者等 （社名・法人名・自治体名等）	G法人H会		
認可・認可外の区分	認可			施設・事業開始年月日 （開設、認可、事業開始等）	令和2年	4月	1日

事故に遭ったこどもの情報

こどもの年齢（月齢）	2歳	8か月		こどもの性別	男
施設入所年月日 （入園年月日、事業利用開始年月日等）	令和5年	4月	1日	所属クラス等	3歳児クラス
特記事項 （事故と因子関係がある持病、アレルギー、既往症、発育・発達状況等）	※ 事故と因子関係がある場合の、当該こどもの教育・保育において留意が必要な事項（気管切開による吸引等の医療行為、経過観察中の疾病名等）についても、この欄に記載してください。				

事故発生時の状況

事故発生年月日	令和6年	1月	11日	事故発生時間帯		昼食時・おやつ時		
事故発生場所	施設内（室内）			事故発生クラス等		異年齢構成		
事故発生時のこどもの人数	10名		事故発生時の 教育・保育等従事者数		3名	うち保育教諭・幼稚園教諭・保育士・放課後児童支援員等		1名
事故発生時のこどもの人数の内訳	0歳 0名	1歳 0名	2歳 3名	3歳 3名	4歳 4名	5歳以上 0名	学童 0名	その他 0名

事故発生時の状況		食事中（おやつ含む）
事故の誘因		死亡
事故の転帰		死亡
（死亡の場合）死因		窒息　※ 事故の転帰が「負傷」の場合は、「ー」を選択してください。
（負傷の場合）受傷部位		ー　※ 事故の転帰が「死亡」の場合は、「ー」を選択してください。
（負傷の場合）負傷状況		ー　※ 事故の転帰が「死亡」の場合は、「ー」を選択してください。
診断名、病状、病院名	診断名	※ SIDSについては、確定診断が出された時のみ記載してください。
	病状	※ SIDS疑いの場合は、病状として記載してください。
	病院名	I総合病院
事故の発生状況 （当日登園時からの健康状況、発生後の処置を含めて可能な限り詳細に記載。第1報で可能な範囲で記載し、第2報以降で修正。）		15:20 本児はケーキ（縦2cm、横2cm、厚さ2cm））をほおばりながら食べるという食べ方をしていた。 2つ目に手を伸ばし、食べていた。この時、担任保育士は少し離れた場所で他児の世話をしていた。 ケーキを食べた本児が急に声を出して泣き出した。 保育士が口内に指を入れて、かき出していたが本児の唇が青くなったことに気がついた。 15:25 看護師を部屋に呼んだ後、救急車を要請。口に手を入れ開かせた。 背中を強く叩いたが、何も出てこない。泣き声が次第にかすれ声になり、体が硬直してきた。 看護師が到着した頃に、チアノーゼの症状が見られた。呼吸困難で、手は脱力した状態であることを確認した。 看護師が脈をとるとかなり微弱で、瞳孔が拡大している。本児がぐったりとし、顔等が冷たいのを確認した。 心臓を確認すると、止まっている様に感じ、心臓マッサージを行う。 15:33 救急隊が到着し、心肺蘇生等を実施し、病院へ搬送。 15:45 病院到着。意識不明であり、入院。　〇/〇 意識が回復しないまま死亡。
事故発生後の対応 （報道発表を行う（行った）場合にはその予定（実績）。第2報以降で追記。）		【園の対応】 〇/〇 園において児童の保護者と面談　〇/〇 園で保護者説明会　〇/〇 理事会で園長が説明 【市の対応】 〇/〇 記者クラブへ概要を説明

※ 第1報は、本報告書（表面）を記載して報告してください。
※ 第1報は、原則事故発生当日（遅くとも事故発生翌日）、第2報は原則1か月以内程度に報告してください。
※ 第2報は、記載内容について保護者の了解を得た後に、各自治体へ報告してください。
※ 直近の指導監査の状況報告及び発生時の状況図（写真等を含む）を添付してください。
※ 意識不明事故に該当しないものの、意識不明に陥った後に死亡事故や重篤な事故となった場合は、意識不明時の状況も記載してください。
※ 「（負傷の場合）負傷状況」欄における「骨折（重篤な障害が疑われるもの）」については、医師の所見等により、骨折に伴う重篤な障害（偽関節、著しい運動障害、著しい変形等）が残ることが疑われる場合に選択してください。
※ 記載欄は適宜広げて記載してください。

教育・保育施設等事故報告書（記載例）

ver.4
（裏面）

ソフト面					
事故防止マニュアル	あり	具体的内容	※　マニュアルや指針の名称を記載してください。 ※　記載内容が無い場合は、空欄ではなく「特になし」等と記載してください（以下、同項目において同じ。）。		
事故防止に関する研修	不定期に実施	実施頻度（回／年）	年に10回	具体的内容	※　実施している場合は、研修内容・対象者・講師等も簡単に記載してください。
職員配置	基準配置	具体的内容	※　事故発生時ではなく、事故発生当日の保育体制としての配置人数について記載してください。		
その他の要因・分析・特記事項	※　当該事故に関連する要因や特記事項がある場合、必ず記載してください。 ※　記載内容が無い場合は、空欄ではなく「特になし」等と記載してください（以下、同項目において同じ。）。				
改善策【必須】	※　要因分析の項目を記載した場合は必ず記載してください。また、改善点がない場合もその理由を記載してください。				

ハード面					
施設の安全点検	定期的に実施	実施頻度（回／年）	年に24回	具体的内容	※　施設外での事故の場合は、当該場所の安全点検状況を記載してください（以下同じ。）。
遊具の安全点検	定期的に実施	実施頻度（回／年）	年に12回	具体的内容	※　遊具等の器具により事故が発生した場合には、当該器具のメーカー名、製品名、型式、構造等についても記載してください。
玩具の安全点検	不定期に実施	実施頻度（回／年）	年に10回	具体的内容	※　玩具等の器具により事故が発生した場合には、当該器具のメーカー名、製品名、型式、構造等についても記載してください。
その他の要因・分析・特記事項	※　寝具の種類（コット、布団（堅さも）、ベビーベット、ラックなど）、睡眠チェックの方法（頻度など）、児童の発達状況（寝返り開始前、寝返り開始から日が浅い場合は経過日数、自由に動けるなど）等、乳児の睡眠環境については、特に詳細に記載してください。分析も含めた特記事項等、当該事故に関連することを記載してください。				
改善策【必須】	※　要因分析の項目を記載した場合は必ず記載してください。また、改善点がない場合もその理由を記載してください。				

環境面			
教育・保育の状況	食事（おやつ）中	具体的内容	※　運動会の練習中、午睡後の集団遊び中等、具体的な保育状況を記載してください。
その他の要因・分析・特記事項	※　分析も含めた特記事項等、当該事故に関連することを記載してください。		
改善策【必須】	※　要因分析の項目を記載した場合は必ず記載してください。また、改善点がない場合もその理由を記載してください。		

人的面			
対象児の動き	いつもより活発・活動的であった	具体的内容	※　なぜそのような行動をとったのかを明らかにするため、具体的に記載してください。 （例：朝、母親より風邪気味と申し送りあり、いつもは外遊びをするが室内で遊んでいた等）
担当職員の動き	対象児から離れたところで対象児を見ていた	具体的内容	※　なぜそのような対応をしたのかを明らかにするため、具体的に記載してください。 （例：雲梯の反対側で対象児ともう一人の児童を見ていたが、対象児が落下する瞬間に手を差し伸べたが間に合わなかった等）
他の職員の動き	担当者・対象児の動きを見ていなかった	具体的内容	※　なぜそのような対応をしたのかを明らかにするため、具体的に記載してください。 （例：園庭で他児のトラブルに対応していたため、見ていなかった等）
その他の要因・分析・特記事項	※　分析も含めた特記事項等、当該事故に関連することを記載してください。		
改善策【必須】	※　要因分析の項目を記載した場合は必ず記載してください。また、改善点がない場合もその理由を記載してください。		

自治体コメント【必須】

（自治体による事故発生の要因分析等を記載してください。施設・事業者は記載しないでください。）

※　自治体の立ち入り検査や第三者評価の結果、勧告や改善命令などの履歴があるかどうか、その結果や改善勧告への対応、今後の研修計画等あればその内容等、所管自治体として把握していること、取り組んでいることも含めて記載してください。

【施設・事業所別の報告先】

①　特定教育・保育施設（幼稚園、幼稚園型認定こども園を除く。）、特定地域型保育事業、一時預かり事業（幼稚園、幼稚園型認定こども園で実施する場合を除く。）、病児保育事業（幼稚園、幼稚園型認定こども園で実施する場合を除く。）及び認可外保育施設（企業主導型保育施設を含む。）

→　こども家庭庁成育局保育政策課認可外保育施設担当室指導係（ninkagaihoikushisetsu.shidou@cfa.go.jp）

②　幼稚園、幼稚園型認定こども園

→　文部科学省総合教育政策局男女共同参画共生社会学習・安全課安全教育推進室学校安全係（anzen@mext.go.jp）

→　文部科学省初等中等教育局幼児教育課（youji@mext.go.jp ）

③　特別支援学校幼稚部

→　文部科学省総合教育政策局男女共同参画共生社会学習・安全課安全教育推進室学校安全係（anzen@mext.go.jp）

→　文部科学省初等中等教育局特別支援教育課（toku-sidoui@mext.go.jp）

④　放課後児童健全育成事業（放課後児童クラブ）

→　こども家庭庁成育局成育環境課健全育成係（seiikukankyou.kenzen@cfa.go.jp）

⑤　子育て短期支援事業（ショートステイ、トワイライトステイ）、子育て世帯訪問支援事業及び児童育成支援拠点事業

→　こども家庭庁成育局成育環境課家庭支援係（seiikukankyou.katei@cfa.go.jp）

⑥　子育て援助活動支援事業（ファミリー・サポート・センター事業）

→　こども家庭庁成育局成育環境課子育て支援係（seiikukankyou.kosodate@cfa.go.jp）

【全施設・事業所共通の報告先】

→　消費者庁消費者安全課（i.syouhisya.anzen@caa.go.jp）

※　【施設・事業所別の報告先】及び【全施設・事業所共通の報告先】ともに報告をお願いします。
※　裏面の記載事項は大半部分を公表する予定であるため、個人情報（対象児氏名、搬送先病院名等）は記載しないでください。

特定教育・保育施設等における事故情報データベースに掲載する情報

掲載しない情報			掲載する情報		掲載しない情報
事故報告自治体		施設・事業所名称	事故の発生状況（表面）	自治体コメント（裏面）	保護者の同意

※　本通知に基づき報告があった事故の情報について、データベース化したものを公表しています。
※　「DB掲載用」シートの「事故の発生状況」欄は、教育・保育施設等事故報告書（表面）の「事故の発生状況」に記載された内容、「自治体コメント」欄は、同報告書（裏面）の「自治体コメント」に記載された内容を参照してください（日付、個人名、病院名等の個人情報が掲載されないよう自治体において確認し、必要に応じて削除、黒塗り等によって修正してください。）。
※　データベースについては、発生した事故に関する情報を収集し、今後の事故防止に資するために作成しているという趣旨を御理解いただき、掲載について保護者の方の同意を得た上で、「保護者の同意」欄に○印を付していただくようお願いします。

※「表面」・「裏面」の記載事項が自動反映されます。このシートの削除やセルの値の変更はしないでください。

基本情報						
事故発生			報告関係			
年	月	日	都道府県	市区町村	施設・事業所名称	事故報告回数

事故の概要					事故発生時の状況												事故に遭ったこどもの情報			事故発生時の状況						
		事故発生			事故発生時の体制										教育・保育等従事者						事故の転帰					
							異年齢構成の場合の内訳															死亡	負傷			
認可・認可外の区分	施設・事業所種別	月	時間帯	事故発生場所	事故発生クラス等	事故発生時のこどもの人数	0歳	1歳	2歳	3歳	4歳	5歳以上	学童	その他	事故発生時の教育・保育等従事者数	うち保育教諭・幼稚園教諭・保育士・放課後児童支援員等	年齢	性別	特記事項	事故発生時の状況		死因	負傷状況	受傷部位	診断名	事故の誘因

事故発生の要因分析																								
ソフト面						ハード面								環境面			人的面							
	事故防止研修					施設の安全点検		遊具の安全点検		玩具の安全点検							対象児の動き		担当職員の動き		他の職員の動き			
事故防止マニュアル		実施頻度（回/年）	職員配置	その他の要因・分析、特記事項	改善策		実施頻度（回/年）		実施頻度（回/年）		実施頻度（回/年）	その他の要因・分析、特記事項	改善策	教育・保育の状況	その他の要因・分析、特記事項	改善策		具体的内容		具体的内容		具体的内容	その他の要因・分析、特記事項	改善策

事故の発生状況（表面）	自治体コメント（裏面）

【プルダウンメニュー一覧】　※ プルダウンメニューが設定されているセルは、以下の選択肢の中から回答してください。

報告事項	選択肢
事故報告回数	1. 第1報　2. 第2報　3. 第3報　4. 第4報以降
事故報告年月日	1. 令和6年～令和20年　2. 1月～12月　3. 1日～31日
事故報告自治体 （都道府県のみ）	北海道　青森県　岩手県　宮城県　秋田県　山形県　福島県　茨城県　栃木県　群馬県　埼玉県　千葉県 東京都　神奈川県　新潟県　富山県　石川県　福井県　山梨県　長野県　岐阜県　静岡県　愛知県　三重県 滋賀県　京都府　大阪府　兵庫県　奈良県　和歌山県　鳥取県　島根県　岡山県　広島県　山口県　徳島県 香川県　愛媛県　高知県　福岡県　佐賀県　長崎県　熊本県　大分県　宮崎県　鹿児島県　沖縄県
施設・事業所種別	1. 幼保連携型認定こども園　2. 幼稚園型認定こども園　3. 保育所型認定こども園 4. 地方裁量型認定こども園　5. 幼稚園　6. 認可保育所　7. 小規模保育事業　8. 家庭的保育事業 9. 居宅訪問型保育事業　10. 事業所内保育事業(認可)　11. 一時預かり事業　12. 病児保育事業 13. 子育て援助活動支援事業(ﾌｧﾐﾘｰ･ｻﾎﾟｰﾄ･ｾﾝﾀｰ事業)　14. 子育て短期支援事業(ｼｮｰﾄｽﾃｲ) 15. 子育て短期支援事業(ﾄﾜｲﾗｲﾄｽﾃｲ)　16. 子育て世帯訪問支援事業　17. 児童育成支援拠点事業 18. 放課後児童健全育成事業(放課後児童クラブ)　19. 企業主導型保育施設　20. 地方単独保育施設 21. その他の認可外保育施設　22. 認可外の居宅訪問型保育事業
認可・認可外の区分	1. 認可　2. 認可外　3. その他
施設・事業開始月日	1. 1月～12月　2. 1日～31日
こどもの年齢	1. 0歳　2. 1歳　3. 2歳　4. 3歳　5. 4歳　6. 5歳　7. 6歳　8. 学童 （学童を除き0か月～11か月も選択）
こどもの性別	1. 男　2. 女
施設入所年月日	1. 平成30年～令和20年　2. 1月～12月　3. 1日～31日
所属クラス等	1. 0歳児クラス　2. 1歳児クラス　3. 2歳児クラス　4. 3歳児クラス　5. 4歳児クラス 6. 5歳以上児クラス　7. 異年齢構成　8. 学童
事故発生年月日	1. 令和5年～令和20年　2. 1月～12月　3. 1日～31日
事故発生時間帯	1. 朝(始業～午前10時頃)　2. 午前中　3. 昼食時・おやつ時 4. 午睡中　5. 午後　6. 夕方(16時頃～夕食提供前頃)　7. 夜間・早朝（泊り保育）
事故発生場所	1. 施設内(室内)　2. 施設内(室外・園庭等)　3. 施設外(園外保育先・公園等)
事故発生クラス等	1. 0歳児　2. 1歳児　3. 2歳児　4. 3歳児　5. 4歳児　6. 5歳以上児　7. 異年齢構成　8. 学童
事故発生時の状況	1. 屋外活動中　2. 室内活動中　3. 睡眠中(うつぶせ寝)　4. 睡眠中(うつぶせ寝以外) 5. 食事中(おやつ含む)　6. 水遊び・プール活動中　7. 登園・降園中　8. その他
事故の誘因	1. 死亡　2. 遊具等からの転落・落下　3. 自らの転倒・衝突　4. こども同士の衝突 5. 玩具・遊具等施設・設備の安全上の不備　6. 他児からの危害　7. アナフィラキシー 8. 溺水　9. その他
事故の転帰	1. 負傷　2. 死亡
死因	1. 乳幼児突然死症候群(SIDS)　2. 窒息　3. 病死　4. 溺死　5. アナフィラキシーショック 6. その他　7. ー
受傷部位	1. 頭部　2. 顔面(口腔内含む)　3. 体幹(首・胸部・腹部・臀部)　4. 上肢(腕・手・手指) 5. 下肢(足・足指)　6. ー
負傷状況	1. 意識不明　2. 骨折(重篤な障害が疑われるもの)　3. 骨折(重篤な障害が疑われるもの以外) 4. 火傷　5. 創傷(切創・裂創等)　6. 口腔内受傷　7. その他　8. ー
事故防止マニュアル	1. あり　2. なし
事故防止に関する研修	1. 定期的に実施　2. 不定期に実施　3. 未実施
職員配置	1. 基準以上配置　2. 基準配置　3. 基準以下
施設の安全点検	1. 定期的に実施　2. 不定期に実施　3. 未実施　4. ー
遊具の安全点検	1. 定期的に実施　2. 不定期に実施　3. 未実施　4. ー
玩具の安全点検	1. 定期的に実施　2. 不定期に実施　3. 未実施　4. ー
教育・保育の状況	1. 集団活動中・見守りあり　2. 集団活動中・こども達のみ　3. 個人活動中・見守りあり 4. 個人活動中・こどものみ　5. 睡眠(午睡)中　6. 食事(おやつ)中　7. その他
対象児の動き	1. いつもどおりの様子であった　2. いつもより元気がなかった　3. いつもより活発・活動的であった 4. 具合が悪かった(熱発・腹痛・風邪気味等)
担当職員の動き	1. 対象児とマンツーマンの状態（対象児に接していた） 2. 対象児の至近で対象児を見ていた 3. 対象児から離れたところで対象児を見ていた 4. 対象児の動きを見ていなかった
他の職員の動き	1. 担当者・対象児の動きを見ていた(至近距離にいた) 2. 担当者・対象児の動きを見ていなかった　3. ー

別添２

報告ルート

①　第1報：原則事故発生当日（遅くとも事故発生翌日）　②　第2報：原則1か月以内程度　等

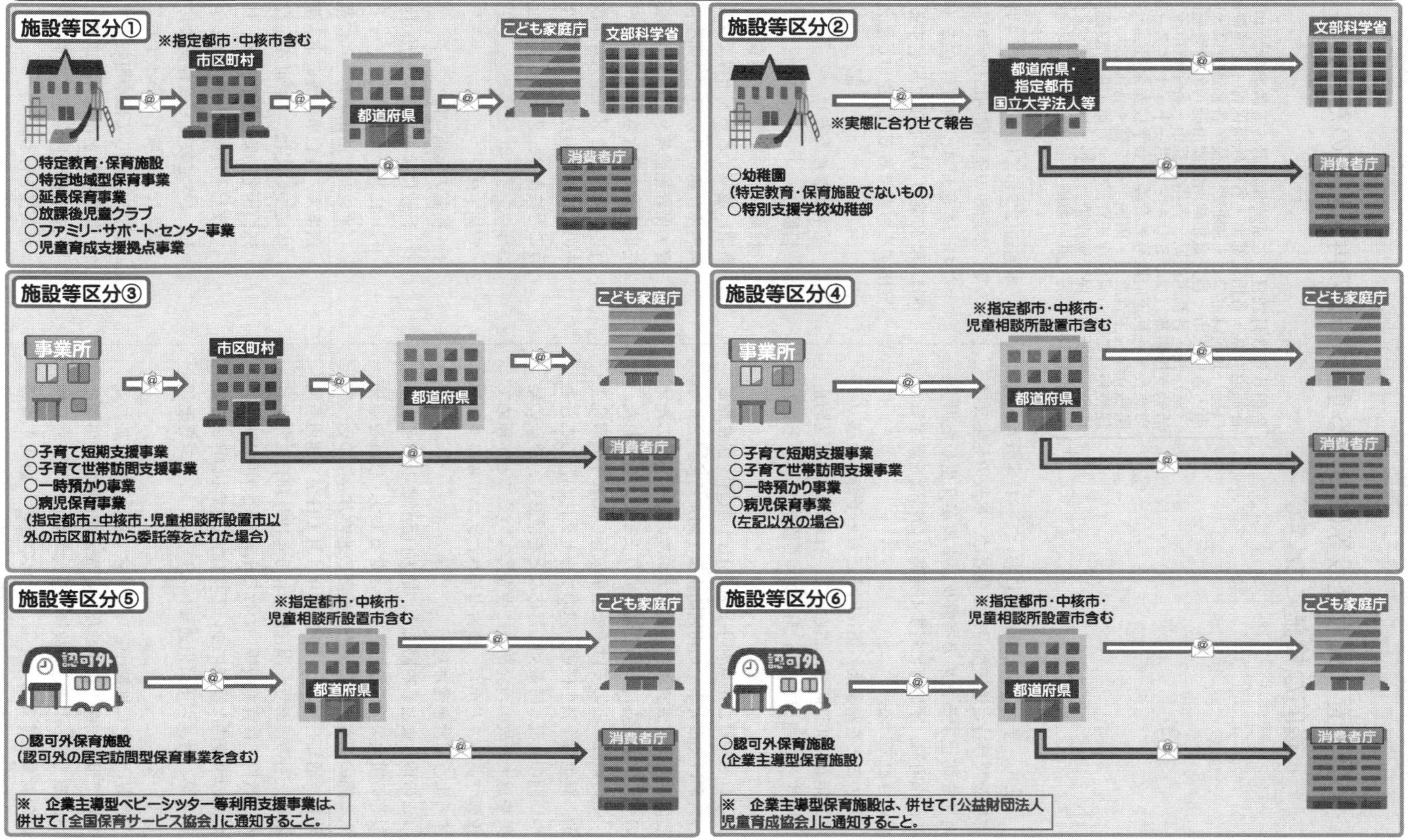

○教育・保育施設等における重大事故の再発防止のための事後的な検証について

〔令和６年３月22日　こ成安第37号・５教参学第40号　各都道府県・各指定都市・各中核市保育・児童福祉主管部（局）長・認定こども園担当課長・各都道府県・各指定都市・各中核市・各児童相談所設置市認可外保育施設担当課（室）長・各都道府県・各指定都市・各中核市子育て援助活動支援事業（ファミリー・サポート・センター事業）担当課長・各都道府県等教育委員会学校安全担当・各都道府県私立学校主管課長・附属学校を置く各国立大学法人担当課長宛　こども家庭庁成育局安全対策・保育政策課長・保育政策課認可外保育施設担当室長・成育環境・文部科学省総合教育政策局男女共同参画共生社会学習・安全課長連名通知〕

子ども・子育て支援新制度において、特定教育・保育施設及び特定地域型保育事業者は、事故の発生又は再発を防止するための措置及び事故が発生した場合に、市町村、家族等に対する連絡等の措置を講ずることとされている。

このことを踏まえ、第16回子ども・子育て会議（平成26年６月30日開催）において、行政による再発防止に関する取組の在り方等について検討すべきとされた。

これを受け、平成26年９月８日、「教育・保育施設等における重大事故の再発防止策に関する検討会」が設置され、平成27年12月に重大事故の発生防止のための今後の取組みについて最終取りまとめが行われた。

この取りまとめでは、死亡事故等の重大事故の発生前、発生時、発生後の一連のプロセスにおけるこどもや周囲の状況、時系列の対応などを検証し、検証の結果を重大事故の再発防止に役立てていくことが極めて重要であることから、地方自治体において検証を実施するよう提言を受けた。

この取りまとめを踏まえ、地方自治体が行う死亡事故等の重大事故の検証の参考となるよう、検証を実施する際の基本的な考え方、検証の進め方等について整理した通知を発出し、平成28年４月１日から運用を開始したものであり、現在は令和５年12月14日に発出した「教育・保育施設等における重大事故の再発防止のための事後的な検証について」（こ成安第143号・５教参学第31号、以下「旧通知」という。）に基づき運用している。

今般、新たに地域子ども・子育て支援事業に加わる子育て世帯訪問支援事業及び児童育成支援拠点事業におけるこどもの死亡事故等の重大事故についても、検証の対象とすることとし、下記のとおり通知するので、御了知の上、管内の市町村（特別区を含む。）、関係機関及び施設・事業者等に対して周知いただくとともに、その運用に遺漏のないようお願いする。

本通知については、令和６年４月１日から運用するので、本通知の運用開始に伴い旧通知は廃止する。

なお、本通知は、地方自治法（昭和22年法律第67号）第245条の４第１項に規定する技術的助言として発出するものであることを申し添える。

記

第１　基本的な考え方

１　目的

検証は、特定教育・保育施設、特定地域型保育事業、地域子ども・子育て支援事業、認可外保育施設及び認可外の居宅訪問型保育事業（以下「教育・保育施設等」という。）におけるこどもの死亡事故等の重大事故について、事実関係の把握を行い、死亡した又は重大な事故に遭ったこどもやその保護者の視点に立って発生原因の分析等を行うことにより、必要な再発防止策を検討するために行う。

２　実施主体

(1)　検証の実施主体

行政による児童福祉法（平成22年法律第164号）に基づく認可権限、子ども・子育て支援法（平成24年法律第65号）に基づく確認権限等を踏まえ、死亡事故等の重大事故の検証の実施主体については、「認可外保育施設」及び「認可外の居宅訪問型保育事業」における事故に関しては都道府県（指定都市、中核市を含む。）とし、「特定教育・保育施設」、「特定地域型保育事業」、「地域子ども・子育て支援事業」における事故に関しては市町村とする。

(2)　都道府県と市町村の連携

市町村が検証を実施する場合には、都道府県が支援を行う。

また、都道府県が検証を実施する場合、市町村は協力することとし、検証の実施は、都道府県と市町村が連携して行うものとする。

なお、都道府県が行う市町村に対する支援の例として、

① 認可外保育施設及び認可外の居宅訪問型保育事業の検証を行うこととなる都道府県において、あらかじめ検証組織の委員候補者として適当な有識者（例えば、学識経験者、医師、弁護士、教育・保育関係者、栄養士（誤嚥等の場合）、各事業に知見のある者（地域子ども・子育て支援事業の場合）等）をリストアップしておき、市町村が実際に検証組織を設ける際に、必要に応じ、当該リストの有識者から都道府県が委員を紹介する。

② 都道府県内における検証事例の蓄積を行い、実際に検証を行う際に技術的援助を行う。

③ 定期的に行っている認可権に基づく指導監査の状況についての情報提供や、当該権限を根拠とした当該事故についての資料収集、事実確認への協力を行う。

④ 検証組織について、必要に応じ、オブザーバー参加や共同事務局となるなどの協力を検討する。

⑤ これらを円滑に進めるため、都道府県と市町村の間で、市町村が集まる会議や個別の市町村との連絡会議などにおいて、あらかじめ協議をする。

ことなどが考えられる。

3 検証の対象範囲

(1) 死亡事故

※ 乳幼児突然死症候群（SIDS）や死因不明とされた事例も、事故発生時の状況等について検証する。

(2) 意識不明事故（どんな刺激にも反応しない状態に陥ったもの）

※ 意識不明の原因が病気であると判明したものを除く。

(3) 死亡事故、意識不明事故以外の重大事故で、都道府県又は市町村において検証が必要と判断した事故

※ 都道府県又は市町村が検証を実施しない事故や、いわゆるヒヤリ・ハット事例等については、各施設・事業者等において検証を実施する。

4 検証組織及び検証委員の構成

(1) 検証組織

都道府県又は市町村における死亡事故等の重大事故の検証に当たっては、外部の委員で構成する検証委員会を設置して行う。

(2) 検証委員の構成

検証組織の委員については、教育・保育施設等における重大事故の再発防止に知見のある有識者とする。例えば、学識経験者、医師、弁護士、教育・保育関係者、栄養士（誤嚥等の場合）、各事業に知見のある者（地域子ども・子育て支援事業の場合）等が考えられる。

また、検証委員会における検証に当たっては、必要に応じて関係者の参加を求める。

5 検証委員会の開催

(1) 死亡事故については、事故発生後速やかに検証委員会を開催する。

また、死亡事故以外の重大事故については、年間に複数例発生している地域等、随時開催することが困難な場合、複数例を合わせて検証委員会を開催することも考えられる。

なお、検証については、事故発生の事実把握、発生原因の分析等を行い、必要な再発防止策を検討するものであり、関係者の処罰を目的とするものではないことを明確にする。

(2) 検証を行うに当たって、関係者から事例に関する情報の提供を求めるとともにヒアリング等を行い、情報の収集及び整理を行う。

この情報を基に、関係機関ごとのヒアリング、現地調査その他の必要な調査を実施し、事実関係を明らかにするとともに、発生原因の分析等を行う。

あわせて、調査結果に基づき、事故発生前・発生時の状況や発生後の対応等に係る課題を明らかにし、再発防止のために必要な改善策を検討する。

また、プライバシー保護の観点から、委員会は非公開とすることも考えられる。

公開又は非公開の範囲については、プライバシー保護及び保護者の意向に十分配慮した上で、個別事例ごとに関係者を含めて十分に協議する。

関係者へのヒアリングのみ非公開とするなど、「一部非公開」等の取扱いも考えられる。

なお、調査や検証を行う立場にある者に対し、これらの業務に当たって知り得たことについて、業務終了後も含み守秘義務を課すことに留意する。

(3) 検証を行うに当たっては、保護者やこどもの心情に十分配慮しながら行う。

6 報告等

(1)　検証委員会は、検証結果とともに、再発防止のための提言をまとめ、都道府県又は市町村に報告する。

(2)　都道府県又は市町村は、プライバシー保護及び保護者の意向に十分配慮した上で、原則として、検証委員会から提出された報告書を公表することとし、国へも報告書を提出する。

あわせて、速やかに報告書の提言を踏まえた具体的な措置を講じ、各施設・事業者等に対しても具体的な措置を講じることを求める。

また、都道府県又は市町村は、講じた措置及びその実施状況について自ら適時適切に点検・評価し、各施設・事業者等が講じた措置及びその実施状況についても適時適切に点検・評価する。

(3)　都道府県又は市町村は、検証委員会の報告を踏まえ、必要に応じ、関係機関、関係者に対し指導を行う。

第2　具体的な検証の進め方

1　事前準備

(1)　情報収集

検証の対象事例について、事務局は都道府県又は市町村に提出された事故報告等を通じて、以下の①から⑨の事項に関する情報収集を行う。

この場合、事務局は、必要に応じて施設や事業者等からヒアリングを行う。市町村が実施する場合は、都道府県の協力を得て行う。

①　こどもの事故当日の健康状態など、体調に関すること等（事例によっては、家族の健康状態、事故発生の数日前の健康状態、施設や事業の利用開始時の健康状態の情報等）

②　死亡事故等の重大事故に至った経緯

③　都道府県又は市町村の指導監査の状況等

④　事故予防指針の整備、研修の実施、職員配置等に関すること（ソフト面）

⑤　設備、遊具の状況などに関すること（ハード面）

⑥　教育・保育等が行われていた状況に関すること（環境面）

⑦　担当保育教諭・幼稚園教諭・保育士等の状況に関すること（人的面）

⑧　事故発生後の対応（各施設・事業者等及び行政の対応）

⑨　事故が発生した場所の見取り図、写真、ビデオ等

(2)　資料準備

①　「(1)　情報収集」で収集した情報に基づき、事実関係を時系列にまとめ、上記(1)の内容を含む「事例の概要」を作成する。

「事例の概要」には、その後、明らかになった事実を随時追記していき、基礎資料とする。

②　当該施設・事業所等の体制等に関する以下のアからオの内容を含む資料を作成する。

ア　当該施設・事業所等の組織図

イ　職種別職員数

ウ　利用こども数

エ　クラス編成等の教育・保育体制等

オ　その他必要な資料

③　検証の方法、スケジュールについて計画を立て資料を作成する。

④　その他（検証委員会の設置要綱、委員名簿、報道記事等）の資料を準備する。

2　事例の内容把握

会議初回には、その目的が再発防止策を検討するためのものであり、関係者の処罰を目的とするものでないことを検証委員全員で確認した上で、検証の対象となる事例の内容を以下の項目に留意し、把握する。

(1)　確認事項

①　検証の目的

②　検証方法（関係者ごとのヒアリング、現地調査等による事実関係の確認、問題点・課題の抽出、問題点・課題に関する提案事項の検討、報告書の作成等）

③　検証スケジュール

(2)　事例の内容把握

①　事前に収集された情報から事例の概要を把握する。

②　疑問点や不明な点を整理する。

3　問題点・課題の抽出

事例の事実関係が明確になった段階で、それを基に、なぜ検証対象の死亡事故等の重大事故が発生したのか、本事例が発生した背景、対応方法、組織の体制、その他の問題点・課題を抽出し、再発防止につなげる。

抽出の過程で、さらに事実関係を明確化する必要がある場合、事務局又は検証委員会によるヒアリングや現地調査等を実施する。

この作業を徹底して行うことが、その後の具体的な提言につながることから、特に時間をかけて検討を行うとともに、検討に当たっては、客観的な事実、データに基づき建設的な議論を行うこと

が期待される。

4　検証委員会における提言

事例が発生した背景、対応方法、組織上の問題等、抽出された問題点・課題を踏まえ、その解決に向けて実行可能性を勘案しつつ、具体的な対策を講ずべき主体ごとに提言を行う。

なお、各施設・事業者等の対応など早急に改善策を講じる必要がある場合、検証の経過において、まず早急に講ずべき改善策について、提言を行うことを考える必要がある。

その際、提言を受けた都道府県、市町村及び各施設・事業者等は、検証の全体の終結を待たずにできるだけ早急に具体的な措置を講じることも考える必要がある。

5　報告書

(1)　報告書の作成

①　事務局は、報告書に盛り込むべき以下のアからケの内容例を参考に、それまでの検証組織における審議結果を踏まえ報告書の素案を作成する。

ア　検証の目的

イ　検証の方法

ウ　事例の概要

エ　明らかとなった問題点や課題

オ　問題点や課題に対する提案（提言）

カ　今後の課題

キ　会議開催経過

ク　検証組織の委員名簿

ケ　参考資料

②　報告書の内容を検討、精査する。

③　検証組織は報告書を取りまとめ、都道府県又は市町村に提出する。

(2)　公表

各施設・事業所等における死亡事故等の重大事故について検証を行うことは、その後の事故の再発防止に密接に関連するものであり、事故に遭ったこどもや保護者の意向にも配慮しつつ、原則として検証結果は公表すべきである。

公表に当たっては、個人が特定される情報は削除するなど、プライバシーの保護について十分配慮する。

なお、公表の際には国に報告書を提出する。

(3)　提言を受けての具体的な措置等

都道府県又は市町村は、報告書の提言を受けて、速やかに具体的な措置を講じるとともに、講じた措置及びその実施状況について、自ら適時適切に点検・評価する。

また、各施設・事業者等が講じた措置及びその実施状況についても、都道府県又は市町村が適時適切に点検・評価する。

第3　検証に係る指導監査等の実施について

1　死亡事故等の重大事故が発生した場合の指導監査等について

死亡事故等の重大事故が発生した場合、必要に応じて事前通告なく、就学前の子どもに関する教育、保育等の総合的な提供の推進に関する法律（平成18年法律第77号。以下「認定こども園法」という。）に基づく指導監査、児童福祉法に基づく指導監査及び指導監督、子ども・子育て支援法に基づく指導監査（以下「指導監査等」という。）を実施する。

また、指導監査等の実施については、以下の「指導監査等の対象となる施設・事業、実施主体、根拠法及び監査指針等」を参照すること。

2　第2の1(1)の情報収集については、死亡事故等の重大事故の発生前までに実施した指導監査等の状況及び当該事故に係る指導監査等の結果を活用し、事実関係を整理する。

3　死亡事故等の重大事故が発生した各施設・事業に対する当該事故後の指導監査等においては、当該事故と同様の事故の再発防止策がとられているかなど、検証結果を踏まえた措置等についても確認すること。

○指導監査等の対象となる施設・事業、実施主体、根拠法及び監査指針等

施設・事業	指導監査等の実施主体	根拠法	監査指針等
・特定教育・保育施設 ・特定地域型保育事業	市町村	子ども・子育て支援法	子ども・子育て支援法に基づく特定教育・保育施設等の指導監査について（平成27年12月７日府子本第390号、27文科初第1135号、雇児発1207第２号）
幼保連携型認定こども園（※）	都道府県 指定都市 中核市	認定こども園法	就学前の子どもに関する教育、保育等の総合的な提供の推進に関する法律に基づく幼保連携型認定こども園に対する指導監査について（平成27年12月７日府子本第373号、27文科初第1136号、雇児発1207第１号）
保育所（※）	都道府県 指定都市 中核市	児童福祉法	児童福祉行政指導監査の実施について（平成12年４月25日児発第471号）
地域型保育事業	市町村	児童福祉法	児童福祉法に基づく家庭的保育事業等の指導監査について（平成27年12月24日雇児発1224第２号）
・認可外保育施設 ・認可外の居宅訪問型保育事業	都道府県 指定都市 中核市	児童福祉法	認可外保育施設に対する指導監督の実施について（平成13年３月29日雇児発第177号）

（※）　上記の表のうち、幼保連携型認定こども園及び保育所については、都道府県と市町村の双方が指導監査等を実施することになるが、この場合、都道府県と市町村は互いに連携して指導監査等を実施する。

（参　考）検証の進め方の例

検証は、以下の図のような流れで実施する。

事前準備	●関係者から事例に関する情報収集、概要資料（事例の概要）作成 ●現行の教育・保育施設等の職員体制等検証に必要な関係資料作成
⇩	
会議初回	○検証の目的の確認 ○検証の方法、スケジュールの確認 ○事例の内容把握
⇩	
会議開催	○問題点・課題の抽出 ○●必要に応じて、ヒアリングや現地調査等の実施 ○問題点・課題に対する提言の検討 ●報告書素案を作成 ○報告書の内容を検討
⇩	
会議最終回	○報告書の取りまとめ
⇩	
報告書取りまとめ	●報告書の公表。国への報告書の提出 ●提言を基に再発防止策の措置を講ずる
	※　●事務局作業 ○会議における議事内容

○社会福祉施設における火災防止対策の強化について

〔昭和48年４月13日　社施第59号
各都道府県知事・各指定都市市長宛　厚生省社会・児童家庭局長連名通知〕

注　平成11年３月30日社援第830号改正現在

標記について最近における社会福祉施設等の火災事故にかんがみ昭和48年３月９日厚生省発医第34号をもって厚生事務次官から貴職あて通達されたところであるが、貴管内の社会福祉施設における防火管理の充実強化を図るため、次の事項に留意のうえ火災防止に万全を期するよう指導の徹底に努められたい。

なお、社会福祉施設における防火管理設備等の整備状況を確認するとともに、今後の整備計画樹立のため一斉点検調査を実施することとしたので、別紙１「社会福祉施設防火管理設備等一斉点検要領」により実施するよう貴管内社会福祉施設をご指導願いたい。また、消防庁から各都道府県消防主管部長あて昭和48年３月14日消防庁第48号「病院等の防火安全対策の強化及び一斉点検の実施について」の通知が出されているので念のため申し添える。

１　防火管理体制の強化について

施設の管理者は、施設管理の最高責任者として火災発生の防止に万全を期すること。なお、管理者１人で施設全般にわたって防火管理の完璧を期することは不可能であるから、全職員の理解と協力により防火管理の効果をあげるよう指導訓練につとめること。

２　予防管理組織について

防火上の安全管理に関し、平素の業務上の責任分担を考慮して、時間、場所、設備により施設全般にわたり間隙のない責任分野を明確にした予防管理組織を確立すること。

３　消防計画の確立、避難訓練の実施について

(1)　平素から消防機関等関係諸機関と具体的かつ充分な協議を行ない施設の実態に即した消防計画の策定を図らせること。

また、有事の際における入所者の避難、収容について最寄り関係施設の相互協力体制の確立に努めること。

(2)　職員、入所者に対して常に避難経路を周知徹底させるとともに、定期的な避難訓練の実施に努めること。ことに夜間の火災においては、特殊な集団心理状況などのため悲惨な結果を招くことが多いことを考慮し夜間避難訓練の実施についてもその徹底を図ること。

(3)　自力避難の不可能な者については、できる限り１階（避難出入口が地上に通ずる階を含む。）または火災危険が少なく避難の容易な場所に収容すること。２階以上に収容する場合には、スロープの設置等避難のための措置について充分な配慮を払うこと。

４　火災発生時の措置について

火災の発生を知った時は、直ちに消防機関に通報するとともに、人身事故の防止を第一に考えて入所者の避難誘導に全力を挙げること。ことに入所者等へ火災発生を早期に知らせることが災禍の拡大を防ぐ有効な方途であるので、職員は冷静に各棟、各階のすべての入所者への周知に努めること。

５　有毒ガスを発生する新建材等について

最近普及している新建材、化学繊維のカーテン、寝具等には、火災に際して有害ガスを発生したために人身事故の原因となる例が多いので、これが整備にあたって、防火管理上の充分な配慮をすること。

６　自主点検の実施について

火災は人為的なものが多く、その発生場所、原因、経過等をみると、その建物等に居住又は勤務する人々の火災に対する注意心があれば未然に防止できるものであることにかんがみ、今回の一斉点検とは別に平素においても一斉点検事項等について定期的に自主点検を実施させ、火災危険の是正排除に努めること。

７　消防設備及び避難設備等の整備について

消防用設備及び避難設備等の未整備な施設については、早急に整備を行なう配意をすること。

８　最近発生した済生会八幡病院の火災において別紙２「済生会八幡病院の火災における問題点」に掲げるような欠陥がみられたので、了知のうえ指導すること。

別紙１

社会福祉施設防火管理設備等一斉点検要領

１　点検の実施時期

原則として昭和48年５月中に実施すること。

２　点検結果の報告

都道府県は、社会福祉施設の点検結果報告（別紙

様式1）に基づき、別紙様式2による不備欠陥項目別件数集計表（2―1）及び改善計画整備額集計表（2―2）2部を昭和48年6月30日までに社会局施設課あて提出すること。

3　対象施設

⑴　生活保護法による保護施設

救護施設、更生施設、医療保護施設、授産施設、宿所提供施設

⑵　老人福祉法による老人福祉施設

養護老人ホーム、特別養護老人ホーム、軽費老人ホーム、老人福祉センター

⑶　身体障害者福祉法による身体障害者更生援護施設

（ただし、国立施設は除く）

肢体不自由者更生施設、失明者更生施設、ろうあ者更生施設、内部障害者更生施設、身体障害者療護施設、重度身体障害者更生援護施設、身体障害者授産施設、重度身体障害者授産施設、身体障害者福祉工場、補装具製作施設、点字図書館、点字出版施設

⑷　売春防止法による婦人保護施設

婦人相談所一時保護所

婦人保護施設

⑸　児童福祉法による児童福祉施設

（ただし、国立施設は除く）

助産施設、乳児院、母子寮、保育所、養護施設、知的障害児施設、知的障害児通園施設、盲児施設、ろうあ児施設、虚弱児施設、肢体不自由児施設、肢体不自由児通園施設、重症心身障害児施設、情緒障害児短期治療施設、教護院、児童館

⑹　知的障害者福祉法による知的障害者援護施設、知的障害者更生施設、知的障害者授産施設、知的障害者総合援護施設

⑺　母子福祉法による母子福祉施設

母子福祉センター、母子休養ホーム

⑻　母子保健法による母子保健施設

母子健康センター

⑼　その他の社会福祉施設

生活の扶助を行なう施設、授産施設、宿所提供施設、盲人ホーム、無料低額診療施設、隣保館、へき地保健福祉館、有料老人ホーム

4　点検事項

「社会福祉施設点検結果報告」（別紙様式1）の「点検項目」欄に掲げる事項について点検すること。

5　報告書の記入要領

⑴　社会福祉施設点検結果報告（別紙様式1）について

ア　点検にあたっては、原則として防火管理者または、その補助者が行なうこと。なお点検の際、所轄消防署の指導を受けて点検にあたられたい。

イ　点検結果報告には、所轄消防署の確認を受けること。

ウ　「経営主体の名称」欄は、施設の経営主体の名称を、たとえば、○○市、○○町村一部事務組合、社会福祉法人○○会などのように記入すること。

エ　「設置主体の名称」欄は、経営主体と異なる場合についてのみ記入すること。

オ　点検項目の「適否」欄には、適合している場合にはAと、不適合である場合にはBと、設置の義務がない場合にはCと記入すること。

カ　「改善計画」欄は、改善を要する事項を記入し、その改善に必要な整備額（見込額）を併記すること。

⑵　社会福祉施設種類別、公立、民間立別、不備欠陥項目別件数集計表（2―1）（別紙様式2）について

ア　点検結果報告（別紙様式1）に基づき集計すること。

イ　施設数欄には点検結果報告のあった施設数を計上することとし、(　)内には、不備欠陥のあった施設数を計上すること。

ウ　点検結果報告（別紙様式1）による点検項目の「適否」欄中、「B」（不適合の場合）を種類別、公立、民間立別（経営主体のみ）にあげること。

エ　同一項目に不適箇所が2以上である場合であっても1件として取り扱うこと。

オ　児童福祉施設の助産施設と母子保健施設の母子健康センターが併設されている施設については、それぞれの施設数に計上し、当該施設数を括弧して再計すること。

⑶　社会福祉施設種類別、公立、民間立別、改善計画整備額集計表（2―2）について

ア　点検結果報告（別紙様式1）に基づき集計すること。

イ　「改善計画整備額内訳」欄は、点検結果報告（別紙様式1）の「改善計画」欄における改善に要する整備額をあげること。

別紙様式1

社会福祉施設点検結果報告

施設種別		施設名		所轄消防署の確認㊞			
所在地		経営主体の名称		防火管理者氏名			
施設長氏名		設置主体の名称		定員		実人員	
建物構造等	建物構造　　造・　　階建・建築延面積　　m²			点検年月日	年　月　日		

点検項目				適否	改善計画
防火施設	避難階段	施設	① 直通階段、避難階段及び特別避難階段の設置数が足りているか。		
			② 直通階段、避難階段及び特別避難階段の位置及び構造が適正であるか。		
		管理	③ 障害物件等放置し、避難に支障がないか。		
	非常口等	施設	④ 避難口（非常口）が足りているか。		
		管理	⑤ 避難口の附近に障害物がないか。		
	内装		⑥ 居室、廊下、階段等の内装材料が適正か。		
	防火区画	施設	⑦ 防火区画がなされているか。		
		管理	⑧ 防火戸及び防火シャッターの附近に障害物がないか。		
消防用設備	屋内消火栓設備	施設	① 設置されているか。		
		管理	② ボックス附近に障害物がないか。		
	スプリンクラー設備	施設	③ 設置されているか。		
	自動火災報知設備	施設	④ 設置されているか。		
		管理	⑤ 電源がきられたり、非常電源又は予備電源の容量が不足している等管理が不適当なものがないか。		
	漏電火災警報器	施設	⑥ 設置されているか。		
	非常警報設備	施設	⑦ 設置されているか。		
		管理	⑧ 電源がきられたり、非常電源の容量が不足している等管理が不適当なものがないか。		
	避難器具	施設	⑨ 設置されているか。		
		管理	⑩ 避難器具の附近に障害物がないか。 ⑪ 破損しているものがないか。		
	誘導灯	施設	⑫ 設置されているか。		
		管理	⑬ 電源がきられたり、非常電源の容量が不足している等管理が不適当なものがないか。		
防炎	カーテン布製ブラインド等		① 防炎性能を有しているか。		
防火管理	防火管理者		① 選任されているか。		
	消防計画の届出		② 届出されているか。		
	避難誘導		③ 出火点に応じた避難経路が決っているか。		
			④ 昼夜間、休日等の避難誘導体制が決まっているか。		
			⑤ 自力避難不能者に対する各階ごとの救出、救護体制は決っているか。		
			⑥ 定期的に避難訓練がされているか。		

別紙様式2　略

別紙2　略

○社会福祉施設における地震防災応急計画の作成について

〔昭和55年１月16日　社施第５号
各都道府県・各指定都市民生主管部(局)長宛　厚生省社会局施設・児童家庭局企画課長連名通知〕

注　平成11年３月31日社援施第17号改正現在

大規模地震による災害から国民の生命、身体及び財産を保護することを目的とする「大規模地震対策特別措置法」(昭和53年６月15日法律第73号) の制定後、国、地方公共団体をはじめ関係各方面で地震防災対策の充実、強化が図られているところであるが、社会福祉施設は地震災害の際に特に配慮を要する老人、心身障害児者、児童等が入所しているため、その地震防災対策を確立することが強く要請されている。

今般、社会福祉施設における地震防災対策を推進するため、「地震防災応急計画作成要領」及び「地震防災応急計画作成例」を別紙１及び別紙２のとおり定めたので御了知のうえ、関係社会福祉施設の地震防災対策の推進について特段の指導を願いたい。

（別紙１）

地震防災応急計画作成要領

第１　地震防災応急計画を作成する施設

社会福祉施設のうち地震防災応急計画を作成しなければならない施設は、大規模地震対策特別措置法第３条第１項に基づき指定された地震防災対策強化地域内の次に掲げる施設とする。

⑴　児童福祉法（昭和22年法律第164号）第７条に規定する児童福祉施設（児童遊園を除く。）

⑵　身体障害者福祉法（昭和24年法律第283号）第５条第１項に規定する身体障害者更生援護施設

⑶　生活保護法（昭和25年法律第144号）第38条第１項に規定する保護施設

⑷　社会福祉事業法（昭和26年法律第45号）第２条第２項第６号の授産施設

⑸　売春防止法（昭和31年法律第118号）第36条に規定する婦人保護施設

⑹　知的障害者福祉法（昭和35年法律第37号）第18条第１項に規定する知的障害者援護施設

⑺　老人福祉法（昭和38年法律第133号）第14条第１項に規定する老人福祉施設及び同法第29条第１項に規定する有料老人ホーム

第２　地震防災応急計画の基本となるべき事項

地震防災応急計画の基本となるべき事項は次のとおりであり、別紙２の「地震防災応急計画作成例」を参考のうえ、それぞれ施設の特性を勘案し、実態に即した地震防災応急計画を作成しなければならない。

⑴　地震予知情報及び警戒宣言の伝達に関すること。

地震予知情報等が地震警戒本部等外部機関と社会福祉施設及び社会福祉施設内部において確実に伝達されるようその経路及び方法を具体的に明示する。勤務時間内及び勤務時間外等の時間帯に応じ、伝達が確実に行われるよう定めるほか、必要な代替伝達方法等を定める。また入所者の保護者等への伝達方法等も定めるものとする。

⑵　地震防災応急対策の実施要員の確保等に関すること。

各社会福祉施設は、地震防災応急対策等を迅速かつ的確に実施するため指揮機能を有する組織を設置し、組織の構成、任務分担を定めるものとする。この場合、所要要員の不時の欠員に備え代替要員の確保についても配慮するものとする。

⑶　警戒宣言が発せられた場合、直ちに実施すべき措置に関すること。

警戒宣言が発せられた場合における施設及び設備の点検並びに整備、資機材の調達手配等地震による被害の発生の防止又は軽減を図るために実施すべき措置を定める。なお、工事中の建築物等については、地震発生時の危険性にかんがみ、原則として工事の中断の措置を講ずることを明示する。

⑷　警戒宣言が発せられた場合の入所者等の安全指導に関すること。

警戒宣言が発せられた場合の入所者等の安全指導の方法等を明示するとともに、安全指導に当たっては入所者等に不安動揺を与えないよう配慮する。

施設の立地条件、耐震性等から判断して、入所者等を退避させる場合を考慮して、避難誘導に関することを定める。特に、施設が避難対象地区にあるときは、避難場所、避難経路、避難誘導方法、避難実施責任者等を具体的に明示する。

入所者の保護者等への引継ぎの方法については、施設の種類や性格を十分考慮して具体的にその内容を明示する。

(5) 大規模な地震に係る防災訓練に関する事項

強化地域に係る大規模な地震を想定した防災訓練を年1回以上実施するものとし、その実施内容、方法等を明示する。

防災訓練の実施に当たっては、地方公共団体、地域の自主防災組織等との連携を図ることに努める。また、通所施設にあっては、必要に応じて入所者の保護者等の参加を要請する。

(6) 地震防災上必要な教育及び広報に関すること。

施設職員等に対して、その果たすべき役割等に相応した地震防災上の教育を実施するものとし、その実施内容、方法等を明示する。通所施設にあっては、入所者の保護者等にも地震防災教育を行い、入所者の引継ぎ等について周知徹底を図る。

(注) 地震防災応急計画は、社会環境の変化、施設設備の強化等に応じ絶えず見直しを行い、実態に即応したものとしておくこと。

第3 地震防災応急計画の作成方式、届出先等

施　　設	作 成 方 式	作 成 期 限	届出（提　出）先
第1に掲げる施設であって、消防法第8条第1項に規定する消防計画を作成することが必要とされていない施設	地震防災応急計画を作成すること。	地震防災対策強化地域の指定があった日から6月以内（注1）	地震防災応急計画を都道府県知事に届け出るとともに、その写しを市町村長に送付すること。（公立公営施設については届出、送付の必要はない。）
第1に掲げる施設であって、消防計画を作成することが必要とされている施設。	現行の消防計画を改正し、消防計画中に地震防災応急計画相当事項を定めること。（注2）	同　上	改正した消防計画を所轄消防長（消防本部を置かない市町村においては、市町村長）又は消防署長に届け出るとともに、その写しを市町村長に送付すること。（公立公営施設については、写しの市町村長への送付は必要ない。）

(注1) 大規模地震対策特別措置法第3条第1項の規定に基づく東海地震に係る地震防災対策強化地域の指定は、昭和54年8月7日に行われたので、当該地域内の社会福祉施設については昭和55年2月6日までに地震防災応急計画を作成の上、所要の届出、提出を行うこと。

(注2) 消防計画を改正し、消防計画中に地震防災応急計画相当事項を定めるに当たっては、現行の消防計画との整合性に十分留意すること。

第4 その他

1 地震防災対策強化地域内の社会福祉施設については、第1に掲げる施設以外の施設も、地震防災対策を推進するために地震防災応急計画を作成することが望ましい。

2 地震防災対策強化地域外の社会福祉施設についても、地震防災対策を推進する見地から、地震防災計画を作成することが望ましい。この場合、消防計画を作成することが必要とされている施設については、従来より消防計画中に地震対策に関する事項が規定されているが、別紙2等を参考の上、現行の消防計画中の地震対策に関する事項を見直し、不十分な場合にはその改正を行うものとする。

(注) 地震防災対策強化地域外については、警戒宣言の発令、地震防災応急対策の実施等は行われないので、別紙2中の「第3章　地震防災応急対策」等は参考とする必要はないこと。

（別紙２）

地震防災応急計画作成例

第１章　総　則

（目的）

第１条　この計画は、大規模地震対策特別措置法（昭和53年法律第73号）第７条に基づき、○○○○○○（以下「施設」という。）における地震防災について必要な事項を定め、もって大規模地震による災害から、施設入所者、職員等の生命、身体及び財産を保護することを目的とする。

（人命の安全確保）

第２条　地震防災対策は、施設入所者、職員等の人命の安全の確保を第一義として実施する。

（適用範囲）

第３条　この計画は、施設入所者、職員その他施設に出入りするすべての者に適用する。

消防計画中に地震防災応急計画相当事項を定める場合には、本章は必要ない。

第２章　平常時における対策

（地震防災対策委員会）

第４条　地震防災業務の適切な実施を図るため、地震防災上の基本的な事項を審議する地震防災対策委員会（以下「委員会」という。）を置く。

２　委員会の委員長は施設長とする。

３　委員会に、地震災害予防の措置を実施する点検班、備蓄班、教育班、訓練班を置く。委員長は各班の班長を定め、班長は委員会の委員となる。

（委員会の開催）

第５条　委員会は、定例会と臨時会の２種とし、定例会は毎四半期に１回、臨時会については委員長が必要と認める時に開催する。

（委員会の審議事項）

第６条　委員会は、次の各号について審議検討する。

⑴　地震防災応急計画の策定及び改正に関すること。

⑵　地震防災活動隊の編成及び活動に関すること。

⑶　施設の立地条件の確認に関すること。

⑷　施設の耐震化及び設備、備品の安全対策に関すること。

⑸　食料、飲料水、医薬品等の備蓄及び応急復旧用資機材等の整備に関すること。

⑹　地震防災情報連絡網の策定に関すること。

⑺　避難地及び避難経路の指定等の避難誘導に関すること。

⑻　その他地震防災について必要な事項に関すること。

消防計画中に地震防災応急計画相当事項を定める場合には、地震防災対策の章を設け、地震防災応急計画相当事項を定める。

〔例〕

第○章　地震防災対策

第１節　平常時における対策

…………………………

第２節　地震防災対策

…………………………

第３節　地震災害応急対策

…………………………

消防計画において防火管理委員会等が設けられている場合には、防火管理委員会等において地震防災上の基本的な事項の審議を行うこととし、特に地震防災対策委員会を設置しなくてよい。

〔例〕

（防火管理委員会）

第○条　防火管理業務、地震防災業務の適切な実施を図るため、防火管理、地震防災上の基本的な事項を審議する防火管理委員会（以下「委員会」という。）を置く。

…………………………

（点検）

第７条　点検班は、地震災害及び二次災害を防止するため、施設の安全確認、設備・備品等の落下・転倒等の防止措置、火気使用設備器具・危険物等の安全点検及び消防用設備の作動確認等を定期的に行うものとする。

（備蓄）

第８条　備蓄班は、食料、飲料水、医薬品等の備蓄及び応急復旧用資機材等の整備を行うとともに、これらの点検を定期的に行うものとする。

（地震防災教育）

第９条　教育班は、地震防災についての職員及び入所者等の関心と理解を高めるため、地震防災教育を行う。

２　地震防災教育は、次の各号について行うものとする。

⑴　地震及び地震災害についての基礎的な知識

地震防災教育は、現行の消防計画中の防災教育に盛り込んで行うこととしてよい。

⑵　警戒宣言の性格及びこれに基づきとられる措置の内容
⑶　地震防災応急計画の周知徹底
⑷　警戒宣言が発せられた場合及び地震が発生した場合に職員及び入所者等が具体的にとるべき行動
⑸　その他地震防災について必要な事項

（地震防災訓練）
第10条　訓練班は、警戒宣言発令後の地震防災応急対策及び地震発生後の地震災害応急対策の円滑な遂行を図るため地震防災訓練を計画的に行うものとする。
2　地震防災訓練は、職員及び入所者等が参加して、情報の伝達、消火、救護、安全指導等を連携して行うものとする。なお、必要に応じて地域の自主防災組織の参加、消防機関等の指導を要請するものとする。

地震防災訓練は、現行の消防計画中の防災訓練に盛り込んで行うこととしてよい。

第３章　地震防災応急対策

（地震防災活動隊）
第11条　地震防災業務の適切な実施を図るため、地震防災応急対策及び地震災害応急対策を遂行する地震防災活動隊（以下「活動隊」という。）を置く。
2　活動隊は、隊長、副隊長、情報班、消火班、安全指導班、救護班、応急物資班から構成する。
3　活動隊の隊長は施設長とする。隊長は副隊長及び各班の班長を定め、副隊長及び班長は委員会の委員となる。

地震防災活動隊は、消防計画においては、警戒宣言が発せられた場合の自衛消防及び地震防災のための組織となるものである。
〔例〕
（地震防災活動隊）
第○条　大規模地震対策特別措置法に基づく警戒宣言が発せられた場合の自衛消防及び地震防災の組織として地震防災活動隊（以下「活動隊」という。）を置く。活動隊は警戒宣言が発せられた後の地震防災応急対策及び地震発生後の災害応急対策を遂行する。
………………………………

（隊長及び副隊長の職務）
第12条　隊長は、地震防災応急対策及び地震災害応急対策の実施全般についての一切の指揮を行うものとする。
2　副隊長は、隊長を補佐し隊長に事故がある時は、副隊長がその職務を行う。

（情報の伝達）
第13条　警戒宣言発令等の情報を入手した者は、速やかに情報班に報告しなければならない。
2　情報班は、警戒宣言発令等の情報を入手した場合は、直ちに隊長に報告するとともに、市町村警戒本部、消防署、警察署等と連絡をとり、正確な情報の入手に努める。
3　情報班は、隊長の指導のもとに、地震防災情報連絡網の定めるところにより、職員等に警戒宣言の発令及び隊長の指示等を連絡する。

（消火活動の準備）
第14条　消火班は、警戒宣言が発令された場合には、危険物の安全確認、消防用設備の配備、火気使用の制限等発火防止のための措置をとるものとする。

（救護活動の準備）
第15条　救護班は、警戒宣言が発令された場合には、救急医薬品の確保、緊急救護所の設置等を行うものとする。

（応急物資の確保）
第16条　応急物資班は、警戒宣言が発令された場合には、食料、飲料水、応急復旧用資機材を確保するとともに、必要に応じて搬出を行うものとする。

（工事等の中止）
第17条　隊長は、警戒宣言が発令された場合に、施設内において建築工事等の作業を行っているときは、直ちに工事等の中断の措置を行うものとする。なお、特別の必要により補強、落下防止等の措置を実施するものについては、作業員の安全に配慮するものとする。

（安全指導）

第18条　安全指導班は、警戒宣言が発令された場合には、設備・備品等の落下・転倒等の防止措置、非常口の開放、避難の障害となる備品の除却等を行うとともに、隊長の指示に従い入所者に現在の状況を連絡し、不必要な不安動揺を与えないようにするものとする。

2　隊長は、施設の立地条件、耐震性等から判断して、安全指導班を指示し、必要に応じて入所者等を避難場所に避難させるものとする。

3　入所者の保護者等への引継ぎは、保護者が直接施設又は避難場所へ引き取りに来た場合のみ行う。

第4章　地震災害応急対策

本章は地震防災応急計画事項ではないが、整備しておく方が望ましい。

（地震発生後の情報の伝達）

第19条　情報班は、地震発生後直ちに市町村警戒本部又は市町村災害対策本部、消防署、警察署等と連絡をとり、正確な情報の入手に努めるとともに、適切な指示を仰ぎ隊長に報告するものとする。

2　情報班は、保護者へ入所者の状況を連絡するものとする。

（消火）

第20条　消火班は、地震発生後直ちに火元の点検、ガス漏れの有無の確認等を行い、発火の防止に万全を期するとともに、発火の際には消火に努めるものとする。

（救護）

第21条　救護班は、負傷者の救出、応急手当及び病院等への移送を行うものとする。

（地震発生後の安全指導）

第22条　安全指導班は、地震発生後直ちに入所者等の安全確認を行うとともに、施設設備の損壊状況を調査し、隊長に報告するものとする。また、隊長の指示に従い入所者に現在の状況を連絡し、不必要な不安動揺を与えないようにするものとする。

2　隊長は、施設の損壊状況、市町村警戒本部又は市町村災害対策本部からの情報等から判断して、安全指導班を指示し、必要に応じて入所者等を避難場所に避難させるものとする。

3　入所者の保護者等への引継ぎは、保護者が直接施設又は避難場所へ引き取りに来た場合のみ行う。

（炊き出し）

第23条　応急物資班は、食料、飲料水等の確保に努めるとともに、炊き出し、飲料水の供給等を行うものとする。

（地域住民等との協力）

第24条　地震防災訓練、地震防災応急対策及び地震災害応急対策の実施については、地域住民、防災関係機関、入所者の保護者等と十分連携をとり、行うものとする。

○社会福祉施設における防災対策の強化について

〔昭和58年12月17日　社施第121号
各都道府県・各指定都市民生主管部(局)長宛　厚生省社会局施設・児童家庭局企画課長連名通知〕

昨今、全国各地において災害が多発し、またその態様も火災、地震、集中豪雨、ガス爆発等多種多様であり、多数の人命、財産が失われている。また、冬季においては、暖房器具の使用により火災の発生も懸念されるところである。

社会福祉施設は、老人・児童・心身障害者等災害時に特に配慮を要する者が入所（利用）していることから、各種の災害に備えた十分な防災対策を期する必要がある。

ついては、「社会福祉施設における火災防止対策の強化について(昭和48年4月13日社施第59号)」及び「社会福祉施設における地震防災応急計画の作成について（昭和55年1月16日社施第5号)」等の各通知をもとに社会福祉施設の防災対策に万全を期するよう指導を願っているが、さらに次の事項について今一度点検、確認等を行うとともに、その結果明らかとなった問題点については、速やかに改善措置を講ずるよう貴管下社会福祉施設を指導願いたい。

(1)　職員等の防災意識の高揚

災害発生の未然防止のためには、職員、入所者等が日頃から防災意識を強くもつことが肝要である。

施設の管理者は職員、入所者等に対し、防災意識の植え付け・育成に留意し、くれぐれも災害による人身事故が発生しないよう最大限に配慮すること。

(2)　防火管理体制の整備

施設の管理者は、施設の実態に即した防火管理体制の整備を図るとともに、全職員の責任分担を明確にし、非常の際には迅速かつ円滑に機能するよう、その確認を行うこと。

(3)　消防用設備及び避難設備等の点検

消火設備、警報設備、避難設備等の整備は、不測の事態に対処するためには不可欠であるので、設備設置の確認と併せこれらの設備等が常時機能するよう管理されているか点検を行うこと。

(4)　有効な避難訓練の実施

職員及び入所者に対して避難場所、避難経路など避難時における知識を周知させるとともに、非常時には迅速かつ安全に避難を行えるよう有効な避難訓練を適宜実施すること。

なお、夜間の災害の発生に際しては一層の混乱が予測されることから、夜間における訓練も併せて実施すること。

(5)　消防機関等関係諸機関との協力体制の確立

消防機関はもとより、地域の消防組織等との連絡を密にし、施設の内部構造及び入所者の実態を十分認識してもらうとともに、避難消火等が円滑に実施できるよう協力体制の確立に努めること。

(6)　危険物の管理

防火管理責任者は、常時、暖房器具類の管理はもとより、プロパンガス、重油等の危険物の保管状況について十分点検、確認を行うこと。

(7)　その他

入所者のうち自力避難の困難な者については、避難の容易な場所に可能な限り部屋換えを行うこと。

また、非常口、避難器具等の付近に障害物を置かないことなどきめ細かな防災対策に心がけること。

○児童福祉施設等における児童の安全の確保について

〔平成13年6月15日　雇児総発第402号
各都道府県・各指定都市・各中核市民生主管部(局)長宛
厚生労働省雇用均等・児童家庭局総務・社会・援護局障害保健福祉部障害福祉課長連名通知〕

保育所、児童養護施設等の児童福祉施設等の入所児童や放課後児童健全育成事業等の児童福祉事業の利用児童の安全の確保については、従来から種々ご尽力いただいているところであります。

今般、大阪府内の小学校において児童が殺傷される痛ましい事件が発生し、本年6月8日付け雇用均等・児童家庭局総務課長通知であらためて児童の安全の確保に努めるよう注意喚起をお願いしたところでありますが、児童福祉施設等におけるこのような事件の発生予防は言うに及ばず、万一発生した場合には迅速かつ的確な対応が重要であり、施設等においては、日頃から職員の協力体制は勿論のこと、保護者との緊密な連絡体制や警察等地域関係機関との連携体制等を確保することが重要です。

また、児童が安全な環境の中で安心して育っていくことができるよう、施設も参加した地域のコミュニティーづくりを推進し、このような事件の発生予防につなげていく必要があります。

ついては、危機管理の観点から現状を点検し、問題点を把握することにより児童の安全の確保を一層充実するため、とり急ぎ別添の点検項目を策定したので、下記の事項にも留意の上、管内市町村及び児童福祉施設等に対する指導をお願いします。

なお、別添の点検項目については、今後、関係者からの意見等を踏まえ、追加・修正等を行う場合があることを申し添えます。

おって、この通知は、地方自治法（昭和22年法律第67号）第245条の４第１項の規定に基づく技術的な助言であります。

記

1　児童福祉施設等については、従来から、地域に開かれた施設づくりを推進してきており、地域のボランティア、保護者、関係団体等の協力も得つつ、地域と一体となって児童の安全確保に努めること。地域に開かれた施設づくりは、危険に関する情報の収集や緊急時の支援にもつながることから、徒らに施設開放に消極的にならないよう留意すること。

2　児童福祉施設等の児童の安全の確保については、都道府県、市町村と各施設等が一体となって対策を検討すること。

3　点検項目については、標準的なガイドラインとして策定したものであり、実施に当たっては、地域や施設の実情に応じて適宜追加・修正して差し支えないこと。

（別添―１）

都道府県・市町村の施設・事業の所管課
における点検項目

1　日常の安全管理

（方針の明示と施設等間の情報交換）

○児童の安全確保についての都道府県・市町村の方針等を明らかにしているか。

○管内の施設等の間での情報の迅速な交換ができる体制をつくっているか。

（関係機関・団体との連携）

○児童の安全確保のため、次のような措置を講じ、関係機関・団体との連携を図っているか。

・警察、児童相談所、福祉事務所、保健所等の関係機関や関係団体、民生・児童委員等への協力要請や情報交換を行っている。

・近接する都道府県・市町村間等で不審者等に関する情報を提供しあう体制をとっている。

2　緊急時の安全確保

（不審者情報がある場合の体制）

○管内の施設等の周辺における不審者等の情報が入った場合には、次のような措置をとる体制を整備しているか。

・速やかに関係する地域の施設等に情報を提供し、注意喚起すること。

・警察に対し、当該施設等の周辺におけるパトロール等の実施を要請するなど、関係機関との連携を図る。

・地域の関係団体に注意喚起し、児童の安全確保のための協力を求める。

（不審者の立入りなど緊急時の体制）

○管内の施設等において、不審者が立ち入った場合などの緊急時に備え、次のような体制を整備しているか。

・施設等からの緊急時の連絡に対応する体制をとっている。

・緊急時に、関係部局等とも連携し、直ちに職員を派遣するなど、施設等における危機管理を支援する体制をとっている。

（別添―２）

児童福祉施設・事業（通所型）における
点検項目

1　日常の安全管理

（職員の共通理解と所内体制）

○安全管理に関し、職員会議等で取り上げるなど、職員の共通理解を図っているか。

○児童の安全管理に関して、職員の役割を明確にし、協力体制のもと事故防止にあたっているか。

○職員体制が手薄の時は、特に安全に対し注意しているか。

○万一の場合の避難場所や保護者・関係機関等への連絡方法を職員に周知しているか。

○来訪者用の入口・受付を明示し、外部からの人の出入りを確認しているか。

○防災・防犯のための避難訓練等を実施しているか。

（関係機関等との連携）

○市町村の施設・事業所管課、警察署、児童相談所、保健所等関係機関や民生・児童委員、地域団体と連絡を取り、連携して情報を共有できる体制となっているか。

○関係機関からの注意依頼文書を配布・掲示するなど周知徹底しているか。

○近隣の個人、保育所、幼稚園、学校等と相互に情報交換する関係になっているか。
（施設・事業者と保護者の取り組み）
○児童に対し、犯罪や事故から身を守るため、屋外活動に当たっての注意事項を職員が指導しているか。また、家庭でも話し合われるよう働きかけているか。
（施設設備面における安全確保）
○門、囲障、外灯、窓、出入口、避難口、鍵等の状況を点検しているか。
○危険な設備、場所等への囲障の設置、施錠等の状況を点検しているか。
○自動警報装置、防犯監視システム等を設置している場合は、作動状況の点検、警備会社等との連携体制を確認しているか。
（近隣地域の危険箇所の把握と対応）
○日頃から地域の安全に目を配り、危険箇所の把握に努めているか。
（保育所・障害児通園施設の通所時における安全確保）
○児童の送迎は原則として保護者が行うべきことを保護者に徹底しているか。
○ファミリー・サポート・センターやベビーシッターを利用する場合等保護者以外の者が迎えに来る場合、原則としてその都度職員が保護者に確認しているか。
（保育所・障害児通園施設の所外活動における安全確認）
○危険な場所、設備等を把握しているか。
○携帯電話等による連絡体制を確保しているか。
（保育所・障害児通園施設の安全に配慮した施設開放）
○施設開放時は、保護者に対して児童から目を離さないよう注意を喚起しているか。
（児童館・放課後児童クラブ児童の来所及び帰宅時における安全の確保）
○来所の利用児童について、保護者等への連絡先が把握されているか。
○児童の来所及び帰宅に関しては、地域の危険箇所を把握し、児童・保護者に注意を喚起しているか。
○児童が来所及び帰宅途上で犯罪、事故に遭遇した時、交番や「こども110番の家」等に緊急避難できるようあらかじめ児童・保護者に場所を周知しているか。
○放課後児童クラブの児童に関しては、安全な経路を通るよう指導しているか。

2　緊急時の安全確保
（不審者情報がある場合の連絡等の体制）
○施設周辺における不審者等の情報が入った場合に、次のような措置をとる体制を整備しているか。
・職員間による状況認識の一致を図り、職員体制を確立する。
・児童・保護者等の利用者に対して、情報を提供し、必要な場合には職員の指示に従うよう注意を喚起する。
・警察に対しパトロールを要請する等警察と連携を図る。
・児童の安全確保のため、保護者や民生・児童委員、地域活動団体等の協力を得ている。
（不審者の立入りなど緊急時の体制）
○施設内に不審者が立ち入った場合など緊急時に備え、次のような体制を整備しているか。
・直ちに職員が協力体制を取り、人身事故が起きないよう事態に対応する。
・不審者に対し、施設外への立ち退きを要求する。
・直ちに施設長を始め、職員に情報を伝達し、児童への注意喚起、児童の安全を確保し、避難誘導等を行う。
・警察や施設・事業所管課、保護者等に対し、直ちに通報する。

（別添―３）

児童福祉施設（入所型）における点検項目

1　日常の安全管理
（職員の共通理解と施設内体制）
○安全確保に関し、職員会議等で取り上げるなど、職員の共通理解を図っているか。
○来訪者用の入口・受付を明示し、外部からの人の出入りを確認しているか。
○来訪者の予定について、朝会などで職員間に情報提供し、対応する職員に確認をしているか。
○万一の場合の避難場所や保護者・関係機関等への連絡方法を職員に周知しているか。
○防災・防犯のための避難訓練等を実施しているか。
（不審者情報に係る地域や関係機関等との連携）
○施設周辺等における不審者等の情報について、次のような方法により把握できる体制をとっているか。
・日頃から警察などの関係機関と連携して、情報を速やかに把握できる体制をとっている。
・地域の自治会、民生・児童委員や通学する学校等との間で情報を提供しあう体制をとっている。
（施設生活や外出中における安全確保の体制）
○施設生活（交流行事など）や外出中における安全確保のための職員の役割分担を定め、入所児童の状況を把握しているか。
（登下校時における安全管理の体制）
○登下校時において、入所児童の安全が確保されるよう、次のような措置を講じているか。
・入所児童に対し定められた通学路を通って登下校するように指導している。

・通学路において人通りが少ないなど、入所児童が登下校の際により注意を払うべき箇所をあらかじめ把握し、注意喚起している。
・登下校時等の万一の場合、交番や児童委員の家等の入所児童が避難できる場所を入所児童一人一人に周知している。

（安全に配慮した施設開放）

○施設開放に当たって、次のような措置を講じ、安全への配慮を行っているか。
・施設開放時における開放部分と非開放部分との区別を明確に示し、非開放部分への不審者等の侵入防止のための方策を講じている。
・来訪者に対して、施設開放時の安全確保等について記載したパンフレットなどを配布し、注意喚起している。

（施設設備面における安全確保）

○門、囲障、外灯、窓、出入口、避難口、鍵等の状況を点検しているか。

○危険な設備、場所等への囲障の設置、施錠等の状況を点検しているか。

○自動警報装置、防犯監視システム等を設置している場合は、作動状況の点検、警備会社等との連絡体制を確認しているか。

（入所児童に対する安全管理についての指導）

○入所児童が犯罪や事故の被害から自分を守るため、戸外での行動に当たって遵守すべき事項について、施設は入所児童に指導しているか。

2　緊急時の安全確保

（不審者情報がある場合の連絡等の体制）

○施設周辺における不審者等の情報が入った場合に、次のような措置をとる体制を整備しているか。
・職員間による状況認識の一致を図り、職員体制を確立する。
・警察に対しパトロールを要請する等警察と連携を図る。
・緊急時の入所児童の避難方法や登下校の方法などについて、あらかじめ対応方針を定めている。
・児童の安全確保のため、民生・児童委員や地域活動団体等の協力を得ている。

（不審者の立入りなど緊急時の体制）

○施設内に不審者が立ち入った場合など緊急時に備え、次のような体制を整備しているか。
・直ちに職員が協力体制を取り、人身事故が起きないよう事態に対応する。
・不審者に対し、施設外への立ち退きを要求する。
・直ちに施設長を始め、職員に情報を伝達し、児童への注意喚起、児童の安全を確保し、避難誘導等を行う。
・警察や施設・事業所管課等に対し、直ちに通報する。

○児童福祉施設等における利用者の安全確保及び非常災害時の体制整備の強化・徹底について

（平成28年9月9日　雇児総発0909第2号
各都道府県・各指定都市・各中核市児童福祉主管部局長宛
厚生労働省雇用均等・児童家庭局総務課長通知）

8月31日に、岩手県下閉伊郡岩泉町の認知症高齢者グループホームにおいて、台風第10号に伴う暴風及び豪雨による災害発生により多数の利用者が亡くなるという痛ましい被害がありました。

児童福祉施設等は、災害発生時の避難に当たって支援を要する者が利用していることから、利用児童等の安全を確保するため、水害・土砂災害を含む各種災害に備えた十分な対策を講じる必要があります。

これまでも「社会福祉施設における防災対策の強化について」（昭和58年12月17日社施第121号）等のほか、今回の被害を踏まえ発出した「社会福祉施設等における非常災害対策及び入所者等の安全の確保について」（平成28年9月1日雇児総発0901第3号、社援基発0901第1号、障障発0901第1号、老高発0901第1号）の各通知及び関係法令に基づき、児童福祉施設等の非常災害対策に万全を期するよう、指導を行っていただいているところですが、今回の被害の状況を踏まえて特に留意すべき事項を下記のとおりまとめましたので、管内市町村及び貴管下児童福祉施設等へ周知いただくとともに、都道府県、市町村におかれては、水害・土砂災害を含む非常災害時の計画の策定状況、避難訓練の実施状況（実施時期等）に関し、指導・助言いただき、その結果について点検いただくようお願いいたします。

また、下記3に記載しているとおり、非常災害対策計画の策定状況や避難訓練の実施状況については、別紙項目について年末時点の状況を調査する予定ですので、ご承知おきください。なお、下記1、2に記載する留意点については、下記3に記載する調査対象施設以外においてもご参考としてくださいますようお願いいたします。

なお、本通知につきましては、内閣府や消防庁等関係省庁及び省内関係部局と協議済みであることを申し添えます。

記

1　情報の把握及び避難の判断について

児童福祉施設等の管理者を含む職員は、日頃から、気象情報等の情報把握に努めるとともに、市町村が発令する「避難準備情報」、「避難勧告」等の情報については、確実に把握し、利用児童等の安全を確保するための行動をとるようにすること。

このため、災害時に市町村が発令する「避難準備情報」等を児童福祉施設等が入手する方法について、停電等の場合も含め、予め所在市町村に確認すること。

また、「避難勧告等の判断・伝達マニュアル作成ガイドライン」（平成27年８月19日付内閣府策定）において、「避難準備情報」発令の段階で、災害時要配慮者は、避難の開始が求められることから、予め定めた避難場所へ避難するなど適切な行動をとる旨、避難計画に定め、発令された際には適切に行動すること。「避難勧告」や「避難指示」においても、適切に行動すること。なお、これらの実施に当たっては、内閣府が作成した別添１「水害や土砂災害から命を守るために！～社会福祉施設など災害時要配慮者利用施設の管理者の皆様へ～」も参照すること。

特に、近年、「想定外」の大規模な災害が発生することも多いことから、過去の経験のみに頼ることなく、利用児童等の安全を確保するために必要な対応を最優先に検討し、早め早めの対応を講じること。

「避難準備情報」等に基づき、職員に求められる行動に関しては、別添２「今後の水害等に備えた警戒避難態勢の確保について（周知依頼）」（平成28年９月２日付事務連絡（厚生労働省雇用均等・児童家庭局総務課、社会・援護局福祉基盤課、社会・援護局障害保健福祉部障害福祉課、老健局高齢者支援課））を参照願いたい。

2　非常災害対策計画の策定及び避難訓練について

児童福祉施設等は、非常災害に関する具体的な計画（以下「非常災害対策計画」という。）を定めることとされているが、この計画では、火災に対処するための計画のみではなく、火災、水害・土砂災害、地震等に対処するための計画を定めることを想定しており、必ずしも災害ごとに別の計画として策定する必要はないが、水害・土砂災害、地震等地域の実情にも鑑みた災害にも対処できるものとすること。

非常災害対策計画に盛り込む項目としては、以下の例が考えられる。非常災害対策計画は、実際に災害が起こった際にも利用児童等の安全が確保できる実効性のあるものとすることが重要であり、別添３～４の資料も参考としながら、各児童福祉施設等の状況や地域の実情を踏まえた内容とすること。（施設が所在する都道府県等で防災計画の指針等が示されている場合には、当該指針等に基づき策定するものとする。）

【具体的な項目例】

・児童福祉施設等の立地条件（地形　等）
・災害に関する情報の入手方法（「避難準備情報」等の情報の入手方法の確認　等）
・災害時の連絡先及び通信手段の確認（自治体、家族、職員　等）
・避難を開始する時期、判断基準（「避難準備情報発令」時　等）
・避難場所（市町村が指定する避難場所、施設内の安全なスペース　等）
・避難経路（避難場所までのルート（複数）、所要時間　等）
・避難方法（利用児童の年齢や発達に応じた避難方法　等）
・災害時の人員体制、指揮系統（災害時の参集方法、役割分担、避難に必要な職員数　等）
・関係機関との連携体制　等

また、非常災害対策計画の内容を職員間で十分共有するとともに、関係機関と避難場所や災害時の連絡体制等必要な事項について認識を共有すること。

さらに、避難訓練を実施し、非常災害対策計画の内容を検証し、見直しを行うこと。その際には、必要に応じて夜間の時間帯にも実施するなど、混乱が想定される状況にも対応できるよう、訓練を実施すること。

非常災害対策計画の策定過程においても、災害に関する情報の入手方法や避難場所等必要な情報が施設内で共有されていない場合には、速やかに共有しながら、策定を進めること。

非常災害対策計画の策定に際しては、地域の関係者と連携及び協力することとし、地域の関係者と課題や対応策を共有しておくこと。

上記に記載した留意事項は、今般の事案の課題を踏まえたものであるが、既に発出されている通知等も踏まえて児童福祉施設等における非常災害対策を講じること。

3　点検及び指導・助言について

都道府県及び市町村は、上記1、2に記載した留意事項を踏まえ、児童福祉施設等における水害・土砂災害を含む非常災害対策計画の策定状況及び避難訓練の実施状況について点検し、水害・土砂災害を含む非常災害対策計画が策定されていない場合、策定されているが項目等が不十分である場合については、速やかに改善し、遅くとも年内までに改善されるよう、指導・助言を行うこと。

また、避難訓練についても水害・土砂災害を含む避難訓練を実施できていない場合には、速やかに実施し、遅くとも避難訓練実施の予定を年内までに立てるように指導・助言を行うこと。

別紙の3の対象施設における別紙の1、2に記載した項目について、年末時点の状況を都道府県又は市町村において把握及び報告をお願いすることとなる。

なお、別紙の項目については、今後、状況により変更する可能性があることを予めご承知おき願いたい。

【参考となる資料】

（別添1）「水害や土砂災害から命を守るために！～社会福祉施設など災害時要配慮者利用施設の管理者の皆様へ～」（内閣府作成）　略

（別添2）「今後の水害等に備えた警戒避難態勢の確保について（周知依頼）」（平成28年9月2日付事務連絡（厚生労働省雇用均等・児童家庭局総務課、社会・援護局福祉基盤課、社会・援護局障害保健福祉部障害福祉課、老健局高齢者支援課）　略

（別添3）「保育施設のための防災ハンドブック」（経済産業省作成）　略
http://www.meti.go.jp/policy/servicepolicy/bousai2.pdf

（別添4）「児童福祉施設における防災計画作成指針」（平成25年1月石川県健康福祉部少子化対策監室）　略
http://www.pref.ishikawa.lg.jp/kosodate/bousai/documents/manual.pdf

（別　紙）

調査項目案（予定）

1　非常災害対策計画

①　水害・土砂災害を含む非常災害対策計画が策定されているか。

②　①で策定されている非常災害対策計画に以下の項目がそれぞれ含まれているか。

・児童福祉施設等の立地条件
・災害に関する情報の入手方法
・災害時の連絡先及び通信手段の確認
・避難を開始する時期、判断基準
・避難場所
・避難経路
・避難方法
・災害時の人員体制、指揮系統
・関係機関との連携体制

2　避難訓練

①　平成28年に水害・土砂災害の場合を含む避難訓練が実施されたか。

②　されていない場合、実施予定時期はいつか。

3　対象施設

・助産施設　・乳児院　・母子生活支援施設
・保育所　・幼保連携型認定こども園
・児童厚生施設（児童館・児童センター）
・児童養護施設　・情緒障害児短期治療施設
・児童自立支援施設　・家庭的保育事業所
・小規模保育事業所　・事業所内保育事業所
・児童相談所一時保護施設　・婦人相談所一時保護施設　・認可外保育施設　・自立援助ホーム
・婦人保護施設　・放課後児童クラブ

※　上記項目は厚生労働省において調査する予定の項目を示したものであり、非常災害対策として上記項目のみを実施すれば足りるというものではない。

※　上記項目については、現時点で予定している項目であり、今後、項目の追加・変更等がありうる。

7　職員・労務

○社会福祉法人の経営する社会福祉施設の長について

〔昭和47年５月17日　社庶第83号
各都道府県知事宛　厚生省社会・児童家庭局長連名通知〕

注　平成11年３月30日社援第830号改正現在

社会福祉法人の経営する社会福祉施設の長（以下「施設長」という。）については、関係省令又は通知でその要件が規定されており、施設の認可や施設の監査等の際に厳重にその審査を行なっているものと存ずるが、最近における施設の新増設の急増傾向にかんがみ、施設運営のより一層の健全化を期するため、施設の新増設に係る社会福祉法人の設立又は定款変更の認可申請にあたっては、必ず施設長に就任することを予定している者の履歴書を添付し、その者が施設長としての資格を有すること等施設長としてふさわしい者であることを立証するよう指導するとともに、申請副申書の総括的意見の欄に当該施設長に関する貴職の意見を附記願いたい。

なお、関係省令又は通知に規定されている要件のうち、具体的要件に該当する者と同等以上の能力を有すると認められる者等、抽象的規定に係る判定については、特に厳格に行なうとともに、既存施設の施設長の変動に際しても引き続き強力な指導を行なうよう配意願いたい。

社会福祉施設の長の資格（参考）

施設種別	名称	資格内容	根拠規程
救護施設 更生施設 授産施設 宿所提供施設	施設長	１　社会福祉事業法第18条各号のいずれかに該当する者 ２　社会福祉事業に２年以上従事した者 ３　これと同等以上の能力を有すると認められる者	救護施設等の設備及び運営に関する最低基準 41．７．１　厚令18
助産施設 乳児院 乳児預り所 母子寮 保育所 児童厚生施設 養護施設 知的障害児施設 虚弱児施設 し体不自由児通園施設 盲児施設 ろうあ児施設	施設長	健全な心身を有し、児童福祉事業に熱意のある者であって、できる限り児童福祉事業の理論及び実際について訓練を受けた者 国公立の施設にあっては、児童福祉事業に２年以上従事した者又はこれと同等以上の能力を有すると認められる者であること。	児童福祉施設最低基準 23．12．29　厚令63 及び児童福祉施設最低基準等の一部を改正する省令（児童家庭局関係）の施行について 62．３．９　児発141
し体不自由児施設	施設長	整形外科の診療に相当の経験を有する医師	
教護院	施設長	１　教護の職にあった者等児童の教護事業に５年以上従事した者 ２　児童の教護事業に関し、特別の学識経験を有する者であって、厚生大臣が適当と認定した者	

重症心身障害児施設	施　設　長	内科、精神科、神経科、小児科、外科、整形外科又は理学診療科の診療に相当の経験を有する医師	
情緒障害児短期治療施設	所　　　長	精神医学又は心理学を専攻した者で、とくに児童精神医学又は児童心理学を研究しかつ、個人及び集団心理療法の技術を十分に有する者	情緒障害児短期治療施設の設備及び運営の基準について 36．7．31　発児178
知的障害児通園施設		（知的障害児施設に同じ）	
知的障害者援護施設	施　設　長	1　社会福祉事業に5年以上従事した者であって援護施設を運営するのに適切であると認められる者 2　精神衛生に関して相当の学識経験を有する医師 3　前2号に掲げる者と同等以上の学識経験を有すると認められる者	知的障害者援護施設基準 43．5．10　厚令14
養護老人ホーム 特別養護老人ホーム	施　設　長	1　社会福祉事業法第18条各号のいずれかに該当する者 2　社会福祉事業に2年以上従事した者 3　前2号に掲げる者と同等以上の能力を有すると認められる者	養護老人ホーム及び特別養護老人ホームの設備及び運営に関する基準 41．7．1　厚令19
軽費老人ホーム	施　設　長	1　社会福祉事業法第18条に規定する社会福祉主事の資格を有する者 2　社会福祉事業に2年以上従事した者であって軽費老人ホームを適切に運営する能力を有する者	「軽費老人ホーム」の設置及び運営について 36．4．4　社発207
肢体不自由者更生施設 重度身体障害者更生援護施設 視覚障害者更生施設 聴覚・言語障害者更生施設 内部障害者更生施設 身体障害者療護施設 身体障害者授産施設 重度身体障害者授産施設 身体障害者通所授産施設	施　設　長	医師、各施設の入所対象者に係る分野に関する特殊教育諸学校の長であった者、同分野に係る特殊教育教員免状を有する者であって3年以上同分野における福祉、教育の経験を有するもの、身体障害者福祉司若しくは社会福祉主事として5年以上勤務した者又はこれらに準ずる者	身体障害者更生施設等の設備及び運営について 60．1．22　社更4
点字図書館	館　　　長	1　図書館法第4条に規定する司書として3年以上勤務した者 2　社会福祉事業に5年以上従事した者 3　前各号に掲げる者のほか館長として必要な学識経験を有する者	点字図書館等の設備及び運営について 60．1．22　社更7
補装具製作施設 （義肢装具製作施設） 点字出版施設	施　設　長	1　社会福祉事業に5年以上従事した者 2　施設長として必要な学識経験を有する者	

盲人ホーム	管理者 (指導員)	あん摩師免許、はり師免許又はきゅう師免許を有し、かつ、相当の経験を有する者であって、盲人の更生援護について理解と熱意を有する者	盲人ホームの運営について 37．2．27　社発109
婦人保護施設	施設長	施設を運営する素養と熱意を有する者であって次の各号に掲げる要件を満たす者 1　年齢30歳以上の者であって社会福祉主事の資格を有する者又は社会福祉事業若しくは更生保護事業の実施に３年以上の経験を有する者 2　素行に関し法令による罰則の適用を受けたことのない者 3　心身ともに健全な者	婦人保護施設運営要綱 38．3．19　発社36

○社会福祉施設の長の資格要件について

〔昭和53年２月20日　社庶第13号
各都道府県知事・各指定都市市長宛　厚生省社会・児童家庭局長連名通知〕

注　平成12年４月３日社援第873号改正現在

社会福祉施設の長（以下「施設長」という。）の具備すべき要件については、関係省令又は関係通知に規定されているがその中には、具体的基準によらず抽象的に規定されているものが多く、その結果運用上の幅が大きくなっている。

一方、近年における社会福祉処遇技術の複雑高度化、社会福祉施設運営費の改善等に伴い、社会福祉施設の運営管理の任にあたる施設長の職責は従来にも増して加重されてきており、その資質の向上、適格性の確保が重要となっている。

このため、今般、とりあえず関係省令又は関係通知に規定する施設長の具備すべき要件のうち抽象的要件について、具体的判断基準を示すこととし、所定の講習会の課程を終了した者を当該要件を具備する者とすることとした。

貴職におかれては、自ら経営する施設はもとより、管下市町村、社会福祉法人等に対し、趣旨の徹底を図るとともに、下記事項に留意のうえ、施設長の資質向上のため、強力な指導を行うよう御配意願いたい。

記

1　施設長の具備すべき要件のうち抽象的要件についての判断基準

(1)　基本的考え方

関係省令又は関係通知に規定されている施設長の具備すべき要件のうち、(2)の表の資格内容の項に掲げる抽象的要件の明確化を図り、２に示す「施設長資格認定講習会」（以下「講習会」という。）の課程を終了した者を、当該要件を具備する者とする。

(2)　対象者

講習会の受講が必要となる者は、次の表の施設種別の項に掲げる施設の施設長又は施設長に就任しようとする者であって、次の表の資格内容の項に係る者とする。

施設種別	名　称	資　格　内　容	根　拠　規　程
救護施設 更生施設	施設長	これらと（注１）同等以上の能力を有すると認められる者	救護施設、更生施設、授産施設及び宿所提供施設の設備及び運営に関する最低基準（41．７．１厚令18）第５条第１項
乳児院 母子寮 養護施設 知的障害児施設 虚弱児施設 盲児施設 ろうあ児施設	施設長	健全な心身を有し、児童福祉事業に熱意のある者であって、できる限り児童福祉事業の理論及び実務について訓練を受けた者。ただし、①社会福祉事業法第18条各号のいずれかに該当する者、②児童福祉法第11条の２各号（第５号を除く）のいずれかに該当する者及び③児童福祉事業に２年以上従事した者を除く。	児童福祉施設最低基準(23．12．29厚令63）第７条第１項
知的障害者援護施設	施設長	前２号（注２）に掲げる者と同等以上の学識経験を有すると認められる者	知的障害者援護施設基準（43．５．10厚令14）第６条第１項
養護老人ホーム 特別養護老人ホーム	施設長	これらと（注１）厚生大臣が指定する講習会を履修した者	養護老人ホーム及び特別養護老人ホームの設備及び運営に関する基準（41．７．１厚令19）第５条第１項
軽費老人ホーム	施設長	これらと（注１）厚生大臣が指定する講習会を履修した者	軽費老人ホームの設備及び運営について（47．２．26社老17）第２の５の(2)及び第３の５の(2)
肢体不自由者更生施設 重度身体障害者更生援護施設 視覚障害者更生施設 聴覚・言語障害者更生施設 内部障害者更生施設 身体障害者療護施設 身体障害者授産施設 重度身体障害者授産施設 身体障害者通所授産施設	施設長	これら（注３）に準ずる者	身体障害者更生施設等の設備及び運営について（60．１．22社更４）別紙の第１章第11の２
身体障害者福祉工場	施設長	身体障害者福祉に熱意があり、かつ、企業経営の能力または実績を有する者。 ただし、身体障害者更生施設等の設備及び運営について（昭和60年１月22日社更第４号）の別紙の第１章第11の２のいずれかに該当する者（これら（注３）に準ずる者を除く。）を除く。	身体障害者福祉工場の設備及び運営の取扱いについて（47．７．24社更130）３の(1)のア

（注１）「これら」又は「これ」とは、「社会福祉事業法第18条各号のいずれかに該当する者であって、厚生大臣が指定する講習会を履修した者」である。

（注２）「前２号」とは、次のとおりである。

① 社会福祉事業に５年以上従事した者であって、援護施設を運営するのに適切であると認められるもの

② 精神衛生に関して相当の学識経験を有する医師

（注３）「これら」とは、「医師、各施設の入所対象者に係る分野に関する特殊教育諸学校の長であった者、同分野に係る特殊教育教員免状を有する者であって３年以上同分野における福祉、教育の経験を有するもの、身体障害者福祉司若しくは社会福祉主事として５年以上勤務した者」である。

(3) 留意事項

講習会の受講については、次の点に留意すること。

ア 公立施設の施設長も受講が必要であること。

イ 施設長就任前に講習会の課程を終了しておく必要があること。ただし、特別の事情のある場合には、施設長就任後であってもやむを得ないこと。

ウ 現に施設長に就任している者であって具体的要件に該当しない者については、施設長就任後2年を経過していない場合には、講習会を受講するよう指導すること。

(4) 実施の時期

この通知の実施の時期は、昭和53年4月1日とする。

2 講習会の内容

(1) 対象者

1の(2)に掲げる者とする。

(2) 方法

ア 通信授業及び面接授業の組合せとする。

イ 通信授業の期間は6か月、面接授業の期間は、5日間とする。

(3) カリキュラム

カリキュラムは、別紙のとおりとする。

(4) 実施主体

厚生省が実施の能力があると認めた者とする。

別 紙

社会福祉施設長資格認定講習会カリキュラム

全 22 科 目
通信教育科目 15科目
1 社会保障論 2 社会福祉概論 3 社会福祉援助技術論 4 地域福祉論 5 公的扶助論 6 老人福祉論 7 障害者福祉論 8 児童福祉論 9 介護概論 10 医学一般 11 心理学 12 社会学 13 法学 14 社会福祉施設経営（運営）管理 15 人事・労務管理
面接授業科目 7科目（うち2科目は選択科目）
1 社会保障論 2 社会福祉概論 3 社会福祉援助技術論 4 社会福祉施設経営（運営）管理 5 人事・労務管理 6 選択科目（2科目選択） (1) 地域福祉論 (2) 公的扶助論 (3) 老人福祉論 (4) 障害者福祉論 (5) 児童福祉論 (6) 介護概論

○社会福祉施設の長の資格要件について

〔昭和53年２月20日　社庶第14号
各都道府県・各指定都市民生主管部(局)長宛　厚生省社会
局庶務・児童家庭局企画課長連名通知〕

標記については、今般「社会福祉施設の長の資格要件について」(昭和53年２月20日社庶第13号厚生省社会局長・児童家庭局長通知。以下「両局長通知」という。）により通知されたところであるが、その細部については、次によられたく通知する。

1　両局長通知の性格

両局長通知は、関係省令又は関係通知に規定されている社会福祉施設の長（以下「施設長」という。）の具備すべき要件そのものの変更を行うものではなく、施設長の具備すべき要件のうち抽象的要件について、具体的判断基準を示したものであること。

2　指導上の留意点

⑴　施設長の具備すべき要件のうち具体的要件に該当する者が、施設長資格認定講習会（以下「講習会」という。）を受講することは、差し支えないこと。

⑵　施設長の具備すべき要件の認定に当たっては、講習会の受講の有無に加えて、施設の種別に応じた関係省令又は関係通知の趣旨を十分に勘案すること。

⑶　両局長通知の１の⑶のウにいう「２年を経過していない場合」とは、両局長通知の実施の日（昭和53年４月１日）において２年を経過していない場合であること。

3　講習会の細目

⑴　講習会の実施主体については、当面、全国社会福祉協議会社会福祉研修センターを予定していること。

⑵　講習会の実施時期は、昭和53年７月１日に予定していること。

⑶　講習会の費用は、受講者の負担とすること。

8　指導監査

○児童福祉行政指導監査の実施について

〔平成12年４月25日　児発第471号
各都道府県知事・各指定都市市長・各中核市市長宛　厚生省児童家庭局長通知〕

注　令和３年７月９日子発0709第１号改正現在

児童福祉行政指導監査の実施については、平成10年３月31日児発第250号本職通知に基づき、実施されているところであるが、地方分権の推進を図るための関係法律の整備等に関する法律（平成11年法律第87号）が公布され、平成12年４月１日から施行されたことに伴い、従来機関委任事務として行ってきた児童福祉施設の指導監査は自治事務とされ、さらに児童扶養手当支給事務は機関委任事務から法定受託事務とされたところである。

ついては、別紙のとおり地方自治法（昭和22年法律第67号）第245条の４第１項の規定に基づく技術的な助言及び勧告として児童福祉行政指導監査実施要綱を改め、平成12年度から実施することとしたので、次の事項に留意の上、管内児童福祉行政の実施機関及び児童福祉施設（雇用均等・児童家庭局所管施設及び里親をいう。以下同じ。）に対し、十分指導監督の実を挙げるよう格段の配慮をお願いする。

なお、この通知中、指定都市については児童扶養手当に関する部分、中核市については助産施設、母子生活支援施設及び保育所以外の児童福祉施設並びに児童扶養手当に関する部分の定めは適用しないものとする。

おって、平成10年３月31日児発第250号本職通知「児童福祉行政指導監査の実施について」及び平成10年３月31日児企第14号厚生省児童家庭局企画課長通知「児童福祉行政指導監査の着眼点及び報告書の様式等について」は廃止する。

1　児童相談所及び都道府県の設置する福祉事務所に対する指導監査については、都道府県の監査委員事務局等監査を担当する部局との協力等の下に、児童福祉行政が適正に執行されるようこの通知の定めるところに準じて実施するようお願いする。

2　福祉事務所等に指導監査の権限を委任している都道府県においては、指導監査の統一的実施を確保するため監査の実施方針、実施方法及び監査項目等について当該委任機関に対し指導の徹底を図るとともに、十分な連携の下での指導監査をお願いする。

別　紙

児童福祉行政指導監査実施要綱

1　指導監査の目的

指導監査は、都道府県知事が児童福祉行政の実施機関における児童福祉施設の措置費等についての事務処理状況及び児童扶養手当の支給事務処理状況並びに児童福祉施設についての最低基準等の実施状況が、関係法令等に照らし適正に実施されているかどうかを個別的に詳らかにし、必要な助言・勧告又は是正の措置を講ずることなどにより、児童福祉行政の適正かつ円滑なる実施を確保しようとするものである。

2　用語の意義

この通知における用語の意義は、それぞれ次のとおりとすること。

(1)　「都道府県」には指定都市、中核市及び児童相談所設置市を、「都道府県知事」には指定都市、中核市及び児童相談所設置市の市長を、それぞれ含むものとする。

(2)　「児童福祉施設」とは、子ども家庭局所管施設、小規模型児童養育事業を行う者、児童自立生活援助事業を行う者及び里親をいう。

(3)　「措置費等」とは、児童入所施設措置費及び保育所に係る子どものための教育・保育給付費負担金をいう。

(4)　「入所施設」とは、児童福祉施設のうち保育所を除く施設をいう。

(5)　「実施機関」とは、児童福祉法（昭和22年法律第164号）第22条から第24条までに定める助産の実施、母子保護の実施及び保育の実施を行う市町村並びに児童扶養手当法（昭和36年法律第238号）による児童扶養手当の支給事務の処理に当たる市町村をいう。

3　指導監査の方針

(1)　児童福祉施設の措置費等についての実施機関に対する指導監査は、当該事務の執行が適正に行われているか否かにつき実施するものであるが、併せてこれと密接に関連する当該実施機関の組織・機構、施設入所関係事務、措置費等の関連予算の編成・執行及びその他の事務処理状況等行政全般にわたる状況についても把握するよう努めること。

(2)　児童福祉施設に対する指導監査は、入所者の処遇、職員の配置及び勤務条件、経理状況、設備の状況等施設の運営管理全般にわたって総合的に実施するとともに、施設が民間施設である場合は、当該施設の財政的基盤の状況等についても把握すること。

前記の実施に当たっては、児童福祉施設がその種別、歴史的沿革、立地条件その他の事情により、それぞれ創意工夫のもとに運営されていることに鑑み、個々の施設の運営努力をも勘案し、形式的、画一的指導にならないよう留意すること。

特に、保育所において、保育所保育指針（平成20年３月28日厚生労働省告示第141号）の遵守状況に関する指導監査を行うに当たっては、取組の結果のみに着目するのではなく、取組の過程（保育実践及びその振り返り、自己評価の取組等）についても尊重する必要があることに留意すること。

(3)　児童扶養手当支給事務についての指導監査は、市町村における手当に係る認定請求及び諸届等の受理、審査、進達等の処理状況が適正か否かにつき実施するものである。

4　指導監査の対象

指導監査は、市町村並びに児童福祉施設の他、必要に応じ児童相談所、福祉事務所等についても対象とすること。

5　指導監査の方式及び回数

指導監査は、一般指導監査と特別指導監査に分けて次により実施すること。

(1)　一般指導監査は、次のアからエによること。

ア　実施機関（児童福祉法第22条から第24条までに定める助産の実施、母子保護の実施及び保育の実施機関）及び措置費等の指導監査については年１回以上の実地監査を行うこと。

イ　実施機関（児童扶養手当の支給事務の処理に当たる市町村）の指導監査については、２年に１回以上の実地監査を行うこと。

ウ　児童福祉施設については、児童福祉法施行令（昭和23年政令第74号）第38条の規定により年１回以上の実地監査を行うこと。

実地監査の実施に当たっては、必要に応じて、例えば、経理指導監査について現地において集合監査を行い、又は実地監査の際必要な項目についてあらかじめ自主点検表を提出させる等、指導監査の能率的な実施方法を併用して差し支えないこと。

また、指導監査の方法については、監査対象施設の規模及び前回の指導監査の結果等を考慮した弾力的な指導監査を行うこと。

エ　民間の児童福祉施設に対する指導監査を行う場合は、法人監査も併せて行うよう配意すること。

(2)　特別指導監査は、問題を有する実施機関及び児童福祉施設を対象に必要に応じて特定の事項について実施すること。この他、保育所については、死亡事故等の重大事故（死亡事故、意識不明となる事態等の重大な事故をいう。以下同じ。）が発生した場合又は児童の生命・心身・財産に重大な被害が生じるおそれが認められる場合（こうしたおそれにつき通報・苦情・相談等により把握した場合や重大事故が発生する可能性が高いと判断した場合等も含む。以下同じ。）等には、特別指導監査を実施すること。

6　指導監査の実施計画の策定

(1)　指導監査の実施計画は、毎年度当初に策定すること。

(2)　指導監査実施計画を策定するに当たっては、行政運営の方針、前年度の指導監査の結果等を勘案して当該年度の重点事項を定め、その効果的実施について十分留意すること。

(3)　指導監査の実施時期については、その監査の対象となる実施機関及び児童福祉施設における諸般の事情等を考慮して決定すること。

7　指導監査班の編成

(1)　指導監査班は、必要に応じて指導監査事項の区分ごとに関係法令及び関係指導指針について十分な知識及び経験を有する者２名以上をもって編成するものとし、そのうち１名は原則として係長以上の職にある者とすること。

(2)　児童扶養手当支給事務の指導監査に当たっては児童福祉施設等の指導監査事項と区分して指導監査班を編成すること。

(3)　児童福祉施設の入所者の処遇内容の指導に当たっては、必要に応じて次のア～ウのいずれかの者を参加させる等により適切な指導が可能となる体制を整えること。

ア　児童福祉施設の所掌に当たる技術指導職員

イ　児童福祉施設職員（元児童福祉施設職員を含む。）

ウ　その他児童福祉施設内の入所者の処遇について知見を有する者

8　指導監査の事前準備

(1)　指導監査の実施に当たっては、その対象となる者に対し、その期日、指導監査職員の氏名その他必要な事項を特別な場合を除き事前に通知すること。ただし、保育所において死亡事故等の重大事故が発生した場合又は児童の生命・心身・財産に重大な被害が生じるおそれが認められる場合等は、実施する特別指導監査の目的に照らして、必要に応じて事前に通知せずに特別指導監査を実施することが適切であることに留意すること。

(2) 指導監査職員は、前回の監査結果の問題点その他必要とする事項について事前に検討を加え、指導監査の実効を期すること。

(3) 指導監査に必要な資料（自主点検表又は自己評価等を徴することとしている場合は、それを含む。）は、あらかじめ整備を行わせること。なお、提出資料等については、過重なものとならないよう配慮し必要なものに限ること。

(4) 児童扶養手当支給事務の指導監査において、受給資格者等に対する実地調査に当たる職員には、児童扶養手当受給資格調査員証をあらかじめ交付しておくこと。

9 指導監査事項

指導監査は、実施機関及び児童福祉施設に対しては、別紙１「児童福祉行政指導監査事項」に、児童扶養手当支給事務に当たる市町村に対しては、別紙２「児童扶養手当支給事務指導監査事項」に準拠して実施すること。

10 指導監査実施上の留意事項

(1) 指導監査は、公正不偏に指導援助的態度で実施し、努めて関係者の理解と自発的協力が得られるよう配意すること。

(2) 指導監査の過程においては、直接の担当者からの事情聴取のみに終始することなく、責任者を中心に進めるよう意を用い、相互信頼を基礎として十分意見の交換を行い、一方的判断を押しつけることのないよう留意すること。

(3) 指導監査の結果、問題点を認めたときは、できる限りその発生原因の究明を行うよう努めること。

(4) 保育所に対して指導監査を実施する場合には、特に以下の点に留意すること。

① 市町村が子ども・子育て支援法（平成24年法律第65号）に基づき、保育所に対し指導監査を実施するときは、「子ども・子育て支援法に基づく特定教育・保育施設等の指導監査について（平成27年12月７日府子本第390号、27文科初第1135号、雇児発1207第２号）」を踏まえ、連携して効率的な指導監査を実施すること。その実施に当たっては、「子ども・子育て支援新制度における指導監査等の実施について（平成27年12月７日府子本第391号、27初幼教第28号、雇児保発1207第１号）」も踏まえて対応すること。

② 死亡事故等の重大事故が発生した保育所については、当該事故と同様の事故の再発防止策及び「教育・保育施設等における重大事故の再発防止のための事後的な検証について」（平成28年３月31日府子本第191号等）による事故後の検証結果を踏まえた対応状況等を確認すること。

③ 保育所における死亡事故等の重大事故に係る検証が実施された場合、検証の結果については、今後の指導監査に反映させること。

11 指導監査結果の措置

(1) 講評及び指示等

指導監査職員は、指導監査終了後、幹部及び関係職員の出席を求めて講評及び必要な助言・勧告又は指示を行うこと。

ただし、人事等特に幹部のみに講評を行うことを適当とする事項については、その者に対し別途講評及び助言・勧告又は指示を行うこと。

(2) 指導監査の復命

指導監査職員は、帰庁後速やかに指導監査結果について復命書を作成し、かつ、これに指導監査職員の所見及び現地における意見、要望等を付して都道府県知事に提出するものとすること。

(3) 指導監査結果の検討及び措置

指導監査結果については、綿密に検討してその問題点を明らかにし、これに対する監査の対象となった実施機関及び児童福祉施設又は都道府県が採るべき措置を具体的に決定して、速やかに問題点の解消に努めるよう必要な措置をとること。

(4) 指導監査結果の指示及び確認

ア 指導監査結果の指示は、前項の検討に基づき、必要な事項の内容及び改善方法を具体的に文書をもって速やかに行うこと。

イ 指示事項に対する是正改善の状況は、期限を付して報告を求めるほか、重要事項については必要に応じてその改善状況等を確認するために特別指導監査等の措置を採ること。

ウ 指導監査において繰り返し是正措置を採るよう指示したにもかかわらず、なお改善がなされていないものについては、必要に応じて法令等に基づく処分を行うこと。

(5) 事故後の検証における指導監査結果の活用

保育所において死亡事故等の重大事故が発生した場合に市町村が行う検証において、事実関係の整理の際に活用できるよう、事故の発生前までに実施した指導監査及び事故に関連して行った指導監査の結果並びに措置状況等の提供について市町村と協力すること。

別紙１

児童福祉行政指導監査事項

１　市町村児童福祉行政指導監査事項

主眼事項	着　眼　点
第１　児童福祉行政事務処理体制	児童福祉行政主管課の業務体制が適切か。 ア　児童福祉行政主管課の業務処理体制が適切か。 イ　内部組織相互間における連携がとられているか。 ウ　児童福祉施設に対する指導が適切に行われているか。 エ　関係機関等との連携が適切に行われているか。
第２　保育の実施の確保 １　要保育児童の把握状況	(1)　きめ細かな保育の提供がなされるよう、関係者相互の連携等を図り、地域の実情に応じた体制整備、保育所等の情報提供等が行われているか。 (2)　保育所等（保育所、認定こども園及び家庭的保育事業等をいう。以下同じ。）の適正配置等が行われているか。
２　保育の実施事務処理状況	保育の実施事務処理が、適切に行われているか。 ア　保育所等の入所手続（申込窓口（保育所等の代行も含めて）、申込書、申込時期、入所決定に関する書類等）が利用者の利便に配慮されているか。 イ　入所申込書の受付から入所決定（認定こども園及び家庭的保育事業等の場合は利用の要請又はあっせん）までの事務処理が迅速に処理されているか。 ウ　希望した保育所等への入所のため、入所の円滑化に努めているか。 エ　利用調整における選考（選考する場合の条件・選考基準の制定・内容・公表）が適正に行われているか。 オ　「保育が必要な状況」の確認が適正に行われているか。 カ　待機児童の解消等に向けた適切な対応、低年齢児（０～２歳）の入所状況を適切に把握し、これらに対する対応計画を立案しているか。 　また、開所・閉所時間、育休・産休明け保育・途中入所等の保育需要に対応しているか。 キ　広域入所を行っているか。関係市町村との連絡調整等が行われているか。
３　保育所等運営費の事務処理状況	児童福祉法及び子ども・子育て支援法等の関係法令に基づき、保育所等の運営費（施設型給付費及び地域型保育給付費並びに私立保育所に係る委託費等を含む。）の支給等に関する事務処理が適切に行われているか。
第３　入所施設措置費の事務処理状況	(1)　母子生活支援施設、助産施設への要利用者の実態把握及び利用者（世帯）の入所状況が適正に行われているか。 (2)　母子生活支援施設、助産施設への利用者（世帯）の徴収金算定基礎が適正に行われているか。 (3)　支弁対象者（世帯）の事務処理が適正に行われているか。 ア　入所申込事務（入所申請の受理、調査、判定、指導等）が適正に行われているか。 イ　母子保護の実施及び助産の実施の解除、停止、変更等の事務処理が適正に行われているか。 (4)　支弁台帳（総括表、施設表）の記載が適正に行われているか。 (5)　措置費支弁（時期、額の算定、支払方法等）が適正に行われているか。 (6)　同一世帯内の扶養義務者の把握、その課税確認が適正に行われているか。 (7)　措置費の積算（実支出額、支弁額、徴収金基準）が適正に行われているか。

２　施設指導監査事項

(1)　社会福祉施設共通事項

主眼事項	着　眼　点
第１　適切な入所者処遇の確保	施設の処遇について、個人の尊厳の保持を旨とし、入所者の意向、希望等を尊重するよう配慮がなされているか。

	施設の管理の都合により、入所者の生活を不当に制限していないか。
1　入所者処遇の充実	⑴　処遇計画は、適切に策定されているか。 ア　処遇計画は、日常生活動作能力、心理状態、家族関係及び所内生活態度等についての定期的調査結果及び入所者本人等の希望に基づいて策定されているか。 　また、処遇計画は、入所後、適切な時期に、ケース会議の検討結果等を踏まえたうえで策定され、必要に応じて見直しが行われているか。 イ　処遇計画は医師、理学療法士等の専門的なアドバイスを得て策定され、かつその実践に努めているか。 ウ　入所者の処遇記録等は整備されているか。 ⑵　機能訓練が、必要な者に対して適切に行われているか。 ⑶　適切な給食を提供するよう努められているか。 ア　必要な栄養所要量が確保されているか。 イ　嗜好調査、残食（菜）調査、検食等が適切になされており、その結果等を献立に反映するなど、工夫がなされているか。 ウ　入所者の身体状態に合わせた調理内容になっているか。 エ　食事の時間は、家族生活に近い時間となっているか。 オ　保存食は、一定期間（２週間）適切な方法（冷凍保存）で保管されているか。また、原材料についてもすべて保存されているか。 カ　食器類の衛生管理に努めているか。 キ　給食関係者の検便は適切に実施されているか。 ⑷　適切な入浴等の確保がなされているか。 　入所者の入浴又は清拭（しき）は、１週間に少なくとも２回以上行われているか。特に、入浴日が行事日・祝日等に当たった場合、代替日を設けるなど週２回の入浴等が確保されているか。 ⑸　入所者の状態に応じた排泄及びおむつ交換が適切に行われているか。 　排泄の自立についてその努力がなされているか。トイレ等は入所者の特性に応じた工夫がなされているか。また、換気、保温及び入所者のプライバシーの確保に配慮がなされているか。 ⑹　衛生的な被服及び寝具が確保されるよう努めているか。 ⑺　医学的管理は、適切に行われているか。 ア　定期の健康診断、衛生管理及び感染症等に対する対策は適切に行われているか。 イ　施設の種別、入所定員の規模別に応じて、必要な医師、嘱託医がおかれているか。（必要な日数、時間が確保されているか。）また、個々の入所者の身体状況・症状等に応じて、医師、嘱託医による必要な医学的管理が行われ、看護師等への指示が適切に行われているか。 ⑻　レクリエーションの実施等が適切になされているか。 ⑼　家族との連携に積極的に努めているか。また、入所者や家族からの相談に応じる体制がとられているか。相談に対して適切な助言、援助が行われているか。 ⑽　苦情を受け付けるための窓口を設置するなど苦情解決に適切に対応しているか。 ⑾　実施機関との連携が図られているか。
2　入所者の生活環境等の確保	施設設備等生活環境は、適切に確保されているか。 ア　入所者が安全・快適に生活できる広さ、構造、設備となっているか。 　また、障害に応じた配慮がなされているか。 イ　居室等が設備及び運営基準にあった構造になっているか。 ウ　居室等の清掃、衛生管理、保温、換気、採光及び照明は適切になされているか。
3　自立、自活等への支援援助	入所者個々の状況等を考慮し、施設種別ごとの特性に応じた自立、自活等への援助が行われているか。

第2　社会福祉施設運営の適正実施の確保 1　施設の運営管理体制の確立	健全な環境のもとで、社会福祉事業に関する熱意及び能力を有する職員による適切な運営を行うよう努めているか。 (1)　入所定員及び居室の定員を遵守しているか。 (2)　必要な諸規程は、整備されているか。 管理規程、経理規程等必要な規程が整備され、当該規程に基づいた適切な運用がなされているか。 (3)　施設運営に必要な帳簿は整備されているか。 (4)　直接処遇職員等は、配置基準に基づく必要な職員が確保されているか。 (5)　施設の職員は、専ら当該施設の職務に従事しているか。 (6)　施設長に適任者が配置されているか。 ア　施設長の資格要件は満たされているか。 イ　施設長は専任者が確保されているか。 施設長がやむなく他の役職を兼務している場合は、施設の運営管理に支障が生じないような体制がとられているか。 (7)　育児休業、産休等代替職員は確保されているか。 (8)　施設設備は、適正に整備されているか。 また、建物、設備の維持管理は適切に行われているか。 (9)　運営費は適正に運用され、弾力運用も適正に行われているか。 ア　施設の運営が適正に行われた上で、運営費の弾力運用が行われているか。 イ　運用収入の本部会計への繰入額は妥当であるか。また、その積算根拠は明確にされているか。 ウ　当期末支払資金残高は、優先的に各種積立金に充てられているか。 エ　当期末支払資金残高及び積立金は、安全確実な方法で管理運用されているか。 また、取り崩し等についての手続きは適正に行われているか。 (10)　高額の当期末支払資金残高等を有している場合、入所者処遇等に必要な改善を要するところはないか。 当期末支払資金残高を有している場合は、過大な保有を防止する観点から当該年度の運営費収入の30％以下の保有となっているか。 (11)　施設設備を地域に開放し、地域との連携が深められているか。
2　必要な職員の確保と職員処遇の充実	(1)　労働時間の短縮等労働条件の改善に努めているか。 ア　労働基準法等関係法規は、遵守されているか。 イ　職員への健康診断等健康管理は、適正に実施されているか。 (2)　業務体制の確立と業務省力化の推進のための努力がなされているか。 (3)　職員研修等資質向上対策について、その推進に努めているか。 (4)　職員の確保及び定着化について積極的に取り組んでいるか。
3　防災対策の充実強化	防災対策について、その充実強化に努めているか。 ア　消防法令に基づくスプリンクラー、屋内消火栓、非常通報装置、防災カーテン、寝具等の設備が整備され、また、これらの設備について専門業者により定期的に点検が行われているか。 イ　非常時の際の連絡・避難体制及び地域の協力体制は、確保されているか。例えば、風水害の場合、「避難準備・高齢者等避難開始」、「避難勧告」及び「避難指示（緊急）」等の緊急度合に応じた複数の避難先が確保されているか。 ウ　児童福祉施設等が定める非常災害に対する具体的な計画（以下、「非常災害対策計画」という。）が作成されているか。 また、非常災害対策計画は、火災に対処するための計画のみではなく、火災、水害・土砂災害、地震等の地域の実情も鑑みた災害にも対処できるものであるか（必ずしも災害ごとに別の計画として策定する必要はない。）。 エ　非常災害対策計画には、以下の項目が盛り込まれているか。また、実際に災害が起こった際にも利用児童等の安全が確保できる実効性のあるものであるか（施設が所在する都道府県等で防災計画の指針等が示されている場合に

	は、当該指針等を参考の上、実効性の高い非常災害対策計画が策定されているか。)。 【具体的な項目例】 ・児童福祉施設等の立地条件（地形　等） ・災害に関する情報の入手方法(「避難準備情報」等の情報の入手方法の確認等) ・災害時の連絡先及び通信手段の確認（自治体、家族、職員　等） ・避難を開始する時期、判断基準（「避難準備情報発令」時　等） ・避難場所（市町村が設置する避難場所、施設内の安全なスペース　等） ・避難経路（避難場所までのルート（複数)、所要時間　等） ・避難方法（利用児童の年齢や発達に応じた避難方法　等） ・災害時の人員体制、指揮系統（災害時の参集方法、役割分担、避難に必要な職員数　等） ・関係機関との連携体制 オ　非常災害対策計画の内容を職員間で十分共有しているか。 　また、関係機関と避難場所や災害時の連絡体制等必要な事項について認識を共有しているか。 カ　火災、地震その他の災害が発生した場合を想定した消火訓練及び避難訓練は、消防機関に消防計画を届出の上、それぞれの施設ごとに定められた回数以上適切に実施され、そのうち１回は夜間訓練又は夜間を想定した訓練が実施されているか。 キ　避難訓練を実施し、非常災害対策計画の内容を検証し、見直しを行っているか。

(2)　児童福祉施設事項

主眼事項	着　眼　点
第１　適切な入所者支援の確保 　１　入所者支援の充実	施設入所者への支援等について、児童の保護者等及び関係機関（児童相談所・福祉事務所等）との連絡調整が図られているか。 ［児童入所施設］ (1)　子ども一人一人の権利を尊重し、その意見や訴えをくみ取る仕組みが設けられているか。 (2)　懲戒に係る権限の濫用及び被措置児童等虐待（身体的虐待、性的虐待、ネグレクト、心理的虐待等）防止に向けての取り組みが行われているか。 (3)　個々の子どもの特性に応じた支援を行うための専門的知識や援助技術の習得など職員の資質向上に努めているか。 (4)　施設長が子どもの権利擁護や子どもの指導、職員の管理、危機管理に関して十分な見識を有し、適切に指導・監督ができているか。 (5)　子どもの生命を守り、安全を確保するために、事件や事故防止、健康管理に関して必要な措置が講じられているか。 (6)　個々の子どもの特性や家庭状況に応じた生活指導、職業指導、家庭復帰又は自立支援に向けた適切な指導・援助が行われているか。 (7)　子どもの指導・援助の際に、必要に応じ児童相談所等関係機関との連携が適切に行われているか。 (8)　子どもに係る給付金として支払を受けた金銭の管理が適切に行われているか。 ［保育所］ (1)　開所・閉所時間、保育時間、開設日数が適切に設けられているか。 (2)　入所児童の年齢制限を行っていないか。 (3)　保育所保育指針に規定される保育の内容に係る基本原則に関する事項を踏まえ、各保育所の実情に応じて適切な保育が行われているか。 ア　保育課程を編成し、それに基づく指導計画が作成されているか。

	イ　保育の記録や自己評価に基づいて、保育所児童保育要録が作成されているか。また、児童の就学に際し、小学校への送付が行われているか。 ウ　保護者との連絡を適切に行い、家庭との連携を図るように努めているか。 エ　職員及び保育所の課題を踏まえた研修が計画的に実施されているか。 ⑷　定員を超えて私的契約児を入所させていないか。 ⑸　事故発生の防止のための指針の整備等、事故発生の防止及び発生時の対応に関する措置を講じているか。 特に、睡眠中、プール活動・水遊び中、食事中等の場面では重大事故が発生しやすいことを踏まえ、以下の対策を講じているか。 ア　睡眠中の窒息リスクの除去として、医学的な理由で医師からうつぶせ寝を勧められている場合以外は、仰向きに寝かせるなど寝かせ方に配慮すること、児童を一人にしないこと、安全な睡眠環境を整えているか。 イ　プール活動や水遊びを行う場合は、監視体制の空白が生じないよう、専ら監視を行う者とプール指導等を行う者を分けて配置し、その役割分担を明確にしているか。 ウ　児童の食事に関する情報（咀嚼や嚥下機能を含む発達や喫食の状況、食行動の特徴など）や当日の子どもの健康状態を把握し、誤嚥等による窒息のリスクとなるものを除去しているか。 また、食物アレルギーのある子どもについては生活管理指導表等に基づいて対応しているか。 エ　窒息の可能性のある玩具、小物等が不用意に保育環境下に置かれていないかなどについての、保育士等による保育室内及び園庭内の点検を、定期的に実施しているか。 オ　事故発生時に適切な救命処置が可能となるよう、訓練を実施しているか。 カ　事故発生時には速やかに当該事実を都道府県知事等に報告しているか。 ⑹　障害児を含め、入所児童に対する虐待やその心身に有害な影響を与える行為の防止及び発生時の対応に関する措置を講じているか。 ⑺　保育所における死亡事故等の重大事故に係る検証が実施された場合には、検証結果を踏まえた再発防止の措置を講じているか。
第2　児童福祉施設運営の適正実施の確保	［共通事項］ ⑴　健康診断の実施、結果の記録及び保管が適切に行われているか。 ⑵　乳幼児突然死症候群の防止に努めるなど、事故防止対策を講じているか。 ⑶　給食材料が適切に用意され、保管されているか。 ⑷　給食日誌の記録及び脱脂粉乳の受払記録が適正に行われているか。 ⑸　３歳未満児に対する献立、調理（離乳食等）、食事の環境などについての配慮がされているか。 ⑹　食中毒対策が適切に行われているか。 ⑺　調理の業務委託が行われている場合、契約内容等が遵守されているか。 ⑻　子どもの状態を観察し、不適切な養育等の発見に努めるとともに、必要に応じて関係機関との連携を図っているか。
1　施設の運営管理体制の確立	措置費等を財源に運営する児童福祉施設の経理事務は、適切に事務処理され、措置費等が適正に使われているか。 ⑴　予算及び補正予算の編成の時期と積算は適切に行われているか。 ⑵　会計経理が適切に行われているか。 ア　措置費等の請求金額が適正に行われているか。 イ　事業費と事務費の流用が適正に行われているか。 ウ　利用者負担金（職員給食費等＝共通事項）・（延長保育、一時保育利用料、私的契約児利用料＝保育所）が適正な額となっているか。 エ　他の会計間の貸借が適正に行われているか。 オ　現金、預金等の保管が適正に行われているか。

	カ　内部牽制体制が確立され、適正に機能しているか。
2　必要な職員確保と職員処遇の充実	(1)　通勤・住宅手当等の各種手当が規定され、適正に支払われているか。 (2)　労働基準法第24条・第36条の労使の協定が締結され、労働基準監督署へ提出されているか。 (3)　職員の確保及び定着化について積極的に取り組んでいるか。 ア　職員の計画的な採用に努めているか。 イ　労働条件の改善等に配慮し、定着促進及び離職防止に努めているか。
3　防災対策の充実強化	(1)　非常時に対する避難設備（階段、避難器具）が整備され、点検されているか。 (2)　防犯について配慮されているか。

別紙2

児童扶養手当支給事務指導監査事項

1　市等監査事項

主眼事項	着　眼　点
1　主管課の業務体制の状況	支給事務に必要な業務体制が取られているか。
2　関係機関等との連携の状況	関係部課、関係機関との連携が図られているか。
3　広報の状況	(1)　制度の広報が十分行われているか。 (2)　受給者に対し制度（各種届を含む。）周知が十分行われているか。
4　委任機関に対する指導状況	認定事務を行政区等に事務委任している指定都市等においては、国の指導通知及び市内の取扱い水準を統一するための連絡会議、研修会議等が行われているか。
5　規則に定める諸様式用紙等の作成、記入、整理及び保管の状況	認定請求書、現況届等及び関係書類提出受付処理簿、受給資格者台帳等の整理・保管が適切に行われているか。
6　認定請求書の受理状況	(1)　窓口における認定請求書の作成指導が適切に行われているか。 (2)　認定請求書の受理時において添付書類が整備されているか。
7　認定請求書の審査及び認定の状況	(1)　配偶者、子、扶養義務者との身分関係及び生計維持関係等についての事実関係の確認が十分行われているか。 (2)　受給資格者、配偶者及び扶養義務者の所得等の確認が適切に行われているか。 (3)　戸籍担当部門、住民基本台帳担当部門．年金担当部門、施設入所担当部門等関係機関との連携が十分図られているか。 (4)　却下処分は適切に行われているか。
8　現況届の処理状況	(1)　処理状況は的確に行われているか。 (2)　未提出者の取扱いは適正に行われているか。 (3)　時効処理は適切に行われているか。
9　一部支給停止措置及び一部支給停止適用除外に係る事務処理の状況	(1)　受給資格者への事前通知は適切に行われているか。 (2)　適用除外事由届出書及び関係書類が提出された場合の事務処理が適切に行われているか。 (3)　適用除外事由届出書及び関係書類が提出されない場合に手続の支援が行われているか。 (4)　一部支給停止措置は適切に行われているか。
10　受給資格喪失者に係る事務処理の状況	(1)　資格喪失届の提出指導が適切に行われているか。 (2)　資格喪失届の審査（資格喪失時点の調査・確認を含む。）が適切に行われているか。
11　債権管理事務処理の状況	(1)　債権管理事務は適正に行われているか。 (2)　債権発生防止に関する対策が行われているか。
12　負担金の支給事務の状況	支出が適切に行われているか。
13　その他	差額追求及び内払調整に基づく減額支給は適切に行われているか。

2　町村監査事項

主眼事項	着　眼　点
1　主管課の業務体制の状況	支給事務に必要な業務体制が取られているか。
2　関係機関等との連携の状況	関係部課、関係機関との連携が図られているか。
3　制度の広報の状況	(1)　制度の広報が十分行われているか。 (2)　受給者に対し制度（各種届を含む。）周知が十分行われているか。
4　規則に定める諸様式用紙等の作成、記入、整理及び保管の状況	認定請求書、現況届等及び関係書類提出受付処理簿、受給資格者名簿等の整理・保管が適切に行われているか。
5　認定請求書の受理状況	(1)　窓口における認定請求書の作成指導が適切に行われているか。 (2)　認定請求書の受理時において添付書類が整備されているか。
6　認定請求書の審査及び提出の状況	(1)　配偶者、子、扶養義務者との身分関係及び生計維持関係等についての事実関係の確認が十分行われているか。 (2)　受給資格者、配偶者及び扶養義務者の所得等の確認が適切に行われているか。 (3)　戸籍担当部門、住民基本台帳担当部門、年金担当部門、施設入所担当部門等関係機関との連携が十分図られているか。 (4)　受理から提出までの事務処理期間が適切か。
7　現況届の処理状況	(1)　現況届の受理時における添付書類が整備されているか。 (2)　受給者及び扶養義務者の所得、年金の確認が適切に行われているか。 (3)　未提出者に対する提出指導及び受給資格を喪失していることが公簿等により確認されている者の扱いが適切に行われているか。
8　一部支給停止措置及び一部支給停止適用除外に係る事務処理の状況	(1)　適用除外事由届出書及び関係書類が提出された場合の事務処理が適切に行われているか。 (2)　適用除外事由届出書及び関係書類が提出されない場合に手続の支援が行われているか。
9　受給資格喪失者に係る事務処理の状況	(1)　資格喪失届の提出指導が適切に行われているか。 (2)　資格喪失届の審査（資格喪失時点の確認を含む。）が適切に行われているか。 (3)　資格喪失届の進達処理が適切に行われているか。

○子ども・子育て支援法に基づく特定教育・保育施設等の指導監査について

〔平成27年12月７日　府子本第390号・27文科初第1135号・雇児発1207第２号
各都道府県知事・各指定都市市長・各中核市市長宛　こども家庭庁成育・文部科学省初等中等教育局長連名通知〕

注　令和６年２月19日こ成保61・５文科初第2124号改正現在

子ども・子育て支援法（平成24年法律第65号）に基づく確認並びに同法に基づく施設型給付費、特例施設型給付費、地域型保育給付費及び特例地域型保育給付費の支給等に関する業務等が適正かつ円滑に行われるよう、法令等に基づく適正な事業実施を確保するために、市町村（特別区を含む。）が子ども・子育て支援法に基づき特定教育・保育施設又は特定地域型保育事業者に対して行う指導監査の基本的な考え方として、別添１「特定教育・保育施設等指導指針」及び別添２「特定教育・保育施設等監査指針」を作成しましたので、これを参考に指導監査に当たられるよう管内市町村あて周知方お願いいたします。

また、幼稚園については学校教育法（昭和22年法律第26号）、保育所については児童福祉法（昭和22年法律第164号）、認定こども園については就学前の子どもに関する教育、保育等の総合的な提供の推進に関する法律（平成18年法律第77号）に基づき都道府県等が認可等を行っていることから、都道府県等におかれても市町村と連携の上、その円滑かつ効果的な実施に努めていただきますようお願いいたします。

なお、この通知は、地方自治法（昭和22年法律第67号）第245条の４第１項の規定に基づく技術的な助言であることを申し添えます。

（別添１）

特定教育・保育施設等指導指針

1　目的

この指導指針は、市町村（特別区を含む。以下同じ。）が子ども・子育て支援法（平成24年法律第65号。以下「法」という。）に基づく子どものための教育・保育給付（法第11条に規定するものをいう。以下同じ。）に係る教育・保育（法第７条第２項に規定する教育又は同条第３項に規定する保育をいう。以下同じ。）を行う者若しくはこれを使用する者又はこれらの者であった者に対して行う指導等（法第14条第１項の規定により行う質問、立入り及び検査等（以下「質問等」という。）及び各種指導等をいう。）について、基本的事項を定めることにより、特定教育・保育、特別利用保育、特別利用教育、特定地域型保育、特別利用地域型保育、特定利用地域型保育及び特例保育（以下「特定教育・保育等」という。）の質の確保並びに施設型給付費、特例施設型給付費、地域型保育給付費及び特例地域型保育給付費等（以下「施設型給付費等」という。）の支給の適正化を図ることを目的とする。

2　指導方針等

(1)　指導方針

指導等は、特定教育・保育施設等（法第27条第１項に規定する特定教育・保育施設及び法第29条第１項に規定する特定地域型保育事業者をいう。以下同じ。）に対し、法第33条及び第45条に定める設置者の責務、法第34条第２項及び第46条第２項に基づき各市町村が「特定教育・保育施設及び特定地域型保育事業の運営に関する基準」（平成26年内閣府令第39号）を基に条例で定める運営に関する基準（以下「確認基準」という。）、「特定教育・保育、特別利用保育、特別利用教育、特定地域型保育、特別利用地域型保育、特定利用地域型保育及び特例保育に要する費用の額の算定に関する基準等」（平成27年内閣府告示第49号）、「特定教育・保育等に要する費用の額の算定に関する基準等の制定に伴う実施上の留意事項について」（府政共生第350号・26文科初第1464号・雇児発0331第９号平成27年３月31日付け内閣府政策統括官（共生社会政策担当）・文部科学省初等中等教育局長・厚生労働省雇用均等・児童家庭局長連名通知）等（以下「内閣府令等」という。）に定める特定教育・保育、特別利用保育、特別利用教育、特定地域型保育、特別利用地域型保育、特定利用地域型保育及び特例保育（以下「特定教育・保育等」という。）の提供及び施設の運営に関する基準並びに施設型給付費等の請求等に関する事項について周知徹底させるとともに過誤・不正の防止を図るために実施する。

(2)　留意点

①　特定教育・保育施設については、幼稚園については学校教育法（昭和22年法律第26号）、保育所については児童福祉法（昭和22年法律第

164号）、認定こども園については就学前の子どもに関する教育、保育等の総合的な提供の推進に関する法律（平成18年法律第77号）に基づき都道府県等により認可等がされており、認可基準等や幼稚園教育要領、保育所保育指針又は幼保連携型認定こども園教育・保育要領に従った特定教育・保育の実施については、基本的には、都道府県等の認可等に関する事務により担保されていることから、市町村が3(2)の実地指導を行うに当たっては、実地指導の計画段階から認可等を行う都道府県等と調整を行い、当該都道府県等が実施する認可基準等の遵守状況の確認等に関する事務と同時に実施するほか、監査の際に求める資料やその様式等について県内において統一化するなど連携を図ること。

なお、この場合において、市町村が実施する監査の項目で都道府県と重複している部分に関しては、都道府県と調整の上、一方の監査項目から省略するなど効率化や事務負担の軽減を図ること。ただし、監査に漏れや不十分な部分が生じることのないよう、十分注意すること。

また、法第39条第２項及び第40条第１項第２号の規定の趣旨を踏まえ、認可基準等に関する事項に係る指導等については、都道府県等と事前に協議を行うなど、綿密に連携を図ること。

② 都道府県は、広域自治体として市町村に対する助言や広域調整を行う立場にあることに加え、法第15条第２項の規定に基づき自ら指導を行うことができること、法に基づき施設型給付費等を負担及び補助していることを踏まえ、①に限らず、適切に市町村に対する助言を行うこと。

③ 私立幼稚園に対する指導（特に教育内容に関するもの）を行うに当たっては、それぞれが建学の精神に基づく特色ある教育活動を展開していることを尊重するとともに、都道府県の私立幼稚園担当部局、教育委員会とも十分に連携して対応すること。

④ 幼稚園又は認定こども園の設置者が、当該幼稚園又は認定こども園の運営に係る会計について公認会計士又は監査法人の監査（以下「外部監査」という。）を受けている場合には、当該外部監査で軽微とは認められない指摘を受けた場合を除き、当該外部監査の対象となっている会計については、市町村の指導の対象としないことができる。

3　指導形態等

指導等は、次の形態を基本としつつ、各市町村の実情に応じて実施する。

(1) 集団指導

集団指導は、市町村が、特定教育・保育施設等に対して、内閣府令等の遵守に関して周知徹底等を図る必要があると認める場合に、その内容に応じ、特定教育・保育施設等の設置者等を一定の場所に集めて講習等の方法により行う。

なお、広域利用が行われている特定教育・保育施設等については、確認の権限を有する施設所在地市町村が代表して実施することを基本としつつ、必要に応じて、当該施設に対して施設型給付費等を支給する他の市町村と共同して実施するなど、効率的かつ効果的な実施に配慮すること。

(2) 実地指導

市町村は、特定教育・保育施設等に対して、質問等を行うとともに、必要と認める場合、内閣府令等の遵守に関して、各種指導等を行う。

なお、広域利用が行われている特定教育・保育施設等については、確認の権限を有する施設所在地市町村が代表して実施することを基本としつつ、必要に応じて、当該施設に対して施設型給付費等を支給する他の市町村と共同して実施するなど、効率的かつ効果的な実施に配慮すること。

4　指導対象の選定

指導等は全ての特定教育・保育施設等を対象とし、重点的かつ効率的に実施する観点から、指導形態に応じて、次の基準に基づいて対象の選定を行う。

(1) 集団指導

① 新たに確認を受けた特定教育・保育施設等については、概ね１年以内に全てを対象として実施する。

② ①の集団指導を受けた特定教育・保育施設等については、その後の制度の改正、施設型給付費等の請求の実態、過去の指導事例等に基づき必要と考えられる内容が生じたときに、当該指導すべき内容に応じて、対象となる特定教育・保育施設等を選定して実施する。

(2) 実地指導

① 全ての特定教育・保育施設等を対象に定期的かつ計画的に実施する。実施頻度については、地域の特定教育・保育施設等の内閣府令等の遵守状況、集団指導の状況、都道府県等が行う認可等に関する事務の状況、市町村の実施体制等を勘案して、各市町村が周辺市町村及び都道府県と相談しつつ検討する。

② その他特に市町村が実地による指導を要する

と認める特定教育・保育施設等を対象に随時実施する。

5　方法等

(1)　集団指導

①　指導通知

市町村は、指導対象となる特定教育・保育施設等を決定したときは、あらかじめ集団指導の日時、場所、予定される指導内容等を文書により当該特定教育・保育施設等の設置者等に通知する。

②　指導方法

集団指導は、特定教育・保育等の提供及び施設の運営に関する基準、施設型給付費等の請求の方法、制度改正の内容及び過去の指導事例等について講習等の方式で行う。

なお、やむを得ない事情により集団指導に欠席した特定教育・保育施設等には、当日使用した必要書類を送付する等、必要な情報提供に努めるとともに、直近の機会に改めて集団指導の対象に選定する。

(2)　実地指導

①　指導通知

市町村は、指導対象となる特定教育・保育施設等を決定したときは、あらかじめ次に掲げる事項を文書により当該特定教育・保育施設等に通知する。なお、日時については、施設側の教育・保育の計画的な実施に支障が生じないよう調整を行う。

ア　実地指導の根拠規定及び目的

イ　実地指導の日時及び場所

ウ　実地指導を行う市町村の担当者

エ　実地指導に同席する都道府県の担当者の有無

オ　準備すべき書類等

②　指導方法

実地指導は、内閣府令等の遵守状況を確認するために必要となる関係書類の閲覧、関係者との面談等により行う。

職員数等の充足状況の確認に際しては、各職員の当該特定教育・保育施設等の専任又は他の施設等との兼務の状況を把握すること。その上で、兼務とされる職員については、兼務する他の施設等の名称・所在地を把握するとともに、当該他の施設等での勤務の実態を把握すること。その際、当該職員の現認や出勤簿の確認等を行うほか、兼務する他の施設等の所在地が他の市町村である場合には、当該他の市町村と情報共有を図ること。

また、同一の建物・施設内で複数の施設を運営する事業者については、都道府県及び市町村の各担当部局が連携し、当該事業者の情報を把握し運営状況等を共有するとともに、可能な限り合同で指導を実施すること。

③　指導結果の通知等

実地指導の結果、改善を要すると認められた事項については、軽微なもの等を除き、後日、文書によって指導内容の通知を行うものとする。なお、必要に応じ、認可に関する事務等を行う都道府県と調整する。

④　改善報告書の提出

市町村は、当該特定教育・保育施設等に対し、原則として、文書で指摘した事項に係る改善報告書の提出を求めるものとする。

(3)　集団指導及び実地指導の方式

天災その他やむを得ない事由により集団指導及び実地指導（以下「指導」という。）を行うことが著しく困難又は不適当と認められる場合（「その他やむを得ない事由」については、感染症が長期にわたって流行している状況を想定しており、指導に対応する職員の多忙など、市町村側の事情は対象とならない。）には、例外的に実地によらない方法で実施することができる。この場合、書面による確認のみではなく、テレビ会議、電話による確認を組み合わせて実施すること。また、実地による指導となるべく同様の確認ができるよう、実地による指導で確認していたものと同じ書類を確認する、特定教育・保育施設等の職員等に状況を聞き取る、テレビ会議ができない場合には施設・設備等の写真や目視に代わって指導項目を確認するための書類提出を求めるなど、工夫して指導を行うこと。その上で、実地によらない指導で疑念が生じた場合等には、速やかに実地による指導に切り替えること。

6　監査への変更

実地指導中に以下に該当する状況を確認した場合は、直ちに「特定教育・保育施設等監査指針」に定めるところにより監査を行うこととする。

①　著しい運営基準違反が確認され、当該特定教育・保育施設等を利用する小学校就学前子ども（以下「利用児童」という。）の生命又は身体の安全に危害を及ぼすおそれがあると判断した場合

②　施設型給付費等の請求に不正又は著しい不当が

認められる場合

7　都道府県への情報提供

市町村は、都道府県に対して、集団指導の概要、実地指導の指導結果の通知及び改善報告書の概要について情報提供を行う。

（別添２）

特定教育・保育施設等監査指針

1　目的

この監査指針は、市町村長（特別区の区長を含む。以下同じ。）が、子ども・子育て支援法（平成24年法律第65号。以下「法」という。）第38条から第40条まで及び第50条から第52条までの規定に基づき、特定教育・保育施設又は特定教育・保育施設の設置者若しくは特定教育・保育施設の設置者であった者若しくは特定教育・保育施設の職員であった者及び特定地域型保育事業者又は特定地域型保育事業者であった者若しくは特定地域型保育事業所の職員であった者（以下「特定教育・保育施設等の設置者等」という。）に対して行う施設型給付費、特例施設型給付費、地域型保育給付費及び特例地域型保育給付費等（以下「施設型給付費等」という。）に係る特定教育・保育、特別利用保育、特別利用教育、特定地域型保育、特別利用地域型保育、特定利用地域型保育及び特例保育（以下「特定教育・保育等」という。）の内容又は施設型給付費等の請求に関する監査について、基本的事項を定めることにより、特定教育・保育等の質の確保及び施設型給付費等の適正化を図ることを目的とする。

2　監査方針等

⑴　監査方針

監査は、特定教育・保育施設等（法第27条第１項に規定する特定教育・保育施設及び法第29条第１項に規定する特定地域型保育事業者をいう。以下同じ。）について、法第39条、第40条、第51条及び第52条までに定める行政上の措置に相当する違反の疑いがあると認められる場合又は施設型給付費等の請求について不正若しくは著しい不当（以下「違反疑義等」という。）が疑われる場合並びに「特定教育・保育施設等指導指針」中「6　監査への変更」に基づき、監査に移行した場合において、事実関係を的確に把握し、公正かつ適切な措置を採ることを目的として実施する。

⑵　留意点

①　特定教育・保育施設については、幼稚園は学校教育法（昭和22年法律第26号）、保育所は児童福祉法（昭和22年法律第164号）、認定こども園は就学前の子どもに関する教育、保育等の総合的な提供の推進に関する法律（平成18年法律第77号）に基づき都道府県等により認可等がされており、認可基準等又は幼稚園教育要領、保育所保育指針若しくは幼保連携型認定こども園教育・保育要領に従った教育・保育の実施については、基本的には、都道府県等の認可等に関する事務により担保されるべきものであることから、市町村（特別区を含む。以下同じ。）が監査を行うに当たっては、可能な限り、事前に認可等を行う都道府県等と調整を行い、合同で立入り等を行うほか、監査の際に求める資料やその様式等について県内において統一化するなど連携を図ること。

また、法第39条第２項、第40条第１項第２号の規定の趣旨を踏まえ、認可基準等に関する事項に係る監査結果の通知及び行政上の措置については、都道府県等と事前に協議を行うなど、綿密に連携を図ること。

②　私立幼稚園に対する監査を行うに当たっては、それぞれが建学の精神に基づく特色ある教育活動を展開していることを尊重するとともに、都道府県の私立幼稚園担当部局、教育委員会とも十分に連携して対応すること。

3　監査対象となる特定教育・保育施設等の選定基準

監査は、下記に示す情報を踏まえて、違反疑義等の確認について特に必要があると認める場合に行うものとする。

なお、特に③又は④の情報に基づく場合には、事案の緊急性・重大性を踏まえ、必要に応じて、事前通告なく監査を行うことが適切であることに留意すること。

①　要確認情報

ア　通報・苦情・相談等に基づく情報（具体的な違反疑義等が把握でき、又は違反が疑われる蓋然性がある場合に限る。）

イ　施設型給付費等の請求データ等の分析から特異傾向を示す事業者に係る情報

②　実地指導において確認した情報

法第14条第１項の規定に基づき実地指導を行った市町村が特定教育・保育施設等について確認した違反疑義等に関する情報

③　重大事故に関する情報

死亡事故等の重大事故の発生又は児童の生命・心身・財産への重大な被害が生じるおそれに関する情報

④　意図的な隠ぺい等の悪質な不正が疑われる情報

4　監査方法等

(1)　報告等

確認権限のある市町村長は、違反疑義等の確認について必要があると認めるときは、法第38条及び第50条に基づき、特定教育・保育施設等に対し、報告若しくは帳簿書類その他の物件の提出若しくは提示を命じ、出頭を求め、又は当該市町村の職員に関係者に対して質問させ、若しくは特定教育・保育施設等その他特定教育・保育施設等の運営に関係のある場所に立ち入り、その設備若しくは帳簿書類その他の物件の検査（以下「実地検査等」という。）を行うものとする。

確認権限のない市町村長が違反疑義等に関する情報を得た場合は、次の対応を行うものとする。なお、当該市町村が当該特定教育・保育施設等に対する施設型給付費等を支給している場合など、複数の市町村に関係がある場合については、都道府県が総合的な調整を行うものとする。

①　当該市町村長は、確認権限のある市町村長に対し、当該情報を共有する。

②　確認権限のある市町村長は、①の情報共有があったときは、速やかに必要な対応を行うものとする。

(2)　監査結果の通知等

監査の結果、法に定める行政上の措置に至らない軽微な改善を要すると認められた事項については、当該特定教育・保育施設等に対して、後日、文書によって指導内容の通知を行うとともに、原則として、文書で指導した事項に係る改善報告書の提出を求めるものとする。

(3)　行政上の措置

確認権限のある市町村長は、違反疑義等が認められた場合には、必要に応じて認可等の事務を行う都道府県と連携を図りながら、次のとおり、法第39条及び第51条（勧告、命令等）、法第40条及び第52条（確認の取消し等）の規定に基づき行政上の措置を機動的に行うものとする。

①　勧告

特定教育・保育施設等の設置者等に法第39条第1項及び第51条第1項に定める確認基準違反等が認められた場合、当該特定教育・保育施設等の設置者等に対し、期限を定めて、文書により基準の遵守等を行うべきことを勧告することができる。当該特定・保育施設等の設置者等は、勧告を受けた場合は、期限内に文書により改善報告書を提出するものとする。

②　命令

特定教育・保育施設等の設置者等が正当な理由がなくその勧告に係る措置をとらなかったときは、当該特定教育・保育施設等の設置者等に対し、期限を定めて、その勧告に係る措置をとるべきことを命令することができる。

命令をしたときは、その旨を公示するとともに、遅滞なく、その旨を、当該特定教育・保育施設等に係る認可等を行った都道府県知事等に通知しなければならない。

当該特定教育・保育施設等の設置者等は、命令を受けた場合は、期限内に文書により改善報告書を提出するものとする。

③　確認の取消し等

確認基準違反等の内容が、第40条第1項各号及び第52条第1項各号のいずれかに該当する場合においては、当該特定教育・保育施設等に係る確認を取り消し、又は期間を定めてその確認の全部若しくは一部の効力を停止すること（以下「確認の取消し等」という。）ができる。

確認の取消し等をしたときは、遅滞なく、当該特定教育・保育施設の設置者の名称等を都道府県知事に届け出るとともに、これを公示しなければならない。

(4)　聴聞・弁明の機会の付与

監査の結果、当該特定教育・保育施設等の設置者等に対して命令又は確認の取消し等の処分（以下「取消処分等」という。）を行おうとする場合は、監査後、取消処分等の予定者に対して、行政手続法（平成5年法律第88号）第13条第1項各号の規定に基づき聴聞又は弁明の機会の付与を行わなければならない（同条第2項各号のいずれかに該当する場合を除く。）。

(5)　不正利得の徴収

①　勧告、命令又は確認の取消し等を行った場合において、当該取消し等の基礎となった事実が法第12条に定める偽りその他不正の手段により施設型給付費等を受けた場合に該当すると認めるときは、施設型給付費等の全部又は一部について、同条第1項の規定に基づく不正利得の徴収（返還金）として徴収を行う。

②　①に加え、命令又は確認の取消し等を行った特定教育・保育施設等について不正利得の徴収として返還金の徴収を求める際には、原則として、法第12条第2項の規定により、当該特定教育・保育施設等に対し、その支払った額につき返還させるほか、その返還させる額に100分の40を乗じて得た額を支払わせるようにする。

③　複数の市町村が施設型給付費等を支給する特定教育・保育施設等については、①及び②の措置に関し、都道府県が総合的な調整を行う。

5　関係機関への情報提供

市町村は、都道府県に対して、監査結果の通知、行政上の措置及び不正利得の徴収の内容並びに改善報告書の概要について情報提供を行う。また、確認基準違反等の情報提供を受けた都道府県は、同一事案の発生可能性が高い場合など事案の性質に応じ、同一法人が有する特定教育・保育施設が所在する管内市区町村及び法人本部が所在する都道府県に適切に情報共有を行うこと。

なお、広域に事業を実施している社会福祉法人等については、「社会福祉法人の法人監査及び施設監査の連携について（依頼）」（平成29年9月26日付け府子本第762号・29文科初第868号・子発0926第1号・社援発0926第1号・老発0926第1号内閣府子ども・子育て本部統括官・文部科学省初等中等教育局長・厚生労働省子ども家庭局長・社会・援護局長・老健局長連名通知）により、必要な連携及び情報提供について別途通知しているので、留意すること。

6　死亡事故等の重大事故が発生した特定・教育保育施設等に係る留意点

特定教育・保育施設等における死亡事故等の重大事故に係る検証が実施された場合には、検証の結果を踏まえた再発防止策についての当該施設における対応状況等を確認すること。

7　特定教育・保育施設等における死亡事故等の重大事故に係る検証が実施された場合、検証の結果については、今後の指導監督に反映させること。

○子ども・子育て支援新制度における指導監査等の実施について

（平成27年12月７日　府子本第391号・27初幼教第28号・雇児保発1207第１号
各都道府県民生・私立学校主管部(局)長・教育委員会幼稚園関係事務主管部課長・各指定都市・各中核市民生主管部(局)長宛　内閣府子ども・子育て本部参事官（子ども・子育て支援担当）・(認定こども園担当)・文部科学省初等中等教育局幼児教育・厚生労働省雇用均等・児童家庭局保育課長連名通知）

注　平成30年３月７日府子本第102号・29初幼教第16号・子保発0307第１号改正現在

このたび、子ども・子育て支援新制度下において実施される指導監査等について、下記のとおり基本的な考え方をまとめました。

各都道府県におかれては、十分御了知の上、貴管内市区町村に周知するとともに、関係部局及び市区町村と連携の上、その運用に遺漏のないよう配慮願います。

なお、本通知は地方自治法（昭和22年法律第67号）第245条の４第１項に規定する技術的助言として発出するものであることを申し添えます。

記

１　特定教育・保育施設及び特定地域型保育事業（以下「特定教育・保育施設等」という。）に対する指導監査等の種類について

(1)　各施設及び事業に対する認可制度等に基づく指導監査（以下「施設監査」という。）について

各特定教育・保育施設等に対し認可を行う者は、就学前の子どもに関する教育、保育の総合的な提供の推進に関する法律（平成18年法律第77号）等に基づき、認可基準の遵守（職員配置基準や面積基準の遵守等）等の観点から、以下を踏まえ、施設監査を行うものである。

○対象となる施設・事業及び監査に係る根拠法並びに監査指針等

施設・事業	根拠法	監査指針等
幼保連携型認定こども園	就学前の子どもに関する教育、保育等の総合的な提供の推進に関する法律（平成18年法律第77号）	就学前の子どもに関する教育、保育等の総合的な提供の推進に関する法律に基づく幼保連携型認定こども園に対する指導監査について（平成27年12月７日府子本第373号、27文科初第1136号、雇児発1207第１号）
幼稚園	学校教育法（昭和22年法律第26号）	従前の取扱いと同様、監査方針等は、必要に応じて、各都道府県が判断
保育所	児童福祉法（昭和22年法律第164号）	児童福祉行政指導監査の実施について（平成12年４月25日児発第471号）
地域型保育事業	児童福祉法	児童福祉法に基づく家庭的保育事業等の指導監査について（別途通知）

※　幼保連携型認定こども園以外の認定こども園については、保育所型は保育所、幼稚園型は幼稚園、地方裁量型は認可外保育施設として指導監査を実施。その上で、認定権者である都道府県の判断により、必要に応じ、認定こども園としての認定基準の遵守状況等を実地調査等により確認。

(2)　各施設及び事業に対する確認制度に基づく指導監査（以下「確認監査」という。）について

各特定教育・保育施設等に対し確認を行う者は、子ども・子育て支援法（平成24年法律第65号）に基づき、確認基準の遵守並びに施設型給付、特例施設型給付、地域型保育給付及び特例地域型保育給付の支給に関する業務の適正な実施等の観点から、「子ども・子育て支援法に基づく特定教育・保育施設等の指導監査について」（平成27年12月７日付け府子本第390号・27文科初第1135号・雇児発1207第２号内閣府子ども・子育て本部統括官・文部科学省初等中等教育局長・厚生労働省子ども家庭局長連名通知）を踏まえ、指導監査を行うものである。

(3)　各施設及び事業に対する業務管理体制の整備に関する検査について

子ども・子育て支援法第55条第２項に基づき特定教育・保育施設の設置者及び特定地域型保育事業者（以下「特定教育・保育提供者」という。）から業務管理体制の整備に関する事項の届出を受けた者は、法令遵守責任者の選任状況や法令順守

に係る規定の適切な整備等の観点から、業務管理体制の確認検査を行うものであり、その留意点等については別途通知する。

2　指導監査等を行うに当たっての留意事項について

1に述べたとおり、子ども・子育て支援新制度下においては、各法令等に基づき、複数の指導監査等が行われることとなる。

その実施に当たっては、実施主体や監査事項について、一部重複が見られることから以下のとおり、都道府県及び市区町村において相互に連携して対応する等負担軽減に努め、効果的な指導監査となるよう努められたい。

(1)　施設監査、確認監査及び業務管理体制の確認検査を行う際には、事前に都道府県及び市町村間で調整を行い、監査の際に求める資料やその様式等について都道府県内において統一化するなど連携を図ること。なお、この場合において、市町村が実施する監査の項目で都道府県と重複している部分に関しては、都道府県と調整の上、一方の監査項目から省略するなど効率化や事務負担の軽減を図ること。ただし、このことにより監査に漏れや不十分な部分が生じることのないよう、十分注意すること。

(2)　私立幼稚園については、従来よりそれぞれが建学の精神に基づく特色ある教育活動を展開していることを踏まえた対応を行うこと。

(3)　幼稚園又は認定こども園の設置者が、当該幼稚園又は認定こども園の運営に係る会計について公認会計士又は監査法人の監査（以下「外部監査」という。）を受けている場合には、当該外部監査で軽微とは認められない指摘を受けた場合を除き、当該外部監査の対象となっている会計については、市町村が行う会計監査を省略することができる。

(4)　事業における不正の早期発見の観点から、指導監査の効果的な実施が重要となるため、以下の点に留意しつつ、関係機関の一層の連携の下、指導監査を実施されたい。

①　丁寧な情報収集

平素より、特定教育・保育施設等に関して丁寧な情報収集を行うこと。

特に、保護者、保育教諭等から意見、苦情等が寄せられた場合等については、関係者からの更なる聞き取りや現地訪問等を行うことにより、しっかりと事実確認を行うこと。

②　事前通告なしの監査の活用

違反疑義等の確認にあたっては、事案の性質に応じ、事前通告なく監査を行うこと。特に、重大事故に関する情報又は意図的な隠ぺい等の悪質な不正が疑われる情報に基づく場合には、事案の緊急性・重大性を踏まえ、必要に応じて、事前の通告なく監査を行うことが適切であること。

③　地方公共団体間の連携

施設監査を行う都道府県等と確認監査を行う市町村との間で、監査の時期、内容及び結果等の情報を相互に共有し、連携を図ること。特に、確認基準違反等の情報提供を受けた都道府県は、同一事案の発生可能性が高い場合など事案の性質に応じ、同一法人が有する特定教育・保育施設が所在する管内市区町村及び法人本部が所在する都道府県に適切に情報共有を行うこと。

なお、広域に事業を実施している社会福祉法人等については、「社会福祉法人の法人監査及び施設監査の連携について（依頼）」（平成29年9月26日付け府子本第762号・29文科初第868号・子発0926第1号・社援発0926第1号・老発0926第1号内閣府子ども・子育て本部統括官・文部科学省初等中等教育局長・厚生労働省子ども家庭局長・社会・援護局長・老健局長連名通知）により、必要な連携及び情報提供について別途通知しているので、留意すること。

④　その他

認定や認可の取消しを行うに当たっては、施設を現に利用している全ての子どもの保護者に対する情報提供、代替施設の確保等に努めること。また、これに至らない改善勧告・改善命令を行うに当たっては、事業の性質に応じて、施設から保護者への説明の実施を求めるなど、適切に対応に努めること。

○子ども・子育て支援法に基づく特定教育・保育施設の設置者及び特定地域型保育事業者に係る業務管理体制の検査について

〔平成28年２月15日　府子本第55号
各都道府県知事・各指定都市市長・各中核市市長宛　内閣府子ども・子育て本部統括官通知〕

「特定教育・保育施設の設置者及び特定地域型保育事業者の業務管理体制の整備について」（内閣府子ども・子育て本部参事官（子ども・子育て支援担当）平成27年８月10日事務連絡）においてお知らせしましたが、子ども・子育て支援法（平成24年法律第65号。以下「法」という。）に定める特定教育・保育施設の設置者及び特定地域型保育事業者（以下「特定教育・保育提供者」という。）については、利用者に対する適切な教育・保育の提供が求められるだけでなく、事業の健全な運営と国民からの信頼を確保するため、法令等の自主的な遵守が求められるところであり、法第55条において、業務管理体制の整備を行うことが義務づけられました。

ついては、都道府県及び市町村（特別区を含む。以下同じ。）においても、特定教育・保育提供者のこのような立場を認識するとともに、特定教育・保育提供者の事業運営の一層の適正化を図るため、業務管理体制の整備について適切に指導願います。その際、的確かつ効果的な指導を行う観点から、法第56条に定める業務管理体制の整備に関する検査について、下記のとおり基本的な考え方を取りまとめましたのでお知らせします。

各都道府県知事におかれましては、十分御承知の上、遅滞なく貴管内市町村に周知願います。また、各地方公共団体の長におかれましては、貴管内の関係者に対して遅滞なく周知するとともに、関係部局と連携し、その運用に遺漏のないよう配慮願います。

なお、本通知は、地方自治法（昭和22年法律第67号）第245条の４第１項の規定に基づく技術的助言であることを申し添えます。

記

１　本通知の目的

本通知は、都道府県知事又は市町村長（以下「市町村長等」という。）が、子ども・子育て支援法（平成24年法律第65号。以下「法」という。）第56条の規定に基づき、特定教育・保育施設の設置者及び特定地域型保育事業者（以下「特定教育・保育提供者」という。）に対して行う業務管理体制の整備に関する検査についての基本的事項等を示すことにより、その的確かつ効果的な実施及び均一な検査水準の確保を図ることを目的とする。

２　検査の実施方針

法第55条第２項に定める市町村長等は、検査を通じて特定教育・保育提供者が適切な業務管理体制を整備していることを確認すること。

検査は、「一般検査」と「特別検査」とし、一般検査については、定期的かつ計画的に行うものとする。一般検査については、書面の提出にて行うことを基本とする。

また、特別検査については、次のいずれかに該当する場合に随時適切に行うものとすること。

①　施設又は事業の運営に不正又は著しい不当があったことを疑うに足りる理由があるとき

②　度重なる指導によっても改善が見られないとき

③　正当な理由がなく、一般検査を拒否したとき

３　検査事項

市町村長等が特定教育・保育提供者に対する検査を行うに当たっては、子ども・子育て支援法施行規則（平成26年内閣府令第44号）第45条に定める以下の事項が適切に整備・実施されているかを確認すること。

(1)　法令を遵守するための責任者を選任していること。

(2)　業務が法令に適合することを確保するための規程を整備していること（確認を受けている施設又は事業所の数が20以上の特定教育・保育提供者に限る。）。

(3)　業務執行の状況の監査を定期的に行っていること（確認を受けている施設又は事業所の数が100以上の特定教育・保育提供者に限る。）。

４　検査結果に基づく措置

(1)　検査を担当した職員は、検査終了後、速やかに、検査対象特定教育・保育提供者に対して、検査結果を丁寧に説明の上、文書をもって必要な指導、助言等を行うこと。

(2)　指導、助言等を行った事項については、期限を付して対応状況の報告を求め、改善の有無を確認すること。

⑶　指導、助言等を行った事項について、適切な改善がなされない場合には、必要に応じて、法第57条に基づく勧告等の措置を講じること。

5　留意点

⑴　検査に当たっては、特定教育・保育提供者が、それぞれ創意工夫のもとに施設・事業を運営していることに鑑み、個々の施設等の運営努力を勘案し、形式的・画一的な対応とならないよう留意すること。

⑵　検査の実施時期・方法等については、個々の特定教育・保育提供者の事情を踏まえて柔軟に決定すること。

また、設置者・事業者関係者の理解と自発的協力をもとに実施するとともに、相互信頼を基礎として十分に意見交換を行い、一方的判断を押しつけることのないよう留意すること。

⑶　検査は、法に基づき市町村が実施する確認に係る指導監査や、法人に対する監査等の他の指導監査と併せて実施することを基本とし、実施に係る負担を軽減するとともに、効果的な検査となるよう努めること。その際、例えば、検査の際に求める資料やその様式等について可能な限り都道府県内において統一化を図り、事前に周知すること等が考えられること。

○保育士の労働環境確保に係る取扱いについて

〔平成29年9月7日　子保発0907第1号
各都道府県・各指定都市・各中核市児童福祉主管部(局)長宛　厚生労働省子ども家庭局保育課長通知〕

保育施策の推進については、日頃より格別の御尽力を賜り厚く御礼申し上げます。

「「子育て安心プラン」について」（平成29年6月2日付け事務連絡）においてお示しした「6つの支援パッケージ」については、各都道府県又は各市町村（特別区を含む。以下同じ。）が行っている保育関連業務に係る内容が盛り込まれています。今般、本内容の一部に係る具体的な留意事項等を下記のとおりお示ししますので、内容を十分御了知の上、貴管内の市町村への周知を行うとともに、本内容の趣旨を踏まえて対応いただきますようお願いします。

記

保育園等に対する指導監査については、法令上年1回の実施が義務づけられているところであり、従来、「児童福祉行政指導監査の実施について」（平成12年4月25日付け児発第471号厚生省児童家庭局長通知。以下「指導監査通知」という。）に基づき実施されているところであるが、待機児童解消に向けて保育の受け皿拡大を大幅に進めており、全国的に有効求人倍率が高まる中、保育の担い手の確保及びその処遇の充実が喫緊の課題となってきていることも踏まえ、以下の点に留意の上、引き続き適切な指導監査の実施に努めること。

⑴　指導監査通知に掲げられた着眼点のうち、必要な職員の確保と職員処遇の充実の観点から「労働基準法等関係法規は、遵守されているか」の確認を求めるもの（指導監査通知別紙1の2の⑴の第2の⑴のア）については、保育士等の職員に対してその労働契約や労働時間に応じ適切な賃金が支払われているか等について、賃金台帳や雇用契約書等の労務関係書類も含め適切に確認することを意図するものであること。また、確認の結果、労働基準法等関係法規に違反する疑いが認められた場合には、必要に応じ、都道府県労働局または労働基準監督署との間で適切に情報提供等の連携を行うこと。

⑵　厚生労働省では、平成29年度予算において、睡眠中、食事中、水遊び中などの重大事故が発生しやすい場面での指導を行う巡回支援指導員の配置に係る事業を計上しており、保育園等における保育の質の確保及び保育事故の防止のため、この巡回支援指導員と指導監督部門との十分な連携を図ること等により、適切な指導監査の実施につなげること。

○「平成29年の地方からの提案等に関する対応方針」を踏まえた具体的な留意事項等について

〔平成30年1月19日　事務連絡
各都道府県・各指定都市・各中核市保育担当課宛　厚生労働省子ども家庭局保育課〕

保育施策の推進については、日頃より格別の御尽力を賜り厚く御礼申し上げます。

この度、「平成29年の地方からの提案等に関する対応方針」（平成29年12月26日閣議決定。別紙参照）が取りまとめられたことを踏まえ、配置基準等を満たさなくなった保育所等に対する指導監督の流れ等について具体的な留意事項等を下記のとおりお示ししますので、内容を十分御了知の上、貴管内の市区町村への周知を行うとともに、本内容の趣旨を踏まえて対応いただきますようお願いします。

記

保育所等に対する指導監査については、法令上年１回の実施が義務づけられているところであり、従来、「児童福祉行政指導監査の実施について」（平成12年４月25日付け児発第471号厚生省児童家庭局長通知。以下「指導監査通知」という。）及び「児童福祉法に基づく家庭的保育事業等の指導監査について」（平成27年12月24日付け雇児発1224第２号厚生労働省雇用均等・児童家庭局長通知）に基づき実施されているところである。

これについて、指導監査の実施率が芳しくない自治体が見受けられることや、待機児童解消に向けた受け皿拡充と質の確保・向上が「車の両輪」であることを踏まえ、以下の点に留意の上、改めて適切な指導監査の実施に努めること。

(1)　指導監査通知の５の(1)のウにおいて、「実地監査の実施に当たっては、必要に応じて、例えば、経理指導監査について現地において集合監査を行い、又は実地監査の際必要な項目についてあらかじめ自主点検表を提出させる等、指導監査の能率的な実施方法を併用して差し支えないこと。また、指導監査の方法については、監査対象施設の規模及び前回の指導監査の結果等を考慮した弾力的な指導監査を行うこと」としているが、厚生労働省では、平成29年度予算において、睡眠中、食事中、水遊び中などの重大事故が発生しやすい場面での指導を行う巡回支援指導員の配置に係る事業を計上しており、保育園等における保育の質の確保及び保育事故の防止のため、この巡回支援指導員と指導監督部門との十分な連携を図ることも、ここでいう「指導監査の能率的な実施方法」や「弾力的な指導監査」に該当することから、本事業の活用等により、適切な指導監査の実施につなげること。

(2)　指導監査通知の８の(1)において、問題を有する保育所等を対象に必要に応じて特定の事項について実施することとされている特別指導監査について、「保育所において死亡事故等の重大事故が発生した場合又は児童の生命・心身・財産に重大な被害が生じるおそれが認められる場合等は、必要に応じて事前に通知せずに特別指導監査を実施することが適切である」旨示しているが、こうした事前通知なしの指導監査を行うことが適切である場合として、例えば、具体的には以下のような事例が考えられること。

・保育所において死亡事故が発生した旨の報告があったが、死亡に至った経過や状況が不明確であり、正確に実態を把握するために事前通知なしの指導監査が必要な場合
・利用者等の通報・苦情・相談等により虐待のおそれが明らかになり、事実確認のため、隠蔽等の危険を避けた形で職員への聞き取り等を行うことが必要な場合
・不正な会計経理や書類の改ざん等が行われている疑いがあり、証拠となる帳簿や書類について改変・破棄の猶予を与えることなく提出を求めることが必要な場合
・児童に対する不適切な処遇が行われた疑いで改善勧告を行った保育所から改善計画書の提出があり、当該計画書に従った改善が実際に行われているかどうかについて、実地に赴いて確認する必要がある場合

(3)　指導監査通知の11の(4)のウにおいて、児童福祉施設の設備及び運営に関する基準（昭和23年厚生

省令第63号）に基づき、都道府県等の条例により定められた基準（以下「設備運営基準」という。）を下回っている場合等であって「指導監査において繰り返し是正措置を採るよう指示したにもかかわらず、なお改善がなされていないものについては、必要に応じて法令等に基づく処分を行うこと」を示している（ここでいう「法令等に基づく処分」は、児童福祉法（昭和22年法律第164号）に基づく以下①～④の処分である）。

①　（設備運営基準に達しないとき）改善勧告
②　（改善勧告に従わず、かつ児童福祉に有害と認められるとき）改善命令
③　（設備運営基準に達せず、かつ、児童福祉に著しく有害であると認められるときに、都道府県児童福祉審議会の意見を聴いた上で）事業停止命令
④　（設備運営基準等に違反したとき）認可取消し

したがって、保育所等に勤務する保育士について、産前・産後休業や育児休業を取る者が相次いだ等の理由で、やむをえず一時的に設備運営基準を下回っているような場合については、累次の指導監査や必要に応じた代替職員の派遣措置等を通じ、事態の改善の余地があるか見極めること。なお、代替職員の派遣を行う際は、派遣先の保育所等との間で覚書を取り交わす等の方法で、代替職員の施設における役割や責任の所在を明確化しておくことが望ましい。

また、実際に上記①～④の処分を行う場合、以下の点に留意すること。

・虐待等のおそれがあるなど至急の対応が必要な場合を除き、改善勧告から改善命令、改善命令から事業停止命令、事業停止命令から認可取消しと、徐々に重い処分を実施していくことが想定されるが、その間、処分を行った保育所等に対するきめ細かい指導監督・意見聴取等を通じて事態の詳細な把握に取り組むこと。
・当該保育所等に通所する子どもについて、健全な育成の場が奪われることがないよう、特に事業停止命令や認可取消しが想定されるような場合については、当該子どもの保護者に対して、早い段階から、説明会の実施や、転園先となりうる保育所・事業停止命令や認可取消しの予定日時等を提示するなど、手厚い支援を行うよう努めること。

（別　紙）

平成29年の地方からの提案等に関する対応方針（平成29年12月26日閣議決定）（抄）

４　国から地方公共団体への事務・権限の移譲等

【厚生労働省】

(3)　児童福祉法（昭22法164）

(i)　保育所における保育士の配置基準（児童福祉施設の設備及び運営に関する基準（昭23厚生省令63）33条）に係る子どもの年齢の基準日を年度途中に変更し、保育士の配置基準が変わる場合の影響等については、児童の発達や環境への順応といった観点も踏まえながら、平成30年度中に地方公共団体・保育所等に調査を行い、その結果に基づき必要な対応を検討し、結論を得る。その結果に基づいて必要な措置を講ずる。

また、配置基準等を満たさなくなった事業所に対する監査指導の流れについて、改めて平成29年度中に周知するとともに、保育士・保育所支援センターへの支援等を通じて、地方公共団体の保育士確保の取組を支援する。

○児童福祉法に基づく保育所等の指導監査の効率的・効果的な実施について

〔令和元年５月30日　事務連絡
各都道府県・各指定都市・各中核市保育担当課宛　厚生労働省子ども家庭局保育課〕

保育施策の推進については、日頃より格別の御尽力を賜り厚く御礼申し上げます。

児童福祉法（昭和22年法律第164号）に基づく保育所又は家庭的保育事業等（以下「保育所等」という。）の指導監査については、平成30年９月にとりまとめられた「保育所等における保育の質の確保・向上に関する検討会　中間的な論点の整理」（以下「論点整理」という。）の中で、保育所等の負担軽減の観点から、指導監査の効果的・効率的な実施方策を検討することとされています。（別紙１参照。）

また、「平成30年の地方からの提案等に関する対応方針」（平成30年12月25日閣議決定。別紙２参照）及び「子育て支援に関する行政評価・監視—保育施設等の安全対策を中心として—の結果に基づく勧告」（平成30年11月９日。以下「総務省勧告」という。別紙３参照）においても、効率的かつ効果的に指導監査を実施できる方策を検討することとされています。

これらを受け、「保育所等における保育の質の確保・向上に関する実態調査について（協力依頼）」（平成30年12月19日付け事務連絡）により、都道府県等を対象として、指導監査の効率的かつ効果的な実施状況等に関して調査（以下「調査」という。）を行ったところですが、下記のとおり、調査の結果及び指導監査に当たっての留意事項をお示ししますので、内容を十分御了知の上、各都道府県におかれては、管内の市区町村への周知を行うとともに、効果的かつ効率的な指導監査の実施に取り組んでいただくようお願いします。

なお、今後、都道府県等が保育所等の指導監査の際に提出を求めている書類等を精査した上で、監査事項の具体化・明確化を図るなど、更なる指導監査の効率的かつ効果的な実施のための方策について検討し、追って示すことを申し添えます。

記

１　調査の結果について

調査の結果は別添のとおりであり、都道府県等においては、毎年度の指導監査の指導計画の策定や指導監査の実施をする際に、参考にされたい。

２　指導監査の効率的かつ効果的な取組について

保育所等に対する指導監査については、児童福祉法施行令（昭和23年政令第74号。以下「政令」という。）第35条の４又は第38条に基づき、年１回以上の指導監査が義務づけられている。

また、その実施に当たっては、「児童福祉行政指導監査の実施について」（平成12年４月25日付け児発第471号厚生省児童家庭局長通知。以下「指導監査通知」という。）別紙「児童福祉行政指導監査実施要綱」の５の(1)のウにおいて、「実地監査の実施に当たっては、必要に応じて、例えば、経理指導監査について現地において集合監査を行い、又は実地監査の際必要な項目についてあらかじめ自主点検表を提出させる等、指導監査の能率的な実施方法を併用して差し支えないこと。また、指導監査の方法については、監査対象施設の規模及び前回の指導監査の結果等を考慮した弾力的な指導監査を行うこと」とし、効果的・効率的な指導監査を求めているところである。

調査では、都道府県等における指導監査の効率的かつ効果的な取組として、以下のような事例がみられた。各地方自治体におかれては、指導監査通知の内容とともに参照いただき、引き続き、保育所等の負担軽減の観点から、効率的かつ効果的な指導監査の実施に努めていただくようお願いする。

【指導監査における効果的・効率的な取組の実施例】

①　実地検査前日までの負担軽減に係る取組

・　指導監査に必要な資料は、都道府県等のHPからダウンロードし、事前にメール・郵送等での提出を求め、実地検査当日は実地により確認すべき事項を中心に検査

・　実地検査の数か月前に説明会を実施し、当該年度における実地検査の際の着眼点、事前に提出する資料、当日に準備する資料等を事前に事業者に告知

②　実地検査当日の負担軽減に係る取組

・　児童福祉法に基づく施設の実地検査と子ども・子育て支援法に基づく給付事務の確認監査を同日に実施

・　前年の実地検査において、適正な運営がされており、指摘がなかった保育所等は、次年度において監査項目を簡素化し、項目を絞った実地検査を実施。（※）一部の項目は、書面による監査や集合監査で代替

（※）　実地検査の際の重点事項を定め、指摘がなかった保育所は当該項目のみ実施

【重点事項の例】

・　保育士等の職員配置の状況

・　事故防止の取組

・　運営規程・重要事項説明書の記載事項

・　適切な食事、衛生管理の徹底

・　経理及び決算事務、委託費の運用状況

等

・　事業者が、普段から指導計画等の書類を電子的に作成している場合は、実地検査当日に紙での出力は不要とし、パソコン等で検査担当者が確認

・　複数の保育所等を経営している法人については、同日に実地検査を実施すると同時に、同一法人下の各事業所から提出を求める書類を一部省略

3　指導監査の留意事項等について

⑴　年1回の指導監査の徹底について

上記2のとおり、保育所等に対する指導監査の実施回数については、政令第35条の4及び第38条に基づき、年1回以上行うことが義務づけられている。

これについて、年1回の指導監査を行っていない、又は指導監査を書面検査で代替している地方自治体が見受けられるが、保育所等の保育内容や保育環境が適切に確保されるためには、地方自治体が保育の現場に立ち入ることが重要であり、年1回以上の立入の徹底について改めてお願いする。

⑵　指定都市等に所在する公立の保育所に対する指導監査の確実な実施について

指定都市及び中核市（以下「指定都市等」という。）に所在する私立の保育所に対する指導監査の権限及び実施義務（以下「監査権限等」という。）は、地方自治法施行令（昭和22年政令第16号）第174条の26又は第174条の49の2に基づいて、都道府県から指定都市等に移譲されているところである。

一方、指定都市等が設置者である公立の保育所の監査権限等については、指定都市等に移譲されておらず、都道府県が指導監査を行う仕組みとなっている。

改めて、指定都市等が設置者である公立の保育所については、指定都市等に所在する都道府県において年1回以上の指導監査を確実に実施されたい。

⑶　保育所等の監査結果の公表の促進について

調査において、指導監査結果を公表することで、改善指示を受けた保育所等に対して不当に不利益を与える恐れがある等の理由から、指導監査結果を公表していない地方自治体が見受けられた。

一方、こうした懸念への対応として、既に指導監査結果の公表に取り組んでいる地方自治体の中には、指導監査での指摘事項に対する改善措置状況も含めて公表し、保育所等や利用者の不安を解消している取組もみられた。

保育所等の指導監査の結果を公表することは、

・　保育所等に対し、適切な運営の確保の促進につながり、もって指摘・助言事項の確実かつ適切な是正改善につながること

・　都道府県等が、改善を求めている事項やポイントが明確となるため、他の保育所等の施設運営に当たっての参考となること

等の利点が考えられることから、地方自治体においては、積極的に指導監査結果等の公表に取り組まれたい。

また、公表に当たっては、保育所等の名称、指導監査での指摘事項及び指摘事項に対する改善措置状況も含め公表するとともに、HP等で広く住民に見える形で行うことが重要である点に留意されたい。

別添・別紙1～3　略

○指定都市、中核市及び児童相談所設置市が設置する保育所に対する指導監査の実施主体について（周知）

〔令和２年10月30日　子保発1030第１号
各都道府県・各指定都市・各中核市民生主管部（局）長宛
厚生労働省子ども家庭局保育課長通知〕

保育施策の推進につきましては、日頃よりご尽力を賜り厚く御礼申し上げます。

保育所については、その設備及び運営の基準の実施状況が関係法令等に照らし適正に実施されているかを確認することを目的として、児童福祉法（昭和22年法律第164号）第46条第１項及び児童福祉法施行令（昭和23年政令第74号）第38条に基づき、行政による指導監査（以下「施設指導監査」という。）を実施することとされているところです。

施設指導監査の実施主体については、都道府県が行うこととされている一方、児童福祉法施行令及び地方自治法施行令（昭和22年政令第16号）の規定により、指定都市、中核市及び児童相談所設置市（以下「指定都市等」という。）に所在する保育所については、原則として当該指定都市等が施設指導監査を行うこととされているところです。

今般、令和２年の地方分権改革に関する提案募集において、「指定都市又は中核市が設置する保育所等の指導監査権限を都道府県から指定都市及び中核市に移譲する」ことが提案されたところ、指定都市等が設置する保育所に対する施設指導監査の実施主体に関する取扱いについて疑義が生じたため、改めて整理したのでお知らせいたします。

また、本通知の発出に伴い、「児童福祉法に基づく保育所等の指導監査の効率的・効果的な実施について」（令和元年５月30日付厚生労働省子ども家庭局保育課事務連絡。以下「令和元年事務連絡」という。）の３⑵については削除することとします。

各都道府県、指定都市、中核市におかれましては、施設指導監査の実施に当たり参考にしていただくとともに、管内の児童相談所設置市及び関係機関等に周知していただきますようお願いいたします。

なお、本通知は、地方自治法第245条の４第１項の規定に基づく技術的な助言であること及びその内容について総務省自治行政局と協議済みであることを申し添えます。

記

１　施設指導監査の実施主体に係る大都市特例の概要

施設指導監査については、児童福祉法第46条第１項に規定されているとおり、原則として都道府県知事の権限により実施されるものであるが、指定都市等においては、同法第59条の４第１項の規定により、同法中都道府県が処理することとされている事務は、政令で定めるところにより指定都市等が処理するものとされている。

これを受け、

・指定都市が処理する事務については、児童福祉法施行令第45条第１項において、地方自治法施行令第174条の26第１項から第７項までに定めるところによることとされており、
・中核市が処理する事務については、児童福祉法施行令第45条第２項において、地方自治法施行令第174条の49の２に定めるところによることとされており、
・児童相談所設置市が処理する事務については、児童福祉法施行令第45条の３第１項から第８項までにおいて定めている。

その上で、地方自治法施行令第174条の26第１項及び第７項、第174条の49の２第１項及び第２項並びに児童福祉法施行令第45条の３第１項及び第８項において、指定都市等に所在する保育所に対する施設指導監査は当該指定都市等が処理することとされている一方で、当該指定都市等が設置する保育所に対する施設指導監査は、当該指定都市が処理する事務から除かれている。

他方、地方自治法施行令第174条の26第８項（同令第174条の49の２第３項において準用する場合を含む。）及び児童福祉法施行令第45条の３第９項により、指定都市等がその事務を処理するに当たっては、児童福祉法第46条の規定による保育所についての都道府県知事の質問等に関する規定は、これを適用しないこととされている。

２　指定都市等が設置する保育所に対する施設指導監査の取扱いに係る経緯

指定都市及び中核市が設置する保育所に対する施設指導監査の取扱いについては、令和元年事務連絡

の３⑵において、「指定都市等が設置者である公立の保育所の監査権限等については、指定都市等に移譲されておらず、都道府県が指導監査を行う仕組みとなっている」とお示ししていたところであるが、この取扱いについて、令和２年の地方分権改革の提案募集において、「指定都市又は中核市が設置する保育所等の指導監査権限を都道府県から指定都市及び中核市に移譲する」ことが提案された。

当該提案について、厚生労働省において対応を検討するに当たり、指定都市等が設置する保育所に対する施設指導監査の実施主体に関する取扱いについて疑義が生じたため、今般改めて厚生労働省及び総務省において確認を行った。

3　指定都市等が設置する保育所に対する施設指導監査の取扱いに係る整理

指定都市等が設置する保育所に対する施設指導監査の取扱いについて、今般、厚生労働省及び総務省において確認を行った結果、

・一般市町村が保育所を設置する場合には、施設指導監査の実施主体である都道府県に対する届出が必要となる（児童福祉法第35条第３項）が、指定都市等が保育所を設置する場合には、都道府県に対する届出を行うことは求められておらず（地方自治法施行令第174条の26第７項、同令第174条の49の２第２項又は児童福祉法施行令第45条の３第８項により読み替えられる児童福祉法第35条第３項）、都道府県において指定都市等による保育所の設置を関知する仕組みとなっていないこと

・指定都市等に所在する保育所に関する設備及び運営の基準の策定（児童福祉法第45条第１項）は、当該指定都市等が行うこととされており（地方自治法施行令第174条の26第１項、同令第174条の49の２第１項第26号及び児童福祉法施行令第45条の３第１項）、設備及び運営の基準の策定と施設指導監査の実施は同一主体において一貫して行うことが適当と考えられること

から、指定都市等が設置する保育所については、当該指定都市等の長が指導監査を行うことが適当であり、都道府県が設置する児童自立支援施設に対する指導監査を都道府県知事が行うのと同様、指定都市等の長が、自らの団体に対する内部管理権限に基づき行うものであると整理した。

以上の整理は、上記１について、指定都市等が設置する保育所に対する施設指導監査等の事務は、地方自治法施行令第174条の26第１項、同令第174条の49の２第１項第26号及び児童福祉法施行令第45条の３第１項において都道府県から指定都市等に移譲されないこととした上で、地方自治法施行令第174条の26第８項（同令第174条の49の２第３項において準用する場合を含む。）及び児童福祉法施行令第45条の３第９項により、都道府県知事が当該権限を行使することはできないとしたものであるとの解釈にも整合するものである。

なお、指定都市等が設置する保育所について、当該指定都市等の長が内部管理権限に基づき指導監査する場合にも、当該指定都市等における他の保育所と同様、「児童福祉行政指導監査の実施について」（平成12年４月25日付児発第471号）等を参考に、適切な対応をお願いしたい。

○児童福祉法（昭和22年法律第164号）（抄）

第35条　国は、政令の定めるところにより、児童福祉施設（助産施設、母子生活支援施設、保育所及び幼保連携型認定こども園を除く。）を設置するものとする。

2　都道府県は、政令の定めるところにより、児童福祉施設（幼保連携型認定こども園を除く。以下この条、第45条、第46条、第49条、第50条第９号、第51条第７号、第56条の２、第57条及び第58条において同じ。）を設置しなければならない。

3　市町村は、厚生労働省令の定めるところにより、あらかじめ、厚生労働省令で定める事項を都道府県知事に届け出て、児童福祉施設を設置することができる。

4　国、都道府県及び市町村以外の者は、厚生労働省令の定めるところにより、都道府県知事の認可を得て、児童福祉施設を設置することができる。

5～12　（略）

第46条　都道府県知事は、第45条第１項及び前条第１項の基準を維持するため、児童福祉施設の設置者、児童福祉施設の長及び里親に対して、必要な報告を求め、児童の福祉に関する事務に従事する職員に、関係者に対して質問させ、若しくはその施設に立ち入り、設備、帳簿書類その他の物件を検査させることができる。

2～4　（略）

第59条の4　この法律中都道府県が処理することとされている事務で政令で定めるものは、指定都市及び中核市並びに児童相談所を設置する市（特別区を含む。以下この項において同じ。）として政令で定める市（以下「児童相談所設置市」という。）においては、政令で定めるところにより、指定都市若しくは中核市又は児童相談所設置市（以下「指定都市等」という。）が処理するものとする。この場合におい

ては、この法律中都道府県に関する規定は、指定都市等に関する規定として指定都市等に適用があるものとする。

２～５　（略）

○児童福祉法施行令（昭和23年政令第74号）（抄）

第38条　都道府県知事は、当該職員をして、１年に１回以上、国以外の者の設置する児童福祉施設が法第45条第１項の規定に基づき定められた基準を遵守しているかどうかを実地につき検査させなければならない。

第45条　指定都市において、法第59条の４第１項の規定により、指定都市が処理する事務については、地方自治法施行令第174条の26第１項から第７項までに定めるところによる。

２　地方自治法第252条の22第１項の中核市（以下「中核市」という。）において、法第59条の４第１項の規定により、中核市が処理する事務については、地方自治法施行令第174条の49の２に定めるところによる。

第45条の３　児童相談所設置市において、法第59条の４第１項の規定により、児童相談所設置市が処理する事務は、法及びこの政令の規定により、都道府県が処理することとされている事務（(中略）児童相談所設置市が設置する児童福祉施設に係る法第46条の規定による質問等（中略）に関する事務を除く。）とする。この場合においては、第４項から第７項までにおいて特別の定めがあるものを除き、法及びこの政令中都道府県に関する規定（前段括弧内に掲げる事務に係る規定を除く。）は、児童相談所設置市に関する規定として児童相談所設置市に適用があるものとする。

２～７　（略）

８　第１項及び第２項の場合においては、（中略）法第35条第３項中「市町村」とあるのは「児童相談所設置市以外の市町村」と、（中略）法第45条第１項から第３項まで並びに第46条第１項、第３項及び第４項中「児童福祉施設」とあるのは「児童福祉施設（都道府県が設置するものを除く。）」（中略）とする。

９　児童相談所設置市がその事務を処理するに当たつては、法第34条の５第１項の規定による障害児通所支援事業等、児童自立生活援助事業又は小規模住居型児童養育事業についての都道府県知事の質問等に関する規定、法第34条の６の規定による障害児通所支援事業等、児童自立生活援助事業又は小規模住居型児童養育事業の制限又は停止についての都道府県知事の命令に関する規定、法第34条の14第１項、第３項及び第４項の規定による一時預かり事業についての都道府県知事の質問等に関する規定、法第34条の18の２第１項及び第３項の規定による病児保育事業についての都道府県知事の質問等に関する規定、法第46条第１項、第３項及び第４項の規定による児童福祉施設についての都道府県知事の質問等に関する規定並びに第38条の規定による児童福祉施設についての都道府県知事の検査に関する規定は、適用しない。

○地方自治法（昭和22年法律第67号）（抄）

（指定都市の権能）

第252条の19　政令で指定する人口50万以上の市（以下「指定都市」という。）は、次に掲げる事務のうち都道府県が法律又はこれに基づく政令の定めるところにより処理することとされているものの全部又は一部で政令で定めるものを、政令で定めるところにより、処理することができる。

一　児童福祉に関する事務

二～十三　（略）

２　指定都市がその事務を処理するに当たつて、法律又はこれに基づく政令の定めるところにより都道府県知事若しくは都道府県の委員会の許可、認可、承認その他これらに類する処分を要し、又はその事務の処理について都道府県知事若しくは都道府県の委員会の改善、停止、制限、禁止その他これらに類する指示その他の命令を受けるものとされている事項で政令で定めるものについては、政令の定めるところにより、これらの許可、認可等の処分を要せず、若しくはこれらの指示その他の命令に関する法令の規定を適用せず、又は都道府県知事若しくは都道府県の委員会の許可、認可等の処分若しくは指示その他の命令に代えて、各大臣の許可、認可等の処分を要するものとし、若しくは各大臣の指示その他の命令を受けるものとする。

（中核市の権能）

第252条の22　政令で指定する人口20万以上の市（以下「中核市」という。）は、第252条の19第１項の規定により指定都市が処理することができる事務のうち、都道府県がその区域にわたり一体的に処理することが中核市が処理することに比して効率的な事務その他の中核市において処理することが適当でない事務以外の事務で政令で定めるものを、政令で定めるところにより、処理することができる。

２　中核市がその事務を処理するに当たって、法律又はこれに基づく政令の定めるところにより都道府県知事の改善、停止、制限、禁止その他これらに類する指示その他の命令を受けるものとされている事項で政令で定めるものについては、政令の定めるところにより、これらの指示その他の命令に関する法令の規定を適用せず、又は都道府県知事の指示その他の命令に代えて、各大臣の指示その他の命令を受けるものとする。

○地方自治法施行令（昭和22年政令第16号）（抄）

（児童福祉に関する事務）

第174条の26　地方自治法第252条の19第１項の規定により、指定都市が処理する児童福祉に関する事務は、児童福祉法及び児童福祉法施行令（昭和23年政令第74号）、少年法（昭和23年法律第168号）、児童虐待の防止等に関する法律（平成12年法律第82号）並びに民間あっせん機関による養子縁組のあっせんに係る児童の保護等に関する法律（平成28年法律第110号）の規定により、都道府県が処理することとされている事務（（中略）指定都市が設置する同法第７条第１項に規定する児童福祉施設（第８項において「児童福祉施設」という。）に係る同法第46条の規定による質問等（中略）に関する事務を除く。）とする。この場合においては、第３項から第７項までにおいて特別の定めがあるものを除き、児童福祉法及び同令、少年法、児童虐待の防止等に関する法律並びに民間あっせん機関による養子縁組のあっせんに係る児童の保護等に関する法律中都道府県に関する規定（前段括弧内に掲げる事務に係る規定を除く。）は、指定都市に関する規定として指定都市に適用があるものとする。

２～６　（略）

７　第１項の場合においては、（中略）同法第35条第３項中「市町村」とあるのは「指定都市以外の市町村」と、（中略）同法第45条第１項から第３項まで並びに第46条第１項、第３項及び第４項中「児童福祉施設」とあるのは「児童福祉施設（都道府県が設置するものを除く。）」（中略）とする。

８　指定都市がその事務を処理するに当たつては、地方自治法第252条の19第２項の規定により、児童福祉法第34条の５第１項の規定による障害児通所支援事業等、児童自立生活援助事業又は小規模住居型児童養育事業についての都道府県知事の質問等に関する規定、同法第34条の６の規定による障害児通所支援事業等、児童自立生活援助事業又は小規模住居型児童養育事業の制限又は停止についての都道府県知事の命令に関する規定、同法第34条の14第１項、第３項及び第４項の規定による一時預かり事業についての都道府県知事の質問等に関する規定、同法第34条の18の２第１項及び第３項の規定による病児保育事業についての都道府県知事の質問等に関する規定、同法第46条第１項、第３項及び第４項の規定による児童福祉施設についての都道府県知事の質問等に関する規定並びに児童福祉法施行令第38条の規定による児童福祉施設についての都道府県知事の検査に関する規定は、これを適用しない。

（児童福祉に関する事務）

第174条の49の２　地方自治法第252条の22第１項の規定により、同項の中核市（以下「中核市」という。）が処理する児童福祉に関する事務は、児童福祉法及び児童福祉法施行令の規定により、都道府県が処理することとされている事務（次に掲げる事務を除く。）とする。この場合においては、次項並びに第３項において準用する第174条の26第３項、第４項、第５項前段及び第６項において特別の定めがあるものを除き、同法及び同令中都道府県に関する規定（次に掲げる事務に係る規定を除く。）は、中核市に関する規定として中核市に適用があるものとする。

一～二十三　（略）

二十四　助産施設、母子生活支援施設及び保育所（以下この条において「特定児童福祉施設」という。）以外の児童福祉施設に係る児童福祉法第35条及び第58条第１項の規定による設置の認可等に関する事務

二十五　特定児童福祉施設以外の児童福祉施設に係る児童福祉法第45条第１項の規定による条例の制定に関する事務

二十六　特定児童福祉施設以外の児童福祉施設に係る児童福祉法第46条及び児童福祉法施行令第38条の規定による報告の徴収等並びに中核市が設置する特定児童福祉施設に係る同法第46条の規定による質問等及び同令第38条の規定による検査に関する事務

二十七～三十七　（略）

２　前項の場合においては、（中略）同法第35条第３項中「市町村」とあるのは「中核市以外の市町村」と、「児童福祉施設」とあるのは「助産施設、母子生活支援施設及び保育所」と、同条第４項中「児童福祉施設」とあるのは「助産施設、母子生活支援施設及び保育所」と、（中略）同法第46条第１項中「児童福祉施設の設置者、児童福祉施設の長及び」とあるのは「助産施設、母子生活支援施設及び保育所（これらのうち都道府県が設置するものを除く。）の設置者、助産施設、母子生活支援施設及び保育所（これらのうち都道府県が設置するものを除く。）の長並びに」と、同条第３項及び第４項中「児童福祉施設」とあるのは「助産施設、母子生活支援施設及び保育所（これらのうち都道府県が設置するものを除く。）」（中略）とする。

3　第174条の26第２項から第４項まで、第５項前段、第６項及び第８項の規定は、中核市について準用する。この場合において、同条第２項中「前項」とあるのは「第174条の49の２第１項」と、同条第３項中「第１項の場合」とあるのは「第174条の49の２第１項の場合」と、同条第４項中「第１項」とあるのは「第174条の49の２第１項」と、同条第５項前段中「第１項」とあるのは「第174条の49の２第１項」と、「第27条第６項、第33条の15第３項、第35条第６項」とあるのは「第35条第６項」と、同条第６項中「第１項の」とあるのは「第174条の49の２第１項の」と、「第10条第２項及び第３項、第18条第１項及び第３項」とあるのは「第18条第１項」と、「並びに」とあるのは「及び」と、同条第８項中「第252条の19第２項」とあるのは「第252条の22第２項」と、「児童福祉法第34条の５第１項の規定による障害児通所支援事業等、児童自立生活援助事業又は小規模住居型児童養育事業についての都道府県知事の質問等に関する規定、同法第34条の６の規定による障害児通所支援事業等、児童自立生活援助事業又は小規模住居型児童養育事業の制限又は停止についての都道府県知事の命令に関する規定、同法」とあるのは「児童福祉法」と、「第４項の規定による児童福祉施設」とあるのは「第４項の規定による第174条の49の２第１項第20号に規定する特定児童福祉施設」と、「第38条の規定による児童福祉施設」とあるのは「第38条の規定による同号に規定する特定児童福祉施設」と読み替えるものとする。

○特定子ども・子育て支援施設等の指導監査について

〔令和元年11月27日　府子本第689号・元文科初第1118号・子発1126第２号
各都道府県知事・各都道府県教育委員会・各指定都市市長・各中核市市長・各指定都市・各中核市教育委員会・附属幼稚園又は特別支援学校幼稚部を置く各国立大学法人の長宛　内閣府子ども・子育て本部統括官・文部科学省初等中等教育・厚生労働省子ども家庭局長連名通知〕

子ども・子育て支援法（平成24年法律第65号。以下「法」という。）に基づく特定子ども・子育て支援施設等（法第30条の11第１項に規定する特定子ども・子育て支援施設等をいう。以下同じ。）の確認及び施設等利用費の支給が適正かつ円滑に行われるよう、市町村が法に基づき特定子ども・子育て支援施設等に対して行う指導監査について、下記のとおり基本的な考え方をまとめ、あわせて別添１「特定子ども・子育て支援施設等指導指針」及び別添２「特定子ども・子育て支援施設等監査指針」を作成しましたので、各都道府県におかれては、内容について十分御了知の上、指定都市及び中核市を除く管内市町村（特別区を含む。以下同じ。）への周知をお願いいたします。

また、各都道府県におかれては、引き続き、学校教育法（昭和22年法律第26号）及び児童福祉法（昭和22年法律第164号）等に基づき、幼稚園、特別支援学校及び認可外保育施設等といった子ども・子育て支援施設等への指導監督や立ち入り調査等を行うことから、市町村における特定子ども・子育て支援施設等への指導監査の円滑かつ効果的な実施を支援していただきますようお願いいたします。

なお、この通知は、地方自治法（昭和22年法律第67号）第245条の４第１項の規定に基づく技術的な助言であることを申し添えます。

記

1　特定子ども・子育て支援施設等の指導監査における都道府県と市町村の役割について

⑴　都道府県の役割

幼児教育・保育の無償化の実施以前から、子ども・子育て支援施設等は、施設の設置や事業の開始にあたり、学校教育法や児童福祉法等に基づき、都道府県に認可や認定の申請又は届出を行うこととなっている。

そのため、都道府県は、認可、認定又は届出を受理した施設・事業に対して、学校教育法や児童福祉法をはじめ、就学前の子どもに関する教育、保育等の総合的な提供の推進に関する法律（平成18年法律第77号）、社会福祉法（昭和26年法律第45号）、認可外保育施設指導監督基準（平成13年３月29日付け雇児発第177号厚生労働省雇用均等・児童家庭局長通知の別紙。以下「指導監督基準」という。）等に基づき、基準の遵守等の観点から指導監督、立ち入り調査、報告徴収、検査等を行っており、幼児教育・保育の無償化実施後もその役割は同様である。

⑵　市町村の役割

幼児教育・保育の無償化に伴い、子ども・子育て支援施設等がその対象施設となるためには、市町村に対して法第30条の11に基づく確認の申請を行い、確認を受ける必要がある。

一方で、市町村は、必要があると認めるときは、特定子ども・子育て支援施設等に対して、法第30条の３において準用する法第14条第１項に基づき調査・指導等を行い、法第58条の８第１項に基づき監査を行うことができる。

また、市町村は、特定子ども・子育て支援提供者が法に定める基準に従って施設等利用費の支給に係る施設又は事業として適正な特定子ども・子育て支援施設等の運営をしていない場合等は、当該基準を遵守することを勧告・命令等ができることとされている（法第58条の９第１項第１号、同項第２号、同条第５項）。

なお、法に定める基準には、法第58条の４第１項と第２項に定める基準がある。

法第58条の４第１項に定める基準は、特定子ども・子育て支援施設等の設置に関する基準である。基本的には、認定こども園、特定教育・保育施設（法第27条第１項に規定する特定教育・保育施設をいう。）ではない幼稚園、特別支援学校、一時預かり事業については、学校教育法に基づく設置基準、あるいは児童福祉法等に基づく基準が適用される（法第58条の４第１項第１号、第２号、第３号及び第６号）。他方で、事業法上に基準が規定されていない、認可外保育施設、預かり保育事業、病児保育事業、子育て援助活動支援事業については、内閣府令で定める基準が適用される（法第58条の４第１項第４号、第５号、第７号及び第８号、子ども・子育て支援法施行規則（平成26年内閣府令第44号）第１条から第１条の４まで）。

ただし、当該内閣府令で定める基準は、認可外保育施設については現在の指導監督基準と同様の内容を、預かり保育事業については一時預かり事業の基準と同様の内容を、病児保育事業及び子育て援助活動支援事業については子ども・子育て支援交付金対象事業において求める基準と同様の内容となっている。

法第58条の４第２項に定める基準は、特定子ども・子育て支援施設等の運営に関する基準であるが、これは今般の幼児教育・保育の無償化に際して、特定子ども・子育て支援施設等が適切な特定子ども・子育て支援を提供するために定められた基準であり、具体的には特定教育・保育施設及び特定地域型保育事業並びに特定子ども・子育て支援施設等の運営に関する基準（平成26年内閣府令第39号。以下「運営基準」という。）の第53条から第61条までに新たに定められたものである。

2　都道府県と市町村の連携について

１に述べたとおり、都道府県及び市町村は、それぞれの役割において特定子ども・子育て支援施設等に対する指導等を実施する必要がある。

指導等にあたっては、同一の特定子ども・子育て支援提供者に対して、複数の法令や基準等の内容が密接に関連することが見込まれることから、都道府県及び市町村は相互に連携して対応する等、効率的・効果的に実施するよう努められたい。

また、特定子ども・子育て支援施設等における適切な特定子ども・子育て支援の提供のためには、これら施設等における安全確保が必要不可欠である。このため都道府県が行う指導監督や立ち入り調査等は、今後も大変重要なものであるが、市町村が指導等において、都道府県よりも先に重大事故の発生又は子どもの生命・心身への重大な被害が生じる恐れがある状態を発見した場合は、速やかに都道府県に情報提供を行うとともに、一刻も早い危険の除去に努められたい。

3　市町村が行う特定子ども・子育て支援施設等への指導監査について

(1)　市町村の指導について

市町村は、別添１「特定子ども・子育て支援施設等指導指針」を参考に、特定子ども・子育て支援施設等に対し、運営基準第53条から第61条までの規定の内容について周知徹底させるとともに、施設等利用費の支給における過誤・不正の防止を図るため指導を実施すること。

指導にあたっては、特定子ども・子育て支援施設等に対する指導の年間計画や実施スケジュールを策定し、効率的・効果的な実施に努めるとともに、指導の結果を通知する手段、時期、指摘事項への改善指導及び改善結果の確認方法等を明確化し、公表すべき事項を含め、これを着実に実施すること。

(2)　市町村の監査について

監査は、次の①から④までに該当する情報があり、特に必要があると認める場合に、別添２「特定子ども・子育て支援施設等監査指針」を参考に実施すること。

また、監査を実施する目的は、市町村長が事実関係を的確に把握し、公正かつ適切な措置を採ることであること。

①　特定子ども・子育て支援施設等において著しい運営基準への違反が確認された場合

②　特定子ども・子育て支援施設等及び施設等利用給付認定保護者の施設等利用費の請求に、著しい不当が疑われる場合

③　意図的な隠ぺい等の悪質な不正が疑われる場合

④　上記のほか、特定子ども・子育て支援施設等が法第58条の９第１項各号及び第58条の10第１項各号に該当することが疑われる場合

※　「特定子ども・子育て支援施設等指導指針」の「7　監査への変更」に基づき、指導から監査に移行した場合も含む。

（別添１）

特定子ども・子育て支援施設等指導指針

1　目的

この指針は、子ども・子育て支援法（平成24年法律第05号。以下「法」という。）に規定する施設等利用給付認定子ども（法第30条の８第１項に規定する施設等利用給付認定子どもをいう。以下同じ。）が、特定子ども・子育て支援施設等（法第30条の11第１項に規定する特定子ども・子育て支援施設等をいう。以下同じ。）から特定子ども・子育て支援（法第30条の11第１項に規定する特定子ども・子育て支援をいう。以下同じ。）を受けたときに、市町村（特別区を含む。以下同じ。）が施設等利用給付認定保護者（法第30条の５第３項に規定する施設等利用給付認定保護者をいう。以下同じ。）に対して行う施設等利用費の支給に関して、市町村が法第30条の３において準用する法第14条第１項に基づいて

行う調査・指導等における基本的事項を定めることにより、特定子ども・子育て支援施設等に特定教育・保育施設及び特定地域型保育事業並びに特定子ども・子育て支援施設等の運営に関する基準（平成26年内閣府令第39号。以下「運営基準」という。）第53条から第61条までを遵守させ、市町村における施設等利用費の支給事務の適正性を確保することを目的とする。

2　指導方針等

(1)　指導方針

市町村は、特定子ども・子育て支援施設等に対し、運営基準第53条から第61条までの規定の内容について周知徹底させるとともに、施設等利用費の支給における過誤・不正の防止を図るため指導を実施すること。

(2)　計画的な指導の実施

特定子ども・子育て支援施設等に対する指導の年間計画や実施スケジュールを策定し、効率的・効果的な実施に努めるとともに、指導の結果を通知する手段、時期、指摘事項への改善指導及び改善結果の確認方法等を明確化し、公表すべき事項を含め、これを着実に実施すること。

3　指導等の形態

指導等は、次の形態を基本としつつ、各市町村の実情に応じて実施すること。

(1)　集団指導

運営基準等の遵守に関して、特定子ども・子育て支援提供者（法第30条の11第3項に規定する特定子ども・子育て支援提供者をいう。以下同じ。）を一定の場所に集めて講習等の方法により実施すること。

(2)　実地指導

特定子ども・子育て支援施設等において、提出された書面に関する質問等を行う。その結果により必要と認める場合は、運営基準の遵守に関する各種指導等を行うこと。

4　指導対象の選定

(1)　集団指導

①　法第58条の11第1項の規定に基づく法第30条の11第1項の確認の公示後、概ね1年以内に実施すること。

②　制度改正や、過去の指導事例等に基づき指導等が必要と認められる場合に、内容に応じて対象を選定し実施すること。

(2)　実地指導

①　全ての特定子ども・子育て支援施設等に対し、定期的かつ計画的に行うこと。

対象施設等の選定は、集団指導の実施状況や、都道府県等が行う指導監督や立ち入り調査等に関する事務の状況、市町村の実施体制等を勘案し都道府県と協議すること。

②　運営基準等の遵守状況や、前年度の実地指導の結果から文書による指摘事項への改善を求めたが未実施であること等により、指導等が必要と認められる施設等を対象とすること。

③　その他、特に市町村が実地指導の必要があると認める施設等を対象とすること。

5　指導等の方法等

(1)　集団指導

①　実施通知

対象施設等を決定し、当該特定子ども・子育て支援提供者に集団指導の日時、場所及び指導内容等を第1号様式にて通知すること。

②　実施方法

特定子ども・子育て支援施設等の運営基準、制度改正の内容、過去の指導事例等の内容説明を講習等の方式で行うこと。欠席した特定子ども・子育て支援施設提供者には、当日使用した書類の送付や必要な情報提供に努め、直近の機会に改めて集団指導の対象にする等の対応をとること。

(2)　実地指導等

①　実施通知

対象施設等を決定し、当該施設等の設置者に集団指導の日時、場所及び指導内容等を第2号様式にて通知すること。

②　実地指導の方法

実地指導は、主に次のア～エについて約半日程度を目途に実施するものとし、実地指導の終了時に、実施場所において、特定子ども・子育て支援施設等の代表者や面談に対応した担当者等に対して実地指導結果の講評を行うこと。

ア　書類の確認

ⅰ）特定子ども・子育て支援の提供日、提供日ごとの時間帯、当該特定子ども・子育て支援の具体的な内容その他必要な事項を記録した書類（運営基準第54条関係）

ⅱ）施設等利用給付認定保護者との間に締結した契約書（利用料が明記されたもの・運営基準第55条関係）

ⅲ）施設等利用給付認定保護者に対して発行した領収証の控え等利用料と特定費用の金額がわかる書類（運営基準第56条第1項及び同条第2項関係）

ⅳ) 施設等が小学校、他の特定子ども・子育て支援施設等その他の機関に対して施設等利用給付認定子どもに関する情報を提供することを認定保護者との間で合意した文書（運営基準第60条第３項関係）

ⅴ) 職員、設備及び会計に関する諸記録（運営基準第61条第１項関係）

※ 市町村が確認する具体的な諸記録は、市町村が必要に応じて定めるものであるが、以下に適切な「特定子ども・子育て支援」を提供するために必要と思われるものを参考に例示する。各市町村におかれては、特定子ども・子育て支援施設等の種類や規模等に応じて、適切な「特定子ども・子育て支援」の確認に必要な書類や文書等を検討されたい。

【職員に関する記録の例】

- 労働契約における契約書・その他適正な賃金や労働条件を明示した書類や文書等
- 各時間帯において保育従事者が施設等の規模に応じて各々の基準どおり（または適正に）配置されていることがわかる書類
- 正規の手続きを経て整備された就業規則や給与規程等
- 社会保険（健康保険、厚生年金保険、雇用保険等）への加入を証する書類
- 安全衛生管理体制がわかる書類
- 職員の健康診断の実施状況が分かる書類

【設備に関する記録の例】

- 施設・設備が、法令その他各自治体が認める設置基準に従って整備されていることがわかる書類
- 施設・設備、備品等が、児童の保健衛生・危害防止に十分配慮され衛生的に管理されていることがわかる書類
- 防災計画、害虫駆除、受動喫煙の防止、事故発生防止、防犯対策等が適正に実施されているかがわかる書類

【会計に関する記録の例】

- 適正な会計処理のため必要な事項について経理規程を定めているか。
- 各会計年度に作成すべき計算書類（収支計算書、損益計算書、貸借対照表等）
- 施設利用者から預かる金銭等を含めた現預金等の出納管理簿

イ 施設等利用給付認定子どもの国籍、信条、社会的身分又は特定子ども・子育て支援の提供に要する費用を負担するか否かによって、差別的取扱いをしないことに関する措置の確認（運営基準第59条関係）

ウ 施設等の職員及び管理者並びに職員であった者が、業務上で知り得た施設等利用給付認定子ども又はその家族の秘密の管理・保管に関する措置の確認（運営基準第60条第１項及び同条第２項関係）

エ 上記アのｉ）に係る記録の過去５年間分の保管状況の確認（運営基準第61条第２項関係）

③ 結果通知

実地指導の結果、改善を要すると認められた事項については、軽微なものを除き、後日、代表者に対して第３号様式により指導内容の通知を行うこと。また、改善を要すると認められる事項が無い場合は、第４号様式により通知を行うこと。

④ 改善報告書の提出

第３号様式により通知した文書指摘事項については、第５号様式により、通知から60日以内に改善報告を求めること。

6 実施体制

① 実地指導は、幼児教育・保育の無償化及び会計に係る知識と経験を有する者を含めること。

② 実施指導の対象件数と実施スケジュールに応じて、同時に複数箇所への実施が必要な場合が生じることに留意すること。

③ 実地指導に十分な体制が確保できない場合は、限られた体制においても全ての実地指導ができるよう、事前に提出を受ける書類を庁内で十分に検査するために人員と期間を用意する等の対応をとること。

④ 実地指導は、都道府県の指導監督や立入調査等と合同で実施するように努めること。

⑤ 新制度移行済み幼稚園及び認定こども園が実施する預かり保育事業に対する実地指導は、幼稚園及び認定こども園に対する施設型給付費の支給に係る実地指導の際に行うなど、効率的に実施すること。

7 監査への変更

実地指導中に、次の①から④までに該当する状況を確認した場合は、実地指導を中止し、直ちに確認監査を行うことができる。

① 特定子ども・子育て支援施設等において著しい運営基準への違反が確認された場合

② 特定子ども・子育て支援施設等及び施設等利用給付認定保護者の施設等利用費の請求に、著しい不当が疑われる場合

③ 意図的な隠ぺい等の悪質な不正が疑われる場合

④ 上記のほか、特定子ども・子育て支援施設等が法第58条の9第1項各号及び第58条の10第1項各号に該当することが疑われる場合

8 都道府県への情報提供

市町村は、上記7に該当する状況を確認した場合は、都道府県に対して、集団指導の概要、実地指導の指導結果及び改善報告の内容について情報提供を行うこと。

また、実地指導中に、特定子ども・子育て支援施設等を利用する小学校就学前子どもの生命又は身体の安全に危害を及ぼす恐れがあると認められる状況を確認した場合は、速やかに都道府県に情報提供を行うとともに、一刻も早い危険の除去に努めること。

様式　略

（別添2）

特定子ども・子育て支援施設等監査指針

1 目的

この指針は、子ども・子育て支援法（平成24年法律第65号。以下「法」という。）に規定する施設等利用給付認定子ども（法第30条の8第1項に規定する施設等利用給付認定子どもをいう。以下同じ。）が、特定子ども・子育て支援施設等（法第30条の11第1項に規定する特定子ども・子育て支援施設等をいう。以下同じ。）から特定子ども・子育て支援（法第30条の11第1項に規定する特定子ども・子育て支援をいう。以下同じ。）を受けたときに、市町村（特別区を含む。以下同じ。）が施設等利用給付認定保護者（法第30条の5第3項に規定する施設等利用給付認定保護者をいう。以下同じ。）に対して行う施設等利用費の支給に関して、市町村長（特別区の区長を含む。以下同じ。）が法第58条の8第1項に基づいて行う監査における基本的事項を定めることにより、特定子ども・子育て支援施設等に特定教育・保育施設及び特定地域型保育事業並びに特定子ども・子育て支援施設等の運営に関する基準（平成26年内閣府令第39号。以下「運営基準」という。）第53条から第61条までを遵守させ、市町村における施設等利用費の支給事務の適正性を確保することを目的とする。

2 監査の実施・目的

(1) 監査は、次の①から④までに該当する情報があり、特に必要があると認める場合に実施すること。また、事案の緊急性・重大性を踏まえ、必要に応じて、事前通告なく監査を行うことが適切な場合があることに留意すること。

① 特定子ども・子育て支援施設等において著しい運営基準への違反が確認された場合

② 特定子ども・子育て支援施設等及び施設等利用給付認定保護者の施設等利用費の請求に、著しい不当が疑われる場合

③ 意図的な隠ぺい等の悪質な不正が疑われる場合

④ 上記のほか、特定子ども・子育て支援施設等が法第58条の9第1項各号及び第58条の10第1項各号に該当することが疑われる場合

※ 「特定子ども・子育て支援施設等指導指針」の「7　監査への変更」に基づき、指導から監査に移行した場合も含む。

(2) 監査を実施する目的は、市町村長が事実関係を的確に把握し、公正かつ適切な措置をとることであること。

3 監査の方法等

(1) 実施通知

監査を行うことが決定したときは、監査の根拠規定、目的、場所、担当者及び準備すべき書類等を第1号様式により設置者等に対して通知すること。ただし、実地指導中に監査への変更を行った場合等、これにより難い場合はこの限りではない。

(2) 結果通知

監査の結果、法第58条の9第1項に定める勧告には至らないが、改善を要すると認められる事項がある場合及び施設等利用費等の返還を要すると認められる場合は、第2号様式によりその旨の通知を行うこと。

なお、改善を要すると認められる事項が無い場合は、第3号様式により通知を行うこと。

(3) 改善報告書の提出

第2号様式により通知した文書指摘事項については、通知から60日以内に第4号様式により改善報告を求めること。

(4) 行政上の措置

① 勧告

市町村長は、法第58条の9第1項に基づき、

次のアからウまでに該当すると認めるときは、当該特定子ども・子育て支援提供者に対し、期限を定めて、基準を遵守すること等を勧告することができる。

ア　幼稚園又は特別支援学校の設置者及び一時預かり事業を行う者（国及び地方公共団体（公立大学法人を含む。）を除く。）を除く特定子ども・子育て支援提供者が、内閣府令で定める基準に従って施設等利用費の支給に係る施設又は事業として適正な特定子ども・子育て支援施設等の運営をしていない場合

※　市町村長は、幼稚園又は特別支援学校の設置者及び一時預かり事業を行う者（国及び地方公共団体（公立大学法人を含む。）を除く。）が設置基準及び一時預かり事業基準に従って施設等利用費の支給に係る事業として適正な子ども・子育て支援施設等の運営をしていないと認めるときは、都道府県知事に通知しなければならない（法第58条の９第２項及び同条第３項）。

イ　法第58条の４第２項の内閣府令で定める特定子ども・子育て支援施設等の運営に関する基準に従って施設等利用費の支給に係る施設又は事業として適正な特定子ども・子育て支援施設等の運営をしていない場合

ウ　法第58条の６第２項に規定する便宜の提供を施設等利用費の支給に係る施設又は事業として適正に行っていない場合

勧告は、原則として第５号様式により行い、特定子ども・子育て支援提供者に勧告から60日以内に第４号様式により改善報告書を提出させること。

なお、当該特定子ども・子育て支援提供者が期限内にこれに従わなかったときは、市町村長は、法第58条の９第４項に基づき、その旨を公表することができる。

②　命令

市町村長は、特定子ども・子育て支援提供者が正当な理由がなく勧告に係る措置をとらなかったときは、法第58条の９第５項に基づき、当該特定子ども・子育て支援提供者に対し、期限を定めて、その勧告に係る措置をとるべきことを命令することができる。

命令は、原則として第６号様式により行い、特定子ども・子育て支援提供者に命令から60日以内に第４号様式により改善報告書を提出させること。

なお、市町村長が命令を行ったときは、法第58条の９第６項に基づき、その旨を公示するとともに、遅滞なくその旨を当該特定子ども・子育て支援施設等の認可等を行った都道府県知事等に通知しなければならない。

③　確認の取消し等

市町村長は、特定子ども・子育て支援施設等が法第58条の10第１項各号のいずれかに該当する場合においては、当該特定子ども・子育て支援施設等に係る確認を取り消し、又は期間を定めてその確認の全部若しくは一部の効力を停止（以下「確認の取消し等」という。）することができる。

また、市町村長が確認の取消し等をしたときは、法第58条の11第３項の規定に基づき、遅滞なく、当該特定子ども・子育て支援を提供する施設等の名称及び所在地等を公示しなければならない。

(5)　聴聞等

監査の結果、当該設置者等に対して、命令又は確認の取消し等の処分（以下「取消処分等」という。）を行おうとする場合には、監査後、取消処分等の予定者に対して、行政手続法（平成５年法律第88号）第13条第１項各号の規定により聴聞又は弁明の機会の付与を行わなければならない（同条第２項各号に該当する場合を除く。）。

4　他の市町村との情報共有

①　監査の実施の要請

確認権限のない市町村が当該特定子ども・子育て支援施設等の利用者に対する施設等利用費を支給している場合で、「２　監査の実施・目的」の(1)に列挙する情報を取得し、違反疑義等の確認について特に必要があると考えられるときは、確認権限のある市町村に当該特定子ども・子育て支援施設等の監査の実施を要請することができる。

②　他の市町村への情報提供

確認権限のある市町村が、上記①の要請を受けて、当該特定子ども・子育て支援施設等の監査を実施する場合は、監査結果や改善報告書等について、要請を行った市町村のほか、当該特定子ども・子育て支援施設等の利用者への施設等利用費を支給している市町村にも情報提供を行うこと。

5　都道府県への情報提供

市町村は都道府県に対して、監査結果、改善報告の内容、行政上の措置等について、必要に応じて情報提供を行うこと。

様式　略

○保育所における第三者評価の改訂について

〔令和２年４月１日　子発0331第11号・社援発0331第34号
各都道府県知事宛　厚生労働省子ども家庭・社会・援護局
長連名通知〕

保育所における第三者評価事業については、平成17年５月26日付け雇児保発第0526001号、社援基発第0526001号「保育所版の「福祉サービス第三者評価基準ガイドラインにおける各評価項目の判断基準に関するガイドライン」及び「福祉サービス内容評価基準ガイドライン」等について」により実施されており、当該通知においては、平成28年に改定が行われているところである。

平成30年には第三者評価基準のもととなる、全福祉サービス共通の共通評価基準が改定され、同年に改定保育所保育指針が適用となっている。その改定の内容を踏まえ、福祉サービス第三者評価事業の全国推進組織である全国社会福祉協議会に設けられた「福祉サービス質の向上推進委員会」で、見直しに向けた検討が行われてきたところである。

今般、同委員会での報告を踏まえて、新たに本通知を発出することとなった。

各都道府県においては、都道府県推進組織、貴管内市町村及び所管法人等の関係者に周知の上、適切な実施にご配意願いたい。

また、この通知は、地方自治法（昭和22年法律第67号）第245条の４第１項の規定に基づく技術的な助言であることを申し添える。

記

1　改正の背景

社会福祉法（昭和26年法律第45号）第78条第１項において、「福祉サービスの質の向上のための措置等」として、「社会福祉事業の経営者は、自らその提供する福祉サービスの質の評価を行うことその他の措置を講ずることにより、常に福祉サービスを受ける者の立場に立って良質かつ適切な福祉サービスを提供するよう努めなければならない。」と定められており、これに基づき、社会福祉事業の共通の制度として、「福祉サービス第三者評価事業」が行われている。

この第三者評価事業は、社会福祉事業の事業者が任意で受ける仕組みであるが、保育サービスの質の向上を図り、安心して子どもを預けることができる環境を整備する必要があることから、「規制改革実施計画」（平成26年６月24日閣議決定）において、保育分野における第三者評価受審率の数値目標を定めることとされたほか、「「日本再興戦略」改訂2015」（平成27年６月30日閣議決定）において、当該受診結果について、積極的に「見える化」を進めること等が規定された。

平成27年度施行の子ども・子育て支援新制度では、新たに保育所等における第三者評価受審の努力義務が規定され、平成30年に改定された「福祉サービス第三者評価事業に関する指針」では、第三者評価受審の数値目標の設定及び公表が都道府県推進組織の努力義務となった。

2　改正の概要

今般、第三者評価の受審を促進し、保育所保育指針等の改定内容を踏まえるため、改正することとしている。第三者評価指針改正通知において、共通評価基準については、文言の変更等を改定しているが、保育所での評価が円滑に実施されるようにするため、本来の趣旨が変わらぬよう配慮しつつ、別紙のように「言葉の置き換え」や「内容の加筆・削除」、「保育所独自の内容の付加」を行い、共通評価基準及び判断基準並びに評価の着眼点、評価基準の考え方及び評価の留意点についての解説版を作成した。

共通評価基準の改定に合わせて、内容評価基準についても、項目の整理を行い、判断基準等の内容の見直しを行い、改定した。

言葉の置き換え等を行った共通評価基準ガイドライン及び共通評価基準ガイドラインにおける各項目の判断基準に関するガイドラインを別添１―１及び別添１―２のとおり、また、改定後の内容評価基準ガイドライン及び内容評価基準ガイドラインにおける各項目の判断基準に関するガイドラインを別添２―１及び別添２―２のとおり示す。

なお、地域型保育事業を行う事業所に係る第三者評価については、保育所における第三者評価に準じて行うこととする。

別添１―１・１―２・２―１・２―２　略

別 紙

保育所版における共通評価基準の解説版について

※保育所での評価が効果的に行えるように、趣旨が変わらないように配慮して、以下のように言葉の置き換え、内容の加筆・削除、保育所独自の内容の付加を行っている。

※なお、保育所における保育は、保育所保育指針をもとに行われているため、保育所保育指針を十分理解したうえで評価を行う必要がある。

1 共通評価基準の改定

(1) 「「「福祉サービスの第三者評価事業に関する指針」の全部改正」の一部改正について」（平成30年３月）

○厚生労働省より「「「福祉サービスの第三者評価事業に関する指針」の全部改正」の一部改正について」（平成30年３月）が通知され、福祉サービス第三者評価基準ガイドライン、福祉サービス第三者評価基準ガイドラインにおける各評価項目の判断基準に関するガイドラインが改定された。

○この改正は、社会福祉法人制度の見直しなど、この間の関連制度の改正等による第三者評価事業を取り巻く環境の変化に対応するために行われたものである。

(2) 保育所版第三者評価基準ガイドラインの改定

○共通評価基準は、各福祉施設・事業所の種別に関わりなく共通的に取り組む事項に関し評価する基準であり、保育所版共通評価基準ガイドラインは、平成30年３月26日の「「「福祉サービスの第三者評価事業に関する指針」の全部改正」の一部改正について」のもとに改定した。

○また、保育所での評価が円滑に実施できるよう、保育所保育指針や保育所における保育内容等を踏まえ、共通評価基準ガイドライン本来の趣旨が変わらぬよう配慮し、言葉の置き換えや解説の追加等を行った。

2 言葉の置き換えについて

※文脈により、言葉の置き換えを行っていない場合もある。

共通評価基準	保育所版
福祉施設・事業所	「保育所」
事業所	「保育所」
利用者	「子ども」「保護者」「子どもと保護者」「子ども・保護者」 （※）評価項目の内容により書き分け
利用者や家族	「保護者等」「子ども・保護者」 （※）評価項目の内容により書き分け
利用者会や家族会	「保護者会等」
高齢者や障害のある利用者	「保護者等」
（実施する）（提供する）福祉サービス（提供）（の実施）	「保育」「保育所」 （※）評価項目の内容により書き分け
サービス	「保育」
組織	「保育所」
専門職の教育	「専門職の研修」
福祉サービス実施計画	「(アセスメントに基づく）指導計画」「保育」 （※）評価項目の内容により書き分け
管理者	「施設長」
福祉施設・事業所の変更、地域・家庭への移行等	「保育所等の変更」
能力開発（育成）	「職員の育成」
事業	「保育や支援」
（地域）住民	「地域の保護者や子ども等」
自己決定	意向
意思決定が困難	特に配慮が必要
特性	発達や状況

3 内容の加筆・修正、削除等について

対照表のとおり。

9　給付費

◉特定教育・保育、特別利用保育、特別利用教育、特定地域型保育、特別利用地域型保育、特定利用地域型保育及び特例保育に要する費用の額の算定に関する基準等

〔平成27年３月31日
内閣府告示第49号〕

注　令和６年３月29日こども家庭庁告示第９号改正現在

（定義）

第１条　この告示において、次の各号に掲げる用語の意義は、当該各号に定めるところによる。

一　幼稚園　子ども・子育て支援法（以下「法」という。）第７条第４項に規定する幼稚園をいう。

二　保育所　法第７条第４項に規定する保育所をいう。

三　認定こども園　法第７条第４項に規定する認定こども園をいう。

四　家庭的保育事業　児童福祉法（昭和22年法律第164号）第６条の３第９項に規定する家庭的保育事業をいう。

五　小規模保育事業　児童福祉法第６条の３第10項に規定する小規模保育事業であって、次のイからハまでに掲げるものをいう。

イ　A型（家庭的保育事業等の設備及び運営に関する基準（平成26年厚生労働省令第61号。以下「家庭的保育事業等設備運営基準」という。）第28条に規定する小規模保育事業A型をいう。）

ロ　B型（家庭的保育事業等設備運営基準第31条に規定する小規模保育事業B型をいう。）

ハ　C型（家庭的保育事業等設備運営基準第33条に規定する小規模保育事業C型をいう。）

六　事業所内保育事業　児童福祉法第６条の３第12項に規定する事業所内保育事業であって、次のイからハまでに掲げるものをいう。

イ　小規模型事業所内保育事業A型（小規模型事業所内保育事業（家庭的保育事業等設備運営基準第47条に規定する小規模型事業所内保育事業をいう。ロにおいて同じ。）のうち、保育従事者が全て保育士（当該事業に係る事業所が国家戦略特別区域法（平成25年法律第107号）第12条の５第５項に規定する事業実施区域内にある場合にあっては、保育士又は当該事業実施区域に係る国家戦略特別区域限定保育士。）であるものをいう。）

ロ　小規模型事業所内保育事業B型（小規模型事業所内保育事業のうち、小規模型事業所内保育事業A型を除いたものをいう。）

ハ　保育所型事業所内保育事業（家庭的保育事業等設備運営基準第43条に規定する保育所型事業所内保育事業をいう。）

七　居宅訪問型保育事業　児童福祉法第６条の３第11項に規定する居宅訪問型保育事業をいう。

八　教育・保育給付認定子ども　法第20条第４項に規定する教育・保育給付認定子どもをいう。

九　地域区分　別表第１の表の上欄に掲げる地域区分について、それぞれ教育・保育給付認定子どもの利用に係る施設等（第１号から第７号までに掲げる施設又は事業に係る事業所をいう。以下同じ。）が所在する同表の中欄に掲げる都道府県の区域内の下欄に掲げる地域をいう。

十　認定区分　次のイからハまでに該当する区分をいう。

イ　１号　法第19条第１号に掲げる小学校就学前子どもの区分についての認定（法第20条の規定による認定をいう。ロ及びハにおいて同じ。）

ロ　２号　法第19条第２号に掲げる小学校就学前子どもの区分についての認定

ハ　３号　法第19条第３号に掲げる小学校就学前子どもの区分についての認定

十一　年齢区分　次のイからニまでに掲げる者に該当する区分をいう。

イ　４歳以上児　満４歳から小学校就学の始期に達するまでの者

ロ　３歳児

ハ　１、２歳児

ニ　乳児　満１歳に満たない者

十二　公定価格　当該教育・保育給付認定子どもについて、第２条から第14条までの規定により基本部分（第15号に規定する基本部分をいう。）、基本加算部分(第16号に規定する基本加算部分をいう。次号において同じ。)、加減調整部分（第30号に規定する加減調整部分をいう。)、乗除調整部分（第31号に規定する乗除調整部分をいう。）及び特定加算部分（第32号に規定する特定加算部分をいう。）を基に算出する額とする。

十三　月額調整　当該教育・保育給付認定子どもに適用される年齢区分が年度の途中において変わった場合に、当該年度内に限り適用する基本分単価（次号に規定する基本分単価をいう。）又は基本加算部分の単価の区分をいう。

十四　基本分単価　事務費及び事業費を基に別表第２及び別表第３の各区分に応じて定める単価をいう。

十五　基本部分　当該施設等において、別表第２及び別表第３の各区分に応じた基本分単価（月額調整が適用される場合は月額調整に定める額）をいう。

十六　基本加算部分　当該施設等において、別表第２及び別表第３の各区分に応じて第21号から第28号の２まで、第46号、第47号、第50号から第51号の２まで、第56号、第59号から第62号まで、第64号及び第65号に掲げる加算（各加算について月額調整が適用される場合は月額調整に定める額）を合計したものをいう。

十七　基礎分　次の表の上欄に掲げる当該施設等における職員１人当たりの平均経験年数の区分に応じ、それぞれ同表の下欄に掲げる割合をいう。

当該施設等における職員１人当たりの平均経験年数	割　　合
１年未満	２％
１年以上２年未満	３％
２年以上３年未満	４％
３年以上４年未満	５％
４年以上５年未満	６％
５年以上６年未満	７％
６年以上７年未満	８％
７年以上８年未満	９％
８年以上９年未満	10％
９年以上10年未満	11％
10年以上	12％

十八　賃金改善要件分　当該施設等において賃金改善の実施計画の策定等を行った場合に、上欄に掲げる当該施設等における職員１人当たりの平均経験年数の区分に応じ、基礎分に加算されるものとして下欄に掲げる割合をいう。

当該施設等における職員１人当たりの平均経験年数	割　　合
11年未満	６％
11年以上	７％

十九　キャリアパス要件分　当該施設等において職員の職位、職責又は職務内容等に応じた勤務条件の策定等を行わなかった場合に賃金改善要件分から減じる２パーセントの割合をいう。

二十　加算率　当該施設等における職員１人当たりの平均経験年数の区分に応じ、当該施設等に該当する基礎分、賃金改善要件分及びキャリアパス要件分を合わせたものをいう。

二十一　処遇改善等加算Ｉ　当該施設等における職員の平均経験年数並びに賃金改善及びキャリアアップの取組を踏まえた加算率を基に各区分に応じ算出し、加算されるものをいう。

二十二　副園長・教頭配置加算　当該施設等において、副園長又は教頭を配置する場合に加算されるものをいう。

二十三　３歳児配置改善加算　当該施設等において、３歳児15人につき、教員、保育士（当該施設等が国家戦略特別区域法第12条の５第５項に規定する事業実施区域内にある場合にあっては、保育士又は当該事業実施区域に係る国家戦略特別区域限定保育士。第59号を除き、以下同じ。）等を１人配置する場合に加算されるものをいう。

二十三の二　４歳以上児配置改善加算　当該施設等（第25号に規定するチーム保育加配加算又は第51号の２に規定するチーム保育推進加算を算定している施設等を除く。）において、４歳以上児25人につき、教員、保育士等を１人配置する場合に加算されるものをいう。

二十四　満３歳児対応加配加算　当該施設等において、満３歳児（法第19条第１号に掲げる小学校就学前子どもに該当する教育・保育給付認定子どものうち、年度の初日の前日における満年齢が２歳である者）６人につき、担当する教員、保育士等を１人配置する場合に加算されるものをいう。

二十四の二　講師配置加算　当該施設等において、

その利用定員（法第19条第１号に掲げる小学校就学前子どもの区分に係るものに限る。）が35人以下又は121人以上の場合であって、講師を配置する場合に加算されるものをいう。

二十五　チーム保育加配加算　当該施設等において、チーム保育を担当する教員、保育士等を配置する場合に、年齢別配置基準（第29号に規定する年齢別配置基準をいう。）等を超えて配置する加配人数（次の表の上欄に掲げる当該施設等の利用定員（法第19条第１号又は第２号に掲げる小学校就学前子どもの区分に係るものに限る。）の区分に応じ、それぞれ同表の下欄に掲げる上限人数の範囲内で配置する教員、保育士等の数をいう。）に応じて加算されるものをいう。

当該施設等の利用定員	上限人数
45人以下	１人
46人以上150人以下	２人
151人以上240人以下	３人
241人以上270人以下	3.5人
271人以上300人以下	５人
301人以上450人以下	６人
451人以上	８人

二十六　通園送迎加算　当該施設等において、通園送迎を行う場合に加算されるものをいう。

二十七　給食実施加算　当該施設等において、法第19条第１号に掲げる小学校就学前子どもに該当する教育・保育給付認定子どもについて給食を実施する場合に、週当たりの給食の実施日数に応じて加算されるものをいう。

二十八　外部監査費加算　当該施設等において、会計監査人による外部監査を実施した場合に加算されるものをいう。

二十八の二　副食費徴収免除加算　当該施設等において、給食を実施する際、副食費の徴収が免除されることについて、市町村から教育・保育給付認定保護者及び当該教育・保育給付認定保護者が利用する施設等に対する通知がなされた教育・保育給付認定子どもがいる場合に加算されるものをいう。

二十九　年齢別配置基準　当該施設等の区分に応じて適用される法第34条第１項に規定する教育・保育施設の認可基準、法第46条第１項に規定する地域型保育事業の認可基準等における教育・保育給付認定子どもの年齢及び数に応じた教員、保育士等の配置基準をいう。

三十　加減調整部分　当該施設等において、年齢別配置基準を下回っている等の事情がある場合に、別表第２及び別表第３の各区分に応じて基本部分及び基本加算部分を加減調整するものをいう。

三十一　乗除調整部分　当該施設等において、当該施設等を利用する教育・保育給付認定子どもの数が当該施設等の定員を恒常的に超過している場合に、別表第２及び別表第３の各区分に応じて基本分単価及び基本加算部分を乗除調整するものをいう。

三十二　特定加算部分　当該施設等において、別表第２及び別表第３の各区分に応じて次号から第43号まで及び第53号から第55号までに掲げる加算（各加算について月額調整が適用される場合は月額調整に定める額）を合計したものをいう。

三十三　主幹教諭等専任加算　当該施設等において、事業の取組状況に応じて主幹教諭等を指導計画の立案の業務に専任することができるよう、代替教員を配置する場合に加算されるものをいう。

三十四　子育て支援活動費加算　当該施設等において、事業の取組状況に応じて専任化した主幹教諭等が保護者又は地域住民からの育児相談、地域の子育て支援活動等に取り組む場合に加算されるものをいう。

三十五　療育支援加算　当該施設等において障害児を受け入れており、かつ、主幹教諭等を専任化させ地域住民等の子どもの療育支援に取り組む場合に加算されるものをいう。

三十五の二　事務職員配置加算　当該施設等において、その利用定員91人以上の場合であって、事務職員を配置する場合に加算されるものをいう。

三十五の三　指導充実加配加算　当該施設等において、その利用定員（法第19条第１号又は第２号に掲げる小学校就学前子どもの区分に係るものに限る。）271人以上の場合であって、講師を配置する場合に加算されるものをいう。

三十五の四　事務負担対応加配加算　当該施設等において、その利用定員271人以上の場合であって、事務職員を配置する場合に加算されるものをいう。

三十五の五　処遇改善等加算Ⅱ　当該施設等において、技能及び経験を有する職員について追加的な賃金改善を行う場合に加算されるものをいう。

三十五の六　処遇改善等加算Ⅲ　当該施設等において、賃上げ効果が継続されることを前提に、追加的な賃金改善を行う場合に加算されるものをいう。

三十六　冷暖房費加算　当該施設等において、当該施設等の所在する地域（次のイからホまでに掲げる地域）の区分に応じ、冷暖房費として加算されるものをいう。

イ　１級地（国家公務員の寒冷地手当に関する法律（昭和24年法律第200号。以下「寒冷地手当法」という。）別表に規定する１級地をいう。）

ロ　２級地（寒冷地手当法別表に規定する２級地をいう。）

ハ　３級地（寒冷地手当法別表に規定する３級地をいう。）

ニ　４級地（寒冷地手当法別表に規定する４級地をいう。）

ホ　その他地域（イからニまでに掲げる地域以外の地域をいう。）

三十七　施設関係者評価加算　当該施設等において、施設等の関係者（当該施設等の職員を除く。）による評価を実施し、その結果を公表する場合に加算されるものをいう。

三十八　除雪費加算　当該施設等が特別豪雪地帯（豪雪地帯対策特別措置法(昭和37年法律第73号)第２条第２項に規定する地域をいう。）に所在する場合に加算されるものをいう。

三十九　降灰除去費加算　当該施設等が降灰防除地域（活動火山対策特別措置法（昭和48年法律第61号）第23条第１項に規定する降灰防除地域をいう。）に所在する場合に加算されるものをいう。

四十　施設機能強化推進費加算　一時預かり事業等の複数事業を行う当該施設等において、職員等の防災教育や、災害発生時の安全かつ迅速な避難誘導体制を充実する等総合的な防災対策の充実強化等を行う場合に加算されるものをいう。

四十一　小学校接続加算　当該施設等において、小学校との連携及び接続に係る取組を行う場合に加算されるものをいう。

四十二　栄養管理加算　当該施設等において、栄養士を活用して給食を実施する場合に加算されるものをいう。

四十三　第三者評価受審加算　当該施設等において、第三者評価を受け、その結果を公表する場合に加算されるものをいう。

四十四　保育必要量区分　次のイ及びロに掲げるものをいう。

イ　保育標準時間認定　１月当たり平均275時間まで（１日当たり11時間までに限る。）の区分として、保育必要量の認定（子ども・子育て支援法施行規則（平成26年内閣府令第44号）第４条第１項の規定に基づく認定をいう。ロにおいて同じ。）を受けたものをいう。

ロ　保育短時間認定　１月当たり平均200時間まで（１日当たり８時間までに限る。）の区分として、保育必要量の認定を受けたものをいう。

四十五　削除

四十六　休日保育加算　当該施設等（休日及び祝日（国民の祝日に関する法律（昭和23年法律第178号）に規定する休日をいう。）を含めて、年間を通じて開所する施設等（複数の施設等との共同により年間を通じて開所する施設等を含む。）として市町村（特別区を含む。以下同じ。）から確認を受けたものに限る。）において、休日保育を実施する場合に、当該休日保育の年間延べ利用数の規模に応じて加算されるものをいう。

四十七　夜間保育加算　当該施設等（夜間に保育を行う施設等として市町村から確認を受けたものに限る。）が夜間に保育を実施している場合に、加算されるものをいう。

四十八　都市部　当該地域における人口密度が１平方キロメートル当たり1000人以上の地域をいう。

四十九　標準部　都市部以外の地域をいう。

五十　減価償却費加算　施設整備費補助金を受けない施設等のうち、自己所有の建物を保有するものに対して、加算されるものをいう。

五十一　賃借料加算　次の表に掲げる地域（次の表の上欄に掲げる区分に応じ、それぞれ同表の下欄に掲げる地域をいう。）において、当該施設等が賃貸物件である場合に加算されるものをいう。

区　分	地　　　域
ａ地域	埼玉県、千葉県、東京都、神奈川県
ｂ地域	静岡県、滋賀県、京都府、大阪府、兵庫県、奈良県
ｃ地域	宮城県、茨城県、栃木県、群馬県、新潟県、石川県、長野県、愛知県、三重県、和歌山県、鳥取県、岡山県、広島県、香川県、福岡県、沖縄県
ｄ地域	北海道、青森県、岩手県、秋田県、山形県、福島県、富山県、福井県、山梨県、岐阜県、島根県、山口県、徳島県、愛媛県、高知県、佐賀県、長崎県、熊本県、大分県、宮崎県、鹿児島県

五十一の二　チーム保育推進加算　当該施設等において、年齢別配置基準等を超えて保育士を配置し、チーム保育に係る体制の整備を図るとともに、職員１人当たりの平均経験年数が12年以上である場合に、加配人数（次の表の上欄に掲げる当該施設等の利用定員の区分に応じ、それぞれ同表

の下欄に掲げる上限人数の範囲内で配置する保育士の数をいう。）に応じて、加算されるものをいう。

当該施設等の利用定員	上限人数
120人以下	1人
121人以上	2人

五十二　分園　児童福祉法第35条第4項の規定により保育所の設置認可を受けている者が、当該保育所と同等の機能を有するものとして設置するもの等をいう。

五十三　主任保育士専任加算　当該施設等において、事業の取組状況に応じて主任保育士を保育計画の立案並びに保護者からの育児相談及び地域の子育て支援活動に専任することができるよう、代替保育士を配置する場合に加算されるものをいう。

五十四　事務職員雇上費加算　一時預かり事業等のうちいずれかの事業を行う当該施設等において、事務職員を配置する場合に、加算されるものをいう。

五十五　高齢者等活躍促進加算　当該施設等において、高齢者等の雇用の促進を図るため、これらの者を活用して教育・保育給付認定子どもの処遇の向上を図り、かつ、一時預かり事業等の複数事業を行う場合に加算されるものをいう。

五十六　学級編制調整加配加算　当該施設等において、その利用定員（法第19条第1号又は第2号に掲げる小学校就学前子どもの区分に係るものに限る。）36人以上300人以下の場合であって、全ての学級に専任の学級担任を配置するため、保育教諭等を1人加配する場合に加算されるものをいう。

五十七　認可施設　幼稚園、保育所又は幼保連携型認定こども園の認可を受けている施設をいう。

五十八　機能部分　認定こども園において、認可施設以外の部分をいう。

五十九　資格保有者加算　当該施設等における家庭的保育者（児童福祉法第6条の3第9項第1号に規定する家庭的保育者をいう。）が保育士資格（当該施設等が国家戦略特別区域法第12条の5第5項に規定する事業実施区域内にある場合にあっては、児童福祉法第18条の6に規定する保育士となる資格及び国家戦略特別区域法第12条の5第5項に規定する国家戦略特別区域限定保育士となる資格をいう。）、看護師免許又は准看護師免許を有する場合に加算されるものをいう。

六十　家庭的保育補助者加算　当該施設等において、当該施設等を利用する教育・保育給付認定子どもの数に応じて家庭的保育補助者（家庭的保育事業等設備運営基準第23条第3項に規定する家庭的保育補助者をいう。）を配置する場合に加算されるものをいう。

六十一　家庭的保育支援加算　当該施設等が家庭的保育支援者（家庭的保育事業の支援に係る市町村長（特別区の区長を含む。）の認定を受け、家庭的保育者若しくは家庭的保育補助者に対し指導及び支援を行う者をいう。）又は連携施設（特定教育・保育施設及び特定地域型保育事業並びに特定子ども・子育て支援施設等の運営に関する基準（平成26年内閣府令第39号。以下「特定教育・保育施設等運営基準」という。）第42条第1項に規定する連携施設をいう。）から代替保育等の特別な支援を受けて保育を実施する場合に加算されるものをいう。

六十二　障害児保育加算　当該施設等において、児童福祉法第4条第2項に規定する障害児を受け入れ、かつ、障害児数に応じた職員を加配する場合に加算されるものをいう。

六十三　削除

六十四　保育士比率向上加算　B型又は小規模型事業所内保育事業B型において、配置基準上求められる保育者数（家庭的保育事業等設備運営基準第31条第2項に規定する保育従事者の数をいう。）の4分の3以上の保育士を常に配置する場合に加算されるものをいう。

六十五　連携施設加算　居宅訪問型保育事業者が居宅訪問型保育連携施設（特定教育・保育施設等運営基準第42条第6項に規定する居宅訪問型保育連携施設をいう。）を設定し、必要な支援を受けて保育を実施する場合に加算されるものをいう。

（特定教育・保育に要する費用の額の算定に関する基準）

第2条　法第27条第3項第1号に規定する内閣総理大臣が定める基準については、別表第2に規定するものとする。

（特別利用保育に要する費用の額の算定に関する基準）

第3条　法第28条第2項第2号に規定する内閣総理大臣が定める基準については、別表第2における保育所の表中2号の保育短時間認定区分に規定するもの（当該施設等を利用する教育・保育給付認定子どものうち、当該年度中に満3歳となる教育・保育給付認定子どもにおける基本分単価については、別表第2に定めた額から7500円（副食費の徴収が免除されることについて、市町村から教育・保育給付認定保護者及び当該教育・保育給付認定保護者が利用する施設等に対する通知がなされた教育・保育給付認定子ども（第６条及び第７条において「副食費徴収免除対象子ども」という。）は3000円）を減じた額）とする。

（特別利用教育に要する費用の額の算定に関する基準）

第４条　法第28条第２項第３号に規定する内閣総理大臣が定める基準については、別表第２における幼稚園の表中１号に規定するものとする。

（特定地域型保育に要する費用の額の算定に関する基準）

第５条　法第29条第３項第１号に規定する内閣総理大臣が定める基準については、別表第３に規定するものとする。ただし、国家戦略特別区域法第12条の４第４項の規定により読み替えて適用する法第29条第１項に規定する特定満３歳以上保育認定地域型保育にあっては、第７条第２号イからハまでに掲げる区分に応じ、それぞれ同号イ（ただし書を除く。）、ロ（ただし書を除く。）及びハの規定を準用する。

（特別利用地域型保育に要する費用の額の算定に関する基準）

第６条　法第30条第２項第２号に規定する内閣総理大臣が定める基準については、次の各号に掲げるものとする。

一　家庭的保育事業　別表第３における家庭的保育事業の表中３号の保育短時間認定区分に規定するもの（基本分単価については、別表第３に定めた額から7500円を減じた額）とする。

二　小規模保育事業　次のイからハまでに掲げるものとする。

イ　Ａ型　別表第３における小規模保育事業Ａ型の表中３号の１、２歳児の保育短時間認定区分に規定するもの（基本分単価については、３歳児（当該年度中に満３歳となる教育・保育給付認定子どもを除き、当該年度中に満４歳となる教育・保育給付認定子どもを含む。以下この条及び次条において同じ。）は100分の65、４歳以上児（当該年度中に満４歳となる教育・保育給付認定子どもを除く。以下この条及び次条において同じ。）は100分の60を別表第３に定めた額に乗じた額、当該年度中に満３歳となる教育・保育給付認定子どもは、別表第３の額から7500円を減じた額）とする。ただし、当該施設等を利用する教育・保育給付認定子どものうち、３歳児及び４歳以上児の利用が利用定員の３割未満の場合においては、別表第３における小規模保育事業Ａ型の表中３号の１、２歳児の保育短時間認定区分に規定するもの（基本分単価については、別表第３に定めた額から7500円を減じた額）とする。

ロ　Ｂ型　別表第３における小規模保育事業Ｂ型の表中３号の１、２歳児の保育短時間認定区分に規定するもの（基本分単価については、３歳児は100分の65、４歳以上児は100分の60を別表第３に定めた額に乗じた額、当該年度中に満３歳となる教育・保育給付認定子どもは、別表第３の額から7500円を減じた額）とする。ただし、当該施設等を利用する教育・保育給付認定子どものうち、３歳児及び４歳以上児の利用が利用定員の３割未満の場合においては、別表第３における小規模保育事業Ｂ型の表中３号の１、２歳児の保育短時間認定区分に規定するもの（基本分単価については、別表第３に定めた額から7500円を減じた額）とする。

ハ　Ｃ型　別表第３における小規模保育事業Ｃ型の表中３号の保育短時間認定区分に規定するもの（基本分単価については、別表第３に定めた額から7500円を減じた額）とする。

三　事業所内保育事業　次のイからハまでに掲げるものとする。

イ　小規模型事業所内保育事業Ａ型　別表第３における小規模型事業所内保育事業Ａ型の表中３号の保育短時間認定区分に規定するもの（基本分単価については、３歳児は100分の65、４歳以上児は100分の60を別表第３に定めた額に乗じた額、当該年度中に満３歳となる教育・保育給付認定子どもは、別表第３の額から7500円を減じた額）とする。ただし、当該施設等を利用する教育・保育給付認定子どものうち、３歳児及び４歳以上児の利用が利用定員の３割未満の場合においては、別表第３における小規模型事業所内保育事業Ａ型の表中３号の１、２歳児の保育短時間認定区分に規定するもの（基本分単価については、別表第３に定めた額から7500円を減じた額）とする。

ロ　小規模型事業所内保育事業Ｂ型　別表第３における小規模型事業所内保育事業Ｂ型の表中３号の保育短時間認定区分に規定するもの（基本分単価については、３歳児は100分の65、４歳以上児は100分の60を別表第３に定めた額に乗じた額、当該年度中に満３歳となる教育・保育給付認定子どもは、別表第３の額から7500円を減じた額）とする。ただし、当該施設等を利用する教育・保育給付認定子どものうち、３歳児及び４歳以上児の利用が利用定員の３割未満の場合においては、別表第３における小規模型事業所内保育事業Ｂ型の表中３号の１、２歳児の保育短時間認定区分に規定するもの（基本分単価については、別表第３に定めた額から7500円を減じた額）とする。

ハ　保育所型事業所内保育事業　別表第３における保育所型事業所内保育事業の表中３号の１、２歳児の保育短時間認定区分に規定するもの（基本分単価については、３歳児は100分の50、４歳以上児は100分の45を別表第３に定めた額に乗じた額、当該年度中に満３歳となる教育・保育給付認定子どもは、別表第３の額から7500円を減じた額）とする。

四　居宅訪問型保育事業　別表第３における居宅訪問型保育事業の表中３号の保育短時間認定区分に規定するものとする。

五　第１号から第３号までにおいて、副食費徴収免除対象子どもについては、算定した額に4500円を加えた額とする。

（特定利用地域型保育に要する費用の額の算定に関する基準）

第７条　法第30条第２項第３号に規定する内閣総理大臣が定める基準については、次の各号に掲げるものとする。

一　家庭的保育事業　別表第３における家庭的保育事業の表中３号の区分に規定するもの（当該年度中に満３歳となる教育・保育給付認定子どもを除き、基本分単価については、別表第３に定めた額から7500円を減じた額）とする。

二　小規模保育事業　次のイからハまでに掲げるものとする。

イ　Ａ型　別表第３における小規模保育事業Ａ型の表中３号の１、２歳児の区分に規定するもの（基本分単価については、３歳児は100分の65、４歳以上児は100分の60を別表第３に定めた額に乗じた額）とする。ただし、当該施設等を利用する教育・保育給付認定子どものうち、３歳児及び４歳以上児の利用が利用定員の３割未満となる又は３割以上となるが、地域における保育の提供体制に鑑み、やむを得ないと市町村が認める場合においては、別表第３における小規模保育事業Ａ型の表中３号の１、２歳児の区分に規定するもの（当該年度中に満３歳となる教育・保育給付認定子どもを除き、基本分単価については、別表第３に定めた額から7500円を減じた額）とする。

ロ　Ｂ型　別表第３における小規模保育事業Ｂ型の表中３号の１、２歳児の区分に規定するもの（基本分単価については、３歳児は100分の65、４歳以上児は100分の60を別表第３に定めた額に乗じた額）とする。ただし、当該施設等を利用する教育・保育給付認定子どものうち、３歳児及び４歳以上児の利用が利用定員の３割未満となる又は３割以上となるが、地域における保育の提供体制に鑑み、やむを得ないと市町村が認める場合においては、別表第３における小規模保育事業Ｂ型の表中３号の１、２歳児の区分に規定するもの（当該年度中に満３歳となる教育・保育給付認定子どもを除き、基本分単価については、別表第３に定めた額から7500円を減じた額）とする。

ハ　Ｃ型　別表第３における小規模保育事業Ｃ型の表中３号の区分に規定するもの（当該年度中に満３歳となる教育・保育給付認定子どもを除き、基本分単価については、別表第３に定めた額から7500円を減じた額）とする。

三　事業所内保育事業　次のイからハまでに掲げるものとする。

イ　小規模型事業所内保育事業Ａ型　別表第３における小規模型事業所内保育事業Ａ型の表中３号の区分に規定するもの（基本分単価については、３歳児は100分の65、４歳以上児は100分の60を別表第３に定めた額に乗じた額）とする。ただし、当該施設等を利用する教育・保育給付認定子どものうち、３歳児及び４歳以上児の利用が利用定員の３割未満となる又は３割以上となるが、地域における保育の提供体制に鑑み、やむを得ないと市町村が認める場合においては、別表第３における小規模型事業所内保育事業Ａ型の表中３号の１、２歳児の区分に規定するもの（当該年度中に満３歳となる教育・保育給付認定子どもを除き、基本分単価については、別表第３に定めた額から7500円を減じた額）とする。

ロ　小規模型事業所内保育事業Ｂ型　別表第３における小規模型事業所内保育事業Ｂ型の表中３号の区分に規定するもの（基本分単価については、３歳児は100分の65、４歳以上児は100分の60を別表第３に定めた額に乗じた額）とする。ただし、当該施設等を利用する教育・保育給付認定子どものうち、３歳児及び４歳以上児の利用が利用定員の３割未満となる又は３割以上となるが、地域における保育の提供体制に鑑み、やむを得ないと市町村が認める場合においては、別表第３における小規模型事業所内保育事業Ｂ型の表中３号の１、２歳児の区分に規定するもの（当該年度中に満３歳となる教育・保育給付認定子どもを除き、基本分単価については、別表第３に定めた額から7500円を減じた額）とする。

ハ　保育所型事業所内保育事業　別表第３における保育所型事業所内保育事業の表中３号の１、２歳児の区分に規定するもの（基本分単価については、３歳児は100分の55、４歳以上児は100分の45を別表第３に定めた額に乗じた額）とする。

四　居宅訪問型保育事業　別表第３における居宅訪問型保育事業の表中３号の区分に規定するものとする。

五　第１号から第３号までにおいて、副食費徴収免除対象子ども（当該年度中に満３歳となるものを除く。）については、算定した額に4500円を加えた額とする。

（特例保育に要する費用の額の算定に関する基準）

第８条　法第30条第２項第４号に規定する内閣総理大臣が定める基準については、当該特例保育を行う施設等の所在する地域の実情等に応じて内閣総理大臣が定めるものとする。

（特定教育・保育に要する費用の額の算定に関する経過措置）

第９条　法附則第６条第１項に規定する内閣総理大臣が定める基準については、別表第２の保育所の表に規定するものとする。

（施設型給付費に関する経過措置）

第10条　法附則第９条第１項第１号イに規定する内閣総理大臣が定める基準については、別表第２の額に1000分の749を乗じた額とする。

（特例施設型給付費に関する経過措置）

第11条　法附則第９条第１項第２号イ(1)に規定する内閣総理大臣が定める基準については、別表第２の額に1000分の749を乗じた額とする。

２　法附則第９条第１項第２号ロ(1)に規定する内閣総理大臣が定める基準については、第３条の規定による額に1000分の749を乗じて得た額とする。

（特例地域型保育給付費に関する経過措置）

第12条　法附則第９条第１項第３号イ(1)に規定する内閣総理大臣が定める基準については、第６条各号の規定による額に1000分の749を乗じて得た額とする。

２　法附則第９条第１項第３号ロ(1)に規定する内閣総理大臣が定める基準については、第８条の規定による額に1000分の749を乗じて得た額とする。

（月の途中における入退所に関する公定価格）

第13条　子ども・子育て支援法施行令（平成26年政令第213号）第24条第２項に規定する事由（子ども・子育て支援法施行規則第58条第３号に規定する事由を除く。）のあった教育・保育給付認定子どもに係る教育・保育給付認定保護者についての公定価格は、第２条から前条までの規定による額に、当該月における利用日数を20（法第19条第２号又は第３号に掲げる小学校就学前子どもに該当する教育・保育給付認定子ども（法第28条第１項第３号に規定する特別利用教育を受ける者を除く。）については、25）で除して得た数を乗じて得た額とする。

（端数計算）

第14条　第１条第13号、第15号、第21号（第22号、第26号、第27号及び第30号（認定こども園において、主幹教諭等の専任を実施していない場合及び配置基準上求められる職員資格を有しない場合に加減調整されるものに限る。）に係るものを除く。）、第22号から第28号の２まで、第30号、第31号、第33号から第43号まで、第46号、第47号、第50号から第51号の２まで、第53号から第56号まで、第59号から第62号まで、第64号及び第65号の各号により算出される額については、当該額が10円以上の場合においては、10円未満の端数が生じたときはこれを切り捨て、当該額が10円未満の場合においては、１円未満の端数が生じたときはこれを切り捨てる。この場合において、各号において算出される額の端数計算は、それぞれの額ごとに行うものとする。

（公定価格の特例）

第15条　こども家庭庁長官は、緊急その他やむを得ない事由がある場合は、第１条から前条までの規定にかかわらず、こども家庭審議会（こども家庭庁設置法（令和４年法律第75号）第６条に規定するこども家庭審議会をいう。）の意見を聴いた上で、特定教育・保育、特別利用保育、特別利用教育、特定地域型保育、特別利用地域型保育、特定利用地域型保育及び特例保育に要する費用の額の算定に関する基準等を別に定めることができる。

（地方公共団体が設置する幼稚園、保育所及び認定こども園に係る費用の額の算定に関する基準）

第16条　地方公共団体が設置する幼稚園、保育所及び認定こども園に係る法第27条第３項第１号に規定する内閣総理大臣が定める基準、地方公共団体が設置する保育所に係る法第28条第２項第２号に規定する内閣総理大臣が定める基準及び地方公共団体が設置する幼稚園に係る法第28条第２項第３号に規定する内閣総理大臣が定める基準については、第２条から第４条までの規定にかかわらず、当該規定による公定価格の額、地域の実情等を踏まえて当該地方公共団体が定める額とする。

（教育・保育給付認定保護者の負担上限額の算定に関する基準）

第17条　子ども・子育て支援法施行令第４条第２項（同令第５条第２項、第９条、第11条第２項及び第12条第２項において準用する場合を含む。）に規定する内閣総理大臣が定める基準により算定した費用の額については、公定価格の額から処遇改善等加算Ⅰ、外部監査費加算、副食費徴収免除加算、処遇改善等加算Ⅱ、処遇改善等加算Ⅲ、療育支援加算、施設関係者評価加算、除雪費加算、降灰除去費加算、施設機能強化推進費加算、小学校接続加算、栄養管理加算、第三者評価受審加算、休日保育加算（居宅訪問型保育事業を除く。）、減価償却費加算、賃借料加算、チーム保育推進加算、高齢者等活躍促進加算及び障害児保育加算が適用される場合の額を減じた額とする。

附　則

法の施行の日（平成27年４月１日）から施行する。

附　則（令和６年３月29日こども家庭庁告示第９号）

この告示は、令和６年４月１日から施行する。ただし、同日前の特定教育・保育、特別利用保育、特別利用教育、特定地域型保育、特別利用地域型保育、特定利用地域型保育及び特例保育に要する費用の額の算定については、なお従前の例による。

別表第1

地域区分	都道府県	地　　域
100分の20地域	東京都	特別区
100分の16地域	茨城県	取手市、つくば市
	埼玉県	和光市
	千葉県	我孫子市、袖ヶ浦市、印西市
	東京都	武蔵野市、調布市、町田市、小平市、日野市、国分寺市、狛江市、清瀬市、多摩市
	神奈川県	横浜市、川崎市、厚木市
	愛知県	刈谷市、豊田市、日進市
	京都府	長岡京市
	大阪府	大阪市、守口市
100分の15地域	茨城県	守谷市
	埼玉県	さいたま市、蕨市、志木市
	千葉県	千葉市、成田市、習志野市、栄町
	東京都	八王子市、三鷹市、青梅市、府中市、昭島市、小金井市、東村山市、国立市、福生市、東久留米市、稲城市、西東京市
	神奈川県	鎌倉市、逗子市
	静岡県	裾野市
	愛知県	名古屋市、豊明市
	大阪府	池田市、高槻市、大東市、門真市、高石市、大阪狭山市
	兵庫県	西宮市、芦屋市、宝塚市
100分の12地域	茨城県	牛久市
	埼玉県	東松山市、狭山市、朝霞市、ふじみ野市
	千葉県	船橋市、浦安市
	東京都	立川市、東大和市
	神奈川県	相模原市、藤沢市、海老名市、座間市、愛川町
	三重県	鈴鹿市
	京都府	京田辺市
	大阪府	豊中市、吹田市、寝屋川市、松原市、箕面市、羽曳野市
	兵庫県	神戸市
	奈良県	天理市
100分の10地域	宮城県	多賀城市
	茨城県	水戸市、日立市、土浦市、龍ヶ崎市、稲敷市、石岡市、阿見町
	埼玉県	新座市、桶川市、富士見市、坂戸市、鶴ヶ島市
	千葉県	市川市、松戸市、佐倉市、市原市、八千代市、富津市、四街道市
	東京都	あきる野市、羽村市、日の出町、檜原村、奥多摩町
	神奈川県	横須賀市、平塚市、小田原市、茅ヶ崎市、三浦市、大和市、伊勢原市、綾瀬市、葉山町、寒川町
	愛知県	西尾市、知多市、知立市、清須市、みよし市、長久手市、東郷町
	三重県	四日市市
	滋賀県	大津市、草津市、栗東市
	京都府	京都市、向日市
	大阪府	堺市、枚方市、茨木市、八尾市、柏原市、摂津市、藤井寺市、東大阪市、四條畷市、交野市、島本町
	兵庫県	尼崎市、伊丹市、高砂市、川西市、三田市
	奈良県	奈良市、大和郡山市、川西町
	広島県	広島市、府中町
	福岡県	福岡市、春日市、福津市、糸島市
100分の6地域	宮城県	仙台市、富谷市、七ヶ浜町、大和町
	茨城県	古河市、常総市、ひたちなか市、坂東市、神栖市、つくばみらい市、那珂市、大洗町、河内町、五霞町、境町、利根町、東海村
	栃木県	宇都宮市、大田原市、さくら市、下野市、野木町
	群馬県	高崎市、明和町
	埼玉県	川越市、川口市、行田市、所沢市、飯能市、加須市、春日部市、羽生市、鴻巣市、深谷市、上尾市、草加市、越谷市、戸田市、入間市、久喜市、北本市、八潮市、三郷市、蓮田市、幸手市、吉川市、白岡市、伊奈町、三芳町、川島町、鳩山町、ときがわ町、宮

		代町、杉戸町、松伏町、滑川町
	千葉県	野田市、茂原市、東金市、柏市、流山市、鎌ヶ谷市、白井市、香取市、大網白里市、木更津市、君津市、酒々井町、神崎町、白子町、長柄町、長南町
	神奈川県	泰野市、大磯町、二宮町、中井町、大井町、山北町、清川村
	山梨県	甲府市
	長野県	塩尻市
	岐阜県	岐阜市、海津市
	静岡県	静岡市、沼津市、磐田市、御殿場市
	愛知県	岡崎市、一宮市、瀬戸市、春日井市、豊川市、津島市、碧南市、安城市、蒲郡市、犬山市、江南市、稲沢市、東海市、大府市、尾張旭市、高浜市、岩倉市、田原市、愛西市、北名古屋市、弥富市、あま市、豊山町、大治町、蟹江町、幸田町、飛島村
	三重県	津市、桑名市、亀山市、木曽岬町
	滋賀県	彦根市、守山市、甲賀市、野洲市
	京都府	宇治市、亀岡市、八幡市、南丹市、木津川市、城陽市、大山崎町、笠置町、和束町、精華町、久御山町、井手町、宇治田原町、南山城村
	大阪府	岸和田市、泉大津市、貝塚市、泉佐野市、富田林市、河内長野市、和泉市、泉南市、阪南市、豊能町、能勢町、忠岡町、熊取町、田尻町、岬町、太子町、河南町、千早赤阪村
	兵庫県	明石市、赤穂市、丹波篠山市、猪名川町
	奈良県	大和高田市、橿原市、生駒市、香芝市、葛城市、御所市、平群町、三郷町、斑鳩町、安堵町、上牧町、王寺町、広陵町、河合町
	和歌山県	和歌山市、橋本市、紀の川市、岩出市、かつらぎ町
	香川県	高松市
	福岡県	大野城市、太宰府市、那珂川市、志免町、新宮町、粕屋町
	佐賀県	佐賀市、吉野ヶ里町
100分の3地域	北海道	札幌市
	宮城県	塩釜市、名取市、村田町、利府町
	茨城県	結城市、下妻市、常陸太田市、笠間市、鹿嶋市、潮来市、筑西市、桜川市、茨城町、城里町、八千代町
	栃木県	足利市、栃木市、佐野市、鹿沼市、日光市、小山市、真岡市、上三川町、芳賀町、壬生町
	群馬県	前橋市、桐生市、伊勢崎市、太田市、沼田市、渋川市、みどり市、吉岡町、東吾妻町、玉村町、板倉町、千代田町、大泉町、榛東村、昭和村
	埼玉県	熊谷市、日高市、毛呂山町、越生町、嵐山町、吉見町
	千葉県	鴨川市、八街市、富里市、山武市、多古町、九十九里町、芝山町、大多喜町
	東京都	武蔵村山市、瑞穂町
	神奈川県	箱根町
	新潟県	新潟市
	富山県	富山市、南砺市、上市町、立山町、舟橋村
	石川県	金沢市、津幡町、内灘町
	福井県	福井市
	山梨県	韮崎市、南アルプス市、北杜市、甲斐市、上野原市、中央市、市川三郷町、早川町、身延町、南部町、富士川町、昭和町、富士河口湖町、道志村
	長野県	長野市、松本市、上田市、岡谷市、飯田市、諏訪市、伊那市、大町市、茅野市、青木村、長和町、下諏訪町、辰野町、箕輪町、木曽町、南箕輪村、大鹿村、木祖村、山形村、朝日村、筑北村
	岐阜県	大垣市、高山市、多治見市、関市、瑞浪市、羽島市、恵那市、美濃加茂市、土岐市、各務原市、可児市、山県市、瑞穂市、本巣市、岐南町、笠松町、神戸町、安八町、北方町、坂祝町、富加町、八百津町、御嵩町
	静岡県	浜松市、三島市、富士宮市、島田市、富士市、焼

		津市、掛川市、藤枝市、袋井市、湖西市、函南町、清水町、長泉町、小山町、川根本町、森町
	愛知県	豊橋市、半田市、常滑市、小牧市、新城市、大口町、扶桑町、阿久比町、東浦町、武豊町、設楽町
	三重県	名張市、いなべ市、伊賀市、東員町、菰野町、朝日町、川越町
	滋賀県	長浜市、近江八幡市、湖南市、高島市、東近江市、米原市、日野町、竜王町、愛荘町、多賀町
	兵庫県	姫路市、加古川市、三木市、小野市、加西市、加東市、稲美町、播磨町
	奈良県	桜井市、五條市、宇陀市、三宅町、田原本町、高取町、吉野町、山添村、曽爾村、明日香村
	岡山県	岡山市、玉野市、備前市、瀬戸内市
	広島県	呉市、竹原市、三原市、大竹市、東広島市、廿日市市、安芸高田市、熊野町、安芸太田町、北広島町、世羅町、海田町、坂町
	山口県	岩国市、周南市、和木町
	徳島県	徳島市、鳴門市、小松島市、阿南市、美馬市、勝浦町、松茂町、北島町、藍住町
	香川県	坂出市、さぬき市、東かがわ市、三木町、綾川町
	福岡県	北九州市、飯塚市、筑紫野市、古賀市、宮若市、宇美町、篠栗町、須恵町、久山町
	佐賀県	鳥栖市、基山町
	長崎県	長崎市
その他地域	全ての都道府県	100分の20地域から100分の３地域まで以外の地域

備考　この表の下欄に掲げる地域は、令和６年４月１日において当該地域に係る名称によって示された区域をいい、その後における当該名称又は当該区域の変更によって影響されるものでない。

別表第２

○幼稚園（教育標準時間認定）

地域区分 ①	定員区分 ②	認定区分 ③	年齢区分 ④	基本分単価 ⑤	（注）		処遇改善等加算Ⅰ ⑥	（注）			副園長・教頭配置加算 ⑦		処遇改善等加算Ⅰ		３歳児配置改善加算 ⑧		処遇改善等加算Ⅰ
20/100地域	15人まで	1号	４歳以上児	120,720	(129,280)	+	1,180	(1,270)	×加算率	+	7,150	+	70×加算率	+	(8,560)	+	(80×加算率)
			３　歳　児	129,280		+	1,270		×加算率					+	8,560		80×加算率
	16人から25人まで	1号	４歳以上児	74,250	(82,810)	+	720	(800)	×加算率	+	4,290	+	40×加算率	+	(8,560)	+	(80×加算率)
			３　歳　児	82,810		+	800		×加算率					+	8,560		80×加算率
	26人から35人まで	1号	４歳以上児	54,330	(62,890)	+	520	(600)	×加算率	+	3,060	+	30×加算率	+	(8,560)	+	(80×加算率)
			３　歳　児	62,890		+	600		×加算率					+	8,560		80×加算率
	36人から45人まで	1号	４歳以上児	54,740	(63,300)	+	520	(610)	×加算率	+	2,380	+	20×加算率	+	(8,560)	+	(80×加算率)
			３　歳　児	63,300		+	610		×加算率					+	8,560		80×加算率
	46人から60人まで	1号	４歳以上児	50,730	(59,290)	+	480	(570)	×加算率	+	1,780	+	10×加算率	+	(8,560)	+	(80×加算率)
			３　歳　児	59,290		+	570		×加算率					+	8,560		80×加算率
	61人から75人まで	1号	４歳以上児	44,940	(53,500)	+	430	(510)	×加算率	+	1,430	+	10×加算率	+	(8,560)	+	(80×加算率)
			３　歳　児	53,500		+	510		×加算率					+	8,560		80×加算率
	76人から90人まで	1号	４歳以上児	41,050	(49,610)	+	390	(470)	×加算率	+	1,190	+	10×加算率	+	(8,560)	+	(80×加算率)
			３　歳　児	49,610		+	470		×加算率					+	8,560		80×加算率
	91人から105人まで	1号	４歳以上児	38,270	(46,830)	+	360	(440)	×加算率	+	1,020	+	10×加算率	+	(8,560)	+	(80×加算率)
			３　歳　児	46,830		+	440		×加算率					+	8,560		80×加算率
	106人から120人まで	1号	４歳以上児	36,220	(44,780)	+	340	(420)	×加算率	+	890	+	8×加算率	+	(8,560)	+	(80×加算率)
			３　歳　児	44,780		+	420		×加算率					+	8,560		80×加算率
	121人から135人まで	1号	４歳以上児	34,590	(43,150)	+	320	(410)	×加算率	+	790	+	7×加算率	+	(8,560)	+	(80×加算率)
			３　歳　児	43,150		+	410		×加算率					+	8,560		80×加算率
	136人から150人まで	1号	４歳以上児	33,320	(41,880)	+	310	(390)	×加算率	+	710	+	7×加算率	+	(8,560)	+	(80×加算率)
			３　歳　児	41,880		+	390		×加算率					+	8,560		80×加算率
	151人から180人まで	1号	４歳以上児	31,380	(39,940)	+	290	(380)	×加算率	+	590	+	5×加算率	+	(8,560)	+	(80×加算率)
			３　歳　児	39,940		+	380		×加算率					+	8,560		80×加算率
	181人から210人まで	1号	４歳以上児	29,980	(38,540)	+	280	(360)	×加算率	+	510	+	5×加算率	+	(8,560)	+	(80×加算率)
			３　歳　児	38,540		+	360		×加算率					+	8,560		80×加算率
	211人から240人まで	1号	４歳以上児	28,950	(37,510)	+	270	(350)	×加算率	+	440	+	4×加算率	+	(8,560)	+	(80×加算率)
			３　歳　児	37,510		+	350		×加算率					+	8,560		80×加算率
	241人から270人まで	1号	４歳以上児	28,150	(36,710)	+	260	(340)	×加算率	+	390	+	3×加算率	+	(8,560)	+	(80×加算率)
			３　歳　児	36,710		+	340		×加算率					+	8,560		80×加算率
	271人から300人まで	1号	４歳以上児	27,500	(36,060)	+	250	(340)	×加算率	+	350	+	3×加算率	+	(8,560)	+	(80×加算率)
			３　歳　児	36,060		+	340		×加算率					+	8,560		80×加算率
	301人以上	1号	４歳以上児	25,420	(33,980)	+	230	(320)	×加算率	+	320	+	3×加算率	+	(8,560)	+	(80×加算率)
			３　歳　児	33,980		+	320		×加算率					+	8,560		80×加算率

地域区分 ①	定員区分 ②	認定区分 ③	年齢区分 ④	4歳以上児配置改善加算	処遇改善等加算Ⅰ ⑨	満3歳児対応加配加算(3歳児配置改善加算無し)	処遇改善等加算Ⅰ ⑩	満3歳児対応加配加算(3歳児配置改善加算有り)	処遇改善等加算Ⅰ ⑩'	講師配置加算	処遇改善等加算Ⅰ ⑪
20/100地域	15人まで	1号	4歳以上児	3, 420	30×加算率					6, 010	60×加算率
			3　歳　児			59, 950	590×加算率	51, 390	510×加算率		
	16人から25人まで	1号	4歳以上児	3, 420	30×加算率					3, 600	30×加算率
			3　歳　児			59, 950	590×加算率	51, 390	510×加算率		
	26人から35人まで	1号	4歳以上児	3, 420	30×加算率					2, 570	20×加算率
			3　歳　児			59, 950	590×加算率	51, 390	510×加算率		
	36人から45人まで	1号	4歳以上児	3, 420	30×加算率					−	−
			3　歳　児			59, 950	590×加算率	51, 390	510×加算率		
	46人から60人まで	1号	4歳以上児	3, 420	30×加算率					−	−
			3　歳　児			59, 950	590×加算率	51, 390	510×加算率		
	61人から75人まで	1号	4歳以上児	3, 420	30×加算率					−	−
			3　歳　児			59, 950	590×加算率	51, 390	510×加算率		
	76人から90人まで	1号	4歳以上児	3, 420	30×加算率					−	−
			3　歳　児			59, 950	590×加算率	51, 390	510×加算率		
	91人から105人まで	1号	4歳以上児	3, 420	30×加算率					−	−
			3　歳　児			59, 950	590×加算率	51, 390	510×加算率		
	106人から120人まで	1号	4歳以上児	3, 420	30×加算率					−	−
			3　歳　児			59, 950	590×加算率	51, 390	510×加算率		
	121人から135人まで	1号	4歳以上児	3, 420	30×加算率					660	6×加算率
			3　歳　児			59, 950	590×加算率	51, 390	510×加算率		
	136人から150人まで	1号	4歳以上児	3, 420	30×加算率					600	6×加算率
			3　歳　児			59, 950	590×加算率	51, 390	510×加算率		
	151人から180人まで	1号	4歳以上児	3, 420	30×加算率					500	5×加算率
			3　歳　児			59, 950	590×加算率	51, 390	510×加算率		
	181人から210人まで	1号	4歳以上児	3, 420	30×加算率					430	4×加算率
			3　歳　児			59, 950	590×加算率	51, 390	510×加算率		
	211人から240人まで	1号	4歳以上児	3, 420	30×加算率					370	3×加算率
			3　歳　児			59, 950	590×加算率	51, 390	510×加算率		
	241人から270人まで	1号	4歳以上児	3, 420	30×加算率					330	3×加算率
			3　歳　児			59, 950	590×加算率	51, 390	510×加算率		
	271人から300人まで	1号	4歳以上児	3, 420	30×加算率					300	3×加算率
			3　歳　児			59, 950	590×加算率	51, 390	510×加算率		
	301人以上	1号	4歳以上児	3, 420	30×加算率					270	2×加算率
			3　歳　児			59, 950	590×加算率	51, 390	510×加算率		

地域区分 ①	定員区分 ②	認定区分 ③	年齢区分 ④		チーム保育加配加算 ※加配1人当たり単価 ⑫		処遇改善等加算Ⅰ		通園送迎加算 ⑬		処遇改善等加算Ⅰ
20/100 地域	15人まで	1号	4歳以上児 3　歳　児	＋	34, 260×加配人数	＋	340×加算率×加配人数	＋	3, 790	＋	30×加算率
	16人から25人まで	1号	4歳以上児 3　歳　児	＋	20, 550×加配人数	＋	200×加算率×加配人数	＋	2, 600	＋	20×加算率
	26人から35人まで	1号	4歳以上児 3　歳　児	＋	14, 680×加配人数	＋	140×加算率×加配人数	＋	2, 090	＋	20×加算率
	36人から45人まで	1号	4歳以上児 3　歳　児	＋	11, 420×加配人数	＋	110×加算率×加配人数	＋	1, 800	＋	10×加算率
	46人から60人まで	1号	4歳以上児 3　歳　児	＋	8, 560×加配人数	＋	80×加算率×加配人数	＋	1, 350	＋	10×加算率
	61人から75人まで	1号	4歳以上児 3　歳　児	＋	6, 850×加配人数	＋	60×加算率×加配人数	＋	1, 080	＋	10×加算率
	76人から90人まで	1号	4歳以上児 3　歳　児	＋	5, 710×加配人数	＋	50×加算率×加配人数	＋	900	＋	9×加算率
	91人から105人まで	1号	4歳以上児 3　歳　児	＋	4, 890×加配人数	＋	40×加算率×加配人数	＋	770	＋	7×加算率
	106人から120人まで	1号	4歳以上児 3　歳　児	＋	4, 280×加配人数	＋	40×加算率×加配人数	＋	670	＋	6×加算率
	121人から135人まで	1号	4歳以上児 3　歳　児	＋	3, 800×加配人数	＋	30×加算率×加配人数	＋	600	＋	6×加算率
	136人から150人まで	1号	4歳以上児 3　歳　児	＋	3, 420×加配人数	＋	30×加算率×加配人数	＋	540	＋	5×加算率
	151人から180人まで	1号	4歳以上児 3　歳　児	＋	2, 850×加配人数	＋	20×加算率×加配人数	＋	520	＋	5×加算率
	181人から210人まで	1号	4歳以上児 3　歳　児	＋	2, 440×加配人数	＋	20×加算率×加配人数	＋	520	＋	5×加算率
	211人から240人まで	1号	4歳以上児 3　歳　児	＋	2, 140×加配人数	＋	20×加算率×加配人数	＋	520	＋	5×加算率
	241人から270人まで	1号	4歳以上児 3　歳　児	＋	1, 900×加配人数	＋	10×加算率×加配人数	＋	520	＋	5×加算率
	271人から300人まで	1号	4歳以上児 3　歳　児	＋	1, 710×加配人数	＋	10×加算率×加配人数	＋	520	＋	5×加算率
	301人以上	1号	4歳以上児 3　歳　児	＋	1, 550×加配人数	＋	10×加算率×加配人数	＋	520	＋	5×加算率

地域区分 ①	定員区分 ②	認定区分 ③	年齢区分 ④		給食実施加算（施設内調理）		処遇改善等加算Ⅰ ⑭		給食実施加算（外部搬入）		処遇改善等加算Ⅰ ⑭'
20/100 地域	15人 まで	1号	4歳以上児 3　歳　児	＋	2, 840 ×週当たり実施日数	＋	20 ×週当たり実施日数×加算率	＋	500 ×週当たり実施日数	＋	5 ×週当たり実施日数×加算率
	16人 から 25人 まで	1号	4歳以上児 3　歳　児	＋	1, 700 ×週当たり実施日数	＋	10 ×週当たり実施日数×加算率	＋	300 ×週当たり実施日数	＋	3 ×週当たり実施日数×加算率
	26人 から 35人 まで	1号	4歳以上児 3　歳　児	＋	1, 220 ×週当たり実施日数	＋	10 ×週当たり実施日数×加算率	＋	210 ×週当たり実施日数	＋	2 ×週当たり実施日数×加算率
	36人 から 45人 まで	1号	4歳以上児 3　歳　児	＋	950 ×週当たり実施日数	＋	9 ×週当たり実施日数×加算率	＋	170 ×週当たり実施日数	＋	1 ×週当たり実施日数×加算率
	46人 から 60人 まで	1号	4歳以上児 3　歳　児	＋	710 ×週当たり実施日数	＋	7 ×週当たり実施日数×加算率	＋	120 ×週当たり実施日数	＋	1 ×週当たり実施日数×加算率
	61人 から 75人 まで	1号	4歳以上児 3　歳　児	＋	590 ×週当たり実施日数	＋	5 ×週当たり実施日数×加算率	＋	100 ×週当たり実施日数	＋	1 ×週当たり実施日数×加算率
	76人 から 90人 まで	1号	4歳以上児 3　歳　児	＋	520 ×週当たり実施日数	＋	5 ×週当たり実施日数×加算率	＋	90 ×週当たり実施日数	＋	1 ×週当たり実施日数×加算率
	91人 から 105人 まで	1号	4歳以上児 3　歳　児	＋	460 ×週当たり実施日数	＋	4 ×週当たり実施日数×加算率	＋	80 ×週当たり実施日数	＋	1 ×週当たり実施日数×加算率
	106人 から 120人 まで	1号	4歳以上児 3　歳　児	＋	420 ×週当たり実施日数	＋	4 ×週当たり実施日数×加算率	＋	70 ×週当たり実施日数	＋	1 ×週当たり実施日数×加算率
	121人 から 135人 まで	1号	4歳以上児 3　歳　児	＋	390 ×週当たり実施日数	＋	3 ×週当たり実施日数×加算率	＋	70 ×週当たり実施日数	＋	1 ×週当たり実施日数×加算率
	136人 から 150人 まで	1号	4歳以上児 3　歳　児	＋	370 ×週当たり実施日数	＋	3 ×週当たり実施日数×加算率	＋	60 ×週当たり実施日数	＋	1 ×週当たり実施日数×加算率
	151人 から 180人 まで	1号	4歳以上児 3　歳　児	＋	320 ×週当たり実施日数	＋	3 ×週当たり実施日数×加算率	＋	50 ×週当たり実施日数	＋	1 ×週当たり実施日数×加算率
	181人 から 210人 まで	1号	4歳以上児 3　歳　児	＋	280 ×週当たり実施日数	＋	2 ×週当たり実施日数×加算率	＋	50 ×週当たり実施日数	＋	1 ×週当たり実施日数×加算率
	211人 から 240人 まで	1号	4歳以上児 3　歳　児	＋	260 ×週当たり実施日数	＋	2 ×週当たり実施日数×加算率	＋	40 ×週当たり実施日数	＋	1 ×週当たり実施日数×加算率
	241人 から 270人 まで	1号	4歳以上児 3　歳　児	＋	230 ×週当たり実施日数	＋	2 ×週当たり実施日数×加算率	＋	40 ×週当たり実施日数	＋	1 ×週当たり実施日数×加算率
	271人 から 300人 まで	1号	4歳以上児 3　歳　児	＋	210 ×週当たり実施日数	＋	2 ×週当たり実施日数×加算率	＋	30 ×週当たり実施日数	＋	1 ×週当たり実施日数×加算率
	301人 以上	1号	4歳以上児 3　歳　児	＋	190 ×週当たり実施日数	＋	1 ×週当たり実施日数×加算率	＋	30 ×週当たり実施日数	＋	1 ×週当たり実施日数×加算率

地域区分 ①	定員区分 ②	認定区分 ③	年齢区分 ④		外部監査費加算 ⑮		副食費徴収免除加算 ※副食費の徴収が免除される子どもの単価に加算 ⑯		年齢別配置基準を下回る場合 ⑰	定員を恒常的に超過する場合 ⑱
	15人まで	1号	4歳以上児 3 歳 児	＋	27, 330	＋	240 ×各月の給食実施日数	−	(34, 260 ＋340×加算率)×人数	
	16人から25人まで	1号	4歳以上児 3 歳 児	＋	16, 800	＋	240 ×各月の給食実施日数	−	(20, 550 ＋200×加算率)×人数	
	26人から35人まで	1号	4歳以上児 3 歳 児	＋	12, 280	＋	240 ×各月の給食実施日数	−	(14, 680 ＋140×加算率)×人数	
	36人から45人まで	1号	4歳以上児 3 歳 児	＋	9, 770	＋	240 ×各月の給食実施日数	−	(11, 420 ＋110×加算率)×人数	
	46人から60人まで	1号	4歳以上児 3 歳 児	＋	7, 500	＋	240 ×各月の給食実施日数	−	(8, 560 ＋80×加算率)×人数	
	61人から75人まで	1号	4歳以上児 3 歳 児	＋	6, 130	＋	240 ×各月の給食実施日数	−	(6, 850 ＋60×加算率)×人数	
	76人から90人まで	1号	4歳以上児 3 歳 児	＋	5, 220	＋	240 ×各月の給食実施日数	−	(5, 710 ＋50×加算率)×人数	
	91人から105人まで	1号	4歳以上児 3 歳 児	＋	4, 660	＋	240 ×各月の給食実施日数	−	(4, 890 ＋40×加算率)×人数	
20/100地域	106人から120人まで	1号	4歳以上児 3 歳 児	＋	4, 250	＋	240 ×各月の給食実施日数	−	(4, 280 ＋40×加算率)×人数	(⑤～⑰(⑯を除く。))×別に定める調整率
	121人から135人まで	1号	4歳以上児 3 歳 児	＋	3, 920	＋	240 ×各月の給食実施日数	−	(3, 800 ＋30×加算率)×人数	
	136人から150人まで	1号	4歳以上児 3 歳 児	＋	3, 660	＋	240 ×各月の給食実施日数	−	(3, 420 ＋30×加算率)×人数	
	151人から180人まで	1号	4歳以上児 3 歳 児	＋	3, 160	＋	240 ×各月の給食実施日数	−	(2, 850 ＋20×加算率)×人数	
	181人から210人まで	1号	4歳以上児 3 歳 児	＋	2, 810	＋	240 ×各月の給食実施日数	−	(2, 440 ＋20×加算率)×人数	
	211人から240人まで	1号	4歳以上児 3 歳 児	＋	2, 540	＋	240 ×各月の給食実施日数	−	(2, 140 ＋20×加算率)×人数	
	241人から270人まで	1号	4歳以上児 3 歳 児	＋	2, 440	＋	240 ×各月の給食実施日数	−	(1, 900 ＋10×加算率)×人数	
	271人から300人まで	1号	4歳以上児 3 歳 児	＋	2, 360	＋	240 ×各月の給食実施日数	−	(1, 710 ＋10×加算率)×人数	
	301人以上	1号	4歳以上児 3 歳 児	＋	2, 150	＋	240 ×各月の給食実施日数	−	(1, 550 ＋10×加算率)×人数	

地域区分 ①	定員区分 ②	認定区分 ③	年齢区分 ④	基本分単価 ⑤	（注）		処遇改善等加算Ⅰ ⑥	（注）			副園長・教頭配置加算 ⑦		処遇改善等加算Ⅰ		3歳児配置改善加算 ⑧		処遇改善等加算Ⅰ
16/100地域	15人まで	1号	4歳以上児	117, 180	(125, 480)	＋	1, 150	(1, 230)	×加算率	＋	6, 890	＋	60×加算率	＋	(8, 300)	＋	(80×加算率)
			3歳児	125, 480		＋	1, 230		×加算率					＋	8, 300		80×加算率
	16人から25人まで	1号	4歳以上児	72, 120	(80, 420)	＋	700	(780)	×加算率	＋	4, 130	＋	40×加算率	＋	(8, 300)	＋	(80×加算率)
			3歳児	80, 420		＋	780		×加算率					＋	8, 300		80×加算率
	26人から35人まで	1号	4歳以上児	52, 810	(61, 110)	＋	500	(590)	×加算率	＋	2, 950	＋	20×加算率	＋	(8, 300)	＋	(80×加算率)
			3歳児	61, 110		＋	590		×加算率					＋	8, 300		80×加算率
	36人から45人まで	1号	4歳以上児	53, 210	(61, 510)	＋	510	(590)	×加算率	＋	2, 290	＋	20×加算率	＋	(8, 300)	＋	(80×加算率)
			3歳児	61, 510		＋	590		×加算率					＋	8, 300		80×加算率
	46人から60人まで	1号	4歳以上児	49, 320	(57, 620)	＋	470	(550)	×加算率	＋	1, 720	＋	10×加算率	＋	(8, 300)	＋	(80×加算率)
			3歳児	57, 620		＋	550		×加算率					＋	8, 300		80×加算率
	61人から75人まで	1号	4歳以上児	43, 710	(52, 010)	＋	410	(500)	×加算率	＋	1, 370	＋	10×加算率	＋	(8, 300)	＋	(80×加算率)
			3歳児	52, 010		＋	500		×加算率					＋	8, 300		80×加算率
	76人から90人まで	1号	4歳以上児	39, 940	(48, 240)	＋	380	(460)	×加算率	＋	1, 140	＋	10×加算率	＋	(8, 300)	＋	(80×加算率)
			3歳児	48, 240		＋	460		×加算率					＋	8, 300		80×加算率
	91人から105人まで	1号	4歳以上児	37, 250	(45, 550)	＋	350	(430)	×加算率	＋	980	＋	9×加算率	＋	(8, 300)	＋	(80×加算率)
			3歳児	45, 550		＋	430		×加算率					＋	8, 300		80×加算率
	106人から120人まで	1号	4歳以上児	35, 250	(43, 550)	＋	330	(410)	×加算率	＋	860	＋	8×加算率	＋	(8, 300)	＋	(80×加算率)
			3歳児	43, 550		＋	410		×加算率					＋	8, 300		80×加算率
	121人から135人まで	1号	4歳以上児	33, 680	(41, 980)	＋	310	(400)	×加算率	＋	760	＋	7×加算率	＋	(8, 300)	＋	(80×加算率)
			3歳児	41, 980		＋	400		×加算率					＋	8, 300		80×加算率
	136人から150人まで	1号	4歳以上児	32, 440	(40, 740)	＋	300	(380)	×加算率	＋	680	＋	6×加算率	＋	(8, 300)	＋	(80×加算率)
			3歳児	40, 740		＋	380		×加算率					＋	8, 300		80×加算率
	151人から100人まで	1号	4歳以上児	30, 560	(38, 860)	＋	280	(360)	×加算率	＋	570	＋	5×加算率	＋	(8, 300)	＋	(80×加算率)
			3歳児	38, 860		＋	360		×加算率					＋	8, 300		80×加算率
	181人から210人まで	1号	4歳以上児	29, 210	(37, 510)	＋	270	(350)	×加算率	＋	490	＋	4×加算率	＋	(8, 300)	＋	(80×加算率)
			3歳児	37, 510		＋	350		×加算率					＋	8, 300		80×加算率
	211人から240人まで	1号	4歳以上児	28, 210	(36, 510)	＋	260	(340)	×加算率	＋	430	＋	4×加算率	＋	(8, 300)	＋	(80×加算率)
			3歳児	36, 510		＋	340		×加算率					＋	8, 300		80×加算率
	241人から270人まで	1号	4歳以上児	27, 430	(35, 730)	＋	250	(330)	×加算率	＋	380	＋	3×加算率	＋	(8, 300)	＋	(80×加算率)
			3歳児	35, 730		＋	330		×加算率					＋	8, 300		80×加算率
	271人から300人まで	1号	4歳以上児	26, 800	(35, 100)	＋	240	(330)	×加算率	＋	340	＋	3×加算率	＋	(8, 300)	＋	(80×加算率)
			3歳児	35, 100		＋	330		×加算率					＋	8, 300		80×加算率
	301人以上	1号	4歳以上児	24, 790	(33, 090)	＋	220	(310)	×加算率	＋	310	＋	3×加算率	＋	(8, 300)	＋	(80×加算率)
			3歳児	33, 090		＋	310		×加算率					＋	8, 300		80×加算率

地域区分 ①	定員区分 ②	認定区分 ③	年齢区分 ④	4歳以上児配置改善加算	処遇改善等加算Ⅰ ⑨	満3歳児対応加配加算(3歳児配置改善加算無し)	処遇改善等加算Ⅰ ⑩	満3歳児対応加配加算(3歳児配置改善加算有り)	処遇改善等加算Ⅰ ⑩'	講師配置加算	処遇改善等加算Ⅰ ⑪
16/100地域	15人まで	1号	4歳以上児	+ 3,320	+ 30×加算率					+ 6,010	+ 60×加算率
			3 歳 児			+ 58,120	+ 580×加算率	+ 49,820	+ 490×加算率		
	16人から25人まで	1号	4歳以上児	+ 3,320	+ 30×加算率					+ 3,600	+ 30×加算率
			3 歳 児			+ 58,120	+ 580×加算率	+ 49,820	+ 490×加算率		
	26人から35人まで	1号	4歳以上児	+ 3,320	+ 30×加算率					+ 2,570	+ 20×加算率
			3 歳 児			+ 58,120	+ 580×加算率	+ 49,820	+ 490×加算率		
	36人から45人まで	1号	4歳以上児	+ 3,320	+ 30×加算率					+ −	+ −
			3 歳 児			+ 58,120	+ 580×加算率	+ 49,820	+ 490×加算率		
	46人から60人まで	1号	4歳以上児	+ 3,320	+ 30×加算率					+ −	+ −
			3 歳 児			+ 58,120	+ 580×加算率	+ 49,820	+ 490×加算率		
	61人から75人まで	1号	4歳以上児	+ 3,320	+ 30×加算率					+ −	+ −
			3 歳 児			+ 58,120	+ 580×加算率	+ 49,820	+ 490×加算率		
	76人から90人まで	1号	4歳以上児	+ 3,320	+ 30×加算率					+ −	+ −
			3 歳 児			+ 58,120	+ 580×加算率	+ 49,820	+ 490×加算率		
	91人から105人まで	1号	4歳以上児	+ 3,320	+ 30×加算率					+ −	+ −
			3 歳 児			+ 58,120	+ 580×加算率	+ 49,820	+ 490×加算率		
	106人から120人まで	1号	4歳以上児	+ 3,320	+ 30×加算率					+ −	+ −
			3 歳 児			+ 58,120	+ 580×加算率	+ 49,820	+ 490×加算率		
	121人から135人まで	1号	4歳以上児	+ 3,320	+ 30×加算率					+ 660	+ 6×加算率
			3 歳 児			+ 58,120	+ 580×加算率	+ 49,820	+ 490×加算率		
	136人から150人まで	1号	4歳以上児	+ 3,320	+ 30×加算率					+ 600	+ 6×加算率
			3 歳 児			+ 58,120	+ 580×加算率	+ 49,820	+ 490×加算率		
	151人から180人まで	1号	4歳以上児	+ 3,320	+ 30×加算率					+ 500	+ 5×加算率
			3 歳 児			+ 58,120	+ 580×加算率	+ 49,820	+ 490×加算率		
	181人から210人まで	1号	4歳以上児	+ 3,320	+ 30×加算率					+ 430	+ 4×加算率
			3 歳 児			+ 58,120	+ 580×加算率	+ 49,820	+ 490×加算率		
	211人から240人まで	1号	4歳以上児	+ 3,320	+ 30×加算率					+ 370	+ 3×加算率
			3 歳 児			+ 58,120	+ 580×加算率	+ 49,820	+ 490×加算率		
	241人から270人まで	1号	4歳以上児	+ 3,320	+ 30×加算率					+ 330	+ 3×加算率
			3 歳 児			+ 58,120	+ 580×加算率	+ 49,820	+ 490×加算率		
	271人から300人まで	1号	4歳以上児	+ 3,320	+ 30×加算率					+ 300	+ 3×加算率
			3 歳 児			+ 58,120	+ 580×加算率	+ 49,820	+ 490×加算率		
	301人以上	1号	4歳以上児	+ 3,320	+ 30×加算率					+ 270	+ 2×加算率
			3 歳 児			+ 58,120	+ 580×加算率	+ 49,820	+ 490×加算率		

地域区分 ①	定員区分 ②	認定区分 ③	年齢区分 ④		チーム保育加配加算 ※加配1人当たり単価		処遇改善等加算Ⅰ ⑫		通園送迎加算		処遇改善等加算Ⅰ ⑬
16/100 地域	15人 まで	1号	4歳以上児 3歳児	+	33,210×加配人数	+	330×加算率×加配人数	+	3,790	+	30×加算率
	16人 から 25人 まで	1号	4歳以上児 3歳児	+	19,920×加配人数	+	190×加算率×加配人数	+	2,600	+	20×加算率
	26人 から 35人 まで	1号	4歳以上児 3歳児	+	14,230×加配人数	+	140×加算率×加配人数	+	2,090	+	20×加算率
	36人 から 45人 まで	1号	4歳以上児 3歳児	+	11,070×加配人数	+	110×加算率×加配人数	+	1,800	+	10×加算率
	46人 から 60人 まで	1号	4歳以上児 3歳児	+	8,300×加配人数	+	80×加算率×加配人数	+	1,350	+	10×加算率
	61人 から 75人 まで	1号	4歳以上児 3歳児	+	6,640×加配人数	+	60×加算率×加配人数	+	1,080	+	10×加算率
	76人 から 90人 まで	1号	4歳以上児 3歳児	+	5,530×加配人数	+	50×加算率×加配人数	+	900	+	9×加算率
	91人 から 105人 まで	1号	4歳以上児 3歳児	+	4,740×加配人数	+	40×加算率×加配人数	+	770	+	7×加算率
	106人 から 120人 まで	1号	4歳以上児 3歳児	+	4,150×加配人数	+	40×加算率×加配人数	+	670	+	6×加算率
	121人 から 135人 まで	1号	4歳以上児 3歳児	+	3,690×加配人数	+	30×加算率×加配人数	+	600	+	6×加算率
	136人 から 150人 まで	1号	4歳以上児 3歳児	+	3,320×加配人数	+	30×加算率×加配人数	+	540	+	5×加算率
	151人 から 180人 まで	1号	4歳以上児 3歳児	+	2,760×加配人数	+	20×加算率×加配人数	+	520	+	5×加算率
	181人 から 210人 まで	1号	4歳以上児 3歳児	+	2,370×加配人数	+	20×加算率×加配人数	+	520	+	5×加算率
	211人 から 240人 まで	1号	4歳以上児 3歳児	+	2,070×加配人数	+	20×加算率×加配人数	+	520	+	5×加算率
	241人 から 270人 まで	1号	4歳以上児 3歳児	+	1,840×加配人数	+	10×加算率×加配人数	+	520	+	5×加算率
	271人 から 300人 まで	1号	4歳以上児 3歳児	+	1,660×加配人数	+	10×加算率×加配人数	+	520	+	5×加算率
	301人 以上	1号	4歳以上児 3歳児	+	1,500×加配人数	+	10×加算率×加配人数	+	520	+	5×加算率

地域区分 ①	定員区分 ②	認定区分 ③	年齢区分 ④		給食実施加算（施設内調理）		給食実施加算（施設内調理） 処遇改善等加算Ⅰ ⑭		給食実施加算（外部搬入）		給食実施加算（外部搬入） 処遇改善等加算Ⅰ ⑭'
16/100地域	15人まで	1号	4歳以上児 3 歳 児	+	2,840 ×週当たり実施日数	+	20 ×週当たり実施日数×加算率	+	500 ×週当たり実施日数	+	5 ×週当たり実施日数×加算率
	16人から25人まで	1号	4歳以上児 3 歳 児	+	1,700 ×週当たり実施日数	+	10 ×週当たり実施日数×加算率	+	300 ×週当たり実施日数	+	3 ×週当たり実施日数×加算率
	26人から35人まで	1号	4歳以上児 3 歳 児	+	1,220 ×週当たり実施日数	+	10 ×週当たり実施日数×加算率	+	210 ×週当たり実施日数	+	2 ×週当たり実施日数×加算率
	36人から45人まで	1号	4歳以上児 3 歳 児	+	950 ×週当たり実施日数	+	9 ×週当たり実施日数×加算率	+	170 ×週当たり実施日数	+	1 ×週当たり実施日数×加算率
	46人から60人まで	1号	4歳以上児 3 歳 児	+	710 ×週当たり実施日数	+	7 ×週当たり実施日数×加算率	+	120 ×週当たり実施日数	+	1 ×週当たり実施日数×加算率
	61人から75人まで	1号	4歳以上児 3 歳 児	+	590 ×週当たり実施日数	+	5 ×週当たり実施日数×加算率	+	100 ×週当たり実施日数	+	1 ×週当たり実施日数×加算率
	76人から90人まで	1号	4歳以上児 3 歳 児	+	520 ×週当たり実施日数	+	5 ×週当たり実施日数×加算率	+	90 ×週当たり実施日数	+	1 ×週当たり実施日数×加算率
	91人から105人まで	1号	4歳以上児 3 歳 児	+	460 ×週当たり実施日数	+	4 ×週当たり実施日数×加算率	+	80 ×週当たり実施日数	+	1 ×週当たり実施日数×加算率
	106人から120人まで	1号	4歳以上児 3 歳 児	+	420 ×週当たり実施日数	+	4 ×週当たり実施日数×加算率	+	70 ×週当たり実施日数	+	1 ×週当たり実施日数×加算率
	121人から135人まで	1号	4歳以上児 3 歳 児	+	390 ×週当たり実施日数	+	3 ×週当たり実施日数×加算率	+	70 ×週当たり実施日数	+	1 ×週当たり実施日数×加算率
	136人から150人まで	1号	4歳以上児 3 歳 児	+	370 ×週当たり実施日数	+	3 ×週当たり実施日数×加算率	+	60 ×週当たり実施日数	+	1 ×週当たり実施日数×加算率
	151人から180人まで	1号	4歳以上児 3 歳 児	+	320 ×週当たり実施日数	+	3 ×週当たり実施日数×加算率	+	50 ×週当たり実施日数	+	1 ×週当たり実施日数×加算率
	181人から210人まで	1号	4歳以上児 3 歳 児	+	280 ×週当たり実施日数	+	2 ×週当たり実施日数×加算率	+	50 ×週当たり実施日数	+	1 ×週当たり実施日数×加算率
	211人から240人まで	1号	4歳以上児 3 歳 児	+	260 ×週当たり実施日数	+	2 ×週当たり実施日数×加算率	+	40 ×週当たり実施日数	+	1 ×週当たり実施日数×加算率
	241人から270人まで	1号	4歳以上児 3 歳 児	+	230 ×週当たり実施日数	+	2 ×週当たり実施日数×加算率	+	40 ×週当たり実施日数	+	1 ×週当たり実施日数×加算率
	271人から300人まで	1号	4歳以上児 3 歳 児	+	210 ×週当たり実施日数	+	2 ×週当たり実施日数×加算率	+	30 ×週当たり実施日数	+	1 ×週当たり実施日数×加算率
	301人以上	1号	4歳以上児 3 歳 児	+	190 ×週当たり実施日数	+	1 ×週当たり実施日数×加算率	+	30 ×週当たり実施日数	+	1 ×週当たり実施日数×加算率

地域区分 ①	定員区分 ②	認定区分 ③	年齢区分 ④		外部監査費加算 ⑮		副食費徴収免除加算 ※副食費の徴収が免除される子どもの単価に加算 ⑯		年齢別配置基準を下回る場合 ⑰	定員を恒常的に超過する場合 ⑱
16/100地域	15人まで	1号	4歳以上児 3歳児	＋	27, 330	＋	240 ×各月の給食実施日数	−	(33, 210 ＋330×加算率)×人数	(⑤〜⑰（⑯を除く。））×別に定める調整率
	16人から25人まで	1号	4歳以上児 3歳児	＋	16, 800	＋	240 ×各月の給食実施日数	−	(19, 920 ＋190×加算率)×人数	
	26人から35人まで	1号	4歳以上児 3歳児	＋	12, 280	＋	240 ×各月の給食実施日数	−	(14, 230 ＋140×加算率)×人数	
	36人から45人まで	1号	4歳以上児 3歳児	＋	9, 770	＋	240 ×各月の給食実施日数	−	(11, 070 ＋110×加算率)×人数	
	46人から60人まで	1号	4歳以上児 3歳児	＋	7, 500	＋	240 ×各月の給食実施日数	−	(8, 300 ＋80×加算率)×人数	
	61人から75人まで	1号	4歳以上児 3歳児	＋	6, 130	＋	240 ×各月の給食実施日数	−	(6, 640 ＋60×加算率)×人数	
	76人から90人まで	1号	4歳以上児 3歳児	＋	5, 220	＋	240 ×各月の給食実施日数	−	(5, 530 ＋50×加算率)×人数	
	91人から105人まで	1号	4歳以上児 3歳児	＋	4, 660	＋	240 ×各月の給食実施日数	−	(4, 740 ＋40×加算率)×人数	
	106人から120人まで	1号	4歳以上児 3歳児	＋	4, 250	＋	240 ×各月の給食実施日数	−	(4, 150 ＋40×加算率)×人数	
	121人から135人まで	1号	4歳以上児 3歳児	＋	3, 920	＋	240 ×各月の給食実施日数	−	(3, 690 ＋30×加算率)×人数	
	136人から150人まで	1号	4歳以上児 3歳児	＋	3, 660	＋	240 ×各月の給食実施日数	−	(3, 320 ＋30×加算率)×人数	
	151人から100人まで	1号	4歳以上児 3歳児	＋	3, 160	＋	240 ×各月の給食実施日数	−	(2, 760 ＋20×加算率)×人数	
	181人から210人まで	1号	4歳以上児 3歳児	＋	2, 810	＋	240 ×各月の給食実施日数	−	(2, 370 ＋20×加算率)×人数	
	211人から240人まで	1号	4歳以上児 3歳児	＋	2, 540	＋	240 ×各月の給食実施日数	−	(2, 070 ＋20×加算率)×人数	
	241人から270人まで	1号	4歳以上児 3歳児	＋	2, 440	＋	240 ×各月の給食実施日数	−	(1, 840 ＋10×加算率)×人数	
	271人から300人まで	1号	4歳以上児 3歳児	＋	2, 360	＋	240 ×各月の給食実施日数	−	(1, 660 ＋10×加算率)×人数	
	301人以上	1号	4歳以上児 3歳児	＋	2, 150	＋	240 ×各月の給食実施日数	−	(1, 510 ＋10×加算率)×人数	

地域区分 ①	定員区分 ②	認定区分 ③	年齢区分 ④	基本分単価 ⑤	(注)		処遇改善等加算Ⅰ ⑥	(注)			副園長・教頭配置加算 ⑦		処遇改善等加算Ⅰ		3歳児配置改善加算 ⑧		処遇改善等加算Ⅰ
15/100地域	15人まで	1号	4歳以上児	116,290	(124,520)	＋	1,140	(1,220)	×加算率	＋	6,830	＋	60×加算率	＋	(8,230)	＋	(80×加算率)
			3　歳　児	124,520		＋	1,220		×加算率					＋	8,230		80×加算率
	16人から25人まで	1号	4歳以上児	71,590	(79,820)	＋	690	(770)	×加算率	＋	4,090	＋	40×加算率	＋	(8,230)	＋	(80×加算率)
			3　歳　児	79,820		＋	770		×加算率					＋	8,230		80×加算率
	26人から35人まで	1号	4歳以上児	52,430	(60,660)	＋	500	(580)	×加算率	＋	2,920	＋	20×加算率	＋	(8,230)	＋	(80×加算率)
			3　歳　児	60,660		＋	580		×加算率					＋	8,230		80×加算率
	36人から45人まで	1号	4歳以上児	52,830	(61,060)	＋	500	(590)	×加算率	＋	2,270	＋	20×加算率	＋	(8,230)	＋	(80×加算率)
			3　歳　児	61,060		＋	590		×加算率					＋	8,230		80×加算率
	46人から60人まで	1号	4歳以上児	48,960	(57,190)	＋	470	(550)	×加算率	＋	1,700	＋	10×加算率	＋	(8,230)	＋	(80×加算率)
			3　歳　児	57,190		＋	550		×加算率					＋	8,230		80×加算率
	61人から75人まで	1号	4歳以上児	43,400	(51,630)	＋	410	(490)	×加算率	＋	1,360	＋	10×加算率	＋	(8,230)	＋	(80×加算率)
			3　歳　児	51,630		＋	490		×加算率					＋	8,230		80×加算率
	76人から90人まで	1号	4歳以上児	39,660	(47,890)	＋	370	(450)	×加算率	＋	1,130	＋	10×加算率	＋	(8,230)	＋	(80×加算率)
			3　歳　児	47,890		＋	450		×加算率					＋	8,230		80×加算率
	91人から105人まで	1号	4歳以上児	36,990	(45,220)	＋	350	(430)	×加算率	＋	970	＋	9×加算率	＋	(8,230)	＋	(80×加算率)
			3　歳　児	45,220		＋	430		×加算率					＋	8,230		80×加算率
	106人から120人まで	1号	4歳以上児	35,010	(43,240)	＋	330	(410)	×加算率	＋	850	＋	8×加算率	＋	(8,230)	＋	(80×加算率)
			3　歳　児	43,240		＋	410		×加算率					＋	8,230		80×加算率
	121人から135人まで	1号	4歳以上児	33,450	(41,680)	＋	310	(390)	×加算率	＋	750	＋	7×加算率	＋	(8,230)	＋	(80×加算率)
			3　歳　児	41,680		＋	390		×加算率					＋	8,230		80×加算率
	136人から150人まで	1号	4歳以上児	32,220	(40,450)	＋	300	(380)	×加算率	＋	680	＋	6×加算率	＋	(8,230)	＋	(80×加算率)
			3　歳　児	40,450		＋	380		×加算率					＋	8,230		80×加算率
	151人から180人まで	1号	4歳以上児	30,360	(38,590)	＋	280	(360)	×加算率	＋	560	＋	5×加算率	＋	(8,230)	＋	(80×加算率)
			3　歳　児	38,590		＋	360		×加算率					＋	8,230		80×加算率
	181人から210人まで	1号	4歳以上児	29,010	(37,240)	＋	270	(350)	×加算率	＋	480	＋	4×加算率	＋	(8,230)	＋	(80×加算率)
			3　歳　児	37,240		＋	350		×加算率					＋	8,230		80×加算率
	211人から240人まで	1号	4歳以上児	28,020	(36,250)	＋	260	(340)	×加算率	＋	420	＋	4×加算率	＋	(8,230)	＋	(80×加算率)
			3　歳　児	36,250		＋	340		×加算率					＋	8,230		80×加算率
	241人から270人まで	1号	4歳以上児	27,250	(35,480)	＋	250	(330)	×加算率	＋	370	＋	3×加算率	＋	(8,230)	＋	(80×加算率)
			3　歳　児	35,480		＋	330		×加算率					＋	8,230		80×加算率
	271人から300人まで	1号	4歳以上児	26,630	(34,860)	＋	240	(320)	×加算率	＋	340	＋	3×加算率	＋	(8,230)	＋	(80×加算率)
			3　歳　児	34,860		＋	320		×加算率					＋	8,230		80×加算率
	301人以上	1号	4歳以上児	24,630	(32,860)	＋	220	(300)	×加算率	＋	310	＋	3×加算率	＋	(8,230)	＋	(80×加算率)
			3　歳　児	32,860		＋	300		×加算率					＋	8,230		80×加算率

地域区分 ①	定員区分 ②	認定区分 ③	年齢区分 ④	4歳以上児配置改善加算 ⑨	処遇改善等加算Ⅰ	満3歳児対応加配加算（3歳児配置改善加算無し） ⑩	処遇改善等加算Ⅰ	満3歳児対応加配加算（3歳児配置改善加算有り） ⑩'	処遇改善等加算Ⅰ	講師配置加算 ⑪	処遇改善等加算Ⅰ
15/100 地域	15人 まで	1号	4歳以上児	＋ 3, 290	＋ 30×加算率					＋ 6, 010	＋ 60×加算率
			3　歳　児			＋ 57, 660	＋ 570×加算率	＋ 49, 430	＋ 490×加算率		
	16人 から 25人 まで	1号	4歳以上児	＋ 3, 290	＋ 30×加算率					＋ 3, 600	＋ 30×加算率
			3　歳　児			＋ 57, 660	＋ 570×加算率	＋ 49, 430	＋ 490×加算率		
	26人 から 35人 まで	1号	4歳以上児	＋ 3, 290	＋ 30×加算率					＋ 2, 570	＋ 20×加算率
			3　歳　児			＋ 57, 660	＋ 570×加算率	＋ 49, 430	＋ 490×加算率		
	36人 から 45人 まで	1号	4歳以上児	＋ 3, 290	＋ 30×加算率					＋ −	＋ −
			3　歳　児			＋ 57, 660	＋ 570×加算率	＋ 49, 430	＋ 490×加算率		
	46人 から 60人 まで	1号	4歳以上児	＋ 3, 290	＋ 30×加算率					＋ −	＋ −
			3　歳　児			＋ 57, 660	＋ 570×加算率	＋ 49, 430	＋ 490×加算率		
	61人 から 75人 まで	1号	4歳以上児	＋ 3, 290	＋ 30×加算率					＋ −	＋ −
			3　歳　児			＋ 57, 660	＋ 570×加算率	＋ 49, 430	＋ 490×加算率		
	76人 から 90人 まで	1号	4歳以上児	＋ 3, 290	＋ 30×加算率					＋ −	＋ −
			3　歳　児			＋ 57, 660	＋ 570×加算率	＋ 49, 430	＋ 490×加算率		
	91人 から 105人 まで	1号	4歳以上児	＋ 3, 290	＋ 30×加算率					＋ −	＋ −
			3　歳　児			＋ 57, 660	＋ 570×加算率	＋ 49, 430	＋ 490×加算率		
	106人 から 120人 まで	1号	4歳以上児	＋ 3, 290	＋ 30×加算率					＋ −	＋ −
			3　歳　児			＋ 57, 660	＋ 570×加算率	＋ 49, 430	＋ 490×加算率		
	121人 から 135人 まで	1号	4歳以上児	＋ 3, 290	＋ 30×加算率					＋ 660	＋ 6×加算率
			3　歳　児			＋ 57, 660	＋ 570×加算率	＋ 49, 430	＋ 490×加算率		
	136人 から 150人 まで	1号	4歳以上児	＋ 3, 290	＋ 30×加算率					＋ 600	＋ 6×加算率
			3　歳　児			＋ 57, 660	＋ 570×加算率	＋ 49, 430	＋ 490×加算率		
	151人 から 180人 まで	1号	4歳以上児	＋ 3, 290	＋ 30×加算率					＋ 500	＋ 5×加算率
			3　歳　児			＋ 57, 660	＋ 570×加算率	＋ 49, 430	＋ 490×加算率		
	181人 から 210人 まで	1号	4歳以上児	＋ 3, 290	＋ 30×加算率					＋ 430	＋ 4×加算率
			3　歳　児			＋ 57, 660	＋ 570×加算率	＋ 49, 430	＋ 490×加算率		
	211人 から 240人 まで	1号	4歳以上児	＋ 3, 290	＋ 30×加算率					＋ 370	＋ 3×加算率
			3　歳　児			＋ 57, 660	＋ 570×加算率	＋ 49, 430	＋ 490×加算率		
	241人 から 270人 まで	1号	4歳以上児	＋ 3, 290	＋ 30×加算率					＋ 330	＋ 3×加算率
			3　歳　児			＋ 57, 660	＋ 570×加算率	＋ 49, 430	＋ 490×加算率		
	271人 から 300人 まで	1号	4歳以上児	＋ 3, 290	＋ 30×加算率					＋ 300	＋ 3×加算率
			3　歳　児			＋ 57, 660	＋ 570×加算率	＋ 49, 430	＋ 490×加算率		
	301人 以上	1号	4歳以上児	＋ 3, 290	＋ 30×加算率					＋ 270	＋ 2×加算率
			3　歳　児			＋ 57, 660	＋ 570×加算率	＋ 49, 430	＋ 490×加算率		

地域区分 ①	定員区分 ②	認定区分 ③	年齢区分 ④		チーム保育加配加算 ※加配1人当たり単価		処遇改善等加算Ⅰ ⑫		通園送迎加算		処遇改善等加算Ⅰ ⑬
15/100 地域	15人 まで	1号	4歳以上児 3 歳 児	＋	32, 950×加配人数	＋	320×加算率×加配人数	＋	3, 790	＋	30×加算率
	16人 から 25人 まで	1号	4歳以上児 3 歳 児	＋	19, 770×加配人数	＋	190×加算率×加配人数	＋	2, 600	＋	20×加算率
	26人 から 35人 まで	1号	4歳以上児 3 歳 児	＋	14, 120×加配人数	＋	140×加算率×加配人数	＋	2, 090	＋	20×加算率
	36人 から 45人 まで	1号	4歳以上児 3 歳 児	＋	10, 980×加配人数	＋	100×加算率×加配人数	＋	1, 800	＋	10×加算率
	46人 から 60人 まで	1号	4歳以上児 3 歳 児	＋	8, 230×加配人数	＋	80×加算率×加配人数	＋	1, 350	＋	10×加算率
	61人 から 75人 まで	1号	4歳以上児 3 歳 児	＋	6, 590×加配人数	＋	60×加算率×加配人数	＋	1, 080	＋	10×加算率
	76人 から 90人 まで	1号	4歳以上児 3 歳 児	＋	5, 490×加配人数	＋	50×加算率×加配人数	＋	900	＋	9×加算率
	91人 から 105人 まで	1号	4歳以上児 3 歳 児	＋	4, 700×加配人数	＋	40×加算率×加配人数	＋	770	＋	7×加算率
	106人 から 120人 まで	1号	4歳以上児 3 歳 児	＋	4, 110×加配人数	＋	40×加算率×加配人数	＋	670	＋	6×加算率
	121人 から 135人 まで	1号	4歳以上児 3 歳 児	＋	3, 660×加配人数	＋	30×加算率×加配人数	＋	600	＋	6×加算率
	136人 から 150人 まで	1号	4歳以上児 3 歳 児	＋	3, 290×加配人数	＋	30×加算率×加配人数	＋	540	＋	5×加算率
	151人 から 180人 まで	1号	4歳以上児 3 歳 児	＋	2, 740×加配人数	＋	20×加算率×加配人数	＋	520	＋	5×加算率
	181人 から 210人 まで	1号	4歳以上児 3 歳 児	＋	2, 350×加配人数	＋	20×加算率×加配人数	＋	520	＋	5×加算率
	211人 から 240人 まで	1号	4歳以上児 3 歳 児	＋	2, 050×加配人数	＋	20×加算率×加配人数	＋	520	＋	5×加算率
	241人 から 270人 まで	1号	4歳以上児 3 歳 児	＋	1, 830×加配人数	＋	10×加算率×加配人数	＋	520	＋	5×加算率
	271人 から 300人 まで	1号	4歳以上児 3 歳 児	＋	1, 640×加配人数	＋	10×加算率×加配人数	＋	520	＋	5×加算率
	301人 以上	1号	4歳以上児 3 歳 児	＋	1, 490×加配人数	＋	10×加算率×加配人数	＋	520	＋	5×加算率

地域区分 ①	定員区分 ②	認定区分 ③	年齢区分 ④		給食実施加算（施設内調理）		処遇改善等加算Ⅰ ⑭		給食実施加算（外部搬入）		処遇改善等加算Ⅰ ⑭'
15/100地域	15人まで	1号	4歳以上児 3　歳　児	+	2,840 ×週当たり実施日数	+	20 ×週当たり実施日数×加算率	+	500 ×週当たり実施日数	+	5 ×週当たり実施日数×加算率
	16人から25人まで	1号	4歳以上児 3　歳　児	+	1,700 ×週当たり実施日数	+	10 ×週当たり実施日数×加算率	+	300 ×週当たり実施日数	+	3 ×週当たり実施日数×加算率
	26人から35人まで	1号	4歳以上児 3　歳　児	+	1,220 ×週当たり実施日数	+	10 ×週当たり実施日数×加算率	+	210 ×週当たり実施日数	+	2 ×週当たり実施日数×加算率
	36人から45人まで	1号	4歳以上児 3　歳　児	+	950 ×週当たり実施日数	+	9 ×週当たり実施日数×加算率	+	170 ×週当たり実施日数	+	1 ×週当たり実施日数×加算率
	46人から60人まで	1号	4歳以上児 3　歳　児	+	710 ×週当たり実施日数	+	7 ×週当たり実施日数×加算率	+	120 ×週当たり実施日数	+	1 ×週当たり実施日数×加算率
	61人から75人まで	1号	4歳以上児 3　歳　児	+	590 ×週当たり実施日数	+	5 ×週当たり実施日数×加算率	+	100 ×週当たり実施日数	+	1 ×週当たり実施日数×加算率
	76人から90人まで	1号	4歳以上児 3　歳　児	+	520 ×週当たり実施日数	+	5 ×週当たり実施日数×加算率	+	90 ×週当たり実施日数	+	1 ×週当たり実施日数×加算率
	91人から105人まで	1号	4歳以上児 3　歳　児	+	460 ×週当たり実施日数	+	4 ×週当たり実施日数×加算率	+	80 ×週当たり実施日数	+	1 ×週当たり実施日数×加算率
	106人から120人まで	1号	4歳以上児 3　歳　児	+	420 ×週当たり実施日数	+	4 ×週当たり実施日数×加算率	+	70 ×週当たり実施日数	+	1 ×週当たり実施日数×加算率
	121人から135人まで	1号	4歳以上児 3　歳　児	+	390 ×週当たり実施日数	+	3 ×週当たり実施日数×加算率	+	70 ×週当たり実施日数	+	1 ×週当たり実施日数×加算率
	136人から150人まで	1号	4歳以上児 3　歳　児	+	370 ×週当たり実施日数	+	3 ×週当たり実施日数×加算率	+	60 ×週当たり実施日数	+	1 ×週当たり実施日数×加算率
	151人から180人まで	1号	4歳以上児 3　歳　児	+	320 ×週当たり実施日数	+	3 ×週当たり実施日数×加算率	+	50 ×週当たり実施日数	+	1 ×週当たり実施日数×加算率
	181人から210人まで	1号	4歳以上児 3　歳　児	+	280 ×週当たり実施日数	+	2 ×週当たり実施日数×加算率	+	50 ×週当たり実施日数	+	1 ×週当たり実施日数×加算率
	211人から240人まで	1号	4歳以上児 3　歳　児	+	260 ×週当たり実施日数	+	2 ×週当たり実施日数×加算率	+	40 ×週当たり実施日数	+	1 ×週当たり実施日数×加算率
	241人から270人まで	1号	4歳以上児 3　歳　児	+	230 ×週当たり実施日数	+	2 ×週当たり実施日数×加算率	+	40 ×週当たり実施日数	+	1 ×週当たり実施日数×加算率
	271人から300人まで	1号	4歳以上児 3　歳　児	+	210 ×週当たり実施日数	+	2 ×週当たり実施日数×加算率	+	30 ×週当たり実施日数	+	1 ×週当たり実施日数×加算率
	301人以上	1号	4歳以上児 3　歳　児	+	190 ×週当たり実施日数	+	1 ×週当たり実施日数×加算率	+	30 ×週当たり実施日数	+	1 ×週当たり実施日数×加算率

地域区分 ①	定員区分 ②	認定区分 ③	年齢区分 ④		外部監査費加算 ⑮		副食費徴収免除加算 ※副食費の徴収が免除される子どもの単価に加算 ⑯		年齢別配置基準を下回る場合 ⑰	定員を恒常的に超過する場合 ⑱
15/100地域	15人まで	1号	4歳以上児 3歳児	＋	27, 330	＋	240 ×各月の給食実施日数	−	(32, 950 ＋330×加算率)×人数	(⑤～⑰（⑯を除く。））×別に定める調整率
	16人から25人まで	1号	4歳以上児 3歳児	＋	16, 800	＋	240 ×各月の給食実施日数	−	(19, 770 ＋190×加算率)×人数	
	26人から35人まで	1号	4歳以上児 3歳児	＋	12, 280	＋	240 ×各月の給食実施日数	−	(14, 120 ＋140×加算率)×人数	
	36人から45人まで	1号	4歳以上児 3歳児	＋	9, 770	＋	240 ×各月の給食実施日数	−	(10, 980 ＋110×加算率)×人数	
	46人から60人まで	1号	4歳以上児 3歳児	＋	7, 500	＋	240 ×各月の給食実施日数	−	(8, 230 ＋80×加算率)×人数	
	61人から75人まで	1号	4歳以上児 3歳児	＋	6, 130	＋	240 ×各月の給食実施日数	−	(6, 590 ＋60×加算率)×人数	
	76人から90人まで	1号	4歳以上児 3歳児	＋	5, 220	＋	240 ×各月の給食実施日数	−	(5, 490 ＋50×加算率)×人数	
	91人から105人まで	1号	4歳以上児 3歳児	＋	4, 660	＋	240 ×各月の給食実施日数	−	(4, 700 ＋40×加算率)×人数	
	106人から120人まで	1号	4歳以上児 3歳児	＋	4, 250	＋	240 ×各月の給食実施日数	−	(4, 110 ＋40×加算率)×人数	
	121人から135人まで	1号	4歳以上児 3歳児	＋	3, 920	＋	240 ×各月の給食実施日数	−	(3, 660 ＋30×加算率)×人数	
	136人から150人まで	1号	4歳以上児 3歳児	＋	3, 660	＋	240 ×各月の給食実施日数	−	(3, 290 ＋30×加算率)×人数	
	151人から180人まで	1号	4歳以上児 3歳児	＋	3, 160	＋	240 ×各月の給食実施日数	−	(2, 740 ＋20×加算率)×人数	
	181人から210人まで	1号	4歳以上児 3歳児	＋	2, 810	＋	240 ×各月の給食実施日数	−	(2, 350 ＋20×加算率)×人数	
	211人から240人まで	1号	4歳以上児 3歳児	＋	2, 540	＋	240 ×各月の給食実施日数	−	(2, 060 ＋20×加算率)×人数	
	241人から270人まで	1号	4歳以上児 3歳児	＋	2, 440	＋	240 ×各月の給食実施日数	−	(1, 830 ＋10×加算率)×人数	
	271人から300人まで	1号	4歳以上児 3歳児	＋	2, 360	＋	240 ×各月の給食実施日数	−	(1, 640 ＋10×加算率)×人数	
	301人以上	1号	4歳以上児 3歳児	＋	2, 150	＋	240 ×各月の給食実施日数	−	(1, 490 ＋10×加算率)×人数	

地域区分 ①	定員区分 ②	認定区分 ③	年齢区分 ④	基本分単価 ⑤	（注）		処遇改善等加算Ⅰ ⑥	（注）			副園長・教頭配置加算 ⑦		処遇改善等加算Ⅰ		3歳児配置改善加算 ⑧		処遇改善等加算Ⅰ
12/100地域	15人まで	1号	4歳以上児	113,640	(121,680)	+	1,110	(1,190)	×加算率	+	6,630	+	60×加算率	+	(8,040)	+	(80×加算率)
			3歳児	121,680		+	1,190		×加算率					+	8,040		80×加算率
	16人から25人まで	1号	4歳以上児	69,990	(78,030)	+	680	(760)	×加算率	+	3,980	+	30×加算率	+	(8,040)	+	(80×加算率)
			3歳児	78,030		+	760		×加算率					+	8,040		80×加算率
	26人から35人まで	1号	4歳以上児	51,290	(59,330)	+	490	(570)	×加算率	+	2,840	+	20×加算率	+	(8,040)	+	(80×加算率)
			3歳児	59,330		+	570		×加算率					+	8,040		80×加算率
	36人から45人まで	1号	4歳以上児	51,680	(59,720)	+	490	(570)	×加算率	+	2,210	+	20×加算率	+	(8,040)	+	(80×加算率)
			3歳児	59,720		+	570		×加算率					+	8,040		80×加算率
	46人から60人まで	1号	4歳以上児	47,910	(55,950)	+	450	(540)	×加算率	+	1,650	+	10×加算率	+	(8,040)	+	(80×加算率)
			3歳児	55,950		+	540		×加算率					+	8,040		80×加算率
	61人から75人まで	1号	4歳以上児	42,480	(50,520)	+	400	(480)	×加算率	+	1,320	+	10×加算率	+	(8,040)	+	(80×加算率)
			3歳児	50,520		+	480		×加算率					+	8,040		80×加算率
	76人から90人まで	1号	4歳以上児	38,830	(46,870)	+	360	(440)	×加算率	+	1,100	+	10×加算率	+	(8,040)	+	(80×加算率)
			3歳児	46,870		+	440		×加算率					+	8,040		80×加算率
	91人から105人まで	1号	4歳以上児	36,220	(44,260)	+	340	(420)	×加算率	+	940	+	9×加算率	+	(8,040)	+	(80×加算率)
			3歳児	44,260		+	420		×加算率					+	8,040		80×加算率
	106人から120人まで	1号	4歳以上児	34,290	(42,330)	+	320	(400)	×加算率	+	820	+	8×加算率	+	(8,040)	+	(80×加算率)
			3歳児	42,330		+	400		×加算率					+	8,040		80×加算率
	121人から135人まで	1号	4歳以上児	32,760	(40,800)	+	300	(380)	×加算率	+	730	+	7×加算率	+	(8,040)	+	(80×加算率)
			3歳児	40,800		+	380		×加算率					+	8,040		80×加算率
	136人から150人まで	1号	4歳以上児	31,560	(39,600)	+	290	(370)	×加算率	+	660	+	6×加算率	+	(8,040)	+	(80×加算率)
			3歳児	39,600		+	370		×加算率					+	8,040		80×加算率
	151人から180人まで	1号	4歳以上児	29,750	(37,790)	+	270	(350)	×加算率	+	550	+	5×加算率	+	(8,040)	+	(80×加算率)
			3歳児	37,790		+	350		×加算率					+	8,040		80×加算率
	181人から210人まで	1号	4歳以上児	28,430	(36,470)	+	260	(340)	×加算率	+	470	+	4×加算率	+	(8,040)	+	(80×加算率)
			3歳児	36,470		+	340		×加算率					+	8,040		80×加算率
	211人から240人まで	1号	4歳以上児	27,460	(35,500)	+	250	(330)	×加算率	+	410	+	4×加算率	+	(8,040)	+	(80×加算率)
			3歳児	35,500		+	330		×加算率					+	8,040		80×加算率
	241人から270人まで	1号	4歳以上児	26,710	(34,750)	+	240	(320)	×加算率	+	360	+	3×加算率	+	(8,040)	+	(80×加算率)
			3歳児	34,750		+	320		×加算率					+	8,040		80×加算率
	271人から300人まで	1号	4歳以上児	26,100	(34,140)	+	240	(320)	×加算率	+	330	+	3×加算率	+	(8,040)	+	(80×加算率)
			3歳児	34,140		+	320		×加算率					+	8,040		80×加算率
	301人以上	1号	4歳以上児	24,150	(32,190)	+	220	(300)	×加算率	+	300	+	3×加算率	+	(8,040)	+	(80×加算率)
			3歳児	32,190		+	300		×加算率					+	8,040		80×加算率

地域区分 ①	定員区分 ②	認定区分 ③	年齢区分 ④	4歳以上児配置改善加算 ⑨	処遇改善等加算Ⅰ	満3歳児対応加配加算(3歳児配置改善加算無し) ⑩	処遇改善等加算Ⅰ	満3歳児対応加配加算(3歳児配置改善加算有り) ⑩'	処遇改善等加算Ⅰ	講師配置加算 ⑪	処遇改善等加算Ⅰ
12/100地域	15人まで	1号	4歳以上児	+ 3,210 +	30×加算率					+ 6,010 +	60×加算率
			3歳児			+ 56,290 +	560×加算率 +	48,250 +	480×加算率		
	16人から25人まで	1号	4歳以上児	+ 3,210 +	30×加算率					+ 3,600 +	30×加算率
			3歳児			+ 56,290 +	560×加算率 +	48,250 +	480×加算率		
	26人から35人まで	1号	4歳以上児	+ 3,210 +	30×加算率					+ 2,570 +	20×加算率
			3歳児			+ 56,290 +	560×加算率 +	48,250 +	480×加算率		
	36人から45人まで	1号	4歳以上児	+ 3,210 +	30×加算率					+ − +	−
			3歳児			+ 56,290 +	560×加算率 +	48,250 +	480×加算率		
	46人から60人まで	1号	4歳以上児	+ 3,210 +	30×加算率					+ − +	−
			3歳児			+ 56,290 +	560×加算率 +	48,250 +	480×加算率		
	61人から75人まで	1号	4歳以上児	+ 3,210 +	30×加算率					+ − +	−
			3歳児			+ 56,290 +	560×加算率 +	48,250 +	480×加算率		
	76人から90人まで	1号	4歳以上児	+ 3,210 +	30×加算率					+ − +	−
			3歳児			+ 56,290 +	560×加算率 +	48,250 +	480×加算率		
	91人から105人まで	1号	4歳以上児	+ 3,210 +	30×加算率					+ − +	−
			3歳児			+ 56,290 +	560×加算率 +	48,250 +	480×加算率		
	106人から120人まで	1号	4歳以上児	+ 3,210 +	30×加算率					+ − +	−
			3歳児			+ 56,290 +	560×加算率 +	48,250 +	480×加算率		
	121人から135人まで	1号	4歳以上児	+ 3,210 +	30×加算率					+ 660 +	6×加算率
			3歳児			+ 56,290 +	560×加算率 +	48,250 +	480×加算率		
	136人から150人まで	1号	4歳以上児	+ 3,210 +	30×加算率					+ 600 +	6×加算率
			3歳児			+ 56,290 +	560×加算率 +	48,250 +	480×加算率		
	151人から180人まで	1号	4歳以上児	+ 3,210 +	30×加算率					+ 500 +	5×加算率
			3歳児			+ 56,290 +	560×加算率 +	48,250 +	480×加算率		
	181人から210人まで	1号	4歳以上児	+ 3,210 +	30×加算率					+ 430 +	4×加算率
			3歳児			+ 56,290 +	560×加算率 +	48,250 +	480×加算率		
	211人から240人まで	1号	4歳以上児	+ 3,210 +	30×加算率					+ 370 +	3×加算率
			3歳児			+ 56,290 +	560×加算率 +	48,250 +	480×加算率		
	241人から270人まで	1号	4歳以上児	+ 3,210 +	30×加算率					+ 330 +	3×加算率
			3歳児			+ 56,290 +	560×加算率 +	48,250 +	480×加算率		
	271人から300人まで	1号	4歳以上児	+ 3,210 +	30×加算率					+ 300 +	3×加算率
			3歳児			+ 56,290 +	560×加算率 +	48,250 +	480×加算率		
	301人以上	1号	4歳以上児	+ 3,210 +	30×加算率					+ 270 +	2×加算率
			3歳児			+ 56,290 +	560×加算率 +	48,250 +	480×加算率		

地域区分 ①	定員区分 ②	認定区分 ③	年齢区分 ④		チーム保育加配加算 ※加配1人当たり単価		処遇改善等加算Ⅰ ⑫		通園送迎加算		処遇改善等加算Ⅰ ⑬
12/100地域	15人まで	1号	4歳以上児 3歳児	＋	32,160×加配人数	＋	320×加算率×加配人数	＋	3,790	＋	30×加算率
	16人から25人まで	1号	4歳以上児 3歳児	＋	19,300×加配人数	＋	190×加算率×加配人数	＋	2,600	＋	20×加算率
	26人から35人まで	1号	4歳以上児 3歳児	＋	13,780×加配人数	＋	130×加算率×加配人数	＋	2,090	＋	20×加算率
	36人から45人まで	1号	4歳以上児 3歳児	＋	10,720×加配人数	＋	100×加算率×加配人数	＋	1,800	＋	10×加算率
	46人から60人まで	1号	4歳以上児 3歳児	＋	8,040×加配人数	＋	80×加算率×加配人数	＋	1,350	＋	10×加算率
	61人から75人まで	1号	4歳以上児 3歳児	＋	6,430×加配人数	＋	60×加算率×加配人数	＋	1,080	＋	10×加算率
	76人から90人まで	1号	4歳以上児 3歳児	＋	5,360×加配人数	＋	50×加算率×加配人数	＋	900	＋	9×加算率
	91人から105人まで	1号	4歳以上児 3歳児	＋	4,590×加配人数	＋	40×加算率×加配人数	＋	770	＋	7×加算率
	106人から120人まで	1号	4歳以上児 3歳児	＋	4,020×加配人数	＋	40×加算率×加配人数	＋	670	＋	6×加算率
	121人から135人まで	1号	4歳以上児 3歳児	＋	3,570×加配人数	＋	30×加算率×加配人数	＋	600	＋	6×加算率
	136人から150人まで	1号	4歳以上児 3歳児	＋	3,210×加配人数	＋	30×加算率×加配人数	＋	540	＋	5×加算率
	151人から180人まで	1号	4歳以上児 3歳児	＋	2,680×加配人数	＋	20×加算率×加配人数	＋	520	＋	5×加算率
	181人から210人まで	1号	4歳以上児 3歳児	＋	2,290×加配人数	＋	20×加算率×加配人数	＋	520	＋	5×加算率
	211人から240人まで	1号	4歳以上児 3歳児	＋	2,010×加配人数	＋	20×加算率×加配人数	＋	520	＋	5×加算率
	241人から270人まで	1号	4歳以上児 3歳児	＋	1,780×加配人数	＋	10×加算率×加配人数	＋	520	＋	5×加算率
	271人から300人まで	1号	4歳以上児 3歳児	＋	1,600×加配人数	＋	10×加算率×加配人数	＋	520	＋	5×加算率
	301人以上	1号	4歳以上児 3歳児	＋	1,460×加配人数	＋	10×加算率×加配人数	＋	520	＋	5×加算率

地域区分 ①	定員区分 ②	認定区分 ③	年齢区分 ④		給食実施加算（施設内調理）		処遇改善等加算Ⅰ ⑭		給食実施加算（外部搬入）		処遇改善等加算Ⅰ ⑭'
12/100地域	15人まで	1号	4歳以上児 3 歳 児	＋	2, 840 ×週当たり実施日数	＋	20 ×週当たり実施日数×加算率	＋	500 ×週当たり実施日数	＋	5 ×週当たり実施日数×加算率
	16人から25人まで	1号	4歳以上児 3 歳 児	＋	1, 700 ×週当たり実施日数	＋	10 ×週当たり実施日数×加算率	＋	300 ×週当たり実施日数	＋	3 ×週当たり実施日数×加算率
	26人から35人まで	1号	4歳以上児 3 歳 児	＋	1, 220 ×週当たり実施日数	＋	10 ×週当たり実施日数×加算率	＋	210 ×週当たり実施日数	＋	2 ×週当たり実施日数×加算率
	36人から45人まで	1号	4歳以上児 3 歳 児	＋	950 ×週当たり実施日数	＋	9 ×週当たり実施日数×加算率	＋	170 ×週当たり実施日数	＋	1 ×週当たり実施日数×加算率
	46人から60人まで	1号	4歳以上児 3 歳 児	＋	710 ×週当たり実施日数	＋	7 ×週当たり実施日数×加算率	＋	120 ×週当たり実施日数	＋	1 ×週当たり実施日数×加算率
	61人から75人まで	1号	4歳以上児 3 歳 児	＋	590 ×週当たり実施日数	＋	5 ×週当たり実施日数×加算率	＋	100 ×週当たり実施日数	＋	1 ×週当たり実施日数×加算率
	76人から90人まで	1号	4歳以上児 3 歳 児	＋	520 ×週当たり実施日数	＋	5 ×週当たり実施日数×加算率	＋	90 ×週当たり実施日数	＋	1 ×週当たり実施日数×加算率
	91人から105人まで	1号	4歳以上児 3 歳 児	＋	460 ×週当たり実施日数	＋	4 ×週当たり実施日数×加算率	＋	80 ×週当たり実施日数	＋	1 ×週当たり実施日数×加算率
	106人から120人まで	1号	4歳以上児 3 歳 児	＋	420 ×週当たり実施日数	＋	4 ×週当たり実施日数×加算率	＋	70 ×週当たり実施日数	＋	1 ×週当たり実施日数×加算率
	121人から135人まで	1号	4歳以上児 3 歳 児	＋	390 ×週当たり実施日数	＋	3 ×週当たり実施日数×加算率	＋	70 ×週当たり実施日数	＋	1 ×週当たり実施日数×加算率
	136人から150人まで	1号	4歳以上児 3 歳 児	＋	370 ×週当たり実施日数	＋	3 ×週当たり実施日数×加算率	＋	60 ×週当たり実施日数	＋	1 ×週当たり実施日数×加算率
	151人から180人まで	1号	4歳以上児 3 歳 児	＋	320 ×週当たり実施日数	＋	3 ×週当たり実施日数×加算率	＋	50 ×週当たり実施日数	＋	1 ×週当たり実施日数×加算率
	181人から210人まで	1号	4歳以上児 3 歳 児	＋	280 ×週当たり実施日数	＋	2 ×週当たり実施日数×加算率	＋	50 ×週当たり実施日数	＋	1 ×週当たり実施日数×加算率
	211人から240人まで	1号	4歳以上児 3 歳 児	＋	260 ×週当たり実施日数	＋	2 ×週当たり実施日数×加算率	＋	40 ×週当たり実施日数	＋	1 ×週当たり実施日数×加算率
	241人から270人まで	1号	4歳以上児 3 歳 児	＋	230 ×週当たり実施日数	＋	2 ×週当たり実施日数×加算率	＋	40 ×週当たり実施日数	＋	1 ×週当たり実施日数×加算率
	271人から300人まで	1号	4歳以上児 3 歳 児	＋	210 ×週当たり実施日数	＋	2 ×週当たり実施日数×加算率	＋	30 ×週当たり実施日数	＋	1 ×週当たり実施日数×加算率
	301人以上	1号	4歳以上児 3 歳 児	＋	190 ×週当たり実施日数	＋	1 ×週当たり実施日数×加算率	＋	30 ×週当たり実施日数	＋	1 ×週当たり実施日数×加算率

地域区分 ①	定員区分 ②	認定区分 ③	年齢区分 ④		外部監査費加算 ⑮		副食費徴収免除加算 ※副食費の徴収が免除される子どもの単価に加算 ⑯		年齢別配置基準を下回る場合 ⑰	定員を恒常的に超過する場合 ⑱
12/100地域	15人まで	1号	4歳以上児	＋	27, 330	＋	240 ×各月の給食実施日数	－	(32, 160 ＋320×加算率）×人数	(⑤～⑰（⑯を除く。））×別に定める調整率
			3　歳　児							
	16人から25人まで	1号	4歳以上児	＋	16, 800	＋	240 ×各月の給食実施日数	－	(19, 300 ＋190×加算率）×人数	
			3　歳　児							
	26人から35人まで	1号	4歳以上児	＋	12, 280	＋	240 ×各月の給食実施日数	－	(13, 780 ＋130×加算率）×人数	
			3　歳　児							
	36人から45人まで	1号	4歳以上児	＋	9, 770	＋	240 ×各月の給食実施日数	－	(10, 720 ＋100×加算率）×人数	
			3　歳　児							
	46人から60人まで	1号	4歳以上児	＋	7, 500	＋	240 ×各月の給食実施日数	－	(8, 040 ＋80×加算率）×人数	
			3　歳　児							
	61人から75人まで	1号	4歳以上児	＋	6, 130	＋	240 ×各月の給食実施日数	－	(6, 430 ＋60×加算率）×人数	
			3　歳　児							
	76人から90人まで	1号	4歳以上児	＋	5, 220	＋	240 ×各月の給食実施日数	－	(5, 360 ＋50×加算率）×人数	
			3　歳　児							
	91人から105人まで	1号	4歳以上児	＋	4, 660	＋	240 ×各月の給食実施日数	－	(4, 590 ＋40×加算率）×人数	
			3　歳　児							
	106人から120人まで	1号	4歳以上児	＋	4, 250	＋	240 ×各月の給食実施日数	－	(4, 020 ＋40×加算率）×人数	
			3　歳　児							
	121人から135人まで	1号	4歳以上児	＋	3, 920	＋	240 ×各月の給食実施日数	－	(3, 570 ＋30×加算率）×人数	
			3　歳　児							
	136人から150人まで	1号	4歳以上児	＋	3, 660	＋	240 ×各月の給食実施日数	－	(3, 210 ＋30×加算率）×人数	
			3　歳　児							
	151人から180人まで	1号	4歳以上児	＋	3, 160	＋	240 ×各月の給食実施日数	－	(2, 680 ＋20×加算率）×人数	
			3　歳　児							
	181人から210人まで	1号	4歳以上児	＋	2, 810	＋	240 ×各月の給食実施日数	－	(2, 290 ＋20×加算率）×人数	
			3　歳　児							
	211人から240人まで	1号	4歳以上児	＋	2, 540	＋	240 ×各月の給食実施日数	－	(2, 010 ＋20×加算率）×人数	
			3　歳　児							
	241人から270人まで	1号	4歳以上児	＋	2, 440	＋	240 ×各月の給食実施日数	－	(1, 780 ＋10×加算率）×人数	
			3　歳　児							
	271人から300人まで	1号	4歳以上児	＋	2, 360	＋	240 ×各月の給食実施日数	－	(1, 600 ＋10×加算率）×人数	
			3　歳　児							
	301人以上	1号	4歳以上児	＋	2, 150	＋	240 ×各月の給食実施日数	－	(1, 460 ＋10×加算率）×人数	
			3　歳　児							

地域区分 ①	定員区分 ②	認定区分 ③	年齢区分 ④	基本分単価 ⑤	（注）		処遇改善等加算Ⅰ ⑥	（注）			副園長・教頭配置加算 ⑦		処遇改善等加算Ⅰ		3歳児配置改善加算 ⑧		処遇改善等加算Ⅰ
10/100地域	15人まで	1号	4歳以上児	111,870	(119,780)	+	1,090	(1,170)	×加算率	+	6,510	+	60×加算率	+	(7,910)	+	(70×加算率)
			3歳児	119,780		+	1,170		×加算率					+	7,910		70×加算率
	16人から25人まで	1号	4歳以上児	68,930	(76,840)	+	670	(740)	×加算率	+	3,900	+	30×加算率	+	(7,910)	+	(70×加算率)
			3歳児	76,840		+	740		×加算率					+	7,910		70×加算率
	26人から35人まで	1号	4歳以上児	50,530	(58,440)	+	480	(560)	×加算率	+	2,790	+	20×加算率	+	(7,910)	+	(70×加算率)
			3歳児	58,440		+	560		×加算率					+	7,910		70×加算率
	36人から45人まで	1号	4歳以上児	50,920	(58,830)	+	480	(560)	×加算率	+	2,170	+	20×加算率	+	(7,910)	+	(70×加算率)
			3歳児	58,830		+	560		×加算率					+	7,910		70×加算率
	46人から60人まで	1号	4歳以上児	47,200	(55,110)	+	450	(530)	×加算率	+	1,620	+	10×加算率	+	(7,910)	+	(70×加算率)
			3歳児	55,110		+	530		×加算率					+	7,910		70×加算率
	61人から75人まで	1号	4歳以上児	41,870	(49,780)	+	390	(470)	×加算率	+	1,300	+	10×加算率	+	(7,910)	+	(70×加算率)
			3歳児	49,780		+	470		×加算率					+	7,910		70×加算率
	76人から90人まで	1号	4歳以上児	38,270	(46,180)	+	360	(440)	×加算率	+	1,080	+	10×加算率	+	(7,910)	+	(70×加算率)
			3歳児	46,180		+	440		×加算率					+	7,910		70×加算率
	91人から105人まで	1号	4歳以上児	35,700	(43,610)	+	330	(410)	×加算率	+	930	+	9×加算率	+	(7,910)	+	(70×加算率)
			3歳児	43,610		+	410		×加算率					+	7,910		70×加算率
	106人から120人まで	1号	4歳以上児	33,800	(41,710)	+	310	(390)	×加算率	+	810	+	8×加算率	+	(7,910)	+	(70×加算率)
			3歳児	41,710		+	390		×加算率					+	7,910		70×加算率
	121人から135人まで	1号	4歳以上児	32,300	(40,210)	+	300	(380)	×加算率	+	720	+	7×加算率	+	(7,910)	+	(70×加算率)
			3歳児	40,210		+	380		×加算率					+	7,910		70×加算率
	136人から150人まで	1号	4歳以上児	31,120	(39,030)	+	290	(370)	×加算率	+	650	+	6×加算率	+	(7,910)	+	(70×加算率)
			3歳児	39,030		+	370		×加算率					+	7,910		70×加算率
	151人から180人まで	1号	4歳以上児	29,340	(37,250)	+	270	(350)	×加算率	+	540	+	5×加算率	+	(7,910)	+	(70×加算率)
			3歳児	37,250		+	350		×加算率					+	7,910		70×加算率
	181人から210人まで	1号	4歳以上児	28,040	(35,950)	+	260	(340)	×加算率	+	460	+	4×加算率	+	(7,910)	+	(70×加算率)
			3歳児	35,950		+	340		×加算率					+	7,910		70×加算率
	211人から240人まで	1号	4歳以上児	27,090	(35,000)	+	250	(330)	×加算率	+	400	+	4×加算率	+	(7,910)	+	(70×加算率)
			3歳児	35,000		+	330		×加算率					+	7,910		70×加算率
	241人から270人まで	1号	4歳以上児	26,350	(34,260)	+	240	(320)	×加算率	+	360	+	3×加算率	+	(7,910)	+	(70×加算率)
			3歳児	34,260		+	320		×加算率					+	7,910		70×加算率
	271人から300人まで	1号	4歳以上児	25,750	(33,660)	+	230	(310)	×加算率	+	320	+	3×加算率	+	(7,910)	+	(70×加算率)
			3歳児	33,660		+	310		×加算率					+	7,910		70×加算率
	301人以上	1号	4歳以上児	23,830	(31,740)	+	210	(290)	×加算率	+	290	+	2×加算率	+	(7,910)	+	(70×加算率)
			3歳児	31,740		+	290		×加算率					+	7,910		70×加算率

地域区分 ①	定員区分 ②	認定区分 ③	年齢区分 ④	4歳以上児配置改善加算	処遇改善等加算Ⅰ ⑨	満3歳児対応加配加算(3歳児配置改善加算無し)	処遇改善等加算Ⅰ ⑩	満3歳児対応加配加算(3歳児配置改善加算有り)	処遇改善等加算Ⅰ ⑩'	講師配置加算	処遇改善等加算Ⅰ ⑪
10/100地域	15人まで	1号	4歳以上児	＋ 3, 160	＋ 30×加算率					＋ 6, 010	＋ 60×加算率
			3歳児			＋ 55, 370	＋ 550×加算率	＋ 47, 460	＋ 470×加算率		
	16人から25人まで	1号	4歳以上児	＋ 3, 160	＋ 30×加算率					＋ 3, 600	＋ 30×加算率
			3歳児			＋ 55, 370	＋ 550×加算率	＋ 47, 460	＋ 470×加算率		
	26人から35人まで	1号	4歳以上児	＋ 3, 160	＋ 30×加算率					＋ 2, 570	＋ 20×加算率
			3歳児			＋ 55, 370	＋ 550×加算率	＋ 47, 460	＋ 470×加算率		
	36人から45人まで	1号	4歳以上児	＋ 3, 160	＋ 30×加算率					＋ －	＋ －
			3歳児			＋ 55, 370	＋ 550×加算率	＋ 47, 460	＋ 470×加算率		
	46人から60人まで	1号	4歳以上児	＋ 3, 160	＋ 30×加算率					＋ －	＋ －
			3歳児			＋ 55, 370	＋ 550×加算率	＋ 47, 460	＋ 470×加算率		
	61人から75人まで	1号	4歳以上児	＋ 3, 160	＋ 30×加算率					＋ －	＋ －
			3歳児			＋ 55, 370	＋ 550×加算率	＋ 47, 460	＋ 470×加算率		
	76人から90人まで	1号	4歳以上児	＋ 3, 160	＋ 30×加算率					＋ －	＋ －
			3歳児			＋ 55, 370	＋ 550×加算率	＋ 47, 460	＋ 470×加算率		
	91人から105人まで	1号	4歳以上児	＋ 3, 160	＋ 30×加算率					＋ －	＋ －
			3歳児			＋ 55, 370	＋ 550×加算率	＋ 47, 460	＋ 470×加算率		
	106人から120人まで	1号	4歳以上児	＋ 3, 160	＋ 30×加算率					＋ －	＋ －
			3歳児			＋ 55, 370	＋ 550×加算率	＋ 47, 460	＋ 470×加算率		
	121人から135人まで	1号	4歳以上児	＋ 3, 160	＋ 30×加算率					＋ 660	＋ 6×加算率
			3歳児			＋ 55, 370	＋ 550×加算率	＋ 47, 460	＋ 470×加算率		
	136人から150人まで	1号	4歳以上児	＋ 3, 160	＋ 30×加算率					＋ 600	＋ 6×加算率
			3歳児			＋ 55, 370	＋ 550×加算率	＋ 47, 460	＋ 470×加算率		
	151人から180人まで	1号	4歳以上児	＋ 3, 160	＋ 30×加算率					＋ 500	＋ 5×加算率
			3歳児			＋ 55, 370	＋ 550×加算率	＋ 47, 460	＋ 470×加算率		
	181人から210人まで	1号	4歳以上児	＋ 3, 160	＋ 30×加算率					＋ 430	＋ 4×加算率
			3歳児			＋ 55, 370	＋ 550×加算率	＋ 47, 460	＋ 470×加算率		
	211人から240人まで	1号	4歳以上児	＋ 3, 160	＋ 30×加算率					＋ 370	＋ 3×加算率
			3歳児			＋ 55, 370	＋ 550×加算率	＋ 47, 460	＋ 470×加算率		
	241人から270人まで	1号	4歳以上児	＋ 3, 160	＋ 30×加算率					＋ 330	＋ 3×加算率
			3歳児			＋ 55, 370	＋ 550×加算率	＋ 47, 460	＋ 470×加算率		
	271人から300人まで	1号	4歳以上児	＋ 3, 160	＋ 30×加算率					＋ 300	＋ 3×加算率
			3歳児			＋ 55, 370	＋ 550×加算率	＋ 47, 460	＋ 470×加算率		
	301人以上	1号	4歳以上児	＋ 3, 160	＋ 30×加算率					＋ 270	＋ 2×加算率
			3歳児			＋ 55, 370	＋ 550×加算率	＋ 47, 460	＋ 470×加算率		

地域区分 ①	定員区分 ②	認定区分 ③	年齢区分 ④		チーム保育加配加算 ※加配1人当たり単価		処遇改善等加算Ⅰ ⑫		通園送迎加算		処遇改善等加算Ⅰ ⑬
10/100地域	15人まで	1号	4歳以上児 3　歳　児	＋	31,640×加配人数	＋	310×加算率×加配人数	＋	3,790	＋	30×加算率
	16人から25人まで	1号	4歳以上児 3　歳　児	＋	18,980×加配人数	＋	180×加算率×加配人数	＋	2,600	＋	20×加算率
	26人から35人まで	1号	4歳以上児 3　歳　児	＋	13,560×加配人数	＋	130×加算率×加配人数	＋	2,090	＋	20×加算率
	36人から45人まで	1号	4歳以上児 3　歳　児	＋	10,540×加配人数	＋	100×加算率×加配人数	＋	1,800	＋	10×加算率
	46人から60人まで	1号	4歳以上児 3　歳　児	＋	7,910×加配人数	＋	70×加算率×加配人数	＋	1,350	＋	10×加算率
	61人から75人まで	1号	4歳以上児 3　歳　児	＋	6,320×加配人数	＋	60×加算率×加配人数	＋	1,080	＋	10×加算率
	76人から90人まで	1号	4歳以上児 3　歳　児	＋	5,270×加配人数	＋	50×加算率×加配人数	＋	900	＋	9×加算率
	91人から105人まで	1号	4歳以上児 3　歳　児	＋	4,520×加配人数	＋	40×加算率×加配人数	＋	770	＋	7×加算率
	106人から120人まで	1号	4歳以上児 3　歳　児	＋	3,950×加配人数	＋	30×加算率×加配人数	＋	670	＋	6×加算率
	121人から135人まで	1号	4歳以上児 3　歳　児	＋	3,510×加配人数	＋	30×加算率×加配人数	＋	600	＋	6×加算率
	136人から150人まで	1号	4歳以上児 3　歳　児	＋	3,160×加配人数	＋	30×加算率×加配人数	＋	540	＋	5×加算率
	151人から180人まで	1号	4歳以上児 3　歳　児	＋	2,630×加配人数	＋	20×加算率×加配人数	＋	520	＋	5×加算率
	181人から210人まで	1号	4歳以上児 3　歳　児	＋	2,260×加配人数	＋	20×加算率×加配人数	＋	520	＋	5×加算率
	211人から240人まで	1号	4歳以上児 3　歳　児	＋	1,970×加配人数	＋	10×加算率×加配人数	＋	520	＋	5×加算率
	241人から270人まで	1号	4歳以上児 3　歳　児	＋	1,750×加配人数	＋	10×加算率×加配人数	＋	520	＋	5×加算率
	271人から300人まで	1号	4歳以上児 3　歳　児	＋	1,580×加配人数	＋	10×加算率×加配人数	＋	520	＋	5×加算率
	301人以上	1号	4歳以上児 3　歳　児	＋	1,430×加配人数	＋	10×加算率×加配人数	＋	520	＋	5×加算率

地域区分 ①	定員区分 ②	認定区分 ③	年齢区分 ④		給食実施加算（施設内調理） ⑭		処遇改善等加算Ⅰ		給食実施加算（外部搬入） ⑭'		処遇改善等加算Ⅰ
10/100地域	15人まで	1号	4歳以上児 3 歳 児	＋	2,840 ×週当たり実施日数	＋	20 ×週当たり実施日数×加算率	＋	500 ×週当たり実施日数	＋	5 ×週当たり実施日数×加算率
	16人から25人まで	1号	4歳以上児 3 歳 児	＋	1,700 ×週当たり実施日数	＋	10 ×週当たり実施日数×加算率	＋	300 ×週当たり実施日数	＋	3 ×週当たり実施日数×加算率
	26人から35人まで	1号	4歳以上児 3 歳 児	＋	1,220 ×週当たり実施日数	＋	10 ×週当たり実施日数×加算率	＋	210 ×週当たり実施日数	＋	2 ×週当たり実施日数×加算率
	36人から45人まで	1号	4歳以上児 3 歳 児	＋	950 ×週当たり実施日数	＋	9 ×週当たり実施日数×加算率	＋	170 ×週当たり実施日数	＋	1 ×週当たり実施日数×加算率
	46人から60人まで	1号	4歳以上児 3 歳 児	＋	710 ×週当たり実施日数	＋	7 ×週当たり実施日数×加算率	＋	120 ×週当たり実施日数	＋	1 ×週当たり実施日数×加算率
	61人から75人まで	1号	4歳以上児 3 歳 児	＋	590 ×週当たり実施日数	＋	5 ×週当たり実施日数×加算率	＋	100 ×週当たり実施日数	＋	1 ×週当たり実施日数×加算率
	76人から90人まで	1号	4歳以上児 3 歳 児	＋	520 ×週当たり実施日数	＋	5 ×週当たり実施日数×加算率	＋	90 ×週当たり実施日数	＋	1 ×週当たり実施日数×加算率
	91人から105人まで	1号	4歳以上児 3 歳 児	＋	460 ×週当たり実施日数	＋	4 ×週当たり実施日数×加算率	＋	80 ×週当たり実施日数	＋	1 ×週当たり実施日数×加算率
	106人から120人まで	1号	4歳以上児 3 歳 児	＋	420 ×週当たり実施日数	＋	4 ×週当たり実施日数×加算率	＋	70 ×週当たり実施日数	＋	1 ×週当たり実施日数×加算率
	121人から135人まで	1号	4歳以上児 3 歳 児	＋	390 ×週当たり実施日数	＋	3 ×週当たり実施日数×加算率	＋	70 ×週当たり実施日数	＋	1 ×週当たり実施日数×加算率
	136人から150人まで	1号	4歳以上児 3 歳 児	＋	370 ×週当たり実施日数	＋	3 ×週当たり実施日数×加算率	＋	60 ×週当たり実施日数	＋	1 ×週当たり実施日数×加算率
	151人から180人まで	1号	4歳以上児 3 歳 児	＋	320 ×週当たり実施日数	＋	3 ×週当たり実施日数×加算率	＋	50 ×週当たり実施日数	＋	1 ×週当たり実施日数×加算率
	181人から210人まで	1号	4歳以上児 3 歳 児	＋	280 ×週当たり実施日数	＋	2 ×週当たり実施日数×加算率	＋	50 ×週当たり実施日数	＋	1 ×週当たり実施日数×加算率
	211人から240人まで	1号	4歳以上児 3 歳 児	＋	260 ×週当たり実施日数	＋	2 ×週当たり実施日数×加算率	＋	40 ×週当たり実施日数	＋	1 ×週当たり実施日数×加算率
	241人から270人まで	1号	4歳以上児 3 歳 児	＋	230 ×週当たり実施日数	＋	2 ×週当たり実施日数×加算率	＋	40 ×週当たり実施日数	＋	1 ×週当たり実施日数×加算率
	271人から300人まで	1号	4歳以上児 3 歳 児	＋	210 ×週当たり実施日数	＋	2 ×週当たり実施日数×加算率	＋	30 ×週当たり実施日数	＋	1 ×週当たり実施日数×加算率
	301人以上	1号	4歳以上児 3 歳 児	＋	190 ×週当たり実施日数	＋	1 ×週当たり実施日数×加算率	＋	30 ×週当たり実施日数	＋	1 ×週当たり実施日数×加算率

地域区分 ①	定員区分 ②	認定区分 ③	年齢区分 ④		外部監査費加算 ⑮		副食費徴収免除加算 ※副食費の徴収が免除される子どもの単価に加算 ⑯		年齢別配置基準を下回る場合 ⑰	定員を恒常的に超過する場合 ⑱
10/100地域	15人まで	1号	4歳以上児 3　歳　児	＋	27,330	＋	240 ×各月の給食実施日数	－	(31,640 ＋310×加算率)×人数	(⑤～⑰（⑯を除く。））×別に定める調整率
	16人から25人まで	1号	4歳以上児 3　歳　児	＋	16,800	＋	240 ×各月の給食実施日数	－	(18,980 ＋190×加算率)×人数	
	26人から35人まで	1号	4歳以上児 3　歳　児	＋	12,280	＋	240 ×各月の給食実施日数	－	(13,560 ＋130×加算率)×人数	
	36人から45人まで	1号	4歳以上児 3　歳　児	＋	9,770	＋	240 ×各月の給食実施日数	－	(10,540 ＋100×加算率)×人数	
	46人から60人まで	1号	4歳以上児 3　歳　児	＋	7,500	＋	240 ×各月の給食実施日数	－	(7,910 ＋70×加算率)×人数	
	61人から75人まで	1号	4歳以上児 3　歳　児	＋	6,130	＋	240 ×各月の給食実施日数	－	(6,320 ＋60×加算率)×人数	
	76人から90人まで	1号	4歳以上児 3　歳　児	＋	5,220	＋	240 ×各月の給食実施日数	－	(5,270 ＋50×加算率)×人数	
	91人から105人まで	1号	4歳以上児 3　歳　児	＋	4,660	＋	240 ×各月の給食実施日数	－	(4,520 ＋40×加算率)×人数	
	106人から120人まで	1号	4歳以上児 3　歳　児	＋	4,250	＋	240 ×各月の給食実施日数	－	(3,950 ＋40×加算率)×人数	
	121人から135人まで	1号	4歳以上児 3　歳　児	＋	3,920	＋	240 ×各月の給食実施日数	－	(3,510 ＋30×加算率)×人数	
	136人から150人まで	1号	4歳以上児 3　歳　児	＋	3,660	＋	240 ×各月の給食実施日数	－	(3,160 ＋30×加算率)×人数	
	151人から180人まで	1号	4歳以上児 3　歳　児	＋	3,160	＋	240 ×各月の給食実施日数	－	(2,630 ＋20×加算率)×人数	
	181人から210人まで	1号	4歳以上児 3　歳　児	＋	2,810	＋	240 ×各月の給食実施日数	－	(2,260 ＋20×加算率)×人数	
	211人から240人まで	1号	4歳以上児 3　歳　児	＋	2,540	＋	240 ×各月の給食実施日数	－	(1,970 ＋20×加算率)×人数	
	241人から270人まで	1号	4歳以上児 3　歳　児	＋	2,440	＋	240 ×各月の給食実施日数	－	(1,750 ＋10×加算率)×人数	
	271人から300人まで	1号	4歳以上児 3　歳　児	＋	2,360	＋	240 ×各月の給食実施日数	－	(1,580 ＋10×加算率)×人数	
	301人以上	1号	4歳以上児 3　歳　児	＋	2,150	＋	240 ×各月の給食実施日数	－	(1,430 ＋10×加算率)×人数	

地域区分 ①	定員区分 ②	認定区分 ③	年齢区分 ④	基本分単価 ⑤	（注）		処遇改善等加算Ⅰ ⑥	（注）			副園長・教頭配置加算 ⑦		処遇改善等加算Ⅰ		3歳児配置改善加算 ⑧		処遇改善等加算Ⅰ
6/100地域	15人まで	1号	4歳以上児	108,320	(115,970)	＋	1,060	(1,140)	×加算率	＋	6,250	＋	60×加算率	＋	(7,650)	＋	(70×加算率)
			3歳児	115,970		＋	1,140		×加算率					＋	7,650		70×加算率
	16人から25人まで	1号	4歳以上児	66,810	(74,460)	＋	640	(720)	×加算率	＋	3,750	＋	30×加算率	＋	(7,650)	＋	(70×加算率)
			3歳児	74,460		＋	720		×加算率					＋	7,650		70×加算率
	26人から35人まで	1号	4歳以上児	49,010	(56,660)	＋	470	(540)	×加算率	＋	2,680	＋	20×加算率	＋	(7,650)	＋	(70×加算率)
			3歳児	56,660		＋	540		×加算率					＋	7,650		70×加算率
	36人から45人まで	1号	4歳以上児	49,390	(57,040)	＋	470	(550)	×加算率	＋	2,080	＋	20×加算率	＋	(7,650)	＋	(70×加算率)
			3歳児	57,040		＋	550		×加算率					＋	7,650		70×加算率
	46人から60人まで	1号	4歳以上児	45,790	(53,440)	＋	430	(510)	×加算率	＋	1,560	＋	10×加算率	＋	(7,650)	＋	(70×加算率)
			3歳児	53,440		＋	510		×加算率					＋	7,650		70×加算率
	61人から75人まで	1号	4歳以上児	40,630	(48,280)	＋	380	(460)	×加算率	＋	1,250	＋	10×加算率	＋	(7,650)	＋	(70×加算率)
			3歳児	48,280		＋	460		×加算率					＋	7,650		70×加算率
	76人から90人まで	1号	4歳以上児	37,160	(44,810)	＋	350	(420)	×加算率	＋	1,040	＋	10×加算率	＋	(7,650)	＋	(70×加算率)
			3歳児	44,810		＋	420		×加算率					＋	7,650		70×加算率
	91人から105人まで	1号	4歳以上児	34,670	(42,320)	＋	320	(400)	×加算率	＋	890	＋	8×加算率	＋	(7,650)	＋	(70×加算率)
			3歳児	42,320		＋	400		×加算率					＋	7,650		70×加算率
	106人から120人まで	1号	4歳以上児	32,840	(40,490)	＋	300	(380)	×加算率	＋	780	＋	7×加算率	＋	(7,650)	＋	(70×加算率)
			3歳児	40,490		＋	380		×加算率					＋	7,650		70×加算率
	121人から135人まで	1号	4歳以上児	31,380	(39,030)	＋	290	(370)	×加算率	＋	690	＋	6×加算率	＋	(7,650)	＋	(70×加算率)
			3歳児	39,030		＋	370		×加算率					＋	7,650		70×加算率
	136人から150人まで	1号	4歳以上児	30,250	(37,900)	＋	280	(350)	×加算率	＋	620	＋	6×加算率	＋	(7,650)	＋	(70×加算率)
			3歳児	37,900		＋	350		×加算率					＋	7,650		70×加算率
	151人から180人まで	1号	4歳以上児	28,520	(36,170)	＋	260	(340)	×加算率	＋	520	＋	5×加算率	＋	(7,650)	＋	(70×加算率)
			3歳児	36,170		＋	340		×加算率					＋	7,650		70×加算率
	181人から210人まで	1号	4歳以上児	27,270	(34,920)	＋	250	(320)	×加算率	＋	440	＋	4×加算率	＋	(7,650)	＋	(70×加算率)
			3歳児	34,920		＋	320		×加算率					＋	7,650		70×加算率
	211人から240人まで	1号	4歳以上児	26,340	(33,990)	＋	240	(320)	×加算率	＋	390	＋	3×加算率	＋	(7,650)	＋	(70×加算率)
			3歳児	33,990		＋	320		×加算率					＋	7,650		70×加算率
	241人から270人まで	1号	4歳以上児	25,630	(33,280)	＋	230	(310)	×加算率	＋	340	＋	3×加算率	＋	(7,650)	＋	(70×加算率)
			3歳児	33,280		＋	310		×加算率					＋	7,650		70×加算率
	271人から300人まで	1号	4歳以上児	25,050	(32,700)	＋	230	(300)	×加算率	＋	310	＋	3×加算率	＋	(7,650)	＋	(70×加算率)
			3歳児	32,700		＋	300		×加算率					＋	7,650		70×加算率
	301人以上	1号	4歳以上児	23,200	(30,850)	＋	210	(280)	×加算率	＋	280	＋	2×加算率	＋	(7,650)	＋	(70×加算率)
			3歳児	30,850		＋	280		×加算率					＋	7,650		70×加算率

地域区分 ①	定員区分 ②	認定区分 ③	年齢区分 ④	4歳以上児配置改善加算 ⑨	処遇改善等加算Ⅰ ⑨	満3歳児対応加配加算(3歳児配置改善加算無し) ⑩	処遇改善等加算Ⅰ ⑩	満3歳児対応加配加算(3歳児配置改善加算有り) ⑩'	処遇改善等加算Ⅰ ⑩'	講師配置加算 ⑪	処遇改善等加算Ⅰ ⑪
6/100地域	15人まで	1号	4歳以上児	+ 3,060 +	30×加算率					+ 6,010 +	60×加算率
			3 歳 児			+ 53,540 +	530×加算率 +	45,890 +	450×加算率		
	16人から25人まで	1号	4歳以上児	+ 3,060 +	30×加算率					+ 3,600 +	30×加算率
			3 歳 児			+ 53,540 +	530×加算率 +	45,890 +	450×加算率		
	26人から35人まで	1号	4歳以上児	+ 3,060 +	30×加算率					+ 2,570 +	20×加算率
			3 歳 児			+ 53,540 +	530×加算率 +	45,890 +	450×加算率		
	36人から45人まで	1号	4歳以上児	+ 3,060 +	30×加算率					+ – +	–
			3 歳 児			+ 53,540 +	530×加算率 +	45,890 +	450×加算率		
	46人から60人まで	1号	4歳以上児	+ 3,060 +	30×加算率					+ – +	–
			3 歳 児			+ 53,540 +	530×加算率 +	45,890 +	450×加算率		
	61人から75人まで	1号	4歳以上児	+ 3,060 +	30×加算率					+ – +	–
			3 歳 児			+ 53,540 +	530×加算率 +	45,890 +	450×加算率		
	76人から90人まで	1号	4歳以上児	+ 3,060 +	30×加算率					+ – +	–
			3 歳 児			+ 53,540 +	530×加算率 +	45,890 +	450×加算率		
	91人から105人まで	1号	4歳以上児	+ 3,060 +	30×加算率					+ – +	–
			3 歳 児			+ 53,540 +	530×加算率 +	45,890 +	450×加算率		
	106人から120人まで	1号	4歳以上児	+ 3,060 +	30×加算率					+ – +	–
			3 歳 児			+ 53,540 +	530×加算率 +	45,890 +	450×加算率		
	121人から135人まで	1号	4歳以上児	+ 3,060 +	30×加算率					+ 660 +	6×加算率
			3 歳 児			+ 53,540 +	530×加算率 +	45,890 +	450×加算率		
	136人から150人まで	1号	4歳以上児	+ 3,060 +	30×加算率					+ 600 +	6×加算率
			3 歳 児			+ 53,540 +	530×加算率 +	45,890 +	450×加算率		
	151人から180人まで	1号	4歳以上児	+ 3,060 +	30×加算率					+ 500 +	5×加算率
			3 歳 児			+ 53,540 +	530×加算率 +	45,890 +	450×加算率		
	181人から210人まで	1号	4歳以上児	+ 3,060 +	30×加算率					+ 430 +	4×加算率
			3 歳 児			+ 53,540 +	530×加算率 +	45,890 +	450×加算率		
	211人から240人まで	1号	4歳以上児	+ 3,060 +	30×加算率					+ 370 +	3×加算率
			3 歳 児			+ 53,540 +	530×加算率 +	45,890 +	450×加算率		
	241人から270人まで	1号	4歳以上児	+ 3,060 +	30×加算率					+ 330 +	3×加算率
			3 歳 児			+ 53,540 +	530×加算率 +	45,890 +	450×加算率		
	271人から300人まで	1号	4歳以上児	+ 3,060 +	30×加算率					+ 300 +	3×加算率
			3 歳 児			+ 53,540 +	530×加算率 +	45,890 +	450×加算率		
	301人以上	1号	4歳以上児	+ 3,060 +	30×加算率					+ 270 +	2×加算率
			3 歳 児			+ 53,540 +	530×加算率 +	45,890 +	450×加算率		

地域区分 ①	定員区分 ②	認定区分 ③	年齢区分 ④		チーム保育加配加算 ※加配1人当たり単価 ⑫		処遇改善等加算Ⅰ		通園送迎加算 ⑬		処遇改善等加算Ⅰ
6/100地域	15人まで	1号	4歳以上児 3　歳　児	＋	30, 590×加配人数	＋	300×加算率×加配人数	＋	3, 790	＋	30×加算率
	16人から25人まで	1号	4歳以上児 3　歳　児	＋	18, 350×加配人数	＋	180×加算率×加配人数	＋	2, 600	＋	20×加算率
	26人から35人まで	1号	4歳以上児 3　歳　児	＋	13, 110×加配人数	＋	130×加算率×加配人数	＋	2, 090	＋	20×加算率
	36人から45人まで	1号	4歳以上児 3　歳　児	＋	10, 190×加配人数	＋	100×加算率×加配人数	＋	1, 800	＋	10×加算率
	46人から60人まで	1号	4歳以上児 3　歳　児	＋	7, 640×加配人数	＋	70×加算率×加配人数	＋	1, 350	＋	10×加算率
	61人から75人まで	1号	4歳以上児 3　歳　児	＋	6, 110×加配人数	＋	60×加算率×加配人数	＋	1, 080	＋	10×加算率
	76人から90人まで	1号	4歳以上児 3　歳　児	＋	5, 090×加配人数	＋	50×加算率×加配人数	＋	900	＋	9×加算率
	91人から105人まで	1号	4歳以上児 3　歳　児	＋	4, 370×加配人数	＋	40×加算率×加配人数	＋	770	＋	7×加算率
	106人から120人まで	1号	4歳以上児 3　歳　児	＋	3, 820×加配人数	＋	30×加算率×加配人数	＋	670	＋	6×加算率
	121人から135人まで	1号	4歳以上児 3　歳　児	＋	3, 390×加配人数	＋	30×加算率×加配人数	＋	600	＋	6×加算率
	136人から150人まで	1号	4歳以上児 3　歳　児	＋	3, 050×加配人数	＋	30×加算率×加配人数	＋	540	＋	5×加算率
	151人から100人まで	1号	4歳以上児 3　歳　児	＋	2, 540×加配人数	＋	20×加算率×加配人数	＋	520	＋	5×加算率
	181人から210人まで	1号	4歳以上児 3　歳　児	＋	2, 180×加配人数	＋	20×加算率×加配人数	＋	520	＋	5×加算率
	211人から240人まで	1号	4歳以上児 3　歳　児	＋	1, 910×加配人数	＋	10×加算率×加配人数	＋	520	＋	5×加算率
	241人から270人まで	1号	4歳以上児 3　歳　児	＋	1, 690×加配人数	＋	10×加算率×加配人数	＋	520	＋	5×加算率
	271人から300人まで	1号	4歳以上児 3　歳　児	＋	1, 520×加配人数	＋	10×加算率×加配人数	＋	520	＋	5×加算率
	301人以上	1号	4歳以上児 3　歳　児	＋	1, 390×加配人数	＋	10×加算率×加配人数	＋	520	＋	5×加算率

地域区分	定員区分	認定区分	年齢区分		給食実施加算（施設内調理）				給食実施加算（外部搬入）		
①	②	③	④				処遇改善等加算Ⅰ ⑭				処遇改善等加算Ⅰ ⑭'
6/100地域	15人まで	1号	4歳以上児 3歳児	＋	2, 840 ×週当たり実施日数	＋	20 ×週当たり実施日数×加算率	＋	500 ×週当たり実施日数	＋	5 ×週当たり実施日数×加算率
	16人から25人まで	1号	4歳以上児 3歳児	＋	1, 700 ×週当たり実施日数	＋	10 ×週当たり実施日数×加算率	＋	300 ×週当たり実施日数	＋	3 ×週当たり実施日数×加算率
	26人から35人まで	1号	4歳以上児 3歳児	＋	1, 220 ×週当たり実施日数	＋	10 ×週当たり実施日数×加算率	＋	210 ×週当たり実施日数	＋	2 ×週当たり実施日数×加算率
	36人から45人まで	1号	4歳以上児 3歳児	＋	950 ×週当たり実施日数	＋	9 ×週当たり実施日数×加算率	＋	170 ×週当たり実施日数	＋	1 ×週当たり実施日数×加算率
	46人から60人まで	1号	4歳以上児 3歳児	＋	710 ×週当たり実施日数	＋	7 ×週当たり実施日数×加算率	＋	120 ×週当たり実施日数	＋	1 ×週当たり実施日数×加算率
	61人から75人まで	1号	4歳以上児 3歳児	＋	590 ×週当たり実施日数	＋	5 ×週当たり実施日数×加算率	＋	100 ×週当たり実施日数	＋	1 ×週当たり実施日数×加算率
	76人から90人まで	1号	4歳以上児 3歳児	＋	520 ×週当たり実施日数	＋	5 ×週当たり実施日数×加算率	＋	90 ×週当たり実施日数	＋	1 ×週当たり実施日数×加算率
	91人から105人まで	1号	4歳以上児 3歳児	＋	460 ×週当たり実施日数	＋	4 ×週当たり実施日数×加算率	＋	80 ×週当たり実施日数	＋	1 ×週当たり実施日数×加算率
	106人から120人まで	1号	4歳以上児 3歳児	＋	420 ×週当たり実施日数	＋	4 ×週当たり実施日数×加算率	＋	70 ×週当たり実施日数	＋	1 ×週当たり実施日数×加算率
	121人から135人まで	1号	4歳以上児 3歳児	＋	390 ×週当たり実施日数	＋	3 ×週当たり実施日数×加算率	＋	70 ×週当たり実施日数	＋	1 ×週当たり実施日数×加算率
	136人から150人まで	1号	4歳以上児 3歳児	＋	370 ×週当たり実施日数	＋	3 ×週当たり実施日数×加算率	＋	60 ×週当たり実施日数	＋	1 ×週当たり実施日数×加算率
	151人から180人まで	1号	4歳以上児 3歳児	＋	320 ×週当たり実施日数	＋	3 ×週当たり実施日数×加算率	＋	50 ×週当たり実施日数	＋	1 ×週当たり実施日数×加算率
	181人から210人まで	1号	4歳以上児 3歳児	＋	280 ×週当たり実施日数	＋	2 ×週当たり実施日数×加算率	＋	50 ×週当たり実施日数	＋	1 ×週当たり実施日数×加算率
	211人から240人まで	1号	4歳以上児 3歳児	＋	260 ×週当たり実施日数	＋	2 ×週当たり実施日数×加算率	＋	40 ×週当たり実施日数	＋	1 ×週当たり実施日数×加算率
	241人から270人まで	1号	4歳以上児 3歳児	＋	230 ×週当たり実施日数	＋	2 ×週当たり実施日数×加算率	＋	40 ×週当たり実施日数	＋	1 ×週当たり実施日数×加算率
	271人から300人まで	1号	4歳以上児 3歳児	＋	210 ×週当たり実施日数	＋	2 ×週当たり実施日数×加算率	＋	30 ×週当たり実施日数	＋	1 ×週当たり実施日数×加算率
	301人以上	1号	4歳以上児 3歳児	＋	190 ×週当たり実施日数	＋	1 ×週当たり実施日数×加算率	＋	30 ×週当たり実施日数	＋	1 ×週当たり実施日数×加算率

地域区分 ①	定員区分 ②	認定区分 ③	年齢区分 ④		外部監査費加算 ⑮		副食費徴収免除加算 ※副食費の徴収が免除される子どもの単価に加算 ⑯		年齢別配置基準を下回る場合 ⑰	定員を恒常的に超過する場合 ⑱
6/100地域	15人まで	1号	4歳以上児 3歳児	＋	27,330	＋	240 ×各月の給食実施日数	−	（30,590 ＋300×加算率）×人数	（⑤～⑰（⑯を除く。））×別に定める調整率
	16人から25人まで	1号	4歳以上児 3歳児	＋	16,800	＋	240 ×各月の給食実施日数	−	（18,350 ＋180×加算率）×人数	
	26人から35人まで	1号	4歳以上児 3歳児	＋	12,280	＋	240 ×各月の給食実施日数	−	（13,110 ＋130×加算率）×人数	
	36人から45人まで	1号	4歳以上児 3歳児	＋	9,770	＋	240 ×各月の給食実施日数	−	（10,200 ＋100×加算率）×人数	
	46人から60人まで	1号	4歳以上児 3歳児	＋	7,500	＋	240 ×各月の給食実施日数	−	（7,650 ＋70×加算率）×人数	
	61人から75人まで	1号	4歳以上児 3歳児	＋	6,130	＋	240 ×各月の給食実施日数	−	（6,120 ＋60×加算率）×人数	
	76人から90人まで	1号	4歳以上児 3歳児	＋	5,220	＋	240 ×各月の給食実施日数	−	（5,100 ＋50×加算率）×人数	
	91人から105人まで	1号	4歳以上児 3歳児	＋	4,660	＋	240 ×各月の給食実施日数	−	（4,370 ＋40×加算率）×人数	
	106人から120人まで	1号	4歳以上児 3歳児	＋	4,250	＋	240 ×各月の給食実施日数	−	（3,820 ＋30×加算率）×人数	
	121人から135人まで	1号	4歳以上児 3歳児	＋	3,920	＋	240 ×各月の給食実施日数	−	（3,400 ＋30×加算率）×人数	
	136人から150人まで	1号	4歳以上児 3歳児	＋	3,660	＋	240 ×各月の給食実施日数	−	（3,060 ＋30×加算率）×人数	
	151人から180人まで	1号	4歳以上児 3歳児	＋	3,160	＋	240 ×各月の給食実施日数	−	（2,550 ＋20×加算率）×人数	
	181人から210人まで	1号	4歳以上児 3歳児	＋	2,810	＋	240 ×各月の給食実施日数	−	（2,180 ＋20×加算率）×人数	
	211人から240人まで	1号	4歳以上児 3歳児	＋	2,540	＋	240 ×各月の給食実施日数	−	（1,910 ＋10×加算率）×人数	
	241人から270人まで	1号	4歳以上児 3歳児	＋	2,440	＋	240 ×各月の給食実施日数	−	（1,700 ＋10×加算率）×人数	
	271人から300人まで	1号	4歳以上児 3歳児	＋	2,360	＋	240 ×各月の給食実施日数	−	（1,530 ＋10×加算率）×人数	
	301人以上	1号	4歳以上児 3歳児	＋	2,150	＋	240 ×各月の給食実施日数	−	（1,390 ＋10×加算率）×人数	

地域区分 ①	定員区分 ②	認定区分 ③	年齢区分 ④	基本分単価 ⑤	（注）		処遇改善等加算Ⅰ ⑥	（注）			副園長・教頭配置加算		処遇改善等加算Ⅰ ⑦		3歳児配置改善加算		処遇改善等加算Ⅰ ⑧
3/100地域	15人まで	1号	4歳以上児	105,670	(113,120)	＋	1,030	(1,110)	×加算率	＋	6,060	＋	60×加算率	＋	(7,450)	＋	(70×加算率)
			3　歳　児	113,120		＋	1,110		×加算率					＋	7,450		70×加算率
	16人から25人まで	1号	4歳以上児	65,210	(72,660)	＋	630	(700)	×加算率	＋	3,630	＋	30×加算率	＋	(7,450)	＋	(70×加算率)
			3　歳　児	72,660		＋	700		×加算率					＋	7,450		70×加算率
	26人から35人まで	1号	4歳以上児	47,880	(55,330)	＋	450	(530)	×加算率	＋	2,590	＋	20×加算率	＋	(7,450)	＋	(70×加算率)
			3　歳　児	55,330		＋	530		×加算率					＋	7,450		70×加算率
	36人から45人まで	1号	4歳以上児	48,240	(55,690)	＋	460	(530)	×加算率	＋	2,020	＋	20×加算率	＋	(7,450)	＋	(70×加算率)
			3　歳　児	55,690		＋	530		×加算率					＋	7,450		70×加算率
	46人から60人まで	1号	4歳以上児	44,740	(52,190)	＋	420	(500)	×加算率	＋	1,510	＋	10×加算率	＋	(7,450)	＋	(70×加算率)
			3　歳　児	52,190		＋	500		×加算率					＋	7,450		70×加算率
	61人から75人まで	1号	4歳以上児	39,710	(47,160)	＋	370	(450)	×加算率	＋	1,210	＋	10×加算率	＋	(7,450)	＋	(70×加算率)
			3　歳　児	47,160		＋	450		×加算率					＋	7,450		70×加算率
	76人から90人まで	1号	4歳以上児	36,320	(43,770)	＋	340	(410)	×加算率	＋	1,010	＋	10×加算率	＋	(7,450)	＋	(処遇改善等加算)
			3　歳　児	43,770		＋	410		×加算率					＋	7,450		70×加算率
	91人から105人まで	1号	4歳以上児	33,900	(41,350)	＋	310	(390)	×加算率	＋	860	＋	8×加算率	＋	(7,450)	＋	(70×加算率)
			3　歳　児	41,350		＋	390		×加算率					＋	7,450		70×加算率
	106人から120人まで	1号	4歳以上児	32,110	(39,560)	＋	300	(370)	×加算率	＋	750	＋	7×加算率	＋	(7,450)	＋	(70×加算率)
			3　歳　児	39,560		＋	370		×加算率					＋	7,450		70×加算率
	121人から135人まで	1号	4歳以上児	30,700	(38,150)	＋	280	(360)	×加算率	＋	670	＋	6×加算率	＋	(7,450)	＋	(70×加算率)
			3　歳　児	38,150		＋	360		×加算率					＋	7,450		70×加算率
	136人から150人まで	1号	4歳以上児	29,590	(37,040)	＋	270	(350)	×加算率	＋	600	＋	6×加算率	＋	(7,450)	＋	(70×加算率)
			3　歳　児	37,040		＋	350		×加算率					＋	7,450		70×加算率
	151人から180人まで	1号	4歳以上児	27,900	(35,350)	＋	250	(330)	×加算率	＋	500	＋	5×加算率	＋	(7,450)	＋	(70×加算率)
			3　歳　児	35,350		＋	330		×加算率					＋	7,450		70×加算率
	181人から210人まで	1号	4歳以上児	26,690	(34,140)	＋	240	(320)	×加算率	＋	430	＋	4×加算率	＋	(7,450)	＋	(70×加算率)
			3　歳　児	34,140		＋	320		×加算率					＋	7,450		70×加算率
	211人から240人まで	1号	4歳以上児	25,790	(33,240)	＋	230	(310)	×加算率	＋	370	＋	3×加算率	＋	(7,450)	＋	(70×加算率)
			3　歳　児	33,240		＋	310		×加算率					＋	7,450		70×加算率
	241人から270人まで	1号	4歳以上児	25,090	(32,540)	＋	230	(300)	×加算率	＋	330	＋	3×加算率	＋	(7,450)	＋	(70×加算率)
			3　歳　児	32,540		＋	300		×加算率					＋	7,450		70×加算率
	271人から300人まで	1号	4歳以上児	24,530	(31,980)	＋	220	(300)	×加算率	＋	300	＋	3×加算率	＋	(7,450)	＋	(70×加算率)
			3　歳　児	31,980		＋	300		×加算率					＋	7,450		70×加算率
	301人以上	1号	4歳以上児	22,720	(30,170)	＋	200	(280)	×加算率	＋	270	＋	2×加算率	＋	(7,450)	＋	(70×加算率)
			3　歳　児	30,170		＋	280		×加算率					＋	7,450		70×加算率

地域区分 ①	定員区分 ②	認定区分 ③	年齢区分 ④	4歳以上児配置改善加算 ⑨	処遇改善等加算Ⅰ	満3歳児対応加配加算(3歳児配置改善加算無し) ⑩	処遇改善等加算Ⅰ	満3歳児対応加配加算(3歳児配置改善加算有り) ⑩'	処遇改善等加算Ⅰ	講師配置加算 ⑪	処遇改善等加算Ⅰ
3/100地域	15人まで	1号	4歳以上児	+ 2,980	+ 20×加算率					+ 6,010	+ 60×加算率
			3歳児			+ 52,170	+ 520×加算率	+ 44,720	+ 440×加算率		
	16人から25人まで	1号	4歳以上児	+ 2,980	+ 20×加算率					+ 3,600	+ 30×加算率
			3歳児			+ 52,170	+ 520×加算率	+ 44,720	+ 440×加算率		
	26人から35人まで	1号	4歳以上児	+ 2,980	+ 20×加算率					+ 2,570	+ 20×加算率
			3歳児			+ 52,170	+ 520×加算率	+ 44,720	+ 440×加算率		
	36人から45人まで	1号	4歳以上児	+ 2,980	+ 20×加算率					+ －	+ －
			3歳児			+ 52,170	+ 520×加算率	+ 44,720	+ 440×加算率		
	46人から60人まで	1号	4歳以上児	+ 2,980	+ 20×加算率					+ －	+ －
			3歳児			+ 52,170	+ 520×加算率	+ 44,720	+ 440×加算率		
	61人から75人まで	1号	4歳以上児	+ 2,980	+ 20×加算率					+ －	+ －
			3歳児			+ 52,170	+ 520×加算率	+ 44,720	+ 440×加算率		
	76人から90人まで	1号	4歳以上児	+ 2,980	+ 20×加算率					+ －	+ －
			3歳児			+ 52,170	+ 520×加算率	+ 44,720	+ 440×加算率		
	91人から105人まで	1号	4歳以上児	+ 2,980	+ 20×加算率					+ －	+ －
			3歳児			+ 52,170	+ 520×加算率	+ 44,720	+ 440×加算率		
	106人から120人まで	1号	4歳以上児	+ 2,980	+ 20×加算率					+ －	+ －
			3歳児			+ 52,170	+ 520×加算率	+ 44,720	+ 440×加算率		
	121人から135人まで	1号	4歳以上児	+ 2,980	+ 20×加算率					+ 660	+ 6×加算率
			3歳児			+ 52,170	+ 520×加算率	+ 44,720	+ 440×加算率		
	136人から150人まで	1号	4歳以上児	+ 2,980	+ 20×加算率					+ 600	+ 6×加算率
			3歳児			+ 52,170	+ 520×加算率	+ 44,720	+ 440×加算率		
	151人から180人まで	1号	4歳以上児	+ 2,980	+ 20×加算率					+ 500	+ 5×加算率
			3歳児			+ 52,170	+ 520×加算率	+ 44,720	+ 440×加算率		
	181人から210人まで	1号	4歳以上児	+ 2,980	+ 20×加算率					+ 430	+ 4×加算率
			3歳児			+ 52,170	+ 520×加算率	+ 44,720	+ 440×加算率		
	211人から240人まで	1号	4歳以上児	+ 2,980	+ 20×加算率					+ 370	+ 3×加算率
			3歳児			+ 52,170	+ 520×加算率	+ 44,720	+ 440×加算率		
	241人から270人まで	1号	4歳以上児	+ 2,980	+ 20×加算率					+ 330	+ 3×加算率
			3歳児			+ 52,170	+ 520×加算率	+ 44,720	+ 440×加算率		
	271人から300人まで	1号	4歳以上児	+ 2,980	+ 20×加算率					+ 300	+ 3×加算率
			3歳児			+ 52,170	+ 520×加算率	+ 44,720	+ 440×加算率		
	301人以上	1号	4歳以上児	+ 2,980	+ 20×加算率					+ 270	+ 2×加算率
			3歳児			+ 52,170	+ 520×加算率	+ 44,720	+ 440×加算率		

地域区分 ①	定員区分 ②	認定区分 ③	年齢区分 ④		チーム保育加配加算 ※加配1人当たり単価 ⑫		処遇改善等加算Ⅰ		通園送迎加算 ⑬		処遇改善等加算Ⅰ
3/100 地域	15人 まで	1号	4歳以上児	＋	29, 810×加配人数	＋	290×加算率×加配人数	＋	3, 790	＋	30×加算率
			3　歳　児								
	16人 から 25人 まで	1号	4歳以上児	＋	17, 880×加配人数	＋	170×加算率×加配人数	＋	2, 600	＋	20×加算率
			3　歳　児								
	26人 から 35人 まで	1号	4歳以上児	＋	12, 770×加配人数	＋	120×加算率×加配人数	＋	2, 090	＋	20×加算率
			3　歳　児								
	36人 から 45人 まで	1号	4歳以上児	＋	9, 930×加配人数	＋	90×加算率×加配人数	＋	1, 800	＋	10×加算率
			3　歳　児								
	46人 から 60人 まで	1号	4歳以上児	＋	7, 450×加配人数	＋	70×加算率×加配人数	＋	1, 350	＋	10×加算率
			3　歳　児								
	61人 から 75人 まで	1号	4歳以上児	＋	5, 960×加配人数	＋	50×加算率×加配人数	＋	1, 080	＋	10×加算率
			3　歳　児								
	76人 から 90人 まで	1号	4歳以上児	＋	4, 960×加配人数	＋	40×加算率×加配人数	＋	900	＋	9×加算率
			3　歳　児								
	91人 から 105人 まで	1号	4歳以上児	＋	4, 250×加配人数	＋	40×加算率×加配人数	＋	770	＋	7×加算率
			3　歳　児								
	106人 から 120人 まで	1号	4歳以上児	＋	3, 720×加配人数	＋	30×加算率×加配人数	＋	670	＋	6×加算率
			3　歳　児								
	121人 から 135人 まで	1号	4歳以上児	＋	3, 310×加配人数	＋	30×加算率×加配人数	＋	600	＋	6×加算率
			3　歳　児								
	136人 から 150人 まで	1号	4歳以上児	＋	2, 980×加配人数	＋	20×加算率×加配人数	＋	540	＋	5×加算率
			3　歳　児								
	151人 から 180人 まで	1号	4歳以上児	＋	2, 480×加配人数	＋	20×加算率×加配人数	＋	520	＋	5×加算率
			3　歳　児								
	181人 から 210人 まで	1号	4歳以上児	＋	2, 120×加配人数	＋	20×加算率×加配人数	＋	520	＋	5×加算率
			3　歳　児								
	211人 から 240人 まで	1号	4歳以上児	＋	1, 860×加配人数	＋	10×加算率×加配人数	＋	520	＋	5×加算率
			3　歳　児								
	241人 から 270人 まで	1号	4歳以上児	＋	1, 650×加配人数	＋	10×加算率×加配人数	＋	520	＋	5×加算率
			3　歳　児								
	271人 から 300人 まで	1号	4歳以上児	＋	1, 490×加配人数	＋	10×加算率×加配人数	＋	520	＋	5×加算率
			3　歳　児								
	301人 以上	1号	4歳以上児	＋	1, 350×加配人数	＋	10×加算率×加配人数	＋	520	＋	5×加算率
			3　歳　児								

地域区分 ①	定員区分 ②	認定区分 ③	年齢区分 ④		給食実施加算（施設内調理）		処遇改善等加算Ⅰ ⑭		給食実施加算（外部搬入）		処遇改善等加算Ⅰ ⑭'
3/100 地域	15人 まで	1号	4歳以上児 3　歳　児	＋	2, 840 ×週当たり実施日数	＋	20 ×週当たり実施日数×加算率	＋	500 ×週当たり実施日数	＋	5 ×週当たり実施日数×加算率
	16人 から 25人 まで	1号	4歳以上児 3　歳　児	＋	1, 700 ×週当たり実施日数	＋	10 ×週当たり実施日数×加算率	＋	300 ×週当たり実施日数	＋	3 ×週当たり実施日数×加算率
	26人 から 35人 まで	1号	4歳以上児 3　歳　児	＋	1, 220 ×週当たり実施日数	＋	10 ×週当たり実施日数×加算率	＋	210 ×週当たり実施日数	＋	2 ×週当たり実施日数×加算率
	36人 から 45人 まで	1号	4歳以上児 3　歳　児	＋	950 ×週当たり実施日数	＋	9 ×週当たり実施日数×加算率	＋	170 ×週当たり実施日数	＋	1 ×週当たり実施日数×加算率
	46人 から 60人 まで	1号	4歳以上児 3　歳　児	＋	710 ×週当たり実施日数	＋	7 ×週当たり実施日数×加算率	＋	120 ×週当たり実施日数	＋	1 ×週当たり実施日数×加算率
	61人 から 75人 まで	1号	4歳以上児 3　歳　児	＋	590 ×週当たり実施日数	＋	5 ×週当たり実施日数×加算率	＋	100 ×週当たり実施日数	＋	1 ×週当たり実施日数×加算率
	76人 から 90人 まで	1号	4歳以上児 3　歳　児	＋	520 ×週当たり実施日数	＋	5 ×週当たり実施日数×加算率	＋	90 ×週当たり実施日数	＋	1 ×週当たり実施日数×加算率
	91人 から 105人 まで	1号	4歳以上児 3　歳　児	＋	460 ×週当たり実施日数	＋	4 ×週当たり実施日数×加算率	＋	80 ×週当たり実施日数	＋	1 ×週当たり実施日数×加算率
	106人 から 120人 まで	1号	4歳以上児 3　歳　児	＋	420 ×週当たり実施日数	＋	4 ×週当たり実施日数×加算率	＋	70 ×週当たり実施日数	＋	1 ×週当たり実施日数×加算率
	121人 から 135人 まで	1号	4歳以上児 3　歳　児	＋	390 ×週当たり実施日数	＋	3 ×週当たり実施日数×加算率	＋	70 ×週当たり実施日数	＋	1 ×週当たり実施日数×加算率
	136人 から 150人 まで	1号	4歳以上児 3　歳　児	＋	370 ×週当たり実施日数	＋	3 ×週当たり実施日数×加算率	＋	60 ×週当たり実施日数	＋	1 ×週当たり実施日数×加算率
	151人 から 180人 まで	1号	4歳以上児 3　歳　児	＋	320 ×週当たり実施日数	＋	3 ×週当たり実施日数×加算率	＋	50 ×週当たり実施日数	＋	1 ×週当たり実施日数×加算率
	181人 から 210人 まで	1号	4歳以上児 3　歳　児	＋	280 ×週当たり実施日数	＋	2 ×週当たり実施日数×加算率	＋	50 ×週当たり実施日数	＋	1 ×週当たり実施日数×加算率
	211人 から 240人 まで	1号	4歳以上児 3　歳　児	＋	260 ×週当たり実施日数	＋	2 ×週当たり実施日数×加算率	＋	40 ×週当たり実施日数	＋	1 ×週当たり実施日数×加算率
	241人 から 270人 まで	1号	4歳以上児 3　歳　児	＋	230 ×週当たり実施日数	＋	2 ×週当たり実施日数×加算率	＋	40 ×週当たり実施日数	＋	1 ×週当たり実施日数×加算率
	271人 から 300人 まで	1号	4歳以上児 3　歳　児	＋	210 ×週当たり実施日数	＋	2 ×週当たり実施日数×加算率	＋	30 ×週当たり実施日数	＋	1 ×週当たり実施日数×加算率
	301人 以上	1号	4歳以上児 3　歳　児	＋	190 ×週当たり実施日数	＋	1 ×週当たり実施日数×加算率	＋	30 ×週当たり実施日数	＋	1 ×週当たり実施日数×加算率

地域区分 ①	定員区分 ②	認定区分 ③	年齢区分 ④		外部監査費加算 ⑮		副食費徴収免除加算 ※副食費の徴収が免除される子どもの単価に加算 ⑯		年齢別配置基準を下回る場合 ⑰	定員を恒常的に超過する場合 ⑱
	15人まで	1号	4歳以上児 3歳児	＋	27, 330	＋	240 ×各月の給食実施日数	−	(29, 810 ＋290×加算率)×人数	
	16人から25人まで	1号	4歳以上児 3歳児	＋	16, 800	＋	240 ×各月の給食実施日数	−	(17, 880 ＋170×加算率)×人数	
	26人から35人まで	1号	4歳以上児 3歳児	＋	12, 280	＋	240 ×各月の給食実施日数	−	(12, 770 ＋120×加算率)×人数	
	36人から45人まで	1号	4歳以上児 3歳児	＋	9, 770	＋	240 ×各月の給食実施日数	−	(9, 930 ＋90×加算率)×人数	
	46人から60人まで	1号	4歳以上児 3歳児	＋	7, 500	＋	240 ×各月の給食実施日数	−	(7, 450 ＋70×加算率)×人数	
	61人から75人まで	1号	4歳以上児 3歳児	＋	6, 130	＋	240 ×各月の給食実施日数	−	(5, 960 ＋60×加算率)×人数	
	76人から90人まで	1号	4歳以上児 3歳児	＋	5, 220	＋	240 ×各月の給食実施日数	−	(4, 960 ＋50×加算率)×人数	
	91人から105人まで	1号	4歳以上児 3歳児	＋	4, 660	＋	240 ×各月の給食実施日数	−	(4, 250 ＋40×加算率)×人数	
3/100地域	106人から120人まで	1号	4歳以上児 3歳児	＋	4, 250	＋	240 ×各月の給食実施日数	−	(3, 720 ＋30×加算率)×人数	(⑤〜⑰(⑯を除く。))×別に定める調整率
	121人から135人まで	1号	4歳以上児 3歳児	＋	3, 920	＋	240 ×各月の給食実施日数	−	(3, 310 ＋30×加算率)×人数	
	136人から150人まで	1号	4歳以上児 3歳児	＋	3, 660	＋	240 ×各月の給食実施日数	−	(2, 980 ＋30×加算率)×人数	
	151人から180人まで	1号	4歳以上児 3歳児	＋	3, 160	＋	240 ×各月の給食実施日数	−	(2, 480 ＋20×加算率)×人数	
	181人から210人まで	1号	4歳以上児 3歳児	＋	2, 810	＋	240 ×各月の給食実施日数	−	(2, 130 ＋20×加算率)×人数	
	211人から240人まで	1号	4歳以上児 3歳児	＋	2, 540	＋	240 ×各月の給食実施日数	−	(1, 860 ＋10×加算率)×人数	
	241人から270人まで	1号	4歳以上児 3歳児	＋	2, 440	＋	240 ×各月の給食実施日数	−	(1, 650 ＋10×加算率)×人数	
	271人から300人まで	1号	4歳以上児 3歳児	＋	2, 360	＋	240 ×各月の給食実施日数	−	(1, 490 ＋10×加算率)×人数	
	301人以上	1号	4歳以上児 3歳児	＋	2, 150	＋	240 ×各月の給食実施日数	−	(1, 350 ＋10×加算率)×人数	

地域区分 ①	定員区分 ②	認定区分 ③	年齢区分 ④	基本分単価 ⑤	（注）		処遇改善等加算Ⅰ ⑥	（注）			副園長・教頭配置加算 ⑦		処遇改善等加算Ⅰ		3歳児配置改善加算 ⑧		処遇改善等加算Ⅰ
その他地域	15人まで	1号	4歳以上児	103, 010	(110, 260)	+	1, 010	(1, 080)	×加算率	+	5, 870	+	50×加算率	+	(7, 250)	+	(70×加算率)
			3　歳　児	110, 260		+	1, 080		×加算率					+	7, 250		70×加算率
	16人から25人まで	1号	4歳以上児	63, 620	(70, 870)	+	610	(680)	×加算率	+	3, 520	+	30×加算率	+	(7, 250)	+	(70×加算率)
			3　歳　児	70, 870		+	680		×加算率					+	7, 250		70×加算率
	26人から35人まで	1号	4歳以上児	46, 740	(53, 990)	+	440	(520)	×加算率	+	2, 510	+	20×加算率	+	(7, 250)	+	(70×加算率)
			3　歳　児	53, 990		+	520		×加算率					+	7, 250		70×加算率
	36人から45人まで	1号	4歳以上児	47, 100	(54, 350)	+	450	(520)	×加算率	+	1, 950	+	10×加算率	+	(7, 250)	+	(70×加算率)
			3　歳　児	54, 350		+	520		×加算率					+	7, 250		70×加算率
	46人から60人まで	1号	4歳以上児	43, 680	(50, 930)	+	410	(490)	×加算率	+	1, 460	+	10×加算率	+	(7, 250)	+	(70×加算率)
			3　歳　児	50, 930		+	490		×加算率					+	7, 250		70×加算率
	61人から75人まで	1号	4歳以上児	38, 790	(46, 040)	+	360	(440)	×加算率	+	1, 170	+	10×加算率	+	(7, 250)	+	(70×加算率)
			3　歳　児	46, 040		+	440		×加算率					+	7, 250		70×加算率
	76人から90人まで	1号	4歳以上児	35, 490	(42, 740)	+	330	(400)	×加算率	+	970	+	9×加算率	+	(7, 250)	+	(70×加算率)
			3　歳　児	42, 740		+	400		×加算率					+	7, 250		70×加算率
	91人から105人まで	1号	4歳以上児	33, 130	(40, 380)	+	310	(380)	×加算率	+	830	+	8×加算率	+	(7, 250)	+	(70×加算率)
			3　歳　児	40, 380		+	380		×加算率					+	7, 250		70×加算率
	106人から120人まで	1号	4歳以上児	31, 390	(38, 640)	+	290	(360)	×加算率	+	730	+	7×加算率	+	(7, 250)	+	(70×加算率)
			3　歳　児	38, 640		+	360		×加算率					+	7, 250		70×加算率
	121人から135人まで	1号	4歳以上児	30, 010	(37, 260)	+	280	(350)	×加算率	+	650	+	6×加算率	+	(7, 250)	+	(70×加算率)
			3　歳　児	37, 260		+	350		×加算率					+	7, 250		70×加算率
	136人から150人まで	1号	4歳以上児	28, 930	(36, 180)	+	270	(340)	×加算率	+	580	+	5×加算率	+	(7, 250)	+	(70×加算率)
			3　歳　児	36, 180		+	340		×加算率					+	7, 250		70×加算率
	151人から180人まで	1号	4歳以上児	27, 290	(34, 540)	+	250	(320)	×加算率	+	480	+	4×加算率	+	(7, 250)	+	(70×加算率)
			3　歳　児	34, 540		+	320		×加算率					+	7, 250		70×加算率
	181人から210人まで	1号	4歳以上児	26, 100	(33, 350)	+	240	(310)	×加算率	+	410	+	4×加算率	+	(7, 250)	+	(70×加算率)
			3　歳　児	33, 350		+	310		×加算率					+	7, 250		70×加算率
	211人から240人まで	1号	4歳以上児	25, 230	(32, 480)	+	230	(300)	×加算率	+	360	+	3×加算率	+	(7, 250)	+	(70×加算率)
			3　歳　児	32, 480		+	300		×加算率					+	7, 250		70×加算率
	241人から270人まで	1号	4歳以上児	24, 550	(31, 800)	+	220	(290)	×加算率	+	320	+	3×加算率	+	(7, 250)	+	(70×加算率)
			3　歳　児	31, 800		+	290		×加算率					+	7, 250		70×加算率
	271人から300人まで	1号	4歳以上児	24, 000	(31, 250)	+	220	(290)	×加算率	+	290	+	2×加算率	+	(7, 250)	+	(70×加算率)
			3　歳　児	31, 250		+	290		×加算率					+	7, 250		70×加算率
	301人以上	1号	4歳以上児	22, 240	(29, 490)	+	200	(270)	×加算率	+	260	+	2×加算率	+	(7, 250)	+	(70×加算率)
			3　歳　児	29, 490		+	270		×加算率					+	7, 250		70×加算率

地域区分 ①	定員区分 ②	認定区分 ③	年齢区分 ④	4歳以上児配置改善加算 ⑨	処遇改善等加算Ⅰ	満3歳児対応加配加算(3歳児配置改善加算無し) ⑩	処遇改善等加算Ⅰ	満3歳児対応加配加算(3歳児配置改善加算有り) ⑩'	処遇改善等加算Ⅰ	講師配置加算 ⑪	処遇改善等加算Ⅰ
その他地域	15人まで	1号	4歳以上児	＋ 2,900	＋ 20×加算率					＋ 6,010	＋ 60×加算率
			3 歳 児			＋ 50,800	＋ 500×加算率	＋ 43,550	＋ 430×加算率		
	16人から25人まで	1号	4歳以上児	＋ 2,900	＋ 20×加算率					＋ 3,600	＋ 30×加算率
			3 歳 児			＋ 50,800	＋ 500×加算率	＋ 43,550	＋ 430×加算率		
	26人から35人まで	1号	4歳以上児	＋ 2,900	＋ 20×加算率					＋ 2,570	＋ 20×加算率
			3 歳 児			＋ 50,800	＋ 500×加算率	＋ 43,550	＋ 430×加算率		
	36人から45人まで	1号	4歳以上児	＋ 2,900	＋ 20×加算率					＋ －	＋ －
			3 歳 児			＋ 50,800	＋ 500×加算率	＋ 43,550	＋ 430×加算率		
	46人から60人まで	1号	4歳以上児	＋ 2,900	＋ 20×加算率					＋ －	＋ －
			3 歳 児			＋ 50,800	＋ 500×加算率	＋ 43,550	＋ 430×加算率		
	61人から75人まで	1号	4歳以上児	＋ 2,900	＋ 20×加算率					＋ －	＋ －
			3 歳 児			＋ 50,800	＋ 500×加算率	＋ 43,550	＋ 430×加算率		
	76人から90人まで	1号	4歳以上児	＋ 2,900	＋ 20×加算率					＋ －	＋ －
			3 歳 児			＋ 50,800	＋ 500×加算率	＋ 43,550	＋ 430×加算率		
	91人から105人まで	1号	4歳以上児	＋ 2,900	＋ 20×加算率					＋ －	＋ －
			3 歳 児			＋ 50,800	＋ 500×加算率	＋ 43,550	＋ 430×加算率		
	106人から120人まで	1号	4歳以上児	＋ 2,900	＋ 20×加算率					＋ －	＋ －
			3 歳 児			＋ 50,800	＋ 500×加算率	＋ 43,550	＋ 430×加算率		
	121人から135人まで	1号	4歳以上児	＋ 2,900	＋ 20×加算率					＋ 660	＋ 6×加算率
			3 歳 児			＋ 50,800	＋ 500×加算率	＋ 43,550	＋ 430×加算率		
	136人から150人まで	1号	4歳以上児	＋ 2,900	＋ 20×加算率					＋ 600	＋ 6×加算率
			3 歳 児			＋ 50,800	＋ 500×加算率	＋ 43,550	＋ 430×加算率		
	151人から180人まで	1号	4歳以上児	＋ 2,900	＋ 20×加算率					＋ 500	＋ 5×加算率
			3 歳 児			＋ 50,800	＋ 500×加算率	＋ 43,550	＋ 430×加算率		
	181人から210人まで	1号	4歳以上児	＋ 2,900	＋ 20×加算率					＋ 430	＋ 4×加算率
			3 歳 児			＋ 50,800	＋ 500×加算率	＋ 43,550	＋ 430×加算率		
	211人から240人まで	1号	4歳以上児	＋ 2,900	＋ 20×加算率					＋ 370	＋ 3×加算率
			3 歳 児			＋ 50,800	＋ 500×加算率	＋ 43,550	＋ 430×加算率		
	241人から270人まで	1号	4歳以上児	＋ 2,900	＋ 20×加算率					＋ 330	＋ 3×加算率
			3 歳 児			＋ 50,800	＋ 500×加算率	＋ 43,550	＋ 430×加算率		
	271人から300人まで	1号	4歳以上児	＋ 2,900	＋ 20×加算率					＋ 300	＋ 3×加算率
			3 歳 児			＋ 50,800	＋ 500×加算率	＋ 43,550	＋ 430×加算率		
	301人以上	1号	4歳以上児	＋ 2,900	＋ 20×加算率					＋ 270	＋ 2×加算率
			3 歳 児			＋ 50,800	＋ 500×加算率	＋ 43,550	＋ 430×加算率		

地域区分 ①	定員区分 ②	認定区分 ③	年齢区分 ④		チーム保育加配加算 ※加配1人当たり単価 ⑫		処遇改善等加算Ⅰ		通園送迎加算 ⑬		処遇改善等加算Ⅰ
その他地域	15人まで	1号	4歳以上児 3　歳　児	＋	29,020×加配人数	＋	290×加算率×加配人数	＋	3,790	＋	30×加算率
	16人から25人まで	1号	4歳以上児 3　歳　児	＋	17,410×加配人数	＋	170×加算率×加配人数	＋	2,600	＋	20×加算率
	26人から35人まで	1号	4歳以上児 3　歳　児	＋	12,440×加配人数	＋	120×加算率×加配人数	＋	2,090	＋	20×加算率
	36人から45人まで	1号	4歳以上児 3　歳　児	＋	9,670×加配人数	＋	90×加算率×加配人数	＋	1,800	＋	10×加算率
	46人から60人まで	1号	4歳以上児 3　歳　児	＋	7,250×加配人数	＋	70×加算率×加配人数	＋	1,350	＋	10×加算率
	61人から75人まで	1号	4歳以上児 3　歳　児	＋	5,800×加配人数	＋	50×加算率×加配人数	＋	1,080	＋	10×加算率
	76人から90人まで	1号	4歳以上児 3　歳　児	＋	4,830×加配人数	＋	40×加算率×加配人数	＋	900	＋	9×加算率
	91人から105人まで	1号	4歳以上児 3　歳　児	＋	4,140×加配人数	＋	40×加算率×加配人数	＋	770	＋	7×加算率
	106人から120人まで	1号	4歳以上児 3　歳　児	＋	3,620×加配人数	＋	30×加算率×加配人数	＋	670	＋	6×加算率
	121人から135人まで	1号	4歳以上児 3　歳　児	＋	3,220×加配人数	＋	30×加算率×加配人数	＋	600	＋	6×加算率
	136人から150人まで	1号	4歳以上児 3　歳　児	＋	2,900×加配人数	＋	20×加算率×加配人数	＋	540	＋	5×加算率
	151人から180人まで	1号	4歳以上児 3　歳　児	＋	2,410×加配人数	＋	20×加算率×加配人数	＋	520	＋	5×加算率
	181人から210人まで	1号	4歳以上児 3　歳　児	＋	2,070×加配人数	＋	20×加算率×加配人数	＋	520	＋	5×加算率
	211人から240人まで	1号	4歳以上児 3　歳　児	＋	1,810×加配人数	＋	10×加算率×加配人数	＋	520	＋	5×加算率
	241人から270人まで	1号	4歳以上児 3　歳　児	＋	1,610×加配人数	＋	10×加算率×加配人数	＋	520	＋	5×加算率
	271人から300人まで	1号	4歳以上児 3　歳　児	＋	1,450×加配人数	＋	10×加算率×加配人数	＋	520	＋	5×加算率
	301人以上	1号	4歳以上児 3　歳　児	＋	1,310×加配人数	＋	10×加算率×加配人数	＋	520	＋	5×加算率

地域区分 ①	定員区分 ②	認定区分 ③	年齢区分 ④		給食実施加算（施設内調理）		処遇改善等加算Ⅰ ⑭		給食実施加算（外部搬入）		処遇改善等加算Ⅰ ⑭'
その他地域	15人まで	1号	4 歳以上児 3 歳 児	＋	2,840 ×週当たり実施日数	＋	20 ×週当たり実施日数×加算率	＋	500 ×週当たり実施日数	＋	5 ×週当たり実施日数×加算率
	16人から25人まで	1号	4 歳以上児 3 歳 児	＋	1,700 ×週当たり実施日数	＋	10 ×週当たり実施日数×加算率	＋	300 ×週当たり実施日数	＋	3 ×週当たり実施日数×加算率
	26人から35人まで	1号	4 歳以上児 3 歳 児	＋	1,220 ×週当たり実施日数	＋	10 ×週当たり実施日数×加算率	＋	210 ×週当たり実施日数	＋	2 ×週当たり実施日数×加算率
	36人から45人まで	1号	4 歳以上児 3 歳 児	＋	950 ×週当たり実施日数	＋	9 ×週当たり実施日数×加算率	＋	170 ×週当たり実施日数	＋	1 ×週当たり実施日数×加算率
	46人から60人まで	1号	4 歳以上児 3 歳 児	＋	710 ×週当たり実施日数	＋	7 ×週当たり実施日数×加算率	＋	120 ×週当たり実施日数	＋	1 ×週当たり実施日数×加算率
	61人から75人まで	1号	4 歳以上児 3 歳 児	＋	590 ×週当たり実施日数	＋	5 ×週当たり実施日数×加算率	＋	100 ×週当たり実施日数	＋	1 ×週当たり実施日数×加算率
	76人から90人まで	1号	4 歳以上児 3 歳 児	＋	520 ×週当たり実施日数	＋	5 ×週当たり実施日数×加算率	＋	90 ×週当たり実施日数	＋	1 ×週当たり実施日数×加算率
	91人から105人まで	1号	4 歳以上児 3 歳 児	＋	460 ×週当たり実施日数	＋	4 ×週当たり実施日数×加算率	＋	80 ×週当たり実施日数	＋	1 ×週当たり実施日数×加算率
	106人から120人まで	1号	4 歳以上児 3 歳 児	＋	420 ×週当たり実施日数	＋	4 ×週当たり実施日数×加算率	＋	70 ×週当たり実施日数	＋	1 ×週当たり実施日数×加算率
	121人から135人まで	1号	4 歳以上児 3 歳 児	＋	390 ×週当たり実施日数	＋	3 ×週当たり実施日数×加算率	＋	70 ×週当たり実施日数	＋	1 ×週当たり実施日数×加算率
	136人から150人まで	1号	4 歳以上児 3 歳 児	＋	370 ×週当たり実施日数	＋	3 ×週当たり実施日数×加算率	＋	60 ×週当たり実施日数	＋	1 ×週当たり実施日数×加算率
	151人から180人まで	1号	4 歳以上児 3 歳 児	＋	320 ×週当たり実施日数	＋	3 ×週当たり実施日数×加算率	＋	50 ×週当たり実施日数	＋	1 ×週当たり実施日数×加算率
	181人から210人まで	1号	4 歳以上児 3 歳 児	＋	280 ×週当たり実施日数	＋	2 ×週当たり実施日数×加算率	＋	50 ×週当たり実施日数	＋	1 ×週当たり実施日数×加算率
	211人から240人まで	1号	4 歳以上児 3 歳 児	＋	260 ×週当たり実施日数	＋	2 ×週当たり実施日数×加算率	＋	40 ×週当たり実施日数	＋	1 ×週当たり実施日数×加算率
	241人から270人まで	1号	4 歳以上児 3 歳 児	＋	230 ×週当たり実施日数	＋	2 ×週当たり実施日数×加算率	＋	40 ×週当たり実施日数	＋	1 ×週当たり実施日数×加算率
	271人から300人まで	1号	4 歳以上児 3 歳 児	＋	210 ×週当たり実施日数	＋	2 ×週当たり実施日数×加算率	＋	30 ×週当たり実施日数	＋	1 ×週当たり実施日数×加算率
	301人以上	1号	4 歳以上児 3 歳 児	＋	190 ×週当たり実施日数	＋	1 ×週当たり実施日数×加算率	＋	30 ×週当たり実施日数	＋	1 ×週当たり実施日数×加算率

地域区分 ①	定員区分 ②	認定区分 ③	年齢区分 ④		外部監査費加算 ⑮		副食費徴収免除加算 ※副食費の徴収が免除される子どもの単価に加算 ⑯		年齢別配置基準を下回る場合 ⑰	定員を恒常的に超過する場合 ⑱
	15人まで	1号	4歳以上児 3歳児	＋	27,330	＋	240 ×各月の給食実施日数	−	(29,020 ＋290×加算率)×人数	
	16人から25人まで	1号	4歳以上児 3歳児	＋	16,800	＋	240 ×各月の給食実施日数	−	(17,410 ＋170×加算率)×人数	
	26人から35人まで	1号	4歳以上児 3歳児	＋	12,280	＋	240 ×各月の給食実施日数	−	(12,440 ＋120×加算率)×人数	
	36人から45人まで	1号	4歳以上児 3歳児	＋	9,770	＋	240 ×各月の給食実施日数	−	(9,670 ＋90×加算率)×人数	
	46人から60人まで	1号	4歳以上児 3歳児	＋	7,500	＋	240 ×各月の給食実施日数	−	(7,250 ＋70×加算率)×人数	
	61人から75人まで	1号	4歳以上児 3歳児	＋	6,130	＋	240 ×各月の給食実施日数	−	(5,800 ＋50×加算率)×人数	
	76人から90人まで	1号	4歳以上児 3歳児	＋	5,220	＋	240 ×各月の給食実施日数	−	(4,830 ＋40×加算率)×人数	
	91人から105人まで	1号	4歳以上児 3歳児	＋	4,660	＋	240 ×各月の給食実施日数	−	(4,140 ＋40×加算率)×人数	
その他地域	106人から120人まで	1号	4歳以上児 3歳児	＋	4,250	＋	240 ×各月の給食実施日数	−	(3,620 ＋30×加算率)×人数	(⑤～⑰（⑯を除く。））×別に定める調整率
	121人から135人まで	1号	4歳以上児 3歳児	＋	3,920	＋	240 ×各月の給食実施日数	−	(3,220 ＋30×加算率)×人数	
	136人から150人まで	1号	4歳以上児 3歳児	＋	3,660	＋	240 ×各月の給食実施日数	−	(2,900 ＋20×加算率)×人数	
	151人から180人まで	1号	4歳以上児 3歳児	＋	3,160	＋	240 ×各月の給食実施日数	−	(2,410 ＋20×加算率)×人数	
	181人から210人まで	1号	4歳以上児 3歳児	＋	2,810	＋	240 ×各月の給食実施日数	−	(2,070 ＋20×加算率)×人数	
	211人から240人まで	1号	4歳以上児 3歳児	＋	2,540	＋	240 ×各月の給食実施日数	−	(1,810 ＋10×加算率)×人数	
	241人から270人まで	1号	4歳以上児 3歳児	＋	2,440	＋	240 ×各月の給食実施日数	−	(1,610 ＋10×加算率)×人数	
	271人から300人まで	1号	4歳以上児 3歳児	＋	2,360	＋	240 ×各月の給食実施日数	−	(1,450 ＋10×加算率)×人数	
	301人以上	1号	4歳以上児 3歳児	＋	2,150	＋	240 ×各月の給食実施日数	−	(1,310 ＋10×加算率)×人数	

加算部分２

主幹教諭等専任加算	⑲		基本額　処遇改善等加算Ⅰ （　112,750 ＋　1,120×加算率　） ÷各月初日の利用子ども数	※各月初日の利用子どもの単価に加算
子育て支援活動費加算	⑳		基本額　処遇改善等加算Ⅰ （　4,050 ＋　40×加算率　） ÷各月初日の利用子ども数	※各月初日の利用子どもの単価に加算
療育支援加算	㉑	A	基本額　処遇改善等加算Ⅰ （　38,150 ＋　380×加算率　） ÷各月初日の利用子ども数	※以下の区分に応じて、各月初日の利用子どもの単価に加算 Ａ：特別児童扶養手当支給対象児童受入施設 Ｂ：それ以外の障害児受入施設
		B	基本額　処遇改善等加算Ⅰ （　25,430 ＋　250×加算率　） ÷各月初日の利用子ども数	
事務職員配置加算	㉒		基本額　処遇改善等加算Ⅰ （　81,400 ＋　810×加算率　） ÷各月初日の利用子ども数	※各月初日の利用子どもの単価に加算
指導充実加配加算	㉓		基本額　処遇改善等加算Ⅰ （　86,100 ＋　860×加算率　） ÷各月初日の利用子ども数	※各月初日の利用子どもの単価に加算
事務負担対応加配加算	㉔		基本額　処遇改善等加算Ⅰ （　72,280 ＋　720×加算率　） ÷各月初日の利用子ども数	※各月初日の利用子どもの単価に加算
処遇改善等加算Ⅱ	㉕		以下の加算を合算した額を各月初日の利用子ども数で除した額 ・処遇改善等加算Ⅱ－①　51,590　× 人数Ａ ・処遇改善等加算Ⅱ－②　6,450　× 人数Ｂ	※１　各月初日の利用子どもの単価に加算 ※２　人数Ａ及び人数Ｂについては、別に定める
処遇改善等加算Ⅲ	㉖		11,610　×　加算Ⅲ算定対象人数 ÷各月初日の利用子ども数	※１　各月初日の利用子どもの単価に加算 ※２　加算Ⅲ算定対象人数については、別に定める
冷暖房費加算	㉗		１　級　地　1,900 ２　級　地　1,690 ３　級　地　1,670 ４　級　地　1,320 その他地域　120	※以下の区分に応じて、各月の単価に加算 １級地から４級地：国家公務員の寒冷地手当に関する法律（昭和２４年法律第２００号）第１条第１号及び第２号に掲げる地域 その他地域：１級地から４級地以外の地域
施設関係者評価加算	㉘	A	310,610÷３月初日の利用子ども数	※以下の区分に応じて、３月初日の利用子どもの単価に加算 A:公開保育の取組と組み合わせて施設関係者評価を実施する施設 B:それ以外の施設
		B	60,520÷３月初日の利用子ども数	
除雪費加算	㉙		6,270	※３月初日の利用子どもの単価に加算
降灰除去費加算	㉚		162,470÷３月初日の利用子ども数	※３月初日の利用子どもの単価に加算
施設機能強化推進費加算	㉛		160,000（限度額）÷３月初日の利用子ども数	※３月初日の利用子どもの単価に加算
小学校接続加算	㉜	要件Ⅰ～Ⅱを満たす場合	40,380÷３月初日の利用子ども数	※３月初日の利用子どもの単価に加算
		要件Ⅰ～Ⅲを満たす場合	317,130÷３月初日の利用子ども数	
栄養管理加算	㉝	A	基本額　処遇改善等加算Ⅰ （　67,650 ＋　670×加算率　） ÷各月初日の利用子ども数	※以下の区分の応じて、各月初日の利用子どもの単価に加算 A：Bを除き栄養士を雇用契約等により配置している施設
		B	基本額　処遇改善等加算Ⅰ （　50,000 ＋　500×加算率　） ÷各月初日の利用子ども数	B：基本分単価及び他の加算の認定に当たって求められる職員（施設内の調理設備を使用して調理を行う給食実施加算の適用施設において雇用等される調理員を含む。）が栄養士を兼務している施設 C：A又はBを除き、栄養士を嘱託等している施設
		C	基本額 10,000 ÷各月初日の利用子ども数	
第三者評価受審加算	㉞		150,000÷３月初日の利用子ども数	※３月初日の利用子どもの単価に加算

（注）年度の初日の前日における満年齢に応じて月額を調整

定員を恒常的に超過する場合に係る別に定める調整率　幼稚園（教育標準時間認定）

地域区分	定員区分	認定区分	年齢区分	利用子ども数 15人まで	16人から25人まで	26人から35人まで	36人から45人まで	46人から60人まで	61人から75人まで	76人から90人まで	91人から105人まで	106人から120人まで	121人から135人まで	136人から150人まで	151人から180人まで	181人から210人まで	211人から240人まで	241人から270人まで	271人から300人まで	301人以上
20/100地域	15人まで	1号	4歳以上児 3 歳 児		62/100	46/100	45/100	42/100	38/100	35/100	33/100	31/100	30/100	29/100	27/100	26/100	25/100	25/100	24/100	22/100
	16人から25人まで	1号	4歳以上児 3 歳 児			74/100	73/100	68/100	61/100	56/100	52/100	50/100	48/100	46/100	44/100	42/100	41/100	40/100	39/100	36/100
	26人から35人まで	1号	4歳以上児 3 歳 児				99/100	92/100	82/100	75/100	71/100	67/100	65/100	63/100	60/100	57/100	55/100	54/100	53/100	49/100
	36人から45人まで	1号	4歳以上児 3 歳 児					93/100	83/100	76/100	72/100	68/100	65/100	63/100	60/100	58/100	56/100	54/100	53/100	50/100
	46人から60人まで	1号	4歳以上児 3 歳 児						89/100	82/100	77/100	73/100	70/100	68/100	65/100	62/100	60/100	58/100	57/100	53/100
	61人から75人まで	1号	4歳以上児 3 歳 児							92/100	86/100	82/100	79/100	77/100	73/100	70/100	68/100	66/100	64/100	60/100
	76人から90人まで	1号	4歳以上児 3 歳 児								94/100	89/100	86/100	83/100	79/100	76/100	74/100	71/100	70/100	65/100
	91人から105人まで	1号	4歳以上児 3 歳 児									95/100	91/100	88/100	84/100	81/100	78/100	76/100	74/100	69/100
	106人から120人まで	1号	4歳以上児 3 歳 児										96/100	93/100	88/100	85/100	82/100	80/100	78/100	73/100
	121人から135人まで	1号	4歳以上児 3 歳 児											97/100	92/100	88/100	86/100	83/100	82/100	76/100
	136人から150人まで	1号	4歳以上児 3 歳 児												95/100	91/100	88/100	86/100	84/100	78/100
	151人から180人まで	1号	4歳以上児 3 歳 児													96/100	93/100	90/100	89/100	82/100
	181人から210人まで	1号	4歳以上児 3 歳 児														97/100	94/100	92/100	86/100
	211人から240人まで	1号	4歳以上児 3 歳 児															97/100	95/100	88/100
	241人から270人まで	1号	4歳以上児 3 歳 児																98/100	91/100
	271人から300人まで	1号	4歳以上児 3 歳 児																	93/100
	301人以上	1号	4歳以上児 3 歳 児																	

地域区分	定員区分	認定区分	年齢区分	利用子ども数 15人まで	16人から25人まで	26人から35人まで	36人から45人まで	46人から60人まで	61人から75人まで	76人から90人まで	91人から105人まで	106人から120人まで	121人から135人まで	136人から150人まで	151人から180人まで	181人から210人まで	211人から240人まで	241人から270人まで	271人から300人まで	301人以上
16/100地域	15人まで	1号	4歳以上児 3 歳 児		62/100	46/100	45/100	42/100	38/100	35/100	33/100	31/100	30/100	29/100	27/100	26/100	25/100	25/100	24/100	22/100
	16人から25人まで	1号	4歳以上児 3 歳 児			74/100	73/100	68/100	61/100	56/100	52/100	50/100	48/100	46/100	44/100	42/100	41/100	40/100	39/100	36/100
	26人から35人まで	1号	4歳以上児 3 歳 児				99/100	92/100	82/100	75/100	71/100	67/100	65/100	63/100	60/100	57/100	55/100	54/100	53/100	49/100
	36人から45人まで	1号	4歳以上児 3 歳 児					93/100	83/100	76/100	72/100	68/100	65/100	63/100	60/100	58/100	56/100	54/100	53/100	50/100
	46人から60人まで	1号	4歳以上児 3 歳 児						89/100	82/100	77/100	73/100	70/100	68/100	65/100	62/100	60/100	58/100	57/100	53/100
	61人から75人まで	1号	4歳以上児 3 歳 児							92/100	86/100	82/100	79/100	77/100	73/100	70/100	68/100	66/100	64/100	60/100
	76人から90人まで	1号	4歳以上児 3 歳 児								94/100	89/100	86/100	83/100	79/100	76/100	74/100	71/100	70/100	65/100
	91人から105人まで	1号	4歳以上児 3 歳 児									95/100	91/100	88/100	84/100	81/100	78/100	76/100	74/100	69/100
	106人から120人まで	1号	4歳以上児 3 歳 児										96/100	93/100	88/100	85/100	82/100	80/100	78/100	73/100
	121人から135人まで	1号	4歳以上児 3 歳 児											97/100	92/100	88/100	86/100	83/100	82/100	76/100
	136人から150人まで	1号	4歳以上児 3 歳 児												95/100	91/100	88/100	86/100	84/100	78/100
	151人から180人まで	1号	4歳以上児 3 歳 児													96/100	93/100	90/100	89/100	82/100
	181人から210人まで	1号	4歳以上児 3 歳 児														97/100	94/100	92/100	86/100
	211人から240人まで	1号	4歳以上児 3 歳 児															97/100	95/100	88/100
	241人から270人まで	1号	4歳以上児 3 歳 児																98/100	91/100
	271人から300人まで	1号	4歳以上児 3 歳 児																	93/100
	301人以上	1号	4歳以上児 3 歳 児																	

地域区分	定員区分	認定区分	年齢区分	利用子ども数																
				15人まで	16人から25人まで	26人から35人まで	36人から45人まで	46人から60人まで	61人から75人まで	76人から90人まで	91人から105人まで	106人から120人まで	121人から135人まで	136人から150人まで	151人から180人まで	181人から210人まで	211人から240人まで	241人から270人まで	271人から300人まで	301人以上
15/100地域	15人まで	1号	4歳以上児		62/100	46/100	45/100	42/100	38/100	35/100	33/100	31/100	30/100	29/100	27/100	26/100	25/100	25/100	24/100	22/100
			3歳児																	
	16人から25人まで	1号	4歳以上児			74/100	73/100	68/100	61/100	56/100	52/100	50/100	48/100	46/100	44/100	42/100	41/100	40/100	39/100	36/100
			3歳児																	
	26人から35人まで	1号	4歳以上児				99/100	92/100	82/100	75/100	71/100	67/100	65/100	63/100	60/100	57/100	55/100	54/100	53/100	49/100
			3歳児																	
	36人から45人まで	1号	4歳以上児					93/100	83/100	76/100	72/100	68/100	65/100	63/100	60/100	58/100	56/100	54/100	53/100	50/100
			3歳児																	
	46人から60人まで	1号	4歳以上児						89/100	82/100	77/100	73/100	70/100	68/100	65/100	62/100	60/100	58/100	57/100	53/100
			3歳児																	
	61人から75人まで	1号	4歳以上児							92/100	86/100	82/100	79/100	77/100	73/100	70/100	68/100	66/100	64/100	60/100
			3歳児																	
	76人から90人まで	1号	4歳以上児								94/100	89/100	86/100	83/100	79/100	76/100	74/100	71/100	70/100	65/100
			3歳児																	
	91人から105人まで	1号	4歳以上児									95/100	91/100	88/100	84/100	81/100	78/100	76/100	74/100	69/100
			3歳児																	
	106人から120人まで	1号	4歳以上児										96/100	93/100	88/100	85/100	82/100	80/100	78/100	73/100
			3歳児																	
	121人から135人まで	1号	4歳以上児											97/100	92/100	88/100	86/100	83/100	82/100	76/100
			3歳児																	
	136人から150人まで	1号	4歳以上児												95/100	91/100	88/100	86/100	84/100	78/100
			3歳児																	
	151人から180人まで	1号	4歳以上児													96/100	93/100	90/100	89/100	82/100
			3歳児																	
	181人から210人まで	1号	4歳以上児														97/100	94/100	92/100	86/100
			3歳児																	
	211人から240人まで	1号	4歳以上児															97/100	95/100	88/100
			3歳児																	
	241人から270人まで	1号	4歳以上児																98/100	91/100
			3歳児																	
	271人から300人まで	1号	4歳以上児																	93/100
			3歳児																	
	301人以上	1号	4歳以上児																	
			3歳児																	

地域区分	定員区分	認定区分	年齢区分	利用子ども数																
				15人まで	16人から25人まで	26人から35人まで	36人から45人まで	46人から60人まで	61人から75人まで	76人から90人まで	91人から105人まで	106人から120人まで	121人から135人まで	136人から150人まで	151人から180人まで	181人から210人まで	211人から240人まで	241人から270人まで	271人から300人まで	301人以上
	15人まで	1号	4歳以上児		62/100	46/100	45/100	42/100	38/100	35/100	33/100	31/100	30/100	29/100	27/100	26/100	25/100	25/100	24/100	23/100
			3　歳　児																	
	16人から25人まで	1号	4歳以上児			74/100	73/100	68/100	61/100	56/100	52/100	50/100	48/100	46/100	44/100	42/100	41/100	40/100	39/100	37/100
			3　歳　児																	
	26人から35人まで	1号	4歳以上児				99/100	92/100	82/100	75/100	71/100	67/100	65/100	63/100	60/100	57/100	55/100	54/100	53/100	50/100
			3　歳　児																	
	36人から45人まで	1号	4歳以上児					93/100	83/100	76/100	72/100	68/100	65/100	63/100	60/100	58/100	56/100	55/100	54/100	50/100
			3　歳　児																	
	46人から60人まで	1号	4歳以上児						89/100	82/100	77/100	73/100	70/100	68/100	65/100	62/100	60/100	59/100	58/100	54/100
			3　歳　児																	
	61人から75人まで	1号	4歳以上児							92/100	86/100	82/100	79/100	77/100	73/100	70/100	68/100	66/100	65/100	60/100
			3　歳　児																	
	76人から90人まで	1号	4歳以上児								94/100	89/100	86/100	83/100	79/100	76/100	74/100	72/100	71/100	66/100
			3　歳　児																	
	91人から105人まで	1号	4歳以上児									95/100	91/100	88/100	84/100	81/100	78/100	77/100	75/100	70/100
			3　歳　児																	
12/100地域	106人から120人まで	1号	4歳以上児										96/100	93/100	88/100	85/100	82/100	81/100	79/100	74/100
			3　歳　児																	
	121人から135人まで	1号	4歳以上児											97/100	92/100	88/100	86/100	84/100	82/100	77/100
			3　歳　児																	
	136人から150人まで	1号	4歳以上児												95/100	91/100	88/100	87/100	85/100	79/100
			3　歳　児																	
	151人から180人まで	1号	4歳以上児													96/100	93/100	91/100	89/100	83/100
			3　歳　児																	
	181人から210人まで	1号	4歳以上児														97/100	95/100	93/100	87/100
			3　歳　児																	
	211人から240人まで	1号	4歳以上児															98/100	96/100	89/100
			3　歳　児																	
	241人から270人まで	1号	4歳以上児																98/100	91/100
			3　歳　児																	
	271人から300人まで	1号	4歳以上児																	93/100
			3　歳　児																	
	301人以上	1号	4歳以上児																	
			3　歳　児																	

地域区分	定員区分	認定区分	年齢区分	利用子ども数 15人まで	16人から25人まで	26人から35人まで	36人から45人まで	46人から60人まで	61人から75人まで	76人から90人まで	91人から105人まで	106人から120人まで	121人から135人まで	136人から150人まで	151人から180人まで	181人から210人まで	211人から240人まで	241人から270人まで	271人から300人まで	301人以上
10/100地域	15人まで	1号	4歳以上児 3歳児		62/100	46/100	45/100	42/100	38/100	35/100	33/100	31/100	30/100	29/100	27/100	26/100	25/100	25/100	24/100	23/100
	16人から25人まで	1号	4歳以上児 3歳児			74/100	73/100	68/100	61/100	56/100	52/100	50/100	48/100	46/100	44/100	42/100	41/100	40/100	39/100	37/100
	26人から35人まで	1号	4歳以上児 3歳児				99/100	92/100	82/100	75/100	71/100	67/100	65/100	63/100	60/100	57/100	55/100	54/100	53/100	50/100
	36人から45人まで	1号	4歳以上児 3歳児					93/100	83/100	76/100	72/100	68/100	65/100	63/100	60/100	58/100	56/100	55/100	54/100	50/100
	46人から60人まで	1号	4歳以上児 3歳児						89/100	82/100	77/100	73/100	70/100	68/100	65/100	62/100	60/100	59/100	58/100	54/100
	61人から75人まで	1号	4歳以上児 3歳児							92/100	86/100	82/100	79/100	77/100	73/100	70/100	68/100	66/100	65/100	60/100
	76人から90人まで	1号	4歳以上児 3歳児								94/100	89/100	86/100	83/100	79/100	76/100	74/100	72/100	71/100	66/100
	91人から105人まで	1号	4歳以上児 3歳児									95/100	91/100	88/100	84/100	81/100	78/100	77/100	75/100	70/100
	106人から120人まで	1号	4歳以上児 3歳児										96/100	93/100	88/100	85/100	82/100	81/100	79/100	74/100
	121人から135人まで	1号	4歳以上児 3歳児											97/100	92/100	88/100	86/100	84/100	82/100	77/100
	136人から150人まで	1号	4歳以上児 3歳児												95/100	91/100	88/100	87/100	85/100	79/100
	151人から180人まで	1号	4歳以上児 3歳児													96/100	93/100	91/100	89/100	83/100
	181人から210人まで	1号	4歳以上児 3歳児														97/100	95/100	93/100	87/100
	211人から240人まで	1号	4歳以上児 3歳児															98/100	96/100	89/100
	241人から270人まで	1号	4歳以上児 3歳児																98/100	91/100
	271人から300人まで	1号	4歳以上児 3歳児																	93/100
	301人以上	1号	4歳以上児 3歳児																	

地域区分	定員区分	認定区分	年齢区分	利用子ども数 15人まで	16人から25人まで	26人から35人まで	36人から45人まで	46人から60人まで	61人から75人まで	76人から90人まで	91人から105人まで	106人から120人まで	121人から135人まで	136人から150人まで	151人から180人まで	181人から210人まで	211人から240人まで	241人から270人まで	271人から300人まで	301人以上
6/100地域	15人まで	1号	4歳以上児 3 歳 児		63/100	47/100	46/100	43/100	38/100	35/100	33/100	31/100	30/100	29/100	28/100	27/100	26/100	25/100	25/100	23/100
	16人から25人まで	1号	4歳以上児 3 歳 児			74/100	73/100	68/100	61/100	56/100	52/100	50/100	48/100	46/100	44/100	42/100	41/100	40/100	39/100	37/100
	26人から35人まで	1号	4歳以上児 3 歳 児				99/100	92/100	82/100	75/100	71/100	67/100	65/100	63/100	60/100	57/100	55/100	54/100	53/100	50/100
	36人から45人まで	1号	4歳以上児 3 歳 児					93/100	83/100	76/100	72/100	68/100	65/100	63/100	60/100	58/100	56/100	55/100	54/100	50/100
	46人から60人まで	1号	4歳以上児 3 歳 児						89/100	82/100	77/100	73/100	70/100	68/100	65/100	62/100	60/100	59/100	58/100	54/100
	61人から75人まで	1号	4歳以上児 3 歳 児							92/100	86/100	82/100	79/100	77/100	73/100	70/100	68/100	66/100	65/100	60/100
	76人から90人まで	1号	4歳以上児 3 歳 児								94/100	89/100	86/100	83/100	79/100	76/100	74/100	72/100	71/100	66/100
	91人から105人まで	1号	4歳以上児 3 歳 児									95/100	91/100	88/100	84/100	81/100	78/100	77/100	75/100	70/100
	106人から120人まで	1号	4歳以上児 3 歳 児										96/100	93/100	88/100	85/100	82/100	81/100	79/100	74/100
	121人から135人まで	1号	4歳以上児 3 歳 児											97/100	92/100	88/100	86/100	84/100	82/100	77/100
	136人から150人まで	1号	4歳以上児 3 歳 児												95/100	91/100	88/100	87/100	85/100	79/100
	151人から180人まで	1号	4歳以上児 3 歳 児													96/100	93/100	91/100	89/100	83/100
	181人から210人まで	1号	4歳以上児 3 歳 児														97/100	95/100	93/100	87/100
	211人から240人まで	1号	4歳以上児 3 歳 児															98/100	96/100	89/100
	241人から270人まで	1号	4歳以上児 3 歳 児																98/100	91/100
	271人から300人まで	1号	4歳以上児 3 歳 児																	93/100
	301人以上	1号	4歳以上児 3 歳 児																	

地域区分	定員区分	認定区分	年齢区分	利用子ども数																
				15人まで	16人から25人まで	26人から35人まで	36人から45人まで	46人から60人まで	61人から75人まで	76人から90人まで	91人から105人まで	106人から120人まで	121人から135人まで	136人から150人まで	151人から180人まで	181人から210人まで	211人から240人まで	241人から270人まで	271人から300人まで	301人以上
3/100地域	15人まで	1号	4歳以上児		63/100	47/100	46/100	43/100	38/100	35/100	33/100	31/100	30/100	29/100	28/100	27/100	26/100	25/100	25/100	23/100
			3歳児																	
	16人から25人まで	1号	4歳以上児			74/100	73/100	68/100	61/100	56/100	52/100	50/100	48/100	46/100	44/100	42/100	41/100	40/100	39/100	37/100
			3歳児																	
	26人から35人まで	1号	4歳以上児				99/100	92/100	82/100	75/100	71/100	67/100	65/100	63/100	60/100	57/100	55/100	54/100	53/100	50/100
			3歳児																	
	36人から45人まで	1号	4歳以上児					93/100	83/100	76/100	72/100	68/100	65/100	63/100	60/100	58/100	56/100	55/100	54/100	50/100
			3歳児																	
	46人から60人まで	1号	4歳以上児						89/100	82/100	77/100	73/100	70/100	68/100	65/100	62/100	60/100	59/100	58/100	54/100
			3歳児																	
	61人から75人まで	1号	4歳以上児							92/100	86/100	82/100	79/100	77/100	73/100	70/100	68/100	66/100	65/100	60/100
			3歳児																	
	76人から90人まで	1号	4歳以上児								94/100	89/100	86/100	83/100	79/100	76/100	74/100	72/100	71/100	66/100
			3歳児																	
	91人から105人まで	1号	4歳以上児									95/100	91/100	88/100	84/100	81/100	78/100	77/100	75/100	70/100
			3歳児																	
	106人から120人まで	1号	4歳以上児										96/100	93/100	88/100	85/100	82/100	81/100	79/100	74/100
			3歳児																	
	121人から135人まで	1号	4歳以上児											97/100	92/100	88/100	86/100	84/100	82/100	77/100
			3歳児																	
	136人から150人まで	1号	4歳以上児												95/100	91/100	88/100	87/100	85/100	79/100
			3歳児																	
	151人から180人まで	1号	4歳以上児													96/100	93/100	91/100	89/100	83/100
			3歳児																	
	181人から210人まで	1号	4歳以上児														97/100	95/100	93/100	87/100
			3歳児																	
	211人から240人まで	1号	4歳以上児															98/100	96/100	89/100
			3歳児																	
	241人から270人まで	1号	4歳以上児																98/100	91/100
			3歳児																	
	271人から300人まで	1号	4歳以上児																	93/100
			3歳児																	
	301人以上	1号	4歳以上児																	
			3歳児																	

地域区分	定員区分	認定区分	年齢区分	利用子ども数																
				15人まで	16人から25人まで	26人から35人まで	36人から45人まで	46人から60人まで	61人から75人まで	76人から90人まで	91人から105人まで	106人から120人まで	121人から135人まで	136人から150人まで	151人から180人まで	181人から210人まで	211人から240人まで	241人から270人まで	271人から300人まで	301人以上
その他地域	15人まで	1号	4歳以上児 3歳児		63/100	47/100	46/100	43/100	38/100	35/100	33/100	31/100	30/100	29/100	28/100	27/100	26/100	25/100	25/100	23/100
	16人から25人まで	1号	4歳以上児 3歳児			74/100	73/100	68/100	61/100	56/100	52/100	50/100	48/100	46/100	44/100	42/100	41/100	40/100	39/100	37/100
	26人から35人まで	1号	4歳以上児 3歳児				99/100	92/100	82/100	75/100	71/100	67/100	65/100	63/100	60/100	57/100	55/100	54/100	53/100	50/100
	36人から45人まで	1号	4歳以上児 3歳児					93/100	83/100	76/100	72/100	68/100	65/100	63/100	60/100	58/100	56/100	55/100	54/100	50/100
	46人から60人まで	1号	4歳以上児 3歳児						89/100	82/100	77/100	73/100	70/100	68/100	65/100	62/100	60/100	59/100	58/100	54/100
	61人から75人まで	1号	4歳以上児 3歳児							92/100	86/100	82/100	79/100	77/100	73/100	70/100	68/100	66/100	65/100	60/100
	76人から90人まで	1号	4歳以上児 3歳児								94/100	89/100	86/100	83/100	79/100	76/100	74/100	72/100	71/100	66/100
	91人から105人まで	1号	4歳以上児 3歳児									95/100	91/100	88/100	84/100	81/100	78/100	77/100	75/100	70/100
	106人から120人まで	1号	4歳以上児 3歳児										96/100	93/100	88/100	85/100	82/100	81/100	79/100	74/100
	121人から135人まで	1号	4歳以上児 3歳児											97/100	92/100	88/100	86/100	84/100	82/100	77/100
	136人から150人まで	1号	4歳以上児 3歳児												95/100	91/100	88/100	87/100	85/100	79/100
	151人から180人まで	1号	4歳以上児 3歳児													96/100	93/100	91/100	89/100	83/100
	181人から210人まで	1号	4歳以上児 3歳児														97/100	95/100	93/100	87/100
	211人から240人まで	1号	4歳以上児 3歳児															98/100	96/100	89/100
	241人から270人まで	1号	4歳以上児 3歳児																98/100	91/100
	271人から300人まで	1号	4歳以上児 3歳児																	93/100
	301人以上	1号	4歳以上児 3歳児																	

○保育所（保育認定）

地域区分 ①	定員区分 ②	認定区分 ③	年齢区分 ④	保育必要量区分 ⑤ 保育標準時間認定 基本分単価 ⑥	（注）	保育必要量区分 ⑤ 保育短時間認定 基本分単価 ⑥	（注）		処遇改善等加算Ⅰ 保育標準時間認定 ⑦	（注）		処遇改善等加算Ⅰ 保育短時間認定 ⑦	（注）			3歳児配置改善加算		3歳児配置改善加算 処遇改善等加算Ⅰ ⑧
20/100地域	20人	2号	4歳以上児	132,240	(140,530)	104,470	(112,760)	+	1,300	(1,380)	×加算率	1,020	(1,100)	×加算率	+	(8,290)	+	(80×加算率)
			3歳児	140,530	(207,150)	112,760	(179,380)	+	1,380	(1,950)	×加算率	1,100	(1,670)	×加算率	+	8,290		80×加算率
		3号	1、2歳児	207,150	(290,080)	179,380	(262,310)	+	1,950	(2,780)	×加算率	1,670	(2,500)	×加算率				
			乳児	290,080		262,310		+	2,780		×加算率	2,500		×加算率				
	21人から30人まで	2号	4歳以上児	95,300	(103,590)	76,790	(85,080)	+	930	(1,010)	×加算率	740	(820)	×加算率	+	(8,290)	+	(80×加算率)
			3歳児	103,590	(170,210)	85,080	(151,700)	+	1,010	(1,580)	×加算率	820	(1,400)	×加算率	+	8,290		80×加算率
		3号	1、2歳児	170,210	(253,140)	151,700	(234,630)	+	1,580	(2,410)	×加算率	1,400	(2,230)	×加算率				
			乳児	253,140		234,630		+	2,410		×加算率	2,230		×加算率				
	31人から40人まで	2号	4歳以上児	77,240	(85,530)	63,360	(71,650)	+	750	(830)	×加算率	610	(690)	×加算率	+	(8,290)	+	(80×加算率)
			3歳児	85,530	(152,150)	71,650	(138,270)	+	830	(1,400)	×加算率	690	(1,260)	×加算率	+	8,290		80×加算率
		3号	1、2歳児	152,150	(235,080)	138,270	(221,200)	+	1,400	(2,230)	×加算率	1,260	(2,090)	×加算率				
			乳児	235,080		221,200		+	2,230		×加算率	2,090		×加算率				
	41人から50人まで	2号	4歳以上児	72,520	(80,810)	61,410	(69,700)	+	700	(780)	×加算率	590	(670)	×加算率	+	(8,290)	+	(80×加算率)
			3歳児	80,810	(147,430)	69,700	(136,320)	+	780	(1,350)	×加算率	670	(1,240)	×加算率	+	8,290		80×加算率
		3号	1、2歳児	147,430	(230,360)	136,320	(219,250)	+	1,350	(2,180)	×加算率	1,240	(2,070)	×加算率				
			乳児	230,360		219,250		+	2,180		×加算率	2,070		×加算率				
	51人から60人まで	2号	4歳以上児	63,540	(71,830)	54,290	(62,580)	+	610	(690)	×加算率	520	(600)	×加算率	+	(8,290)	+	(80×加算率)
			3歳児	71,830	(138,450)	62,580	(129,200)	+	690	(1,260)	×加算率	600	(1,170)	×加算率	+	8,290		80×加算率
		3号	1、2歳児	138,450	(221,380)	129,200	(212,130)	+	1,260	(2,090)	×加算率	1,170	(2,000)	×加算率				
			乳児	221,380		212,130		+	2,090		×加算率	2,000		×加算率				
	61人から70人まで	2号	4歳以上児	57,210	(65,500)	49,280	(57,570)	+	550	(630)	×加算率	470	(550)	×加算率	+	(8,290)	+	(80×加算率)
			3歳児	65,500	(132,120)	57,570	(124,190)	+	630	(1,200)	×加算率	550	(1,120)	×加算率	+	8,290		80×加算率
		3号	1、2歳児	132,120	(215,050)	124,190	(207,120)	+	1,200	(2,030)	×加算率	1,120	(1,950)	×加算率				
			乳児	215,050		207,120		+	2,030		×加算率	1,950		×加算率				
	71人から80人まで	2号	4歳以上児	52,520	(60,810)	45,580	(53,870)	+	500	(580)	×加算率	430	(510)	×加算率	+	(8,290)	+	(80×加算率)
			3歳児	60,810	(127,430)	53,870	(120,490)	+	580	(1,150)	×加算率	510	(1,080)	×加算率	+	8,290		80×加算率
		3号	1、2歳児	127,430	(210,360)	120,490	(203,420)	+	1,150	(1,980)	×加算率	1,080	(1,910)	×加算率				
			乳児	210,360		203,420		+	1,980		×加算率	1,910		×加算率				
	81人から90人まで	2号	4歳以上児	48,820	(57,110)	42,650	(50,940)	+	460	(540)	×加算率	400	(480)	×加算率	+	(8,290)	+	(80×加算率)
			3歳児	57,110	(123,730)	50,940	(117,560)	+	540	(1,120)	×加算率	480	(1,060)	×加算率	+	8,290		80×加算率
		3号	1、2歳児	123,730	(206,660)	117,560	(200,490)	+	1,120	(1,950)	×加算率	1,060	(1,890)	×加算率				
			乳児	206,660		200,490		+	1,950		×加算率	1,890		×加算率				
	91人から100人まで	2号	4歳以上児	42,100	(50,390)	36,550	(44,840)	+	400	(480)	×加算率	340	(420)	×加算率	+	(8,290)	+	(80×加算率)
			3歳児	50,390	(117,010)	44,840	(111,460)	+	480	(1,050)	×加算率	420	(990)	×加算率	+	8,290		80×加算率
		3号	1、2歳児	117,010	(199,940)	111,460	(194,390)	+	1,050	(1,880)	×加算率	990	(1,820)	×加算率				
			乳児	199,940		194,390		+	1,880		×加算率	1,820		×加算率				
	101人から110人まで	2号	4歳以上児	40,070	(48,360)	35,020	(43,310)	+	380	(460)	×加算率	330	(410)	×加算率	+	(8,290)	+	(80×加算率)
			3歳児	48,360	(114,980)	43,310	(109,930)	+	460	(1,030)	×加算率	410	(980)	×加算率	+	8,290		80×加算率
		3号	1、2歳児	114,980	(197,910)	109,930	(192,860)	+	1,030	(1,860)	×加算率	980	(1,810)	×加算率				
			乳児	197,910		192,860		+	1,860		×加算率	1,810		×加算率				
	111人から120人まで	2号	4歳以上児	38,330	(46,620)	33,700	(41,990)	+	360	(440)	×加算率	310	(390)	×加算率	+	(8,290)	+	(80×加算率)
			3歳児	46,620	(113,240)	41,990	(108,610)	+	440	(1,010)	×加算率	390	(970)	×加算率	+	8,290		80×加算率
		3号	1、2歳児	113,240	(196,170)	108,610	(191,540)	+	1,010	(1,840)	×加算率	970	(1,800)	×加算率				
			乳児	196,170		191,540		+	1,840		×加算率	1,800		×加算率				
	121人から130人まで	2号	4歳以上児	36,860	(45,150)	32,580	(40,870)	+	340	(420)	×加算率	300	(380)	×加算率	+	(8,290)	+	(80×加算率)
			3歳児	45,150	(111,770)	40,870	(107,490)	+	420	(1,000)	×加算率	380	(950)	×加算率	+	8,290		80×加算率
		3号	1、2歳児	111,770	(194,700)	107,490	(190,420)	+	1,000	(1,830)	×加算率	950	(1,780)	×加算率				
			乳児	194,700		190,420		+	1,830		×加算率	1,780		×加算率				
	131人から140人まで	2号	4歳以上児	35,630	(43,920)	31,660	(39,950)	+	330	(410)	×加算率	290	(370)	×加算率	+	(8,290)	+	(80×加算率)
			3歳児	43,920	(110,540)	39,950	(106,570)	+	410	(990)	×加算率	370	(950)	×加算率	+	8,290		80×加算率
		3号	1、2歳児	110,540	(193,470)	106,570	(189,500)	+	990	(1,820)	×加算率	950	(1,780)	×加算率				
			乳児	193,470		189,500		+	1,820		×加算率	1,780		×加算率				
	141人から150人まで	2号	4歳以上児	34,540	(42,830)	30,840	(39,130)	+	320	(400)	×加算率	280	(360)	×加算率	+	(8,290)	+	(80×加算率)
			3歳児	42,830	(109,450)	39,130	(105,750)	+	400	(970)	×加算率	360	(940)	×加算率	+	8,290		80×加算率
		3号	1、2歳児	109,450	(192,380)	105,750	(188,680)	+	970	(1,800)	×加算率	940	(1,770)	×加算率				
			乳児	192,380		188,680		+	1,800		×加算率	1,770		×加算率				
	151人から160人まで	2号	4歳以上児	34,490	(42,780)	31,020	(39,310)	+	320	(400)	×加算率	290	(370)	×加算率	+	(8,290)	+	(80×加算率)
			3歳児	42,780	(109,400)	39,310	(105,930)	+	400	(970)	×加算率	370	(940)	×加算率	+	8,290		80×加算率
		3号	1、2歳児	109,400	(192,330)	105,930	(188,860)	+	970	(1,800)	×加算率	940	(1,770)	×加算率				
			乳児	192,330		188,860		+	1,800		×加算率	1,770		×加算率				
	161人から170人まで	2号	4歳以上児	33,620	(41,910)	30,350	(38,640)	+	310	(390)	×加算率	280	(360)	×加算率	+	(8,290)	+	(80×加算率)
			3歳児	41,910	(108,530)	38,640	(105,260)	+	390	(970)	×加算率	360	(930)	×加算率	+	8,290		80×加算率
		3号	1、2歳児	108,530	(191,460)	105,260	(188,190)	+	970	(1,800)	×加算率	930	(1,760)	×加算率				
			乳児	191,460		188,190		+	1,800		×加算率	1,760		×加算率				
	171人以上	2号	4歳以上児	32,820	(41,110)	29,740	(38,030)	+	300	(380)	×加算率	270	(350)	×加算率	+	(8,290)	+	(80×加算率)
			3歳児	41,110	(107,730)	38,030	(104,650)	+	380	(960)	×加算率	350	(930)	×加算率	+	8,290		80×加算率
		3号	1、2歳児	107,730	(190,660)	104,650	(187,580)	+	960	(1,790)	×加算率	930	(1,760)	×加算率				
			乳児	190,660		187,580		+	1,790		×加算率	1,760		×加算率				

地域区分 ①	定員区分 ②	認定区分 ③	年齢区分 ④	4歳以上児配置改善加算	処遇改善等加算Ⅰ ⑨	夜間保育加算	(注) ⑪	処遇改善等加算Ⅰ
20/100地域	20人	2号	4歳以上児	+ 3,310	+ 30×加算率	+ 31,010	29,180	+ 230×加算率
			3歳児					
		3号	1、2歳児			+ 29,180		
			乳児					
	21人から30人まで	2号	4歳以上児	+ 3,310	+ 30×加算率	+ 23,110	21,280	+ 150×加算率
			3歳児					
		3号	1、2歳児			+ 21,280		
			乳児					
	31人から40人まで	2号	4歳以上児	+ 3,310	+ 30×加算率	+ 19,160	17,330	+ 110×加算率
			3歳児					
		3号	1、2歳児			+ 17,330		
			乳児					
	41人から50人まで	2号	4歳以上児	+ 3,310	+ 30×加算率	+ 16,790	14,960	+ 90×加算率
			3歳児					
		3号	1、2歳児			+ 14,960		
			乳児					
	51人から60人まで	2号	4歳以上児	+ 3,310	+ 30×加算率	+ 15,210	13,380	+ 70×加算率
			3歳児					
		3号	1、2歳児			+ 13,380		
			乳児					
	61人から70人まで	2号	4歳以上児	+ 3,310	+ 30×加算率	+ 14,080	12,250	+ 60×加算率
			3歳児					
		3号	1、2歳児			+ 12,250		
			乳児					
	71人から80人まで	2号	4歳以上児	+ 3,310	+ 30×加算率	+ 13,230	11,400	+ 50×加算率
			3歳児					
		3号	1、2歳児			+ 11,400		
			乳児					
	81人から90人まで	2号	4歳以上児	+ 3,310	+ 30×加算率	+ 12,570	10,740	+ 50×加算率
			3歳児					
		3号	1、2歳児			+ 10,740		
			乳児					
	91人から100人まで	2号	4歳以上児	+ 3,310	+ 30×加算率			
			3歳児					
		3号	1、2歳児					
			乳児					
	101人から110人まで	2号	4歳以上児	+ 3,310	+ 30×加算率			
			3歳児					
		3号	1、2歳児					
			乳児					
	111人から120人まで	2号	4歳以上児	+ 3,310	+ 30×加算率			
			3歳児					
		3号	1、2歳児					
			乳児					
	121人から130人まで	2号	4歳以上児	+ 3,310	+ 30×加算率			
			3歳児					
		3号	1、2歳児					
			乳児					
	131人から140人まで	2号	4歳以上児	+ 3,310	+ 30×加算率			
			3歳児					
		3号	1、2歳児					
			乳児					
	141人から150人まで	2号	4歳以上児	+ 3,310	+ 30×加算率			
			3歳児					
		3号	1、2歳児					
			乳児					
	151人から160人まで	2号	4歳以上児	+ 3,310	+ 30×加算率			
			3歳児					
		3号	1、2歳児					
			乳児					
	161人から170人まで	2号	4歳以上児	+ 3,310	+ 30×加算率			
			3歳児					
		3号	1、2歳児					
			乳児					
	171人以上	2号	4歳以上児	+ 3,310	+ 30×加算率			
			3歳児					
		3号	1、2歳児					
			乳児					

休日保育加算（全定員区分・全年齢区分共通）

休日保育の年間延べ利用子ども数	休日保育加算	休日保育の年間延べ利用子ども数	処遇改善等加算Ⅰ ⑩
～ 210人	+ 280,600	～ 210人	+ 2,800×加算率
211人～ 279人	300,700	211人～ 279人	3,000×加算率
280人～ 349人	340,900	280人～ 349人	3,400×加算率
350人～ 419人	381,200	350人～ 419人	3,810×加算率
420人～ 489人	421,400	420人～ 489人	4,210×加算率
490人～ 559人	461,700	490人～ 559人	4,610×加算率
560人～ 629人	501,900	560人～ 629人	5,010×加算率
630人～ 699人	542,200	630人～ 699人	5,420×加算率
700人～ 769人	582,400	700人～ 769人	5,820×加算率
770人～ 839人	622,700	770人～ 839人	6,220×加算率
840人～ 909人	662,900	840人～ 909人	6,620×加算率
910人～ 979人	703,200	910人～ 979人	7,030×加算率
980人～1,049人	743,400	980人～1,049人	7,430×加算率
1,050人～	783,700	1,050人～	7,830×加算率

÷ 各月初日の利用子ども数

地域区分 ①	定員区分 ②	認定区分 ③	年齢区分 ④	減価償却費加算 加算額 ⑫		賃借料加算 加算額 ⑬			チーム保育推進加算 ⑭		副食費徴収免除加算 ※副食費の徴収が免除される子どもの単価に加算 ⑮	分園の場合 ⑯
				標準	都市部		標準	都市部		処遇改善等加算Ⅰ		
20/100地域	20人	2号	4歳以上児	+ 8,500	9,400	+ a地域	15,800	17,600	+ 24,880×加配人数	+ 240×加算率×加配人数	+ 4,800	
			3歳児			b地域	8,700	9,700				
		3号	1、2歳児			c地域	7,600	8,400				
			乳児			d地域	6,800	7,500				
	21人から30人まで	2号	4歳以上児	+ 5,900	6,500	+ a地域	10,900	12,200	+ 16,580×加配人数	+ 160×加算率×加配人数	+ 4,800	
			3歳児			b地域	6,000	6,700				
		3号	1、2歳児			c地域	5,200	5,800				
			乳児			d地域	4,700	5,200				
	31人から40人まで	2号	4歳以上児	+ 5,200	5,700	+ a地域	9,800	10,900	+ 12,440×加配人数	+ 120×加算率×加配人数	+ 4,800	
			3歳児			b地域	5,400	6,000				
		3号	1、2歳児			c地域	4,700	5,200				
			乳児			d地域	4,200	4,600				
	41人から50人まで	2号	4歳以上児	+ 4,700	5,200	+ a地域	8,800	9,800	+ 9,950×加配人数	+ 90×加算率×加配人数	+ 4,800	
			3歳児			b地域	4,800	5,400				
		3号	1、2歳児			c地域	4,200	4,700				
			乳児			d地域	3,800	4,200				
	51人から60人まで	2号	4歳以上児	+ 3,900	4,300	+ a地域	7,200	8,100	+ 8,290×加配人数	+ 80×加算率×加配人数	+ 4,800	
			3歳児			b地域	4,000	4,400				
		3号	1、2歳児			c地域	3,500	3,800				
			乳児			d地域	3,100	3,400				
	61人から70人まで	2号	4歳以上児	+ 3,300	3,700	+ a地域	6,300	7,100	+ 7,100×加配人数	+ 70×加算率×加配人数	+ 4,800	
			3歳児			b地域	3,500	3,900				
		3号	1、2歳児			c地域	3,000	3,400				
			乳児			d地域	2,700	3,000				
	71人から80人まで	2号	4歳以上児	+ 3,800	4,200	+ a地域	7,100	7,900	+ 6,220×加配人数	+ 60×加算率×加配人数	+ 4,800	
			3歳児			b地域	3,900	4,300				
		3号	1、2歳児			c地域	3,400	3,800				
			乳児			d地域	3,000	3,400				
	81人から90人まで	2号	4歳以上児	+ 3,400	3,700	+ a地域	6,300	7,100	+ 5,520×加配人数	+ 50×加算率×加配人数	+ 4,800	
			3歳児			b地域	3,500	3,900				
		3号	1、2歳児			c地域	3,000	3,400				
			乳児			d地域	2,700	3,000				
	91人から100人まで	2号	4歳以上児	+ 3,000	3,400	+ a地域	5,500	6,200	+ 4,970×加配人数	+ 40×加算率×加配人数	+ 4,800	− ((⑥+⑦) × 10/100
			3歳児			b地域	3,000	3,400				
		3号	1、2歳児			c地域	2,600	2,900				
			乳児			d地域	2,400	2,600				
	101人から110人まで	2号	4歳以上児	+ 3,300	3,700	+ a地域	6,100	6,800	+ 4,520×加配人数	+ 40×加算率×加配人数	+ 4,800	
			3歳児			b地域	3,300	3,700				
		3号	1、2歳児			c地域	2,900	3,200				
			乳児			d地域	2,600	2,000				
	111人から120人まで	2号	4歳以上児	+ 3,000	3,400	+ a地域	5,500	6,200	+ 4,140×加配人数	+ 40×加算率×加配人数	+ 4,800	
			3歳児			b地域	3,000	3,400				
		3号	1、2歳児			c地域	2,600	2,900				
			乳児			d地域	2,400	2,600				
	121人から130人まで	2号	4歳以上児	+ 2,800	3,100	+ a地域	5,100	5,700	+ 3,820×加配人数	+ 30×加算率×加配人数	+ 4,800	
			3歳児			b地域	2,800	3,100				
		3号	1、2歳児			c地域	2,400	2,700				
			乳児			d地域	2,200	2,400				
	131人から140人まで	2号	4歳以上児	+ 3,000	3,300	+ a地域	5,500	6,200	+ 3,550×加配人数	+ 30×加算率×加配人数	+ 4,800	
			3歳児			b地域	3,000	3,400				
		3号	1、2歳児			c地域	2,600	2,900				
			乳児			d地域	2,400	2,600				
	141人から150人まで	2号	4歳以上児	+ 2,800	3,100	+ a地域	5,400	6,000	+ 3,310×加配人数	+ 30×加算率×加配人数	+ 4,800	
			3歳児			b地域	2,900	3,300				
		3号	1、2歳児			c地域	2,500	2,800				
			乳児			d地域	2,300	2,500				
	151人から160人まで	2号	4歳以上児	+ 2,600	2,900	+ a地域	4,800	5,400	+ 3,110×加配人数	+ 30×加算率×加配人数	+ 4,800	
			3歳児			b地域	2,600	2,900				
		3号	1、2歳児			c地域	2,300	2,500				
			乳児			d地域	2,000	2,300				
	161人から170人まで	2号	4歳以上児	+ 2,800	3,100	+ a地域	5,400	6,000	+ 2,920×加配人数	+ 20×加算率×加配人数	+ 4,800	
			3歳児			b地域	2,900	3,300				
		3号	1、2歳児			c地域	2,500	2,800				
			乳児			d地域	2,300	2,500				
	171人以上	2号	4歳以上児	+ 2,700	2,900	+ a地域	4,800	5,400	+ 2,760×加配人数	+ 20×加算率×加配人数	+ 4,800	
			3歳児			b地域	2,600	2,900				
		3号	1、2歳児			c地域	2,300	2,500				
			乳児			d地域	2,000	2,300				

Ⅲ保育所　9　給付費

地域区分 ①	定員区分 ②	認定区分 ③	年齢区分 ④	施設長を配置していない場合	処遇改善等加算Ⅰ ⑰	土曜日に閉所する場合 月に1日土曜日を閉所する場合	月に2日土曜日を閉所する場合	月に3日以上土曜日を閉所する場合	全ての土曜日を閉所する場合 ⑱	定員を恒常的に超過する場合 ⑲
20/100地域	20人	2号	4歳以上児	－28,200	＋280×加算率	－(⑥+⑦+⑧+⑨+⑪)×1/100	(⑥+⑦+⑧+⑨+⑪)×3/100	(⑥+⑦+⑧+⑨+⑪)×4/100	(⑥+⑦+⑧+⑨+⑪)×5/100	(⑥～⑱(⑮を除く。))×別に定める調整率
			3歳児							
		3号	1、2歳児							
			乳児							
	21人から30人まで	2号	4歳以上児	－18,800	＋180×加算率	－(⑥+⑦+⑧+⑨+⑪)×1/100	(⑥+⑦+⑧+⑨+⑪)×3/100	(⑥+⑦+⑧+⑨+⑪)×4/100	(⑥+⑦+⑧+⑨+⑪)×5/100	
			3歳児							
		3号	1、2歳児							
			乳児							
	31人から40人まで	2号	4歳以上児	－14,100	＋140×加算率	－(⑥+⑦+⑧+⑨+⑪)×1/100	(⑥+⑦+⑧+⑨+⑪)×3/100	(⑥+⑦+⑧+⑨+⑪)×4/100	(⑥+⑦+⑧+⑨+⑪)×5/100	
			3歳児							
		3号	1、2歳児							
			乳児							
	41人から50人まで	2号	4歳以上児	－11,280	＋110×加算率	－(⑥+⑦+⑧+⑨+⑪)×1/100	(⑥+⑦+⑧+⑨+⑪)×3/100	(⑥+⑦+⑧+⑨+⑪)×4/100	(⑥+⑦+⑧+⑨+⑪)×6/100	
			3歳児							
		3号	1、2歳児							
			乳児							
	51人から60人まで	2号	4歳以上児	－9,400	＋90×加算率	－(⑥+⑦+⑧+⑨+⑪)×1/100	(⑥+⑦+⑧+⑨+⑪)×3/100	(⑥+⑦+⑧+⑨+⑪)×4/100	(⑥+⑦+⑧+⑨+⑪)×6/100	
			3歳児							
		3号	1、2歳児							
			乳児							
	61人から70人まで	2号	4歳以上児	－8,050	＋80×加算率	－(⑥+⑦+⑧+⑨+⑪)×1/100	(⑥+⑦+⑧+⑨+⑪)×3/100	(⑥+⑦+⑧+⑨+⑪)×4/100	(⑥+⑦+⑧+⑨+⑪)×6/100	
			3歳児							
		3号	1、2歳児							
			乳児							
	71人から80人まで	2号	4歳以上児	－7,050	＋70×加算率	－(⑥+⑦+⑧+⑨+⑪)×1/100	(⑥+⑦+⑧+⑨+⑪)×3/100	(⑥+⑦+⑧+⑨+⑪)×4/100	(⑥+⑦+⑧+⑨+⑪)×6/100	
			3歳児							
		3号	1、2歳児							
			乳児							
	81人から90人まで	2号	4歳以上児	－6,260	＋60×加算率	－(⑥+⑦+⑧+⑨+⑪)×1/100	(⑥+⑦+⑧+⑨+⑪)×3/100	(⑥+⑦+⑧+⑨+⑪)×4/100	(⑥+⑦+⑧+⑨+⑪)×6/100	
			3歳児							
		3号	1、2歳児							
			乳児							
	91人から100人まで	2号	4歳以上児	－5,640	＋50×加算率	－(⑥+⑦+⑧+⑨+⑪)×1/100	(⑥+⑦+⑧+⑨+⑪)×3/100	(⑥+⑦+⑧+⑨+⑪)×4/100	(⑥+⑦+⑧+⑨+⑪)×6/100	
			3歳児							
		3号	1、2歳児							
			乳児							
	101人から110人まで	2号	4歳以上児	－5,120	＋50×加算率	－(⑥+⑦+⑧+⑨+⑪)×1/100	(⑥+⑦+⑧+⑨+⑪)×3/100	(⑥+⑦+⑧+⑨+⑪)×4/100	(⑥+⑦+⑧+⑨+⑪)×6/100	
			3歳児							
		3号	1、2歳児							
			乳児							
	111人から120人まで	2号	4歳以上児	－4,700	＋40×加算率	－(⑥+⑦+⑧+⑨+⑪)×1/100	(⑥+⑦+⑧+⑨+⑪)×3/100	(⑥+⑦+⑧+⑨+⑪)×4/100	(⑥+⑦+⑧+⑨+⑪)×6/100	
			3歳児							
		3号	1、2歳児							
			乳児							
	121人から130人まで	2号	4歳以上児	－4,330	＋40×加算率	－(⑥+⑦+⑧+⑨+⑪)×1/100	(⑥+⑦+⑧+⑨+⑪)×3/100	(⑥+⑦+⑧+⑨+⑪)×4/100	(⑥+⑦+⑧+⑨+⑪)×6/100	
			3歳児							
		3号	1、2歳児							
			乳児							
	131人から140人まで	2号	4歳以上児	－4,020	＋40×加算率	－(⑥+⑦+⑧+⑨+⑪)×1/100	(⑥+⑦+⑧+⑨+⑪)×3/100	(⑥+⑦+⑧+⑨+⑪)×4/100	(⑥+⑦+⑧+⑨+⑪)×6/100	
			3歳児							
		3号	1、2歳児							
			乳児							
	141人から150人まで	2号	4歳以上児	－3,760	＋30×加算率	－(⑥+⑦+⑧+⑨+⑪)×1/100	(⑥+⑦+⑧+⑨+⑪)×3/100	(⑥+⑦+⑧+⑨+⑪)×4/100	(⑥+⑦+⑧+⑨+⑪)×6/100	
			3歳児							
		3号	1、2歳児							
			乳児							
	151人から160人まで	2号	4歳以上児	－3,520	＋30×加算率	－(⑥+⑦+⑧+⑨+⑪)×1/100	(⑥+⑦+⑧+⑨+⑪)×3/100	(⑥+⑦+⑧+⑨+⑪)×4/100	(⑥+⑦+⑧+⑨+⑪)×6/100	
			3歳児							
		3号	1、2歳児							
			乳児							
	161人から170人まで	2号	4歳以上児	－3,310	＋30×加算率	－(⑥+⑦+⑧+⑨+⑪)×1/100	(⑥+⑦+⑧+⑨+⑪)×3/100	(⑥+⑦+⑧+⑨+⑪)×4/100	(⑥+⑦+⑧+⑨+⑪)×6/100	
			3歳児							
		3号	1、2歳児							
			乳児							
	171人以上	2号	4歳以上児	－3,130	＋30×加算率	－(⑥+⑦+⑧+⑨+⑪)×1/100	(⑥+⑦+⑧+⑨+⑪)×3/100	(⑥+⑦+⑧+⑨+⑪)×4/100	(⑥+⑦+⑧+⑨+⑪)×6/100	
			3歳児							
		3号	1、2歳児							
			乳児							

地域区分 ①	定員区分 ②	認定区分 ③	年齢区分 ④	保育必要量区分 ⑤ 保育標準時間認定 基本分単価 ⑥	（注）	保育短時間認定 基本分単価 ⑥	（注）		処遇改善等加算Ⅰ 保育標準時間認定 ⑦	（注）		保育短時間認定 ⑦	（注）			3歳児配置改善加算 ⑧		処遇改善等加算Ⅰ
16/100地域	20人	2号	4歳以上児	128, 580	(136, 620)	101, 560	(109, 600)	+	1, 260	(1, 340)	×加算率	990	(1, 070)	×加算率	+	(8, 040)	+	(80×加算率)
			3歳児	136, 620	(201, 490)	109, 600	(174, 470)	+	1, 340	(1, 890)	×加算率	1, 070	(1, 620)	×加算率	+	8, 040		80×加算率
		3号	1、2歳児	201, 490	(281, 930)	174, 470	(254, 910)	+	1, 890	(2, 690)	×加算率	1, 620	(2, 420)	×加算率				
			乳児	281, 930		254, 910		+	2, 690		×加算率	2, 420		×加算率				
	21人から30人まで	2号	4歳以上児	92, 670	(100, 710)	74, 660	(82, 700)	+	900	(980)	×加算率	720	(800)	×加算率	+	(8, 040)	+	(80×加算率)
			3歳児	100, 710	(165, 580)	82, 700	(147, 570)	+	980	(1, 540)	×加算率	800	(1, 360)	×加算率	+	8, 040		80×加算率
		3号	1、2歳児	165, 580	(246, 020)	147, 570	(228, 010)	+	1, 540	(2, 340)	×加算率	1, 360	(2, 160)	×加算率				
			乳児	246, 020		228, 010		+	2, 340		×加算率	2, 160		×加算率				
	31人から40人まで	2号	4歳以上児	75, 080	(83, 120)	61, 570	(69, 610)	+	730	(810)	×加算率	590	(670)	×加算率	+	(8, 040)	+	(80×加算率)
			3歳児	83, 120	(147, 990)	69, 610	(134, 480)	+	810	(1, 360)	×加算率	670	(1, 220)	×加算率	+	8, 040		80×加算率
		3号	1、2歳児	147, 990	(228, 430)	134, 480	(214, 920)	+	1, 360	(2, 160)	×加算率	1, 220	(2, 020)	×加算率				
			乳児	228, 430		214, 920		+	2, 160		×加算率	2, 020		×加算率				
	41人から50人まで	2号	4歳以上児	70, 490	(78, 530)	59, 680	(67, 720)	+	680	(760)	×加算率	570	(650)	×加算率	+	(8, 040)	+	(80×加算率)
			3歳児	78, 530	(143, 400)	67, 720	(132, 590)	+	760	(1, 310)	×加算率	650	(1, 210)	×加算率	+	8, 040		80×加算率
		3号	1、2歳児	143, 400	(223, 840)	132, 590	(213, 030)	+	1, 310	(2, 110)	×加算率	1, 210	(2, 010)	×加算率				
			乳児	223, 840		213, 030		+	2, 110		×加算率	2, 010		×加算率				
	51人から60人まで	2号	4歳以上児	61, 770	(69, 810)	52, 760	(60, 800)	+	590	(670)	×加算率	500	(580)	×加算率	+	(8, 040)	+	(80×加算率)
			3歳児	69, 810	(134, 680)	60, 800	(125, 670)	+	670	(1, 230)	×加算率	580	(1, 140)	×加算率	+	8, 040		80×加算率
		3号	1、2歳児	134, 680	(215, 120)	125, 670	(206, 110)	+	1, 230	(2, 030)	×加算率	1, 140	(1, 940)	×加算率				
			乳児	215, 120		206, 110		+	2, 030		×加算率	1, 940		×加算率				
	61人から70人まで	2号	4歳以上児	55, 610	(63, 650)	47, 900	(55, 940)	+	530	(610)	×加算率	450	(530)	×加算率	+	(8, 040)	+	(80×加算率)
			3歳児	63, 650	(128, 520)	55, 940	(120, 810)	+	610	(1, 170)	×加算率	530	(1, 090)	×加算率	+	8, 040		80×加算率
		3号	1、2歳児	128, 520	(208, 960)	120, 810	(201, 250)	+	1, 170	(1, 970)	×加算率	1, 090	(1, 890)	×加算率				
			乳児	208, 960		201, 250		+	1, 970		×加算率	1, 890		×加算率				
	71人から80人まで	2号	4歳以上児	51, 060	(59, 100)	44, 310	(52, 350)	+	490	(570)	×加算率	420	(500)	×加算率	+	(8, 040)	+	(80×加算率)
			3歳児	59, 100	(123, 970)	52, 350	(117, 220)	+	570	(1, 120)	×加算率	500	(1, 050)	×加算率	+	8, 040		80×加算率
		3号	1、2歳児	123, 970	(204, 410)	117, 220	(197, 660)	+	1, 120	(1, 920)	×加算率	1, 050	(1, 850)	×加算率				
			乳児	204, 410		197, 660		+	1, 920		×加算率	1, 850		×加算率				
	81人から90人まで	2号	4歳以上児	47, 470	(55, 510)	41, 460	(49, 500)	+	450	(530)	×加算率	390	(470)	×加算率	+	(8, 040)	+	(80×加算率)
			3歳児	55, 510	(120, 380)	49, 500	(114, 370)	+	530	(1, 080)	×加算率	470	(1, 020)	×加算率	+	8, 040		80×加算率
		3号	1、2歳児	120, 380	(200, 820)	114, 370	(194, 810)	+	1, 080	(1, 880)	×加算率	1, 020	(1, 820)	×加算率				
			乳児	200, 820		194, 810		+	1, 880		×加算率	1, 820		×加算率				
	91人から100人まで	2号	4歳以上児	40, 990	(49, 030)	35, 590	(43, 630)	+	390	(470)	×加算率	330	(410)	×加算率	+	(8, 040)	+	(80×加算率)
			3歳児	49, 030	(113, 900)	43, 630	(108, 500)	+	470	(1, 020)	×加算率	410	(960)	×加算率	+	8, 040		80×加算率
		3号	1、2歳児	113, 900	(194, 340)	108, 500	(188, 940)	+	1, 020	(1, 820)	×加算率	960	(1, 760)	×加算率				
			乳児	194, 340		188, 940		+	1, 820		×加算率	1, 760		×加算率				
	101人から110人まで	2号	4歳以上児	39, 010	(47, 050)	34, 090	(42, 130)	+	370	(450)	×加算率	320	(400)	×加算率	+	(8, 040)	+	(80×加算率)
			3歳児	47, 050	(111, 920)	42, 130	(107, 000)	+	450	(1, 000)	×加算率	400	(950)	×加算率	+	8, 040		80×加算率
		3号	1、2歳児	111, 920	(192, 360)	107, 000	(187, 440)	+	1, 000	(1, 800)	×加算率	950	(1, 750)	×加算率				
			乳児	192, 360		187, 440		+	1, 800		×加算率	1, 760		×加算率				
	111人から120人まで	2号	4歳以上児	37, 310	(45, 350)	32, 810	(40, 850)	+	350	(430)	×加算率	300	(380)	×加算率	+	(8, 040)	+	(80×加算率)
			3歳児	45, 350	(110, 220)	40, 850	(105, 720)	+	430	(980)	×加算率	380	(940)	×加算率	+	8, 040		80×加算率
		3号	1、2歳児	110, 220	(190, 660)	105, 720	(186, 160)	+	980	(1, 780)	×加算率	940	(1, 740)	×加算率				
			乳児	190, 660		186, 160		+	1, 780		×加算率	1, 740		×加算率				
	121人から130人まで	2号	4歳以上児	35, 880	(43, 920)	31, 730	(39, 770)	+	330	(410)	×加算率	290	(370)	×加算率	+	(8, 040)	+	(80×加算率)
			3歳児	43, 920	(108, 790)	39, 770	(104, 640)	+	410	(970)	×加算率	370	(930)	×加算率	+	8, 040		80×加算率
		3号	1、2歳児	108, 790	(189, 230)	104, 640	(185, 080)	+	970	(1, 770)	×加算率	930	(1, 730)	×加算率				
			乳児	189, 230		185, 080		+	1, 770		×加算率	1, 700		×加算率				
	131人から140人まで	2号	4歳以上児	34, 690	(42, 730)	30, 830	(38, 870)	+	320	(400)	×加算率	280	(360)	×加算率	+	(8, 040)	+	(80×加算率)
			3歳児	42, 730	(107, 600)	38, 870	(103, 740)	+	400	(960)	×加算率	360	(920)	×加算率	+	8, 040		80×加算率
		3号	1、2歳児	107, 600	(188, 040)	103, 740	(184, 180)	+	960	(1, 760)	×加算率	920	(1, 720)	×加算率				
			乳児	188, 040		184, 180		+	1, 760		×加算率	1, 720		×加算率				
	141人から150人まで	2号	4歳以上児	33, 630	(41, 670)	30, 030	(38, 070)	+	310	(390)	×加算率	280	(360)	×加算率	+	(8, 040)	+	(80×加算率)
			3歳児	41, 670	(106, 540)	38, 070	(102, 940)	+	390	(950)	×加算率	360	(910)	×加算率	+	8, 040		80×加算率
		3号	1、2歳児	106, 540	(186, 980)	102, 940	(183, 380)	+	950	(1, 750)	×加算率	910	(1, 710)	×加算率				
			乳児	186, 980		183, 380		+	1, 750		×加算率	1, 710		×加算率				
	151人から160人まで	2号	4歳以上児	33, 610	(41, 650)	30, 230	(38, 270)	+	310	(390)	×加算率	280	(360)	×加算率	+	(8, 040)	+	(80×加算率)
			3歳児	41, 650	(106, 520)	38, 270	(103, 140)	+	390	(940)	×加算率	360	(910)	×加算率	+	8, 040		80×加算率
		3号	1、2歳児	106, 520	(186, 960)	103, 140	(183, 580)	+	940	(1, 740)	×加算率	910	(1, 710)	×加算率				
			乳児	186, 960		183, 580		+	1, 740		×加算率	1, 710		×加算率				
	161人から170人まで	2号	4歳以上児	32, 760	(40, 800)	29, 580	(37, 620)	+	300	(380)	×加算率	270	(350)	×加算率	+	(8, 040)	+	(80×加算率)
			3歳児	40, 800	(105, 670)	37, 620	(102, 490)	+	380	(940)	×加算率	350	(900)	×加算率	+	8, 040		80×加算率
		3号	1、2歳児	105, 670	(186, 110)	102, 490	(182, 930)	+	940	(1, 740)	×加算率	900	(1, 700)	×加算率				
			乳児	186, 110		182, 930		+	1, 740		×加算率	1, 700		×加算率				
	171人以上	2号	4歳以上児	31, 980	(40, 020)	28, 980	(37, 020)	+	300	(380)	×加算率	270	(350)	×加算率	+	(8, 040)	+	(80×加算率)
			3歳児	40, 020	(104, 890)	37, 020	(101, 890)	+	380	(930)	×加算率	350	(900)	×加算率	+	8, 040		80×加算率
		3号	1、2歳児	104, 890	(185, 330)	101, 890	(182, 330)	+	930	(1, 730)	×加算率	900	(1, 700)	×加算率				
			乳児	185, 330		182, 330		+	1, 730		×加算率	1, 700		×加算率				

地域区分 ①	定員区分 ②	認定区分 ③	年齢区分 ④	4歳以上児配置改善加算	処遇改善等加算Ⅰ ⑨	夜間保育加算	(注)	処遇改善等加算Ⅰ ⑪
16/100地域	20人	2号	4歳以上児	+ 3,210	+ 30×加算率	+ 31,010	29,180	+ 230×加算率
			3歳児					
		3号	1、2歳児			+ 29,180		
			乳児					
	21人から30人まで	2号	4歳以上児	+ 3,210	+ 30×加算率	+ 23,110	21,280	+ 150×加算率
			3歳児					
		3号	1、2歳児			+ 21,280		
			乳児					
	31人から40人まで	2号	4歳以上児	+ 3,210	+ 30×加算率	+ 19,160	17,330	+ 110×加算率
			3歳児					
		3号	1、2歳児			+ 17,330		
			乳児					
	41人から50人まで	2号	4歳以上児	+ 3,210	+ 30×加算率	+ 16,790	14,960	+ 90×加算率
			3歳児					
		3号	1、2歳児			+ 14,960		
			乳児					
	51人から60人まで	2号	4歳以上児	+ 3,210	+ 30×加算率	+ 15,210	13,380	+ 70×加算率
			3歳児					
		3号	1、2歳児			+ 13,380		
			乳児					
	61人から70人まで	2号	4歳以上児	+ 3,210	+ 30×加算率	+ 14,080	12,250	+ 60×加算率
			3歳児					
		3号	1、2歳児			+ 12,250		
			乳児					
	71人から80人まで	2号	4歳以上児	+ 3,210	+ 30×加算率	+ 13,230	11,400	+ 50×加算率
			3歳児					
		3号	1、2歳児			+ 11,400		
			乳児					
	81人から90人まで	2号	4歳以上児	+ 3,210	+ 30×加算率	+ 12,570	10,740	+ 50×加算率
			3歳児					
		3号	1、2歳児			+ 10,740		
			乳児					
	91人から100人まで	2号	4歳以上児	+ 3,210	+ 30×加算率			
			3歳児					
		3号	1、2歳児					
			乳児					
	101人から110人まで	2号	4歳以上児	+ 3,210	+ 30×加算率			
			3歳児					
		3号	1、2歳児					
			乳児					
	111人から120人まで	2号	4歳以上児	+ 3,210	+ 30×加算率			
			3歳児					
		3号	1、2歳児					
			乳児					
	121人から130人まで	2号	4歳以上児	+ 3,210	+ 30×加算率			
			3歳児					
		3号	1、2歳児					
			乳児					
	131人から140人まで	2号	4歳以上児	+ 3,210	+ 30×加算率			
			3歳児					
		3号	1、2歳児					
			乳児					
	141人から150人まで	2号	4歳以上児	+ 3,210	+ 30×加算率			
			3歳児					
		3号	1、2歳児					
			乳児					
	151人から160人まで	2号	4歳以上児	+ 3,210	+ 30×加算率			
			3歳児					
		3号	1、2歳児					
			乳児					
	161人から170人まで	2号	4歳以上児	+ 3,210	+ 30×加算率			
			3歳児					
		3号	1、2歳児					
			乳児					
	171人以上	2号	4歳以上児	+ 3,210	+ 30×加算率			
			3歳児					
		3号	1、2歳児					
			乳児					

休日保育加算（全定員区分共通）　＋ 休日保育加算 ＋ 処遇改善等加算Ⅰ ⑩ ÷ 各月初日の利用子ども数

休日保育の年間延べ利用子ども数	休日保育加算	処遇改善等加算Ⅰ ⑩
～ 210人	273,500	2,730×加算率
211人～ 279人	293,000	2,930×加算率
280人～ 349人	332,100	3,320×加算率
350人～ 419人	371,200	3,710×加算率
420人～ 489人	410,200	4,100×加算率
490人～ 559人	449,300	4,490×加算率
560人～ 629人	488,400	4,880×加算率
630人～ 699人	527,500	5,270×加算率
700人～ 769人	566,600	5,660×加算率
770人～ 839人	605,700	6,050×加算率
840人～ 909人	644,700	6,440×加算率
910人～ 979人	683,800	6,830×加算率
980人～1,049人	722,900	7,220×加算率
1,050人～	762,000	7,620×加算率

地域区分 ①	定員区分 ②	認定区分 ③	年齢区分 ④	減価償却費加算 加算額 標　準	減価償却費加算 加算額 都市部 ⑫	賃借料加算	賃借料加算 加算額 標　準	賃借料加算 加算額 都市部 ⑬	チーム保育推進加算	チーム保育推進加算 処遇改善等加算Ⅰ ⑭	副食費徴収免除加算 ※副食費の徴収が免除される子どもの単価に加算 ⑮	分園の場合 ⑯
16/100地域	20人	2号	4歳以上児	＋ 8, 500	9, 400	＋ a地域	15, 800	17, 600	＋ 24, 130×加配人数	＋ 240×加算率×加配人数	＋ 4, 800	
			3　歳　児			b地域	8, 700	9, 700				
		3号	1、2歳児			c地域	7, 600	8, 400				
			乳　児			d地域	6, 800	7, 500				
	21人から30人まで	2号	4歳以上児	＋ 5, 900	6, 500	＋ a地域	10, 900	12, 200	＋ 16, 080×加配人数	＋ 160×加算率×加配人数	＋ 4, 800	
			3　歳　児			b地域	6, 000	6, 700				
		3号	1、2歳児			c地域	5, 200	5, 800				
			乳　児			d地域	4, 700	5, 200				
	31人から40人まで	2号	4歳以上児	＋ 5, 200	5, 700	＋ a地域	9, 800	10, 900	＋ 12, 060×加配人数	＋ 120×加算率×加配人数	＋ 4, 800	
			3　歳　児			b地域	5, 400	6, 000				
		3号	1、2歳児			c地域	4, 700	5, 200				
			乳　児			d地域	4, 200	4, 600				
	41人から50人まで	2号	4歳以上児	＋ 4, 700	5, 200	＋ a地域	8, 800	9, 800	＋ 9, 650×加配人数	＋ 90×加算率×加配人数	＋ 4, 800	
			3　歳　児			b地域	4, 800	5, 400				
		3号	1、2歳児			c地域	4, 200	4, 700				
			乳　児			d地域	3, 800	4, 200				
	51人から60人まで	2号	4歳以上児	＋ 3, 900	4, 300	＋ a地域	7, 200	8, 100	＋ 8, 040×加配人数	＋ 80×加算率×加配人数	＋ 4, 800	
			3　歳　児			b地域	4, 000	4, 400				
		3号	1、2歳児			c地域	3, 500	3, 800				
			乳　児			d地域	3, 100	3, 400				
	61人から70人まで	2号	4歳以上児	＋ 3, 300	3, 700	＋ a地域	6, 300	7, 100	＋ 6, 890×加配人数	＋ 60×加算率×加配人数	＋ 4, 800	
			3　歳　児			b地域	3, 500	3, 900				
		3号	1、2歳児			c地域	3, 000	3, 400				
			乳　児			d地域	2, 700	3, 000				
	71人から80人まで	2号	4歳以上児	＋ 3, 800	4, 200	＋ a地域	7, 100	7, 900	＋ 6, 030×加配人数	＋ 60×加算率×加配人数	＋ 4, 800	
			3　歳　児			b地域	3, 900	4, 300				
		3号	1、2歳児			c地域	3, 400	3, 800				
			乳　児			d地域	3, 000	3, 400				
	81人から90人まで	2号	4歳以上児	＋ 3, 400	3, 700	＋ a地域	6, 300	7, 100	＋ 5, 360×加配人数	＋ 50×加算率×加配人数	＋ 4, 800	
			3　歳　児			b地域	3, 500	3, 900				
		3号	1、2歳児			c地域	3, 000	3, 400				
			乳　児			d地域	2, 700	3, 000				
	91人から100人まで	2号	4歳以上児	＋ 3, 000	3, 400	＋ a地域	5, 500	6, 200	＋ 4, 820×加配人数	＋ 40×加算率×加配人数	＋ 4, 800	− ((⑥+⑦) × 10/100
			3　歳　児			b地域	3, 000	3, 400				
		3号	1、2歳児			c地域	2, 600	2, 900				
			乳　児			d地域	2, 400	2, 600				
	101人から110人まで	2号	4歳以上児	＋ 3, 300	3, 700	＋ a地域	6, 100	6, 800	＋ 4, 380×加配人数	＋ 40×加算率×加配人数	＋ 4, 800	
			3　歳　児			b地域	3, 300	3, 700				
		3号	1、2歳児			c地域	2, 900	3, 200				
			乳　児			d地域	2, 600	2, 900				
	111人から120人まで	2号	4歳以上児	＋ 3, 000	3, 400	＋ a地域	5, 500	6, 200	＋ 4, 020×加配人数	＋ 40×加算率×加配人数	＋ 4, 800	
			3　歳　児			b地域	3, 000	3, 400				
		3号	1、2歳児			c地域	2, 600	2, 900				
			乳　児			d地域	2, 400	2, 600				
	121人から130人まで	2号	4歳以上児	＋ 2, 800	3, 100	＋ a地域	5, 100	5, 700	＋ 3, 710×加配人数	＋ 30×加算率×加配人数	＋ 4, 800	
			3　歳　児			b地域	2, 800	3, 100				
		3号	1、2歳児			c地域	2, 400	2, 700				
			乳　児			d地域	2, 200	2, 400				
	131人から140人まで	2号	4歳以上児	＋ 3, 000	3, 300	＋ a地域	5, 500	6, 200	＋ 3, 440×加配人数	＋ 30×加算率×加配人数	＋ 4, 800	
			3　歳　児			b地域	3, 000	3, 400				
		3号	1、2歳児			c地域	2, 600	2, 900				
			乳　児			d地域	2, 400	2, 600				
	141人から150人まで	2号	4歳以上児	＋ 2, 800	3, 100	＋ a地域	5, 400	6, 000	＋ 3, 210×加配人数	＋ 30×加算率×加配人数	＋ 4, 800	
			3　歳　児			b地域	2, 900	3, 300				
		3号	1、2歳児			c地域	2, 500	2, 800				
			乳　児			d地域	2, 300	2, 500				
	151人から160人まで	2号	4歳以上児	＋ 2, 600	2, 900	＋ a地域	4, 800	5, 400	＋ 3, 010×加配人数	＋ 30×加算率×加配人数	＋ 4, 800	
			3　歳　児			b地域	2, 600	2, 900				
		3号	1、2歳児			c地域	2, 300	2, 500				
			乳　児			d地域	2, 000	2, 300				
	161人から170人まで	2号	4歳以上児	＋ 2, 800	3, 100	＋ a地域	5, 400	6, 000	＋ 2, 830×加配人数	＋ 20×加算率×加配人数	＋ 4, 800	
			3　歳　児			b地域	2, 900	3, 300				
		3号	1、2歳児			c地域	2, 500	2, 800				
			乳　児			d地域	2, 300	2, 500				
	171人以上	2号	4歳以上児	＋ 2, 700	2, 900	＋ a地域	4, 800	5, 400	＋ 2, 680×加配人数	＋ 20×加算率×加配人数	＋ 4, 800	
			3　歳　児			b地域	2, 600	2, 900				
		3号	1、2歳児			c地域	2, 300	2, 500				
			乳　児			d地域	2, 000	2, 300				

地域区分 ①	定員区分 ②	認定区分 ③	年齢区分 ④	施設長を配置していない場合	処遇改善等加算Ⅰ ⑰	土曜日に閉所する場合 ⑱ 月に１日土曜日を閉所する場合	月に２日土曜日を閉所する場合	月に３日以上土曜日を閉所する場合	全ての土曜日を閉所する場合	定員を恒常的に超過する場合 ⑲
16/100地域	20人	2号 3号	４歳以上児 ３　歳　児 １、２歳児 乳　　　児	− 27,260 ＋	270×加算率 −	(⑥+⑦+⑧+⑨+⑪) × 1/100	(⑥+⑦+⑧+⑨+⑪) × 3/100	(⑥+⑦+⑧+⑨+⑪) × 4/100	(⑥+⑦+⑧+⑨+⑪) × 5/100	(⑥～⑱（⑮を除く。）） ×別に定める調整率
	21人から30人まで	2号 3号	４歳以上児 ３　歳　児 １、２歳児 乳　　　児	− 18,170 ＋	180×加算率 −	(⑥+⑦+⑧+⑨+⑪) × 1/100	(⑥+⑦+⑧+⑨+⑪) × 3/100	(⑥+⑦+⑧+⑨+⑪) × 4/100	(⑥+⑦+⑧+⑨+⑪) × 5/100	
	31人から40人まで	2号 3号	４歳以上児 ３　歳　児 １、２歳児 乳　　　児	− 13,630 ＋	130×加算率 −	(⑥+⑦+⑧+⑨+⑪) × 1/100	(⑥+⑦+⑧+⑨+⑪) × 3/100	(⑥+⑦+⑧+⑨+⑪) × 4/100	(⑥+⑦+⑧+⑨+⑪) × 5/100	
	41人から50人まで	2号 3号	４歳以上児 ３　歳　児 １、２歳児 乳　　　児	− 10,900 ＋	100×加算率 −	(⑥+⑦+⑧+⑨+⑪) × 1/100	(⑥+⑦+⑧+⑨+⑪) × 3/100	(⑥+⑦+⑧+⑨+⑪) × 4/100	(⑥+⑦+⑧+⑨+⑪) × 6/100	
	51人から60人まで	2号 3号	４歳以上児 ３　歳　児 １、２歳児 乳　　　児	− 9,080 ＋	90×加算率 −	(⑥+⑦+⑧+⑨+⑪) × 1/100	(⑥+⑦+⑧+⑨+⑪) × 3/100	(⑥+⑦+⑧+⑨+⑪) × 4/100	(⑥+⑦+⑧+⑨+⑪) × 6/100	
	61人から70人まで	2号 3号	４歳以上児 ３　歳　児 １、２歳児 乳　　　児	− 7,790 ＋	70×加算率 −	(⑥+⑦+⑧+⑨+⑪) × 1/100	(⑥+⑦+⑧+⑨+⑪) × 3/100	(⑥+⑦+⑧+⑨+⑪) × 4/100	(⑥+⑦+⑧+⑨+⑪) × 6/100	
	71人から80人まで	2号 3号	４歳以上児 ３　歳　児 １、２歳児 乳　　　児	− 6,810 ＋	60×加算率 −	(⑥+⑦+⑧+⑨+⑪) × 1/100	(⑥+⑦+⑧+⑨+⑪) × 3/100	(⑥+⑦+⑧+⑨+⑪) × 4/100	(⑥+⑦+⑧+⑨+⑪) × 6/100	
	81人から90人まで	2号 3号	４歳以上児 ３　歳　児 １、２歳児 乳　　　児	− 6,050 ＋	60×加算率 −	(⑥+⑦+⑧+⑨+⑪) × 1/100	(⑥+⑦+⑧+⑨+⑪) × 3/100	(⑥+⑦+⑧+⑨+⑪) × 4/100	(⑥+⑦+⑧+⑨+⑪) × 6/100	
	91人から100人まで	2号 3号	４歳以上児 ３　歳　児 １、２歳児 乳　　　児	− 5,450 ＋	50×加算率 −	(⑥+⑦+⑧+⑨+⑪) × 1/100	(⑥+⑦+⑧+⑨+⑪) × 3/100	(⑥+⑦+⑧+⑨+⑪) × 4/100	(⑥+⑦+⑧+⑨+⑪) × 6/100	
	101人から110人まで	2号 3号	４歳以上児 ３　歳　児 １、２歳児 乳　　　児	− 4,950 ＋	40×加算率 −	(⑥+⑦+⑧+⑨+⑪) × 1/100	(⑥+⑦+⑧+⑨+⑪) × 3/100	(⑥+⑦+⑧+⑨+⑪) × 4/100	(⑥+⑦+⑧+⑨+⑪) × 6/100	
	111人から120人まで	2号 3号	４歳以上児 ３　歳　児 １、２歳児 乳　　　児	− 4,540 ＋	40×加算率 −	(⑥+⑦+⑧+⑨+⑪) × 1/100	(⑥+⑦+⑧+⑨+⑪) × 3/100	(⑥+⑦+⑧+⑨+⑪) × 4/100	(⑥+⑦+⑧+⑨+⑪) × 6/100	
	121人から130人まで	2号 3号	４歳以上児 ３　歳　児 １、２歳児 乳　　　児	− 4,190 ＋	40×加算率 −	(⑥+⑦+⑧+⑨+⑪) × 1/100	(⑥+⑦+⑧+⑨+⑪) × 3/100	(⑥+⑦+⑧+⑨+⑪) × 4/100	(⑥+⑦+⑧+⑨+⑪) × 6/100	
	131人から140人まで	2号 3号	４歳以上児 ３　歳　児 １、２歳児 乳　　　児	− 3,890 ＋	30×加算率 −	(⑥+⑦+⑧+⑨+⑪) × 1/100	(⑥+⑦+⑧+⑨+⑪) × 3/100	(⑥+⑦+⑧+⑨+⑪) × 4/100	(⑥+⑦+⑧+⑨+⑪) × 6/100	
	141人から150人まで	2号 3号	４歳以上児 ３　歳　児 １、２歳児 乳　　　児	− 3,630 ＋	30×加算率 −	(⑥+⑦+⑧+⑨+⑪) × 2/100	(⑥+⑦+⑧+⑨+⑪) × 3/100	(⑥+⑦+⑧+⑨+⑪) × 5/100	(⑥+⑦+⑧+⑨+⑪) × 6/100	
	151人から160人まで	2号 3号	４歳以上児 ３　歳　児 １、２歳児 乳　　　児	− 3,400 ＋	30×加算率 −	(⑥+⑦+⑧+⑨+⑪) × 2/100	(⑥+⑦+⑧+⑨+⑪) × 3/100	(⑥+⑦+⑧+⑨+⑪) × 5/100	(⑥+⑦+⑧+⑨+⑪) × 6/100	
	161人から170人まで	2号 3号	４歳以上児 ３　歳　児 １、２歳児 乳　　　児	− 3,200 ＋	30×加算率 −	(⑥+⑦+⑧+⑨+⑪) × 2/100	(⑥+⑦+⑧+⑨+⑪) × 3/100	(⑥+⑦+⑧+⑨+⑪) × 5/100	(⑥+⑦+⑧+⑨+⑪) × 6/100	
	171人以上	2号 3号	４歳以上児 ３　歳　児 １、２歳児 乳　　　児	− 3,020 ＋	30×加算率 −	(⑥+⑦+⑧+⑨+⑪) × 2/100	(⑥+⑦+⑧+⑨+⑪) × 3/100	(⑥+⑦+⑧+⑨+⑪) × 5/100	(⑥+⑦+⑧+⑨+⑪) × 6/100	

地域区分	定員区分	認定区分	年齢区分	保育必要量区分 ⑤					処遇改善等加算Ⅰ							3歳児配置改善加算		
				保育標準時間認定		保育短時間認定			保育標準時間認定			保育短時間認定						処遇改善等加算Ⅰ
				基本分単価	（注）	基本分単価	（注）			（注）			（注）					
①	②	③	④	⑥		⑥			⑦			⑦						⑧
15/100地域	20人	2号	4歳以上児	127,660	(135,640)	100,840	(108,820)	+	1,250	(1,320)	×加算率	980	(1,050)	×加算率	+	(7,980)	+	(70×加算率)
			3歳児	135,640	(200,070)	108,820	(173,250)	+	1,320	(1,880)	×加算率	1,050	(1,610)	×加算率	+	7,980		70×加算率
		3号	1、2歳児	200,070	(279,890)	173,250	(253,070)	+	1,880	(2,680)	×加算率	1,610	(2,410)	×加算率				
			乳児	279,890		253,070		+	2,680		×加算率	2,410		×加算率				
	21人から30人まで	2号	4歳以上児	92,010	(99,990)	74,130	(82,110)	+	900	(970)	×加算率	720	(790)	×加算率	+	(7,980)	+	(70×加算率)
			3歳児	99,990	(164,420)	82,110	(146,540)	+	970	(1,520)	×加算率	790	(1,340)	×加算率	+	7,980		70×加算率
		3号	1、2歳児	164,420	(244,240)	146,540	(226,360)	+	1,520	(2,320)	×加算率	1,340	(2,140)	×加算率				
			乳児	244,240		226,360		+	2,320		×加算率	2,140		×加算率				
	31人から40人まで	2号	4歳以上児	74,540	(82,520)	61,130	(69,110)	+	720	(790)	×加算率	590	(660)	×加算率	+	(7,980)	+	(70×加算率)
			3歳児	82,520	(146,950)	69,110	(133,540)	+	790	(1,340)	×加算率	660	(1,210)	×加算率	+	7,980		70×加算率
		3号	1、2歳児	146,950	(226,770)	133,540	(213,360)	+	1,340	(2,140)	×加算率	1,210	(2,010)	×加算率				
			乳児	226,770		213,360		+	2,140		×加算率	2,010		×加算率				
	41人から50人まで	2号	4歳以上児	69,980	(77,960)	59,250	(67,230)	+	680	(750)	×加算率	570	(640)	×加算率	+	(7,980)	+	(70×加算率)
			3歳児	77,960	(142,390)	67,230	(131,660)	+	750	(1,300)	×加算率	640	(1,190)	×加算率	+	7,980		70×加算率
		3号	1、2歳児	142,390	(222,210)	131,660	(211,480)	+	1,300	(2,100)	×加算率	1,190	(1,990)	×加算率				
			乳児	222,210		211,480		+	2,100		×加算率	1,990		×加算率				
	51人から60人まで	2号	4歳以上児	61,320	(69,300)	52,380	(60,360)	+	590	(660)	×加算率	500	(570)	×加算率	+	(7,980)	+	(70×加算率)
			3歳児	69,300	(133,730)	60,360	(124,790)	+	660	(1,210)	×加算率	570	(1,120)	×加算率	+	7,980		70×加算率
		3号	1、2歳児	133,730	(213,550)	124,790	(204,610)	+	1,210	(2,010)	×加算率	1,120	(1,920)	×加算率				
			乳児	213,550		204,610		+	2,010		×加算率	1,920		×加算率				
	61人から70人まで	2号	4歳以上児	55,220	(63,200)	47,550	(55,530)	+	530	(600)	×加算率	450	(520)	×加算率	+	(7,980)	+	(70×加算率)
			3歳児	63,200	(127,630)	55,530	(119,960)	+	600	(1,150)	×加算率	520	(1,070)	×加算率	+	7,980		70×加算率
		3号	1、2歳児	127,630	(207,450)	119,960	(199,780)	+	1,150	(1,950)	×加算率	1,070	(1,870)	×加算率				
			乳児	207,450		199,780		+	1,950		×加算率	1,870		×加算率				
	71人から80人まで	2号	4歳以上児	50,700	(58,680)	43,990	(51,970)	+	480	(550)	×加算率	420	(490)	×加算率	+	(7,980)	+	(70×加算率)
			3歳児	58,680	(123,110)	51,970	(116,400)	+	550	(1,110)	×加算率	490	(1,040)	×加算率	+	7,980		70×加算率
		3号	1、2歳児	123,110	(202,930)	116,400	(196,220)	+	1,110	(1,910)	×加算率	1,040	(1,840)	×加算率				
			乳児	202,930		196,220		+	1,910		×加算率	1,840		×加算率				
	81人から90人まで	2号	4歳以上児	47,130	(55,110)	41,170	(49,150)	+	450	(520)	×加算率	390	(460)	×加算率	+	(7,980)	+	(70×加算率)
			3歳児	55,110	(119,540)	49,150	(113,580)	+	520	(1,070)	×加算率	460	(1,010)	×加算率	+	7,980		70×加算率
		3号	1、2歳児	119,540	(199,360)	113,580	(193,400)	+	1,070	(1,870)	×加算率	1,010	(1,810)	×加算率				
			乳児	199,360		193,400		+	1,870		×加算率	1,810		×加算率				
	91人から100人まで	2号	4歳以上児	40,710	(48,690)	35,340	(43,320)	+	380	(450)	×加算率	330	(400)	×加算率	+	(7,980)	+	(70×加算率)
			3歳児	48,690	(113,120)	43,320	(107,750)	+	450	(1,010)	×加算率	400	(950)	×加算率	+	7,980		70×加算率
		3号	1、2歳児	113,120	(192,940)	107,750	(187,570)	+	1,010	(1,810)	×加算率	950	(1,750)	×加算率				
			乳児	192,940		187,570		+	1,810		×加算率	1,750		×加算率				
	101人から110人まで	2号	4歳以上児	38,740	(46,720)	33,860	(41,840)	+	360	(430)	×加算率	310	(380)	×加算率	+	(7,980)	+	(70×加算率)
			3歳児	46,720	(111,150)	41,840	(106,270)	+	430	(990)	×加算率	380	(940)	×加算率	+	7,980		70×加算率
		3号	1、2歳児	111,150	(190,970)	106,270	(186,090)	+	990	(1,790)	×加算率	940	(1,740)	×加算率				
			乳児	190,970		186,090		+	1,790		×加算率	1,740		×加算率				
	111人から120人まで	2号	4歳以上児	37,060	(45,040)	32,590	(40,570)	+	350	(420)	×加算率	300	(370)	×加算率	+	(7,980)	+	(70×加算率)
			3歳児	45,040	(109,470)	40,570	(105,000)	+	420	(970)	×加算率	370	(920)	×加算率	+	7,980		70×加算率
		3号	1、2歳児	109,470	(189,290)	105,000	(184,820)	+	970	(1,770)	×加算率	920	(1,720)	×加算率				
			乳児	189,290		184,820		+	1,770		×加算率	1,720		×加算率				
	121人から130人まで	2号	4歳以上児	35,640	(43,620)	31,510	(39,490)	+	330	(400)	×加算率	290	(360)	×加算率	+	(7,980)	+	(70×加算率)
			3歳児	43,620	(108,050)	39,490	(103,920)	+	400	(960)	×加算率	360	(910)	×加算率	+	7,980		70×加算率
		3号	1、2歳児	108,050	(187,870)	103,920	(183,740)	+	960	(1,760)	×加算率	910	(1,710)	×加算率				
			乳児	187,870		183,740		+	1,760		×加算率	1,710		×加算率				
	131人から140人まで	2号	4歳以上児	34,450	(42,430)	30,620	(38,600)	+	320	(390)	×加算率	280	(350)	×加算率	+	(7,980)	+	(70×加算率)
			3歳児	42,430	(106,860)	38,600	(103,030)	+	390	(940)	×加算率	350	(910)	×加算率	+	7,980		70×加算率
		3号	1、2歳児	106,860	(186,680)	103,030	(182,850)	+	940	(1,740)	×加算率	910	(1,710)	×加算率				
			乳児	186,680		182,850		+	1,740		×加算率	1,710		×加算率				
	141人から150人まで	2号	4歳以上児	33,400	(41,380)	29,830	(37,810)	+	310	(380)	×加算率	270	(340)	×加算率	+	(7,980)	+	(70×加算率)
			3歳児	41,380	(105,810)	37,810	(102,240)	+	380	(930)	×加算率	340	(900)	×加算率	+	7,980		70×加算率
		3号	1、2歳児	105,810	(185,630)	102,240	(182,060)	+	930	(1,730)	×加算率	900	(1,700)	×加算率				
			乳児	185,630		182,060		+	1,730		×加算率	1,700		×加算率				
	151人から160人まで	2号	4歳以上児	33,380	(41,360)	30,030	(38,010)	+	310	(380)	×加算率	280	(350)	×加算率	+	(7,980)	+	(70×加算率)
			3歳児	41,360	(105,790)	38,010	(102,440)	+	380	(930)	×加算率	350	(900)	×加算率	+	7,980		70×加算率
		3号	1、2歳児	105,790	(185,610)	102,440	(182,260)	+	930	(1,730)	×加算率	900	(1,700)	×加算率				
			乳児	185,610		182,260		+	1,730		×加算率	1,700		×加算率				
	161人から170人まで	2号	4歳以上児	32,540	(40,520)	29,390	(37,370)	+	300	(370)	×加算率	270	(340)	×加算率	+	(7,980)	+	(70×加算率)
			3歳児	40,520	(104,950)	37,370	(101,800)	+	370	(920)	×加算率	340	(890)	×加算率	+	7,980		70×加算率
		3号	1、2歳児	104,950	(184,770)	101,800	(181,620)	+	920	(1,720)	×加算率	890	(1,690)	×加算率				
			乳児	184,770		181,620		+	1,720		×加算率	1,690		×加算率				
	171人以上	2号	4歳以上児	31,770	(39,750)	28,790	(36,770)	+	290	(360)	×加算率	260	(330)	×加算率	+	(7,980)	+	(70×加算率)
			3歳児	39,750	(104,180)	36,770	(101,200)	+	360	(920)	×加算率	330	(890)	×加算率	+	7,980		70×加算率
		3号	1、2歳児	104,180	(184,000)	101,200	(181,020)	+	920	(1,720)	×加算率	890	(1,690)	×加算率				
			乳児	184,000		181,020		+	1,720		×加算率	1,690		×加算率				

地域区分 ①	定員区分 ②	認定区分 ③	年齢区分 ④	4歳以上児配置改善加算 ⑨	処遇改善等加算Ⅰ ⑨	夜間保育加算 ⑪	(注) ⑪	処遇改善等加算Ⅰ ⑪
15/100地域	20人	2号	4歳以上児	+ 3,190	+ 30×加算率	+ 31,010	29,180	+ 230×加算率
			3歳児					
		3号	1、2歳児			+ 29,180		
			乳児					
	21人から30人まで	2号	4歳以上児	+ 3,190	+ 30×加算率	+ 23,110	21,280	+ 150×加算率
			3歳児					
		3号	1、2歳児			+ 21,280		
			乳児					
	31人から40人まで	2号	4歳以上児	+ 3,190	+ 30×加算率	+ 19,160	17,330	+ 110×加算率
			3歳児					
		3号	1、2歳児			+ 17,330		
			乳児					
	41人から50人まで	2号	4歳以上児	+ 3,190	+ 30×加算率	+ 16,790	14,960	+ 90×加算率
			3歳児					
		3号	1、2歳児			+ 14,960		
			乳児					
	51人から60人まで	2号	4歳以上児	+ 3,190	+ 30×加算率	+ 15,210	13,380	+ 70×加算率
			3歳児					
		3号	1、2歳児			+ 13,380		
			乳児					
	61人から70人まで	2号	4歳以上児	+ 3,190	+ 30×加算率	+ 14,080	12,250	+ 60×加算率
			3歳児					
		3号	1、2歳児			+ 12,250		
			乳児					
	71人から80人まで	2号	4歳以上児	+ 3,190	+ 30×加算率	+ 13,230	11,400	+ 50×加算率
			3歳児					
		3号	1、2歳児			+ 11,400		
			乳児					
	81人から90人まで	2号	4歳以上児	+ 3,190	+ 30×加算率	+ 12,570	10,740	+ 50×加算率
			3歳児					
		3号	1、2歳児			+ 10,740		
			乳児					
	91人から100人まで	2号	4歳以上児	+ 3,190	+ 30×加算率			
			3歳児					
		3号	1、2歳児					
			乳児					
	101人から110人まで	2号	4歳以上児	+ 3,190	+ 30×加算率			
			3歳児					
		3号	1、2歳児					
			乳児					
	111人から120人まで	2号	4歳以上児	+ 3,190	+ 30×加算率			
			3歳児					
		3号	1、2歳児					
			乳児					
	121人から130人まで	2号	4歳以上児	+ 3,190	+ 30×加算率			
			3歳児					
		3号	1、2歳児					
			乳児					
	131人から140人まで	2号	4歳以上児	+ 3,190	+ 30×加算率			
			3歳児					
		3号	1、2歳児					
			乳児					
	141人から150人まで	2号	4歳以上児	+ 3,190	+ 30×加算率			
			3歳児					
		3号	1、2歳児					
			乳児					
	151人から160人まで	2号	4歳以上児	+ 3,190	+ 30×加算率			
			3歳児					
		3号	1、2歳児					
			乳児					
	161人から170人まで	2号	4歳以上児	+ 3,190	+ 30×加算率			
			3歳児					
		3号	1、2歳児					
			乳児					
	171人以上	2号	4歳以上児	+ 3,190	+ 30×加算率			
			3歳児					
		3号	1、2歳児					
			乳児					

休日保育加算 ⑩（全定員区分共通）

休日保育の年間延べ利用子ども数		+ 処遇改善等加算Ⅰ 休日保育の年間延べ利用子ども数		÷
〜 210人	+ 271,600	〜 210人	+ 2,710×加算率	÷ 各月初日の利用子ども数
211人〜 279人	291,100	211人〜 279人	2,910×加算率	
280人〜 349人	330,200	280人〜 349人	3,300×加算率	
350人〜 419人	369,300	350人〜 419人	3,690×加算率	
420人〜 489人	408,300	420人〜 489人	4,080×加算率	
490人〜 559人	447,400	490人〜 559人	4,470×加算率	
560人〜 629人	486,500	560人〜 629人	4,860×加算率	
630人〜 699人	525,600	630人〜 699人	5,250×加算率	
700人〜 769人	564,700	700人〜 769人	5,640×加算率	
770人〜 839人	603,800	770人〜 839人	6,030×加算率	
840人〜 909人	642,800	840人〜 909人	6,420×加算率	
910人〜 979人	681,900	910人〜 979人	6,810×加算率	
980人〜1,049人	721,000	980人〜1,049人	7,210×加算率	
1,050人〜	760,100	1,050人〜	7,600×加算率	

地域区分 ①	定員区分 ②	認定区分 ③	年齢区分 ④	減価償却費加算 加算額 標準 ⑫	減価償却費加算 加算額 都市部 ⑫	賃借料加算 ⑬	賃借料加算 加算額 標準 ⑬	賃借料加算 加算額 都市部 ⑬	チーム保育推進加算 ⑭	処遇改善等加算Ⅰ ⑭	副食費徴収免除加算 ※副食費の徴収が免除される子どもの単価に加算 ⑮	分園の場合 ⑯
15/100地域	20人	2号	4歳以上児	+ 8,500	9,400	+ a地域	15,800	17,600	+ 23,940×加配人数	+ 230×加算率×加配人数	+ 4,800	
			3歳児			b地域	8,700	9,700				
		3号	1、2歳児			c地域	7,600	8,400				
			乳児			d地域	6,800	7,500				
	21人から30人まで	2号	4歳以上児	+ 5,900	6,500	+ a地域	10,900	12,200	+ 15,960×加配人数	+ 150×加算率×加配人数	+ 4,800	
			3歳児			b地域	6,000	6,700				
		3号	1、2歳児			c地域	5,200	5,800				
			乳児			d地域	4,700	5,200				
	31人から40人まで	2号	4歳以上児	+ 5,200	5,700	+ a地域	9,800	10,900	+ 11,970×加配人数	+ 110×加算率×加配人数	+ 4,800	
			3歳児			b地域	5,400	6,000				
		3号	1、2歳児			c地域	4,700	5,200				
			乳児			d地域	4,200	4,600				
	41人から50人まで	2号	4歳以上児	+ 4,700	5,200	+ a地域	8,800	9,800	+ 9,570×加配人数	+ 90×加算率×加配人数	+ 4,800	
			3歳児			b地域	4,800	5,400				
		3号	1、2歳児			c地域	4,200	4,700				
			乳児			d地域	3,800	4,200				
	51人から60人まで	2号	4歳以上児	+ 3,900	4,300	+ a地域	7,200	8,100	+ 7,980×加配人数	+ 70×加算率×加配人数	+ 4,800	
			3歳児			b地域	4,000	4,400				
		3号	1、2歳児			c地域	3,500	3,800				
			乳児			d地域	3,100	3,400				
	61人から70人まで	2号	4歳以上児	+ 3,300	3,700	+ a地域	6,300	7,100	+ 6,840×加配人数	+ 60×加算率×加配人数	+ 4,800	
			3歳児			b地域	3,500	3,900				
		3号	1、2歳児			c地域	3,000	3,400				
			乳児			d地域	2,700	3,000				
	71人から80人まで	2号	4歳以上児	+ 3,800	4,200	+ a地域	7,100	7,900	+ 5,980×加配人数	+ 50×加算率×加配人数	+ 4,800	
			3歳児			b地域	3,900	4,300				
		3号	1、2歳児			c地域	3,400	3,800				
			乳児			d地域	3,000	3,400				
	81人から90人まで	2号	4歳以上児	+ 3,400	3,700	+ a地域	6,300	7,100	+ 5,320×加配人数	+ 50×加算率×加配人数	+ 4,800	
			3歳児			b地域	3,500	3,900				
		3号	1、2歳児			c地域	3,000	3,400				
			乳児			d地域	2,700	3,000				
	91人から100人まで	2号	4歳以上児	+ 3,000	3,400	+ a地域	5,500	6,200	+ 4,780×加配人数	+ 40×加算率×加配人数	+ 4,800	−(⑥+⑦)×10/100
			3歳児			b地域	3,000	3,400				
		3号	1、2歳児			c地域	2,600	2,900				
			乳児			d地域	2,400	2,600				
	101人から110人まで	2号	4歳以上児	+ 3,300	3,700	+ a地域	6,100	6,800	+ 4,350×加配人数	+ 40×加算率×加配人数	+ 4,800	
			3歳児			b地域	3,300	3,700				
		3号	1、2歳児			c地域	2,900	3,200				
			乳児			d地域	2,000	2,000				
	111人から120人まで	2号	4歳以上児	+ 3,000	3,400	+ a地域	5,500	6,200	+ 3,990×加配人数	+ 30×加算率×加配人数	+ 4,800	
			3歳児			b地域	3,000	3,400				
		3号	1、2歳児			c地域	2,600	2,900				
			乳児			d地域	2,400	2,600				
	121人から130人まで	2号	4歳以上児	+ 2,800	3,100	+ a地域	5,100	5,700	+ 3,680×加配人数	+ 30×加算率×加配人数	+ 4,800	
			3歳児			b地域	2,800	3,100				
		3号	1、2歳児			c地域	2,400	2,700				
			乳児			d地域	2,200	2,400				
	131人から140人まで	2号	4歳以上児	+ 3,000	3,300	+ a地域	5,500	6,200	+ 3,420×加配人数	+ 30×加算率×加配人数	+ 4,800	
			3歳児			b地域	3,000	3,400				
		3号	1、2歳児			c地域	2,600	2,900				
			乳児			d地域	2,400	2,600				
	141人から150人まで	2号	4歳以上児	+ 2,800	3,100	+ a地域	5,400	6,000	+ 3,190×加配人数	+ 30×加算率×加配人数	+ 4,800	
			3歳児			b地域	2,900	3,300				
		3号	1、2歳児			c地域	2,500	2,800				
			乳児			d地域	2,300	2,500				
	151人から160人まで	2号	4歳以上児	+ 2,600	2,900	+ a地域	4,800	5,400	+ 2,990×加配人数	+ 20×加算率×加配人数	+ 4,800	
			3歳児			b地域	2,600	2,900				
		3号	1、2歳児			c地域	2,300	2,500				
			乳児			d地域	2,000	2,300				
	161人から170人まで	2号	4歳以上児	+ 2,800	3,100	+ a地域	5,400	6,000	+ 2,810×加配人数	+ 20×加算率×加配人数	+ 4,800	
			3歳児			b地域	2,900	3,300				
		3号	1、2歳児			c地域	2,500	2,800				
			乳児			d地域	2,300	2,500				
	171人以上	2号	4歳以上児	+ 2,700	2,900	+ a地域	4,800	5,400	+ 2,660×加配人数	+ 20×加算率×加配人数	+ 4,800	
			3歳児			b地域	2,600	2,900				
		3号	1、2歳児			c地域	2,300	2,500				
			乳児			d地域	2,000	2,300				

地域区分	定員区分	認定区分	年齢区分		施設長を配置していない場合				土曜日に閉所する場合				定員を恒常的に超過する場合
							処遇改善等加算Ⅰ		月に１日土曜日を閉所する場合	月に２日土曜日を閉所する場合	月に３日以上土曜日を閉所する場合	全ての土曜日を閉所する場合	
①	②	③	④				⑰		⑱				⑲
15/100地域	20人	2号 3号	4歳以上児 3歳児 1、2歳児 乳児	−	27,030	＋	270×加算率	−	(⑥+⑦+⑧+⑨+⑪)×1/100	(⑥+⑦+⑧+⑨+⑪)×3/100	(⑥+⑦+⑧+⑨+⑪)×4/100	(⑥+⑦+⑧+⑨+⑪)×5/100	(⑥～⑱（⑮を除く。))×別に定める調整率
	21人から30人まで	2号 3号	4歳以上児 3歳児 1、2歳児 乳児	−	18,020	＋	180×加算率	−	(⑥+⑦+⑧+⑨+⑪)×1/100	(⑥+⑦+⑧+⑨+⑪)×3/100	(⑥+⑦+⑧+⑨+⑪)×4/100	(⑥+⑦+⑧+⑨+⑪)×5/100	
	31人から40人まで	2号 3号	4歳以上児 3歳児 1、2歳児 乳児	−	13,510	＋	130×加算率	−	(⑥+⑦+⑧+⑨+⑪)×1/100	(⑥+⑦+⑧+⑨+⑪)×3/100	(⑥+⑦+⑧+⑨+⑪)×4/100	(⑥+⑦+⑧+⑨+⑪)×5/100	
	41人から50人まで	2号 3号	4歳以上児 3歳児 1、2歳児 乳児	−	10,810	＋	100×加算率	−	(⑥+⑦+⑧+⑨+⑪)×1/100	(⑥+⑦+⑧+⑨+⑪)×3/100	(⑥+⑦+⑧+⑨+⑪)×4/100	(⑥+⑦+⑧+⑨+⑪)×6/100	
	51人から60人まで	2号 3号	4歳以上児 3歳児 1、2歳児 乳児	−	9,010	＋	90×加算率	−	(⑥+⑦+⑧+⑨+⑪)×1/100	(⑥+⑦+⑧+⑨+⑪)×3/100	(⑥+⑦+⑧+⑨+⑪)×4/100	(⑥+⑦+⑧+⑨+⑪)×6/100	
	61人から70人まで	2号 3号	4歳以上児 3歳児 1、2歳児 乳児	−	7,720	＋	70×加算率	−	(⑥+⑦+⑧+⑨+⑪)×1/100	(⑥+⑦+⑧+⑨+⑪)×3/100	(⑥+⑦+⑧+⑨+⑪)×4/100	(⑥+⑦+⑧+⑨+⑪)×6/100	
	71人から80人まで	2号 3号	4歳以上児 3歳児 1、2歳児 乳児	−	6,750	＋	60×加算率	−	(⑥+⑦+⑧+⑨+⑪)×1/100	(⑥+⑦+⑧+⑨+⑪)×3/100	(⑥+⑦+⑧+⑨+⑪)×4/100	(⑥+⑦+⑧+⑨+⑪)×6/100	
	81人から90人まで	2号 3号	4歳以上児 3歳児 1、2歳児 乳児	−	6,000	＋	60×加算率	−	(⑥+⑦+⑧+⑨+⑪)×1/100	(⑥+⑦+⑧+⑨+⑪)×3/100	(⑥+⑦+⑧+⑨+⑪)×4/100	(⑥+⑦+⑧+⑨+⑪)×6/100	
	91人から100人まで	2号 3号	4歳以上児 3歳児 1、2歳児 乳児	−	5,400	＋	50×加算率	−	(⑥+⑦+⑧+⑨+⑪)×2/100	(⑥+⑦+⑧+⑨+⑪)×3/100	(⑥+⑦+⑧+⑨+⑪)×5/100	(⑥+⑦+⑧+⑨+⑪)×6/100	
	101人から110人まで	2号 3号	4歳以上児 3歳児 1、2歳児 乳児	−	4,910	＋	40×加算率	−	(⑥+⑦+⑧+⑨+⑪)×2/100	(⑥+⑦+⑧+⑨+⑪)×3/100	(⑥+⑦+⑧+⑨+⑪)×5/100	(⑥+⑦+⑧+⑨+⑪)×6/100	
	111人から120人まで	2号 3号	4歳以上児 3歳児 1、2歳児 乳児	−	4,500	＋	40×加算率	−	(⑥+⑦+⑧+⑨+⑪)×2/100	(⑥+⑦+⑧+⑨+⑪)×3/100	(⑥+⑦+⑧+⑨+⑪)×5/100	(⑥+⑦+⑧+⑨+⑪)×6/100	
	121人から130人まで	2号 3号	4歳以上児 3歳児 1、2歳児 乳児	−	4,150	＋	40×加算率	−	(⑥+⑦+⑧+⑨+⑪)×2/100	(⑥+⑦+⑧+⑨+⑪)×3/100	(⑥+⑦+⑧+⑨+⑪)×5/100	(⑥+⑦+⑧+⑨+⑪)×6/100	
	131人から140人まで	2号 3号	4歳以上児 3歳児 1、2歳児 乳児	−	3,860	＋	30×加算率	−	(⑥+⑦+⑧+⑨+⑪)×2/100	(⑥+⑦+⑧+⑨+⑪)×3/100	(⑥+⑦+⑧+⑨+⑪)×5/100	(⑥+⑦+⑧+⑨+⑪)×6/100	
	141人から150人まで	2号 3号	4歳以上児 3歳児 1、2歳児 乳児	−	3,600	＋	30×加算率	−	(⑥+⑦+⑧+⑨+⑪)×2/100	(⑥+⑦+⑧+⑨+⑪)×3/100	(⑥+⑦+⑧+⑨+⑪)×5/100	(⑥+⑦+⑧+⑨+⑪)×6/100	
	151人から160人まで	2号 3号	4歳以上児 3歳児 1、2歳児 乳児	−	3,370	＋	30×加算率	−	(⑥+⑦+⑧+⑨+⑪)×2/100	(⑥+⑦+⑧+⑨+⑪)×3/100	(⑥+⑦+⑧+⑨+⑪)×5/100	(⑥+⑦+⑧+⑨+⑪)×6/100	
	161人から170人まで	2号 3号	4歳以上児 3歳児 1、2歳児 乳児	−	3,180	＋	30×加算率	−	(⑥+⑦+⑧+⑨+⑪)×2/100	(⑥+⑦+⑧+⑨+⑪)×3/100	(⑥+⑦+⑧+⑨+⑪)×5/100	(⑥+⑦+⑧+⑨+⑪)×6/100	
	171人以上	2号 3号	4歳以上児 3歳児 1、2歳児 乳児	−	3,000	＋	30×加算率	−	(⑥+⑦+⑧+⑨+⑪)×2/100	(⑥+⑦+⑧+⑨+⑪)×3/100	(⑥+⑦+⑧+⑨+⑪)×5/100	(⑥+⑦+⑧+⑨+⑪)×6/100	

地域区分	定員区分	認定区分	年齢区分	保育必要量区分 ⑤					処遇改善等加算Ⅰ							3歳児配置改善加算		
				保育標準時間認定		保育短時間認定			保育標準時間認定			保育短時間認定						処遇改善等加算Ⅰ
				基本分単価	(注)	基本分単価	(注)			(注)			(注)					
①	②	③	④	⑥		⑥			⑦			⑦						⑧
12/100地域	20人	2号	4歳以上児	124,920	(132,710)	98,650	(106,440)	+	1,220	(1,290)	×加算率	960	(1,030)	×加算率	+	(7,790)	+	(70×加算率)
			3歳児	132,710	(195,840)	106,440	(169,570)	+	1,290	(1,840)	×加算率	1,030	(1,580)	×加算率	+	7,790		70×加算率
		3号	1、2歳児	195,840	(273,780)	169,570	(247,510)	+	1,840	(2,620)	×加算率	1,580	(2,360)	×加算率				
			乳児	273,780		247,510		+	2,620		×加算率	2,360		×加算率				
	21人から30人まで	2号	4歳以上児	90,040	(97,830)	72,530	(80,320)	+	880	(950)	×加算率	700	(770)	×加算率	+	(7,790)	+	(70×加算率)
			3歳児	97,830	(160,960)	80,320	(143,450)	+	950	(1,490)	×加算率	770	(1,310)	×加算率	+	7,790		70×加算率
		3号	1、2歳児	160,960	(238,900)	143,450	(221,390)	+	1,490	(2,270)	×加算率	1,310	(2,090)	×加算率				
			乳児	238,900		221,390		+	2,270		×加算率	2,090		×加算率				
	31人から40人まで	2号	4歳以上児	72,920	(80,710)	59,790	(67,580)	+	700	(770)	×加算率	570	(640)	×加算率	+	(7,790)	+	(70×加算率)
			3歳児	80,710	(143,840)	67,580	(130,710)	+	770	(1,320)	×加算率	640	(1,190)	×加算率	+	7,790		70×加算率
		3号	1、2歳児	143,840	(221,780)	130,710	(208,650)	+	1,320	(2,100)	×加算率	1,190	(1,970)	×加算率				
			乳児	221,780		208,650		+	2,100		×加算率	1,970		×加算率				
	41人から50人まで	2号	4歳以上児	68,450	(76,240)	57,950	(65,740)	+	660	(730)	×加算率	560	(630)	×加算率	+	(7,790)	+	(70×加算率)
			3歳児	76,240	(139,370)	65,740	(128,870)	+	730	(1,270)	×加算率	630	(1,170)	×加算率	+	7,790		70×加算率
		3号	1、2歳児	139,370	(217,310)	128,870	(206,810)	+	1,270	(2,050)	×加算率	1,170	(1,950)	×加算率				
			乳児	217,310		206,810		+	2,050		×加算率	1,950		×加算率				
	51人から60人まで	2号	4歳以上児	59,990	(67,780)	51,230	(59,020)	+	580	(650)	×加算率	490	(560)	×加算率	+	(7,790)	+	(70×加算率)
			3歳児	67,780	(130,910)	59,020	(122,150)	+	650	(1,190)	×加算率	560	(1,100)	×加算率	+	7,790		70×加算率
		3号	1、2歳児	130,910	(208,850)	122,150	(200,090)	+	1,190	(1,970)	×加算率	1,100	(1,880)	×加算率				
			乳児	208,850		200,090		+	1,970		×加算率	1,880		×加算率				
	61人から70人まで	2号	4歳以上児	54,020	(61,810)	46,520	(54,310)	+	520	(590)	×加算率	440	(510)	×加算率	+	(7,790)	+	(70×加算率)
			3歳児	61,810	(124,940)	54,310	(117,440)	+	590	(1,130)	×加算率	510	(1,050)	×加算率	+	7,790		70×加算率
		3号	1、2歳児	124,940	(202,880)	117,440	(195,380)	+	1,130	(1,910)	×加算率	1,050	(1,830)	×加算率				
			乳児	202,880		195,380		+	1,910		×加算率	1,830		×加算率				
	71人から80人まで	2号	4歳以上児	49,600	(57,390)	43,040	(50,830)	+	470	(540)	×加算率	410	(480)	×加算率	+	(7,790)	+	(70×加算率)
			3歳児	57,390	(120,520)	50,830	(113,960)	+	540	(1,080)	×加算率	480	(1,020)	×加算率	+	7,790		70×加算率
		3号	1、2歳児	120,520	(198,460)	113,960	(191,900)	+	1,080	(1,860)	×加算率	1,020	(1,800)	×加算率				
			乳児	198,460		191,900		+	1,860		×加算率	1,800		×加算率				
	81人から90人まで	2号	4歳以上児	46,120	(53,910)	40,280	(48,070)	+	440	(510)	×加算率	380	(450)	×加算率	+	(7,790)	+	(70×加算率)
			3歳児	53,910	(117,040)	48,070	(111,200)	+	510	(1,050)	×加算率	450	(990)	×加算率	+	7,790		70×加算率
		3号	1、2歳児	117,040	(194,980)	111,200	(189,140)	+	1,050	(1,830)	×加算率	990	(1,770)	×加算率				
			乳児	194,980		189,140		+	1,830		×加算率	1,770		×加算率				
	91人から100人まで	2号	4歳以上児	39,870	(47,660)	34,620	(42,410)	+	370	(440)	×加算率	320	(390)	×加算率	+	(7,790)	+	(70×加算率)
			3歳児	47,660	(110,790)	42,410	(105,540)	+	440	(990)	×加算率	390	(940)	×加算率	+	7,790		70×加算率
		3号	1、2歳児	110,790	(188,730)	105,540	(183,480)	+	990	(1,770)	×加算率	940	(1,720)	×加算率				
			乳児	188,730		183,480		+	1,770		×加算率	1,720		×加算率				
	101人から110人まで	2号	4歳以上児	37,950	(45,740)	33,170	(40,960)	+	360	(430)	×加算率	310	(380)	×加算率	+	(7,790)	+	(70×加算率)
			3歳児	45,740	(108,870)	40,960	(104,090)	+	430	(970)	×加算率	380	(920)	×加算率	+	7,790		70×加算率
		3号	1、2歳児	108,870	(186,810)	104,090	(182,030)	+	970	(1,750)	×加算率	920	(1,700)	×加算率				
			乳児	186,810		182,030		+	1,750		×加算率	1,700		×加算率				
	111人から120人まで	2号	4歳以上児	36,300	(44,090)	31,920	(39,710)	+	340	(410)	×加算率	290	(360)	×加算率	+	(7,790)	+	(70×加算率)
			3歳児	44,090	(107,220)	39,710	(102,840)	+	410	(950)	×加算率	360	(910)	×加算率	+	7,790		70×加算率
		3号	1、2歳児	107,220	(185,160)	102,840	(180,780)	+	950	(1,730)	×加算率	910	(1,690)	×加算率				
			乳児	185,160		180,780		+	1,730		×加算率	1,690		×加算率				
	121人から130人まで	2号	4歳以上児	34,910	(42,700)	30,870	(38,660)	+	320	(390)	×加算率	280	(350)	×加算率	+	(7,790)	+	(70×加算率)
			3歳児	42,700	(105,830)	38,660	(101,790)	+	390	(940)	×加算率	350	(900)	×加算率	+	7,790		70×加算率
		3号	1、2歳児	105,830	(183,770)	101,790	(179,730)	+	940	(1,720)	×加算率	900	(1,680)	×加算率				
			乳児	183,770		179,730		+	1,720		×加算率	1,680		×加算率				
	131人から140人まで	2号	4歳以上児	33,750	(41,540)	30,000	(37,790)	+	310	(380)	×加算率	280	(350)	×加算率	+	(7,790)	+	(70×加算率)
			3歳児	41,540	(104,670)	37,790	(100,920)	+	380	(930)	×加算率	350	(890)	×加算率	+	7,790		70×加算率
		3号	1、2歳児	104,670	(182,610)	100,920	(178,860)	+	930	(1,710)	×加算率	890	(1,670)	×加算率				
			乳児	182,610		178,860		+	1,710		×加算率	1,670		×加算率				
	141人から150人まで	2号	4歳以上児	32,720	(40,510)	29,220	(37,010)	+	300	(370)	×加算率	270	(340)	×加算率	+	(7,790)	+	(70×加算率)
			3歳児	40,510	(103,640)	37,010	(100,140)	+	370	(920)	×加算率	340	(880)	×加算率	+	7,790		70×加算率
		3号	1、2歳児	103,640	(181,580)	100,140	(178,080)	+	920	(1,700)	×加算率	880	(1,660)	×加算率				
			乳児	181,580		178,080		+	1,700		×加算率	1,660		×加算率				
	151人から160人まで	2号	4歳以上児	32,720	(40,510)	29,440	(37,230)	+	300	(370)	×加算率	270	(340)	×加算率	+	(7,790)	+	(70×加算率)
			3歳児	40,510	(103,640)	37,230	(100,360)	+	370	(920)	×加算率	340	(880)	×加算率	+	7,790		70×加算率
		3号	1、2歳児	103,640	(181,580)	100,360	(178,300)	+	920	(1,700)	×加算率	880	(1,660)	×加算率				
			乳児	181,580		178,300		+	1,700		×加算率	1,660		×加算率				
	161人から170人まで	2号	4歳以上児	31,900	(39,690)	28,810	(36,600)	+	290	(360)	×加算率	260	(330)	×加算率	+	(7,790)	+	(70×加算率)
			3歳児	39,690	(102,820)	36,600	(99,730)	+	360	(910)	×加算率	330	(880)	×加算率	+	7,790		70×加算率
		3号	1、2歳児	102,820	(180,760)	99,730	(177,670)	+	910	(1,690)	×加算率	880	(1,660)	×加算率				
			乳児	180,760		177,670		+	1,690		×加算率	1,660		×加算率				
	171人以上	2号	4歳以上児	31,140	(38,930)	28,220	(36,010)	+	290	(360)	×加算率	260	(330)	×加算率	+	(7,790)	+	(70×加算率)
			3歳児	38,930	(102,060)	36,010	(99,140)	+	360	(900)	×加算率	330	(870)	×加算率	+	7,790		70×加算率
		3号	1、2歳児	102,060	(180,000)	99,140	(177,080)	+	900	(1,680)	×加算率	870	(1,650)	×加算率				
			乳児	180,000		177,080		+	1,680		×加算率	1,650		×加算率				

地域区分 ①	定員区分 ②	認定区分 ③	年齢区分 ④	4歳以上児配置改善加算 ⑨	処遇改善等加算Ⅰ ⑨	夜間保育加算 ⑪	（注）	処遇改善等加算Ⅰ ⑪
12/100地域	20人	2号	4歳以上児	＋ 3,110	＋ 30×加算率	＋ 31,010	29,180	＋ 230×加算率
			3歳児					
		3号	1、2歳児			＋ 29,180		
			乳児					
	21人から30人まで	2号	4歳以上児	＋ 3,110	＋ 30×加算率	＋ 23,110	21,280	＋ 150×加算率
			3歳児					
		3号	1、2歳児			＋ 21,280		
			乳児					
	31人から40人まで	2号	4歳以上児	＋ 3,110	＋ 30×加算率	＋ 19,160	17,330	＋ 110×加算率
			3歳児					
		3号	1、2歳児			＋ 17,330		
			乳児					
	41人から50人まで	2号	4歳以上児	＋ 3,110	＋ 30×加算率	＋ 16,790	14,960	＋ 90×加算率
			3歳児					
		3号	1、2歳児			＋ 14,960		
			乳児					
	51人から60人まで	2号	4歳以上児	＋ 3,110	＋ 30×加算率	＋ 15,210	13,380	＋ 70×加算率
			3歳児					
		3号	1、2歳児			＋ 13,380		
			乳児					
	61人から70人まで	2号	4歳以上児	＋ 3,110	＋ 30×加算率	＋ 14,080	12,250	＋ 60×加算率
			3歳児					
		3号	1、2歳児			＋ 12,250		
			乳児					
	71人から80人まで	2号	4歳以上児	＋ 3,110	＋ 30×加算率	＋ 13,230	11,400	＋ 50×加算率
			3歳児					
		3号	1、2歳児			＋ 11,400		
			乳児					
	81人から90人まで	2号	4歳以上児	＋ 3,110	＋ 30×加算率	＋ 12,570	10,740	＋ 50×加算率
			3歳児					
		3号	1、2歳児			＋ 10,740		
			乳児					
	91人から100人まで	2号	4歳以上児	＋ 3,110	＋ 30×加算率			
			3歳児					
		3号	1、2歳児					
			乳児					
	101人から110人まで	2号	4歳以上児	＋ 3,110	＋ 30×加算率			
			3歳児					
		3号	1、2歳児					
			乳児					
	111人から120人まで	2号	4歳以上児	＋ 3,110	＋ 30×加算率			
			3歳児					
		3号	1、2歳児					
			乳児					
	121人から130人まで	2号	4歳以上児	＋ 3,110	＋ 30×加算率			
			3歳児					
		3号	1、2歳児					
			乳児					
	131人から140人まで	2号	4歳以上児	＋ 3,110	＋ 30×加算率			
			3歳児					
		3号	1、2歳児					
			乳児					
	141人から150人まで	2号	4歳以上児	＋ 3,110	＋ 30×加算率			
			3歳児					
		3号	1、2歳児					
			乳児					
	151人から160人まで	2号	4歳以上児	＋ 3,110	＋ 30×加算率			
			3歳児					
		3号	1、2歳児					
			乳児					
	161人から170人まで	2号	4歳以上児	＋ 3,110	＋ 30×加算率			
			3歳児					
		3号	1、2歳児					
			乳児					
	171人以上	2号	4歳以上児	＋ 3,110	＋ 30×加算率			
			3歳児					
		3号	1、2歳児					
			乳児					

休日保育加算 ⑩（全定員区分・認定区分共通）

＋ { 休日保育の年間延べ利用子ども数 ＋ 処遇改善等加算Ⅰ } ÷ 各月初日の利用子ども数

休日保育の年間延べ利用子ども数	休日保育加算	休日保育の年間延べ利用子ども数	処遇改善等加算Ⅰ
～ 210人	266,200	～ 210人	2,660×加算率
211人～ 279人	285,100	211人～ 279人	2,850×加算率
280人～ 349人	323,000	280人～ 349人	3,230×加算率
350人～ 419人	360,900	350人～ 419人	3,600×加算率
420人～ 489人	398,900	420人～ 489人	3,980×加算率
490人～ 559人	436,800	490人～ 559人	4,360×加算率
560人～ 629人	474,700	560人～ 629人	4,740×加算率
630人～ 699人	512,600	630人～ 699人	5,120×加算率
700人～ 769人	550,500	700人～ 769人	5,500×加算率
770人～ 839人	588,400	770人～ 839人	5,880×加算率
840人～ 909人	626,400	840人～ 909人	6,260×加算率
910人～ 979人	664,300	910人～ 979人	6,640×加算率
980人～1,049人	702,200	980人～1,049人	7,020×加算率
1,050人～	740,100	1,050人～	7,400×加算率

地域区分 ①	定員区分 ②	認定区分 ③	年齢区分 ④	減価償却費加算 加算額 標準 ⑫	都市部	賃借料加算	加算額 標準 ⑬	都市部	チーム保育推進加算 ⑭	処遇改善等加算Ⅰ	副食費徴収免除加算 ※副食費の徴収が免除される子どもの単価に加算 ⑮	分園の場合 ⑯
	20人	2号	4歳以上児	8, 500	9, 400	a地域	15, 800	17, 600	23, 380×加配人数	230×加算率×加配人数	4, 800	
			3歳児			b地域	8, 700	9, 700				
		3号	1、2歳児			c地域	7, 600	8, 400				
			乳児			d地域	6, 800	7, 500				
	21人から30人まで	2号	4歳以上児	5, 900	6, 500	a地域	10, 900	12, 200	15, 580×加配人数	150×加算率×加配人数	4, 800	
			3歳児			b地域	6, 000	6, 700				
		3号	1、2歳児			c地域	5, 200	5, 800				
			乳児			d地域	4, 700	5, 200				
	31人から40人まで	2号	4歳以上児	5, 200	5, 700	a地域	9, 800	10, 900	11, 690×加配人数	110×加算率×加配人数	4, 800	
			3歳児			b地域	5, 400	6, 000				
		3号	1、2歳児			c地域	4, 700	5, 200				
			乳児			d地域	4, 200	4, 600				
	41人から50人まで	2号	4歳以上児	4, 700	5, 200	a地域	8, 800	9, 800	9, 350×加配人数	90×加算率×加配人数	4, 800	
			3歳児			b地域	4, 800	5, 400				
		3号	1、2歳児			c地域	4, 200	4, 700				
			乳児			d地域	3, 800	4, 200				
	51人から60人まで	2号	4歳以上児	3, 900	4, 300	a地域	7, 200	8, 100	7, 790×加配人数	70×加算率×加配人数	4, 800	
			3歳児			b地域	4, 000	4, 400				
		3号	1、2歳児			c地域	3, 500	3, 800				
			乳児			d地域	3, 100	3, 400				
	61人から70人まで	2号	4歳以上児	3, 300	3, 700	a地域	6, 300	7, 100	6, 680×加配人数	60×加算率×加配人数	4, 800	
			3歳児			b地域	3, 500	3, 900				
		3号	1、2歳児			c地域	3, 000	3, 400				
			乳児			d地域	2, 700	3, 000				
	71人から80人まで	2号	4歳以上児	3, 800	4, 200	a地域	7, 100	7, 900	5, 840×加配人数	50×加算率×加配人数	4, 800	
			3歳児			b地域	3, 900	4, 300				
		3号	1、2歳児			c地域	3, 400	3, 800				
			乳児			d地域	3, 000	3, 400				
	81人から90人まで	2号	4歳以上児	3, 400	3, 700	a地域	6, 300	7, 100	5, 190×加配人数	50×加算率×加配人数	4, 800	
			3歳児			b地域	3, 500	3, 900				
		3号	1、2歳児			c地域	3, 000	3, 400				
			乳児			d地域	2, 700	3, 000				
12/100地域	91人から100人まで	2号	4歳以上児	3, 000	3, 400	a地域	5, 500	6, 200	4, 670×加配人数	40×加算率×加配人数	4, 800	−(⑥+⑦)×10/100
			3歳児			b地域	3, 000	3, 400				
		3号	1、2歳児			c地域	2, 600	2, 900				
			乳児			d地域	2, 400	2, 600				
	101人から110人まで	2号	4歳以上児	3, 300	3, 700	a地域	6, 100	6, 800	4, 250×加配人数	40×加算率×加配人数	4, 800	
			3歳児			b地域	3, 300	3, 700				
		3号	1、2歳児			c地域	2, 900	3, 200				
			乳児			d地域	2, 600	2, 900				
	111人から120人まで	2号	4歳以上児	3, 000	3, 400	a地域	5, 500	6, 200	3, 890×加配人数	30×加算率×加配人数	4, 800	
			3歳児			b地域	3, 000	3, 400				
		3号	1、2歳児			c地域	2, 600	2, 900				
			乳児			d地域	2, 400	2, 600				
	121人から130人まで	2号	4歳以上児	2, 800	3, 100	a地域	5, 100	5, 700	3, 590×加配人数	30×加算率×加配人数	4, 800	
			3歳児			b地域	2, 800	3, 100				
		3号	1、2歳児			c地域	2, 400	2, 700				
			乳児			d地域	2, 200	2, 400				
	131人から140人まで	2号	4歳以上児	3, 000	3, 300	a地域	5, 500	6, 200	3, 340×加配人数	30×加算率×加配人数	4, 800	
			3歳児			b地域	3, 000	3, 400				
		3号	1、2歳児			c地域	2, 600	2, 900				
			乳児			d地域	2, 400	2, 600				
	141人から150人まで	2号	4歳以上児	2, 800	3, 100	a地域	5, 400	6, 000	3, 110×加配人数	30×加算率×加配人数	4, 800	
			3歳児			b地域	2, 900	3, 300				
		3号	1、2歳児			c地域	2, 500	2, 800				
			乳児			d地域	2, 300	2, 500				
	151人から160人まで	2号	4歳以上児	2, 600	2, 900	a地域	4, 800	5, 400	2, 920×加配人数	20×加算率×加配人数	4, 800	
			3歳児			b地域	2, 600	2, 900				
		3号	1、2歳児			c地域	2, 300	2, 500				
			乳児			d地域	2, 000	2, 300				
	161人から170人まで	2号	4歳以上児	2, 800	3, 100	a地域	5, 400	6, 000	2, 750×加配人数	20×加算率×加配人数	4, 800	
			3歳児			b地域	2, 900	3, 300				
		3号	1、2歳児			c地域	2, 500	2, 800				
			乳児			d地域	2, 300	2, 500				
	171人以上	2号	4歳以上児	2, 700	2, 900	a地域	4, 800	5, 400	2, 590×加配人数	20×加算率×加配人数	4, 800	
			3歳児			b地域	2, 600	2, 900				
		3号	1、2歳児			c地域	2, 300	2, 500				
			乳児			d地域	2, 000	2, 300				

地域区分 ①	定員区分 ②	認定区分 ③	年齢区分 ④	施設長を配置していない場合	処遇改善等加算Ⅰ ⑰	土曜日に閉所する場合 月に１日土曜日を閉所する場合 ⑱	土曜日に閉所する場合 月に２日土曜日を閉所する場合 ⑱	土曜日に閉所する場合 月に３日以上土曜日を閉所する場合 ⑱	土曜日に閉所する場合 全ての土曜日を閉所する場合 ⑱	定員を恒常的に超過する場合 ⑲
12/100地域	20人	2号	４歳以上児 ３歳児	− 26,330 ＋	260×加算率 −	(⑥+⑦+⑧+⑨+⑪)×1/100	(⑥+⑦+⑧+⑨+⑪)×3/100	(⑥+⑦+⑧+⑨+⑪)×4/100	(⑥+⑦+⑧+⑨+⑪)×5/100	(⑥～⑱（⑮を除く。))×別に定める調整率
		3号	１、２歳児 乳児							
	21人から30人まで	2号	４歳以上児 ３歳児	− 17,550 ＋	170×加算率 −	(⑥+⑦+⑧+⑨+⑪)×1/100	(⑥+⑦+⑧+⑨+⑪)×3/100	(⑥+⑦+⑧+⑨+⑪)×4/100	(⑥+⑦+⑧+⑨+⑪)×5/100	
		3号	１、２歳児 乳児							
	31人から40人まで	2号	４歳以上児 ３歳児	− 13,160 ＋	130×加算率 −	(⑥+⑦+⑧+⑨+⑪)×1/100	(⑥+⑦+⑧+⑨+⑪)×3/100	(⑥+⑦+⑧+⑨+⑪)×4/100	(⑥+⑦+⑧+⑨+⑪)×5/100	
		3号	１、２歳児 乳児							
	41人から50人まで	2号	４歳以上児 ３歳児	− 10,530 ＋	100×加算率 −	(⑥+⑦+⑧+⑨+⑪)×1/100	(⑥+⑦+⑧+⑨+⑪)×3/100	(⑥+⑦+⑧+⑨+⑪)×4/100	(⑥+⑦+⑧+⑨+⑪)×6/100	
		3号	１、２歳児 乳児							
	51人から60人まで	2号	４歳以上児 ３歳児	− 8,770 ＋	80×加算率 −	(⑥+⑦+⑧+⑨+⑪)×1/100	(⑥+⑦+⑧+⑨+⑪)×3/100	(⑥+⑦+⑧+⑨+⑪)×4/100	(⑥+⑦+⑧+⑨+⑪)×6/100	
		3号	１、２歳児 乳児							
	61人から70人まで	2号	４歳以上児 ３歳児	− 7,520 ＋	70×加算率 −	(⑥+⑦+⑧+⑨+⑪)×1/100	(⑥+⑦+⑧+⑨+⑪)×3/100	(⑥+⑦+⑧+⑨+⑪)×4/100	(⑥+⑦+⑧+⑨+⑪)×6/100	
		3号	１、２歳児 乳児							
	71人から80人まで	2号	４歳以上児 ３歳児	− 6,580 ＋	60×加算率 −	(⑥+⑦+⑧+⑨+⑪)×2/100	(⑥+⑦+⑧+⑨+⑪)×3/100	(⑥+⑦+⑧+⑨+⑪)×5/100	(⑥+⑦+⑧+⑨+⑪)×6/100	
		3号	１、２歳児 乳児							
	81人から90人まで	2号	４歳以上児 ３歳児	− 5,850 ＋	50×加算率 −	(⑥+⑦+⑧+⑨+⑪)×2/100	(⑥+⑦+⑧+⑨+⑪)×3/100	(⑥+⑦+⑧+⑨+⑪)×5/100	(⑥+⑦+⑧+⑨+⑪)×6/100	
		3号	１、２歳児 乳児							
	91人から100人まで	2号	４歳以上児 ３歳児	− 5,260 ＋	50×加算率 −	(⑥+⑦+⑧+⑨+⑪)×2/100	(⑥+⑦+⑧+⑨+⑪)×3/100	(⑥+⑦+⑧+⑨+⑪)×5/100	(⑥+⑦+⑧+⑨+⑪)×6/100	
		3号	１、２歳児 乳児							
	101人から110人まで	2号	４歳以上児 ３歳児	− 4,780 ＋	40×加算率 −	(⑥+⑦+⑧+⑨+⑪)×2/100	(⑥+⑦+⑧+⑨+⑪)×3/100	(⑥+⑦+⑧+⑨+⑪)×5/100	(⑥+⑦+⑧+⑨+⑪)×6/100	
		3号	１、２歳児 乳児							
	111人から120人まで	2号	４歳以上児 ３歳児	− 4,380 ＋	40×加算率 −	(⑥+⑦+⑧+⑨+⑪)×2/100	(⑥+⑦+⑧+⑨+⑪)×3/100	(⑥+⑦+⑧+⑨+⑪)×5/100	(⑥+⑦+⑧+⑨+⑪)×6/100	
		3号	１、２歳児 乳児							
	121人から130人まで	2号	４歳以上児 ３歳児	− 4,050 ＋	40×加算率 −	(⑥+⑦+⑧+⑨+⑪)×2/100	(⑥+⑦+⑧+⑨+⑪)×3/100	(⑥+⑦+⑧+⑨+⑪)×5/100	(⑥+⑦+⑧+⑨+⑪)×6/100	
		3号	１、２歳児 乳児							
	131人から140人まで	2号	４歳以上児 ３歳児	− 3,760 ＋	30×加算率 −	(⑥+⑦+⑧+⑨+⑪)×2/100	(⑥+⑦+⑧+⑨+⑪)×3/100	(⑥+⑦+⑧+⑨+⑪)×5/100	(⑥+⑦+⑧+⑨+⑪)×6/100	
		3号	１、２歳児 乳児							
	141人から150人まで	2号	４歳以上児 ３歳児	− 3,510 ＋	30×加算率 −	(⑥+⑦+⑧+⑨+⑪)×2/100	(⑥+⑦+⑧+⑨+⑪)×3/100	(⑥+⑦+⑧+⑨+⑪)×5/100	(⑥+⑦+⑧+⑨+⑪)×6/100	
		3号	１、２歳児 乳児							
	151人から160人まで	2号	４歳以上児 ３歳児	− 3,290 ＋	30×加算率 −	(⑥+⑦+⑧+⑨+⑪)×2/100	(⑥+⑦+⑧+⑨+⑪)×3/100	(⑥+⑦+⑧+⑨+⑪)×5/100	(⑥+⑦+⑧+⑨+⑪)×6/100	
		3号	１、２歳児 乳児							
	161人から170人まで	2号	４歳以上児 ３歳児	− 3,090 ＋	30×加算率 −	(⑥+⑦+⑧+⑨+⑪)×2/100	(⑥+⑦+⑧+⑨+⑪)×3/100	(⑥+⑦+⑧+⑨+⑪)×5/100	(⑥+⑦+⑧+⑨+⑪)×6/100	
		3号	１、２歳児 乳児							
	171人以上	2号	４歳以上児 ３歳児	− 2,920 ＋	20×加算率 −	(⑥+⑦+⑧+⑨+⑪)×2/100	(⑥+⑦+⑧+⑨+⑪)×3/100	(⑥+⑦+⑧+⑨+⑪)×5/100	(⑥+⑦+⑧+⑨+⑪)×6/100	
		3号	１、２歳児 乳児							

地域区分 ①	定員区分 ②	認定区分 ③	年齢区分 ④	保育必要量区分 ⑤					処遇改善等加算Ⅰ							3歳児配置改善加算		
				保育標準時間認定 基本分単価 ⑥	(注)	保育短時間認定 基本分単価 ⑥	(注)		保育標準時間認定 ⑦	(注)		保育短時間認定 ⑦	(注)					処遇改善等加算Ⅰ ⑧
10/100地域	20人	2号	4歳以上児	123,090	(130,750)	97,200	(104,860)	＋	1,210	(1,280)	×加算率	950	(1,020)	×加算率	＋	(7,660)	＋	(70×加算率)
			3歳児	130,750	(193,010)	104,860	(167,120)	＋	1,280	(1,810)	×加算率	1,020	(1,550)	×加算率	＋	7,660		70×加算率
		3号	1、2歳児	193,010	(269,700)	167,120	(243,810)	＋	1,810	(2,580)	×加算率	1,550	(2,320)	×加算率				
			乳児	269,700		243,810		＋	2,580		×加算率	2,320		×加算率				
	21人から30人まで	2号	4歳以上児	88,730	(96,390)	71,470	(79,130)	＋	860	(930)	×加算率	690	(760)	×加算率	＋	(7,660)	＋	(70×加算率)
			3歳児	96,390	(158,650)	79,130	(141,390)	＋	930	(1,470)	×加算率	760	(1,290)	×加算率	＋	7,660		70×加算率
		3号	1、2歳児	158,650	(235,340)	141,390	(218,080)	＋	1,470	(2,240)	×加算率	1,290	(2,060)	×加算率				
			乳児	235,340		218,080		＋	2,240		×加算率	2,060		×加算率				
	31人から40人まで	2号	4歳以上児	71,840	(79,500)	58,890	(66,550)	＋	690	(760)	×加算率	560	(630)	×加算率	＋	(7,660)	＋	(70×加算率)
			3歳児	79,500	(141,760)	66,550	(128,810)	＋	760	(1,300)	×加算率	630	(1,170)	×加算率	＋	7,660		70×加算率
		3号	1、2歳児	141,760	(218,450)	128,810	(205,500)	＋	1,300	(2,070)	×加算率	1,170	(1,940)	×加算率				
			乳児	218,450		205,500		＋	2,070		×加算率	1,940		×加算率				
	41人から50人まで	2号	4歳以上児	67,440	(75,100)	57,080	(64,740)	＋	650	(720)	×加算率	550	(620)	×加算率	＋	(7,660)	＋	(70×加算率)
			3歳児	75,100	(137,360)	64,740	(127,000)	＋	720	(1,250)	×加算率	620	(1,150)	×加算率	＋	7,660		70×加算率
		3号	1、2歳児	137,360	(214,050)	127,000	(203,690)	＋	1,250	(2,020)	×加算率	1,150	(1,920)	×加算率				
			乳児	214,050		203,690		＋	2,020		×加算率	1,920		×加算率				
	51人から60人まで	2号	4歳以上児	59,100	(66,760)	50,470	(58,130)	＋	570	(640)	×加算率	480	(550)	×加算率	＋	(7,660)	＋	(70×加算率)
			3歳児	66,760	(129,020)	58,130	(120,390)	＋	640	(1,170)	×加算率	550	(1,080)	×加算率	＋	7,660		70×加算率
		3号	1、2歳児	129,020	(205,710)	120,390	(197,080)	＋	1,170	(1,940)	×加算率	1,080	(1,850)	×加算率				
			乳児	205,710		197,080		＋	1,940		×加算率	1,850		×加算率				
	61人から70人まで	2号	4歳以上児	53,230	(60,890)	45,830	(53,490)	＋	510	(580)	×加算率	430	(500)	×加算率	＋	(7,660)	＋	(70×加算率)
			3歳児	60,890	(123,150)	53,490	(115,750)	＋	580	(1,110)	×加算率	500	(1,040)	×加算率	＋	7,660		70×加算率
		3号	1、2歳児	123,150	(199,840)	115,750	(192,440)	＋	1,110	(1,880)	×加算率	1,040	(1,810)	×加算率				
			乳児	199,840		192,440		＋	1,880		×加算率	1,810		×加算率				
	71人から80人まで	2号	4歳以上児	48,870	(56,530)	42,400	(50,060)	＋	460	(530)	×加算率	400	(470)	×加算率	＋	(7,660)	＋	(70×加算率)
			3歳児	56,530	(118,790)	50,060	(112,320)	＋	530	(1,070)	×加算率	470	(1,000)	×加算率	＋	7,660		70×加算率
		3号	1、2歳児	118,790	(195,480)	112,320	(189,010)	＋	1,070	(1,840)	×加算率	1,000	(1,770)	×加算率				
			乳児	195,480		189,010		＋	1,840		×加算率	1,770		×加算率				
	81人から90人まで	2号	4歳以上児	45,440	(53,100)	39,690	(47,350)	＋	430	(500)	×加算率	370	(440)	×加算率	＋	(7,660)	＋	(70×加算率)
			3歳児	53,100	(115,360)	47,350	(109,610)	＋	500	(1,030)	×加算率	440	(980)	×加算率	＋	7,660		70×加算率
		3号	1、2歳児	115,360	(192,050)	109,610	(186,300)	＋	1,030	(1,800)	×加算率	980	(1,750)	×加算率				
			乳児	192,050		186,300		＋	1,800		×加算率	1,750		×加算率				
	91人から100人まで	2号	4歳以上児	39,320	(46,980)	34,140	(41,800)	＋	370	(440)	×加算率	320	(390)	×加算率	＋	(7,660)	＋	(70×加算率)
			3歳児	46,980	(109,240)	41,800	(104,060)	＋	440	(970)	×加算率	390	(920)	×加算率	＋	7,660		70×加算率
		3号	1、2歳児	109,240	(185,930)	104,060	(180,750)	＋	970	(1,740)	×加算率	920	(1,690)	×加算率				
			乳児	185,930		180,750		＋	1,740		×加算率	1,690		×加算率				
	101人から110人まで	2号	4歳以上児	37,420	(45,080)	32,710	(40,370)	＋	350	(420)	×加算率	300	(370)	×加算率	＋	(7,660)	＋	(70×加算率)
			3歳児	45,080	(107,340)	40,370	(102,630)	＋	420	(950)	×加算率	370	(910)	×加算率	＋	7,660		70×加算率
		3号	1、2歳児	107,340	(184,030)	102,630	(179,320)	＋	950	(1,720)	×加算率	910	(1,680)	×加算率				
			乳児	184,030		179,320		＋	1,720		×加算率	1,680		×加算率				
	111人から120人まで	2号	4歳以上児	35,790	(43,450)	31,480	(39,140)	＋	330	(400)	×加算率	290	(360)	×加算率	＋	(7,660)	＋	(70×加算率)
			3歳児	43,450	(105,710)	39,140	(101,400)	＋	400	(940)	×加算率	360	(890)	×加算率	＋	7,660		70×加算率
		3号	1、2歳児	105,710	(182,400)	101,400	(178,090)	＋	940	(1,710)	×加算率	890	(1,660)	×加算率				
			乳児	182,400		178,090		＋	1,710		×加算率	1,660		×加算率				
	121人から130人まで	2号	4歳以上児	34,420	(42,080)	30,440	(38,100)	＋	320	(390)	×加算率	280	(350)	×加算率	＋	(7,660)	＋	(70×加算率)
			3歳児	42,080	(104,340)	38,100	(100,360)	＋	390	(920)	×加算率	350	(880)	×加算率	＋	7,660		70×加算率
		3号	1、2歳児	104,340	(181,030)	100,360	(177,050)	＋	920	(1,690)	×加算率	880	(1,650)	×加算率				
			乳児	181,030		177,050		＋	1,690		×加算率	1,650		×加算率				
	131人から140人まで	2号	4歳以上児	33,280	(40,940)	29,580	(37,240)	＋	310	(380)	×加算率	270	(340)	×加算率	＋	(7,660)	＋	(70×加算率)
			3歳児	40,940	(103,200)	37,240	(99,500)	＋	380	(910)	×加算率	340	(870)	×加算率	＋	7,660		70×加算率
		3号	1、2歳児	103,200	(179,890)	99,500	(176,190)	＋	910	(1,680)	×加算率	870	(1,640)	×加算率				
			乳児	179,890		176,190		＋	1,680		×加算率	1,640		×加算率				
	141人から150人まで	2号	4歳以上児	32,270	(39,930)	28,810	(36,470)	＋	300	(370)	×加算率	260	(330)	×加算率	＋	(7,660)	＋	(70×加算率)
			3歳児	39,930	(102,190)	36,470	(98,730)	＋	370	(900)	×加算率	330	(870)	×加算率	＋	7,660		70×加算率
		3号	1、2歳児	102,190	(178,880)	98,730	(175,420)	＋	900	(1,670)	×加算率	870	(1,640)	×加算率				
			乳児	178,880		175,420		＋	1,670		×加算率	1,640		×加算率				
	151人から160人まで	2号	4歳以上児	32,280	(39,940)	29,040	(36,700)	＋	300	(370)	×加算率	270	(340)	×加算率	＋	(7,660)	＋	(70×加算率)
			3歳児	39,940	(102,200)	36,700	(98,960)	＋	370	(900)	×加算率	340	(870)	×加算率	＋	7,660		70×加算率
		3号	1、2歳児	102,200	(178,890)	98,960	(175,650)	＋	900	(1,670)	×加算率	870	(1,640)	×加算率				
			乳児	178,890		175,650		＋	1,670		×加算率	1,640		×加算率				
	161人から170人まで	2号	4歳以上児	31,460	(39,120)	28,420	(36,080)	＋	290	(360)	×加算率	260	(330)	×加算率	＋	(7,660)	＋	(70×加算率)
			3歳児	39,120	(101,380)	36,080	(98,340)	＋	360	(890)	×加算率	330	(860)	×加算率	＋	7,660		70×加算率
		3号	1、2歳児	101,380	(178,070)	98,340	(175,030)	＋	890	(1,660)	×加算率	860	(1,630)	×加算率				
			乳児	178,070		175,030		＋	1,660		×加算率	1,630		×加算率				
	171人以上	2号	4歳以上児	30,720	(38,380)	27,840	(35,500)	＋	280	(350)	×加算率	250	(320)	×加算率	＋	(7,660)	＋	(70×加算率)
			3歳児	38,380	(100,640)	35,500	(97,760)	＋	350	(890)	×加算率	320	(860)	×加算率	＋	7,660		70×加算率
		3号	1、2歳児	100,640	(177,330)	97,760	(174,450)	＋	890	(1,660)	×加算率	860	(1,630)	×加算率				
			乳児	177,330		174,450		＋	1,660		×加算率	1,630		×加算率				

地域区分 ①	定員区分 ②	認定区分 ③	年齢区分 ④	4歳以上児配置改善加算 ⑨	処遇改善等加算Ⅰ ⑨	夜間保育加算 ⑪	(注)	処遇改善等加算Ⅰ ⑪
10/100地域	20人	2号	4歳以上児	+ 3,060	+ 30×加算率	+ 31,010		
			3歳児				29,180	+ 230×加算率
		3号	1、2歳児			+ 29,180		
			乳児					
	21人から30人まで	2号	4歳以上児	+ 3,060	+ 30×加算率	+ 23,110		
			3歳児				21,280	+ 150×加算率
		3号	1、2歳児			+ 21,280		
			乳児					
	31人から40人まで	2号	4歳以上児	+ 3,060	+ 30×加算率	+ 19,160		
			3歳児				17,330	+ 110×加算率
		3号	1、2歳児			+ 17,330		
			乳児					
	41人から50人まで	2号	4歳以上児	+ 3,060	+ 30×加算率	+ 16,790		
			3歳児				14,960	+ 90×加算率
		3号	1、2歳児			+ 14,960		
			乳児					
	51人から60人まで	2号	4歳以上児	+ 3,060	+ 30×加算率	+ 15,210		
			3歳児				13,380	+ 70×加算率
		3号	1、2歳児			+ 13,380		
			乳児					
	61人から70人まで	2号	4歳以上児	+ 3,060	+ 30×加算率	+ 14,080		
			3歳児				12,250	+ 60×加算率
		3号	1、2歳児			+ 12,250		
			乳児					
	71人から80人まで	2号	4歳以上児	+ 3,060	+ 30×加算率	+ 13,230		
			3歳児				11,400	+ 50×加算率
		3号	1、2歳児			+ 11,400		
			乳児					
	81人から90人まで	2号	4歳以上児	+ 3,060	+ 30×加算率	+ 12,570		
			3歳児				10,740	+ 50×加算率
		3号	1、2歳児			+ 10,740		
			乳児					
	91人から100人まで	2号	4歳以上児	+ 3,060	+ 30×加算率			
			3歳児					
		3号	1、2歳児					
			乳児					
	101人から110人まで	2号	4歳以上児	+ 3,060	+ 30×加算率			
			3歳児					
		3号	1、2歳児					
			乳児					
	111人から120人まで	2号	4歳以上児	+ 3,060	+ 30×加算率			
			3歳児					
		3号	1、2歳児					
			乳児					
	121人から130人まで	2号	4歳以上児	+ 3,060	+ 30×加算率			
			3歳児					
		3号	1、2歳児					
			乳児					
	131人から140人まで	2号	4歳以上児	+ 3,060	+ 30×加算率			
			3歳児					
		3号	1、2歳児					
			乳児					
	141人から150人まで	2号	4歳以上児	+ 3,060	+ 30×加算率			
			3歳児					
		3号	1、2歳児					
			乳児					
	151人から160人まで	2号	4歳以上児	+ 3,060	+ 30×加算率			
			3歳児					
		3号	1、2歳児					
			乳児					
	161人から170人まで	2号	4歳以上児	+ 3,060	+ 30×加算率			
			3歳児					
		3号	1、2歳児					
			乳児					
	171人以上	2号	4歳以上児	+ 3,060	+ 30×加算率			
			3歳児					
		3号	1、2歳児					
			乳児					

休日保育加算 ⑩

休日保育の年間延べ利用子ども数		休日保育の年間延べ利用子ども数	処遇改善等加算Ⅰ	
～ 210人	+ 262,600	～ 210人	+ 2,620×加算率	÷ 各月初日の利用子ども数
211人～ 279人	281,200	211人～ 279人	2,810×加算率	
280人～ 349人	318,600	280人～ 349人	3,180×加算率	
350人～ 419人	355,900	350人～ 419人	3,550×加算率	
420人～ 489人	393,200	420人～ 489人	3,930×加算率	
490人～ 559人	430,600	490人～ 559人	4,300×加算率	
560人～ 629人	467,900	560人～ 629人	4,670×加算率	
630人～ 699人	505,200	630人～ 699人	5,050×加算率	
700人～ 769人	542,600	700人～ 769人	5,420×加算率	
770人～ 839人	579,900	770人～ 839人	5,790×加算率	
840人～ 909人	617,200	840人～ 909人	6,170×加算率	
910人～ 979人	654,600	910人～ 979人	6,540×加算率	
980人～1,049人	691,900	980人～1,049人	6,910×加算率	
1,050人～	729,200	1,050人～	7,290×加算率	

地域区分 ①	定員区分 ②	認定区分 ③	年齢区分 ④		減価償却費加算 加算額 標準 ⑫	減価償却費加算 加算額 都市部		賃借料加算 ⑬	加算額 標準	加算額 都市部		チーム保育推進加算 ⑭		処遇改善等加算Ⅰ		副食費徴収免除加算 ※副食費の徴収が免除される子どもの単価に加算 ⑮		分園の場合 ⑯
10/100地域	20人	2号	4歳以上児	＋	8,500	9,400	＋	a地域	15,800	17,600	＋	23,000×加配人数	＋	230×加算率×加配人数	＋	4,800		
			3歳児					b地域	8,700	9,700								
		3号	1、2歳児					c地域	7,600	8,400								
			乳児					d地域	6,800	7,500								
	21人から30人まで	2号	4歳以上児	＋	5,900	6,500	＋	a地域	10,900	12,200	＋	15,330×加配人数	＋	150×加算率×加配人数	＋	4,800		
			3歳児					b地域	6,000	6,700								
		3号	1、2歳児					c地域	5,200	5,800								
			乳児					d地域	4,700	5,200								
	31人から40人まで	2号	4歳以上児	＋	5,200	5,700	＋	a地域	9,800	10,900	＋	11,500×加配人数	＋	110×加算率×加配人数	＋	4,800		
			3歳児					b地域	5,400	6,000								
		3号	1、2歳児					c地域	4,700	5,200								
			乳児					d地域	4,200	4,600								
	41人から50人まで	2号	4歳以上児	＋	4,700	5,200	＋	a地域	8,800	9,800	＋	9,200×加配人数	＋	90×加算率×加配人数	＋	4,800		
			3歳児					b地域	4,800	5,400								
		3号	1、2歳児					c地域	4,200	4,700								
			乳児					d地域	3,800	4,200								
	51人から60人まで	2号	4歳以上児	＋	3,900	4,300	＋	a地域	7,200	8,100	＋	7,660×加配人数	＋	70×加算率×加配人数	＋	4,800		
			3歳児					b地域	4,000	4,400								
		3号	1、2歳児					c地域	3,500	3,800								
			乳児					d地域	3,100	3,400								
	61人から70人まで	2号	4歳以上児	＋	3,300	3,700	＋	a地域	6,300	7,100	＋	6,570×加配人数	＋	60×加算率×加配人数	＋	4,800		
			3歳児					b地域	3,500	3,900								
		3号	1、2歳児					c地域	3,000	3,400								
			乳児					d地域	2,700	3,000								
	71人から80人まで	2号	4歳以上児	＋	3,800	4,200	＋	a地域	7,100	7,900	＋	5,750×加配人数	＋	50×加算率×加配人数	＋	4,800		
			3歳児					b地域	3,900	4,300								
		3号	1、2歳児					c地域	3,400	3,800								
			乳児					d地域	3,000	3,400								
	81人から90人まで	2号	4歳以上児	＋	3,400	3,700	＋	a地域	6,300	7,100	＋	5,110×加配人数	＋	50×加算率×加配人数	＋	4,800		
			3歳児					b地域	3,500	3,900								
		3号	1、2歳児					c地域	3,000	3,400								
			乳児					d地域	2,700	3,000								
	91人から100人まで	2号	4歳以上児	＋	3,000	3,400	＋	a地域	5,500	6,200	＋	4,600×加配人数	＋	40×加算率×加配人数	＋	4,800	−	(⑥＋⑦)×10/100
			3歳児					b地域	3,000	3,400								
		3号	1、2歳児					c地域	2,600	2,900								
			乳児					d地域	2,400	2,600								
	101人から110人まで	2号	4歳以上児	＋	3,300	3,700	＋	a地域	6,100	6,800	＋	4,180×加配人数	＋	40×加算率×加配人数	＋	4,800		
			3歳児					b地域	3,300	3,700								
		3号	1、2歳児					c地域	2,900	3,200								
			乳児					d地域	2,600	2,900								
	111人から120人まで	2号	4歳以上児	＋	3,000	3,400	＋	a地域	5,500	6,200	＋	3,830×加配人数	＋	30×加算率×加配人数	＋	4,800		
			3歳児					b地域	3,000	3,400								
		3号	1、2歳児					c地域	2,600	2,900								
			乳児					d地域	2,400	2,600								
	121人から130人まで	2号	4歳以上児	＋	2,800	3,100	＋	a地域	5,100	5,700	＋	3,530×加配人数	＋	30×加算率×加配人数	＋	4,800		
			3歳児					b地域	2,800	3,100								
		3号	1、2歳児					c地域	2,400	2,700								
			乳児					d地域	2,200	2,400								
	131人から140人まで	2号	4歳以上児	＋	3,000	3,300	＋	a地域	5,500	6,200	＋	3,280×加配人数	＋	30×加算率×加配人数	＋	4,800		
			3歳児					b地域	3,000	3,400								
		3号	1、2歳児					c地域	2,600	2,900								
			乳児					d地域	2,400	2,600								
	141人から150人まで	2号	4歳以上児	＋	2,800	3,100	＋	a地域	5,400	6,000	＋	3,060×加配人数	＋	30×加算率×加配人数	＋	4,800		
			3歳児					b地域	2,900	3,300								
		3号	1、2歳児					c地域	2,500	2,800								
			乳児					d地域	2,300	2,500								
	151人から160人まで	2号	4歳以上児	＋	2,600	2,900	＋	a地域	4,800	5,400	＋	2,870×加配人数	＋	20×加算率×加配人数	＋	4,800		
			3歳児					b地域	2,600	2,900								
		3号	1、2歳児					c地域	2,300	2,500								
			乳児					d地域	2,000	2,300								
	161人から170人まで	2号	4歳以上児	＋	2,800	3,100	＋	a地域	5,400	6,000	＋	2,700×加配人数	＋	20×加算率×加配人数	＋	4,800		
			3歳児					b地域	2,900	3,300								
		3号	1、2歳児					c地域	2,500	2,800								
			乳児					d地域	2,300	2,500								
	171人以上	2号	4歳以上児	＋	2,700	2,900	＋	a地域	4,800	5,400	＋	2,550×加配人数	＋	20×加算率×加配人数	＋	4,800		
			3歳児					b地域	2,600	2,900								
		3号	1、2歳児					c地域	2,300	2,500								
			乳児					d地域	2,000	2,300								

地域区分 ①	定員区分 ②	認定区分 ③	年齢区分 ④	施設長を配置していない場合	処遇改善等加算Ⅰ ⑰	土曜日に閉所する場合 月に1日土曜日を閉所する場合	月に2日土曜日を閉所する場合	月に3日以上土曜日を閉所する場合	全ての土曜日を閉所する場合 ⑱	定員を恒常的に超過する場合 ⑲
	20人	2号 3号	4歳以上児 3歳児 1、2歳児 乳児	− 25,860 +	250×加算率 −	(⑥+⑦+⑧+⑨+⑪) × 1/100	(⑥+⑦+⑧+⑨+⑪) × 3/100	(⑥+⑦+⑧+⑨+⑪) × 4/100	(⑥+⑦+⑧+⑨+⑪) × 5/100	
	21人から30人まで	2号 3号	4歳以上児 3歳児 1、2歳児 乳児	− 17,240 +	170×加算率 −	(⑥+⑦+⑧+⑨+⑪) × 1/100	(⑥+⑦+⑧+⑨+⑪) × 3/100	(⑥+⑦+⑧+⑨+⑪) × 4/100	(⑥+⑦+⑧+⑨+⑪) × 6/100	
	31人から40人まで	2号 3号	4歳以上児 3歳児 1、2歳児 乳児	− 12,930 +	120×加算率 −	(⑥+⑦+⑧+⑨+⑪) × 1/100	(⑥+⑦+⑧+⑨+⑪) × 3/100	(⑥+⑦+⑧+⑨+⑪) × 4/100	(⑥+⑦+⑧+⑨+⑪) × 5/100	
	41人から50人まで	2号 3号	4歳以上児 3歳児 1、2歳児 乳児	− 10,340 +	100×加算率 −	(⑥+⑦+⑧+⑨+⑪) × 1/100	(⑥+⑦+⑧+⑨+⑪) × 3/100	(⑥+⑦+⑧+⑨+⑪) × 4/100	(⑥+⑦+⑧+⑨+⑪) × 6/100	
	51人から60人まで	2号 3号	4歳以上児 3歳児 1、2歳児 乳児	− 8,620 +	80×加算率 −	(⑥+⑦+⑧+⑨+⑪) × 2/100	(⑥+⑦+⑧+⑨+⑪) × 3/100	(⑥+⑦+⑧+⑨+⑪) × 5/100	(⑥+⑦+⑧+⑨+⑪) × 6/100	
	61人から70人まで	2号 3号	4歳以上児 3歳児 1、2歳児 乳児	− 7,390 +	70×加算率 −	(⑥+⑦+⑧+⑨+⑪) × 2/100	(⑥+⑦+⑧+⑨+⑪) × 3/100	(⑥+⑦+⑧+⑨+⑪) × 5/100	(⑥+⑦+⑧+⑨+⑪) × 6/100	
	71人から80人まで	2号 3号	4歳以上児 3歳児 1、2歳児 乳児	− 6,460 +	60×加算率 −	(⑥+⑦+⑧+⑨+⑪) × 2/100	(⑥+⑦+⑧+⑨+⑪) × 3/100	(⑥+⑦+⑧+⑨+⑪) × 5/100	(⑥+⑦+⑧+⑨+⑪) × 6/100	
	81人から90人まで	2号 3号	4歳以上児 3歳児 1、2歳児 乳児	− 5,740 +	50×加算率 −	(⑥+⑦+⑧+⑨+⑪) × 2/100	(⑥+⑦+⑧+⑨+⑪) × 3/100	(⑥+⑦+⑧+⑨+⑪) × 5/100	(⑥+⑦+⑧+⑨+⑪) × 6/100	
10/100地域	91人から100人まで	2号 3号	4歳以上児 3歳児 1、2歳児 乳児	− 5,170 +	50×加算率 −	(⑥+⑦+⑧+⑨+⑪) × 2/100	(⑥+⑦+⑧+⑨+⑪) × 3/100	(⑥+⑦+⑧+⑨+⑪) × 5/100	(⑥+⑦+⑧+⑨+⑪) × 6/100	(⑥～⑱（⑮を除く。））×別に定める調整率
	101人から110人まで	2号 3号	4歳以上児 3歳児 1、2歳児 乳児	− 4,700 +	40×加算率 −	(⑥+⑦+⑧+⑨+⑪) × 2/100	(⑥+⑦+⑧+⑨+⑪) × 3/100	(⑥+⑦+⑧+⑨+⑪) × 5/100	(⑥+⑦+⑧+⑨+⑪) × 6/100	
	111人から120人まで	2号 3号	4歳以上児 3歳児 1、2歳児 乳児	− 4,310 +	40×加算率 −	(⑥+⑦+⑧+⑨+⑪) × 2/100	(⑥+⑦+⑧+⑨+⑪) × 3/100	(⑥+⑦+⑧+⑨+⑪) × 5/100	(⑥+⑦+⑧+⑨+⑪) × 6/100	
	121人から130人まで	2号 3号	4歳以上児 3歳児 1、2歳児 乳児	− 3,970 +	30×加算率 −	(⑥+⑦+⑧+⑨+⑪) × 2/100	(⑥+⑦+⑧+⑨+⑪) × 3/100	(⑥+⑦+⑧+⑨+⑪) × 5/100	(⑥+⑦+⑧+⑨+⑪) × 6/100	
	131人から140人まで	2号 3号	4歳以上児 3歳児 1、2歳児 乳児	− 3,690 +	30×加算率 −	(⑥+⑦+⑧+⑨+⑪) × 2/100	(⑥+⑦+⑧+⑨+⑪) × 3/100	(⑥+⑦+⑧+⑨+⑪) × 5/100	(⑥+⑦+⑧+⑨+⑪) × 6/100	
	141人から150人まで	2号 3号	4歳以上児 3歳児 1、2歳児 乳児	− 3,440 +	30×加算率 −	(⑥+⑦+⑧+⑨+⑪) × 2/100	(⑥+⑦+⑧+⑨+⑪) × 3/100	(⑥+⑦+⑧+⑨+⑪) × 5/100	(⑥+⑦+⑧+⑨+⑪) × 6/100	
	151人から160人まで	2号 3号	4歳以上児 3歳児 1、2歳児 乳児	− 3,230 +	30×加算率 −	(⑥+⑦+⑧+⑨+⑪) × 2/100	(⑥+⑦+⑧+⑨+⑪) × 3/100	(⑥+⑦+⑧+⑨+⑪) × 5/100	(⑥+⑦+⑧+⑨+⑪) × 6/100	
	161人から170人まで	2号 3号	4歳以上児 3歳児 1、2歳児 乳児	− 3,040 +	30×加算率 −	(⑥+⑦+⑧+⑨+⑪) × 2/100	(⑥+⑦+⑧+⑨+⑪) × 3/100	(⑥+⑦+⑧+⑨+⑪) × 5/100	(⑥+⑦+⑧+⑨+⑪) × 6/100	
	171人以上	2号 3号	4歳以上児 3歳児 1、2歳児 乳児	− 2,870 +	20×加算率 −	(⑥+⑦+⑧+⑨+⑪) × 2/100	(⑥+⑦+⑧+⑨+⑪) × 3/100	(⑥+⑦+⑧+⑨+⑪) × 5/100	(⑥+⑦+⑧+⑨+⑪) × 6/100	

地域区分	定員区分	認定区分	年齢区分	保育必要量区分 ⑤					処遇改善等加算Ⅰ							3歳児配置改善加算		
				保育標準時間認定		保育短時間認定			保育標準時間認定			保育短時間認定						
				基本分単価	（注）	基本分単価	（注）			（注）			（注）					処遇改善等加算Ⅰ
①	②	③	④	⑥		⑥			⑦			⑦						⑧
6/100地域	20人	2号	4歳以上児	119,430	(126,850)	94,290	(101,710)	+	1,170	(1,240)	×加算率	920	(990)	×加算率	+	(7,420)	+	(70×加算率)
			3歳児	126,850	(187,350)	101,710	(162,210)	+	1,240	(1,750)	×加算率	990	(1,500)	×加算率	+	7,420		70×加算率
		3号	1、2歳児	187,350	(261,550)	162,210	(236,410)	+	1,750	(2,490)	×加算率	1,500	(2,240)	×加算率				
			乳児	261,550		236,410		+	2,490		×加算率	2,240		×加算率				
	21人から30人まで	2号	4歳以上児	86,100	(93,520)	69,340	(76,760)	+	840	(910)	×加算率	670	(740)	×加算率	+	(7,420)	+	(70×加算率)
			3歳児	93,520	(154,020)	76,760	(137,260)	+	910	(1,420)	×加算率	740	(1,250)	×加算率	+	7,420		70×加算率
		3号	1、2歳児	154,020	(228,220)	137,260	(211,460)	+	1,420	(2,160)	×加算率	1,250	(1,990)	×加算率				
			乳児	228,220		211,460		+	2,160		×加算率	1,990		×加算率				
	31人から40人まで	2号	4歳以上児	69,680	(77,100)	57,110	(64,530)	+	670	(740)	×加算率	550	(620)	×加算率	+	(7,420)	+	(70×加算率)
			3歳児	77,100	(137,600)	64,530	(125,030)	+	740	(1,260)	×加算率	620	(1,130)	×加算率	+	7,420		70×加算率
		3号	1、2歳児	137,600	(211,800)	125,030	(199,230)	+	1,260	(2,000)	×加算率	1,130	(1,870)	×加算率				
			乳児	211,800		199,230		+	2,000		×加算率	1,870		×加算率				
	41人から50人まで	2号	4歳以上児	65,400	(72,820)	55,350	(62,770)	+	630	(700)	×加算率	530	(600)	×加算率	+	(7,420)	+	(70×加算率)
			3歳児	72,820	(133,320)	62,770	(123,270)	+	700	(1,210)	×加算率	600	(1,110)	×加算率	+	7,420		70×加算率
		3号	1、2歳児	133,320	(207,520)	123,270	(197,470)	+	1,210	(1,950)	×加算率	1,110	(1,850)	×加算率				
			乳児	207,520		197,470		+	1,950		×加算率	1,850		×加算率				
	51人から60人まで	2号	4歳以上児	57,330	(64,750)	48,940	(56,360)	+	550	(620)	×加算率	470	(540)	×加算率	+	(7,420)	+	(70×加算率)
			3歳児	64,750	(125,250)	56,360	(116,860)	+	620	(1,130)	×加算率	540	(1,050)	×加算率	+	7,420		70×加算率
		3号	1、2歳児	125,250	(199,450)	116,860	(191,060)	+	1,130	(1,870)	×加算率	1,050	(1,790)	×加算率				
			乳児	199,450		191,060		+	1,870		×加算率	1,790		×加算率				
	61人から70人まで	2号	4歳以上児	51,630	(59,050)	44,450	(51,870)	+	490	(560)	×加算率	420	(490)	×加算率	+	(7,420)	+	(70×加算率)
			3歳児	59,050	(119,550)	51,870	(112,370)	+	560	(1,080)	×加算率	490	(1,000)	×加算率	+	7,420		70×加算率
		3号	1、2歳児	119,550	(193,750)	112,370	(186,570)	+	1,080	(1,820)	×加算率	1,000	(1,740)	×加算率				
			乳児	193,750		186,570		+	1,820		×加算率	1,740		×加算率				
	71人から80人まで	2号	4歳以上児	47,420	(54,840)	41,130	(48,550)	+	450	(520)	×加算率	390	(460)	×加算率	+	(7,420)	+	(70×加算率)
			3歳児	54,840	(115,340)	48,550	(109,050)	+	520	(1,030)	×加算率	460	(970)	×加算率	+	7,420		70×加算率
		3号	1、2歳児	115,340	(189,540)	109,050	(183,250)	+	1,030	(1,770)	×加算率	970	(1,710)	×加算率				
			乳児	189,540		183,250		+	1,770		×加算率	1,710		×加算率				
	81人から90人まで	2号	4歳以上児	44,090	(51,510)	38,500	(45,920)	+	420	(490)	×加算率	360	(430)	×加算率	+	(7,420)	+	(70×加算率)
			3歳児	51,510	(112,010)	45,920	(106,420)	+	490	(1,000)	×加算率	430	(940)	×加算率	+	7,420		70×加算率
		3号	1、2歳児	112,010	(186,210)	106,420	(180,620)	+	1,000	(1,740)	×加算率	940	(1,680)	×加算率				
			乳児	186,210		180,620		+	1,740		×加算率	1,680		×加算率				
	91人から100人まで	2号	4歳以上児	38,200	(45,620)	33,170	(40,590)	+	360	(430)	×加算率	310	(380)	×加算率	+	(7,420)	+	(70×加算率)
			3歳児	45,620	(106,120)	40,590	(101,090)	+	430	(940)	×加算率	380	(890)	×加算率	+	7,420		70×加算率
		3号	1、2歳児	106,120	(180,320)	101,090	(175,290)	+	940	(1,680)	×加算率	890	(1,630)	×加算率				
			乳児	180,320		175,290		+	1,680		×加算率	1,630		×加算率				
	101人から110人まで	2号	4歳以上児	36,360	(43,780)	31,780	(39,200)	+	340	(410)	×加算率	290	(360)	×加算率	+	(7,420)	+	(70×加算率)
			3歳児	43,780	(104,280)	39,200	(99,700)	+	410	(920)	×加算率	360	(880)	×加算率	+	7,420		70×加算率
		3号	1、2歳児	104,280	(178,480)	99,700	(173,900)	+	920	(1,660)	×加算率	880	(1,620)	×加算率				
			乳児	178,480		173,900		+	1,660		×加算率	1,020		×加算率				
	111人から120人まで	2号	4歳以上児	34,780	(42,200)	30,590	(38,010)	+	320	(390)	×加算率	280	(350)	×加算率	+	(7,420)	+	(70×加算率)
			3歳児	42,200	(102,700)	38,010	(98,510)	+	390	(910)	×加算率	350	(860)	×加算率	+	7,420		70×加算率
		3号	1、2歳児	102,700	(176,900)	98,510	(172,710)	+	910	(1,650)	×加算率	860	(1,600)	×加算率				
			乳児	176,900		172,710		+	1,650		×加算率	1,600		×加算率				
	121人から130人まで	2号	4歳以上児	33,450	(40,870)	29,580	(37,000)	+	310	(380)	×加算率	270	(340)	×加算率	+	(7,420)	+	(70×加算率)
			3歳児	40,870	(101,370)	37,000	(97,500)	+	380	(890)	×加算率	340	(850)	×加算率	+	7,420		70×加算率
		3号	1、2歳児	101,370	(175,570)	97,500	(171,700)	+	890	(1,630)	×加算率	850	(1,590)	×加算率				
			乳児	175,570		171,700		+	1,630		×加算率	1,590		×加算率				
	131人から140人まで	2号	4歳以上児	32,340	(39,760)	28,750	(36,170)	+	300	(370)	×加算率	260	(330)	×加算率	+	(7,420)	+	(70×加算率)
			3歳児	39,760	(100,260)	36,170	(96,670)	+	370	(880)	×加算率	330	(850)	×加算率	+	7,420		70×加算率
		3号	1、2歳児	100,260	(174,460)	96,670	(170,870)	+	880	(1,620)	×加算率	850	(1,590)	×加算率				
			乳児	174,460		170,870		+	1,620		×加算率	1,590		×加算率				
	141人から150人まで	2号	4歳以上児	31,360	(38,780)	28,000	(35,420)	+	290	(360)	×加算率	260	(330)	×加算率	+	(7,420)	+	(70×加算率)
			3歳児	38,780	(99,280)	35,420	(95,920)	+	360	(870)	×加算率	330	(840)	×加算率	+	7,420		70×加算率
		3号	1、2歳児	99,280	(173,480)	95,920	(170,120)	+	870	(1,610)	×加算率	840	(1,580)	×加算率				
			乳児	173,480		170,120		+	1,610		×加算率	1,580		×加算率				
	151人から160人まで	2号	4歳以上児	31,400	(38,820)	28,250	(35,670)	+	290	(360)	×加算率	260	(330)	×加算率	+	(7,420)	+	(70×加算率)
			3歳児	38,820	(99,320)	35,670	(96,170)	+	360	(870)	×加算率	330	(840)	×加算率	+	7,420		70×加算率
		3号	1、2歳児	99,320	(173,520)	96,170	(170,370)	+	870	(1,610)	×加算率	840	(1,580)	×加算率				
			乳児	173,520		170,370		+	1,610		×加算率	1,580		×加算率				
	161人から170人まで	2号	4歳以上児	30,600	(38,020)	27,640	(35,060)	+	280	(350)	×加算率	250	(320)	×加算率	+	(7,420)	+	(70×加算率)
			3歳児	38,020	(98,520)	35,060	(95,560)	+	350	(860)	×加算率	320	(840)	×加算率	+	7,420		70×加算率
		3号	1、2歳児	98,520	(172,720)	95,560	(169,760)	+	860	(1,600)	×加算率	840	(1,580)	×加算率				
			乳児	172,720		169,760		+	1,600		×加算率	1,580		×加算率				
	171人以上	2号	4歳以上児	29,880	(37,300)	27,080	(34,500)	+	270	(340)	×加算率	250	(320)	×加算率	+	(7,420)	+	(70×加算率)
			3歳児	37,300	(97,800)	34,500	(95,000)	+	340	(860)	×加算率	320	(830)	×加算率	+	7,420		70×加算率
		3号	1、2歳児	97,800	(172,000)	95,000	(169,200)	+	860	(1,600)	×加算率	830	(1,570)	×加算率				
			乳児	172,000		169,200		+	1,600		×加算率	1,570		×加算率				

地域区分 ①	定員区分 ②	認定区分 ③	年齢区分 ④	4歳以上児配置改善加算 ⑨	処遇改善等加算Ⅰ ⑨	夜間保育加算 ⑪	(注)	処遇改善等加算Ⅰ ⑪
6/100地域	20人	2号	4歳以上児	+ 2,960	+ 20×加算率	+ 31,010	29,180	+ 230×加算率
			3歳児					
		3号	1、2歳児			+ 29,180		
			乳児					
	21人から30人まで	2号	4歳以上児	+ 2,960	+ 20×加算率	+ 23,110	21,280	+ 150×加算率
			3歳児					
		3号	1、2歳児			+ 21,280		
			乳児					
	31人から40人まで	2号	4歳以上児	+ 2,960	+ 20×加算率	+ 19,160	17,330	+ 110×加算率
			3歳児					
		3号	1、2歳児			+ 17,330		
			乳児					
	41人から50人まで	2号	4歳以上児	+ 2,960	+ 20×加算率	+ 16,790	14,960	+ 90×加算率
			3歳児					
		3号	1、2歳児			+ 14,960		
			乳児					
	51人から60人まで	2号	4歳以上児	+ 2,960	+ 20×加算率	+ 15,210	13,380	+ 70×加算率
			3歳児					
		3号	1、2歳児			+ 13,380		
			乳児					
	61人から70人まで	2号	4歳以上児	+ 2,960	+ 20×加算率	+ 14,080	12,250	+ 60×加算率
			3歳児					
		3号	1、2歳児			+ 12,250		
			乳児					
	71人から80人まで	2号	4歳以上児	+ 2,960	+ 20×加算率	+ 13,230	11,400	+ 50×加算率
			3歳児					
		3号	1、2歳児			+ 11,400		
			乳児					
	81人から90人まで	2号	4歳以上児	+ 2,960	+ 20×加算率	+ 12,570	10,740	+ 50×加算率
			3歳児					
		3号	1、2歳児			+ 10,740		
			乳児					
	91人から100人まで	2号	4歳以上児	+ 2,960	+ 20×加算率			
			3歳児					
		3号	1、2歳児					
			乳児					
	101人から110人まで	2号	4歳以上児	+ 2,960	+ 20×加算率			
			3歳児					
		3号	1、2歳児					
			乳児					
	111人から120人まで	2号	4歳以上児	+ 2,960	+ 20×加算率			
			3歳児					
		3号	1、2歳児					
			乳児					
	121人から130人まで	2号	4歳以上児	+ 2,960	+ 20×加算率			
			3歳児					
		3号	1、2歳児					
			乳児					
	131人から140人まで	2号	4歳以上児	+ 2,960	+ 20×加算率			
			3歳児					
		3号	1、2歳児					
			乳児					
	141人から150人まで	2号	4歳以上児	+ 2,960	+ 20×加算率			
			3歳児					
		3号	1、2歳児					
			乳児					
	151人から160人まで	2号	4歳以上児	+ 2,960	+ 20×加算率			
			3歳児					
		3号	1、2歳児					
			乳児					
	161人から170人まで	2号	4歳以上児	+ 2,960	+ 20×加算率			
			3歳児					
		3号	1、2歳児					
			乳児					
	171人以上	2号	4歳以上児	+ 2,960	+ 20×加算率			
			3歳児					
		3号	1、2歳児					
			乳児					

休日保育加算 ⑩ (+ { … + … } ÷ 各月初日の利用子ども数)

休日保育の年間延べ利用子ども数	休日保育加算	休日保育の年間延べ利用子ども数	処遇改善等加算Ⅰ
～ 210人	255,500	～ 210人	2,550×加算率
211人～ 279人	273,500	211人～ 279人	2,730×加算率
280人～ 349人	309,700	280人～ 349人	3,090×加算率
350人～ 419人	345,900	350人～ 419人	3,450×加算率
420人～ 489人	382,000	420人～ 489人	3,820×加算率
490人～ 559人	418,200	490人～ 559人	4,180×加算率
560人～ 629人	454,400	560人～ 629人	4,540×加算率
630人～ 699人	490,500	630人～ 699人	4,900×加算率
700人～ 769人	526,700	700人～ 769人	5,260×加算率
770人～ 839人	562,900	770人～ 839人	5,620×加算率
840人～ 909人	599,000	840人～ 909人	5,990×加算率
910人～ 979人	635,200	910人～ 979人	6,350×加算率
980人～1,049人	671,400	980人～1,049人	6,710×加算率
1,050人～	707,500	1,050人～	7,070×加算率

÷ 各月初日の利用子ども数

地域区分 ①	定員区分 ②	認定区分 ③	年齢区分 ④		減価償却費加算 加算額 標準 ⑫	減価償却費加算 加算額 都市部		賃借料加算 ⑬	賃借料加算 加算額 標準	賃借料加算 加算額 都市部		チーム保育推進加算 ⑭		処遇改善等加算Ⅰ		副食費徴収免除加算 ※副食費の徴収が免除される子どもの単価に加算 ⑮		分園の場合 ⑯
6/100地域	20人	2号	4歳以上児	＋	8,500	9,400	＋	a地域	15,800	17,600	＋	22,250×加配人数	＋	220×加算率×加配人数	＋	4,800		
			3歳児					b地域	8,700	9,700								
		3号	1、2歳児					c地域	7,600	8,400								
			乳児					d地域	6,800	7,500								
	21人から30人まで	2号	4歳以上児	＋	5,900	6,500	＋	a地域	10,900	12,200	＋	14,830×加配人数	＋	140×加算率×加配人数	＋	4,800		
			3歳児					b地域	6,000	6,700								
		3号	1、2歳児					c地域	5,200	5,800								
			乳児					d地域	4,700	5,200								
	31人から40人まで	2号	4歳以上児	＋	5,200	5,700	＋	a地域	9,800	10,900	＋	11,120×加配人数	＋	110×加算率×加配人数	＋	4,800		
			3歳児					b地域	5,400	6,000								
		3号	1、2歳児					c地域	4,700	5,200								
			乳児					d地域	4,200	4,600								
	41人から50人まで	2号	4歳以上児	＋	4,700	5,200	＋	a地域	8,800	9,800	＋	8,900×加配人数	＋	80×加算率×加配人数	＋	4,800		
			3歳児					b地域	4,800	5,400								
		3号	1、2歳児					c地域	4,200	4,700								
			乳児					d地域	3,800	4,200								
	51人から60人まで	2号	4歳以上児	＋	3,900	4,300	＋	a地域	7,200	8,100	＋	7,410×加配人数	＋	70×加算率×加配人数	＋	4,800		
			3歳児					b地域	4,000	4,400								
		3号	1、2歳児					c地域	3,500	3,800								
			乳児					d地域	3,100	3,400								
	61人から70人まで	2号	4歳以上児	＋	3,300	3,700	＋	a地域	6,300	7,100	＋	6,350×加配人数	＋	60×加算率×加配人数	＋	4,800		
			3歳児					b地域	3,500	3,900								
		3号	1、2歳児					c地域	3,000	3,400								
			乳児					d地域	2,700	3,000								
	71人から80人まで	2号	4歳以上児	＋	3,800	4,200	＋	a地域	7,100	7,900	＋	5,560×加配人数	＋	50×加算率×加配人数	＋	4,800		
			3歳児					b地域	3,900	4,300								
		3号	1、2歳児					c地域	3,400	3,800								
			乳児					d地域	3,000	3,400								
	81人から90人まで	2号	4歳以上児	＋	3,400	3,700	＋	a地域	6,300	7,100	＋	4,940×加配人数	＋	40×加算率×加配人数	＋	4,800		
			3歳児					b地域	3,500	3,900								
		3号	1、2歳児					c地域	3,000	3,400								
			乳児					d地域	2,700	3,000								
	91人から100人まで	2号	4歳以上児	＋	3,000	3,400	＋	a地域	5,500	6,200	＋	4,450×加配人数	＋	40×加算率×加配人数	＋	4,800	−	(⑥+⑦) × 10/100
			3歳児					b地域	3,000	3,400								
		3号	1、2歳児					c地域	2,600	2,900								
			乳児					d地域	2,400	2,600								
	101人から110人まで	2号	4歳以上児	＋	3,300	3,700	＋	a地域	6,100	6,800	＋	4,040×加配人数	＋	40×加算率×加配人数	＋	4,800		
			3歳児					b地域	3,300	3,700								
		3号	1、2歳児					c地域	2,900	3,200								
			乳児					d地域	2,600	2,900								
	111人から120人まで	2号	4歳以上児	＋	3,000	3,400	＋	a地域	5,500	6,200	＋	3,700×加配人数	＋	30×加算率×加配人数	＋	4,800		
			3歳児					b地域	3,000	3,400								
		3号	1、2歳児					c地域	2,600	2,900								
			乳児					d地域	2,400	2,600								
	121人から130人まで	2号	4歳以上児	＋	2,800	3,100	＋	a地域	5,100	5,700	＋	3,420×加配人数	＋	30×加算率×加配人数	＋	4,800		
			3歳児					b地域	2,800	3,100								
		3号	1、2歳児					c地域	2,400	2,700								
			乳児					d地域	2,200	2,400								
	131人から140人まで	2号	4歳以上児	＋	3,000	3,300	＋	a地域	5,500	6,200	＋	3,170×加配人数	＋	30×加算率×加配人数	＋	4,800		
			3歳児					b地域	3,000	3,400								
		3号	1、2歳児					c地域	2,600	2,900								
			乳児					d地域	2,400	2,600								
	141人から150人まで	2号	4歳以上児	＋	2,800	3,100	＋	a地域	5,400	6,000	＋	2,960×加配人数	＋	20×加算率×加配人数	＋	4,800		
			3歳児					b地域	2,900	3,300								
		3号	1、2歳児					c地域	2,500	2,800								
			乳児					d地域	2,300	2,500								
	151人から160人まで	2号	4歳以上児	＋	2,600	2,900	＋	a地域	4,800	5,400	＋	2,780×加配人数	＋	20×加算率×加配人数	＋	4,800		
			3歳児					b地域	2,600	2,900								
		3号	1、2歳児					c地域	2,300	2,500								
			乳児					d地域	2,000	2,300								
	161人から170人まで	2号	4歳以上児	＋	2,800	3,100	＋	a地域	5,400	6,000	＋	2,610×加配人数	＋	20×加算率×加配人数	＋	4,800		
			3歳児					b地域	2,900	3,300								
		3号	1、2歳児					c地域	2,500	2,800								
			乳児					d地域	2,300	2,500								
	171人以上	2号	4歳以上児	＋	2,700	2,900	＋	a地域	4,800	5,400	＋	2,470×加配人数	＋	20×加算率×加配人数	＋	4,800		
			3歳児					b地域	2,600	2,900								
		3号	1、2歳児					c地域	2,300	2,500								
			乳児					d地域	2,000	2,300								

地域区分 ①	定員区分 ②	認定区分 ③	年齢区分 ④		施設長を配置していない場合		処遇改善等加算Ⅰ ⑰		土曜日に閉所する場合 ⑱ 月に１日土曜日を閉所する場合	月に２日土曜日を閉所する場合	月に３日以上土曜日を閉所する場合	全ての土曜日を閉所する場合	定員を恒常的に超過する場合 ⑲
6/100地域	20人	2号 3号	4歳以上児 3歳児 1、2歳児 乳児	－	24,920	＋	240×加算率	－	(⑥+⑦+⑧+⑨+⑪) × 1/100	(⑥+⑦+⑧+⑨+⑪) × 3/100	(⑥+⑦+⑧+⑨+⑪) × 4/100	(⑥+⑦+⑧+⑨+⑪) × 5/100	(⑥～⑱（⑮を除く。)) ×別に定める調整率
	21人から30人まで	2号 3号	4歳以上児 3歳児 1、2歳児 乳児	－	16,610	＋	160×加算率	－	(⑥+⑦+⑧+⑨+⑪) × 1/100	(⑥+⑦+⑧+⑨+⑪) × 3/100	(⑥+⑦+⑧+⑨+⑪) × 4/100	(⑥+⑦+⑧+⑨+⑪) × 6/100	
	31人から40人まで	2号 3号	4歳以上児 3歳児 1、2歳児 乳児	－	12,460	＋	120×加算率	－	(⑥+⑦+⑧+⑨+⑪) × 2/100	(⑥+⑦+⑧+⑨+⑪) × 3/100	(⑥+⑦+⑧+⑨+⑪) × 4/100	(⑥+⑦+⑧+⑨+⑪) × 6/100	
	41人から50人まで	2号 3号	4歳以上児 3歳児 1、2歳児 乳児	－	9,970	＋	90×加算率	－	(⑥+⑦+⑧+⑨+⑪) × 2/100	(⑥+⑦+⑧+⑨+⑪) × 3/100	(⑥+⑦+⑧+⑨+⑪) × 5/100	(⑥+⑦+⑧+⑨+⑪) × 6/100	
	51人から60人まで	2号 3号	4歳以上児 3歳児 1、2歳児 乳児	－	8,300	＋	80×加算率	－	(⑥+⑦+⑧+⑨+⑪) × 2/100	(⑥+⑦+⑧+⑨+⑪) × 3/100	(⑥+⑦+⑧+⑨+⑪) × 5/100	(⑥+⑦+⑧+⑨+⑪) × 6/100	
	61人から70人まで	2号 3号	4歳以上児 3歳児 1、2歳児 乳児	－	7,120	＋	70×加算率	－	(⑥+⑦+⑧+⑨+⑪) × 2/100	(⑥+⑦+⑧+⑨+⑪) × 3/100	(⑥+⑦+⑧+⑨+⑪) × 5/100	(⑥+⑦+⑧+⑨+⑪) × 6/100	
	71人から80人まで	2号 3号	4歳以上児 3歳児 1、2歳児 乳児	－	6,230	＋	60×加算率	－	(⑥+⑦+⑧+⑨+⑪) × 2/100	(⑥+⑦+⑧+⑨+⑪) × 3/100	(⑥+⑦+⑧+⑨+⑪) × 5/100	(⑥+⑦+⑧+⑨+⑪) × 6/100	
	81人から90人まで	2号 3号	4歳以上児 3歳児 1、2歳児 乳児	－	5,530	＋	50×加算率	－	(⑥+⑦+⑧+⑨+⑪) × 2/100	(⑥+⑦+⑧+⑨+⑪) × 3/100	(⑥+⑦+⑧+⑨+⑪) × 5/100	(⑥+⑦+⑧+⑨+⑪) × 6/100	
	91人から100人まで	2号 3号	4歳以上児 3歳児 1、2歳児 乳児	－	4,980	＋	40×加算率	－	(⑥+⑦+⑧+⑨+⑪) × 2/100	(⑥+⑦+⑧+⑨+⑪) × 3/100	(⑥+⑦+⑧+⑨+⑪) × 5/100	(⑥+⑦+⑧+⑨+⑪) × 6/100	
	101人から110人まで	2号 3号	4歳以上児 3歳児 1、2歳児 乳児	－	4,530	＋	40×加算率	－	(⑥+⑦+⑧+⑨+⑪) × 2/100	(⑥+⑦+⑧+⑨+⑪) × 3/100	(⑥+⑦+⑧+⑨+⑪) × 5/100	(⑥+⑦+⑧+⑨+⑪) × 6/100	
	111人から120人まで	2号 3号	4歳以上児 3歳児 1、2歳児 乳児	－	4,150	＋	40×加算率	－	(⑥+⑦+⑧+⑨+⑪) × 2/100	(⑥+⑦+⑧+⑨+⑪) × 3/100	(⑥+⑦+⑧+⑨+⑪) × 5/100	(⑥+⑦+⑧+⑨+⑪) × 6/100	
	121人から130人まで	2号 3号	4歳以上児 3歳児 1、2歳児 乳児	－	3,830	＋	30×加算率	－	(⑥+⑦+⑧+⑨+⑪) × 2/100	(⑥+⑦+⑧+⑨+⑪) × 3/100	(⑥+⑦+⑧+⑨+⑪) × 5/100	(⑥+⑦+⑧+⑨+⑪) × 6/100	
	131人から140人まで	2号 3号	4歳以上児 3歳児 1、2歳児 乳児	－	3,560	＋	30×加算率	－	(⑥+⑦+⑧+⑨+⑪) × 2/100	(⑥+⑦+⑧+⑨+⑪) × 3/100	(⑥+⑦+⑧+⑨+⑪) × 5/100	(⑥+⑦+⑧+⑨+⑪) × 6/100	
	141人から150人まで	2号 3号	4歳以上児 3歳児 1、2歳児 乳児	－	3,320	＋	30×加算率	－	(⑥+⑦+⑧+⑨+⑪) × 2/100	(⑥+⑦+⑧+⑨+⑪) × 3/100	(⑥+⑦+⑧+⑨+⑪) × 5/100	(⑥+⑦+⑧+⑨+⑪) × 6/100	
	151人から160人まで	2号 3号	4歳以上児 3歳児 1、2歳児 乳児	－	3,110	＋	30×加算率	－	(⑥+⑦+⑧+⑨+⑪) × 2/100	(⑥+⑦+⑧+⑨+⑪) × 3/100	(⑥+⑦+⑧+⑨+⑪) × 5/100	(⑥+⑦+⑧+⑨+⑪) × 7/100	
	161人から170人まで	2号 3号	4歳以上児 3歳児 1、2歳児 乳児	－	2,930	＋	20×加算率	－	(⑥+⑦+⑧+⑨+⑪) × 2/100	(⑥+⑦+⑧+⑨+⑪) × 3/100	(⑥+⑦+⑧+⑨+⑪) × 5/100	(⑥+⑦+⑧+⑨+⑪) × 7/100	
	171人以上	2号 3号	4歳以上児 3歳児 1、2歳児 乳児	－	2,760	＋	20×加算率	－	(⑥+⑦+⑧+⑨+⑪) × 2/100	(⑥+⑦+⑧+⑨+⑪) × 3/100	(⑥+⑦+⑧+⑨+⑪) × 5/100	(⑥+⑦+⑧+⑨+⑪) × 7/100	

地域区分 ①	定員区分 ②	認定区分 ③	年齢区分 ④	保育必要量区分 ⑤ 保育標準時間認定 基本分単価 ⑥	（注）	保育短時間認定 基本分単価 ⑥	（注）		処遇改善等加算Ⅰ 保育標準時間認定 ⑦	（注）		保育短時間認定 ⑦	（注）			３歳児配置改善加算 ⑧		処遇改善等加算Ⅰ
3/100地域	20人	2号	4歳以上児	116, 690	(123, 920)	92, 110	(99, 340)	+	1, 140	(1, 210)	×加算率	900	(970)	×加算率	+	(7, 230)	+	(70×加算率)
			3　歳　児	123, 920	(183, 110)	99, 340	(158, 530)	+	1, 210	(1, 710)	×加算率	970	(1, 460)	×加算率	+	7, 230		70×加算率
		3号	1、2歳児	183, 110	(255, 440)	158, 530	(230, 860)	+	1, 710	(2, 440)	×加算率	1, 460	(2, 190)	×加算率				
			乳　児	255, 440		230, 860		+	2, 440		×加算率	2, 190		×加算率				
	21人から30人まで	2号	4歳以上児	84, 130	(91, 360)	67, 740	(74, 970)	+	820	(890)	×加算率	650	(720)	×加算率	+	(7, 230)	+	(70×加算率)
			3　歳　児	91, 360	(150, 550)	74, 970	(134, 160)	+	890	(1, 380)	×加算率	720	(1, 220)	×加算率	+	7, 230		70×加算率
		3号	1、2歳児	150, 550	(222, 880)	134, 160	(206, 490)	+	1, 380	(2, 110)	×加算率	1, 220	(1, 950)	×加算率				
			乳　児	222, 880		206, 490		+	2, 110		×加算率	1, 950		×加算率				
	31人から40人まで	2号	4歳以上児	68, 050	(75, 280)	55, 760	(62, 990)	+	660	(730)	×加算率	530	(600)	×加算率	+	(7, 230)	+	(70×加算率)
			3　歳　児	75, 280	(134, 470)	62, 990	(122, 180)	+	730	(1, 220)	×加算率	600	(1, 100)	×加算率	+	7, 230		70×加算率
		3号	1、2歳児	134, 470	(206, 800)	122, 180	(194, 510)	+	1, 220	(1, 950)	×加算率	1, 100	(1, 830)	×加算率				
			乳　児	206, 800		194, 510		+	1, 950		×加算率	1, 830		×加算率				
	41人から50人まで	2号	4歳以上児	63, 880	(71, 110)	54, 050	(61, 280)	+	610	(680)	×加算率	520	(590)	×加算率	+	(7, 230)	+	(70×加算率)
			3　歳　児	71, 110	(130, 300)	61, 280	(120, 470)	+	680	(1, 180)	×加算率	590	(1, 080)	×加算率	+	7, 230		70×加算率
		3号	1、2歳児	130, 300	(202, 630)	120, 470	(192, 800)	+	1, 180	(1, 910)	×加算率	1, 080	(1, 810)	×加算率				
			乳　児	202, 630		192, 800		+	1, 910		×加算率	1, 810		×加算率				
	51人から60人まで	2号	4歳以上児	55, 990	(63, 220)	47, 800	(55, 030)	+	540	(610)	×加算率	450	(520)	×加算率	+	(7, 230)	+	(70×加算率)
			3　歳　児	63, 220	(122, 410)	55, 030	(114, 220)	+	610	(1, 100)	×加算率	520	(1, 020)	×加算率	+	7, 230		70×加算率
		3号	1、2歳児	122, 410	(194, 740)	114, 220	(186, 550)	+	1, 100	(1, 830)	×加算率	1, 020	(1, 750)	×加算率				
			乳　児	194, 740		186, 550		+	1, 830		×加算率	1, 750		×加算率				
	61人から70人まで	2号	4歳以上児	50, 440	(57, 670)	43, 410	(50, 640)	+	480	(550)	×加算率	410	(480)	×加算率	+	(7, 230)	+	(70×加算率)
			3　歳　児	57, 670	(116, 860)	50, 640	(109, 830)	+	550	(1, 040)	×加算率	480	(970)	×加算率	+	7, 230		70×加算率
		3号	1、2歳児	116, 860	(189, 190)	109, 830	(182, 160)	+	1, 040	(1, 770)	×加算率	970	(1, 700)	×加算率				
			乳　児	189, 190		182, 160		+	1, 770		×加算率	1, 700		×加算率				
	71人から80人まで	2号	4歳以上児	46, 320	(53, 550)	40, 180	(47, 410)	+	440	(510)	×加算率	380	(450)	×加算率	+	(7, 230)	+	(70×加算率)
			3　歳　児	53, 550	(112, 740)	47, 410	(106, 600)	+	510	(1, 000)	×加算率	450	(940)	×加算率	+	7, 230		70×加算率
		3号	1、2歳児	112, 740	(185, 070)	106, 600	(178, 930)	+	1, 000	(1, 730)	×加算率	940	(1, 670)	×加算率				
			乳　児	185, 070		178, 930		+	1, 730		×加算率	1, 670		×加算率				
	81人から90人まで	2号	4歳以上児	43, 080	(50, 310)	37, 610	(44, 840)	+	410	(480)	×加算率	350	(420)	×加算率	+	(7, 230)	+	(70×加算率)
			3　歳　児	50, 310	(109, 500)	44, 840	(104, 030)	+	480	(970)	×加算率	420	(920)	×加算率	+	7, 230		70×加算率
		3号	1、2歳児	109, 500	(181, 830)	104, 030	(176, 360)	+	970	(1, 700)	×加算率	920	(1, 650)	×加算率				
			乳　児	181, 830		176, 360		+	1, 700		×加算率	1, 650		×加算率				
	91人から100人まで	2号	4歳以上児	37, 360	(44, 590)	32, 450	(39, 680)	+	350	(420)	×加算率	300	(370)	×加算率	+	(7, 230)	+	(70×加算率)
			3　歳　児	44, 590	(103, 780)	39, 680	(98, 870)	+	420	(910)	×加算率	370	(860)	×加算率	+	7, 230		70×加算率
		3号	1、2歳児	103, 780	(176, 110)	98, 870	(171, 200)	+	910	(1, 640)	×加算率	860	(1, 590)	×加算率				
			乳　児	176, 110		171, 200		+	1, 640		×加算率	1, 590		×加算率				
	101人から110人まで	2号	4歳以上児	35, 560	(42, 790)	31, 090	(38, 320)	+	330	(400)	×加算率	290	(360)	×加算率	+	(7, 230)	+	(70×加算率)
			3　歳　児	42, 790	(101, 980)	38, 320	(97, 510)	+	400	(890)	×加算率	360	(850)	×加算率	+	7, 230		70×加算率
		3号	1、2歳児	101, 980	(174, 310)	97, 510	(169, 840)	+	890	(1, 620)	×加算率	850	(1, 580)	×加算率				
			乳　児	174, 310		169, 840		+	1, 620		×加算率	1, 500		×加算率				
	111人から120人まで	2号	4歳以上児	34, 020	(41, 250)	29, 920	(37, 150)	+	320	(390)	×加算率	270	(340)	×加算率	+	(7, 230)	+	(70×加算率)
			3　歳　児	41, 250	(100, 440)	37, 150	(96, 340)	+	390	(880)	×加算率	340	(840)	×加算率	+	7, 230		70×加算率
		3号	1、2歳児	100, 440	(172, 770)	96, 340	(168, 670)	+	880	(1, 610)	×加算率	840	(1, 570)	×加算率				
			乳　児	172, 770		168, 670		+	1, 610		×加算率	1, 570		×加算率				
	121人から130人まで	2号	4歳以上児	32, 720	(39, 950)	28, 940	(36, 170)	+	300	(370)	×加算率	270	(340)	×加算率	+	(7, 230)	+	(70×加算率)
			3　歳　児	39, 950	(99, 140)	36, 170	(95, 360)	+	370	(870)	×加算率	340	(830)	×加算率	+	7, 230		70×加算率
		3号	1、2歳児	99, 140	(171, 470)	95, 360	(167, 690)	+	870	(1, 600)	×加算率	830	(1, 560)	×加算率				
			乳　児	171, 470		167, 690		+	1, 600		×加算率	1, 500		×加算率				
	131人から140人まで	2号	4歳以上児	31, 630	(38, 860)	28, 120	(35, 350)	+	290	(360)	×加算率	260	(330)	×加算率	+	(7, 230)	+	(70×加算率)
			3　歳　児	38, 860	(98, 050)	35, 350	(94, 540)	+	360	(860)	×加算率	330	(820)	×加算率	+	7, 230		70×加算率
		3号	1、2歳児	98, 050	(170, 380)	94, 540	(166, 870)	+	860	(1, 590)	×加算率	820	(1, 550)	×加算率				
			乳　児	170, 380		166, 870		+	1, 590		×加算率	1, 550		×加算率				
	141人から150人まで	2号	4歳以上児	30, 670	(37, 900)	27, 400	(34, 630)	+	280	(350)	×加算率	250	(320)	×加算率	+	(7, 230)	+	(70×加算率)
			3　歳　児	37, 900	(97, 090)	34, 630	(93, 820)	+	350	(850)	×加算率	320	(810)	×加算率	+	7, 230		70×加算率
		3号	1、2歳児	97, 090	(169, 420)	93, 820	(166, 150)	+	850	(1, 580)	×加算率	810	(1, 540)	×加算率				
			乳　児	169, 420		166, 150		+	1, 580		×加算率	1, 540		×加算率				
	151人から160人まで	2号	4歳以上児	30, 730	(37, 960)	27, 660	(34, 890)	+	280	(350)	×加算率	250	(320)	×加算率	+	(7, 230)	+	(70×加算率)
			3　歳　児	37, 960	(97, 150)	34, 890	(94, 080)	+	350	(850)	×加算率	320	(820)	×加算率	+	7, 230		70×加算率
		3号	1、2歳児	97, 150	(169, 480)	94, 080	(166, 410)	+	850	(1, 580)	×加算率	820	(1, 550)	×加算率				
			乳　児	169, 480		166, 410		+	1, 580		×加算率	1, 550		×加算率				
	161人から170人まで	2号	4歳以上児	29, 960	(37, 190)	27, 060	(34, 290)	+	280	(350)	×加算率	250	(320)	×加算率	+	(7, 230)	+	(70×加算率)
			3　歳　児	37, 190	(96, 380)	34, 290	(93, 480)	+	350	(840)	×加算率	320	(810)	×加算率	+	7, 230		70×加算率
		3号	1、2歳児	96, 380	(168, 710)	93, 480	(165, 810)	+	840	(1, 570)	×加算率	810	(1, 540)	×加算率				
			乳　児	168, 710		165, 810		+	1, 570		×加算率	1, 540		×加算率				
	171人以上	2号	4歳以上児	29, 250	(36, 480)	26, 510	(33, 740)	+	270	(340)	×加算率	240	(310)	×加算率	+	(7, 230)	+	(70×加算率)
			3　歳　児	36, 480	(95, 670)	33, 740	(92, 930)	+	340	(830)	×加算率	310	(800)	×加算率	+	7, 230		70×加算率
		3号	1、2歳児	95, 670	(168, 000)	92, 930	(165, 260)	+	830	(1, 560)	×加算率	800	(1, 530)	×加算率				
			乳　児	168, 000		165, 260		+	1, 560		×加算率	1, 530		×加算率				

地域区分 ①	定員区分 ②	認定区分 ③	年齢区分 ④	4歳以上児配置改善加算	処遇改善等加算Ⅰ ⑨	夜間保育加算	（注） ⑪	処遇改善等加算Ⅰ
3/100地域	20人	2号	4歳以上児	＋ 2,890	＋ 20×加算率	＋ 31,010	29,180	＋ 230×加算率
			3歳児					
		3号	1、2歳児			＋ 29,180		
			乳児					
	21人から30人まで	2号	4歳以上児	＋ 2,890	＋ 20×加算率	＋ 23,110	21,280	＋ 150×加算率
			3歳児					
		3号	1、2歳児			＋ 21,280		
			乳児					
	31人から40人まで	2号	4歳以上児	＋ 2,890	＋ 20×加算率	＋ 19,160	17,330	＋ 110×加算率
			3歳児					
		3号	1、2歳児			＋ 17,330		
			乳児					
	41人から50人まで	2号	4歳以上児	＋ 2,890	＋ 20×加算率	＋ 16,790	14,960	＋ 90×加算率
			3歳児					
		3号	1、2歳児			＋ 14,960		
			乳児					
	51人から60人まで	2号	4歳以上児	＋ 2,890	＋ 20×加算率	＋ 15,210	13,380	＋ 70×加算率
			3歳児					
		3号	1、2歳児			＋ 13,380		
			乳児					
	61人から70人まで	2号	4歳以上児	＋ 2,890	＋ 20×加算率	＋ 14,080	12,250	＋ 60×加算率
			3歳児					
		3号	1、2歳児			＋ 12,250		
			乳児					
	71人から80人まで	2号	4歳以上児	＋ 2,890	＋ 20×加算率	＋ 13,230	11,400	＋ 50×加算率
			3歳児					
		3号	1、2歳児			＋ 11,400		
			乳児					
	81人から90人まで	2号	4歳以上児	＋ 2,890	＋ 20×加算率	＋ 12,570	10,740	＋ 50×加算率
			3歳児					
		3号	1、2歳児			＋ 10,740		
			乳児					
	91人から100人まで	2号	4歳以上児	＋ 2,890	＋ 20×加算率			
			3歳児					
		3号	1、2歳児					
			乳児					
	101人から110人まで	2号	4歳以上児	＋ 2,890	＋ 20×加算率			
			3歳児					
		3号	1、2歳児					
			乳児					
	111人から120人まで	2号	4歳以上児	＋ 2,890	＋ 20×加算率			
			3歳児					
		3号	1、2歳児					
			乳児					
	121人から130人まで	2号	4歳以上児	＋ 2,890	＋ 20×加算率			
			3歳児					
		3号	1、2歳児					
			乳児					
	131人から140人まで	2号	4歳以上児	＋ 2,890	＋ 20×加算率			
			3歳児					
		3号	1、2歳児					
			乳児					
	141人から150人まで	2号	4歳以上児	＋ 2,890	＋ 20×加算率			
			3歳児					
		3号	1、2歳児					
			乳児					
	151人から160人まで	2号	4歳以上児	＋ 2,890	＋ 20×加算率			
			3歳児					
		3号	1、2歳児					
			乳児					
	161人から170人まで	2号	4歳以上児	＋ 2,890	＋ 20×加算率			
			3歳児					
		3号	1、2歳児					
			乳児					
	171人以上	2号	4歳以上児	＋ 2,890	＋ 20×加算率			
			3歳児					
		3号	1、2歳児					
			乳児					

休日保育加算 ⑩（全ての定員区分・認定区分・年齢区分に共通）

＋ { 休日保育の年間延べ利用子ども数 ＋ 休日保育の年間延べ利用子ども数（処遇改善等加算Ⅰ） } ÷ 各月初日の利用子ども数

休日保育の年間延べ利用子ども数	休日保育加算	休日保育の年間延べ利用子ども数	処遇改善等加算Ⅰ
～ 210人	250,000	～ 210人	2,500×加算率
211人～ 279人	267,700	211人～ 279人	2,670×加算率
280人～ 349人	303,300	280人～ 349人	3,030×加算率
350人～ 419人	338,900	350人～ 419人	3,380×加算率
420人～ 489人	374,500	420人～ 489人	3,740×加算率
490人～ 559人	410,100	490人～ 559人	4,100×加算率
560人～ 629人	445,700	560人～ 629人	4,450×加算率
630人～ 699人	481,200	630人～ 699人	4,810×加算率
700人～ 769人	516,800	700人～ 769人	5,160×加算率
770人～ 839人	552,400	770人～ 839人	5,520×加算率
840人～ 909人	588,000	840人～ 909人	5,880×加算率
910人～ 979人	623,600	910人～ 979人	6,230×加算率
980人～1,049人	659,200	980人～1,049人	6,590×加算率
1,050人～	694,700	1,050人～	6,940×加算率

地域区分	定員区分	認定区分	年齢区分	減価償却費加算		賃借料加算			チーム保育推進加算		副食費徴収免除加算 ※副食費の徴収が免除される子どもの単価に加算	分園の場合
				加算額 標準	加算額 都市部		加算額 標準	加算額 都市部		処遇改善等加算Ⅰ		
①	②	③	④	⑫		⑬			⑭		⑮	⑯
3/100地域	20人	2号	4歳以上児	+ 8,500	9,400	+ a地域	15,800	17,600	+ 21,690×加配人数	+ 210×加算率×加配人数	+ 4,800	
			3歳児			b地域	8,700	9,700				
		3号	1、2歳児			c地域	7,600	8,400				
			乳児			d地域	6,800	7,500				
	21人から30人まで	2号	4歳以上児	+ 5,900	6,500	+ a地域	10,900	12,200	+ 14,460×加配人数	+ 140×加算率×加配人数	+ 4,800	
			3歳児			b地域	6,000	6,700				
		3号	1、2歳児			c地域	5,200	5,800				
			乳児			d地域	4,700	5,200				
	31人から40人まで	2号	4歳以上児	+ 5,200	5,700	+ a地域	9,800	10,900	+ 10,840×加配人数	+ 100×加算率×加配人数	+ 4,800	
			3歳児			b地域	5,400	6,000				
		3号	1、2歳児			c地域	4,700	5,200				
			乳児			d地域	4,200	4,600				
	41人から50人まで	2号	4歳以上児	+ 4,700	5,200	+ a地域	8,800	9,800	+ 8,670×加配人数	+ 80×加算率×加配人数	+ 4,800	
			3歳児			b地域	4,800	5,400				
		3号	1、2歳児			c地域	4,200	4,700				
			乳児			d地域	3,800	4,200				
	51人から60人まで	2号	4歳以上児	+ 3,900	4,300	+ a地域	7,200	8,100	+ 7,230×加配人数	+ 70×加算率×加配人数	+ 4,800	
			3歳児			b地域	4,000	4,400				
		3号	1、2歳児			c地域	3,500	3,800				
			乳児			d地域	3,100	3,400				
	61人から70人まで	2号	4歳以上児	+ 3,300	3,700	+ a地域	6,300	7,100	+ 6,190×加配人数	+ 60×加算率×加配人数	+ 4,800	
			3歳児			b地域	3,500	3,900				
		3号	1、2歳児			c地域	3,000	3,400				
			乳児			d地域	2,700	3,000				
	71人から80人まで	2号	4歳以上児	+ 3,800	4,200	+ a地域	7,100	7,900	+ 5,420×加配人数	+ 50×加算率×加配人数	+ 4,800	
			3歳児			b地域	3,900	4,300				
		3号	1、2歳児			c地域	3,400	3,800				
			乳児			d地域	3,000	3,400				
	81人から90人まで	2号	4歳以上児	+ 3,400	3,700	+ a地域	6,300	7,100	+ 4,820×加配人数	+ 40×加算率×加配人数	+ 4,800	
			3歳児			b地域	3,500	3,900				
		3号	1、2歳児			c地域	3,000	3,400				
			乳児			d地域	2,700	3,000				
	91人から100人まで	2号	4歳以上児	+ 3,000	3,400	+ a地域	5,500	6,200	+ 4,330×加配人数	+ 40×加算率×加配人数	+ 4,800	−(⑥+⑦) × 10/100
			3歳児			b地域	3,000	3,400				
		3号	1、2歳児			c地域	2,600	2,900				
			乳児			d地域	2,400	2,600				
	101人から110人まで	2号	4歳以上児	+ 3,300	3,700	+ a地域	6,100	6,800	+ 3,940×加配人数	+ 30×加算率×加配人数	+ 4,800	
			3歳児			b地域	3,300	3,700				
		3号	1、2歳児			c地域	2,900	3,200				
			乳児			d地域	2,600	2,900				
	111人から120人まで	2号	4歳以上児	+ 3,000	3,400	+ a地域	5,500	6,200	+ 3,610×加配人数	+ 30×加算率×加配人数	+ 4,800	
			3歳児			b地域	3,000	3,400				
		3号	1、2歳児			c地域	2,600	2,900				
			乳児			d地域	2,400	2,600				
	121人から130人まで	2号	4歳以上児	+ 2,800	3,100	+ a地域	5,100	5,700	+ 3,330×加配人数	+ 30×加算率×加配人数	+ 4,800	
			3歳児			b地域	2,800	3,100				
		3号	1、2歳児			c地域	2,400	2,700				
			乳児			d地域	2,200	2,400				
	131人から140人まで	2号	4歳以上児	+ 3,000	3,300	+ a地域	5,500	6,200	+ 3,090×加配人数	+ 30×加算率×加配人数	+ 4,800	
			3歳児			b地域	3,000	3,400				
		3号	1、2歳児			c地域	2,600	2,900				
			乳児			d地域	2,400	2,600				
	141人から150人まで	2号	4歳以上児	+ 2,800	3,100	+ a地域	5,400	6,000	+ 2,890×加配人数	+ 20×加算率×加配人数	+ 4,800	
			3歳児			b地域	2,900	3,300				
		3号	1、2歳児			c地域	2,500	2,800				
			乳児			d地域	2,300	2,500				
	151人から160人まで	2号	4歳以上児	+ 2,600	2,900	+ a地域	4,800	5,400	+ 2,710×加配人数	+ 20×加算率×加配人数	+ 4,800	
			3歳児			b地域	2,600	2,900				
		3号	1、2歳児			c地域	2,300	2,500				
			乳児			d地域	2,000	2,300				
	161人から170人まで	2号	4歳以上児	+ 2,800	3,100	+ a地域	5,400	6,000	+ 2,550×加配人数	+ 20×加算率×加配人数	+ 4,800	
			3歳児			b地域	2,900	3,300				
		3号	1、2歳児			c地域	2,500	2,800				
			乳児			d地域	2,300	2,500				
	171人以上	2号	4歳以上児	+ 2,700	2,900	+ a地域	4,800	5,400	+ 2,410×加配人数	+ 20×加算率×加配人数	+ 4,800	
			3歳児			b地域	2,600	2,900				
		3号	1、2歳児			c地域	2,300	2,500				
			乳児			d地域	2,000	2,300				

地域区分 ①	定員区分 ②	認定区分 ③	年齢区分 ④	施設長を配置していない場合 ⑰		土曜日に閉所する場合 ⑱				定員を恒常的に超過する場合 ⑲
					処遇改善等加算Ⅰ	月に1日土曜日を閉所する場合	月に2日土曜日を閉所する場合	月に3日以上土曜日を閉所する場合	全ての土曜日を閉所する場合	
3/100地域	20人	2号 3号	4歳以上児 3歳児 1、2歳児 乳児	− 24, 220 +	240×加算率 −	(⑥+⑦+⑧+⑨+⑪) × 1/100	(⑥+⑦+⑧+⑨+⑪) × 3/100	(⑥+⑦+⑧+⑨+⑪) × 4/100	(⑥+⑦+⑧+⑨+⑪) × 6/100	(⑥～⑱（⑮を除く。））×別に定める調整率
	21人から30人まで	2号 3号	4歳以上児 3歳児 1、2歳児 乳児	− 16, 150 +	160×加算率 −	(⑥+⑦+⑧+⑨+⑪) × 2/100	(⑥+⑦+⑧+⑨+⑪) × 3/100	(⑥+⑦+⑧+⑨+⑪) × 5/100	(⑥+⑦+⑧+⑨+⑪) × 6/100	
	31人から40人まで	2号 3号	4歳以上児 3歳児 1、2歳児 乳児	− 12, 110 +	120×加算率 −	(⑥+⑦+⑧+⑨+⑪) × 2/100	(⑥+⑦+⑧+⑨+⑪) × 3/100	(⑥+⑦+⑧+⑨+⑪) × 5/100	(⑥+⑦+⑧+⑨+⑪) × 6/100	
	41人から50人まで	2号 3号	4歳以上児 3歳児 1、2歳児 乳児	− 9, 690 +	90×加算率 −	(⑥+⑦+⑧+⑨+⑪) × 2/100	(⑥+⑦+⑧+⑨+⑪) × 3/100	(⑥+⑦+⑧+⑨+⑪) × 5/100	(⑥+⑦+⑧+⑨+⑪) × 6/100	
	51人から60人まで	2号 3号	4歳以上児 3歳児 1、2歳児 乳児	− 8, 070 +	80×加算率 −	(⑥+⑦+⑧+⑨+⑪) × 2/100	(⑥+⑦+⑧+⑨+⑪) × 3/100	(⑥+⑦+⑧+⑨+⑪) × 5/100	(⑥+⑦+⑧+⑨+⑪) × 6/100	
	61人から70人まで	2号 3号	4歳以上児 3歳児 1、2歳児 乳児	− 6, 920 +	60×加算率 −	(⑥+⑦+⑧+⑨+⑪) × 2/100	(⑥+⑦+⑧+⑨+⑪) × 3/100	(⑥+⑦+⑧+⑨+⑪) × 5/100	(⑥+⑦+⑧+⑨+⑪) × 6/100	
	71人から80人まで	2号 3号	4歳以上児 3歳児 1、2歳児 乳児	− 6, 050 +	60×加算率 −	(⑥+⑦+⑧+⑨+⑪) × 2/100	(⑥+⑦+⑧+⑨+⑪) × 3/100	(⑥+⑦+⑧+⑨+⑪) × 5/100	(⑥+⑦+⑧+⑨+⑪) × 6/100	
	81人から90人まで	2号 3号	4歳以上児 3歳児 1、2歳児 乳児	− 5, 380 +	50×加算率 −	(⑥+⑦+⑧+⑨+⑪) × 2/100	(⑥+⑦+⑧+⑨+⑪) × 3/100	(⑥+⑦+⑧+⑨+⑪) × 5/100	(⑥+⑦+⑧+⑨+⑪) × 6/100	
	91人から100人まで	2号 3号	4歳以上児 3歳児 1、2歳児 乳児	− 4, 840 +	40×加算率 −	(⑥+⑦+⑧+⑨+⑪) × 2/100	(⑥+⑦+⑧+⑨+⑪) × 3/100	(⑥+⑦+⑧+⑨+⑪) × 5/100	(⑥+⑦+⑧+⑨+⑪) × 7/100	
	101人から110人まで	2号 3号	4歳以上児 3歳児 1、2歳児 乳児	− 4, 400 +	40×加算率 −	(⑥+⑦+⑧+⑨+⑪) × 2/100	(⑥+⑦+⑧+⑨+⑪) × 3/100	(⑥+⑦+⑧+⑨+⑪) × 5/100	(⑥+⑦+⑧+⑨+⑪) × 7/100	
	111人から120人まで	2号 3号	4歳以上児 3歳児 1、2歳児 乳児	− 4, 030 +	40×加算率 −	(⑥+⑦+⑧+⑨+⑪) × 2/100	(⑥+⑦+⑧+⑨+⑪) × 3/100	(⑥+⑦+⑧+⑨+⑪) × 5/100	(⑥+⑦+⑧+⑨+⑪) × 7/100	
	121人から130人まで	2号 3号	4歳以上児 3歳児 1、2歳児 乳児	− 3, 720 +	30×加算率 −	(⑥+⑦+⑧+⑨+⑪) × 2/100	(⑥+⑦+⑧+⑨+⑪) × 3/100	(⑥+⑦+⑧+⑨+⑪) × 5/100	(⑥+⑦+⑧+⑨+⑪) × 7/100	
	131人から140人まで	2号 3号	4歳以上児 3歳児 1、2歳児 乳児	− 3, 460 +	30×加算率 −	(⑥+⑦+⑧+⑨+⑪) × 2/100	(⑥+⑦+⑧+⑨+⑪) × 3/100	(⑥+⑦+⑧+⑨+⑪) × 5/100	(⑥+⑦+⑧+⑨+⑪) × 7/100	
	141人から150人まで	2号 3号	4歳以上児 3歳児 1、2歳児 乳児	− 3, 230 +	30×加算率 −	(⑥+⑦+⑧+⑨+⑪) × 2/100	(⑥+⑦+⑧+⑨+⑪) × 3/100	(⑥+⑦+⑧+⑨+⑪) × 5/100	(⑥+⑦+⑧+⑨+⑪) × 7/100	
	151人から160人まで	2号 3号	4歳以上児 3歳児 1、2歳児 乳児	− 3, 020 +	30×加算率 −	(⑥+⑦+⑧+⑨+⑪) × 2/100	(⑥+⑦+⑧+⑨+⑪) × 3/100	(⑥+⑦+⑧+⑨+⑪) × 5/100	(⑥+⑦+⑧+⑨+⑪) × 7/100	
	161人から170人まで	2号 3号	4歳以上児 3歳児 1、2歳児 乳児	− 2, 850 +	20×加算率 −	(⑥+⑦+⑧+⑨+⑪) × 2/100	(⑥+⑦+⑧+⑨+⑪) × 3/100	(⑥+⑦+⑧+⑨+⑪) × 5/100	(⑥+⑦+⑧+⑨+⑪) × 7/100	
	171人以上	2号 3号	4歳以上児 3歳児 1、2歳児 乳児	− 2, 690 +	20×加算率 −	(⑥+⑦+⑧+⑨+⑪) × 2/100	(⑥+⑦+⑧+⑨+⑪) × 3/100	(⑥+⑦+⑧+⑨+⑪) × 5/100	(⑥+⑦+⑧+⑨+⑪) × 7/100	

地域区分 ①	定員区分 ②	認定区分 ③	年齢区分 ④	保育必要量区分 ⑤					処遇改善等加算Ⅰ							3歳児配置改善加算		
				保育標準時間認定		保育短時間認定			保育標準時間認定			保育短時間認定						
				基本分単価 ⑥	(注)	基本分単価 ⑥	(注)		⑦	(注)		⑦	(注)					処遇改善等加算Ⅰ ⑧
その他地域	20人	2号	4歳以上児	113,950	(120,990)	89,930	(96,970)	＋	1,120	(1,190)	×加算率	880	(950)	×加算率	＋	(7,040)	＋	(70×加算率)
			3歳児	120,990	(178,870)	96,970	(154,850)	＋	1,190	(1,670)	×加算率	950	(1,430)	×加算率	＋	7,040		70×加算率
		3号	1、2歳児	178,870	(249,330)	154,850	(225,310)	＋	1,670	(2,370)	×加算率	1,430	(2,130)	×加算率				
			乳児	249,330		225,310		＋	2,370		×加算率	2,130		×加算率				
	21人から30人まで	2号	4歳以上児	82,160	(89,200)	66,150	(73,190)	＋	800	(870)	×加算率	640	(710)	×加算率	＋	(7,040)	＋	(70×加算率)
			3歳児	89,200	(147,080)	73,190	(131,070)	＋	870	(1,350)	×加算率	710	(1,190)	×加算率	＋	7,040		70×加算率
		3号	1、2歳児	147,080	(217,540)	131,070	(201,530)	＋	1,350	(2,050)	×加算率	1,190	(1,890)	×加算率				
			乳児	217,540		201,530		＋	2,050		×加算率	1,890		×加算率				
	31人から40人まで	2号	4歳以上児	66,430	(73,470)	54,420	(61,460)	＋	640	(710)	×加算率	520	(590)	×加算率	＋	(7,040)	＋	(70×加算率)
			3歳児	73,470	(131,350)	61,460	(119,340)	＋	710	(1,190)	×加算率	590	(1,070)	×加算率	＋	7,040		70×加算率
		3号	1、2歳児	131,350	(201,810)	119,340	(189,800)	＋	1,190	(1,890)	×加算率	1,070	(1,770)	×加算率				
			乳児	201,810		189,800		＋	1,890		×加算率	1,770		×加算率				
	41人から50人まで	2号	4歳以上児	62,350	(69,390)	52,750	(59,790)	＋	600	(670)	×加算率	500	(570)	×加算率	＋	(7,040)	＋	(70×加算率)
			3歳児	69,390	(127,270)	59,790	(117,670)	＋	670	(1,150)	×加算率	570	(1,060)	×加算率	＋	7,040		70×加算率
		3号	1、2歳児	127,270	(197,730)	117,670	(188,130)	＋	1,150	(1,850)	×加算率	1,060	(1,760)	×加算率				
			乳児	197,730		188,130		＋	1,850		×加算率	1,760		×加算率				
	51人から60人まで	2号	4歳以上児	54,660	(61,700)	46,650	(53,690)	＋	520	(590)	×加算率	440	(510)	×加算率	＋	(7,040)	＋	(70×加算率)
			3歳児	61,700	(119,580)	53,690	(111,570)	＋	590	(1,080)	×加算率	510	(1,000)	×加算率	＋	7,040		70×加算率
		3号	1、2歳児	119,580	(190,040)	111,570	(182,030)	＋	1,080	(1,780)	×加算率	1,000	(1,700)	×加算率				
			乳児	190,040		182,030		＋	1,780		×加算率	1,700		×加算率				
	61人から70人まで	2号	4歳以上児	49,240	(56,280)	42,380	(49,420)	＋	470	(540)	×加算率	400	(470)	×加算率	＋	(7,040)	＋	(70×加算率)
			3歳児	56,280	(114,160)	49,420	(107,300)	＋	540	(1,020)	×加算率	470	(950)	×加算率	＋	7,040		70×加算率
		3号	1、2歳児	114,160	(184,620)	107,300	(177,760)	＋	1,020	(1,720)	×加算率	950	(1,650)	×加算率				
			乳児	184,620		177,760		＋	1,720		×加算率	1,650		×加算率				
	71人から80人まで	2号	4歳以上児	45,230	(52,270)	39,230	(46,270)	＋	430	(500)	×加算率	370	(440)	×加算率	＋	(7,040)	＋	(70×加算率)
			3歳児	52,270	(110,150)	46,270	(104,150)	＋	500	(980)	×加算率	440	(920)	×加算率	＋	7,040		70×加算率
		3号	1、2歳児	110,150	(180,610)	104,150	(174,610)	＋	980	(1,680)	×加算率	920	(1,620)	×加算率				
			乳児	180,610		174,610		＋	1,680		×加算率	1,620		×加算率				
	81人から90人まで	2号	4歳以上児	42,060	(49,100)	36,730	(43,770)	＋	400	(470)	×加算率	340	(410)	×加算率	＋	(7,040)	＋	(70×加算率)
			3歳児	49,100	(106,980)	43,770	(101,650)	＋	470	(950)	×加算率	410	(900)	×加算率	＋	7,040		70×加算率
		3号	1、2歳児	106,980	(177,440)	101,650	(172,110)	＋	950	(1,650)	×加算率	900	(1,600)	×加算率				
			乳児	177,440		172,110		＋	1,650		×加算率	1,600		×加算率				
	91人から100人まで	2号	4歳以上児	36,530	(43,570)	31,720	(38,760)	＋	340	(410)	×加算率	290	(360)	×加算率	＋	(7,040)	＋	(70×加算率)
			3歳児	43,570	(101,450)	38,760	(96,640)	＋	410	(890)	×加算率	360	(850)	×加算率	＋	7,040		70×加算率
		3号	1、2歳児	101,450	(171,910)	96,640	(167,100)	＋	890	(1,590)	×加算率	850	(1,550)	×加算率				
			乳児	171,910		167,100		＋	1,590		×加算率	1,550		×加算率				
	101人から110人まで	2号	4歳以上児	34,770	(41,810)	30,400	(37,440)	＋	320	(390)	×加算率	280	(350)	×加算率	＋	(7,040)	＋	(70×加算率)
			3歳児	41,810	(99,690)	37,440	(95,320)	＋	390	(880)	×加算率	350	(830)	×加算率	＋	7,040		70×加算率
		3号	1、2歳児	99,690	(170,150)	95,320	(165,780)	＋	880	(1,580)	×加算率	830	(1,530)	×加算率				
			乳児	170,150		165,780		＋	1,580		×加算率	1,530		×加算率				
	111人から120人まで	2号	4歳以上児	33,260	(40,300)	29,260	(36,300)	＋	310	(380)	×加算率	270	(340)	×加算率	＋	(7,040)	＋	(70×加算率)
			3歳児	40,300	(98,180)	36,300	(94,180)	＋	380	(860)	×加算率	340	(820)	×加算率	＋	7,040		70×加算率
		3号	1、2歳児	98,180	(168,640)	94,180	(164,640)	＋	860	(1,560)	×加算率	820	(1,520)	×加算率				
			乳児	168,640		164,640		＋	1,560		×加算率	1,520		×加算率				
	121人から130人まで	2号	4歳以上児	31,990	(39,030)	28,300	(35,340)	＋	300	(370)	×加算率	260	(330)	×加算率	＋	(7,040)	＋	(70×加算率)
			3歳児	39,030	(96,910)	35,340	(93,220)	＋	370	(850)	×加算率	330	(810)	×加算率	＋	7,040		70×加算率
		3号	1、2歳児	96,910	(167,370)	93,220	(163,680)	＋	850	(1,550)	×加算率	810	(1,510)	×加算率				
			乳児	167,370		163,680		＋	1,550		×加算率	1,510		×加算率				
	131人から140人まで	2号	4歳以上児	30,930	(37,970)	27,500	(34,540)	＋	290	(360)	×加算率	250	(320)	×加算率	＋	(7,040)	＋	(70×加算率)
			3歳児	37,970	(95,850)	34,540	(92,420)	＋	360	(840)	×加算率	320	(800)	×加算率	＋	7,040		70×加算率
		3号	1、2歳児	95,850	(166,310)	92,420	(162,880)	＋	840	(1,540)	×加算率	800	(1,500)	×加算率				
			乳児	166,310		162,880		＋	1,540		×加算率	1,500		×加算率				
	141人から150人まで	2号	4歳以上児	29,990	(37,030)	26,790	(33,830)	＋	280	(350)	×加算率	240	(310)	×加算率	＋	(7,040)	＋	(70×加算率)
			3歳児	37,030	(94,910)	33,830	(91,710)	＋	350	(830)	×加算率	310	(800)	×加算率	＋	7,040		70×加算率
		3号	1、2歳児	94,910	(165,370)	91,710	(162,170)	＋	830	(1,530)	×加算率	800	(1,500)	×加算率				
			乳児	165,370		162,170		＋	1,530		×加算率	1,500		×加算率				
	151人から160人まで	2号	4歳以上児	30,070	(37,110)	27,070	(34,110)	＋	280	(350)	×加算率	250	(320)	×加算率	＋	(7,040)	＋	(70×加算率)
			3歳児	37,110	(94,990)	34,110	(91,990)	＋	350	(830)	×加算率	320	(800)	×加算率	＋	7,040		70×加算率
		3号	1、2歳児	94,990	(165,450)	91,990	(162,450)	＋	830	(1,530)	×加算率	800	(1,500)	×加算率				
			乳児	165,450		162,450		＋	1,530		×加算率	1,500		×加算率				
	161人から170人まで	2号	4歳以上児	29,310	(36,350)	26,480	(33,520)	＋	270	(340)	×加算率	240	(310)	×加算率	＋	(7,040)	＋	(70×加算率)
			3歳児	36,350	(94,230)	33,520	(91,400)	＋	340	(820)	×加算率	310	(790)	×加算率	＋	7,040		70×加算率
		3号	1、2歳児	94,230	(164,690)	91,400	(161,860)	＋	820	(1,520)	×加算率	790	(1,490)	×加算率				
			乳児	164,690		161,860		＋	1,520		×加算率	1,490		×加算率				
	171人以上	2号	4歳以上児	28,610	(35,650)	25,950	(32,990)	＋	260	(330)	×加算率	240	(310)	×加算率	＋	(7,040)	＋	(70×加算率)
			3歳児	35,650	(93,530)	32,990	(90,870)	＋	330	(820)	×加算率	310	(790)	×加算率	＋	7,040		70×加算率
		3号	1、2歳児	93,530	(163,990)	90,870	(161,330)	＋	820	(1,520)	×加算率	790	(1,490)	×加算率				
			乳児	163,990		161,330		＋	1,520		×加算率	1,490		×加算率				

地域区分 ①	定員区分 ②	認定区分 ③	年齢区分 ④	4歳以上児配置改善加算 ⑨	処遇改善等加算Ⅰ ⑨	夜間保育加算 ⑪	（注）	処遇改善等加算Ⅰ ⑪
その他地域	20人	2号	4歳以上児	+2,810	+20×加算率	+31,010	29,180	+230×加算率
			3歳児					
		3号	1、2歳児			+29,180		
			乳児					
	21人から30人まで	2号	4歳以上児	+2,810	+20×加算率	+23,110	21,280	+150×加算率
			3歳児					
		3号	1、2歳児			+21,280		
			乳児					
	31人から40人まで	2号	4歳以上児	+2,810	+20×加算率	+19,160	17,330	+110×加算率
			3歳児					
		3号	1、2歳児			+17,330		
			乳児					
	41人から50人まで	2号	4歳以上児	+2,810	+20×加算率	+16,790	14,960	+90×加算率
			3歳児					
		3号	1、2歳児			+14,960		
			乳児					
	51人から60人まで	2号	4歳以上児	+2,810	+20×加算率	+15,210	13,380	+70×加算率
			3歳児					
		3号	1、2歳児			+13,380		
			乳児					
	61人から70人まで	2号	4歳以上児	+2,810	+20×加算率	+14,080	12,250	+60×加算率
			3歳児					
		3号	1、2歳児			+12,250		
			乳児					
	71人から80人まで	2号	4歳以上児	+2,810	+20×加算率	+13,230	11,400	+50×加算率
			3歳児					
		3号	1、2歳児			+11,400		
			乳児					
	81人から90人まで	2号	4歳以上児	+2,810	+20×加算率	+12,570	10,740	+50×加算率
			3歳児					
		3号	1、2歳児			+10,740		
			乳児					
	91人から100人まで	2号	4歳以上児	+2,810	+20×加算率			
			3歳児					
		3号	1、2歳児					
			乳児					
	101人から110人まで	2号	4歳以上児	+2,810	+20×加算率			
			3歳児					
		3号	1、2歳児					
			乳児					
	111人から120人まで	2号	4歳以上児	+2,810	+20×加算率			
			3歳児					
		3号	1、2歳児					
			乳児					
	121人から130人まで	2号	4歳以上児	+2,810	+20×加算率			
			3歳児					
		3号	1、2歳児					
			乳児					
	131人から140人まで	2号	4歳以上児	+2,810	+20×加算率			
			3歳児					
		3号	1、2歳児					
			乳児					
	141人から150人まで	2号	4歳以上児	+2,810	+20×加算率			
			3歳児					
		3号	1、2歳児					
			乳児					
	151人から160人まで	2号	4歳以上児	+2,810	+20×加算率			
			3歳児					
		3号	1、2歳児					
			乳児					
	161人から170人まで	2号	4歳以上児	+2,810	+20×加算率			
			3歳児					
		3号	1、2歳児					
			乳児					
	171人以上	2号	4歳以上児	+2,810	+20×加算率			
			3歳児					
		3号	1、2歳児					
			乳児					

休日保育加算 ⑩（全定員区分共通）

＋ ｛休日保育の年間延べ利用子ども数 ＋ 処遇改善等加算Ⅰ｝ ÷ 各月初日の利用子ども数

休日保育の年間延べ利用子ども数	休日保育加算	処遇改善等加算Ⅰ（休日保育の年間延べ利用子ども数）	処遇改善等加算Ⅰ
～210人	244,700	～210人	2,440×加算率
211人～279人	261,900	211人～279人	2,610×加算率
280人～349人	296,300	280人～349人	2,960×加算率
350人～419人	330,700	350人～419人	3,300×加算率
420人～489人	365,100	420人～489人	3,650×加算率
490人～559人	399,500	490人～559人	3,990×加算率
560人～629人	433,900	560人～629人	4,330×加算率
630人～699人	468,400	630人～699人	4,680×加算率
700人～769人	502,800	700人～769人	5,020×加算率
770人～839人	537,200	770人～839人	5,370×加算率
840人～909人	571,600	840人～909人	5,710×加算率
910人～979人	606,000	910人～979人	6,060×加算率
980人～1,049人	640,400	980人～1,049人	6,400×加算率
1,050人～	674,900	1,050人～	6,740×加算率

地域区分 ①	定員区分 ②	認定区分 ③	年齢区分 ④	減価償却費加算 加算額 標準 ⑫	都市部	賃借料加算 ⑬	加算額 標準	都市部	チーム保育推進加算 ⑭	処遇改善等加算Ⅰ	副食費徴収免除加算 ※副食費の徴収が免除される子どもの単価に加算 ⑮	分園の場合 ⑯
その他地域	20人	2号	4歳以上児	+ 8,500	9,400	+ a地域	15,800	17,600	+ 21,130×加配人数	+ 210×加算率×加配人数	+ 4,800	
			3歳児			b地域	8,700	9,700				
		3号	1、2歳児			c地域	7,600	8,400				
			乳児			d地域	6,800	7,500				
	21人から30人まで	2号	4歳以上児	+ 5,900	6,500	+ a地域	10,900	12,200	+ 14,090×加配人数	+ 140×加算率×加配人数	+ 4,800	
			3歳児			b地域	6,000	6,700				
		3号	1、2歳児			c地域	5,200	5,800				
			乳児			d地域	4,700	5,200				
	31人から40人まで	2号	4歳以上児	+ 5,200	5,700	+ a地域	9,800	10,900	+ 10,560×加配人数	+ 100×加算率×加配人数	+ 4,800	
			3歳児			b地域	5,400	6,000				
		3号	1、2歳児			c地域	4,700	5,200				
			乳児			d地域	4,200	4,600				
	41人から50人まで	2号	4歳以上児	+ 4,700	5,200	+ a地域	8,800	9,800	+ 8,450×加配人数	+ 80×加算率×加配人数	+ 4,800	
			3歳児			b地域	4,800	5,400				
		3号	1、2歳児			c地域	4,200	4,700				
			乳児			d地域	3,800	4,200				
	51人から60人まで	2号	4歳以上児	+ 3,900	4,300	+ a地域	7,200	8,100	+ 7,040×加配人数	+ 70×加算率×加配人数	+ 4,800	
			3歳児			b地域	4,000	4,400				
		3号	1、2歳児			c地域	3,500	3,800				
			乳児			d地域	3,100	3,400				
	61人から70人まで	2号	4歳以上児	+ 3,300	3,700	+ a地域	6,300	7,100	+ 6,030×加配人数	+ 60×加算率×加配人数	+ 4,800	
			3歳児			b地域	3,500	3,900				
		3号	1、2歳児			c地域	3,000	3,400				
			乳児			d地域	2,700	3,000				
	71人から80人まで	2号	4歳以上児	+ 3,800	4,200	+ a地域	7,100	7,900	+ 5,280×加配人数	+ 50×加算率×加配人数	+ 4,800	
			3歳児			b地域	3,900	4,300				
		3号	1、2歳児			c地域	3,400	3,800				
			乳児			d地域	3,000	3,400				
	81人から90人まで	2号	4歳以上児	+ 3,400	3,700	+ a地域	6,300	7,100	+ 4,690×加配人数	+ 40×加算率×加配人数	+ 4,800	
			3歳児			b地域	3,500	3,900				
		3号	1、2歳児			c地域	3,000	3,400				
			乳児			d地域	2,700	3,000				
	91人から100人まで	2号	4歳以上児	+ 3,000	3,400	+ a地域	5,500	6,200	+ 4,220×加配人数	+ 40×加算率×加配人数	+ 4,800	－（⑥+⑦）× 10/100
			3歳児			b地域	3,000	3,400				
		3号	1、2歳児			c地域	2,600	2,900				
			乳児			d地域	2,400	2,600				
	101人から110人まで	2号	4歳以上児	+ 3,300	3,700	+ a地域	6,100	6,800	+ 3,840×加配人数	+ 30×加算率×加配人数	+ 4,800	
			3歳児			b地域	3,300	3,700				
		3号	1、2歳児			c地域	2,900	3,200				
			乳児			d地域	2,000	2,000				
	111人から120人まで	2号	4歳以上児	+ 3,000	3,400	+ a地域	5,500	6,200	+ 3,520×加配人数	+ 30×加算率×加配人数	+ 4,800	
			3歳児			b地域	3,000	3,400				
		3号	1、2歳児			c地域	2,600	2,900				
			乳児			d地域	2,400	2,600				
	121人から130人まで	2号	4歳以上児	+ 2,800	3,100	+ a地域	5,100	5,700	+ 3,250×加配人数	+ 30×加算率×加配人数	+ 4,800	
			3歳児			b地域	2,800	3,100				
		3号	1、2歳児			c地域	2,400	2,700				
			乳児			d地域	2,200	2,400				
	131人から140人まで	2号	4歳以上児	+ 3,000	3,300	+ a地域	5,500	6,200	+ 3,010×加配人数	+ 30×加算率×加配人数	+ 4,800	
			3歳児			b地域	3,000	3,400				
		3号	1、2歳児			c地域	2,600	2,900				
			乳児			d地域	2,400	2,600				
	141人から150人まで	2号	4歳以上児	+ 2,800	3,100	+ a地域	5,400	6,000	+ 2,810×加配人数	+ 20×加算率×加配人数	+ 4,800	
			3歳児			b地域	2,900	3,300				
		3号	1、2歳児			c地域	2,500	2,800				
			乳児			d地域	2,300	2,500				
	151人から160人まで	2号	4歳以上児	+ 2,600	2,900	+ a地域	4,800	5,400	+ 2,640×加配人数	+ 20×加算率×加配人数	+ 4,800	
			3歳児			b地域	2,600	2,900				
		3号	1、2歳児			c地域	2,300	2,500				
			乳児			d地域	2,000	2,300				
	161人から170人まで	2号	4歳以上児	+ 2,800	3,100	+ a地域	5,400	6,000	+ 2,480×加配人数	+ 20×加算率×加配人数	+ 4,800	
			3歳児			b地域	2,900	3,300				
		3号	1、2歳児			c地域	2,500	2,800				
			乳児			d地域	2,300	2,500				
	171人以上	2号	4歳以上児	+ 2,700	2,900	+ a地域	4,800	5,400	+ 2,340×加配人数	+ 20×加算率×加配人数	+ 4,800	
			3歳児			b地域	2,600	2,900				
		3号	1、2歳児			c地域	2,300	2,500				
			乳児			d地域	2,000	2,300				

地域区分	定員区分	認定区分	年齢区分	施設長を配置していない場合		土曜日に閉所する場合				定員を恒常的に超過する場合
					処遇改善等加算Ⅰ	月に１日土曜日を閉所する場合	月に２日土曜日を閉所する場合	月に３日以上土曜日を閉所する場合	全ての土曜日を閉所する場合	
①	②	③	④		⑰	⑱				⑲
その他地域	20人	2号 3号	４歳以上児 ３歳児 １、２歳児 乳児	− 23,520 +	230×加算率 −	(⑥+⑦+⑧+⑨+⑪) × 1/100	(⑥+⑦+⑧+⑨+⑪) × 3/100	(⑥+⑦+⑧+⑨+⑪) × 4/100	(⑥+⑦+⑧+⑨+⑪) × 6/100	(⑥～⑱（⑮を除く。）） ×別に定める調整率
	21人から30人まで	2号 3号	４歳以上児 ３歳児 １、２歳児 乳児	− 15,680 +	150×加算率 −	(⑥+⑦+⑧+⑨+⑪) × 2/100	(⑥+⑦+⑧+⑨+⑪) × 3/100	(⑥+⑦+⑧+⑨+⑪) × 5/100	(⑥+⑦+⑧+⑨+⑪) × 6/100	
	31人から40人まで	2号 3号	４歳以上児 ３歳児 １、２歳児 乳児	− 11,760 +	110×加算率 −	(⑥+⑦+⑧+⑨+⑪) × 2/100	(⑥+⑦+⑧+⑨+⑪) × 3/100	(⑥+⑦+⑧+⑨+⑪) × 5/100	(⑥+⑦+⑧+⑨+⑪) × 6/100	
	41人から50人まで	2号 3号	４歳以上児 ３歳児 １、２歳児 乳児	− 9,410 +	90×加算率 −	(⑥+⑦+⑧+⑨+⑪) × 2/100	(⑥+⑦+⑧+⑨+⑪) × 3/100	(⑥+⑦+⑧+⑨+⑪) × 5/100	(⑥+⑦+⑧+⑨+⑪) × 6/100	
	51人から60人まで	2号 3号	４歳以上児 ３歳児 １、２歳児 乳児	− 7,840 +	70×加算率 −	(⑥+⑦+⑧+⑨+⑪) × 2/100	(⑥+⑦+⑧+⑨+⑪) × 3/100	(⑥+⑦+⑧+⑨+⑪) × 5/100	(⑥+⑦+⑧+⑨+⑪) × 6/100	
	61人から70人まで	2号 3号	４歳以上児 ３歳児 １、２歳児 乳児	− 6,720 +	60×加算率 −	(⑥+⑦+⑧+⑨+⑪) × 2/100	(⑥+⑦+⑧+⑨+⑪) × 3/100	(⑥+⑦+⑧+⑨+⑪) × 5/100	(⑥+⑦+⑧+⑨+⑪) × 6/100	
	71人から80人まで	2号 3号	４歳以上児 ３歳児 １、２歳児 乳児	− 5,880 +	50×加算率 −	(⑥+⑦+⑧+⑨+⑪) × 2/100	(⑥+⑦+⑧+⑨+⑪) × 3/100	(⑥+⑦+⑧+⑨+⑪) × 5/100	(⑥+⑦+⑧+⑨+⑪) × 7/100	
	81人から90人まで	2号 3号	４歳以上児 ３歳児 １、２歳児 乳児	− 5,220 +	50×加算率 −	(⑥+⑦+⑧+⑨+⑪) × 2/100	(⑥+⑦+⑧+⑨+⑪) × 3/100	(⑥+⑦+⑧+⑨+⑪) × 5/100	(⑥+⑦+⑧+⑨+⑪) × 7/100	
	91人から100人まで	2号 3号	４歳以上児 ３歳児 １、２歳児 乳児	− 4,700 +	40×加算率 −	(⑥+⑦+⑧+⑨+⑪) × 2/100	(⑥+⑦+⑧+⑨+⑪) × 3/100	(⑥+⑦+⑧+⑨+⑪) × 5/100	(⑥+⑦+⑧+⑨+⑪) × 7/100	
	101人から110人まで	2号 3号	４歳以上児 ３歳児 １、２歳児 乳児	− 4,270 +	40×加算率 −	(⑥+⑦+⑧+⑨+⑪) × 2/100	(⑥+⑦+⑧+⑨+⑪) × 3/100	(⑥+⑦+⑧+⑨+⑪) × 5/100	(⑥+⑦+⑧+⑨+⑪) × 7/100	
	111人から120人まで	2号 3号	４歳以上児 ３歳児 １、２歳児 乳児	− 3,920 +	30×加算率 −	(⑥+⑦+⑧+⑨+⑪) × 2/100	(⑥+⑦+⑧+⑨+⑪) × 3/100	(⑥+⑦+⑧+⑨+⑪) × 5/100	(⑥+⑦+⑧+⑨+⑪) × 7/100	
	121人から130人まで	2号 3号	４歳以上児 ３歳児 １、２歳児 乳児	− 3,610 +	30×加算率 −	(⑥+⑦+⑧+⑨+⑪) × 2/100	(⑥+⑦+⑧+⑨+⑪) × 3/100	(⑥+⑦+⑧+⑨+⑪) × 5/100	(⑥+⑦+⑧+⑨+⑪) × 7/100	
	131人から140人まで	2号 3号	４歳以上児 ３歳児 １、２歳児 乳児	− 3,360 +	30×加算率 −	(⑥+⑦+⑧+⑨+⑪) × 2/100	(⑥+⑦+⑧+⑨+⑪) × 3/100	(⑥+⑦+⑧+⑨+⑪) × 5/100	(⑥+⑦+⑧+⑨+⑪) × 7/100	
	141人から150人まで	2号 3号	４歳以上児 ３歳児 １、２歳児 乳児	− 3,130 +	30×加算率 −	(⑥+⑦+⑧+⑨+⑪) × 2/100	(⑥+⑦+⑧+⑨+⑪) × 3/100	(⑥+⑦+⑧+⑨+⑪) × 5/100	(⑥+⑦+⑧+⑨+⑪) × 7/100	
	151人から160人まで	2号 3号	４歳以上児 ３歳児 １、２歳児 乳児	− 2,940 +	20×加算率 −	(⑥+⑦+⑧+⑨+⑪) × 2/100	(⑥+⑦+⑧+⑨+⑪) × 3/100	(⑥+⑦+⑧+⑨+⑪) × 5/100	(⑥+⑦+⑧+⑨+⑪) × 7/100	
	161人から170人まで	2号 3号	４歳以上児 ３歳児 １、２歳児 乳児	− 2,760 +	20×加算率 −	(⑥+⑦+⑧+⑨+⑪) × 2/100	(⑥+⑦+⑧+⑨+⑪) × 3/100	(⑥+⑦+⑧+⑨+⑪) × 5/100	(⑥+⑦+⑧+⑨+⑪) × 7/100	
	171人以上	2号 3号	４歳以上児 ３歳児 １、２歳児 乳児	− 2,610 +	20×加算率 −	(⑥+⑦+⑧+⑨+⑪) × 2/100	(⑥+⑦+⑧+⑨+⑪) × 3/100	(⑥+⑦+⑧+⑨+⑪) × 5/100	(⑥+⑦+⑧+⑨+⑪) × 7/100	

加算部分２

主任保育士専任加算　⑳	基本額　処遇改善等加算 （　267, 930 ＋　2, 670×加算率　） ÷各月初日の利用子ども数	※各月初日の利用子どもの単価に加算

療育支援加算　㉑	A	基本額　処遇改善等加算 （　52, 030 ＋　520×加算率　） ÷各月初日の利用子ども数	※以下の区分に応じて、各月初日の利用子どもの単価に加算 Ａ：特別児童扶養手当支給対象児童受入施設 Ｂ：それ以外の障害児受入施設
	B	基本額　処遇改善等加算 （　34, 680 ＋　340×加算率　） ÷各月初日の利用子ども数	

事務職員雇上費加算　㉒	基本額　処遇改善等加算 （　48, 100 ＋　480×加算率　） ÷各月初日の利用子ども数	※各月初日の利用子どもの単価に加算

処遇改善等加算Ⅱ　㉓	以下の加算を合算した額を各月初日の利用子ども数で除した額 ・処遇改善等加算Ⅱ－①　49, 010 × 人数Ａ ・処遇改善等加算Ⅱ－②　6, 130 × 人数Ｂ	※１　各月初日の利用子どもの単価に加算 ※２　人数Ａ及び人数Ｂについては、別に定める

処遇改善等加算Ⅲ　㉔	11, 030　×　加算Ⅲ算定対象人数 ÷各月初日の利用子ども数	※１　各月初日の利用子どもの単価に加算 ※２　加算Ⅲ算定対象人数については、別に定める

冷暖房費加算　㉕	１　級　地	1, 900	４　級　地	1, 320	※以下の区分に応じて、各月の単価に加算 １級地から４級地：国家公務員の寒冷地手当に関する法律（昭和２４年法律第２００号）第１条第１号及び第２号に掲げる地域 そ　の　他　地　域：１級地から４級地以外の地域
	２　級　地	1, 690	そ の 他 地 域	120	
	３　級　地	1, 670			

除雪費加算　㉖	6, 270	※３月初日の利用子どもの単価に加算

降灰除去費加算　㉗	162, 470÷３月初日の利用子ども数	※３月初日の利用子どもの単価に加算

高齢者等活躍促進加算　㉘	400時間以上 800時間未満	476, 000 ÷３月初日の利用子ども数	※加算額は、高齢者等の年間総雇用時間数を基に区分 ※３月初日の利用子どもの単価に加算
	800時間以上1200時間未満	793, 000 ÷３月初日の利用子ども数	
	1200時間以上	1, 111, 000 ÷３月初日の利用子ども数	

施設機能強化推進費加算　㉙	160, 000（限度額）÷３月初日の利用子ども数	※３月初日の利用子どもの単価に加算

小学校接続加算　㉚	要件Ⅰ～Ⅱを満たす場合	40, 380÷３月初日の利用子ども数	※３月初日の利用子どもの単価に加算
	要件Ⅰ～Ⅲを満たす場合	317, 130÷３月初日の利用子ども数	

栄養管理加算　㉛	A	基本額　処遇改善等加算Ⅰ （　79, 950　＋　790×加算率　） ÷各月初日の利用子ども数	※以下の区分に応じて、各月初日の利用子どもの単価に加算 Ａ：Bを除き栄養士を雇用契約等により配置している施設 Ｂ：基本分単価及び他の加算の認定に当たって求められる職員が栄養士を兼務している施設 Ｃ：A又はBを除き、栄養士を嘱託等している施設
	B	基本額　処遇改善等加算Ⅰ （　50, 000　＋　500×加算率　） ÷各月初日の利用子ども数	
	C	基本額 10, 000 ÷各月初日の利用子ども数	

第三者評価受審加算　㉜	150, 000÷３月初日の利用子ども数	※３月初日の利用子どもの単価に加算

（注）年度の初日の前日における満年齢に応じて月額を調整

定員を恒常的に超過する場合に係る別に定める調整率　保育所（保育認定）

地域区分	定員区分	認定区分	年齢区分	利用子ども数																
				20人まで	21人から30人まで	31人から40人まで	41人から50人まで	51人から60人まで	61人から70人まで	71人から80人まで	81人から90人まで	91人から100人まで	101人から110人まで	111人から120人まで	121人から130人まで	131人から140人まで	141人から150人まで	151人から160人まで	161人から170人まで	171人以上
20/100地域	20人	2号 3号	4歳以上児 3　歳　児 1、2歳児 乳　　児		78/100	68/100	65/100	60/100	56/100	54/100	51/100	47/100	46/100	45/100	44/100	44/100	43/100	43/100	42/100	42/100
	21人から30人まで	2号 3号	4歳以上児 3　歳　児 1、2歳児 乳　　児			87/100	84/100	77/100	72/100	69/100	66/100	61/100	59/100	58/100	57/100	56/100	55/100	55/100	54/100	54/100
	31人から40人まで	2号 3号	4歳以上児 3　歳　児 1、2歳児 乳　　児				96/100	88/100	83/100	79/100	76/100	70/100	68/100	67/100	66/100	64/100	64/100	63/100	62/100	62/100
	41人から50人まで	2号 3号	4歳以上児 3　歳　児 1、2歳児 乳　　児					92/100	86/100	82/100	79/100	73/100	71/100	70/100	68/100	67/100	66/100	66/100	65/100	64/100
	51人から60人まで	2号 3号	4歳以上児 3　歳　児 1、2歳児 乳　　児						94/100	89/100	86/100	79/100	77/100	76/100	74/100	73/100	72/100	71/100	71/100	70/100
	61人から70人まで	2号 3号	4歳以上児 3　歳　児 1、2歳児 乳　　児							95/100	91/100	84/100	82/100	81/100	79/100	77/100	77/100	76/100	75/100	74/100
	71人から80人まで	2号 3号	4歳以上児 3　歳　児 1、2歳児 乳　　児								96/100	88/100	87/100	85/100	83/100	81/100	81/100	80/100	79/100	78/100
	81人から90人まで	2号 3号	4歳以上児 3　歳　児 1、2歳児 乳　　児									92/100	90/100	88/100	87/100	85/100	84/100	83/100	82/100	82/100
	91人から100人まで	2号 3号	4歳以上児 3　歳　児 1、2歳児 乳　　児										98/100	96/100	94/100	92/100	91/100	90/100	89/100	89/100
	101人から110人まで	2号 3号	4歳以上児 3　歳　児 1、2歳児 乳　　児											98/100	96/100	94/100	93/100	92/100	91/100	90/100
	111人から120人まで	2号 3号	4歳以上児 3　歳　児 1、2歳児 乳　　児												98/100	96/100	95/100	94/100	93/100	92/100
	121人から130人まで	2号 3号	4歳以上児 3　歳　児 1、2歳児 乳　　児													98/100	97/100	96/100	95/100	94/100
	131人から140人まで	2号 3号	4歳以上児 3　歳　児 1、2歳児 乳　　児														99/100	98/100	97/100	96/100
	141人から150人まで	2号 3号	4歳以上児 3　歳　児 1、2歳児 乳　　児															99/100	98/100	97/100
	151人から160人まで	2号 3号	4歳以上児 3　歳　児 1、2歳児 乳　　児																99/100	98/100
	161人から170人まで	2号 3号	4歳以上児 3　歳　児 1、2歳児 乳　　児																	99/100
	171人以上	2号 3号	4歳以上児 3　歳　児 1、2歳児 乳　　児																	

地域区分	定員区分	認定区分	年齢区分	利用子ども数																
				20人まで	21人から30人まで	31人から40人まで	41人から50人まで	51人から60人まで	61人から70人まで	71人から80人まで	81人から90人まで	91人から100人まで	101人から110人まで	111人から120人まで	121人から130人まで	131人から140人まで	141人から150人まで	151人から160人まで	161人から170人まで	171人以上
16/100地域	20人	2号 3号	4歳以上児 3歳児 1、2歳児 乳児		78/100	68/100	65/100	60/100	56/100	54/100	51/100	47/100	46/100	45/100	44/100	43/100	43/100	42/100	42/100	41/100
	21人から30人まで	2号 3号	4歳以上児 3歳児 1、2歳児 乳児			87/100	84/100	77/100	72/100	69/100	66/100	61/100	59/100	58/100	56/100	55/100	55/100	54/100	54/100	53/100
	31人から40人まで	2号 3号	4歳以上児 3歳児 1、2歳児 乳児				96/100	88/100	83/100	79/100	76/100	70/100	68/100	66/100	65/100	64/100	63/100	62/100	62/100	61/100
	41人から50人まで	2号 3号	4歳以上児 3歳児 1、2歳児 乳児					92/100	86/100	82/100	79/100	73/100	70/100	69/100	68/100	66/100	66/100	65/100	64/100	64/100
	51人から60人まで	2号 3号	4歳以上児 3歳児 1、2歳児 乳児						94/100	89/100	86/100	79/100	77/100	75/100	73/100	72/100	71/100	71/100	70/100	69/100
	61人から70人まで	2号 3号	4歳以上児 3歳児 1、2歳児 乳児							95/100	91/100	84/100	81/100	80/100	78/100	77/100	76/100	75/100	74/100	74/100
	71人から80人まで	2号 3号	4歳以上児 3歳児 1、2歳児 乳児								96/100	88/100	86/100	84/100	82/100	81/100	80/100	79/100	78/100	77/100
	81人から90人まで	2号 3号	4歳以上児 3歳児 1、2歳児 乳児									92/100	89/100	87/100	86/100	84/100	83/100	82/100	81/100	81/100
	91人から100人まで	2号 3号	4歳以上児 3歳児 1、2歳児 乳児										97/100	95/100	93/100	91/100	90/100	89/100	89/100	88/100
	101人から110人まで	2号 3号	4歳以上児 3歳児 1、2歳児 乳児											98/100	96/100	94/100	93/100	92/100	91/100	90/100
	111人から120人まで	2号 3号	4歳以上児 3歳児 1、2歳児 乳児												98/100	96/100	95/100	94/100	93/100	92/100
	121人から130人まで	2号 3号	4歳以上児 3歳児 1、2歳児 乳児													98/100	97/100	96/100	95/100	94/100
	131人から140人まで	2号 3号	4歳以上児 3歳児 1、2歳児 乳児														99/100	98/100	97/100	96/100
	141人から150人まで	2号 3号	4歳以上児 3歳児 1、2歳児 乳児															99/100	98/100	97/100
	151人から160人まで	2号 3号	4歳以上児 3歳児 1、2歳児 乳児																99/100	98/100
	161人から170人まで	2号 3号	4歳以上児 3歳児 1、2歳児 乳児																	99/100
	171人以上	2号 3号	4歳以上児 3歳児 1、2歳児 乳児																	

地域区分	定員区分	認定区分	年齢区分	利用子ども数																
				20人まで	21人から30人まで	31人から40人まで	41人から50人まで	51人から60人まで	61人から70人まで	71人から80人まで	81人から90人まで	91人から100人まで	101人から110人まで	111人から120人まで	121人から130人まで	131人から140人まで	141人から150人まで	151人から160人まで	161人から170人まで	171人以上
15/100地域	20人	2号 3号	4歳以上児 3歳児 1、2歳児 乳児		78/100	68/100	65/100	60/100	56/100	54/100	51/100	47/100	46/100	45/100	44/100	43/100	43/100	42/100	42/100	41/100
	21人から30人まで	2号 3号	4歳以上児 3歳児 1、2歳児 乳児			87/100	84/100	77/100	72/100	69/100	66/100	61/100	59/100	58/100	56/100	55/100	55/100	54/100	54/100	53/100
	31人から40人まで	2号 3号	4歳以上児 3歳児 1、2歳児 乳児				96/100	88/100	83/100	79/100	76/100	70/100	68/100	66/100	65/100	64/100	63/100	62/100	62/100	61/100
	41人から50人まで	2号 3号	4歳以上児 3歳児 1、2歳児 乳児					92/100	86/100	82/100	79/100	73/100	70/100	69/100	68/100	66/100	66/100	65/100	64/100	64/100
	51人から60人まで	2号 3号	4歳以上児 3歳児 1、2歳児 乳児						94/100	89/100	86/100	79/100	77/100	75/100	73/100	72/100	71/100	71/100	70/100	69/100
	61人から70人まで	2号 3号	4歳以上児 3歳児 1、2歳児 乳児							95/100	91/100	84/100	81/100	80/100	78/100	77/100	76/100	75/100	74/100	74/100
	71人から80人まで	2号 3号	4歳以上児 3歳児 1、2歳児 乳児								96/100	88/100	86/100	84/100	82/100	81/100	80/100	79/100	78/100	77/100
	81人から90人まで	2号 3号	4歳以上児 3歳児 1、2歳児 乳児									92/100	89/100	87/100	86/100	84/100	83/100	82/100	81/100	81/100
	91人から100人まで	2号 3号	4歳以上児 3歳児 1、2歳児 乳児										97/100	95/100	93/100	91/100	90/100	89/100	89/100	88/100
	101人から110人まで	2号 3号	4歳以上児 3歳児 1、2歳児 乳児											98/100	96/100	94/100	93/100	92/100	91/100	90/100
	111人から120人まで	2号 3号	4歳以上児 3歳児 1、2歳児 乳児												98/100	96/100	95/100	94/100	93/100	92/100
	121人から130人まで	2号 3号	4歳以上児 3歳児 1、2歳児 乳児													98/100	97/100	96/100	95/100	94/100
	131人から140人まで	2号 3号	4歳以上児 3歳児 1、2歳児 乳児														99/100	98/100	97/100	96/100
	141人から150人まで	2号 3号	4歳以上児 3歳児 1、2歳児 乳児															99/100	98/100	97/100
	151人から160人まで	2号 3号	4歳以上児 3歳児 1、2歳児 乳児																99/100	98/100
	161人から170人まで	2号 3号	4歳以上児 3歳児 1、2歳児 乳児																	99/100
	171人以上	2号 3号	4歳以上児 3歳児 1、2歳児 乳児																	

地域区分	定員区分	認定区分	年齢区分	利用子ども数																
				20人まで	21人から30人まで	31人から40人まで	41人から50人まで	51人から60人まで	61人から70人まで	71人から80人まで	81人から90人まで	91人から100人まで	101人から110人まで	111人から120人まで	121人から130人まで	131人から140人まで	141人から150人まで	151人から160人まで	161人から170人まで	171人以上
12/100地域	20人	2号 3号	4歳以上児 3歳児 1、2歳児 乳児		78/100	68/100	65/100	60/100	56/100	54/100	51/100	47/100	46/100	45/100	44/100	44/100	43/100	43/100	42/100	42/100
	21人から30人まで	2号 3号	4歳以上児 3歳児 1、2歳児 乳児			87/100	84/100	77/100	72/100	69/100	66/100	61/100	59/100	58/100	57/100	56/100	55/100	55/100	54/100	54/100
	31人から40人まで	2号 3号	4歳以上児 3歳児 1、2歳児 乳児				96/100	88/100	83/100	79/100	76/100	70/100	68/100	67/100	66/100	64/100	64/100	63/100	62/100	62/100
	41人から50人まで	2号 3号	4歳以上児 3歳児 1、2歳児 乳児					92/100	86/100	82/100	79/100	73/100	71/100	70/100	68/100	67/100	66/100	66/100	65/100	64/100
	51人から60人まで	2号 3号	4歳以上児 3歳児 1、2歳児 乳児						94/100	89/100	86/100	79/100	77/100	76/100	74/100	73/100	72/100	71/100	71/100	70/100
	61人から70人まで	2号 3号	4歳以上児 3歳児 1、2歳児 乳児							95/100	91/100	84/100	82/100	81/100	79/100	77/100	77/100	76/100	75/100	74/100
	71人から80人まで	2号 3号	4歳以上児 3歳児 1、2歳児 乳児								96/100	88/100	87/100	85/100	83/100	81/100	81/100	80/100	79/100	78/100
	81人から90人まで	2号 3号	4歳以上児 3歳児 1、2歳児 乳児									92/100	90/100	88/100	87/100	85/100	84/100	83/100	82/100	82/100
	91人から100人まで	2号 3号	4歳以上児 3歳児 1、2歳児 乳児										98/100	96/100	94/100	92/100	91/100	90/100	89/100	89/100
	101人から110人まで	2号 3号	4歳以上児 3歳児 1、2歳児 乳児											98/100	96/100	94/100	93/100	92/100	91/100	90/100
	111人から120人まで	2号 3号	4歳以上児 3歳児 1、2歳児 乳児												98/100	96/100	95/100	94/100	93/100	92/100
	121人から130人まで	2号 3号	4歳以上児 3歳児 1、2歳児 乳児													98/100	97/100	96/100	95/100	94/100
	131人から140人まで	2号 3号	4歳以上児 3歳児 1、2歳児 乳児														99/100	98/100	97/100	96/100
	141人から150人まで	2号 3号	4歳以上児 3歳児 1、2歳児 乳児															99/100	98/100	97/100
	151人から160人まで	2号 3号	4歳以上児 3歳児 1、2歳児 乳児																99/100	98/100
	161人から170人まで	2号 3号	4歳以上児 3歳児 1、2歳児 乳児																	99/100
	171人以上	2号 3号	4歳以上児 3歳児 1、2歳児 乳児																	

地域区分	定員区分	認定区分	年齢区分	利用子ども数																
				20人まで	21人から30人まで	31人から40人まで	41人から50人まで	51人から60人まで	61人から70人まで	71人から80人まで	81人から90人まで	91人から100人まで	101人から110人まで	111人から120人まで	121人から130人まで	131人から140人まで	141人から150人まで	151人から160人まで	161人から170人まで	171人以上
10/100地域	20人	2号	4歳以上児		78/100	68/100	65/100	60/100	56/100	54/100	51/100	47/100	46/100	45/100	44/100	43/100	43/100	42/100	42/100	41/100
			3歳児																	
		3号	1、2歳児																	
			乳児																	
	21人から30人まで	2号	4歳以上児			87/100	84/100	77/100	72/100	69/100	66/100	61/100	59/100	58/100	56/100	55/100	55/100	54/100	54/100	53/100
			3歳児																	
		3号	1、2歳児																	
			乳児																	
	31人から40人まで	2号	4歳以上児				96/100	88/100	83/100	79/100	76/100	70/100	68/100	66/100	65/100	64/100	63/100	62/100	62/100	61/100
			3歳児																	
		3号	1、2歳児																	
			乳児																	
	41人から50人まで	2号	4歳以上児					92/100	86/100	82/100	79/100	73/100	70/100	69/100	68/100	66/100	66/100	65/100	64/100	64/100
			3歳児																	
		3号	1、2歳児																	
			乳児																	
	51人から60人まで	2号	4歳以上児						94/100	89/100	86/100	79/100	77/100	75/100	73/100	72/100	71/100	71/100	70/100	69/100
			3歳児																	
		3号	1、2歳児																	
			乳児																	
	61人から70人まで	2号	4歳以上児							95/100	91/100	84/100	81/100	80/100	78/100	77/100	76/100	75/100	74/100	74/100
			3歳児																	
		3号	1、2歳児																	
			乳児																	
	71人から80人まで	2号	4歳以上児								96/100	88/100	86/100	84/100	82/100	81/100	80/100	79/100	78/100	77/100
			3歳児																	
		3号	1、2歳児																	
			乳児																	
	81人から90人まで	2号	4歳以上児									92/100	89/100	87/100	86/100	84/100	83/100	82/100	81/100	81/100
			3歳児																	
		3号	1、2歳児																	
			乳児																	
	91人から100人まで	2号	4歳以上児										97/100	95/100	93/100	91/100	90/100	89/100	89/100	88/100
			3歳児																	
		3号	1、2歳児																	
			乳児																	
	101人から110人まで	2号	4歳以上児											98/100	96/100	94/100	93/100	92/100	91/100	90/100
			3歳児																	
		3号	1、2歳児																	
			乳児																	
	111人から120人まで	2号	4歳以上児												98/100	96/100	95/100	94/100	93/100	92/100
			3歳児																	
		3号	1、2歳児																	
			乳児																	
	121人から130人まで	2号	4歳以上児													98/100	97/100	96/100	95/100	94/100
			3歳児																	
		3号	1、2歳児																	
			乳児																	
	131人から140人まで	2号	4歳以上児														99/100	98/100	97/100	96/100
			3歳児																	
		3号	1、2歳児																	
			乳児																	
	141人から150人まで	2号	4歳以上児															99/100	98/100	97/100
			3歳児																	
		3号	1、2歳児																	
			乳児																	
	151人から160人まで	2号	4歳以上児																99/100	98/100
			3歳児																	
		3号	1、2歳児																	
			乳児																	
	161人から170人まで	2号	4歳以上児																	99/100
			3歳児																	
		3号	1、2歳児																	
			乳児																	
	171人以上	2号	4歳以上児																	
			3歳児																	
		3号	1、2歳児																	
			乳児																	

地域区分	定員区分	認定区分	年齢区分	利用子ども数																
				20人まで	21人から30人まで	31人から40人まで	41人から50人まで	51人から60人まで	61人から70人まで	71人から80人まで	81人から90人まで	91人から100人まで	101人から110人まで	111人から120人まで	121人から130人まで	131人から140人まで	141人から150人まで	151人から160人まで	161人から170人まで	171人以上
6/100地域	20人	2号 3号	4歳以上児 3歳児 1、2歳児 乳児		79/100	69/100	66/100	61/100	57/100	54/100	52/100	48/100	47/100	46/100	45/100	44/100	44/100	43/100	43/100	42/100
	21人から30人まで	2号 3号	4歳以上児 3歳児 1、2歳児 乳児			87/100	84/100	77/100	72/100	69/100	66/100	61/100	59/100	58/100	57/100	56/100	55/100	55/100	54/100	54/100
	31人から40人まで	2号 3号	4歳以上児 3歳児 1、2歳児 乳児				96/100	88/100	83/100	79/100	76/100	70/100	68/100	67/100	66/100	64/100	64/100	63/100	62/100	62/100
	41人から50人まで	2号 3号	4歳以上児 3歳児 1、2歳児 乳児					92/100	86/100	82/100	79/100	73/100	71/100	70/100	68/100	67/100	66/100	66/100	65/100	64/100
	51人から60人まで	2号 3号	4歳以上児 3歳児 1、2歳児 乳児						94/100	89/100	86/100	79/100	77/100	76/100	74/100	73/100	72/100	71/100	71/100	70/100
	61人から70人まで	2号 3号	4歳以上児 3歳児 1、2歳児 乳児							95/100	91/100	84/100	82/100	81/100	79/100	77/100	77/100	76/100	75/100	74/100
	71人から80人まで	2号 3号	4歳以上児 3歳児 1、2歳児 乳児								96/100	88/100	87/100	85/100	83/100	81/100	81/100	80/100	79/100	78/100
	81人から90人まで	2号 3号	4歳以上児 3歳児 1、2歳児 乳児									92/100	90/100	88/100	87/100	85/100	84/100	83/100	82/100	82/100
	91人から100人まで	2号 3号	4歳以上児 3歳児 1、2歳児 乳児										98/100	96/100	94/100	92/100	91/100	90/100	89/100	89/100
	101人から110人まで	2号 3号	4歳以上児 3歳児 1、2歳児 乳児											98/100	96/100	94/100	93/100	92/100	91/100	90/100
	111人から120人まで	2号 3号	4歳以上児 3歳児 1、2歳児 乳児												98/100	96/100	95/100	94/100	93/100	92/100
	121人から130人まで	2号 3号	4歳以上児 3歳児 1、2歳児 乳児													98/100	97/100	96/100	95/100	94/100
	131人から140人まで	2号 3号	4歳以上児 3歳児 1、2歳児 乳児														99/100	98/100	97/100	96/100
	141人から150人まで	2号 3号	4歳以上児 3歳児 1、2歳児 乳児															99/100	98/100	97/100
	151人から160人まで	2号 3号	4歳以上児 3歳児 1、2歳児 乳児																99/100	98/100
	161人から170人まで	2号 3号	4歳以上児 3歳児 1、2歳児 乳児																	99/100
	171人以上	2号 3号	4歳以上児 3歳児 1、2歳児 乳児																	

地域区分	定員区分	認定区分	年齢区分	利用子ども数																
				20人まで	21人から30人まで	31人から40人まで	41人から50人まで	51人から60人まで	61人から70人まで	71人から80人まで	81人から90人まで	91人から100人まで	101人から110人まで	111人から120人まで	121人から130人まで	131人から140人まで	141人から150人まで	151人から160人まで	161人から170人まで	171人以上
3/100地域	20人	2号 3号	4歳以上児 3歳児 1、2歳児 乳児		79/100	68/100	65/100	60/100	56/100	54/100	51/100	48/100	47/100	46/100	45/100	44/100	44/100	43/100	43/100	42/100
	21人から30人まで	2号 3号	4歳以上児 3歳児 1、2歳児 乳児			86/100	83/100	76/100	71/100	68/100	65/100	61/100	59/100	58/100	57/100	56/100	55/100	55/100	54/100	54/100
	31人から40人まで	2号 3号	4歳以上児 3歳児 1、2歳児 乳児				96/100	88/100	83/100	79/100	76/100	70/100	69/100	68/100	66/100	65/100	64/100	64/100	63/100	62/100
	41人から50人まで	2号 3号	4歳以上児 3歳児 1、2歳児 乳児					92/100	86/100	82/100	79/100	73/100	72/100	70/100	69/100	68/100	67/100	66/100	66/100	65/100
	51人から60人まで	2号 3号	4歳以上児 3歳児 1、2歳児 乳児						94/100	89/100	86/100	80/100	78/100	77/100	75/100	74/100	73/100	72/100	71/100	71/100
	61人から70人まで	2号 3号	4歳以上児 3歳児 1、2歳児 乳児							95/100	91/100	85/100	83/100	81/100	80/100	78/100	77/100	77/100	76/100	75/100
	71人から80人まで	2号 3号	4歳以上児 3歳児 1、2歳児 乳児								96/100	89/100	87/100	86/100	84/100	82/100	82/100	81/100	80/100	79/100
	81人から90人まで	2号 3号	4歳以上児 3歳児 1、2歳児 乳児									93/100	91/100	89/100	88/100	86/100	85/100	84/100	83/100	82/100
	91人から100人まで	2号 3号	4歳以上児 3歳児 1、2歳児 乳児										98/100	96/100	94/100	92/100	91/100	90/100	89/100	89/100
	101人から110人まで	2号 3号	4歳以上児 3歳児 1、2歳児 乳児											98/100	96/100	94/100	93/100	92/100	91/100	90/100
	111人から120人まで	2号 3号	4歳以上児 3歳児 1、2歳児 乳児												98/100	96/100	95/100	94/100	93/100	92/100
	121人から130人まで	2号 3号	4歳以上児 3歳児 1、2歳児 乳児													98/100	97/100	96/100	95/100	94/100
	131人から140人まで	2号 3号	4歳以上児 3歳児 1、2歳児 乳児														99/100	98/100	97/100	96/100
	141人から150人まで	2号 3号	4歳以上児 3歳児 1、2歳児 乳児															99/100	98/100	97/100
	151人から160人まで	2号 3号	4歳以上児 3歳児 1、2歳児 乳児																99/100	98/100
	161人から170人まで	2号 3号	4歳以上児 3歳児 1、2歳児 乳児																	99/100
	171人以上	2号 3号	4歳以上児 3歳児 1、2歳児 乳児																	

地域区分	定員区分	認定区分	年齢区分	利用子ども数																
				20人まで	21人から30人まで	31人から40人まで	41人から50人まで	51人から60人まで	61人から70人まで	71人から80人まで	81人から90人まで	91人から100人まで	101人から110人まで	111人から120人まで	121人から130人まで	131人から140人まで	141人から150人まで	151人から160人まで	161人から170人まで	171人以上
その他地域	20人	2号 3号	4歳以上児 3歳児 1、2歳児 乳児		79/100	68/100	65/100	60/100	56/100	54/100	51/100	48/100	47/100	46/100	45/100	44/100	44/100	43/100	43/100	42/100
	21人から30人まで	2号 3号	4歳以上児 3歳児 1、2歳児 乳児			86/100	83/100	76/100	71/100	68/100	65/100	61/100	59/100	58/100	57/100	56/100	55/100	55/100	54/100	54/100
	31人から40人まで	2号 3号	4歳以上児 3歳児 1、2歳児 乳児				96/100	88/100	83/100	79/100	76/100	70/100	69/100	68/100	66/100	65/100	64/100	64/100	63/100	62/100
	41人から50人まで	2号 3号	4歳以上児 3歳児 1、2歳児 乳児					92/100	86/100	82/100	79/100	73/100	72/100	70/100	69/100	68/100	67/100	66/100	66/100	65/100
	51人から60人まで	2号 3号	4歳以上児 3歳児 1、2歳児 乳児						94/100	89/100	86/100	80/100	78/100	77/100	75/100	74/100	73/100	72/100	71/100	71/100
	61人から70人まで	2号 3号	4歳以上児 3歳児 1、2歳児 乳児							95/100	91/100	85/100	83/100	81/100	80/100	78/100	77/100	77/100	76/100	75/100
	71人から80人まで	2号 3号	4歳以上児 3歳児 1、2歳児 乳児								96/100	89/100	87/100	86/100	84/100	82/100	82/100	81/100	80/100	79/100
	81人から90人まで	2号 3号	4歳以上児 3歳児 1、2歳児 乳児									93/100	91/100	89/100	88/100	86/100	85/100	84/100	83/100	82/100
	91人から100人まで	2号 3号	4歳以上児 3歳児 1、2歳児 乳児										98/100	96/100	94/100	92/100	91/100	90/100	89/100	89/100
	101人から110人まで	2号 3号	4歳以上児 3歳児 1、2歳児 乳児											98/100	96/100	94/100	93/100	92/100	91/100	90/100
	111人から120人まで	2号 3号	4歳以上児 3歳児 1、2歳児 乳児												98/100	96/100	95/100	94/100	93/100	92/100
	121人から130人まで	2号 3号	4歳以上児 3歳児 1、2歳児 乳児													98/100	97/100	96/100	95/100	94/100
	131人から140人まで	2号 3号	4歳以上児 3歳児 1、2歳児 乳児														99/100	98/100	97/100	96/100
	141人から150人まで	2号 3号	4歳以上児 3歳児 1、2歳児 乳児															99/100	98/100	97/100
	151人から160人まで	2号 3号	4歳以上児 3歳児 1、2歳児 乳児																99/100	98/100
	161人から170人まで	2号 3号	4歳以上児 3歳児 1、2歳児 乳児																	99/100
	171人以上	2号 3号	4歳以上児 3歳児 1、2歳児 乳児																	

○認定こども園（教育標準時間認定）

地域区分 ①	定員区分 ②	認定区分 ③	年齢区分 ④	基本分単価 ⑤	（注）		処遇改善等加算Ⅰ ⑥	（注）			副園長・教頭配置加算 ⑦		処遇改善等加算Ⅰ		学級編制調整加配加算 ※1号・2号の利用定員の合計が36人以上300人以下の場合に加算 ⑧		処遇改善等加算Ⅰ
20/100地域	15人まで	1号	4歳以上児	91,380	(99,940)	＋	890	(980)	×加算率	＋	7,150	＋	70×加算率	＋	34,260	＋	340×加算率
			3歳児	99,940		＋	980		×加算率								
	16人から25人まで	1号	4歳以上児	56,640	(65,200)	＋	540	(630)	×加算率	＋	4,290	＋	40×加算率	＋	20,550	＋	200×加算率
			3歳児	65,200		＋	630		×加算率								
	26人から35人まで	1号	4歳以上児	44,240	(52,800)	＋	420	(500)	×加算率	＋	3,060	＋	30×加算率	＋	14,680	＋	140×加算率
			3歳児	52,800		＋	500		×加算率								
	36人から45人まで	1号	4歳以上児	39,270	(47,830)	＋	370	(450)	×加算率	＋	2,380	＋	20×加算率	＋	11,420	＋	110×加算率
			3歳児	47,830		＋	450		×加算率								
	46人から60人まで	1号	4歳以上児	34,860	(43,420)	＋	320	(410)	×加算率	＋	1,780	＋	10×加算率	＋	8,560	＋	80×加算率
			3歳児	43,420		＋	410		×加算率								
	61人から75人まで	1号	4歳以上児	32,250	(40,810)	＋	300	(380)	×加算率	＋	1,430	＋	10×加算率	＋	6,850	＋	60×加算率
			3歳児	40,810		＋	380		×加算率								
	76人から90人まで	1号	4歳以上児	30,470	(39,030)	＋	280	(370)	×加算率	＋	1,190	＋	10×加算率	＋	5,710	＋	50×加算率
			3歳児	39,030		＋	370		×加算率								
	91人から105人まで	1号	4歳以上児	29,880	(38,440)	＋	270	(360)	×加算率	＋	1,020	＋	10×加算率	＋	4,890	＋	40×加算率
			3歳児	38,440		＋	360		×加算率								
	106人から120人まで	1号	4歳以上児	28,870	(37,430)	＋	260	(350)	×加算率	＋	890	＋	8×加算率	＋	4,280	＋	40×加算率
			3歳児	37,430		＋	350		×加算率								
	121人から135人まで	1号	4歳以上児	28,070	(36,630)	＋	260	(340)	×加算率	＋	790	＋	7×加算率	＋	3,800	＋	30×加算率
			3歳児	36,630		＋	340		×加算率								
	136人から150人まで	1号	4歳以上児	27,440	(36,000)	＋	250	(340)	×加算率	＋	710	＋	7×加算率	＋	3,420	＋	30×加算率
			3歳児	36,000		＋	340		×加算率								
	151人から180人まで	1号	4歳以上児	26,490	(35,050)	＋	240	(330)	×加算率	＋	590	＋	5×加算率	＋	2,850	＋	20×加算率
			3歳児	35,050		＋	330		×加算率								
	181人から210人まで	1号	4歳以上児	25,790	(34,350)	＋	230	(320)	×加算率	＋	510	＋	5×加算率	＋	2,440	＋	20×加算率
			3歳児	34,350		＋	320		×加算率								
	211人から240人まで	1号	4歳以上児	25,280	(33,840)	＋	230	(310)	×加算率	＋	440	＋	4×加算率	＋	2,140	＋	20×加算率
			3歳児	33,840		＋	310		×加算率								
	241人から270人まで	1号	4歳以上児	24,880	(33,440)	＋	220	(310)	×加算率	＋	390	＋	3×加算率	＋	1,900	＋	10×加算率
			3歳児	33,440		＋	310		×加算率								
	271人から300人まで	1号	4歳以上児	24,560	(33,120)	＋	220	(310)	×加算率	＋	350	＋	3×加算率	＋	1,710	＋	10×加算率
			3歳児	33,120		＋	310		×加算率								
	301人以上	1号	4歳以上児	24,310	(32,870)	＋	220	(300)	×加算率	＋	320	＋	3×加算率				
			3歳児	32,870		＋	300		×加算率								

地域区分 ①	定員区分 ②	認定区分 ③	年齢区分 ④	3歳児配置改善加算 ⑨	処遇改善等加算Ⅰ	4歳以上児配置改善加算 ⑩	処遇改善等加算Ⅰ	満3歳児対応加配加算（3歳児配置改善加算無し） ⑪	処遇改善等加算Ⅰ	満3歳児対応加配加算（3歳児配置改善加算有り） ⑪'	処遇改善等加算Ⅰ	講師配置加算 ⑫	処遇改善等加算Ⅰ
20/100地域	15人まで	1号	4歳以上児	(8, 560)	(80×加算率)	3, 420	30×加算率					6, 010	60×加算率
			3　歳　児	8, 560	80×加算率			59, 950	590×加算率	51, 390	510×加算率		
	16人から25人まで	1号	4歳以上児	(8, 560)	(80×加算率)	3, 420	30×加算率					3, 600	30×加算率
			3　歳　児	8, 560	80×加算率			59, 950	590×加算率	51, 390	510×加算率		
	26人から35人まで	1号	4歳以上児	(8, 560)	(80×加算率)	3, 420	30×加算率					2, 570	20×加算率
			3　歳　児	8, 560	80×加算率			59, 950	590×加算率	51, 390	510×加算率		
	36人から45人まで	1号	4歳以上児	(8, 560)	(80×加算率)	3, 420	30×加算率					−	−
			3　歳　児	8, 560	80×加算率			59, 950	590×加算率	51, 390	510×加算率		
	46人から60人まで	1号	4歳以上児	(8, 560)	(80×加算率)	3, 420	30×加算率					−	−
			3　歳　児	8, 560	80×加算率			59, 950	590×加算率	51, 390	510×加算率		
	61人から75人まで	1号	4歳以上児	(8, 560)	(80×加算率)	3, 420	30×加算率					−	−
			3　歳　児	8, 560	80×加算率			59, 950	590×加算率	51, 390	510×加算率		
	76人から90人まで	1号	4歳以上児	(8, 560)	(80×加算率)	3, 420	30×加算率					−	−
			3　歳　児	8, 560	80×加算率			59, 950	590×加算率	51, 390	510×加算率		
	91人から105人まで	1号	4歳以上児	(8, 560)	(80×加算率)	3, 420	30×加算率					−	−
			3　歳　児	8, 560	80×加算率			59, 950	590×加算率	51, 390	510×加算率		
	106人から120人まで	1号	4歳以上児	(8, 560)	(80×加算率)	3, 420	30×加算率					−	−
			3　歳　児	8, 560	80×加算率			59, 950	590×加算率	51, 390	510×加算率		
	121人から135人まで	1号	4歳以上児	(8, 560)	(80×加算率)	3, 420	30×加算率					660	6×加算率
			3　歳　児	8, 560	80×加算率			59, 950	590×加算率	51, 390	510×加算率		
	136人から150人まで	1号	4歳以上児	(8, 560)	(80×加算率)	3, 420	30×加算率					600	6×加算率
			3　歳　児	8, 560	80×加算率			59, 950	590×加算率	51, 390	510×加算率		
	151人から180人まで	1号	4歳以上児	(8, 560)	(80×加算率)	3, 420	30×加算率					500	5×加算率
			3　歳　児	8, 560	80×加算率			59, 950	590×加算率	51, 390	510×加算率		
	181人から210人まで	1号	4歳以上児	(8, 560)	(80×加算率)	3, 420	30×加算率					430	4×加算率
			3　歳　児	8, 560	80×加算率			59, 950	590×加算率	51, 390	510×加算率		
	211人から240人まで	1号	4歳以上児	(8, 560)	(80×加算率)	3, 420	30×加算率					370	3×加算率
			3　歳　児	8, 560	80×加算率			59, 950	590×加算率	51, 390	510×加算率		
	241人から270人まで	1号	4歳以上児	(8, 560)	(80×加算率)	3, 420	30×加算率					330	3×加算率
			3　歳　児	8, 560	80×加算率			59, 950	590×加算率	51, 390	510×加算率		
	271人から300人まで	1号	4歳以上児	(8, 560)	(80×加算率)	3, 420	30×加算率					300	3×加算率
			3　歳　児	8, 560	80×加算率			59, 950	590×加算率	51, 390	510×加算率		
	301人以上	1号	4歳以上児	(8, 560)	(80×加算率)	3, 420	30×加算率					270	2×加算率
			3　歳　児	8, 560	80×加算率			59, 950	590×加算率	51, 390	510×加算率		

地域区分 ①	定員区分 ②	認定区分 ③	年齢区分 ④		チーム保育加配加算 ※1号・2号の利用定員合計に応じて利用子どもの単価に加算		処遇改善等加算Ⅰ ⑬		通園送迎加算		処遇改善等加算Ⅰ ⑭		給食実施加算（施設内調理）		処遇改善等加算Ⅰ ⑮
20/100地域	15人まで	1号	4歳以上児	＋	～ 15人 34,260×加配人数	＋	340×加算率×加配人数	＋	3,790	＋	30×加算率	＋	2,840 ×週当たり実施日数	＋	20 ×週当たり実施日数×加算率
			3 歳 児												
	16人から25人まで	1号	4歳以上児		16人～ 25人 20,550×加配人数	＋	200×加算率×加配人数	＋	2,600	＋	20×加算率	＋	1,700 ×週当たり実施日数	＋	10 ×週当たり実施日数×加算率
			3 歳 児												
	26人から35人まで	1号	4歳以上児		26人～ 35人 14,680×加配人数	＋	140×加算率×加配人数	＋	2,090	＋	20×加算率	＋	1,220 ×週当たり実施日数	＋	10 ×週当たり実施日数×加算率
			3 歳 児												
	36人から45人まで	1号	4歳以上児		36人～ 45人 11,420×加配人数	＋	110×加算率×加配人数	＋	1,800	＋	10×加算率	＋	950 ×週当たり実施日数	＋	9 ×週当たり実施日数×加算率
			3 歳 児												
	46人から60人まで	1号	4歳以上児		46人～ 60人 8,560×加配人数	＋	80×加算率×加配人数	＋	1,350	＋	10×加算率	＋	710 ×週当たり実施日数	＋	7 ×週当たり実施日数×加算率
			3 歳 児												
	61人から75人まで	1号	4歳以上児		61人～ 75人 6,850×加配人数	＋	60×加算率×加配人数	＋	1,080	＋	10×加算率	＋	590 ×週当たり実施日数	＋	5 ×週当たり実施日数×加算率
			3 歳 児												
	76人から90人まで	1号	4歳以上児		76人～ 90人 5,710×加配人数	＋	50×加算率×加配人数	＋	900	＋	9×加算率	＋	520 ×週当たり実施日数	＋	5 ×週当たり実施日数×加算率
			3 歳 児												
	91人から105人まで	1号	4歳以上児		91人～ 105人 4,890×加配人数	＋	40×加算率×加配人数	＋	770	＋	7×加算率	＋	460 ×週当たり実施日数	＋	4 ×週当たり実施日数×加算率
			3 歳 児												
	106人から120人まで	1号	4歳以上児		106人～ 120人 4,280×加配人数	＋	40×加算率×加配人数	＋	670	＋	6×加算率	＋	420 ×週当たり実施日数	＋	4 ×週当たり実施日数×加算率
			3 歳 児												
	121人から135人まで	1号	4歳以上児		121人～ 135人 3,800×加配人数	＋	30×加算率×加配人数	＋	600	＋	6×加算率	＋	390 ×週当たり実施日数	＋	3 ×週当たり実施日数×加算率
			3 歳 児												
	136人から150人まで	1号	4歳以上児		136人～ 150人 3,420×加配人数	＋	30×加算率×加配人数	＋	540	＋	5×加算率	＋	370 ×週当たり実施日数	＋	3 ×週当たり実施日数×加算率
			3 歳 児												
	151人から180人まで	1号	4歳以上児		151人～ 180人 2,850×加配人数	＋	20×加算率×加配人数	＋	520	＋	5×加算率	＋	320 ×週当たり実施日数	＋	3 ×週当たり実施日数×加算率
			3 歳 児												
	181人から210人まで	1号	4歳以上児		181人～ 210人 2,440×加配人数	＋	20×加算率×加配人数	＋	520	＋	5×加算率	＋	280 ×週当たり実施日数	＋	2 ×週当たり実施日数×加算率
			3 歳 児												
	211人から240人まで	1号	4歳以上児		211人～ 240人 2,140×加配人数	＋	20×加算率×加配人数	＋	520	＋	5×加算率	＋	260 ×週当たり実施日数	＋	2 ×週当たり実施日数×加算率
			3 歳 児												
	241人から270人まで	1号	4歳以上児		241人～ 270人 1,900×加配人数	＋	10×加算率×加配人数	＋	520	＋	5×加算率	＋	230 ×週当たり実施日数	＋	2 ×週当たり実施日数×加算率
			3 歳 児												
	271人から300人まで	1号	4歳以上児		271人～ 300人 1,710×加配人数	＋	10×加算率×加配人数	＋	520	＋	5×加算率	＋	210 ×週当たり実施日数	＋	2 ×週当たり実施日数×加算率
			3 歳 児												
	301人以上	1号	4歳以上児		301人～ 1,550×加配人数	＋	10×加算率×加配人数	＋	520	＋	5×加算率	＋	190 ×週当たり実施日数	＋	1 ×週当たり実施日数×加算率
			3 歳 児												

地域区分 ①	定員区分 ②	認定区分 ③	年齢区分 ④		給食実施加算（外部搬入）		処遇改善等加算Ⅰ ⑮'		外部監査費加算 ※認定こども園全体の利用定員の区分に応じて加算 ※3月分の単価に加算 ⑯		副食費徴収免除加算 ※副食費の徴収が免除される子どもの単価に加算 ⑰		主幹教諭等の専任化により子育て支援の取り組みを実施していない場合 ⑱
20/100地域	15人まで	1号	4歳以上児 3　歳　児	＋	500 ×週当たり実施日数	＋	5 ×週当たり実施日数×加算率		～　15人 27,330	＋	240 ×各月の給食実施日数	－	(7,780 ＋70×加算率)
	16人から25人まで	1号	4歳以上児 3　歳　児	＋	300 ×週当たり実施日数	＋	3 ×週当たり実施日数×加算率		16人～　25人 16,800	＋	240 ×各月の給食実施日数	－	(4,670 ＋40×加算率)
	26人から35人まで	1号	4歳以上児 3　歳　児	＋	210 ×週当たり実施日数	＋	2 ×週当たり実施日数×加算率		26人～　35人 12,280	＋	240 ×各月の給食実施日数	－	(3,330 ＋30×加算率)
	36人から45人まで	1号	4歳以上児 3　歳　児	＋	170 ×週当たり実施日数	＋	1 ×週当たり実施日数×加算率		36人～　45人 9,770	＋	240 ×各月の給食実施日数	－	(2,590 ＋20×加算率)
	46人から60人まで	1号	4歳以上児 3　歳　児	＋	120 ×週当たり実施日数	＋	1 ×週当たり実施日数×加算率		46人～　60人 7,500	＋	240 ×各月の給食実施日数	－	(1,940 ＋10×加算率)
	61人から75人まで	1号	4歳以上児 3　歳　児	＋	100 ×週当たり実施日数	＋	1 ×週当たり実施日数×加算率		61人～　75人 6,130	＋	240 ×各月の給食実施日数	－	(1,550 ＋10×加算率)
	76人から90人まで	1号	4歳以上児 3　歳　児	＋	90 ×週当たり実施日数	＋	1 ×週当たり実施日数×加算率		76人～　90人 5,220	＋	240 ×各月の給食実施日数	－	(1,290 ＋10×加算率)
	91人から105人まで	1号	4歳以上児 3　歳　児	＋	80 ×週当たり実施日数	＋	1 ×週当たり実施日数×加算率		91人～ 105人 4,660	＋	240 ×各月の給食実施日数	－	(1,110 ＋10×加算率)
	106人から120人まで	1号	4歳以上児 3　歳　児	＋	70 ×週当たり実施日数	＋	1 ×週当たり実施日数×加算率	＋	106人～ 120人 4,250	＋	240 ×各月の給食実施日数	－	(970 ＋10×加算率)
	121人から135人まで	1号	4歳以上児 3　歳　児	＋	70 ×週当たり実施日数	＋	1 ×週当たり実施日数×加算率		121人～ 135人 3,920	＋	240 ×各月の給食実施日数	－	(860 ＋9×加算率)
	136人から150人まで	1号	4歳以上児 3　歳　児	＋	60 ×週当たり実施日数	＋	1 ×週当たり実施日数×加算率		136人～ 150人 3,660	＋	240 ×各月の給食実施日数	－	(770 ＋8×加算率)
	151人から100人まで	1号	4歳以上児 3　歳　児	＋	50 ×週当たり実施日数	＋	1 ×週当たり実施日数×加算率		151人～ 180人 3,160	＋	240 ×各月の給食実施日数	－	(640 ＋6×加算率)
	181人から210人まで	1号	4歳以上児 3　歳　児	＋	50 ×週当たり実施日数	＋	1 ×週当たり実施日数×加算率		181人～ 210人 2,810	＋	240 ×各月の給食実施日数	－	(550 ＋6×加算率)
	211人から240人まで	1号	4歳以上児 3　歳　児	＋	40 ×週当たり実施日数	＋	1 ×週当たり実施日数×加算率		211人～ 240人 2,540	＋	240 ×各月の給食実施日数	－	(480 ＋5×加算率)
	241人から270人まで	1号	4歳以上児 3　歳　児	＋	40 ×週当たり実施日数	＋	1 ×週当たり実施日数×加算率		241人～ 270人 2,440	＋	240 ×各月の給食実施日数	－	(430 ＋4×加算率)
	271人から300人まで	1号	4歳以上児 3　歳　児	＋	30 ×週当たり実施日数	＋	1 ×週当たり実施日数×加算率		271人～ 300人 2,360	＋	240 ×各月の給食実施日数	－	(380 ＋4×加算率)
	301人以上	1号	4歳以上児 3　歳　児	＋	30 ×週当たり実施日数	＋	1 ×週当たり実施日数×加算率		301人～ 2,150	＋	240 ×各月の給食実施日数	－	(350 ＋4×加算率)

地域区分 ①	定員区分 ②	認定区分 ③	年齢区分 ④	年齢別配置基準を下回る場合 ⑲	配置基準上求められる職員資格を有しない場合 ⑳	定員を恒常的に超過する場合 ㉑
	15人まで	1号	4歳以上児 3　歳　児	－(34,260＋340×加算率)×人数	－(25,970＋260×加算率)×人数	
	16人から25人まで	1号	4歳以上児 3　歳　児	－(20,550＋200×加算率)×人数	－(15,580＋150×加算率)×人数	
	26人から35人まで	1号	4歳以上児 3　歳　児	－(14,680＋140×加算率)×人数	－(11,130＋110×加算率)×人数	
	36人から45人まで	1号	4歳以上児 3　歳　児	－(11,420＋110×加算率)×人数	－(8,650＋80×加算率)×人数	
	46人から60人まで	1号	4歳以上児 3　歳　児	－(8,560＋80×加算率)×人数	－(6,490＋60×加算率)×人数	
	61人から75人まで	1号	4歳以上児 3　歳　児	－(6,850＋60×加算率)×人数	－(5,190＋50×加算率)×人数	
	76人から90人まで	1号	4歳以上児 3　歳　児	－(5,710＋50×加算率)×人数	－(4,320＋40×加算率)×人数	
	91人から105人まで	1号	4歳以上児 3　歳　児	－(4,890＋40×加算率)×人数	－(3,710＋30×加算率)×人数	
20/100地域	106人から120人まで	1号	4歳以上児 3　歳　児	－(4,280＋40×加算率)×人数	－(3,240＋30×加算率)×人数	(⑤～⑳(⑰を除く。))×別に定める調整率
	121人から135人まで	1号	4歳以上児 3　歳　児	－(3,800＋30×加算率)×人数	－(2,880＋20×加算率)×人数	
	136人から150人まで	1号	4歳以上児 3　歳　児	－(3,420＋30×加算率)×人数	－(2,590＋20×加算率)×人数	
	151人から180人まで	1号	4歳以上児 3　歳　児	－(2,850＋20×加算率)×人数	－(2,160＋20×加算率)×人数	
	181人から210人まで	1号	4歳以上児 3　歳　児	－(2,440＋20×加算率)×人数	－(1,850＋10×加算率)×人数	
	211人から240人まで	1号	4歳以上児 3　歳　児	－(2,140＋20×加算率)×人数	－(1,620＋10×加算率)×人数	
	241人から270人まで	1号	4歳以上児 3　歳　児	－(1,900＋10×加算率)×人数	－(1,440＋10×加算率)×人数	
	271人から300人まで	1号	4歳以上児 3　歳　児	－(1,710＋10×加算率)×人数	－(1,290＋10×加算率)×人数	
	301人以上	1号	4歳以上児 3　歳　児	－(1,550＋10×加算率)×人数	－(1,180＋10×加算率)×人数	

地域区分 ①	定員区分 ②	認定区分 ③	年齢区分 ④	基本分単価 ⑤	（注）		処遇改善等加算Ⅰ ⑥	（注）			副園長・教頭配置加算 ⑦		処遇改善等加算Ⅰ		学級編制調整加配加算 ※1号·2号の利用定員の合計が36人以上300人以下の場合に加算 ⑧		処遇改善等加算Ⅰ
16/100地域	15人まで	1号	4歳以上児	88, 990	(97, 290)	＋	870	(950)	×加算率	＋	6, 890	＋	60×加算率	＋	33, 210	＋	330×加算率
			3歳児	97, 290		＋	950		×加算率								
	16人から25人まで	1号	4歳以上児	55, 200	(63, 500)	＋	530	(610)	×加算率	＋	4, 130	＋	40×加算率	＋	19, 920	＋	190×加算率
			3歳児	63, 500		＋	610		×加算率								
	26人から35人まで	1号	4歳以上児	43, 140	(51, 440)	＋	410	(490)	×加算率	＋	2, 950	＋	20×加算率	＋	14, 230	＋	140×加算率
			3歳児	51, 440		＋	490		×加算率								
	36人から45人まで	1号	4歳以上児	38, 300	(46, 600)	＋	360	(440)	×加算率	＋	2, 290	＋	20×加算率	＋	11, 070	＋	110×加算率
			3歳児	46, 600		＋	440		×加算率								
	46人から60人まで	1号	4歳以上児	34, 000	(42, 300)	＋	320	(400)	×加算率	＋	1, 720	＋	10×加算率	＋	8, 300	＋	80×加算率
			3歳児	42, 300		＋	400		×加算率								
	61人から75人まで	1号	4歳以上児	31, 460	(39, 760)	＋	290	(370)	×加算率	＋	1, 370	＋	10×加算率	＋	6, 640	＋	60×加算率
			3歳児	39, 760		＋	370		×加算率								
	76人から90人まで	1号	4歳以上児	29, 730	(38, 030)	＋	270	(360)	×加算率	＋	1, 140	＋	10×加算率	＋	5, 530	＋	50×加算率
			3歳児	38, 030		＋	360		×加算率								
	91人から105人まで	1号	4歳以上児	29, 160	(37, 460)	＋	270	(350)	×加算率	＋	980	＋	9×加算率	＋	4, 740	＋	40×加算率
			3歳児	37, 460		＋	350		×加算率								
	106人から120人まで	1号	4歳以上児	28, 180	(36, 480)	＋	260	(340)	×加算率	＋	860	＋	8×加算率	＋	4, 150	＋	40×加算率
			3歳児	36, 480		＋	340		×加算率								
	121人から135人まで	1号	4歳以上児	27, 390	(35, 690)	＋	250	(330)	×加算率	＋	760	＋	7×加算率	＋	3, 690	＋	30×加算率
			3歳児	35, 600		＋	330		×加算率								
	136人から150人まで	1号	4歳以上児	26, 780	(35, 080)	＋	240	(330)	×加算率	＋	680	＋	6×加算率	＋	3, 320	＋	30×加算率
			3歳児	35, 080		＋	330		×加算率								
	151人から180人まで	1号	4歳以上児	25, 850	(34, 150)	＋	230	(320)	×加算率	＋	570	＋	5×加算率	＋	2, 760	＋	20×加算率
			3歳児	34, 150		＋	320		×加算率								
	181人から210人まで	1号	4歳以上児	25, 170	(33, 470)	＋	230	(310)	×加算率	＋	490	＋	4×加算率	＋	2, 370	＋	20×加算率
			3歳児	33, 470		＋	310		×加算率								
	211人から240人まで	1号	4歳以上児	24, 670	(32, 970)	＋	220	(310)	×加算率	＋	430	＋	4×加算率	＋	2, 070	＋	20×加算率
			3歳児	32, 970		＋	310		×加算率								
	241人から270人まで	1号	4歳以上児	24, 280	(32, 580)	＋	220	(300)	×加算率	＋	380	＋	3×加算率	＋	1, 840	＋	10×加算率
			3歳児	32, 580		＋	300		×加算率								
	271人から300人まで	1号	4歳以上児	23, 970	(32, 270)	＋	220	(300)	×加算率	＋	340	＋	3×加算率	＋	1, 660	＋	10×加算率
			3歳児	32, 270		＋	300		×加算率								
	301人以上	1号	4歳以上児	23, 720	(32, 020)	＋	210	(300)	×加算率	＋	310	＋	3×加算率				
			3歳児	32, 020		＋	300		×加算率								

地域区分 ①	定員区分 ②	認定区分 ③	年齢区分 ④	3歳児配置改善加算 ⑨	処遇改善等加算Ⅰ ⑨	4歳以上児配置改善加算 ⑩	処遇改善等加算Ⅰ ⑩	満３歳児対応加配加算（3歳児配置改善加算無し） ⑪	処遇改善等加算Ⅰ ⑪	満３歳児対応加配加算（3歳児配置改善加算有り） ⑪′	処遇改善等加算Ⅰ ⑪′	講師配置加算 ⑫	処遇改善等加算Ⅰ ⑫
16/100地域	15人まで	1号	4歳以上児	(8, 300)	(80×加算率)	3, 320	30×加算率					6, 010	60×加算率
			3　歳　児	8, 300	80×加算率			58, 120	580×加算率	49, 820	490×加算率		
	16人から25人まで	1号	4歳以上児	(8, 300)	(80×加算率)	3, 320	30×加算率					3, 600	30×加算率
			3　歳　児	8, 300	80×加算率			58, 120	580×加算率	49, 820	490×加算率		
	26人から35人まで	1号	4歳以上児	(8, 300)	(80×加算率)	3, 320	30×加算率					2, 570	20×加算率
			3　歳　児	8, 300	80×加算率			58, 120	580×加算率	49, 820	490×加算率		
	36人から45人まで	1号	4歳以上児	(8, 300)	(80×加算率)	3, 320	30×加算率					−	−
			3　歳　児	8, 300	80×加算率			58, 120	580×加算率	49, 820	490×加算率		
	46人から60人まで	1号	4歳以上児	(8, 300)	(80×加算率)	3, 320	30×加算率					−	−
			3　歳　児	8, 300	80×加算率			58, 120	580×加算率	49, 820	490×加算率		
	61人から75人まで	1号	4歳以上児	(8, 300)	(80×加算率)	3, 320	30×加算率					−	−
			3　歳　児	8, 300	80×加算率			58, 120	580×加算率	49, 820	490×加算率		
	76人から90人まで	1号	4歳以上児	(8, 300)	(80×加算率)	3, 320	30×加算率					−	−
			3　歳　児	8, 300	80×加算率			58, 120	580×加算率	49, 820	490×加算率		
	91人から105人まで	1号	4歳以上児	(8, 300)	(80×加算率)	3, 320	30×加算率					−	−
			3　歳　児	8, 300	80×加算率			58, 120	580×加算率	49, 820	490×加算率		
	106人から120人まで	1号	4歳以上児	(8, 300)	(80×加算率)	3, 320	30×加算率					−	−
			3　歳　児	8, 300	80×加算率			58, 120	580×加算率	49, 820	490×加算率		
	121人から135人まで	1号	4歳以上児	(8, 300)	(80×加算率)	3, 320	30×加算率					660	6×加算率
			3　歳　児	8, 300	80×加算率			58, 120	580×加算率	49, 820	490×加算率		
	136人から150人まで	1号	4歳以上児	(8, 300)	(80×加算率)	3, 320	30×加算率					600	6×加算率
			3　歳　児	8, 300	80×加算率			58, 120	580×加算率	49, 820	490×加算率		
	151人から180人まで	1号	4歳以上児	(8, 300)	(80×加算率)	3, 320	30×加算率					500	5×加算率
			3　歳　児	8, 300	80×加算率			58, 120	580×加算率	49, 820	490×加算率		
	181人から210人まで	1号	4歳以上児	(8, 300)	(80×加算率)	3, 320	30×加算率					430	4×加算率
			3　歳　児	8, 300	80×加算率			58, 120	580×加算率	49, 820	490×加算率		
	211人から240人まで	1号	4歳以上児	(8, 300)	(80×加算率)	3, 320	30×加算率					370	3×加算率
			3　歳　児	8, 300	80×加算率			58, 120	580×加算率	49, 820	490×加算率		
	241人から270人まで	1号	4歳以上児	(8, 300)	(80×加算率)	3, 320	30×加算率					330	3×加算率
			3　歳　児	8, 300	80×加算率			58, 120	580×加算率	49, 820	490×加算率		
	271人から300人まで	1号	4歳以上児	(8, 300)	(80×加算率)	3, 320	30×加算率					300	3×加算率
			3　歳　児	8, 300	80×加算率			58, 120	580×加算率	49, 820	490×加算率		
	301人以上	1号	4歳以上児	(8, 300)	(80×加算率)	3, 320	30×加算率					270	2×加算率
			3　歳　児	8, 300	80×加算率			58, 120	580×加算率	49, 820	490×加算率		

地域区分 ①	定員区分 ②	認定区分 ③	年齢区分 ④		チーム保育加配加算 ※1号・2号の利用定員合計に応じて利用子どもの単価に加算		処遇改善等加算Ⅰ ⑬		通園送迎加算		処遇改善等加算Ⅰ ⑭		給食実施加算（施設内調理）		処遇改善等加算Ⅰ ⑮
16/100地域	15人まで	1号	4歳以上児 3歳児	＋	～　15人 33,210×加配人数	＋	330×加算率×加配人数	＋	3,790	＋	30×加算率	＋	2,840 ×週当たり実施日数	＋	20 ×週当たり実施日数×加算率
	16人から25人まで	1号	4歳以上児 3歳児		16人～　25人 19,920×加配人数	＋	190×加算率×加配人数	＋	2,600	＋	20×加算率	＋	1,700 ×週当たり実施日数	＋	10 ×週当たり実施日数×加算率
	26人から35人まで	1号	4歳以上児 3歳児		26人～　35人 14,230×加配人数	＋	140×加算率×加配人数	＋	2,090	＋	20×加算率	＋	1,220 ×週当たり実施日数	＋	10 ×週当たり実施日数×加算率
	36人から45人まで	1号	4歳以上児 3歳児		36人～　45人 11,070×加配人数	＋	110×加算率×加配人数	＋	1,800	＋	10×加算率	＋	950 ×週当たり実施日数	＋	9 ×週当たり実施日数×加算率
	46人から60人まで	1号	4歳以上児 3歳児		46人～　60人 8,300×加配人数	＋	80×加算率×加配人数	＋	1,350	＋	10×加算率	＋	710 ×週当たり実施日数	＋	7 ×週当たり実施日数×加算率
	61人から75人まで	1号	4歳以上児 3歳児		61人～　75人 6,640×加配人数	＋	60×加算率×加配人数	＋	1,080	＋	10×加算率	＋	590 ×週当たり実施日数	＋	5 ×週当たり実施日数×加算率
	76人から90人まで	1号	4歳以上児 3歳児		76人～　90人 5,530×加配人数	＋	50×加算率×加配人数	＋	900	＋	9×加算率	＋	520 ×週当たり実施日数	＋	5 ×週当たり実施日数×加算率
	91人から105人まで	1号	4歳以上児 3歳児		91人～ 105人 4,740×加配人数	＋	40×加算率×加配人数	＋	770	＋	7×加算率	＋	460 ×週当たり実施日数	＋	4 ×週当たり実施日数×加算率
	106人から120人まで	1号	4歳以上児 3歳児		106人～ 120人 4,150×加配人数	＋	40×加算率×加配人数	＋	670	＋	6×加算率	＋	420 ×週当たり実施日数	＋	4 ×週当たり実施日数×加算率
	121人から135人まで	1号	4歳以上児 3歳児		121人～ 135人 3,600×加配人数	＋	30×加算率×加配人数	＋	600	＋	6×加算率	＋	390 ×週当たり実施日数	＋	3 ×週当たり実施日数×加算率
	136人から150人まで	1号	4歳以上児 3歳児		136人～ 150人 3,320×加配人数	＋	30×加算率×加配人数	＋	540	＋	5×加算率	＋	370 ×週当たり実施日数	＋	3 ×週当たり実施日数×加算率
	151人から180人まで	1号	4歳以上児 3歳児		151人～ 180人 2,760×加配人数	＋	20×加算率×加配人数	＋	520	＋	5×加算率	＋	320 ×週当たり実施日数	＋	3 ×週当たり実施日数×加算率
	181人から210人まで	1号	4歳以上児 3歳児		181人～ 210人 2,370×加配人数	＋	20×加算率×加配人数	＋	520	＋	5×加算率	＋	280 ×週当たり実施日数	＋	2 ×週当たり実施日数×加算率
	211人から240人まで	1号	4歳以上児 3歳児		211人～ 240人 2,070×加配人数	＋	20×加算率×加配人数	＋	520	＋	5×加算率	＋	260 ×週当たり実施日数	＋	2 ×週当たり実施日数×加算率
	241人から270人まで	1号	4歳以上児 3歳児		241人～ 270人 1,840×加配人数	＋	10×加算率×加配人数	＋	520	＋	5×加算率	＋	230 ×週当たり実施日数	＋	2 ×週当たり実施日数×加算率
	271人から300人まで	1号	4歳以上児 3歳児		271人～ 300人 1,660×加配人数	＋	10×加算率×加配人数	＋	520	＋	5×加算率	＋	210 ×週当たり実施日数	＋	2 ×週当たり実施日数×加算率
	301人以上	1号	4歳以上児 3歳児		301人～ 1,500×加配人数	＋	10×加算率×加配人数	＋	520	＋	5×加算率	＋	190 ×週当たり実施日数	＋	1 ×週当たり実施日数×加算率

地域区分 ①	定員区分 ②	認定区分 ③	年齢区分 ④		給食実施加算（外部搬入）				外部監査費加算 ※認定こども園全体の利用定員の区分に応じて加算 ※3月分の単価に加算 ⑯		副食費徴収免除加算 ※副食費の徴収が免除される子どもの単価に加算 ⑰		主幹教諭等の専任化により子育て支援の取り組みを実施していない場合 ⑱
							処遇改善等加算Ⅰ ⑮'						
16/100地域	15人まで	1号	4歳以上児 3歳児	＋	500 ×週当たり実施日数	＋	5 ×週当たり実施日数×加算率		〜 15人 27, 330	＋	240 ×各月の給食実施日数	−	(7, 780 +70×加算率)
	16人から25人まで	1号	4歳以上児 3歳児	＋	300 ×週当たり実施日数	＋	3 ×週当たり実施日数×加算率		16人〜 25人 16, 800	＋	240 ×各月の給食実施日数	−	(4, 670 +40×加算率)
	26人から35人まで	1号	4歳以上児 3歳児	＋	210 ×週当たり実施日数	＋	2 ×週当たり実施日数×加算率		26人〜 35人 12, 280	＋	240 ×各月の給食実施日数	−	(3, 330 +30×加算率)
	36人から45人まで	1号	4歳以上児 3歳児	＋	170 ×週当たり実施日数	＋	1 ×週当たり実施日数×加算率		36人〜 45人 9, 770	＋	240 ×各月の給食実施日数	−	(2, 590 +20×加算率)
	46人から60人まで	1号	4歳以上児 3歳児	＋	120 ×週当たり実施日数	＋	1 ×週当たり実施日数×加算率		46人〜 60人 7, 500	＋	240 ×各月の給食実施日数	−	(1, 940 +10×加算率)
	61人から75人まで	1号	4歳以上児 3歳児	＋	100 ×週当たり実施日数	＋	1 ×週当たり実施日数×加算率		61人〜 75人 6, 130	＋	240 ×各月の給食実施日数	−	(1, 550 +10×加算率)
	76人から90人まで	1号	4歳以上児 3歳児	＋	90 ×週当たり実施日数	＋	1 ×週当たり実施日数×加算率		76人〜 90人 5, 220	＋	240 ×各月の給食実施日数	−	(1, 290 +10×加算率)
	91人から105人まで	1号	4歳以上児 3歳児	＋	80 ×週当たり実施日数	＋	1 ×週当たり実施日数×加算率		91人〜 105人 4, 660	＋	240 ×各月の給食実施日数	−	(1, 110 +10×加算率)
	106人から120人まで	1号	4歳以上児 3歳児	＋	70 ×週当たり実施日数	＋	1 ×週当たり実施日数×加算率	＋	106人〜 120人 4, 250	＋	240 ×各月の給食実施日数	−	(970 +10×加算率)
	121人から135人まで	1号	4歳以上児 3歳児	＋	70 ×週当たり実施日数	＋	1 ×週当たり実施日数×加算率		121人〜 135人 3, 920	＋	240 ×各月の給食実施日数	−	(860 +9×加算率)
	136人から150人まで	1号	4歳以上児 3歳児	＋	60 ×週当たり実施日数	＋	1 ×週当たり実施日数×加算率		136人〜 150人 3, 660	＋	240 ×各月の給食実施日数	−	(770 +8×加算率)
	151人から180人まで	1号	4歳以上児 3歳児	＋	50 ×週当たり実施日数	＋	1 ×週当たり実施日数×加算率		151人〜 180人 3, 160	＋	240 ×各月の給食実施日数	−	(640 +6×加算率)
	181人から210人まで	1号	4歳以上児 3歳児	＋	50 ×週当たり実施日数	＋	1 ×週当たり実施日数×加算率		181人〜 210人 2, 810	＋	240 ×各月の給食実施日数	−	(550 +6×加算率)
	211人から240人まで	1号	4歳以上児 3歳児	＋	40 ×週当たり実施日数	＋	1 ×週当たり実施日数×加算率		211人〜 240人 2, 540	＋	240 ×各月の給食実施日数	−	(480 +5×加算率)
	241人から270人まで	1号	4歳以上児 3歳児	＋	40 ×週当たり実施日数	＋	1 ×週当たり実施日数×加算率		241人〜 270人 2, 440	＋	240 ×各月の給食実施日数	−	(430 +4×加算率)
	271人から300人まで	1号	4歳以上児 3歳児	＋	30 ×週当たり実施日数	＋	1 ×週当たり実施日数×加算率		271人〜 300人 2, 360	＋	240 ×各月の給食実施日数	−	(380 +4×加算率)
	301人以上	1号	4歳以上児 3歳児	＋	30 ×週当たり実施日数	＋	1 ×週当たり実施日数×加算率		301人〜 2, 150	＋	240 ×各月の給食実施日数	−	(350 +4×加算率)

地域区分 ①	定員区分 ②	認定区分 ③	年齢区分 ④		年齢別配置基準を下回る場合 ⑲		配置基準上求められる職員資格を有しない場合 ⑳	定員を恒常的に超過する場合 ㉑
16/100地域	15人まで	1号	4歳以上児 3　歳　児	—	(33, 210 +330×加算率)×人数	—	(24, 920 +240×加算率)×人数	(⑤～⑳（⑰を除く。）)×別に定める調整率
	16人から25人まで	1号	4歳以上児 3　歳　児	—	(19, 920 +190×加算率)×人数	—	(14, 950 +150×加算率)×人数	
	26人から35人まで	1号	4歳以上児 3　歳　児	—	(14, 230 +140×加算率)×人数	—	(10, 680 +100×加算率)×人数	
	36人から45人まで	1号	4歳以上児 3　歳　児	—	(11, 070 +110×加算率)×人数	—	(8, 310 +80×加算率)×人数	
	46人から60人まで	1号	4歳以上児 3　歳　児	—	(8, 300 +80×加算率)×人数	—	(6, 230 +60×加算率)×人数	
	61人から75人まで	1号	4歳以上児 3　歳　児	—	(6, 640 +60×加算率)×人数	—	(4, 980 +50×加算率)×人数	
	76人から90人まで	1号	4歳以上児 3　歳　児	—	(5, 530 +50×加算率)×人数	—	(4, 150 +40×加算率)×人数	
	91人から105人まで	1号	4歳以上児 3　歳　児	—	(4, 740 +40×加算率)×人数	—	(3, 560 +30×加算率)×人数	
	106人から120人まで	1号	4歳以上児 3　歳　児	—	(4, 150 +40×加算率)×人数	—	(3, 110 +30×加算率)×人数	
	121人から135人まで	1号	4歳以上児 3　歳　児	—	(3, 690 +30×加算率)×人数	—	(2, 770 +20×加算率)×人数	
	136人から150人まで	1号	4歳以上児 3　歳　児	—	(3, 320 +30×加算率)×人数	—	(2, 490 +20×加算率)×人数	
	151人から180人まで	1号	4歳以上児 3　歳　児	—	(2, 760 +20×加算率)×人数	—	(2, 070 +20×加算率)×人数	
	181人から210人まで	1号	4歳以上児 3　歳　児	—	(2, 370 +20×加算率)×人数	—	(1, 780 +10×加算率)×人数	
	211人から240人まで	1号	4歳以上児 3　歳　児	—	(2, 070 +20×加算率)×人数	—	(1, 550 +10×加算率)×人数	
	241人から270人まで	1号	4歳以上児 3　歳　児	—	(1, 840 +10×加算率)×人数	—	(1, 380 +10×加算率)×人数	
	271人から300人まで	1号	4歳以上児 3　歳　児	—	(1, 660 +10×加算率)×人数	—	(1, 240 +10×加算率)×人数	
	301人以上	1号	4歳以上児 3　歳　児	—	(1, 510 +10×加算率)×人数	—	(1, 130 +10×加算率)×人数	

地域区分 ①	定員区分 ②	認定区分 ③	年齢区分 ④	基本分単価 ⑤	（注）		処遇改善等加算Ⅰ ⑥	（注）			副園長・教頭配置加算 ⑦		処遇改善等加算Ⅰ		学級編制調整加配加算 ※1号·2号の利用定員の合計が36人以上300人以下の場合に加算 ⑧		処遇改善等加算Ⅰ
15/100地域	15人まで	1号	4歳以上児	88, 390	(96, 620)	＋	860	(940)	×加算率	＋	6, 830	＋	60×加算率	＋	32, 950	＋	320×加算率
			3歳児	96, 620		＋	940		×加算率								
	16人から25人まで	1号	4歳以上児	54, 840	(63, 070)	＋	520	(610)	×加算率	＋	4, 090	＋	40×加算率	＋	19, 770	＋	190×加算率
			3歳児	63, 070		＋	610		×加算率								
	26人から35人まで	1号	4歳以上児	42, 860	(51, 090)	＋	400	(490)	×加算率	＋	2, 920	＋	20×加算率	＋	14, 120	＋	140×加算率
			3歳児	51, 090		＋	490		×加算率								
	36人から45人まで	1号	4歳以上児	38, 060	(46, 290)	＋	360	(440)	×加算率	＋	2, 270	＋	20×加算率	＋	10, 980	＋	100×加算率
			3歳児	46, 290		＋	440		×加算率								
	46人から60人まで	1号	4歳以上児	33, 780	(42, 010)	＋	310	(400)	×加算率	＋	1, 700	＋	10×加算率	＋	8, 230	＋	80×加算率
			3歳児	42, 010		＋	400		×加算率								
	61人から75人まで	1号	4歳以上児	31, 260	(39, 490)	＋	290	(370)	×加算率	＋	1, 360	＋	10×加算率	＋	6, 590	＋	60×加算率
			3歳児	39, 490		＋	370		×加算率								
	76人から90人まで	1号	4歳以上児	29, 540	(37, 770)	＋	270	(350)	×加算率	＋	1, 130	＋	10×加算率	＋	5, 490	＋	50×加算率
			3歳児	37, 770		＋	350		×加算率								
	91人から105人まで	1号	4歳以上児	28, 990	(37, 220)	＋	270	(350)	×加算率	＋	970	＋	9×加算率	＋	4, 700	＋	40×加算率
			3歳児	37, 220		＋	350		×加算率								
	106人から120人まで	1号	4歳以上児	28, 010	(36, 240)	＋	260	(340)	×加算率	＋	850	＋	8×加算率	＋	4, 110	＋	40×加算率
			3歳児	36, 240		＋	340		×加算率								
	121人から135人まで	1号	4歳以上児	27, 220	(35, 450)	＋	250	(330)	×加算率	＋	750	＋	7×加算率	＋	3, 660	＋	30×加算率
			3歳児	35, 450		＋	330		×加算率								
	136人から150人まで	1号	4歳以上児	26, 620	(34, 850)	＋	240	(320)	×加算率	＋	680	＋	6×加算率	＋	3, 290	＋	30×加算率
			3歳児	34, 850		＋	320		×加算率								
	151人から180人まで	1号	4歳以上児	25, 690	(33, 920)	＋	230	(310)	×加算率	＋	560	＋	5×加算率	＋	2, 740	＋	20×加算率
			3歳児	33, 920		＋	310		×加算率								
	181人から210人まで	1号	4歳以上児	25, 010	(33, 240)	＋	230	(310)	×加算率	＋	480	＋	4×加算率	＋	2, 350	＋	20×加算率
			3歳児	33, 240		＋	310		×加算率								
	211人から240人まで	1号	4歳以上児	24, 520	(32, 750)	＋	220	(300)	×加算率	＋	420	＋	4×加算率	＋	2, 050	＋	20×加算率
			3歳児	32, 750		＋	300		×加算率								
	241人から270人まで	1号	4歳以上児	24, 130	(32, 360)	＋	220	(300)	×加算率	＋	370	＋	3×加算率	＋	1, 830	＋	10×加算率
			3歳児	32, 360		＋	300		×加算率								
	271人から300人まで	1号	4歳以上児	23, 830	(32, 060)	＋	210	(300)	×加算率	＋	340	＋	3×加算率	＋	1, 640	＋	10×加算率
			3歳児	32, 060		＋	300		×加算率								
	301人以上	1号	4歳以上児	23, 570	(31, 800)	＋	210	(290)	×加算率	＋	310	＋	3×加算率				
			3歳児	31, 800		＋	290		×加算率								

地域区分 ①	定員区分 ②	認定区分 ③	年齢区分 ④	3歳児配置改善加算 ⑨	処遇改善等加算Ⅰ ⑨	4歳以上児配置改善加算 ⑩	処遇改善等加算Ⅰ ⑩	満３歳児対応加配加算（3歳児配置改善加算無し） ⑪	処遇改善等加算Ⅰ ⑪	満３歳児対応加配加算（3歳児配置改善加算有り） ⑪′	処遇改善等加算Ⅰ ⑪′	講師配置加算 ⑫	処遇改善等加算Ⅰ ⑫
15/100地域	15人まで	1号	4歳以上児	(8, 230)	(80×加算率)	3, 290	30×加算率					6, 010	60×加算率
			3　歳　児	8, 230	80×加算率			57, 660	570×加算率	49, 430	490×加算率		
	16人から25人まで	1号	4歳以上児	(8, 230)	(80×加算率)	3, 290	30×加算率					3, 600	30×加算率
			3　歳　児	8, 230	80×加算率			57, 660	570×加算率	49, 430	490×加算率		
	26人から35人まで	1号	4歳以上児	(8, 230)	(80×加算率)	3, 290	30×加算率					2, 570	20×加算率
			3　歳　児	8, 230	80×加算率			57, 660	570×加算率	49, 430	490×加算率		
	36人から45人まで	1号	4歳以上児	(8, 230)	(80×加算率)	3, 290	30×加算率					−	−
			3　歳　児	8, 230	80×加算率			57, 660	570×加算率	49, 430	490×加算率		
	46人から60人まで	1号	4歳以上児	(8, 230)	(80×加算率)	3, 290	30×加算率					−	−
			3　歳　児	8, 230	80×加算率			57, 660	570×加算率	49, 430	490×加算率		
	61人から75人まで	1号	4歳以上児	(8, 230)	(80×加算率)	3, 290	30×加算率					−	−
			3　歳　児	8, 230	80×加算率			57, 660	570×加算率	49, 430	490×加算率		
	76人から90人まで	1号	4歳以上児	(8, 230)	(80×加算率)	3, 290	30×加算率					−	−
			3　歳　児	8, 230	80×加算率			57, 660	570×加算率	49, 430	490×加算率		
	91人から105人まで	1号	4歳以上児	(8, 230)	(80×加算率)	3, 290	30×加算率					−	−
			3　歳　児	8, 230	80×加算率			57, 660	570×加算率	49, 430	490×加算率		
	106人から120人まで	1号	4歳以上児	(8, 230)	(80×加算率)	3, 290	30×加算率					−	−
			3　歳　児	8, 230	80×加算率			57, 660	570×加算率	49, 430	490×加算率		
	121人から135人まで	1号	4歳以上児	(8, 230)	(80×加算率)	3, 290	30×加算率					660	6×加算率
			3　歳　児	8, 230	80×加算率			57, 660	570×加算率	49, 430	490×加算率		
	136人から150人まで	1号	4歳以上児	(8, 230)	(80×加算率)	3, 290	30×加算率					600	6×加算率
			3　歳　児	8, 230	80×加算率			57, 660	570×加算率	49, 430	490×加算率		
	151人から180人まで	1号	4歳以上児	(8, 230)	(80×加算率)	3, 290	30×加算率					500	5×加算率
			3　歳　児	8, 230	80×加算率			57, 660	570×加算率	49, 430	490×加算率		
	181人から210人まで	1号	4歳以上児	(8, 230)	(80×加算率)	3, 290	30×加算率					430	4×加算率
			3　歳　児	8, 230	80×加算率			57, 660	570×加算率	49, 430	490×加算率		
	211人から240人まで	1号	4歳以上児	(8, 230)	(80×加算率)	3, 290	30×加算率					370	3×加算率
			3　歳　児	8, 230	80×加算率			57, 660	570×加算率	49, 430	490×加算率		
	241人から270人まで	1号	4歳以上児	(8, 230)	(80×加算率)	3, 290	30×加算率					330	3×加算率
			3　歳　児	8, 230	80×加算率			57, 660	570×加算率	49, 430	490×加算率		
	271人から300人まで	1号	4歳以上児	(8, 230)	(80×加算率)	3, 290	30×加算率					300	3×加算率
			3　歳　児	8, 230	80×加算率			57, 660	570×加算率	49, 430	490×加算率		
	301人以上	1号	4歳以上児	(8, 230)	(80×加算率)	3, 290	30×加算率					270	2×加算率
			3　歳　児	8, 230	80×加算率			57, 660	570×加算率	49, 430	490×加算率		

地域区分 ①	定員区分 ②	認定区分 ③	年齢区分 ④		チーム保育加配加算 ※1号・2号の利用定員合計に応じて利用子どもの単価に加算		処遇改善等加算Ⅰ ⑬		通園送迎加算		処遇改善等加算Ⅰ ⑭		給食実施加算（施設内調理）		処遇改善等加算Ⅰ ⑮
	15人まで	1号	4歳以上児 3歳児		～ 15人 32,950×加配人数	＋	320×加算率×加配人数	＋	3,790	＋	30×加算率	＋	2,840 ×週当たり実施日数	＋	20 ×週当たり実施日数×加算率
	16人から25人まで	1号	4歳以上児 3歳児		16人～ 25人 19,770×加配人数	＋	190×加算率×加配人数	＋	2,600	＋	20×加算率	＋	1,700 ×週当たり実施日数	＋	10 ×週当たり実施日数×加算率
	26人から35人まで	1号	4歳以上児 3歳児		26人～ 35人 14,120×加配人数	＋	140×加算率×加配人数	＋	2,090	＋	20×加算率	＋	1,220 ×週当たり実施日数	＋	10 ×週当たり実施日数×加算率
	36人から45人まで	1号	4歳以上児 3歳児		36人～ 45人 10,980×加配人数	＋	100×加算率×加配人数	＋	1,800	＋	10×加算率	＋	950 ×週当たり実施日数	＋	9 ×週当たり実施日数×加算率
	46人から60人まで	1号	4歳以上児 3歳児		46人～ 60人 8,230×加配人数	＋	80×加算率×加配人数	＋	1,350	＋	10×加算率	＋	710 ×週当たり実施日数	＋	7 ×週当たり実施日数×加算率
	61人から75人まで	1号	4歳以上児 3歳児		61人～ 75人 6,590×加配人数	＋	60×加算率×加配人数	＋	1,080	＋	10×加算率	＋	590 ×週当たり実施日数	＋	5 ×週当たり実施日数×加算率
	76人から90人まで	1号	4歳以上児 3歳児		76人～ 90人 5,490×加配人数	＋	50×加算率×加配人数	＋	900	＋	9×加算率	＋	520 ×週当たり実施日数	＋	5 ×週当たり実施日数×加算率
	91人から105人まで	1号	4歳以上児 3歳児		91人～ 105人 4,700×加配人数	＋	40×加算率×加配人数	＋	770	＋	7×加算率	＋	460 ×週当たり実施日数	＋	4 ×週当たり実施日数×加算率
15/100地域	106人から120人まで	1号	4歳以上児 3歳児	＋	106人～ 120人 4,110×加配人数	＋	40×加算率×加配人数	＋	670	＋	6×加算率	＋	420 ×週当たり実施日数	＋	4 ×週当たり実施日数×加算率
	121人から135人まで	1号	4歳以上児 3歳児		121人～ 135人 3,660×加配人数	＋	30×加算率×加配人数	＋	600	＋	6×加算率	＋	390 ×週当たり実施日数	＋	3 ×週当たり実施日数×加算率
	136人から150人まで	1号	4歳以上児 3歳児		136人～ 150人 3,290×加配人数	＋	30×加算率×加配人数	＋	540	＋	5×加算率	＋	370 ×週当たり実施日数	＋	3 ×週当たり実施日数×加算率
	151人から180人まで	1号	4歳以上児 3歳児		151人～ 180人 2,740×加配人数	＋	20×加算率×加配人数	＋	520	＋	5×加算率	＋	320 ×週当たり実施日数	＋	3 ×週当たり実施日数×加算率
	181人から210人まで	1号	4歳以上児 3歳児		181人～ 210人 2,350×加配人数	＋	20×加算率×加配人数	＋	520	＋	5×加算率	＋	280 ×週当たり実施日数	＋	2 ×週当たり実施日数×加算率
	211人から240人まで	1号	4歳以上児 3歳児		211人～ 240人 2,050×加配人数	＋	20×加算率×加配人数	＋	520	＋	5×加算率	＋	260 ×週当たり実施日数	＋	2 ×週当たり実施日数×加算率
	241人から270人まで	1号	4歳以上児 3歳児		241人～ 270人 1,830×加配人数	＋	10×加算率×加配人数	＋	520	＋	5×加算率	＋	230 ×週当たり実施日数	＋	2 ×週当たり実施日数×加算率
	271人から300人まで	1号	4歳以上児 3歳児		271人～ 300人 1,640×加配人数	＋	10×加算率×加配人数	＋	520	＋	5×加算率	＋	210 ×週当たり実施日数	＋	2 ×週当たり実施日数×加算率
	301人以上	1号	4歳以上児 3歳児		301人～ 1,490×加配人数	＋	10×加算率×加配人数	＋	520	＋	5×加算率	＋	190 ×週当たり実施日数	＋	1 ×週当たり実施日数×加算率

地域区分 ①	定員区分 ②	認定区分 ③	年齢区分 ④		給食実施加算（外部搬入） ⑮'		処遇改善等加算Ⅰ		外部監査費加算 ※認定こども園全体の利用定員の区分に応じて加算 ※3月分の単価に加算 ⑯		副食費徴収免除加算 ※副食費の徴収が免除される子どもの単価に加算 ⑰		主幹教諭等の専任化により子育て支援の取り組みを実施していない場合 ⑱
15/100地域	15人まで	1号	4歳以上児 3　歳　児	＋	500 ×週当たり実施日数	＋	5 ×週当たり実施日数×加算率		～　15人 27, 330	＋	240 ×各月の給食実施日数	−	(7, 780 ＋70×加算率)
	16人から25人まで	1号	4歳以上児 3　歳　児	＋	300 ×週当たり実施日数	＋	3 ×週当たり実施日数×加算率		16人～　25人 16, 800	＋	240 ×各月の給食実施日数	−	(4, 670 ＋40×加算率)
	26人から35人まで	1号	4歳以上児 3　歳　児	＋	210 ×週当たり実施日数	＋	2 ×週当たり実施日数×加算率		26人～　35人 12, 280	＋	240 ×各月の給食実施日数	−	(3, 330 ＋30×加算率)
	36人から45人まで	1号	4歳以上児 3　歳　児	＋	170 ×週当たり実施日数	＋	1 ×週当たり実施日数×加算率		36人～　45人 9, 770	＋	240 ×各月の給食実施日数	−	(2, 590 ＋20×加算率)
	46人から60人まで	1号	4歳以上児 3　歳　児	＋	120 ×週当たり実施日数	＋	1 ×週当たり実施日数×加算率		46人～　60人 7, 500	＋	240 ×各月の給食実施日数	−	(1, 940 ＋10×加算率)
	61人から75人まで	1号	4歳以上児 3　歳　児	＋	100 ×週当たり実施日数	＋	1 ×週当たり実施日数×加算率		61人～　75人 6, 130	＋	240 ×各月の給食実施日数	−	(1, 550 ＋10×加算率)
	76人から90人まで	1号	4歳以上児 3　歳　児	＋	90 ×週当たり実施日数	＋	1 ×週当たり実施日数×加算率		76人～　90人 5, 220	＋	240 ×各月の給食実施日数	−	(1, 290 ＋10×加算率)
	91人から105人まで	1号	4歳以上児 3　歳　児	＋	80 ×週当たり実施日数	＋	1 ×週当たり実施日数×加算率		91人～ 105人 4, 660	＋	240 ×各月の給食実施日数	−	(1, 110 ＋10×加算率)
	106人から120人まで	1号	4歳以上児 3　歳　児	＋	70 ×週当たり実施日数	＋	1 ×週当たり実施日数×加算率	＋	106人～ 120人 4, 250	＋	240 ×各月の給食実施日数	−	(970 ＋10×加算率)
	121人から135人まで	1号	4歳以上児 3　歳　児	＋	70 ×週当たり実施日数	＋	1 ×週当たり実施日数×加算率		121人～ 135人 3, 920	＋	240 ×各月の給食実施日数	−	(860 ＋9×加算率)
	136人から150人まで	1号	4歳以上児 3　歳　児	＋	60 ×週当たり実施日数	＋	1 ×週当たり実施日数×加算率		136人～ 150人 3, 660	＋	240 ×各月の給食実施日数	−	(770 ＋8×加算率)
	151人から100人まで	1号	4歳以上児 3　歳　児	＋	50 ×週当たり実施日数	＋	1 ×週当たり実施日数×加算率		151人～ 180人 3, 160	＋	240 ×各月の給食実施日数	−	(640 ＋6×加算率)
	181人から210人まで	1号	4歳以上児 3　歳　児	＋	50 ×週当たり実施日数	＋	1 ×週当たり実施日数×加算率		181人～ 210人 2, 810	＋	240 ×各月の給食実施日数	−	(550 ＋6×加算率)
	211人から240人まで	1号	4歳以上児 3　歳　児	＋	40 ×週当たり実施日数	＋	1 ×週当たり実施日数×加算率		211人～ 240人 2, 540	＋	240 ×各月の給食実施日数	−	(480 ＋5×加算率)
	241人から270人まで	1号	4歳以上児 3　歳　児	＋	40 ×週当たり実施日数	＋	1 ×週当たり実施日数×加算率		241人～ 270人 2, 440	＋	240 ×各月の給食実施日数	−	(430 ＋4×加算率)
	271人から300人まで	1号	4歳以上児 3　歳　児	＋	30 ×週当たり実施日数	＋	1 ×週当たり実施日数×加算率		271人～ 300人 2, 360	＋	240 ×各月の給食実施日数	−	(380 ＋4×加算率)
	301人以上	1号	4歳以上児 3　歳　児	＋	30 ×週当たり実施日数	＋	1 ×週当たり実施日数×加算率		301人～ 2, 150	＋	240 ×各月の給食実施日数	−	(350 ＋4×加算率)

地域区分 ①	定員区分 ②	認定区分 ③	年齢区分 ④		年齢別配置基準を下回る場合 ⑲		配置基準上求められる職員資格を有しない場合 ⑳	定員を恒常的に超過する場合 ㉑
	15人まで	1号	4歳以上児	−	(32, 950 +330×加算率)×人数	−	(24, 660 +240×加算率)×人数	
			3 歳 児					
	16人から25人まで	1号	4歳以上児	−	(19, 770 +190×加算率)×人数	−	(14, 800 +140×加算率)×人数	
			3 歳 児					
	26人から35人まで	1号	4歳以上児	−	(14, 120 +140×加算率)×人数	−	(10, 570 +100×加算率)×人数	
			3 歳 児					
	36人から45人まで	1号	4歳以上児	−	(10, 980 +110×加算率)×人数	−	(8, 220 +80×加算率)×人数	
			3 歳 児					
	46人から60人まで	1号	4歳以上児	−	(8, 230 +80×加算率)×人数	−	(6, 160 +60×加算率)×人数	
			3 歳 児					
	61人から75人まで	1号	4歳以上児	−	(6, 590 +60×加算率)×人数	−	(4, 930 +40×加算率)×人数	
			3 歳 児					
	76人から90人まで	1号	4歳以上児	−	(5, 490 +50×加算率)×人数	−	(4, 110 +40×加算率)×人数	
			3 歳 児					
	91人から105人まで	1号	4歳以上児	−	(4, 700 +40×加算率)×人数	−	(3, 520 +30×加算率)×人数	
			3 歳 児					
15/100地域	106人から120人まで	1号	4歳以上児	−	(4, 110 +40×加算率)×人数	−	(3, 080 +30×加算率)×人数	(⑤〜⑳(⑰を除く。)) ×別に定める調整率
			3 歳 児					
	121人から135人まで	1号	4歳以上児	−	(3, 660 +30×加算率)×人数	−	(2, 740 +20×加算率)×人数	
			3 歳 児					
	136人から150人まで	1号	4歳以上児	−	(3, 290 +30×加算率)×人数	−	(2, 460 +20×加算率)×人数	
			3 歳 児					
	151人から180人まで	1号	4歳以上児	−	(2, 740 +20×加算率)×人数	−	(2, 050 +20×加算率)×人数	
			3 歳 児					
	181人から210人まで	1号	4歳以上児	−	(2, 350 +20×加算率)×人数	−	(1, 760 +10×加算率)×人数	
			3 歳 児					
	211人から240人まで	1号	4歳以上児	−	(2, 060 +20×加算率)×人数	−	(1, 540 +10×加算率)×人数	
			3 歳 児					
	241人から270人まで	1号	4歳以上児	−	(1, 830 +10×加算率)×人数	−	(1, 370 +10×加算率)×人数	
			3 歳 児					
	271人から300人まで	1号	4歳以上児	−	(1, 640 +10×加算率)×人数	−	(1, 230 +10×加算率)×人数	
			3 歳 児					
	301人以上	1号	4歳以上児	−	(1, 490 +10×加算率)×人数	−	(1, 120 +10×加算率)×人数	
			3 歳 児					

地域区分 ①	定員区分 ②	認定区分 ③	年齢区分 ④	基本分単価 ⑤	（注）		処遇改善等加算Ⅰ ⑥	（注）			副園長・教頭配置加算 ⑦		処遇改善等加算Ⅰ		学級編制調整加配加算 ※1号･2号の利用定員の合計が36人以上300人以下の場合に加算 ⑧		処遇改善等加算Ⅰ
12/100地域	15人まで	1号	4歳以上児	86, 590	(94, 630)	＋	840	(920)	×加算率	＋	6, 630	＋	60×加算率	＋	32, 160	＋	320×加算率
			3歳児	94, 630		＋	920		×加算率								
	16人から25人まで	1号	4歳以上児	53, 770	(61, 810)	＋	510	(590)	×加算率	＋	3, 980	＋	30×加算率	＋	19, 300	＋	190×加算率
			3歳児	61, 810		＋	590		×加算率								
	26人から35人まで	1号	4歳以上児	42, 030	(50, 070)	＋	400	(480)	×加算率	＋	2, 840	＋	20×加算率	＋	13, 780	＋	130×加算率
			3歳児	50, 070		＋	480		×加算率								
	36人から45人まで	1号	4歳以上児	37, 330	(45, 370)	＋	350	(430)	×加算率	＋	2, 210	＋	20×加算率	＋	10, 720	＋	100×加算率
			3歳児	45, 370		＋	430		×加算率								
	46人から60人まで	1号	4歳以上児	33, 130	(41, 170)	＋	310	(390)	×加算率	＋	1, 650	＋	10×加算率	＋	8, 040	＋	80×加算率
			3歳児	41, 170		＋	390		×加算率								
	61人から75人まで	1号	4歳以上児	30, 660	(38, 700)	＋	280	(360)	×加算率	＋	1, 320	＋	10×加算率	＋	6, 430	＋	60×加算率
			3歳児	38, 700		＋	360		×加算率								
	76人から90人まで	1号	4歳以上児	28, 980	(37, 020)	＋	270	(350)	×加算率	＋	1, 100	＋	10×加算率	＋	5, 360	＋	50×加算率
			3歳児	37, 020		＋	350		×加算率								
	91人から105人まで	1号	4歳以上児	28, 450	(36, 490)	＋	260	(340)	×加算率	＋	940	＋	9×加算率	＋	4, 590	＋	40×加算率
			3歳児	36, 490		＋	340		×加算率								
	106人から120人まで	1号	4歳以上児	27, 490	(35, 530)	＋	250	(330)	×加算率	＋	820	＋	8×加算率	＋	4, 020	＋	40×加算率
			3歳児	35, 530		＋	330		×加算率								
	121人から135人まで	1号	4歳以上児	26, 720	(34, 760)	＋	240	(320)	×加算率	＋	730	＋	7×加算率	＋	3, 570	＋	30×加算率
			3歳児	34, 760		＋	320		×加算率								
	136人から150人まで	1号	4歳以上児	26, 120	(34, 160)	＋	240	(320)	×加算率	＋	660	＋	6×加算率	＋	3, 210	＋	30×加算率
			3歳児	34, 160		＋	320		×加算率								
	151人から180人まで	1号	4歳以上児	25, 210	(33, 250)	＋	230	(310)	×加算率	＋	550	＋	5×加算率	＋	2, 680	＋	20×加算率
			3歳児	33, 250		＋	310		×加算率								
	181人から210人まで	1号	4歳以上児	24, 550	(32, 590)	＋	220	(300)	×加算率	＋	470	＋	4×加算率	＋	2, 290	＋	20×加算率
			3歳児	32, 590		＋	300		×加算率								
	211人から240人まで	1号	4歳以上児	24, 060	(32, 100)	＋	220	(300)	×加算率	＋	410	＋	4×加算率	＋	2, 010	＋	20×加算率
			3歳児	32, 100		＋	300		×加算率								
	241人から270人まで	1号	4歳以上児	23, 690	(31, 730)	＋	210	(290)	×加算率	＋	360	＋	3×加算率	＋	1, 780	＋	10×加算率
			3歳児	31, 730		＋	290		×加算率								
	271人から300人まで	1号	4歳以上児	23, 380	(31, 420)	＋	210	(290)	×加算率	＋	330	＋	3×加算率	＋	1, 600	＋	10×加算率
			3歳児	31, 420		＋	290		×加算率								
	301人以上	1号	4歳以上児	23, 140	(31, 180)	＋	210	(290)	×加算率	＋	300	＋	3×加算率				
			3歳児	31, 180		＋	290		×加算率								

地域区分 ①	定員区分 ②	認定区分 ③	年齢区分 ④	3歳児配置改善加算 ⑨	処遇改善等加算Ⅰ ⑨	4歳以上児配置改善加算 ⑩	処遇改善等加算Ⅰ ⑩	満3歳児対応加配加算（3歳児配置改善加算無し）⑪	処遇改善等加算Ⅰ ⑪	満3歳児対応加配加算（3歳児配置改善加算有り）⑪′	処遇改善等加算Ⅰ ⑪′	講師配置加算 ⑫	処遇改善等加算Ⅰ ⑫
12/100地域	15人まで	1号	4歳以上児	+ (8, 040)	+ (80×加算率)	+ 3, 210	+ 30×加算率					+ 6, 010	+ 60×加算率
			3 歳 児	+ 8, 040	+ 80×加算率			+ 56, 290	+ 560×加算率	+ 48, 250	+ 480×加算率		
	16人から25人まで	1号	4歳以上児	+ (8, 040)	+ (80×加算率)	+ 3, 210	+ 30×加算率					+ 3, 600	+ 30×加算率
			3 歳 児	+ 8, 040	+ 80×加算率			+ 56, 290	+ 560×加算率	+ 48, 250	+ 480×加算率		
	26人から35人まで	1号	4歳以上児	+ (8, 040)	+ (80×加算率)	+ 3, 210	+ 30×加算率					+ 2, 570	+ 20×加算率
			3 歳 児	+ 8, 040	+ 80×加算率			+ 56, 290	+ 560×加算率	+ 48, 250	+ 480×加算率		
	36人から45人まで	1号	4歳以上児	+ (8, 040)	+ (80×加算率)	+ 3, 210	+ 30×加算率					+ –	+ –
			3 歳 児	+ 8, 040	+ 80×加算率			+ 56, 290	+ 560×加算率	+ 48, 250	+ 480×加算率		
	46人から60人まで	1号	4歳以上児	+ (8, 040)	+ (80×加算率)	+ 3, 210	+ 30×加算率					+ –	+ –
			3 歳 児	+ 8, 040	+ 80×加算率			+ 56, 290	+ 560×加算率	+ 48, 250	+ 480×加算率		
	61人から75人まで	1号	4歳以上児	+ (8, 040)	+ (80×加算率)	+ 3, 210	+ 30×加算率					+ –	+ –
			3 歳 児	+ 8, 040	+ 80×加算率			+ 56, 290	+ 560×加算率	+ 48, 250	+ 480×加算率		
	76人から90人まで	1号	4歳以上児	+ (8, 040)	+ (80×加算率)	+ 3, 210	+ 30×加算率					+ –	+ –
			3 歳 児	+ 8, 040	+ 80×加算率			+ 56, 290	+ 560×加算率	+ 48, 250	+ 480×加算率		
	91人から105人まで	1号	4歳以上児	+ (8, 040)	+ (80×加算率)	+ 3, 210	+ 30×加算率					+ –	+ –
			3 歳 児	+ 8, 040	+ 80×加算率			+ 56, 290	+ 560×加算率	+ 48, 250	+ 480×加算率		
	106人から120人まで	1号	4歳以上児	+ (8, 040)	+ (80×加算率)	+ 3, 210	+ 30×加算率					+ –	+ –
			3 歳 児	+ 8, 040	+ 80×加算率			+ 56, 290	+ 560×加算率	+ 48, 250	+ 480×加算率		
	121人から135人まで	1号	4歳以上児	+ (8, 040)	+ (80×加算率)	+ 3, 210	+ 30×加算率					+ 660	+ 6×加算率
			3 歳 児	+ 8, 040	+ 80×加算率			+ 56, 290	+ 560×加算率	+ 48, 250	+ 480×加算率		
	136人から150人まで	1号	4歳以上児	+ (8, 040)	+ (80×加算率)	+ 3, 210	+ 30×加算率					+ 600	+ 6×加算率
			3 歳 児	+ 8, 040	+ 80×加算率			+ 56, 290	+ 560×加算率	+ 48, 250	+ 480×加算率		
	151人から180人まで	1号	4歳以上児	+ (8, 040)	+ (80×加算率)	+ 3, 210	+ 30×加算率					+ 500	+ 5×加算率
			3 歳 児	+ 8, 040	+ 80×加算率			+ 56, 290	+ 560×加算率	+ 48, 250	+ 480×加算率		
	181人から210人まで	1号	4歳以上児	+ (8, 040)	+ (80×加算率)	+ 3, 210	+ 30×加算率					+ 430	+ 4×加算率
			3 歳 児	+ 8, 040	+ 80×加算率			+ 56, 290	+ 560×加算率	+ 48, 250	+ 480×加算率		
	211人から240人まで	1号	4歳以上児	+ (8, 040)	+ (80×加算率)	+ 3, 210	+ 30×加算率					+ 370	+ 3×加算率
			3 歳 児	+ 8, 040	+ 80×加算率			+ 56, 290	+ 560×加算率	+ 48, 250	+ 480×加算率		
	241人から270人まで	1号	4歳以上児	+ (8, 040)	+ (80×加算率)	+ 3, 210	+ 30×加算率					+ 330	+ 3×加算率
			3 歳 児	+ 8, 040	+ 80×加算率			+ 56, 290	+ 560×加算率	+ 48, 250	+ 480×加算率		
	271人から300人まで	1号	4歳以上児	+ (8, 040)	+ (80×加算率)	+ 3, 210	+ 30×加算率					+ 300	+ 3×加算率
			3 歳 児	+ 8, 040	+ 80×加算率			+ 56, 290	+ 560×加算率	+ 48, 250	+ 480×加算率		
	301人以上	1号	4歳以上児	+ (8, 040)	+ (80×加算率)	+ 3, 210	+ 30×加算率					+ 270	+ 2×加算率
			3 歳 児	+ 8, 040	+ 80×加算率			+ 56, 290	+ 560×加算率	+ 48, 250	+ 480×加算率		

地域区分 ①	定員区分 ②	認定区分 ③	年齢区分 ④		チーム保育加配加算 ※1号・2号の利用定員合計に応じて利用子どもの単価に加算 ⑬		処遇改善等加算Ⅰ		通園送迎加算 ⑭		処遇改善等加算Ⅰ		給食実施加算（施設内調理） ⑮		処遇改善等加算Ⅰ
12/100地域	15人まで	1号	4歳以上児 3　歳　児	+	～　15人 32,160×加配人数	+	320×加算率×加配人数	+	3,790	+	30×加算率	+	2,840 ×週当たり実施日数	+	20 ×週当たり実施日数×加算率
	16人から25人まで	1号	4歳以上児 3　歳　児		16人～　25人 19,300×加配人数	+	190×加算率×加配人数	+	2,600	+	20×加算率	+	1,700 ×週当たり実施日数	+	10 ×週当たり実施日数×加算率
	26人から35人まで	1号	4歳以上児 3　歳　児		26人～　35人 13,780×加配人数	+	130×加算率×加配人数	+	2,090	+	20×加算率	+	1,220 ×週当たり実施日数	+	10 ×週当たり実施日数×加算率
	36人から45人まで	1号	4歳以上児 3　歳　児		36人～　45人 10,720×加配人数	+	100×加算率×加配人数	+	1,800	+	10×加算率	+	950 ×週当たり実施日数	+	9 ×週当たり実施日数×加算率
	46人から60人まで	1号	4歳以上児 3　歳　児		46人～　60人 8,040×加配人数	+	80×加算率×加配人数	+	1,350	+	10×加算率	+	710 ×週当たり実施日数	+	7 ×週当たり実施日数×加算率
	61人から75人まで	1号	4歳以上児 3　歳　児		61人～　75人 6,430×加配人数	+	60×加算率×加配人数	+	1,080	+	10×加算率	+	590 ×週当たり実施日数	+	5 ×週当たり実施日数×加算率
	76人から90人まで	1号	4歳以上児 3　歳　児		76人～　90人 5,360×加配人数	+	50×加算率×加配人数	+	900	+	9×加算率	+	520 ×週当たり実施日数	+	5 ×週当たり実施日数×加算率
	91人から105人まで	1号	4歳以上児 3　歳　児		91人～ 105人 4,590×加配人数	+	40×加算率×加配人数	+	770	+	7×加算率	+	460 ×週当たり実施日数	+	4 ×週当たり実施日数×加算率
	106人から120人まで	1号	4歳以上児 3　歳　児		106人～ 120人 4,020×加配人数	+	40×加算率×加配人数	+	670	+	6×加算率	+	420 ×週当たり実施日数	+	4 ×週当たり実施日数×加算率
	121人から135人まで	1号	4歳以上児 3　歳　児		121人～ 135人 3,570×加配人数	+	30×加算率×加配人数	+	600	+	6×加算率	+	390 ×週当たり実施日数	+	3 ×週当たり実施日数×加算率
	136人から150人まで	1号	4歳以上児 3　歳　児		136人～ 150人 3,210×加配人数	+	30×加算率×加配人数	+	540	+	5×加算率	+	370 ×週当たり実施日数	+	3 ×週当たり実施日数×加算率
	151人から180人まで	1号	4歳以上児 3　歳　児		151人～ 180人 2,680×加配人数	+	20×加算率×加配人数	+	520	+	5×加算率	+	320 ×週当たり実施日数	+	3 ×週当たり実施日数×加算率
	181人から210人まで	1号	4歳以上児 3　歳　児		181人～ 210人 2,290×加配人数	+	20×加算率×加配人数	+	520	+	5×加算率	+	280 ×週当たり実施日数	+	2 ×週当たり実施日数×加算率
	211人から240人まで	1号	4歳以上児 3　歳　児		211人～ 240人 2,010×加配人数	+	20×加算率×加配人数	+	520	+	5×加算率	+	260 ×週当たり実施日数	+	2 ×週当たり実施日数×加算率
	241人から270人まで	1号	4歳以上児 3　歳　児		241人～ 270人 1,780×加配人数	+	10×加算率×加配人数	+	520	+	5×加算率	+	230 ×週当たり実施日数	+	2 ×週当たり実施日数×加算率
	271人から300人まで	1号	4歳以上児 3　歳　児		271人～ 300人 1,600×加配人数	+	10×加算率×加配人数	+	520	+	5×加算率	+	210 ×週当たり実施日数	+	2 ×週当たり実施日数×加算率
	301人以上	1号	4歳以上児 3　歳　児		301人～ 1,460×加配人数	+	10×加算率×加配人数	+	520	+	5×加算率	+	190 ×週当たり実施日数	+	1 ×週当たり実施日数×加算率

地域区分 ①	定員区分 ②	認定区分 ③	年齢区分 ④		給食実施加算（外部搬入）		処遇改善等加算Ⅰ ⑮'		外部監査費加算 ※認定こども園全体の利用定員の区分に応じて加算 ※3月分の単価に加算 ⑯		副食費徴収免除加算 ※副食費の徴収が免除される子どもの単価に加算 ⑰		主幹教諭等の専任化により子育て支援の取り組みを実施していない場合 ⑱
	15人まで	1号	4歳以上児 3歳児	+	500 ×週当たり実施日数	+	5 ×週当たり実施日数×加算率		～ 15人 27,330	+	240 ×各月の給食実施日数	−	(7,780 +70×加算率)
	16人から25人まで	1号	4歳以上児 3歳児	+	300 ×週当たり実施日数	+	3 ×週当たり実施日数×加算率		16人～ 25人 16,800	+	240 ×各月の給食実施日数	−	(4,670 +40×加算率)
	26人から35人まで	1号	4歳以上児 3歳児	+	210 ×週当たり実施日数	+	2 ×週当たり実施日数×加算率		26人～ 35人 12,280	+	240 ×各月の給食実施日数	−	(3,330 +30×加算率)
	36人から45人まで	1号	4歳以上児 3歳児	+	170 ×週当たり実施日数	+	1 ×週当たり実施日数×加算率		36人～ 45人 9,770	+	240 ×各月の給食実施日数	−	(2,590 +20×加算率)
	46人から60人まで	1号	4歳以上児 3歳児	+	120 ×週当たり実施日数	+	1 ×週当たり実施日数×加算率		46人～ 60人 7,500	+	240 ×各月の給食実施日数	−	(1,940 +10×加算率)
	61人から75人まで	1号	4歳以上児 3歳児	+	100 ×週当たり実施日数	+	1 ×週当たり実施日数×加算率		61人～ 75人 6,130	+	240 ×各月の給食実施日数	−	(1,550 +10×加算率)
	76人から90人まで	1号	4歳以上児 3歳児	+	90 ×週当たり実施日数	+	1 ×週当たり実施日数×加算率		76人～ 90人 5,220	+	240 ×各月の給食実施日数	−	(1,290 +10×加算率)
	91人から105人まで	1号	4歳以上児 3歳児	+	80 ×週当たり実施日数	+	1 ×週当たり実施日数×加算率		91人～ 105人 4,660	+	240 ×各月の給食実施日数	−	(1,110 +10×加算率)
12/100地域	106人から120人まで	1号	4歳以上児 3歳児	+	70 ×週当たり実施日数	+	1 ×週当たり実施日数×加算率	+	106人～ 120人 4,250	+	240 ×各月の給食実施日数	−	(970 +10×加算率)
	121人から135人まで	1号	4歳以上児 3歳児	+	70 ×週当たり実施日数	+	1 ×週当たり実施日数×加算率		121人～ 135人 3,920	+	240 ×各月の給食実施日数	−	(860 +9×加算率)
	136人から150人まで	1号	4歳以上児 3歳児	+	60 ×週当たり実施日数	+	1 ×週当たり実施日数×加算率		136人～ 150人 3,660	+	240 ×各月の給食実施日数	−	(770 +8×加算率)
	151人から180人まで	1号	4歳以上児 3歳児	+	50 ×週当たり実施日数	+	1 ×週当たり実施日数×加算率		151人～ 180人 3,160	+	240 ×各月の給食実施日数	−	(640 +6×加算率)
	181人から210人まで	1号	4歳以上児 3歳児	+	50 ×週当たり実施日数	+	1 ×週当たり実施日数×加算率		181人～ 210人 2,810	+	240 ×各月の給食実施日数	−	(550 +6×加算率)
	211人から240人まで	1号	4歳以上児 3歳児	+	40 ×週当たり実施日数	+	1 ×週当たり実施日数×加算率		211人～ 240人 2,540	+	240 ×各月の給食実施日数	−	(480 +5×加算率)
	241人から270人まで	1号	4歳以上児 3歳児	+	40 ×週当たり実施日数	+	1 ×週当たり実施日数×加算率		241人～ 270人 2,440	+	240 ×各月の給食実施日数	−	(430 +4×加算率)
	271人から300人まで	1号	4歳以上児 3歳児	+	30 ×週当たり実施日数	+	1 ×週当たり実施日数×加算率		271人～ 300人 2,360	+	240 ×各月の給食実施日数	−	(380 +4×加算率)
	301人以上	1号	4歳以上児 3歳児	+	30 ×週当たり実施日数	+	1 ×週当たり実施日数×加算率		301人～ 2,150	+	240 ×各月の給食実施日数	−	(350 +4×加算率)

地域区分 ①	定員区分 ②	認定区分 ③	年齢区分 ④	年齢別配置基準を下回る場合 ⑲	配置基準上求められる職員資格を有しない場合 ⑳	定員を恒常的に超過する場合 ㉑
12/100地域	15人まで	1号	4歳以上児 3　歳　児	—（32, 160　＋320×加算率）×人数	—（23, 880　＋230×加算率）×人数	（⑤～⑳（⑰を除く。））　×別に定める調整率
	16人から25人まで	1号	4歳以上児 3　歳　児	—（19, 300　＋190×加算率）×人数	—（14, 330　＋140×加算率）×人数	
	26人から35人まで	1号	4歳以上児 3　歳　児	—（13, 780　＋130×加算率）×人数	—（10, 230　＋100×加算率）×人数	
	36人から45人まで	1号	4歳以上児 3　歳　児	—（10, 720　＋100×加算率）×人数	—（7, 960　＋80×加算率）×人数	
	46人から60人まで	1号	4歳以上児 3　歳　児	—（8, 040　＋80×加算率）×人数	—（5, 970　＋60×加算率）×人数	
	61人から75人まで	1号	4歳以上児 3　歳　児	—（6, 430　＋60×加算率）×人数	—（4, 770　＋40×加算率）×人数	
	76人から90人まで	1号	4歳以上児 3　歳　児	—（5, 360　＋50×加算率）×人数	—（3, 980　＋40×加算率）×人数	
	91人から105人まで	1号	4歳以上児 3　歳　児	—（4, 590　＋40×加算率）×人数	—（3, 410　＋30×加算率）×人数	
	106人から120人まで	1号	4歳以上児 3　歳　児	—（4, 020　＋40×加算率）×人数	—（2, 980　＋30×加算率）×人数	
	121人から135人まで	1号	4歳以上児 3　歳　児	—（3, 570　＋30×加算率）×人数	—（2, 650　＋20×加算率）×人数	
	136人から150人まで	1号	4歳以上児 3　歳　児	—（3, 210　＋30×加算率）×人数	—（2, 380　＋20×加算率）×人数	
	151人から180人まで	1号	4歳以上児 3　歳　児	—（2, 680　＋20×加算率）×人数	—（1, 990　＋20×加算率）×人数	
	181人から210人まで	1号	4歳以上児 3　歳　児	—（2, 290　＋20×加算率）×人数	—（1, 700　＋10×加算率）×人数	
	211人から240人まで	1号	4歳以上児 3　歳　児	—（2, 010　＋20×加算率）×人数	—（1, 490　＋10×加算率）×人数	
	241人から270人まで	1号	4歳以上児 3　歳　児	—（1, 780　＋10×加算率）×人数	—（1, 320　＋10×加算率）×人数	
	271人から300人まで	1号	4歳以上児 3　歳　児	—（1, 600　＋10×加算率）×人数	—（1, 190　＋10×加算率）×人数	
	301人以上	1号	4歳以上児 3　歳　児	—（1, 460　＋10×加算率）×人数	—（1, 080　＋10×加算率）×人数	

地域区分 ①	定員区分 ②	認定区分 ③	年齢区分 ④	基本分単価 ⑤	（注）		処遇改善等加算Ⅰ ⑥	（注）			副園長・教頭配置加算 ⑦		処遇改善等加算Ⅰ		学級編制調整加配加算 ※1号･2号の利用定員の合計が36人以上300人以下の場合に加算 ⑧		処遇改善等加算Ⅰ
10/100地域	15人まで	1号	4歳以上児	85, 390	(93, 300)	＋	830	(910)	×加算率	＋	6, 510	＋	60×加算率	＋	31, 640	＋	310×加算率
			3　歳　児	93, 300		＋	910		×加算率								
	16人から25人まで	1号	4歳以上児	53, 050	(60, 960)	＋	510	(590)	×加算率	＋	3, 900	＋	30×加算率	＋	18, 980	＋	180×加算率
			3　歳　児	60, 960		＋	590		×加算率								
	26人から35人まで	1号	4歳以上児	41, 480	(49, 390)	＋	390	(470)	×加算率	＋	2, 790	＋	20×加算率	＋	13, 560	＋	130×加算率
			3　歳　児	49, 390		＋	470		×加算率								
	36人から45人まで	1号	4歳以上児	36, 840	(44, 750)	＋	340	(420)	×加算率	＋	2, 170	＋	20×加算率	＋	10, 540	＋	100×加算率
			3　歳　児	44, 750		＋	420		×加算率								
	46人から60人まで	1号	4歳以上児	32, 700	(40, 610)	＋	300	(380)	×加算率	＋	1, 620	＋	10×加算率	＋	7, 910	＋	70×加算率
			3　歳　児	40, 610		＋	380		×加算率								
	61人から75人まで	1号	4歳以上児	30, 270	(38, 180)	＋	280	(360)	×加算率	＋	1, 300	＋	10×加算率	＋	6, 320	＋	60×加算率
			3　歳　児	38, 180		＋	360		×加算率								
	76人から90人まで	1号	4歳以上児	28, 600	(36, 510)	＋	260	(340)	×加算率	＋	1, 080	＋	10×加算率	＋	5, 270	＋	50×加算率
			3　歳　児	36, 510		＋	340		×加算率								
	91人から105人まで	1号	4歳以上児	28, 090	(36, 000)	＋	260	(340)	×加算率	＋	930	＋	9×加算率	＋	4, 520	＋	40×加算率
			3　歳　児	36, 000		＋	340		×加算率								
	106人から120人まで	1号	4歳以上児	27, 140	(35, 050)	＋	250	(330)	×加算率	＋	810	＋	8×加算率	＋	3, 950	＋	30×加算率
			3　歳　児	35, 050		＋	330		×加算率								
	121人から135人まで	1号	4歳以上児	26, 380	(34, 290)	＋	240	(320)	×加算率	＋	720	＋	7×加算率	＋	3, 510	＋	30×加算率
			3　歳　児	34, 290		＋	320		×加算率								
	136人から150人まで	1号	4歳以上児	25, 800	(33, 710)	＋	230	(310)	×加算率	＋	650	＋	6×加算率	＋	3, 160	＋	30×加算率
			3　歳　児	33, 710		＋	310		×加算率								
	151人から180人まで	1号	4歳以上児	24, 900	(32, 810)	＋	220	(300)	×加算率	＋	540	＋	5×加算率	＋	2, 630	＋	20×加算率
			3　歳　児	32, 810		＋	300		×加算率								
	181人から210人まで	1号	4歳以上児	24, 240	(32, 150)	＋	220	(300)	×加算率	＋	460	＋	4×加算率	＋	2, 260	＋	20×加算率
			3　歳　児	32, 150		＋	300		×加算率								
	211人から240人まで	1号	4歳以上児	23, 760	(31, 670)	＋	210	(290)	×加算率	＋	400	＋	4×加算率	＋	1, 970	＋	10×加算率
			3　歳　児	31, 670		＋	290		×加算率								
	241人から270人まで	1号	4歳以上児	23, 390	(31, 300)	＋	210	(290)	×加算率	＋	360	＋	3×加算率	＋	1, 750	＋	10×加算率
			3　歳　児	31, 300		＋	290		×加算率								
	271人から300人まで	1号	4歳以上児	23, 090	(31, 000)	＋	210	(290)	×加算率	＋	320	＋	3×加算率	＋	1, 580	＋	10×加算率
			3　歳　児	31, 000		＋	290		×加算率								
	301人以上	1号	4歳以上児	22, 840	(30, 750)	＋	200	(280)	×加算率	＋	290	＋	2×加算率				
			3　歳　児	30, 750		＋	280		×加算率								

地域区分 ①	定員区分 ②	認定区分 ③	年齢区分 ④	3歳児配置改善加算 ⑨	処遇改善等加算Ⅰ	4歳以上児配置改善加算 ⑩	処遇改善等加算Ⅰ	満3歳児対応加配加算（3歳児配置改善加算無し） ⑪	処遇改善等加算Ⅰ	満3歳児対応加配加算（3歳児配置改善加算有り） ⑪′	処遇改善等加算Ⅰ	講師配置加算 ⑫	処遇改善等加算Ⅰ
10/100地域	15人まで	1号	4歳以上児	+ (7, 910)	+ (70×加算率)	+ 3, 160	+ 30×加算率					+ 6, 010	+ 60×加算率
			3　歳　児	+ 7, 910	70×加算率			+ 55, 370	+ 550×加算率	+ 47, 460	+ 470×加算率		
	16人から25人まで	1号	4歳以上児	+ (7, 910)	+ (70×加算率)	+ 3, 160	+ 30×加算率					+ 3, 600	+ 30×加算率
			3　歳　児	+ 7, 910	70×加算率			+ 55, 370	+ 550×加算率	+ 47, 460	+ 470×加算率		
	26人から35人まで	1号	4歳以上児	+ (7, 910)	+ (70×加算率)	+ 3, 160	+ 30×加算率					+ 2, 570	+ 20×加算率
			3　歳　児	+ 7, 910	70×加算率			+ 55, 370	+ 550×加算率	+ 47, 460	+ 470×加算率		
	36人から45人まで	1号	4歳以上児	+ (7, 910)	+ (70×加算率)	+ 3, 160	+ 30×加算率					+ –	+ –
			3　歳　児	+ 7, 910	70×加算率			+ 55, 370	+ 550×加算率	+ 47, 460	+ 470×加算率		
	46人から60人まで	1号	4歳以上児	+ (7, 910)	+ (70×加算率)	+ 3, 160	+ 30×加算率					+ –	+ –
			3　歳　児	+ 7, 910	70×加算率			+ 55, 370	+ 550×加算率	+ 47, 460	+ 470×加算率		
	61人から75人まで	1号	4歳以上児	+ (7, 910)	+ (70×加算率)	+ 3, 160	+ 30×加算率					+ –	+ –
			3　歳　児	+ 7, 910	70×加算率			+ 55, 370	+ 550×加算率	+ 47, 460	+ 470×加算率		
	76人から90人まで	1号	4歳以上児	+ (7, 910)	+ (70×加算率)	+ 3, 160	+ 30×加算率					+ –	+ –
			3　歳　児	+ 7, 910	70×加算率			+ 55, 370	+ 550×加算率	+ 47, 460	+ 470×加算率		
	91人から105人まで	1号	4歳以上児	+ (7, 910)	+ (70×加算率)	+ 3, 160	+ 30×加算率					+ –	+ –
			3　歳　児	+ 7, 910	70×加算率			+ 55, 370	+ 550×加算率	+ 47, 460	+ 470×加算率		
	106人から120人まで	1号	4歳以上児	+ (7, 910)	+ (70×加算率)	+ 3, 160	+ 30×加算率					+ –	+ –
			3　歳　児	+ 7, 910	70×加算率			+ 55, 370	+ 550×加算率	+ 47, 460	+ 470×加算率		
	121人から135人まで	1号	4歳以上児	+ (7, 910)	+ (70×加算率)	+ 3, 160	+ 30×加算率					+ 660	+ 6×加算率
			3　歳　児	+ 7, 910	70×加算率			+ 55, 370	+ 550×加算率	+ 47, 460	+ 470×加算率		
	136人から150人まで	1号	4歳以上児	+ (7, 910)	+ (70×加算率)	+ 3, 160	+ 30×加算率					+ 600	+ 6×加算率
			3　歳　児	+ 7, 910	70×加算率			+ 55, 370	+ 550×加算率	+ 47, 460	+ 470×加算率		
	151人から180人まで	1号	4歳以上児	+ (7, 910)	+ (70×加算率)	+ 3, 160	+ 30×加算率					+ 500	+ 5×加算率
			3　歳　児	+ 7, 910	70×加算率			+ 55, 370	+ 550×加算率	+ 47, 460	+ 470×加算率		
	181人から210人まで	1号	4歳以上児	+ (7, 910)	+ (70×加算率)	+ 3, 160	+ 30×加算率					+ 430	+ 4×加算率
			3　歳　児	+ 7, 910	70×加算率			+ 55, 370	+ 550×加算率	+ 47, 460	+ 470×加算率		
	211人から240人まで	1号	4歳以上児	+ (7, 910)	+ (70×加算率)	+ 3, 160	+ 30×加算率					+ 370	+ 3×加算率
			3　歳　児	+ 7, 910	70×加算率			+ 55, 370	+ 550×加算率	+ 47, 460	+ 470×加算率		
	241人から270人まで	1号	4歳以上児	+ (7, 910)	+ (70×加算率)	+ 3, 160	+ 30×加算率					+ 330	+ 3×加算率
			3　歳　児	+ 7, 910	70×加算率			+ 55, 370	+ 550×加算率	+ 47, 460	+ 470×加算率		
	271人から300人まで	1号	4歳以上児	+ (7, 910)	+ (70×加算率)	+ 3, 160	+ 30×加算率					+ 300	+ 3×加算率
			3　歳　児	+ 7, 910	70×加算率			+ 55, 370	+ 550×加算率	+ 47, 460	+ 470×加算率		
	301人以上	1号	4歳以上児	+ (7, 910)	+ (70×加算率)	+ 3, 160	+ 30×加算率					+ 270	+ 2×加算率
			3　歳　児	+ 7, 910	70×加算率			+ 55, 370	+ 550×加算率	+ 47, 460	+ 470×加算率		

地域区分 ①	定員区分 ②	認定区分 ③	年齢区分 ④		チーム保育加配加算 ※1号・2号の利用定員合計に応じて利用子どもの単価に加算		処遇改善等加算Ⅰ ⑬		通園送迎加算		処遇改善等加算Ⅰ ⑭		給食実施加算（施設内調理）		処遇改善等加算Ⅰ ⑮
10/100地域	15人まで	1号	4歳以上児 3 歳 児	+	～ 15人 31,640×加配人数	+	310×加算率×加配人数	+	3,790	+	30×加算率	+	2,840 ×週当たり実施日数	+	20 ×週当たり実施日数×加算率
	16人から25人まで	1号	4歳以上児 3 歳 児		16人～ 25人 18,980×加配人数	+	180×加算率×加配人数	+	2,600	+	20×加算率	+	1,700 ×週当たり実施日数	+	10 ×週当たり実施日数×加算率
	26人から35人まで	1号	4歳以上児 3 歳 児		26人～ 35人 13,560×加配人数	+	130×加算率×加配人数	+	2,090	+	20×加算率	+	1,220 ×週当たり実施日数	+	10 ×週当たり実施日数×加算率
	36人から45人まで	1号	4歳以上児 3 歳 児		36人～ 45人 10,540×加配人数	+	100×加算率×加配人数	+	1,800	+	10×加算率	+	950 ×週当たり実施日数	+	9 ×週当たり実施日数×加算率
	46人から60人まで	1号	4歳以上児 3 歳 児		46人～ 60人 7,910×加配人数	+	70×加算率×加配人数	+	1,350	+	10×加算率	+	710 ×週当たり実施日数	+	7 ×週当たり実施日数×加算率
	61人から75人まで	1号	4歳以上児 3 歳 児		61人～ 75人 6,320×加配人数	+	60×加算率×加配人数	+	1,080	+	10×加算率	+	590 ×週当たり実施日数	+	5 ×週当たり実施日数×加算率
	76人から90人まで	1号	4歳以上児 3 歳 児		76人～ 90人 5,270×加配人数	+	50×加算率×加配人数	+	900	+	9×加算率	+	520 ×週当たり実施日数	+	5 ×週当たり実施日数×加算率
	91人から105人まで	1号	4歳以上児 3 歳 児		91人～ 105人 4,520×加配人数	+	40×加算率×加配人数	+	770	+	7×加算率	+	460 ×週当たり実施日数	+	4 ×週当たり実施日数×加算率
	106人から120人まで	1号	4歳以上児 3 歳 児		106人～ 120人 3,950×加配人数	+	30×加算率×加配人数	+	670	+	6×加算率	+	420 ×週当たり実施日数	+	4 ×週当たり実施日数×加算率
	121人から135人まで	1号	4歳以上児 3 歳 児		121人～ 135人 3,510×加配人数	+	30×加算率×加配人数	+	600	+	6×加算率	+	390 ×週当たり実施日数	+	3 ×週当たり実施日数×加算率
	136人から150人まで	1号	4歳以上児 3 歳 児		136人～ 150人 3,160×加配人数	+	30×加算率×加配人数	+	540	+	5×加算率	+	370 ×週当たり実施日数	+	3 ×週当たり実施日数×加算率
	151人から180人まで	1号	4歳以上児 3 歳 児		151人～ 180人 2,630×加配人数	+	20×加算率×加配人数	+	520	+	5×加算率	+	320 ×週当たり実施日数	+	3 ×週当たり実施日数×加算率
	181人から210人まで	1号	4歳以上児 3 歳 児		181人～ 210人 2,260×加配人数	+	20×加算率×加配人数	+	520	+	5×加算率	+	280 ×週当たり実施日数	+	2 ×週当たり実施日数×加算率
	211人から240人まで	1号	4歳以上児 3 歳 児		211人～ 240人 1,970×加配人数	+	10×加算率×加配人数	+	520	+	5×加算率	+	260 ×週当たり実施日数	+	2 ×週当たり実施日数×加算率
	241人から270人まで	1号	4歳以上児 3 歳 児		241人～ 270人 1,750×加配人数	+	10×加算率×加配人数	+	520	+	5×加算率	+	230 ×週当たり実施日数	+	2 ×週当たり実施日数×加算率
	271人から300人まで	1号	4歳以上児 3 歳 児		271人～ 300人 1,580×加配人数	+	10×加算率×加配人数	+	520	+	5×加算率	+	210 ×週当たり実施日数	+	2 ×週当たり実施日数×加算率
	301人以上	1号	4歳以上児 3 歳 児		301人～ 1,430×加配人数	+	10×加算率×加配人数	+	520	+	5×加算率	+	190 ×週当たり実施日数	+	1 ×週当たり実施日数×加算率

地域区分 ①	定員区分 ②	認定区分 ③	年齢区分 ④		給食実施加算（外部搬入）		処遇改善等加算Ⅰ ⑮'		外部監査費加算 ※認定こども園全体の利用定員の区分に応じて加算 ※3月分の単価に加算 ⑯		副食費徴収免除加算 ※副食費の徴収が免除される子どもの単価に加算 ⑰		主幹教諭等の専任化により子育て支援の取り組みを実施していない場合 ⑱
10/100地域	15人まで	1号	4歳以上児 3歳児	+	500 ×週当たり実施日数	+	5 ×週当たり実施日数×加算率		～ 15人 27,330	+	240 ×各月の給食実施日数	−	(7,780 +70×加算率)
	16人から25人まで	1号	4歳以上児 3歳児	+	300 ×週当たり実施日数	+	3 ×週当たり実施日数×加算率		16人～ 25人 16,800	+	240 ×各月の給食実施日数	−	(4,670 +40×加算率)
	26人から35人まで	1号	4歳以上児 3歳児	+	210 ×週当たり実施日数	+	2 ×週当たり実施日数×加算率		26人～ 35人 12,280	+	240 ×各月の給食実施日数	−	(3,330 +30×加算率)
	36人から45人まで	1号	4歳以上児 3歳児	+	170 ×週当たり実施日数	+	1 ×週当たり実施日数×加算率		36人～ 45人 9,770	+	240 ×各月の給食実施日数	−	(2,590 +20×加算率)
	46人から60人まで	1号	4歳以上児 3歳児	+	120 ×週当たり実施日数	+	1 ×週当たり実施日数×加算率		46人～ 60人 7,500	+	240 ×各月の給食実施日数	−	(1,940 +10×加算率)
	61人から75人まで	1号	4歳以上児 3歳児	+	100 ×週当たり実施日数	+	1 ×週当たり実施日数×加算率		61人～ 75人 6,130	+	240 ×各月の給食実施日数	−	(1,550 +10×加算率)
	76人から90人まで	1号	4歳以上児 3歳児	+	90 ×週当たり実施日数	+	1 ×週当たり実施日数×加算率		76人～ 90人 5,220	+	240 ×各月の給食実施日数	−	(1,290 +10×加算率)
	91人から105人まで	1号	4歳以上児 3歳児	+	80 ×週当たり実施日数	+	1 ×週当たり実施日数×加算率		91人～ 105人 4,660	+	240 ×各月の給食実施日数	−	(1,110 +10×加算率)
	106人から120人まで	1号	4歳以上児 3歳児	+	70 ×週当たり実施日数	+	1 ×週当たり実施日数×加算率	+	106人～ 120人 4,250	+	240 ×各月の給食実施日数	−	(970 +10×加算率)
	121人から135人まで	1号	4歳以上児 3歳児	+	70 ×週当たり実施日数	+	1 ×週当たり実施日数×加算率		121人～ 135人 3,920	+	240 ×各月の給食実施日数	−	(860 +9×加算率)
	136人から150人まで	1号	4歳以上児 3歳児	+	60 ×週当たり実施日数	+	1 ×週当たり実施日数×加算率		136人～ 150人 3,660	+	240 ×各月の給食実施日数	−	(770 +8×加算率)
	151人から180人まで	1号	4歳以上児 3歳児	+	50 ×週当たり実施日数	+	1 ×週当たり実施日数×加算率		151人～ 180人 3,160	+	240 ×各月の給食実施日数	−	(640 +6×加算率)
	181人から210人まで	1号	4歳以上児 3歳児	+	50 ×週当たり実施日数	+	1 ×週当たり実施日数×加算率		181人～ 210人 2,810	+	240 ×各月の給食実施日数	−	(550 +6×加算率)
	211人から240人まで	1号	4歳以上児 3歳児	+	40 ×週当たり実施日数	+	1 ×週当たり実施日数×加算率		211人～ 240人 2,540	+	240 ×各月の給食実施日数	−	(480 +5×加算率)
	241人から270人まで	1号	4歳以上児 3歳児	+	40 ×週当たり実施日数	+	1 ×週当たり実施日数×加算率		241人～ 270人 2,440	+	240 ×各月の給食実施日数	−	(430 +4×加算率)
	271人から300人まで	1号	4歳以上児 3歳児	+	30 ×週当たり実施日数	+	1 ×週当たり実施日数×加算率		271人～ 300人 2,360	+	240 ×各月の給食実施日数	−	(380 +4×加算率)
	301人以上	1号	4歳以上児 3歳児	+	30 ×週当たり実施日数	+	1 ×週当たり実施日数×加算率		301人～ 2,150	+	240 ×各月の給食実施日数	−	(350 +4×加算率)

地域区分 ①	定員区分 ②	認定区分 ③	年齢区分 ④	年齢別配置基準を下回る場合 ⑲	配置基準上求められる職員資格を有しない場合 ⑳	定員を恒常的に超過する場合 ㉑
	15人まで	1号	4歳以上児 3歳児	−(31,640＋310×加算率)×人数	−(23,360＋230×加算率)×人数	
	16人から25人まで	1号	4歳以上児 3歳児	−(18,980＋190×加算率)×人数	−(14,010＋140×加算率)×人数	
	26人から35人まで	1号	4歳以上児 3歳児	−(13,560＋130×加算率)×人数	−(10,010＋100×加算率)×人数	
	36人から45人まで	1号	4歳以上児 3歳児	−(10,540＋100×加算率)×人数	−(7,780＋70×加算率)×人数	
	46人から60人まで	1号	4歳以上児 3歳児	−(7,910＋70×加算率)×人数	−(5,840＋50×加算率)×人数	
	61人から75人まで	1号	4歳以上児 3歳児	−(6,320＋60×加算率)×人数	−(4,670＋40×加算率)×人数	
	76人から90人まで	1号	4歳以上児 3歳児	−(5,270＋50×加算率)×人数	−(3,890＋30×加算率)×人数	
	91人から105人まで	1号	4歳以上児 3歳児	−(4,520＋40×加算率)×人数	−(3,330＋30×加算率)×人数	
10/100地域	106人から120人まで	1号	4歳以上児 3歳児	−(3,950＋40×加算率)×人数	−(2,920＋20×加算率)×人数	(⑤〜⑳（⑰を除く。））×別に定める調整率
	121人から135人まで	1号	4歳以上児 3歳児	−(3,510＋30×加算率)×人数	−(2,590＋20×加算率)×人数	
	136人から150人まで	1号	4歳以上児 3歳児	−(3,160＋30×加算率)×人数	−(2,330＋20×加算率)×人数	
	151人から180人まで	1号	4歳以上児 3歳児	−(2,630＋20×加算率)×人数	−(1,940＋10×加算率)×人数	
	181人から210人まで	1号	4歳以上児 3歳児	−(2,260＋20×加算率)×人数	−(1,660＋10×加算率)×人数	
	211人から240人まで	1号	4歳以上児 3歳児	−(1,970＋20×加算率)×人数	−(1,460＋10×加算率)×人数	
	241人から270人まで	1号	4歳以上児 3歳児	−(1,750＋10×加算率)×人数	−(1,290＋10×加算率)×人数	
	271人から300人まで	1号	4歳以上児 3歳児	−(1,580＋10×加算率)×人数	−(1,160＋10×加算率)×人数	
	301人以上	1号	4歳以上児 3歳児	−(1,430＋10×加算率)×人数	−(1,060＋10×加算率)×人数	

地域区分 ①	定員区分 ②	認定区分 ③	年齢区分 ④	基本分単価 ⑤	（注）		処遇改善等加算Ⅰ ⑥	（注）			副園長・教頭配置加算 ⑦		処遇改善等加算Ⅰ		学級編制調整加配加算 ※1号·2号の利用定員の合計が36人以上300人以下の場合に加算 ⑧		処遇改善等加算Ⅰ
6/100地域	15人まで	1号	4歳以上児	82, 990	(90, 640)	＋	810	(880)	×加算率	＋	6, 250	＋	60×加算率	＋	30, 590	＋	300×加算率
			3　歳　児	90, 640		＋	880		×加算率								
	16人から25人まで	1号	4歳以上児	51, 610	(59, 260)	＋	490	(570)	×加算率	＋	3, 750	＋	30×加算率	＋	18, 350	＋	180×加算率
			3　歳　児	59, 260		＋	570		×加算率								
	26人から35人まで	1号	4歳以上児	40, 380	(48, 030)	＋	380	(460)	×加算率	＋	2, 680	＋	20×加算率	＋	13, 110	＋	130×加算率
			3　歳　児	48, 030		＋	460		×加算率								
	36人から45人まで	1号	4歳以上児	35, 870	(43, 520)	＋	330	(410)	×加算率	＋	2, 080	＋	20×加算率	＋	10, 190	＋	100×加算率
			3　歳　児	43, 520		＋	410		×加算率								
	46人から60人まで	1号	4歳以上児	31, 840	(39, 490)	＋	290	(370)	×加算率	＋	1, 560	＋	10×加算率	＋	7, 640	＋	70×加算率
			3　歳　児	39, 490		＋	370		×加算率								
	61人から75人まで	1号	4歳以上児	29, 470	(37, 120)	＋	270	(350)	×加算率	＋	1, 250	＋	10×加算率	＋	6, 110	＋	60×加算率
			3　歳　児	37, 120		＋	350		×加算率								
	76人から90人まで	1号	4歳以上児	27, 860	(35, 510)	＋	250	(330)	×加算率	＋	1, 040	＋	10×加算率	＋	5, 090	＋	50×加算率
			3　歳　児	35, 510		＋	330		×加算率								
	91人から105人まで	1号	4歳以上児	27, 370	(35, 020)	＋	250	(330)	×加算率	＋	890	＋	8×加算率	＋	4, 370	＋	40×加算率
			3　歳　児	35, 020		＋	330		×加算率								
	106人から120人まで	1号	4歳以上児	26, 450	(34, 100)	＋	240	(320)	×加算率	＋	780	＋	7×加算率	＋	3, 820	＋	30×加算率
			3　歳　児	34, 100		＋	320		×加算率								
	121人から135人まで	1号	4歳以上児	25, 710	(33, 360)	＋	230	(310)	×加算率	＋	690	＋	6×加算率	＋	3, 390	＋	30×加算率
			3　歳　児	33, 360		＋	310		×加算率								
	136人から150人まで	1号	4歳以上児	25, 140	(32, 790)	＋	230	(300)	×加算率	＋	620	＋	6×加算率	＋	3, 050	＋	30×加算率
			3　歳　児	32, 790		＋	300		×加算率								
	151人から100人まで	1号	4歳以上児	24, 260	(31, 910)	＋	220	(290)	×加算率	＋	520	＋	5×加算率	＋	2, 540	＋	20×加算率
			3　歳　児	31, 910		＋	200		×加算率								
	181人から210人まで	1号	4歳以上児	23, 620	(31, 270)	＋	210	(290)	×加算率	＋	440	＋	4×加算率	＋	2, 180	＋	20×加算率
			3　歳　児	31, 270		＋	290		×加算率								
	211人から240人まで	1号	4歳以上児	23, 150	(30, 800)	＋	210	(280)	×加算率	＋	390	＋	3×加算率	＋	1, 910	＋	10×加算率
			3　歳　児	30, 800		＋	280		×加算率								
	241人から270人まで	1号	4歳以上児	22, 790	(30, 440)	＋	200	(280)	×加算率	＋	340	＋	3×加算率	＋	1, 690	＋	10×加算率
			3　歳　児	30, 440		＋	280		×加算率								
	271人から300人まで	1号	4歳以上児	22, 500	(30, 150)	＋	200	(280)	×加算率	＋	310	＋	3×加算率	＋	1, 520	＋	10×加算率
			3　歳　児	30, 150		＋	280		×加算率								
	301人以上	1号	4歳以上児	22, 260	(29, 910)	＋	200	(270)	×加算率	＋	280	＋	2×加算率				
			3　歳　児	29, 910		＋	270		×加算率								

地域区分 ①	定員区分 ②	認定区分 ③	年齢区分 ④	3歳児配置改善加算 ⑨	処遇改善等加算Ⅰ ⑨	4歳以上児配置改善加算 ⑩	処遇改善等加算Ⅰ ⑩	満3歳児対応加配加算（3歳児配置改善加算無し）⑪	処遇改善等加算Ⅰ ⑪	満3歳児対応加配加算（3歳児配置改善加算有り）⑪′	処遇改善等加算Ⅰ ⑪′	講師配置加算 ⑫	処遇改善等加算Ⅰ ⑫
6/100地域	15人まで	1号	4歳以上児	(7,650)	(70×加算率)	3,060	30×加算率					6,010	60×加算率
			3歳児	7,650	70×加算率			53,540	530×加算率	45,890	450×加算率		
	16人から25人まで	1号	4歳以上児	(7,650)	(70×加算率)	3,060	30×加算率					3,600	30×加算率
			3歳児	7,650	70×加算率			53,540	530×加算率	45,890	450×加算率		
	26人から35人まで	1号	4歳以上児	(7,650)	(70×加算率)	3,060	30×加算率					2,570	20×加算率
			3歳児	7,650	70×加算率			53,540	530×加算率	45,890	450×加算率		
	36人から45人まで	1号	4歳以上児	(7,650)	(70×加算率)	3,060	30×加算率					−	−
			3歳児	7,650	70×加算率			53,540	530×加算率	45,890	450×加算率		
	46人から60人まで	1号	4歳以上児	(7,650)	(70×加算率)	3,060	30×加算率					−	−
			3歳児	7,650	70×加算率			53,540	530×加算率	45,890	450×加算率		
	61人から75人まで	1号	4歳以上児	(7,650)	(70×加算率)	3,060	30×加算率					−	−
			3歳児	7,650	70×加算率			53,540	530×加算率	45,890	450×加算率		
	76人から90人まで	1号	4歳以上児	(7,650)	(70×加算率)	3,060	30×加算率					−	−
			3歳児	7,650	70×加算率			53,540	530×加算率	45,890	450×加算率		
	91人から105人まで	1号	4歳以上児	(7,650)	(70×加算率)	3,060	30×加算率					−	−
			3歳児	7,650	70×加算率			53,540	530×加算率	45,890	450×加算率		
	106人から120人まで	1号	4歳以上児	(7,650)	(70×加算率)	3,060	30×加算率					−	−
			3歳児	7,650	70×加算率			53,540	530×加算率	45,890	450×加算率		
	121人から135人まで	1号	4歳以上児	(7,650)	(70×加算率)	3,060	30×加算率					660	6×加算率
			3歳児	7,650	70×加算率			53,540	530×加算率	45,890	450×加算率		
	136人から150人まで	1号	4歳以上児	(7,650)	(70×加算率)	3,060	30×加算率					600	6×加算率
			3歳児	7,650	70×加算率			53,540	530×加算率	45,890	450×加算率		
	151人から180人まで	1号	4歳以上児	(7,650)	(70×加算率)	3,060	30×加算率					500	5×加算率
			3歳児	7,650	70×加算率			53,540	530×加算率	45,890	450×加算率		
	181人から210人まで	1号	4歳以上児	(7,650)	(70×加算率)	3,060	30×加算率					430	4×加算率
			3歳児	7,650	70×加算率			53,540	530×加算率	45,890	450×加算率		
	211人から240人まで	1号	4歳以上児	(7,650)	(70×加算率)	3,060	30×加算率					370	3×加算率
			3歳児	7,650	70×加算率			53,540	530×加算率	45,890	450×加算率		
	241人から270人まで	1号	4歳以上児	(7,650)	(70×加算率)	3,060	30×加算率					330	3×加算率
			3歳児	7,650	70×加算率			53,540	530×加算率	45,890	450×加算率		
	271人から300人まで	1号	4歳以上児	(7,650)	(70×加算率)	3,060	30×加算率					300	3×加算率
			3歳児	7,650	70×加算率			53,540	530×加算率	45,890	450×加算率		
	301人以上	1号	4歳以上児	(7,650)	(70×加算率)	3,060	30×加算率					270	2×加算率
			3歳児	7,650	70×加算率			53,540	530×加算率	45,890	450×加算率		

地域区分 ①	定員区分 ②	認定区分 ③	年齢区分 ④		チーム保育加配加算 ※1号・2号の利用定員合計に応じて利用子どもの単価に加算		処遇改善等加算Ⅰ ⑬		通園送迎加算		処遇改善等加算Ⅰ ⑭		給食実施加算（施設内調理）		処遇改善等加算Ⅰ ⑮
6/100 地域	15人まで	1号	4歳以上児 3歳児		～ 15人 30,590×加配人数	+	300×加算率×加配人数	+	3,790	+	30×加算率	+	2,840 ×週当たり実施日数	+	20 ×週当たり実施日数×加算率
	16人から25人まで	1号	4歳以上児 3歳児		16人～ 25人 18,350×加配人数	+	180×加算率×加配人数	+	2,600	+	20×加算率	+	1,700 ×週当たり実施日数	+	10 ×週当たり実施日数×加算率
	26人から35人まで	1号	4歳以上児 3歳児		26人～ 35人 13,110×加配人数	+	130×加算率×加配人数	+	2,090	+	20×加算率	+	1,220 ×週当たり実施日数	+	10 ×週当たり実施日数×加算率
	36人から45人まで	1号	4歳以上児 3歳児		36人～ 45人 10,190×加配人数	+	100×加算率×加配人数	+	1,800	+	10×加算率	+	950 ×週当たり実施日数	+	9 ×週当たり実施日数×加算率
	46人から60人まで	1号	4歳以上児 3歳児		46人～ 60人 7,640×加配人数	+	70×加算率×加配人数	+	1,350	+	10×加算率	+	710 ×週当たり実施日数	+	7 ×週当たり実施日数×加算率
	61人から75人まで	1号	4歳以上児 3歳児		61人～ 75人 6,110×加配人数	+	60×加算率×加配人数	+	1,080	+	10×加算率	+	590 ×週当たり実施日数	+	5 ×週当たり実施日数×加算率
	76人から90人まで	1号	4歳以上児 3歳児		76人～ 90人 5,090×加配人数	+	50×加算率×加配人数	+	900	+	9×加算率	+	520 ×週当たり実施日数	+	5 ×週当たり実施日数×加算率
	91人から105人まで	1号	4歳以上児 3歳児		91人～ 105人 4,370×加配人数	+	40×加算率×加配人数	+	770	+	7×加算率	+	460 ×週当たり実施日数	+	4 ×週当たり実施日数×加算率
	106人から120人まで	1号	4歳以上児 3歳児	+	106人～ 120人 3,820×加配人数	+	30×加算率×加配人数	+	670	+	6×加算率	+	420 ×週当たり実施日数	+	4 ×週当たり実施日数×加算率
	121人から135人まで	1号	4歳以上児 3歳児		121人～ 135人 3,390×加配人数	+	30×加算率×加配人数	+	600	+	6×加算率	+	390 ×週当たり実施日数	+	3 ×週当たり実施日数×加算率
	136人から150人まで	1号	4歳以上児 3歳児		136人～ 150人 3,050×加配人数	+	30×加算率×加配人数	+	540	+	5×加算率	+	370 ×週当たり実施日数	+	3 ×週当たり実施日数×加算率
	151人から180人まで	1号	4歳以上児 3歳児		151人～ 180人 2,540×加配人数	+	20×加算率×加配人数	+	520	+	5×加算率	+	320 ×週当たり実施日数	+	3 ×週当たり実施日数×加算率
	181人から210人まで	1号	4歳以上児 3歳児		181人～ 210人 2,180×加配人数	+	20×加算率×加配人数	+	520	+	5×加算率	+	280 ×週当たり実施日数	+	2 ×週当たり実施日数×加算率
	211人から240人まで	1号	4歳以上児 3歳児		211人～ 240人 1,910×加配人数	+	10×加算率×加配人数	+	520	+	5×加算率	+	260 ×週当たり実施日数	+	2 ×週当たり実施日数×加算率
	241人から270人まで	1号	4歳以上児 3歳児		241人～ 270人 1,690×加配人数	+	10×加算率×加配人数	+	520	+	5×加算率	+	230 ×週当たり実施日数	+	2 ×週当たり実施日数×加算率
	271人から300人まで	1号	4歳以上児 3歳児		271人～ 300人 1,520×加配人数	+	10×加算率×加配人数	+	520	+	5×加算率	+	210 ×週当たり実施日数	+	2 ×週当たり実施日数×加算率
	301人以上	1号	4歳以上児 3歳児		301人～ 1,390×加配人数	+	10×加算率×加配人数	+	520	+	5×加算率	+	190 ×週当たり実施日数	+	1 ×週当たり実施日数×加算率

地域区分 ①	定員区分 ②	認定区分 ③	年齢区分 ④		給食実施加算（外部搬入）		処遇改善等加算Ⅰ ⑮'		外部監査費加算 ※認定こども園全体の利用定員の区分に応じて加算 ※3月分の単価に加算 ⑯		副食費徴収免除加算 ※副食費の徴収が免除される子どもの単価に加算 ⑰		主幹教諭等の専任化により子育て支援の取り組みを実施していない場合 ⑱
6/100地域	15人まで	1号	4歳以上児 3　歳　児	＋	500 ×週当たり実施日数	＋	5 ×週当たり実施日数×加算率		〜　15人 27, 330	＋	240 ×各月の給食実施日数	−	(7, 780 ＋70×加算率)
	16人から25人まで	1号	4歳以上児 3　歳　児	＋	300 ×週当たり実施日数	＋	3 ×週当たり実施日数×加算率		16人〜　25人 16, 800	＋	240 ×各月の給食実施日数	−	(4, 670 ＋40×加算率)
	26人から35人まで	1号	4歳以上児 3　歳　児	＋	210 ×週当たり実施日数	＋	2 ×週当たり実施日数×加算率		26人〜　35人 12, 280	＋	240 ×各月の給食実施日数	−	(3, 330 ＋30×加算率)
	36人から45人まで	1号	4歳以上児 3　歳　児	＋	170 ×週当たり実施日数	＋	1 ×週当たり実施日数×加算率		36人〜　45人 9, 770	＋	240 ×各月の給食実施日数	−	(2, 590 ＋20×加算率)
	46人から60人まで	1号	4歳以上児 3　歳　児	＋	120 ×週当たり実施日数	＋	1 ×週当たり実施日数×加算率		46人〜　60人 7, 500	＋	240 ×各月の給食実施日数	−	(1, 940 ＋10×加算率)
	61人から75人まで	1号	4歳以上児 3　歳　児	＋	100 ×週当たり実施日数	＋	1 ×週当たり実施日数×加算率		61人〜　75人 6, 130	＋	240 ×各月の給食実施日数	−	(1, 550 ＋10×加算率)
	76人から90人まで	1号	4歳以上児 3　歳　児	＋	90 ×週当たり実施日数	＋	1 ×週当たり実施日数×加算率		76人〜　90人 5, 220	＋	240 ×各月の給食実施日数	−	(1, 290 ＋10×加算率)
	91人から105人まで	1号	4歳以上児 3　歳　児	＋	80 ×週当たり実施日数	＋	1 ×週当たり実施日数×加算率		91人〜 105人 4, 660	＋	240 ×各月の給食実施日数	−	(1, 110 ＋10×加算率)
	106人から120人まで	1号	4歳以上児 3　歳　児	＋	70 ×週当たり実施日数	＋	1 ×週当たり実施日数×加算率	＋	106人〜 120人 4, 250	＋	240 ×各月の給食実施日数	−	(970 ＋10×加算率)
	121人から135人まで	1号	4歳以上児 3　歳　児	＋	70 ×週当たり実施日数	＋	1 ×週当たり実施日数×加算率		121人〜 135人 3, 920	＋	240 ×各月の給食実施日数	−	(860 ＋9×加算率)
	136人から150人まで	1号	4歳以上児 3　歳　児	＋	60 ×週当たり実施日数	＋	1 ×週当たり実施日数×加算率		136人〜 150人 3, 660	＋	240 ×各月の給食実施日数	−	(770 ＋8×加算率)
	151人から180人まで	1号	4歳以上児 3　歳　児	＋	50 ×週当たり実施日数	＋	1 ×週当たり実施日数×加算率		151人〜 180人 3, 160	＋	240 ×各月の給食実施日数	−	(640 ＋6×加算率)
	181人から210人まで	1号	4歳以上児 3　歳　児	＋	50 ×週当たり実施日数	＋	1 ×週当たり実施日数×加算率		181人〜 210人 2, 810	＋	240 ×各月の給食実施日数	−	(550 ＋6×加算率)
	211人から240人まで	1号	4歳以上児 3　歳　児	＋	40 ×週当たり実施日数	＋	1 ×週当たり実施日数×加算率		211人〜 240人 2, 540	＋	240 ×各月の給食実施日数	−	(480 ＋5×加算率)
	241人から270人まで	1号	4歳以上児 3　歳　児	＋	40 ×週当たり実施日数	＋	1 ×週当たり実施日数×加算率		241人〜 270人 2, 440	＋	240 ×各月の給食実施日数	−	(430 ＋4×加算率)
	271人から300人まで	1号	4歳以上児 3　歳　児	＋	30 ×週当たり実施日数	＋	1 ×週当たり実施日数×加算率		271人〜 300人 2, 360	＋	240 ×各月の給食実施日数	−	(380 ＋4×加算率)
	301人以上	1号	4歳以上児 3　歳　児	＋	30 ×週当たり実施日数	＋	1 ×週当たり実施日数×加算率		301人〜 2, 150	＋	240 ×各月の給食実施日数	−	(350 ＋4×加算率)

地域区分 ①	定員区分 ②	認定区分 ③	年齢区分 ④		年齢別配置基準を下回る場合 ⑲		配置基準上求められる職員資格を有しない場合 ⑳	定員を恒常的に超過する場合 ㉑
6/100地域	15人まで	1号	4歳以上児 3　歳　児	—	(30, 590　+300×加算率)×人数	—	(22, 310　+220×加算率)×人数	(⑤～⑳（⑰を除く。））×別に定める調整率
	16人から25人まで	1号	4歳以上児 3　歳　児	—	(18, 350　+180×加算率)×人数	—	(13, 380　+130×加算率)×人数	
	26人から35人まで	1号	4歳以上児 3　歳　児	—	(13, 110　+130×加算率)×人数	—	(9, 560　+90×加算率)×人数	
	36人から45人まで	1号	4歳以上児 3　歳　児	—	(10, 200　+100×加算率)×人数	—	(7, 430　+70×加算率)×人数	
	46人から60人まで	1号	4歳以上児 3　歳　児	—	(7, 650　+70×加算率)×人数	—	(5, 570　+50×加算率)×人数	
	61人から75人まで	1号	4歳以上児 3　歳　児	—	(6, 120　+60×加算率)×人数	—	(4, 460　+40×加算率)×人数	
	76人から90人まで	1号	4歳以上児 3　歳　児	—	(5, 100　+50×加算率)×人数	—	(3, 710　+30×加算率)×人数	
	91人から105人まで	1号	4歳以上児 3　歳　児	—	(4, 370　+40×加算率)×人数	—	(3, 180　+30×加算率)×人数	
	106人から120人まで	1号	4歳以上児 3　歳　児	—	(3, 820　+30×加算率)×人数	—	(2, 780　+20×加算率)×人数	
	121人から135人まで	1号	4歳以上児 3　歳　児	—	(3, 400　+30×加算率)×人数	—	(2, 470　+20×加算率)×人数	
	136人から150人まで	1号	4歳以上児 3　歳　児	—	(3, 060　+30×加算率)×人数	—	(2, 230　+20×加算率)×人数	
	151人から180人まで	1号	4歳以上児 3　歳　児	—	(2, 550　+20×加算率)×人数	—	(1, 850　+10×加算率)×人数	
	181人から210人まで	1号	4歳以上児 3　歳　児	—	(2, 180　+20×加算率)×人数	—	(1, 590　+10×加算率)×人数	
	211人から240人まで	1号	4歳以上児 3　歳　児	—	(1, 910　+10×加算率)×人数	—	(1, 390　+10×加算率)×人数	
	241人から270人まで	1号	4歳以上児 3　歳　児	—	(1, 700　+10×加算率)×人数	—	(1, 240　+10×加算率)×人数	
	271人から300人まで	1号	4歳以上児 3　歳　児	—	(1, 530　+10×加算率)×人数	—	(1, 110　+10×加算率)×人数	
	301人以上	1号	4歳以上児 3　歳　児	—	(1, 390　+10×加算率)×人数	—	(1, 010　+10×加算率)×人数	

地域区分 ①	定員区分 ②	認定区分 ③	年齢区分 ④	基本分単価 ⑤	（注）		処遇改善等加算Ⅰ ⑥	（注）			副園長・教頭配置加算		処遇改善等加算Ⅰ ⑦		学級編制調整加配加算 ※1号・2号の利用定員の合計が36人以上300人以下の場合に加算		処遇改善等加算Ⅰ ⑧
3/100地域	15人まで	1号	4歳以上児	81,200	(88,650)	＋	790	(860)	×加算率	＋	6,060	＋	60×加算率	＋	29,810	＋	290×加算率
			3歳児	88,650		＋	860		×加算率								
	16人から25人まで	1号	4歳以上児	50,530	(57,980)	＋	480	(560)	×加算率	＋	3,630	＋	30×加算率	＋	17,880	＋	170×加算率
			3歳児	57,980		＋	560		×加算率								
	26人から35人まで	1号	4歳以上児	39,550	(47,000)	＋	370	(450)	×加算率	＋	2,590	＋	20×加算率	＋	12,770	＋	120×加算率
			3歳児	47,000		＋	450		×加算率								
	36人から45人まで	1号	4歳以上児	35,140	(42,590)	＋	330	(400)	×加算率	＋	2,020	＋	20×加算率	＋	9,930	＋	90×加算率
			3歳児	42,590		＋	400		×加算率								
	46人から60人まで	1号	4歳以上児	31,200	(38,650)	＋	290	(360)	×加算率	＋	1,510	＋	10×加算率	＋	7,450	＋	70×加算率
			3歳児	38,650		＋	360		×加算率								
	61人から75人まで	1号	4歳以上児	28,880	(36,330)	＋	260	(340)	×加算率	＋	1,210	＋	10×加算率	＋	5,960	＋	50×加算率
			3歳児	36,330		＋	340		×加算率								
	76人から90人まで	1号	4歳以上児	27,290	(34,740)	＋	250	(320)	×加算率	＋	1,010	＋	10×加算率	＋	4,960	＋	40×加算率
			3歳児	34,740		＋	320		×加算率								
	91人から105人まで	1号	4歳以上児	26,840	(34,290)	＋	240	(320)	×加算率	＋	860	＋	8×加算率	＋	4,250	＋	40×加算率
			3歳児	34,290		＋	320		×加算率								
	106人から120人まで	1号	4歳以上児	25,930	(33,380)	＋	240	(310)	×加算率	＋	750	＋	7×加算率	＋	3,720	＋	30×加算率
			3歳児	33,380		＋	310		×加算率								
	121人から135人まで	1号	4歳以上児	25,200	(32,650)	＋	230	(300)	×加算率	＋	670	＋	6×加算率	＋	3,310	＋	30×加算率
			3歳児	32,650		＋	300		×加算率								
	136人から150人まで	1号	4歳以上児	24,640	(32,090)	＋	220	(300)	×加算率	＋	600	＋	6×加算率	＋	2,980	＋	20×加算率
			3歳児	32,090		＋	300		×加算率								
	151人から180人まで	1号	4歳以上児	23,780	(31,230)	＋	210	(290)	×加算率	＋	500	＋	5×加算率	＋	2,480	＋	20×加算率
			3歳児	31,230		＋	290		×加算率								
	181人から210人まで	1号	4歳以上児	23,150	(30,600)	＋	210	(280)	×加算率	＋	430	＋	4×加算率	＋	2,120	＋	20×加算率
			3歳児	30,600		＋	280		×加算率								
	211人から240人まで	1号	4歳以上児	22,700	(30,150)	＋	200	(280)	×加算率	＋	370	＋	3×加算率	＋	1,860	＋	10×加算率
			3歳児	30,150		＋	280		×加算率								
	241人から270人まで	1号	4歳以上児	22,340	(29,790)	＋	200	(270)	×加算率	＋	330	＋	3×加算率	＋	1,650	＋	10×加算率
			3歳児	29,790		＋	270		×加算率								
	271人から300人まで	1号	4歳以上児	22,050	(29,500)	＋	200	(270)	×加算率	＋	300	＋	3×加算率	＋	1,490	＋	10×加算率
			3歳児	29,500		＋	270		×加算率								
	301人以上	1号	4歳以上児	21,820	(29,270)	＋	190	(270)	×加算率	＋	270	＋	2×加算率				
			3歳児	29,270		＋	270		×加算率								

地域区分 ①	定員区分 ②	認定区分 ③	年齢区分 ④	3歳児配置改善加算 ⑨	処遇改善等加算Ⅰ	4歳以上児配置改善加算 ⑩	処遇改善等加算Ⅰ	満3歳児対応加配加算（3歳児配置改善加算無し） ⑪	処遇改善等加算Ⅰ	満3歳児対応加配加算（3歳児配置改善加算有り） ⑪′	処遇改善等加算Ⅰ	講師配置加算 ⑫	処遇改善等加算Ⅰ
3/100地域	15人まで	1号	4歳以上児	(7,450)	(70×加算率)	2,980	20×加算率					6,010	60×加算率
			3歳児	7,450	70×加算率			52,170	520×加算率	44,720	440×加算率		
	16人から25人まで	1号	4歳以上児	(7,450)	(70×加算率)	2,980	20×加算率					3,600	30×加算率
			3歳児	7,450	70×加算率			52,170	520×加算率	44,720	440×加算率		
	26人から35人まで	1号	4歳以上児	(7,450)	(70×加算率)	2,980	20×加算率					2,570	20×加算率
			3歳児	7,450	70×加算率			52,170	520×加算率	44,720	440×加算率		
	36人から45人まで	1号	4歳以上児	(7,450)	(70×加算率)	2,980	20×加算率					−	−
			3歳児	7,450	70×加算率			52,170	520×加算率	44,720	440×加算率		
	46人から60人まで	1号	4歳以上児	(7,450)	(70×加算率)	2,980	20×加算率					−	−
			3歳児	7,450	70×加算率			52,170	520×加算率	44,720	440×加算率		
	61人から75人まで	1号	4歳以上児	(7,450)	(70×加算率)	2,980	20×加算率					−	−
			3歳児	7,450	70×加算率			52,170	520×加算率	44,720	440×加算率		
	76人から90人まで	1号	4歳以上児	(7,450)	(70×加算率)	2,980	20×加算率					−	−
			3歳児	7,450	70×加算率			52,170	520×加算率	44,720	440×加算率		
	91人から105人まで	1号	4歳以上児	(7,450)	(70×加算率)	2,980	20×加算率					−	−
			3歳児	7,450	70×加算率			52,170	520×加算率	44,720	440×加算率		
	106人から120人まで	1号	4歳以上児	(7,450)	(70×加算率)	2,980	20×加算率					−	−
			3歳児	7,450	70×加算率			52,170	520×加算率	44,720	440×加算率		
	121人から135人まで	1号	4歳以上児	(7,450)	(70×加算率)	2,980	20×加算率					660	6×加算率
			3歳児	7,450	70×加算率			52,170	520×加算率	44,720	440×加算率		
	136人から150人まで	1号	4歳以上児	(7,450)	(70×加算率)	2,980	20×加算率					600	6×加算率
			3歳児	7,450	70×加算率			52,170	520×加算率	44,720	440×加算率		
	151人から180人まで	1号	4歳以上児	(7,450)	(70×加算率)	2,980	20×加算率					500	5×加算率
			3歳児	7,450	70×加算率			52,170	520×加算率	44,720	440×加算率		
	181人から210人まで	1号	4歳以上児	(7,450)	(70×加算率)	2,980	20×加算率					430	4×加算率
			3歳児	7,450	70×加算率			52,170	520×加算率	44,720	440×加算率		
	211人から240人まで	1号	4歳以上児	(7,450)	(70×加算率)	2,980	20×加算率					370	3×加算率
			3歳児	7,450	70×加算率			52,170	520×加算率	44,720	440×加算率		
	241人から270人まで	1号	4歳以上児	(7,450)	(70×加算率)	2,980	20×加算率					330	3×加算率
			3歳児	7,450	70×加算率			52,170	520×加算率	44,720	440×加算率		
	271人から300人まで	1号	4歳以上児	(7,450)	(70×加算率)	2,980	20×加算率					300	3×加算率
			3歳児	7,450	70×加算率			52,170	520×加算率	44,720	440×加算率		
	301人以上	1号	4歳以上児	(7,450)	(70×加算率)	2,980	20×加算率					270	2×加算率
			3歳児	7,450	70×加算率			52,170	520×加算率	44,720	440×加算率		

地域区分 ①	定員区分 ②	認定区分 ③	年齢区分 ④		チーム保育加配加算 ※1号・2号の利用定員合計に応じて利用子どもの単価に加算				通園送迎加算				給食実施加算（施設内調理）		
							処遇改善等加算Ⅰ ⑬				処遇改善等加算Ⅰ ⑭				処遇改善等加算Ⅰ ⑮
	15人まで	1号	4歳以上児 3歳児		～　15人 29,810×加配人数	＋	290×加算率×加配人数	＋	3,790	＋	30×加算率	＋	2,840 ×週当たり実施日数	＋	20 ×週当たり実施日数×加算率
	16人から25人まで	1号	4歳以上児 3歳児		16人～　25人 17,880×加配人数	＋	170×加算率×加配人数	＋	2,600	＋	20×加算率	＋	1,700 ×週当たり実施日数	＋	10 ×週当たり実施日数×加算率
	26人から35人まで	1号	4歳以上児 3歳児		26人～　35人 12,770×加配人数	＋	120×加算率×加配人数	＋	2,090	＋	20×加算率	＋	1,220 ×週当たり実施日数	＋	10 ×週当たり実施日数×加算率
	36人から45人まで	1号	4歳以上児 3歳児		36人～　45人 9,930×加配人数	＋	90×加算率×加配人数	＋	1,800	＋	10×加算率	＋	950 ×週当たり実施日数	＋	9 ×週当たり実施日数×加算率
	46人から60人まで	1号	4歳以上児 3歳児		46人～　60人 7,450×加配人数	＋	70×加算率×加配人数	＋	1,350	＋	10×加算率	＋	710 ×週当たり実施日数	＋	7 ×週当たり実施日数×加算率
	61人から75人まで	1号	4歳以上児 3歳児		61人～　75人 5,960×加配人数	＋	50×加算率×加配人数	＋	1,080	＋	10×加算率	＋	590 ×週当たり実施日数	＋	5 ×週当たり実施日数×加算率
	76人から90人まで	1号	4歳以上児 3歳児		76人～　90人 4,960×加配人数	＋	40×加算率×加配人数	＋	900	＋	9×加算率	＋	520 ×週当たり実施日数	＋	5 ×週当たり実施日数×加算率
	91人から105人まで	1号	4歳以上児 3歳児		91人～ 105人 4,250×加配人数	＋	40×加算率×加配人数	＋	770	＋	7×加算率	＋	460 ×週当たり実施日数	＋	4 ×週当たり実施日数×加算率
3/100地域	106人から120人まで	1号	4歳以上児 3歳児	＋	106人～ 120人 3,720×加配人数	＋	30×加算率×加配人数	＋	670	＋	6×加算率	＋	420 ×週当たり実施日数	＋	4 ×週当たり実施日数×加算率
	121人から135人まで	1号	4歳以上児 3歳児		121人～ 135人 3,310×加配人数	＋	30×加算率×加配人数	＋	600	＋	6×加算率	＋	390 ×週当たり実施日数	＋	3 ×週当たり実施日数×加算率
	136人から150人まで	1号	4歳以上児 3歳児		136人～ 150人 2,980×加配人数	＋	20×加算率×加配人数	＋	540	＋	5×加算率	＋	370 ×週当たり実施日数	＋	3 ×週当たり実施日数×加算率
	151人から180人まで	1号	4歳以上児 3歳児		151人～ 180人 2,480×加配人数	＋	20×加算率×加配人数	＋	520	＋	5×加算率	＋	320 ×週当たり実施日数	＋	3 ×週当たり実施日数×加算率
	181人から210人まで	1号	4歳以上児 3歳児		181人～ 210人 2,120×加配人数	＋	20×加算率×加配人数	＋	520	＋	5×加算率	＋	280 ×週当たり実施日数	＋	2 ×週当たり実施日数×加算率
	211人から240人まで	1号	4歳以上児 3歳児		211人～ 240人 1,860×加配人数	＋	10×加算率×加配人数	＋	520	＋	5×加算率	＋	260 ×週当たり実施日数	＋	2 ×週当たり実施日数×加算率
	241人から270人まで	1号	4歳以上児 3歳児		241人～ 270人 1,650×加配人数	＋	10×加算率×加配人数	＋	520	＋	5×加算率	＋	230 ×週当たり実施日数	＋	2 ×週当たり実施日数×加算率
	271人から300人まで	1号	4歳以上児 3歳児		271人～ 300人 1,490×加配人数	＋	10×加算率×加配人数	＋	520	＋	5×加算率	＋	210 ×週当たり実施日数	＋	2 ×週当たり実施日数×加算率
	301人以上	1号	4歳以上児 3歳児		301人～ 1,350×加配人数	＋	10×加算率×加配人数	＋	520	＋	5×加算率	＋	190 ×週当たり実施日数	＋	1 ×週当たり実施日数×加算率

地域区分 ①	定員区分 ②	認定区分 ③	年齢区分 ④		給食実施加算（外部搬入）		処遇改善等加算Ⅰ ⑮'		外部監査費加算 ※認定こども園全体の利用定員の区分に応じて加算 ※3月分の単価に加算 ⑯		副食費徴収免除加算 ※副食費の徴収が免除される子どもの単価に加算 ⑰		主幹教諭等の専任化により子育て支援の取り組みを実施していない場合 ⑱
	15人まで	1号	4歳以上児 3歳児	+	500 ×週当たり実施日数	+	5 ×週当たり実施日数×加算率		〜　15人 27, 330	+	240 ×各月の給食実施日数	−	(7, 780 +70×加算率)
	16人から25人まで	1号	4歳以上児 3歳児	+	300 ×週当たり実施日数	+	3 ×週当たり実施日数×加算率		16人〜　25人 16, 800	+	240 ×各月の給食実施日数	−	(4, 670 +40×加算率)
	26人から35人まで	1号	4歳以上児 3歳児	+	210 ×週当たり実施日数	+	2 ×週当たり実施日数×加算率		26人〜　35人 12, 280	+	240 ×各月の給食実施日数	−	(3, 330 +30×加算率)
	36人から45人まで	1号	4歳以上児 3歳児	+	170 ×週当たり実施日数	+	1 ×週当たり実施日数×加算率		36人〜　45人 9, 770	+	240 ×各月の給食実施日数	−	(2, 590 +20×加算率)
	46人から60人まで	1号	4歳以上児 3歳児	+	120 ×週当たり実施日数	+	1 ×週当たり実施日数×加算率		46人〜　60人 7, 500	+	240 ×各月の給食実施日数	−	(1, 940 +10×加算率)
	61人から75人まで	1号	4歳以上児 3歳児	+	100 ×週当たり実施日数	+	1 ×週当たり実施日数×加算率		61人〜　75人 6, 130	+	240 ×各月の給食実施日数	−	(1, 550 +10×加算率)
	76人から90人まで	1号	4歳以上児 3歳児	+	90 ×週当たり実施日数	+	1 ×週当たり実施日数×加算率		76人〜　90人 5, 220	+	240 ×各月の給食実施日数	−	(1, 290 +10×加算率)
	91人から105人まで	1号	4歳以上児 3歳児	+	80 ×週当たり実施日数	+	1 ×週当たり実施日数×加算率		91人〜 105人 4, 660	+	240 ×各月の給食実施日数	−	(1, 110 +10×加算率)
3/100地域	106人から120人まで	1号	4歳以上児 3歳児	+	70 ×週当たり実施日数	+	1 ×週当たり実施日数×加算率	+	106人〜 120人 4, 250	+	240 ×各月の給食実施日数	−	(970 +10×加算率)
	121人から135人まで	1号	4歳以上児 3歳児	+	70 ×週当たり実施日数	+	1 ×週当たり実施日数×加算率		121人〜 135人 3, 920	+	240 ×各月の給食実施日数	−	(860 +9×加算率)
	136人から150人まで	1号	4歳以上児 3歳児	+	60 ×週当たり実施日数	+	1 ×週当たり実施日数×加算率		136人〜 150人 3, 660	+	240 ×各月の給食実施日数	−	(770 +8×加算率)
	151人から180人まで	1号	4歳以上児 3歳児	+	50 ×週当たり実施日数	+	1 ×週当たり実施日数×加算率		151人〜 180人 3, 160	+	240 ×各月の給食実施日数	−	(640 +6×加算率)
	181人から210人まで	1号	4歳以上児 3歳児	+	50 ×週当たり実施日数	+	1 ×週当たり実施日数×加算率		181人〜 210人 2, 810	+	240 ×各月の給食実施日数	−	(550 +6×加算率)
	211人から240人まで	1号	4歳以上児 3歳児	+	40 ×週当たり実施日数	+	1 ×週当たり実施日数×加算率		211人〜 240人 2, 540	+	240 ×各月の給食実施日数	−	(480 +5×加算率)
	241人から270人まで	1号	4歳以上児 3歳児	+	40 ×週当たり実施日数	+	1 ×週当たり実施日数×加算率		241人〜 270人 2, 440	+	240 ×各月の給食実施日数	−	(430 +4×加算率)
	271人から300人まで	1号	4歳以上児 3歳児	+	30 ×週当たり実施日数	+	1 ×週当たり実施日数×加算率		271人〜 300人 2, 360	+	240 ×各月の給食実施日数	−	(380 +4×加算率)
	301人以上	1号	4歳以上児 3歳児	+	30 ×週当たり実施日数	+	1 ×週当たり実施日数×加算率		301人〜 2, 150	+	240 ×各月の給食実施日数	−	(350 +4×加算率)

地域区分 ①	定員区分 ②	認定区分 ③	年齢区分 ④		年齢別配置基準を下回る場合 ⑲		配置基準上求められる職員資格を有しない場合 ⑳	定員を恒常的に超過する場合 ㉑
	15人まで	1号	4歳以上児 3　歳　児	—	(29,810 +290×加算率)×人数	—	(21,520 +210×加算率)×人数	
	16人から25人まで	1号	4歳以上児 3　歳　児	—	(17,880 +170×加算率)×人数	—	(12,910 +120×加算率)×人数	
	26人から35人まで	1号	4歳以上児 3　歳　児	—	(12,770 +120×加算率)×人数	—	(9,220 +90×加算率)×人数	
	36人から45人まで	1号	4歳以上児 3　歳　児	—	(9,930 +90×加算率)×人数	—	(7,170 +70×加算率)×人数	
	46人から60人まで	1号	4歳以上児 3　歳　児	—	(7,450 +70×加算率)×人数	—	(5,380 +50×加算率)×人数	
	61人から75人まで	1号	4歳以上児 3　歳　児	—	(5,960 +60×加算率)×人数	—	(4,300 +40×加算率)×人数	
	76人から90人まで	1号	4歳以上児 3　歳　児	—	(4,960 +50×加算率)×人数	—	(3,580 +30×加算率)×人数	
	91人から105人まで	1号	4歳以上児 3　歳　児	—	(4,250 +40×加算率)×人数	—	(3,070 +30×加算率)×人数	
3/100地域	106人から120人まで	1号	4歳以上児 3　歳　児	—	(3,720 +30×加算率)×人数	—	(2,690 +20×加算率)×人数	(⑤～⑳(⑰を除く。)) ×別に定める調整率
	121人から135人まで	1号	4歳以上児 3　歳　児	—	(3,310 +30×加算率)×人数	—	(2,390 +20×加算率)×人数	
	136人から150人まで	1号	4歳以上児 3　歳　児	—	(2,980 +30×加算率)×人数	—	(2,150 +20×加算率)×人数	
	151人から180人まで	1号	4歳以上児 3　歳　児	—	(2,480 +20×加算率)×人数	—	(1,790 +10×加算率)×人数	
	181人から210人まで	1号	4歳以上児 3　歳　児	—	(2,130 +20×加算率)×人数	—	(1,530 +10×加算率)×人数	
	211人から240人まで	1号	4歳以上児 3　歳　児	—	(1,860 +10×加算率)×人数	—	(1,340 +10×加算率)×人数	
	241人から270人まで	1号	4歳以上児 3　歳　児	—	(1,650 +10×加算率)×人数	—	(1,190 +10×加算率)×人数	
	271人から300人まで	1号	4歳以上児 3　歳　児	—	(1,490 +10×加算率)×人数	—	(1,070 +10×加算率)×人数	
	301人以上	1号	4歳以上児 3　歳　児	—	(1,350 +10×加算率)×人数	—	(970 +9×加算率)×人数	

地域区分 ①	定員区分 ②	認定区分 ③	年齢区分 ④	基本分単価 ⑤	（注）		処遇改善等加算Ⅰ ⑥	（注）			副園長・教頭配置加算 ⑦		処遇改善等加算Ⅰ		学級編制調整加配加算 ※1号･2号の利用定員の合計が36人以上300人以下の場合に加算 ⑧		処遇改善等加算Ⅰ
その他地域	15人まで	1号	4歳以上児	79, 400	(86, 650)	＋	770	(840)	×加算率	＋	5, 870	＋	50×加算率	＋	29, 020	＋	290×加算率
			3　歳　児	86, 650		＋	840		×加算率								
	16人から25人まで	1号	4歳以上児	49, 450	(56, 700)	＋	470	(540)	×加算率	＋	3, 520	＋	30×加算率	＋	17, 410	＋	170×加算率
			3　歳　児	56, 700		＋	540		×加算率								
	26人から35人まで	1号	4歳以上児	38, 720	(45, 970)	＋	360	(440)	×加算率	＋	2, 510	＋	20×加算率	＋	12, 440	＋	120×加算率
			3　歳　児	45, 970		＋	440		×加算率								
	36人から45人まで	1号	4歳以上児	34, 410	(41, 660)	＋	320	(390)	×加算率	＋	1, 950	＋	10×加算率	＋	9, 670	＋	90×加算率
			3　歳　児	41, 660		＋	390		×加算率								
	46人から60人まで	1号	4歳以上児	30, 550	(37, 800)	＋	280	(350)	×加算率	＋	1, 460	＋	10×加算率	＋	7, 250	＋	70×加算率
			3　歳　児	37, 800		＋	350		×加算率								
	61人から75人まで	1号	4歳以上児	28, 280	(35, 530)	＋	260	(330)	×加算率	＋	1, 170	＋	10×加算率	＋	5, 800	＋	50×加算率
			3　歳　児	35, 530		＋	330		×加算率								
	76人から90人まで	1号	4歳以上児	26, 730	(33, 980)	＋	240	(320)	×加算率	＋	970	＋	9×加算率	＋	4, 830	＋	40×加算率
			3　歳　児	33, 980		＋	320		×加算率								
	91人から105人まで	1号	4歳以上児	26, 300	(33, 550)	＋	240	(310)	×加算率	＋	830	＋	8×加算率	＋	4, 140	＋	40×加算率
			3　歳　児	33, 550		＋	310		×加算率								
	106人から120人まで	1号	4歳以上児	25, 410	(32, 660)	＋	230	(300)	×加算率	＋	730	＋	7×加算率	＋	3, 620	＋	30×加算率
			3　歳　児	32, 660		＋	300		×加算率								
	121人から135人まで	1号	4歳以上児	24, 700	(31, 950)	＋	220	(300)	×加算率	＋	650	＋	6×加算率	＋	3, 220	＋	30×加算率
			3　歳　児	31, 950		＋	300		×加算率								
	136人から150人まで	1号	4歳以上児	24, 150	(31, 400)	＋	220	(290)	×加算率	＋	580	＋	5×加算率	＋	2, 900	＋	20×加算率
			3　歳　児	31, 400		＋	290		×加算率								
	151人から180人まで	1号	4歳以上児	23, 310	(30, 560)	＋	210	(280)	×加算率	＋	480	＋	4×加算率	＋	2, 410	＋	20×加算率
			3　歳　児	30, 560		＋	280		×加算率								
	181人から210人まで	1号	4歳以上児	22, 690	(29, 940)	＋	200	(280)	×加算率	＋	410	＋	4×加算率	＋	2, 070	＋	20×加算率
			3　歳　児	29, 940		＋	280		×加算率								
	211人から240人まで	1号	4歳以上児	22, 240	(29, 490)	＋	200	(270)	×加算率	＋	360	＋	3×加算率	＋	1, 810	＋	10×加算率
			3　歳　児	29, 490		＋	270		×加算率								
	241人から270人まで	1号	4歳以上児	21, 890	(29, 140)	＋	190	(270)	×加算率	＋	320	＋	3×加算率	＋	1, 610	＋	10×加算率
			3　歳　児	29, 140		＋	270		×加算率								
	271人から300人まで	1号	4歳以上児	21, 610	(28, 860)	＋	190	(260)	×加算率	＋	290	＋	2×加算率	＋	1, 450	＋	10×加算率
			3　歳　児	28, 860		＋	260		×加算率								
	301人以上	1号	4歳以上児	21, 380	(28, 630)	＋	190	(260)	×加算率	＋	260	＋	2×加算率				
			3　歳　児	28, 630		＋	260		×加算率								

地域区分 ①	定員区分 ②	認定区分 ③	年齢区分 ④	⑨ 3歳児配置改善加算	⑨ 処遇改善等加算Ⅰ	⑩ 4歳以上児配置改善加算	⑩ 処遇改善等加算Ⅰ	⑪ 満3歳児対応加配加算(3歳児配置改善加算無し)	⑪ 処遇改善等加算Ⅰ	⑪′ 満3歳児対応加配加算(3歳児配置改善加算有り)	⑪′ 処遇改善等加算Ⅰ	⑫ 講師配置加算	⑫ 処遇改善等加算Ⅰ
その他地域	15人まで	1号	4歳以上児	(7,250)	(70×加算率)	2,900	20×加算率					6,010	60×加算率
			3歳児	7,250	70×加算率			50,800	500×加算率	43,550	430×加算率		
	16人から25人まで	1号	4歳以上児	(7,250)	(70×加算率)	2,900	20×加算率					3,600	30×加算率
			3歳児	7,250	70×加算率			50,800	500×加算率	43,550	430×加算率		
	26人から35人まで	1号	4歳以上児	(7,250)	(70×加算率)	2,900	20×加算率					2,570	20×加算率
			3歳児	7,250	70×加算率			50,800	500×加算率	43,550	430×加算率		
	36人から45人まで	1号	4歳以上児	(7,250)	(70×加算率)	2,900	20×加算率					−	−
			3歳児	7,250	70×加算率			50,800	500×加算率	43,550	430×加算率		
	46人から60人まで	1号	4歳以上児	(7,250)	(70×加算率)	2,900	20×加算率					−	−
			3歳児	7,250	70×加算率			50,800	500×加算率	43,550	430×加算率		
	61人から75人まで	1号	4歳以上児	(7,250)	(70×加算率)	2,900	20×加算率					−	−
			3歳児	7,250	70×加算率			50,800	500×加算率	43,550	430×加算率		
	76人から90人まで	1号	4歳以上児	(7,250)	(70×加算率)	2,900	20×加算率					−	−
			3歳児	7,250	70×加算率			50,800	500×加算率	43,550	430×加算率		
	91人から105人まで	1号	4歳以上児	(7,250)	(70×加算率)	2,900	20×加算率					−	−
			3歳児	7,250	70×加算率			50,800	500×加算率	43,550	430×加算率		
	106人から120人まで	1号	4歳以上児	(7,250)	(70×加算率)	2,900	20×加算率					−	−
			3歳児	7,250	70×加算率			50,800	500×加算率	43,550	430×加算率		
	121人から135人まで	1号	4歳以上児	(7,250)	(70×加算率)	2,900	20×加算率					660	6×加算率
			3歳児	7,250	70×加算率			50,800	500×加算率	43,550	430×加算率		
	136人から150人まで	1号	4歳以上児	(7,250)	(70×加算率)	2,900	20×加算率					600	6×加算率
			3歳児	7,250	70×加算率			50,800	500×加算率	43,550	430×加算率		
	151人から180人まで	1号	4歳以上児	(7,250)	(70×加算率)	2,900	20×加算率					500	5×加算率
			3歳児	7,250	70×加算率			50,800	500×加算率	43,550	430×加算率		
	181人から210人まで	1号	4歳以上児	(7,250)	(70×加算率)	2,900	20×加算率					430	4×加算率
			3歳児	7,250	70×加算率			50,800	500×加算率	43,550	430×加算率		
	211人から240人まで	1号	4歳以上児	(7,250)	(70×加算率)	2,900	20×加算率					370	3×加算率
			3歳児	7,250	70×加算率			50,800	500×加算率	43,550	430×加算率		
	241人から270人まで	1号	4歳以上児	(7,250)	(70×加算率)	2,900	20×加算率					330	3×加算率
			3歳児	7,250	70×加算率			50,800	500×加算率	43,550	430×加算率		
	271人から300人まで	1号	4歳以上児	(7,250)	(70×加算率)	2,900	20×加算率					300	3×加算率
			3歳児	7,250	70×加算率			50,800	500×加算率	43,550	430×加算率		
	301人以上	1号	4歳以上児	(7,250)	(70×加算率)	2,900	20×加算率					270	2×加算率
			3歳児	7,250	70×加算率			50,800	500×加算率	43,550	430×加算率		

地域区分 ①	定員区分 ②	認定区分 ③	年齢区分 ④		チーム保育加配加算 ※1号・2号の利用定員合計に応じて利用子どもの単価に加算		処遇改善等加算Ⅰ ⑬		通園送迎加算		処遇改善等加算Ⅰ ⑭		給食実施加算（施設内調理）		処遇改善等加算Ⅰ ⑮
	15人まで	1号	4歳以上児 3歳児		～　15人 29,020×加配人数	＋	290×加算率×加配人数	＋	3,790	＋	30×加算率	＋	2,840 ×週当たり実施日数	＋	20 ×週当たり実施日数×加算率
	16人から25人まで	1号	4歳以上児 3歳児		16人～　25人 17,410×加配人数	＋	170×加算率×加配人数	＋	2,600	＋	20×加算率	＋	1,700 ×週当たり実施日数	＋	10 ×週当たり実施日数×加算率
	26人から35人まで	1号	4歳以上児 3歳児		26人～　35人 12,440×加配人数	＋	120×加算率×加配人数	＋	2,090	＋	20×加算率	＋	1,220 ×週当たり実施日数	＋	10 ×週当たり実施日数×加算率
	36人から45人まで	1号	4歳以上児 3歳児		36人～　45人 9,670×加配人数	＋	90×加算率×加配人数	＋	1,800	＋	10×加算率	＋	950 ×週当たり実施日数	＋	9 ×週当たり実施日数×加算率
	46人から60人まで	1号	4歳以上児 3歳児		46人～　60人 7,250×加配人数	＋	70×加算率×加配人数	＋	1,350	＋	10×加算率	＋	710 ×週当たり実施日数	＋	7 ×週当たり実施日数×加算率
	61人から75人まで	1号	4歳以上児 3歳児		61人～　75人 5,800×加配人数	＋	50×加算率×加配人数	＋	1,080	＋	10×加算率	＋	590 ×週当たり実施日数	＋	5 ×週当たり実施日数×加算率
	76人から90人まで	1号	4歳以上児 3歳児		76人～　90人 4,830×加配人数	＋	40×加算率×加配人数	＋	900	＋	9×加算率	＋	520 ×週当たり実施日数	＋	5 ×週当たり実施日数×加算率
	91人から105人まで	1号	4歳以上児 3歳児		91人～ 105人 4,140×加配人数	＋	40×加算率×加配人数	＋	770	＋	7×加算率	＋	460 ×週当たり実施日数	＋	4 ×週当たり実施日数×加算率
その他地域	106人から120人まで	1号	4歳以上児 3歳児	＋	106人～ 120人 3,620×加配人数	＋	30×加算率×加配人数	＋	670	＋	6×加算率	＋	420 ×週当たり実施日数	＋	4 ×週当たり実施日数×加算率
	121人から135人まで	1号	4歳以上児 3歳児		121人～ 135人 3,220×加配人数	＋	30×加算率×加配人数	＋	600	＋	6×加算率	＋	390 ×週当たり実施日数	＋	3 ×週当たり実施日数×加算率
	136人から150人まで	1号	4歳以上児 3歳児		136人～ 150人 2,900×加配人数	＋	20×加算率×加配人数	＋	540	＋	5×加算率	＋	370 ×週当たり実施日数	＋	3 ×週当たり実施日数×加算率
	151人から180人まで	1号	4歳以上児 3歳児		151人～ 180人 2,410×加配人数	＋	20×加算率×加配人数	＋	520	＋	5×加算率	＋	320 ×週当たり実施日数	＋	3 ×週当たり実施日数×加算率
	181人から210人まで	1号	4歳以上児 3歳児		181人～ 210人 2,070×加配人数	＋	20×加算率×加配人数	＋	520	＋	5×加算率	＋	280 ×週当たり実施日数	＋	2 ×週当たり実施日数×加算率
	211人から240人まで	1号	4歳以上児 3歳児		211人～ 240人 1,810×加配人数	＋	10×加算率×加配人数	＋	520	＋	5×加算率	＋	260 ×週当たり実施日数	＋	2 ×週当たり実施日数×加算率
	241人から270人まで	1号	4歳以上児 3歳児		241人～ 270人 1,610×加配人数	＋	10×加算率×加配人数	＋	520	＋	5×加算率	＋	230 ×週当たり実施日数	＋	2 ×週当たり実施日数×加算率
	271人から300人まで	1号	4歳以上児 3歳児		271人～ 300人 1,450×加配人数	＋	10×加算率×加配人数	＋	520	＋	5×加算率	＋	210 ×週当たり実施日数	＋	2 ×週当たり実施日数×加算率
	301人以上	1号	4歳以上児 3歳児		301人～ 1,310×加配人数	＋	10×加算率×加配人数	＋	520	＋	5×加算率	＋	190 ×週当たり実施日数	＋	1 ×週当たり実施日数×加算率

地域区分 ①	定員区分 ②	認定区分 ③	年齢区分 ④		給食実施加算（外部搬入）		処遇改善等加算Ⅰ ⑮'		外部監査費加算 ※認定こども園全体の利用定員の区分に応じて加算 ※3月分の単価に加算 ⑯		副食費徴収免除加算 ※副食費の徴収が免除される子どもの単価に加算 ⑰		主幹教諭等の専任化により子育て支援の取り組みを実施していない場合 ⑱
その他地域	15人まで	1号	4歳以上児 3 歳 児	+	500 ×週当たり実施日数	+	5 ×週当たり実施日数×加算率		～ 15人 27, 330	+	240 ×各月の給食実施日数	−	(7, 780 +70×加算率)
	16人から25人まで	1号	4歳以上児 3 歳 児	+	300 ×週当たり実施日数	+	3 ×週当たり実施日数×加算率		16人～ 25人 16, 800	+	240 ×各月の給食実施日数	−	(4, 670 +40×加算率)
	26人から35人まで	1号	4歳以上児 3 歳 児	+	210 ×週当たり実施日数	+	2 ×週当たり実施日数×加算率		26人～ 35人 12, 280	+	240 ×各月の給食実施日数	−	(3, 330 +30×加算率)
	36人から45人まで	1号	4歳以上児 3 歳 児	+	170 ×週当たり実施日数	+	1 ×週当たり実施日数×加算率		36人～ 45人 9, 770	+	240 ×各月の給食実施日数	−	(2, 590 +20×加算率)
	46人から60人まで	1号	4歳以上児 3 歳 児	+	120 ×週当たり実施日数	+	1 ×週当たり実施日数×加算率		46人～ 60人 7, 500	+	240 ×各月の給食実施日数	−	(1, 940 +10×加算率)
	61人から75人まで	1号	4歳以上児 3 歳 児	+	100 ×週当たり実施日数	+	1 ×週当たり実施日数×加算率		61人～ 75人 6, 130	+	240 ×各月の給食実施日数	−	(1, 550 +10×加算率)
	76人から90人まで	1号	4歳以上児 3 歳 児	+	90 ×週当たり実施日数	+	1 ×週当たり実施日数×加算率		76人～ 90人 5, 220	+	240 ×各月の給食実施日数	−	(1, 290 +10×加算率)
	91人から105人まで	1号	4歳以上児 3 歳 児	+	80 ×週当たり実施日数	+	1 ×週当たり実施日数×加算率		91人～ 105人 4, 660	+	240 ×各月の給食実施日数	−	(1, 110 +10×加算率)
	106人から120人まで	1号	4歳以上児 3 歳 児	+	70 ×週当たり実施日数	+	1 ×週当たり実施日数×加算率	+	106人～ 120人 4, 250	+	240 ×各月の給食実施日数	−	(970 +10×加算率)
	121人から135人まで	1号	4歳以上児 3 歳 児	+	70 ×週当たり実施日数	+	1 ×週当たり実施日数×加算率		121人～ 135人 3, 920	+	240 ×各月の給食実施日数	−	(860 +9×加算率)
	136人から150人まで	1号	4歳以上児 3 歳 児	+	60 ×週当たり実施日数	+	1 ×週当たり実施日数×加算率		136人～ 150人 3, 660	+	240 ×各月の給食実施日数	−	(770 +8×加算率)
	151人から180人まで	1号	4歳以上児 3 歳 児	+	50 ×週当たり実施日数	+	1 ×週当たり実施日数×加算率		151人～ 180人 3, 160	+	240 ×各月の給食実施日数	−	(640 +6×加算率)
	181人から210人まで	1号	4歳以上児 3 歳 児	+	50 ×週当たり実施日数	+	1 ×週当たり実施日数×加算率		181人～ 210人 2, 810	+	240 ×各月の給食実施日数	−	(550 +6×加算率)
	211人から240人まで	1号	4歳以上児 3 歳 児	+	40 ×週当たり実施日数	+	1 ×週当たり実施日数×加算率		211人～ 240人 2, 540	+	240 ×各月の給食実施日数	−	(480 +5×加算率)
	241人から270人まで	1号	4歳以上児 3 歳 児	+	40 ×週当たり実施日数	+	1 ×週当たり実施日数×加算率		241人～ 270人 2, 440	+	240 ×各月の給食実施日数	−	(430 +4×加算率)
	271人から300人まで	1号	4歳以上児 3 歳 児	+	30 ×週当たり実施日数	+	1 ×週当たり実施日数×加算率		271人～ 300人 2, 360	+	240 ×各月の給食実施日数	−	(380 +4×加算率)
	301人以上	1号	4歳以上児 3 歳 児	+	30 ×週当たり実施日数	+	1 ×週当たり実施日数×加算率		301人～ 2, 150	+	240 ×各月の給食実施日数	−	(350 +4×加算率)

地域区分 ①	定員区分 ②	認定区分 ③	年齢区分 ④		年齢別配置基準を下回る場合 ⑲		配置基準上求められる職員資格を有しない場合 ⑳	定員を恒常的に超過する場合 ㉑
	15人まで	1号	4歳以上児 3　歳　児	—	(29, 020 +290×加算率)×人数	—	(20, 740 +200×加算率)×人数	
	16人から25人まで	1号	4歳以上児 3　歳　児	—	(17, 410 +170×加算率)×人数	—	(12, 440 +120×加算率)×人数	
	26人から35人まで	1号	4歳以上児 3　歳　児	—	(12, 440 +120×加算率)×人数	—	(8, 890 +80×加算率)×人数	
	36人から45人まで	1号	4歳以上児 3　歳　児	—	(9, 670 +90×加算率)×人数	—	(6, 910 +60×加算率)×人数	
	46人から60人まで	1号	4歳以上児 3　歳　児	—	(7, 250 +70×加算率)×人数	—	(5, 180 +50×加算率)×人数	
	61人から75人まで	1号	4歳以上児 3　歳　児	—	(5, 800 +50×加算率)×人数	—	(4, 140 +40×加算率)×人数	
	76人から90人まで	1号	4歳以上児 3　歳　児	—	(4, 830 +40×加算率)×人数	—	(3, 450 +30×加算率)×人数	
	91人から105人まで	1号	4歳以上児 3　歳　児	—	(4, 140 +40×加算率)×人数	—	(2, 960 +30×加算率)×人数	
その他地域	106人から120人まで	1号	4歳以上児 3　歳　児	—	(3, 620 +30×加算率)×人数	—	(2, 590 +20×加算率)×人数	(⑤～⑳（⑰を除く。）） ×別に定める調整率
	121人から135人まで	1号	4歳以上児 3　歳　児	—	(3, 220 +30×加算率)×人数	—	(2, 300 +20×加算率)×人数	
	136人から150人まで	1号	4歳以上児 3　歳　児	—	(2, 900 +20×加算率)×人数	—	(2, 070 +20×加算率)×人数	
	151人から100人まで	1号	4歳以上児 3　歳　児	—	(2, 410 +20×加算率)×人数	—	(1, 720 +10×加算率)×人数	
	181人から210人まで	1号	4歳以上児 3　歳　児	—	(2, 070 +20×加算率)×人数	—	(1, 480 +10×加算率)×人数	
	211人から240人まで	1号	4歳以上児 3　歳　児	—	(1, 810 +10×加算率)×人数	—	(1, 290 +10×加算率)×人数	
	241人から270人まで	1号	4歳以上児 3　歳　児	—	(1, 610 +10×加算率)×人数	—	(1, 150 +10×加算率)×人数	
	271人から300人まで	1号	4歳以上児 3　歳　児	—	(1, 450 +10×加算率)×人数	—	(1, 030 +10×加算率)×人数	
	301人以上	1号	4歳以上児 3　歳　児	—	(1, 310 +10×加算率)×人数	—	(940 +9×加算率)×人数	

加算部分２

療育支援加算 ㉒	A	基本額　処遇改善等加算Ⅰ （　19,070 ＋　190×加算率　） ÷各月初日の利用子ども数	※以下の区分に応じて、各月初日の利用子どもの単価に加算 A：特別児童扶養手当支給対象児童受入施設 B：それ以外の障害児受入施設
	B	基本額　処遇改善等加算Ⅰ （　12,710 ＋　120×加算率　） ÷各月初日の利用子ども数	

事務職員配置加算 ㉓	基本額　処遇改善等加算Ⅰ （　81,400 ＋　810×加算率　） ÷各月初日の利用子ども数	※認定こども園全体（１号～３号）の利用定員が９１人以上の場合に各月初日の利用子どもの単価に加算

指導充実加配加算 ㉔	基本額　処遇改善等加算Ⅰ （　86,100 ＋　860×加算率　） ÷各月初日の利用子ども数	※各月初日の利用子どもの単価に加算

事務負担対応加配加算 ㉕	基本額　処遇改善等加算Ⅰ （　72,280 ＋　720×加算率　） ÷各月初日の利用子ども数	※各月初日の利用子どもの単価に加算

処遇改善等加算Ⅱ ㉖	以下の加算を合算した額を各月初日の利用子ども数で除した額 ・処遇改善等加算Ⅱ－①　50,300 ×　人数Ａ　×　1/2 ・処遇改善等加算Ⅱ－②　6,290 ×　人数Ｂ　×　1/2	※１　各月初日の利用子どもの単価に加算 ※２　人数Ａ及び人数Ｂについては、別に定める

処遇改善等加算Ⅲ ㉗	11,320　×　加算Ⅲ算定対象人数　×　1/2 ÷各月初日の利用子ども数	※１　各月初日の利用子どもの単価に加算 ※２　加算Ⅲ算定対象人数については、別に定める

冷暖房費加算 ㉘	１　級　地	1,900	４　級　地	1,320	※以下の区分に応じて、各月の単価に加算 １級地から４級地：国家公務員の寒冷地手当に関する法律（昭和２４年法律第２００号）第１条第１号及び第２号に掲げる地域 そ の 他 地 域：１級地から４級地以外の地域
	２　級　地	1,690	その他地域	120	
	３　級　地	1,670			

施設関係者評価加算 ㉙	A	155,310÷３月初日の利用子ども数	※以下の区分に応じて、３月初日の利用子どもの単価に加算 A:公開保育の取組と組み合わせて施設関係者評価を実施する施設 B:それ以外の施設
	B	30,260÷３月初日の利用子ども数	

除雪費加算 ㉚	6,270	※３月初日の利用子どもの単価に加算

降灰除去費加算 ㉛	81,230÷３月初日の利用子ども数	※３月初日の利用子どもの単価に加算

施設機能強化推進費加算 ㉜	80,000（限度額）÷３月初日の利用子ども数	※３月初日の利用子どもの単価に加算

小学校接続加算 ㉝	要件Ⅰ～Ⅱを満たす場合	20,190÷３月初日の利用子ども数	※３月初日の利用子どもの単価に加算
	要件Ⅰ～Ⅲを満たす場合	158,570÷３月初日の利用子ども数	

第三者評価受審加算 ㉞	75,000÷３月初日の利用子ども数	※３月初日の利用子どもの単価に加算

（注）年度の初日の前日における満年齢に応じて月額を調整

定員を恒常的に超過する場合に係る別に定める調整率　認定こども園（教育標準時間認定）

地域区分	定員区分	認定区分	年齢区分	利用子ども数																
				15人まで	16人から25人まで	26人から35人まで	36人から45人まで	46人から60人まで	61人から75人まで	76人から90人まで	91人から105人まで	106人から120人まで	121人から135人まで	136人から150人まで	151人から180人まで	181人から210人まで	211人から240人まで	241人から270人まで	271人から300人まで	301人以上
20/100地域	15人まで	1号	4歳以上児		63/100	50/100	44/100	40/100	37/100	35/100	35/100	33/100	32/100	32/100	31/100	30/100	30/100	29/100	29/100	29/100
			3　歳　児																	
	16人から25人まで	1号	4歳以上児			79/100	70/100	63/100	59/100	56/100	55/100	53/100	52/100	51/100	49/100	48/100	47/100	47/100	46/100	46/100
			3　歳　児																	
	26人から35人まで	1号	4歳以上児				89/100	80/100	74/100	71/100	69/100	67/100	65/100	64/100	62/100	61/100	60/100	59/100	58/100	58/100
			3　歳　児																	
	36人から45人まで	1号	4歳以上児					90/100	84/100	80/100	78/100	76/100	73/100	72/100	70/100	68/100	67/100	66/100	66/100	65/100
			3　歳　児																	
	46人から60人まで	1号	4歳以上児						93/100	88/100	87/100	84/100	81/100	80/100	77/100	76/100	74/100	74/100	73/100	72/100
			3　歳　児																	
	61人から75人まで	1号	4歳以上児							95/100	93/100	90/100	88/100	86/100	83/100	82/100	80/100	79/100	78/100	78/100
			3　歳　児																	
	76人から90人まで	1号	4歳以上児								98/100	95/100	92/100	90/100	88/100	86/100	84/100	83/100	83/100	82/100
			3　歳　児																	
	91人から105人まで	1号	4歳以上児									97/100	94/100	92/100	89/100	88/100	86/100	85/100	84/100	83/100
			3　歳　児																	
	106人から120人まで	1号	4歳以上児										97/100	95/100	92/100	90/100	89/100	88/100	87/100	86/100
			3　歳　児																	
	121人から135人まで	1号	4歳以上児											98/100	95/100	93/100	91/100	90/100	89/100	89/100
			3　歳　児																	
	136人から150人まで	1号	4歳以上児												97/100	95/100	93/100	92/100	91/100	90/100
			3　歳　児																	
	151人から180人まで	1号	4歳以上児													98/100	96/100	95/100	94/100	93/100
			3　歳　児																	
	181人から210人まで	1号	4歳以上児														98/100	97/100	96/100	95/100
			3　歳　児																	
	211人から240人まで	1号	4歳以上児															99/100	98/100	97/100
			3　歳　児																	
	241人から270人まで	1号	4歳以上児																99/100	98/100
			3　歳　児																	
	271人から300人まで	1号	4歳以上児																	99/100
			3　歳　児																	
	301人以上	1号	4歳以上児																	
			3　歳　児																	

地域区分	定員区分	認定区分	年齢区分	利用子ども数 15人まで	16人から25人まで	26人から35人まで	36人から45人まで	46人から60人まで	61人から75人まで	76人から90人まで	91人から105人まで	106人から120人まで	121人から135人まで	136人から150人まで	151人から180人まで	181人から210人まで	211人から240人まで	241人から270人まで	271人から300人まで	301人以上
16/100地域	15人まで	1号	4歳以上児 3歳児		63/100	50/100	44/100	40/100	37/100	35/100	35/100	33/100	32/100	32/100	31/100	30/100	30/100	29/100	29/100	29/100
	16人から25人まで	1号	4歳以上児 3歳児			79/100	70/100	63/100	59/100	56/100	55/100	53/100	52/100	51/100	49/100	48/100	47/100	47/100	46/100	46/100
	26人から35人まで	1号	4歳以上児 3歳児				89/100	80/100	74/100	71/100	69/100	67/100	65/100	64/100	62/100	61/100	60/100	59/100	58/100	58/100
	36人から45人まで	1号	4歳以上児 3歳児					90/100	84/100	80/100	78/100	76/100	73/100	72/100	70/100	68/100	67/100	66/100	66/100	65/100
	46人から60人まで	1号	4歳以上児 3歳児						93/100	88/100	87/100	84/100	81/100	80/100	77/100	76/100	74/100	74/100	73/100	72/100
	61人から75人まで	1号	4歳以上児 3歳児							95/100	93/100	90/100	88/100	86/100	83/100	82/100	80/100	79/100	78/100	78/100
	76人から90人まで	1号	4歳以上児 3歳児								98/100	95/100	92/100	90/100	88/100	86/100	84/100	83/100	83/100	82/100
	91人から105人まで	1号	4歳以上児 3歳児									97/100	94/100	92/100	89/100	88/100	86/100	85/100	84/100	83/100
	106人から120人まで	1号	4歳以上児 3歳児										97/100	95/100	92/100	90/100	89/100	88/100	87/100	86/100
	121人から135人まで	1号	4歳以上児 3歳児											98/100	95/100	93/100	91/100	90/100	89/100	89/100
	136人から150人まで	1号	4歳以上児 3歳児												97/100	95/100	93/100	92/100	91/100	90/100
	151人から180人まで	1号	4歳以上児 3歳児													98/100	96/100	95/100	94/100	93/100
	181人から210人まで	1号	4歳以上児 3歳児														98/100	97/100	96/100	95/100
	211人から240人まで	1号	4歳以上児 3歳児															99/100	98/100	97/100
	241人から270人まで	1号	4歳以上児 3歳児																99/100	98/100
	271人から300人まで	1号	4歳以上児 3歳児																	99/100
	301人以上	1号	4歳以上児 3歳児																	

地域区分	定員区分	認定区分	年齢区分	利用子ども数																
				15人まで	16人から25人まで	26人から35人まで	36人から45人まで	46人から60人まで	61人から75人まで	76人から90人まで	91人から105人まで	106人から120人まで	121人から135人まで	136人から150人まで	151人から180人まで	181人から210人まで	211人から240人まで	241人から270人まで	271人から300人まで	301人以上
15/100地域	15人まで	1号	4歳以上児		63/100	50/100	44/100	40/100	37/100	35/100	35/100	33/100	32/100	32/100	31/100	30/100	30/100	29/100	29/100	29/100
			3歳児																	
	16人から25人まで	1号	4歳以上児			79/100	70/100	63/100	59/100	56/100	55/100	53/100	52/100	51/100	49/100	48/100	47/100	47/100	46/100	46/100
			3歳児																	
	26人から35人まで	1号	4歳以上児				89/100	80/100	74/100	71/100	69/100	67/100	65/100	64/100	62/100	61/100	60/100	59/100	58/100	58/100
			3歳児																	
	36人から45人まで	1号	4歳以上児					90/100	84/100	80/100	78/100	76/100	73/100	72/100	70/100	68/100	67/100	66/100	66/100	65/100
			3歳児																	
	46人から60人まで	1号	4歳以上児						93/100	88/100	87/100	84/100	81/100	80/100	77/100	76/100	74/100	74/100	73/100	72/100
			3歳児																	
	61人から75人まで	1号	4歳以上児							95/100	93/100	90/100	88/100	86/100	83/100	82/100	80/100	79/100	78/100	78/100
			3歳児																	
	76人から90人まで	1号	4歳以上児								98/100	95/100	92/100	90/100	88/100	86/100	84/100	83/100	83/100	82/100
			3歳児																	
	91人から105人まで	1号	4歳以上児									97/100	94/100	92/100	89/100	88/100	86/100	85/100	84/100	83/100
			3歳児																	
	106人から120人まで	1号	4歳以上児										97/100	95/100	92/100	90/100	89/100	88/100	87/100	86/100
			3歳児																	
	121人から135人まで	1号	4歳以上児											98/100	95/100	93/100	91/100	90/100	89/100	89/100
			3歳児																	
	136人から150人まで	1号	4歳以上児												97/100	95/100	93/100	92/100	91/100	90/100
			3歳児																	
	151人から180人まで	1号	4歳以上児													98/100	96/100	95/100	94/100	93/100
			3歳児																	
	181人から210人まで	1号	4歳以上児														98/100	97/100	96/100	95/100
			3歳児																	
	211人から240人まで	1号	4歳以上児															99/100	98/100	97/100
			3歳児																	
	241人から270人まで	1号	4歳以上児																99/100	98/100
			3歳児																	
	271人から300人まで	1号	4歳以上児																	99/100
			3歳児																	
	301人以上	1号	4歳以上児																	
			3歳児																	

地域区分	定員区分	認定区分	年齢区分	利用子ども数 15人まで	16人から25人まで	26人から35人まで	36人から45人まで	46人から60人まで	61人から75人まで	76人から90人まで	91人から105人まで	106人から120人まで	121人から135人まで	136人から150人まで	151人から180人まで	181人から210人まで	211人から240人まで	241人から270人まで	271人から300人まで	301人以上
12/100地域	15人まで	1号	4歳以上児 3　歳　児		63/100	50/100	44/100	39/100	37/100	35/100	34/100	33/100	32/100	31/100	31/100	30/100	29/100	29/100	29/100	28/100
	16人から25人まで	1号	4歳以上児 3　歳　児			79/100	70/100	63/100	58/100	55/100	54/100	53/100	51/100	50/100	48/100	47/100	47/100	46/100	46/100	45/100
	26人から35人まで	1号	4歳以上児 3　歳　児				89/100	79/100	74/100	70/100	69/100	67/100	65/100	63/100	61/100	60/100	59/100	58/100	58/100	57/100
	36人から45人まで	1号	4歳以上児 3　歳　児					89/100	83/100	79/100	77/100	75/100	73/100	71/100	69/100	68/100	66/100	66/100	65/100	64/100
	46人から60人まで	1号	4歳以上児 3　歳　児						93/100	88/100	87/100	84/100	81/100	80/100	77/100	76/100	74/100	74/100	73/100	72/100
	61人から75人まで	1号	4歳以上児 3　歳　児							95/100	93/100	90/100	88/100	86/100	83/100	82/100	80/100	79/100	78/100	78/100
	76人から90人まで	1号	4歳以上児 3　歳　児								98/100	95/100	92/100	90/100	88/100	86/100	84/100	83/100	83/100	82/100
	91人から105人まで	1号	4歳以上児 3　歳　児									97/100	94/100	92/100	89/100	88/100	86/100	85/100	84/100	83/100
	106人から120人まで	1号	4歳以上児 3　歳　児										97/100	95/100	92/100	90/100	89/100	88/100	87/100	86/100
	121人から135人まで	1号	4歳以上児 3　歳　児											98/100	95/100	93/100	91/100	90/100	89/100	89/100
	136人から150人まで	1号	4歳以上児 3　歳　児												97/100	95/100	93/100	92/100	91/100	90/100
	151人から180人まで	1号	4歳以上児 3　歳　児													98/100	96/100	95/100	94/100	93/100
	181人から210人まで	1号	4歳以上児 3　歳　児														98/100	97/100	96/100	95/100
	211人から240人まで	1号	4歳以上児 3　歳　児															99/100	98/100	97/100
	241人から270人まで	1号	4歳以上児 3　歳　児																99/100	98/100
	271人から300人まで	1号	4歳以上児 3　歳　児																	99/100
	301人以上	1号	4歳以上児 3　歳　児																	

地域区分	定員区分	認定区分	年齢区分	利用子ども数 15人まで	16人から25人まで	26人から35人まで	36人から45人まで	46人から60人まで	61人から75人まで	76人から90人まで	91人から105人まで	106人から120人まで	121人から135人まで	136人から150人まで	151人から180人まで	181人から210人まで	211人から240人まで	241人から270人まで	271人から300人まで	301人以上
10/100地域	15人まで	1号	4歳以上児 3 歳 児		63/100	50/100	44/100	40/100	37/100	35/100	35/100	33/100	32/100	32/100	31/100	30/100	30/100	29/100	29/100	29/100
	16人から25人まで	1号	4歳以上児 3 歳 児			79/100	70/100	63/100	59/100	56/100	55/100	53/100	52/100	51/100	49/100	48/100	47/100	47/100	46/100	46/100
	26人から35人まで	1号	4歳以上児 3 歳 児				89/100	80/100	74/100	71/100	69/100	67/100	65/100	64/100	62/100	61/100	60/100	59/100	58/100	58/100
	36人から45人まで	1号	4歳以上児 3 歳 児					90/100	84/100	80/100	78/100	76/100	73/100	72/100	70/100	68/100	67/100	66/100	66/100	65/100
	46人から60人まで	1号	4歳以上児 3 歳 児						93/100	88/100	87/100	84/100	81/100	80/100	77/100	76/100	74/100	74/100	73/100	72/100
	61人から75人まで	1号	4歳以上児 3 歳 児							95/100	93/100	90/100	88/100	86/100	83/100	82/100	80/100	79/100	78/100	78/100
	76人から90人まで	1号	4歳以上児 3 歳 児								98/100	95/100	92/100	90/100	88/100	86/100	84/100	83/100	83/100	82/100
	91人から105人まで	1号	4歳以上児 3 歳 児									97/100	94/100	92/100	89/100	88/100	86/100	85/100	84/100	83/100
	106人から120人まで	1号	4歳以上児 3 歳 児										97/100	95/100	92/100	90/100	89/100	88/100	87/100	86/100
	121人から135人まで	1号	4歳以上児 3 歳 児											98/100	95/100	93/100	91/100	90/100	89/100	89/100
	136人から150人まで	1号	4歳以上児 3 歳 児												97/100	95/100	93/100	92/100	91/100	90/100
	151人から180人まで	1号	4歳以上児 3 歳 児													98/100	96/100	95/100	94/100	93/100
	181人から210人まで	1号	4歳以上児 3 歳 児														98/100	97/100	96/100	95/100
	211人から240人まで	1号	4歳以上児 3 歳 児															99/100	98/100	97/100
	241人から270人まで	1号	4歳以上児 3 歳 児																99/100	98/100
	271人から300人まで	1号	4歳以上児 3 歳 児																	99/100
	301人以上	1号	4歳以上児 3 歳 児																	

地域区分	定員区分	認定区分	年齢区分	利用子ども数																
				15人まで	16人から25人まで	26人から35人まで	36人から45人まで	46人から60人まで	61人から75人まで	76人から90人まで	91人から105人まで	106人から120人まで	121人から135人まで	136人から150人まで	151人から180人まで	181人から210人まで	211人から240人まで	241人から270人まで	271人から300人まで	301人以上
6/100地域	15人まで	1号	4歳以上児 3 歳 児		63/100	50/100	44/100	40/100	37/100	35/100	35/100	33/100	32/100	32/100	31/100	30/100	30/100	29/100	29/100	29/100
	16人から25人まで	1号	4歳以上児 3 歳 児			79/100	70/100	63/100	59/100	56/100	55/100	53/100	52/100	51/100	49/100	48/100	47/100	47/100	46/100	46/100
	26人から35人まで	1号	4歳以上児 3 歳 児				89/100	80/100	74/100	71/100	69/100	67/100	65/100	64/100	62/100	61/100	60/100	59/100	58/100	58/100
	36人から45人まで	1号	4歳以上児 3 歳 児					90/100	84/100	80/100	78/100	76/100	73/100	72/100	70/100	68/100	67/100	66/100	66/100	65/100
	46人から60人まで	1号	4歳以上児 3 歳 児						93/100	88/100	87/100	84/100	81/100	80/100	77/100	76/100	74/100	74/100	73/100	72/100
	61人から75人まで	1号	4歳以上児 3 歳 児							95/100	93/100	90/100	88/100	86/100	83/100	82/100	80/100	79/100	78/100	78/100
	76人から90人まで	1号	4歳以上児 3 歳 児								98/100	95/100	92/100	90/100	88/100	86/100	84/100	83/100	83/100	82/100
	91人から105人まで	1号	4歳以上児 3 歳 児									97/100	94/100	92/100	89/100	88/100	86/100	85/100	84/100	83/100
	106人から120人まで	1号	4歳以上児 3 歳 児										97/100	95/100	92/100	90/100	89/100	88/100	87/100	86/100
	121人から135人まで	1号	4歳以上児 3 歳 児											98/100	95/100	93/100	91/100	90/100	89/100	89/100
	136人から150人まで	1号	4歳以上児 3 歳 児												97/100	95/100	93/100	92/100	91/100	90/100
	151人から180人まで	1号	4歳以上児 3 歳 児													98/100	96/100	95/100	94/100	93/100
	181人から210人まで	1号	4歳以上児 3 歳 児														98/100	97/100	96/100	95/100
	211人から240人まで	1号	4歳以上児 3 歳 児															99/100	98/100	97/100
	241人から270人まで	1号	4歳以上児 3 歳 児																99/100	98/100
	271人から300人まで	1号	4歳以上児 3 歳 児																	99/100
	301人以上	1号	4歳以上児 3 歳 児																	

地域区分	定員区分	認定区分	年齢区分	利用子ども数																
				15人まで	16人から25人まで	26人から35人まで	36人から45人まで	46人から60人まで	61人から75人まで	76人から90人まで	91人から105人まで	106人から120人まで	121人から135人まで	136人から150人まで	151人から180人まで	181人から210人まで	211人から240人まで	241人から270人まで	271人から300人まで	301人以上
3/100地域	15人まで	1号	4歳以上児 3歳児		63/100	50/100	45/100	40/100	37/100	36/100	35/100	34/100	33/100	32/100	31/100	31/100	30/100	30/100	29/100	29/100
	16人から25人まで	1号	4歳以上児 3歳児			79/100	71/100	64/100	60/100	57/100	55/100	54/100	52/100	51/100	50/100	49/100	48/100	47/100	47/100	46/100
	26人から35人まで	1号	4歳以上児 3歳児				90/100	81/100	75/100	72/100	70/100	68/100	66/100	65/100	63/100	61/100	60/100	60/100	59/100	58/100
	36人から45人まで	1号	4歳以上児 3歳児					90/100	84/100	80/100	78/100	76/100	73/100	72/100	70/100	68/100	67/100	66/100	66/100	65/100
	46人から60人まで	1号	4歳以上児 3歳児						93/100	88/100	87/100	84/100	81/100	80/100	77/100	76/100	74/100	74/100	73/100	72/100
	61人から75人まで	1号	4歳以上児 3歳児							95/100	93/100	90/100	88/100	86/100	83/100	82/100	80/100	79/100	78/100	78/100
	76人から90人まで	1号	4歳以上児 3歳児								98/100	95/100	92/100	90/100	88/100	86/100	84/100	83/100	83/100	82/100
	91人から105人まで	1号	4歳以上児 3歳児									97/100	94/100	92/100	89/100	88/100	86/100	85/100	84/100	83/100
	106人から120人まで	1号	4歳以上児 3歳児										97/100	95/100	92/100	90/100	89/100	88/100	87/100	86/100
	121人から135人まで	1号	4歳以上児 3歳児											98/100	95/100	93/100	91/100	90/100	89/100	89/100
	136人から150人まで	1号	4歳以上児 3歳児												97/100	95/100	93/100	92/100	91/100	90/100
	151人から180人まで	1号	4歳以上児 3歳児													98/100	96/100	95/100	94/100	93/100
	181人から210人まで	1号	4歳以上児 3歳児														98/100	97/100	96/100	95/100
	211人から240人まで	1号	4歳以上児 3歳児															99/100	98/100	97/100
	241人から270人まで	1号	4歳以上児 3歳児																99/100	98/100
	271人から300人まで	1号	4歳以上児 3歳児																	99/100
	301人以上	1号	4歳以上児 3歳児																	

地域区分	定員区分	認定区分	年齢区分	利用子ども数																
				15人まで	16人から25人まで	26人から35人まで	36人から45人まで	46人から60人まで	61人から75人まで	76人から90人まで	91人から105人まで	106人から120人まで	121人から135人まで	136人から150人まで	151人から180人まで	181人から210人まで	211人から240人まで	241人から270人まで	271人から300人まで	301人以上
その他地域	15人まで	1号	4歳以上児 3歳児		63/100	50/100	45/100	40/100	37/100	36/100	35/100	34/100	33/100	33/100	32/100	31/100	30/100	30/100	30/100	29/100
	16人から25人まで	1号	4歳以上児 3歳児			79/100	71/100	64/100	60/100	57/100	56/100	54/100	53/100	52/100	50/100	49/100	48/100	48/100	47/100	47/100
	26人から35人まで	1号	4歳以上児 3歳児				90/100	81/100	75/100	72/100	71/100	69/100	67/100	65/100	63/100	62/100	61/100	60/100	60/100	59/100
	36人から45人まで	1号	4歳以上児 3歳児					90/100	84/100	80/100	79/100	76/100	74/100	73/100	70/100	69/100	68/100	67/100	66/100	66/100
	46人から60人まで	1号	4歳以上児 3歳児						93/100	88/100	87/100	85/100	82/100	81/100	78/100	77/100	75/100	74/100	74/100	73/100
	61人から75人まで	1号	4歳以上児 3歳児							95/100	94/100	91/100	88/100	87/100	84/100	82/100	81/100	80/100	79/100	78/100
	76人から90人まで	1号	4歳以上児 3歳児								99/100	96/100	93/100	91/100	89/100	87/100	85/100	84/100	83/100	83/100
	91人から105人まで	1号	4歳以上児 3歳児									97/100	94/100	92/100	89/100	88/100	86/100	85/100	84/100	83/100
	106人から120人まで	1号	4歳以上児 3歳児										97/100	95/100	92/100	90/100	89/100	88/100	87/100	86/100
	121人から135人まで	1号	4歳以上児 3歳児											98/100	95/100	93/100	91/100	90/100	89/100	89/100
	136人から150人まで	1号	4歳以上児 3歳児												97/100	95/100	93/100	92/100	91/100	90/100
	151人から180人まで	1号	4歳以上児 3歳児													98/100	96/100	95/100	94/100	93/100
	181人から210人まで	1号	4歳以上児 3歳児														98/100	97/100	96/100	95/100
	211人から240人まで	1号	4歳以上児 3歳児															99/100	98/100	97/100
	241人から270人まで	1号	4歳以上児 3歳児																99/100	98/100
	271人から300人まで	1号	4歳以上児 3歳児																	99/100
	301人以上	1号	4歳以上児 3歳児																	

○認定こども園（保育認定）

地域区分	定員区分	認定区分	年齢区分	保育必要量区分 ⑤					処遇改善等加算Ⅰ							3歳児配置改善加算		
				保育標準時間認定 基本分単価		保育短時間認定 基本分単価			保育標準時間認定			保育短時間認定						処遇改善等加算Ⅰ
①	②	③	④	⑥	（注1）	⑥	（注1）		⑦	（注1）		⑦	（注1）			⑧		
20/100地域	10人まで	2号	4歳以上児	257,000	(265,290)	201,480	(209,770)	+	2,550	(2,630)	×加算率	1,990	(2,070)	×加算率	+	(8,290)	+	(80×加算率)
			3歳児	265,290	(331,910)	209,770	(276,390)	+	2,630	(3,200)	×加算率	2,070	(2,640)	×加算率	+	8,290	+	80×加算率
		3号	1、2歳児	331,910	(414,840)	276,390	(359,320)	+	3,200	(4,030)	×加算率	2,640	(3,470)	×加算率				
			乳児	414,840		359,320		+	4,030		×加算率	3,470		×加算率				
	11人から20人まで	2号	4歳以上児	139,410	(147,700)	111,650	(119,940)	+	1,370	(1,450)	×加算率	1,090	(1,170)	×加算率	+	(8,290)	+	(80×加算率)
			3歳児	147,700	(214,320)	119,940	(186,560)	+	1,450	(2,020)	×加算率	1,170	(1,750)	×加算率	+	8,290	+	80×加算率
		3号	1、2歳児	214,320	(297,250)	186,560	(269,490)	+	2,020	(2,850)	×加算率	1,750	(2,580)	×加算率				
			乳児	297,250		269,490		+	2,850		×加算率	2,580		×加算率				
	21人から30人まで	2号	4歳以上児	100,080	(108,370)	81,570	(89,860)	+	980	(1,060)	×加算率	790	(870)	×加算率	+	(8,290)	+	(80×加算率)
			3歳児	108,370	(174,990)	89,860	(156,480)	+	1,060	(1,630)	×加算率	870	(1,440)	×加算率	+	8,290	+	80×加算率
		3号	1、2歳児	174,990	(257,920)	156,480	(239,410)	+	1,630	(2,460)	×加算率	1,440	(2,270)	×加算率				
			乳児	257,920		239,410		+	2,460		×加算率	2,270		×加算率				
	31人から40人まで	2号	4歳以上児	80,830	(89,120)	66,950	(75,240)	+	780	(860)	×加算率	650	(730)	×加算率	+	(8,290)	+	(80×加算率)
			3歳児	89,120	(155,740)	75,240	(141,860)	+	860	(1,440)	×加算率	730	(1,300)	×加算率	+	8,290	+	80×加算率
		3号	1、2歳児	155,740	(238,670)	141,860	(224,790)	+	1,440	(2,270)	×加算率	1,300	(2,130)	×加算率				
			乳児	238,670		224,790		+	2,270		×加算率	2,130		×加算率				
	41人から50人まで	2号	4歳以上児	75,390	(83,680)	64,280	(72,570)	+	730	(810)	×加算率	620	(700)	×加算率	+	(8,290)	+	(80×加算率)
			3歳児	83,680	(150,300)	72,570	(139,190)	+	810	(1,380)	×加算率	700	(1,270)	×加算率	+	8,290	+	80×加算率
		3号	1、2歳児	150,300	(233,230)	139,190	(222,120)	+	1,380	(2,210)	×加算率	1,270	(2,100)	×加算率				
			乳児	233,230		222,120		+	2,210		×加算率	2,100		×加算率				
	51人から60人まで	2号	4歳以上児	65,930	(74,220)	56,680	(64,970)	+	640	(720)	×加算率	540	(620)	×加算率	+	(8,290)	+	(80×加算率)
			3歳児	74,220	(140,840)	64,970	(131,590)	+	720	(1,290)	×加算率	620	(1,200)	×加算率	+	8,290	+	80×加算率
		3号	1、2歳児	140,840	(223,770)	131,590	(214,520)	+	1,290	(2,120)	×加算率	1,200	(2,030)	×加算率				
			乳児	223,770		214,520		+	2,120		×加算率	2,030		×加算率				
	61人から70人まで	2号	4歳以上児	59,260	(67,550)	51,330	(59,620)	+	570	(650)	×加算率	490	(570)	×加算率	+	(8,290)	+	(80×加算率)
			3歳児	67,550	(134,170)	59,620	(126,240)	+	650	(1,220)	×加算率	570	(1,140)	×加算率	+	8,290	+	80×加算率
		3号	1、2歳児	134,170	(217,100)	126,240	(209,170)	+	1,220	(2,050)	×加算率	1,140	(1,970)	×加算率				
			乳児	217,100		209,170		+	2,050		×加算率	1,970		×加算率				
	71人から80人まで	2号	4歳以上児	54,310	(62,600)	47,370	(55,660)	+	520	(600)	×加算率	450	(530)	×加算率	+	(8,290)	+	(80×加算率)
			3歳児	62,600	(129,220)	55,660	(122,280)	+	600	(1,170)	×加算率	530	(1,100)	×加算率	+	8,290	+	80×加算率
		3号	1、2歳児	129,220	(212,150)	122,280	(205,210)	+	1,170	(2,000)	×加算率	1,100	(1,930)	×加算率				
			乳児	212,150		205,210		+	2,000		×加算率	1,930		×加算率				
	81人から90人まで	2号	4歳以上児	50,410	(58,700)	44,240	(52,530)	+	480	(560)	×加算率	420	(500)	×加算率	+	(8,290)	+	(80×加算率)
			3歳児	58,700	(125,320)	52,530	(119,150)	+	560	(1,130)	×加算率	500	(1,070)	×加算率	+	8,290	+	80×加算率
		3号	1、2歳児	125,320	(208,250)	119,150	(202,080)	+	1,130	(1,960)	×加算率	1,070	(1,900)	×加算率				
			乳児	208,250		202,080		+	1,960		×加算率	1,900		×加算率				
	91人から100人まで	2号	4歳以上児	43,540	(51,830)	37,990	(46,280)	+	410	(490)	×加算率	360	(440)	×加算率	+	(8,290)	+	(80×加算率)
			3歳児	51,830	(118,450)	46,280	(112,900)	+	490	(1,060)	×加算率	440	(1,010)	×加算率	+	8,290	+	80×加算率
		3号	1、2歳児	118,450	(201,380)	112,900	(195,830)	+	1,060	(1,890)	×加算率	1,010	(1,840)	×加算率				
			乳児	201,380		195,830		+	1,890		×加算率	1,840		×加算率				
	101人から110人まで	2号	4歳以上児	41,370	(49,660)	36,320	(44,610)	+	390	(470)	×加算率	340	(420)	×加算率	+	(8,290)	+	(80×加算率)
			3歳児	49,660	(116,280)	44,610	(111,230)	+	470	(1,040)	×加算率	420	(990)	×加算率	+	8,290	+	80×加算率
		3号	1、2歳児	116,280	(199,210)	111,230	(194,160)	+	1,040	(1,870)	×加算率	990	(1,820)	×加算率				
			乳児	199,210		194,160		+	1,870		×加算率	1,820		×加算率				
	111人から120人まで	2号	4歳以上児	39,520	(47,810)	34,900	(43,190)	+	370	(450)	×加算率	320	(400)	×加算率	+	(8,290)	+	(80×加算率)
			3歳児	47,810	(114,430)	43,190	(109,810)	+	450	(1,020)	×加算率	400	(980)	×加算率	+	8,290	+	80×加算率
		3号	1、2歳児	114,430	(197,360)	109,810	(192,740)	+	1,020	(1,850)	×加算率	980	(1,810)	×加算率				
			乳児	197,360		192,740		+	1,850		×加算率	1,810		×加算率				
	121人から130人まで	2号	4歳以上児	37,960	(46,250)	33,690	(41,980)	+	360	(440)	×加算率	310	(390)	×加算率	+	(8,290)	+	(80×加算率)
			3歳児	46,250	(112,870)	41,980	(108,600)	+	440	(1,010)	×加算率	390	(970)	×加算率	+	8,290	+	80×加算率
		3号	1、2歳児	112,870	(195,800)	108,600	(191,530)	+	1,010	(1,840)	×加算率	970	(1,800)	×加算率				
			乳児	195,800		191,530		+	1,840		×加算率	1,800		×加算率				
	131人から140人まで	2号	4歳以上児	36,650	(44,940)	32,690	(40,980)	+	340	(420)	×加算率	300	(380)	×加算率	+	(8,290)	+	(80×加算率)
			3歳児	44,940	(111,560)	40,980	(107,600)	+	420	(1,000)	×加算率	380	(960)	×加算率	+	8,290	+	80×加算率
		3号	1、2歳児	111,560	(194,490)	107,600	(190,530)	+	1,000	(1,830)	×加算率	960	(1,790)	×加算率				
			乳児	194,490		190,530		+	1,830		×加算率	1,790		×加算率				
	141人から150人まで	2号	4歳以上児	35,500	(43,790)	31,800	(40,090)	+	330	(410)	×加算率	290	(370)	×加算率	+	(8,290)	+	(80×加算率)
			3歳児	43,790	(110,410)	40,090	(106,710)	+	410	(980)	×加算率	370	(950)	×加算率	+	8,290	+	80×加算率
		3号	1、2歳児	110,410	(193,340)	106,710	(189,640)	+	980	(1,810)	×加算率	950	(1,780)	×加算率				
			乳児	193,340		189,640		+	1,810		×加算率	1,780		×加算率				
	151人から160人まで	2号	4歳以上児	35,390	(43,680)	31,920	(40,210)	+	330	(410)	×加算率	290	(370)	×加算率	+	(8,290)	+	(80×加算率)
			3歳児	43,680	(110,300)	40,210	(106,830)	+	410	(980)	×加算率	370	(950)	×加算率	+	8,290	+	80×加算率
		3号	1、2歳児	110,300	(193,230)	106,830	(189,760)	+	980	(1,810)	×加算率	950	(1,780)	×加算率				
			乳児	193,230		189,760		+	1,810		×加算率	1,780		×加算率				
	161人から170人まで	2号	4歳以上児	34,460	(42,750)	31,200	(39,490)	+	320	(400)	×加算率	290	(370)	×加算率	+	(8,290)	+	(80×加算率)
			3歳児	42,750	(109,370)	39,490	(106,110)	+	400	(970)	×加算率	370	(940)	×加算率	+	8,290	+	80×加算率
		3号	1、2歳児	109,370	(192,300)	106,110	(189,040)	+	970	(1,800)	×加算率	940	(1,770)	×加算率				
			乳児	192,300		189,040		+	1,800		×加算率	1,770		×加算率				
	171人以上	2号	4歳以上児	33,620	(41,910)	30,540	(38,830)	+	310	(390)	×加算率	280	(360)	×加算率	+	(8,290)	+	(80×加算率)
			3歳児	41,910	(108,530)	38,830	(105,450)	+	390	(970)	×加算率	360	(930)	×加算率	+	8,290	+	80×加算率
		3号	1、2歳児	108,530	(191,460)	105,450	(188,380)	+	970	(1,800)	×加算率	930	(1,760)	×加算率				
			乳児	191,460		188,380		+	1,800		×加算率	1,760		×加算率				

地域区分 ①	定員区分 ②	認定区分 ③	年齢区分 ④	4歳以上児配置改善加算	処遇改善等加算Ⅰ ⑨	夜間保育加算 ⑪	(注1)	処遇改善等加算Ⅰ
20/100地域	10人まで	2号	4歳以上児	+ 3,310	+ 30×加算率	+ 54,720	52,890	+ 470×加算率
			3歳児					
		3号	1、2歳児			+ 52,890		
			乳児					
	11人から20人まで	2号	4歳以上児	+ 3,310	+ 30×加算率	+ 31,010	29,180	+ 230×加算率
			3歳児					
		3号	1、2歳児			+ 29,180		
			乳児					
	21人から30人まで	2号	4歳以上児	+ 3,310	+ 30×加算率	+ 23,110	21,280	+ 150×加算率
			3歳児					
		3号	1、2歳児			+ 21,280		
			乳児					
	31人から40人まで	2号	4歳以上児	+ 3,310	+ 30×加算率	+ 19,160	17,330	+ 110×加算率
			3歳児					
		3号	1、2歳児			+ 17,330		
			乳児					
	41人から50人まで	2号	4歳以上児	+ 3,310	+ 30×加算率	+ 16,790	14,960	+ 90×加算率
			3歳児					
		3号	1、2歳児			+ 14,960		
			乳児					
	51人から60人まで	2号	4歳以上児	+ 3,310	+ 30×加算率	+ 15,210	13,380	+ 70×加算率
			3歳児					
		3号	1、2歳児			+ 13,380		
			乳児					
	61人から70人まで	2号	4歳以上児	+ 3,310	+ 30×加算率	+ 14,080	12,250	+ 60×加算率
			3歳児					
		3号	1、2歳児			+ 12,250		
			乳児					
	71人から80人まで	2号	4歳以上児	+ 3,310	+ 30×加算率	+ 13,230	11,400	+ 50×加算率
			3歳児					
		3号	1、2歳児			+ 11,400		
			乳児					
	81人から90人まで	2号	4歳以上児	+ 3,310	+ 30×加算率	+ 12,570	10,740	+ 50×加算率
			3歳児					
		3号	1、2歳児			+ 10,740		
			乳児					
	91人から100人まで	2号	4歳以上児	+ 3,310	+ 30×加算率			
			3歳児					
		3号	1、2歳児					
			乳児					
	101人から110人まで	2号	4歳以上児	+ 3,310	+ 30×加算率			
			3歳児					
		3号	1、2歳児					
			乳児					
	111人から120人まで	2号	4歳以上児	+ 3,310	+ 30×加算率			
			3歳児					
		3号	1、2歳児					
			乳児					
	121人から130人まで	2号	4歳以上児	+ 3,310	+ 30×加算率			
			3歳児					
		3号	1、2歳児					
			乳児					
	131人から140人まで	2号	4歳以上児	+ 3,310	+ 30×加算率			
			3歳児					
		3号	1、2歳児					
			乳児					
	141人から150人まで	2号	4歳以上児	+ 3,310	+ 30×加算率			
			3歳児					
		3号	1、2歳児					
			乳児					
	151人から160人まで	2号	4歳以上児	+ 3,310	+ 30×加算率			
			3歳児					
		3号	1、2歳児					
			乳児					
	161人から170人まで	2号	4歳以上児	+ 3,310	+ 30×加算率			
			3歳児					
		3号	1、2歳児					
			乳児					
	171人以上	2号	4歳以上児	+ 3,310	+ 30×加算率			
			3歳児					
		3号	1、2歳児					
			乳児					

休日保育加算 ⑩ (全定員区分共通)

休日保育の年間延べ利用子ども数		休日保育の年間延べ利用子ども数 (処遇改善等加算Ⅰ)	
〜 210人	+ 280,600	〜 210人	+ 2,800×加算率
211人〜 279人	+ 300,700	211人〜 279人	+ 3,000×加算率
280人〜 349人	+ 340,900	280人〜 349人	+ 3,400×加算率
350人〜 419人	+ 381,200	350人〜 419人	+ 3,810×加算率
420人〜 489人	+ 421,400	420人〜 489人	+ 4,210×加算率
490人〜 559人	+ 461,700	490人〜 559人	+ 4,610×加算率
560人〜 629人	+ 501,900	560人〜 629人	+ 5,010×加算率
630人〜 699人	+ 542,200	630人〜 699人	+ 5,420×加算率
700人〜 769人	+ 582,400	700人〜 769人	+ 5,820×加算率
770人〜 839人	+ 622,700	770人〜 839人	+ 6,220×加算率
840人〜 909人	+ 662,900	840人〜 909人	+ 6,620×加算率
910人〜 979人	+ 703,200	910人〜 979人	+ 7,030×加算率
980人〜1,049人	+ 743,400	980人〜1,049人	+ 7,430×加算率
1,050人〜	+ 783,700	1,050人〜	+ 7,830×加算率

÷ 各月初日の利用子ども数

地域区分 ①	定員区分 ②	認定区分 ③	年齢区分 ④	チーム保育加配加算 ※1号・2号の利用定員合計に応じて2号利用子どもの単価に加算 ⑫	処遇改善等加算Ⅰ	減価償却費加算 ⑬ 加算額 認可施設 標準	認可施設 都市部	機能部分 標準	機能部分 都市部	賃借料加算 ⑭	加算額 認可施設 標準	認可施設 都市部	機能部分 標準	機能部分 都市部	外部監査費加算 ⑮
20/100地域	10人まで	2号	4歳以上児	～ 15人 34,260×加配人数	340×加算率×加配人数	17,100	18,800	11,900	11,900	a地域	31,600	35,200	22,100	22,100	
			3歳児							b地域	17,400	19,400	12,200	12,200	
		3号	1、2歳児							c地域	15,200	16,900	10,600	10,600	
			乳児							d地域	13,600	15,100	9,500	9,500	
	11人から20人まで	2号	4歳以上児	16人～ 25人 20,550×加配人数	200×加算率×加配人数	8,500	9,400	5,900	5,900	a地域	15,800	17,600	11,000	11,000	
			3歳児							b地域	8,700	9,700	6,100	6,100	
		3号	1、2歳児							c地域	7,600	8,400	5,300	5,300	
			乳児							d地域	6,800	7,500	4,700	4,700	
	21人から30人まで	2号	4歳以上児	26人～ 35人 14,680×加配人数	140×加算率×加配人数	5,900	6,500	4,100	4,100	a地域	10,900	12,200	7,600	7,600	
			3歳児							b地域	6,000	6,700	4,200	4,200	
		3号	1、2歳児							c地域	5,200	5,800	3,600	3,600	
			乳児							d地域	4,700	5,200	3,300	3,300	
	31人から40人まで	2号	4歳以上児	36人～ 45人 11,420×加配人数	110×加算率×加配人数	5,200	5,700	3,600	3,600	a地域	9,800	10,900	6,800	6,800	
			3歳児							b地域	5,400	6,000	3,700	3,700	
		3号	1、2歳児							c地域	4,700	5,200	3,300	3,300	
			乳児							d地域	4,200	4,600	2,900	2,900	
	41人から50人まで	2号	4歳以上児	46人～ 60人 8,560×加配人数	80×加算率×加配人数	4,700	5,200	3,300	3,300	a地域	8,800	9,800	6,100	6,100	
			3歳児							b地域	4,800	5,400	3,400	3,400	
		3号	1、2歳児							c地域	4,200	4,700	2,900	2,900	
			乳児							d地域	3,800	4,200	2,600	2,600	
	51人から60人まで	2号	4歳以上児	61人～ 75人 6,850×加配人数	60×加算率×加配人数	3,900	4,300	2,700	2,700	a地域	7,200	8,100	5,100	5,100	
			3歳児							b地域	4,000	4,400	2,800	2,800	
		3号	1、2歳児							c地域	3,500	3,800	2,400	2,400	
			乳児							d地域	3,100	3,400	2,100	2,100	
	61人から70人まで	2号	4歳以上児	76人～ 90人 5,710×加配人数	50×加算率×加配人数	3,300	3,700	2,300	2,300	a地域	6,300	7,100	4,400	4,400	
			3歳児							b地域	3,500	3,900	2,400	2,400	
		3号	1、2歳児							c地域	3,000	3,400	2,100	2,100	
			乳児							d地域	2,700	3,000	1,900	1,900	
	71人から80人まで	2号	4歳以上児	91人～ 105人 4,890×加配人数	40×加算率×加配人数	3,800	4,200	2,700	2,700	a地域	7,100	7,900	4,900	4,900	
			3歳児							b地域	3,900	4,300	2,700	2,700	
		3号	1、2歳児							c地域	3,400	3,800	2,300	2,300	
			乳児							d地域	3,000	3,400	2,100	2,100	
	81人から90人まで	2号	4歳以上児	106人～ 120人 4,280×加配人数	40×加算率×加配人数	3,400	3,700	2,400	2,400	a地域	6,300	7,100	4,400	4,400	
			3歳児							b地域	3,500	3,900	2,400	2,400	
		3号	1、2歳児							c地域	3,000	3,400	2,100	2,100	
			乳児							d地域	2,700	3,000	1,900	1,900	
	91人から100人まで	2号	4歳以上児	121人～ 135人 3,800×加配人数	30×加算率×加配人数	3,000	3,400	2,100	2,100	a地域	5,500	6,200	3,900	3,900	
			3歳児							b地域	3,000	3,400	2,100	2,100	
		3号	1、2歳児							c地域	2,600	2,900	1,800	1,800	
			乳児							d地域	2,400	2,600	1,600	1,600	
	101人から110人まで	2号	4歳以上児	136人～ 150人 3,420×加配人数	30×加算率×加配人数	3,300	3,700	2,300	2,300	a地域	6,100	6,800	4,200	4,200	
			3歳児							b地域	3,300	3,700	2,300	2,300	
		3号	1、2歳児							c地域	2,900	3,200	2,000	2,000	
			乳児							d地域	2,600	2,900	1,800	1,800	
	111人から120人まで	2号	4歳以上児	151人～ 180人 2,850×加配人数	20×加算率×加配人数	3,000	3,400	2,100	2,100	a地域	5,500	6,200	3,900	3,900	
			3歳児							b地域	3,000	3,400	2,100	2,100	
		3号	1、2歳児							c地域	2,600	2,900	1,800	1,800	
			乳児							d地域	2,400	2,600	1,600	1,600	
	121人から130人まで	2号	4歳以上児	181人～ 210人 2,440×加配人数	20×加算率×加配人数	2,800	3,100	2,000	2,000	a地域	5,100	5,700	3,500	3,500	
			3歳児							b地域	2,800	3,100	1,900	1,900	
		3号	1、2歳児							c地域	2,100	2,700	1,700	1,700	
			乳児							d地域	2,200	2,400	1,500	1,500	
	131人から140人まで	2号	4歳以上児	211人～ 240人 2,140×加配人数	20×加算率×加配人数	3,000	3,300	2,100	2,100	a地域	5,500	6,200	3,900	3,900	
			3歳児							b地域	3,000	3,400	2,100	2,100	
		3号	1、2歳児							c地域	2,600	2,900	1,800	1,800	
			乳児							d地域	2,400	2,600	1,600	1,600	
	141人から150人まで	2号	4歳以上児	241人～ 270人 1,900×加配人数	10×加算率×加配人数	2,800	3,100	2,000	2,000	a地域	5,400	6,000	3,700	3,700	
			3歳児							b地域	2,900	3,300	2,000	2,000	
		3号	1、2歳児							c地域	2,500	2,800	1,800	1,800	
			乳児							d地域	2,300	2,500	1,600	1,600	
	151人から160人まで	2号	4歳以上児	271人～ 300人 1,710×加配人数	10×加算率×加配人数	2,600	2,900	1,800	1,800	a地域	4,800	5,400	3,400	3,400	
			3歳児							b地域	2,600	2,900	1,800	1,800	
		3号	1、2歳児							c地域	2,300	2,500	1,600	1,600	
			乳児							d地域	2,000	2,300	1,400	1,400	
	161人から170人まで	2号	4歳以上児	301人～ 1,550×加配人数	10×加算率×加配人数	2,800	3,100	2,000	2,000	a地域	5,400	6,000	3,700	3,700	
			3歳児							b地域	2,900	3,300	2,000	2,000	
		3号	1、2歳児							c地域	2,500	2,800	1,800	1,800	
			乳児							d地域	2,300	2,500	1,600	1,600	
	171人以上	2号	4歳以上児			2,700	2,900	1,900	1,900	a地域	4,800	5,400	3,400	3,400	
			3歳児							b地域	2,600	2,900	1,800	1,800	
		3号	1、2歳児							c地域	2,300	2,500	1,600	1,600	
			乳児							d地域	2,000	2,300	1,400	1,400	

外部監査費加算（⑮）

認定こども園全体の利用定員	
～ 15人	27,330
16人～ 25人	16,800
26人～ 35人	12,280
36人～ 45人	9,770
46人～ 60人	7,500
61人～ 75人	6,130
76人～ 90人	5,220
91人～ 105人	4,660
106人～ 120人	4,250
121人～ 135人	3,920
136人～ 150人	3,660
151人～ 180人	3,160
181人～ 210人	2,810
211人～ 240人	2,540
241人～ 270人	2,440
271人～ 300人	2,360
301人～	2,150

※3月分の単価に加算

地域区分 ①	定員区分 ②	認定区分 ③	年齢区分 ④	副食費徴収免除加算 ※副食費の徴収が免除される子どもの単価に加算 ⑯	1号認定こどもの利用定員を設定しない場合 ⑰	1号認定こどもの利用定員を設定しない場合 処遇改善等加算Ⅰ ⑰	分園の場合 ⑱	土曜日に閉所する場合 月に1日土曜日を閉所する場合 ⑲	土曜日に閉所する場合 月に2日土曜日を閉所する場合 ⑲	土曜日に閉所する場合 月に3日以上土曜日を閉所する場合 ⑲	土曜日に閉所する場合 全ての土曜日を閉所する場合 ⑲
20/100地域	10人まで	2号	4歳以上児	+ 4,800	+ 22,440	+ 220×加算率	− (⑥+⑦)×10/100	− (⑥+⑦+⑧+⑨+⑪)×1/100	(⑥+⑦+⑧+⑨+⑪)×2/100	(⑥+⑦+⑧+⑨+⑪)×3/100	(⑥+⑦+⑧+⑨+⑪)×4/100
			3歳児								
		3号	1、2歳児								
			乳児								
	11人から20人まで	2号	4歳以上児	+ 4,800	+ 11,220	+ 110×加算率		− (⑥+⑦+⑧+⑨+⑪)×1/100	(⑥+⑦+⑧+⑨+⑪)×2/100	(⑥+⑦+⑧+⑨+⑪)×4/100	(⑥+⑦+⑧+⑨+⑪)×5/100
			3歳児								
		3号	1、2歳児								
			乳児								
	21人から30人まで	2号	4歳以上児	+ 4,800	+ 7,480	+ 70×加算率		− (⑥+⑦+⑧+⑨+⑪)×1/100	(⑥+⑦+⑧+⑨+⑪)×3/100	(⑥+⑦+⑧+⑨+⑪)×4/100	(⑥+⑦+⑧+⑨+⑪)×5/100
			3歳児								
		3号	1、2歳児								
			乳児								
	31人から40人まで	2号	4歳以上児	+ 4,800	+ 5,610	+ 50×加算率		− (⑥+⑦+⑧+⑨+⑪)×1/100	(⑥+⑦+⑧+⑨+⑪)×3/100	(⑥+⑦+⑧+⑨+⑪)×4/100	(⑥+⑦+⑧+⑨+⑪)×5/100
			3歳児								
		3号	1、2歳児								
			乳児								
	41人から50人まで	2号	4歳以上児	+ 4,800	+ 4,490	+ 40×加算率		− (⑥+⑦+⑧+⑨+⑪)×1/100	(⑥+⑦+⑧+⑨+⑪)×3/100	(⑥+⑦+⑧+⑨+⑪)×4/100	(⑥+⑦+⑧+⑨+⑪)×5/100
			3歳児								
		3号	1、2歳児								
			乳児								
	51人から60人まで	2号	4歳以上児	+ 4,800	+ 3,740	+ 30×加算率		− (⑥+⑦+⑧+⑨+⑪)×1/100	(⑥+⑦+⑧+⑨+⑪)×3/100	(⑥+⑦+⑧+⑨+⑪)×4/100	(⑥+⑦+⑧+⑨+⑪)×5/100
			3歳児								
		3号	1、2歳児								
			乳児								
	61人から70人まで	2号	4歳以上児	+ 4,800	+ 3,200	+ 30×加算率		− (⑥+⑦+⑧+⑨+⑪)×1/100	(⑥+⑦+⑧+⑨+⑪)×3/100	(⑥+⑦+⑧+⑨+⑪)×4/100	(⑥+⑦+⑧+⑨+⑪)×6/100
			3歳児								
		3号	1、2歳児								
			乳児								
	71人から80人まで	2号	4歳以上児	+ 4,800	+ 2,810	+ 20×加算率		− (⑥+⑦+⑧+⑨+⑪)×1/100	(⑥+⑦+⑧+⑨+⑪)×3/100	(⑥+⑦+⑧+⑨+⑪)×4/100	(⑥+⑦+⑧+⑨+⑪)×6/100
			3歳児								
		3号	1、2歳児								
			乳児								
	81人から90人まで	2号	4歳以上児	+ 4,800	+ 2,490	+ 20×加算率		− (⑥+⑦+⑧+⑨+⑪)×1/100	(⑥+⑦+⑧+⑨+⑪)×3/100	(⑥+⑦+⑧+⑨+⑪)×4/100	(⑥+⑦+⑧+⑨+⑪)×6/100
			3歳児								
		3号	1、2歳児								
			乳児								
	91人から100人まで	2号	4歳以上児	+ 4,800	+ 2,240	+ 20×加算率		− (⑥+⑦+⑧+⑨+⑪)×1/100	(⑥+⑦+⑧+⑨+⑪)×3/100	(⑥+⑦+⑧+⑨+⑪)×4/100	(⑥+⑦+⑧+⑨+⑪)×6/100
			3歳児								
		3号	1、2歳児								
			乳児								
	101人から110人まで	2号	4歳以上児	+ 4,800	+ 2,040	+ 20×加算率		− (⑥+⑦+⑧+⑨+⑪)×1/100	(⑥+⑦+⑧+⑨+⑪)×3/100	(⑥+⑦+⑧+⑨+⑪)×4/100	(⑥+⑦+⑧+⑨+⑪)×6/100
			3歳児								
		3号	1、2歳児								
			乳児								
	111人から120人まで	2号	4歳以上児	+ 4,800	+ 1,870	+ 10×加算率		− (⑥+⑦+⑧+⑨+⑪)×1/100	(⑥+⑦+⑧+⑨+⑪)×3/100	(⑥+⑦+⑧+⑨+⑪)×4/100	(⑥+⑦+⑧+⑨+⑪)×6/100
			3歳児								
		3号	1、2歳児								
			乳児								
	121人から130人まで	2号	4歳以上児	+ 4,800	+ 1,720	+ 10×加算率		− (⑥+⑦+⑧+⑨+⑪)×1/100	(⑥+⑦+⑧+⑨+⑪)×3/100	(⑥+⑦+⑧+⑨+⑪)×4/100	(⑥+⑦+⑧+⑨+⑪)×6/100
			3歳児								
		3号	1、2歳児								
			乳児								
	131人から140人まで	2号	4歳以上児	+ 4,800	+ 1,600	+ 10×加算率		− (⑥+⑦+⑧+⑨+⑪)×1/100	(⑥+⑦+⑧+⑨+⑪)×3/100	(⑥+⑦+⑧+⑨+⑪)×4/100	(⑥+⑦+⑧+⑨+⑪)×6/100
			3歳児								
		3号	1、2歳児								
			乳児								
	141人から150人まで	2号	4歳以上児	+ 4,800	+ 1,490	+ 10×加算率		− (⑥+⑦+⑧+⑨+⑪)×1/100	(⑥+⑦+⑧+⑨+⑪)×3/100	(⑥+⑦+⑧+⑨+⑪)×4/100	(⑥+⑦+⑧+⑨+⑪)×6/100
			3歳児								
		3号	1、2歳児								
			乳児								
	151人から160人まで	2号	4歳以上児	+ 4,800	+ 1,400	+ 10×加算率		− (⑥+⑦+⑧+⑨+⑪)×1/100	(⑥+⑦+⑧+⑨+⑪)×3/100	(⑥+⑦+⑧+⑨+⑪)×4/100	(⑥+⑦+⑧+⑨+⑪)×6/100
			3歳児								
		3号	1、2歳児								
			乳児								
	161人から170人まで	2号	4歳以上児	+ 4,800	+ 1,320	+ 10×加算率		− (⑥+⑦+⑧+⑨+⑪)×1/100	(⑥+⑦+⑧+⑨+⑪)×3/100	(⑥+⑦+⑧+⑨+⑪)×4/100	(⑥+⑦+⑧+⑨+⑪)×6/100
			3歳児								
		3号	1、2歳児								
			乳児								
	171人以上	2号	4歳以上児	+ 4,800	+ 1,240	+ 10×加算率		− (⑥+⑦+⑧+⑨+⑪)×1/100	(⑥+⑦+⑧+⑨+⑪)×3/100	(⑥+⑦+⑧+⑨+⑪)×4/100	(⑥+⑦+⑧+⑨+⑪)×6/100
			3歳児								
		3号	1、2歳児								
			乳児								

地域区分 ①	定員区分 ②	認定区分 ③	年齢区分 ④		主幹教諭等の専任化により子育て支援の取り組みを実施していない場合 ⑳		年齢別配置基準を下回る場合 ㉑		配置基準上求められる職員資格を有しない場合 ㉒	定員を恒常的に超過する場合 ㉓
20/100地域	10人まで	2号 3号	4歳以上児 3　歳　児 1、2歳児 乳　児	−	(13,290 +130×加算率)	−	(49,760 +490×加算率) ×人数	−	(33,010 +330×加算率) ×人数	(⑥～㉒（⑯を除く。）) ×別に定める調整率
	11人から20人まで	2号 3号	4歳以上児 3　歳　児 1、2歳児 乳　児	−	(6,640 +60×加算率)	−	(24,880 +240×加算率) ×人数	−	(16,500 +160×加算率) ×人数	
	21人から30人まで	2号 3号	4歳以上児 3　歳　児 1、2歳児 乳　児	−	(4,430 +40×加算率)	−	(16,580 +160×加算率) ×人数	−	(11,000 +110×加算率) ×人数	
	31人から40人まで	2号 3号	4歳以上児 3　歳　児 1、2歳児 乳　児	−	(3,320 +30×加算率)	−	(12,440 +120×加算率) ×人数	−	(8,250 +80×加算率) ×人数	
	41人から50人まで	2号 3号	4歳以上児 3　歳　児 1、2歳児 乳　児	−	(2,650 +20×加算率)	−	(9,950 +100×加算率) ×人数	−	(6,600 +60×加算率) ×人数	
	51人から60人まで	2号 3号	4歳以上児 3　歳　児 1、2歳児 乳　児	−	(2,210 +20×加算率)	−	(8,290 +80×加算率) ×人数	−	(5,500 +50×加算率) ×人数	
	61人から70人まで	2号 3号	4歳以上児 3　歳　児 1、2歳児 乳　児	−	(1,890 +10×加算率)	−	(7,100 +70×加算率) ×人数	−	(4,710 +40×加算率) ×人数	
	71人から80人まで	2号 3号	4歳以上児 3　歳　児 1、2歳児 乳　児	−	(1,660 +10×加算率)	−	(6,220 +60×加算率) ×人数	−	(4,120 +40×加算率) ×人数	
	81人から90人まで	2号 3号	4歳以上児 3　歳　児 1、2歳児 乳　児	−	(1,470 +10×加算率)	−	(5,520 +50×加算率) ×人数	−	(3,660 +30×加算率) ×人数	
	91人から100人まで	2号 3号	4歳以上児 3　歳　児 1、2歳児 乳　児	−	(1,330 +10×加算率)	−	(4,970 +50×加算率) ×人数	−	(3,300 +30×加算率) ×人数	
	101人から110人まで	2号 3号	4歳以上児 3　歳　児 1、2歳児 乳　児	−	(1,200 +10×加算率)	−	(4,520 +40×加算率) ×人数	−	(3,000 +30×加算率) ×人数	
	111人から120人まで	2号 3号	4歳以上児 3　歳　児 1、2歳児 乳　児	−	(1,100 +10×加算率)	−	(4,140 +40×加算率) ×人数	−	(2,750 +20×加算率) ×人数	
	121人から130人まで	2号 3号	4歳以上児 3　歳　児 1、2歳児 乳　児	−	(1,020 +10×加算率)	−	(3,820 +30×加算率) ×人数	−	(2,540 +20×加算率) ×人数	
	131人から140人まで	2号 3号	4歳以上児 3　歳　児 1、2歳児 乳　児	−	(950 +10×加算率)	−	(3,550 +30×加算率) ×人数	−	(2,350 +20×加算率) ×人数	
	141人から150人まで	2号 3号	4歳以上児 3　歳　児 1、2歳児 乳　児	−	(880 +9×加算率)	−	(3,310 +30×加算率) ×人数	−	(2,200 +20×加算率) ×人数	
	151人から160人まで	2号 3号	4歳以上児 3　歳　児 1、2歳児 乳　児	−	(830 +8×加算率)	−	(3,110 +30×加算率) ×人数	−	(2,060 +20×加算率) ×人数	
	161人から170人まで	2号 3号	4歳以上児 3　歳　児 1、2歳児 乳　児	−	(780 +8×加算率)	−	(2,920 +20×加算率) ×人数	−	(1,940 +10×加算率) ×人数	
	171人以上	2号 3号	4歳以上児 3　歳　児 1、2歳児 乳　児	−	(730 +7×加算率)	−	(2,760 +20×加算率) ×人数	−	(1,830 +10×加算率) ×人数	

地域区分 ①	定員区分 ②	認定区分 ③	年齢区分 ④	保育必要量区分 ⑤ 保育標準時間認定 基本分単価 ⑥	(注1)	保育短時間認定 基本分単価 ⑥	(注1)		処遇改善等加算Ⅰ 保育標準時間認定 ⑦	(注1)		保育短時間認定 ⑦	(注1)			3歳児配置改善加算		処遇改善等加算Ⅰ ⑧
16/100地域	10人まで	2号	4歳以上児	250,480	(258,520)	196,450	(204,490)	+	2,480	(2,560)	×加算率	1,940	(2,020)	×加算率	+	(8,040)	+	(80×加算率)
			3 歳 児	258,520	(323,390)	204,490	(269,360)	+	2,560	(3,110)	×加算率	2,020	(2,570)	×加算率	+	8,040	+	80×加算率
		3号	1、2歳児	323,390	(403,830)	269,360	(349,800)	+	3,110	(3,910)	×加算率	2,570	(3,370)	×加算率				
			乳 児	403,830		349,800		+	3,910		×加算率	3,370		×加算率				
	11人から20人まで	2号	4歳以上児	135,860	(143,900)	108,840	(116,880)	+	1,330	(1,410)	×加算率	1,060	(1,140)	×加算率	+	(8,040)	+	(80×加算率)
			3 歳 児	143,900	(208,770)	116,880	(181,750)	+	1,410	(1,970)	×加算率	1,140	(1,700)	×加算率	+	8,040	+	80×加算率
		3号	1、2歳児	208,770	(289,210)	181,750	(262,190)	+	1,970	(2,770)	×加算率	1,700	(2,500)	×加算率				
			乳 児	289,210		262,190		+	2,770		×加算率	2,500		×加算率				
	21人から30人まで	2号	4歳以上児	97,520	(105,560)	79,510	(87,550)	+	950	(1,030)	×加算率	770	(850)	×加算率	+	(8,040)	+	(80×加算率)
			3 歳 児	105,560	(170,430)	87,550	(152,420)	+	1,030	(1,580)	×加算率	850	(1,400)	×加算率	+	8,040	+	80×加算率
		3号	1、2歳児	170,430	(250,870)	152,420	(232,860)	+	1,580	(2,380)	×加算率	1,400	(2,200)	×加算率				
			乳 児	250,870		232,860		+	2,380		×加算率	2,200		×加算率				
	31人から40人まで	2号	4歳以上児	78,720	(86,760)	65,210	(73,250)	+	760	(840)	×加算率	630	(710)	×加算率	+	(8,040)	+	(80×加算率)
			3 歳 児	86,760	(151,630)	73,250	(138,120)	+	840	(1,400)	×加算率	710	(1,260)	×加算率	+	8,040	+	80×加算率
		3号	1、2歳児	151,630	(232,070)	138,120	(218,560)	+	1,400	(2,200)	×加算率	1,260	(2,060)	×加算率				
			乳 児	232,070		218,560		+	2,200		×加算率	2,060		×加算率				
	41人から50人まで	2号	4歳以上児	73,400	(81,440)	62,590	(70,630)	+	710	(790)	×加算率	600	(680)	×加算率	+	(8,040)	+	(80×加算率)
			3 歳 児	81,440	(146,310)	70,630	(135,500)	+	790	(1,340)	×加算率	680	(1,230)	×加算率	+	8,040	+	80×加算率
		3号	1、2歳児	146,310	(226,750)	135,500	(215,940)	+	1,340	(2,140)	×加算率	1,230	(2,030)	×加算率				
			乳 児	226,750		215,940		+	2,140		×加算率	2,030		×加算率				
	51人から60人まで	2号	4歳以上児	64,190	(72,230)	55,190	(63,230)	+	620	(700)	×加算率	530	(610)	×加算率	+	(8,040)	+	(80×加算率)
			3 歳 児	72,230	(137,100)	63,230	(128,100)	+	700	(1,250)	×加算率	610	(1,160)	×加算率	+	8,040	+	80×加算率
		3号	1、2歳児	137,100	(217,540)	128,100	(208,540)	+	1,250	(2,050)	×加算率	1,160	(1,960)	×加算率				
			乳 児	217,540		208,540		+	2,050		×加算率	1,960		×加算率				
	61人から70人まで	2号	4歳以上児	57,690	(65,730)	49,980	(58,020)	+	550	(630)	×加算率	480	(560)	×加算率	+	(8,040)	+	(80×加算率)
			3 歳 児	65,730	(130,600)	58,020	(122,890)	+	630	(1,190)	×加算率	560	(1,110)	×加算率	+	8,040	+	80×加算率
		3号	1、2歳児	130,600	(211,040)	122,890	(203,330)	+	1,190	(1,990)	×加算率	1,110	(1,910)	×加算率				
			乳 児	211,040		203,330		+	1,990		×加算率	1,910		×加算率				
	71人から80人まで	2号	4歳以上児	52,880	(60,920)	46,130	(54,170)	+	500	(580)	×加算率	440	(520)	×加算率	+	(8,040)	+	(80×加算率)
			3 歳 児	60,920	(125,790)	54,170	(119,040)	+	580	(1,140)	×加算率	520	(1,070)	×加算率	+	8,040	+	80×加算率
		3号	1、2歳児	125,790	(206,230)	119,040	(199,480)	+	1,140	(1,940)	×加算率	1,070	(1,870)	×加算率				
			乳 児	206,230		199,480		+	1,940		×加算率	1,870		×加算率				
	81人から90人まで	2号	4歳以上児	49,080	(57,120)	43,080	(51,120)	+	470	(550)	×加算率	410	(490)	×加算率	+	(8,040)	+	(80×加算率)
			3 歳 児	57,120	(121,990)	51,120	(115,990)	+	550	(1,100)	×加算率	490	(1,040)	×加算率	+	8,040	+	80×加算率
		3号	1、2歳児	121,990	(202,430)	115,990	(196,430)	+	1,100	(1,900)	×加算率	1,040	(1,840)	×加算率				
			乳 児	202,430		196,430		+	1,900		×加算率	1,840		×加算率				
	91人から100人まで	2号	4歳以上児	42,440	(50,480)	37,040	(45,080)	+	400	(480)	×加算率	350	(430)	×加算率	+	(8,040)	+	(80×加算率)
			3 歳 児	50,480	(115,350)	45,080	(109,950)	+	480	(1,030)	×加算率	430	(980)	×加算率	+	8,040	+	80×加算率
		3号	1、2歳児	115,350	(195,790)	109,950	(190,390)	+	1,030	(1,830)	×加算率	980	(1,780)	×加算率				
			乳 児	195,790		190,390		+	1,830		×加算率	1,780		×加算率				
	101人から110人まで	2号	4歳以上児	40,330	(48,370)	35,420	(43,460)	+	380	(460)	×加算率	330	(410)	×加算率	+	(8,040)	+	(80×加算率)
			3 歳 児	48,370	(113,240)	43,460	(108,330)	+	460	(1,010)	×加算率	410	(960)	×加算率	+	8,040	+	80×加算率
		3号	1、2歳児	113,240	(193,680)	108,330	(188,770)	+	1,010	(1,810)	×加算率	960	(1,760)	×加算率				
			乳 児	193,680		188,770		+	1,810		×加算率	1,760		×加算率				
	111人から120人まで	2号	4歳以上児	38,530	(46,570)	34,020	(42,060)	+	360	(440)	×加算率	320	(400)	×加算率	+	(8,040)	+	(80×加算率)
			3 歳 児	46,570	(111,440)	42,060	(106,930)	+	440	(990)	×加算率	400	(950)	×加算率	+	8,040	+	80×加算率
		3号	1、2歳児	111,440	(191,880)	106,930	(187,370)	+	990	(1,790)	×加算率	950	(1,750)	×加算率				
			乳 児	191,880		187,370		+	1,790		×加算率	1,750		×加算率				
	121人から130人まで	2号	4歳以上児	37,000	(45,040)	32,850	(40,890)	+	350	(430)	×加算率	300	(380)	×加算率	+	(8,040)	+	(80×加算率)
			3 歳 児	45,040	(109,910)	40,890	(105,760)	+	430	(980)	×加算率	380	(940)	×加算率	+	8,040	+	80×加算率
		3号	1、2歳児	109,910	(190,350)	105,760	(186,200)	+	980	(1,780)	×加算率	940	(1,740)	×加算率				
			乳 児	190,350		186,200		+	1,780		×加算率	1,740		×加算率				
	131人から140人まで	2号	4歳以上児	35,730	(43,770)	31,870	(39,910)	+	330	(410)	×加算率	290	(370)	×加算率	+	(8,040)	+	(80×加算率)
			3 歳 児	43,770	(108,640)	39,910	(104,780)	+	410	(970)	×加算率	370	(930)	×加算率	+	8,040	+	80×加算率
		3号	1、2歳児	108,640	(189,080)	104,780	(185,220)	+	970	(1,770)	×加算率	930	(1,730)	×加算率				
			乳 児	189,080		185,220		+	1,770		×加算率	1,730		×加算率				
	141人から150人まで	2号	4歳以上児	34,600	(42,640)	31,000	(39,040)	+	320	(400)	×加算率	290	(370)	×加算率	+	(8,040)	+	(80×加算率)
			3 歳 児	42,640	(107,510)	39,040	(103,910)	+	400	(950)	×加算率	370	(920)	×加算率	+	8,040	+	80×加算率
		3号	1、2歳児	107,510	(187,950)	103,910	(184,350)	+	950	(1,750)	×加算率	920	(1,720)	×加算率				
			乳 児	187,950		184,350		+	1,750		×加算率	1,720		×加算率				
	151人から160人まで	2号	4歳以上児	34,520	(42,560)	31,140	(39,180)	+	320	(400)	×加算率	290	(370)	×加算率	+	(8,040)	+	(80×加算率)
			3 歳 児	42,560	(107,430)	39,180	(104,050)	+	400	(950)	×加算率	370	(920)	×加算率	+	8,040	+	80×加算率
		3号	1、2歳児	107,430	(187,870)	104,050	(184,490)	+	950	(1,750)	×加算率	920	(1,720)	×加算率				
			乳 児	187,870		184,490		+	1,750		×加算率	1,720		×加算率				
	161人から170人まで	2号	4歳以上児	33,610	(41,650)	30,440	(38,480)	+	310	(390)	×加算率	280	(360)	×加算率	+	(8,040)	+	(80×加算率)
			3 歳 児	41,650	(106,520)	38,480	(103,350)	+	390	(950)	×加算率	360	(910)	×加算率	+	8,040	+	80×加算率
		3号	1、2歳児	106,520	(186,960)	103,350	(183,790)	+	950	(1,750)	×加算率	910	(1,710)	×加算率				
			乳 児	186,960		183,790		+	1,750		×加算率	1,710		×加算率				
	171人以上	2号	4歳以上児	32,790	(40,830)	29,790	(37,830)	+	300	(380)	×加算率	270	(350)	×加算率	+	(8,040)	+	(80×加算率)
			3 歳 児	40,830	(105,700)	37,830	(102,700)	+	380	(940)	×加算率	350	(910)	×加算率	+	8,040	+	80×加算率
		3号	1、2歳児	105,700	(186,140)	102,700	(183,140)	+	940	(1,740)	×加算率	910	(1,710)	×加算率				
			乳 児	186,140		183,140		+	1,740		×加算率	1,710		×加算率				

地域区分 ①	定員区分 ②	認定区分 ③	年齢区分 ④	4歳以上児配置改善加算 ⑨	処遇改善等加算Ⅰ ⑨	夜間保育加算 ⑪	(注1)	処遇改善等加算Ⅰ ⑪
16/100地域	10人まで	2号	4歳以上児	＋ 3,210	＋ 30×加算率	＋ 54,720	52,890	＋ 470×加算率
			3歳児					
		3号	1、2歳児			＋ 52,890		
			乳児					
	11人から20人まで	2号	4歳以上児	＋ 3,210	＋ 30×加算率	＋ 31,010	29,180	＋ 230×加算率
			3歳児					
		3号	1、2歳児			＋ 29,180		
			乳児					
	21人から30人まで	2号	4歳以上児	＋ 3,210	＋ 30×加算率	＋ 23,110	21,280	＋ 150×加算率
			3歳児					
		3号	1、2歳児			＋ 21,280		
			乳児					
	31人から40人まで	2号	4歳以上児	＋ 3,210	＋ 30×加算率	＋ 19,160	17,330	＋ 110×加算率
			3歳児					
		3号	1、2歳児			＋ 17,330		
			乳児					
	41人から50人まで	2号	4歳以上児	＋ 3,210	＋ 30×加算率	＋ 16,790	14,960	＋ 90×加算率
			3歳児					
		3号	1、2歳児			＋ 14,960		
			乳児					
	51人から60人まで	2号	4歳以上児	＋ 3,210	＋ 30×加算率	＋ 15,210	13,380	＋ 70×加算率
			3歳児					
		3号	1、2歳児			＋ 13,380		
			乳児					
	61人から70人まで	2号	4歳以上児	＋ 3,210	＋ 30×加算率	＋ 14,080	12,250	＋ 60×加算率
			3歳児					
		3号	1、2歳児			＋ 12,250		
			乳児					
	71人から80人まで	2号	4歳以上児	＋ 3,210	＋ 30×加算率	＋ 13,230	11,400	＋ 50×加算率
			3歳児					
		3号	1、2歳児			＋ 11,400		
			乳児					
	81人から90人まで	2号	4歳以上児	＋ 3,210	＋ 30×加算率	＋ 12,570	10,740	＋ 50×加算率
			3歳児					
		3号	1、2歳児			＋ 10,740		
			乳児					
	91人から100人まで	2号	4歳以上児	＋ 3,210	＋ 30×加算率			
			3歳児					
		3号	1、2歳児					
			乳児					
	101人から110人まで	2号	4歳以上児	＋ 3,210	＋ 30×加算率			
			3歳児					
		3号	1、2歳児					
			乳児					
	111人から120人まで	2号	4歳以上児	＋ 3,210	＋ 30×加算率			
			3歳児					
		3号	1、2歳児					
			乳児					
	121人から130人まで	2号	4歳以上児	＋ 3,210	＋ 30×加算率			
			3歳児					
		3号	1、2歳児					
			乳児					
	131人から140人まで	2号	4歳以上児	＋ 3,210	＋ 30×加算率			
			3歳児					
		3号	1、2歳児					
			乳児					
	141人から150人まで	2号	4歳以上児	＋ 3,210	＋ 30×加算率			
			3歳児					
		3号	1、2歳児					
			乳児					
	151人から160人まで	2号	4歳以上児	＋ 3,210	＋ 30×加算率			
			3歳児					
		3号	1、2歳児					
			乳児					
	161人から170人まで	2号	4歳以上児	＋ 3,210	＋ 30×加算率			
			3歳児					
		3号	1、2歳児					
			乳児					
	171人以上	2号	4歳以上児	＋ 3,210	＋ 30×加算率			
			3歳児					
		3号	1、2歳児					
			乳児					

休日保育加算 ⑩（全定員区分共通）：＋（休日保育加算 ＋ 処遇改善等加算Ⅰ）÷ 各月初日の利用子ども数

休日保育の年間延べ利用子ども数	休日保育加算	休日保育の年間延べ利用子ども数	処遇改善等加算Ⅰ
～ 210人	273,500	～ 210人	2,730×加算率
211人～ 279人	293,000	211人～ 279人	2,930×加算率
280人～ 349人	332,100	280人～ 349人	3,320×加算率
350人～ 419人	371,200	350人～ 419人	3,710×加算率
420人～ 489人	410,200	420人～ 489人	4,100×加算率
490人～ 559人	449,300	490人～ 559人	4,490×加算率
560人～ 629人	488,400	560人～ 629人	4,880×加算率
630人～ 699人	527,500	630人～ 699人	5,270×加算率
700人～ 769人	566,600	700人～ 769人	5,660×加算率
770人～ 839人	605,700	770人～ 839人	6,050×加算率
840人～ 909人	644,700	840人～ 909人	6,440×加算率
910人～ 979人	683,800	910人～ 979人	6,830×加算率
980人～1,049人	722,900	980人～1,049人	7,220×加算率
1,050人～	762,000	1,050人～	7,620×加算率

地域区分 ①	定員区分 ②	認定区分 ③	年齢区分 ④	チーム保育加配加算 ※1号・2号の利用定員合計に応じて2号利用子どもの単価に加算 ⑫	処遇改善等加算Ⅰ ⑫	減価償却費加算 加算額 認可施設 標準 ⑬	認可施設 都市部	機能部分 標準	機能部分 都市部	賃借料加算 ⑭	加算額 認可施設 標準	認可施設 都市部	機能部分 標準	機能部分 都市部	外部監査費加算 ⑮
16/100地域	10人まで	2号	4歳以上児	～ 15人 33,210×加配人数	330×加算率×加配人数	17,100	18,800	11,900	11,900	a地域	31,600	35,200	22,100	22,100	
			3歳児							b地域	17,400	19,400	12,200	12,200	
		3号	1、2歳児							c地域	15,200	16,900	10,600	10,600	
			乳児							d地域	13,600	15,100	9,500	9,500	
	11人から20人まで	2号	4歳以上児	16人～ 25人 19,920×加配人数	190×加算率×加配人数	8,500	9,400	5,900	5,900	a地域	15,800	17,600	11,000	11,000	
			3歳児							b地域	8,700	9,700	6,100	6,100	
		3号	1、2歳児							c地域	7,600	8,400	5,300	5,300	
			乳児							d地域	6,800	7,500	4,700	4,700	
	21人から30人まで	2号	4歳以上児	26人～ 35人 14,230×加配人数	140×加算率×加配人数	5,900	6,500	4,100	4,100	a地域	10,900	12,200	7,600	7,600	
			3歳児							b地域	6,000	6,700	4,200	4,200	
		3号	1、2歳児							c地域	5,200	5,800	3,600	3,600	認定こども園全体の利用定員
			乳児							d地域	4,700	5,200	3,300	3,300	
	31人から40人まで	2号	4歳以上児	36人～ 45人 11,070×加配人数	110×加算率×加配人数	5,200	5,700	3,600	3,600	a地域	9,800	10,900	6,800	6,800	～ 15人 27,330
			3歳児							b地域	5,400	6,000	3,700	3,700	
		3号	1、2歳児							c地域	4,700	5,200	3,300	3,300	
			乳児							d地域	4,200	4,600	2,900	2,900	16人～ 25人 16,800
	41人から50人まで	2号	4歳以上児	46人～ 60人 8,300×加配人数	80×加算率×加配人数	4,700	5,200	3,300	3,300	a地域	8,800	9,800	6,100	6,100	
			3歳児							b地域	4,800	5,400	3,400	3,400	
		3号	1、2歳児							c地域	4,200	4,700	2,900	2,900	26人～ 35人 12,280
			乳児							d地域	3,800	4,200	2,600	2,600	
	51人から60人まで	2号	4歳以上児	61人～ 75人 6,640×加配人数	60×加算率×加配人数	3,900	4,300	2,700	2,700	a地域	7,200	8,100	5,100	5,100	
			3歳児							b地域	4,000	4,400	2,800	2,800	36人～ 45人 9,770
		3号	1、2歳児							c地域	3,500	3,800	2,400	2,400	
			乳児							d地域	3,100	3,400	2,100	2,100	
	61人から70人まで	2号	4歳以上児	76人～ 90人 5,530×加配人数	50×加算率×加配人数	3,300	3,700	2,300	2,300	a地域	6,300	7,100	4,400	4,400	46人～ 60人 7,500
			3歳児							b地域	3,500	3,900	2,400	2,400	
		3号	1、2歳児							c地域	3,000	3,400	2,100	2,100	
			乳児							d地域	2,700	3,000	1,900	1,900	61人～ 75人 6,130
	71人から80人まで	2号	4歳以上児	91人～ 105人 4,740×加配人数	40×加算率×加配人数	3,800	4,200	2,700	2,700	a地域	7,100	7,900	4,900	4,900	
			3歳児							b地域	3,900	4,300	2,700	2,700	
		3号	1、2歳児							c地域	3,400	3,800	2,300	2,300	76人～ 90人 5,220
			乳児							d地域	3,000	3,400	2,100	2,100	
	81人から90人まで	2号	4歳以上児	106人～ 120人 4,150×加配人数	40×加算率×加配人数	3,400	3,700	2,400	2,400	a地域	6,300	7,100	4,400	4,400	
			3歳児							b地域	3,500	3,900	2,400	2,400	91人～ 105人 4,660
		3号	1、2歳児							c地域	3,000	3,400	2,100	2,100	
			乳児							d地域	2,700	3,000	1,900	1,900	
	91人から100人まで	2号	4歳以上児	121人～ 135人 3,690×加配人数	30×加算率×加配人数	3,000	3,400	2,100	2,100	a地域	5,500	6,200	3,900	3,900	106人～ 120人 4,250
			3歳児							b地域	3,000	3,400	2,100	2,100	
		3号	1、2歳児							c地域	2,600	2,900	1,800	1,800	
			乳児							d地域	2,400	2,600	1,600	1,600	121人～ 135人 3,920
	101人から110人まで	2号	4歳以上児	136人～ 150人 3,320×加配人数	30×加算率×加配人数	3,300	3,700	2,300	2,300	a地域	6,100	6,800	4,200	4,200	
			3歳児							b地域	3,300	3,700	2,300	2,300	
		3号	1、2歳児							c地域	2,900	3,200	2,000	2,000	136人～ 150人 3,660
			乳児							d地域	2,600	2,900	1,800	1,800	
	111人から120人まで	2号	4歳以上児	151人～ 180人 2,760×加配人数	20×加算率×加配人数	3,000	3,400	2,100	2,100	a地域	5,500	6,200	3,900	3,900	
			3歳児							b地域	3,000	3,400	2,100	2,100	151人～ 180人 3,160
		3号	1、2歳児							c地域	2,600	2,900	1,800	1,800	
			乳児							d地域	2,400	2,600	1,600	1,600	
	121人から130人まで	2号	4歳以上児	181人～ 210人 2,370×加配人数	20×加算率×加配人数	2,800	3,100	2,000	2,000	a地域	5,100	5,700	3,500	3,500	181人～ 210人 2,810
			3歳児							b地域	2,800	3,100	1,900	1,900	
		3号	1、2歳児							c地域	2,400	2,700	1,700	1,700	
			乳児							d地域	2,200	2,400	1,500	1,500	211人～ 240人 2,540
	131人から140人まで	2号	4歳以上児	211人～ 240人 2,070×加配人数	20×加算率×加配人数	3,000	3,300	2,100	2,100	a地域	5,500	6,200	3,900	3,900	
			3歳児							b地域	3,000	3,400	2,100	2,100	
		3号	1、2歳児							c地域	2,600	2,900	1,800	1,800	241人～ 270人 2,440
			乳児							d地域	2,400	2,600	1,600	1,600	
	141人から150人まで	2号	4歳以上児	241人～ 270人 1,840×加配人数	10×加算率×加配人数	2,800	3,100	2,000	2,000	a地域	5,400	6,000	3,700	3,700	
			3歳児							b地域	2,900	3,300	2,000	2,000	271人～ 300人 2,360
		3号	1、2歳児							c地域	2,500	2,800	1,800	1,800	
			乳児							d地域	2,300	2,500	1,600	1,600	
	151人から160人まで	2号	4歳以上児	271人～ 300人 1,660×加配人数	10×加算率×加配人数	2,600	2,900	1,800	1,800	a地域	4,800	5,400	3,400	3,400	301人～ 2,150
			3歳児							b地域	2,600	2,900	1,800	1,800	
		3号	1、2歳児							c地域	2,300	2,500	1,600	1,600	
			乳児							d地域	2,000	2,300	1,400	1,400	
	161人から170人まで	2号	4歳以上児	301人～ 1,500×加配人数	10×加算率×加配人数	2,800	3,100	2,000	2,000	a地域	5,400	6,000	3,700	3,700	※3月分の単価に加算
			3歳児							b地域	2,900	3,300	2,000	2,000	
		3号	1、2歳児							c地域	2,500	2,800	1,800	1,800	
			乳児							d地域	2,300	2,500	1,600	1,600	
	171人以上	2号	4歳以上児			2,700	2,900	1,900	1,900	a地域	4,800	5,400	3,400	3,400	
			3歳児							b地域	2,600	2,900	1,800	1,800	
		3号	1、2歳児							c地域	2,300	2,500	1,600	1,600	
			乳児							d地域	2,000	2,300	1,400	1,400	

地域区分 ①	定員区分 ②	認定区分 ③	年齢区分 ④	副食費徴収免除加算 ※副食費の徴収が免除される子どもの単価に加算 ⑯	1号認定こどもの利用定員を設定しない場合 ⑰	処遇改善等加算Ⅰ ⑰	分園の場合 ⑱	土曜日に閉所する場合 月に1日土曜日を閉所する場合 ⑲	月に2日土曜日を閉所する場合 ⑲	月に3日以上土曜日を閉所する場合 ⑲	全ての土曜日を閉所する場合 ⑲
16/100地域	10人まで	2号	4歳以上児 3歳児	＋ 4,800	＋ 22,240	＋ 220×加算率	−(⑥+⑦)×10/100	−(⑥+⑦+⑧+⑨+⑪)×1/100	(⑥+⑦+⑧+⑨+⑪)×2/100	(⑥+⑦+⑧+⑨+⑪)×3/100	(⑥+⑦+⑧+⑨+⑪)×5/100
		3号	1、2歳児 乳児								
	11人から20人まで	2号	4歳以上児 3歳児	＋ 4,800	＋ 11,110	＋ 110×加算率		−(⑥+⑦+⑧+⑨+⑪)×1/100	(⑥+⑦+⑧+⑨+⑪)×3/100	(⑥+⑦+⑧+⑨+⑪)×4/100	(⑥+⑦+⑧+⑨+⑪)×5/100
		3号	1、2歳児 乳児								
	21人から30人まで	2号	4歳以上児 3歳児	＋ 4,800	＋ 7,410	＋ 70×加算率		−(⑥+⑦+⑧+⑨+⑪)×1/100	(⑥+⑦+⑧+⑨+⑪)×3/100	(⑥+⑦+⑧+⑨+⑪)×4/100	(⑥+⑦+⑧+⑨+⑪)×5/100
		3号	1、2歳児 乳児								
	31人から40人まで	2号	4歳以上児 3歳児	＋ 4,800	＋ 5,560	＋ 50×加算率		−(⑥+⑦+⑧+⑨+⑪)×1/100	(⑥+⑦+⑧+⑨+⑪)×3/100	(⑥+⑦+⑧+⑨+⑪)×4/100	(⑥+⑦+⑧+⑨+⑪)×5/100
		3号	1、2歳児 乳児								
	41人から50人まで	2号	4歳以上児 3歳児	＋ 4,800	＋ 4,440	＋ 40×加算率		−(⑥+⑦+⑧+⑨+⑪)×1/100	(⑥+⑦+⑧+⑨+⑪)×3/100	(⑥+⑦+⑧+⑨+⑪)×4/100	(⑥+⑦+⑧+⑨+⑪)×5/100
		3号	1、2歳児 乳児								
	51人から60人まで	2号	4歳以上児 3歳児	＋ 4,800	＋ 3,700	＋ 30×加算率		−(⑥+⑦+⑧+⑨+⑪)×1/100	(⑥+⑦+⑧+⑨+⑪)×3/100	(⑥+⑦+⑧+⑨+⑪)×4/100	(⑥+⑦+⑧+⑨+⑪)×6/100
		3号	1、2歳児 乳児								
	61人から70人まで	2号	4歳以上児 3歳児	＋ 4,800	＋ 3,170	＋ 30×加算率		−(⑥+⑦+⑧+⑨+⑪)×1/100	(⑥+⑦+⑧+⑨+⑪)×3/100	(⑥+⑦+⑧+⑨+⑪)×4/100	(⑥+⑦+⑧+⑨+⑪)×6/100
		3号	1、2歳児 乳児								
	71人から80人まで	2号	4歳以上児 3歳児	＋ 4,800	＋ 2,780	＋ 20×加算率		−(⑥+⑦+⑧+⑨+⑪)×1/100	(⑥+⑦+⑧+⑨+⑪)×3/100	(⑥+⑦+⑧+⑨+⑪)×4/100	(⑥+⑦+⑧+⑨+⑪)×6/100
		3号	1、2歳児 乳児								
	81人から90人まで	2号	4歳以上児 3歳児	＋ 4,800	＋ 2,470	＋ 20×加算率		−(⑥+⑦+⑧+⑨+⑪)×1/100	(⑥+⑦+⑧+⑨+⑪)×3/100	(⑥+⑦+⑧+⑨+⑪)×4/100	(⑥+⑦+⑧+⑨+⑪)×6/100
		3号	1、2歳児 乳児								
	91人から100人まで	2号	4歳以上児 3歳児	＋ 4,800	＋ 2,220	＋ 20×加算率		−(⑥+⑦+⑧+⑨+⑪)×1/100	(⑥+⑦+⑧+⑨+⑪)×3/100	(⑥+⑦+⑧+⑨+⑪)×4/100	(⑥+⑦+⑧+⑨+⑪)×6/100
		3号	1、2歳児 乳児								
	101人から110人まで	2号	4歳以上児 3歳児	＋ 4,800	＋ 2,020	＋ 20×加算率		−(⑥+⑦+⑧+⑨+⑪)×1/100	(⑥+⑦+⑧+⑨+⑪)×3/100	(⑥+⑦+⑧+⑨+⑪)×4/100	(⑥+⑦+⑧+⑨+⑪)×6/100
		3号	1、2歳児 乳児								
	111人から120人まで	2号	4歳以上児 3歳児	＋ 4,800	＋ 1,850	＋ 10×加算率		−(⑥+⑦+⑧+⑨+⑪)×1/100	(⑥+⑦+⑧+⑨+⑪)×3/100	(⑥+⑦+⑧+⑨+⑪)×4/100	(⑥+⑦+⑧+⑨+⑪)×6/100
		3号	1、2歳児 乳児								
	121人から130人まで	2号	4歳以上児 3歳児	＋ 4,800	＋ 1,710	＋ 10×加算率		−(⑥+⑦+⑧+⑨+⑪)×1/100	(⑥+⑦+⑧+⑨+⑪)×3/100	(⑥+⑦+⑧+⑨+⑪)×4/100	(⑥+⑦+⑧+⑨+⑪)×6/100
		3号	1、2歳児 乳児								
	131人から140人まで	2号	4歳以上児 3歳児	＋ 4,800	＋ 1,590	＋ 10×加算率		−(⑥+⑦+⑧+⑨+⑪)×1/100	(⑥+⑦+⑧+⑨+⑪)×3/100	(⑥+⑦+⑧+⑨+⑪)×4/100	(⑥+⑦+⑧+⑨+⑪)×6/100
		3号	1、2歳児 乳児								
	141人から150人まで	2号	4歳以上児 3歳児	＋ 4,800	＋ 1,480	＋ 10×加算率		−(⑥+⑦+⑧+⑨+⑪)×1/100	(⑥+⑦+⑧+⑨+⑪)×3/100	(⑥+⑦+⑧+⑨+⑪)×4/100	(⑥+⑦+⑧+⑨+⑪)×6/100
		3号	1、2歳児 乳児								
	151人から160人まで	2号	4歳以上児 3歳児	＋ 4,800	＋ 1,390	＋ 10×加算率		−(⑥+⑦+⑧+⑨+⑪)×2/100	(⑥+⑦+⑧+⑨+⑪)×3/100	(⑥+⑦+⑧+⑨+⑪)×5/100	(⑥+⑦+⑧+⑨+⑪)×6/100
		3号	1、2歳児 乳児								
	161人から170人まで	2号	4歳以上児 3歳児	＋ 4,800	＋ 1,300	＋ 10×加算率		−(⑥+⑦+⑧+⑨+⑪)×2/100	(⑥+⑦+⑧+⑨+⑪)×3/100	(⑥+⑦+⑧+⑨+⑪)×5/100	(⑥+⑦+⑧+⑨+⑪)×6/100
		3号	1、2歳児 乳児								
	171人以上	2号	4歳以上児 3歳児	＋ 4,800	＋ 1,230	＋ 10×加算率		−(⑥+⑦+⑧+⑨+⑪)×2/100	(⑥+⑦+⑧+⑨+⑪)×3/100	(⑥+⑦+⑧+⑨+⑪)×5/100	(⑥+⑦+⑧+⑨+⑪)×6/100
		3号	1、2歳児 乳児								

地域区分 ①	定員区分 ②	認定区分 ③	年齢区分 ④	主幹教諭等の専任化により子育て支援の取り組みを実施していない場合 ⑳	年齢別配置基準を下回る場合 ㉑	配置基準上求められる職員資格を有しない場合 ㉒	定員を恒常的に超過する場合 ㉓
16/100地域	10人まで	2号 3号	4歳以上児 3　歳　児 1、2歳児 乳　　児	－（13,290＋130×加算率）	－（48,260＋480×加算率）×人数	－（31,510＋310×加算率）×人数	（⑥～㉒（⑯を除く。））×別に定める調整率
	11人から20人まで	2号 3号	4歳以上児 3　歳　児 1、2歳児 乳　　児	－（6,640＋60×加算率）	－（24,130＋240×加算率）×人数	－（15,750＋150×加算率）×人数	
	21人から30人まで	2号 3号	4歳以上児 3　歳　児 1、2歳児 乳　　児	－（4,430＋40×加算率）	－（16,080＋160×加算率）×人数	－（10,500＋100×加算率）×人数	
	31人から40人まで	2号 3号	4歳以上児 3　歳　児 1、2歳児 乳　　児	－（3,320＋30×加算率）	－（12,060＋120×加算率）×人数	－（7,880＋70×加算率）×人数	
	41人から50人まで	2号 3号	4歳以上児 3　歳　児 1、2歳児 乳　　児	－（2,650＋20×加算率）	－（9,650＋90×加算率）×人数	－（6,300＋60×加算率）×人数	
	51人から60人まで	2号 3号	4歳以上児 3　歳　児 1、2歳児 乳　　児	－（2,210＋20×加算率）	－（8,040＋80×加算率）×人数	－（5,250＋50×加算率）×人数	
	61人から70人まで	2号 3号	4歳以上児 3　歳　児 1、2歳児 乳　　児	－（1,890＋10×加算率）	－（6,890＋60×加算率）×人数	－（4,500＋40×加算率）×人数	
	71人から80人まで	2号 3号	4歳以上児 3　歳　児 1、2歳児 乳　　児	－（1,660＋10×加算率）	－（6,030＋60×加算率）×人数	－（3,940＋30×加算率）×人数	
	81人から90人まで	2号 3号	4歳以上児 3　歳　児 1、2歳児 乳　　児	－（1,470＋10×加算率）	－（5,360＋50×加算率）×人数	－（3,500＋30×加算率）×人数	
	91人から100人まで	2号 3号	4歳以上児 3　歳　児 1、2歳児 乳　　児	－（1,330＋10×加算率）	－（4,820＋40×加算率）×人数	－（3,150＋30×加算率）×人数	
	101人から110人まで	2号 3号	4歳以上児 3　歳　児 1、2歳児 乳　　児	－（1,200＋10×加算率）	－（4,380＋40×加算率）×人数	－（2,860＋20×加算率）×人数	
	111人から120人まで	2号 3号	4歳以上児 3　歳　児 1、2歳児 乳　　児	－（1,100＋10×加算率）	－（4,020＋40×加算率）×人数	－（2,620＋20×加算率）×人数	
	121人から130人まで	2号 3号	4歳以上児 3　歳　児 1、2歳児 乳　　児	－（1,020＋10×加算率）	－（3,710＋30×加算率）×人数	－（2,420＋20×加算率）×人数	
	131人から140人まで	2号 3号	4歳以上児 3　歳　児 1、2歳児 乳　　児	－（950＋10×加算率）	－（3,440＋30×加算率）×人数	－（2,250＋20×加算率）×人数	
	141人から150人まで	2号 3号	4歳以上児 3　歳　児 1、2歳児 乳　　児	－（880＋9×加算率）	－（3,210＋30×加算率）×人数	－（2,100＋20×加算率）×人数	
	151人から160人まで	2号 3号	4歳以上児 3　歳　児 1、2歳児 乳　　児	－（830＋8×加算率）	－（3,010＋30×加算率）×人数	－（1,970＋20×加算率）×人数	
	161人から170人まで	2号 3号	4歳以上児 3　歳　児 1、2歳児 乳　　児	－（780＋8×加算率）	－（2,830＋20×加算率）×人数	－（1,850＋10×加算率）×人数	
	171人以上	2号 3号	4歳以上児 3　歳　児 1、2歳児 乳　　児	－（730＋7×加算率）	－（2,680＋20×加算率）×人数	－（1,750＋10×加算率）×人数	

地域区分 ①	定員区分 ②	認定区分 ③	年齢区分 ④	保育必要量区分 ⑤ 保育標準時間認定 基本分単価 ⑥	（注１）	保育短時間認定 基本分単価 ⑥	（注１）		処遇改善等加算Ⅰ 保育標準時間認定 ⑦	（注１）		保育短時間認定 ⑦	（注１）			３歳児配置改善加算		処遇改善等加算Ⅰ ⑧
15/100地域	10人まで	2号	4歳以上児	248, 850	(256, 830)	195, 200	(203, 180)	+	2, 460	(2, 530)	×加算率	1, 930	(2, 000)	×加算率	+	(7, 980)	+	(70×加算率)
			3歳児	256, 830	(321, 260)	203, 180	(267, 610)	+	2, 530	(3, 090)	×加算率	2, 000	(2, 550)	×加算率	+	7, 980	+	70×加算率
		3号	1、2歳児	321, 260	(401, 080)	267, 610	(347, 430)	+	3, 090	(3, 890)	×加算率	2, 550	(3, 350)	×加算率				
			乳児	401, 080		347, 430		+	3, 890		×加算率	3, 350		×加算率				
	11人から20人まで	2号	4歳以上児	134, 970	(142, 950)	108, 140	(116, 120)	+	1, 330	(1, 400)	×加算率	1, 060	(1, 130)	×加算率	+	(7, 980)	+	(70×加算率)
			3歳児	142, 950	(207, 380)	116, 120	(180, 550)	+	1, 400	(1, 950)	×加算率	1, 130	(1, 680)	×加算率	+	7, 980	+	70×加算率
		3号	1、2歳児	207, 380	(287, 200)	180, 550	(260, 370)	+	1, 950	(2, 750)	×加算率	1, 680	(2, 480)	×加算率				
			乳児	287, 200		260, 370		+	2, 750		×加算率	2, 480		×加算率				
	21人から30人まで	2号	4歳以上児	96, 880	(104, 860)	79, 000	(86, 980)	+	940	(1, 010)	×加算率	770	(840)	×加算率	+	(7, 980)	+	(70×加算率)
			3歳児	104, 860	(169, 290)	86, 980	(151, 410)	+	1, 010	(1, 570)	×加算率	840	(1, 390)	×加算率	+	7, 980	+	70×加算率
		3号	1、2歳児	169, 290	(249, 110)	151, 410	(231, 230)	+	1, 570	(2, 370)	×加算率	1, 390	(2, 190)	×加算率				
			乳児	249, 110		231, 230		+	2, 370		×加算率	2, 190		×加算率				
	31人から40人まで	2号	4歳以上児	78, 190	(86, 170)	64, 780	(72, 760)	+	760	(830)	×加算率	620	(690)	×加算率	+	(7, 980)	+	(70×加算率)
			3歳児	86, 170	(150, 600)	72, 760	(137, 190)	+	830	(1, 380)	×加算率	690	(1, 250)	×加算率	+	7, 980	+	70×加算率
		3号	1、2歳児	150, 600	(230, 420)	137, 190	(217, 010)	+	1, 380	(2, 180)	×加算率	1, 250	(2, 050)	×加算率				
			乳児	230, 420		217, 010		+	2, 180		×加算率	2, 050		×加算率				
	41人から50人まで	2号	4歳以上児	72, 900	(80, 880)	62, 170	(70, 150)	+	700	(770)	×加算率	600	(670)	×加算率	+	(7, 980)	+	(70×加算率)
			3歳児	80, 880	(145, 310)	70, 150	(134, 580)	+	770	(1, 330)	×加算率	670	(1, 220)	×加算率	+	7, 980	+	70×加算率
		3号	1、2歳児	145, 310	(225, 130)	134, 580	(214, 400)	+	1, 330	(2, 130)	×加算率	1, 220	(2, 020)	×加算率				
			乳児	225, 130		214, 400		+	2, 130		×加算率	2, 020		×加算率				
	51人から60人まで	2号	4歳以上児	63, 760	(71, 740)	54, 810	(62, 790)	+	610	(680)	×加算率	520	(590)	×加算率	+	(7, 980)	+	(70×加算率)
			3歳児	71, 740	(136, 170)	62, 790	(127, 220)	+	680	(1, 240)	×加算率	590	(1, 150)	×加算率	+	7, 980	+	70×加算率
		3号	1、2歳児	136, 170	(215, 990)	127, 220	(207, 040)	+	1, 240	(2, 040)	×加算率	1, 150	(1, 950)	×加算率				
			乳児	215, 990		207, 040		+	2, 040		×加算率	1, 950		×加算率				
	61人から70人まで	2号	4歳以上児	57, 300	(65, 280)	49, 640	(57, 620)	+	550	(620)	×加算率	470	(540)	×加算率	+	(7, 980)	+	(70×加算率)
			3歳児	65, 280	(129, 710)	57, 620	(122, 050)	+	620	(1, 170)	×加算率	540	(1, 100)	×加算率	+	7, 980	+	70×加算率
		3号	1、2歳児	129, 710	(209, 530)	122, 050	(201, 870)	+	1, 170	(1, 970)	×加算率	1, 100	(1, 900)	×加算率				
			乳児	209, 530		201, 870		+	1, 970		×加算率	1, 900		×加算率				
	71人から80人まで	2号	4歳以上児	52, 520	(60, 500)	45, 820	(53, 800)	+	500	(570)	×加算率	430	(500)	×加算率	+	(7, 980)	+	(70×加算率)
			3歳児	60, 500	(124, 930)	53, 800	(118, 230)	+	570	(1, 120)	×加算率	500	(1, 060)	×加算率	+	7, 980	+	70×加算率
		3号	1、2歳児	124, 930	(204, 750)	118, 230	(198, 050)	+	1, 120	(1, 920)	×加算率	1, 060	(1, 860)	×加算率				
			乳児	204, 750		198, 050		+	1, 920		×加算率	1, 860		×加算率				
	81人から90人まで	2号	4歳以上児	48, 750	(56, 730)	42, 790	(50, 770)	+	460	(530)	×加算率	400	(470)	×加算率	+	(7, 980)	+	(70×加算率)
			3歳児	56, 730	(121, 160)	50, 770	(115, 200)	+	530	(1, 090)	×加算率	470	(1, 030)	×加算率	+	7, 980	+	70×加算率
		3号	1、2歳児	121, 160	(200, 980)	115, 200	(195, 020)	+	1, 090	(1, 890)	×加算率	1, 030	(1, 830)	×加算率				
			乳児	200, 980		195, 020		+	1, 890		×加算率	1, 830		×加算率				
	91人から100人まで	2号	4歳以上児	42, 170	(50, 150)	36, 800	(44, 780)	+	400	(470)	×加算率	340	(410)	×加算率	+	(7, 980)	+	(70×加算率)
			3歳児	50, 150	(114, 580)	44, 780	(109, 210)	+	470	(1, 020)	×加算率	410	(970)	×加算率	+	7, 980	+	70×加算率
		3号	1、2歳児	114, 580	(194, 400)	109, 210	(189, 030)	+	1, 020	(1, 820)	×加算率	970	(1, 770)	×加算率				
			乳児	194, 400		189, 030		+	1, 820		×加算率	1, 770		×加算率				
	101人から110人まで	2号	4歳以上児	40, 070	(48, 050)	35, 190	(43, 170)	+	380	(450)	×加算率	330	(400)	×加算率	+	(7, 980)	+	(70×加算率)
			3歳児	48, 050	(112, 480)	43, 170	(107, 600)	+	450	(1, 000)	×加算率	400	(950)	×加算率	+	7, 980	+	70×加算率
		3号	1、2歳児	112, 480	(192, 300)	107, 600	(187, 420)	+	1, 000	(1, 800)	×加算率	950	(1, 750)	×加算率				
			乳児	192, 300		187, 420		+	1, 800		×加算率	1, 750		×加算率				
	111人から120人まで	2号	4歳以上児	38, 280	(46, 260)	33, 810	(41, 790)	+	360	(430)	×加算率	310	(380)	×加算率	+	(7, 980)	+	(70×加算率)
			3歳児	46, 260	(110, 690)	41, 790	(106, 220)	+	430	(980)	×加算率	380	(940)	×加算率	+	7, 980	+	70×加算率
		3号	1、2歳児	110, 690	(190, 510)	106, 220	(186, 040)	+	980	(1, 780)	×加算率	940	(1, 740)	×加算率				
			乳児	190, 510		186, 040		+	1, 780		×加算率	1, 740		×加算率				
	121人から130人まで	2号	4歳以上児	36, 760	(44, 740)	32, 640	(40, 620)	+	340	(410)	×加算率	300	(370)	×加算率	+	(7, 980)	+	(70×加算率)
			3歳児	44, 740	(109, 170)	40, 620	(105, 050)	+	410	(970)	×加算率	370	(930)	×加算率	+	7, 980	+	70×加算率
		3号	1、2歳児	109, 170	(188, 990)	105, 050	(184, 870)	+	970	(1, 770)	×加算率	930	(1, 730)	×加算率				
			乳児	188, 990		184, 870		+	1, 770		×加算率	1, 730		×加算率				
	131人から140人まで	2号	4歳以上児	35, 500	(43, 480)	31, 670	(39, 650)	+	330	(400)	×加算率	290	(360)	×加算率	+	(7, 980)	+	(70×加算率)
			3歳児	43, 480	(107, 910)	39, 650	(104, 080)	+	400	(950)	×加算率	360	(920)	×加算率	+	7, 980	+	70×加算率
		3号	1、2歳児	107, 910	(187, 730)	104, 080	(183, 900)	+	950	(1, 750)	×加算率	920	(1, 720)	×加算率				
			乳児	187, 730		183, 900		+	1, 750		×加算率	1, 720		×加算率				
	141人から150人まで	2号	4歳以上児	34, 380	(42, 360)	30, 800	(38, 780)	+	320	(390)	×加算率	280	(350)	×加算率	+	(7, 980)	+	(70×加算率)
			3歳児	42, 360	(106, 790)	38, 780	(103, 210)	+	390	(940)	×加算率	350	(910)	×加算率	+	7, 980	+	70×加算率
		3号	1、2歳児	106, 790	(186, 610)	103, 210	(183, 030)	+	940	(1, 740)	×加算率	910	(1, 710)	×加算率				
			乳児	186, 610		183, 030		+	1, 740		×加算率	1, 710		×加算率				
	151人から160人まで	2号	4歳以上児	34, 300	(42, 280)	30, 940	(38, 920)	+	320	(390)	×加算率	290	(360)	×加算率	+	(7, 980)	+	(70×加算率)
			3歳児	42, 280	(106, 710)	38, 920	(103, 350)	+	390	(940)	×加算率	360	(910)	×加算率	+	7, 980	+	70×加算率
		3号	1、2歳児	106, 710	(186, 530)	103, 350	(183, 170)	+	940	(1, 740)	×加算率	910	(1, 710)	×加算率				
			乳児	186, 530		183, 170		+	1, 740		×加算率	1, 710		×加算率				
	161人から170人まで	2号	4歳以上児	33, 400	(41, 380)	30, 240	(38, 220)	+	310	(380)	×加算率	280	(350)	×加算率	+	(7, 980)	+	(70×加算率)
			3歳児	41, 380	(105, 810)	38, 220	(102, 650)	+	380	(930)	×加算率	350	(900)	×加算率	+	7, 980	+	70×加算率
		3号	1、2歳児	105, 810	(185, 630)	102, 650	(182, 470)	+	930	(1, 730)	×加算率	900	(1, 700)	×加算率				
			乳児	185, 630		182, 470		+	1, 730		×加算率	1, 700		×加算率				
	171人以上	2号	4歳以上児	32, 580	(40, 560)	29, 600	(37, 580)	+	300	(370)	×加算率	270	(340)	×加算率	+	(7, 980)	+	(70×加算率)
			3歳児	40, 560	(104, 990)	37, 580	(102, 010)	+	370	(920)	×加算率	340	(890)	×加算率	+	7, 980	+	70×加算率
		3号	1、2歳児	104, 990	(184, 810)	102, 010	(181, 830)	+	920	(1, 720)	×加算率	890	(1, 690)	×加算率				
			乳児	184, 810		181, 830		+	1, 720		×加算率	1, 690		×加算率				

（⑨ 4歳以上児配置改善加算）＋（⑩ 休日保育加算 ÷ 各月初日の利用子ども数）＋（⑪ 夜間保育加算）

①地域区分	②定員区分	③認定区分	④年齢区分	⑨4歳以上児配置改善加算	⑨処遇改善等加算Ⅰ	⑪夜間保育加算	⑪（注1）	⑪処遇改善等加算Ⅰ
15/100地域	10人まで	2号	4歳以上児	＋3,190	＋30×加算率	＋54,720	52,890	＋470×加算率
			3歳児					
		3号	1、2歳児			＋52,890		
			乳児					
	11人から20人まで	2号	4歳以上児	＋3,190	＋30×加算率	＋31,010	29,180	＋230×加算率
			3歳児					
		3号	1、2歳児			＋29,180		
			乳児					
	21人から30人まで	2号	4歳以上児	＋3,190	＋30×加算率	＋23,110	21,280	＋150×加算率
			3歳児					
		3号	1、2歳児			＋21,280		
			乳児					
	31人から40人まで	2号	4歳以上児	＋3,190	＋30×加算率	＋19,160	17,330	＋110×加算率
			3歳児					
		3号	1、2歳児			＋17,330		
			乳児					
	41人から50人まで	2号	4歳以上児	＋3,190	＋30×加算率	＋16,790	14,960	＋90×加算率
			3歳児					
		3号	1、2歳児			＋14,960		
			乳児					
	51人から60人まで	2号	4歳以上児	＋3,190	＋30×加算率	＋15,210	13,380	＋70×加算率
			3歳児					
		3号	1、2歳児			＋13,380		
			乳児					
	61人から70人まで	2号	4歳以上児	＋3,190	＋30×加算率	＋14,080	12,250	＋60×加算率
			3歳児					
		3号	1、2歳児			＋12,250		
			乳児					
	71人から80人まで	2号	4歳以上児	＋3,190	＋30×加算率	＋13,230	11,400	＋50×加算率
			3歳児					
		3号	1、2歳児			＋11,400		
			乳児					
	81人から90人まで	2号	4歳以上児	＋3,190	＋30×加算率	＋12,570	10,740	＋50×加算率
			3歳児					
		3号	1、2歳児			＋10,740		
			乳児					
	91人から100人まで	2号	4歳以上児	＋3,190	＋30×加算率			
			3歳児					
		3号	1、2歳児					
			乳児					
	101人から110人まで	2号	4歳以上児	＋3,190	＋30×加算率			
			3歳児					
		3号	1、2歳児					
			乳児					
	111人から120人まで	2号	4歳以上児	＋3,190	＋30×加算率			
			3歳児					
		3号	1、2歳児					
			乳児					
	121人から130人まで	2号	4歳以上児	＋3,190	＋30×加算率			
			3歳児					
		3号	1、2歳児					
			乳児					
	131人から140人まで	2号	4歳以上児	＋3,190	＋30×加算率			
			3歳児					
		3号	1、2歳児					
			乳児					
	141人から150人まで	2号	4歳以上児	＋3,190	＋30×加算率			
			3歳児					
		3号	1、2歳児					
			乳児					
	151人から160人まで	2号	4歳以上児	＋3,190	＋30×加算率			
			3歳児					
		3号	1、2歳児					
			乳児					
	161人から170人まで	2号	4歳以上児	＋3,190	＋30×加算率			
			3歳児					
		3号	1、2歳児					
			乳児					
	171人以上	2号	4歳以上児	＋3,190	＋30×加算率			
			3歳児					
		3号	1、2歳児					
			乳児					

⑩ 休日保育加算（全定員区分共通）

休日保育の年間延べ利用子ども数	休日保育加算	＋ 処遇改善等加算Ⅰ（休日保育の年間延べ利用子ども数）	
～ 210人	271,600	～ 210人	2,710×加算率
211人～ 279人	291,100	211人～ 279人	2,910×加算率
280人～ 349人	330,200	280人～ 349人	3,300×加算率
350人～ 419人	369,300	350人～ 419人	3,690×加算率
420人～ 489人	408,300	420人～ 489人	4,080×加算率
490人～ 559人	447,400	490人～ 559人	4,470×加算率
560人～ 629人	486,500	560人～ 629人	4,860×加算率
630人～ 699人	525,600	630人～ 699人	5,250×加算率
700人～ 769人	564,700	700人～ 769人	5,640×加算率
770人～ 839人	603,800	770人～ 839人	6,030×加算率
840人～ 909人	642,800	840人～ 909人	6,420×加算率
910人～ 979人	681,900	910人～ 979人	6,810×加算率
980人～1,049人	721,000	980人～1,049人	7,210×加算率
1,050人～	760,100	1,050人～	7,600×加算率

÷ 各月初日の利用子ども数

地域区分 ①	定員区分 ②	認定区分 ③	年齢区分 ④	チーム保育加配加算 ※1号・2号の利用定員合計に応じて2号利用子どもの単価に加算 ⑫	処遇改善等加算Ⅰ ⑫	減価償却費加算 加算額 認可施設 標準 ⑬	認可施設 都市部	機能部分 標準	機能部分 都市部	賃借料加算 ⑭	加算額 認可施設 標準	認可施設 都市部	機能部分 標準	機能部分 都市部
15/100地域	10人まで	2号	4歳以上児	～ 15人 32,950×加配人数	320×加算率×加配人数	17,100	18,800	11,900	11,900	a地域	31,600	35,200	22,100	22,100
			3歳児							b地域	17,400	19,400	12,200	12,200
		3号	1、2歳児							c地域	15,200	16,900	10,600	10,600
			乳児							d地域	13,600	15,100	9,500	9,500
	11人から20人まで	2号	4歳以上児	16人～ 25人 19,770×加配人数	190×加算率×加配人数	8,500	9,400	5,900	5,900	a地域	15,800	17,600	11,000	11,000
			3歳児							b地域	8,700	9,700	6,100	6,100
		3号	1、2歳児							c地域	7,600	8,400	5,300	5,300
			乳児							d地域	6,800	7,500	4,700	4,700
	21人から30人まで	2号	4歳以上児	26人～ 35人 14,120×加配人数	140×加算率×加配人数	5,900	6,500	4,100	4,100	a地域	10,900	12,200	7,600	7,600
			3歳児							b地域	6,000	6,700	4,200	4,200
		3号	1、2歳児							c地域	5,200	5,800	3,600	3,600
			乳児							d地域	4,700	5,200	3,300	3,300
	31人から40人まで	2号	4歳以上児	36人～ 45人 10,980×加配人数	100×加算率×加配人数	5,200	5,700	3,600	3,600	a地域	9,800	10,900	6,800	6,800
			3歳児							b地域	5,400	6,000	3,700	3,700
		3号	1、2歳児							c地域	4,700	5,200	3,300	3,300
			乳児							d地域	4,200	4,600	2,900	2,900
	41人から50人まで	2号	4歳以上児	46人～ 60人 8,230×加配人数	80×加算率×加配人数	4,700	5,200	3,300	3,300	a地域	8,800	9,800	6,100	6,100
			3歳児							b地域	4,800	5,400	3,400	3,400
		3号	1、2歳児							c地域	4,200	4,700	2,900	2,900
			乳児							d地域	3,800	4,200	2,600	2,600
	51人から60人まで	2号	4歳以上児	61人～ 75人 6,590×加配人数	60×加算率×加配人数	3,900	4,300	2,700	2,700	a地域	7,200	8,100	5,100	5,100
			3歳児							b地域	4,000	4,400	2,800	2,800
		3号	1、2歳児							c地域	3,500	3,800	2,400	2,400
			乳児							d地域	3,100	3,400	2,100	2,100
	61人から70人まで	2号	4歳以上児	76人～ 90人 5,490×加配人数	50×加算率×加配人数	3,300	3,700	2,300	2,300	a地域	6,300	7,100	4,400	4,400
			3歳児							b地域	3,500	3,900	2,400	2,400
		3号	1、2歳児							c地域	3,000	3,400	2,100	2,100
			乳児							d地域	2,700	3,000	1,900	1,900
	71人から80人まで	2号	4歳以上児	91人～ 105人 4,700×加配人数	40×加算率×加配人数	3,800	4,200	2,700	2,700	a地域	7,100	7,900	4,900	4,900
			3歳児							b地域	3,900	4,300	2,700	2,700
		3号	1、2歳児							c地域	3,400	3,800	2,300	2,300
			乳児							d地域	3,000	3,400	2,100	2,100
	81人から90人まで	2号	4歳以上児	106人～ 120人 4,110×加配人数	40×加算率×加配人数	3,400	3,700	2,400	2,400	a地域	6,300	7,100	4,400	4,400
			3歳児							b地域	3,500	3,900	2,400	2,400
		3号	1、2歳児							c地域	3,000	3,400	2,100	2,100
			乳児							d地域	2,700	3,000	1,900	1,900
	91人から100人まで	2号	4歳以上児	121人～ 135人 3,660×加配人数	30×加算率×加配人数	3,000	3,400	2,100	2,100	a地域	5,500	6,200	3,900	3,900
			3歳児							b地域	3,000	3,400	2,100	2,100
		3号	1、2歳児							c地域	2,600	2,900	1,800	1,800
			乳児							d地域	2,400	2,600	1,600	1,600
	101人から110人まで	2号	4歳以上児	136人～ 150人 3,290×加配人数	30×加算率×加配人数	3,300	3,700	2,300	2,300	a地域	6,100	6,800	4,200	4,200
			3歳児							b地域	3,300	3,700	2,300	2,300
		3号	1、2歳児							c地域	2,900	3,200	2,000	2,000
			乳児							d地域	2,600	2,900	1,800	1,800
	111人から120人まで	2号	4歳以上児	151人～ 180人 2,740×加配人数	20×加算率×加配人数	3,000	3,400	2,100	2,100	a地域	5,500	6,200	3,900	3,900
			3歳児							b地域	3,000	3,400	2,100	2,100
		3号	1、2歳児							c地域	2,600	2,900	1,800	1,800
			乳児							d地域	2,400	2,600	1,600	1,600
	121人から130人まで	2号	4歳以上児	181人～ 210人 2,350×加配人数	20×加算率×加配人数	2,800	3,100	2,000	2,000	a地域	5,100	5,700	3,500	3,500
			3歳児							b地域	2,800	3,100	1,900	1,900
		3号	1、2歳児							c地域	2,400	2,700	1,700	1,700
			乳児							d地域	2,200	2,400	1,500	1,500
	131人から140人まで	2号	4歳以上児	211人～ 240人 2,050×加配人数	20×加算率×加配人数	3,000	3,300	2,100	2,100	a地域	5,500	6,200	3,900	3,900
			3歳児							b地域	3,000	3,400	2,100	2,100
		3号	1、2歳児							c地域	2,600	2,900	1,800	1,800
			乳児							d地域	2,400	2,600	1,600	1,600
	141人から150人まで	2号	4歳以上児	241人～ 270人 1,830×加配人数	10×加算率×加配人数	2,800	3,100	2,000	2,000	a地域	5,400	6,000	3,700	3,700
			3歳児							b地域	2,900	3,300	2,000	2,000
		3号	1、2歳児							c地域	2,500	2,800	1,800	1,800
			乳児							d地域	2,300	2,500	1,600	1,600
	151人から160人まで	2号	4歳以上児	271人～ 300人 1,640×加配人数	10×加算率×加配人数	2,600	2,900	1,800	1,800	a地域	4,800	5,400	3,400	3,400
			3歳児							b地域	2,600	2,900	1,800	1,800
		3号	1、2歳児							c地域	2,300	2,500	1,600	1,600
			乳児							d地域	2,000	2,300	1,400	1,400
	161人から170人まで	2号	4歳以上児	301人～ 1,490×加配人数	10×加算率×加配人数	2,800	3,100	2,000	2,000	a地域	5,400	6,000	3,700	3,700
			3歳児							b地域	2,900	3,300	2,000	2,000
		3号	1、2歳児							c地域	2,500	2,800	1,800	1,800
			乳児							d地域	2,300	2,500	1,600	1,600
	171人以上	2号	4歳以上児			2,700	2,900	1,900	1,900	a地域	4,800	5,400	3,400	3,400
			3歳児							b地域	2,600	2,900	1,800	1,800
		3号	1、2歳児							c地域	2,300	2,500	1,600	1,600
			乳児							d地域	2,000	2,300	1,400	1,400

外部監査費加算 ⑮

認定こども園全体の利用定員

- ～ 15人　27,330
- 16人～ 25人　16,800
- 26人～ 35人　12,280
- 36人～ 45人　9,770
- 46人～ 60人　7,500
- 61人～ 75人　6,130
- 76人～ 90人　5,220
- 91人～ 105人　4,660
- 106人～ 120人　4,250
- 121人～ 135人　3,920
- 136人～ 150人　3,660
- 151人～ 180人　3,160
- 181人～ 210人　2,810
- 211人～ 240人　2,540
- 241人～ 270人　2,440
- 271人～ 300人　2,360
- 301人～　2,150

※3月分の単価に加算

地域区分 ①	定員区分 ②	認定区分 ③	年齢区分 ④	副食費徴収免除加算 ※副食費の徴収が免除される子どもの単価に加算 ⑯	1号認定こどもの利用定員を設定しない場合 ⑰	処遇改善等加算Ⅰ ⑰	分園の場合 ⑱	土曜日に閉所する場合 月に1日土曜日を閉所する場合 ⑲	土曜日に閉所する場合 月に2日土曜日を閉所する場合 ⑲	土曜日に閉所する場合 月に3日以上土曜日を閉所する場合 ⑲	土曜日に閉所する場合 全ての土曜日を閉所する場合 ⑲
15/100地域	10人まで	2号	4歳以上児 3歳児	+ 4,800	+ 22,180	+ 220×加算率	− (⑥+⑦) × 10/100	− (⑥+⑦+⑧+⑨+⑪) × 1/100	(⑥+⑦+⑧+⑨+⑪) × 2/100	(⑥+⑦+⑧+⑨+⑪) × 3/100	(⑥+⑦+⑧+⑨+⑪) × 5/100
		3号	1、2歳児 乳児								
	11人から20人まで	2号	4歳以上児 3歳児	+ 4,800	+ 11,090	+ 110×加算率		− (⑥+⑦+⑧+⑨+⑪) × 1/100	(⑥+⑦+⑧+⑨+⑪) × 3/100	(⑥+⑦+⑧+⑨+⑪) × 4/100	(⑥+⑦+⑧+⑨+⑪) × 5/100
		3号	1、2歳児 乳児								
	21人から30人まで	2号	4歳以上児 3歳児	+ 4,800	+ 7,390	+ 70×加算率		− (⑥+⑦+⑧+⑨+⑪) × 1/100	(⑥+⑦+⑧+⑨+⑪) × 3/100	(⑥+⑦+⑧+⑨+⑪) × 4/100	(⑥+⑦+⑧+⑨+⑪) × 5/100
		3号	1、2歳児 乳児								
	31人から40人まで	2号	4歳以上児 3歳児	+ 4,800	+ 5,540	+ 50×加算率		− (⑥+⑦+⑧+⑨+⑪) × 1/100	(⑥+⑦+⑧+⑨+⑪) × 3/100	(⑥+⑦+⑧+⑨+⑪) × 4/100	(⑥+⑦+⑧+⑨+⑪) × 5/100
		3号	1、2歳児 乳児								
	41人から50人まで	2号	4歳以上児 3歳児	+ 4,800	+ 4,430	+ 40×加算率		− (⑥+⑦+⑧+⑨+⑪) × 1/100	(⑥+⑦+⑧+⑨+⑪) × 3/100	(⑥+⑦+⑧+⑨+⑪) × 4/100	(⑥+⑦+⑧+⑨+⑪) × 5/100
		3号	1、2歳児 乳児								
	51人から60人まで	2号	4歳以上児 3歳児	+ 4,800	+ 3,690	+ 30×加算率		− (⑥+⑦+⑧+⑨+⑪) × 1/100	(⑥+⑦+⑧+⑨+⑪) × 3/100	(⑥+⑦+⑧+⑨+⑪) × 4/100	(⑥+⑦+⑧+⑨+⑪) × 6/100
		3号	1、2歳児 乳児								
	61人から70人まで	2号	4歳以上児 3歳児	+ 4,800	+ 3,170	+ 30×加算率		− (⑥+⑦+⑧+⑨+⑪) × 1/100	(⑥+⑦+⑧+⑨+⑪) × 3/100	(⑥+⑦+⑧+⑨+⑪) × 4/100	(⑥+⑦+⑧+⑨+⑪) × 6/100
		3号	1、2歳児 乳児								
	71人から80人まで	2号	4歳以上児 3歳児	+ 4,800	+ 2,770	+ 20×加算率		− (⑥+⑦+⑧+⑨+⑪) × 1/100	(⑥+⑦+⑧+⑨+⑪) × 3/100	(⑥+⑦+⑧+⑨+⑪) × 4/100	(⑥+⑦+⑧+⑨+⑪) × 6/100
		3号	1、2歳児 乳児								
	81人から90人まで	2号	4歳以上児 3歳児	+ 4,800	+ 2,460	+ 20×加算率		− (⑥+⑦+⑧+⑨+⑪) × 1/100	(⑥+⑦+⑧+⑨+⑪) × 3/100	(⑥+⑦+⑧+⑨+⑪) × 4/100	(⑥+⑦+⑧+⑨+⑪) × 6/100
		3号	1、2歳児 乳児								
	91人から100人まで	2号	4歳以上児 3歳児	+ 4,800	+ 2,220	+ 20×加算率		− (⑥+⑦+⑧+⑨+⑪) × 1/100	(⑥+⑦+⑧+⑨+⑪) × 3/100	(⑥+⑦+⑧+⑨+⑪) × 4/100	(⑥+⑦+⑧+⑨+⑪) × 6/100
		3号	1、2歳児 乳児								
	101人から110人まで	2号	4歳以上児 3歳児	+ 4,800	+ 2,020	+ 20×加算率		− (⑥+⑦+⑧+⑨+⑪) × 1/100	(⑥+⑦+⑧+⑨+⑪) × 3/100	(⑥+⑦+⑧+⑨+⑪) × 4/100	(⑥+⑦+⑧+⑨+⑪) × 6/100
		3号	1、2歳児 乳児								
	111人から120人まで	2号	4歳以上児 3歳児	+ 4,800	+ 1,840	+ 10×加算率		− (⑥+⑦+⑧+⑨+⑪) × 1/100	(⑥+⑦+⑧+⑨+⑪) × 3/100	(⑥+⑦+⑧+⑨+⑪) × 4/100	(⑥+⑦+⑧+⑨+⑪) × 6/100
		3号	1、2歳児 乳児								
	121人から130人まで	2号	4歳以上児 3歳児	+ 4,800	+ 1,700	+ 10×加算率		− (⑥+⑦+⑧+⑨+⑪) × 2/100	(⑥+⑦+⑧+⑨+⑪) × 3/100	(⑥+⑦+⑧+⑨+⑪) × 5/100	(⑥+⑦+⑧+⑨+⑪) × 6/100
		3号	1、2歳児 乳児								
	131人から140人まで	2号	4歳以上児 3歳児	+ 4,800	+ 1,580	+ 10×加算率		− (⑥+⑦+⑧+⑨+⑪) × 2/100	(⑥+⑦+⑧+⑨+⑪) × 3/100	(⑥+⑦+⑧+⑨+⑪) × 5/100	(⑥+⑦+⑧+⑨+⑪) × 6/100
		3号	1、2歳児 乳児								
	141人から150人まで	2号	4歳以上児 3歳児	+ 4,800	+ 1,480	+ 10×加算率		− (⑥+⑦+⑧+⑨+⑪) × 2/100	(⑥+⑦+⑧+⑨+⑪) × 3/100	(⑥+⑦+⑧+⑨+⑪) × 5/100	(⑥+⑦+⑧+⑨+⑪) × 6/100
		3号	1、2歳児 乳児								
	151人から160人まで	2号	4歳以上児 3歳児	+ 4,800	+ 1,380	+ 10×加算率		− (⑥+⑦+⑧+⑨+⑪) × 2/100	(⑥+⑦+⑧+⑨+⑪) × 3/100	(⑥+⑦+⑧+⑨+⑪) × 5/100	(⑥+⑦+⑧+⑨+⑪) × 6/100
		3号	1、2歳児 乳児								
	161人から170人まで	2号	4歳以上児 3歳児	+ 4,800	+ 1,310	+ 10×加算率		− (⑥+⑦+⑧+⑨+⑪) × 2/100	(⑥+⑦+⑧+⑨+⑪) × 3/100	(⑥+⑦+⑧+⑨+⑪) × 5/100	(⑥+⑦+⑧+⑨+⑪) × 6/100
		3号	1、2歳児 乳児								
	171人以上	2号	4歳以上児 3歳児	+ 4,800	+ 1,230	+ 10×加算率		− (⑥+⑦+⑧+⑨+⑪) × 2/100	(⑥+⑦+⑧+⑨+⑪) × 3/100	(⑥+⑦+⑧+⑨+⑪) × 5/100	(⑥+⑦+⑧+⑨+⑪) × 6/100
		3号	1、2歳児 乳児								

地域区分 ①	定員区分 ②	認定区分 ③	年齢区分 ④		主幹教諭等の専任化により子育て支援の取り組みを実施していない場合 ⑳		年齢別配置基準を下回る場合 ㉑		配置基準上求められる職員資格を有しない場合 ㉒	定員を恒常的に超過する場合 ㉓
15/100地域	10人まで	2号	4歳以上児	－	(13, 290 +130×加算率)	－	(47, 880 +470×加算率)×人数	－	(31, 140 +310×加算率)×人数	(⑥～㉒（⑯を除く。）)×別に定める調整率
			3　歳　児							
		3号	1、2歳児							
			乳　　児							
	11人から20人まで	2号	4歳以上児	－	(6, 640 +60×加算率)	－	(23, 940 +230×加算率)×人数	－	(15, 570 +150×加算率)×人数	
			3　歳　児							
		3号	1、2歳児							
			乳　　児							
	21人から30人まで	2号	4歳以上児	－	(4, 430 +40×加算率)	－	(15, 960 +160×加算率)×人数	－	(10, 380 +100×加算率)×人数	
			3　歳　児							
		3号	1、2歳児							
			乳　　児							
	31人から40人まで	2号	4歳以上児	－	(3, 320 +30×加算率)	－	(11, 970 +120×加算率)×人数	－	(7, 780 +70×加算率)×人数	
			3　歳　児							
		3号	1、2歳児							
			乳　　児							
	41人から50人まで	2号	4歳以上児	－	(2, 650 +20×加算率)	－	(9, 570 +90×加算率)×人数	－	(6, 220 +60×加算率)×人数	
			3　歳　児							
		3号	1、2歳児							
			乳　　児							
	51人から60人まで	2号	4歳以上児	－	(2, 210 +20×加算率)	－	(7, 980 +80×加算率)×人数	－	(5, 190 +50×加算率)×人数	
			3　歳　児							
		3号	1、2歳児							
			乳　　児							
	61人から70人まで	2号	4歳以上児	－	(1, 890 +10×加算率)	－	(6, 840 +60×加算率)×人数	－	(4, 440 +40×加算率)×人数	
			3　歳　児							
		3号	1、2歳児							
			乳　　児							
	71人から80人まで	2号	4歳以上児	－	(1, 660 +10×加算率)	－	(5, 980 +60×加算率)×人数	－	(3, 890 +30×加算率)×人数	
			3　歳　児							
		3号	1、2歳児							
			乳　　児							
	81人から90人まで	2号	4歳以上児	－	(1, 470 +10×加算率)	－	(5, 320 +50×加算率)×人数	－	(3, 460 +30×加算率)×人数	
			3　歳　児							
		3号	1、2歳児							
			乳　　児							
	91人から100人まで	2号	4歳以上児	－	(1, 330 +10×加算率)	－	(4, 780 +40×加算率)×人数	－	(3, 110 +30×加算率)×人数	
			3　歳　児							
		3号	1、2歳児							
			乳　　児							
	101人から110人まで	2号	4歳以上児	－	(1, 200 +10×加算率)	－	(4, 350 +40×加算率)×人数	－	(2, 030 +20×加算率)×人数	
			3　歳　児							
		3号	1、2歳児							
			乳　　児							
	111人から120人まで	2号	4歳以上児	－	(1, 100 +10×加算率)	－	(3, 990 +40×加算率)×人数	－	(2, 590 +20×加算率)×人数	
			3　歳　児							
		3号	1、2歳児							
			乳　　児							
	121人から130人まで	2号	4歳以上児	－	(1, 020 +10×加算率)	－	(3, 680 +30×加算率)×人数	－	(2, 390 +20×加算率)×人数	
			3　歳　児							
		3号	1、2歳児							
			乳　　児							
	131人から140人まで	2号	4歳以上児	－	(950 +10×加算率)	－	(3, 420 +30×加算率)×人数	－	(2, 220 +20×加算率)×人数	
			3　歳　児							
		3号	1、2歳児							
			乳　　児							
	141人から150人まで	2号	4歳以上児	－	(880 +9×加算率)	－	(3, 190 +30×加算率)×人数	－	(2, 070 +20×加算率)×人数	
			3　歳　児							
		3号	1、2歳児							
			乳　　児							
	151人から160人まで	2号	4歳以上児	－	(830 +8×加算率)	－	(2, 990 +30×加算率)×人数	－	(1, 940 +10×加算率)×人数	
			3　歳　児							
		3号	1、2歳児							
			乳　　児							
	161人から170人まで	2号	4歳以上児	－	(780 +8×加算率)	－	(2, 810 +20×加算率)×人数	－	(1, 830 +10×加算率)×人数	
			3　歳　児							
		3号	1、2歳児							
			乳　　児							
	171人以上	2号	4歳以上児	－	(730 +7×加算率)	－	(2, 660 +20×加算率)×人数	－	(1, 730 +10×加算率)×人数	
			3　歳　児							
		3号	1、2歳児							
			乳　　児							

地域区分 ①	定員区分 ②	認定区分 ③	年齢区分 ④	保育必要量区分 ⑤ 保育標準時間認定 基本分単価 ⑥	(注１)	保育短時間認定 基本分単価 ⑥	(注１)		処遇改善等加算Ⅰ 保育標準時間認定 ⑦	(注１)		保育短時間認定 ⑦	(注１)			3歳児配置改善加算		処遇改善等加算Ⅰ ⑧
12/100地域	10人まで	2号	4歳以上児	243, 960	(251, 750)	191, 430	(199, 220)	+	2, 420	(2, 490)	×加算率	1, 890	(1, 960)	×加算率	+	(7, 790)	+	(70×加算率)
			3 歳 児	251, 750	(314, 880)	199, 220	(262, 350)	+	2, 490	(3, 030)	×加算率	1, 960	(2, 500)	×加算率	+	7, 790	+	70×加算率
		3号	1、2歳児	314, 880	(392, 820)	262, 350	(340, 290)	+	3, 030	(3, 810)	×加算率	2, 500	(3, 280)	×加算率				
			乳 児	392, 820		340, 290		+	3, 810		×加算率	3, 280		×加算率				
	11人から20人まで	2号	4歳以上児	132, 300	(140, 090)	106, 040	(113, 830)	+	1, 300	(1, 370)	×加算率	1, 040	(1, 110)	×加算率	+	(7, 790)	+	(70×加算率)
			3 歳 児	140, 090	(203, 220)	113, 830	(176, 960)	+	1, 370	(1, 910)	×加算率	1, 110	(1, 650)	×加算率	+	7, 790	+	70×加算率
		3号	1、2歳児	203, 220	(281, 160)	176, 960	(254, 900)	+	1, 910	(2, 690)	×加算率	1, 650	(2, 430)	×加算率				
			乳 児	281, 160		254, 900		+	2, 690		×加算率	2, 430		×加算率				
	21人から30人まで	2号	4歳以上児	94, 960	(102, 750)	77, 450	(85, 240)	+	930	(1, 000)	×加算率	750	(820)	×加算率	+	(7, 790)	+	(70×加算率)
			3 歳 児	102, 750	(165, 880)	85, 240	(148, 370)	+	1, 000	(1, 540)	×加算率	820	(1, 360)	×加算率	+	7, 790	+	70×加算率
		3号	1、2歳児	165, 880	(243, 820)	148, 370	(226, 310)	+	1, 540	(2, 320)	×加算率	1, 360	(2, 140)	×加算率				
			乳 児	243, 820		226, 310		+	2, 320		×加算率	2, 140		×加算率				
	31人から40人まで	2号	4歳以上児	76, 610	(84, 400)	63, 480	(71, 270)	+	740	(810)	×加算率	610	(680)	×加算率	+	(7, 790)	+	(70×加算率)
			3 歳 児	84, 400	(147, 530)	71, 270	(134, 400)	+	810	(1, 360)	×加算率	680	(1, 220)	×加算率	+	7, 790	+	70×加算率
		3号	1、2歳児	147, 530	(225, 470)	134, 400	(212, 340)	+	1, 360	(2, 140)	×加算率	1, 220	(2, 000)	×加算率				
			乳 児	225, 470		212, 340		+	2, 140		×加算率	2, 000		×加算率				
	41人から50人まで	2号	4歳以上児	71, 410	(79, 200)	60, 900	(68, 690)	+	690	(760)	×加算率	580	(650)	×加算率	+	(7, 790)	+	(70×加算率)
			3 歳 児	79, 200	(142, 330)	68, 690	(131, 820)	+	760	(1, 300)	×加算率	650	(1, 200)	×加算率	+	7, 790	+	70×加算率
		3号	1、2歳児	142, 330	(220, 270)	131, 820	(209, 760)	+	1, 300	(2, 080)	×加算率	1, 200	(1, 980)	×加算率				
			乳 児	220, 270		209, 760		+	2, 080		×加算率	1, 980		×加算率				
	51人から60人まで	2号	4歳以上児	62, 450	(70, 240)	53, 700	(61, 490)	+	600	(670)	×加算率	510	(580)	×加算率	+	(7, 790)	+	(70×加算率)
			3 歳 児	70, 240	(133, 370)	61, 490	(124, 620)	+	670	(1, 210)	×加算率	580	(1, 130)	×加算率	+	7, 790	+	70×加算率
		3号	1、2歳児	133, 370	(211, 310)	124, 620	(202, 560)	+	1, 210	(1, 990)	×加算率	1, 130	(1, 910)	×加算率				
			乳 児	211, 310		202, 560		+	1, 990		×加算率	1, 910		×加算率				
	61人から70人まで	2号	4歳以上児	56, 130	(63, 920)	48, 630	(56, 420)	+	540	(610)	×加算率	460	(530)	×加算率	+	(7, 790)	+	(70×加算率)
			3 歳 児	63, 920	(127, 050)	56, 420	(119, 550)	+	610	(1, 150)	×加算率	530	(1, 080)	×加算率	+	7, 790	+	70×加算率
		3号	1、2歳児	127, 050	(204, 990)	119, 550	(197, 490)	+	1, 150	(1, 930)	×加算率	1, 080	(1, 860)	×加算率				
			乳 児	204, 990		197, 490		+	1, 930		×加算率	1, 860		×加算率				
	71人から80人まで	2号	4歳以上児	51, 450	(59, 240)	44, 880	(52, 670)	+	490	(560)	×加算率	420	(490)	×加算率	+	(7, 790)	+	(70×加算率)
			3 歳 児	59, 240	(122, 370)	52, 670	(115, 800)	+	560	(1, 100)	×加算率	490	(1, 040)	×加算率	+	7, 790	+	70×加算率
		3号	1、2歳児	122, 370	(200, 310)	115, 800	(193, 740)	+	1, 100	(1, 880)	×加算率	1, 040	(1, 820)	×加算率				
			乳 児	200, 310		193, 740		+	1, 880		×加算率	1, 820		×加算率				
	81人から90人まで	2号	4歳以上児	47, 760	(55, 550)	41, 920	(49, 710)	+	450	(520)	×加算率	390	(460)	×加算率	+	(7, 790)	+	(70×加算率)
			3 歳 児	55, 550	(118, 680)	49, 710	(112, 840)	+	520	(1, 070)	×加算率	460	(1, 010)	×加算率	+	7, 790	+	70×加算率
		3号	1、2歳児	118, 680	(196, 620)	112, 840	(190, 780)	+	1, 070	(1, 850)	×加算率	1, 010	(1, 790)	×加算率				
			乳 児	196, 620		190, 780		+	1, 850		×加算率	1, 790		×加算率				
	91人から100人まで	2号	4歳以上児	41, 350	(49, 140)	36, 100	(43, 890)	+	390	(460)	×加算率	340	(410)	×加算率	+	(7, 790)	+	(70×加算率)
			3 歳 児	49, 140	(112, 270)	43, 890	(107, 020)	+	460	(1, 000)	×加算率	410	(950)	×加算率	+	7, 790	+	70×加算率
		3号	1、2歳児	112, 270	(190, 210)	107, 020	(184, 960)	+	1, 000	(1, 780)	×加算率	950	(1, 730)	×加算率				
			乳 児	190, 210		184, 960		+	1, 780		×加算率	1, 730		×加算率				
	101人から110人まで	2号	4歳以上児	39, 290	(47, 080)	34, 510	(42, 300)	+	370	(440)	×加算率	320	(390)	×加算率	+	(7, 790)	+	(70×加算率)
			3 歳 児	47, 080	(110, 210)	42, 300	(105, 430)	+	440	(980)	×加算率	390	(930)	×加算率	+	7, 790	+	70×加算率
		3号	1、2歳児	110, 210	(188, 150)	105, 430	(183, 370)	+	980	(1, 760)	×加算率	930	(1, 710)	×加算率				
			乳 児	188, 150		183, 370		+	1, 760		×加算率	1, 710		×加算率				
	111人から120人まで	2号	4歳以上児	37, 530	(45, 320)	33, 150	(40, 940)	+	350	(420)	×加算率	310	(380)	×加算率	+	(7, 790)	+	(70×加算率)
			3 歳 児	45, 320	(108, 450)	40, 940	(104, 070)	+	420	(960)	×加算率	380	(920)	×加算率	+	7, 790	+	70×加算率
		3号	1、2歳児	108, 450	(186, 390)	104, 070	(182, 010)	+	960	(1, 740)	×加算率	920	(1, 700)	×加算率				
			乳 児	186, 390		182, 010		+	1, 740		×加算率	1, 700		×加算率				
	121人から130人まで	2号	4歳以上児	36, 050	(43, 840)	32, 000	(39, 790)	+	340	(410)	×加算率	300	(370)	×加算率	+	(7, 790)	+	(70×加算率)
			3 歳 児	43, 840	(106, 970)	39, 790	(102, 920)	+	410	(950)	×加算率	370	(910)	×加算率	+	7, 790	+	70×加算率
		3号	1、2歳児	106, 970	(184, 910)	102, 920	(180, 860)	+	950	(1, 730)	×加算率	910	(1, 690)	×加算率				
			乳 児	184, 910		180, 860		+	1, 730		×加算率	1, 690		×加算率				
	131人から140人まで	2号	4歳以上児	34, 800	(42, 590)	31, 050	(38, 840)	+	320	(390)	×加算率	290	(360)	×加算率	+	(7, 790)	+	(70×加算率)
			3 歳 児	42, 590	(105, 720)	38, 840	(101, 970)	+	390	(940)	×加算率	360	(900)	×加算率	+	7, 790	+	70×加算率
		3号	1、2歳児	105, 720	(183, 660)	101, 970	(179, 910)	+	940	(1, 720)	×加算率	900	(1, 680)	×加算率				
			乳 児	183, 660		179, 910		+	1, 720		×加算率	1, 680		×加算率				
	141人から150人まで	2号	4歳以上児	33, 710	(41, 500)	30, 200	(37, 990)	+	310	(380)	×加算率	280	(350)	×加算率	+	(7, 790)	+	(70×加算率)
			3 歳 児	41, 500	(104, 630)	37, 990	(101, 120)	+	380	(930)	×加算率	350	(890)	×加算率	+	7, 790	+	70×加算率
		3号	1、2歳児	104, 630	(182, 570)	101, 120	(179, 060)	+	930	(1, 710)	×加算率	890	(1, 670)	×加算率				
			乳 児	182, 570		179, 060		+	1, 710		×加算率	1, 670		×加算率				
	151人から160人まで	2号	4歳以上児	33, 640	(41, 430)	30, 360	(38, 150)	+	310	(380)	×加算率	280	(350)	×加算率	+	(7, 790)	+	(70×加算率)
			3 歳 児	41, 430	(104, 560)	38, 150	(101, 280)	+	380	(930)	×加算率	350	(890)	×加算率	+	7, 790	+	70×加算率
		3号	1、2歳児	104, 560	(182, 500)	101, 280	(179, 220)	+	930	(1, 710)	×加算率	890	(1, 670)	×加算率				
			乳 児	182, 500		179, 220		+	1, 710		×加算率	1, 670		×加算率				
	161人から170人まで	2号	4歳以上児	32, 760	(40, 550)	29, 670	(37, 460)	+	300	(370)	×加算率	270	(340)	×加算率	+	(7, 790)	+	(70×加算率)
			3 歳 児	40, 550	(103, 680)	37, 460	(100, 590)	+	370	(920)	×加算率	340	(890)	×加算率	+	7, 790	+	70×加算率
		3号	1、2歳児	103, 680	(181, 620)	100, 590	(178, 530)	+	920	(1, 700)	×加算率	890	(1, 670)	×加算率				
			乳 児	181, 620		178, 530		+	1, 700		×加算率	1, 670		×加算率				
	171人以上	2号	4歳以上児	31, 960	(39, 750)	29, 040	(36, 830)	+	300	(370)	×加算率	270	(340)	×加算率	+	(7, 790)	+	(70×加算率)
			3 歳 児	39, 750	(102, 880)	36, 830	(99, 960)	+	370	(910)	×加算率	340	(880)	×加算率	+	7, 790	+	70×加算率
		3号	1、2歳児	102, 880	(180, 820)	99, 960	(177, 900)	+	910	(1, 690)	×加算率	880	(1, 660)	×加算率				
			乳 児	180, 820		177, 900		+	1, 690		×加算率	1, 660		×加算率				

地域区分 ①	定員区分 ②	認定区分 ③	年齢区分 ④	4歳以上児配置改善加算 ⑨	処遇改善等加算Ⅰ ⑨	夜間保育加算（注1）⑪	処遇改善等加算Ⅰ ⑪
12/100地域	10人まで	2号	4歳以上児	＋ 3,110	＋ 30×加算率	＋ 54,720	＋ 470×加算率
			3歳児			52,890	
		3号	1、2歳児			＋ 52,890	
			乳児				
	11人から20人まで	2号	4歳以上児	＋ 3,110	＋ 30×加算率	＋ 31,010	＋ 230×加算率
			3歳児			29,180	
		3号	1、2歳児			＋ 29,180	
			乳児				
	21人から30人まで	2号	4歳以上児	＋ 3,110	＋ 30×加算率	＋ 23,110	＋ 150×加算率
			3歳児			21,280	
		3号	1、2歳児			＋ 21,280	
			乳児				
	31人から40人まで	2号	4歳以上児	＋ 3,110	＋ 30×加算率	＋ 19,160	＋ 110×加算率
			3歳児			17,330	
		3号	1、2歳児			＋ 17,330	
			乳児				
	41人から50人まで	2号	4歳以上児	＋ 3,110	＋ 30×加算率	＋ 16,790	＋ 90×加算率
			3歳児			14,960	
		3号	1、2歳児			＋ 14,960	
			乳児				
	51人から60人まで	2号	4歳以上児	＋ 3,110	＋ 30×加算率	＋ 15,210	＋ 70×加算率
			3歳児			13,380	
		3号	1、2歳児			＋ 13,380	
			乳児				
	61人から70人まで	2号	4歳以上児	＋ 3,110	＋ 30×加算率	＋ 14,080	＋ 60×加算率
			3歳児			12,250	
		3号	1、2歳児			＋ 12,250	
			乳児				
	71人から80人まで	2号	4歳以上児	＋ 3,110	＋ 30×加算率	＋ 13,230	＋ 50×加算率
			3歳児			11,400	
		3号	1、2歳児			＋ 11,400	
			乳児				
	81人から90人まで	2号	4歳以上児	＋ 3,110	＋ 30×加算率	＋ 12,570	＋ 50×加算率
			3歳児			10,740	
		3号	1、2歳児			＋ 10,740	
			乳児				
	91人から100人まで	2号	4歳以上児	＋ 3,110	＋ 30×加算率		
			3歳児				
		3号	1、2歳児				
			乳児				
	101人から110人まで	2号	4歳以上児	＋ 3,110	＋ 30×加算率		
			3歳児				
		3号	1、2歳児				
			乳児				
	111人から120人まで	2号	4歳以上児	＋ 3,110	＋ 30×加算率		
			3歳児				
		3号	1、2歳児				
			乳児				
	121人から130人まで	2号	4歳以上児	＋ 3,110	＋ 30×加算率		
			3歳児				
		3号	1、2歳児				
			乳児				
	131人から140人まで	2号	4歳以上児	＋ 3,110	＋ 30×加算率		
			3歳児				
		3号	1、2歳児				
			乳児				
	141人から150人まで	2号	4歳以上児	＋ 3,110	＋ 30×加算率		
			3歳児				
		3号	1、2歳児				
			乳児				
	151人から160人まで	2号	4歳以上児	＋ 3,110	＋ 30×加算率		
			3歳児				
		3号	1、2歳児				
			乳児				
	161人から170人まで	2号	4歳以上児	＋ 3,110	＋ 30×加算率		
			3歳児				
		3号	1、2歳児				
			乳児				
	171人以上	2号	4歳以上児	＋ 3,110	＋ 30×加算率		
			3歳児				
		3号	1、2歳児				
			乳児				

休日保育加算 ⑩（全定員区分共通）

＋（休日保育の年間延べ利用子ども数に応じた額 ＋ 処遇改善等加算Ⅰ）÷ 各月初日の利用子ども数

休日保育の年間延べ利用子ども数	休日保育加算	処遇改善等加算Ⅰ
～ 210人	266,200	2,660×加算率
211人～ 279人	285,100	2,850×加算率
280人～ 349人	323,000	3,230×加算率
350人～ 419人	360,900	3,600×加算率
420人～ 489人	398,900	3,980×加算率
490人～ 559人	436,800	4,360×加算率
560人～ 629人	474,700	4,740×加算率
630人～ 699人	512,600	5,120×加算率
700人～ 769人	550,500	5,500×加算率
770人～ 839人	588,400	5,880×加算率
840人～ 909人	626,400	6,260×加算率
910人～ 979人	664,300	6,640×加算率
980人～1,049人	702,200	7,020×加算率
1,050人～	740,100	7,400×加算率

地域区分 ①	定員区分 ②	認定区分 ③	年齢区分 ④		チーム保育加配加算 ※1号・2号の利用定員合計に応じて2号利用子どもの単価に加算		処遇改善等加算Ⅰ ⑫		減価償却費加算 加算額 ⑬					賃借料加算 加算額 ⑭				
									認可施設		機能部分				認可施設		機能部分	
									標準	都市部	標準	都市部			標準	都市部	標準	都市部
12/100地域	10人まで	2号	4歳以上児	+	～ 15人 32,160×加配人数	+	320×加算率×加配人数	+	17,100	18,800	11,900	11,900	+	a地域	31,600	35,200	22,100	22,100
			3歳児											b地域	17,400	19,400	12,200	12,200
		3号	1、2歳児											c地域	15,200	16,900	10,600	10,600
			乳児											d地域	13,600	15,100	9,500	9,500
	11人から20人まで	2号	4歳以上児		16人～ 25人 19,300×加配人数	+	190×加算率×加配人数	+	8,500	9,400	5,900	5,900	+	a地域	15,800	17,600	11,000	11,000
			3歳児											b地域	8,700	9,700	6,100	6,100
		3号	1、2歳児											c地域	7,600	8,400	5,300	5,300
			乳児											d地域	6,800	7,500	4,700	4,700
	21人から30人まで	2号	4歳以上児		26人～ 35人 13,780×加配人数	+	130×加算率×加配人数	+	5,900	6,500	4,100	4,100	+	a地域	10,900	12,200	7,600	7,600
			3歳児											b地域	6,000	6,700	4,200	4,200
		3号	1、2歳児											c地域	5,200	5,800	3,600	3,600
			乳児											d地域	4,700	5,200	3,300	3,300
	31人から40人まで	2号	4歳以上児		36人～ 45人 10,720×加配人数	+	100×加算率×加配人数	+	5,200	5,700	3,600	3,600	+	a地域	9,800	10,900	6,800	6,800
			3歳児											b地域	5,400	6,000	3,700	3,700
		3号	1、2歳児											c地域	4,700	5,200	3,300	3,300
			乳児											d地域	4,200	4,600	2,900	2,900
	41人から50人まで	2号	4歳以上児		46人～ 60人 8,040×加配人数	+	80×加算率×加配人数	+	4,700	5,200	3,300	3,300	+	a地域	8,800	9,800	6,100	6,100
			3歳児											b地域	4,800	5,400	3,400	3,400
		3号	1、2歳児											c地域	4,200	4,700	2,900	2,900
			乳児											d地域	3,800	4,200	2,600	2,600
	51人から60人まで	2号	4歳以上児		61人～ 75人 6,430×加配人数	+	60×加算率×加配人数	+	3,900	4,300	2,700	2,700	+	a地域	7,200	8,100	5,100	5,100
			3歳児											b地域	4,000	4,400	2,800	2,800
		3号	1、2歳児											c地域	3,500	3,800	2,400	2,400
			乳児											d地域	3,100	3,400	2,100	2,100
	61人から70人まで	2号	4歳以上児		76人～ 90人 5,360×加配人数	+	50×加算率×加配人数	+	3,300	3,700	2,300	2,300	+	a地域	6,300	7,100	4,400	4,400
			3歳児											b地域	3,500	3,900	2,400	2,400
		3号	1、2歳児											c地域	3,000	3,400	2,100	2,100
			乳児											d地域	2,700	3,000	1,900	1,900
	71人から80人まで	2号	4歳以上児		91人～ 105人 4,590×加配人数	+	40×加算率×加配人数	+	3,800	4,200	2,700	2,700	+	a地域	7,100	7,900	4,900	4,900
			3歳児											b地域	3,900	4,300	2,700	2,700
		3号	1、2歳児											c地域	3,400	3,800	2,300	2,300
			乳児											d地域	3,000	3,400	2,100	2,100
	81人から90人まで	2号	4歳以上児		106人～ 120人 4,020×加配人数	+	40×加算率×加配人数	+	3,400	3,700	2,400	2,400	+	a地域	6,300	7,100	4,400	4,400
			3歳児											b地域	3,500	3,900	2,400	2,400
		3号	1、2歳児											c地域	3,000	3,400	2,100	2,100
			乳児											d地域	2,700	3,000	1,900	1,900
	91人から100人まで	2号	4歳以上児		121人～ 135人 3,570×加配人数	+	30×加算率×加配人数	+	3,000	3,400	2,100	2,100	+	a地域	5,500	6,200	3,900	3,900
			3歳児											b地域	3,000	3,400	2,100	2,100
		3号	1、2歳児											c地域	2,600	2,900	1,800	1,800
			乳児											d地域	2,400	2,600	1,600	1,600
	101人から110人まで	2号	4歳以上児		136人～ 150人 3,210×加配人数	+	30×加算率×加配人数	+	3,300	3,700	2,300	2,300	+	a地域	6,100	6,800	4,200	4,200
			3歳児											b地域	3,300	3,700	2,300	2,300
		3号	1、2歳児											c地域	2,900	3,200	2,000	2,000
			乳児											d地域	2,600	2,900	1,800	1,800
	111人から120人まで	2号	4歳以上児		151人～ 180人 2,680×加配人数	+	20×加算率×加配人数	+	3,000	3,400	2,100	2,100	+	a地域	5,500	6,200	3,900	3,900
			3歳児											b地域	3,000	3,400	2,100	2,100
		3号	1、2歳児											c地域	2,600	2,900	1,800	1,800
			乳児											d地域	2,400	2,600	1,600	1,600
	121人から130人まで	2号	4歳以上児		181人～ 210人 2,290×加配人数	+	20×加算率×加配人数	+	2,800	3,100	2,000	2,000	+	a地域	5,100	5,700	3,500	3,500
			3歳児											b地域	2,800	3,100	1,900	1,900
		3号	1、2歳児											c地域	2,400	2,700	1,700	1,700
			乳児											d地域	2,200	2,400	1,500	1,500
	131人から140人まで	2号	4歳以上児		211人～ 240人 2,010×加配人数	+	20×加算率×加配人数	+	3,000	3,300	2,100	2,100	+	a地域	5,500	6,200	3,900	3,900
			3歳児											b地域	3,000	3,400	2,100	2,100
		3号	1、2歳児											c地域	2,600	2,900	1,800	1,800
			乳児											d地域	2,400	2,600	1,600	1,600
	141人から150人まで	2号	4歳以上児		241人～ 270人 1,780×加配人数	+	10×加算率×加配人数	+	2,800	3,100	2,000	2,000	+	a地域	5,400	6,000	3,700	3,700
			3歳児											b地域	2,900	3,300	2,000	2,000
		3号	1、2歳児											c地域	2,500	2,800	1,800	1,800
			乳児											d地域	2,300	2,500	1,600	1,600
	151人から160人まで	2号	4歳以上児		271人～ 300人 1,600×加配人数	+	10×加算率×加配人数	+	2,600	2,900	1,800	1,800	+	a地域	4,800	5,400	3,400	3,400
			3歳児											b地域	2,600	2,900	1,800	1,800
		3号	1、2歳児											c地域	2,300	2,500	1,600	1,600
			乳児											d地域	2,000	2,300	1,400	1,400
	161人から170人まで	2号	4歳以上児		301人～ 1,460×加配人数	+	10×加算率×加配人数	+	2,800	3,100	2,000	2,000	+	a地域	5,400	6,000	3,700	3,700
			3歳児											b地域	2,900	3,300	2,000	2,000
		3号	1、2歳児											c地域	2,500	2,800	1,800	1,800
			乳児											d地域	2,300	2,500	1,600	1,600
	171人以上	2号	4歳以上児					+	2,700	2,900	1,900	1,900	+	a地域	4,800	5,400	3,400	3,400
			3歳児											b地域	2,600	2,900	1,800	1,800
		3号	1、2歳児											c地域	2,300	2,500	1,600	1,600
			乳児											d地域	2,000	2,300	1,400	1,400

+

外部監査費加算 ⑮	
認定こども園全体の利用定員	
～ 15人	27,330
16人～ 25人	16,800
26人～ 35人	12,280
36人～ 45人	9,770
46人～ 60人	7,500
61人～ 75人	6,130
76人～ 90人	5,220
91人～ 105人	4,660
106人～ 120人	4,250
121人～ 135人	3,920
136人～ 150人	3,660
151人～ 180人	3,160
181人～ 210人	2,810
211人～ 240人	2,540
241人～ 270人	2,440
271人～ 300人	2,360
301人～	2,150
※3月分の単価に加算	

地域区分 ①	定員区分 ②	認定区分 ③	年齢区分 ④	副食費徴収免除加算 ※副食費の徴収が免除される子どもの単価に加算 ⑯	1号認定こどもの利用定員を設定しない場合 ⑰	処遇改善等加算Ⅰ ⑰	分園の場合 ⑱	土曜日に閉所する場合 月に1日土曜日を閉所する場合 ⑲	月に2日土曜日を閉所する場合	月に3日以上土曜日を閉所する場合	全ての土曜日を閉所する場合
12/100地域	10人まで	2号	4歳以上児 3歳児	＋ 4,800	＋ 22,020	＋ 220×加算率	－(⑥+⑦) × 10/100	－(⑥+⑦+⑧+⑨+⑪) × 1/100	(⑥+⑦+⑧+⑨+⑪) × 2/100	(⑥+⑦+⑧+⑨+⑪) × 4/100	(⑥+⑦+⑧+⑨+⑪) × 5/100
		3号	1、2歳児 乳児								
	11人から20人まで	2号	4歳以上児 3歳児	＋ 4,800	＋ 11,010	＋ 110×加算率		－(⑥+⑦+⑧+⑨+⑪) × 1/100	(⑥+⑦+⑧+⑨+⑪) × 3/100	(⑥+⑦+⑧+⑨+⑪) × 4/100	(⑥+⑦+⑧+⑨+⑪) × 5/100
		3号	1、2歳児 乳児								
	21人から30人まで	2号	4歳以上児 3歳児	＋ 4,800	＋ 7,350	＋ 70×加算率		－(⑥+⑦+⑧+⑨+⑪) × 1/100	(⑥+⑦+⑧+⑨+⑪) × 3/100	(⑥+⑦+⑧+⑨+⑪) × 4/100	(⑥+⑦+⑧+⑨+⑪) × 5/100
		3号	1、2歳児 乳児								
	31人から40人まで	2号	4歳以上児 3歳児	＋ 4,800	＋ 5,500	＋ 50×加算率		－(⑥+⑦+⑧+⑨+⑪) × 1/100	(⑥+⑦+⑧+⑨+⑪) × 3/100	(⑥+⑦+⑧+⑨+⑪) × 4/100	(⑥+⑦+⑧+⑨+⑪) × 5/100
		3号	1、2歳児 乳児								
	41人から50人まで	2号	4歳以上児 3歳児	＋ 4,800	＋ 4,400	＋ 40×加算率		－(⑥+⑦+⑧+⑨+⑪) × 1/100	(⑥+⑦+⑧+⑨+⑪) × 3/100	(⑥+⑦+⑧+⑨+⑪) × 4/100	(⑥+⑦+⑧+⑨+⑪) × 6/100
		3号	1、2歳児 乳児								
	51人から60人まで	2号	4歳以上児 3歳児	＋ 4,800	＋ 3,670	＋ 30×加算率		－(⑥+⑦+⑧+⑨+⑪) × 1/100	(⑥+⑦+⑧+⑨+⑪) × 3/100	(⑥+⑦+⑧+⑨+⑪) × 4/100	(⑥+⑦+⑧+⑨+⑪) × 6/100
		3号	1、2歳児 乳児								
	61人から70人まで	2号	4歳以上児 3歳児	＋ 4,800	＋ 3,140	＋ 30×加算率		－(⑥+⑦+⑧+⑨+⑪) × 1/100	(⑥+⑦+⑧+⑨+⑪) × 3/100	(⑥+⑦+⑧+⑨+⑪) × 4/100	(⑥+⑦+⑧+⑨+⑪) × 6/100
		3号	1、2歳児 乳児								
	71人から80人まで	2号	4歳以上児 3歳児	＋ 4,800	＋ 2,750	＋ 20×加算率		－(⑥+⑦+⑧+⑨+⑪) × 1/100	(⑥+⑦+⑧+⑨+⑪) × 3/100	(⑥+⑦+⑧+⑨+⑪) × 4/100	(⑥+⑦+⑧+⑨+⑪) × 6/100
		3号	1、2歳児 乳児								
	81人から90人まで	2号	4歳以上児 3歳児	＋ 4,800	＋ 2,440	＋ 20×加算率		－(⑥+⑦+⑧+⑨+⑪) × 1/100	(⑥+⑦+⑧+⑨+⑪) × 3/100	(⑥+⑦+⑧+⑨+⑪) × 4/100	(⑥+⑦+⑧+⑨+⑪) × 6/100
		3号	1、2歳児 乳児								
	91人から100人まで	2号	4歳以上児 3歳児	＋ 4,800	＋ 2,200	＋ 20×加算率		－(⑥+⑦+⑧+⑨+⑪) × 2/100	(⑥+⑦+⑧+⑨+⑪) × 3/100	(⑥+⑦+⑧+⑨+⑪) × 5/100	(⑥+⑦+⑧+⑨+⑪) × 6/100
		3号	1、2歳児 乳児								
	101人から110人まで	2号	4歳以上児 3歳児	＋ 4,800	＋ 2,000	＋ 20×加算率		－(⑥+⑦+⑧+⑨+⑪) × 2/100	(⑥+⑦+⑧+⑨+⑪) × 3/100	(⑥+⑦+⑧+⑨+⑪) × 5/100	(⑥+⑦+⑧+⑨+⑪) × 6/100
		3号	1、2歳児 乳児								
	111人から120人まで	2号	4歳以上児 3歳児	＋ 4,800	＋ 1,840	＋ 10×加算率		－(⑥+⑦+⑧+⑨+⑪) × 2/100	(⑥+⑦+⑧+⑨+⑪) × 3/100	(⑥+⑦+⑧+⑨+⑪) × 5/100	(⑥+⑦+⑧+⑨+⑪) × 6/100
		3号	1、2歳児 乳児								
	121人から130人まで	2号	4歳以上児 3歳児	＋ 4,800	＋ 1,690	＋ 10×加算率		－(⑥+⑦+⑧+⑨+⑪) × 2/100	(⑥+⑦+⑧+⑨+⑪) × 3/100	(⑥+⑦+⑧+⑨+⑪) × 5/100	(⑥+⑦+⑧+⑨+⑪) × 6/100
		3号	1、2歳児 乳児								
	131人から140人まで	2号	4歳以上児 3歳児	＋ 4,800	＋ 1,580	＋ 10×加算率		－(⑥+⑦+⑧+⑨+⑪) × 2/100	(⑥+⑦+⑧+⑨+⑪) × 3/100	(⑥+⑦+⑧+⑨+⑪) × 5/100	(⑥+⑦+⑧+⑨+⑪) × 6/100
		3号	1、2歳児 乳児								
	141人から150人まで	2号	4歳以上児 3歳児	＋ 4,800	＋ 1,460	＋ 10×加算率		－(⑥+⑦+⑧+⑨+⑪) × 2/100	(⑥+⑦+⑧+⑨+⑪) × 3/100	(⑥+⑦+⑧+⑨+⑪) × 5/100	(⑥+⑦+⑧+⑨+⑪) × 6/100
		3号	1、2歳児 乳児								
	151人から160人まで	2号	4歳以上児 3歳児	＋ 4,800	＋ 1,380	＋ 10×加算率		－(⑥+⑦+⑧+⑨+⑪) × 2/100	(⑥+⑦+⑧+⑨+⑪) × 3/100	(⑥+⑦+⑧+⑨+⑪) × 5/100	(⑥+⑦+⑧+⑨+⑪) × 6/100
		3号	1、2歳児 乳児								
	161人から170人まで	2号	4歳以上児 3歳児	＋ 4,800	＋ 1,300	＋ 10×加算率		－(⑥+⑦+⑧+⑨+⑪) × 2/100	(⑥+⑦+⑧+⑨+⑪) × 3/100	(⑥+⑦+⑧+⑨+⑪) × 5/100	(⑥+⑦+⑧+⑨+⑪) × 6/100
		3号	1、2歳児 乳児								
	171人以上	2号	4歳以上児 3歳児	＋ 4,800	＋ 1,220	＋ 10×加算率		－(⑥+⑦+⑧+⑨+⑪) × 2/100	(⑥+⑦+⑧+⑨+⑪) × 3/100	(⑥+⑦+⑧+⑨+⑪) × 5/100	(⑥+⑦+⑧+⑨+⑪) × 6/100
		3号	1、2歳児 乳児								

地域区分 ①	定員区分 ②	認定区分 ③	年齢区分 ④	主幹教諭等の専任化により子育て支援の取り組みを実施していない場合 ⑳	年齢別配置基準を下回る場合 ㉑	配置基準上求められる職員資格を有しない場合 ㉒	定員を恒常的に超過する場合 ㉓
12/100地域	10人まで	2号	4歳以上児	－(13,290 +130×加算率)	－(46,760 +460×加算率)×人数	－(30,020 +300×加算率)×人数	(⑥～㉒(⑯を除く。))×別に定める調整率
			3　歳　児				
		3号	1、2歳児				
			乳　　児				
	11人から20人まで	2号	4歳以上児	－(6,640 +60×加算率)	－(23,380 +230×加算率)×人数	－(15,010 +150×加算率)×人数	
			3　歳　児				
		3号	1、2歳児				
			乳　　児				
	21人から30人まで	2号	4歳以上児	－(4,430 +40×加算率)	－(15,580 +150×加算率)×人数	－(10,000 +100×加算率)×人数	
			3　歳　児				
		3号	1、2歳児				
			乳　　児				
	31人から40人まで	2号	4歳以上児	－(3,320 +30×加算率)	－(11,690 +110×加算率)×人数	－(7,500 +70×加算率)×人数	
			3　歳　児				
		3号	1、2歳児				
			乳　　児				
	41人から50人まで	2号	4歳以上児	－(2,650 +20×加算率)	－(9,350 +90×加算率)×人数	－(6,000 +60×加算率)×人数	
			3　歳　児				
		3号	1、2歳児				
			乳　　児				
	51人から60人まで	2号	4歳以上児	－(2,210 +20×加算率)	－(7,790 +70×加算率)×人数	－(5,000 +50×加算率)×人数	
			3　歳　児				
		3号	1、2歳児				
			乳　　児				
	61人から70人まで	2号	4歳以上児	－(1,890 +10×加算率)	－(6,680 +60×加算率)×人数	－(4,280 +40×加算率)×人数	
			3　歳　児				
		3号	1、2歳児				
			乳　　児				
	71人から80人まで	2号	4歳以上児	－(1,660 +10×加算率)	－(5,840 +50×加算率)×人数	－(3,750 +30×加算率)×人数	
			3　歳　児				
		3号	1、2歳児				
			乳　　児				
	81人から90人まで	2号	4歳以上児	－(1,470 +10×加算率)	－(5,190 +50×加算率)×人数	－(3,330 +30×加算率)×人数	
			3　歳　児				
		3号	1、2歳児				
			乳　　児				
	91人から100人まで	2号	4歳以上児	－(1,330 +10×加算率)	－(4,670 +40×加算率)×人数	－(3,000 +30×加算率)×人数	
			3　歳　児				
		3号	1、2歳児				
			乳　　児				
	101人から110人まで	2号	4歳以上児	－(1,200 +10×加算率)	－(4,250 +40×加算率)×人数	－(2,720 +20×加算率)×人数	
			3　歳　児				
		3号	1、2歳児				
			乳　　児				
	111人から120人まで	2号	4歳以上児	－(1,100 +10×加算率)	－(3,890 +30×加算率)×人数	－(2,500 +20×加算率)×人数	
			3　歳　児				
		3号	1、2歳児				
			乳　　児				
	121人から130人まで	2号	4歳以上児	－(1,020 +10×加算率)	－(3,590 +30×加算率)×人数	－(2,300 +20×加算率)×人数	
			3　歳　児				
		3号	1、2歳児				
			乳　　児				
	131人から140人まで	2号	4歳以上児	－(950 +10×加算率)	－(3,340 +30×加算率)×人数	－(2,140 +20×加算率)×人数	
			3　歳　児				
		3号	1、2歳児				
			乳　　児				
	141人から150人まで	2号	4歳以上児	－(880 +9×加算率)	－(3,110 +30×加算率)×人数	－(2,000 +20×加算率)×人数	
			3　歳　児				
		3号	1、2歳児				
			乳　　児				
	151人から160人まで	2号	4歳以上児	－(830 +8×加算率)	－(2,920 +20×加算率)×人数	－(1,870 +10×加算率)×人数	
			3　歳　児				
		3号	1、2歳児				
			乳　　児				
	161人から170人まで	2号	4歳以上児	－(780 +8×加算率)	－(2,750 +20×加算率)×人数	－(1,760 +10×加算率)×人数	
			3　歳　児				
		3号	1、2歳児				
			乳　　児				
	171人以上	2号	4歳以上児	－(730 +7×加算率)	－(2,590 +20×加算率)×人数	－(1,660 +10×加算率)×人数	
			3　歳　児				
		3号	1、2歳児				
			乳　　児				

地域区分	定員区分	認定区分	年齢区分	保育必要量区分 ⑤					処遇改善等加算Ⅰ							3歳児配置改善加算		
				保育標準時間認定		保育短時間認定			保育標準時間認定			保育短時間認定						処遇改善等加算Ⅰ
				基本分単価	（注１）	基本分単価	（注１）			（注１）			（注１）					
①	②	③	④	⑥		⑥			⑦			⑦						⑧
10/100地域	10人まで	2号	4歳以上児	240,700	(248,360)	188,920	(196,580)	+	2,380	(2,450)	×加算率	1,860	(1,930)	×加算率	+	(7,660)	+	(70×加算率)
			3歳児	248,360	(310,620)	196,580	(258,840)	+	2,450	(2,990)	×加算率	1,930	(2,470)	×加算率	+	7,660	+	70×加算率
		3号	1、2歳児	310,620	(387,310)	258,840	(335,530)	+	2,990	(3,760)	×加算率	2,470	(3,240)	×加算率				
			乳児	387,310		335,530		+	3,760		×加算率	3,240		×加算率				
	11人から20人まで	2号	4歳以上児	130,530	(138,190)	104,640	(112,300)	+	1,280	(1,350)	×加算率	1,020	(1,090)	×加算率	+	(7,660)	+	(70×加算率)
			3歳児	138,190	(200,450)	112,300	(174,560)	+	1,350	(1,880)	×加算率	1,090	(1,630)	×加算率	+	7,660	+	70×加算率
		3号	1、2歳児	200,450	(277,140)	174,560	(251,250)	+	1,880	(2,650)	×加算率	1,630	(2,400)	×加算率				
			乳児	277,140		251,250		+	2,650		×加算率	2,400		×加算率				
	21人から30人まで	2号	4歳以上児	93,690	(101,350)	76,430	(84,090)	+	910	(980)	×加算率	740	(810)	×加算率	+	(7,660)	+	(70×加算率)
			3歳児	101,350	(163,610)	84,090	(146,350)	+	980	(1,520)	×加算率	810	(1,340)	×加算率	+	7,660	+	70×加算率
		3号	1、2歳児	163,610	(240,300)	146,350	(223,040)	+	1,520	(2,290)	×加算率	1,340	(2,110)	×加算率				
			乳児	240,300		223,040		+	2,290		×加算率	2,110		×加算率				
	31人から40人まで	2号	4歳以上児	75,560	(83,220)	62,610	(70,270)	+	730	(800)	×加算率	600	(670)	×加算率	+	(7,660)	+	(70×加算率)
			3歳児	83,220	(145,480)	70,270	(132,530)	+	800	(1,330)	×加算率	670	(1,210)	×加算率	+	7,660	+	70×加算率
		3号	1、2歳児	145,480	(222,170)	132,530	(209,220)	+	1,330	(2,100)	×加算率	1,210	(1,980)	×加算率				
			乳児	222,170		209,220		+	2,100		×加算率	1,980		×加算率				
	41人から50人まで	2号	4歳以上児	70,410	(78,070)	60,060	(67,720)	+	680	(750)	×加算率	580	(650)	×加算率	+	(7,660)	+	(70×加算率)
			3歳児	78,070	(140,330)	67,720	(129,980)	+	750	(1,280)	×加算率	650	(1,180)	×加算率	+	7,660	+	70×加算率
		3号	1、2歳児	140,330	(217,020)	129,980	(206,670)	+	1,280	(2,050)	×加算率	1,180	(1,950)	×加算率				
			乳児	217,020		206,670		+	2,050		×加算率	1,950		×加算率				
	51人から60人まで	2号	4歳以上児	61,580	(69,240)	52,950	(60,610)	+	590	(660)	×加算率	510	(580)	×加算率	+	(7,660)	+	(70×加算率)
			3歳児	69,240	(131,500)	60,610	(122,870)	+	660	(1,190)	×加算率	580	(1,110)	×加算率	+	7,660	+	70×加算率
		3号	1、2歳児	131,500	(208,190)	122,870	(199,560)	+	1,190	(1,960)	×加算率	1,110	(1,880)	×加算率				
			乳児	208,190		199,560		+	1,960		×加算率	1,880		×加算率				
	61人から70人まで	2号	4歳以上児	55,350	(63,010)	47,950	(55,610)	+	530	(600)	×加算率	460	(530)	×加算率	+	(7,660)	+	(70×加算率)
			3歳児	63,010	(125,270)	55,610	(117,870)	+	600	(1,130)	×加算率	530	(1,060)	×加算率	+	7,660	+	70×加算率
		3号	1、2歳児	125,270	(201,960)	117,870	(194,560)	+	1,130	(1,900)	×加算率	1,060	(1,830)	×加算率				
			乳児	201,960		194,560		+	1,900		×加算率	1,830		×加算率				
	71人から80人まで	2号	4歳以上児	50,730	(58,390)	44,260	(51,920)	+	480	(550)	×加算率	420	(490)	×加算率	+	(7,660)	+	(70×加算率)
			3歳児	58,390	(120,650)	51,920	(114,180)	+	550	(1,090)	×加算率	490	(1,020)	×加算率	+	7,660	+	70×加算率
		3号	1、2歳児	120,650	(197,340)	114,180	(190,870)	+	1,090	(1,860)	×加算率	1,020	(1,790)	×加算率				
			乳児	197,340		190,870		+	1,860		×加算率	1,790		×加算率				
	81人から90人まで	2号	4歳以上児	47,090	(54,750)	41,340	(49,000)	+	450	(520)	×加算率	390	(460)	×加算率	+	(7,660)	+	(70×加算率)
			3歳児	54,750	(117,010)	49,000	(111,260)	+	520	(1,050)	×加算率	460	(990)	×加算率	+	7,660	+	70×加算率
		3号	1、2歳児	117,010	(193,700)	111,260	(187,950)	+	1,050	(1,820)	×加算率	990	(1,760)	×加算率				
			乳児	193,700		187,950		+	1,820		×加算率	1,760		×加算率				
	91人から100人まで	2号	4歳以上児	40,800	(48,460)	35,620	(43,280)	+	380	(450)	×加算率	330	(400)	×加算率	+	(7,660)	+	(70×加算率)
			3歳児	48,460	(110,720)	43,280	(105,540)	+	450	(990)	×加算率	400	(940)	×加算率	+	7,660	+	70×加算率
		3号	1、2歳児	110,720	(187,410)	105,540	(182,230)	+	990	(1,760)	×加算率	940	(1,710)	×加算率				
			乳児	187,410		182,230		+	1,760		×加算率	1,710		×加算率				
	101人から110人まで	2号	4歳以上児	38,770	(46,430)	34,060	(41,720)	+	360	(430)	×加算率	320	(390)	×加算率	+	(7,660)	+	(70×加算率)
			3歳児	46,430	(108,690)	41,720	(103,980)	+	430	(970)	×加算率	390	(920)	×加算率	+	7,660	+	70×加算率
		3号	1、2歳児	108,690	(185,380)	103,980	(180,670)	+	970	(1,740)	×加算率	920	(1,690)	×加算率				
			乳児	185,380		180,670		+	1,740		×加算率	1,690		×加算率				
	111人から120人まで	2号	4歳以上児	37,030	(44,690)	32,720	(40,380)	+	350	(420)	×加算率	300	(370)	×加算率	+	(7,660)	+	(70×加算率)
			3歳児	44,690	(106,950)	40,380	(102,640)	+	420	(950)	×加算率	370	(910)	×加算率	+	7,660	+	70×加算率
		3号	1、2歳児	106,950	(183,640)	102,640	(179,330)	+	950	(1,720)	×加算率	910	(1,680)	×加算率				
			乳児	183,640		179,330		+	1,720		×加算率	1,680		×加算率				
	121人から130人まで	2号	4歳以上児	35,570	(43,230)	31,580	(39,240)	+	330	(400)	×加算率	290	(360)	×加算率	+	(7,660)	+	(70×加算率)
			3歳児	43,230	(105,490)	39,240	(101,500)	+	400	(930)	×加算率	360	(890)	×加算率	+	7,660	+	70×加算率
		3号	1、2歳児	105,490	(182,180)	101,500	(178,190)	+	930	(1,700)	×加算率	800	(1,660)	×加算率				
			乳児	182,180		178,190		+	1,700		×加算率	1,660		×加算率				
	131人から140人まで	2号	4歳以上児	34,340	(42,000)	30,640	(38,300)	+	320	(390)	×加算率	280	(350)	×加算率	+	(7,660)	+	(70×加算率)
			3歳児	42,000	(104,260)	38,300	(100,560)	+	390	(920)	×加算率	350	(890)	×加算率	+	7,660	+	70×加算率
		3号	1、2歳児	104,260	(180,950)	100,560	(177,250)	+	920	(1,690)	×加算率	890	(1,660)	×加算率				
			乳児	180,950		177,250		+	1,690		×加算率	1,660		×加算率				
	141人から150人まで	2号	4歳以上児	33,260	(40,920)	29,810	(37,470)	+	310	(380)	×加算率	270	(340)	×加算率	+	(7,660)	+	(70×加算率)
			3歳児	40,920	(103,180)	37,470	(99,730)	+	380	(910)	×加算率	340	(880)	×加算率	+	7,660	+	70×加算率
		3号	1、2歳児	103,180	(179,870)	99,730	(176,420)	+	910	(1,680)	×加算率	880	(1,650)	×加算率				
			乳児	179,870		176,420		+	1,680		×加算率	1,650		×加算率				
	151人から160人まで	2号	4歳以上児	33,210	(40,870)	29,970	(37,630)	+	310	(380)	×加算率	280	(350)	×加算率	+	(7,660)	+	(70×加算率)
			3歳児	40,870	(103,130)	37,630	(99,890)	+	380	(910)	×加算率	350	(880)	×加算率	+	7,660	+	70×加算率
		3号	1、2歳児	103,130	(179,820)	99,890	(176,580)	+	910	(1,680)	×加算率	880	(1,650)	×加算率				
			乳児	179,820		176,580		+	1,680		×加算率	1,650		×加算率				
	161人から170人まで	2号	4歳以上児	32,340	(40,000)	29,290	(36,950)	+	300	(370)	×加算率	270	(340)	×加算率	+	(7,660)	+	(70×加算率)
			3歳児	40,000	(102,260)	36,950	(99,210)	+	370	(900)	×加算率	340	(870)	×加算率	+	7,660	+	70×加算率
		3号	1、2歳児	102,260	(178,950)	99,210	(175,900)	+	900	(1,670)	×加算率	870	(1,640)	×加算率				
			乳児	178,950		175,900		+	1,670		×加算率	1,640		×加算率				
	171人以上	2号	4歳以上児	31,550	(39,210)	28,670	(36,330)	+	290	(360)	×加算率	260	(330)	×加算率	+	(7,660)	+	(70×加算率)
			3歳児	39,210	(101,470)	36,330	(98,590)	+	360	(890)	×加算率	330	(870)	×加算率	+	7,660	+	70×加算率
		3号	1、2歳児	101,470	(178,160)	98,590	(175,280)	+	890	(1,660)	×加算率	870	(1,640)	×加算率				
			乳児	178,160		175,280		+	1,660		×加算率	1,640		×加算率				

地域区分 ①	定員区分 ②	認定区分 ③	年齢区分 ④	4歳以上児配置改善加算 ⑨	処遇改善等加算Ⅰ ⑨	夜間保育加算 ⑪	（注1） ⑪	処遇改善等加算Ⅰ ⑪
10/100地域	10人まで	2号	4歳以上児	3,060	30×加算率	54,720	52,890	470×加算率
		2号	3歳児					
		3号	1、2歳児			52,890		
		3号	乳児					
	11人から20人まで	2号	4歳以上児	3,060	30×加算率	31,010	29,180	230×加算率
		2号	3歳児					
		3号	1、2歳児			29,180		
		3号	乳児					
	21人から30人まで	2号	4歳以上児	3,060	30×加算率	23,110	21,280	150×加算率
		2号	3歳児					
		3号	1、2歳児			21,280		
		3号	乳児					
	31人から40人まで	2号	4歳以上児	3,060	30×加算率	19,160	17,330	110×加算率
		2号	3歳児					
		3号	1、2歳児			17,330		
		3号	乳児					
	41人から50人まで	2号	4歳以上児	3,060	30×加算率	16,790	14,960	90×加算率
		2号	3歳児					
		3号	1、2歳児			14,960		
		3号	乳児					
	51人から60人まで	2号	4歳以上児	3,060	30×加算率	15,210	13,380	70×加算率
		2号	3歳児					
		3号	1、2歳児			13,380		
		3号	乳児					
	61人から70人まで	2号	4歳以上児	3,060	30×加算率	14,080	12,250	60×加算率
		2号	3歳児					
		3号	1、2歳児			12,250		
		3号	乳児					
	71人から80人まで	2号	4歳以上児	3,060	30×加算率	13,230	11,400	50×加算率
		2号	3歳児					
		3号	1、2歳児			11,400		
		3号	乳児					
	81人から90人まで	2号	4歳以上児	3,060	30×加算率	12,570	10,740	50×加算率
		2号	3歳児					
		3号	1、2歳児			10,740		
		3号	乳児					
	91人から100人まで	2号	4歳以上児	3,060	30×加算率			
		2号	3歳児					
		3号	1、2歳児					
		3号	乳児					
	101人から110人まで	2号	4歳以上児	3,060	30×加算率			
		2号	3歳児					
		3号	1、2歳児					
		3号	乳児					
	111人から120人まで	2号	4歳以上児	3,060	30×加算率			
		2号	3歳児					
		3号	1、2歳児					
		3号	乳児					
	121人から130人まで	2号	4歳以上児	3,060	30×加算率			
		2号	3歳児					
		3号	1、2歳児					
		3号	乳児					
	131人から140人まで	2号	4歳以上児	3,060	30×加算率			
		2号	3歳児					
		3号	1、2歳児					
		3号	乳児					
	141人から150人まで	2号	4歳以上児	3,060	30×加算率			
		2号	3歳児					
		3号	1、2歳児					
		3号	乳児					
	151人から160人まで	2号	4歳以上児	3,060	30×加算率			
		2号	3歳児					
		3号	1、2歳児					
		3号	乳児					
	161人から170人まで	2号	4歳以上児	3,060	30×加算率			
		2号	3歳児					
		3号	1、2歳児					
		3号	乳児					
	171人以上	2号	4歳以上児	3,060	30×加算率			
		2号	3歳児					
		3号	1、2歳児					
		3号	乳児					

休日保育加算 ⑩（全定員区分共通）

休日保育の年間延べ利用子ども数	休日保育加算	休日保育の年間延べ利用子ども数	処遇改善等加算Ⅰ
～210人	262,600	～210人	2,620×加算率
211人～279人	281,200	211人～279人	2,810×加算率
280人～349人	318,600	280人～349人	3,180×加算率
350人～419人	355,900	350人～419人	3,550×加算率
420人～489人	393,200	420人～489人	3,930×加算率
490人～559人	430,600	490人～559人	4,300×加算率
560人～629人	467,900	560人～629人	4,670×加算率
630人～699人	505,200	630人～699人	5,050×加算率
700人～769人	542,600	700人～769人	5,420×加算率
770人～839人	579,900	770人～839人	5,790×加算率
840人～909人	617,200	840人～909人	6,170×加算率
910人～979人	654,600	910人～979人	6,540×加算率
980人～1,049人	691,900	980人～1,049人	6,910×加算率
1,050人～	729,200	1,050人～	7,290×加算率

（休日保育加算 ＋ 処遇改善等加算Ⅰ）÷ 各月初日の利用子ども数

地域区分	定員区分	認定区分	年齢区分	チーム保育加配加算 ※1号・2号の利用定員合計に応じて2号利用子どもの単価に加算	処遇改善等加算Ⅰ	減価償却費加算 加算額 認可施設 標準	認可施設 都市部	機能部分 標準	機能部分 都市部	賃借料加算	加算額 認可施設 標準	認可施設 都市部	機能部分 標準	機能部分 都市部	外部監査費加算
①	②	③	④	⑫		⑬				⑭					⑮
10/100地域	10人まで	2号	4歳以上児	～ 15人 31,640×加配人数	310×加算率×加配人数	17,100	18,800	11,900	11,900	a地域	31,600	35,200	22,100	22,100	認定こども園全体の利用定員 ～ 15人 27,330 16人～ 25人 16,800 26人～ 35人 12,280 36人～ 45人 9,770 46人～ 60人 7,500 61人～ 75人 6,130 76人～ 90人 5,220 91人～ 105人 4,660 106人～ 120人 4,250 121人～ 135人 3,920 136人～ 150人 3,660 151人～ 180人 3,160 181人～ 210人 2,810 211人～ 240人 2,540 241人～ 270人 2,440 271人～ 300人 2,360 301人～ 2,150 ※3月分の単価に加算
			3歳児							b地域	17,400	19,400	12,200	12,200	
		3号	1、2歳児							c地域	15,200	16,900	10,600	10,600	
			乳児							d地域	13,600	15,100	9,500	9,500	
	11人から20人まで	2号	4歳以上児	16人～ 25人 18,980×加配人数	180×加算率×加配人数	8,500	9,400	5,900	5,900	a地域	15,800	17,600	11,000	11,000	
			3歳児							b地域	8,700	9,700	6,100	6,100	
		3号	1、2歳児							c地域	7,600	8,400	5,300	5,300	
			乳児							d地域	6,800	7,500	4,700	4,700	
	21人から30人まで	2号	4歳以上児	26人～ 35人 13,560×加配人数	130×加算率×加配人数	5,900	6,500	4,100	4,100	a地域	10,900	12,200	7,600	7,600	
			3歳児							b地域	6,000	6,700	4,200	4,200	
		3号	1、2歳児							c地域	5,200	5,800	3,600	3,600	
			乳児							d地域	4,700	5,200	3,300	3,300	
	31人から40人まで	2号	4歳以上児	36人～ 45人 10,540×加配人数	100×加算率×加配人数	5,200	5,700	3,600	3,600	a地域	9,800	10,900	6,800	6,800	
			3歳児							b地域	5,400	6,000	3,700	3,700	
		3号	1、2歳児							c地域	4,700	5,200	3,300	3,300	
			乳児							d地域	4,200	4,600	2,900	2,900	
	41人から50人まで	2号	4歳以上児	46人～ 60人 7,910×加配人数	70×加算率×加配人数	4,700	5,200	3,300	3,300	a地域	8,800	9,800	6,100	6,100	
			3歳児							b地域	4,800	5,400	3,400	3,400	
		3号	1、2歳児							c地域	4,200	4,700	2,900	2,900	
			乳児							d地域	3,800	4,200	2,600	2,600	
	51人から60人まで	2号	4歳以上児	61人～ 75人 6,320×加配人数	60×加算率×加配人数	3,900	4,300	2,700	2,700	a地域	7,200	8,100	5,100	5,100	
			3歳児							b地域	4,000	4,400	2,800	2,800	
		3号	1、2歳児							c地域	3,500	3,800	2,400	2,400	
			乳児							d地域	3,100	3,400	2,100	2,100	
	61人から70人まで	2号	4歳以上児	76人～ 90人 5,270×加配人数	50×加算率×加配人数	3,300	3,700	2,300	2,300	a地域	6,300	7,100	4,400	4,400	
			3歳児							b地域	3,500	3,900	2,400	2,400	
		3号	1、2歳児							c地域	3,000	3,400	2,100	2,100	
			乳児							d地域	2,700	3,000	1,900	1,900	
	71人から80人まで	2号	4歳以上児	91人～ 105人 4,520×加配人数	40×加算率×加配人数	3,800	4,200	2,700	2,700	a地域	7,100	7,900	4,900	4,900	
			3歳児							b地域	3,900	4,300	2,700	2,700	
		3号	1、2歳児							c地域	3,400	3,800	2,300	2,300	
			乳児							d地域	3,000	3,400	2,100	2,100	
	81人から90人まで	2号	4歳以上児	106人～ 120人 3,950×加配人数	30×加算率×加配人数	3,400	3,700	2,400	2,400	a地域	6,300	7,100	4,400	4,400	
			3歳児							b地域	3,500	3,900	2,400	2,400	
		3号	1、2歳児							c地域	3,000	3,400	2,100	2,100	
			乳児							d地域	2,700	3,000	1,900	1,900	
	91人から100人まで	2号	4歳以上児	121人～ 135人 3,510×加配人数	30×加算率×加配人数	3,000	3,400	2,100	2,100	a地域	5,500	6,200	3,900	3,900	
			3歳児							b地域	3,000	3,400	2,100	2,100	
		3号	1、2歳児							c地域	2,600	2,900	1,800	1,800	
			乳児							d地域	2,400	2,600	1,600	1,600	
	101人から110人まで	2号	4歳以上児	136人～ 150人 3,160×加配人数	30×加算率×加配人数	3,300	3,700	2,300	2,300	a地域	6,100	6,800	4,200	4,200	
			3歳児							b地域	3,300	3,700	2,300	2,300	
		3号	1、2歳児							c地域	2,900	3,200	2,000	2,000	
			乳児							d地域	2,600	2,900	1,800	1,800	
	111人から120人まで	2号	4歳以上児	151人～ 180人 2,630×加配人数	20×加算率×加配人数	3,000	3,400	2,100	2,100	a地域	5,500	6,200	3,900	3,900	
			3歳児							b地域	3,000	3,400	2,100	2,100	
		3号	1、2歳児							c地域	2,600	2,900	1,800	1,800	
			乳児							d地域	2,400	2,600	1,600	1,600	
	121人から130人まで	2号	4歳以上児	181人～ 210人 2,260×加配人数	20×加算率×加配人数	2,800	3,100	2,000	2,000	a地域	5,100	5,700	3,500	3,500	
			3歳児							b地域	2,800	3,100	1,900	1,900	
		3号	1、2歳児							c地域	2,400	2,700	1,700	1,700	
			乳児							d地域	2,200	2,400	1,500	1,500	
	131人から140人まで	2号	4歳以上児	211人～ 240人 1,970×加配人数	10×加算率×加配人数	3,000	3,300	2,100	2,100	a地域	5,500	6,200	3,900	3,900	
			3歳児							b地域	3,000	3,400	2,100	2,100	
		3号	1、2歳児							c地域	2,600	2,900	1,800	1,800	
			乳児							d地域	2,400	2,600	1,600	1,600	
	141人から150人まで	2号	4歳以上児	241人～ 270人 1,750×加配人数	10×加算率×加配人数	2,800	3,100	2,000	2,000	a地域	5,400	6,000	3,700	3,700	
			3歳児							b地域	2,900	3,300	2,000	2,000	
		3号	1、2歳児							c地域	2,500	2,800	1,800	1,800	
			乳児							d地域	2,300	2,500	1,600	1,600	
	151人から160人まで	2号	4歳以上児	271人～ 300人 1,580×加配人数	10×加算率×加配人数	2,600	2,900	1,800	1,800	a地域	4,800	5,400	3,400	3,400	
			3歳児							b地域	2,600	2,900	1,800	1,800	
		3号	1、2歳児							c地域	2,300	2,500	1,600	1,600	
			乳児							d地域	2,000	2,300	1,400	1,400	
	161人から170人まで	2号	4歳以上児	301人～ 1,430×加配人数	10×加算率×加配人数	2,800	3,100	2,000	2,000	a地域	5,400	6,000	3,700	3,700	
			3歳児							b地域	2,900	3,300	2,000	2,000	
		3号	1、2歳児							c地域	2,500	2,800	1,800	1,800	
			乳児							d地域	2,300	2,500	1,600	1,600	
	171人以上	2号	4歳以上児			2,700	2,900	1,900	1,900	a地域	4,800	5,400	3,400	3,400	
			3歳児							b地域	2,600	2,900	1,800	1,800	
		3号	1、2歳児							c地域	2,300	2,500	1,600	1,600	
			乳児							d地域	2,000	2,300	1,400	1,400	

地域区分 ①	定員区分 ②	認定区分 ③	年齢区分 ④	副食費徴収免除加算 ※副食費の徴収が免除される子どもの単価に加算 ⑯	1号認定こどもの利用定員を設定しない場合 ⑰	処遇改善等加算Ⅰ	分園の場合 ⑱	土曜日に閉所する場合 ⑲ 月に1日土曜日を閉所する場合	月に2日土曜日を閉所する場合	月に3日以上土曜日を閉所する場合	全ての土曜日を閉所する場合
10/100地域	10人まで	2号	4歳以上児 3歳児	+ 4, 800	+ 21, 920 +	210×加算率	− (⑥+⑦) × 10/100	− (⑥+⑦+⑧+⑨+⑪) × 1/100	(⑥+⑦+⑧+⑨+⑪) × 2/100	(⑥+⑦+⑧+⑨+⑪) × 4/100	(⑥+⑦+⑧+⑨+⑪) × 5/100
		3号	1、2歳児 乳児								
	11人から20人まで	2号	4歳以上児 3歳児	+ 4, 800	+ 10, 950 +	100×加算率		− (⑥+⑦+⑧+⑨+⑪) × 1/100	(⑥+⑦+⑧+⑨+⑪) × 3/100	(⑥+⑦+⑧+⑨+⑪) × 4/100	(⑥+⑦+⑧+⑨+⑪) × 5/100
		3号	1、2歳児 乳児								
	21人から30人まで	2号	4歳以上児 3歳児	+ 4, 800	+ 7, 300 +	70×加算率		− (⑥+⑦+⑧+⑨+⑪) × 1/100	(⑥+⑦+⑧+⑨+⑪) × 3/100	(⑥+⑦+⑧+⑨+⑪) × 4/100	(⑥+⑦+⑧+⑨+⑪) × 5/100
		3号	1、2歳児 乳児								
	31人から40人まで	2号	4歳以上児 3歳児	+ 4, 800	+ 5, 480 +	50×加算率		− (⑥+⑦+⑧+⑨+⑪) × 1/100	(⑥+⑦+⑧+⑨+⑪) × 3/100	(⑥+⑦+⑧+⑨+⑪) × 4/100	(⑥+⑦+⑧+⑨+⑪) × 5/100
		3号	1、2歳児 乳児								
	41人から50人まで	2号	4歳以上児 3歳児	+ 4, 800	+ 4, 380 +	40×加算率		− (⑥+⑦+⑧+⑨+⑪) × 1/100	(⑥+⑦+⑧+⑨+⑪) × 3/100	(⑥+⑦+⑧+⑨+⑪) × 4/100	(⑥+⑦+⑧+⑨+⑪) × 6/100
		3号	1、2歳児 乳児								
	51人から60人まで	2号	4歳以上児 3歳児	+ 4, 800	+ 3, 650 +	30×加算率		− (⑥+⑦+⑧+⑨+⑪) × 1/100	(⑥+⑦+⑧+⑨+⑪) × 3/100	(⑥+⑦+⑧+⑨+⑪) × 4/100	(⑥+⑦+⑧+⑨+⑪) × 6/100
		3号	1、2歳児 乳児								
	61人から70人まで	2号	4歳以上児 3歳児	+ 4, 800	+ 3, 130 +	30×加算率		− (⑥+⑦+⑧+⑨+⑪) × 1/100	(⑥+⑦+⑧+⑨+⑪) × 3/100	(⑥+⑦+⑧+⑨+⑪) × 4/100	(⑥+⑦+⑧+⑨+⑪) × 6/100
		3号	1、2歳児 乳児								
	71人から80人まで	2号	4歳以上児 3歳児	+ 4, 800	+ 2, 740 +	20×加算率		− (⑥+⑦+⑧+⑨+⑪) × 2/100	(⑥+⑦+⑧+⑨+⑪) × 3/100	(⑥+⑦+⑧+⑨+⑪) × 5/100	(⑥+⑦+⑧+⑨+⑪) × 6/100
		3号	1、2歳児 乳児								
	81人から90人まで	2号	4歳以上児 3歳児	+ 4, 800	+ 2, 430 +	20×加算率		− (⑥+⑦+⑧+⑨+⑪) × 2/100	(⑥+⑦+⑧+⑨+⑪) × 3/100	(⑥+⑦+⑧+⑨+⑪) × 5/100	(⑥+⑦+⑧+⑨+⑪) × 6/100
		3号	1、2歳児 乳児								
	91人から100人まで	2号	4歳以上児 3歳児	+ 4, 800	+ 2, 190 +	20×加算率		− (⑥+⑦+⑧+⑨+⑪) × 2/100	(⑥+⑦+⑧+⑨+⑪) × 3/100	(⑥+⑦+⑧+⑨+⑪) × 5/100	(⑥+⑦+⑧+⑨+⑪) × 6/100
		3号	1、2歳児 乳児								
	101人から110人まで	2号	4歳以上児 3歳児	+ 4, 800	+ 1, 990 +	10×加算率		− (⑥+⑦+⑧+⑨+⑪) × 2/100	(⑥+⑦+⑧+⑨+⑪) × 3/100	(⑥+⑦+⑧+⑨+⑪) × 5/100	(⑥+⑦+⑧+⑨+⑪) × 6/100
		3号	1、2歳児 乳児								
	111人から120人まで	2号	4歳以上児 3歳児	+ 4, 800	+ 1, 830 +	10×加算率		− (⑥+⑦+⑧+⑨+⑪) × 2/100	(⑥+⑦+⑧+⑨+⑪) × 3/100	(⑥+⑦+⑧+⑨+⑪) × 5/100	(⑥+⑦+⑧+⑨+⑪) × 6/100
		3号	1、2歳児 乳児								
	121人から130人まで	2号	4歳以上児 3歳児	+ 4, 800	+ 1, 680 +	10×加算率		− (⑥+⑦+⑧+⑨+⑪) × 2/100	(⑥+⑦+⑧+⑨+⑪) × 3/100	(⑥+⑦+⑧+⑨+⑪) × 5/100	(⑥+⑦+⑧+⑨+⑪) × 6/100
		3号	1、2歳児 乳児								
	131人から140人まで	2号	4歳以上児 3歳児	+ 4, 800	+ 1, 570 +	10×加算率		− (⑥+⑦+⑧+⑨+⑪) × 2/100	(⑥+⑦+⑧+⑨+⑪) × 3/100	(⑥+⑦+⑧+⑨+⑪) × 5/100	(⑥+⑦+⑧+⑨+⑪) × 6/100
		3号	1、2歳児 乳児								
	141人から150人まで	2号	4歳以上児 3歳児	+ 4, 800	+ 1, 460 +	10×加算率		− (⑥+⑦+⑧+⑨+⑪) × 2/100	(⑥+⑦+⑧+⑨+⑪) × 3/100	(⑥+⑦+⑧+⑨+⑪) × 5/100	(⑥+⑦+⑧+⑨+⑪) × 6/100
		3号	1、2歳児 乳児								
	151人から160人まで	2号	4歳以上児 3歳児	+ 4, 800	+ 1, 370 +	10×加算率		− (⑥+⑦+⑧+⑨+⑪) × 2/100	(⑥+⑦+⑧+⑨+⑪) × 3/100	(⑥+⑦+⑧+⑨+⑪) × 5/100	(⑥+⑦+⑧+⑨+⑪) × 6/100
		3号	1、2歳児 乳児								
	161人から170人まで	2号	4歳以上児 3歳児	+ 4, 800	+ 1, 290 +	10×加算率		− (⑥+⑦+⑧+⑨+⑪) × 2/100	(⑥+⑦+⑧+⑨+⑪) × 3/100	(⑥+⑦+⑧+⑨+⑪) × 5/100	(⑥+⑦+⑧+⑨+⑪) × 6/100
		3号	1、2歳児 乳児								
	171人以上	2号	4歳以上児 3歳児	+ 4, 800	+ 1, 210 +	10×加算率		− (⑥+⑦+⑧+⑨+⑪) × 2/100	(⑥+⑦+⑧+⑨+⑪) × 3/100	(⑥+⑦+⑧+⑨+⑪) × 5/100	(⑥+⑦+⑧+⑨+⑪) × 6/100
		3号	1、2歳児 乳児								

地域区分 ①	定員区分 ②	認定区分 ③	年齢区分 ④	主幹教諭等の専任化により子育て支援の取り組みを実施していない場合 ⑳	年齢別配置基準を下回る場合 ㉑	配置基準上求められる職員資格を有しない場合 ㉒	定員を恒常的に超過する場合 ㉓
10/100地域	10人まで	2号 3号	4歳以上児 3歳児 1、2歳児 乳児	－(13,290 +130×加算率)	－(46,010 +460×加算率)×人数	－(29,270 +290×加算率)×人数	(⑥～㉒（⑯を除く。））×別に定める調整率
	11人から20人まで	2号 3号	4歳以上児 3歳児 1、2歳児 乳児	－(6,640 +60×加算率)	－(23,000 +230×加算率)×人数	－(14,630 +140×加算率)×人数	
	21人から30人まで	2号 3号	4歳以上児 3歳児 1、2歳児 乳児	－(4,430 +40×加算率)	－(15,330 +150×加算率)×人数	－(9,750 +90×加算率)×人数	
	31人から40人まで	2号 3号	4歳以上児 3歳児 1、2歳児 乳児	－(3,320 +30×加算率)	－(11,500 +110×加算率)×人数	－(7,310 +70×加算率)×人数	
	41人から50人まで	2号 3号	4歳以上児 3歳児 1、2歳児 乳児	－(2,650 +20×加算率)	－(9,200 +90×加算率)×人数	－(5,850 +50×加算率)×人数	
	51人から60人まで	2号 3号	4歳以上児 3歳児 1、2歳児 乳児	－(2,210 +20×加算率)	－(7,660 +70×加算率)×人数	－(4,870 +40×加算率)×人数	
	61人から70人まで	2号 3号	4歳以上児 3歳児 1、2歳児 乳児	－(1,890 +10×加算率)	－(6,570 +60×加算率)×人数	－(4,180 +40×加算率)×人数	
	71人から80人まで	2号 3号	4歳以上児 3歳児 1、2歳児 乳児	－(1,660 +10×加算率)	－(5,750 +50×加算率)×人数	－(3,650 +30×加算率)×人数	
	81人から90人まで	2号 3号	4歳以上児 3歳児 1、2歳児 乳児	－(1,470 +10×加算率)	－(5,110 +50×加算率)×人数	－(3,250 +30×加算率)×人数	
	91人から100人まで	2号 3号	4歳以上児 3歳児 1、2歳児 乳児	－(1,330 +10×加算率)	－(4,600 +40×加算率)×人数	－(2,920 +20×加算率)×人数	
	101人から110人まで	2号 3号	4歳以上児 3歳児 1、2歳児 乳児	－(1,200 +10×加算率)	－(4,180 +40×加算率)×人数	－(2,660 +20×加算率)×人数	
	111人から120人まで	2号 3号	4歳以上児 3歳児 1、2歳児 乳児	－(1,100 +10×加算率)	－(3,830 +30×加算率)×人数	－(2,430 +20×加算率)×人数	
	121人から130人まで	2号 3号	4歳以上児 3歳児 1、2歳児 乳児	－(1,020 +10×加算率)	(3,540 +30×加算率)×人数	(2,250 +20×加算率)×人数	
	131人から140人まで	2号 3号	4歳以上児 3歳児 1、2歳児 乳児	－(950 +10×加算率)	－(3,280 +30×加算率)×人数	－(2,090 +20×加算率)×人数	
	141人から150人まで	2号 3号	4歳以上児 3歳児 1、2歳児 乳児	－(880 +9×加算率)	－(3,060 +30×加算率)×人数	－(1,950 +20×加算率)×人数	
	151人から160人まで	2号 3号	4歳以上児 3歳児 1、2歳児 乳児	－(830 +8×加算率)	－(2,870 +20×加算率)×人数	－(1,830 +10×加算率)×人数	
	161人から170人まで	2号 3号	4歳以上児 3歳児 1、2歳児 乳児	－(780 +8×加算率)	－(2,700 +20×加算率)×人数	－(1,720 +10×加算率)×人数	
	171人以上	2号 3号	4歳以上児 3歳児 1、2歳児 乳児	－(730 +7×加算率)	－(2,550 +20×加算率)×人数	－(1,620 +10×加算率)×人数	

地域区分 ①	定員区分 ②	認定区分 ③	年齢区分 ④	保育必要量区分 ⑤ 保育標準時間認定 基本分単価 ⑥	（注１）	保育短時間認定 基本分単価 ⑥	（注１）		処遇改善等加算Ⅰ 保育標準時間認定 ⑦	（注１）		保育短時間認定 ⑦	（注１）			３歳児配置改善加算		処遇改善等加算Ⅰ ⑧
6/100地域	10人まで	2号	4歳以上児	234, 180	(241, 600)	183, 900	(191, 320)	＋	2, 320	(2, 390)	×加算率	1, 810	(1, 880)	×加算率	＋	(7, 420)	＋	(70×加算率)
			3　歳　児	241, 600	(302, 100)	191, 320	(251, 820)	＋	2, 390	(2, 900)	×加算率	1, 880	(2, 400)	×加算率	＋	7, 420	＋	70×加算率
		3号	1、2歳児	302, 100	(376, 300)	251, 820	(326, 020)	＋	2, 900	(3, 640)	×加算率	2, 400	(3, 140)	×加算率				
			乳　　児	376, 300		326, 020		＋	3, 640		×加算率	3, 140		×加算率				
	11人から20人まで	2号	4歳以上児	126, 970	(134, 390)	101, 830	(109, 250)	＋	1, 250	(1, 320)	×加算率	990	(1, 060)	×加算率	＋	(7, 420)	＋	(70×加算率)
			3　歳　児	134, 390	(194, 890)	109, 250	(169, 750)	＋	1, 320	(1, 830)	×加算率	1, 060	(1, 580)	×加算率	＋	7, 420	＋	70×加算率
		3号	1、2歳児	194, 890	(269, 090)	169, 750	(243, 950)	＋	1, 830	(2, 570)	×加算率	1, 580	(2, 320)	×加算率				
			乳　　児	269, 090		243, 950		＋	2, 570		×加算率	2, 320		×加算率				
	21人から30人まで	2号	4歳以上児	91, 130	(98, 550)	74, 370	(81, 790)	＋	890	(960)	×加算率	720	(790)	×加算率	＋	(7, 420)	＋	(70×加算率)
			3　歳　児	98, 550	(159, 050)	81, 790	(142, 290)	＋	960	(1, 470)	×加算率	790	(1, 300)	×加算率	＋	7, 420	＋	70×加算率
		3号	1、2歳児	159, 050	(233, 250)	142, 290	(216, 490)	＋	1, 470	(2, 210)	×加算率	1, 300	(2, 040)	×加算率				
			乳　　児	233, 250		216, 490		＋	2, 210		×加算率	2, 040		×加算率				
	31人から40人まで	2号	4歳以上児	73, 450	(80, 870)	60, 880	(68, 300)	＋	710	(780)	×加算率	580	(650)	×加算率	＋	(7, 420)	＋	(70×加算率)
			3　歳　児	80, 870	(141, 370)	68, 300	(128, 800)	＋	780	(1, 290)	×加算率	650	(1, 170)	×加算率	＋	7, 420	＋	70×加算率
		3号	1、2歳児	141, 370	(215, 570)	128, 800	(203, 000)	＋	1, 290	(2, 030)	×加算率	1, 170	(1, 910)	×加算率				
			乳　　児	215, 570		203, 000		＋	2, 030		×加算率	1, 910		×加算率				
	41人から50人まで	2号	4歳以上児	68, 420	(75, 840)	58, 360	(65, 780)	＋	660	(730)	×加算率	560	(630)	×加算率	＋	(7, 420)	＋	(70×加算率)
			3　歳　児	75, 840	(136, 340)	65, 780	(126, 280)	＋	730	(1, 240)	×加算率	630	(1, 140)	×加算率	＋	7, 420	＋	70×加算率
		3号	1、2歳児	136, 340	(210, 540)	126, 280	(200, 480)	＋	1, 240	(1, 980)	×加算率	1, 140	(1, 880)	×加算率				
			乳　　児	210, 540		200, 480		＋	1, 980		×加算率	1, 880		×加算率				
	51人から60人まで	2号	4歳以上児	59, 840	(67, 260)	51, 460	(58, 880)	＋	570	(640)	×加算率	490	(560)	×加算率	＋	(7, 420)	＋	(70×加算率)
			3　歳　児	67, 260	(127, 760)	58, 880	(119, 380)	＋	640	(1, 160)	×加算率	560	(1, 070)	×加算率	＋	7, 420	＋	70×加算率
		3号	1、2歳児	127, 760	(201, 960)	119, 380	(193, 580)	＋	1, 160	(1, 900)	×加算率	1, 070	(1, 810)	×加算率				
			乳　　児	201, 960		193, 580		＋	1, 900		×加算率	1, 810		×加算率				
	61人から70人まで	2号	4歳以上児	53, 790	(61, 210)	46, 600	(54, 020)	＋	510	(580)	×加算率	440	(510)	×加算率	＋	(7, 420)	＋	(70×加算率)
			3　歳　児	61, 210	(121, 710)	54, 020	(114, 520)	＋	580	(1, 100)	×加算率	510	(1, 020)	×加算率	＋	7, 420	＋	70×加算率
		3号	1、2歳児	121, 710	(195, 910)	114, 520	(188, 720)	＋	1, 100	(1, 840)	×加算率	1, 020	(1, 760)	×加算率				
			乳　　児	195, 910		188, 720		＋	1, 840		×加算率	1, 760		×加算率				
	71人から80人まで	2号	4歳以上児	49, 300	(56, 720)	43, 020	(50, 440)	＋	470	(540)	×加算率	410	(480)	×加算率	＋	(7, 420)	＋	(70×加算率)
			3　歳　児	56, 720	(117, 220)	50, 440	(110, 940)	＋	540	(1, 050)	×加算率	480	(990)	×加算率	＋	7, 420	＋	70×加算率
		3号	1、2歳児	117, 220	(191, 420)	110, 940	(185, 140)	＋	1, 050	(1, 790)	×加算率	990	(1, 730)	×加算率				
			乳　　児	191, 420		185, 140		＋	1, 790		×加算率	1, 730		×加算率				
	81人から90人まで	2号	4歳以上児	45, 760	(53, 180)	40, 180	(47, 600)	＋	430	(500)	×加算率	380	(450)	×加算率	＋	(7, 420)	＋	(70×加算率)
			3　歳　児	53, 180	(113, 680)	47, 600	(108, 100)	＋	500	(1, 020)	×加算率	450	(960)	×加算率	＋	7, 420	＋	70×加算率
		3号	1、2歳児	113, 680	(187, 880)	108, 100	(182, 300)	＋	1, 020	(1, 760)	×加算率	960	(1, 700)	×加算率				
			乳　　児	187, 880		182, 300		＋	1, 760		×加算率	1, 700		×加算率				
	91人から100人まで	2号	4歳以上児	39, 710	(47, 130)	34, 680	(42, 100)	＋	370	(440)	×加算率	320	(390)	×加算率	＋	(7, 420)	＋	(70×加算率)
			3　歳　児	47, 130	(107, 630)	42, 100	(102, 600)	＋	440	(960)	×加算率	390	(910)	×加算率	＋	7, 420	＋	70×加算率
		3号	1、2歳児	107, 630	(181, 830)	102, 600	(176, 800)	＋	960	(1, 700)	×加算率	910	(1, 650)	×加算率				
			乳　　児	181, 830		176, 800		＋	1, 700		×加算率	1, 650		×加算率				
	101人から110人まで	2号	4歳以上児	37, 730	(45, 150)	33, 160	(40, 580)	＋	350	(420)	×加算率	310	(380)	×加算率	＋	(7, 420)	＋	(70×加算率)
			3　歳　児	45, 150	(105, 650)	40, 580	(101, 080)	＋	420	(940)	×加算率	380	(890)	×加算率	＋	7, 420	＋	70×加算率
		3号	1、2歳児	105, 650	(179, 850)	101, 080	(175, 280)	＋	940	(1, 680)	×加算率	890	(1, 630)	×加算率				
			乳　　児	179, 850		175, 280		＋	1, 680		×加算率	1, 630		×加算率				
	111人から120人まで	2号	4歳以上児	36, 040	(43, 460)	31, 850	(39, 270)	＋	340	(410)	×加算率	290	(360)	×加算率	＋	(7, 420)	＋	(70×加算率)
			3　歳　児	43, 460	(103, 960)	39, 270	(99, 770)	＋	410	(920)	×加算率	360	(880)	×加算率	＋	7, 420	＋	70×加算率
		3号	1、2歳児	103, 960	(178, 160)	99, 770	(173, 970)	＋	920	(1, 660)	×加算率	880	(1, 620)	×加算率				
			乳　　児	178, 160		173, 970		＋	1, 660		×加算率	1, 620		×加算率				
	121人から130人まで	2号	4歳以上児	34, 610	(42, 030)	30, 740	(38, 160)	＋	320	(390)	×加算率	280	(350)	×加算率	＋	(7, 420)	＋	(70×加算率)
			3　歳　児	42, 030	(102, 530)	38, 160	(98, 660)	＋	390	(910)	×加算率	350	(870)	×加算率	＋	7, 420	＋	70×加算率
		3号	1、2歳児	102, 530	(176, 730)	98, 660	(172, 860)	＋	910	(1, 650)	×加算率	870	(1, 610)	×加算率				
			乳　　児	176, 730		172, 860		＋	1, 650		×加算率	1, 610		×加算率				
	131人から140人まで	2号	4歳以上児	33, 420	(40, 840)	29, 830	(37, 250)	＋	310	(380)	×加算率	270	(340)	×加算率	＋	(7, 420)	＋	(70×加算率)
			3　歳　児	40, 840	(101, 340)	37, 250	(97, 750)	＋	380	(890)	×加算率	340	(860)	×加算率	＋	7, 420	＋	70×加算率
		3号	1、2歳児	101, 340	(175, 540)	97, 750	(171, 950)	＋	890	(1, 630)	×加算率	860	(1, 600)	×加算率				
			乳　　児	175, 540		171, 950		＋	1, 630		×加算率	1, 600		×加算率				
	141人から150人まで	2号	4歳以上児	32, 360	(39, 780)	29, 010	(36, 430)	＋	300	(370)	×加算率	270	(340)	×加算率	＋	(7, 420)	＋	(70×加算率)
			3　歳　児	39, 780	(100, 280)	36, 430	(96, 930)	＋	370	(880)	×加算率	340	(850)	×加算率	＋	7, 420	＋	70×加算率
		3号	1、2歳児	100, 280	(174, 480)	96, 930	(171, 130)	＋	880	(1, 620)	×加算率	850	(1, 590)	×加算率				
			乳　　児	174, 480		171, 130		＋	1, 620		×加算率	1, 590		×加算率				
	151人から160人まで	2号	4歳以上児	32, 340	(39, 760)	29, 200	(36, 620)	＋	300	(370)	×加算率	270	(340)	×加算率	＋	(7, 420)	＋	(70×加算率)
			3　歳　児	39, 760	(100, 260)	36, 620	(97, 120)	＋	370	(880)	×加算率	340	(850)	×加算率	＋	7, 420	＋	70×加算率
		3号	1、2歳児	100, 260	(174, 460)	97, 120	(171, 320)	＋	880	(1, 620)	×加算率	850	(1, 590)	×加算率				
			乳　　児	174, 460		171, 320		＋	1, 620		×加算率	1, 590		×加算率				
	161人から170人まで	2号	4歳以上児	31, 490	(38, 910)	28, 530	(35, 950)	＋	290	(360)	×加算率	260	(330)	×加算率	＋	(7, 420)	＋	(70×加算率)
			3　歳　児	38, 910	(99, 410)	35, 950	(96, 450)	＋	360	(870)	×加算率	330	(840)	×加算率	＋	7, 420	＋	70×加算率
		3号	1、2歳児	99, 410	(173, 610)	96, 450	(170, 650)	＋	870	(1, 610)	×加算率	840	(1, 580)	×加算率				
			乳　　児	173, 610		170, 650		＋	1, 610		×加算率	1, 580		×加算率				
	171人以上	2号	4歳以上児	30, 720	(38, 140)	27, 920	(35, 340)	＋	280	(350)	×加算率	250	(320)	×加算率	＋	(7, 420)	＋	(70×加算率)
			3　歳　児	38, 140	(98, 640)	35, 340	(95, 840)	＋	350	(870)	×加算率	320	(840)	×加算率	＋	7, 420	＋	70×加算率
		3号	1、2歳児	98, 640	(172, 840)	95, 840	(170, 040)	＋	870	(1, 610)	×加算率	840	(1, 580)	×加算率				
			乳　　児	172, 840		170, 040		＋	1, 610		×加算率	1, 580		×加算率				

地域区分 ①	定員区分 ②	認定区分 ③	年齢区分 ④	4歳以上児配置改善加算 ⑨	処遇改善等加算Ⅰ ⑨	休日保育加算 ⑩	夜間保育加算 ⑪	(注1)	処遇改善等加算Ⅰ ⑪
6/100地域	10人まで	2号	4歳以上児	+ 2,960	+ 20×加算率	+ (下記)	+ 54,720	52,890	+ 470×加算率
			3歳児						
		3号	1、2歳児				+ 52,890		
			乳児						
	11人から20人まで	2号	4歳以上児	+ 2,960	+ 20×加算率		+ 31,010	29,180	+ 230×加算率
			3歳児						
		3号	1、2歳児				+ 29,180		
			乳児						
	21人から30人まで	2号	4歳以上児	+ 2,960	+ 20×加算率		+ 23,110	21,280	+ 150×加算率
			3歳児						
		3号	1、2歳児				+ 21,280		
			乳児						
	31人から40人まで	2号	4歳以上児	+ 2,960	+ 20×加算率		+ 19,160	17,330	+ 110×加算率
			3歳児						
		3号	1、2歳児				+ 17,330		
			乳児						
	41人から50人まで	2号	4歳以上児	+ 2,960	+ 20×加算率		+ 16,790	14,960	+ 90×加算率
			3歳児						
		3号	1、2歳児				+ 14,960		
			乳児						
	51人から60人まで	2号	4歳以上児	+ 2,960	+ 20×加算率		+ 15,210	13,380	+ 70×加算率
			3歳児						
		3号	1、2歳児				+ 13,380		
			乳児						
	61人から70人まで	2号	4歳以上児	+ 2,960	+ 20×加算率		+ 14,080	12,250	+ 60×加算率
			3歳児						
		3号	1、2歳児				+ 12,250		
			乳児						
	71人から80人まで	2号	4歳以上児	+ 2,960	+ 20×加算率		+ 13,230	11,400	+ 50×加算率
			3歳児						
		3号	1、2歳児				+ 11,400		
			乳児						
	81人から90人まで	2号	4歳以上児	+ 2,960	+ 20×加算率		+ 12,570	10,740	+ 50×加算率
			3歳児						
		3号	1、2歳児				+ 10,740		
			乳児						
	91人から100人まで	2号	4歳以上児	+ 2,960	+ 20×加算率				
			3歳児						
		3号	1、2歳児						
			乳児						
	101人から110人まで	2号	4歳以上児	+ 2,960	+ 20×加算率				
			3歳児						
		3号	1、2歳児						
			乳児						
	111人から120人まで	2号	4歳以上児	+ 2,960	+ 20×加算率				
			3歳児						
		3号	1、2歳児						
			乳児						
	121人から130人まで	2号	4歳以上児	+ 2,960	+ 20×加算率				
			3歳児						
		3号	1、2歳児						
			乳児						
	131人から140人まで	2号	4歳以上児	+ 2,960	+ 20×加算率				
			3歳児						
		3号	1、2歳児						
			乳児						
	141人から150人まで	2号	4歳以上児	+ 2,960	+ 20×加算率				
			3歳児						
		3号	1、2歳児						
			乳児						
	151人から160人まで	2号	4歳以上児	+ 2,960	+ 20×加算率				
			3歳児						
		3号	1、2歳児						
			乳児						
	161人から170人まで	2号	4歳以上児	+ 2,960	+ 20×加算率				
			3歳児						
		3号	1、2歳児						
			乳児						
	171人以上	2号	4歳以上児	+ 2,960	+ 20×加算率				
			3歳児						
		3号	1、2歳児						
			乳児						

休日保育加算 ⑩

休日保育の年間延べ利用子ども数		+ 処遇改善等加算Ⅰ（休日保育の年間延べ利用子ども数）		÷
～210人	255,500	～210人	2,550×加算率	各月初日の利用子ども数
211人～279人	273,500	211人～279人	2,730×加算率	
280人～349人	309,700	280人～349人	3,090×加算率	
350人～419人	345,900	350人～419人	3,450×加算率	
420人～489人	382,000	420人～489人	3,820×加算率	
490人～559人	418,200	490人～559人	4,180×加算率	
560人～629人	454,400	560人～629人	4,540×加算率	
630人～699人	490,500	630人～699人	4,900×加算率	
700人～769人	526,700	700人～769人	5,260×加算率	
770人～839人	562,900	770人～839人	5,620×加算率	
840人～909人	599,000	840人～909人	5,990×加算率	
910人～979人	635,200	910人～979人	6,350×加算率	
980人～1,049人	671,400	980人～1,049人	6,710×加算率	
1,050人～	707,500	1,050人～	7,070×加算率	

地域区分	定員区分	認定区分	年齢区分		チーム保育加配加算 ※1号・2号の利用定員合計に応じて2号利用子どもの単価に加算				減価償却費加算						賃借料加算					外部監査費加算
									加算額						加算額					
							処遇改善等加算Ⅰ		認可施設		機能部分				認可施設		機能部分			
									標準	都市部	標準	都市部			標準	都市部	標準	都市部		
①	②	③	④		⑫				⑬						⑭					⑮
	10人まで	2号	4歳以上児		～ 15人 30,590×加配人数	+	300×加算率×加配人数	+	17,100	18,800	11,900	11,900	+	a地域	31,600	35,200	22,100	22,100		
			3歳児											b地域	17,400	19,400	12,200	12,200		
		3号	1、2歳児											c地域	15,200	16,900	10,600	10,600		
			乳児											d地域	13,600	15,100	9,500	9,500		
	11人から20人まで	2号	4歳以上児		16人～ 25人 18,350×加配人数	+	180×加算率×加配人数	+	8,500	9,400	5,900	5,900	+	a地域	15,800	17,600	11,000	11,000		
			3歳児											b地域	8,700	9,700	6,100	6,100		
		3号	1、2歳児											c地域	7,600	8,400	5,300	5,300		
			乳児											d地域	6,800	7,500	4,700	4,700		
	21人から30人まで	2号	4歳以上児		26人～ 35人 13,110×加配人数	+	130×加算率×加配人数	+	5,900	6,500	4,100	4,100	+	a地域	10,900	12,200	7,600	7,600		
			3歳児											b地域	6,000	6,700	4,200	4,200		
		3号	1、2歳児											c地域	5,200	5,800	3,600	3,600		認定こども園全体の利用定員
			乳児											d地域	4,700	5,200	3,300	3,300		
	31人から40人まで	2号	4歳以上児		36人～ 45人 10,190×加配人数	+	100×加算率×加配人数	+	5,200	5,700	3,600	3,600	+	a地域	9,800	10,900	6,800	6,800		～ 15人
			3歳児											b地域	5,400	6,000	3,700	3,700		27,330
		3号	1、2歳児											c地域	4,700	5,200	3,300	3,300		
			乳児											d地域	4,200	4,600	2,900	2,900		16人～ 25人
	41人から50人まで	2号	4歳以上児		46人～ 60人 7,640×加配人数	+	70×加算率×加配人数	+	4,700	5,200	3,300	3,300	+	a地域	8,800	9,800	6,100	6,100		16,800
			3歳児											b地域	4,800	5,400	3,400	3,400		
		3号	1、2歳児											c地域	4,200	4,700	2,900	2,900		26人～ 35人
			乳児											d地域	3,800	4,200	2,600	2,600		12,280
	51人から60人まで	2号	4歳以上児		61人～ 75人 6,110×加配人数	+	60×加算率×加配人数	+	3,900	4,300	2,700	2,700	+	a地域	7,200	8,100	5,100	5,100		
			3歳児											b地域	4,000	4,400	2,800	2,800		36人～ 45人
		3号	1、2歳児											c地域	3,500	3,800	2,400	2,400		9,770
			乳児											d地域	3,100	3,400	2,100	2,100		
	61人から70人まで	2号	4歳以上児		76人～ 90人 5,090×加配人数	+	50×加算率×加配人数	+	3,300	3,700	2,300	2,300	+	a地域	6,300	7,100	4,400	4,400		46人～ 60人
			3歳児											b地域	3,500	3,900	2,400	2,400		7,500
		3号	1、2歳児											c地域	3,000	3,400	2,100	2,100		
			乳児											d地域	2,700	3,000	1,900	1,900		61人～ 75人
	71人から80人まで	2号	4歳以上児		91人～ 105人 4,370×加配人数	+	40×加算率×加配人数	+	3,800	4,200	2,700	2,700	+	a地域	7,100	7,900	4,900	4,900		6,130
			3歳児											b地域	3,900	4,300	2,700	2,700		
		3号	1、2歳児											c地域	3,400	3,800	2,300	2,300		76人～ 90人
			乳児											d地域	3,000	3,400	2,100	2,100		5,220
	81人から90人まで	2号	4歳以上児		106人～ 120人 3,820×加配人数	+	30×加算率×加配人数	+	3,400	3,700	2,400	2,400	+	a地域	6,300	7,100	4,400	4,400		
			3歳児											b地域	3,500	3,900	2,400	2,400		91人～ 105人
		3号	1、2歳児											c地域	3,000	3,400	2,100	2,100		4,660
6/100地域			乳児	+										d地域	2,700	3,000	1,900	1,900	+	
	91人から100人まで	2号	4歳以上児		121人～ 135人 3,390×加配人数	+	30×加算率×加配人数	+	3,000	3,400	2,100	2,100	+	a地域	5,500	6,200	3,900	3,900		106人～ 120人
			3歳児											b地域	3,000	3,400	2,100	2,100		4,250
		3号	1、2歳児											c地域	2,600	2,900	1,800	1,800		
			乳児											d地域	2,400	2,600	1,600	1,600		121人～ 135人
	101人から110人まで	2号	4歳以上児		136人～ 150人 3,050×加配人数	+	30×加算率×加配人数	+	3,300	3,700	2,300	2,300	+	a地域	6,100	6,800	4,200	4,200		3,920
			3歳児											b地域	3,300	3,700	2,300	2,300		
		3号	1、2歳児											c地域	2,900	3,200	2,000	2,000		136人～ 150人
			乳児											d地域	2,600	2,900	1,800	1,800		3,660
	111人から120人まで	2号	4歳以上児		151人～ 180人 2,540×加配人数	+	20×加算率×加配人数	+	3,000	3,400	2,100	2,100	+	a地域	5,500	6,200	3,900	3,900		
			3歳児											b地域	3,000	3,400	2,100	2,100		151人～ 180人
		3号	1、2歳児											c地域	2,600	2,900	1,800	1,800		3,160
			乳児											d地域	2,400	2,600	1,600	1,600		
	121人から130人まで	2号	4歳以上児		181人～ 210人 2,180×加配人数	+	20×加算率×加配人数	+	2,800	3,100	2,000	2,000	+	a地域	5,100	5,700	3,500	3,500		181人～ 210人
			3歳児											b地域	2,800	3,100	1,900	1,900		2,810
		3号	1、2歳児											c地域	2,400	2,700	1,700	1,700		
			乳児											d地域	2,200	2,400	1,500	1,500		211人～ 240人
	131人から140人まで	2号	4歳以上児		211人～ 240人 1,910×加配人数	+	10×加算率×加配人数	+	3,000	3,300	2,100	2,100	+	a地域	5,500	6,200	3,900	3,900		2,540
			3歳児											b地域	3,000	3,400	2,100	2,100		
		3号	1、2歳児											c地域	2,600	2,900	1,800	1,800		241人～ 270人
			乳児											d地域	2,400	2,600	1,600	1,600		2,440
	141人から150人まで	2号	4歳以上児		241人～ 270人 1,690×加配人数	+	10×加算率×加配人数	+	2,800	3,100	2,000	2,000	+	a地域	5,400	6,000	3,700	3,700		
			3歳児											b地域	2,900	3,300	2,000	2,000		271人～ 300人
		3号	1、2歳児											c地域	2,500	2,800	1,800	1,800		2,360
			乳児											d地域	2,300	2,500	1,600	1,600		
	151人から160人まで	2号	4歳以上児		271人～ 300人 1,520×加配人数	+	10×加算率×加配人数	+	2,600	2,900	1,800	1,800	+	a地域	4,800	5,400	3,400	3,400		301人～
			3歳児											b地域	2,600	2,900	1,800	1,800		2,150
		3号	1、2歳児											c地域	2,300	2,500	1,600	1,600		
			乳児											d地域	2,000	2,300	1,400	1,400		
	161人から170人まで	2号	4歳以上児		301人～ 1,390×加配人数	+	10×加算率×加配人数	+	2,800	3,100	2,000	2,000	+	a地域	5,400	6,000	3,700	3,700		※3月分の単価に加算
			3歳児											b地域	2,900	3,300	2,000	2,000		
		3号	1、2歳児											c地域	2,500	2,800	1,800	1,800		
			乳児											d地域	2,300	2,500	1,600	1,600		
	171人以上	2号	4歳以上児					+	2,700	2,900	1,900	1,900	+	a地域	4,800	5,400	3,400	3,400		
			3歳児											b地域	2,600	2,900	1,800	1,800		
		3号	1、2歳児											c地域	2,300	2,500	1,600	1,600		
			乳児											d地域	2,000	2,300	1,400	1,400		

地域区分 ①	定員区分 ②	認定区分 ③	年齢区分 ④	副食費徴収免除加算 ※副食費の徴収が免除される子どもの単価に加算 ⑯	1号認定こどもの利用定員を設定しない場合 ⑰	処遇改善等加算Ⅰ	分園の場合 ⑱	土曜日に閉所する場合 月に1日土曜日を閉所する場合 ⑲	月に2日土曜日を閉所する場合	月に3日以上土曜日を閉所する場合	全ての土曜日を閉所する場合
6/100地域	10人まで	2号	4歳以上児 3歳児	＋ 4,800	＋ 21,700	＋ 210×加算率	－(⑥+⑦) × 10/100	－(⑥+⑦+⑧+⑨+⑪) × 1/100	(⑥+⑦+⑧+⑨+⑪) × 2/100	(⑥+⑦+⑧+⑨+⑪) × 4/100	(⑥+⑦+⑧+⑨+⑪) × 5/100
		3号	1、2歳児 乳児								
	11人から20人まで	2号	4歳以上児 3歳児	＋ 4,800	＋ 10,860	＋ 100×加算率		－(⑥+⑦+⑧+⑨+⑪) × 1/100	(⑥+⑦+⑧+⑨+⑪) × 3/100	(⑥+⑦+⑧+⑨+⑪) × 4/100	(⑥+⑦+⑧+⑨+⑪) × 5/100
		3号	1、2歳児 乳児								
	21人から30人まで	2号	4歳以上児 3歳児	＋ 4,800	＋ 7,230	＋ 70×加算率		－(⑥+⑦+⑧+⑨+⑪) × 1/100	(⑥+⑦+⑧+⑨+⑪) × 3/100	(⑥+⑦+⑧+⑨+⑪) × 4/100	(⑥+⑦+⑧+⑨+⑪) × 5/100
		3号	1、2歳児 乳児								
	31人から40人まで	2号	4歳以上児 3歳児	＋ 4,800	＋ 5,420	＋ 50×加算率		－(⑥+⑦+⑧+⑨+⑪) × 1/100	(⑥+⑦+⑧+⑨+⑪) × 3/100	(⑥+⑦+⑧+⑨+⑪) × 4/100	(⑥+⑦+⑧+⑨+⑪) × 5/100
		3号	1、2歳児 乳児								
	41人から50人まで	2号	4歳以上児 3歳児	＋ 4,800	＋ 4,340	＋ 40×加算率		－(⑥+⑦+⑧+⑨+⑪) × 2/100	(⑥+⑦+⑧+⑨+⑪) × 3/100	(⑥+⑦+⑧+⑨+⑪) × 5/100	(⑥+⑦+⑧+⑨+⑪) × 6/100
		3号	1、2歳児 乳児								
	51人から60人まで	2号	4歳以上児 3歳児	＋ 4,800	＋ 3,620	＋ 30×加算率		－(⑥+⑦+⑧+⑨+⑪) × 2/100	(⑥+⑦+⑧+⑨+⑪) × 3/100	(⑥+⑦+⑧+⑨+⑪) × 5/100	(⑥+⑦+⑧+⑨+⑪) × 6/100
		3号	1、2歳児 乳児								
	61人から70人まで	2号	4歳以上児 3歳児	＋ 4,800	＋ 3,100	＋ 30×加算率		－(⑥+⑦+⑧+⑨+⑪) × 2/100	(⑥+⑦+⑧+⑨+⑪) × 3/100	(⑥+⑦+⑧+⑨+⑪) × 5/100	(⑥+⑦+⑧+⑨+⑪) × 6/100
		3号	1、2歳児 乳児								
	71人から80人まで	2号	4歳以上児 3歳児	＋ 4,800	＋ 2,710	＋ 20×加算率		－(⑥+⑦+⑧+⑨+⑪) × 2/100	(⑥+⑦+⑧+⑨+⑪) × 3/100	(⑥+⑦+⑧+⑨+⑪) × 5/100	(⑥+⑦+⑧+⑨+⑪) × 6/100
		3号	1、2歳児 乳児								
	81人から90人まで	2号	4歳以上児 3歳児	＋ 4,800	＋ 2,410	＋ 20×加算率		－(⑥+⑦+⑧+⑨+⑪) × 2/100	(⑥+⑦+⑧+⑨+⑪) × 3/100	(⑥+⑦+⑧+⑨+⑪) × 5/100	(⑥+⑦+⑧+⑨+⑪) × 6/100
		3号	1、2歳児 乳児								
	91人から100人まで	2号	4歳以上児 3歳児	＋ 4,800	＋ 2,170	＋ 20×加算率		－(⑥+⑦+⑧+⑨+⑪) × 2/100	(⑥+⑦+⑧+⑨+⑪) × 3/100	(⑥+⑦+⑧+⑨+⑪) × 5/100	(⑥+⑦+⑧+⑨+⑪) × 6/100
		3号	1、2歳児 乳児								
	101人から110人まで	2号	4歳以上児 3歳児	＋ 4,800	＋ 1,970	＋ 10×加算率		－(⑥+⑦+⑧+⑨+⑪) × 2/100	(⑥+⑦+⑧+⑨+⑪) × 3/100	(⑥+⑦+⑧+⑨+⑪) × 5/100	(⑥+⑦+⑧+⑨+⑪) × 6/100
		3号	1、2歳児 乳児								
	111人から120人まで	2号	4歳以上児 3歳児	＋ 4,800	＋ 1,810	＋ 10×加算率		－(⑥+⑦+⑧+⑨+⑪) × 2/100	(⑥+⑦+⑧+⑨+⑪) × 3/100	(⑥+⑦+⑧+⑨+⑪) × 5/100	(⑥+⑦+⑧+⑨+⑪) × 6/100
		3号	1、2歳児 乳児								
	121人から130人まで	2号	4歳以上児 3歳児	＋ 4,800	＋ 1,670	＋ 10×加算率		－(⑥+⑦+⑧+⑨+⑪) × 2/100	(⑥+⑦+⑧+⑨+⑪) × 0/100	(⑥+⑦+⑧+⑨+⑪) × 5/100	(⑥+⑦+⑧+⑨+⑪) × 6/100
		3号	1、2歳児 乳児								
	131人から140人まで	2号	4歳以上児 3歳児	＋ 4,800	＋ 1,550	＋ 10×加算率		－(⑥+⑦+⑧+⑨+⑪) × 2/100	(⑥+⑦+⑧+⑨+⑪) × 3/100	(⑥+⑦+⑧+⑨+⑪) × 5/100	(⑥+⑦+⑧+⑨+⑪) × 6/100
		3号	1、2歳児 乳児								
	141人から150人まで	2号	4歳以上児 3歳児	＋ 4,800	＋ 1,450	＋ 10×加算率		－(⑥+⑦+⑧+⑨+⑪) × 2/100	(⑥+⑦+⑧+⑨+⑪) × 3/100	(⑥+⑦+⑧+⑨+⑪) × 5/100	(⑥+⑦+⑧+⑨+⑪) × 6/100
		3号	1、2歳児 乳児								
	151人から160人まで	2号	4歳以上児 3歳児	＋ 4,800	＋ 1,350	＋ 10×加算率		－(⑥+⑦+⑧+⑨+⑪) × 2/100	(⑥+⑦+⑧+⑨+⑪) × 3/100	(⑥+⑦+⑧+⑨+⑪) × 5/100	(⑥+⑦+⑧+⑨+⑪) × 7/100
		3号	1、2歳児 乳児								
	161人から170人まで	2号	4歳以上児 3歳児	＋ 4,800	＋ 1,280	＋ 10×加算率		－(⑥+⑦+⑧+⑨+⑪) × 2/100	(⑥+⑦+⑧+⑨+⑪) × 3/100	(⑥+⑦+⑧+⑨+⑪) × 5/100	(⑥+⑦+⑧+⑨+⑪) × 7/100
		3号	1、2歳児 乳児								
	171人以上	2号	4歳以上児 3歳児	＋ 4,800	＋ 1,200	＋ 10×加算率		－(⑥+⑦+⑧+⑨+⑪) × 2/100	(⑥+⑦+⑧+⑨+⑪) × 3/100	(⑥+⑦+⑧+⑨+⑪) × 5/100	(⑥+⑦+⑧+⑨+⑪) × 7/100
		3号	1、2歳児 乳児								

地域区分 ①	定員区分 ②	認定区分 ③	年齢区分 ④	主幹教諭等の専任化により子育て支援の取り組みを実施していない場合 ⑳	年齢別配置基準を下回る場合 ㉑	配置基準上求められる職員資格を有しない場合 ㉒	定員を恒常的に超過する場合 ㉓
6/100地域	10人まで	2号 3号	4歳以上児 3歳児 1、2歳児 乳児	−(13, 290 ＋130×加算率)	−(44, 510 ＋440×加算率)×人数	−(27, 770 ＋270×加算率)×人数	(⑥～㉒（⑯を除く。））×別に定める調整率
	11人から20人まで	2号 3号	4歳以上児 3歳児 1、2歳児 乳児	−(6, 640 ＋60×加算率)	−(22, 250 ＋220×加算率)×人数	−(13, 880 ＋130×加算率)×人数	
	21人から30人まで	2号 3号	4歳以上児 3歳児 1、2歳児 乳児	−(4, 430 ＋40×加算率)	−(14, 840 ＋140×加算率)×人数	−(9, 250 ＋90×加算率)×人数	
	31人から40人まで	2号 3号	4歳以上児 3歳児 1、2歳児 乳児	−(3, 320 ＋30×加算率)	−(11, 130 ＋110×加算率)×人数	−(6, 940 ＋60×加算率)×人数	
	41人から50人まで	2号 3号	4歳以上児 3歳児 1、2歳児 乳児	−(2, 650 ＋20×加算率)	−(8, 900 ＋80×加算率)×人数	−(5, 550 ＋50×加算率)×人数	
	51人から60人まで	2号 3号	4歳以上児 3歳児 1、2歳児 乳児	−(2, 210 ＋20×加算率)	−(7, 420 ＋70×加算率)×人数	−(4, 620 ＋40×加算率)×人数	
	61人から70人まで	2号 3号	4歳以上児 3歳児 1、2歳児 乳児	−(1, 890 ＋10×加算率)	−(6, 360 ＋60×加算率)×人数	−(3, 960 ＋40×加算率)×人数	
	71人から80人まで	2号 3号	4歳以上児 3歳児 1、2歳児 乳児	−(1, 660 ＋10×加算率)	−(5, 560 ＋50×加算率)×人数	−(3, 470 ＋30×加算率)×人数	
	81人から90人まで	2号 3号	4歳以上児 3歳児 1、2歳児 乳児	−(1, 470 ＋10×加算率)	−(4, 940 ＋40×加算率)×人数	−(3, 080 ＋30×加算率)×人数	
	91人から100人まで	2号 3号	4歳以上児 3歳児 1、2歳児 乳児	−(1, 330 ＋10×加算率)	−(4, 450 ＋40×加算率)×人数	−(2, 770 ＋20×加算率)×人数	
	101人から110人まで	2号 3号	4歳以上児 3歳児 1、2歳児 乳児	−(1, 200 ＋10×加算率)	−(4, 040 ＋40×加算率)×人数	−(2, 520 ＋20×加算率)×人数	
	111人から120人まで	2号 3号	4歳以上児 3歳児 1、2歳児 乳児	−(1, 100 ＋10×加算率)	−(3, 710 ＋30×加算率)×人数	−(2, 310 ＋20×加算率)×人数	
	121人から130人まで	2号 3号	4歳以上児 3歳児 1、2歳児 乳児	−(1, 020 ＋10×加算率)	−(3, 420 ＋30×加算率)×人数	−(2, 130 ＋20×加算率)×人数	
	131人から140人まで	2号 3号	4歳以上児 3歳児 1、2歳児 乳児	−(950 ＋10×加算率)	−(3, 180 ＋30×加算率)×人数	−(1, 980 ＋20×加算率)×人数	
	141人から150人まで	2号 3号	4歳以上児 3歳児 1、2歳児 乳児	−(880 ＋9×加算率)	−(2, 960 ＋30×加算率)×人数	−(1, 850 ＋10×加算率)×人数	
	151人から160人まで	2号 3号	4歳以上児 3歳児 1、2歳児 乳児	−(830 ＋8×加算率)	−(2, 780 ＋20×加算率)×人数	−(1, 730 ＋10×加算率)×人数	
	161人から170人まで	2号 3号	4歳以上児 3歳児 1、2歳児 乳児	−(780 ＋8×加算率)	−(2, 610 ＋20×加算率)×人数	−(1, 630 ＋10×加算率)×人数	
	171人以上	2号 3号	4歳以上児 3歳児 1、2歳児 乳児	−(730 ＋7×加算率)	−(2, 470 ＋20×加算率)×人数	−(1, 540 ＋10×加算率)×人数	

地域区分 ①	定員区分 ②	認定区分 ③	年齢区分 ④	保育必要量区分 ⑤					処遇改善等加算Ⅰ							3歳児配置改善加算		
				保育標準時間認定 基本分単価 ⑥	（注1）	保育短時間認定 基本分単価 ⑥	（注1）		保育標準時間認定 ⑦	（注1）		保育短時間認定 ⑦	（注1）					処遇改善等加算Ⅰ ⑧
3/100地域	10人まで	2号	4歳以上児	229,290	(236,520)	180,130	(187,360)	+	2,270	(2,340)	×加算率	1,780	(1,850)	×加算率	+	(7,230)	+	(70×加算率)
			3歳児	236,520	(295,710)	187,360	(246,550)	+	2,340	(2,830)	×加算率	1,850	(2,340)	×加算率	+	7,230	+	70×加算率
		3号	1、2歳児	295,710	(368,040)	246,550	(318,880)	+	2,830	(3,560)	×加算率	2,340	(3,070)	×加算率				
			乳児	368,040		318,880		+	3,560		×加算率	3,070		×加算率				
	11人から20人まで	2号	4歳以上児	124,310	(131,540)	99,730	(106,960)	+	1,220	(1,290)	×加算率	970	(1,040)	×加算率	+	(7,230)	+	(70×加算率)
			3歳児	131,540	(190,730)	106,960	(166,150)	+	1,290	(1,780)	×加算率	1,040	(1,540)	×加算率	+	7,230	+	70×加算率
		3号	1、2歳児	190,730	(263,060)	166,150	(238,480)	+	1,780	(2,510)	×加算率	1,540	(2,270)	×加算率				
			乳児	263,060		238,480		+	2,510		×加算率	2,270		×加算率				
	21人から30人まで	2号	4歳以上児	89,210	(96,440)	72,820	(80,050)	+	870	(940)	×加算率	700	(770)	×加算率	+	(7,230)	+	(70×加算率)
			3歳児	96,440	(155,630)	80,050	(139,240)	+	940	(1,430)	×加算率	770	(1,270)	×加算率	+	7,230	+	70×加算率
		3号	1、2歳児	155,630	(227,960)	139,240	(211,570)	+	1,430	(2,160)	×加算率	1,270	(2,000)	×加算率				
			乳児	227,960		211,570		+	2,160		×加算率	2,000		×加算率				
	31人から40人まで	2号	4歳以上児	71,860	(79,090)	59,570	(66,800)	+	690	(760)	×加算率	570	(640)	×加算率	+	(7,230)	+	(70×加算率)
			3歳児	79,090	(138,280)	66,800	(125,990)	+	760	(1,260)	×加算率	640	(1,130)	×加算率	+	7,230	+	70×加算率
		3号	1、2歳児	138,280	(210,610)	125,990	(198,320)	+	1,260	(1,990)	×加算率	1,130	(1,860)	×加算率				
			乳児	210,610		198,320		+	1,990		×加算率	1,860		×加算率				
	41人から50人まで	2号	4歳以上児	66,930	(74,160)	57,100	(64,330)	+	650	(720)	×加算率	550	(620)	×加算率	+	(7,230)	+	(70×加算率)
			3歳児	74,160	(133,350)	64,330	(123,520)	+	720	(1,210)	×加算率	620	(1,110)	×加算率	+	7,230	+	70×加算率
		3号	1、2歳児	133,350	(205,680)	123,520	(195,850)	+	1,210	(1,940)	×加算率	1,110	(1,840)	×加算率				
			乳児	205,680		195,850		+	1,940		×加算率	1,840		×加算率				
	51人から60人まで	2号	4歳以上児	58,530	(65,760)	50,340	(57,570)	+	560	(630)	×加算率	480	(550)	×加算率	+	(7,230)	+	(70×加算率)
			3歳児	65,760	(124,950)	57,570	(116,760)	+	630	(1,120)	×加算率	550	(1,040)	×加算率	+	7,230	+	70×加算率
		3号	1、2歳児	124,950	(197,280)	116,760	(189,090)	+	1,120	(1,850)	×加算率	1,040	(1,770)	×加算率				
			乳児	197,280		189,090		+	1,850		×加算率	1,770		×加算率				
	61人から70人まで	2号	4歳以上児	52,610	(59,840)	45,590	(52,820)	+	500	(570)	×加算率	430	(500)	×加算率	+	(7,230)	+	(70×加算率)
			3歳児	59,840	(119,030)	52,820	(112,010)	+	570	(1,070)	×加算率	500	(990)	×加算率	+	7,230	+	70×加算率
		3号	1、2歳児	119,030	(191,360)	112,010	(184,340)	+	1,070	(1,800)	×加算率	990	(1,720)	×加算率				
			乳児	191,360		184,340		+	1,800		×加算率	1,720		×加算率				
	71人から80人まで	2号	4歳以上児	48,230	(55,460)	42,080	(49,310)	+	460	(530)	×加算率	400	(470)	×加算率	+	(7,230)	+	(70×加算率)
			3歳児	55,460	(114,650)	49,310	(108,500)	+	530	(1,020)	×加算率	470	(960)	×加算率	+	7,230	+	70×加算率
		3号	1、2歳児	114,650	(186,980)	108,500	(180,830)	+	1,020	(1,750)	×加算率	960	(1,690)	×加算率				
			乳児	186,980		180,830		+	1,750		×加算率	1,690		×加算率				
	81人から90人まで	2号	4歳以上児	44,770	(52,000)	39,310	(46,540)	+	420	(490)	×加算率	370	(440)	×加算率	+	(7,230)	+	(70×加算率)
			3歳児	52,000	(111,190)	46,540	(105,730)	+	490	(990)	×加算率	440	(930)	×加算率	+	7,230	+	70×加算率
		3号	1、2歳児	111,190	(183,520)	105,730	(178,060)	+	990	(1,720)	×加算率	930	(1,660)	×加算率				
			乳児	183,520		178,060		+	1,720		×加算率	1,660		×加算率				
	91人から100人まで	2号	4歳以上児	38,890	(46,120)	33,970	(41,200)	+	360	(430)	×加算率	320	(390)	×加算率	+	(7,230)	+	(70×加算率)
			3歳児	46,120	(105,310)	41,200	(100,390)	+	430	(930)	×加算率	390	(880)	×加算率	+	7,230	+	70×加算率
		3号	1、2歳児	105,310	(177,640)	100,390	(172,720)	+	930	(1,660)	×加算率	880	(1,610)	×加算率				
			乳児	177,640		172,720		+	1,660		×加算率	1,610		×加算率				
	101人から110人まで	2号	4歳以上児	36,950	(44,180)	32,480	(39,710)	+	350	(420)	×加算率	300	(370)	×加算率	+	(7,230)	+	(70×加算率)
			3歳児	44,180	(103,370)	39,710	(98,900)	+	420	(910)	×加算率	370	(860)	×加算率	+	7,230	+	70×加算率
		3号	1、2歳児	103,370	(175,700)	98,900	(171,230)	+	910	(1,640)	×加算率	860	(1,590)	×加算率				
			乳児	175,700		171,230		+	1,640		×加算率	1,590		×加算率				
	111人から120人まで	2号	4歳以上児	35,290	(42,520)	31,190	(38,420)	+	330	(400)	×加算率	290	(360)	×加算率	+	(7,230)	+	(70×加算率)
			3歳児	42,520	(101,710)	38,420	(97,610)	+	400	(890)	×加算率	360	(850)	×加算率	+	7,230	+	70×加算率
		3号	1、2歳児	101,710	(174,040)	97,610	(169,940)	+	890	(1,620)	×加算率	850	(1,580)	×加算率				
			乳児	174,040		169,940		+	1,620		×加算率	1,580		×加算率				
	121人から130人まで	2号	4歳以上児	33,890	(41,120)	30,110	(37,340)	+	310	(380)	×加算率	280	(350)	×加算率	+	(7,230)	+	(70×加算率)
			3歳児	41,120	(100,310)	37,340	(96,530)	+	380	(880)	×加算率	350	(840)	×加算率	+	7,230	+	70×加算率
		3号	1、2歳児	100,310	(172,640)	96,530	(168,860)	+	880	(1,610)	×加算率	840	(1,570)	×加算率				
			乳児	172,640		168,860		+	1,610		×加算率	1,570		×加算率				
	131人から140人まで	2号	4歳以上児	32,720	(39,950)	29,210	(36,440)	+	300	(370)	×加算率	270	(340)	×加算率	+	(7,230)	+	(70×加算率)
			3歳児	39,950	(99,140)	36,440	(95,630)	+	370	(870)	×加算率	340	(830)	×加算率	+	7,230	+	70×加算率
		3号	1、2歳児	99,140	(171,470)	95,630	(167,960)	+	870	(1,600)	×加算率	830	(1,560)	×加算率				
			乳児	171,470		167,960		+	1,600		×加算率	1,560		×加算率				
	141人から150人まで	2号	4歳以上児	31,690	(38,920)	28,410	(35,640)	+	290	(360)	×加算率	260	(330)	×加算率	+	(7,230)	+	(70×加算率)
			3歳児	38,920	(98,110)	35,640	(94,830)	+	360	(860)	×加算率	330	(820)	×加算率	+	7,230	+	70×加算率
		3号	1、2歳児	98,110	(170,440)	94,830	(167,160)	+	860	(1,590)	×加算率	820	(1,550)	×加算率				
			乳児	170,440		167,160		+	1,590		×加算率	1,550		×加算率				
	151人から160人まで	2号	4歳以上児	31,680	(38,910)	28,610	(35,840)	+	290	(360)	×加算率	260	(330)	×加算率	+	(7,230)	+	(70×加算率)
			3歳児	38,910	(98,100)	35,840	(95,030)	+	360	(860)	×加算率	330	(830)	×加算率	+	7,230	+	70×加算率
		3号	1、2歳児	98,100	(170,430)	95,030	(167,360)	+	860	(1,590)	×加算率	830	(1,560)	×加算率				
			乳児	170,430		167,360		+	1,590		×加算率	1,560		×加算率				
	161人から170人まで	2号	4歳以上児	30,850	(38,080)	27,960	(35,190)	+	280	(350)	×加算率	260	(330)	×加算率	+	(7,230)	+	(70×加算率)
			3歳児	38,080	(97,270)	35,190	(94,380)	+	350	(850)	×加算率	330	(820)	×加算率	+	7,230	+	70×加算率
		3号	1、2歳児	97,270	(169,600)	94,380	(166,710)	+	850	(1,580)	×加算率	820	(1,550)	×加算率				
			乳児	169,600		166,710		+	1,580		×加算率	1,550		×加算率				
	171人以上	2号	4歳以上児	30,090	(37,320)	27,360	(34,590)	+	280	(350)	×加算率	250	(320)	×加算率	+	(7,230)	+	(70×加算率)
			3歳児	37,320	(96,510)	34,590	(93,780)	+	350	(840)	×加算率	320	(810)	×加算率	+	7,230	+	70×加算率
		3号	1、2歳児	96,510	(168,840)	93,780	(166,110)	+	840	(1,570)	×加算率	810	(1,540)	×加算率				
			乳児	168,840		166,110		+	1,570		×加算率	1,540		×加算率				

地域区分 ①	定員区分 ②	認定区分 ③	年齢区分 ④	4歳以上児配置改善加算	処遇改善等加算Ⅰ ⑨	夜間保育加算	(注1)	処遇改善等加算Ⅰ ⑪
3/100地域	10人まで	2号	4歳以上児	+ 2,890	+ 20×加算率	+ 54,720	52,890	+ 470×加算率
			3 歳 児					
		3号	1、2歳児			+ 52,890		
			乳 児					
	11人から20人まで	2号	4歳以上児	+ 2,890	+ 20×加算率	+ 31,010	29,180	+ 230×加算率
			3 歳 児					
		3号	1、2歳児			+ 29,180		
			乳 児					
	21人から30人まで	2号	4歳以上児	+ 2,890	+ 20×加算率	+ 23,110	21,280	+ 150×加算率
			3 歳 児					
		3号	1、2歳児			+ 21,280		
			乳 児					
	31人から40人まで	2号	4歳以上児	+ 2,890	+ 20×加算率	+ 19,160	17,330	+ 110×加算率
			3 歳 児					
		3号	1、2歳児			+ 17,330		
			乳 児					
	41人から50人まで	2号	4歳以上児	+ 2,890	+ 20×加算率	+ 16,790	14,960	+ 90×加算率
			3 歳 児					
		3号	1、2歳児			+ 14,960		
			乳 児					
	51人から60人まで	2号	4歳以上児	+ 2,890	+ 20×加算率	+ 15,210	13,380	+ 70×加算率
			3 歳 児					
		3号	1、2歳児			+ 13,380		
			乳 児					
	61人から70人まで	2号	4歳以上児	+ 2,890	+ 20×加算率	+ 14,080	12,250	+ 60×加算率
			3 歳 児					
		3号	1、2歳児			+ 12,250		
			乳 児					
	71人から80人まで	2号	4歳以上児	+ 2,890	+ 20×加算率	+ 13,230	11,400	+ 50×加算率
			3 歳 児					
		3号	1、2歳児			+ 11,400		
			乳 児					
	81人から90人まで	2号	4歳以上児	+ 2,890	+ 20×加算率	+ 12,570	10,740	+ 50×加算率
			3 歳 児					
		3号	1、2歳児			+ 10,740		
			乳 児					
	91人から100人まで	2号	4歳以上児	+ 2,890	+ 20×加算率			
			3 歳 児					
		3号	1、2歳児					
			乳 児					
	101人から110人まで	2号	4歳以上児	+ 2,890	+ 20×加算率			
			3 歳 児					
		3号	1、2歳児					
			乳 児					
	111人から120人まで	2号	4歳以上児	+ 2,890	+ 20×加算率			
			3 歳 児					
		3号	1、2歳児					
			乳 児					
	121人から130人まで	2号	4歳以上児	+ 2,890	+ 20×加算率			
			3 歳 児					
		3号	1、2歳児					
			乳 児					
	131人から140人まで	2号	4歳以上児	+ 2,890	+ 20×加算率			
			3 歳 児					
		3号	1、2歳児					
			乳 児					
	141人から150人まで	2号	4歳以上児	+ 2,890	+ 20×加算率			
			3 歳 児					
		3号	1、2歳児					
			乳 児					
	151人から160人まで	2号	4歳以上児	+ 2,890	+ 20×加算率			
			3 歳 児					
		3号	1、2歳児					
			乳 児					
	161人から170人まで	2号	4歳以上児	+ 2,890	+ 20×加算率			
			3 歳 児					
		3号	1、2歳児					
			乳 児					
	171人以上	2号	4歳以上児	+ 2,890	+ 20×加算率			
			3 歳 児					
		3号	1、2歳児					
			乳 児					

休日保育加算 ⑩（全定員区分共通）

+ { 休日保育の年間延べ利用子ども数 + 処遇改善等加算Ⅰ（休日保育の年間延べ利用子ども数） } ÷ 各月初日の利用子ども数

休日保育の年間延べ利用子ども数		+	休日保育の年間延べ利用子ども数	処遇改善等加算Ⅰ
～ 210人	250,000		～ 210人	2,500×加算率
211人～ 279人	267,700		211人～ 279人	2,670×加算率
280人～ 349人	303,300		280人～ 349人	3,030×加算率
350人～ 419人	338,900		350人～ 419人	3,380×加算率
420人～ 489人	374,500		420人～ 489人	3,740×加算率
490人～ 559人	410,100		490人～ 559人	4,100×加算率
560人～ 629人	445,700		560人～ 629人	4,450×加算率
630人～ 699人	481,200		630人～ 699人	4,810×加算率
700人～ 769人	516,800		700人～ 769人	5,160×加算率
770人～ 839人	552,400		770人～ 839人	5,520×加算率
840人～ 909人	588,000		840人～ 909人	5,880×加算率
910人～ 979人	623,600		910人～ 979人	6,230×加算率
980人～1,049人	659,200		980人～1,049人	6,590×加算率
1,050人～	694,700		1,050人～	6,940×加算率

地域区分 ①	定員区分 ②	認定区分 ③	年齢区分 ④	チーム保育加配加算 ※1号・2号の利用定員合計に応じて2号利用子どもの単価に加算	処遇改善等加算Ⅰ ⑫	減価償却費加算 加算額 ⑬				賃借料加算 加算額 ⑭					外部監査費加算 ⑮
						認可施設		機能部分			認可施設		機能部分		
						標準	都市部	標準	都市部		標準	都市部	標準	都市部	
	10人まで	2号	4歳以上児	～ 15人 29,810×加配人数	290×加算率×加配人数	17,100	18,800	11,900	11,900	a地域	31,600	35,200	22,100	22,100	
			3歳児							b地域	17,400	19,400	12,200	12,200	
		3号	1、2歳児							c地域	15,200	16,900	10,600	10,600	
			乳児							d地域	13,600	15,100	9,500	9,500	
	11人から20人まで	2号	4歳以上児	16人～ 25人 17,880×加配人数	170×加算率×加配人数	8,500	9,400	5,900	5,900	a地域	15,800	17,600	11,000	11,000	
			3歳児							b地域	8,700	9,700	6,100	6,100	
		3号	1、2歳児							c地域	7,600	8,400	5,300	5,300	
			乳児							d地域	6,800	7,500	4,700	4,700	
	21人から30人まで	2号	4歳以上児	26人～ 35人 12,770×加配人数	120×加算率×加配人数	5,900	6,500	4,100	4,100	a地域	10,900	12,200	7,600	7,600	
			3歳児							b地域	6,000	6,700	4,200	4,200	認定こども園全体の利用定員
		3号	1、2歳児							c地域	5,200	5,800	3,600	3,600	
			乳児							d地域	4,700	5,200	3,300	3,300	
	31人から40人まで	2号	4歳以上児	36人～ 45人 9,930×加配人数	90×加算率×加配人数	5,200	5,700	3,600	3,600	a地域	9,800	10,900	6,800	6,800	～ 15人
			3歳児							b地域	5,400	6,000	3,700	3,700	27,330
		3号	1、2歳児							c地域	4,700	5,200	3,300	3,300	
			乳児							d地域	4,200	4,600	2,900	2,900	16人～ 25人
	41人から50人まで	2号	4歳以上児	46人～ 60人 7,450×加配人数	70×加算率×加配人数	4,700	5,200	3,300	3,300	a地域	8,800	9,800	6,100	6,100	16,800
			3歳児							b地域	4,800	5,400	3,400	3,400	
		3号	1、2歳児							c地域	4,200	4,700	2,900	2,900	26人～ 35人
			乳児							d地域	3,800	4,200	2,600	2,600	12,280
	51人から60人まで	2号	4歳以上児	61人～ 75人 5,960×加配人数	50×加算率×加配人数	3,900	4,300	2,700	2,700	a地域	7,200	8,100	5,100	5,100	
			3歳児							b地域	4,000	4,400	2,800	2,800	36人～ 45人
		3号	1、2歳児							c地域	3,500	3,800	2,400	2,400	9,770
			乳児							d地域	3,100	3,400	2,100	2,100	
	61人から70人まで	2号	4歳以上児	76人～ 90人 4,960×加配人数	40×加算率×加配人数	3,300	3,700	2,300	2,300	a地域	6,300	7,100	4,400	4,400	46人～ 60人
			3歳児							b地域	3,500	3,900	2,400	2,400	7,500
		3号	1、2歳児							c地域	3,000	3,400	2,100	2,100	
			乳児							d地域	2,700	3,000	1,900	1,900	61人～ 75人
	71人から80人まで	2号	4歳以上児	91人～ 105人 4,250×加配人数	40×加算率×加配人数	3,800	4,200	2,700	2,700	a地域	7,100	7,900	4,900	4,900	6,130
			3歳児							b地域	3,900	4,300	2,700	2,700	
		3号	1、2歳児							c地域	3,400	3,800	2,300	2,300	76人～ 90人
			乳児							d地域	3,000	3,400	2,100	2,100	5,220
	81人から90人まで	2号	4歳以上児	106人～ 120人 3,720×加配人数	30×加算率×加配人数	3,400	3,700	2,400	2,400	a地域	6,300	7,100	4,400	4,400	
			3歳児							b地域	3,500	3,900	2,400	2,400	91人～ 105人
		3号	1、2歳児							c地域	3,000	3,400	2,100	2,100	4,660
3/100地域			乳児							d地域	2,700	3,000	1,900	1,900	
	91人から100人まで	2号	4歳以上児	121人～ 135人 3,310×加配人数	30×加算率×加配人数	3,000	3,400	2,100	2,100	a地域	5,500	6,200	3,900	3,900	106人～ 120人
			3歳児							b地域	3,000	3,400	2,100	2,100	4,250
		3号	1、2歳児							c地域	2,600	2,900	1,800	1,800	
			乳児							d地域	2,400	2,600	1,600	1,600	121人～ 135人
	101人から110人まで	2号	4歳以上児	136人～ 150人 2,980×加配人数	20×加算率×加配人数	3,300	3,700	2,300	2,300	a地域	6,100	6,800	4,200	4,200	3,920
			3歳児							b地域	3,300	3,700	2,300	2,300	
		3号	1、2歳児							c地域	2,900	3,200	2,000	2,000	136人～ 150人
			乳児							d地域	2,600	2,900	1,800	1,800	3,660
	111人から120人まで	2号	4歳以上児	151人～ 180人 2,480×加配人数	20×加算率×加配人数	3,000	3,400	2,100	2,100	a地域	5,500	6,200	3,900	3,900	
			3歳児							b地域	3,000	3,400	2,100	2,100	151人～ 180人
		3号	1、2歳児							c地域	2,600	2,900	1,800	1,800	3,160
			乳児							d地域	2,400	2,600	1,600	1,600	
	121人から130人まで	2号	4歳以上児	181人～ 210人 2,120×加配人数	20×加算率×加配人数	2,800	3,100	2,000	2,000	a地域	5,100	5,700	3,500	3,500	181人～ 210人
			3歳児							b地域	2,800	3,100	1,900	1,900	2,810
		3号	1、2歳児							c地域	2,400	2,700	1,700	1,700	
			乳児							d地域	2,200	2,400	1,500	1,500	211人～ 240人
	131人から140人まで	2号	4歳以上児	211人～ 240人 1,860×加配人数	10×加算率×加配人数	3,000	3,300	2,100	2,100	a地域	5,500	6,200	3,900	3,900	2,540
			3歳児							b地域	3,000	3,400	2,100	2,100	
		3号	1、2歳児							c地域	2,600	2,900	1,800	1,800	241人～ 270人
			乳児							d地域	2,400	2,600	1,600	1,600	2,440
	141人から150人まで	2号	4歳以上児	241人～ 270人 1,650×加配人数	10×加算率×加配人数	2,800	3,100	2,000	2,000	a地域	5,400	6,000	3,700	3,700	
			3歳児							b地域	2,900	3,300	2,000	2,000	271人～ 300人
		3号	1、2歳児							c地域	2,500	2,800	1,800	1,800	2,360
			乳児							d地域	2,300	2,500	1,600	1,600	
	151人から160人まで	2号	4歳以上児	271人～ 300人 1,490×加配人数	10×加算率×加配人数	2,600	2,900	1,800	1,800	a地域	4,800	5,400	3,400	3,400	301人～
			3歳児							b地域	2,600	2,900	1,800	1,800	2,150
		3号	1、2歳児							c地域	2,300	2,500	1,600	1,600	
			乳児							d地域	2,000	2,300	1,400	1,400	
	161人から170人まで	2号	4歳以上児	301人～ 1,350×加配人数	10×加算率×加配人数	2,800	3,100	2,000	2,000	a地域	5,400	6,000	3,700	3,700	※3月分の単価に加算
			3歳児							b地域	2,900	3,300	2,000	2,000	
		3号	1、2歳児							c地域	2,500	2,800	1,800	1,800	
			乳児							d地域	2,300	2,500	1,600	1,600	
	171人以上	2号	4歳以上児			2,700	2,900	1,900	1,900	a地域	4,800	5,400	3,400	3,400	
			3歳児							b地域	2,600	2,900	1,800	1,800	
		3号	1、2歳児							c地域	2,300	2,500	1,600	1,600	
			乳児							d地域	2,000	2,300	1,400	1,400	

地域区分 ①	定員区分 ②	認定区分 ③	年齢区分 ④	副食費徴収免除加算 ※副食費の徴収が免除される子どもの単価に加算 ⑯	1号認定こどもの利用定員を設定しない場合 ⑰	処遇改善等加算Ⅰ	分園の場合 ⑱	土曜日に閉所する場合 ⑲ 月に1日土曜日を閉所する場合	月に2日土曜日を閉所する場合	月に3日以上土曜日を閉所する場合	全ての土曜日を閉所する場合
3/100地域	10人まで	2号	4歳以上児	+ 4,800	+ 21,550	+ 210×加算率	−(⑥+⑦)×10/100	−(⑥+⑦+⑧+⑨+⑪)×1/100	(⑥+⑦+⑧+⑨+⑪)×2/100	(⑥+⑦+⑧+⑨+⑪)×4/100	(⑥+⑦+⑧+⑨+⑪)×5/100
			3歳児								
		3号	1、2歳児								
			乳児								
	11人から20人まで	2号	4歳以上児	+ 4,800	+ 10,770	+ 100×加算率		−(⑥+⑦+⑧+⑨+⑪)×1/100	(⑥+⑦+⑧+⑨+⑪)×3/100	(⑥+⑦+⑧+⑨+⑪)×4/100	(⑥+⑦+⑧+⑨+⑪)×5/100
			3歳児								
		3号	1、2歳児								
			乳児								
	21人から30人まで	2号	4歳以上児	+ 4,800	+ 7,180	+ 70×加算率		−(⑥+⑦+⑧+⑨+⑪)×1/100	(⑥+⑦+⑧+⑨+⑪)×3/100	(⑥+⑦+⑧+⑨+⑪)×4/100	(⑥+⑦+⑧+⑨+⑪)×5/100
			3歳児								
		3号	1、2歳児								
			乳児								
	31人から40人まで	2号	4歳以上児	+ 4,800	+ 5,390	+ 50×加算率		−(⑥+⑦+⑧+⑨+⑪)×2/100	(⑥+⑦+⑧+⑨+⑪)×3/100	(⑥+⑦+⑧+⑨+⑪)×4/100	(⑥+⑦+⑧+⑨+⑪)×5/100
			3歳児								
		3号	1、2歳児								
			乳児								
	41人から50人まで	2号	4歳以上児	+ 4,800	+ 4,300	+ 40×加算率		−(⑥+⑦+⑧+⑨+⑪)×2/100	(⑥+⑦+⑧+⑨+⑪)×3/100	(⑥+⑦+⑧+⑨+⑪)×5/100	(⑥+⑦+⑧+⑨+⑪)×6/100
			3歳児								
		3号	1、2歳児								
			乳児								
	51人から60人まで	2号	4歳以上児	+ 4,800	+ 3,590	+ 30×加算率		−(⑥+⑦+⑧+⑨+⑪)×2/100	(⑥+⑦+⑧+⑨+⑪)×3/100	(⑥+⑦+⑧+⑨+⑪)×5/100	(⑥+⑦+⑧+⑨+⑪)×6/100
			3歳児								
		3号	1、2歳児								
			乳児								
	61人から70人まで	2号	4歳以上児	+ 4,800	+ 3,080	+ 30×加算率		−(⑥+⑦+⑧+⑨+⑪)×2/100	(⑥+⑦+⑧+⑨+⑪)×3/100	(⑥+⑦+⑧+⑨+⑪)×5/100	(⑥+⑦+⑧+⑨+⑪)×6/100
			3歳児								
		3号	1、2歳児								
			乳児								
	71人から80人まで	2号	4歳以上児	+ 4,800	+ 2,690	+ 20×加算率		−(⑥+⑦+⑧+⑨+⑪)×2/100	(⑥+⑦+⑧+⑨+⑪)×3/100	(⑥+⑦+⑧+⑨+⑪)×5/100	(⑥+⑦+⑧+⑨+⑪)×6/100
			3歳児								
		3号	1、2歳児								
			乳児								
	81人から90人まで	2号	4歳以上児	+ 4,800	+ 2,390	+ 20×加算率		−(⑥+⑦+⑧+⑨+⑪)×2/100	(⑥+⑦+⑧+⑨+⑪)×3/100	(⑥+⑦+⑧+⑨+⑪)×5/100	(⑥+⑦+⑧+⑨+⑪)×6/100
			3歳児								
		3号	1、2歳児								
			乳児								
	91人から100人まで	2号	4歳以上児	+ 4,800	+ 2,150	+ 20×加算率		−(⑥+⑦+⑧+⑨+⑪)×2/100	(⑥+⑦+⑧+⑨+⑪)×3/100	(⑥+⑦+⑧+⑨+⑪)×5/100	(⑥+⑦+⑧+⑨+⑪)×7/100
			3歳児								
		3号	1、2歳児								
			乳児								
	101人から110人まで	2号	4歳以上児	+ 4,800	+ 1,950	+ 10×加算率		−(⑥+⑦+⑧+⑨+⑪)×2/100	(⑥+⑦+⑧+⑨+⑪)×3/100	(⑥+⑦+⑧+⑨+⑪)×5/100	(⑥+⑦+⑧+⑨+⑪)×7/100
			3歳児								
		3号	1、2歳児								
			乳児								
	111人から120人まで	2号	4歳以上児	+ 4,800	+ 1,800	+ 10×加算率		−(⑥+⑦+⑧+⑨+⑪)×2/100	(⑥+⑦+⑧+⑨+⑪)×3/100	(⑥+⑦+⑧+⑨+⑪)×5/100	(⑥+⑦+⑧+⑨+⑪)×7/100
			3歳児								
		3号	1、2歳児								
			乳児								
	121人から130人まで	2号	4歳以上児	+ 4,800	+ 1,660	+ 10×加算率		−(⑥+⑦+⑧+⑨+⑪)×2/100	(⑥+⑦+⑧+⑨+⑪)×3/100	(⑥+⑦+⑧+⑨+⑪)×5/100	(⑥+⑦+⑧+⑨+⑪)×7/100
			3歳児								
		3号	1、2歳児								
			乳児								
	131人から140人まで	2号	4歳以上児	+ 4,800	+ 1,540	+ 10×加算率		−(⑥+⑦+⑧+⑨+⑪)×2/100	(⑥+⑦+⑧+⑨+⑪)×3/100	(⑥+⑦+⑧+⑨+⑪)×5/100	(⑥+⑦+⑧+⑨+⑪)×7/100
			3歳児								
		3号	1、2歳児								
			乳児								
	141人から150人まで	2号	4歳以上児	+ 4,800	+ 1,430	+ 10×加算率		−(⑥+⑦+⑧+⑨+⑪)×2/100	(⑥+⑦+⑧+⑨+⑪)×3/100	(⑥+⑦+⑧+⑨+⑪)×5/100	(⑥+⑦+⑧+⑨+⑪)×7/100
			3歳児								
		3号	1、2歳児								
			乳児								
	151人から160人まで	2号	4歳以上児	+ 4,800	+ 1,350	+ 10×加算率		−(⑥+⑦+⑧+⑨+⑪)×2/100	(⑥+⑦+⑧+⑨+⑪)×3/100	(⑥+⑦+⑧+⑨+⑪)×5/100	(⑥+⑦+⑧+⑨+⑪)×7/100
			3歳児								
		3号	1、2歳児								
			乳児								
	161人から170人まで	2号	4歳以上児	+ 4,800	+ 1,270	+ 10×加算率		−(⑥+⑦+⑧+⑨+⑪)×2/100	(⑥+⑦+⑧+⑨+⑪)×3/100	(⑥+⑦+⑧+⑨+⑪)×5/100	(⑥+⑦+⑧+⑨+⑪)×7/100
			3歳児								
		3号	1、2歳児								
			乳児								
	171人以上	2号	4歳以上児	+ 4,800	+ 1,200	+ 10×加算率		−(⑥+⑦+⑧+⑨+⑪)×2/100	(⑥+⑦+⑧+⑨+⑪)×3/100	(⑥+⑦+⑧+⑨+⑪)×5/100	(⑥+⑦+⑧+⑨+⑪)×7/100
			3歳児								
		3号	1、2歳児								
			乳児								

地域区分 ①	定員区分 ②	認定区分 ③	年齢区分 ④	主幹教諭等の専任化により子育て支援の取り組みを実施していない場合 ⑳	年齢別配置基準を下回る場合 ㉑	配置基準上求められる職員資格を有しない場合 ㉒	定員を恒常的に超過する場合 ㉓
3/100地域	10人まで	2号	4歳以上児	－(13,290 +130×加算率)	－(43,390 +430×加算率)×人数	－(26,650 +260×加算率)×人数	(⑥～㉒（⑯を除く。））×別に定める調整率
			3歳児				
		3号	1、2歳児				
			乳児				
	11人から20人まで	2号	4歳以上児	－(6,640 +60×加算率)	－(21,690 +210×加算率)×人数	－(13,320 +130×加算率)×人数	
			3歳児				
		3号	1、2歳児				
			乳児				
	21人から30人まで	2号	4歳以上児	－(4,430 +40×加算率)	－(14,460 +140×加算率)×人数	－(8,880 +80×加算率)×人数	
			3歳児				
		3号	1、2歳児				
			乳児				
	31人から40人まで	2号	4歳以上児	－(3,320 +30×加算率)	－(10,840 +100×加算率)×人数	－(6,660 +60×加算率)×人数	
			3歳児				
		3号	1、2歳児				
			乳児				
	41人から50人まで	2号	4歳以上児	－(2,650 +20×加算率)	－(8,670 +80×加算率)×人数	－(5,330 +50×加算率)×人数	
			3歳児				
		3号	1、2歳児				
			乳児				
	51人から60人まで	2号	4歳以上児	－(2,210 +20×加算率)	－(7,230 +70×加算率)×人数	－(4,440 +40×加算率)×人数	
			3歳児				
		3号	1、2歳児				
			乳児				
	61人から70人まで	2号	4歳以上児	－(1,890 +10×加算率)	－(6,190 +60×加算率)×人数	－(3,800 +30×加算率)×人数	
			3歳児				
		3号	1、2歳児				
			乳児				
	71人から80人まで	2号	4歳以上児	－(1,660 +10×加算率)	－(5,420 +50×加算率)×人数	－(3,330 +30×加算率)×人数	
			3歳児				
		3号	1、2歳児				
			乳児				
	81人から90人まで	2号	4歳以上児	－(1,470 +10×加算率)	－(4,820 +40×加算率)×人数	－(2,960 +30×加算率)×人数	
			3歳児				
		3号	1、2歳児				
			乳児				
	91人から100人まで	2号	4歳以上児	－(1,330 +10×加算率)	－(4,330 +40×加算率)×人数	－(2,660 +20×加算率)×人数	
			3歳児				
		3号	1、2歳児				
			乳児				
	101人から110人まで	2号	4歳以上児	－(1,200 +10×加算率)	－(3,940 +30×加算率)×人数	－(2,420 +20×加算率)×人数	
			3歳児				
		3号	1、2歳児				
			乳児				
	111人から120人まで	2号	4歳以上児	－(1,100 +10×加算率)	－(3,610 +30×加算率)×人数	－(2,220 +20×加算率)×人数	
			3歳児				
		3号	1、2歳児				
			乳児				
	121人から130人まで	2号	4歳以上児	－(1,020 +10×加算率)	－(3,330 +30×加算率)×人数	－(2,050 +20×加算率)×人数	
			3歳児				
		3号	1、2歳児				
			乳児				
	131人から140人まで	2号	4歳以上児	－(950 +10×加算率)	－(3,100 +30×加算率)×人数	－(1,900 +10×加算率)×人数	
			3歳児				
		3号	1、2歳児				
			乳児				
	141人から150人まで	2号	4歳以上児	－(880 +9×加算率)	－(2,890 +20×加算率)×人数	－(1,770 +10×加算率)×人数	
			3歳児				
		3号	1、2歳児				
			乳児				
	151人から160人まで	2号	4歳以上児	－(830 +8×加算率)	－(2,710 +20×加算率)×人数	－(1,660 +10×加算率)×人数	
			3歳児				
		3号	1、2歳児				
			乳児				
	161人から170人まで	2号	4歳以上児	－(780 +8×加算率)	－(2,550 +20×加算率)×人数	－(1,560 +10×加算率)×人数	
			3歳児				
		3号	1、2歳児				
			乳児				
	171人以上	2号	4歳以上児	－(730 +7×加算率)	－(2,410 +20×加算率)×人数	－(1,480 +10×加算率)×人数	
			3歳児				
		3号	1、2歳児				
			乳児				

地域区分 ①	定員区分 ②	認定区分 ③	年齢区分 ④	保育必要量区分 ⑤ 保育標準時間認定 基本分単価 ⑥	(注1)	保育必要量区分 ⑤ 保育短時間認定 基本分単価 ⑥	(注1)		処遇改善等加算Ⅰ 保育標準時間認定 ⑦	(注1)		処遇改善等加算Ⅰ 保育短時間認定 ⑦	(注1)			3歳児配置改善加算		処遇改善等加算Ⅰ ⑧
その他地域	10人まで	2号	4歳以上児	224,400	(231,440)	176,360	(183,400)	+	2,220	(2,290)	×加算率	1,740	(1,810)	×加算率	+	(7,040)	+	(70×加算率)
			3歳児	231,440	(289,320)	183,400	(241,280)	+	2,290	(2,770)	×加算率	1,810	(2,290)	×加算率	+	7,040	+	70×加算率
		3号	1、2歳児	289,320	(359,780)	241,280	(311,740)	+	2,770	(3,470)	×加算率	2,290	(2,990)	×加算率				
			乳児	359,780		311,740		+	3,470		×加算率	2,990		×加算率				
	11人から20人まで	2号	4歳以上児	121,640	(128,680)	97,630	(104,670)	+	1,190	(1,260)	×加算率	950	(1,020)	×加算率	+	(7,040)	+	(70×加算率)
			3歳児	128,680	(186,560)	104,670	(162,550)	+	1,260	(1,750)	×加算率	1,020	(1,510)	×加算率	+	7,040	+	70×加算率
		3号	1、2歳児	186,560	(257,020)	162,550	(233,010)	+	1,750	(2,450)	×加算率	1,510	(2,210)	×加算率				
			乳児	257,020		233,010		+	2,450		×加算率	2,210		×加算率				
	21人から30人まで	2号	4歳以上児	87,290	(94,330)	71,280	(78,320)	+	850	(920)	×加算率	690	(760)	×加算率	+	(7,040)	+	(70×加算率)
			3歳児	94,330	(152,210)	78,320	(136,200)	+	920	(1,400)	×加算率	760	(1,240)	×加算率	+	7,040	+	70×加算率
		3号	1、2歳児	152,210	(222,670)	136,200	(206,660)	+	1,400	(2,100)	×加算率	1,240	(1,940)	×加算率				
			乳児	222,670		206,660		+	2,100		×加算率	1,940		×加算率				
	31人から40人まで	2号	4歳以上児	70,280	(77,320)	58,270	(65,310)	+	680	(750)	×加算率	560	(630)	×加算率	+	(7,040)	+	(70×加算率)
			3歳児	77,320	(135,200)	65,310	(123,190)	+	750	(1,230)	×加算率	630	(1,110)	×加算率	+	7,040	+	70×加算率
		3号	1、2歳児	135,200	(205,660)	123,190	(193,650)	+	1,230	(1,930)	×加算率	1,110	(1,810)	×加算率				
			乳児	205,660		193,650		+	1,930		×加算率	1,810		×加算率				
	41人から50人まで	2号	4歳以上児	65,430	(72,470)	55,830	(62,870)	+	630	(700)	×加算率	530	(600)	×加算率	+	(7,040)	+	(70×加算率)
			3歳児	72,470	(130,350)	62,870	(120,750)	+	700	(1,180)	×加算率	600	(1,090)	×加算率	+	7,040	+	70×加算率
		3号	1、2歳児	130,350	(200,810)	120,750	(191,210)	+	1,180	(1,880)	×加算率	1,090	(1,790)	×加算率				
			乳児	200,810		191,210		+	1,880		×加算率	1,790		×加算率				
	51人から60人まで	2号	4歳以上児	57,230	(64,270)	49,220	(56,260)	+	550	(620)	×加算率	470	(540)	×加算率	+	(7,040)	+	(70×加算率)
			3歳児	64,270	(122,150)	56,260	(114,140)	+	620	(1,100)	×加算率	540	(1,020)	×加算率	+	7,040	+	70×加算率
		3号	1、2歳児	122,150	(192,610)	114,140	(184,600)	+	1,100	(1,800)	×加算率	1,020	(1,720)	×加算率				
			乳児	192,610		184,600		+	1,800		×加算率	1,720		×加算率				
	61人から70人まで	2号	4歳以上児	51,440	(58,480)	44,580	(51,620)	+	490	(560)	×加算率	420	(490)	×加算率	+	(7,040)	+	(70×加算率)
			3歳児	58,480	(116,360)	51,620	(109,500)	+	560	(1,040)	×加算率	490	(970)	×加算率	+	7,040	+	70×加算率
		3号	1、2歳児	116,360	(186,820)	109,500	(179,960)	+	1,040	(1,740)	×加算率	970	(1,670)	×加算率				
			乳児	186,820		179,960		+	1,740		×加算率	1,670		×加算率				
	71人から80人まで	2号	4歳以上児	47,150	(54,190)	41,150	(48,190)	+	450	(520)	×加算率	390	(460)	×加算率	+	(7,040)	+	(70×加算率)
			3歳児	54,190	(112,070)	48,190	(106,070)	+	520	(1,000)	×加算率	460	(940)	×加算率	+	7,040	+	70×加算率
		3号	1、2歳児	112,070	(182,530)	106,070	(176,530)	+	1,000	(1,700)	×加算率	940	(1,640)	×加算率				
			乳児	182,530		176,530		+	1,700		×加算率	1,640		×加算率				
	81人から90人まで	2号	4歳以上児	43,770	(50,810)	38,440	(45,480)	+	410	(480)	×加算率	360	(430)	×加算率	+	(7,040)	+	(70×加算率)
			3歳児	50,810	(108,690)	45,480	(103,360)	+	480	(970)	×加算率	430	(910)	×加算率	+	7,040	+	70×加算率
		3号	1、2歳児	108,690	(179,150)	103,360	(173,820)	+	970	(1,670)	×加算率	910	(1,610)	×加算率				
			乳児	179,150		173,820		+	1,670		×加算率	1,610		×加算率				
	91人から100人まで	2号	4歳以上児	38,070	(45,110)	33,260	(40,300)	+	360	(430)	×加算率	310	(380)	×加算率	+	(7,040)	+	(70×加算率)
			3歳児	45,110	(102,990)	40,300	(98,180)	+	430	(910)	×加算率	380	(860)	×加算率	+	7,040	+	70×加算率
		3号	1、2歳児	102,990	(173,450)	98,180	(168,640)	+	910	(1,610)	×加算率	860	(1,560)	×加算率				
			乳児	173,450		168,640		+	1,610		×加算率	1,560		×加算率				
	101人から110人まで	2号	4歳以上児	36,160	(43,200)	31,800	(38,840)	+	340	(410)	×加算率	290	(360)	×加算率	+	(7,040)	+	(70×加算率)
			3歳児	43,200	(101,080)	38,840	(96,720)	+	410	(890)	×加算率	360	(850)	×加算率	+	7,040	+	70×加算率
		3号	1、2歳児	101,080	(171,540)	96,720	(167,180)	+	890	(1,590)	×加算率	850	(1,550)	×加算率				
			乳児	171,540		167,180		+	1,590		×加算率	1,550		×加算率				
	111人から120人まで	2号	4歳以上児	34,540	(41,580)	30,540	(37,580)	+	320	(390)	×加算率	280	(350)	×加算率	+	(7,040)	+	(70×加算率)
			3歳児	41,580	(99,460)	37,580	(95,460)	+	390	(870)	×加算率	350	(830)	×加算率	+	7,040	+	70×加算率
		3号	1、2歳児	99,460	(169,920)	95,460	(165,920)	+	870	(1,570)	×加算率	830	(1,530)	×加算率				
			乳児	169,920		165,920		+	1,570		×加算率	1,530		×加算率				
	121人から130人まで	2号	4歳以上児	33,170	(40,210)	29,480	(36,520)	+	310	(380)	×加算率	270	(340)	×加算率	+	(7,040)	+	(70×加算率)
			3歳児	40,210	(98,090)	36,520	(94,400)	+	380	(860)	×加算率	340	(820)	×加算率	+	7,040	+	70×加算率
		3号	1、2歳児	98,090	(168,550)	94,400	(164,860)	+	860	(1,560)	×加算率	820	(1,520)	×加算率				
			乳児	168,550		164,860		+	1,560		×加算率	1,520		×加算率				
	131人から140人まで	2号	4歳以上児	32,030	(39,070)	28,600	(35,640)	+	300	(370)	×加算率	260	(330)	×加算率	+	(7,040)	+	(70×加算率)
			3歳児	39,070	(96,950)	35,640	(93,520)	+	370	(850)	×加算率	330	(810)	×加算率	+	7,040	+	70×加算率
		3号	1、2歳児	96,950	(167,410)	93,520	(163,980)	+	850	(1,550)	×加算率	810	(1,510)	×加算率				
			乳児	167,410		163,980		+	1,550		×加算率	1,510		×加算率				
	141人から150人まで	2号	4歳以上児	31,020	(38,060)	27,810	(34,850)	+	290	(360)	×加算率	250	(320)	×加算率	+	(7,040)	+	(70×加算率)
			3歳児	38,060	(95,940)	34,850	(92,730)	+	360	(840)	×加算率	320	(810)	×加算率	+	7,040	+	70×加算率
		3号	1、2歳児	95,940	(166,400)	92,730	(163,190)	+	840	(1,540)	×加算率	810	(1,510)	×加算率				
			乳児	166,400		163,190		+	1,540		×加算率	1,510		×加算率				
	151人から160人まで	2号	4歳以上児	31,030	(38,070)	28,030	(35,070)	+	290	(360)	×加算率	260	(330)	×加算率	+	(7,040)	+	(70×加算率)
			3歳児	38,070	(95,950)	35,070	(92,950)	+	360	(840)	×加算率	330	(810)	×加算率	+	7,040	+	70×加算率
		3号	1、2歳児	95,950	(166,410)	92,950	(163,410)	+	840	(1,540)	×加算率	810	(1,510)	×加算率				
			乳児	166,410		163,410		+	1,540		×加算率	1,510		×加算率				
	161人から170人まで	2号	4歳以上児	30,210	(37,250)	27,390	(34,430)	+	280	(350)	×加算率	250	(320)	×加算率	+	(7,040)	+	(70×加算率)
			3歳児	37,250	(95,130)	34,430	(92,310)	+	350	(830)	×加算率	320	(800)	×加算率	+	7,040	+	70×加算率
		3号	1、2歳児	95,130	(165,590)	92,310	(162,770)	+	830	(1,530)	×加算率	800	(1,500)	×加算率				
			乳児	165,590		162,770		+	1,530		×加算率	1,500		×加算率				
	171人以上	2号	4歳以上児	29,470	(36,510)	26,800	(33,840)	+	270	(340)	×加算率	240	(310)	×加算率	+	(7,040)	+	(70×加算率)
			3歳児	36,510	(94,390)	33,840	(91,720)	+	340	(820)	×加算率	310	(800)	×加算率	+	7,040	+	70×加算率
		3号	1、2歳児	94,390	(164,850)	91,720	(162,180)	+	820	(1,520)	×加算率	800	(1,500)	×加算率				
			乳児	164,850		162,180		+	1,520		×加算率	1,500		×加算率				

地域区分 ①	定員区分 ②	認定区分 ③	年齢区分 ④	⑨ 4歳以上児配置改善加算	⑨ 処遇改善等加算Ⅰ	⑪ 夜間保育加算	⑪ （注1）	⑪ 処遇改善等加算Ⅰ
その他地域	10人まで	2号	4歳以上児	＋ 2,810	＋ 20×加算率	＋ 54,720	52,890	＋ 470×加算率
			3　歳　児					
		3号	1、2歳児			＋ 52,890		
			乳　　児					
	11人から20人まで	2号	4歳以上児	＋ 2,810	＋ 20×加算率	＋ 31,010	29,180	＋ 230×加算率
			3　歳　児					
		3号	1、2歳児			＋ 29,180		
			乳　　児					
	21人から30人まで	2号	4歳以上児	＋ 2,810	＋ 20×加算率	＋ 23,110	21,280	＋ 150×加算率
			3　歳　児					
		3号	1、2歳児			＋ 21,280		
			乳　　児					
	31人から40人まで	2号	4歳以上児	＋ 2,810	＋ 20×加算率	＋ 19,160	17,330	＋ 110×加算率
			3　歳　児					
		3号	1、2歳児			＋ 17,330		
			乳　　児					
	41人から50人まで	2号	4歳以上児	＋ 2,810	＋ 20×加算率	＋ 16,790	14,960	＋ 90×加算率
			3　歳　児					
		3号	1、2歳児			＋ 14,960		
			乳　　児					
	51人から60人まで	2号	4歳以上児	＋ 2,810	＋ 20×加算率	＋ 15,210	13,380	＋ 70×加算率
			3　歳　児					
		3号	1、2歳児			＋ 13,380		
			乳　　児					
	61人から70人まで	2号	4歳以上児	＋ 2,810	＋ 20×加算率	＋ 14,080	12,250	＋ 60×加算率
			3　歳　児					
		3号	1、2歳児			＋ 12,250		
			乳　　児					
	71人から80人まで	2号	4歳以上児	＋ 2,810	＋ 20×加算率	＋ 13,230	11,400	＋ 50×加算率
			3　歳　児					
		3号	1、2歳児			＋ 11,400		
			乳　　児					
	81人から90人まで	2号	4歳以上児	＋ 2,810	＋ 20×加算率	＋ 12,570	10,740	＋ 50×加算率
			3　歳　児					
		3号	1、2歳児			＋ 10,740		
			乳　　児					
	91人から100人まで	2号	4歳以上児	＋ 2,810	＋ 20×加算率			
			3　歳　児					
		3号	1、2歳児					
			乳　　児					
	101人から110人まで	2号	4歳以上児	＋ 2,810	＋ 20×加算率			
			3　歳　児					
		3号	1、2歳児					
			乳　　児					
	111人から120人まで	2号	4歳以上児	＋ 2,810	＋ 20×加算率			
			3　歳　児					
		3号	1、2歳児					
			乳　　児					
	121人から130人まで	2号	4歳以上児	＋ 2,810	＋ 20×加算率			
			3　歳　児					
		3号	1、2歳児					
			乳　　児					
	131人から140人まで	2号	4歳以上児	＋ 2,810	＋ 20×加算率			
			3　歳　児					
		3号	1、2歳児					
			乳　　児					
	141人から150人まで	2号	4歳以上児	＋ 2,810	＋ 20×加算率			
			3　歳　児					
		3号	1、2歳児					
			乳　　児					
	151人から160人まで	2号	4歳以上児	＋ 2,810	＋ 20×加算率			
			3　歳　児					
		3号	1、2歳児					
			乳　　児					
	161人から170人まで	2号	4歳以上児	＋ 2,810	＋ 20×加算率			
			3　歳　児					
		3号	1、2歳児					
			乳　　児					
	171人以上	2号	4歳以上児	＋ 2,810	＋ 20×加算率			
			3　歳　児					
		3号	1、2歳児					
			乳　　児					

⑩ 休日保育加算（全定員区分共通）

＋｛休日保育の年間延べ利用子ども数 ＋ 処遇改善等加算Ⅰ｝÷ 各月初日の利用子ども数

休日保育の年間延べ利用子ども数	休日保育加算	処遇改善等加算Ⅰ（休日保育の年間延べ利用子ども数）	処遇改善等加算Ⅰ
～ 210人	244,700	～ 210人	2,440×加算率
211人～ 279人	261,900	211人～ 279人	2,610×加算率
280人～ 349人	296,300	280人～ 349人	2,960×加算率
350人～ 419人	330,700	350人～ 419人	3,300×加算率
420人～ 489人	365,100	420人～ 489人	3,650×加算率
490人～ 559人	399,500	490人～ 559人	3,990×加算率
560人～ 629人	433,900	560人～ 629人	4,330×加算率
630人～ 699人	468,400	630人～ 699人	4,680×加算率
700人～ 769人	502,800	700人～ 769人	5,020×加算率
770人～ 839人	537,200	770人～ 839人	5,370×加算率
840人～ 909人	571,600	840人～ 909人	5,710×加算率
910人～ 979人	606,000	910人～ 979人	6,060×加算率
980人～1,049人	640,400	980人～1,049人	6,400×加算率
1,050人～	674,900	1,050人～	6,740×加算率

地域区分 ①	定員区分 ②	認定区分 ③	年齢区分 ④	チーム保育加配加算 ※1号・2号の利用定員合計に応じて2号利用子どもの単価に加算	処遇改善等加算Ⅰ ⑫	減価償却費加算 加算額 認可施設 標準 ⑬	認可施設 都市部	機能部分 標準	機能部分 都市部	賃借料加算	加算額 認可施設 標準 ⑭	認可施設 都市部	機能部分 標準	機能部分 都市部	外部監査費加算 ⑮
その他地域	10人まで	2号	4歳以上児	～ 15人 29,020×加配人数 +	290×加算率×加配人数 +	17,100	18,800	11,900	11,900 +	a地域	31,600	35,200	22,100	22,100	
			3歳児							b地域	17,400	19,400	12,200	12,200	
		3号	1、2歳児							c地域	15,200	16,900	10,600	10,600	
			乳児							d地域	13,600	15,100	9,500	9,500	
	11人から20人まで	2号	4歳以上児	16人～ 25人 17,410×加配人数 +	170×加算率×加配人数 +	8,500	9,400	5,900	5,900 +	a地域	15,800	17,600	11,000	11,000	
			3歳児							b地域	8,700	9,700	6,100	6,100	
		3号	1、2歳児							c地域	7,600	8,400	5,300	5,300	
			乳児							d地域	6,800	7,500	4,700	4,700	
	21人から30人まで	2号	4歳以上児	26人～ 35人 12,440×加配人数 +	120×加算率×加配人数 +	5,900	6,500	4,100	4,100 +	a地域	10,900	12,200	7,600	7,600	
			3歳児							b地域	6,000	6,700	4,200	4,200	認定こども園全体の利用定員
		3号	1、2歳児							c地域	5,200	5,800	3,600	3,600	
			乳児							d地域	4,700	5,200	3,300	3,300	
	31人から40人まで	2号	4歳以上児	36人～ 45人 9,670×加配人数 +	90×加算率×加配人数 +	5,200	5,700	3,600	3,600 +	a地域	9,800	10,900	6,800	6,800	～ 15人
			3歳児							b地域	5,400	6,000	3,700	3,700	27,330
		3号	1、2歳児							c地域	4,700	5,200	3,300	3,300	
			乳児							d地域	4,200	4,600	2,900	2,900	16人～ 25人
	41人から50人まで	2号	4歳以上児	46人～ 60人 7,250×加配人数 +	70×加算率×加配人数 +	4,700	5,200	3,300	3,300 +	a地域	8,800	9,800	6,100	6,100	16,800
			3歳児							b地域	4,800	5,400	3,400	3,400	
		3号	1、2歳児							c地域	4,200	4,700	2,900	2,900	26人～ 35人
			乳児							d地域	3,800	4,200	2,600	2,600	12,280
	51人から60人まで	2号	4歳以上児	61人～ 75人 5,800×加配人数 +	50×加算率×加配人数 +	3,900	4,300	2,700	2,700 +	a地域	7,200	8,100	5,100	5,100	
			3歳児							b地域	4,000	4,400	2,800	2,800	36人～ 45人
		3号	1、2歳児							c地域	3,500	3,800	2,400	2,400	9,770
			乳児							d地域	3,100	3,400	2,100	2,100	
	61人から70人まで	2号	4歳以上児	76人～ 90人 4,830×加配人数 +	40×加算率×加配人数 +	3,300	3,700	2,300	2,300 +	a地域	6,300	7,100	4,400	4,400	46人～ 60人
			3歳児							b地域	3,500	3,900	2,400	2,400	7,500
		3号	1、2歳児							c地域	3,000	3,400	2,100	2,100	
			乳児							d地域	2,700	3,000	1,900	1,900	61人～ 75人
	71人から80人まで	2号	4歳以上児	91人～ 105人 4,140×加配人数 +	40×加算率×加配人数 +	3,800	4,200	2,700	2,700 +	a地域	7,100	7,900	4,900	4,900	6,130
			3歳児							b地域	3,900	4,300	2,700	2,700	
		3号	1、2歳児							c地域	3,400	3,800	2,300	2,300	76人～ 90人
			乳児							d地域	3,000	3,400	2,100	2,100	5,220
	81人から90人まで	2号	4歳以上児	106人～ 120人 3,620×加配人数 +	30×加算率×加配人数 +	3,400	3,700	2,400	2,400 +	a地域	6,300	7,100	4,400	4,400	
			3歳児							b地域	3,500	3,900	2,400	2,400	91人～ 105人
		3号	1、2歳児							c地域	3,000	3,400	2,100	2,100	4,660
			乳児 +							d地域	2,700	3,000	1,900	1,900 +	
	91人から100人まで	2号	4歳以上児	121人～ 135人 3,220×加配人数 +	30×加算率×加配人数 +	3,000	3,400	2,100	2,100 +	a地域	5,500	6,200	3,900	3,900	106人～ 120人
			3歳児							b地域	3,000	3,400	2,100	2,100	4,250
		3号	1、2歳児							c地域	2,600	2,900	1,800	1,800	
			乳児							d地域	2,400	2,600	1,600	1,600	121人～ 135人
	101人から110人まで	2号	4歳以上児	136人～ 150人 2,900×加配人数 +	20×加算率×加配人数 +	3,300	3,700	2,300	2,300 +	a地域	6,100	6,800	4,200	4,200	3,920
			3歳児							b地域	3,300	3,700	2,300	2,300	
		3号	1、2歳児							c地域	2,900	3,200	2,000	2,000	136人～ 150人
			乳児							d地域	2,600	2,900	1,800	1,800	3,660
	111人から120人まで	2号	4歳以上児	151人～ 180人 2,410×加配人数 +	20×加算率×加配人数 +	3,000	3,400	2,100	2,100 +	a地域	5,500	6,200	3,900	3,900	
			3歳児							b地域	3,000	3,400	2,100	2,100	151人～ 180人
		3号	1、2歳児							c地域	2,600	2,900	1,800	1,800	3,160
			乳児							d地域	2,400	2,600	1,600	1,600	
	121人から130人まで	2号	4歳以上児	181人～ 210人 2,070×加配人数 +	20×加算率×加配人数 +	2,800	3,100	2,000	2,000 +	a地域	5,100	5,700	3,500	3,500	181人～ 210人
			3歳児							b地域	2,800	3,100	1,900	1,900	2,810
		3号	1、2歳児							c地域	2,400	2,700	1,700	1,700	
			乳児							d地域	2,200	2,400	1,500	1,500	211人～ 240人
	131人から140人まで	2号	4歳以上児	211人～ 240人 1,810×加配人数 +	10×加算率×加配人数 +	3,000	3,300	2,100	2,100 +	a地域	5,500	6,200	3,900	3,900	2,540
			3歳児							b地域	3,000	3,400	2,100	2,100	
		3号	1、2歳児							c地域	2,600	2,900	1,800	1,800	241人～ 270人
			乳児							d地域	2,400	2,600	1,600	1,600	2,440
	141人から150人まで	2号	4歳以上児	241人～ 270人 1,610×加配人数 +	10×加算率×加配人数 +	2,800	3,100	2,000	2,000 +	a地域	5,400	6,000	3,700	3,700	
			3歳児							b地域	2,900	3,300	2,000	2,000	271人～ 300人
		3号	1、2歳児							c地域	2,500	2,800	1,800	1,800	2,360
			乳児							d地域	2,300	2,500	1,600	1,600	
	151人から160人まで	2号	4歳以上児	271人～ 300人 1,450×加配人数 +	10×加算率×加配人数 +	2,600	2,900	1,800	1,800 +	a地域	4,800	5,400	3,400	3,400	301人～
			3歳児							b地域	2,600	2,900	1,800	1,800	2,150
		3号	1、2歳児							c地域	2,300	2,500	1,600	1,600	
			乳児							d地域	2,000	2,300	1,400	1,400	
	161人から170人まで	2号	4歳以上児	301人～ 1,310×加配人数 +	10×加算率×加配人数 +	2,800	3,100	2,000	2,000 +	a地域	5,400	6,000	3,700	3,700	※3月分の単価に加算
			3歳児							b地域	2,900	3,300	2,000	2,000	
		3号	1、2歳児							c地域	2,500	2,800	1,800	1,800	
			乳児							d地域	2,300	2,500	1,600	1,600	
	171人以上	2号	4歳以上児		+	2,700	2,900	1,900	1,900 +	a地域	4,800	5,400	3,400	3,400	
			3歳児							b地域	2,600	2,900	1,800	1,800	
		3号	1、2歳児							c地域	2,300	2,500	1,600	1,600	
			乳児							d地域	2,000	2,300	1,400	1,400	

地域区分 ①	定員区分 ②	認定区分 ③	年齢区分 ④	副食費徴収免除加算 ※副食費の徴収が免除される子どもの単価に加算 ⑯	1号認定こどもの利用定員を設定しない場合 ⑰	処遇改善等加算Ⅰ	分園の場合 ⑱	土曜日に閉所する場合 月に1日土曜日を閉所する場合 ⑲	月に2日土曜日を閉所する場合	月に3日以上土曜日を閉所する場合	全ての土曜日を閉所する場合
その他地域	10人まで	2号	4歳以上児 3歳児	+ 4,800	+ 21,390	+ 210×加算率	− (⑥+⑦) × 10/100	− (⑥+⑦+⑧+⑨+⑪) × 1/100	(⑥+⑦+⑧+⑨+⑪) × 3/100	(⑥+⑦+⑧+⑨+⑪) × 4/100	(⑥+⑦+⑧+⑨+⑪) × 5/100
		3号	1、2歳児 乳児								
	11人から20人まで	2号	4歳以上児 3歳児	+ 4,800	+ 10,690	+ 100×加算率		− (⑥+⑦+⑧+⑨+⑪) × 1/100	(⑥+⑦+⑧+⑨+⑪) × 3/100	(⑥+⑦+⑧+⑨+⑪) × 4/100	(⑥+⑦+⑧+⑨+⑪) × 5/100
		3号	1、2歳児 乳児								
	21人から30人まで	2号	4歳以上児 3歳児	+ 4,800	+ 7,130	+ 70×加算率		− (⑥+⑦+⑧+⑨+⑪) × 2/100	(⑥+⑦+⑧+⑨+⑪) × 3/100	(⑥+⑦+⑧+⑨+⑪) × 4/100	(⑥+⑦+⑧+⑨+⑪) × 6/100
		3号	1、2歳児 乳児								
	31人から40人まで	2号	4歳以上児 3歳児	+ 4,800	+ 5,350	+ 50×加算率		− (⑥+⑦+⑧+⑨+⑪) × 2/100	(⑥+⑦+⑧+⑨+⑪) × 3/100	(⑥+⑦+⑧+⑨+⑪) × 4/100	(⑥+⑦+⑧+⑨+⑪) × 5/100
		3号	1、2歳児 乳児								
	41人から50人まで	2号	4歳以上児 3歳児	+ 4,800	+ 4,280	+ 40×加算率		− (⑥+⑦+⑧+⑨+⑪) × 2/100	(⑥+⑦+⑧+⑨+⑪) × 3/100	(⑥+⑦+⑧+⑨+⑪) × 5/100	(⑥+⑦+⑧+⑨+⑪) × 6/100
		3号	1、2歳児 乳児								
	51人から60人まで	2号	4歳以上児 3歳児	+ 4,800	+ 3,560	+ 30×加算率		− (⑥+⑦+⑧+⑨+⑪) × 2/100	(⑥+⑦+⑧+⑨+⑪) × 3/100	(⑥+⑦+⑧+⑨+⑪) × 5/100	(⑥+⑦+⑧+⑨+⑪) × 6/100
		3号	1、2歳児 乳児								
	61人から70人まで	2号	4歳以上児 3歳児	+ 4,800	+ 3,060	+ 30×加算率		− (⑥+⑦+⑧+⑨+⑪) × 2/100	(⑥+⑦+⑧+⑨+⑪) × 3/100	(⑥+⑦+⑧+⑨+⑪) × 5/100	(⑥+⑦+⑧+⑨+⑪) × 6/100
		3号	1、2歳児 乳児								
	71人から80人まで	2号	4歳以上児 3歳児	+ 4,800	+ 2,670	+ 20×加算率		− (⑥+⑦+⑧+⑨+⑪) × 2/100	(⑥+⑦+⑧+⑨+⑪) × 3/100	(⑥+⑦+⑧+⑨+⑪) × 5/100	(⑥+⑦+⑧+⑨+⑪) × 6/100
		3号	1、2歳児 乳児								
	81人から90人まで	2号	4歳以上児 3歳児	+ 4,800	+ 2,370	+ 20×加算率		− (⑥+⑦+⑧+⑨+⑪) × 2/100	(⑥+⑦+⑧+⑨+⑪) × 3/100	(⑥+⑦+⑧+⑨+⑪) × 5/100	(⑥+⑦+⑧+⑨+⑪) × 6/100
		3号	1、2歳児 乳児								
	91人から100人まで	2号	4歳以上児 3歳児	+ 4,800	+ 2,140	+ 20×加算率		− (⑥+⑦+⑧+⑨+⑪) × 2/100	(⑥+⑦+⑧+⑨+⑪) × 3/100	(⑥+⑦+⑧+⑨+⑪) × 5/100	(⑥+⑦+⑧+⑨+⑪) × 7/100
		3号	1、2歳児 乳児								
	101人から110人まで	2号	4歳以上児 3歳児	+ 4,800	+ 1,940	+ 10×加算率		− (⑥+⑦+⑧+⑨+⑪) × 2/100	(⑥+⑦+⑧+⑨+⑪) × 3/100	(⑥+⑦+⑧+⑨+⑪) × 5/100	(⑥+⑦+⑧+⑨+⑪) × 7/100
		3号	1、2歳児 乳児								
	111人から120人まで	2号	4歳以上児 3歳児	+ 4,800	+ 1,780	+ 10×加算率		− (⑥+⑦+⑧+⑨+⑪) × 2/100	(⑥+⑦+⑧+⑨+⑪) × 3/100	(⑥+⑦+⑧+⑨+⑪) × 5/100	(⑥+⑦+⑧+⑨+⑪) × 7/100
		3号	1、2歳児 乳児								
	121人から130人まで	2号	4歳以上児 3歳児	+ 4,800	+ 1,640	+ 10×加算率		− (⑥+⑦+⑧+⑨+⑪) × 2/100	(⑥+⑦+⑧+⑨+⑪) × 3/100	(⑥+⑦+⑧+⑨+⑪) × 5/100	(⑥+⑦+⑧+⑨+⑪) × 7/100
		3号	1、2歳児 乳児								
	131人から140人まで	2号	4歳以上児 3歳児	+ 4,800	+ 1,530	+ 10×加算率		− (⑥+⑦+⑧+⑨+⑪) × 2/100	(⑥+⑦+⑧+⑨+⑪) × 3/100	(⑥+⑦+⑧+⑨+⑪) × 5/100	(⑥+⑦+⑧+⑨+⑪) × 7/100
		3号	1、2歳児 乳児								
	141人から150人まで	2号	4歳以上児 3歳児	+ 4,800	+ 1,420	+ 10×加算率		− (⑥+⑦+⑧+⑨+⑪) × 2/100	(⑥+⑦+⑧+⑨+⑪) × 3/100	(⑥+⑦+⑧+⑨+⑪) × 5/100	(⑥+⑦+⑧+⑨+⑪) × 7/100
		3号	1、2歳児 乳児								
	151人から160人まで	2号	4歳以上児 3歳児	+ 4,800	+ 1,340	+ 10×加算率		− (⑥+⑦+⑧+⑨+⑪) × 2/100	(⑥+⑦+⑧+⑨+⑪) × 3/100	(⑥+⑦+⑧+⑨+⑪) × 5/100	(⑥+⑦+⑧+⑨+⑪) × 7/100
		3号	1、2歳児 乳児								
	161人から170人まで	2号	4歳以上児 3歳児	+ 4,800	+ 1,260	+ 10×加算率		− (⑥+⑦+⑧+⑨+⑪) × 2/100	(⑥+⑦+⑧+⑨+⑪) × 3/100	(⑥+⑦+⑧+⑨+⑪) × 5/100	(⑥+⑦+⑧+⑨+⑪) × 7/100
		3号	1、2歳児 乳児								
	171人以上	2号	4歳以上児 3歳児	+ 4,800	+ 1,190	+ 10×加算率		− (⑥+⑦+⑧+⑨+⑪) × 2/100	(⑥+⑦+⑧+⑨+⑪) × 3/100	(⑥+⑦+⑧+⑨+⑪) × 5/100	(⑥+⑦+⑧+⑨+⑪) × 7/100
		3号	1、2歳児 乳児								

地域区分 ①	定員区分 ②	認定区分 ③	年齢区分 ④	主幹教諭等の専任化により子育て支援の取り組みを実施していない場合 ⑳	年齢別配置基準を下回る場合 ㉑	配置基準上求められる職員資格を有しない場合 ㉒	定員を恒常的に超過する場合 ㉓
その他地域	10人まで	2号 3号	4歳以上児 3 歳 児 1、2歳児 乳 児	－(13,290 +130×加算率)	－(42,270 +420×加算率) ×人数	－(25,520 +250×加算率) ×人数	(⑥～㉒（⑯を除く。）) ×別に定める調整率
	11人から20人まで	2号 3号	4歳以上児 3 歳 児 1、2歳児 乳 児	－(6,640 +60×加算率)	－(21,130 +210×加算率) ×人数	－(12,760 +120×加算率) ×人数	
	21人から30人まで	2号 3号	4歳以上児 3 歳 児 1、2歳児 乳 児	－(4,430 +40×加算率)	－(14,090 +140×加算率) ×人数	－(8,500 +80×加算率) ×人数	
	31人から40人まで	2号 3号	4歳以上児 3 歳 児 1、2歳児 乳 児	－(3,320 +30×加算率)	－(10,560 +100×加算率) ×人数	－(6,380 +60×加算率) ×人数	
	41人から50人まで	2号 3号	4歳以上児 3 歳 児 1、2歳児 乳 児	－(2,650 +20×加算率)	－(8,450 +80×加算率) ×人数	－(5,100 +50×加算率) ×人数	
	51人から60人まで	2号 3号	4歳以上児 3 歳 児 1、2歳児 乳 児	－(2,210 +20×加算率)	－(7,040 +70×加算率) ×人数	－(4,250 +40×加算率) ×人数	
	61人から70人まで	2号 3号	4歳以上児 3 歳 児 1、2歳児 乳 児	－(1,890 +10×加算率)	－(6,030 +60×加算率) ×人数	－(3,640 +30×加算率) ×人数	
	71人から80人まで	2号 3号	4歳以上児 3 歳 児 1、2歳児 乳 児	－(1,660 +10×加算率)	－(5,280 +50×加算率) ×人数	－(3,190 +30×加算率) ×人数	
	81人から90人まで	2号 3号	4歳以上児 3 歳 児 1、2歳児 乳 児	－(1,470 +10×加算率)	－(4,690 +40×加算率) ×人数	－(2,830 +20×加算率) ×人数	
	91人から100人まで	2号 3号	4歳以上児 3 歳 児 1、2歳児 乳 児	－(1,330 +10×加算率)	－(4,220 +40×加算率) ×人数	－(2,550 +20×加算率) ×人数	
	101人から110人まで	2号 3号	4歳以上児 3 歳 児 1、2歳児 乳 児	－(1,200 +10×加算率)	－(3,840 +30×加算率) ×人数	－(2,320 +20×加算率) ×人数	
	111人から120人まで	2号 3号	4歳以上児 3 歳 児 1、2歳児 乳 児	－(1,100 +10×加算率)	－(3,520 +30×加算率) ×人数	－(2,120 +20×加算率) ×人数	
	121人から130人まで	2号 3号	4歳以上児 3 歳 児 1、2歳児 乳 児	－(1,020 +10×加算率)	－(3,250 +30×加算率) ×人数	－(1,960 +20×加算率) ×人数	
	131人から140人まで	2号 3号	4歳以上児 3 歳 児 1、2歳児 乳 児	－(950 +10×加算率)	－(3,010 +30×加算率) ×人数	－(1,820 +10×加算率) ×人数	
	141人から150人まで	2号 3号	4歳以上児 3 歳 児 1、2歳児 乳 児	－(880 +9×加算率)	－(2,810 +20×加算率) ×人数	－(1,700 +10×加算率) ×人数	
	151人から160人まで	2号 3号	4歳以上児 3 歳 児 1、2歳児 乳 児	－(830 +8×加算率)	－(2,640 +20×加算率) ×人数	－(1,590 +10×加算率) ×人数	
	161人から170人まで	2号 3号	4歳以上児 3 歳 児 1、2歳児 乳 児	－(780 +8×加算率)	－(2,480 +20×加算率) ×人数	－(1,500 +10×加算率) ×人数	
	171人以上	2号 3号	4歳以上児 3 歳 児 1、2歳児 乳 児	－(730 +7×加算率)	－(2,340 +20×加算率) ×人数	－(1,410 +10×加算率) ×人数	

加算部分２

療育支援加算(注２) ㉔	A	基本額　処遇改善等加算Ⅰ （　26,010 ＋　260×加算率　） ÷各月初日の利用子ども数	※以下の区分に応じて、各月初日の利用子どもの単価に加算 Ａ：特別児童扶養手当支給対象児童受入施設 Ｂ：それ以外の障害児受入施設
	B	基本額　処遇改善等加算Ⅰ （　17,340 ＋　170×加算率　） ÷各月初日の利用子ども数	

処遇改善等加算Ⅱ(注２) ㉕	以下の加算を合算した額を各月初日の利用子ども数で除した額 ・処遇改善等加算Ⅱ－①　50,300 × 人数Ａ × 1/2 ・処遇改善等加算Ⅱ－②　6,290 × 人数Ｂ × 1/2	※１　各月初日の利用子どもの単価に加算 ※２　人数Ａ及び人数Ｂについては、別に定める

処遇改善等加算Ⅲ(注２) ㉖	11,320　×　加算Ⅲ算定対象人数　×　1/2 ÷各月初日の利用子ども数	※１　各月初日の利用子どもの単価に加算 ※２　加算Ⅲ算定対象人数については、別に定める

冷暖房費加算 ㉗	１　級　地	1,900	４　級　地	1,320	※以下の区分に応じて、各月の単価に加算 １級地から４級地：国家公務員の寒冷地手当に関する法律（昭和２４年法律第２００号）第１条第１号及び第２号に掲げる地域 その他地域：１級地から４級地以外の地域
	２　級　地	1,690	その他地域	120	
	３　級　地	1,670			

施設関係者評価加算(注２) ㉘	A	155,310÷３月初日の利用子ども数	※以下の区分に応じて、３月初日の利用子どもの単価に加算 A:公開保育の取組と組み合わせて施設関係者評価を実施する施設 B:それ以外の施設
	B	30,260÷３月初日の利用子ども数	

除雪費加算 ㉙	6,270	※３月初日の利用子どもの単価に加算

降灰除去費加算(注２) ㉚	81,230÷３月初日の利用子ども数	※３月初日の利用子どもの単価に加算

高齢者等活躍促進加算 ㉛	400時間以上 800時間未満	476,000 ÷３月初日の利用子ども数	※加算額は、高齢者等の年間総雇用時間数を基に区分 ※３月初日の利用子どもの単価に加算
	800時間以上1200時間未満	793,000 ÷３月初日の利用子ども数	
	1200時間以上	1,111,000 ÷３月初日の利用子ども数	

施設機能強化推進費加算(注２) ㉜	80,000（限度額）÷３月初日の利用子ども数	※３月初日の利用子どもの単価に加算

小学校接続加算(注２) ㉝	要件Ⅰ～Ⅱを満たす場合	20,190÷３月初日の利用子ども数	※３月初日の利用子どもの単価に加算
	要件Ⅰ～Ⅲを満たす場合	158,570÷３月初日の利用子ども数	

栄養管理加算 ㉞	A	基本額　処遇改善等加算Ⅰ （　79,950　＋　790×加算率　） ÷各月初日の利用子ども数	※以下の区分に応じて、各月初日の利用子どもの単価に加算 Ａ：Bを除き栄養士を雇用契約等により配置している施設 Ｂ：基本分単価及び他の加算の認定に当たって求められる職員が栄養士を兼務している施設 Ｃ：A又はBを除き、栄養士を嘱託等している施設
	B	基本額　処遇改善等加算Ⅰ （　50,000　＋　500×加算率　） ÷各月初日の利用子ども数	
	C	基本額 10,000 ÷各月初日の利用子ども数	

第三者評価受審加算(注２) ㉟	75,000÷３月初日の利用子ども数	※３月初日の利用子どもの単価に加算

（注）年度の初日の前日における満年齢に応じて月額を調整

（注２）１号認定こどもの利用定員を設定しない場合の調整を受ける場合、それぞれの額に「２」を乗じて算定

定員を恒常的に超過する場合に係る別に定める調整率 認定こども園（保育認定）

地域区分	定員区分	認定区分	年齢区分	利用子ども数																	
				10人まで	11人から20人まで	21人から30人まで	31人から40人まで	41人から50人まで	51人から60人まで	61人から70人まで	71人から80人まで	81人から90人まで	91人から100人まで	101人から110人まで	111人から120人まで	121人から130人まで	131人から140人まで	141人から150人まで	151人から160人まで	161人から170人まで	171人以上
20/100地域	10人まで	2号 3号	4歳以上児 3歳児 1、2歳児 乳児		61/100	46/100	42/100	40/100	37/100	35/100	33/100	32/100	29/100	29/100	28/100	27/100	27/100	27/100	26/100	26/100	26/100
	11人から20人まで	2号 3号	4歳以上児 3歳児 1、2歳児 乳児			79/100	69/100	66/100	61/100	57/100	54/100	52/100	48/100	47/100	46/100	45/100	44/100	44/100	43/100	43/100	42/100
	21人から30人まで	2号 3号	4歳以上児 3歳児 1、2歳児 乳児				87/100	84/100	77/100	72/100	69/100	66/100	61/100	59/100	58/100	57/100	56/100	55/100	55/100	54/100	54/100
	31人から40人まで	2号 3号	4歳以上児 3歳児 1、2歳児 乳児					96/100	88/100	83/100	79/100	76/100	70/100	68/100	67/100	66/100	64/100	64/100	63/100	62/100	62/100
	41人から50人まで	2号 3号	4歳以上児 3歳児 1、2歳児 乳児						92/100	86/100	82/100	79/100	73/100	71/100	70/100	68/100	67/100	66/100	66/100	65/100	64/100
	51人から60人まで	2号 3号	4歳以上児 3歳児 1、2歳児 乳児							94/100	89/100	86/100	79/100	77/100	76/100	74/100	73/100	72/100	71/100	71/100	70/100
	61人から70人まで	2号 3号	4歳以上児 3歳児 1、2歳児 乳児								95/100	91/100	84/100	82/100	81/100	79/100	77/100	77/100	76/100	75/100	74/100
	71人から80人まで	2号 3号	4歳以上児 3歳児 1、2歳児 乳児									96/100	88/100	87/100	85/100	83/100	81/100	81/100	80/100	79/100	78/100
	81人から90人まで	2号 3号	4歳以上児 3歳児 1、2歳児 乳児										92/100	90/100	88/100	87/100	85/100	84/100	83/100	82/100	82/100
	91人から100人まで	2号 3号	4歳以上児 3歳児 1、2歳児 乳児											98/100	96/100	94/100	92/100	91/100	90/100	89/100	89/100
	101人から110人まで	2号 3号	4歳以上児 3歳児 1、2歳児 乳児												98/100	96/100	94/100	93/100	92/100	91/100	90/100
	111人から120人まで	2号 3号	4歳以上児 3歳児 1、2歳児 乳児													98/100	96/100	95/100	94/100	93/100	92/100
	121人から130人まで	2号 3号	4歳以上児 3歳児 1、2歳児 乳児														98/100	97/100	96/100	95/100	94/100
	131人から140人まで	2号 3号	4歳以上児 3歳児 1、2歳児 乳児															99/100	98/100	97/100	96/100
	141人から150人まで	2号 3号	4歳以上児 3歳児 1、2歳児 乳児																99/100	98/100	97/100
	151人から160人まで	2号 3号	4歳以上児 3歳児 1、2歳児 乳児																	99/100	98/100
	161人から170人まで	2号 3号	4歳以上児 3歳児 1、2歳児 乳児																		99/100
	171人以上	2号 3号	4歳以上児 3歳児 1、2歳児 乳児																		

地域区分	定員区分	認定区分	年齢区分	利用子ども数 10人まで	11人から20人まで	21人から30人まで	31人から40人まで	41人から50人まで	51人から60人まで	61人から70人まで	71人から80人まで	81人から90人まで	91人から100人まで	101人から110人まで	111人から120人まで	121人から130人まで	131人から140人まで	141人から150人まで	151人から160人まで	161人から170人まで	171人以上
16/100地域	10人まで	2号 3号	4歳以上児 3歳児 1、2歳児 乳児		61/100	48/100	42/100	40/100	37/100	35/100	33/100	32/100	30/100	29/100	28/100	28/100	27/100	27/100	27/100	26/100	26/100
	11人から20人まで	2号 3号	4歳以上児 3歳児 1、2歳児 乳児			79/100	69/100	66/100	61/100	57/100	54/100	52/100	48/100	47/100	46/100	46/100	45/100	44/100	44/100	43/100	43/100
	21人から30人まで	2号 3号	4歳以上児 3歳児 1、2歳児 乳児				87/100	84/100	77/100	72/100	69/100	66/100	61/100	60/100	59/100	58/100	57/100	56/100	55/100	55/100	54/100
	31人から40人まで	2号 3号	4歳以上児 3歳児 1、2歳児 乳児					96/100	88/100	83/100	79/100	76/100	70/100	69/100	68/100	66/100	65/100	64/100	64/100	63/100	62/100
	41人から50人まで	2号 3号	4歳以上児 3歳児 1、2歳児 乳児						92/100	86/100	82/100	79/100	73/100	72/100	70/100	69/100	68/100	67/100	66/100	66/100	65/100
	51人から60人まで	2号 3号	4歳以上児 3歳児 1、2歳児 乳児							94/100	89/100	86/100	80/100	78/100	77/100	75/100	74/100	73/100	72/100	71/100	71/100
	61人から70人まで	2号 3号	4歳以上児 3歳児 1、2歳児 乳児								95/100	91/100	85/100	83/100	81/100	80/100	78/100	77/100	77/100	76/100	75/100
	71人から80人まで	2号 3号	4歳以上児 3歳児 1、2歳児 乳児									96/100	89/100	87/100	86/100	84/100	82/100	82/100	81/100	80/100	79/100
	81人から90人まで	2号 3号	4歳以上児 3歳児 1、2歳児 乳児										93/100	91/100	89/100	88/100	86/100	85/100	84/100	83/100	82/100
	91人から100人まで	2号 3号	4歳以上児 3歳児 1、2歳児 乳児											98/100	96/100	94/100	92/100	91/100	90/100	89/100	89/100
	101人から110人まで	2号 3号	4歳以上児 3歳児 1、2歳児 乳児												98/100	96/100	94/100	93/100	92/100	91/100	90/100
	111人から120人まで	2号 3号	4歳以上児 3歳児 1、2歳児 乳児													98/100	96/100	95/100	94/100	93/100	92/100
	121人から130人まで	2号 3号	4歳以上児 3歳児 1、2歳児 乳児														98/100	97/100	96/100	95/100	94/100
	131人から140人まで	2号 3号	4歳以上児 3歳児 1、2歳児 乳児															99/100	98/100	97/100	96/100
	141人から150人まで	2号 3号	4歳以上児 3歳児 1、2歳児 乳児																99/100	98/100	97/100
	151人から160人まで	2号 3号	4歳以上児 3歳児 1、2歳児 乳児																	99/100	98/100
	161人から170人まで	2号 3号	4歳以上児 3歳児 1、2歳児 乳児																		99/100
	171人以上	2号 3号	4歳以上児 3歳児 1、2歳児 乳児																		

地域区分	定員区分	認定区分	年齢区分	利用子ども数																	
				10人まで	11人から20人まで	21人から30人まで	31人から40人まで	41人から50人まで	51人から60人まで	61人から70人まで	71人から80人まで	81人から90人まで	91人から100人まで	101人から110人まで	111人から120人まで	121人から130人まで	131人から140人まで	141人から150人まで	151人から160人まで	161人から170人まで	171人以上
15/100地域	10人まで	2号 3号	4歳以上児 3　歳　児 1、2歳児 乳　　児		61/100	48/100	42/100	40/100	37/100	35/100	33/100	32/100	30/100	29/100	28/100	28/100	27/100	27/100	27/100	26/100	26/100
	11人から20人まで	2号 3号	4歳以上児 3　歳　児 1、2歳児 乳　　児			79/100	69/100	66/100	61/100	57/100	54/100	52/100	48/100	47/100	46/100	46/100	45/100	44/100	44/100	43/100	43/100
	21人から30人まで	2号 3号	4歳以上児 3　歳　児 1、2歳児 乳　　児				87/100	84/100	77/100	72/100	69/100	66/100	61/100	60/100	59/100	58/100	57/100	56/100	55/100	55/100	54/100
	31人から40人まで	2号 3号	4歳以上児 3　歳　児 1、2歳児 乳　　児					96/100	88/100	83/100	79/100	76/100	70/100	69/100	68/100	66/100	65/100	64/100	64/100	63/100	62/100
	41人から50人まで	2号 3号	4歳以上児 3　歳　児 1、2歳児 乳　　児						92/100	86/100	82/100	79/100	73/100	72/100	70/100	69/100	68/100	67/100	66/100	66/100	65/100
	51人から60人まで	2号 3号	4歳以上児 3　歳　児 1、2歳児 乳　　児							94/100	89/100	86/100	80/100	78/100	77/100	75/100	74/100	73/100	72/100	71/100	71/100
	61人から70人まで	2号 3号	4歳以上児 3　歳　児 1、2歳児 乳　　児								95/100	91/100	85/100	83/100	81/100	80/100	78/100	77/100	77/100	76/100	75/100
	71人から80人まで	2号 3号	4歳以上児 3　歳　児 1、2歳児 乳　　児									96/100	89/100	87/100	86/100	84/100	82/100	82/100	81/100	80/100	79/100
	81人から90人まで	2号 3号	4歳以上児 3　歳　児 1、2歳児 乳　　児										93/100	91/100	89/100	88/100	86/100	85/100	84/100	83/100	82/100
	91人から100人まで	2号 3号	4歳以上児 3　歳　児 1、2歳児 乳　　児											98/100	96/100	94/100	92/100	91/100	90/100	89/100	89/100
	101人から110人まで	2号 3号	4歳以上児 3　歳　児 1、2歳児 乳　　児												98/100	96/100	94/100	93/100	92/100	91/100	90/100
	111人から120人まで	2号 3号	4歳以上児 3　歳　児 1、2歳児 乳　　児													98/100	96/100	95/100	94/100	93/100	92/100
	121人から130人まで	2号 3号	4歳以上児 3　歳　児 1、2歳児 乳　　児														98/100	97/100	96/100	95/100	94/100
	131人から140人まで	2号 3号	4歳以上児 3　歳　児 1、2歳児 乳　　児															99/100	98/100	97/100	96/100
	141人から150人まで	2号 3号	4歳以上児 3　歳　児 1、2歳児 乳　　児																99/100	98/100	97/100
	151人から160人まで	2号 3号	4歳以上児 3　歳　児 1、2歳児 乳　　児																	99/100	98/100
	161人から170人まで	2号 3号	4歳以上児 3　歳　児 1、2歳児 乳　　児																		99/100
	171人以上	2号 3号	4歳以上児 3　歳　児 1、2歳児 乳　　児																		

地域区分	定員区分	認定区分	年齢区分	利用子ども数																	
				10人まで	11人から20人まで	21人から30人まで	31人から40人まで	41人から50人まで	51人から60人まで	61人から70人まで	71人から80人まで	81人から90人まで	91人から100人まで	101人から110人まで	111人から120人まで	121人から130人まで	131人から140人まで	141人から150人まで	151人から160人まで	161人から170人まで	171人以上
12/100地域	10人まで	2号 3号	4歳以上児 3歳児 1、2歳児 乳児		61/100	48/100	42/100	40/100	37/100	35/100	33/100	32/100	30/100	29/100	28/100	28/100	27/100	27/100	27/100	26/100	26/100
	11人から20人まで	2号 3号	4歳以上児 3歳児 1、2歳児 乳児			79/100	69/100	66/100	61/100	57/100	54/100	52/100	48/100	47/100	46/100	46/100	45/100	44/100	44/100	43/100	43/100
	21人から30人まで	2号 3号	4歳以上児 3歳児 1、2歳児 乳児				87/100	84/100	77/100	72/100	69/100	66/100	61/100	60/100	59/100	58/100	57/100	56/100	55/100	55/100	54/100
	31人から40人まで	2号 3号	4歳以上児 3歳児 1、2歳児 乳児					96/100	88/100	83/100	79/100	76/100	70/100	69/100	68/100	66/100	65/100	64/100	64/100	63/100	62/100
	41人から50人まで	2号 3号	4歳以上児 3歳児 1、2歳児 乳児						92/100	86/100	82/100	79/100	73/100	72/100	70/100	69/100	68/100	67/100	66/100	66/100	65/100
	51人から60人まで	2号 3号	4歳以上児 3歳児 1、2歳児 乳児							94/100	89/100	86/100	80/100	78/100	77/100	75/100	74/100	73/100	72/100	71/100	71/100
	61人から70人まで	2号 3号	4歳以上児 3歳児 1、2歳児 乳児								95/100	91/100	85/100	83/100	81/100	80/100	78/100	77/100	77/100	76/100	75/100
	71人から80人まで	2号 3号	4歳以上児 3歳児 1、2歳児 乳児									96/100	89/100	87/100	86/100	84/100	82/100	82/100	81/100	80/100	79/100
	81人から90人まで	2号 3号	4歳以上児 3歳児 1、2歳児 乳児										93/100	91/100	89/100	88/100	86/100	85/100	84/100	83/100	82/100
	91人から100人まで	2号 3号	4歳以上児 3歳児 1、2歳児 乳児											98/100	96/100	94/100	92/100	91/100	90/100	89/100	89/100
	101人から110人まで	2号 3号	4歳以上児 3歳児 1、2歳児 乳児												98/100	96/100	94/100	93/100	92/100	91/100	90/100
	111人から120人まで	2号 3号	4歳以上児 3歳児 1、2歳児 乳児													98/100	96/100	95/100	94/100	93/100	92/100
	121人から130人まで	2号 3号	4歳以上児 3歳児 1、2歳児 乳児														98/100	97/100	96/100	95/100	94/100
	131人から140人まで	2号 3号	4歳以上児 3歳児 1、2歳児 乳児															99/100	98/100	97/100	96/100
	141人から150人まで	2号 3号	4歳以上児 3歳児 1、2歳児 乳児																99/100	98/100	97/100
	151人から160人まで	2号 3号	4歳以上児 3歳児 1、2歳児 乳児																	99/100	98/100
	161人から170人まで	2号 3号	4歳以上児 3歳児 1、2歳児 乳児																		99/100
	171人以上	2号 3号	4歳以上児 3歳児 1、2歳児 乳児																		

地域区分	定員区分	認定区分	年齢区分	利用子ども数																	
				10人まで	11人から20人まで	21人から30人まで	31人から40人まで	41人から50人まで	51人から60人まで	61人から70人まで	71人から80人まで	81人から90人まで	91人から100人まで	101人から110人まで	111人から120人まで	121人から130人まで	131人から140人まで	141人から150人まで	151人から160人まで	161人から170人まで	171人以上
10/100地域	10人まで	2号 3号	4歳以上児 3 歳 児 1、2歳児 乳 児		61/100	48/100	42/100	40/100	37/100	35/100	33/100	32/100	30/100	29/100	28/100	28/100	27/100	27/100	27/100	26/100	26/100
	11人から20人まで	2号 3号	4歳以上児 3 歳 児 1、2歳児 乳 児			79/100	69/100	66/100	61/100	57/100	54/100	52/100	48/100	47/100	46/100	46/100	45/100	44/100	44/100	43/100	43/100
	21人から30人まで	2号 3号	4歳以上児 3 歳 児 1、2歳児 乳 児				87/100	84/100	77/100	72/100	69/100	66/100	61/100	60/100	59/100	58/100	57/100	56/100	55/100	55/100	54/100
	31人から40人まで	2号 3号	4歳以上児 3 歳 児 1、2歳児 乳 児					96/100	88/100	83/100	79/100	76/100	70/100	69/100	68/100	66/100	65/100	64/100	64/100	63/100	62/100
	41人から50人まで	2号 3号	4歳以上児 3 歳 児 1、2歳児 乳 児						92/100	86/100	82/100	79/100	73/100	72/100	70/100	69/100	68/100	67/100	66/100	66/100	65/100
	51人から60人まで	2号 3号	4歳以上児 3 歳 児 1、2歳児 乳 児							94/100	89/100	86/100	80/100	78/100	77/100	75/100	74/100	73/100	72/100	71/100	71/100
	61人から70人まで	2号 3号	4歳以上児 3 歳 児 1、2歳児 乳 児								95/100	91/100	85/100	83/100	81/100	80/100	78/100	77/100	77/100	76/100	75/100
	71人から80人まで	2号 3号	4歳以上児 3 歳 児 1、2歳児 乳 児									96/100	89/100	87/100	86/100	84/100	82/100	82/100	81/100	80/100	79/100
	81人から90人まで	2号 3号	4歳以上児 3 歳 児 1、2歳児 乳 児										93/100	91/100	89/100	88/100	86/100	85/100	84/100	83/100	82/100
	91人から100人まで	2号 3号	4歳以上児 3 歳 児 1、2歳児 乳 児											98/100	96/100	94/100	92/100	91/100	90/100	89/100	89/100
	101人から110人まで	2号 3号	4歳以上児 3 歳 児 1、2歳児 乳 児												98/100	96/100	94/100	93/100	92/100	91/100	90/100
	111人から120人まで	2号 3号	4歳以上児 3 歳 児 1、2歳児 乳 児													98/100	96/100	95/100	94/100	93/100	92/100
	121人から130人まで	2号 3号	4歳以上児 3 歳 児 1、2歳児 乳 児														98/100	97/100	96/100	95/100	94/100
	131人から140人まで	2号 3号	4歳以上児 3 歳 児 1、2歳児 乳 児															99/100	98/100	97/100	96/100
	141人から150人まで	2号 3号	4歳以上児 3 歳 児 1、2歳児 乳 児																99/100	98/100	97/100
	151人から160人まで	2号 3号	4歳以上児 3 歳 児 1、2歳児 乳 児																	99/100	98/100
	161人から170人まで	2号 3号	4歳以上児 3 歳 児 1、2歳児 乳 児																		99/100
	171人以上	2号 3号	4歳以上児 3 歳 児 1、2歳児 乳 児																		

地域区分	定員区分	認定区分	年齢区分	利用子ども数																	
				10人まで	11人から20人まで	21人から30人まで	31人から40人まで	41人から50人まで	51人から60人まで	61人から70人まで	71人から80人まで	81人から90人まで	91人から100人まで	101人から110人まで	111人から120人まで	121人から130人まで	131人から140人まで	141人から150人まで	151人から160人まで	161人から170人まで	171人以上
6/100地域	10人まで	2号 3号	4歳以上児 3歳児 1、2歳児 乳児		61/100	48/100	42/100	40/100	37/100	35/100	33/100	32/100	30/100	29/100	28/100	28/100	27/100	27/100	27/100	26/100	26/100
	11人から20人まで	2号 3号	4歳以上児 3歳児 1、2歳児 乳児			79/100	69/100	66/100	61/100	57/100	54/100	52/100	48/100	47/100	46/100	46/100	45/100	44/100	44/100	43/100	43/100
	21人から30人まで	2号 3号	4歳以上児 3歳児 1、2歳児 乳児				87/100	84/100	77/100	72/100	69/100	66/100	61/100	60/100	59/100	58/100	57/100	56/100	55/100	55/100	54/100
	31人から40人まで	2号 3号	4歳以上児 3歳児 1、2歳児 乳児					96/100	88/100	83/100	79/100	76/100	70/100	69/100	68/100	66/100	65/100	64/100	64/100	63/100	62/100
	41人から50人まで	2号 3号	4歳以上児 3歳児 1、2歳児 乳児						92/100	86/100	82/100	79/100	73/100	72/100	70/100	69/100	68/100	67/100	66/100	66/100	65/100
	51人から60人まで	2号 3号	4歳以上児 3歳児 1、2歳児 乳児							94/100	89/100	86/100	80/100	78/100	77/100	75/100	74/100	73/100	72/100	71/100	71/100
	61人から70人まで	2号 3号	4歳以上児 3歳児 1、2歳児 乳児								95/100	91/100	85/100	83/100	81/100	80/100	78/100	77/100	77/100	76/100	75/100
	71人から80人まで	2号 3号	4歳以上児 3歳児 1、2歳児 乳児									96/100	89/100	87/100	86/100	84/100	82/100	82/100	81/100	80/100	79/100
	81人から90人まで	2号 3号	4歳以上児 3歳児 1、2歳児 乳児										93/100	91/100	89/100	88/100	86/100	85/100	84/100	83/100	82/100
	91人から100人まで	2号 3号	4歳以上児 3歳児 1、2歳児 乳児											98/100	96/100	94/100	92/100	91/100	90/100	89/100	89/100
	101人から110人まで	2号 3号	4歳以上児 3歳児 1、2歳児 乳児												98/100	96/100	94/100	93/100	92/100	91/100	90/100
	111人から120人まで	2号 3号	4歳以上児 3歳児 1、2歳児 乳児													98/100	96/100	95/100	94/100	93/100	92/100
	121人から130人まで	2号 3号	4歳以上児 3歳児 1、2歳児 乳児														98/100	97/100	96/100	95/100	94/100
	131人から140人まで	2号 3号	4歳以上児 3歳児 1、2歳児 乳児															99/100	98/100	97/100	96/100
	141人から150人まで	2号 3号	4歳以上児 3歳児 1、2歳児 乳児																99/100	98/100	97/100
	151人から160人まで	2号 3号	4歳以上児 3歳児 1、2歳児 乳児																	99/100	98/100
	161人から170人まで	2号 3号	4歳以上児 3歳児 1、2歳児 乳児																		99/100
	171人以上	2号 3号	4歳以上児 3歳児 1、2歳児 乳児																		

地域区分	定員区分	認定区分	年齢区分	利用子ども数																	
				10人まで	11人から20人まで	21人から30人まで	31人から40人まで	41人から50人まで	51人から60人まで	61人から70人まで	71人から80人まで	81人から90人まで	91人から100人まで	101人から110人まで	111人から120人まで	121人から130人まで	131人から140人まで	141人から150人まで	151人から160人まで	161人から170人まで	171人以上
3/100地域	10人まで	2号 3号	4歳以上児 3歳児 1、2歳児 乳児		61/100	48/100	42/100	40/100	37/100	35/100	33/100	32/100	30/100	29/100	28/100	28/100	27/100	27/100	27/100	26/100	26/100
	11人から20人まで	2号 3号	4歳以上児 3歳児 1、2歳児 乳児			79/100	69/100	66/100	61/100	57/100	54/100	52/100	48/100	47/100	46/100	46/100	45/100	44/100	44/100	43/100	43/100
	21人から30人まで	2号 3号	4歳以上児 3歳児 1、2歳児 乳児				87/100	84/100	77/100	72/100	69/100	66/100	61/100	60/100	59/100	58/100	57/100	56/100	55/100	55/100	54/100
	31人から40人まで	2号 3号	4歳以上児 3歳児 1、2歳児 乳児					96/100	88/100	83/100	79/100	76/100	70/100	69/100	68/100	66/100	65/100	64/100	64/100	63/100	62/100
	41人から50人まで	2号 3号	4歳以上児 3歳児 1、2歳児 乳児						92/100	86/100	82/100	79/100	73/100	72/100	70/100	69/100	68/100	67/100	66/100	66/100	65/100
	51人から60人まで	2号 3号	4歳以上児 3歳児 1、2歳児 乳児							94/100	89/100	86/100	80/100	78/100	77/100	75/100	74/100	73/100	72/100	71/100	71/100
	61人から70人まで	2号 3号	4歳以上児 3歳児 1、2歳児 乳児								95/100	91/100	85/100	83/100	81/100	80/100	78/100	77/100	77/100	76/100	75/100
	71人から80人まで	2号 3号	4歳以上児 3歳児 1、2歳児 乳児									96/100	89/100	87/100	86/100	84/100	82/100	82/100	81/100	80/100	79/100
	81人から90人まで	2号 3号	4歳以上児 3歳児 1、2歳児 乳児										93/100	91/100	89/100	88/100	86/100	85/100	84/100	83/100	82/100
	91人から100人まで	2号 3号	4歳以上児 3歳児 1、2歳児 乳児											98/100	96/100	94/100	92/100	91/100	90/100	89/100	89/100
	101人から110人まで	2号 3号	4歳以上児 3歳児 1、2歳児 乳児												98/100	96/100	94/100	93/100	92/100	91/100	90/100
	111人から120人まで	2号 3号	4歳以上児 3歳児 1、2歳児 乳児													98/100	96/100	95/100	94/100	93/100	92/100
	121人から130人まで	2号 3号	4歳以上児 3歳児 1、2歳児 乳児														98/100	97/100	96/100	95/100	94/100
	131人から140人まで	2号 3号	4歳以上児 3歳児 1、2歳児 乳児															99/100	98/100	97/100	96/100
	141人から150人まで	2号 3号	4歳以上児 3歳児 1、2歳児 乳児																99/100	98/100	97/100
	151人から160人まで	2号 3号	4歳以上児 3歳児 1、2歳児 乳児																	99/100	98/100
	161人から170人まで	2号 3号	4歳以上児 3歳児 1、2歳児 乳児																		99/100
	171人以上	2号 3号	4歳以上児 3歳児 1、2歳児 乳児																		

地域区分	定員区分	認定区分	年齢区分	利用子ども数 10人まで	11人から20人まで	21人から30人まで	31人から40人まで	41人から50人まで	51人から60人まで	61人から70人まで	71人から80人まで	81人から90人まで	91人から100人まで	101人から110人まで	111人から120人まで	121人から130人まで	131人から140人まで	141人から150人まで	151人から160人まで	161人から170人まで	171人以上
その他地域	10人まで	2号 3号	4歳以上児 3歳児 1、2歳児 乳児		61/100	48/100	42/100	40/100	37/100	35/100	33/100	32/100	30/100	29/100	28/100	28/100	27/100	27/100	27/100	26/100	26/100
	11人から20人まで	2号 3号	4歳以上児 3歳児 1、2歳児 乳児			79/100	69/100	66/100	61/100	57/100	54/100	52/100	48/100	47/100	46/100	46/100	45/100	44/100	44/100	43/100	43/100
	21人から30人まで	2号 3号	4歳以上児 3歳児 1、2歳児 乳児				87/100	84/100	77/100	72/100	69/100	66/100	61/100	60/100	59/100	58/100	57/100	56/100	55/100	55/100	54/100
	31人から40人まで	2号 3号	4歳以上児 3歳児 1、2歳児 乳児					96/100	88/100	83/100	79/100	76/100	70/100	69/100	68/100	66/100	65/100	64/100	64/100	63/100	62/100
	41人から50人まで	2号 3号	4歳以上児 3歳児 1、2歳児 乳児						92/100	86/100	82/100	79/100	73/100	72/100	70/100	69/100	68/100	67/100	66/100	66/100	65/100
	51人から60人まで	2号 3号	4歳以上児 3歳児 1、2歳児 乳児							94/100	89/100	86/100	80/100	78/100	77/100	75/100	74/100	73/100	72/100	71/100	71/100
	61人から70人まで	2号 3号	4歳以上児 3歳児 1、2歳児 乳児								95/100	91/100	85/100	83/100	81/100	80/100	78/100	77/100	77/100	76/100	75/100
	71人から80人まで	2号 3号	4歳以上児 3歳児 1、2歳児 乳児									96/100	89/100	87/100	86/100	84/100	82/100	82/100	81/100	80/100	79/100
	81人から90人まで	2号 3号	4歳以上児 3歳児 1、2歳児 乳児										93/100	91/100	89/100	88/100	86/100	85/100	84/100	83/100	82/100
	91人から100人まで	2号 3号	4歳以上児 3歳児 1、2歳児 乳児											98/100	96/100	94/100	92/100	91/100	90/100	89/100	89/100
	101人から110人まで	2号 3号	4歳以上児 3歳児 1、2歳児 乳児												98/100	96/100	94/100	93/100	92/100	91/100	90/100
	111人から120人まで	2号 3号	4歳以上児 3歳児 1、2歳児 乳児													98/100	96/100	95/100	94/100	93/100	92/100
	121人から130人まで	2号 3号	4歳以上児 3歳児 1、2歳児 乳児														98/100	97/100	96/100	95/100	94/100
	131人から140人まで	2号 3号	4歳以上児 3歳児 1、2歳児 乳児															99/100	98/100	97/100	96/100
	141人から150人まで	2号 3号	4歳以上児 3歳児 1、2歳児 乳児																99/100	98/100	97/100
	151人から160人まで	2号 3号	4歳以上児 3歳児 1、2歳児 乳児																	99/100	98/100
	161人から170人まで	2号 3号	4歳以上児 3歳児 1、2歳児 乳児																		99/100
	171人以上	2号 3号	4歳以上児 3歳児 1、2歳児 乳児																		

別表第3

○家庭的保育事業（保育認定）

地域区分 ①	認定区分 ②	保育必要量区分 ③	基本分単価 ④		処遇改善等加算Ⅰ ⑤		資格保有者加算 ⑥		処遇改善等加算Ⅰ ⑥		家庭的保育補助者加算 ⑦		処遇改善等加算Ⅰ ⑦		家庭的保育支援加算 ⑧		障害児保育加算 ※特別な支援が必要な利用子どもの単価に加算 ⑨	処遇改善等加算Ⅰ ⑨	
20/100地域	3号	保育標準時間認定 保育短時間認定	184,550	＋	1,750 ×加算率	＋	5,800	＋	50×加算率	＋	利用子どもが4人以上の場合 29,380 利用子どもが3人以下の場合 24,930	＋	290×加算率 240×加算率	＋ ＋	56,360 50,600	＋	36,730	＋ 360	×加算率
16/100地域	3号	保育標準時間認定 保育短時間認定	181,010	＋	1,710 ×加算率	＋	5,610	＋	50×加算率	＋	利用子どもが4人以上の場合 29,380 利用子どもが3人以下の場合 24,930	＋	290×加算率 240×加算率	＋ ＋	54,870 49,100	＋	36,730	＋ 360	×加算率
15/100地域	3号	保育標準時間認定 保育短時間認定	180,120	＋	1,700 ×加算率	＋	5,560	＋	50×加算率	＋	利用子どもが4人以上の場合 29,380 利用子どもが3人以下の場合 24,930	＋	290×加算率 240×加算率	＋ ＋	54,490 48,730	＋	36,730	＋ 360	×加算率
12/100地域	3号	保育標準時間認定 保育短時間認定	177,460	＋	1,680 ×加算率	＋	5,410	＋	50×加算率	＋	利用子どもが4人以上の場合 29,380 利用子どもが3人以下の場合 24,930	＋	290×加算率 240×加算率	＋ ＋	53,370 47,600	＋	36,730	＋ 360	×加算率
10/100地域	3号	保育標準時間認定 保育短時間認定	175,680	＋	1,660 ×加算率	＋	5,320	＋	50×加算率	＋	利用子どもが4人以上の場合 29,380 利用子どもが3人以下の場合 24,930	＋	290×加算率 240×加算率	＋ ＋	52,620 46,850	＋	36,730	＋ 360	×加算率
6/100地域	3号	保育標準時間認定 保育短時間認定	172,130	＋	1,620 ×加算率	＋	5,120	＋	50×加算率	＋	利用子どもが4人以上の場合 29,380 利用子どもが3人以下の場合 24,930	＋	290×加算率 240×加算率	＋ ＋	51,120 45,360	＋	36,730	＋ 360	×加算率
3/100地域	3号	保育標準時間認定 保育短時間認定	169,470	＋	1,600 ×加算率	＋	4,980	＋	40×加算率	＋	利用子どもが4人以上の場合 29,380 利用子どもが3人以下の場合 24,930	＋	290×加算率 240×加算率	＋ ＋	50,000 44,240	＋	36,730	＋ 360	×加算率
その他地域	3号	保育標準時間認定 保育短時間認定	166,810	＋	1,570 ×加算率	＋	4,830	＋	40×加算率	＋	利用子どもが4人以上の場合 29,380 利用子どもが3人以下の場合 24,930	＋	290×加算率 240×加算率	＋ ＋	48,880 43,110	＋	36,730	＋ 360	×加算率

地域区分 ①	認定区分 ②	保育必要量区分 ③		減価償却費加算 加算額 ⑩			賃借料加算 ⑪				連携施設を設定しない場合 ⑫		食事の搬入について自園調理又は連携施設等からの搬入以外の方法による場合 ⑬		土曜日に閉所する場合 ⑭			
				標準	都市部			加算額 標準	加算額 都市部						月に１日土曜日を閉所する場合	月に２日土曜日を閉所する場合	月に３日以上土曜日を閉所する場合	全ての土曜日を閉所する場合
20/100地域	3号	保育標準時間認定	＋	9, 800	10, 700	＋	A地域	46, 400	51, 600	－	6, 350	－	(④+⑤+⑧)×18/100	－	1, 340	2, 680	4, 010	5, 350
							B地域	25, 600	28, 400									
		保育短時間認定					C地域	22, 300	24, 800			－	(④+⑤+⑧)×18/100	－	1, 100	2, 190	3, 290	4, 390
							D地域	20, 000	22, 200									
16/100地域	3号	保育標準時間認定	＋	9, 800	10, 700	＋	A地域	46, 400	51, 600	－	6, 350	－	(④+⑤+⑧)×18/100	－	1, 340	2, 680	4, 010	5, 350
							B地域	25, 600	28, 400									
		保育短時間認定					C地域	22, 300	24, 800			－	(④+⑤+⑧)×19/100	－	1, 100	2, 190	3, 290	4, 390
							D地域	20, 000	22, 200									
15/100地域	3号	保育標準時間認定	＋	9, 800	10, 700	＋	A地域	46, 400	51, 600	－	6, 350	－	(④+⑤+⑧)×18/100	－	1, 340	2, 680	4, 010	5, 350
							B地域	25, 600	28, 400									
		保育短時間認定					C地域	22, 300	24, 800			－	(④+⑤+⑧)×19/100	－	1, 100	2, 190	3, 290	4, 390
							D地域	20, 000	22, 200									
12/100地域	3号	保育標準時間認定	＋	9, 800	10, 700	＋	A地域	46, 400	51, 600	－	6, 350	－	(④+⑤+⑧)×19/100	－	1, 340	2, 680	4, 010	5, 350
							B地域	25, 600	28, 400									
		保育短時間認定					C地域	22, 300	24, 800			－	(④+⑤+⑧)×19/100	－	1, 100	2, 190	3, 290	4, 390
							D地域	20, 000	22, 200									
10/100地域	3号	保育標準時間認定	＋	9, 800	10, 700	＋	A地域	46, 400	51, 600	－	6, 350	－	(④+⑤+⑧)×19/100	－	1, 340	2, 680	4, 010	5, 350
							B地域	25, 600	28, 400									
		保育短時間認定					C地域	22, 300	24, 000			－	(④+⑤+⑧)×19/100	－	1, 100	2, 190	3, 290	4, 390
							D地域	20, 000	22, 200									
6/100地域	3号	保育標準時間認定	＋	9, 800	10, 700	＋	A地域	46, 400	51, 600	－	6, 350	－	(④+⑤+⑧)×19/100	－	1, 340	2, 680	4, 010	5, 350
							B地域	25, 600	28, 400									
		保育短時間認定					C地域	22, 300	24, 800			－	(④+⑤+⑧)×20/100	－	1, 100	2, 190	3, 290	4, 390
							D地域	20, 000	22, 200									
3/100地域	3号	保育標準時間認定	＋	9, 800	10, 700	＋	A地域	46, 400	51, 600	－	6, 350	－	(④+⑤+⑧)×20/100	－	1, 340	2, 680	4, 010	5, 350
							B地域	25, 600	28, 400									
		保育短時間認定					C地域	22, 300	24, 800			－	(④+⑤+⑧)×20/100	－	1, 100	2, 190	3, 290	4, 390
							D地域	20, 000	22, 200									
その他地域	3号	保育標準時間認定	＋	9, 800	10, 700	＋	A地域	46, 400	51, 600	－	6, 350	－	(④+⑤+⑧)×20/100	－	1, 340	2, 680	4, 010	5, 350
							B地域	25, 600	28, 400									
		保育短時間認定					C地域	22, 300	24, 800			－	(④+⑤+⑧)×21/100	－	1, 100	2, 190	3, 290	4, 390
							D地域	20, 000	22, 200									

加算部分２

処遇改善等加算Ⅱ　⑮	A：処遇改善加算Ⅱ－① 49,010　÷　各月初日の利用子ども数	※１　各月初日の利用子どもの単価に加算 ※２　A若しくはBのいずれかとする
	B：処遇改善加算Ⅱ－② 6,130　÷　各月初日の利用子ども数	

処遇改善等加算Ⅲ　⑯	11,030　×　加算Ⅲ算定対象人数 ÷各月初日の利用子ども数	※１　各月初日の利用子どもの単価に加算 ※２　加算Ⅲ算定対象人数については、別に定める

冷暖房費加算　⑰	１　級　地	1,900	４　級　地	1,320	※以下の区分に応じて、各月の単価に加算 １級地から４級地：国家公務員の寒冷地手当に関する法律（昭和２４年法律第２００号）第１条第１号及び第２号に掲げる地域 その他地域：１級地から４級地以外の地域
	２　級　地	1,690	その他地域	120	
	３　級　地	1,670			

除雪費加算　⑱	6,270	※３月初日の利用子どもの単価に加算

降灰除去費加算　⑲	162,470÷３月初日の利用子ども数	※３月初日の利用子どもの単価に加算

施設機能強化推進費加算　⑳	160,000（限度額）÷３月初日の利用子ども数	※３月初日の利用子どもの単価に加算

栄養管理加算　㉑	A	基本額　処遇改善等加算Ⅰ （　79,950　＋　790×加算率　） ÷各月初日の利用子ども数	※以下の区分に応じて、各月初日の利用子どもの単価に加算 A：Bを除き栄養士を雇用契約等により配置している施設 B：基本分単価及び他の加算の認定に当たって求められる職員が栄養士を兼務している施設 C：A又はBを除き、栄養士を嘱託等している施設
	B	基本額　処遇改善等加算Ⅰ （　50,000　＋　500×加算率　） ÷各月初日の利用子ども数	
	C	基本額 10,000 ÷各月初日の利用子ども数	

第三者評価受審加算　㉒	150,000÷３月初日の利用子ども数	※３月初日の利用子どもの単価に加算

○小規模保育事業（Ａ型）（保育認定）

地域区分 ①	定員区分 ②	認定区分 ③	年齢区分 ④	保育必要量区分⑤					処遇改善等加算Ⅰ					
				保育標準時間認定 基本分単価 ⑥	（注）	保育短時間認定 基本分単価 ⑥	（注）		保育標準時間認定 ⑦	（注）		保育短時間認定 ⑦	（注）	
20/100地域	6人から12人まで	3号	1、2歳児	222, 690	(305, 920)	217, 880	(301, 110)	＋	2, 110	(2, 940)	×加算率	2, 060	(2, 890)	×加算率
			乳　児	305, 920		301, 110		＋	2, 940		×加算率	2, 890		×加算率
	13人から19人まで	3号	1、2歳児	175, 530	(258, 760)	172, 490	(255, 720)	＋	1, 640	(2, 470)	×加算率	1, 610	(2, 440)	×加算率
			乳　児	258, 760		255, 720		＋	2, 470		×加算率	2, 440		×加算率
16/100地域	6人から12人まで	3号	1、2歳児	217, 180	(297, 910)	212, 370	(293, 100)	＋	2, 060	(2, 860)	×加算率	2, 010	(2, 810)	×加算率
			乳　児	297, 910		293, 100		＋	2, 860		×加算率	2, 810		×加算率
	13人から19人まで	3号	1、2歳児	171, 120	(251, 850)	168, 090	(248, 820)	＋	1, 590	(2, 390)	×加算率	1, 560	(2, 360)	×加算率
			乳　児	251, 850		248, 820		＋	2, 390		×加算率	2, 360		×加算率
15/100地域	6人から12人まで	3号	1、2歳児	215, 800	(295, 900)	211, 000	(291, 100)	＋	2, 040	(2, 840)	×加算率	1, 990	(2, 790)	×加算率
			乳　児	295, 900		291, 100		＋	2, 840		×加算率	2, 790		×加算率
	13人から19人まで	3号	1、2歳児	170, 020	(250, 120)	166, 990	(247, 090)	＋	1, 580	(2, 380)	×加算率	1, 550	(2, 350)	×加算率
			乳　児	250, 120		247, 090		＋	2, 380		×加算率	2, 350		×加算率
12/100地域	6人から12人まで	3号	1、2歳児	211, 670	(289, 900)	206, 860	(285, 090)	＋	2, 000	(2, 780)	×加算率	1, 950	(2, 730)	×加算率
			乳　児	289, 900		285, 090		＋	2, 780		×加算率	2, 730		×加算率
	13人から19人まで	3号	1、2歳児	166, 720	(244, 950)	163, 680	(241, 910)	＋	1, 550	(2, 330)	×加算率	1, 520	(2, 300)	×加算率
			乳　児	244, 950		241, 910		＋	2, 330		×加算率	2, 300		×加算率

地域区分 ①	定員区分 ②	認定区分 ③	年齢区分 ④	障害児保育加算 ※特別な支援が必要な利用子どもの単価に加算 ⑨	（注）	処遇改善等加算Ⅰ	（注）	
20/100地域	6人から12人まで	3号	1，2歳児	＋ 166, 460	(83, 230)	1, 660	(830)	×加算率
			乳　　児	＋ 83, 230		＋ 830		×加算率
	13人から19人まで	3号	1，2歳児	＋ 166, 460	(83, 230)	＋ 1, 660	(830)	×加算率
			乳　　児	＋ 83, 230		＋ 830		×加算率
16/100地域	6人から12人まで	3号	1，2歳児	＋ 161, 460	(80, 730)	＋ 1, 610	(800)	×加算率
			乳　　児	＋ 80, 730		＋ 800		×加算率
	13人から19人まで	3号	1，2歳児	＋ 161, 460	(80, 730)	＋ 1, 610	(800)	×加算率
			乳　　児	＋ 80, 730		＋ 800		×加算率
15/100地域	6人から12人まで	3号	1，2歳児	＋ 160, 210	(80, 100)	＋ 1, 600	(800)	×加算率
			乳　　児	＋ 80, 100		＋ 800		×加算率
	13人から19人まで	3号	1，2歳児	＋ 160, 210	(80, 100)	＋ 1, 600	(800)	×加算率
			乳　　児	＋ 80, 100		＋ 800		×加算率
12/100地域	6人から12人まで	3号	1，2歳児	＋ 156, 460	(78, 230)	＋ 1, 560	(780)	×加算率
			乳　　児	＋ 78, 230		＋ 780		×加算率
	13人から19人まで	3号	1，2歳児	＋ 156, 460	(78, 230)	＋ 1, 560	(780)	×加算率
			乳　　児	＋ 78, 230		＋ 780		×加算率

地域区分	休日保育加算 ⑩ 休日保育の年間延べ利用子ども数		処遇改善等加算Ⅰ	
20/100地域	＋　～ 210人	280, 300	＋ 2, 800×加算率	÷ 各月初日の利用子ども数
	211人～ 279人	300, 400	3, 000×加算率	
	280人～ 349人	340, 600	3, 400×加算率	
	350人～ 419人	380, 900	3, 800×加算率	
	420人～ 489人	421, 100	4, 210×加算率	
	490人～ 559人	461, 400	4, 610×加算率	
	560人～ 629人	501, 600	5, 010×加算率	
	630人～ 699人	541, 900	5, 410×加算率	
	700人～ 769人	582, 100	5, 820×加算率	
	770人～ 839人	622, 400	6, 220×加算率	
	840人～ 909人	662, 600	6, 620×加算率	
	910人～ 979人	702, 900	7, 020×加算率	
	980人～1, 049人	743, 100	7, 430×加算率	
	1, 050人～	783, 400	7, 830×加算率	
16/100地域	＋　～ 210人	273, 100	＋ 2, 730×加算率	÷ 各月初日の利用子ども数
	211人～ 279人	292, 600	2, 920×加算率	
	280人～ 349人	331, 700	3, 310×加算率	
	350人～ 419人	370, 800	3, 700×加算率	
	420人～ 489人	409, 800	4, 090×加算率	
	490人～ 559人	448, 900	4, 480×加算率	
	560人～ 629人	488, 000	4, 880×加算率	
	630人～ 699人	527, 100	5, 270×加算率	
	700人～ 769人	566, 200	5, 660×加算率	
	770人～ 839人	605, 300	6, 050×加算率	
	840人～ 909人	644, 300	6, 440×加算率	
	910人～ 979人	683, 400	6, 830×加算率	
	980人～1, 049人	722, 500	7, 220×加算率	
	1, 050人～	761, 600	7, 610×加算率	
15/100地域	＋　～ 210人	271, 300	＋ 2, 710×加算率	÷ 各月初日の利用子ども数
	211人～ 279人	290, 800	2, 900×加算率	
	280人～ 349人	329, 900	3, 290×加算率	
	350人～ 419人	369, 000	3, 690×加算率	
	420人～ 489人	408, 000	4, 080×加算率	
	490人～ 559人	447, 100	4, 470×加算率	
	560人～ 629人	486, 200	4, 860×加算率	
	630人～ 699人	525, 300	5, 250×加算率	
	700人～ 769人	564, 400	5, 640×加算率	
	770人～ 839人	603, 500	6, 030×加算率	
	840人～ 909人	642, 500	6, 420×加算率	
	910人～ 979人	681, 600	6, 810×加算率	
	980人～1, 049人	720, 700	7, 200×加算率	
	1, 050人～	759, 800	7, 590×加算率	
12/100地域	＋　～ 210人	266, 000	＋ 2, 660×加算率	÷ 各月初日の利用子ども数
	211人～ 279人	284, 900	2, 840×加算率	
	280人～ 349人	322, 800	3, 220×加算率	
	350人～ 419人	360, 700	3, 600×加算率	
	420人～ 489人	398, 700	3, 980×加算率	
	490人～ 559人	436, 600	4, 360×加算率	
	560人～ 629人	474, 500	4, 740×加算率	
	630人～ 699人	512, 400	5, 120×加算率	
	700人～ 769人	550, 300	5, 500×加算率	
	770人～ 839人	588, 200	5, 880×加算率	
	840人～ 909人	626, 200	6, 260×加算率	
	910人～ 979人	664, 100	6, 640×加算率	
	980人～1, 049人	702, 000	7, 020×加算率	
	1, 050人～	739, 900	7, 390×加算率	

地域区分 ①	定員区分 ②	認定区分 ③	年齢区分 ④		夜間保育加算 ⑪		夜間保育加算 処遇改善等加算Ⅰ ⑪		減価償却費加算 加算額 標準 ⑫	減価償却費加算 加算額 都市部 ⑫		賃借料加算 ⑬	賃借料加算 加算額 標準 ⑬	賃借料加算 加算額 都市部 ⑬		連携施設を設定しない場合 ⑭		食事の搬入について自園調理又は連携施設等からの搬入以外の方法による場合 ⑮		管理者を配置していない場合 ⑯		管理者を配置していない場合 処遇改善等加算Ⅰ ⑯
20/100地域	6人から12人まで	3号	1、2歳児	+	44, 990	+	390×加算率	+	3, 200	3, 500	+	a 地域	20, 300	22, 600	−	2, 110	−	(⑥+⑦+⑪)×8/100	−	40, 990	+	400×加算率
												b 地域	11, 200	12, 400								
												c 地域	9, 700	10, 800								
			乳児									d 地域	8, 700	9, 700								
	13人から19人まで	3号	1、2歳児	+	30, 430	+	240×加算率	+	2, 000	2, 200	+	a 地域	25, 700	28, 600	−	1, 330	−	(⑥+⑦+⑪)×8/100	−	25, 890	+	250×加算率
												b 地域	14, 200	15, 700								
												c 地域	12, 300	13, 700								
			乳児									d 地域	11, 000	12, 300								
16/100地域	6人から12人まで	3号	1、2歳児	+	44, 990	+	390×加算率	+	3, 200	3, 500	+	a 地域	20, 300	22, 600	−	2, 110	−	(⑥+⑦+⑪)×9/100	−	39, 430	+	390×加算率
												b 地域	11, 200	12, 400								
												c 地域	9, 700	10, 800								
			乳児									d 地域	8, 700	9, 700								
	13人から19人まで	3号	1、2歳児	+	30, 430	+	240×加算率	+	2, 000	2, 200	+	a 地域	25, 700	28, 600	−	1, 330	−	(⑥+⑦+⑪)×8/100	−	24, 900	+	240×加算率
												b 地域	14, 200	15, 700								
												c 地域	12, 300	13, 700								
			乳児									d 地域	11, 000	12, 300								
15/100地域	6人から12人まで	3号	1、2歳児	+	44, 990	+	390×加算率	+	3, 200	3, 500	+	a 地域	20, 300	22, 600	−	2, 110	−	(⑥+⑦+⑪)×9/100	−	39, 040	+	390×加算率
												b 地域	11, 200	12, 400								
												c 地域	9, 700	10, 800								
			乳児									d 地域	8, 700	9, 700								
	13人から19人まで	3号	1、2歳児	+	30, 430	+	240×加算率	+	2, 000	2, 200	+	a 地域	25, 700	28, 600	−	1, 330	−	(⑥+⑦+⑪)×8/100	−	24, 660	+	240×加算率
												b 地域	14, 200	15, 700								
												c 地域	12, 300	13, 700								
			乳児									d 地域	11, 000	12, 300								
12/100地域	6人から12人まで	3号	1、2歳児	+	44, 990	+	390×加算率	+	3, 200	3, 500	+	a 地域	20, 300	22, 600	−	2, 110	−	(⑥+⑦+⑪)×9/100	−	37, 870	+	370×加算率
												b 地域	11, 200	12, 400								
												c 地域	9, 700	10, 800								
			乳児									d 地域	8, 700	9, 700								
	13人から19人まで	3号	1、2歳児	+	30, 430	+	240×加算率	+	2, 000	2, 200	+	a 地域	25, 700	28, 600	−	1, 330	−	(⑥+⑦+⑪)×9/100	−	23, 920	+	230×加算率
												b 地域	14, 200	15, 700								
												c 地域	12, 300	13, 700								
			乳児									d 地域	11, 000	12, 300								

地域区分 ①	定員区分 ②	認定区分 ③	年齢区分 ④		土曜日に閉所する場合 ⑰ 月に1日土曜日を閉所する場合	月に2日土曜日を閉所する場合	月に3日以上土曜日を閉所する場合	全ての土曜日を閉所する場合	定員を恒常的に超過する場合 ⑱
20/100地域	6人から12人まで	3号	1、2歳児	—	(⑥+⑦+⑨+⑪)× 1/100	(⑥+⑦+⑨+⑪)× 3/100	(⑥+⑦+⑨+⑪)× 4/100	(⑥+⑦+⑨+⑪)× 6/100	(⑥～⑰)× 80/100
			乳児						
	13人から19人まで	3号	1、2歳児	—	(⑥+⑦+⑨+⑪)× 2/100	(⑥+⑦+⑨+⑪)× 3/100	(⑥+⑦+⑨+⑪)× 5/100	(⑥+⑦+⑨+⑪)× 6/100	(離島その他の地域) 各月初日の利用子ども数 20人～30人 (⑥～⑰)× 80/100 31人～40人 (⑥～⑰)× 75/100 41人～ (⑥～⑰)× 70/100
			乳児						
16/100地域	6人から12人まで	3号	1、2歳児	—	(⑥+⑦+⑨+⑪)× 2/100	(⑥+⑦+⑨+⑪)× 3/100	(⑥+⑦+⑨+⑪)× 5/100	(⑥+⑦+⑨+⑪)× 6/100	(⑥～⑰)× 80/100
			乳児						
	13人から19人まで	3号	1、2歳児	—	(⑥+⑦+⑨+⑪)× 2/100	(⑥+⑦+⑨+⑪)× 3/100	(⑥+⑦+⑨+⑪)× 5/100	(⑥+⑦+⑨+⑪)× 6/100	(離島その他の地域) 各月初日の利用子ども数 20人～30人 (⑥～⑰)× 80/100 31人～40人 (⑥～⑰)× 75/100 41人～ (⑥～⑰)× 70/100
			乳児						
15/100地域	6人から12人まで	3号	1、2歳児	—	(⑥+⑦+⑨+⑪)× 2/100	(⑥+⑦+⑨+⑪)× 3/100	(⑥+⑦+⑨+⑪)× 5/100	(⑥+⑦+⑨+⑪)× 6/100	(⑥～⑰)× 80/100
			乳児						
	13人から19人まで	3号	1、2歳児	—	(⑥+⑦+⑨+⑪)× 2/100	(⑥+⑦+⑨+⑪)× 3/100	(⑥+⑦+⑨+⑪)× 5/100	(⑥+⑦+⑨+⑪)× 6/100	(離島その他の地域) 各月初日の利用子ども数 20人～30人 (⑥～⑰)× 80/100 31人～40人 (⑥～⑰)× 75/100 41人～ (⑥～⑰)× 70/100
			乳児						
12/100地域	6人から12人まで	3号	1、2歳児	—	(⑥+⑦+⑨+⑪)× 2/100	(⑥+⑦+⑨+⑪)× 3/100	(⑥+⑦+⑨+⑪)× 5/100	(⑥+⑦+⑨+⑪)× 6/100	(⑥～⑰)× 80/100
			乳児						
	13人から19人まで	3号	1、2歳児	—	(⑥+⑦+⑨+⑪)× 2/100	(⑥+⑦+⑨+⑪)× 3/100	(⑥+⑦+⑨+⑪)× 5/100	(⑥+⑦+⑨+⑪)× 6/100	(離島その他の地域) 各月初日の利用子ども数 20人～30人 (⑥～⑰)× 80/100 31人～40人 (⑥～⑰)× 75/100 41人～ (⑥～⑰)× 70/100
			乳児						

地域区分 ①	定員区分 ②	認定区分 ③	年齢区分 ④	保育必要量区分⑤ 保育標準時間認定 基本分単価 ⑥	（注）	保育短時間認定 基本分単価 ⑥	（注）		処遇改善等加算Ⅰ 保育標準時間認定 ⑦	（注）		保育短時間認定 ⑦	（注）	
10/100地域	6人から12人まで	3号	1、2歳児	208, 910	(285, 890)	204, 110	(281, 090)	＋	1, 970	(2, 730)	×加算率	1, 920	(2, 680)	×加算率
			乳児	285, 890		281, 090		＋	2, 730		×加算率	2, 680		×加算率
	13人から19人まで	3号	1、2歳児	164, 510	(241, 490)	161, 480	(238, 460)	＋	1, 530	(2, 290)	×加算率	1, 500	(2, 260)	×加算率
			乳児	241, 490		238, 460		＋	2, 290		×加算率	2, 260		×加算率
6/100地域	6人から12人まで	3号	1、2歳児	203, 400	(277, 880)	198, 590	(273, 070)	＋	1, 920	(2, 660)	×加算率	1, 870	(2, 610)	×加算率
			乳児	277, 880		273, 070		＋	2, 660		×加算率	2, 610		×加算率
	13人から19人まで	3号	1、2歳児	160, 110	(234, 590)	157, 080	(231, 560)	＋	1, 480	(2, 220)	×加算率	1, 450	(2, 190)	×加算率
			乳児	234, 590		231, 560		＋	2, 220		×加算率	2, 190		×加算率
3/100地域	6人から12人まで	3号	1、2歳児	199, 270	(271, 870)	194, 460	(267, 060)	＋	1, 880	(2, 600)	×加算率	1, 830	(2, 550)	×加算率
			乳児	271, 870		267, 060		＋	2, 600		×加算率	2, 550		×加算率
	13人から10人まで	3号	1、2歳児	156, 810	(229, 410)	153, 770	(226, 370)	＋	1, 450	(2, 170)	×加算率	1, 420	(2, 140)	×加算率
			乳児	229, 410		226, 370		＋	2, 170		×加算率	2, 140		×加算率
その他地域	6人から12人まで	3号	1、2歳児	195, 130	(265, 860)	190, 330	(261, 060)	＋	1, 830	(2, 530)	×加算率	1, 790	(2, 490)	×加算率
			乳児	265, 860		261, 060		＋	2, 530		×加算率	2, 490		×加算率
	13人から19人まで	3号	1、2歳児	153, 500	(224, 230)	150, 470	(221, 200)	＋	1, 420	(2, 120)	×加算率	1, 390	(2, 090)	×加算率
			乳児	224, 230		221, 200		＋	2, 120		×加算率	2, 090		×加算率

地域区分 ①	定員区分 ②	認定区分 ③	年齢区分 ④	障害児保育加算 ※特別な支援が必要な利用子どもの単価に加算	（注）	処遇改善等加算Ⅰ ⑨	（注）	
10/100地域	6人から12人まで	3号	1、2歳児	＋ 153, 960	(76, 980)	＋ 1, 530	(760)	×加算率
			乳　児	＋ 76, 980		＋ 760		×加算率
	13人から19人まで	3号	1、2歳児	＋ 153, 960	(76, 980)	＋ 1, 530	(760)	×加算率
			乳　児	＋ 76, 980		＋ 760		×加算率
6/100地域	6人から12人まで	3号	1、2歳児	＋ 148, 960	(74, 480)	＋ 1, 480	(740)	×加算率
			乳　児	＋ 74, 480		＋ 740		×加算率
	13人から19人まで	3号	1、2歳児	＋ 148, 960	(74, 480)	＋ 1, 480	(740)	×加算率
			乳　児	＋ 74, 480		＋ 740		×加算率
3/100地域	6人から12人まで	3号	1、2歳児	＋ 145, 200	(72, 600)	＋ 1, 450	(720)	×加算率
			乳　児	＋ 72, 600		＋ 720		×加算率
	13人から19人まで	3号	1、2歳児	＋ 145, 200	(72, 600)	＋ 1, 450	(720)	×加算率
			乳　児	＋ 72, 600		＋ 720		×加算率
その他地域	6人から12人まで	3号	1、2歳児	＋ 141, 460	(70, 730)	＋ 1, 410	(700)	×加算率
			乳　児	＋ 70, 730		＋ 700		×加算率
	13人から19人まで	3号	1、2歳児	＋ 141, 460	(70, 730)	＋ 1, 410	(700)	×加算率
			乳　児	＋ 70, 730		＋ 700		×加算率

地域区分 ①	＋ 休日保育加算（休日保育の年間延べ利用子ども数）		＋ 処遇改善等加算Ⅰ ⑩	÷
10/100地域	～　210人	262, 400	2, 620×加算率	÷ 各月初日の利用子ども数
	211人～　279人	281, 000	2, 810×加算率	
	280人～　349人	318, 400	3, 180×加算率	
	350人～　419人	355, 700	3, 550×加算率	
	420人～　489人	393, 000	3, 930×加算率	
	490人～　559人	430, 400	4, 300×加算率	
	560人～　629人	467, 700	4, 670×加算率	
	630人～　699人	505, 000	5, 050×加算率	
	700人～　769人	542, 400	5, 420×加算率	
	770人～　839人	579, 700	5, 790×加算率	
	840人～　909人	617, 000	6, 170×加算率	
	910人～　979人	654, 400	6, 540×加算率	
	980人～1, 049人	691, 700	6, 910×加算率	
	1, 050人～	729, 000	7, 290×加算率	
6/100地域	～　210人	255, 100	2, 550×加算率	÷ 各月初日の利用子ども数
	211人～　279人	273, 100	2, 730×加算率	
	280人～　349人	309, 300	3, 090×加算率	
	350人～　419人	345, 500	3, 450×加算率	
	420人～　489人	381, 600	3, 810×加算率	
	490人～　559人	417, 800	4, 170×加算率	
	560人～　629人	454, 000	4, 540×加算率	
	630人～　699人	490, 100	4, 900×加算率	
	700人～　769人	526, 300	5, 260×加算率	
	770人～　839人	562, 500	5, 620×加算率	
	840人～　909人	598, 600	5, 980×加算率	
	910人～　979人	634, 800	6, 340×加算率	
	980人～1, 049人	671, 000	6, 710×加算率	
	1, 050人～	707, 100	7, 070×加算率	
3/100地域	～　210人	249, 800	2, 490×加算率	÷ 各月初日の利用子ども数
	211人～　279人	267, 500	2, 670×加算率	
	280人～　349人	303, 100	3, 030×加算率	
	350人～　419人	338, 700	3, 380×加算率	
	420人～　489人	374, 300	3, 740×加算率	
	490人～　559人	409, 900	4, 090×加算率	
	560人～　629人	445, 500	4, 450×加算率	
	630人～　699人	481, 000	4, 810×加算率	
	700人～　769人	516, 600	5, 160×加算率	
	770人～　839人	552, 200	5, 520×加算率	
	840人～　909人	587, 800	5, 870×加算率	
	910人～　979人	623, 400	6, 230×加算率	
	980人～1, 049人	659, 000	6, 590×加算率	
	1, 050人～	694, 500	6, 940×加算率	
その他地域	～　210人	244, 400	2, 440×加算率	÷ 各月初日の利用子ども数
	211人～　279人	261, 600	2, 610×加算率	
	280人～　349人	296, 000	2, 960×加算率	
	350人～　419人	330, 400	3, 300×加算率	
	420人～　489人	364, 800	3, 640×加算率	
	490人～　559人	399, 200	3, 990×加算率	
	560人～　629人	433, 600	4, 330×加算率	
	630人～　699人	468, 100	4, 680×加算率	
	700人～　769人	502, 500	5, 020×加算率	
	770人～　839人	536, 900	5, 360×加算率	
	840人～　909人	571, 300	5, 710×加算率	
	910人～　979人	605, 700	6, 050×加算率	
	980人～1, 049人	640, 100	6, 400×加算率	
	1, 050人～	674, 600	6, 740×加算率	

地域区分	定員区分	認定区分	年齢区分	夜間保育加算		減価償却費加算		賃借料加算			連携施設を設定しない場合	食事の搬入について自園調理又は連携施設等からの搬入以外の方法による場合	管理者を配置していない場合	
					処遇改善等加算Ⅰ	加算額 標準	加算額 都市部		加算額 標準	加算額 都市部				処遇改善等加算Ⅰ
①	②	③	④	⑪		⑫		⑬			⑭	⑮	⑯	
10/100地域	6人から12人まで	3号	1、2歳児 +	44,990 +	390×加算率 +	3,200	3,500 +	a地域	20,300	22,600	− 2,110 −	(⑥+⑦+⑪)×9/100 −	37,090 +	370×加算率
								b地域	11,200	12,400				
			乳児					c地域	9,700	10,800				
								d地域	8,700	9,700				
	13人から19人まで	3号	1、2歳児 +	30,430 +	240×加算率 +	2,000	2,200 +	a地域	25,700	28,600	− 1,330 −	(⑥+⑦+⑪)×9/100 −	23,420 +	230×加算率
								b地域	14,200	15,700				
			乳児					c地域	12,300	13,700				
								d地域	11,000	12,300				
6/100地域	6人から12人まで	3号	1、2歳児 +	44,990 +	390×加算率 +	3,200	3,500 +	a地域	20,300	22,600	− 2,110 −	(⑥+⑦+⑪)×9/100 −	35,530 +	350×加算率
								b地域	11,200	12,400				
			乳児					c地域	9,700	10,800				
								d地域	8,700	9,700				
	13人から19人まで	3号	1、2歳児 +	30,430 +	240×加算率 +	2,000	2,200 +	a地域	25,700	28,600	− 1,330 −	(⑥+⑦+⑪)×9/100 −	22,440 +	220×加算率
								b地域	14,200	15,700				
			乳児					c地域	12,300	13,700				
								d地域	11,000	12,300				
3/100地域	6人から12人まで	3号	1、2歳児 +	44,990 +	390×加算率 +	3,200	3,500 +	a地域	20,300	22,600	− 2,110 −	(⑥+⑦+⑪)×10/100 −	34,360 +	340×加算率
								b地域	11,200	12,400				
			乳児					c地域	9,700	10,800				
								d地域	8,700	9,700				
	13人から19人まで	3号	1、2歳児 +	30,430 +	240×加算率 +	2,000	2,200 +	a地域	25,700	28,600	− 1,330 −	(⑥+⑦+⑪)×9/100 −	21,700 +	210×加算率
								b地域	14,200	15,700				
			乳児					c地域	12,300	13,700				
								d地域	11,000	12,300				
その他地域	6人から12人まで	3号	1、2歳児 +	44,990 +	390×加算率 +	3,200	3,500 +	a地域	20,300	22,600	− 2,110 −	(⑥+⑦+⑪)×10/100 −	33,190 +	330×加算率
								b地域	11,200	12,400				
			乳児					c地域	9,700	10,800				
								d地域	8,700	9,700				
	13人から19人まで	3号	1、2歳児 +	30,430 +	240×加算率 +	2,000	2,200 +	a地域	25,700	28,600	− 1,330 −	(⑥+⑦+⑪)×9/100 −	20,960 +	200×加算率
								b地域	14,200	15,700				
			乳児					c地域	12,300	13,700				
								d地域	11,000	12,300				

地域区分 ①	定員区分 ②	認定区分 ③	年齢区分 ④		土曜日に閉所する場合 月に１日土曜日を閉所する場合 ⑰	月に２日土曜日を閉所する場合	月に３日以上土曜日を閉所する場合	全ての土曜日を閉所する場合	定員を恒常的に超過する場合 ⑱
10/100地域	6人から12人まで	3号	1、2歳児 乳　児	—	(⑥+⑦+⑨+⑪)×2/100	(⑥+⑦+⑨+⑪)×3/100	(⑥+⑦+⑨+⑪)×5/100	(⑥+⑦+⑨+⑪)×6/100	(⑥～⑰)×80/100
	13人から19人まで	3号	1、2歳児 乳　児	—	(⑥+⑦+⑨+⑪)×2/100	(⑥+⑦+⑨+⑪)×3/100	(⑥+⑦+⑨+⑪)×5/100	(⑥+⑦+⑨+⑪)×6/100	(離島その他の地域) 各月初日の利用子ども数 20人～30人 (⑥～⑰)×80/100 31人～40人 (⑥～⑰)×75/100 41人～ (⑥～⑰)×70/100
6/100地域	6人から12人まで	3号	1、2歳児 乳　児	—	(⑥+⑦+⑨+⑪)×2/100	(⑥+⑦+⑨+⑪)×3/100	(⑥+⑦+⑨+⑪)×5/100	(⑥+⑦+⑨+⑪)×7/100	(⑥～⑰)×80/100
	13人から19人まで	3号	1、2歳児 乳　児	—	(⑥+⑦+⑨+⑪)×2/100	(⑥+⑦+⑨+⑪)×3/100	(⑥+⑦+⑨+⑪)×5/100	(⑥+⑦+⑨+⑪)×7/100	(離島その他の地域) 各月初日の利用子ども数 20人～30人 (⑥～⑰)×80/100 31人～40人 (⑥～⑰)×75/100 41人～ (⑥～⑰)×70/100
3/100地域	6人から12人まで	3号	1、2歳児 乳　児	—	(⑥+⑦+⑨+⑪)×2/100	(⑥+⑦+⑨+⑪)×3/100	(⑥+⑦+⑨+⑪)×5/100	(⑥+⑦+⑨+⑪)×7/100	(⑥～⑰)×80/100
	13人から19人まで	3号	1、2歳児 乳　児	—	(⑥+⑦+⑨+⑪)×2/100	(⑥+⑦+⑨+⑪)×3/100	(⑥+⑦+⑨+⑪)×5/100	(⑥+⑦+⑨+⑪)×7/100	(離島その他の地域) 各月初日の利用子ども数 20人～30人 (⑥～⑰)×80/100 31人～40人 (⑥～⑰)×75/100 41人～ (⑥～⑰)×70/100
その他地域	6人から12人まで	3号	1、2歳児 乳　児	—	(⑥+⑦+⑨+⑪)×2/100	(⑥+⑦+⑨+⑪)×3/100	(⑥+⑦+⑨+⑪)×5/100	(⑥+⑦+⑨+⑪)×7/100	(⑥～⑰)×80/100
	13人から19人まで	3号	1、2歳児 乳　児	—	(⑥+⑦+⑨+⑪)×2/100	(⑥+⑦+⑨+⑪)×3/100	(⑥+⑦+⑨+⑪)×5/100	(⑥+⑦+⑨+⑪)×7/100	(離島その他の地域) 各月初日の利用子ども数 20人～30人 (⑥～⑰)×80/100 31人～40人 (⑥～⑰)×75/100 41人～ (⑥～⑰)×70/100

加算部分２

処遇改善等加算Ⅱ　⑲	以下の加算を合算した額を各月初日の利用子ども数で除した額 ・処遇改善等加算Ⅱ－①　49,010 × 人数Ａ ・処遇改善等加算Ⅱ－②　6,130 × 人数Ｂ	※１　各月初日の利用子どもの単価に加算 ※２　人数Ａ及び人数Ｂについては、別に定める

処遇改善等加算Ⅲ　⑳	11,030 × 加算Ⅲ算定対象人数 ÷各月初日の利用子ども数	※１　各月初日の利用子どもの単価に加算 ※２　加算Ⅲ算定対象人数については、別に定める

<table>
<tr><td rowspan="3">冷暖房費加算　㉑</td><td>１　級　地</td><td>1,900</td><td>４　級　地</td><td>1,320</td><td rowspan="3">※以下の区分に応じて、各月の単価に加算
１級地から４級地：国家公務員の寒冷地手当に関する法律（昭和２４年法律第２００号）第１条第１号及び第２号に掲げる地域
そ の 他　地　域：１級地から４級地以外の地域</td></tr>
<tr><td>２　級　地</td><td>1,690</td><td>そ の 他 地 域</td><td>120</td></tr>
<tr><td>３　級　地</td><td>1,670</td><td></td><td></td></tr>
</table>

除雪費加算　㉒	6,270	※３月初日の利用子どもの単価に加算

降灰除去費加算　㉓	162,470÷３月初日の利用子ども数	※３月初日の利用子どもの単価に加算

施設機能強化推進費加算　㉔	160,000（限度額）÷３月初日の利用子ども数	※３月初日の利用子どもの単価に加算

<table>
<tr><td rowspan="3">栄養管理加算　㉕</td><td>A</td><td>基本額　処遇改善等加算Ⅰ
（　79,950　＋　790×加算率　）
÷各月初日の利用子ども数</td><td rowspan="3">※以下の区分に応じて、各月初日の利用子どもの単価に加算
Ａ：Bを除き栄養士を雇用契約等により配置している施設
Ｂ：基本分単価及び他の加算の認定に当たって求められる職員が栄養士を兼務している施設
Ｃ：A又はBを除き、栄養士を嘱託等している施設</td></tr>
<tr><td>B</td><td>基本額　処遇改善等加算Ⅰ
（　50,000　＋　500×加算率　）
÷各月初日の利用子ども数</td></tr>
<tr><td>C</td><td>基本額
10,000 ÷各月初日の利用子ども数</td></tr>
</table>

第三者評価受審加算　㉖	150,000÷３月初日の利用子ども数	※３月初日の利用子どもの単価に加算

（ 注 ）年度の初日の前日における満年齢に応じて月額を調整

○小規模保育事業（Ｂ型）（保育認定）

地域区分 ①	定員区分 ②	認定区分 ③	年齢区分 ④	保育必要量区分⑤ 保育標準時間認定 基本分単価 ⑥	（注）	保育必要量区分⑤ 保育短時間認定 基本分単価 ⑥	（注）		処遇改善等加算Ⅰ 保育標準時間認定 ⑦	（注）		処遇改善等加算Ⅰ 保育短時間認定 ⑦	（注）	
20/100地域	6人から12人まで	3号	1、2歳児	194,120	(258,300)	189,320	(253,500)	＋	1,820	(2,460)	×加算率	1,780	(2,420)	×加算率
			乳児	258,300		253,500		＋	2,460		×加算率	2,420		×加算率
	13人から19人まで	3号	1、2歳児	150,390	(214,570)	147,360	(211,540)	＋	1,390	(2,030)	×加算率	1,360	(2,000)	×加算率
			乳児	214,570		211,540		＋	2,030		×加算率	2,000		×加算率
16/100地域	6人から12人まで	3号	1、2歳児	190,490	(253,420)	185,680	(248,610)	＋	1,790	(2,410)	×加算率	1,740	(2,360)	×加算率
			乳児	253,420		248,610		＋	2,410		×加算率	2,360		×加算率
	13人から19人まで	3号	1、2歳児	147,640	(210,570)	144,600	(207,530)	＋	1,360	(1,980)	×加算率	1,330	(1,950)	×加算率
			乳児	210,570		207,530		＋	1,980		×加算率	1,950		×加算率
15/100地域	6人から12人まで	3号	1、2歳児	189,580	(252,200)	184,780	(247,400)	＋	1,780	(2,400)	×加算率	1,730	(2,350)	×加算率
			乳児	252,200		247,400		＋	2,400		×加算率	2,350		×加算率
	13人から19人まで	3号	1、2歳児	146,950	(209,570)	143,920	(206,540)	＋	1,350	(1,970)	×加算率	1,320	(1,940)	×加算率
			乳児	209,570		206,540		＋	1,970		×加算率	1,940		×加算率
12/100地域	6人から12人まで	3号	1、2歳児	186,850	(248,530)	182,050	(243,730)	＋	1,750	(2,360)	×加算率	1,700	(2,310)	×加算率
			乳児	248,530		243,730		＋	2,360		×加算率	2,310		×加算率
	13人から19人まで	3号	1、2歳児	144,880	(206,560)	141,850	(203,530)	＋	1,330	(1,940)	×加算率	1,300	(1,910)	×加算率
			乳児	206,560		203,530		＋	1,940		×加算率	1,910		×加算率

地域区分 ①	定員区分 ②	認定区分 ③	年齢区分 ④		保育士比率向上加算 ⑧	（注）		処遇改善等加算Ⅰ	（注）			障害児保育加算 ※特別な支援が必要な利用子どもの単価に加算 ⑨	（注）		処遇改善等加算Ⅰ	（注）	
20/100地域	6人から12人まで	3号	1、2歳児	＋	14, 280	(23, 810)	＋	140	(230)	×加算率	＋	128, 370	(64, 180)	＋	1, 280	(640)	×加算率
			乳児	＋	23, 810		＋	230		×加算率	＋	64, 180		＋	640		×加算率
	13人から19人まで	3号	1、2歳児	＋	12, 620	(22, 150)	＋	120	(210)	×加算率	＋	128, 370	(64, 180)	＋	1, 280	(640)	×加算率
			乳児	＋	22, 150		＋	210		×加算率	＋	64, 180		＋	640		×加算率
16/100地域	6人から12人まで	3号	1、2歳児	＋	13, 340	(22, 240)	＋	130	(220)	×加算率	＋	125, 870	(62, 930)	＋	1, 250	(620)	×加算率
			乳児	＋	22, 240		＋	220		×加算率	＋	62, 930		＋	620		×加算率
	13人から19人まで	3号	1、2歳児	＋	11, 790	(20, 690)	＋	120	(210)	×加算率	＋	125, 870	(62, 930)	＋	1, 250	(620)	×加算率
			乳児	＋	20, 690		＋	210		×加算率	＋	62, 930		＋	620		×加算率
15/100地域	6人から12人まで	3号	1、2歳児	＋	13, 110	(21, 850)	＋	130	(220)	×加算率	＋	125, 250	(62, 620)	＋	1, 250	(620)	×加算率
			乳児	＋	21, 850		＋	220		×加算率	＋	62, 620		＋	620		×加算率
	13人から19人まで	3号	1、2歳児	＋	11, 580	(20, 320)	＋	120	(210)	×加算率	＋	125, 250	(62, 620)	＋	1, 250	(620)	×加算率
			乳児	＋	20, 320		＋	210		×加算率	＋	62, 620		＋	620		×加算率
12/100地域	6人から12人まで	3号	1、2歳児	＋	12, 400	(20, 680)	＋	130	(210)	×加算率	＋	123, 370	(61, 680)	＋	1, 230	(610)	×加算率
			乳児	＋	20, 680		＋	210		×加算率	＋	61, 680		＋	610		×加算率
	13人から19人まで	3号	1、2歳児	＋	10, 970	(19, 250)	＋	110	(190)	×加算率	＋	123, 370	(61, 680)	＋	1, 230	(610)	×加算率
			乳児	＋	19, 250		＋	190		×加算率	＋	61, 680		＋	610		×加算率

地域区分	定員区分	認定区分	年齢区分		休日保育加算							夜間保育加算				減価償却費加算	
								処遇改善等加算Ⅰ						処遇改善等加算Ⅰ		加算額	
																標準	都市部
①	②	③	④		⑩									⑪		⑫	
					休日保育の年間延べ利用子ども数												
			1、2歳児		～　210人	207,000		2,070×加算率									
	6人から12人まで	3号			211人～　279人	221,200		2,210×加算率			＋	44,990	＋	390×加算率	＋	3,200	3,500
					280人～　349人	249,800		2,490×加算率									
			乳児		350人～　419人	278,400		2,780×加算率									
					420人～　489人	307,000		3,070×加算率									
20/100地域				＋	490人～　559人	335,600	＋	3,350×加算率	÷	各月初日の							
					560人～　629人	364,200		3,640×加算率		利用子ども数							
			1、2歳児		630人～　699人	392,700		3,920×加算率									
	13人から19人まで				700人～　769人	421,300		4,210×加算率									
		3号			770人～　839人	449,900		4,490×加算率			＋	30,430	＋	240×加算率	＋	2,000	2,200
					840人～　909人	478,500		4,780×加算率									
			乳児		910人～　979人	507,100		5,070×加算率									
					980人～1,049人	535,700		5,350×加算率									
					1,050人～	564,200		5,640×加算率									
					休日保育の年間延べ利用子ども数												
			1、2歳児		～　210人	203,400		2,030×加算率			＋						
	6人から12人まで	3号			211人～　279人	217,400		2,170×加算率				44,990	＋	390×加算率	＋	3,200	3,500
					280人～　349人	245,400		2,450×加算率									
			乳児		350人～　419人	273,400		2,730×加算率									
				＋	420人～　489人	301,400		3,010×加算率									
16/100地域					490人～　559人	329,400	＋	3,290×加算率	÷	各月初日の							
					560人～　629人	357,400		3,570×加算率		利用子ども数							
			1、2歳児		630人～　699人	385,400		3,850×加算率									
	13人から19人まで				700人～　769人	413,400		4,130×加算率			＋						
		3号			770人～　839人	441,400		4,410×加算率				30,430	＋	240×加算率	＋	2,000	2,200
					840人～　909人	469,400		4,690×加算率									
			乳児		910人～　979人	497,400		4,970×加算率									
					980人～1,049人	525,400		5,250×加算率									
					1,050人～	553,400		5,530×加算率									
					休日保育の年間延べ利用子ども数												
			1、2歳児		～　210人	202,500		2,020×加算率			＋						
	6人から12人まで	3号			211人～　279人	216,200		2,160×加算率				44,990	＋	390×加算率	＋	3,200	3,500
					280人～　349人	243,600		2,430×加算率									
			乳児		350人～　419人	271,000		2,710×加算率									
				＋	420人～　489人	298,400		2,980×加算率									
15/100地域					490人～　559人	325,800	＋	3,250×加算率	÷	各月初日の							
					560人～　629人	353,200		3,530×加算率		利用子ども数							
			1、2歳児		630人～　699人	380,700		3,800×加算率									
	13人から19人まで				700人～　769人	408,100		4,080×加算率			＋						
		3号			770人～　839人	435,500		4,350×加算率				30,430	＋	240×加算率	＋	2,000	2,200
					840人～　909人	462,900		4,620×加算率									
			乳児		910人～　979人	490,300		4,900×加算率									
					980人～1,049人	517,700		5,170×加算率									
					1,050人～	545,200		5,450×加算率									
					休日保育の年間延べ利用子ども数												
			1、2歳児		～　210人	199,800		1,990×加算率			＋						
	6人から12人まで	3号			211人～　279人	213,500		2,130×加算率				44,990	＋	390×加算率	＋	3,200	3,500
					280人～　349人	240,900		2,400×加算率									
			乳児		350人～　419人	268,300		2,680×加算率									
				＋	420人～　489人	295,700		2,950×加算率									
12/100地域					490人～　559人	323,100	＋	3,230×加算率	÷	各月初日の							
					560人～　629人	350,500		3,500×加算率		利用子ども数							
			1、2歳児		630人～　699人	378,000		3,780×加算率									
	13人から19人まで				700人～　769人	405,400		4,050×加算率			＋						
		3号			770人～　839人	432,800		4,320×加算率				30,430	＋	240×加算率	＋	2,000	2,200
					840人～　909人	460,200		4,600×加算率									
			乳児		910人～　979人	487,600		4,870×加算率									
					980人～1,049人	515,000		5,150×加算率									
					1,050人～	542,500		5,420×加算率									

地域区分 ①	定員区分 ②	認定区分 ③	年齢区分 ④		賃借料加算 ⑬	加算額 標準	加算額 都市部		連携施設を設定しない場合 ⑭		食事の搬入について自園調理又は連携施設等からの搬入以外の方法による場合 ⑮		管理者を配置していない場合 ⑯		処遇改善等加算Ⅰ
20/100地域	6人から12人まで	3号	1、2歳児	＋	a 地域	20, 300	22, 600	－	2, 110	－	(⑥＋⑦＋⑪) × 10/100	－	40, 990	＋	400×加算率
					b 地域	11, 200	12, 400								
			乳　児		c 地域	9, 700	10, 800								
					d 地域	8, 700	9, 700								
	13人から19人まで	3号	1、2歳児	＋	a 地域	25, 700	28, 600	－	1, 330	－	(⑥＋⑦＋⑪) × 10/100	－	25, 890	＋	250×加算率
					b 地域	14, 200	15, 700								
			乳　児		c 地域	12, 300	13, 700								
					d 地域	11, 000	12, 300								
16/100地域	6人から12人まで	3号	1、2歳児	＋	a 地域	20, 300	22, 600	－	2, 110	－	(⑥＋⑦＋⑪) × 10/100	－	39, 430	＋	390×加算率
					b 地域	11, 200	12, 400								
			乳　児		c 地域	9, 700	10, 800								
					d 地域	8, 700	9, 700								
	13人から19人まで	3号	1、2歳児	＋	a 地域	25, 700	28, 600	－	1, 330	－	(⑥＋⑦＋⑪) × 10/100	－	24, 900	＋	240×加算率
					b 地域	14, 200	15, 700								
			乳　児		c 地域	12, 300	13, 700								
					d 地域	11, 000	12, 300								
15/100地域	6人から12人まで	3号	1、2歳児	＋	a 地域	20, 300	22, 600	－	2, 110	－	(⑥＋⑦＋⑪) × 10/100	－	39, 040	＋	390×加算率
					b 地域	11, 200	12, 400								
			乳　児		c 地域	9, 700	10, 800								
					d 地域	8, 700	9, 700								
	13人から19人まで	3号	1、2歳児	＋	a 地域	25, 700	28, 600	－	1, 330	－	(⑥＋⑦＋⑪) × 10/100	－	24, 660	＋	240×加算率
					b 地域	14, 200	15, 700								
			乳　児		c 地域	12, 300	13, 700								
					d 地域	11, 000	12, 300								
12/100地域	6人から12人まで	3号	1、2歳児	＋	a 地域	20, 300	22, 600	－	2, 110	－	(⑥＋⑦＋⑪) × 10/100	－	37, 870	＋	370×加算率
					b 地域	11, 200	12, 400								
			乳　児		c 地域	9, 700	10, 800								
					d 地域	8, 700	9, 700								
	13人から19人まで	3号	1、2歳児	＋	a 地域	25, 700	28, 600	－	1, 330	－	(⑥＋⑦＋⑪) × 10/100	－	23, 920	＋	230×加算率
					b 地域	14, 200	15, 700								
			乳　児		c 地域	12, 300	13, 700								
					d 地域	11, 000	12, 300								

地域区分 ①	定員区分 ②	認定区分 ③	年齢区分 ④		土曜日に閉所する場合 ⑰				定員を恒常的に超過する場合 ⑱
					月に１日土曜日を閉所する場合	月に２日土曜日を閉所する場合	月に３日以上土曜日を閉所する場合	全ての土曜日を閉所する場合	
20/100地域	6人から12人まで	3号	1、2歳児 乳児	—	(⑥+⑦+⑨+⑪) × 2/100	(⑥+⑦+⑨+⑪) × 4/100	(⑥+⑦+⑨+⑪) × 6/100	(⑥+⑦+⑨+⑪) × 8/100	(⑥～⑰) × 79/100
	13人から19人まで	3号	1、2歳児 乳児	—	(⑥+⑦+⑨+⑪) × 2/100	(⑥+⑦+⑨+⑪) × 4/100	(⑥+⑦+⑨+⑪) × 7/100	(⑥+⑦+⑨+⑪) × 9/100	(離島その他の地域) 各月初日の利用子ども数 20人～30人 (⑥～⑰) × 80/100 31人～40人 (⑥～⑰) × 75/100 41人～ (⑥～⑰) × 70/100
16/100地域	6人から12人まで	3号	1、2歳児 乳児	—	(⑥+⑦+⑨+⑪) × 2/100	(⑥+⑦+⑨+⑪) × 4/100	(⑥+⑦+⑨+⑪) × 6/100	(⑥+⑦+⑨+⑪) × 8/100	(⑥～⑰) × 79/100
	13人から19人まで	3号	1、2歳児 乳児	—	(⑥+⑦+⑨+⑪) × 2/100	(⑥+⑦+⑨+⑪) × 4/100	(⑥+⑦+⑨+⑪) × 7/100	(⑥+⑦+⑨+⑪) × 9/100	(離島その他の地域) 各月初日の利用子ども数 20人～30人 (⑥～⑰) × 80/100 31人～40人 (⑥～⑰) × 75/100 41人～ (⑥～⑰) × 70/100
15/100地域	6人から12人まで	3号	1、2歳児 乳児	—	(⑥+⑦+⑨+⑪) × 2/100	(⑥+⑦+⑨+⑪) × 4/100	(⑥+⑦+⑨+⑪) × 6/100	(⑥+⑦+⑨+⑪) × 9/100	(⑥～⑰) × 79/100
	13人から19人まで	3号	1、2歳児 乳児	—	(⑥+⑦+⑨+⑪) × 2/100	(⑥+⑦+⑨+⑪) × 4/100	(⑥+⑦+⑨+⑪) × 7/100	(⑥+⑦+⑨+⑪) × 9/100	(離島その他の地域) 各月初日の利用子ども数 20人～30人 (⑥～⑰) × 80/100 31人～40人 (⑥～⑰) × 75/100 41人～ (⑥～⑰) × 70/100
12/100地域	6人から12人まで	3号	1、2歳児 乳児	—	(⑥+⑦+⑨+⑪) × 2/100	(⑥+⑦+⑨+⑪) × 4/100	(⑥+⑦+⑨+⑪) × 6/100	(⑥+⑦+⑨+⑪) × 9/100	(⑥～⑰) × 79/100
	13人から19人まで	3号	1、2歳児 乳児	—	(⑥+⑦+⑨+⑪) × 2/100	(⑥+⑦+⑨+⑪) × 5/100	(⑥+⑦+⑨+⑪) × 7/100	(⑥+⑦+⑨+⑪) × 9/100	(離島その他の地域) 各月初日の利用子ども数 20人～30人 (⑥～⑰) × 80/100 31人～40人 (⑥～⑰) × 75/100 41人～ (⑥～⑰) × 70/100

地域区分 ①	定員区分 ②	認定区分 ③	年齢区分 ④	保育必要量区分⑤ 保育標準時間認定 基本分単価 ⑥	（注）	保育必要量区分⑤ 保育短時間認定 基本分単価 ⑥	（注）		処遇改善等加算Ⅰ 保育標準時間認定 ⑦	（注）		処遇改善等加算Ⅰ 保育短時間認定 ⑦	（注）	
10/100地域	6人から12人まで	3号	1、2歳児	185, 030	(246, 090)	180, 230	(241, 290)	＋	1, 730	(2, 340)	×加算率	1, 690	(2, 300)	×加算率
			乳児	246, 090		241, 290		＋	2, 340		×加算率	2, 300		×加算率
	13人から19人まで	3号	1、2歳児	143, 510	(204, 570)	140, 470	(201, 530)	＋	1, 320	(1, 930)	×加算率	1, 290	(1, 900)	×加算率
			乳児	204, 570		201, 530		＋	1, 930		×加算率	1, 900		×加算率
6/100地域	6人から12人まで	3号	1、2歳児	181, 400	(241, 210)	176, 590	(236, 400)	＋	1, 700	(2, 290)	×加算率	1, 650	(2, 240)	×加算率
			乳児	241, 210		236, 400		＋	2, 290		×加算率	2, 240		×加算率
	13人から19人まで	3号	1、2歳児	140, 750	(200, 560)	137, 720	(197, 530)	＋	1, 290	(1, 880)	×加算率	1, 260	(1, 850)	×加算率
			乳児	200, 560		197, 530		＋	1, 880		×加算率	1, 850		×加算率
3/100地域	6人から12人まで	3号	1、2歳児	178, 670	(237, 540)	173, 870	(232, 740)	＋	1, 670	(2, 250)	×加算率	1, 620	(2, 200)	×加算率
			乳児	237, 540		232, 740		＋	2, 250		×加算率	2, 200		×加算率
	13人から19人まで	3号	1、2歳児	138, 690	(197, 560)	135, 650	(194, 520)	＋	1, 270	(1, 850)	×加算率	1, 240	(1, 820)	×加算率
			乳児	197, 560		194, 520		＋	1, 850		×加算率	1, 820		×加算率
その他地域	6人から12人まで	3号	1、2歳児	175, 950	(233, 880)	171, 140	(229, 070)	＋	1, 640	(2, 210)	×加算率	1, 590	(2, 160)	×加算率
			乳児	233, 880		229, 070		＋	2, 210		×加算率	2, 160		×加算率
	13人から19人まで	3号	1、2歳児	136, 620	(194, 550)	133, 590	(191, 520)	＋	1, 250	(1, 820)	×加算率	1, 220	(1, 790)	×加算率
			乳児	194, 550		191, 520		＋	1, 820		×加算率	1, 790		×加算率

地域区分 ①	定員区分 ②	認定区分 ③	年齢区分 ④		保育士比率向上加算	（注）		処遇改善等加算Ⅰ ⑧	（注）			障害児保育加算 ※特別な支援が必要な利用子どもの単価に加算	（注）		処遇改善等加算Ⅰ ⑨	（注）	
10/100地域	6人から12人まで	3号	1、2歳児	＋	11,940	(19,900)	＋	110	(190)	×加算率	＋	122,120	(61,060)	＋	1,220	(610)	×加算率
			乳　児	＋	19,900		＋	190		×加算率	＋	61,060		＋	610		×加算率
	13人から19人まで	3号	1、2歳児	＋	10,550	(18,510)	＋	100	(180)	×加算率	＋	122,120	(61,060)	＋	1,220	(610)	×加算率
			乳　児	＋	18,510		＋	180		×加算率	＋	61,060		＋	610		×加算率
6/100地域	6人から12人まで	3号	1、2歳児	＋	11,000	(18,330)	＋	110	(190)	×加算率	＋	119,620	(59,810)	＋	1,190	(590)	×加算率
			乳　児	＋	18,330		＋	190		×加算率	＋	59,810		＋	590		×加算率
	13人から19人まで	3号	1、2歳児	＋	9,720	(17,050)	＋	100	(180)	×加算率	＋	119,620	(59,810)	＋	1,190	(590)	×加算率
			乳　児	＋	17,050		＋	180		×加算率	＋	59,810		＋	590		×加算率
3/100地域	6人から12人まで	3号	1、2歳児	＋	10,290	(17,160)	＋	100	(170)	×加算率	＋	117,750	(58,870)	＋	1,170	(580)	×加算率
			乳　児	＋	17,160		＋	170		×加算率	＋	58,870		＋	580		×加算率
	13人から19人まで	3号	1、2歳児	＋	9,100	(15,970)	＋	90	(160)	×加算率	＋	117,750	(58,870)	＋	1,170	(580)	×加算率
			乳　児	＋	15,970		＋	160		×加算率	＋	58,870		＋	580		×加算率
その他地域	6人から12人まで	3号	1、2歳児	＋	9,590	(15,990)	＋	100	(170)	×加算率	＋	115,870	(57,930)	＋	1,150	(570)	×加算率
			乳　児	＋	15,990		＋	170		×加算率	＋	57,930		＋	570		×加算率
	13人から19人まで	3号	1、2歳児	＋	8,480	(14,880)	＋	80	(150)	×加算率	＋	115,870	(57,930)	＋	1,150	(570)	×加算率
			乳　児	＋	14,880		＋	150		×加算率	＋	57,930		＋	570		×加算率

地域区分 ①	定員区分 ②	認定区分 ③	年齢区分 ④		休日保育加算			処遇改善等加算Ⅰ ⑩				夜間保育加算		処遇改善等加算Ⅰ ⑪		減価償却費加算 加算額 標　準 ⑫	都市部
10/100地域	6人から12人まで	3号	1、2歳児		休日保育の年間延べ利用子ども数						＋	44,990	＋	390×加算率	＋	3,200	3,500
					～　210人	198,000		1,980×加算率									
					211人～　279人	211,400		2,110×加算率									
					280人～　349人	238,200		2,380×加算率									
					350人～　419人	265,000		2,650×加算率									
			乳　児	＋	420人～　489人	291,900		2,910×加算率									
					490人～　559人	318,700	＋	3,180×加算率	÷	各月初日の利用子ども数							
	13人から19人まで	3号	1、2歳児		560人～　629人	345,500		3,450×加算率			＋	30,430	＋	240×加算率	＋	2,000	2,200
					630人～　699人	372,400		3,720×加算率									
					700人～　769人	399,200		3,990×加算率									
					770人～　839人	426,000		4,260×加算率									
					840人～　909人	452,900		4,520×加算率									
			乳　児		910人～　979人	479,700		4,790×加算率									
					980人～1,049人	506,500		5,060×加算率									
					1,050人～	533,400		5,330×加算率									
6/100地域	6人から12人まで	3号	1、2歳児		休日保育の年間延べ利用子ども数						＋	44,990	＋	390×加算率	＋	3,200	3,500
					～　210人	194,500		1,940×加算率									
					211人～　279人	207,600		2,070×加算率									
					280人～　349人	233,800		2,330×加算率									
					350人～　419人	260,100		2,600×加算率									
			乳　児	＋	420人～　489人	286,300		2,860×加算率									
					490人～　559人	312,600	＋	3,120×加算率	÷	各月初日の利用子ども数							
	13人から19人まで	3号	1、2歳児		560人～　629人	338,800		3,380×加算率			＋	30,430	＋	240×加算率	＋	2,000	2,200
					630人～　699人	365,100		3,650×加算率									
					700人～　769人	391,300		3,910×加算率									
					770人～　839人	417,600		4,170×加算率									
					840人～　909人	443,800		4,430×加算率									
			乳　児		910人～　979人	470,100		4,700×加算率									
					980人～1,049人	496,300		4,960×加算率									
					1,050人～	522,600		5,220×加算率									
3/100地域	6人から12人まで	3号	1、2歳児		休日保育の年間延べ利用子ども数						＋	44,990	＋	390×加算率	＋	3,200	3,500
					～　210人	191,700		1,910×加算率									
					211人～　279人	204,500		2,040×加算率									
					280人～　349人	230,200		2,300×加算率									
					350人～　419人	255,800		2,550×加算率									
			乳　児	＋	420人～　489人	281,500		2,810×加算率									
					490人～　559人	307,200	＋	3,070×加算率	÷	各月初日の利用子ども数							
	13人から19人まで	3号	1、2歳児		560人～　629人	332,800		3,320×加算率			＋	30,430	＋	240×加算率	＋	2,000	2,200
					630人～　699人	358,500		3,580×加算率									
					700人～　769人	384,200		3,840×加算率									
					770人～　839人	409,800		4,090×加算率									
					840人～　909人	435,500		4,350×加算率									
			乳　児		910人～　979人	461,200		4,610×加算率									
					980人～1,049人	486,800		4,860×加算率									
					1,050人～	512,500		5,120×加算率									
その他地域	6人から12人まで	3号	1、2歳児		休日保育の年間延べ利用子ども数						＋	44,990	＋	390×加算率	＋	3,200	3,500
					～　210人	189,000		1,890×加算率									
					211人～　279人	201,800		2,010×加算率									
					280人～　349人	227,500		2,270×加算率									
					350人～　419人	253,100		2,530×加算率									
			乳　児	＋	420人～　489人	278,800		2,780×加算率									
					490人～　559人	304,500	＋	3,040×加算率	÷	各月初日の利用子ども数							
	13人から19人まで	3号	1、2歳児		560人～　629人	330,100		3,300×加算率			＋	30,430	＋	240×加算率	＋	2,000	2,200
					630人～　699人	355,800		3,550×加算率									
					700人～　769人	381,500		3,810×加算率									
					770人～　839人	407,100		4,070×加算率									
					840人～　909人	432,800		4,320×加算率									
			乳　児		910人～　979人	458,500		4,580×加算率									
					980人～1,049人	484,100		4,840×加算率									
					1,050人～	509,800		5,090×加算率									

地域区分 ①	定員区分 ②	認定区分 ③	年齢区分 ④		賃借料加算	加算額 標準	加算額 都市部 ⑬		連携施設を設定しない場合 ⑭		食事の搬入について自園調理又は連携施設等からの搬入以外の方法による場合 ⑮		管理者を配置していない場合		処遇改善等加算Ⅰ ⑯
10/100地域	6人から12人まで	3号	1、2歳児	＋	a地域	20,300	22,600	−	2,110	−	(⑥＋⑦＋⑪)×10/100	−	37,090	＋	370×加算率
					b地域	11,200	12,400								
			乳児		c地域	9,700	10,800								
					d地域	8,700	9,700								
	13人から19人まで	3号	1、2歳児	＋	a地域	25,700	28,600	−	1,330	−	(⑥＋⑦＋⑪)×10/100	−	23,420	＋	230×加算率
					b地域	14,200	15,700								
			乳児		c地域	12,300	13,700								
					d地域	11,000	12,300								
6/100地域	6人から12人まで	3号	1、2歳児	＋	a地域	20,300	22,600	−	2,110	−	(⑥＋⑦＋⑪)×11/100	−	35,530	＋	350×加算率
					b地域	11,200	12,400								
			乳児		c地域	9,700	10,800								
					d地域	8,700	9,700								
	13人から19人まで	3号	1、2歳児	＋	a地域	25,700	28,600	−	1,330	−	(⑥＋⑦＋⑪)×10/100	−	22,440	＋	220×加算率
					b地域	14,200	15,700								
			乳児		c地域	12,300	13,700								
					d地域	11,000	12,300								
3/100地域	6人から12人まで	3号	1、2歳児	＋	a地域	20,300	22,600	−	2,110	−	(⑥＋⑦＋⑪)×11/100	−	34,360	＋	340×加算率
					b地域	11,200	12,400								
			乳児		c地域	9,700	10,800								
					d地域	8,700	9,700								
	13人から19人まで	3号	1、2歳児	＋	a地域	25,700	28,600	−	1,330	−	(⑥＋⑦＋⑪)×10/100	−	21,700	＋	210×加算率
					b地域	14,200	15,700								
			乳児		c地域	12,300	13,700								
					d地域	11,000	12,300								
その他地域	6人から12人まで	3号	1、2歳児	＋	a地域	20,300	22,600	−	2,110	−	(⑥＋⑦＋⑪)×11/100	−	33,190	＋	330×加算率
					b地域	11,200	12,400								
			乳児		c地域	9,700	10,800								
					d地域	8,700	9,700								
	13人から19人まで	3号	1、2歳児	＋	a地域	25,700	28,600	−	1,330	−	(⑥＋⑦＋⑪)×10/100	−	20,960	＋	200×加算率
					b地域	14,200	15,700								
			乳児		c地域	12,300	13,700								
					d地域	11,000	12,300								

地域区分 ①	定員区分 ②	認定区分 ③	年齢区分 ④		土曜日に閉所する場合 月に１日土曜日を閉所する場合 ⑰	土曜日に閉所する場合 月に２日土曜日を閉所する場合 ⑰	土曜日に閉所する場合 月に３日以上土曜日を閉所する場合 ⑰	土曜日に閉所する場合 全ての土曜日を閉所する場合 ⑰	定員を恒常的に超過する場合 ⑱
10/100地域	6人から12人まで	3号	1、2歳児 乳　　児	—	(⑥+⑦+⑨+⑪)× 2/100	(⑥+⑦+⑨+⑪)× 4/100	(⑥+⑦+⑨+⑪)× 7/100	(⑥+⑦+⑨+⑪)× 9/100	(⑥～⑰)× 79/100
	13人から19人まで	3号	1、2歳児 乳　　児	—	(⑥+⑦+⑨+⑪)× 2/100	(⑥+⑦+⑨+⑪)× 5/100	(⑥+⑦+⑨+⑪)× 7/100	(⑥+⑦+⑨+⑪)× 9/100	(離島その他の地域) 各月初日の利用子ども数 20人～30人 (⑥～⑰)× 80/100 31人～40人 (⑥～⑰)× 75/100 41人～ (⑥～⑰)× 70/100
6/100地域	6人から12人まで	3号	1、2歳児 乳　　児	—	(⑥+⑦+⑨+⑪)× 2/100	(⑥+⑦+⑨+⑪)× 4/100	(⑥+⑦+⑨+⑪)× 7/100	(⑥+⑦+⑨+⑪)× 9/100	(⑥～⑰)× 79/100
	13人から19人まで	3号	1、2歳児 乳　　児	—	(⑥+⑦+⑨+⑪)× 2/100	(⑥+⑦+⑨+⑪)× 5/100	(⑥+⑦+⑨+⑪)× 7/100	(⑥+⑦+⑨+⑪)× 9/100	(離島その他の地域) 各月初日の利用子ども数 20人～30人 (⑥～⑰)× 80/100 31人～40人 (⑥～⑰)× 75/100 41人～ (⑥～⑰)× 70/100
3/100地域	6人から12人まで	3号	1、2歳児 乳　　児	—	(⑥+⑦+⑨+⑪)× 2/100	(⑥+⑦+⑨+⑪)× 5/100	(⑥+⑦+⑨+⑪)× 7/100	(⑥+⑦+⑨+⑪)× 9/100	(⑥～⑰)× 79/100
	13人から19人まで	3号	1、2歳児 乳　　児	—	(⑥+⑦+⑨+⑪)× 2/100	(⑥+⑦+⑨+⑪)× 5/100	(⑥+⑦+⑨+⑪)× 7/100	(⑥+⑦+⑨+⑪)× 9/100	(離島その他の地域) 各月初日の利用子ども数 20人～30人 (⑥～⑰)× 80/100 31人～40人 (⑥～⑰)× 75/100 41人～ (⑥～⑰)× 70/100
その他地域	6人から12人まで	3号	1、2歳児 乳　　児	—	(⑥+⑦+⑨+⑪)× 2/100	(⑥+⑦+⑨+⑪)× 5/100	(⑥+⑦+⑨+⑪)× 7/100	(⑥+⑦+⑨+⑪)× 9/100	(⑥～⑰)× 79/100
	13人から19人まで	3号	1、2歳児 乳　　児	—	(⑥+⑦+⑨+⑪)× 2/100	(⑥+⑦+⑨+⑪)× 5/100	(⑥+⑦+⑨+⑪)× 7/100	(⑥+⑦+⑨+⑪)× 10/100	(離島その他の地域) 各月初日の利用子ども数 20人～30人 (⑥～⑰)× 80/100 31人～40人 (⑥～⑰)× 75/100 41人～ (⑥～⑰)× 70/100

加算部分２

処遇改善等加算Ⅱ ⑲	以下の加算を合算した額を各月初日の利用子ども数で除した額 ・処遇改善等加算Ⅱ－① 49,010 × 人数Ａ ・処遇改善等加算Ⅱ－② 6,130 × 人数Ｂ	※１ 各月初日の利用子どもの単価に加算 ※２ 人数Ａ及び人数Ｂについては、別に定める

処遇改善等加算Ⅲ ⑳	11,030 × 加算Ⅲ算定対象人数 ÷各月初日の利用子ども数	※１ 各月初日の利用子どもの単価に加算 ※２ 加算Ⅲ算定対象人数については、別に定める

冷暖房費加算 ㉑	１ 級 地	1,900	４ 級 地	1,320	※以下の区分に応じて、各月の単価に加算 １級地から４級地：国家公務員の寒冷地手当に関する法律（昭和２４年法律第２００号）第１条第１号及び第２号に掲げる地域 その他地域：１級地から４級地以外の地域
	２ 級 地	1,690	その他地域	120	
	３ 級 地	1,670			

除雪費加算 ㉒	6,270	※３月初日の利用子どもの単価に加算

降灰除去費加算 ㉓	162,470÷３月初日の利用子ども数	※３月初日の利用子どもの単価に加算

施設機能強化推進費加算 ㉔	160,000（限度額）÷３月初日の利用子ども数	※３月初日の利用子どもの単価に加算

栄養管理加算 ㉕	A	基本額 処遇改善等加算Ⅰ （ 79,950 ＋ 790×加算率 ） ÷各月初日の利用子ども数	※以下の区分に応じて、各月初日の利用子どもの単価に加算 Ａ：Bを除き栄養士を雇用契約等により配置している施設 Ｂ：基本分単価及び他の加算の認定に当たって求められる職員が栄養士を兼務している施設 Ｃ：A又はBを除き、栄養士を嘱託等している施設
	B	基本額 処遇改善等加算Ⅰ （ 50,000 ＋ 500×加算率 ） ÷各月初日の利用子ども数	
	C	基本額 10,000 ÷各月初日の利用子ども数	

第三者評価受審加算 ㉖	150,000÷３月初日の利用子ども数	※３月初日の利用子どもの単価に加算

（注）年度の初日の前日における満年齢に応じて月額を調整

○小規模保育事業（C型）（保育認定）

地域区分 ①	定員区分 ②	認定区分 ③	保育必要量区分④ 保育標準時間認定 基本分単価 ⑤	保育必要量区分④ 保育短時間認定 基本分単価 ⑤	処遇改善等加算Ⅰ 保育標準時間認定 ⑥	処遇改善等加算Ⅰ 保育短時間認定 ⑥	資格保有者加算 ⑦	資格保有者加算 処遇改善等加算Ⅰ ⑦	障害児保育加算 ※特別な支援が必要な利用子どもの単価に加算 ⑧	障害児保育加算 処遇改善等加算Ⅰ ⑧
20/100地域	6人から10人まで	3号	218, 840	213, 070	＋ 2, 070×加算率	2, 010×加算率	＋ 1人 2, 320 2人以上 4, 640	＋ 20×加算率 40×加算率	＋ 47, 610	＋ 470 ×加算率
	11人から15人まで	3号	192, 270	188, 430	＋ 1, 810×加算率	1, 770×加算率	＋ 1人 1, 540 2人 3, 080 3人以上 4, 620	＋ 10×加算率 20×加算率 30×加算率	＋ 47, 610	＋ 470 ×加算率
16/100地域	6人から10人まで	3号	214, 100	208, 330	＋ 2, 020×加算率	1, 970×加算率	＋ 1人 2, 240 2人以上 4, 480	＋ 20×加算率 40×加算率	＋ 46, 190	＋ 460 ×加算率
	11人から15人まで	3号	188, 170	184, 320	＋ 1, 760×加算率	1, 730×加算率	＋ 1人 1, 490 2人 2, 980 3人以上 4, 470	＋ 10×加算率 20×加算率 30×加算率	＋ 46, 190	＋ 460 ×加算率
15/100地域	6人から10人まで	3号	212, 920	207, 150	＋ 2, 010×加算率	1, 950×加算率	＋ 1人 2, 220 2人以上 4, 440	＋ 20×加算率 40×加算率	＋ 45, 830	＋ 450 ×加算率
	11人から15人まで	3号	187, 140	183, 300	＋ 1, 750×加算率	1, 720×加算率	＋ 1人 1, 480 2人 2, 960 3人以上 4, 440	＋ 10×加算率 20×加算率 30×加算率	＋ 45, 830	＋ 450 ×加算率
12/100地域	6人から10人まで	3号	209, 360	203, 600	＋ 1, 980×加算率	1, 920×加算率	＋ 1人 2, 160 2人以上 4, 320	＋ 20×加算率 40×加算率	＋ 44, 770	＋ 440 ×加算率
	11人から15人まで	3号	184, 060	180, 220	＋ 1, 720×加算率	1, 690×加算率	＋ 1人 1, 440 2人 2, 880 3人以上 4, 320	＋ 10×加算率 20×加算率 30×加算率	＋ 44, 770	＋ 440 ×加算率
10/100地域	6人から10人まで	3号	206, 990	201, 230	＋ 1, 950×加算率	1, 900×加算率	＋ 1人 2, 120 2人以上 4, 240	＋ 20×加算率 40×加算率	＋ 44, 060	＋ 440 ×加算率
	11人から15人まで	3号	182, 010	178, 160	＋ 1, 700×加算率	1, 660×加算率	＋ 1人 1, 410 2人 2, 820 3人以上 4, 230	＋ 10×加算率 20×加算率 30×加算率	＋ 44, 060	＋ 440 ×加算率
6/100地域	6人から10人まで	3号	202, 260	196, 490	＋ 1, 910×加算率	1, 850×加算率	＋ 1人 2, 050 2人以上 4, 100	＋ 20×加算率 40×加算率	＋ 42, 630	＋ 420 ×加算率
	11人から15人まで	3号	177, 900	174, 060	＋ 1, 660×加算率	1, 620×加算率	＋ 1人 1, 360 2人 2, 720 3人以上 4, 080	＋ 10×加算率 20×加算率 30×加算率	＋ 42, 000	＋ 420 ×加算率
3/100地域	6人から10人まで	3号	198, 700	192, 940	＋ 1, 870×加算率	1, 810×加算率	＋ 1人 1, 990 2人以上 3, 980	＋ 10×加算率 20×加算率	＋ 41, 570	＋ 410 ×加算率
	11人から15人まで	3号	174, 820	170, 980	＋ 1, 630×加算率	1, 590×加算率	＋ 1人 1, 320 2人 2, 640 3人以上 3, 960	＋ 10×加算率 20×加算率 30×加算率	＋ 41, 570	＋ 410 ×加算率
その他地域	6人から10人まで	3号	195, 150	189, 380	＋ 1, 830×加算率	1, 780×加算率	＋ 1人 1, 930 2人以上 3, 860	＋ 10×加算率 20×加算率	＋ 40, 500	＋ 400 ×加算率
	11人から15人まで	3号	171, 740	167, 900	＋ 1, 600×加算率	1, 560×加算率	＋ 1人 1, 290 2人 2, 580 3人以上 3, 870	＋ 10×加算率 20×加算率 30×加算率	＋ 40, 500	＋ 400 ×加算率

地域区分 ①	定員区分 ②	認定区分 ③		減価償却費加算 加算額 標準 ⑨	減価償却費加算 加算額 都市部		賃借料加算 ⑩	加算額 標準	加算額 都市部		連携施設を設定しない場合 ⑪		食事の搬入について自園調理又は連携施設等からの搬入以外の方法による場合 ⑫		管理者を配置していない場合		処遇改善等加算Ⅰ ⑬
20/100地域	6人から10人まで	3号	＋	3, 900	4, 300	＋	a 地域 b 地域 c 地域 d 地域	21, 000 11, 600 10, 100 9, 000	23, 400 12, 900 11, 200 10, 000	－	2, 540	－	(⑤＋⑥)× 7/100	－	49, 190	＋	490×加算率
20/100地域	11人から15人まで	3号	＋	2, 600	2, 800	＋	a 地域 b 地域 c 地域 d 地域	28, 300 15, 600 13, 600 12, 200	31, 500 17, 300 15, 100 13, 500	－	1, 690	－	(⑤＋⑥)× 7/100	－	32, 790	＋	320×加算率
16/100地域	6人から10人まで	3号	＋	3, 900	4, 300	＋	a 地域 b 地域 c 地域 d 地域	21, 000 11, 600 10, 100 9, 000	23, 400 12, 900 11, 200 10, 000	－	2, 540	－	(⑤＋⑥)× 8/100	－	47, 320	＋	470×加算率
16/100地域	11人から15人まで	3号	＋	2, 600	2, 800	＋	a 地域 b 地域 c 地域 d 地域	28, 300 15, 600 13, 600 12, 200	31, 500 17, 300 15, 100 13, 500	－	1, 690	－	(⑤＋⑥)× 7/100	－	31, 540	＋	310×加算率
15/100地域	6人から10人まで	3号	＋	3, 900	4, 300	＋	a 地域 b 地域 c 地域 d 地域	21, 000 11, 600 10, 100 9, 000	23, 400 12, 900 11, 200 10, 000	－	2, 540	－	(⑤＋⑥)× 8/100	－	46, 850	＋	460×加算率
15/100地域	11人から15人まで	3号	＋	2, 600	2, 800	＋	a 地域 b 地域 c 地域 d 地域	28, 300 15, 600 13, 600 12, 200	31, 500 17, 300 15, 100 13, 500	－	1, 690	－	(⑤＋⑥)× 7/100	－	31, 230	＋	310×加算率
12/100地域	6人から10人まで	3号	＋	3, 900	4, 300	＋	a 地域 b 地域 c 地域 d 地域	21, 000 11, 600 10, 100 9, 000	23, 400 12, 900 11, 200 10, 000	－	2, 540	－	(⑤＋⑥)× 8/100	－	45, 450	＋	450×加算率
12/100地域	11人から15人まで	3号	＋	2, 600	2, 800	＋	a 地域 b 地域 c 地域 d 地域	28, 300 15, 600 13, 600 12, 200	31, 500 17, 300 15, 100 13, 500	－	1, 690	－	(⑤＋⑥)× 7/100	－	30, 300	＋	300×加算率
10/100地域	6人から10人まで	3号	＋	3, 900	4, 300	＋	a 地域 b 地域 c 地域 d 地域	21, 000 11, 600 10, 100 9, 000	23, 400 12, 900 11, 200 10, 000	－	2, 540	－	(⑤＋⑥)× 8/100	－	44, 510	＋	440×加算率
10/100地域	11人から15人まで	3号	＋	2, 600	2, 800	＋	a 地域 b 地域 c 地域 d 地域	28, 300 15, 600 13, 600 12, 200	31, 500 17, 300 15, 100 13, 500	－	1, 690	－	(⑤＋⑥)× 7/100	－	29, 670	＋	290×加算率
6/100地域	6人から10人まで	3号	＋	3, 900	4, 300	＋	a 地域 b 地域 c 地域 d 地域	21, 000 11, 600 10, 100 9, 000	23, 400 12, 900 11, 200 10, 000	－	2, 540	－	(⑤＋⑥)× 8/100	－	42, 640	＋	420×加算率
6/100地域	11人から15人まで	3号	＋	2, 600	2, 800	＋	a 地域 b 地域 c 地域 d 地域	28, 300 15, 600 13, 600 12, 200	31, 500 17, 300 15, 100 13, 500	－	1, 690	－	(⑤＋⑥)× 8/100	－	28, 420	＋	280×加算率
3/100地域	6人から10人まで	3号	＋	3, 900	4, 300	＋	a 地域 b 地域 c 地域 d 地域	21, 000 11, 600 10, 100 9, 000	23, 400 12, 900 11, 200 10, 000	－	2, 540	－	(⑤＋⑥)× 8/100	－	41, 230	＋	410×加算率
3/100地域	11人から15人まで	3号	＋	2, 600	2, 800	＋	a 地域 b 地域 c 地域 d 地域	28, 300 15, 600 13, 600 12, 200	31, 500 17, 300 15, 100 13, 500	－	1, 690	－	(⑤＋⑥)× 8/100	－	27, 490	＋	270×加算率
その他地域	6人から10人まで	3号	＋	3, 900	4, 300	＋	a 地域 b 地域 c 地域 d 地域	21, 000 11, 600 10, 100 9, 000	23, 400 12, 900 11, 200 10, 000	－	2, 540	－	(⑤＋⑥)× 8/100	－	39, 830	＋	390×加算率
その他地域	11人から15人まで	3号	＋	2, 600	2, 800	＋	a 地域 b 地域 c 地域 d 地域	28, 300 15, 600 13, 600 12, 200	31, 500 17, 300 15, 100 13, 500	－	1, 690	－	(⑤＋⑥)× 8/100	－	26, 550	＋	260×加算率

地域区分 ①	定員区分 ②	認定区分 ③		土曜日に閉所する場合 月に１日土曜日を閉所する場合	月に２日土曜日を閉所する場合	月に３日以上土曜日を閉所する場合	全ての土曜日を閉所する場合 ⑭	定員を恒常的に超過する場合 ⑮
20/100地域	6人から10人まで	3号	—	(⑤+⑥+⑧)×2/100	(⑤+⑥+⑧)×4/100	(⑤+⑥+⑧)×6/100	(⑤+⑥+⑧)×7/100	(⑤〜⑭)×88/100
	11人から15人まで	3号	—	(⑤+⑥+⑧)×2/100	(⑤+⑥+⑧)×4/100	(⑤+⑥+⑧)×6/100	(⑤+⑥+⑧)×8/100	
16/100地域	6人から10人まで	3号	—	(⑤+⑥+⑧)×2/100	(⑤+⑥+⑧)×4/100	(⑤+⑥+⑧)×6/100	(⑤+⑥+⑧)×8/100	(⑤〜⑭)×88/100
	11人から15人まで	3号	—	(⑤+⑥+⑧)×2/100	(⑤+⑥+⑧)×4/100	(⑤+⑥+⑧)×6/100	(⑤+⑥+⑧)×8/100	
15/100地域	6人から10人まで	3号	—	(⑤+⑥+⑧)×2/100	(⑤+⑥+⑧)×4/100	(⑤+⑥+⑧)×6/100	(⑤+⑥+⑧)×8/100	(⑤〜⑭)×88/100
	11人から15人まで	3号	—	(⑤+⑥+⑧)×2/100	(⑤+⑥+⑧)×4/100	(⑤+⑥+⑧)×6/100	(⑤+⑥+⑧)×8/100	
12/100地域	6人から10人まで	3号	—	(⑤+⑥+⑧)×2/100	(⑤+⑥+⑧)×4/100	(⑤+⑥+⑧)×6/100	(⑤+⑥+⑧)×8/100	(⑤〜⑭)×88/100
	11人から15人まで	3号	—	(⑤+⑥+⑧)×2/100	(⑤+⑥+⑧)×4/100	(⑤+⑥+⑧)×6/100	(⑤+⑥+⑧)×8/100	
10/100地域	6人から10人まで	3号	—	(⑤+⑥+⑧)×2/100	(⑤+⑥+⑧)×4/100	(⑤+⑥+⑧)×6/100	(⑤+⑥+⑧)×8/100	(⑤〜⑭)×88/100
	11人から15人まで	3号	—	(⑤+⑥+⑧)×2/100	(⑤+⑥+⑧)×4/100	(⑤+⑥+⑧)×6/100	(⑤+⑥+⑧)×8/100	
6/100地域	6人から10人まで	3号	—	(⑤+⑥+⑧)×2/100	(⑤+⑥+⑧)×4/100	(⑤+⑥+⑧)×6/100	(⑤+⑥+⑧)×8/100	(⑤〜⑭)×88/100
	11人から15人まで	3号	—	(⑤+⑥+⑧)×2/100	(⑤+⑥+⑧)×4/100	(⑤+⑥+⑧)×6/100	(⑤+⑥+⑧)×9/100	
3/100地域	6人から10人まで	3号	—	(⑤+⑥+⑧)×2/100	(⑤+⑥+⑧)×4/100	(⑤+⑥+⑧)×6/100	(⑤+⑥+⑧)×8/100	(⑤〜⑭)×88/100
	11人から15人まで	3号	—	(⑤+⑥+⑧)×2/100	(⑤+⑥+⑧)×4/100	(⑤+⑥+⑧)×7/100	(⑤+⑥+⑧)×9/100	
その他地域	6人から10人まで	3号	—	(⑤+⑥+⑧)×2/100	(⑤+⑥+⑧)×4/100	(⑤+⑥+⑧)×6/100	(⑤+⑥+⑧)×8/100	(⑤〜⑭)×88/100
	11人から15人まで	3号	—	(⑤+⑥+⑧)×2/100	(⑤+⑥+⑧)×4/100	(⑤+⑥+⑧)×7/100	(⑤+⑥+⑧)×9/100	

加算部分２

処遇改善等加算Ⅱ　⑯	以下の加算を合算した額を各月初日の利用子ども数で除した額 ・処遇改善等加算Ⅱ－①　49,010 × 人数Ａ ・処遇改善等加算Ⅱ－②　6,130 × 人数Ｂ	※１　各月初日の利用子どもの単価に加算 ※２　人数Ａ及び人数Ｂについては、別に定める

処遇改善等加算Ⅲ　⑰	11,030　×　加算Ⅲ算定対象人数 ÷各月初日の利用子ども数	※１　各月初日の利用子どもの単価に加算 ※２　加算Ⅲ算定対象人数については、別に定める

<table>
<tr><td rowspan="3">冷暖房費加算　⑱</td><td>１　級　地　1,900</td><td>４　級　地　1,320</td><td rowspan="3">※以下の区分に応じて、各月の単価に加算
１級地から４級地：国家公務員の寒冷地手当に関する法律（昭和２４年法律第２００号）第１条第１号及び第２号に掲げる地域
その他地域：１級地から４級地以外の地域</td></tr>
<tr><td>２　級　地　1,690</td><td>その他地域　120</td></tr>
<tr><td>３　級　地　1,670</td><td></td></tr>
</table>

除雪費加算　⑲	6,270	※３月初日の利用子どもの単価に加算

降灰除去費加算　⑳	162,470÷３月初日の利用子ども数	※３月初日の利用子どもの単価に加算

施設機能強化推進費加算　㉑	160,000（限度額）÷３月初日の利用子ども数	※３月初日の利用子どもの単価に加算

<table>
<tr><td rowspan="3">栄養管理加算　㉒</td><td>A</td><td>基本額　処遇改善等加算Ⅰ
（　79,950　＋　790×加算率　）
÷各月初日の利用子ども数</td><td rowspan="3">※以下の区分に応じて、各月初日の利用子どもの単価に加算
Ａ：Bを除き栄養士を雇用契約等により配置している施設
Ｂ：基本分単価及び他の加算の認定に当たって求められる職員が栄養士を兼務している施設
Ｃ：A又はBを除き、栄養士を嘱託等している施設</td></tr>
<tr><td>B</td><td>基本額　処遇改善等加算Ⅰ
（　50,000　＋　500×加算率　）
÷各月初日の利用子ども数</td></tr>
<tr><td>C</td><td>基本額
10,000 ÷各月初日の利用子ども数</td></tr>
</table>

第三者評価受審加算　㉓	150,000÷３月初日の利用子ども数	※３月初日の利用子どもの単価に加算

○事業所内保育事業（定員19人以下（小規模保育事業Ａ型の基準が適用される事業所））（保育認定）

地域区分 ①	定員区分 ②	認定区分 ③	年齢区分 ④	保育必要量区分⑤ 保育標準時間認定 基本分単価 ⑥	（注）	保育短時間認定 基本分単価 ⑥	（注）	従業員枠の子どもの場合 ⑦		処遇改善等加算Ⅰ 保育標準時間認定 ⑧	（注）		保育短時間認定 ⑧	（注）	
20/100地域	5人まで	3号	1、2歳児	401, 910	(485, 140)	390, 370	(473, 600)	⑥×84/100	＋	3, 900	(4, 730)	×加算率	3, 790	(4, 620)	×加算率
			乳　児	485, 140		473, 600			＋	4, 730		×加算率	4, 620		×加算率
	6人から12人まで	3号	1、2歳児	222, 690	(305, 920)	217, 880	(301, 110)		＋	2, 110	(2, 940)	×加算率	2, 060	(2, 890)	×加算率
			乳　児	305, 920		301, 110			＋	2, 940		×加算率	2, 890		×加算率
	13人から19人まで	3号	1、2歳児	175, 530	(258, 760)	172, 490	(255, 720)		＋	1, 640	(2, 470)	×加算率	1, 610	(2, 440)	×加算率
			乳　児	258, 760		255, 720			＋	2, 470		×加算率	2, 440		×加算率
16/100地域	5人まで	3号	1、2歳児	392, 190	(472, 920)	380, 660	(461, 390)	⑥×84/100	＋	3, 810	(4, 610)	×加算率	3, 690	(4, 490)	×加算率
			乳　児	472, 920		461, 390			＋	4, 610		×加算率	4, 490		×加算率
	6人から12人まで	3号	1、2歳児	217, 180	(297, 910)	212, 370	(293, 100)		＋	2, 060	(2, 860)	×加算率	2, 010	(2, 810)	×加算率
			乳　児	297, 910		293, 100			＋	2, 860		×加算率	2, 810		×加算率
	13人から19人まで	3号	1、2歳児	171, 120	(251, 850)	168, 090	(248, 820)		＋	1, 590	(2, 390)	×加算率	1, 560	(2, 360)	×加算率
			乳　児	251, 850		248, 820			＋	2, 390		×加算率	2, 360		×加算率
15/100地域	5人まで	3号	1、2歳児	389, 760	(469, 860)	378, 230	(458, 330)	⑥×84/100	＋	3, 780	(4, 580)	×加算率	3, 670	(4, 470)	×加算率
			乳　児	469, 860		458, 330			＋	4, 580		×加算率	4, 470		×加算率
	6人から12人まで	3号	1、2歳児	215, 800	(295, 900)	211, 000	(291, 100)		＋	2, 040	(2, 840)	×加算率	1, 990	(2, 790)	×加算率
			乳　児	295, 900		291, 100			＋	2, 840		×加算率	2, 790		×加算率
	13人から19人まで	3号	1、2歳児	170, 020	(250, 120)	166, 990	(247, 090)		＋	1, 580	(2, 380)	×加算率	1, 550	(2, 350)	×加算率
			乳　児	250, 120		247, 090			＋	2, 380		×加算率	2, 350		×加算率
12/100地域	5人まで	3号	1、2歳児	382, 470	(460, 700)	370, 940	(449, 170)	⑥×84/100	＋	3, 710	(4, 490)	×加算率	3, 590	(4, 370)	×加算率
			乳　児	460, 700		449, 170			＋	4, 490		×加算率	4, 370		×加算率
	6人から12人まで	3号	1、2歳児	211, 670	(289, 900)	206, 860	(285, 090)		＋	2, 000	(2, 780)	×加算率	1, 950	(2, 730)	×加算率
			乳　児	289, 900		285, 090			＋	2, 780		×加算率	2, 730		×加算率
	13人から19人まで	3号	1、2歳児	166, 720	(244, 950)	163, 680	(241, 910)		＋	1, 550	(2, 330)	×加算率	1, 520	(2, 300)	×加算率
			乳　児	244, 950		241, 910			＋	2, 330		×加算率	2, 300		×加算率

地域区分 ①	定員区分 ②	認定区分 ③	年齢区分 ④		障害児保育加算 ※特別な支援が必要な利用子どもの単価に加算	（注）	処遇改善等加算Ⅰ ⑩	（注）	
20/100地域	5人まで	3号	1，2歳児	＋	166,460	(83,230)	1,660	(830)	×加算率
			乳児	＋	83,230		830		×加算率
	6人から12人まで	3号	1，2歳児	＋	166,460	(83,230)	1,660	(830)	×加算率
			乳児	＋	83,230		830		×加算率
	13人から19人まで	3号	1，2歳児	＋	166,460	(83,230)	1,660	(830)	×加算率
			乳児	＋	83,230		830		×加算率
16/100地域	5人まで	3号	1，2歳児	＋	161,460	(80,730)	1,610	(800)	×加算率
			乳児	＋	80,730		800		×加算率
	6人から12人まで	3号	1，2歳児	＋	161,460	(80,730)	1,610	(800)	×加算率
			乳児	＋	80,730		800		×加算率
	13人から19人まで	3号	1，2歳児	＋	161,460	(80,730)	1,610	(800)	×加算率
			乳児	＋	80,730		800		×加算率
15/100地域	5人まで	3号	1，2歳児	＋	160,210	(80,100)	1,600	(800)	×加算率
			乳児	＋	80,100		800		×加算率
	6人から12人まで	3号	1，2歳児	＋	160,210	(80,100)	1,600	(800)	×加算率
			乳児	＋	80,100		800		×加算率
	13人から19人まで	3号	1，2歳児	＋	160,210	(80,100)	1,600	(800)	×加算率
			乳児	＋	80,100		800		×加算率
12/100地域	5人まで	3号	1，2歳児	＋	156,460	(78,230)	1,560	(780)	×加算率
			乳児	＋	78,230		780		×加算率
	6人から12人まで	3号	1，2歳児	＋	156,460	(78,230)	1,560	(780)	×加算率
			乳児	＋	78,230		780		×加算率
	13人から19人まで	3号	1，2歳児	＋	156,460	(78,230)	1,560	(780)	×加算率
			乳児	＋	78,230		780		×加算率

＋ 休日保育加算 ⑪ ÷ 各月初日の利用子ども数

地域区分 ①	休日保育の年間延べ利用子ども数	休日保育加算		処遇改善等加算Ⅰ
20/100地域	～ 210人	280,600	＋	2,800×加算率
	211人～ 279人	300,700		3,000×加算率
	280人～ 349人	340,900		3,400×加算率
	350人～ 419人	381,200		3,810×加算率
	420人～ 489人	421,400		4,210×加算率
	490人～ 559人	461,700		4,610×加算率
	560人～ 629人	501,900		5,010×加算率
	630人～ 699人	542,200		5,420×加算率
	700人～ 769人	582,400		5,820×加算率
	770人～ 839人	622,700		6,220×加算率
	840人～ 909人	662,900		6,620×加算率
	910人～ 979人	703,200		7,030×加算率
	980人～1,049人	743,400		7,430×加算率
	1,050人～	783,700		7,830×加算率
16/100地域	～ 210人	273,500	＋	2,730×加算率
	211人～ 279人	293,000		2,930×加算率
	280人～ 349人	332,100		3,320×加算率
	350人～ 419人	371,200		3,710×加算率
	420人～ 489人	410,200		4,100×加算率
	490人～ 559人	449,300		4,490×加算率
	560人～ 629人	488,400		4,880×加算率
	630人～ 699人	527,500		5,270×加算率
	700人～ 769人	566,600		5,660×加算率
	770人～ 839人	605,700		6,050×加算率
	840人～ 909人	644,700		6,440×加算率
	910人～ 979人	683,800		6,830×加算率
	980人～1,049人	722,900		7,220×加算率
	1,050人～	762,000		7,620×加算率
15/100地域	～ 210人	271,600	＋	2,710×加算率
	211人～ 279人	291,100		2,910×加算率
	280人～ 349人	330,200		3,300×加算率
	350人～ 419人	369,300		3,690×加算率
	420人～ 489人	408,300		4,080×加算率
	490人～ 559人	447,400		4,470×加算率
	560人～ 629人	486,500		4,860×加算率
	630人～ 699人	525,600		5,250×加算率
	700人～ 769人	564,700		5,640×加算率
	770人～ 839人	603,800		6,030×加算率
	840人～ 909人	642,800		6,420×加算率
	910人～ 979人	681,900		6,810×加算率
	980人～1,049人	721,000		7,210×加算率
	1,050人～	760,100		7,600×加算率
12/100地域	～ 210人	266,200	＋	2,660×加算率
	211人～ 279人	285,100		2,850×加算率
	280人～ 349人	323,000		3,230×加算率
	350人～ 419人	360,900		3,600×加算率
	420人～ 489人	398,900		3,980×加算率
	490人～ 559人	436,800		4,360×加算率
	560人～ 629人	474,700		4,740×加算率
	630人～ 699人	512,600		5,120×加算率
	700人～ 769人	550,500		5,500×加算率
	770人～ 839人	588,400		5,880×加算率
	840人～ 909人	626,400		6,260×加算率
	910人～ 979人	664,300		6,640×加算率
	980人～1,049人	702,200		7,020×加算率
	1,050人～	740,100		7,400×加算率

地域区分 ①	定員区分 ②		夜間保育加算 ⑫		処遇改善等加算Ⅰ
20/100地域	5人まで	＋	100,310	＋	940×加算率
	6人から12人まで	＋	44,990	＋	390×加算率
	13人から19人まで	＋	30,430	＋	240×加算率
16/100地域	5人まで	＋	100,310	＋	940×加算率
	6人から12人まで	＋	44,990	＋	390×加算率
	13人から19人まで	＋	30,430	＋	240×加算率
15/100地域	5人まで	＋	100,310	＋	940×加算率
	6人から12人まで	＋	44,990	＋	390×加算率
	13人から19人まで	＋	30,430	＋	240×加算率
12/100地域	5人まで	＋	100,310	＋	940×加算率
	6人から12人まで	＋	44,990	＋	390×加算率
	13人から19人まで	＋	30,430	＋	240×加算率

地域区分 ①	定員区分 ②	認定区分 ③	年齢区分 ④		減価償却費加算 加算額 標準 ⑬	都市部		賃借料加算 ⑭	加算額 標準	都市部		連携施設を設定しない場合 ⑮		食事の提供について自園調理又は連携施設等からの搬入以外の方法による場合 ⑯		管理者を配置していない場合		処遇改善等加算Ⅰ ⑰
20/100地域	5人まで	3号	1、2歳児	＋	7, 700	8, 500	＋	a 地域	28, 800	32, 100	−	5, 080	−	((⑥(⑦)＋⑧＋⑫)× 9/100	−	98, 380	＋	980×加算率
								b 地域	15, 900	17, 700								
								c 地域	13, 800	15, 400								
			乳児					d 地域	12, 400	13, 800								
	6人から12人まで	3号	1、2歳児	＋	3, 200	3, 500	＋	a 地域	14, 400	16, 100	−	2, 110	−	((⑥(⑦)＋⑧＋⑫)× 8/100	−	40, 990	＋	400×加算率
								b 地域	7, 900	8, 800								
								c 地域	6, 900	7, 700								
			乳児					d 地域	6, 200	6, 900								
	13人から19人まで	3号	1、2歳児	＋	2, 000	2, 200	＋	a 地域	18, 300	20, 400	−	1, 330	−	((⑥(⑦)＋⑧＋⑫)× 8/100	−	25, 890	＋	250×加算率
								b 地域	10, 100	11, 200								
								c 地域	8, 800	9, 800								
			乳児					d 地域	7, 900	8, 700								
16/100地域	5人まで	3号	1、2歳児	＋	7, 700	8, 500	＋	a 地域	28, 800	32, 100	−	5, 080	−	((⑥(⑦)＋⑧＋⑫)× 9/100	−	94, 640	＋	940×加算率
								b 地域	15, 900	17, 700								
								c 地域	13, 800	15, 400								
			乳児					d 地域	12, 400	13, 800								
	6人から12人まで	3号	1、2歳児	＋	3, 200	3, 500	＋	a 地域	14, 400	16, 100	−	2, 110	−	((⑥(⑦)＋⑧＋⑫)× 9/100	−	39, 430	＋	390×加算率
								b 地域	7, 900	8, 800								
								c 地域	6, 900	7, 700								
			乳児					d 地域	6, 200	6, 900								
	13人から19人まで	3号	1、2歳児	＋	2, 000	2, 200	＋	a 地域	18, 300	20, 400	−	1, 330	−	((⑥(⑦)＋⑧＋⑫)× 8/100	−	24, 900	＋	240×加算率
								b 地域	10, 100	11, 200								
								c 地域	8, 800	9, 800								
			乳児					d 地域	7, 900	8, 700								
15/100地域	5人まで	3号	1、2歳児	＋	7, 700	8, 500	＋	a 地域	28, 800	32, 100	−	5, 080	−	((⑥(⑦)＋⑧＋⑫)× 9/100	−	93, 710	＋	930×加算率
								b 地域	15, 900	17, 700								
								c 地域	13, 800	15, 400								
			乳児					d 地域	12, 400	13, 800								
	6人から12人まで	3号	1、2歳児	＋	3, 200	3, 500	＋	a 地域	14, 400	16, 100	−	2, 110	−	((⑥(⑦)＋⑧＋⑫)× 9/100	−	39, 040	＋	390×加算率
								b 地域	7, 900	8, 800								
								c 地域	6, 900	7, 700								
			乳児					d 地域	6, 200	6, 900								
	13人から19人まで	3号	1、2歳児	＋	2, 000	2, 200	＋	a 地域	18, 300	20, 400	−	1, 330	−	((⑥(⑦)＋⑧＋⑫)× 8/100	−	24, 000	＋	240×加算率
								b 地域	10, 100	11, 200								
								c 地域	8, 800	9, 800								
			乳児					d 地域	7, 900	8, 700								
12/100地域	5人まで	3号	1、2歳児	＋	7, 700	8, 500	＋	a 地域	28, 800	32, 100	−	5, 080	−	((⑥(⑦)＋⑧＋⑫)× 9/100	−	90, 900	＋	900×加算率
								b 地域	15, 900	17, 700								
								c 地域	13, 800	15, 400								
			乳児					d 地域	12, 400	13, 800								
	6人から12人まで	3号	1、2歳児	＋	3, 200	3, 500	＋	a 地域	14, 400	16, 100	−	2, 110	−	((⑥(⑦)＋⑧＋⑫)× 9/100	−	37, 870	＋	370×加算率
								b 地域	7, 900	8, 800								
								c 地域	6, 900	7, 700								
			乳児					d 地域	6, 200	6, 900								
	13人から19人まで	3号	1、2歳児	＋	2, 000	2, 200	＋	a 地域	18, 300	20, 400	−	1, 330	−	((⑥(⑦)＋⑧＋⑫)× 9/100	−	23, 920	＋	230×加算率
								b 地域	10, 100	11, 200								
								c 地域	8, 800	9, 800								
			乳児					d 地域	7, 900	8, 700								

地域区分 ①	定員区分 ②	認定区分 ③	年齢区分 ④		土曜日に閉所する場合 月に１日土曜日を閉所する場合 ⑱	月に２日土曜日を閉所する場合	月に３日以上土曜日を閉所する場合	全ての土曜日を閉所する場合	定員を恒常的に超過する場合 利用子ども数が6人から12人までの場合 ⑲	利用子ども数が13人を超える場合
20/100地域	5人まで	3号	1、2歳児 乳児	—	(⑥(⑦)+⑧+⑩+⑫)× 1/100	(⑥(⑦)+⑧+⑩+⑫)× 3/100	(⑥(⑦)+⑧+⑩+⑫)× 4/100	(⑥(⑦)+⑧+⑩+⑫)× 6/100	(⑥～⑱)× 57/100	(⑥～⑱)× 46/100
	6人から12人まで	3号	1、2歳児 乳児	—	(⑥(⑦)+⑧+⑩+⑫)× 1/100	(⑥(⑦)+⑧+⑩+⑫)× 3/100	(⑥(⑦)+⑧+⑩+⑫)× 4/100	(⑥(⑦)+⑧+⑩+⑫)× 6/100		(⑥～⑱)× 80/100
	13人から19人まで	3号	1、2歳児 乳児	—	(⑥(⑦)+⑧+⑩+⑫)× 2/100	(⑥(⑦)+⑧+⑩+⑫)× 3/100	(⑥(⑦)+⑧+⑩+⑫)× 5/100	(⑥(⑦)+⑧+⑩+⑫)× 6/100		
16/100地域	5人まで	3号	1、2歳児 乳児	—	(⑥(⑦)+⑧+⑩+⑫)× 1/100	(⑥(⑦)+⑧+⑩+⑫)× 3/100	(⑥(⑦)+⑧+⑩+⑫)× 4/100	(⑥(⑦)+⑧+⑩+⑫)× 6/100	(⑥～⑱)× 57/100	(⑥～⑱)× 46/100
	6人から12人まで	3号	1、2歳児 乳児	—	(⑥(⑦)+⑧+⑩+⑫)× 2/100	(⑥(⑦)+⑧+⑩+⑫)× 3/100	(⑥(⑦)+⑧+⑩+⑫)× 5/100	(⑥(⑦)+⑧+⑩+⑫)× 6/100		(⑥～⑱)× 80/100
	13人から19人まで	3号	1、2歳児 乳児	—	(⑥(⑦)+⑧+⑩+⑫)× 2/100	(⑥(⑦)+⑧+⑩+⑫)× 3/100	(⑥(⑦)+⑧+⑩+⑫)× 5/100	(⑥(⑦)+⑧+⑩+⑫)× 6/100		
15/100地域	5人まで	3号	1、2歳児 乳児	—	(⑥(⑦)+⑧+⑩+⑫)× 1/100	(⑥(⑦)+⑧+⑩+⑫)× 3/100	(⑥(⑦)+⑧+⑩+⑫)× 4/100	(⑥(⑦)+⑧+⑩+⑫)× 6/100	(⑥～⑱)× 57/100	(⑥～⑱)× 46/100
	6人から12人まで	3号	1、2歳児 乳児	—	(⑥(⑦)+⑧+⑩+⑫)× 2/100	(⑥(⑦)+⑧+⑩+⑫)× 3/100	(⑥(⑦)+⑧+⑩+⑫)× 5/100	(⑥(⑦)+⑧+⑩+⑫)× 6/100		(⑥～⑱)× 80/100
	13人から19人まで	3号	1、2歳児 乳児	—	(⑥(⑦)+⑧+⑩+⑫)× 2/100	(⑥(⑦)+⑧+⑩+⑫)× 3/100	(⑥(⑦)+⑧+⑩+⑫)× 5/100	(⑥(⑦)+⑧+⑩+⑫)× 6/100		
12/100地域	5人まで	3号	1、2歳児 乳児	—	(⑥(⑦)+⑧+⑩+⑫)× 1/100	(⑥(⑦)+⑧+⑩+⑫)× 3/100	(⑥(⑦)+⑧+⑩+⑫)× 4/100	(⑥(⑦)+⑧+⑩+⑫)× 6/100	(⑥～⑱)× 57/100	(⑥～⑱)× 46/100
	6人から12人まで	3号	1、2歳児 乳児	—	(⑥(⑦)+⑧+⑩+⑫)× 2/100	(⑥(⑦)+⑧+⑩+⑫)× 3/100	(⑥(⑦)+⑧+⑩+⑫)× 5/100	(⑥(⑦)+⑧+⑩+⑫)× 6/100		(⑥～⑱)× 80/100
	13人から19人まで	3号	1、2歳児 乳児	—	(⑥(⑦)+⑧+⑩+⑫)× 2/100	(⑥(⑦)+⑧+⑩+⑫)× 3/100	(⑥(⑦)+⑧+⑩+⑫)× 5/100	(⑥(⑦)+⑧+⑩+⑫)× 6/100		

特定教育・保育等に要する費用算定基準等　事業所内保育事業（定員19人以下（小規模保育事業Ａ型の基準が適用される事業所））（保育認定）

地域区分 ①	定員区分 ②	認定区分 ③	年齢区分 ④	保育必要量区分⑤ 保育標準時間認定 基本分単価 ⑥	（注）	保育短時間認定 基本分単価 ⑥	（注）	従業員枠の子どもの場合 ⑦		処遇改善等加算Ⅰ 保育標準時間認定 ⑧	（注）		保育短時間認定 ⑧	（注）	
10/100地域	5人まで	3号	1、2歳児	377, 620	(454, 600)	366, 080	(443, 060)	⑥×84/100	＋	3, 660	(4, 420)	×加算率	3, 540	(4, 300)	×加算率
			乳児	454, 600		443, 060			＋	4, 420		×加算率	4, 300		×加算率
	6人から12人まで	3号	1、2歳児	208, 910	(285, 890)	204, 110	(281, 090)		＋	1, 970	(2, 730)	×加算率	1, 920	(2, 680)	×加算率
			乳児	285, 890		281, 090			＋	2, 730		×加算率	2, 680		×加算率
	13人から19人まで	3号	1、2歳児	164, 510	(241, 490)	161, 480	(238, 460)		＋	1, 530	(2, 290)	×加算率	1, 500	(2, 260)	×加算率
			乳児	241, 490		238, 460			＋	2, 290		×加算率	2, 260		×加算率
6/100地域	5人まで	3号	1、2歳児	367, 900	(442, 380)	356, 370	(430, 850)	⑥×84/100	＋	3, 560	(4, 300)	×加算率	3, 450	(4, 190)	×加算率
			乳児	442, 380		430, 850			＋	4, 300		×加算率	4, 190		×加算率
	6人から12人まで	3号	1、2歳児	203, 400	(277, 880)	198, 590	(273, 070)		＋	1, 920	(2, 660)	×加算率	1, 870	(2, 610)	×加算率
			乳児	277, 880		273, 070			＋	2, 660		×加算率	2, 610		×加算率
	13人から19人まで	3号	1、2歳児	160, 110	(234, 590)	157, 080	(231, 560)		＋	1, 480	(2, 220)	×加算率	1, 450	(2, 190)	×加算率
			乳児	234, 590		231, 560			＋	2, 220		×加算率	2, 190		×加算率
3/100地域	5人まで	3号	1、2歳児	360, 610	(433, 210)	349, 080	(421, 680)	⑥×84/100	＋	3, 490	(4, 210)	×加算率	3, 370	(4, 090)	×加算率
			乳児	433, 210		421, 680			＋	4, 210		×加算率	4, 090		×加算率
	6人から12人まで	3号	1、2歳児	199, 270	(271, 870)	194, 460	(267, 060)		＋	1, 880	(2, 600)	×加算率	1, 830	(2, 550)	×加算率
			乳児	271, 870		267, 060			＋	2, 600		×加算率	2, 550		×加算率
	10人から19人まで	3号	1、2歳児	156, 810	(229, 410)	153, 770	(226, 370)		＋	1, 450	(2, 170)	×加算率	1, 420	(2, 140)	×加算率
			乳児	229, 410		226, 370			＋	2, 170		×加算率	2, 140		×加算率
その他地域	5人まで	3号	1、2歳児	353, 320	(424, 050)	341, 790	(412, 520)	⑥×84/100	＋	3, 420	(4, 120)	×加算率	3, 300	(4, 000)	×加算率
			乳児	424, 050		412, 520			＋	4, 120		×加算率	4, 000		×加算率
	6人から12人まで	3号	1、2歳児	195, 130	(265, 860)	190, 330	(261, 060)		＋	1, 830	(2, 530)	×加算率	1, 790	(2, 490)	×加算率
			乳児	265, 860		261, 060			＋	2, 530		×加算率	2, 490		×加算率
	13人から19人まで	3号	1、2歳児	153, 500	(224, 230)	150, 470	(221, 200)		＋	1, 420	(2, 120)	×加算率	1, 390	(2, 090)	×加算率
			乳児	224, 230		221, 200			＋	2, 120		×加算率	2, 090		×加算率

地域区分 ①	定員区分 ②	認定区分 ③	年齢区分 ④	障害児保育加算 ※特別な支援が必要な利用子どもの単価に加算	（注）	処遇改善等加算Ⅰ ⑩	（注）		夜間保育加算	処遇改善等加算Ⅰ ⑫
10/100地域	5人まで	3号	1、2歳児	＋ 153,960	(76,980)	1,530	(760)	×加算率	＋ 100,310	＋ 940×加算率
			乳　児	＋ 76,980		760		×加算率		
	6人から12人まで	3号	1、2歳児	＋ 153,960	(76,980)	1,530	(760)	×加算率	＋ 44,990	＋ 390×加算率
			乳　児	＋ 76,980		760		×加算率		
	13人から19人まで	3号	1、2歳児	＋ 153,960	(76,980)	1,530	(760)	×加算率	＋ 30,430	＋ 240×加算率
			乳　児	＋ 76,980		760		×加算率		
6/100地域	5人まで	3号	1、2歳児	＋ 148,960	(74,480)	1,480	(740)	×加算率	＋ 100,310	＋ 940×加算率
			乳　児	＋ 74,480		740		×加算率		
	6人から12人まで	3号	1、2歳児	＋ 148,960	(74,480)	1,480	(740)	×加算率	＋ 44,990	＋ 390×加算率
			乳　児	＋ 74,480		740		×加算率		
	13人から19人まで	3号	1、2歳児	＋ 148,960	(74,480)	1,480	(740)	×加算率	＋ 30,430	＋ 240×加算率
			乳　児	＋ 74,480		740		×加算率		
3/100地域	5人まで	3号	1、2歳児	＋ 145,200	(72,600)	1,450	(720)	×加算率	＋ 100,310	＋ 940×加算率
			乳　児	＋ 72,600		720		×加算率		
	6人から12人まで	3号	1、2歳児	＋ 145,200	(72,600)	1,450	(720)	×加算率	＋ 44,990	＋ 390×加算率
			乳　児	＋ 72,600		720		×加算率		
	13人から19人まで	3号	1、2歳児	＋ 145,200	(72,600)	1,450	(720)	×加算率	＋ 30,430	＋ 240×加算率
			乳　児	＋ 72,600		720		×加算率		
その他地域	5人まで	3号	1、2歳児	＋ 141,460	(70,730)	1,410	(700)	×加算率	＋ 100,310	＋ 940×加算率
			乳　児	＋ 70,730		700		×加算率		
	6人から12人まで	3号	1、2歳児	＋ 141,460	(70,730)	1,410	(700)	×加算率	＋ 44,990	＋ 390×加算率
			乳　児	＋ 70,730		700		×加算率		
	13人から19人まで	3号	1、2歳児	＋ 141,460	(70,730)	1,410	(700)	×加算率	＋ 30,430	＋ 240×加算率
			乳　児	＋ 70,730		700		×加算率		

休日保育加算 ⑪（各地域区分の欄に加算）

地域区分	休日保育の年間延べ利用子ども数	＋	処遇改善等加算Ⅰ	÷
10/100地域	〜 210人	262,600	2,620×加算率	各月初日の利用子ども数
	211人〜 279人	281,200	2,810×加算率	
	280人〜 349人	318,600	3,180×加算率	
	350人〜 419人	355,900	3,550×加算率	
	420人〜 489人	393,200	3,930×加算率	
	490人〜 559人	430,600	4,300×加算率	
	560人〜 629人	467,900	4,670×加算率	
	630人〜 699人	505,200	5,050×加算率	
	700人〜 769人	542,600	5,420×加算率	
	770人〜 839人	579,900	5,790×加算率	
	840人〜 909人	617,200	6,170×加算率	
	910人〜 979人	654,600	6,540×加算率	
	980人〜1,049人	691,900	6,910×加算率	
	1,050人〜	729,200	7,290×加算率	
6/100地域	〜 210人	255,500	2,550×加算率	各月初日の利用子ども数
	211人〜 279人	273,500	2,730×加算率	
	280人〜 349人	309,700	3,090×加算率	
	350人〜 419人	345,900	3,450×加算率	
	420人〜 489人	382,000	3,820×加算率	
	490人〜 559人	418,200	4,180×加算率	
	560人〜 629人	454,400	4,540×加算率	
	630人〜 699人	490,500	4,900×加算率	
	700人〜 769人	526,700	5,260×加算率	
	770人〜 839人	562,900	5,620×加算率	
	840人〜 909人	599,000	5,990×加算率	
	910人〜 979人	635,200	6,350×加算率	
	980人〜1,049人	671,400	6,710×加算率	
	1,050人〜	707,500	7,070×加算率	
3/100地域	〜 210人	250,000	2,500×加算率	各月初日の利用子ども数
	211人〜 279人	267,700	2,670×加算率	
	280人〜 349人	303,300	3,030×加算率	
	350人〜 419人	338,900	3,380×加算率	
	420人〜 489人	374,500	3,740×加算率	
	490人〜 559人	410,100	4,100×加算率	
	560人〜 629人	445,700	4,450×加算率	
	630人〜 699人	481,200	4,810×加算率	
	700人〜 769人	516,800	5,160×加算率	
	770人〜 839人	552,400	5,520×加算率	
	840人〜 909人	588,000	5,880×加算率	
	910人〜 979人	623,600	6,230×加算率	
	980人〜1,049人	659,200	6,590×加算率	
	1,050人〜	694,700	6,940×加算率	
その他地域	〜 210人	244,700	2,440×加算率	各月初日の利用子ども数
	211人〜 279人	261,900	2,610×加算率	
	280人〜 349人	296,300	2,960×加算率	
	350人〜 419人	330,700	3,300×加算率	
	420人〜 489人	365,100	3,650×加算率	
	490人〜 559人	399,500	3,990×加算率	
	560人〜 629人	433,900	4,330×加算率	
	630人〜 699人	468,400	4,680×加算率	
	700人〜 769人	502,800	5,020×加算率	
	770人〜 839人	537,200	5,370×加算率	
	840人〜 909人	571,600	5,710×加算率	
	910人〜 979人	606,000	6,060×加算率	
	980人〜1,049人	640,400	6,400×加算率	
	1,050人〜	674,900	6,740×加算率	

特定教育・保育等に要する費用算定基準等　事業所内保育事業（定員19人以下（小規模保育事業Ａ型の基準が適用される事業所））（保育認定）

地域区分 ①	定員区分 ②	認定区分 ③	年齢区分 ④		減価償却費加算 加算額 標準 ⑬	減価償却費加算 加算額 都市部 ⑬		賃借料加算 ⑭	加算額 標準	加算額 都市部		連携施設を設定しない場合 ⑮		食事の提供について自園調理又は連携施設等からの搬入以外の方法による場合 ⑯		管理者を配置していない場合 ⑰		処遇改善等加算Ⅰ
10/100地域	5人まで	3号	1、2歳児 乳児	＋	7,700	8,500	＋	a地域 b地域 c地域 d地域	28,800 15,900 13,800 12,400	32,100 17,700 15,400 13,800	－	5,080	－	(⑥(⑦)＋⑧＋⑫)×10/100	－	89,030	＋	890×加算率
	6人から12人まで	3号	1、2歳児 乳児	＋	3,200	3,500	＋	a地域 b地域 c地域 d地域	14,400 7,900 6,900 6,200	16,100 8,800 7,700 6,900	－	2,110	－	(⑥(⑦)＋⑧＋⑫)×9/100	－	37,090	＋	370×加算率
	13人から19人まで	3号	1、2歳児 乳児	＋	2,000	2,200	＋	a地域 b地域 c地域 d地域	18,300 10,100 8,800 7,900	20,400 11,200 9,800 8,700	－	1,330	－	(⑥(⑦)＋⑧＋⑫)×9/100	－	23,420	＋	230×加算率
6/100地域	5人まで	3号	1、2歳児 乳児	＋	7,700	8,500	＋	a地域 b地域 c地域 d地域	28,800 15,900 13,800 12,400	32,100 17,700 15,400 13,800	－	5,080	－	(⑥(⑦)＋⑧＋⑫)×10/100	－	85,280	＋	850×加算率
	6人から12人まで	3号	1、2歳児 乳児	＋	3,200	3,500	＋	a地域 b地域 c地域 d地域	14,400 7,900 6,900 6,200	16,100 8,800 7,700 6,900	－	2,110	－	(⑥(⑦)＋⑧＋⑫)×9/100	－	35,530	＋	350×加算率
	13人から19人まで	3号	1、2歳児 乳児	＋	2,000	2,200	＋	a地域 b地域 c地域 d地域	18,300 10,100 8,800 7,900	20,400 11,200 9,800 8,700	－	1,330	－	(⑥(⑦)＋⑧＋⑫)×9/100	－	22,440	＋	220×加算率
3/100地域	5人まで	3号	1、2歳児 乳児	＋	7,700	8,500	＋	a地域 b地域 c地域 d地域	28,800 15,900 13,800 12,400	32,100 17,700 15,400 13,800	－	5,080	－	(⑥(⑦)＋⑧＋⑫)×10/100	－	82,470	＋	820×加算率
	6人から12人まで	3号	1、2歳児 乳児	＋	3,200	3,500	＋	a地域 b地域 c地域 d地域	14,400 7,900 6,900 6,200	16,100 8,800 7,700 6,900	－	2,110	－	(⑥(⑦)＋⑧＋⑫)×10/100	－	34,360	＋	340×加算率
	13人から19人まで	3号	1、2歳児 乳児	＋	2,000	2,200	＋	a地域 b地域 c地域 d地域	18,300 10,100 8,800 7,900	20,400 11,200 9,800 8,700	－	1,330	－	(⑥(⑦)＋⑧＋⑫)×9/100	－	21,700	＋	210×加算率
その他地域	5人まで	3号	1、2歳児 乳児	＋	7,700	8,500	＋	a地域 b地域 c地域 d地域	28,800 15,900 13,800 12,400	32,100 17,700 15,400 13,800	－	5,080	－	(⑥(⑦)＋⑧＋⑫)×10/100	－	79,670	＋	790×加算率
	6人から12人まで	3号	1、2歳児 乳児	＋	3,200	3,500	＋	a地域 b地域 c地域 d地域	14,400 7,900 6,900 6,200	16,100 8,800 7,700 6,900	－	2,110	－	(⑥(⑦)＋⑧＋⑫)×10/100	－	33,190	＋	330×加算率
	13人から19人まで	3号	1、2歳児 乳児	＋	2,000	2,200	＋	a地域 b地域 c地域 d地域	18,300 10,100 8,800 7,900	20,400 11,200 9,800 8,700	－	1,330	－	(⑥(⑦)＋⑧＋⑫)×9/100	－	20,960	＋	200×加算率

地域区分 ①	定員区分 ②	認定区分 ③	年齢区分 ④		土曜日に閉所する場合 月に１日土曜日を閉所する場合 ⑱	土曜日に閉所する場合 月に２日土曜日を閉所する場合 ⑱	土曜日に閉所する場合 月に３日以上土曜日を閉所する場合 ⑱	土曜日に閉所する場合 全ての土曜日を閉所する場合 ⑱	定員を恒常的に超過する場合 利用子ども数が6人から12人までの場合 ⑲	定員を恒常的に超過する場合 利用子ども数が13人を超える場合 ⑲
10/100地域	5人まで	3号	1、2歳児 乳児	—	(⑥(⑦)+⑧+⑩+⑫)× 1/100	(⑥(⑦)+⑧+⑩+⑫)× 3/100	(⑥(⑦)+⑧+⑩+⑫)× 4/100	(⑥(⑦)+⑧+⑩+⑫)× 6/100	(⑥～⑱)× 57/100	(⑥～⑱)× 46/100
	6人から12人まで	3号	1、2歳児 乳児	—	(⑥(⑦)+⑧+⑩+⑫)× 2/100	(⑥(⑦)+⑧+⑩+⑫)× 3/100	(⑥(⑦)+⑧+⑩+⑫)× 5/100	(⑥(⑦)+⑧+⑩+⑫)× 6/100		(⑥～⑱)× 80/100
	13人から19人まで	3号	1、2歳児 乳児	—	(⑥(⑦)+⑧+⑩+⑫)× 2/100	(⑥(⑦)+⑧+⑩+⑫)× 3/100	(⑥(⑦)+⑧+⑩+⑫)× 5/100	(⑥(⑦)+⑧+⑩+⑫)× 6/100		
6/100地域	5人まで	3号	1、2歳児 乳児	—	(⑥(⑦)+⑧+⑩+⑫)× 2/100	(⑥(⑦)+⑧+⑩+⑫)× 3/100	(⑥(⑦)+⑧+⑩+⑫)× 5/100	(⑥(⑦)+⑧+⑩+⑫)× 6/100	(⑥～⑱)× 57/100	(⑥～⑱)× 46/100
	6人から12人まで	3号	1、2歳児 乳児	—	(⑥(⑦)+⑧+⑩+⑫)× 2/100	(⑥(⑦)+⑧+⑩+⑫)× 3/100	(⑥(⑦)+⑧+⑩+⑫)× 5/100	(⑥(⑦)+⑧+⑩+⑫)× 7/100		(⑥～⑱)× 80/100
	13人から19人まで	3号	1、2歳児 乳児	—	(⑥(⑦)+⑧+⑩+⑫)× 2/100	(⑥(⑦)+⑧+⑩+⑫)× 3/100	(⑥(⑦)+⑧+⑩+⑫)× 5/100	(⑥(⑦)+⑧+⑩+⑫)× 7/100		
3/100地域	5人まで	3号	1、2歳児 乳児	—	(⑥(⑦)+⑧+⑩+⑫)× 2/100	(⑥(⑦)+⑧+⑩+⑫)× 3/100	(⑥(⑦)+⑧+⑩+⑫)× 5/100	(⑥(⑦)+⑧+⑩+⑫)× 6/100	(⑥～⑱)× 57/100	(⑥～⑱)× 46/100
	6人から12人まで	3号	1、2歳児 乳児	—	(⑥(⑦)+⑧+⑩+⑫)× 2/100	(⑥(⑦)+⑧+⑩+⑫)× 3/100	(⑥(⑦)+⑧+⑩+⑫)× 5/100	(⑥(⑦)+⑧+⑩+⑫)× 7/100		(⑥～⑱)× 80/100
	13人から19人まで	3号	1、2歳児 乳児	—	(⑥(⑦)+⑧+⑩+⑫)× 2/100	(⑥(⑦)+⑧+⑩+⑫)× 3/100	(⑥(⑦)+⑧+⑩+⑫)× 5/100	(⑥(⑦)+⑧+⑩+⑫)× 7/100		
その他地域	5人まで	3号	1、2歳児 乳児	—	(⑥(⑦)+⑧+⑩+⑫)× 2/100	(⑥(⑦)+⑧+⑩+⑫)× 3/100	(⑥(⑦)+⑧+⑩+⑫)× 5/100	(⑥(⑦)+⑧+⑩+⑫)× 6/100	(⑥～⑱)× 57/100	(⑥～⑱)× 46/100
	6人から12人まで	3号	1、2歳児 乳児	—	(⑥(⑦)+⑧+⑩+⑫)× 2/100	(⑥(⑦)+⑧+⑩+⑫)× 3/100	(⑥(⑦)+⑧+⑩+⑫)× 5/100	(⑥(⑦)+⑧+⑩+⑫)× 7/100		(⑥～⑱)× 80/100
	13人から19人まで	3号	1、2歳児 乳児	—	(⑥(⑦)+⑧+⑩+⑫)× 2/100	(⑥(⑦)+⑧+⑩+⑫)× 3/100	(⑥(⑦)+⑧+⑩+⑫)× 5/100	(⑥(⑦)+⑧+⑩+⑫)× 7/100		

加算部分２

処遇改善等加算Ⅱ　⑳	（算式１） 以下の加算を合算した額を各月初日の利用子ども数で除した額とする。 ・処遇改善等加算Ⅱ－①　49,010 × 人数A ・処遇改善等加算Ⅱ－②　6,130 × 人数B	※１　各月初日の利用子どもの単価に加算 ※２　人数A及び人数Bについては、別に定める ※３　利用定員が６人以上の場合には（算式１）を適用し、利用定員が５人以下の場合には（算式２）のA若しくはBのいずれかとする
	（算式２） A：処遇改善等加算Ⅱ－① 49,010　÷　各月初日の利用子ども数	
	B：処遇改善等加算Ⅱ－② 6,130　÷　各月初日の利用子ども数	

処遇改善等加算Ⅲ　㉑	11,030　×　加算Ⅲ算定対象人数 ÷各月初日の利用子ども数	※１　各月初日の利用子どもの単価に加算 ※２　加算Ⅲ算定対象人数については、別に定める

冷暖房費加算　㉒	１　級　地	1,900	４　級　地	1,320	※以下の区分に応じて、各月の単価に加算 １級地から４級地：国家公務員の寒冷地手当に関する法律（昭和２４年法律第２００号）第１条第１号及び第２号に掲げる地域 そ の 他 地 域：１級地から４級地以外の地域
	２　級　地	1,690	その他地域	120	
	３　級　地	1,670			

除雪費加算　㉓	6,270	※３月初日の利用子どもの単価に加算

降灰除去費加算　㉔	162,470÷３月初日の利用子ども数	※３月初日の利用子どもの単価に加算

施設機能強化推進費加算　㉕	160,000（限度額）÷３月初日の利用了ども数	※３月初日の利用子どもの単価に加算

栄養管理加算　㉖	A	基本額　処遇改善等加算Ⅰ （　79,950　＋　790×加算率　） ÷各月初日の利用子ども数	※以下の区分に応じて、各月初日の利用子どもの単価に加算 A：Bを除き栄養士を雇用契約等により配置している施設 B：基本分単価及び他の加算の認定に当たって求められる職員が栄養士を兼務している施設 C：A又はBを除き、栄養士を嘱託等している施設
	B	基本額　処遇改善等加算Ⅰ （　50,000　＋　500×加算率　） ÷各月初日の利用子ども数	
	C	基本額 10,000 ÷各月初日の利用子ども数	

第三者評価受審加算　㉗	150,000÷３月初日の利用子ども数	※３月初日の利用子どもの単価に加算

（ 注 ）年度の初日の前日における満年齢に応じて月額を調整

○事業所内保育事業（定員19人以下（小規模保育事業Ｂ型の基準が適用される事業所））（保育認定）

地域区分 ①	定員区分 ②	認定区分 ③	年齢区分 ④	保育必要量区分⑤ 保育標準時間認定 基本分単価 ⑥	（注）	保育短時間認定 基本分単価 ⑥	（注）	従業員枠の子どもの場合 ⑦		処遇改善等加算Ⅰ 保育標準時間認定 ⑧	（注）		保育短時間認定 ⑧	（注）	
20/100地域	5人まで	3号	1、2歳児	359, 240	(423, 420)	347, 710	(411, 890)	⑥×84/100	＋	3, 480	(4, 120)	×加算率	3, 360	(4, 000)	×加算率
			乳　児	423, 420		411, 890			＋	4, 120		×加算率	4, 000		×加算率
	6人から12人まで	3号	1、2歳児	194, 120	(258, 300)	189, 320	(253, 500)		＋	1, 820	(2, 460)	×加算率	1, 780	(2, 420)	×加算率
			乳　児	258, 300		253, 500			＋	2, 460		×加算率	2, 420		×加算率
	13人から19人まで	3号	1、2歳児	150, 390	(214, 570)	147, 360	(211, 540)		＋	1, 390	(2, 030)	×加算率	1, 360	(2, 000)	×加算率
			乳　児	214, 570		211, 540			＋	2, 030		×加算率	2, 000		×加算率
16/100地域	5人まで	3号	1、2歳児	352, 290	(415, 220)	340, 760	(403, 690)	⑥×84/100	＋	3, 410	(4, 030)	×加算率	3, 290	(3, 910)	×加算率
			乳　児	415, 220		403, 690			＋	4, 030		×加算率	3, 910		×加算率
	6人から12人まで	3号	1、2歳児	190, 490	(253, 420)	185, 680	(248, 610)		＋	1, 790	(2, 410)	×加算率	1, 740	(2, 360)	×加算率
			乳　児	253, 420		248, 610			＋	2, 410		×加算率	2, 360		×加算率
	13人から19人まで	3号	1、2歳児	147, 640	(210, 570)	144, 600	(207, 530)		＋	1, 360	(1, 980)	×加算率	1, 330	(1, 950)	×加算率
			乳　児	210, 570		207, 530			＋	1, 980		×加算率	1, 950		×加算率
15/100地域	5人まで	3号	1、2歳児	350, 550	(413, 170)	339, 020	(401, 640)	⑥×84/100	＋	3, 390	(4, 010)	×加算率	3, 270	(3, 890)	×加算率
			乳　児	413, 170		401, 640			＋	4, 010		×加算率	3, 890		×加算率
	6人から12人まで	3号	1、2歳児	189, 580	(252, 200)	184, 780	(247, 400)		＋	1, 780	(2, 400)	×加算率	1, 730	(2, 350)	×加算率
			乳　児	252, 200		247, 400			＋	2, 400		×加算率	2, 350		×加算率
	13人から19人まで	3号	1、2歳児	146, 950	(209, 570)	143, 920	(206, 540)		＋	1, 350	(1, 970)	×加算率	1, 320	(1, 940)	×加算率
			乳　児	209, 570		206, 540			＋	1, 970		×加算率	1, 940		×加算率
12/100地域	5人まで	3号	1、2歳児	345, 340	(407, 020)	333, 810	(395, 490)	⑥×84/100	＋	3, 340	(3, 950)	×加算率	3, 220	(3, 830)	×加算率
			乳　児	407, 020		395, 490			＋	3, 950		×加算率	3, 830		×加算率
	6人から12人まで	3号	1、2歳児	186, 850	(248, 530)	182, 050	(243, 730)		＋	1, 750	(2, 360)	×加算率	1, 700	(2, 310)	×加算率
			乳　児	248, 530		243, 730			＋	2, 360		×加算率	2, 310		×加算率
	13人から19人まで	3号	1、2歳児	144, 880	(206, 560)	141, 850	(203, 530)		＋	1, 330	(1, 940)	×加算率	1, 300	(1, 910)	×加算率
			乳　児	206, 560		203, 530			＋	1, 940		×加算率	1, 910		×加算率

地域区分 ①	定員区分 ②	認定区分 ③	年齢区分 ④		保育士比率向上加算	（注）	処遇改善等加算Ⅰ ⑨	（注）			障害児保育加算 ※特別な支援が必要な利用子どもの単価に加算	（注）	処遇改善等加算Ⅰ ⑩	（注）	
20/100地域	5人まで	3号	1、2歳児	＋	22, 080	(31, 610)	220	(310)	×加算率	＋	128, 370	(64, 180)	1, 280	(640)	×加算率
20/100地域	5人まで	3号	乳児	＋	31, 610		310		×加算率	＋	64, 180		640		×加算率
20/100地域	6人から12人まで	3号	1、2歳児	＋	14, 280	(23, 810)	140	(230)	×加算率	＋	128, 370	(64, 180)	1, 280	(640)	×加算率
20/100地域	6人から12人まで	3号	乳児	＋	23, 810		230		×加算率	＋	64, 180		640		×加算率
20/100地域	13人から19人まで	3号	1、2歳児	＋	12, 620	(22, 150)	120	(210)	×加算率	＋	128, 370	(64, 180)	1, 280	(640)	×加算率
20/100地域	13人から19人まで	3号	乳児	＋	22, 150		210		×加算率	＋	64, 180		640		×加算率
16/100地域	5人まで	3号	1、2歳児	＋	20, 660	(29, 560)	200	(290)	×加算率	＋	125, 870	(62, 930)	1, 250	(620)	×加算率
16/100地域	5人まで	3号	乳児	＋	29, 560		290		×加算率	＋	62, 930		620		×加算率
16/100地域	6人から12人まで	3号	1、2歳児	＋	13, 340	(22, 240)	130	(220)	×加算率	＋	125, 870	(62, 930)	1, 250	(620)	×加算率
16/100地域	6人から12人まで	3号	乳児	＋	22, 240		220		×加算率	＋	62, 930		620		×加算率
16/100地域	13人から19人まで	3号	1、2歳児	＋	11, 790	(20, 690)	120	(210)	×加算率	＋	125, 870	(62, 930)	1, 250	(620)	×加算率
16/100地域	13人から19人まで	3号	乳児	＋	20, 690		210		×加算率	＋	62, 930		620		×加算率
15/100地域	5人まで	3号	1、2歳児	＋	20, 310	(29, 050)	200	(290)	×加算率	＋	125, 250	(62, 620)	1, 250	(620)	×加算率
15/100地域	5人まで	3号	乳児	＋	29, 050		290		×加算率	＋	62, 620		620		×加算率
15/100地域	6人から12人まで	3号	1、2歳児	＋	13, 110	(21, 850)	130	(220)	×加算率	＋	125, 250	(62, 620)	1, 250	(620)	×加算率
15/100地域	6人から12人まで	3号	乳児	＋	21, 850		220		×加算率	＋	62, 620		620		×加算率
15/100地域	13人から19人まで	3号	1、2歳児	＋	11, 580	(20, 320)	120	(210)	×加算率	＋	125, 250	(62, 620)	1, 250	(620)	×加算率
15/100地域	13人から19人まで	3号	乳児	＋	20, 320		210		×加算率	＋	62, 620		620		×加算率
12/100地域	5人まで	3号	1、2歳児	＋	19, 250	(27, 530)	190	(270)	×加算率	＋	123, 370	(61, 680)	1, 230	(610)	×加算率
12/100地域	5人まで	3号	乳児	＋	27, 530		270		×加算率	＋	61, 680		610		×加算率
12/100地域	6人から12人まで	3号	1、2歳児	＋	12, 400	(20, 680)	130	(210)	×加算率	＋	123, 370	(61, 680)	1, 230	(610)	×加算率
12/100地域	6人から12人まで	3号	乳児	＋	20, 680		210		×加算率	＋	61, 680		610		×加算率
12/100地域	13人から19人まで	3号	1、2歳児	＋	10, 970	(19, 250)	110	(190)	×加算率	＋	123, 370	(61, 680)	1, 230	(610)	×加算率
12/100地域	13人から19人まで	3号	乳児	＋	19, 250		190		×加算率	＋	61, 680		610		×加算率

地域区分 ①	定員区分 ②	認定区分 ③	年齢区分 ④		休日保育加算		処遇改善等加算Ⅰ ⑪				夜間保育加算		処遇改善等加算Ⅰ ⑫		減価償却費加算 加算額 標　準	⑬ 都市部
20/100 地域	5人 まで	3号	1、2歳児 乳　児	＋	休日保育の年間延べ利用子ども数 ～ 210人 207, 200 211人～ 279人 221, 400 280人～ 349人 250, 000 350人～ 419人 278, 600 420人～ 489人 307, 200 490人～ 559人 335, 800 560人～ 629人 364, 400 630人～ 699人 392, 900 700人～ 769人 421, 500 770人～ 839人 450, 100 840人～ 909人 478, 700 910人～ 979人 507, 300 980人～1, 049人 535, 900 1, 050人～ 564, 400		2, 070×加算率 2, 210×加算率 2, 500×加算率 2, 780×加算率 3, 070×加算率 3, 350×加算率 3, 640×加算率 3, 920×加算率 4, 210×加算率 4, 500×加算率 4, 780×加算率 5, 070×加算率 5, 350×加算率 5, 640×加算率	÷	各月初日の 利用子ども数	＋	100, 310	＋	940×加算率	＋	7, 700	8, 500
	6人 から 12人 まで	3号	1、2歳児 乳　児							＋	44, 990	＋	390×加算率	＋	3, 200	3, 500
	13人 から 19人 まで	3号	1、2歳児 乳　児							＋	30, 430	＋	240×加算率	＋	2, 000	2, 200
16/100 地域	5人 まで	3号	1、2歳児 乳　児	＋	休日保育の年間延べ利用子ども数 ～ 210人 203, 500 211人～ 279人 217, 500 280人～ 349人 245, 500 350人～ 419人 273, 500 420人～ 489人 301, 500 490人～ 559人 329, 500 560人～ 629人 357, 500 630人～ 699人 385, 500 700人～ 769人 413, 500 770人～ 839人 441, 500 840人～ 909人 469, 500 910人～ 979人 497, 500 980人～1, 049人 525, 500 1, 050人～ 553, 500	＋	2, 030×加算率 2, 170×加算率 2, 450×加算率 2, 730×加算率 3, 010×加算率 3, 290×加算率 3, 570×加算率 3, 850×加算率 4, 130×加算率 4, 410×加算率 4, 690×加算率 4, 970×加算率 5, 250×加算率 5, 530×加算率	÷	各月初日の 利用子ども数	＋	100, 310	＋	940×加算率	＋	7, 700	8, 500
	6人 から 12人 まで	3号	1、2歳児 乳　児							＋	44, 990	＋	390×加算率	＋	3, 200	3, 500
	13人 から 19人 まで	3号	1、2歳児 乳　児							＋	30, 430	＋	240×加算率	＋	2, 000	2, 200
15/100 地域	5人 まで	3号	1、2歳児 乳　児	＋	休日保育の年間延べ利用子ども数 ～ 210人 202, 700 211人～ 279人 216, 400 280人～ 349人 243, 800 350人～ 419人 271, 200 420人～ 489人 298, 600 490人～ 559人 326, 000 560人～ 629人 353, 400 630人～ 699人 380, 900 700人～ 769人 408, 300 770人～ 839人 435, 700 840人～ 909人 463, 100 910人～ 979人 490, 500 980人～1, 049人 517, 900 1, 050人～ 545, 400	＋	2, 020×加算率 2, 160×加算率 2, 430×加算率 2, 710×加算率 2, 980×加算率 3, 260×加算率 3, 530×加算率 3, 800×加算率 4, 080×加算率 4, 350×加算率 4, 630×加算率 4, 900×加算率 5, 170×加算率 5, 450×加算率	÷	各月初日の 利用子ども数	＋	100, 310	＋	940×加算率	＋	7, 700	8, 500
	6人 から 12人 まで	3号	1、2歳児 乳　児							＋	44, 990	＋	390×加算率	＋	3, 200	3, 500
	13人 から 19人 まで	3号	1、2歳児 乳　児							＋	30, 430	＋	240×加算率	＋	2, 000	2, 200
12/100 地域	5人 まで	3号	1、2歳児 乳　児	＋	休日保育の年間延べ利用子ども数 ～ 210人 200, 000 211人～ 279人 213, 700 280人～ 349人 241, 100 350人～ 419人 268, 500 420人～ 489人 295, 900 490人～ 559人 323, 300 560人～ 629人 350, 700 630人～ 699人 378, 200 700人～ 769人 405, 600 770人～ 839人 433, 000 840人～ 909人 460, 400 910人～ 979人 487, 800 980人～1, 049人 515, 200 1, 050人～ 542, 700	＋	2, 000×加算率 2, 130×加算率 2, 410×加算率 2, 680×加算率 2, 950×加算率 3, 230×加算率 3, 500×加算率 3, 780×加算率 4, 050×加算率 4, 330×加算率 4, 600×加算率 4, 870×加算率 5, 150×加算率 5, 420×加算率	÷	各月初日の 利用子ども数	＋	100, 310	＋	940×加算率	＋	7, 700	8, 500
	6人 から 12人 まで	3号	1、2歳児 乳　児							＋	44, 990	＋	390×加算率	＋	3, 200	3, 500
	13人 から 19人 まで	3号	1、2歳児 乳　児							＋	30, 430	＋	240×加算率	＋	2, 000	2, 200

地域区分 ①	定員区分 ②	認定区分 ③	年齢区分 ④		賃借料加算	加算額 標　準 ⑭	加算額 都市部		連携施設を設定しない場合 ⑮		食事の提供について自園調理又は連携施設等からの搬入以外の方法による場合 ⑯
20/100地域	5人まで	3号	1、2歳児 乳児	＋	a 地域	28, 800	32, 100	−	5, 080	−	(⑥(⑦)+⑧+⑫)×10/100
					b 地域	15, 900	17, 700				
					c 地域	13, 800	15, 400				
					d 地域	12, 400	13, 800				
	6人から12人まで	3号	1、2歳児 乳児	＋	a 地域	14, 400	16, 100	−	2, 110	−	(⑥(⑦)+⑧+⑫)×10/100
					b 地域	7, 900	8, 800				
					c 地域	6, 900	7, 700				
					d 地域	6, 200	6, 900				
	13人から19人まで	3号	1、2歳児 乳児	＋	a 地域	18, 300	20, 400	−	1, 330	−	(⑥(⑦)+⑧+⑫)×10/100
					b 地域	10, 100	11, 200				
					c 地域	8, 800	9, 800				
					d 地域	7, 900	8, 700				
16/100地域	5人まで	3号	1、2歳児 乳児	＋	a 地域	28, 800	32, 100	−	5, 080	−	(⑥(⑦)+⑧+⑫)×10/100
					b 地域	15, 900	17, 700				
					c 地域	13, 800	15, 400				
					d 地域	12, 400	13, 800				
	6人から12人まで	3号	1、2歳児 乳児	＋	a 地域	14, 400	16, 100	−	2, 110	−	(⑥(⑦)+⑧+⑫)×10/100
					b 地域	7, 900	8, 800				
					c 地域	6, 900	7, 700				
					d 地域	6, 200	6, 900				
	13人から19人まで	3号	1、2歳児 乳児	＋	a 地域	18, 300	20, 400	−	1, 330	−	(⑥(⑦)+⑧+⑫)×10/100
					b 地域	10, 100	11, 200				
					c 地域	8, 800	9, 800				
					d 地域	7, 900	8, 700				
15/100地域	5人まで	3号	1、2歳児 乳児	＋	a 地域	28, 800	32, 100	−	5, 080	−	(⑥(⑦)+⑧+⑫)×10/100
					b 地域	15, 900	17, 700				
					c 地域	13, 800	15, 400				
					d 地域	12, 400	13, 800				
	6人から12人まで	3号	1、2歳児 乳児	＋	a 地域	14, 400	16, 100	−	2, 110	−	(⑥(⑦)+⑧+⑫)×10/100
					b 地域	7, 900	8, 800				
					c 地域	6, 900	7, 700				
					d 地域	6, 200	6, 900				
	13人から19人まで	0号	1、2歳児 乳児	＋	a 地域	18, 300	20, 400	−	1, 330	−	(⑥(⑦)+⑧+⑫)×10/100
					b 地域	10, 100	11, 200				
					c 地域	8, 800	9, 800				
					d 地域	7, 900	8, 700				
12/100地域	5人まで	3号	1、2歳児 乳児	＋	a 地域	28, 800	32, 100	−	5, 080	−	(⑥(⑦)+⑧+⑫)×11/100
					b 地域	15, 900	17, 700				
					c 地域	13, 800	15, 400				
					d 地域	12, 400	13, 800				
	6人から12人まで	3号	1、2歳児 乳児	＋	a 地域	14, 400	16, 100	−	2, 110	−	(⑥(⑦)+⑧+⑫)×10/100
					b 地域	7, 900	8, 800				
					c 地域	6, 900	7, 700				
					d 地域	6, 200	6, 900				
	13人から19人まで	3号	1、2歳児 乳児	＋	a 地域	18, 300	20, 400	−	1, 330	−	(⑥(⑦)+⑧+⑫)×10/100
					b 地域	10, 100	11, 200				
					c 地域	8, 800	9, 800				
					d 地域	7, 900	8, 700				

地域区分 ①	定員区分 ②	認定区分 ③	年齢区分 ④		管理者を設置していない場合 ⑰		処遇改善等加算Ⅰ		土曜日に閉所する場合 月に１日土曜日を閉所する場合 ⑱	土曜日に閉所する場合 月に２日土曜日を閉所する場合 ⑱	土曜日に閉所する場合 月に３日以上土曜日を閉所する場合 ⑱	土曜日に閉所する場合 全ての土曜日を閉所する場合 ⑱	定員を恒常的に超過する場合 利用子ども数が6人から12人までの場合 ⑲	定員を恒常的に超過する場合 利用子ども数が13人を超える場合 ⑲
20/100地域	5人まで	3号	1、2歳児 乳児	−	98,380	＋	980×加算率	−	(⑥(⑦)＋⑧＋⑩＋⑫) × 2/100	(⑥(⑦)＋⑧＋⑩＋⑫) × 4/100	(⑥(⑦)＋⑧＋⑩＋⑫) × 6/100	(⑥(⑦)＋⑧＋⑩＋⑫) × 7/100	(⑥〜⑱) × 56/100	(⑥〜⑱) × 31/100
	6人から12人まで	3号	1、2歳児 乳児	−	40,990	＋	400×加算率	−	(⑥(⑦)＋⑧＋⑩＋⑫) × 2/100	(⑥(⑦)＋⑧＋⑩＋⑫) × 4/100	(⑥(⑦)＋⑧＋⑩＋⑫) × 6/100	(⑥(⑦)＋⑧＋⑩＋⑫) × 8/100		(⑥〜⑱) × 79/100
	13人から19人まで	3号	1、2歳児 乳児	−	25,890	＋	250×加算率	−	(⑥(⑦)＋⑧＋⑩＋⑫) × 2/100	(⑥(⑦)＋⑧＋⑩＋⑫) × 4/100	(⑥(⑦)＋⑧＋⑩＋⑫) × 7/100	(⑥(⑦)＋⑧＋⑩＋⑫) × 9/100		
16/100地域	5人まで	3号	1、2歳児 乳児	−	94,640	＋	940×加算率	−	(⑥(⑦)＋⑧＋⑩＋⑫) × 2/100	(⑥(⑦)＋⑧＋⑩＋⑫) × 4/100	(⑥(⑦)＋⑧＋⑩＋⑫) × 6/100	(⑥(⑦)＋⑧＋⑩＋⑫) × 8/100	(⑥〜⑱) × 56/100	(⑥〜⑱) × 31/100
	6人から12人まで	3号	1、2歳児 乳児	−	39,430	＋	390×加算率	−	(⑥(⑦)＋⑧＋⑩＋⑫) × 2/100	(⑥(⑦)＋⑧＋⑩＋⑫) × 4/100	(⑥(⑦)＋⑧＋⑩＋⑫) × 6/100	(⑥(⑦)＋⑧＋⑩＋⑫) × 8/100		(⑥〜⑱) × 79/100
	13人から19人まで	3号	1、2歳児 乳児	−	24,900	＋	240×加算率	−	(⑥(⑦)＋⑧＋⑩＋⑫) × 2/100	(⑥(⑦)＋⑧＋⑩＋⑫) × 4/100	(⑥(⑦)＋⑧＋⑩＋⑫) × 7/100	(⑥(⑦)＋⑧＋⑩＋⑫) × 9/100		
15/100地域	5人まで	3号	1、2歳児 乳児	−	93,710	＋	930×加算率	−	(⑥(⑦)＋⑧＋⑩＋⑫) × 2/100	(⑥(⑦)＋⑧＋⑩＋⑫) × 4/100	(⑥(⑦)＋⑧＋⑩＋⑫) × 6/100	(⑥(⑦)＋⑧＋⑩＋⑫) × 8/100	(⑥〜⑱) × 56/100	(⑥〜⑱) × 31/100
	6人から12人まで	3号	1、2歳児 乳児	−	39,040	＋	390×加算率	−	(⑥(⑦)＋⑧＋⑩＋⑫) × 2/100	(⑥(⑦)＋⑧＋⑩＋⑫) × 4/100	(⑥(⑦)＋⑧＋⑩＋⑫) × 6/100	(⑥(⑦)＋⑧＋⑩＋⑫) × 9/100		(⑥〜⑱) × 79/100
	13人から19人まで	3号	1、2歳児 乳児	−	24,660	＋	240×加算率	−	(⑥(⑦)＋⑧＋⑩＋⑫) × 2/100	(⑥(⑦)＋⑧＋⑩＋⑫) × 4/100	(⑥(⑦)＋⑧＋⑩＋⑫) × 7/100	(⑥(⑦)＋⑧＋⑩＋⑫) × 9/100		
12/100地域	5人まで	3号	1、2歳児 乳児	−	90,900	＋	900×加算率	−	(⑥(⑦)＋⑧＋⑩＋⑫) × 2/100	(⑥(⑦)＋⑧＋⑩＋⑫) × 4/100	(⑥(⑦)＋⑧＋⑩＋⑫) × 6/100	(⑥(⑦)＋⑧＋⑩＋⑫) × 8/100	(⑥〜⑱) × 56/100	(⑥〜⑱) × 31/100
	6人から12人まで	3号	1、2歳児 乳児	−	37,870	＋	370×加算率	−	(⑥(⑦)＋⑧＋⑩＋⑫) × 2/100	(⑥(⑦)＋⑧＋⑩＋⑫) × 4/100	(⑥(⑦)＋⑧＋⑩＋⑫) × 6/100	(⑥(⑦)＋⑧＋⑩＋⑫) × 9/100		(⑥〜⑱) × 79/100
	13人から19人まで	3号	1、2歳児 乳児	−	23,920	＋	230×加算率	−	(⑥(⑦)＋⑧＋⑩＋⑫) × 2/100	(⑥(⑦)＋⑧＋⑩＋⑫) × 5/100	(⑥(⑦)＋⑧＋⑩＋⑫) × 7/100	(⑥(⑦)＋⑧＋⑩＋⑫) × 9/100		

特定教育・保育等に要する費用算定基準等　事業所内保育事業（定員19人以下（小規模保育事業Ｂ型の基準が適用される事業所））（保育認定）

地域区分 ①	定員区分 ②	認定区分 ③	年齢区分 ④	保育必要量区分⑤ 保育標準時間認定 基本分単価 ⑥	（注）	保育短時間認定 基本分単価 ⑥	（注）	従業員枠の子どもの場合 ⑦		処遇改善等加算Ⅰ 保育標準時間認定 ⑧	（注）		保育短時間認定 ⑧	（注）	
10/100地域	5人まで	3号	1、2歳児	341, 860	(402, 920)	330, 330	(391, 390)	⑥×84/100	＋	3, 300	(3, 910)	×加算率	3, 190	(3, 800)	×加算率
			乳　　児	402, 920		391, 390			＋	3, 910		×加算率	3, 800		×加算率
	6人から12人まで	3号	1、2歳児	185, 030	(246, 090)	180, 230	(241, 290)		＋	1, 730	(2, 340)	×加算率	1, 690	(2, 300)	×加算率
			乳　　児	246, 090		241, 290			＋	2, 340		×加算率	2, 300		×加算率
	13人から19人まで	3号	1、2歳児	143, 510	(204, 570)	140, 470	(201, 530)		＋	1, 320	(1, 930)	×加算率	1, 290	(1, 900)	×加算率
			乳　　児	204, 570		201, 530			＋	1, 930		×加算率	1, 900		×加算率
6/100地域	5人まで	3号	1、2歳児	334, 910	(394, 720)	323, 380	(383, 190)	⑥×84/100	＋	3, 230	(3, 820)	×加算率	3, 120	(3, 710)	×加算率
			乳　　児	394, 720		383, 190			＋	3, 820		×加算率	3, 710		×加算率
	6人から12人まで	3号	1、2歳児	181, 400	(241, 210)	176, 590	(236, 400)		＋	1, 700	(2, 290)	×加算率	1, 650	(2, 240)	×加算率
			乳　　児	241, 210		236, 400			＋	2, 290		×加算率	2, 240		×加算率
	13人から19人まで	3号	1、2歳児	140, 750	(200, 560)	137, 720	(197, 530)		＋	1, 290	(1, 880)	×加算率	1, 260	(1, 850)	×加算率
			乳　　児	200, 560		197, 530			＋	1, 880		×加算率	1, 850		×加算率
3/100地域	5人まで	3号	1、2歳児	329, 700	(388, 570)	318, 170	(377, 040)	⑥×84/100	＋	3, 180	(3, 760)	×加算率	3, 060	(3, 640)	×加算率
			乳　　児	388, 570		377, 040			＋	3, 760		×加算率	3, 640		×加算率
	6人から12人まで	3号	1、2歳児	178, 670	(237, 540)	173, 870	(232, 740)		＋	1, 670	(2, 250)	×加算率	1, 620	(2, 200)	×加算率
			乳　　児	237, 540		232, 740			＋	2, 250		×加算率	2, 200		×加算率
	13人から19人まで	3号	1、2歳児	138, 690	(197, 560)	135, 650	(194, 520)		＋	1, 270	(1, 850)	×加算率	1, 240	(1, 820)	×加算率
			乳　　児	197, 560		194, 520			＋	1, 850		×加算率	1, 820		×加算率
その他地域	5人まで	3号	1、2歳児	324, 490	(382, 420)	312, 960	(370, 890)	⑥×84/100	＋	3, 130	(3, 700)	×加算率	3, 010	(3, 580)	×加算率
			乳　　児	382, 420		370, 890			＋	3, 700		×加算率	3, 580		×加算率
	6人から12人まで	3号	1、2歳児	175, 950	(233, 880)	171, 140	(229, 070)		＋	1, 640	(2, 210)	×加算率	1, 590	(2, 160)	×加算率
			乳　　児	233, 880		229, 070			＋	2, 210		×加算率	2, 160		×加算率
	13人から19人まで	3号	1、2歳児	136, 620	(194, 550)	133, 590	(191, 520)		＋	1, 250	(1, 820)	×加算率	1, 220	(1, 790)	×加算率
			乳　　児	194, 550		191, 520			＋	1, 820		×加算率	1, 790		×加算率

地域区分 ①	定員区分 ②	認定区分 ③	年齢区分 ④		保育士比率向上加算	（注）	処遇改善等加算Ⅰ ⑨	（注）			障害児保育加算 ※特別な支援が必要な利用子どもの単価に加算	（注）	処遇改善等加算Ⅰ ⑩	（注）	
10/100地域	5人まで	3号	1、2歳児	＋	18,550	(26,510)	180	(260)	×加算率	＋	122,120	(61,060)	1,220	(610)	×加算率
			乳児	＋	26,510		260		×加算率	＋	61,060		610		×加算率
	6人から12人まで	3号	1、2歳児	＋	11,940	(19,900)	110	(190)	×加算率	＋	122,120	(61,060)	1,220	(610)	×加算率
			乳児	＋	19,900		190		×加算率	＋	61,060		610		×加算率
	13人から19人まで	3号	1、2歳児	＋	10,550	(18,510)	100	(180)	×加算率	＋	122,120	(61,060)	1,220	(610)	×加算率
			乳児	＋	18,510		180		×加算率	＋	61,060		610		×加算率
6/100地域	5人まで	3号	1、2歳児	＋	17,130	(24,460)	170	(250)	×加算率	＋	119,620	(59,810)	1,190	(590)	×加算率
			乳児	＋	24,460		250		×加算率	＋	59,810		590		×加算率
	6人から12人まで	3号	1、2歳児	＋	11,000	(18,330)	110	(190)	×加算率	＋	119,620	(59,810)	1,190	(590)	×加算率
			乳児	＋	18,330		190		×加算率	＋	59,810		590		×加算率
	13人から19人まで	3号	1、2歳児	＋	9,720	(17,050)	100	(180)	×加算率	＋	119,620	(59,810)	1,190	(590)	×加算率
			乳児	＋	17,050		180		×加算率	＋	59,810		590		×加算率
3/100地域	5人まで	3号	1、2歳児	＋	16,070	(22,940)	160	(230)	×加算率	＋	117,750	(58,870)	1,170	(580)	×加算率
			乳児	＋	22,940		230		×加算率	＋	58,870		580		×加算率
	6人から12人まで	3号	1、2歳児	＋	10,290	(17,160)	100	(170)	×加算率	＋	117,750	(58,870)	1,170	(580)	×加算率
			乳児	＋	17,160		170		×加算率	＋	58,870		580		×加算率
	13人から19人まで	3号	1、2歳児	＋	9,100	(15,970)	90	(160)	×加算率	＋	117,750	(58,870)	1,170	(580)	×加算率
			乳児	＋	15,970		160		×加算率	＋	58,870		580		×加算率
その他地域	5人まで	3号	1、2歳児	＋	15,000	(21,400)	150	(220)	×加算率	＋	115,870	(57,930)	1,150	(570)	×加算率
			乳児	＋	21,400		220		×加算率	＋	57,930		570		×加算率
	6人から12人まで	3号	1、2歳児	＋	9,590	(15,990)	100	(170)	×加算率	＋	115,870	(57,930)	1,150	(570)	×加算率
			乳児	＋	15,990		170		×加算率	＋	57,930		570		×加算率
	13人から19人まで	3号	1、2歳児	＋	8,480	(14,880)	80	(150)	×加算率	＋	115,870	(57,930)	1,150	(570)	×加算率
			乳児	＋	14,880		150		×加算率	＋	57,930		570		×加算率

事業所内保育事業（定員19人以下（小規模保育事業B型の基準が適用される事業所））（保育認定）

地域区分 ①	定員区分 ②	認定区分 ③	年齢区分 ④		休日保育加算		休日保育加算 処遇改善等加算Ⅰ ⑪				夜間保育加算		夜間保育加算 処遇改善等加算Ⅰ ⑫		減価償却費加算 加算額 標準 ⑬	減価償却費加算 加算額 都市部 ⑬
10/100地域	5人まで	3号	1、2歳児 乳児	＋	休日保育の年間延べ利用子ども数 ～ 210人 198,200 211人～ 279人 211,600 280人～ 349人 238,400 350人～ 419人 265,200 420人～ 489人 292,100 490人～ 559人 318,900 560人～ 629人 345,700 630人～ 699人 372,600 700人～ 769人 399,400 770人～ 839人 426,200 840人～ 909人 453,100 910人～ 979人 479,900 980人～1,049人 506,700 1,050人～ 533,600	＋	1,980×加算率 2,110×加算率 2,380×加算率 2,650×加算率 2,920×加算率 3,180×加算率 3,450×加算率 3,720×加算率 3,990×加算率 4,260×加算率 4,530×加算率 4,790×加算率 5,060×加算率 5,330×加算率	÷	各月初日の利用子ども数	＋	100,310	＋	940×加算率	＋	7,700	8,500
	6人から12人まで	3号	1、2歳児 乳児							＋	44,990	＋	390×加算率	＋	3,200	3,500
	13人から19人まで	3号	1、2歳児 乳児							＋	30,430	＋	240×加算率	＋	2,000	2,200
6/100地域	5人まで	3号	1、2歳児 乳児	＋	休日保育の年間延べ利用子ども数 ～ 210人 194,600 211人～ 279人 207,700 280人～ 349人 233,900 350人～ 419人 260,200 420人～ 489人 286,400 490人～ 559人 312,700 560人～ 629人 338,900 630人～ 699人 365,200 700人～ 769人 391,400 770人～ 839人 417,700 840人～ 909人 443,900 910人～ 979人 470,200 980人～1,049人 496,400 1,050人～ 522,700	＋	1,940×加算率 2,070×加算率 2,330×加算率 2,600×加算率 2,860×加算率 3,120×加算率 3,380×加算率 3,650×加算率 3,910×加算率 4,170×加算率 4,430×加算率 4,700×加算率 4,960×加算率 5,220×加算率	÷	各月初日の利用子ども数	＋	100,310	＋	940×加算率	＋	7,700	8,500
	6人から12人まで	3号	1、2歳児 乳児							＋	44,990	＋	390×加算率	＋	3,200	3,500
	13人から19人まで	3号	1、2歳児 乳児							＋	30,430	＋	240×加算率	＋	2,000	2,200
3/100地域	5人まで	3号	1、2歳児 乳児	＋	休日保育の年間延べ利用子ども数 ～ 210人 191,900 211人～ 279人 204,700 280人～ 349人 230,400 350人～ 419人 256,000 420人～ 489人 281,700 490人～ 559人 307,400 560人～ 629人 333,000 630人～ 699人 358,700 700人～ 769人 384,400 770人～ 839人 410,000 840人～ 909人 435,700 910人～ 979人 461,400 980人～1,049人 487,000 1,050人～ 512,700	＋	1,910×加算率 2,040×加算率 2,300×加算率 2,560×加算率 2,810×加算率 3,070×加算率 3,330×加算率 3,580×加算率 3,840×加算率 4,100×加算率 4,350×加算率 4,610×加算率 4,870×加算率 5,120×加算率	÷	各月初日の利用子ども数	＋	100,310	＋	940×加算率	＋	7,700	8,500
	6人から12人まで	3号	1、2歳児 乳児							＋	44,990	＋	390×加算率	＋	3,200	3,500
	13人から19人まで	3号	1、2歳児 乳児							＋	30,430	＋	240×加算率	＋	2,000	2,200
その他地域	5人まで	3号	1、2歳児 乳児	＋	休日保育の年間延べ利用子ども数 ～ 210人 189,200 211人～ 279人 202,000 280人～ 349人 227,700 350人～ 419人 253,300 420人～ 489人 279,000 490人～ 559人 304,700 560人～ 629人 330,300 630人～ 699人 356,000 700人～ 769人 381,700 770人～ 839人 407,300 840人～ 909人 433,000 910人～ 979人 458,700 980人～1,049人 484,300 1,050人～ 510,000	＋	1,890×加算率 2,020×加算率 2,270×加算率 2,530×加算率 2,790×加算率 3,040×加算率 3,300×加算率 3,560×加算率 3,810×加算率 4,070×加算率 4,330×加算率 4,580×加算率 4,840×加算率 5,100×加算率	÷	各月初日の利用子ども数	＋	100,310	＋	940×加算率	＋	7,700	8,500
	6人から12人まで	3号	1、2歳児 乳児							＋	44,990	＋	390×加算率	＋	3,200	3,500
	13人から19人まで	3号	1、2歳児 乳児							＋	30,430	＋	240×加算率	＋	2,000	2,200

地域区分 ①	定員区分 ②	認定区分 ③	年齢区分 ④		賃借料加算	加算額 標　準 ⑭	 都市部		連携施設を設定しない場合 ⑮		食事の提供について自園調理又は連携施設等からの搬入以外の方法による場合 ⑯
10/100地域	5人まで	3号	1、2歳児 乳　　児	＋	a 地域	28, 800	32, 100	−	5, 080	−	(⑥(⑦) ＋⑧＋⑫) × 11/100
					b 地域	15, 900	17, 700				
					c 地域	13, 800	15, 400				
					d 地域	12, 400	13, 800				
	6人から12人まで	3号	1、2歳児 乳　　児	＋	a 地域	14, 400	16, 100	−	2, 110	−	(⑥(⑦) ＋⑧＋⑫) × 10/100
					b 地域	7, 900	8, 800				
					c 地域	6, 900	7, 700				
					d 地域	6, 200	6, 900				
	13人から19人まで	3号	1、2歳児 乳　　児	＋	a 地域	18, 300	20, 400	−	1, 330	−	(⑥(⑦) ＋⑧＋⑫) × 10/100
					b 地域	10, 100	11, 200				
					c 地域	8, 800	9, 800				
					d 地域	7, 900	8, 700				
6/100地域	5人まで	3号	1、2歳児 乳　　児	＋	a 地域	28, 800	32, 100	−	5, 080	−	(⑥(⑦) ＋⑧＋⑫) × 11/100
					b 地域	15, 900	17, 700				
					c 地域	13, 800	15, 400				
					d 地域	12, 400	13, 800				
	6人から12人まで	3号	1、2歳児 乳　　児	＋	a 地域	14, 400	16, 100	−	2, 110	−	(⑥(⑦) ＋⑧＋⑫) × 11/100
					b 地域	7, 900	8, 800				
					c 地域	6, 900	7, 700				
					d 地域	6, 200	6, 900				
	13人から19人まで	3号	1、2歳児 乳　　児	＋	a 地域	18, 300	20, 400	−	1, 330	−	(⑥(⑦) ＋⑧＋⑫) × 10/100
					b 地域	10, 100	11, 200				
					c 地域	8, 800	9, 800				
					d 地域	7, 900	8, 700				
3/100地域	5人まで	3号	1、2歳児 乳　　児	＋	a 地域	28, 800	32, 100	−	5, 080	−	(⑥(⑦) ＋⑧＋⑫) × 11/100
					b 地域	15, 900	17, 700				
					c 地域	13, 800	15, 400				
					d 地域	12, 400	13, 800				
	6人から12人まで	3号	1、2歳児 乳　　児	＋	a 地域	14, 400	16, 100	−	2, 110	−	(⑥(⑦) ＋⑧＋⑫) × 11/100
					b 地域	7, 900	8, 800				
					c 地域	6, 900	7, 700				
					d 地域	6, 200	6, 900				
	13人から19人まで	3号	1、2歳児 乳　　児	＋	a 地域	18, 300	20, 400	−	1, 330	−	(⑥(⑦) ＋⑧＋⑫) × 10/100
					b 地域	10, 100	11, 200				
					c 地域	8, 800	9, 800				
					d 地域	7, 900	8, 700				
その他地域	5人まで	3号	1、2歳児 乳　　児	＋	a 地域	28, 800	32, 100	−	5, 080	−	(⑥(⑦) ＋⑧＋⑫) × 11/100
					b 地域	15, 900	17, 700				
					c 地域	13, 800	15, 400				
					d 地域	12, 400	13, 800				
	6人から12人まで	3号	1、2歳児 乳　　児	＋	a 地域	14, 400	16, 100	−	2, 110	−	(⑥(⑦) ＋⑧＋⑫) × 11/100
					b 地域	7, 900	8, 800				
					c 地域	6, 900	7, 700				
					d 地域	6, 200	6, 900				
	13人から19人まで	3号	1、2歳児 乳　　児	＋	a 地域	18, 300	20, 400	−	1, 330	−	(⑥(⑦) ＋⑧＋⑫) × 10/100
					b 地域	10, 100	11, 200				
					c 地域	8, 800	9, 800				
					d 地域	7, 900	8, 700				

特定教育・保育等に要する費用算定基準等　事業所内保育事業（定員19人以下（小規模保育事業Ｂ型の基準が適用される事業所））（保育認定）

地域区分 ①	定員区分 ②	認定区分 ③	年齢区分 ④		管理者を設置していない場合 ⑰				土曜日に閉所する場合 ⑱				定員を恒常的に超過する場合 ⑲	
							処遇改善等加算Ⅰ		月に１日土曜日を閉所する場合	月に２日土曜日を閉所する場合	月に３日以上土曜日を閉所する場合	全ての土曜日を閉所する場合	利用子ども数が6人から12人までの場合	利用子ども数が13人を超える場合
10/100地域	5人まで	3号	1、2歳児 乳児	－	89,030	＋	890×加算率	－	(⑥(⑦)＋⑧＋⑩＋⑫)×2/100	(⑥(⑦)＋⑧＋⑩＋⑫)×4/100	(⑥(⑦)＋⑧＋⑩＋⑫)×6/100	(⑥(⑦)＋⑧＋⑩＋⑫)×8/100	(⑥～⑱)×56/100	(⑥～⑱)×31/100
	6人から12人まで	3号	1、2歳児 乳児	－	37,090	＋	370×加算率	－	(⑥(⑦)＋⑧＋⑩＋⑫)×2/100	(⑥(⑦)＋⑧＋⑩＋⑫)×4/100	(⑥(⑦)＋⑧＋⑩＋⑫)×7/100	(⑥(⑦)＋⑧＋⑩＋⑫)×9/100		(⑥～⑱)×79/100
	13人から19人まで	3号	1、2歳児 乳児	－	23,420	＋	230×加算率	－	(⑥(⑦)＋⑧＋⑩＋⑫)×2/100	(⑥(⑦)＋⑧＋⑩＋⑫)×5/100	(⑥(⑦)＋⑧＋⑩＋⑫)×7/100	(⑥(⑦)＋⑧＋⑩＋⑫)×9/100		
6/100地域	5人まで	3号	1、2歳児 乳児	－	85,280	＋	850×加算率	－	(⑥(⑦)＋⑧＋⑩＋⑫)×2/100	(⑥(⑦)＋⑧＋⑩＋⑫)×4/100	(⑥(⑦)＋⑧＋⑩＋⑫)×6/100	(⑥(⑦)＋⑧＋⑩＋⑫)×8/100	(⑥～⑱)×56/100	(⑥～⑱)×31/100
	6人から12人まで	3号	1、2歳児 乳児	－	35,530	＋	350×加算率	－	(⑥(⑦)＋⑧＋⑩＋⑫)×2/100	(⑥(⑦)＋⑧＋⑩＋⑫)×4/100	(⑥(⑦)＋⑧＋⑩＋⑫)×7/100	(⑥(⑦)＋⑧＋⑩＋⑫)×9/100		(⑥～⑱)×79/100
	13人から19人まで	3号	1、2歳児 乳児	－	22,440	＋	220×加算率	－	(⑥(⑦)＋⑧＋⑩＋⑫)×2/100	(⑥(⑦)＋⑧＋⑩＋⑫)×5/100	(⑥(⑦)＋⑧＋⑩＋⑫)×7/100	(⑥(⑦)＋⑧＋⑩＋⑫)×9/100		
3/100地域	5人まで	3号	1、2歳児 乳児	－	82,470	＋	820×加算率	－	(⑥(⑦)＋⑧＋⑩＋⑫)×2/100	(⑥(⑦)＋⑧＋⑩＋⑫)×4/100	(⑥(⑦)＋⑧＋⑩＋⑫)×6/100	(⑥(⑦)＋⑧＋⑩＋⑫)×8/100	(⑥～⑱)×56/100	(⑥～⑱)×31/100
	6人から12人まで	3号	1、2歳児 乳児	－	34,360	＋	340×加算率	－	(⑥(⑦)＋⑧＋⑩＋⑫)×2/100	(⑥(⑦)＋⑧＋⑩＋⑫)×5/100	(⑥(⑦)＋⑧＋⑩＋⑫)×7/100	(⑥(⑦)＋⑧＋⑩＋⑫)×9/100		(⑥～⑱)×79/100
	13人から19人まで	3号	1、2歳児 乳児	－	21,700	＋	210×加算率	－	(⑥(⑦)＋⑧＋⑩＋⑫)×2/100	(⑥(⑦)＋⑧＋⑩＋⑫)×5/100	(⑥(⑦)＋⑧＋⑩＋⑫)×7/100	(⑥(⑦)＋⑧＋⑩＋⑫)×9/100		
その他地域	5人まで	3号	1、2歳児 乳児	－	79,670	＋	790×加算率	－	(⑥(⑦)＋⑧＋⑩＋⑫)×2/100	(⑥(⑦)＋⑧＋⑩＋⑫)×4/100	(⑥(⑦)＋⑧＋⑩＋⑫)×6/100	(⑥(⑦)＋⑧＋⑩＋⑫)×8/100	(⑥～⑱)×56/100	(⑥～⑱)×31/100
	6人から12人まで	3号	1、2歳児 乳児	－	33,190	＋	330×加算率	－	(⑥(⑦)＋⑧＋⑩＋⑫)×2/100	(⑥(⑦)＋⑧＋⑩＋⑫)×5/100	(⑥(⑦)＋⑧＋⑩＋⑫)×7/100	(⑥(⑦)＋⑧＋⑩＋⑫)×9/100		(⑥～⑱)×79/100
	13人から19人まで	3号	1、2歳児 乳児	－	20,960	＋	200×加算率	－	(⑥(⑦)＋⑧＋⑩＋⑫)×2/100	(⑥(⑦)＋⑧＋⑩＋⑫)×5/100	(⑥(⑦)＋⑧＋⑩＋⑫)×7/100	(⑥(⑦)＋⑧＋⑩＋⑫)×10/100		

加算部分２

処遇改善等加算Ⅱ　⑳	（算式１） 以下の加算を合算した額を各月初日の利用子ども数で除した額とする。 ・処遇改善等加算Ⅱ－①　49,010 × 人数Ａ ・処遇改善等加算Ⅱ－②　6,130 × 人数Ｂ	※１　各月初日の利用子どもの単価に加算 ※２　人数Ａ及び人数Ｂについては、別に定める ※３　利用定員が６人以上の場合には（算式１）を適用し、利用定員が５人以下の場合には（算式２）のＡ若しくはＢのいずれかとする
	（算式２） Ａ：処遇改善等加算Ⅱ－① 49,010 ÷ 各月初日の利用子ども数	
	Ｂ：処遇改善等加算Ⅱ－② 6,130 ÷ 各月初日の利用子ども数	

処遇改善等加算Ⅲ　㉑	11,030 × 加算Ⅲ算定対象人数 ÷各月初日の利用子ども数	※１　各月初日の利用子どもの単価に加算 ※２　加算Ⅲ算定対象人数については、別に定める

冷暖房費加算　㉒	１　級　地　1,900	４　級　地　1,320	※以下の区分に応じて、各月の単価に加算 １級地から４級地：国家公務員の寒冷地手当に関する法律（昭和２４年法律第２００号）第１条第１号及び第２号に掲げる地域 そ の 他 地 域：１級地から４級地以外の地域
	２　級　地　1,690	その他地域　120	
	３　級　地　1,670		

除雪費加算　㉓	6,270	※３月初日の利用子どもの単価に加算

降灰除去費加算　㉔	162,470÷３月初日の利用子ども数	※３月初日の利用子どもの単価に加算

施設機能強化推進費加算　㉕	160,000（限度額）÷３月初日の利用子ども数	※３月初日の利用子どもの単価に加算

栄養管理加算　㉖	Ａ	（基本額 79,950 ＋ 処遇改善等加算Ⅰ 790×加算率） ÷各月初日の利用子ども数	※以下の区分に応じて、各月初日の利用子どもの単価に加算 Ａ：Ｂを除き栄養士を雇用契約等により配置している施設 Ｂ：基本分単価及び他の加算の認定に当たって求められる職員が栄養士を兼務している施設 Ｃ：Ａ又はＢを除き、栄養士を嘱託等している施設
	Ｂ	（基本額 50,000 ＋ 処遇改善等加算Ⅰ 500×加算率） ÷各月初日の利用子ども数	
	Ｃ	基本額 10,000 ÷各月初日の利用子ども数	

第三者評価受審加算　㉗	150,000÷３月初日の利用子ども数	※３月初日の利用子どもの単価に加算

（注）年度の初日の前日における満年齢に応じて月額を調整

○事業所内保育事業（定員20人以上）（保育認定）

地域区分 ①	定員区分 ②	認定区分 ③	年齢区分 ④	保育必要量区分⑤				従業員枠の子どもの場合 ⑦		処遇改善等加算Ⅰ					
				保育標準時間認定		保育短時間認定				保育標準時間認定			保育短時間認定		
				基本分単価 ⑥	（注）	基本分単価 ⑥	（注）			⑧	（注）		⑧	（注）	
20/100地域	20人から30人まで	3号	1、2歳児	171, 050	(253, 980)	152, 540	(235, 470)	⑥×84/100	＋	1, 580	(2, 410)	×加算率	1, 400	(2, 230)	×加算率
			乳　児	253, 980		235, 470			＋	2, 410		×加算率	2, 230		×加算率
	31人から40人まで	3号	1、2歳児	152, 780	(235, 710)	138, 900	(221, 830)		＋	1, 400	(2, 230)	×加算率	1, 260	(2, 090)	×加算率
			乳　児	235, 710		221, 830			＋	2, 230		×加算率	2, 090		×加算率
	41人から50人まで	3号	1、2歳児	147, 930	(230, 860)	136, 820	(219, 750)		＋	1, 350	(2, 180)	×加算率	1, 240	(2, 070)	×加算率
			乳　児	230, 860		219, 750			＋	2, 180		×加算率	2, 070		×加算率
	51人から60人まで	3号	1、2歳児	138, 870	(221, 800)	129, 620	(212, 550)		＋	1, 260	(2, 090)	×加算率	1, 170	(2, 000)	×加算率
			乳　児	221, 800		212, 550			＋	2, 090		×加算率	2, 000		×加算率
	61人から	3号	1、2歳児	132, 480	(215, 410)	124, 550	(207, 480)		＋	1, 200	(2, 030)	×加算率	1, 120	(1, 950)	×加算率
			乳　児	215, 410		207, 480			＋	2, 030		×加算率	1, 950		×加算率
16/100地域	20人から30人まで	3号	1、2歳児	166, 420	(246, 860)	148, 410	(228, 850)	⑥×84/100	＋	1, 540	(2, 340)	×加算率	1, 360	(2, 160)	×加算率
			乳　児	246, 860		228, 850			＋	2, 340		×加算率	2, 160		×加算率
	31人から40人まで	3号	1、2歳児	148, 620	(229, 060)	135, 110	(215, 550)		＋	1, 360	(2, 160)	×加算率	1, 220	(2, 020)	×加算率
			乳　児	229, 060		215, 550			＋	2, 160		×加算率	2, 020		×加算率
	41人から50人まで	3号	1、2歳児	143, 900	(224, 340)	133, 090	(213, 530)		＋	1, 310	(2, 110)	×加算率	1, 210	(2, 010)	×加算率
			乳　児	224, 340		213, 530			＋	2, 110		×加算率	2, 010		×加算率
	51人から60人まで	3号	1、2歳児	135, 100	(215, 540)	126, 090	(206, 530)		＋	1, 230	(2, 030)	×加算率	1, 140	(1, 940)	×加算率
			乳　児	215, 540		206, 530			＋	2, 030		×加算率	1, 940		×加算率
	61人から	3号	1、2歳児	128, 880	(209, 320)	121, 170	(201, 610)		＋	1, 170	(1, 970)	×加算率	1, 090	(1, 890)	×加算率
			乳　児	209, 320		201, 610			＋	1, 970		×加算率	1, 890		×加算率
15/100地域	20人から30人まで	3号	1、2歳児	165, 260	(245, 080)	147, 380	(227, 200)	⑥×84/100	＋	1, 520	(2, 320)	×加算率	1, 340	(2, 140)	×加算率
			乳　児	245, 080		227, 200			＋	2, 320		×加算率	2, 140		×加算率
	31人から40人まで	3号	1、2歳児	147, 580	(227, 400)	134, 170	(213, 990)		＋	1, 340	(2, 140)	×加算率	1, 210	(2, 010)	×加算率
			乳　児	227, 400		213, 990			＋	2, 140		×加算率	2, 010		×加算率
	41人から50人まで	3号	1、2歳児	142, 890	(222, 710)	132, 160	(211, 980)		＋	1, 300	(2, 100)	×加算率	1, 190	(1, 990)	×加算率
			乳　児	222, 710		211, 980			＋	2, 100		×加算率	1, 990		×加算率
	51人から60人まで	3号	1、2歳児	134, 150	(213, 970)	125, 210	(205, 030)		＋	1, 210	(2, 010)	×加算率	1, 120	(1, 920)	×加算率
			乳　児	213, 970		205, 030			＋	2, 010		×加算率	1, 920		×加算率
	61人から	3号	1、2歳児	127, 990	(207, 810)	120, 320	(200, 140)		＋	1, 150	(1, 950)	×加算率	1, 070	(1, 870)	×加算率
			乳　児	207, 810		200, 140			＋	1, 950		×加算率	1, 870		×加算率
12/100地域	20人から30人まで	3号	1、2歳児	161, 800	(239, 740)	144, 290	(222, 230)	⑥×84/100	＋	1, 490	(2, 270)	×加算率	1, 310	(2, 090)	×加算率
			乳　児	239, 740		222, 230			＋	2, 270		×加算率	2, 090		×加算率
	31人から40人まで	3号	1、2歳児	144, 470	(222, 410)	131, 340	(209, 280)		＋	1, 320	(2, 100)	×加算率	1, 190	(1, 970)	×加算率
			乳　児	222, 410		209, 280			＋	2, 100		×加算率	1, 970		×加算率
	41人から50人まで	3号	1、2歳児	139, 870	(217, 810)	129, 370	(207, 310)		＋	1, 270	(2, 050)	×加算率	1, 170	(1, 950)	×加算率
			乳　児	217, 810		207, 310			＋	2, 050		×加算率	1, 950		×加算率
	51人から60人まで	3号	1、2歳児	131, 330	(209, 270)	122, 570	(200, 510)		＋	1, 190	(1, 970)	×加算率	1, 100	(1, 880)	×加算率
			乳　児	209, 270		200, 510			＋	1, 970		×加算率	1, 880		×加算率
	61人から	3号	1、2歳児	125, 300	(203, 240)	117, 800	(195, 740)		＋	1, 130	(1, 910)	×加算率	1, 050	(1, 830)	×加算率
			乳　児	203, 240		195, 740			＋	1, 910		×加算率	1, 830		×加算率

地域区分 ①	定員区分 ②	認定区分 ③	年齢区分 ④	障害児保育加算 ※特別な支援が必要な利用子どもの単価に加算	（注）	処遇改善等加算Ⅰ ⑩	（注）		夜間保育加算	処遇改善等加算Ⅰ ⑫
20/100地域	20人から30人まで	3号	1、2歳児	＋ 166, 460	(83, 230)	＋ 1, 660	(830)	×加算率	＋ 21, 280	＋ 150×加算率
			乳　児	＋ 83, 230		＋ 830		×加算率		
	31人から40人まで	3号	1、2歳児	＋ 166, 460	(83, 230)	＋ 1, 660	(830)	×加算率	＋ 17, 330	＋ 110×加算率
			乳　児	＋ 83, 230		＋ 830		×加算率		
	41人から50人まで	3号	1、2歳児	＋ 166, 460	(83, 230)	＋ 1, 660	(830)	×加算率	＋ 14, 960	＋ 90×加算率
			乳　児	＋ 83, 230		＋ 830		×加算率		
	51人から60人まで	3号	1、2歳児	＋ 166, 460	(83, 230)	＋ 1, 660	(830)	×加算率	＋ 13, 380	＋ 70×加算率
			乳　児	＋ 83, 230		＋ 830		×加算率		
	61人から	3号	1、2歳児	＋ 166, 460	(83, 230)	＋ 1, 660	(830)	×加算率	＋ 12, 250	＋ 60×加算率
			乳　児	＋ 83, 230		＋ 830		×加算率		

休日保育加算（20/100地域）

休日保育の年間延べ利用子ども数		処遇改善等加算Ⅰ ⑪
〜 210人	280, 600	＋ 2, 800×加算率
211人〜 279人	300, 700	3, 000×加算率
280人〜 349人	340, 900	3, 400×加算率
350人〜 419人	381, 200	3, 810×加算率
420人〜 489人	421, 400	4, 210×加算率
490人〜 559人	461, 700	4, 610×加算率
560人〜 629人	501, 900	5, 010×加算率
630人〜 699人	542, 200	5, 420×加算率
700人〜 769人	582, 400	5, 820×加算率
770人〜 839人	622, 700	6, 220×加算率
840人〜 909人	662, 900	6, 620×加算率
910人〜 979人	703, 200	7, 030×加算率
980人〜1, 049人	743, 400	7, 430×加算率
1, 050人〜	783, 700	7, 830×加算率

÷ 各月初日の利用子ども数

地域区分 ①	定員区分 ②	認定区分 ③	年齢区分 ④	障害児保育加算	（注）	処遇改善等加算Ⅰ ⑩	（注）		夜間保育加算	処遇改善等加算Ⅰ ⑫
16/100地域	20人から30人まで	3号	1、2歳児	＋ 161, 460	(80, 730)	＋ 1, 610	(800)	×加算率	＋ 21, 280	＋ 150×加算率
			乳　児	＋ 80, 730		＋ 800		×加算率		
	31人から40人まで	3号	1、2歳児	＋ 161, 460	(80, 730)	＋ 1, 610	(800)	×加算率	＋ 17, 330	＋ 110×加算率
			乳　児	＋ 80, 730		＋ 800		×加算率		
	41人から50人まで	3号	1、2歳児	＋ 161, 460	(80, 730)	＋ 1, 610	(800)	×加算率	＋ 14, 960	＋ 90×加算率
			乳　児	＋ 80, 730		＋ 800		×加算率		
	51人から60人まで	3号	1、2歳児	＋ 161, 460	(80, 730)	＋ 1, 610	(800)	×加算率	＋ 13, 380	＋ 70×加算率
			乳　児	＋ 80, 730		＋ 800		×加算率		
	61人から	3号	1、2歳児	＋ 161, 460	(80, 730)	＋ 1, 610	(800)	×加算率	＋ 12, 250	＋ 60×加算率
			乳　児	＋ 80, 730		＋ 800		×加算率		

休日保育加算（16/100地域）

休日保育の年間延べ利用子ども数		処遇改善等加算Ⅰ ⑪
〜 210人	273, 500	＋ 2, 730×加算率
211人〜 279人	293, 000	2, 930×加算率
280人〜 349人	332, 100	3, 320×加算率
350人〜 419人	371, 200	3, 710×加算率
420人〜 489人	410, 200	4, 100×加算率
490人〜 559人	449, 300	4, 490×加算率
560人〜 629人	488, 400	4, 880×加算率
630人〜 699人	527, 500	5, 270×加算率
700人〜 769人	566, 600	5, 660×加算率
770人〜 839人	605, 700	6, 050×加算率
840人〜 909人	644, 700	6, 440×加算率
910人〜 979人	683, 800	6, 830×加算率
980人〜1, 049人	722, 900	7, 220×加算率
1, 050人〜	762, 000	7, 620×加算率

÷ 各月初日の利用子ども数

地域区分 ①	定員区分 ②	認定区分 ③	年齢区分 ④	障害児保育加算	（注）	処遇改善等加算Ⅰ ⑩	（注）		夜間保育加算	処遇改善等加算Ⅰ ⑫
15/100地域	20人から30人まで	3号	1、2歳児	＋ 160, 210	(80, 100)	＋ 1, 600	(800)	×加算率	＋ 21, 280	＋ 150×加算率
			乳　児	＋ 80, 100		＋ 800		×加算率		
	31人から40人まで	3号	1、2歳児	＋ 160, 210	(80, 100)	＋ 1, 600	(800)	×加算率	＋ 17, 330	＋ 110×加算率
			乳　児	＋ 80, 100		＋ 800		×加算率		
	41人から50人まで	3号	1、2歳児	＋ 160, 210	(80, 100)	＋ 1, 600	(800)	×加算率	＋ 14, 960	＋ 90×加算率
			乳　児	＋ 80, 100		＋ 800		×加算率		
	51人から60人まで	3号	1、2歳児	＋ 160, 210	(80, 100)	＋ 1, 600	(800)	×加算率	＋ 13, 380	＋ 70×加算率
			乳　児	＋ 80, 100		＋ 800		×加算率		
	61人から	3号	1、2歳児	＋ 160, 210	(80, 100)	＋ 1, 600	(800)	×加算率	＋ 12, 250	＋ 60×加算率
			乳　児	＋ 80, 100		＋ 800		×加算率		

休日保育加算（15/100地域）

休日保育の年間延べ利用子ども数		処遇改善等加算Ⅰ ⑪
〜 210人	271, 600	＋ 2, 710×加算率
211人〜 279人	291, 100	2, 910×加算率
280人〜 349人	330, 200	3, 300×加算率
350人〜 419人	369, 300	3, 690×加算率
420人〜 489人	408, 300	4, 080×加算率
490人〜 559人	447, 400	4, 470×加算率
560人〜 629人	486, 500	4, 860×加算率
630人〜 699人	525, 600	5, 250×加算率
700人〜 769人	564, 700	5, 640×加算率
770人〜 839人	603, 800	6, 030×加算率
840人〜 909人	642, 800	6, 420×加算率
910人〜 979人	681, 900	6, 810×加算率
980人〜1, 049人	721, 000	7, 210×加算率
1, 050人〜	760, 100	7, 600×加算率

÷ 各月初日の利用子ども数

地域区分 ①	定員区分 ②	認定区分 ③	年齢区分 ④	障害児保育加算	（注）	処遇改善等加算Ⅰ ⑩	（注）		夜間保育加算	処遇改善等加算Ⅰ ⑫
12/100地域	20人から30人まで	3号	1、2歳児	＋ 156, 460	(78, 230)	＋ 1, 560	(780)	×加算率	＋ 21, 280	＋ 150×加算率
			乳　児	＋ 78, 230		＋ 780		×加算率		
	31人から40人まで	3号	1、2歳児	＋ 156, 460	(78, 230)	＋ 1, 560	(780)	×加算率	＋ 17, 330	＋ 110×加算率
			乳　児	＋ 78, 230		＋ 780		×加算率		
	41人から50人まで	3号	1、2歳児	＋ 156, 460	(78, 230)	＋ 1, 560	(780)	×加算率	＋ 14, 960	＋ 90×加算率
			乳　児	＋ 78, 230		＋ 780		×加算率		
	51人から60人まで	3号	1、2歳児	＋ 156, 460	(78, 230)	＋ 1, 560	(780)	×加算率	＋ 13, 380	＋ 70×加算率
			乳　児	＋ 78, 230		＋ 780		×加算率		
	61人から	3号	1、2歳児	＋ 156, 460	(78, 230)	＋ 1, 560	(780)	×加算率	＋ 12, 250	＋ 60×加算率
			乳　児	＋ 78, 230		＋ 780		×加算率		

休日保育加算（12/100地域）

休日保育の年間延べ利用子ども数		処遇改善等加算Ⅰ ⑪
〜 210人	266, 200	＋ 2, 660×加算率
211人〜 279人	285, 100	2, 850×加算率
280人〜 349人	323, 000	3, 230×加算率
350人〜 419人	360, 900	3, 600×加算率
420人〜 489人	398, 900	3, 980×加算率
490人〜 559人	436, 800	4, 360×加算率
560人〜 629人	474, 700	4, 740×加算率
630人〜 699人	512, 600	5, 120×加算率
700人〜 769人	550, 500	5, 500×加算率
770人〜 839人	588, 400	5, 880×加算率
840人〜 909人	626, 400	6, 260×加算率
910人〜 979人	664, 300	6, 640×加算率
980人〜1, 049人	702, 200	7, 020×加算率
1, 050人〜	740, 100	7, 400×加算率

÷ 各月初日の利用子ども数

地域区分 ①	定員区分 ②	認定区分 ③	年齢区分 ④		減価償却費加算 加算額 標準 ⑬	減価償却費加算 加算額 都市部 ⑬		賃借料加算 ⑭	加算額 標準	加算額 都市部		連携施設を設定しない場合 ⑮		食事の提供について自園調理又は連携施設等からの搬入以外の方法による場合 ⑯		管理者を設置していない場合 ⑰		処遇改善等加算Ⅰ
20/100地域	20人から30人まで	3号	1、2歳児 乳　児	＋	5, 900	6, 500	＋	a 地域 b 地域 c 地域 d 地域	10, 600 5, 800 5, 100 4, 500	11, 800 6, 500 5, 600 5, 000	－	840	－	(⑥(⑦)＋⑧＋⑫)× 12/100	－	18, 800	＋	180×加算率
20/100地域	31人から40人まで	3号	1、2歳児 乳　児	＋	5, 200	5, 700	＋	a 地域 b 地域 c 地域 d 地域	9, 400 5, 200 4, 500 4, 000	10, 500 5, 700 5, 000 4, 500	－	630	－	(⑥(⑦)＋⑧＋⑫)× 11/100	－	14, 100	＋	140×加算率
20/100地域	41人から50人まで	3号	1、2歳児 乳　児	＋	4, 700	5, 200	＋	a 地域 b 地域 c 地域 d 地域	8, 400 4, 600 4, 000 3, 600	9, 400 5, 100 4, 500 4, 000	－	500	－	(⑥(⑦)＋⑧＋⑫)× 15/100	－	11, 280	＋	110×加算率
20/100地域	51人から60人まで	3号	1、2歳児 乳　児	＋	3, 900	4, 300	＋	a 地域 b 地域 c 地域 d 地域	7, 100 3, 900 3, 400 3, 000	7, 900 4, 300 3, 800 3, 400	－	420	－	(⑥(⑦)＋⑧＋⑫)× 14/100	－	9, 400	＋	90×加算率
20/100地域	61人から	3号	1、2歳児 乳　児	＋	3, 300	3, 700	＋	a 地域 b 地域 c 地域 d 地域	6, 100 3, 300 2, 900 2, 600	6, 800 3, 700 3, 200 2, 900	－	360	－	(⑥(⑦)＋⑧＋⑫)× 13/100	－	8, 050	＋	80×加算率
16/100地域	20人から30人まで	3号	1、2歳児 乳　児	＋	5, 900	6, 500	＋	a 地域 b 地域 c 地域 d 地域	10, 600 5, 800 5, 100 4, 500	11, 800 6, 500 5, 600 5, 000	－	840	－	(⑥(⑦)＋⑧＋⑫)× 12/100	－	18, 170	＋	180×加算率
16/100地域	31人から40人まで	3号	1、2歳児 乳　児	＋	5, 200	5, 700	＋	a 地域 b 地域 c 地域 d 地域	9, 400 5, 200 4, 500 4, 000	10, 500 5, 700 5, 000 4, 500	－	630	－	(⑥(⑦)＋⑧＋⑫)× 11/100	－	13, 630	＋	130×加算率
16/100地域	41人から50人まで	3号	1、2歳児 乳　児	＋	4, 700	5, 200	＋	a 地域 b 地域 c 地域 d 地域	8, 400 4, 600 4, 000 3, 600	9, 400 5, 100 4, 500 4, 000	－	500	－	(⑥(⑦)＋⑧＋⑫)× 15/100	－	10, 900	＋	100×加算率
16/100地域	51人から60人まで	3号	1、2歳児 乳　児	＋	3, 900	4, 300	＋	a 地域 b 地域 c 地域 d 地域	7, 100 3, 900 3, 400 3, 000	7, 900 4, 300 3, 800 3, 400	－	420	－	(⑥(⑦)＋⑧＋⑫)× 14/100	－	9, 080	＋	90×加算率
16/100地域	61人から	3号	1、2歳児 乳　児	＋	3, 300	3, 700	＋	a 地域 b 地域 c 地域 d 地域	6, 100 3, 300 2, 900 2, 600	6, 800 3, 700 3, 200 2, 900	－	360	－	(⑥(⑦)＋⑧＋⑫)× 13/100	－	7, 790	＋	70×加算率
15/100地域	20人から30人まで	3号	1、2歳児 乳　児	＋	5, 900	6, 500	＋	a 地域 b 地域 c 地域 d 地域	10, 600 5, 800 5, 100 4, 500	11, 800 6, 500 5, 600 5, 000	－	840	－	(⑥(⑦)＋⑧＋⑫)× 12/100	－	18, 020	＋	180×加算率
15/100地域	31人から40人まで	3号	1、2歳児 乳　児	＋	5, 200	5, 700	＋	a 地域 b 地域 c 地域 d 地域	9, 400 5, 200 4, 500 4, 000	10, 500 5, 700 5, 000 4, 500	－	630	－	(⑥(⑦)＋⑧＋⑫)× 11/100	－	13, 510	＋	130×加算率
15/100地域	41人から50人まで	3号	1、2歳児 乳　児	＋	4, 700	5, 200	＋	a 地域 b 地域 c 地域 d 地域	8, 400 4, 600 4, 000 3, 600	9, 400 5, 100 4, 500 4, 000	－	500	－	(⑥(⑦)＋⑧＋⑫)× 15/100	－	10, 810	＋	100×加算率
15/100地域	51人から60人まで	3号	1、2歳児 乳　児	＋	3, 900	4, 300	＋	a 地域 b 地域 c 地域 d 地域	7, 100 3, 900 3, 400 3, 000	7, 900 4, 300 3, 800 3, 400	－	420	－	(⑥(⑦)＋⑧＋⑫)× 14/100	－	9, 010	＋	90×加算率
15/100地域	61人から	3号	1、2歳児 乳　児	＋	3, 300	3, 700	＋	a 地域 b 地域 c 地域 d 地域	6, 100 3, 300 2, 900 2, 600	[illegible] 3, 700 3, 200 2, 900	－	360	－	(⑥(⑦)＋⑧＋⑫)× 13/100	－	7, 720	＋	70×加算率
12/100地域	20人から30人まで	3号	1、2歳児 乳　児	＋	5, 900	6, 500	＋	a 地域 b 地域 c 地域 d 地域	10, 600 5, 800 5, 100 4, 500	11, 800 6, 500 5, 600 5, 000	－	840	－	(⑥(⑦)＋⑧＋⑫)× 12/100	－	17, 550	＋	170×加算率
12/100地域	31人から40人まで	3号	1、2歳児 乳　児	＋	5, 200	5, 700	＋	a 地域 b 地域 c 地域 d 地域	9, 400 5, 200 4, 500 4, 000	10, 500 5, 700 5, 000 4, 500	－	630	－	(⑥(⑦)＋⑧＋⑫)× 11/100	－	13, 160	＋	130×加算率
12/100地域	41人から50人まで	3号	1、2歳児 乳　児	＋	4, 700	5, 200	＋	a 地域 b 地域 c 地域 d 地域	8, 400 4, 600 4, 000 3, 600	9, 400 5, 100 4, 500 4, 000	－	500	－	(⑥(⑦)＋⑧＋⑫)× 15/100	－	10, 530	＋	100×加算率
12/100地域	51人から60人まで	3号	1、2歳児 乳　児	＋	3, 900	4, 300	＋	a 地域 b 地域 c 地域 d 地域	7, 100 3, 900 3, 400 3, 000	7, 900 4, 300 3, 800 3, 400	－	420	－	(⑥(⑦)＋⑧＋⑫)× 14/100	－	8, 770	＋	80×加算率
12/100地域	61人から	3号	1、2歳児 乳　児	＋	3, 300	3, 700	＋	a 地域 b 地域 c 地域 d 地域	6, 100 3, 300 2, 900 2, 600	6, 800 3, 700 3, 200 2, 900	－	360	－	(⑥(⑦)＋⑧＋⑫)× 13/100	－	7, 520	＋	70×加算率

地域区分 ①	定員区分 ②	認定区分 ③	年齢区分 ④		土曜日に閉所する場合 月に１日土曜日を閉所する場合	月に２日土曜日を閉所する場合	月に３日以上土曜日を閉所する場合	全ての土曜日を閉所する場合 ⑱	定員を恒常的に超過する場合 ⑲
20/100地域	20人から30人まで	3号	１、２歳児	—	(⑥(⑦)+⑧ +⑩+⑫) × 1/100	(⑥(⑦)+⑧ +⑩+⑫) × 3/100	(⑥(⑦)+⑧ +⑩+⑫) × 4/100	(⑥(⑦)+⑧ +⑩+⑫) × 5/100	
			乳児						
	31人から40人まで	3号	１、２歳児	—	(⑥(⑦)+⑧ +⑩+⑫) × 1/100	(⑥(⑦)+⑧ +⑩+⑫) × 3/100	(⑥(⑦)+⑧ +⑩+⑫) × 4/100	(⑥(⑦)+⑧ +⑩+⑫) × 5/100	
			乳児						
	41人から50人まで	3号	１、２歳児	—	(⑥(⑦)+⑧ +⑩+⑫) × 1/100	(⑥(⑦)+⑧ +⑩+⑫) × 3/100	(⑥(⑦)+⑧ +⑩+⑫) × 4/100	(⑥(⑦)+⑧ +⑩+⑫) × 6/100	(⑥〜⑱) ×別に定める調整率
			乳児						
	51人から60人まで	3号	１、２歳児	—	(⑥(⑦)+⑧ +⑩+⑫) × 1/100	(⑥(⑦)+⑧ +⑩+⑫) × 3/100	(⑥(⑦)+⑧ +⑩+⑫) × 4/100	(⑥(⑦)+⑧ +⑩+⑫) × 6/100	
			乳児						
	61人から	3号	１、２歳児	—	(⑥(⑦)+⑧ +⑩+⑫) × 1/100	(⑥(⑦)+⑧ +⑩+⑫) × 3/100	(⑥(⑦)+⑧ +⑩+⑫) × 4/100	(⑥(⑦)+⑧ +⑩+⑫) × 6/100	
			乳児						
16/100地域	20人から30人まで	3号	１、２歳児	—	(⑥(⑦)+⑧ +⑩+⑫) × 1/100	(⑥(⑦)+⑧ +⑩+⑫) × 3/100	(⑥(⑦)+⑧ +⑩+⑫) × 4/100	(⑥(⑦)+⑧ +⑩+⑫) × 5/100	
			乳児						
	31人から40人まで	3号	１、２歳児	—	(⑥(⑦)+⑧ +⑩+⑫) × 1/100	(⑥(⑦)+⑧ +⑩+⑫) × 3/100	(⑥(⑦)+⑧ +⑩+⑫) × 4/100	(⑥(⑦)+⑧ +⑩+⑫) × 5/100	
			乳児						
	41人から50人まで	3号	１、２歳児	—	(⑥(⑦)+⑧ +⑩+⑫) × 1/100	(⑥(⑦)+⑧ +⑩+⑫) × 3/100	(⑥(⑦)+⑧ +⑩+⑫) × 4/100	(⑥(⑦)+⑧ +⑩+⑫) × 6/100	(⑥〜⑱) ×別に定める調整率
			乳児						
	51人から60人まで	3号	１、２歳児	—	(⑥(⑦)+⑧ +⑩+⑫) × 1/100	(⑥(⑦)+⑧ +⑩+⑫) × 3/100	(⑥(⑦)+⑧ +⑩+⑫) × 4/100	(⑥(⑦)+⑧ +⑩+⑫) × 6/100	
			乳児						
	61人から	3号	１、２歳児	—	(⑥(⑦)+⑧ +⑩+⑫) × 1/100	(⑥(⑦)+⑧ +⑩+⑫) × 3/100	(⑥(⑦)+⑧ +⑩+⑫) × 4/100	(⑥(⑦)+⑧ +⑩+⑫) × 6/100	
			乳児						
15/100地域	20人から30人まで	3号	１、２歳児	—	(⑥(⑦)+⑧ +⑩+⑫) × 1/100	(⑥(⑦)+⑧ +⑩+⑫) × 3/100	(⑥(⑦)+⑧ +⑩+⑫) × 4/100	(⑥(⑦)+⑧ +⑩+⑫) × 5/100	
			乳児						
	31人から40人まで	3号	１、２歳児	—	(⑥(⑦)+⑧ +⑩+⑫) × 1/100	(⑥(⑦)+⑧ +⑩+⑫) × 3/100	(⑥(⑦)+⑧ +⑩+⑫) × 4/100	(⑥(⑦)+⑧ +⑩+⑫) × 5/100	
			乳児						
	41人から50人まで	3号	１、２歳児	—	(⑥(⑦)+⑧ +⑩+⑫) × 1/100	(⑥(⑦)+⑧ +⑩+⑫) × 3/100	(⑥(⑦)+⑧ +⑩+⑫) × 4/100	(⑥(⑦)+⑧ +⑩+⑫) × 6/100	(⑥〜⑱) ×別に定める調整率
			乳児						
	51人から60人まで	3号	１、２歳児	—	(⑥(⑦)+⑧ +⑩+⑫) × 1/100	(⑥(⑦)+⑧ +⑩+⑫) × 3/100	(⑥(⑦)+⑧ +⑩+⑫) × 4/100	(⑥(⑦)+⑧ +⑩+⑫) × 6/100	
			乳児						
	61人から	3号	１、２歳児	—	(⑥(⑦)+⑧ +⑩+⑫) × 1/100	(⑥(⑦)+⑧ +⑩+⑫) × 3/100	(⑥(⑦)+⑧ +⑩+⑫) × 4/100	(⑥(⑦)+⑧ +⑩+⑫) × 6/100	
			乳児						
12/100地域	20人から30人まで	3号	１、２歳児	—	(⑥(⑦)+⑧ +⑩+⑫) × 1/100	(⑥(⑦)+⑧ +⑩+⑫) × 3/100	(⑥(⑦)+⑧ +⑩+⑫) × 4/100	(⑥(⑦)+⑧ +⑩+⑫) × 5/100	
			乳児						
	31人から40人まで	3号	１、２歳児	—	(⑥(⑦)+⑧ +⑩+⑫) × 1/100	(⑥(⑦)+⑧ +⑩+⑫) × 3/100	(⑥(⑦)+⑧ +⑩+⑫) × 4/100	(⑥(⑦)+⑧ +⑩+⑫) × 5/100	
			乳児						
	41人から50人まで	3号	１、２歳児	—	(⑥(⑦)+⑧ +⑩+⑫) × 1/100	(⑥(⑦)+⑧ +⑩+⑫) × 3/100	(⑥(⑦)+⑧ +⑩+⑫) × 4/100	(⑥(⑦)+⑧ +⑩+⑫) × 6/100	(⑥〜⑱) ×別に定める調整率
			乳児						
	51人から60人まで	3号	１、２歳児	—	(⑥(⑦)+⑧ +⑩+⑫) × 1/100	(⑥(⑦)+⑧ +⑩+⑫) × 3/100	(⑥(⑦)+⑧ +⑩+⑫) × 4/100	(⑥(⑦)+⑧ +⑩+⑫) × 6/100	
			乳児						
	61人から	3号	１、２歳児	—	(⑥(⑦)+⑧ +⑩+⑫) × 1/100	(⑥(⑦)+⑧ +⑩+⑫) × 3/100	(⑥(⑦)+⑧ +⑩+⑫) × 4/100	(⑥(⑦)+⑧ +⑩+⑫) × 6/100	
			乳児						

地域区分 ①	定員区分 ②	認定区分 ③	年齢区分 ④	保育必要量区分⑤ 保育標準時間認定 基本分単価 ⑥	（注）	保育必要量区分⑤ 保育短時間認定 基本分単価 ⑥	（注）	従業員枠の子どもの場合 ⑦		処遇改善等加算Ⅰ 保育標準時間認定 ⑧	（注）		処遇改善等加算Ⅰ 保育短時間認定 ⑧	（注）	
10/100地域	20人から30人まで	3号	1、2歳児	159, 490	(236, 180)	142, 230	(218, 920)	⑥×84/100	+	1, 470	(2, 240)	×加算率	1, 290	(2, 060)	×加算率
			乳児	236, 180		218, 920			+	2, 240		×加算率	2, 060		×加算率
	31人から40人まで	3号	1、2歳児	142, 390	(219, 080)	129, 440	(206, 130)		+	1, 300	(2, 070)	×加算率	1, 170	(1, 940)	×加算率
			乳児	219, 080		206, 130			+	2, 070		×加算率	1, 940		×加算率
	41人から50人まで	3号	1、2歳児	137, 860	(214, 550)	127, 500	(204, 190)		+	1, 250	(2, 020)	×加算率	1, 150	(1, 920)	×加算率
			乳児	214, 550		204, 190			+	2, 020		×加算率	1, 920		×加算率
	51人から60人まで	3号	1、2歳児	129, 440	(206, 130)	120, 810	(197, 500)		+	1, 170	(1, 940)	×加算率	1, 080	(1, 850)	×加算率
			乳児	206, 130		197, 500			+	1, 940		×加算率	1, 850		×加算率
	61人から	3号	1、2歳児	123, 510	(200, 200)	116, 110	(192, 800)		+	1, 110	(1, 880)	×加算率	1, 040	(1, 810)	×加算率
			乳児	200, 200		192, 800			+	1, 880		×加算率	1, 810		×加算率
6/100地域	20人から30人まで	3号	1、2歳児	154, 860	(229, 060)	138, 100	(212, 300)	⑥×84/100	+	1, 420	(2, 160)	×加算率	1, 250	(1, 990)	×加算率
			乳児	229, 060		212, 300			+	2, 160		×加算率	1, 990		×加算率
	31人から40人まで	3号	1、2歳児	138, 230	(212, 430)	125, 660	(199, 860)		+	1, 260	(2, 000)	×加算率	1, 130	(1, 870)	×加算率
			乳児	212, 430		199, 860			+	2, 000		×加算率	1, 870		×加算率
	41人から50人まで	3号	1、2歳児	133, 820	(208, 020)	123, 770	(197, 970)		+	1, 210	(1, 950)	×加算率	1, 110	(1, 850)	×加算率
			乳児	208, 020		197, 970			+	1, 950		×加算率	1, 850		×加算率
	51人から60人まで	3号	1、2歳児	125, 670	(199, 870)	117, 280	(191, 480)		+	1, 130	(1, 870)	×加算率	1, 050	(1, 790)	×加算率
			乳児	199, 870		191, 480			+	1, 870		×加算率	1, 790		×加算率
	61人から	3号	1、2歳児	119, 910	(194, 110)	112, 730	(186, 930)		+	1, 080	(1, 820)	×加算率	1, 000	(1, 740)	×加算率
			乳児	194, 110		186, 930			+	1, 820		×加算率	1, 740		×加算率
3/100地域	20人から30人まで	3号	1、2歳児	151, 390	(223, 720)	135, 000	(207, 330)	⑥×84/100	+	1, 380	(2, 110)	×加算率	1, 220	(1, 950)	×加算率
			乳児	223, 720		207, 330			+	2, 110		×加算率	1, 950		×加算率
	31人から40人まで	3号	1、2歳児	135, 100	(207, 430)	122, 810	(195, 140)		+	1, 220	(1, 950)	×加算率	1, 100	(1, 830)	×加算率
			乳児	207, 430		195, 140			+	1, 950		×加算率	1, 830		×加算率
	41人から50人まで	3号	1、2歳児	130, 800	(203, 130)	120, 970	(193, 300)		+	1, 180	(1, 910)	×加算率	1, 080	(1, 810)	×加算率
			乳児	203, 130		193, 300			+	1, 910		×加算率	1, 810		×加算率
	51人から60人まで	3号	1、2歳児	122, 830	(195, 160)	114, 640	(186, 970)		+	1, 100	(1, 830)	×加算率	1, 020	(1, 750)	×加算率
			乳児	195, 160		186, 970			+	1, 830		×加算率	1, 750		×加算率
	61人から	3号	1、2歳児	117, 220	(189, 550)	110, 190	(182, 520)		+	1, 040	(1, 770)	×加算率	970	(1, 700)	×加算率
			乳児	189, 550		182, 520			+	1, 770		×加算率	1, 700		×加算率
その他地域	20人から30人まで	3号	1、2歳児	147, 920	(218, 380)	131, 910	(202, 370)	⑥×84/100	+	1, 350	(2, 050)	×加算数	1, 190	(1, 890)	×加算数
			乳児	218, 380		202, 370			+	2, 050		×加算数	1, 890		×加算数
	31人から40人まで	3号	1、2歳児	131, 980	(202, 440)	119, 970	(190, 430)		+	1, 190	(1, 890)	×加算数	1, 070	(1, 770)	×加算数
			乳児	202, 440		190, 430			+	1, 890		×加算数	1, 770		×加算数
	41人から50人まで	3号	1、2歳児	127, 770	(198, 230)	118, 170	(188, 630)		+	1, 150	(1, 850)	×加算数	1, 060	(1, 760)	×加算数
			乳児	198, 230		188, 630			+	1, 850		×加算数	1, 760		×加算数
	51人から60人まで	3号	1、2歳児	120, 000	(190, 460)	111, 990	(182, 450)		+	1, 080	(1, 780)	×加算数	1, 000	(1, 700)	×加算数
			乳児	190, 460		182, 450			+	1, 780		×加算数	1, 700		×加算数
	61人から	3号	1、2歳児	114, 520	(184, 980)	107, 660	(178, 120)		+	1, 020	(1, 720)	×加算数	950	(1, 650)	×加算数
			乳児	184, 980		178, 120			+	1, 720		×加算数	1, 650		×加算数

地域区分 ①	定員区分 ②	認定区分 ③	年齢区分 ④		障害児保育加算 ※特別な支援が必要な利用子どもの単価に加算	（注）		処遇改善等加算Ⅰ ⑩	（注）	
10/100地域	20人から30人まで	3号	1，2歳児	＋	153,960	(76,980)	＋	1,530	(760)	×加算率
			乳児	＋	76,980		＋	760		×加算率
	31人から40人まで	3号	1，2歳児	＋	153,960	(76,980)	＋	1,530	(760)	×加算率
			乳児	＋	76,980		＋	760		×加算率
	41人から50人まで	3号	1，2歳児	＋	153,960	(76,980)	＋	1,530	(760)	×加算率
			乳児	＋	76,980		＋	760		×加算率
	51人から60人まで	3号	1，2歳児	＋	153,960	(76,980)	＋	1,530	(760)	×加算率
			乳児	＋	76,980		＋	760		×加算率
	61人から	3号	1，2歳児	＋	153,960	(76,980)	＋	1,530	(760)	×加算率
			乳児	＋	76,980		＋	760		×加算率
6/100地域	20人から30人まで	3号	1，2歳児	＋	148,960	(74,480)	＋	1,480	(740)	×加算率
			乳児	＋	74,480		＋	740		×加算率
	31人から40人まで	3号	1，2歳児	＋	148,960	(74,480)	＋	1,480	(740)	×加算率
			乳児	＋	74,480		＋	740		×加算率
	41人から50人まで	3号	1，2歳児	＋	148,960	(74,480)	＋	1,480	(740)	×加算率
			乳児	＋	74,480		＋	740		×加算率
	51人から60人まで	3号	1，2歳児	＋	148,960	(74,480)	＋	1,480	(740)	×加算率
			乳児	＋	74,480		＋	740		×加算率
	61人から	3号	1，2歳児	＋	148,960	(74,480)	＋	1,480	(740)	×加算率
			乳児	＋	74,480		＋	740		×加算率
3/100地域	20人から30人まで	3号	1，2歳児	＋	145,200	(72,600)	＋	1,450	(720)	×加算率
			乳児	＋	72,600		＋	720		×加算率
	31人から40人まで	3号	1，2歳児	＋	145,200	(72,600)	＋	1,450	(720)	×加算率
			乳児	＋	72,600		＋	720		×加算率
	41人から50人まで	3号	1，2歳児	＋	145,200	(72,600)	＋	1,450	(720)	×加算率
			乳児	＋	72,600		＋	720		×加算率
	51人から60人まで	3号	1，2歳児	＋	145,200	(72,600)	＋	1,450	(720)	×加算率
			乳児	＋	72,600		＋	720		×加算率
	61人から	3号	1，2歳児	＋	145,200	(72,600)	＋	1,450	(720)	×加算率
			乳児	＋	72,600		＋	720		×加算率
その他地域	20人から30人まで	3号	1，2歳児	＋	141,460	(70,730)	＋	1,410	(700)	×加算率
			乳児	＋	70,730		＋	700		×加算率
	31人から40人まで	3号	1，2歳児	＋	141,460	(70,730)	＋	1,410	(700)	×加算率
			乳児	＋	70,730		＋	700		×加算率
	41人から50人まで	3号	1，2歳児	＋	141,460	(70,730)	＋	1,410	(700)	×加算率
			乳児	＋	70,730		＋	700		×加算率
	51人から60人まで	3号	1，2歳児	＋	141,460	(70,730)	＋	1,410	(700)	×加算率
			乳児	＋	70,730		＋	700		×加算率
	61人から	3号	1，2歳児	＋	141,460	(70,730)	＋	1,410	(700)	×加算率
			乳児	＋	70,730		＋	700		×加算率

地域区分		休日保育加算 休日保育の年間延べ利用子ども数			処遇改善等加算Ⅰ ⑪		
10/100地域	＋	～　210人	262,600	＋	2,620×加算率	÷	各月初日の利用子ども数
		211人～　279人	281,200		2,810×加算率		
		280人～　349人	318,600		3,180×加算率		
		350人～　419人	355,900		3,550×加算率		
		420人～　489人	393,200		3,930×加算率		
		490人～　559人	430,600		4,300×加算率		
		560人～　629人	467,900		4,670×加算率		
		630人～　699人	505,200		5,050×加算率		
		700人～　769人	542,600		5,420×加算率		
		770人～　839人	579,900		5,790×加算率		
		840人～　909人	617,200		6,170×加算率		
		910人～　979人	654,600		6,540×加算率		
		980人～1,049人	691,900		6,910×加算率		
		1,050人～	729,200		7,290×加算率		
6/100地域	＋	～　210人	255,500	＋	2,550×加算率	÷	各月初日の利用子ども数
		211人～　279人	273,500		2,730×加算率		
		280人～　349人	309,700		3,090×加算率		
		350人～　419人	345,900		3,450×加算率		
		420人～　489人	382,000		3,820×加算率		
		490人～　559人	418,200		4,180×加算率		
		560人～　629人	454,400		4,540×加算率		
		630人～　699人	490,500		4,900×加算率		
		700人～　769人	526,700		5,260×加算率		
		770人～　839人	562,900		5,620×加算率		
		840人～　909人	599,000		5,990×加算率		
		910人～　979人	635,200		6,350×加算率		
		980人～1,049人	671,400		6,710×加算率		
		1,050人～	707,500		7,070×加算率		
3/100地域	＋	～　210人	250,000	＋	2,500×加算率	÷	各月初日の利用子ども数
		211人～　279人	267,700		2,670×加算率		
		280人～　349人	303,300		3,030×加算率		
		350人～　419人	338,900		3,380×加算率		
		420人～　489人	374,500		3,740×加算率		
		490人～　559人	410,100		4,100×加算率		
		560人～　629人	445,700		4,450×加算率		
		630人～　699人	481,200		4,810×加算率		
		700人～　769人	516,800		5,160×加算率		
		770人～　839人	552,400		5,520×加算率		
		840人～　909人	588,000		5,880×加算率		
		910人～　979人	623,600		6,230×加算率		
		980人～1,049人	659,200		6,590×加算率		
		1,050人～	694,700		6,940×加算率		
その他地域	＋	～　210人	244,700	＋	2,440×加算率	÷	各月初日の利用子ども数
		211人～　279人	261,900		2,610×加算率		
		280人～　349人	296,300		2,960×加算率		
		350人～　419人	330,700		3,300×加算率		
		420人～　489人	365,100		3,650×加算率		
		490人～　559人	399,500		3,990×加算率		
		560人～　629人	433,900		4,330×加算率		
		630人～　699人	468,400		4,680×加算率		
		700人～　769人	502,800		5,020×加算率		
		770人～　839人	537,200		5,370×加算率		
		840人～　909人	571,600		5,710×加算率		
		910人～　979人	606,000		6,060×加算率		
		980人～1,049人	640,400		6,400×加算率		
		1,050人～	674,900		6,740×加算率		

地域区分	定員区分		夜間保育加算		処遇改善等加算Ⅰ ⑫
10/100地域	20人から30人まで	＋	21,280	＋	150×加算率
	31人から40人まで	＋	17,330	＋	110×加算率
	41人から50人まで	＋	14,960	＋	90×加算率
	51人から60人まで	＋	13,380	＋	70×加算率
	61人から	＋	12,250	＋	60×加算率
6/100地域	20人から30人まで	＋	21,280	＋	150×加算率
	31人から40人まで	＋	17,330	＋	110×加算率
	41人から50人まで	＋	14,960	＋	90×加算率
	51人から60人まで	＋	13,380	＋	70×加算率
	61人から	＋	12,250	＋	60×加算率
3/100地域	20人から30人まで	＋	21,280	＋	150×加算率
	31人から40人まで	＋	17,330	＋	110×加算率
	41人から50人まで	＋	14,960	＋	90×加算率
	51人から60人まで	＋	13,380	＋	70×加算率
	61人から	＋	12,250	＋	60×加算率
その他地域	20人から30人まで	＋	21,280	＋	150×加算率
	31人から40人まで	＋	17,330	＋	110×加算率
	41人から50人まで	＋	14,960	＋	90×加算率
	51人から60人まで	＋	13,380	＋	70×加算率
	61人から	＋	12,250	＋	60×加算率

地域区分 ①	定員区分 ②	認定区分 ③	年齢区分 ④		減価償却費加算 加算額 標準 ⑬	減価償却費加算 加算額 都市部 ⑬		賃借料加算 ⑭	賃借料加算 加算額 標準 ⑭	賃借料加算 加算額 都市部 ⑭		連携施設を設定しない場合 ⑮		食事の提供について自園調理又は連携施設等からの搬入以外の方法による場合 ⑯		管理者を設置していない場合 ⑰		処遇改善等加算Ⅰ ⑰
10/100地域	20人から30人まで	3号	1、2歳児	＋	5,900	6,500	＋	a 地域	10,600	11,800	－	840	－	(⑥(⑦)+⑧+⑫)×12/100	－	17,240	＋	170×加算率
								b 地域	5,800	6,500								
			乳児					c 地域	5,100	5,600								
								d 地域	4,500	5,000								
	31人から40人まで	3号	1、2歳児	＋	5,200	5,700	＋	a 地域	9,400	10,500	－	630	－	(⑥(⑦)+⑧+⑫)×11/100	－	12,930	＋	120×加算率
								b 地域	5,200	5,700								
			乳児					c 地域	4,500	5,000								
								d 地域	4,000	4,500								
	41人から50人まで	3号	1、2歳児	＋	4,700	5,200	＋	a 地域	8,400	9,400	－	500	－	(⑥(⑦)+⑧+⑫)×15/100	－	10,340	＋	100×加算率
								b 地域	4,600	5,100								
			乳児					c 地域	4,000	4,500								
								d 地域	3,600	4,000								
	51人から60人まで	3号	1、2歳児	＋	3,900	4,300	＋	a 地域	7,100	7,900	－	420	－	(⑥(⑦)+⑧+⑫)×14/100	－	8,620	＋	80×加算率
								b 地域	3,900	4,300								
			乳児					c 地域	3,400	3,800								
								d 地域	3,000	3,400								
	61人から	3号	1、2歳児	＋	3,300	3,700	＋	a 地域	6,100	6,800	－	360	－	(⑥(⑦)+⑧+⑫)×13/100	－	7,390	＋	70×加算率
								b 地域	3,300	3,700								
			乳児					c 地域	2,900	3,200								
								d 地域	2,600	2,900								
6/100地域	20人から30人まで	3号	1、2歳児	＋	5,900	6,500	＋	a 地域	10,600	11,800	－	840	－	(⑥(⑦)+⑧+⑫)×12/100	－	16,610	＋	160×加算率
								b 地域	5,800	6,500								
			乳児					c 地域	5,100	5,600								
								d 地域	4,500	5,000								
	31人から40人まで	3号	1、2歳児	＋	5,200	5,700	＋	a 地域	9,400	10,500	－	630	－	(⑥(⑦)+⑧+⑫)×11/100	－	12,460	＋	120×加算率
								b 地域	5,200	5,700								
			乳児					c 地域	4,500	5,000								
								d 地域	4,000	4,500								
	41人から50人まで	3号	1、2歳児	＋	4,700	5,200	＋	a 地域	8,400	9,400	－	500	－	(⑥(⑦)+⑧+⑫)×15/100	－	9,970	＋	90×加算率
								b 地域	4,600	5,100								
			乳児					c 地域	4,000	4,500								
								d 地域	3,600	4,000								
	51人から60人まで	3号	1、2歳児	＋	3,900	4,300	＋	a 地域	7,100	7,900	－	420	－	(⑥(⑦)+⑧+⑫)×14/100	－	8,300	＋	80×加算率
								b 地域	3,900	4,300								
			乳児					c 地域	3,400	3,800								
								d 地域	3,000	3,400								
	61人から	3号	1、2歳児	＋	3,300	3,700	＋	a 地域	6,100	6,800	－	360	－	(⑥(⑦)+⑧+⑫)×13/100	－	7,120	＋	70×加算率
								b 地域	3,300	3,700								
			乳児					c 地域	2,900	3,200								
								d 地域	2,600	2,900								
3/100地域	20人から30人まで	3号	1、2歳児	＋	5,900	6,500	＋	a 地域	10,600	11,800	－	840	－	(⑥(⑦)+⑧+⑫)×12/100	－	16,150	＋	160×加算率
								b 地域	5,800	6,500								
			乳児					c 地域	5,100	5,600								
								d 地域	4,500	5,000								
	31人から40人まで	3号	1、2歳児	＋	5,200	5,700	＋	a 地域	9,400	10,500	－	630	－	(⑥(⑦)+⑧+⑫)×12/100	－	12,110	＋	120×加算率
								b 地域	5,200	5,700								
			乳児					c 地域	4,500	5,000								
								d 地域	4,000	4,500								
	41人から50人まで	3号	1、2歳児	＋	4,700	5,200	＋	a 地域	8,400	9,400	－	500	－	(⑥(⑦)+⑧+⑫)×15/100	－	9,690	＋	90×加算率
								b 地域	4,600	5,100								
			乳児					c 地域	4,000	4,500								
								d 地域	3,600	4,000								
	51人から60人まで	3号	1、2歳児	＋	3,900	4,300	＋	a 地域	7,100	7,900	－	420	－	(⑥(⑦)+⑧+⑫)×14/100	－	8,070	＋	80×加算率
								b 地域	3,900	4,300								
			乳児					c 地域	3,400	3,800								
								d 地域	3,000	3,400								
	61人から	3号	1、2歳児	＋	3,300	3,700	＋	a 地域	6,100	6,800	－	360	－	(⑥(⑦)+⑧+⑫)×13/100	－	6,920	＋	60×加算率
								b 地域	3,300	3,700								
			乳児					c 地域	2,900	3,200								
								d 地域	2,600	2,900								
その他地域	20人から30人まで	3号	1、2歳児	＋	5,900	6,500	＋	a 地域	10,600	11,800	－	840	－	(⑥(⑦)+⑧+⑫)×12/100	－	15,680	＋	150×加算率
								b 地域	5,800	6,500								
			乳児					c 地域	5,100	5,600								
								d 地域	4,500	5,000								
	31人から40人まで	3号	1、2歳児	＋	5,200	5,700	＋	a 地域	9,400	10,500	－	630	－	(⑥(⑦)+⑧+⑫)×12/100	－	11,760	＋	110×加算率
								b 地域	5,200	5,700								
			乳児					c 地域	4,500	5,000								
								d 地域	4,000	4,500								
	41人から50人まで	3号	1、2歳児	＋	4,700	5,200	＋	a 地域	8,400	9,400	－	500	－	(⑥(⑦)+⑧+⑫)×16/100	－	9,410	＋	90×加算率
								b 地域	4,600	5,100								
			乳児					c 地域	4,000	4,500								
								d 地域	3,600	4,000								
	51人から60人まで	3号	1、2歳児	＋	3,900	4,300	＋	a 地域	7,100	7,900	－	420	－	(⑥(⑦)+⑧+⑫)×15/100	－	7,840	＋	70×加算率
								b 地域	3,900	4,300								
			乳児					c 地域	3,400	3,800								
								d 地域	3,000	3,400								
	61人から	3号	1、2歳児	＋	3,300	3,700	＋	a 地域	6,100	6,800	－	360	－	(⑥(⑦)+⑧+⑫)×14/100	－	6,720	＋	60×加算率
								b 地域	3,300	3,700								
			乳児					c 地域	2,900	3,200								
								d 地域	2,600	2,900								

地域区分 ①	定員区分 ②	認定区分 ③	年齢区分 ④		土曜日に閉所する場合 月に１日土曜日を閉所する場合 ⑱	土曜日に閉所する場合 月に２日土曜日を閉所する場合 ⑱	土曜日に閉所する場合 月に３日以上土曜日を閉所する場合 ⑱	土曜日に閉所する場合 全ての土曜日を閉所する場合 ⑱	定員を恒常的に超過する場合 ⑲
10/100地域	20人から30人まで	3号	１、２歳児 乳児	—	（⑥（⑦）＋⑧＋⑩＋⑫）× 1/100	（⑥（⑦）＋⑧＋⑩＋⑫）× 3/100	（⑥（⑦）＋⑧＋⑩＋⑫）× 4/100	（⑥（⑦）＋⑧＋⑩＋⑫）× 6/100	（⑥～⑱）×別に定める調整率
	31人から40人まで	3号	１、２歳児 乳児	—	（⑥（⑦）＋⑧＋⑩＋⑫）× 1/100	（⑥（⑦）＋⑧＋⑩＋⑫）× 3/100	（⑥（⑦）＋⑧＋⑩＋⑫）× 4/100	（⑥（⑦）＋⑧＋⑩＋⑫）× 5/100	
	41人から50人まで	3号	１、２歳児 乳児	—	（⑥（⑦）＋⑧＋⑩＋⑫）× 1/100	（⑥（⑦）＋⑧＋⑩＋⑫）× 3/100	（⑥（⑦）＋⑧＋⑩＋⑫）× 4/100	（⑥（⑦）＋⑧＋⑩＋⑫）× 6/100	
	51人から60人まで	3号	１、２歳児 乳児	—	（⑥（⑦）＋⑧＋⑩＋⑫）× 2/100	（⑥（⑦）＋⑧＋⑩＋⑫）× 3/100	（⑥（⑦）＋⑧＋⑩＋⑫）× 5/100	（⑥（⑦）＋⑧＋⑩＋⑫）× 6/100	
	61人から	3号	１、２歳児 乳児	—	（⑥（⑦）＋⑧＋⑩＋⑫）× 2/100	（⑥（⑦）＋⑧＋⑩＋⑫）× 3/100	（⑥（⑦）＋⑧＋⑩＋⑫）× 5/100	（⑥（⑦）＋⑧＋⑩＋⑫）× 6/100	
6/100地域	20人から30人まで	3号	１、２歳児 乳児	—	（⑥（⑦）＋⑧＋⑩＋⑫）× 1/100	（⑥（⑦）＋⑧＋⑩＋⑫）× 3/100	（⑥（⑦）＋⑧＋⑩＋⑫）× 4/100	（⑥（⑦）＋⑧＋⑩＋⑫）× 6/100	（⑥～⑱）×別に定める調整率
	31人から40人まで	3号	１、２歳児 乳児	—	（⑥（⑦）＋⑧＋⑩＋⑫）× 2/100	（⑥（⑦）＋⑧＋⑩＋⑫）× 3/100	（⑥（⑦）＋⑧＋⑩＋⑫）× 4/100	（⑥（⑦）＋⑧＋⑩＋⑫）× 6/100	
	41人から50人まで	3号	１、２歳児 乳児	—	（⑥（⑦）＋⑧＋⑩＋⑫）× 2/100	（⑥（⑦）＋⑧＋⑩＋⑫）× 3/100	（⑥（⑦）＋⑧＋⑩＋⑫）× 5/100	（⑥（⑦）＋⑧＋⑩＋⑫）× 6/100	
	51人から60人まで	3号	１、２歳児 乳児	—	（⑥（⑦）＋⑧＋⑩＋⑫）× 2/100	（⑥（⑦）＋⑧＋⑩＋⑫）× 3/100	（⑥（⑦）＋⑧＋⑩＋⑫）× 5/100	（⑥（⑦）＋⑧＋⑩＋⑫）× 6/100	
	61人から	3号	１、２歳児 乳児	—	（⑥（⑦）＋⑧＋⑩＋⑫）× 2/100	（⑥（⑦）＋⑧＋⑩＋⑫）× 3/100	（⑥（⑦）＋⑧＋⑩＋⑫）× 5/100	（⑥（⑦）＋⑧＋⑩＋⑫）× 6/100	
3/100地域	20人から30人まで	3号	１、２歳児 乳児	—	（⑥（⑦）＋⑧＋⑩＋⑫）× 2/100	（⑥（⑦）＋⑧＋⑩＋⑫）× 3/100	（⑥（⑦）＋⑧＋⑩＋⑫）× 5/100	（⑥（⑦）＋⑧＋⑩＋⑫）× 6/100	（⑥～⑱）×別に定める調整率
	31人から40人まで	3号	１、２歳児 乳児	—	（⑥（⑦）＋⑧＋⑩＋⑫）× 2/100	（⑥（⑦）＋⑧＋⑩＋⑫）× 3/100	（⑥（⑦）＋⑧＋⑩＋⑫）× 5/100	（⑥（⑦）＋⑧＋⑩＋⑫）× 6/100	
	41人から50人まで	3号	１、２歳児 乳児	—	（⑥（⑦）＋⑧＋⑩＋⑫）× 2/100	（⑥（⑦）＋⑧＋⑩＋⑫）× 3/100	（⑥（⑦）＋⑧＋⑩＋⑫）× 5/100	（⑥（⑦）＋⑧＋⑩＋⑫）× 6/100	
	51人から60人まで	3号	１、２歳児 乳児	—	（⑥（⑦）＋⑧＋⑩＋⑫）× 2/100	（⑥（⑦）＋⑧＋⑩＋⑫）× 3/100	（⑥（⑦）＋⑧＋⑩＋⑫）× 5/100	（⑥（⑦）＋⑧＋⑩＋⑫）× 6/100	
	61人から	3号	１、２歳児 乳児	—	（⑥（⑦）＋⑧＋⑩＋⑫）× 2/100	（⑥（⑦）＋⑧＋⑩＋⑫）× 3/100	（⑥（⑦）＋⑧＋⑩＋⑫）× 5/100	（⑥（⑦）＋⑧＋⑩＋⑫）× 6/100	
その他地域	20人から30人まで	3号	１、２歳児 乳児		（⑥（⑦）＋⑧＋⑩＋⑫）× 2/100	（⑥（⑦）＋⑧＋⑩＋⑫）× 3/100	（⑥（⑦）＋⑧＋⑩＋⑫）× 5/100	（⑥（⑦）＋⑧＋⑩＋⑫）× 6/100	（⑥～⑱）×別に定める調整率
	31人から40人まで	3号	１、２歳児 乳児		（⑥（⑦）＋⑧＋⑩＋⑫）× 2/100	（⑥（⑦）＋⑧＋⑩＋⑫）× 3/100	（⑥（⑦）＋⑧＋⑩＋⑫）× 5/100	（⑥（⑦）＋⑧＋⑩＋⑫）× 6/100	
	41人から50人まで	3号	１、２歳児 乳児		（⑥（⑦）＋⑧＋⑩＋⑫）× 2/100	（⑥（⑦）＋⑧＋⑩＋⑫）× 3/100	（⑥（⑦）＋⑧＋⑩＋⑫）× 5/100	（⑥（⑦）＋⑧＋⑩＋⑫）× 6/100	
	51人から60人まで	3号	１、２歳児 乳児		（⑥（⑦）＋⑧＋⑩＋⑫）× 2/100	（⑥（⑦）＋⑧＋⑩＋⑫）× 3/100	（⑥（⑦）＋⑧＋⑩＋⑫）× 5/100	（⑥（⑦）＋⑧＋⑩＋⑫）× 6/100	
	61人から	3号	１、２歳児 乳児		（⑥（⑦）＋⑧＋⑩＋⑫）× 2/100	（⑥（⑦）＋⑧＋⑩＋⑫）× 3/100	（⑥（⑦）＋⑧＋⑩＋⑫）× 5/100	（⑥（⑦）＋⑧＋⑩＋⑫）× 6/100	

加算部分２

処遇改善等加算Ⅱ　⑳	以下の加算を合算した額を各月初日の利用子ども数で除した額 ・処遇改善等加算Ⅱ－①　49,010 × 人数Ａ ・処遇改善等加算Ⅱ－②　6,130 × 人数Ｂ	※１　各月初日の利用子どもの単価に加算 ※２　人数Ａ及び人数Ｂについては、別に定める

処遇改善等加算Ⅲ　㉑	11,030　×　加算Ⅲ算定対象人数 ÷各月初日の利用子ども数	※１　各月初日の利用子どもの単価に加算 ※２　加算Ⅲ算定対象人数については、別に定める

冷暖房費加算　㉒	１　級　地　1,900	４　級　地　1,320	※以下の区分に応じて、各月の単価に加算 １級地から４級地：国家公務員の寒冷地手当に関する法律（昭和２４年法律第２００号）第１条第１号及び第２号に掲げる地域 そ の 他 地 域：１級地から４級地以外の地域
	２　級　地　1,690	そ の 他 地 域　120	
	３　級　地　1,670		

除雪費加算　㉓	6,270	※３月初日の利用子どもの単価に加算

降灰除去費加算　㉔	162,470÷３月初日の利用子ども数	※３月初日の利用子どもの単価に加算

施設機能強化推進費加算　㉕	160,000（限度額）÷３月初日の利用子ども数	※３月初日の利用子どもの単価に加算

栄養管理加算　㉖	Ａ	基本額　処遇改善等加算Ⅰ （　79,950　＋　790×加算率　） ÷各月初日の利用子ども数	※以下の区分に応じて、各月初日の利用子どもの単価に加算 Ａ：Ｂを除き栄養士を雇用契約等により配置している施設 Ｂ：基本分単価及び他の加算の認定に当たって求められる職員が栄養士を兼務している施設 Ｃ：Ａ又はＢを除き、栄養士を嘱託等している施設
	Ｂ	基本額　処遇改善等加算Ⅰ （　50,000　＋　500×加算率　） ÷各月初日の利用子ども数	
	Ｃ	基本額 10,000 ÷各月初日の利用子ども数	

第三者評価受審加算　㉗	150,000÷３月初日の利用子ども数	※３月初日の利用子どもの単価に加算

（ 注 ）年度の初日の前日における満年齢に応じて月額を調整

定員を恒常的に超過する場合に係る別に定める調整率　事業所内保育事業（定員20人以上）（保育認定）

地域区分	定員区分	認定区分	年齢区分	利用子ども数				
				20人から30人まで	31人から40人まで	41人から50人まで	51人から60人まで	61人から
20/100地域	20人から30人まで	3号	1、2歳児		91/100	89/100	85/100	81/100
			乳児					
	31人から40人まで	3号	1、2歳児			98/100	93/100	89/100
			乳児					
	41人から50人まで	3号	1、2歳児				95/100	91/100
			乳児					
	51人から60人まで	3号	1、2歳児					96/100
			乳児					
	61人から	3号	1、2歳児					
			乳児					
16/100地域	20人から30人まで	3号	1、2歳児		91/100	89/100	85/100	81/100
			乳児					
	31人から40人まで	3号	1、2歳児			98/100	93/100	89/100
			乳児					
	41人から50人まで	3号	1、2歳児				95/100	91/100
			乳児					
	51人から60人まで	3号	1、2歳児					96/100
			乳児					
	61人から	3号	1、2歳児					
			乳児					
15/100地域	20人から30人まで	3号	1、2歳児		91/100	89/100	85/100	81/100
			乳児					
	31人から40人まで	3号	1、2歳児			98/100	93/100	89/100
			乳児					
	41人から50人まで	3号	1、2歳児				95/100	91/100
			乳児					
	51人から60人まで	3号	1、2歳児					96/100
			乳児					
	61人から	3号	1、2歳児					
			乳児					
12/100地域	20人から30人まで	3号	1、2歳児		91/100	89/100	85/100	81/100
			乳児					
	31人から40人まで	3号	1、2歳児			98/100	93/100	89/100
			乳児					
	41人から50人まで	3号	1、2歳児				95/100	91/100
			乳児					
	51人から60人まで	3号	1、2歳児					96/100
			乳児					
	61人から	3号	1、2歳児					
			乳児					

事業所内保育事業（定員20人以上）（保育認定）

地域区分	定員区分	認定区分	年齢区分	利用子ども数 20人から30人まで	31人から40人まで	41人から50人まで	51人から60人まで	61人から
10/100地域	20人から30人まで	3号	1、2歳児 乳児		91/100	89/100	85/100	81/100
	31人から40人まで	3号	1、2歳児 乳児			98/100	93/100	89/100
	41人から50人まで	3号	1、2歳児 乳児				95/100	91/100
	51人から60人まで	3号	1、2歳児 乳児					96/100
	61人から	3号	1、2歳児 乳児					
6/100地域	20人から30人まで	3号	1、2歳児 乳児		91/100	89/100	85/100	81/100
	31人から40人まで	3号	1、2歳児 乳児			98/100	93/100	89/100
	41人から50人まで	3号	1、2歳児 乳児				95/100	91/100
	51人から60人まで	3号	1、2歳児 乳児					96/100
	61人から	3号	1、2歳児 乳児					
3/100地域	20人から30人まで	3号	1、2歳児 乳児		91/100	89/100	85/100	81/100
	31人から40人まで	3号	1、2歳児 乳児			98/100	93/100	89/100
	41人から50人まで	3号	1、2歳児 乳児				95/100	91/100
	51人から60人まで	3号	1、2歳児 乳児					96/100
	61人から	3号	1、2歳児 乳児					
その他地域	20人から30人まで	3号	1、2歳児 乳児		91/100	89/100	85/100	81/100
	31人から40人まで	3号	1、2歳児 乳児			98/100	93/100	89/100
	41人から50人まで	3号	1、2歳児 乳児				95/100	91/100
	51人から60人まで	3号	1、2歳児 乳児					96/100
	61人から	3号	1、2歳児 乳児					

○居宅訪問型保育事業（保育認定）

地域区分 ①	認定区分 ②	保育必要量区分 ③	基本分単価 ④		処遇改善等加算Ⅰ ⑤		資格保有者加算 ⑥		資格保有者加算 処遇改善等加算Ⅰ		休日保育加算 ⑦		休日保育加算 処遇改善等加算Ⅰ
20/100地域	3号	保育標準時間認定	526, 540	＋	5, 260×加算率	＋	23, 220	＋	230×加算率	＋	20, 790	＋	200×加算率
	3号	保育短時間認定	468, 890	＋	4, 680×加算率								
16/100地域	3号	保育標準時間認定	512, 350	＋	5, 120×加算率	＋	22, 440	＋	220×加算率	＋	20, 080	＋	200×加算率
	3号	保育短時間認定	454, 690	＋	4, 540×加算率								
15/100地域	3号	保育標準時間認定	508, 800	＋	5, 080×加算率	＋	22, 250	＋	220×加算率	＋	19, 920	＋	190×加算率
	3号	保育短時間認定	451, 140	＋	4, 510×加算率								
12/100地域	3号	保育標準時間認定	498, 150	＋	4, 980×加算率	＋	21, 670	＋	210×加算率	＋	19, 440	＋	190×加算率
	3号	保育短時間認定	440, 500	＋	4, 400×加算率								
10/100地域	3号	保育標準時間認定	491, 060	＋	4, 910×加算率	＋	21, 280	＋	210×加算率	＋	19, 060	＋	190×加算率
	3号	保育短時間認定	433, 400	＋	4, 330×加算率								
6/100地域	3号	保育標準時間認定	476, 860	＋	4, 760×加算率	＋	20, 510	＋	200×加算率	＋	18, 360	＋	180×加算率
	3号	保育短時間認定	419, 200	＋	4, 190×加算率								
3/100地域	3号	保育標準時間認定	466, 220	＋	4, 660×加算率	＋	19, 930	＋	190×加算率	＋	17, 870	＋	170×加算率
	3号	保育短時間認定	408, 560	＋	4, 080×加算率								
その他地域	3号	保育標準時間認定	455, 570	＋	4, 550×加算率	＋	19, 350	＋	190×加算率	＋	17, 330	＋	170×加算率
	3号	保育短時間認定	397, 910	＋	3, 970×加算率								

地域区分 ①	認定区分 ②	保育必要量区分 ③		夜間保育加算 ⑧		処遇改善等加算Ⅰ		連携施設加算 ⑨ 障害・疾病のある子どもを保育する場合	連携施設加算 ⑨ それ以外の場合		特定の日に保育を行わない場合 ⑩
20/100地域	3号	保育標準時間認定	＋	48, 120	＋	480×加算率				−	（④+⑤+⑧+⑨）×8/100×事業を行わない週当たり日数
	3号	保育短時間認定								−	（④+⑤+⑧+⑨）×7/100×事業を行わない週当たり日数
16/100地域	3号	保育標準時間認定	＋	46, 550	＋	460×加算率				−	（④+⑤+⑧+⑨）×8/100×事業を行わない週当たり日数
	3号	保育短時間認定								−	（④+⑤+⑧+⑨）×7/100×事業を行わない週当たり日数
15/100地域	3号	保育標準時間認定	＋	46, 200	＋	460×加算率				−	（④+⑤+⑧+⑨）×8/100×事業を行わない週当たり日数
	3号	保育短時間認定								−	（④+⑤+⑧+⑨）×7/100×事業を行わない週当たり日数
12/100地域	3号	保育標準時間認定	＋	44, 970	＋	440×加算率				−	（④+⑤+⑧+⑨）×8/100×事業を行わない週当たり日数
	3号	保育短時間認定					＋	43, 490	25, 400	−	（④+⑤+⑧+⑨）×7/100×事業を行わない週当たり日数
10/100地域	3号	保育標準時間認定	＋	44, 100	＋	440×加算率				−	（④+⑤+⑧+⑨）×8/100×事業を行わない週当たり日数
	3号	保育短時間認定								−	（④+⑤+⑧+⑨）×7/100×事業を行わない週当たり日数
6/100地域	3号	保育標準時間認定	＋	42, 520	＋	420×加算率				−	（④+⑤+⑧+⑨）×8/100×事業を行わない週当たり日数
	3号	保育短時間認定								−	（④+⑤+⑧+⑨）×7/100×事業を行わない週当たり日数
3/100地域	3号	保育標準時間認定	＋	41, 300	＋	410×加算率				−	（④+⑤+⑧+⑨）×8/100×事業を行わない週当たり日数
	3号	保育短時間認定								−	（④+⑤+⑧+⑨）×7/100×事業を行わない週当たり日数
その他地域	3号	保育標準時間認定	＋	40, 070	＋	400×加算率				−	（④+⑤+⑧+⑨）×9/100×事業を行わない週当たり日数
	3号	保育短時間認定								−	（④+⑤+⑧+⑨）×8/100×事業を行わない週当たり日数

処遇改善等加算Ⅱ ⑪	A：処遇改善等加算Ⅱ－① 49, 010 ÷ 各月初日の利用子ども数	※1　各月初日の利用子どもの単価に加算 ※2　A若しくはBのいずれかとする
	B：処遇改善等加算Ⅱ－② 6, 130 ÷ 各月初日の利用子ども数	

処遇改善等加算Ⅲ ⑫	11, 030 × 加算Ⅲ算定対象人数 ÷ 各月初日の利用子ども数	※1　各月初日の利用子どもの単価に加算 ※2　加算Ⅲ算定対象人数については、別に定める

第三者評価受審加算 ⑬	150, 000	※3月初日の利用子どもの単価に加算

◉内閣総理大臣が定める特例地域型保育給付費の支給に係る離島その他の地域の基準

〔平成27年３月31日
内閣府告示第47号〕

子ども・子育て支援法第30条第１項第４号に規定する内閣総理大臣が定める基準は、交通条件及び自然的、経済的、文化的諸条件に恵まれない山間地、離島その他の地域であって、同法第27条第１項に規定する特定教育・保育及び同法第29条第１項に規定する特定地域型保育の確保が著しく困難な地域とする。

附　則

この告示は、平成27年４月１日から施行する。

○子ども・子育て支援法施行令等の一部を改正する政令及び子ども・子育て支援法施行規則の一部を改正する内閣府令の公布について

〔平成27年３月31日　府政共生第347号・26文科初第1462号・雇児発0331第19号
各都道府県知事・各都道府県教育委員会・各指定都市市長・各中核市市長・各指定都市・各中核市教育委員会宛　内閣府政策統括官（共生社会政策担当）・文部科学省初等中等教育・厚生労働省雇用均等・児童家庭局長連名通知〕

このたび、子ども・子育て支援法（平成24年法律第65号）及び子ども・子育て支援法及び就学前の子どもに関する教育、保育等の総合的な提供の推進に関する法律の一部を改正する法律の施行に伴う関係法律の整備等に関する法律（平成24年法律第67号）の施行に伴い、並びに関係法律の規定に基づき、子ども・子育て支援法施行令（平成26年政令第213号）等の一部が改正され、公布されました。また、改正された支援法施行令の規定に基づき、子ども・子育て支援法施行規則（平成26年内閣府令第44号）の一部が改正され、公布されました。条文等の関係資料は、内閣府の子ども・子育て支援新制度ホームページに掲載しておりますので、御参照ください。

子ども・子育て支援法施行令及び子ども・子育て支援法施行規則並びに児童手当法施行令（昭和46年法律第73号）の内容は下記のとおりですので、各都道府県知事及び各指定都市・中核市市長におかれては、十分御了知の上、貴管内の関係者に対して遅滞なく周知し、教育委員会等の関係部局と連携の上、その運用に遺漏のないよう配意願います。

なお、本通知は、地方自治法（昭和22年法律第67号）第245条の４第１項の規定に基づく技術的助言であることを申し添えます。

記

第１　用語の意義

１　法　子ども・子育て支援法

２　令　子ども・子育て支援法施行令（子ども・子育て支援法施行令等の一部を改正する政令（平成27年政令第166号）による改正後のもの）

３　規則　子ども・子育て支援法施行規則（子ども・子育て支援法施行規則の一部を改正する内閣府令（平成27年内閣府令第26号）による改正後のもの）

４　整備法　子ども・子育て支援法及び就学前の子どもに関する教育、保育等の総合的な提供の推進に関する法律の一部を改正する法律の施行に伴う関係法律の整備等に関する法律

５　支給認定子ども　法第20条第４項に規定する支給認定を受けた子ども

６　教育認定子ども　法第19条第１項第１号に掲げる小学校就学前子どもに該当する支給認定子ども（１号認定子ども）

７　満３歳以上保育認定子ども　法第19条第１項第２号に掲げる小学校就学前子どもに該当する支給認定子ども（２号認定子ども）

８　特定満３歳以上保育認定子ども　満３歳以上保育認定子どものうち、満３歳に達する日以後最初の３月31日までの間にあるもの

９　満３歳未満保育認定子ども　法第19条第１項第３号に掲げる小学校就学前子どもに該当する支給認定子ども（３号認定子ども）

10　負担額算定基準子ども　利用者負担の多子軽減措置の判断の対象となる子ども（幼稚園、特別支援学校の幼稚部、保育所、情緒障害児短期治療施設若しくは認定こども園に通い、在学し、若しくは在籍する小学校就学前子ども、特例保育を受ける小学校就学前子ども、家庭的保育事業等による保育を受ける小学校就学前子ども、児童発達支援若しくは医療型児童発達支援を受ける小学校就学前子ども又は小学校第１学年から第３学年までに在学する子ども）

なお、「小学校第１学年から第３学年までに在学する子ども」には、特別支援学校及び情緒障害児短期治療施設のこれらに対応する学年に在学する子どもを含む。

11　負担額算定基準小学校就学前子ども　負担額算定基準子どものうち、小学校就学前子どもであるもの

12　最年長負担額算定基準小学校就学前子ども　負担額算定基準小学校就学前子どものうち最年長であるもの

第２　令及び規則関係

１　利用者負担の上限額について（令第４条から第７条まで及び第９条から第13条まで関係）

特定教育・保育を受けた場合の利用者負担の上限額（令第４条）、緊急その他やむを得ない理由により特定教育・保育を受けた場合の利用者負担の上限額（令第５条）、特別利用保育を受けた場合の利用者負担の上限額（令第６条）、特別利用教育を受けた場合の利用者負担の上限額（令第７条）、特定地域型保育を受けた場合の利用者負担の上限額（令第９条）、緊急その他やむを得ない理由により特定地域型保育を受けた場合の利用者負担の上限額（令第10条）、特別利用地域型保育を受けた場合の利用者負担の上限額（令第11条）、特定利用地域型保育を受けた場合の利用者負担の上限額（令第12条）及び特例保育を受けた場合の利用者負担の上限額（令第13条）を定める。

⑴　教育認定子どもに係る利用者負担の上限額

階層区分	利用者負担
①生活保護世帯	0円
②市町村民税非課税世帯（所得割非課税世帯含む）	3,000円
③市町村民税所得割課税額77,101円未満	16,100円
④市町村民税所得割課税額211,201円未満	20,500円
⑤市町村民税所得割課税額211,201円以上	25,700円

⑵　満３歳以上保育認定子ども（特定満３歳以上保育認定子どもを除く。）に係る利用者負担の上限額（※特別利用教育を受けた満３歳以上保育認定子どもについては、教育認定子どもと同様の利用者負担の上限額の区分とする。）

階層区分	利用者負担	
	保育標準時間	保育短時間
①生活保護世帯	0円	0円
②市町村民税非課税世帯	6,000円	6,000円
③所得割課税額48,600円未満	16,500円	16,300円
④所得割課税額97,000円未満	27,000円	26,600円
⑤所得割課税額169,000円未満	41,500円	40,900円
⑥所得割課税額301,000円未満	58,000円	57,100円
⑦所得割課税額397,000円未満	77,000円	75,800円
⑧所得割課税額397,000円以上	101,000円	99,400円

⑶　満３歳未満保育認定子ども及び特定満３歳以上保育認定こどもに係る利用者負担の上限額

階層区分	利用者負担	
	保育標準時間	保育短時間
①生活保護世帯	0円	0円
②市町村民税非課税世帯	9,000円	9,000円
③所得割課税額48,600円未満	19,500円	19,300円
④所得割課税額97,000円未満	30,000円	29,600円
⑤所得割課税額169,000円未満	44,500円	43,900円
⑥所得割課税額301,000円未満	61,000円	60,100円
⑦所得割課税額397,000円未満	80,000円	78,800円
⑧所得割課税額397,000円以上	104,000円	102,400円

※　令第４条から第７条まで、第９条から第13条まで及び附則第12条から第16条までに規定する「標準的な費用の額として内閣総理大臣が定める基準により算定した額」（特定教育・保育、特別利用保育、特別利用教育、特定地域型保育、特別利用地域型保育、特定利用地域型保育及び特例保育に要する費用の額の算定に関する基準等（平成27年内閣府告示第49号）第17条に規定する額。以下「給付単価限度額」という。）は、特定教育・保育等に係る１月当たりの標準的な費用の額として、公定価格を上限として算出されるものであり、特定教育・保育施設の所在する地域や公定価格における各加算の取得状況により額は異なる。

給付単価限度額を超えて利用者負担額を徴収することはできないため、市町村は、特定教育・保育施設等に対して給付単価限度額をあらかじめ周知し、利用者負担額の過徴収が起こらないよう留意すること。

※　所得割課税額等の算定に当たっては、基本的には支給認定保護者及びその配偶者それぞれの課税額の合計で判定を行うこととするが、当該者以外の者（祖父母等）が家計の主宰者と判断される場合には、その者の課税額も含め判定を

行うこととする。

※　利用者負担の切り替え時期は、施設・事業者の事務負担や保護者への周知に要する期間等を考慮して９月とする（８月以前は前年度分、９月以降は当年度分の市町村民税額により決定する）。

※　所得割課税額の算定に当たっては、住宅借入金等特別税額控除等の税額控除について、反映しない形で取り扱うこととする。

※　市町村民税所得割が非課税であるが均等割が課税されている世帯は、教育認定子どもに係る階層区分の第２階層には含まれるが、保育認定子どもに係る階層区分の第２階層には含まれないこと。

※　各支給認定子どもに係る利用者負担の上限額について、それぞれ第２階層又は第３階層に該当する支給認定保護者又は当該支給認定保護者と同一の世帯に属する者が、要保護者等その他規則で定めるものに該当する場合には、利用者負担の上限額が減額される。（令第４条第４項、第５条第４項、第６条第２項、第７条第２項、第９条第２項、第10条第２項、第11条第２項、第12条第３項及び第13条第４項）

この場合、規則で定めるものは以下のとおり（規則第22条）。

・母子及び父子並びに寡婦福祉法（昭和39年法律第129号）による配偶者のない者で現に児童を扶養しているもの（ただし、支給認定保護者と同一の世帯に属する者がこれに該当する場合を除く。）

・身体障害者福祉法（昭和24年法律第283号）第15条第４項の規定により身体障害者手帳の交付を受けた者（在宅の者に限る。）

・療育手帳制度要綱（昭和48年９月27日厚生省発児第156号）の規定により療育手帳の交付を受けた者（在宅の者に限る。）

・精神保健及び精神障害者福祉に関する法律（昭和25年法律第123号）第45条第２項の規定により精神障害者保健福祉手帳の交付を受けた者（在宅の者に限る。）

・特別児童扶養手当等の支給に関する法律（昭和39年法律第134号）に定める特別児童扶養手当の支給対象児童（在宅の者に限る。）

・国民年金法（昭和34年法律第141号）に定める国民年金の障害基礎年金の受給者その他適当な者（在宅の者に限る。）

・その他市町村の長が生活保護法（昭和25年法律第144号）第６条第２項に規定する要保護者に準ずる程度に困窮していると認める者

※　月途中において、特定教育・保育等の利用を開始又は終了した場合若しくは利用する特定教育・保育施設等を変更した場合の利用者負担額は、日割りにより算定すること。また、月途中で認定区分が変更された場合（同一の特定教育・保育施設等を利用する場合に限る）については、変更日の属する月の翌月（月初日に変更となった場合はその月）から利用者負担額を変更すること。

※　利用者負担の階層区分の判定について、年少扶養控除等の廃止に係る影響については再計算しない取扱いを原則とする。

ただし、平成26年度から引き続き施設を利用する各認定子どもが属する世帯については、平成26年度に判定された階層区分から不利益な変更が生じることのないよう、市町村の判断により、年少扶養控除廃止による調整方法を行うことにより経過措置を講じることも可能とする。この場合、経過措置により判定された階層区分に基づく利用者負担の上限額を、当該支給認定保護者の利用者負担の上限額とし、給付額は、経過措置適用後の利用者負担の上限額により精算する。

※　私立保育所は市町村と支給認定保護者の間の契約であるため、利用者負担の徴収は市町村が行うが、これに対して私立保育所を除く特定教育・保育施設は、市町村が支給認定保護者の所得階層を決定し、当該支給認定保護者及び当該支給認定保護者が利用する特定教育・保育施設へこれを周知し、当該支給認定保護者が利用する特定教育・保育施設が支給認定保護者から利用者負担の徴収を行うこととなる。

なお、利用者負担額については、毎年、市町村が市町村民税額等を確認の上、その階層区分ごとに定めることとなるため、支給認定証とは別途、利用者負担額に関する事項を通知する取扱いとされたい。

※　具体的な利用者負担額は、支援法施行令で定める額を限度として、支給認定保護者の属する世帯の所得の状況その他の事情を勘案して市町村が定めるものであるため、市町村の判断により、支援法施行令で定める額より軽減することが可能であるが、その際、軽減の程度等について、異なる認定区分、特定教育・保育施設等の区分、公立施設と私立施設との間のバランスや

現行の負担額等に留意のうえで設定するとともに、市町村が財源を負担することにより利用者負担額を軽減することに鑑み、市町村が支給認定保護者を始めとする住民に対して説明責任を果たすよう配慮すること。

※　市町村が定める利用者負担額よりも低い保育料を現在設定している私立幼稚園（認定こども園を含む。）については、一定の要件の下で、引き続き当該低い保育料を徴収することができる経過措置を講ずることができること。なお、施行後５年経過時点で、経過措置の存続を含め、検討することとしている。

2　利用者負担の上限額に関する多子軽減の特例（令第14条関係）

負担額算定基準子どもが世帯に２人以上いる場合に、利用者負担の上限額を減額する。

⑴　以下の支給認定子どもについては、利用者負担の上限額が半額になる。

・小学校１～３年生の兄又は姉が１人いる場合の、負担額算定基準子どものうち最年長者である教育認定子ども（令第14条第１号イ）

・小学校１～３年生の兄又は姉が１人以上いる場合の、小学校就学前子どものうち第２子である保育認定を受けた子ども（第14条第１号ロ）

・全ての負担額算定基準子どもが小学校就学前子どもの場合における負担額算定基準子どものうち第２子である支給認定子ども（第14条第１号ハ）

⑵　以下の支給認定子どもについては、利用者負担の上限額は零になる。

・小学校１～３年生の兄又は姉が２人以上いる場合の、小学校就学前負担額算定基準子どものうち最年長者又は第２子である教育認定子ども（第14条第２号イ及びロ）

・第３子以降の支給認定子ども（第14条第２号ハ）

3　施設型給付費等負担対象額に係る都道府県及び国の負担について（令第23条関係）

都道府県及び国は施設型給付費等負担対象額について、毎年度、それぞれ４分の１、２分の１を負担する（第23条第１項及び第２項）。

なお、教育認定子どもに係る施設型給付費の財源構成は、国及び都道府県の負担金を伴う「全国統一費用部分」と国の負担金を伴わない「地方単独費用部分」のいわゆる２階建て構造となっている。詳細については、８で後述する。

施設型給付費等負担対象額は、支給認定子どもに係る支給認定保護者ごとに公定価格から政令で定める利用者負担の上限額を控除して得た額を合算した額とする。

なお、その他の特例施設型給付費等についても、支給認定保護者ごとに、公定価格から政令で定める利用者負担の上限額を控除して得た額を合算するという仕組みは同様である。

4　施設型給付費等負担対象額の特例について（令第24条関係）

施設型給付費等負担対象額の算定の特例について定める。

市町村が、災害その他内閣府令で定める特別の事由があることにより、特定教育・保育等に要する費用を負担することが困難であると認めた支給認定保護者が受ける施設型給付費等の額は、公定価格から支援法施行規則で定めるところにより市町村が定める額を控除した額となる。

この場合における支援法施行規則で定めるところにより市町村が定める額は、特別の事由の種類により、以下２通りに分類される。

⑴　特別の事由が、「支給認定保護者又はその属する世帯の生計を主として維持する者が、震災、風水害、火災その他これらに類する災害により、住宅、家財又はその財産について著しい損害を受けたこと」又は「支給認定保護者の属する世帯の生計を主として維持する者の収入が、干ばつ、冷害、凍霜害等による農作物の不作、不漁その他これに類する理由により著しく減少したこと」に該当する場合

この場合、市町村は、世帯の状況その他の事情を勘案して適当と認める額を定めることができる（ただし、政令で定める利用者負担の上限額以下かつ特別の事由があることを理由として定めた利用者負担額以上の額に限る。）。（令第24条第１項、規則第56条第１号及び第２号、規則第57条第１項）

⑵　特別の事由が、「支給認定保護者の属する世帯の生計を主として維持する者が死亡したこと、又はその者が心身に重大な障害を受け、若しくは長期間入院したことにより、その者の収入が著しく減少したこと」又は、「支給認定保護者の属する世帯の生計を主として維持する者の収入が、事業又は業務の休廃止、事業における著しい損失、失業等により著しく減少したこと」に該当する場合

この場合、市町村は、支給認定子どもの認定

区分に応じ、支援法施行規則に列挙される金額から選択することができる（ただし、政令で定める利用者負担の上限額以下かつ特別の事由があることを理由として定めた利用者負担額以上の額に限る）。（令第24条第１項、規則第56条第３号及び第４号、規則第57条第２項）

なお、この場合において選択できる金額は、令第14条と同様、多子軽減規定により更に減額される。（規則第57条第３項）

5　地域子ども・子育て支援事業に係る都道府県及び国の交付金について（令第25条関係）

都道府県及び国は、法第67条第２項及び第68条第２項の規定により、市町村が行う地域子ども・子育て支援事業に要する費用の額から、その年度におけるその費用のための寄付金その他収入の額を控除した額と内閣総理大臣が定める基準によって算定した額とを比較し、低い方の額につき、内閣総理大臣が定める基準によって算定した額を交付する（令第25条）。

6　拠出金を徴収する団体及び拠出金率等について（令第26条から第41条）

法第69条第１号の政令で定める拠出金を徴収する団体について、特定地方独立行政法人等を定める。なお、法第70条第２項の政令で定める拠出金率は1000分の1.5とする。その他、児童手当拠出金に係る所要の規定を整備したこと。

7　委託費の支払に係る施設型給付費等負担対象額の算定について（令附則第７条）

委託費の支払に関して、支援法施行令第23条第３項に規定される施設型給付費等負担対象額について必要な読み替えを定める。

8　教育認定子どもに係る施設型給付費等の支給の基準及び費用の負担等に関する経過措置について（令附則第12条から附則第18条まで）

教育認定子どもに係る施設型給付費の額については、支援法附則第９条にあるとおり、新制度施行前の私立学校振興助成法（昭和50年法律第61号）による私立幼稚園に対する経常的経費に充てるための補助金（私学助成）及び私立幼稚園に係る保護者の負担金軽減に係る補助金（幼稚園就園奨励費補助金）の国庫補助総額等の事情を勘案し、「全国統一費用部分」と「地方単独費用部分」の２階建て構造となっている。

教育認定子どもについての国が定めるいわゆる「公定価格」は、地方単独費用部分も含め、特定教育・保育に通常要する費用の額としての標準価格であり、地方単独費用の分の額を市町村が定めることとなっている。

また、教育認定子どもの施設型給付費に係る負担金及び補助金の財源構成は、

- 全国統一費用部分は公定価格に対する一定割合により定まり、
- 全国統一費用部分以外の費用が地方単独費用部分となる。
- 地方単独費用部分の都道府県の補助割合は２分の１以内とする。（令附則第18条）

なお、平成27年度における全国統一費用部分の公定価格に対する割合は72.5％とし、量拡充・質改善に要する経費については、国庫負担対象経費と整理しているため、この割合は毎年度の予算編成において変更があり得ることに留意が必要。

政令においては、法附則第９条の規定に基づき、教育認定子どもの利用者負担の上限額について定める。利用者負担の上限額については、令第４条等に規定される利用者負担の上限額と同様である。（令附則第12条から附則第16条まで）

なお、利用者負担の上限額については、令第14条と同様、多子の場合の軽減措置が定められる。（令附則第17条）

教育認定子どもに関して、施設型給付費等負担対象額の算定について必要な読み替えを定める。（附則第18条）

9　中国残留邦人等の円滑な帰国の促進並びに永住帰国した中国残留邦人等及び特定配偶者の自立の支援に関する法律施行令の一部改正（改正附則第３項）　略

第３　児童手当法施行令関係　略

第４　施行期日

支援法の施行の日（平成27年４月１日）から施行することとしたこと。

○特定教育・保育等に要する費用の額の算定に関する基準等の実施上の留意事項について

〔令和５年５月19日　こ成保38・５文科初第483号
各都道府県知事宛　こども家庭庁成育・文部科
学省初等中等教育局長連名通知〕

注　令和６年３月29日こ成保192・５文科初第2588号改正現在

「特定教育・保育、特別利用保育、特別利用教育、特定地域型保育、特別利用地域型保育、特定利用地域型保育及び特例保育に要する費用の額の算定に関する基準等の一部を改正する告示」（平成27年内閣府告示第49号。以下「告示」という。）の実施に伴う留意事項は下記のとおりであるので、十分御了知の上、各都道府県においては、貴管内の市町村（特別区を含む。以下同じ。）に対して遅滞なく周知を図られたい。

なお、本通知は令和５年４月１日より適用することとし、「特定教育・保育等に要する費用の額の算定に関する基準等の実施上の留意事項について」（平成28年８月23日付府子本第571号、28文科初第727号、雇児発0823第１号）は廃止する。

この通知の適用前に、旧通知に基づき実施した取り扱いについては、なお従前の例によることとする。

記

第１　公定価格の具体的な算定方法等

⑴　算定方法、加算の要件及び申請手続き等

特定教育・保育等に要する費用の額（以下「公定価格」という。）の算定に関する基準については、告示に定めるところであるが、具体的な算定方法、加算の要件及び申請手続き等については、別紙１から別紙10によること。

⑵　教育標準時間認定子どもに係る経過措置

教育標準時間認定子どもに係る施設型給付費等の額については、子ども・子育て支援法（平成24年法律第65号）附則第９条第１項第１号及び同項第２号イ及びロ並びに同項第３号イ及びロの規定により、国庫負担対象部分と地方単独費用部分に分かれるが、告示に定める別表第２等の額は、地方単独費用部分も含め、特定教育・保育に通常用する費用の額としての標準価格を示しているものであり、国庫負担対象部分は、この標準価格に1000分の749を乗じて得た額としている。

地方単独費用部分は地域の実情等を参酌して市町村が定めることとされているが、新制度の円滑な実施には、給付額が適正に設定されることが重要であり、また、標準価格は幼稚園等に求められる職員配置基準等を踏まえた必要な費用の実態に基づき、人件費の地域間格差も踏まえて設定した標準的な給付水準であること等を踏まえ、各市町村は、基本的に、この標準価格に基づき、各市町村において給付額を設定いただくようお願いしたいこと。

なお、地方財政措置についても、標準価格を基に設定する予定としていることから、こうしたことも十分に踏まえた対応とすること。

⑶　都道府県及び市町村が設置する特定教育・保育施設の公定価格

別紙１から別紙４及び別紙10については、都道府県及び市町村以外の者が設置する特定教育・保育施設（以下「私立施設」という。）に適用されるものであり、都道府県及び市町村が設置する特定教育・保育施設に係る公定価格については、私立施設に適用される公定価格の基準や地域の実情等を踏まえて、施設の設置主体である都道府県及び市町村が定めるものであること。

第２　月途中で利用を開始又は利用を終了した子ども等に係る公定価格の算定方法

⑴　月途中で利用を開始又は利用を終了した子どもに係る公定価格の算定方法

公定価格については、告示に定めるところにより各月の額を算定することになるが、月途中で利用を開始又は利用を終了した子どもに係る公定価格については、以下の算式１又は算式２を用いて、日割りにより算定すること。

算式１　月途中で利用を開始した子どもに係る公定価格の算定方法

告示により算定された各月の公定価格×その月の月途中の利用開始日からの開所日数[注1]÷日数[注2]

算式２　月途中で利用を終了した子どもに係る公定価格の算定方法

告示により算定された各月の公定価格[注1]×その月の月途中の利用終了日の前日までの開所日数[注1]÷日数[注2]

（注１）特定教育・保育施設又は特定地域型保育事業者が定める特定教

育・保育又は特定地域型保育の提供を行う日をいい、（注２）の「日数」を超える場合は「日数」とする。

（注２）教育標準時間認定子ども又は幼稚園から特別利用教育の提供を受ける保育認定子どもの場合　20日

上記以外の子どもの場合　25日

（注３）上記により算定して得た額に10円未満の端数がある場合は切り捨てる。

⑵　月途中で認定区分が変更した子どもに係る公定価格の算定方法

施設型給付等の支給を受けていた子どもが、保護者の就労状況等の変化により、認定区分が変更した場合については、変更した日の属する月の翌月（月初日に変更となった場合はその月）から適用する公定価格を変更すること。

なお、当該取扱は、認定区分の変更前後において、同一の施設・事業所を利用する場合に限るものであり、認定区分の変更と併せて利用する施設・事業所が異なる場合については、変更前後の施設・事業所において、それぞれ⑴により算定すること。

第３　施設型給付費等の支弁方法

⑴　施設・事業者からの請求

施設型給付費等については、毎月、施設・事業者から施設型給付費等の法定代理受領に係る請求書（私立保育所にあっては委託費に係る請求書）を徴して支弁すること。

なお、各施設の利用状況や加算の認定状況等を把握することにより、職権で支弁できる場合については、この請求を簡素化することができること。

また、施設型給付費等については、当該施設・事業所を利用する子どもの実人員に応じて支弁されるものであること。

⑵　支弁時期

各月初日に利用する子どもに係る施設型給付費等については、当月分は遅くともその月中に支弁すること。

また、月途中で利用を開始又は利用を終了した子どもに係る施設型給付費等については、翌月の支給時（翌月初日に利用する子どもに係る施設型給付等の支給時）に併せて支弁又は精算をすること。

第４　充足すべき職員数の算定方法について

公定価格における充足すべき職員数については、別紙１から別紙10に規定するところである。

⑴　基本分単価において充足すべき職員と各加算について

３歳児配置改善加算、４歳以上児配置改善加算、満３歳児対応加配加算、講師配置加算、チーム保育加配加算、主幹教諭等（主任保育士）専任加算、指導充実加配加算、チーム保育推進加算、学級編制調整加配加算、療育支援加算及び障害児保育加算の認定に当たっては、基本分単価において充足すべき年齢別配置基準職員数及び年齢別配置基準職員を補完する職員数を満たした上で、それぞれの加算において求める職員数を充足すること。また、事務職員雇上費加算、事務職員配置加算及び事務負担対応加配加算の認定に当たっては、基本分単価において充足すべき事務職員及び非常勤事務職員（注）を満たした上で、それぞれの加算において求める事務職員及び非常勤事務職員を充足すること。

職員数の充足状況の確認に際しては、当該施設・事業所の専任又は他の施設・事業所との兼務の状況を把握すること。兼務とされる職員については、機会を捉えて、勤務の実態を把握するようにすること。

また、施設・事業所において地域子ども・子育て支援事業等を実施している場合は、それらの事業等において求められる職員の配置を含めて充足状況を確認すること。

（注）園長等の職員が兼務する場合又は業務委託する場合は、配置は不要であること。

⑵　各加算の適用順位について

各加算の適用に優先順位はなく、各園の実情に応じて必要な加算を選択できること。また、３歳児配置改善加算、４歳以上児配置改善加算及び満３歳児対応加配加算の適用については、別添１の算式により算出された職員数を満たす場合に加算が適用されること。

⑶　常勤以外の職員配置について

常勤以外の職員を配置する場合については、下記の算式によって得た数値により充足状況を確認すること。なお、学級担任は原則常勤専任であることに留意すること。

算式　常勤以外の職員の１か月の勤務時間数の合計÷各施設・事業所の就業規則等で定めた常勤職員の１か月の勤務時間数＝常勤換算値

第５　虚偽等の場合の返還措置

市町村長は、公定価格における充足すべき職員の配置状況や、各加算等の要件について、指導監督等を通じてその適合状況を把握すること。

また、指導監督等の結果、施設・事業者が虚偽又は不正の手段により加算の認定等を受けていることが認められた場合には、既に支給された加算等の全部又は一部の返還措置を講じること。

別紙１（幼稚園（教育標準時間認定１号））

Ⅰ　地域区分等

１　地域区分（①）

利用する施設が所在する市町村ごとに定められた告示別表第１による区分を適用する。

２　定員区分（②）

利用する施設の教育標準時間認定子どもに係る利用定員の総和に応じた区分を適用する。

３　認定区分（③）

利用子どもの認定区分に応じた区分を適用する。

４　年齢区分（④）

利用子どもの満年齢に応じた区分を適用する。

なお、年度の初日の前日における満年齢に基づき区分した場合に、年齢区分が異なる場合は、適用される年齢区分における基本分単価（⑤）、処遇改善等加算Ⅰ（⑥）及び３歳児配置改善加算（⑧）の単価について、それぞれの「月額調整」欄に定める額に置き替えて適用するものとする。

Ⅱ　基本部分

１　基本分単価（⑤）

⑴　額の算定

地域区分（①）、定員区分（②）、認定区分（③）、年齢区分（④）（以下「地域区分等」という。）に応じて定められた額とする。

⑵　基本分単価に含まれる職員構成

基本分単価に含まれる職員構成は以下のとおりであることから、これを充足すること。

㈠　園長

㈡　教員（教諭等）

基本分単価における必要教員数（園長及び幼稚園設置基準（昭和31年文部省令第32号）第５条第３項に規定する教員を除く。）は以下のⅰとⅱを合計した数であること。

ⅰ　年齢別配置基準

４歳以上児30人につき１人、３歳児及び満３歳児20人につき１人

（注１）ここでいう「教員（教諭等）」とは、幼稚園教諭免許状を有する者をいうこと（なお、副園長及び教頭については、この限りでない。）。

（注２）ここでいう「４歳以上児」及び「３歳児」とは、年度の初日の前日における満年齢によるものであること。

また、「満３歳児」とは、年度の初日の前日における満年齢が２歳で、年度途中に満３歳に達し入園した者をいうこと。

（注３）確認に当たっては以下の算式によること。

＜算式＞

｛４歳以上児数×１／30（小数点第１位まで計算（小数点第２位以下切り捨て））｝＋｛３歳児及び満３歳児数×１／20（同）｝＝配置基準上教員数（小数点以下四捨五入）

ⅱ　学級編制調整加配

教育標準時間認定子どもに係る利用定員が36人以上300人以下の施設に１人

㈢　その他

ⅰ　事務職員及び非常勤事務職員

（注）園長等の職員が兼務する場合又は業務委託する場合は、配置は不要であること。

（注）非常勤事務職員については、週２日分の費用を算定。

ⅱ　学校医、学校歯科医及び学校薬剤師

（注）嘱託等で可。

Ⅲ　基本加算部分

１　処遇改善等加算Ⅰ（⑥）

⑴　加算の要件及び加算の認定

加算の要件及び加算の認定は別に定めるところによる。

⑵　加算額の算定

加算額は、地域区分等に応じた単価に、別に定めるところにより認定した加算率×100を乗じて得た額とする。

２　副園長・教頭配置加算（⑦）

⑴　加算の要件

園長以外の教員として、次の要件を満たす副園長又は教頭を配置している施設に加算する。配置人数にかかわらず同額とする。

ⅰ　学校教育法（昭和22年法律第26号）第27条に規定する副園長又は教頭の職務をつかさどっていること。学級担任など教育・保育へ

の従事状況は問わない。

ⅱ　学校教育法施行規則（昭和25年文部省令第11号）第23条において準用する第20条から第22条までに該当するものとして発令を受けていること。幼稚園教諭免許状を有さない場合も含む。

ⅲ　当該施設に常時勤務する者であること。

ⅳ　園長が専任でない施設において、幼稚園設置基準第５条第３項に規定する教員に該当しないこと。

⑵　加算の認定

(ア)　加算の認定は、施設が所在する市町村が行うこととし、新たに加算を認定するにあたっては、その施設の設置者からその旨の申請（施設名、加算の適用開始年月、副園長又は教頭となる者の氏名、年齢等を記載した履歴書等）を徴して⑴の要件への適合状況を確認すること。

(イ)　市町村は、加算の認定がされている施設について、申請又は指導監督等を通じてその状況を把握し、⑴の要件に適合しなくなった場合には、⑴の要件に適合しなくなった日の属する月の翌月（月の初日に⑴に適合しなくなった場合はその月）から加算の適用が無いものとすること。

⑶　加算額の算定

加算額は、地域区分等に応じた単価に、当該加算に係る処遇改善等加算Ⅰの単価に１の⑵で認定した加算率×100を乗じて得た額を加えた額とする。

3　３歳児配置改善加算（⑧）

⑴　加算の要件

Ⅱの１⑵(イ)ⅰの年齢別配置基準のうち、３歳児及び満３歳児に係る教員配置基準を３歳児及び満３歳児15人につき１人により実施する施設に加算する。なお、３歳児の実人数が15人を下回る場合であっても、以下の算式による配置基準上教員数を満たす場合は、加算が適用される。

＜算式＞

｛４歳以上児数×１／30（小数点第１位まで計算（小数点第２位以下切り捨て)）｝＋｛３歳児及び満３歳児数×１／15（同)｝＝配置基準上教員数（小数点以下四捨五入）

⑵　加算の認定

(ア)　加算の認定は、施設が所在する市町村が行うこととし、加算を認定するにあたっては、その施設の設置者からその旨の申請（施設名、加算の適用開始年月、利用子ども数（見込)、施設全体の常勤換算人数による配置教員数及び職員体制図等）を徴して確認すること。

(イ)　市町村は、加算の認定がされている施設について、申請又は指導監督等を通じてその状況を把握し、⑴の要件に適合しなくなった場合には、⑴の要件に適合しなくなった日の属する月の翌月（月の初日に⑴に適合しなくなった場合はその月）から加算の適用が無いものとすること。

⑶　加算額の算定

加算額は、地域区分等に応じた単価に、当該加算に係る処遇改善等加算Ⅰの単価に１の⑵で認定した加算率×100を乗じて得た額を加えた額とする。

4　４歳以上児配置改善加算（⑨）

⑴　加算の要件

Ⅱの１⑵(イ)ⅰの年齢別配置基準のうち、４歳以上児に係る教員配置基準を４歳以上児25人につき１人により実施する施設（チーム保育加配加算を算定している施設は除く。）に加算する。なお、４歳以上児が25人を下回る場合であっても、以下の算式による配置基準上教員数を満たす場合は、加算が適用される。

＜算式＞

｛４歳以上児数×１／25（小数点第１位まで計算（小数点第２位以下切り捨て)）｝＋｛３歳児及び満３歳児数×１／20（同)｝＝配置基準上教員数（小数点以下四捨五入）

⑵　加算の認定

(ア)　加算の認定は、施設が所在する市町村が行うこととし、加算を認定するにあたっては、その施設の設置者からその旨の申請（施設名、加算の適用開始年月、利用子ども数（見込)、施設全体の常勤換算人数による配置教員数及び職員体制図等）を徴して確認すること。

(イ)　市町村は、加算の認定がされている施設について、申請又は指導監督等を通じてその状況を把握し、⑴の要件に適合しなくなった場合には、⑴の要件に適合しなくなった日の属する月の翌月（月の初日に⑴に適合しなくなった場合はその月）から加算の適用が無いものとすること。

(3)　加算額の算定

加算額は、地域区分等に応じた単価に、当該加算に係る処遇改善等加算Ⅰの単価に１の(2)で認定した加算率×100を乗じて得た額を加えた額とする。(年度の初日の前日における年齢が満３歳の子どもを除く)。

5　満３歳児対応加配加算（⑩又は⑩'）

(1)　加算の要件

(ア)　３歳児配置改善加算の適用がない場合【⑩】

Ⅱの１(2)(イ)ⅰの年齢別配置基準のうち、満３歳児に係る教員配置基準を満３歳児６人につき１人（満３歳児を除いた３歳児は20人につき１人）により実施する施設に加算する。なお、満３歳児の実人数が６人を下回る場合であっても、以下の算式による配置基準上教員数を満たす場合は、加算が適用される。

＜算式＞

{４歳以上児数×１／30（小数点第１位まで計算（小数点第２位以下切り捨て)）}＋{３歳児数（満３歳児を除く）×１／20（同)}＋{満３歳児×１／６（同)}＝配置基準上教員数（小数点以下四捨五入）

(イ)　３歳児配置改善加算の適用がある場合【⑩'】

Ⅱの１(2)(イ)ⅰの年齢別配置基準のうち、満３歳児に係る教員配置基準を満３歳児６人につき１人（満３歳児を除いた３歳児は15人につき１人）により実施する施設に加算する。なお、満３歳児の実人数が６人を下回る場合であっても、以下の算式による配置基準上教員数を満たす場合は、加算が適用される。

＜算式＞

{４歳以上児数×１／30（小数点第１位まで計算（小数点第２位以下切り捨て)）}＋{３歳児数（満３歳児を除く）×１／15（同)}＋{満３歳児×１／６（同)}＝配置基準上教員数（小数点以下四捨五入）

(2)　加算の認定

(ア)　加算の認定は、施設が所在する市町村が行うこととし、加算を認定するにあたっては、その施設の設置者からその旨の申請（施設名、加算の適用開始年月、利用子ども数（見込)、施設全体の常勤換算人数による配置教員数及び職員体制図等）を徴して確認すること。

(イ)　市町村は、加算の認定がされている施設について、申請又は指導監査等を通じてその状況を把握し、(1)の要件に適合しなくなった場合には、(1)の要件に適合しなくなった日の属する月の翌月（月の初日に(1)に適合しなくなった場合はその月）から加算の適用が無いものとすること。

(3)　加算額の算定

加算額は、地域区分等に応じた単価に、当該加算に係る処遇改善等加算Ⅰの単価に１の(2)で認定した加算率×100を乗じて得た額を加えた額とする。

6　講師配置加算（⑪）

(1)　加算の要件

基本分単価（⑤）及び他の加算等の認定に当たって求められる「必要教員数」を超えて、非常勤講師（幼稚園教諭免許状を有し、教諭等の発令を受けている者）を配置する利用定員が35人以下又は121人以上の施設に加算する。

(2)　加算の認定

(ア)　加算の認定は、施設が所在する市町村が行うこととし、加算を認定するにあたっては、その施設の設置者からその旨の申請（施設名、加算の適用年月、利用子ども数（見込)、施設全体の常勤換算人数による配置教員数及び職員体制図等）を徴して確認すること。

(イ)　市町村は、加算の認定がされている施設について、申請又は指導監督等を通じてその状況を把握し、(1)の要件に適合しなくなった場合には、(1)の要件に適合しなくなった日の属する月の翌月（月の初日に(1)に適合しなくなった場合はその月）から加算の適用が無いものとすること。

(3)　加算額の算定

加算額は、地域区分等に応じた単価に、当該加算に係る処遇改善等加算Ⅰの単価に１の(2)で認定した加算率×100を乗じて得た額を加えた額とする。

7　チーム保育加配加算（⑫）

(1)　加算の要件

基本分単価（⑤）及び他の加算等の認定に当たって求められる「必要教員数」を超えて、教員（幼稚園教諭の免許状を有するが教諭等の発令を受けていない教育補助者を含む。）を配置する施設において、副担任等の学級担任以外の教員を配置する、少人数の学級編制を行うなど、低年齢児を中心として小集団化したグループ教育を実施する場合に加算する。

なお、本加算の算定上の「加配人数」は、教育標準時間認定子どもに係る利用定員の区分ごとの上限人数（注1）の範囲内で、「必要教員数」を超えて配置する教員数（注2）とする。

（注1）教育標準時間認定子どもに係る利用定員の区分ごとの上限人数

45人以下：1人、46人以上150人以下：2人、151人以上240人以下：3人、241人以上270人以下：3.5人、271人以上300人以下：5人、301人以上450人以下：6人、451人以上：8人

（注2）「必要教員数」を超えて配置する教員数に応じ、以下のとおり取り扱うこととする。

① 常勤換算人数（小数点第2位以下切り捨て、小数点第1位四捨五入前）による配置教員数から必要教員数を減じて得た員数が3人未満の場合

小数点第1位を四捨五入した員数とする。

（例）2.3人の場合、2人

② 常勤換算人数（小数点第2位以下切り捨て、小数点第1位四捨五入前）による配置教員数から必要教員数を減じて得た員数が3人以上の場合

小数点第1位が1又は2のときは小数点第1位を切り捨て、小数点第1位が3又は4のときは小数点第1位を0.5とし、小数点第1位が5以上のときは小数点第1位を切り上げて得た員数とする。

（例）3.2人の場合→3人、3.4人の場合→3.5人、3.6人の場合→4人

⑵ 加算の認定

㈠ 加算の認定は、施設が所在する市町村が行うこととし、加算を認定するにあたっては、その施設の設置者からその旨の申請（施設名、加算の適用年月、利用子ども数（見込）、施設全体の常勤換算人数による配置教員数及び職員体制図等）を徴して確認すること。

㈡ 市町村は、加算の認定がされている施設について、申請又は指導監督等を通じてその状況を把握し、⑴の要件に適合しなくなった場合には、⑴の要件に適合しなくなった日の属する月の翌月（月の初日に⑴に適合しなくなった場合はその月）から加算の適用が無いものとすること。

⑶ 加算額の算定

加算額は、地域区分等に応じた単価に、当該加算に係る処遇改善等加算Ⅰの単価に1の⑵で認定した加算率×100を乗じて得た額を加えた額を基本額とし、当該基本額に⑴の「加配人数」を乗じて得た額とする。

8 通園送迎加算（⑬）

⑴ 加算の要件

利用子どもの通園の便宜のため送迎を行う施設に加算する。

なお、年間に必要な経費を平準化して単価を設定しているため、通園送迎を利用していない園児についても同額を加算し、また、長期休業期間の単価にも加算するものとする。

（注）送迎の実施方法（運転手を雇用して実施又は業務委託して実施等）は問わない。

⑵ 加算の認定

㈠ 加算の認定は、施設が所在する市町村が行うこととし、加算を認定するにあたっては、その施設の設置者からその旨の申請（施設名、加算の適用年月、利用子ども数（見込）及び通園送迎の実施状況等が分かる資料等）を徴して確認すること。

㈡ 市町村は、加算の認定がされている施設について、申請又は指導監督等を通じてその状況を把握し、⑴の要件に適合しなくなった場合には、⑴の要件に適合しなくなった日の属する月の翌月（月の初日に⑴に適合しなくなった場合はその月）から加算の適用が無いものとすること。

⑶ 加算額の算定

加算額は、地域区分等に応じた単価に、当該加算に係る処遇改善等加算Ⅰの単価に1の⑵で認定した加算率×100を乗じて得た額を加えた額とする。

9 給食実施加算（⑭）

⑴ 加算の要件

給食を実施している施設に加算する。

本加算の算定上の「週当たり実施日数」は、修業期間中の平均的な月当たり実施日数を4（週）で除して算出（小数点第1位を四捨五入）することとし、子ども全員に給食を提供できる体制をとっている日を実施日とみなすものとする（保護者が弁当持参を希望するなどにより給食を利用しない子どもがいる場合も実施日に含む）。

なお、年間に必要な経費を平準化して単価を設定しているため、長期休業期間の単価にも加

算するものとする。

（注）給食の実施方法（業務委託、外部搬入等）は問わない。

⑵　加算の認定

㋐　加算の認定は、施設が所在する市町村が行うこととし、加算を認定するにあたっては、その施設の設置者からその旨の申請（施設名、加算の適用年月、利用子ども数（見込）及び給食の実施状況・実施形態の別等が分かる資料等）を徴して確認すること。

㋑　市町村は、加算の認定がされている施設について、申請又は指導監督等を通じてその状況を把握し、⑴の要件に適合しなくなった場合には、⑴の要件に適合しなくなった日の属する月の翌月（月の初日に⑴に適合しなくなった場合はその月）から加算の適用が無いものとすること。

⑶　加算額の算定

加算額は、定員区分及び以下の給食の実施形態の別に応じて定められた単価に、当該加算に係る処遇改善等加算Ⅰの単価に１の⑵で認定した加算率×100を乗じて得た額を加えた額とする。

㋐　施設内の調理設備を使用してきめ細かに調理を行っている場合（注１）

㋑　施設外で調理して施設に搬入する方法により給食を実施している場合（注２）

（注１）施設の職員が調理を行っている場合のほか、安全・衛生面、栄養面、食育等の観点から施設の管理者が業務上必要な注意を果たし得るような体制及び契約内容により、調理業務を第三者に委託する場合を含む。

（注２）搬入後に施設内において喫食温度まで加温し提供する場合を含む。

10　外部監査費加算（⑮）

⑴　加算の要件

幼稚園を設置する学校法人等が、当年度の幼稚園の運営に係る会計について、公認会計士又は監査法人による監査（以下「外部監査」という。）を受ける場合に加算する。

外部監査の内容等については、幼稚園に係る私立学校振興助成法（昭和50年法律第61号）第14条第３項に規定する公認会計士又は監査法人の監査及びこれに準ずる公認会計士又は監査法人の監査と同等のものとする。

⑵　加算の認定

㋐　加算の認定は、施設が所在する市町村が行うこととし、加算を認定するにあたっては、その施設の設置者からその旨の申請（施設名、加算の適用年度、利用子ども数（見込）及び外部監査の実施状況等が分かる資料等）を徴して確認すること。

㋑　当年度の３月時点で外部監査を実施することが確認できれば、当年度の３月分の単価に加算する。（監査報告書の作成等の時期が翌年度になる場合でも、監査実施契約が締結されているなど、確実に外部監査が実施されることが確認できれば、当年度の３月分の単価に加算する。）

なお、監査報告書については、作成次第速やかに、監査実施者から施設が所在する市町村に提出すること。

⑶　加算額の算定

加算額は、利用定員に応じて定められた額とし、３月初日に利用する子どもの単価に加算する。

11　副食費徴収免除加算（⑯）

⑴　加算の要件

利用子どもの全てに副食の全てを提供する日（以下「給食実施日」という。）（注１）があり、かつ、利用子どもである副食費徴収免除対象子ども（注２）に副食の全てを提供する日がある施設に加算する。

（注１）副食の提供状況については保護者への意向聴取等により施設が把握している各月初日における副食の提供予定による。また、施設の都合によらずに副食の一部又は全部の提供を要しない利用子どもについては副食の全てを提供しているものと見なすものとする。

（注２）以下のいずれかに該当する子どもとして、副食費の徴収が免除されることについて市町村から通知がされた子どもとする。

①　特定教育・保育施設及び特定地域型保育事業並びに特定子ども・子育て支援施設等の運営に関する基準（平成26年内閣府令第39号。以下「特定教育・保育施設等運営基準」という。）第13条第４項第３号イの⑴又は⑵に規定する年収360万円未満相当世帯に属する子ども

②　特定教育・保育施設等運営基準第13条第４項第３号ロの⑴又は⑵に規定する第３子以降の子ども

③　保護者及び当該保護者と同一の世帯に属する者が子ども・子育て支援法施行令

（平成26年政令第213号）第15条の３第２項各号に規定する市町村民税を課されない者に準ずる者である子ども

⑵ 加算の認定

㋐ 加算の認定は、施設が所在する市町村が月毎に行うこととし、加算の認定をするにあたっては、その施設の設置者からその旨の申請（施設名、加算の適用年月、副食の提供予定等）を徴して確認すること。

㋑ 市町村は、加算の認定がされている施設について、指導監督等を通じて副食の提供状況を把握し、申請内容と実績に乖離がある場合には、施設の設置者から理由を徴すること。

⑶ 加算額の算定

加算額は、定められた額に、各月の給食実施日数（注）を乗じて得た額とし、副食費徴収免除対象子どもについて加算する（算定して得た額に10円未満の端数がある場合は切り捨てる。）。

（注）20を超える場合には20とする。

Ⅳ 加減調整部分

１ 年齢別配置基準を下回る場合（⑰）

⑴ 調整の適用を受ける施設の要件

施設に配置する教員数が、Ⅱの１⑵㋑ⅰ及びⅱで定める教員数を下回る場合に調整する。

本調整の算定上の「人数」は、必要教員数から配置教員数を減じて得た人数とする。

⑵ 調整の適用を受ける施設の認定

㋐ 調整の適用を受ける施設の認定は、施設が所在する市町村が、Ⅱの１⑵で定める職員の充足状況の確認と併せて本調整の適用の有無を確認の上行うこと。

㋑ 市町村は、調整の適用を受ける施設について、申請又は指導監督等を通じてその状況を把握し、⑴の要件に適合しなくなった場合には、⑴の要件に適合しなくなった日の属する月の翌月（月の初日に⑴に適合しなくなった場合はその月）から調整の適用が無いものとすること。

⑶ 調整額の算定

調整額は、地域区分等に応じた単価に、当該調整に係る処遇改善等加算Ⅰ相当の単価にⅢの１⑵で認定した加算率×100を乗じて得た額を加えた額を基本額とし、当該基本額に⑴の「人数」を乗じて得た額とする。

Ⅴ 乗除調整部分

１ 定員を恒常的に超過する場合（⑱）

⑴ 調整の適用を受ける施設の要件

直前の連続する２年度間常に利用定員を超えており（注１）、かつ、各年度の年間平均在所率（注２）が120％以上の状態にある施設に適用する。

なお、教育・保育の提供は利用定員の範囲内で行われることが原則であること。

また、上記の状態にある施設に対しては、利用定員の見直しに向けた指導を行うこと。

（注１）利用定員を超えて受け入れる場合の留意事項

利用定員を超えて受け入れる場合であっても、施設の設備又は職員数が、利用定員を超えて利用する子どもを含めた利用子ども数に照らし、幼稚園設置基準及び本通知等に定める基準を満たしていること。

（注２）年間平均在所率

当該年度内における各月の初日の利用子ども数の総和を各月の初日の利用定員の総和で除したものをいう。

⑵ 調整の適用を受ける施設の認定

㋐ 調整の適用を受ける施設の認定は、施設が所在する市町村が施設の利用状況を確認の上行うこと。

㋑ ただし、子ども・子育て支援法による確認を受ける前から既に認可定員（収容定員）を超過していた私立幼稚園については、現行の都道府県の私学助成における補助金の交付額の減額の仕組み等による対応との整合性等を踏まえ、都道府県の判断により、子ども・子育て支援法の施行当初又は確認を受けた時から減算を適用することも可能とする。この場合の考え方及び手続は、平成26年10月17日付け事務連絡「認可定員を超過して園児を受け入れている私立幼稚園に係る子ども・子育て支援法に基づく確認等に関する留意事項について」によるものとする。

㋒ 市町村は、調整の適用を受ける施設について、指導監督等を通じて利用定員の見直しが行われた場合又は地域における需要の動向等を踏まえて当該年度における年間平均在所率が120％以上の状態にならないものと認められる場合には、見直し等が行われた日の属する月の翌月（月の初日に⑴に適合しなくなった場合はその月）から調整の適用が無いものとすること。

⑶ 適用される基本部分及び加減調整部分の額の調整方法

本調整措置が適用される施設における基本分

単価（⑤）から年齢別配置基準を下回る場合（⑰）（副食費徴収免除加算（⑯）を除く。）の額については、それぞれの額の総和に各月初日の利用子ども数の区分及び地域区分等に応じた調整率を乗じて得た額とする（算定して得た額に10円未満の端数がある場合は切り捨てる。）。

Ⅵ　特定加算部分

1　主幹教諭等専任加算（⑲）

(1)　加算の要件

主幹教諭等（学校教育法第27条に規定する副園長、教頭、主幹教諭及び指導教諭をいう。以下同じ。）を指導計画の立案や地域の子育て支援活動等の業務に専任させるため、基本分単価（⑤）及び他の加算等の認定に当たって求められる「必要教員数」を超えて代替教員（非常勤講師等）を配置し、以下の事業等を複数実施する施設に加算する。

なお、主幹教諭等が学級担任を兼務することは適切ではなく、代理で行う場合であっても、1月を超えて兼務が継続している場合、加算は適用されないこと。

ⅰ　幼稚園型一時預かり事業（子ども・子育て支援交付金の交付に係る要件に適合しており、かつ、月の平均対象子どもが1人以上いるもの（年度当初から事業を開始する場合は5月において当該要件を満たしていることをもって4月から当該要件を満たしているものと取り扱う。）。私学助成の預かり保育推進事業、幼稚園長時間預かり保育支援事業、市町村の単独事業・自主事業（私学助成の国庫補助事業の対象に準ずる形態で実施されている場合に限る。）等により行う預かり保育を含む。ただし、当該要件を満たした月以降の各月においては、同一年度に限り、事業を実施する体制が取られていることをもって当該要件を満たしているものと取り扱う。）

ⅱ　一般型一時預かり事業（子ども・子育て支援交付金の交付に係る要件に適合しており、かつ、月の平均対象子どもが1人以上いるもの（年度当初から事業を開始する場合は5月において当該要件を満たしていることをもって4月から当該要件を満たしているものと取り扱う。）。私学助成の子育て支援活動の推進等により行う未就園児の保育、幼稚園型一時預かり事業により行う非在園児の預かり及びこれらと同等の要件を満たして実施しているもの。（ただし、当該要件を満たした月以降の各月においては、同一年度に限り、事業を実施する体制が取られていることをもって当該要件を満たしているものと取り扱う。）

ⅲ　満3歳児に対する教育・保育の提供（月の初日において満3歳児が1人以上利用している月から年度を通じて当該要件を満たしているものとする。）

ⅳ　障害児（軽度障害児を含む。）(注) に対する教育・保育の提供（月の初日において障害児が1人以上利用している月から年度を通じて当該要件を満たしているものとする。）

（注）市町村が認める障害児とし、身体障害者手帳等の交付の有無は問わない。医師による診断書や巡回支援専門員等障害に関する専門的知見を有する者による意見提出など障害の事実が把握可能な資料をもって確認しても差し支えない。

ⅴ　継続的な小学校との連携・接続に係る取組で以下の全ての要件を満たすもの（年度当初から当該取組を開始する場合は5月において計画により下記の要件を満たしていることをもって4月から年度を通じて当該要件を満たしているものと取り扱う。）

(ア)　小学校との連携・接続に関する業務分掌を明確にしていること。

(イ)　授業・行事、研究会・研修等の小学校との子ども及び教職員の交流活動を年度を通じて複数回実施していること。

(ウ)　小学校と協働して、5歳児から小学校1年生の2年間（2年以上を含む。）のカリキュラムを編成・実施していること（小学校との継続的な協議会の開催等により具体的な編成に着手していると認められる場合を含む。）。

ⅵ　都道府県及び市町村等の教育委員会又は幼児教育センターなど幼児教育施設に対して幼児教育の内容・指導方法等の指導助言等を行う部局、あるいは幼児教育アドバイザーなど地方自治体に所属して幼児教育の専門的な知見や豊富な実践経験に基づき幼児教育に関する指導助言等を行う者と連携して、園内研修を企画・実施していること。

(2)　加算の認定

(ア)　加算の認定は、施設が所在する市町村が行うこととし、加算の認定をするにあたっては、その施設の設置者からその旨の申請（施設名、加算の適用年月、(1)のⅰからⅴの事業等の実施状況等）を徴して確認すること。

(イ) 市町村は、加算の認定がされている施設について、申請又は指導監査等を通じてその状況を把握し、⑴の要件に適合しなくなった場合には、⑴の要件に適合しなくなった日の属する月の翌月（月の初日に⑴に適合しなくなった場合はその月）から加算の適用が無いものとすること。

⑶ 加算額の算定

加算額は、基本額に、当該加算に係る処遇改善等加算Ⅰの単価にⅢの１⑵で認定した加算率×100を乗じて得た額を加えた額を、各月初日の利用子ども数で除して得た額とする。（算定して得た額に10円未満の端数がある場合は切り捨てる。）

２ 子育て支援活動費加算（⑳）

⑴ 加算の要件

主幹教諭等専任加算（⑲）の対象施設において、保護者や地域住民からの育児相談、地域の子育て支援活動等に取り組んでいる場合に加算する。

⑵ 加算の認定

(ア) 加算の認定は、施設が所在する市町村が行うこととし、加算の認定をするにあたっては、その施設の設置者からその旨の申請（施設名、加算の適用年月、子育て支援活動等の実施状況等）を徴して確認すること。

(イ) 市町村は、加算の認定がされている施設について、申請又は指導監督等を通じてその状況を把握し、⑴の要件に適合しなくなった場合には、⑴の要件に適合しなくなった日の属する月の翌月（月の初日に⑴に適合しなくなった場合はその月）から加算の適用が無いものとすること。

⑶ 加算額の算定

加算額は、基本額に、当該加算に係る処遇改善等加算Ⅰの単価にⅢの１⑵で認定した加算率×100を乗じて得た額を加えた額を、各月初日の利用子ども数で除して得た額とする（算定して得た額に10円未満の端数がある場合は切り捨てる。）。

３ 療育支援加算（㉑）

⑴ 加算の要件

主幹教諭等専任加算（⑲）の対象施設かつ障害児（注１）を受け入れている（注２）施設において、主幹教諭等を補助する者（注３）を配置し、地域住民等の子どもの療育支援に取り組む場合に加算する。

なお、当該加算が適用される施設においては、障害児施策との連携を図りつつ、障害児教育に関する専門性を活かして、地域住民や保護者からの育児相談等の療育支援に積極的に取り組むこと（注４）。

（注１）市町村が認める障害児とし、身体障害者手帳等の交付の有無は問わない。医師による診断書や巡回支援専門員等障害に関する専門的知見を有する者による意見提出など障害の事実が把握可能な資料をもって確認しても差し支えない。

（注２）「障害児を受け入れている」とは、月の初日において障害児が１人以上利用していることをもって満たしているものとし、以降年度を通じて当該要件を満たしているものとすること。

（注３）非常勤職員であって、資格の有無は問わない。

（注４）取組の例示

・ 施設を利用する気になる段階の子どもを含む障害児について、障害児施策との連携により、早期の段階から専門的な支援へと結びつける。

・ 地域住民からの育児相談等に対応し、専門的な支援へと結びつける。

・ 補助者の活用により障害児施策との連携を図る。

・ 障害児施策との連携により、施設における障害児教育の専門性を強化し、障害児に対する支援の充実を図る。

⑵ 加算の認定

(ア) 加算の認定は、施設が所在する市町村が行うこととし、加算の認定をするにあたっては、その施設の設置者からその旨の申請（施設名、加算の適用年月、対象の子ども等）を徴して確認すること。

(イ) 市町村は、加算の認定がされている施設について、申請又は指導監査等を通じてその状況を把握し、⑴の要件に適合しなくなった場合には、⑴の要件に適合しなくなった日の属する月の翌月（月の初日に⑴に適合しなくなった場合はその月）から加算の適用が無いものとすること。

⑶ 加算額の算定

加算額は、特別児童扶養手当支給対象児童（注）受入施設又はそれ以外の障害児受入施設の別に定められた基本額に、当該加算に係る処遇改善等加算Ⅰの単価にⅢの1⑵で認定した加算率×100を乗じて得た額を加えた額を、各月初日の利用子ども数で除して得た額とする（算定して得た額に10円未満の端数がある場合は切り捨てる。）。

（注）特別児童扶養手当の支給要件に該当するが所得制限により当該手当の支給がされていない児童を含む。

4　事務職員配置加算（㉒）

⑴　加算の要件

基本分単価（⑤）において求められる事務職員及び非常勤事務職員（注）を超えて、非常勤事務職員を配置する利用定員が91人以上の施設に加算する。

（注）園長等の職員が兼務する場合又は業務委託をする場合は、配置は不要であること。

⑵　加算の認定

㈠　加算の認定は、施設が所在する市町村が行うこととし、加算の認定をするにあたっては、その施設の設置者からその旨の申請（施設名、加算の適用年月、利用子ども数（見込）、職員の配置状況が記載された職員体制図等）を徴して確認すること。

㈡　市町村は、加算の認定がされている施設について、申請又は指導監督等を通じてその状況を把握し、⑴の要件に適合しなくなった場合には、⑴の要件に適合しなくなった日の属する月の翌月（月の初日に⑴に適合しなくなった場合はその月）から加算の適用が無いものとすること。

⑶　加算額の算定

加算額は、区分ごとの基本額に、当該加算に係る処遇改善等加算Ⅰの単価にⅢの1⑵で認定した加算率×100を乗じて得た額を加えた額を、各月初日の教育標準時間認定を受けた利用子ども数で除して得た額とする。（算定して得た額に10円未満の端数がある場合は切り捨てる。）

5　指導充実加配加算（㉓）

⑴　加算の要件

基本分単価（⑤）及び他の加算等の認定に当たって求められる「必要教員数」を超えて、非常勤講師を配置する利用定員が271人以上の施設に加算する。

⑵　加算の認定

㈠　加算の認定は、施設が所在する市町村が行うこととし、加算を認定するにあたっては、その施設の設置者からその旨の申請（施設名、加算の適用年月、非常勤講師の配置が分かる資料等）を徴して確認すること。

㈡　市町村は、加算の認定がされている施設について、申請又は指導監査等を通じてその状況を把握し、⑴の要件に適合しなくなった場合には、⑴の要件に適合しなくなった日の属する月の翌月（月の初日に⑴に適合しなくなった場合はその月）から加算の適用が無いものとすること。

⑶　加算の算定

加算額は、基本額に、当該加算に係る処遇改善等加算Ⅰの単価にⅢの1⑵で認定した加算率×100を乗じて得た額を、各月初日の利用子ども数で除して得た額とする（算定して得た額に10円未満の端数がある場合は切り捨てる。）。

6　事務負担対応加配加算（㉔）

⑴　加算の要件

基本分単価（⑤）において求められる事務職員及び非常勤事務職員（注）並びに事務職員配置加算（㉒）において求められる非常勤事務職員を超えて、非常勤事務職員を配置する利用定員が271人以上の施設に加算する。

（注）園長等の職員が兼務する場合又は業務委託をする場合は、配置は不要であること。

⑵　加算の認定

㈠　加算の認定は、施設が所在する市町村が行うこととし、加算を認定するにあたっては、その施設の設置者からその旨の申請（施設名、加算の適用年月、非常勤事務職員の配置が分かる資料等）を徴して確認すること。

㈡　市町村は、加算の認定がされている施設について、申請又は指導監査等を通じてその状況を把握し、⑴の要件に適合しなくなった場合には、⑴の要件に適合しなくなった日の属する月の翌月（月の初日に⑴に適合しなくなった場合はその月）から加算の適用が無いものとすること。

⑶　加算の算定

加算額は、基本額に、当該加算に係る処遇改善等加算Ⅰの単価にⅢの1⑵で認定した加算率×100を乗じて得た額を、各月初日の利用子ども数で除して得た額とする（算定して得た額に10円未満の端数がある場合は切り捨てる。）。

7　処遇改善等加算Ⅱ（㉕）

⑴　加算の要件及び加算の認定

加算の要件及び加算の認定は別に定めるところによる。

(2) 加算額の算定

加算額は、処遇改善等加算Ⅱ—①及びⅡ—②の別に定められる額にそれぞれ対象人数を乗じて得た額の合計を、各月初日の利用子ども数で除して得た額とする（算定して得た額に10円未満の端数がある場合は切り捨てる。）。

8 処遇改善等加算Ⅲ（㉖）

(1) 加算の要件及び加算の認定

加算の要件及び加算の認定は別に定めるところによる。

(2) 加算額の算定

加算額は、別に定める額に対象人数を乗じて得た額を、各月初日の利用子ども数で除して得た額とする（算定して得た額に10円未満の端数がある場合は切り捨てる。）。

9 冷暖房費加算（㉗）

(1) 加算の要件

全ての施設に加算する。

(2) 加算額の算定

加算額は、以下の地域の区分に応じて定める額とする。

1級地	国家公務員の寒冷地手当に関する法律（昭和24年法律第200号）別表に規定する1級地をいう。
2級地	国家公務員の寒冷地手当に関する法律別表に規定する2級地をいう。
3級地	国家公務員の寒冷地手当に関する法律別表に規定する3級地をいう。
4級地	国家公務員の寒冷地手当に関する法律別表に規定する4級地をいう。
その他地域	上記以外の地域をいう。

10 施設関係者評価加算（㉘）

(1) 加算の要件

学校教育法施行規則第39条において準用する第66条の規定による評価（以下「自己評価」という。）を実施するとともに、第67条の規定により保護者その他の幼稚園の関係者（幼稚園職員を除く。）による評価（以下「施設関係者評価」という。）を実施し、その結果をホームページ・広報誌への掲載、保護者への説明等により広く公表する場合に加算する。

施設関係者評価の内容等については、「幼稚園における学校評価ガイドライン」（これに準じて自治体が作成したものを含む。）に準拠し、自己評価の結果に基づき実施するとともに、授業・行事等の活動の公開、園長等との意見交換の確保などに配慮して実施するものとする。

(2) 加算の認定

加算の認定は、施設が所在する市町村が行うこととし、加算を認定するにあたっては、その施設の設置者からその旨の申請（施設名、加算の適用年度、自己評価の実施状況、施設関係者評価の実施状況、公開保育の実施状況が分かる資料等）を毎年12月末までに提出させ、必要な審査を行うこと。

（注）評価者の委嘱や会議の開催予定等により、当年度に評価や結果の公表（評価報告書の作成が翌年度以降となるため、結果の公表が翌年度になる場合を含む。）が行われることが確認できる場合は本加算の対象とする。その場合、市町村は評価や結果の公表が確実に行われていることを事後に確認すること。

(3) 加算額の算定

加算額は、公開保育の取組と組み合わせて施設関係者評価を実施する施設(注)とそれ以外の施設の別に応じて定められた額を、3月初日の利用子ども数で除して得た額（算定して得た額に10円未満の端数がある場合は切り捨てる。）とし、3月初日に利用する子どもの単価に加算する。

（注）幼児期の教育・保育に専門的知見を有する外部有識者の協力を得て、他の幼稚園・認定こども園・保育所の職員や地域の幼児教育関係者、小学校等の他校種の教員等を招いて行われる公開保育を実施するとともに、当該公開保育に施設関係者評価の評価者の全部又は一部を参加させ、その結果を踏まえて施設関係者評価を行う施設をいう。

11 除雪費加算（㉙）

(1) 加算の要件

豪雪地帯対策特別措置法（昭和37年法律第73号）第2条第2項に規定する地域に所在する施設に加算する。

(2) 加算額の算定

加算額は、定められた額とし、3月初日に利用する子どもの単価に加算する。

12 降灰除去費加算（㉚）

⑴　加算の要件

活動火山対策特別措置法（昭和48年法律第61号）第23条第１項に規定する降灰防除地域に所在する施設に加算する。

⑵　加算額の算定

加算額は、定められた額を、３月初日の利用子ども数で除して得た額（算定して得た額に10円未満の端数がある場合は切り捨てる。）とし、３月初日に利用する子どもの単価に加算する。

13　施設機能強化推進費加算（㉛）

⑴　加算の要件

施設における火災・地震等の災害時に備え、職員等の防災教育及び災害発生時の安全かつ、迅速な避難誘導体制を充実する等の施設の総合的な防災対策を図る取組（注１・注２・注３）を行う施設で、以下の事業等を複数実施する施設に加算する。

ⅰ　幼稚園型一時預かり事業（子ども・子育て支援交付金の交付に係る要件に適合しており、かつ、月の平均対象子どもが１人以上いるもの（年度当初から事業を開始する場合は５月において当該要件を満たしていることをもって４月から当該要件を満たしているものと取り扱う。）。私学助成の預かり保育推進事業、幼稚園長時間預かり保育支援事業、市町村の単独事業・自主事業（私学助成の国庫補助事業の対象に準ずる形態で実施されている場合に限る。）等により行う預かり保育を含む。ただし、当該要件を満たした月以降の各月においては、同一年度に限り、事業を実施する体制が取られていることをもって当該要件を満たしているものと取り扱う。）

ⅱ　一般型一時預かり事業（子ども・子育て支援交付金の交付に係る要件に適合しており、かつ、月の平均対象子どもが１人以上いるもの（年度当初から事業を開始する場合は５月において当該要件を満たしていることをもって４月から当該要件を満たしているものと取り扱う。）。私学助成の子育て支援活動の推進等により行う未就園児の保育、幼稚園型一時預かり事業により行う非在園児の預かり及びこれらと同等の要件を満たして実施しているもの。（ただし、当該要件を満たした月以降の各月においては、同一年度に限り、事業を実施する体制が取られていることをもって当該要件を満たしているものと取り扱う。）

ⅲ　満３歳児に対する教育・保育の提供（４月から11月までの各月初日を平均して満３歳児が１人以上利用していること。）

ⅳ　障害児（軽度障害児を含む。）（注４）に対する教育・保育の提供（４月から11月までの間に１人以上の障害児の利用があること。）

（注１）取組の実施方法の例示

ⅰ　地域住民等への防災支援協力体制の整備及び合同避難訓練等を実施する。

ⅱ　職員等への防災教育、訓練の実施及び避難具の整備を促進する。

（注２）取組に必要となる経費の額

取組に必要となる経費の総額が、概ね16万円以上見込まれること。

（注３）支出対象経費

需用費（消耗品費、燃料費、印刷製本費、修繕費、食糧費（茶菓）、光熱水費、医療材料費）・役務費（通信運搬費）・旅費・謝金・備品購入費・原材料費・使用料及び賃借料・賃金・委託費（防災訓練及び避難具の整備等に要する特別の経費に限り、教育・保育の提供に当たって、通常要する費用は含まない。）

（注４）市町村が認める障害児とし、身体障害者手帳等の交付の有無は問わない。医師による診断書や巡回支援専門員等障害に関する専門的知見を有する者による意見提出など障害の事実が把握可能な資料をもって確認しても差し支えない。

⑵　加算の認定

加算の認定は、施設が所在する市町村が行うこととし、加算の認定をするにあたっては、その施設の設置者からその旨の申請を毎年12月末までに提出させ、必要性及び経費等について必要な審査を行うこと。

⑶　加算額の算定

加算額は、定められた額を、３月初日の利用子ども数で除して得た額（算定して得た額に10円未満の端数がある場合は切り捨てる。）とし、３月初日に利用する子どもの単価に加算する。

⑷　実績の報告等

本加算の適用を受けた施設は、翌年４月末日までに実績報告書を市町村に提出すること。

なお、市町村は、本加算を行った施設について、監査時等に検証を行うこと。

14　小学校接続加算（㉜）

⑴　加算の要件

小学校との連携・接続について次に掲げる取組を行う施設に、⑶に定める通り加算する。

ⅰ　小学校との連携・接続に関する業務分掌を明確にすること。

ⅱ　授業・行事、研究会・研修等の小学校との子ども及び教職員の交流活動を実施していること。

ⅲ　小学校と協働して、５歳児から小学校１年生の２年間（２年以上を含む。）のカリキュラムを編成・実施していること（小学校との継続的な協議会の開催等により具体的な編成に着手していると認められる場合を含む。）。

⑵　加算の認定

㋐　加算の認定は、施設が所在する市町村が行うこととし、加算を認定するにあたっては、その施設の設置者からその旨の申請（施設名、加算の適用年度、小学校との連携・接続に係る取組等の実施状況等が分かる資料等）を徴して確認すること。

㋑　当年度の３月時点で当該年度において上記の要件を満たす取組が確認できれば、当年度の３月分の単価に加算する。

⑶　加算額の算定

加算額は、以下に掲げる通りに要件を満たす場合に、それぞれに定められた額を、３月初日の利用子ども数で除して得た額（算定して得た額に10円未満の端数がある場合は切り捨てる。）とし、３月初日に利用する子どもの単価に加算する。

㋐　⑴のⅰ及びⅱのいずれの取組も実施している場合

㋑　㋐に加えて、⑴ⅲの取組を実施している場合

15　栄養管理加算（㉝）

⑴　加算の要件

食事の提供にあたり、栄養士を活用（注）して、栄養士から献立やアレルギー、アトピー等への助言、食育等に関する継続的な指導を受ける施設に加算する。

（注）栄養士の活用に当たっては、雇用形態を問わず、嘱託する場合や、栄養教諭、学校栄養職員又は調理員として栄養士を雇用している場合も対象となる。

⑵　加算の認定

㋐　加算の認定は、施設が所在する市町村が行うこととし、加算を認定するにあたっては、その施設の設置者からその旨の申請（施設名、加算の適用年月、栄養士の活用状況・配置等の形態の別が確認できる書類等）を徴して確認すること。

㋑　市町村は、加算の認定がされている施設について、申請又は指導監督等を通じてその状況を把握し、⑴の要件に適合しなくなった場合には、⑴の要件に適合しなくなった日の属する月の翌月（月初日に⑴に適合しなくなった場合はその月）から加算の適用がないものとすること。

⑶　加算額の算定

加算額は、以下に掲げる栄養士の配置等の形態の別に応じ、それぞれに定める計算式により算出された額（算定して得た額に10円未満の端数がある場合は切り捨てる。）とする。

㋐　配置（注１）　定められた基本額に当該加算に係る処遇改善等加算Ⅰの単価にⅢの１⑵で認定した加算率×100を乗じて得た額を加えた額を、各月初日の利用子ども数で除して得た額とする。

㋑　兼務（注２）　定められた基本額に当該加算に係る処遇改善等加算Ⅰの単価にⅢの１⑵で認定した加算率×100を乗じて得た額を加えた額を、各月初日の利用子ども数で除して得た額とする。

㋒　嘱託（注３）　定められた基本額を、各月初日の利用子ども数で除して得た額とする。

（注１）本加算に係る栄養士が雇用契約等により配置されている場合をいい、兼務に該当する場合を除く。

（注２）基本分単価及び他の加算の認定に当たって求められる職員（給食実施加算（⑬）の適用施設（８⑶㋐の場合に限る。）において雇用等される調理員を含む。）が本加算に係る栄養士としての業務を兼務している場合をいう。

（注３）配置又は兼務に該当する場合を除き、本加算に係る栄養士としての業務を嘱託等する場合をいう。

16　第三者評価受審加算（㉞）

⑴　加算の要件

「幼稚園における学校評価ガイドライン」等

に沿って、第三者評価を適切に実施することが可能であると市町村が認める第三者評価機関（又は評価者）による評価（行政が委託等により民間機関に行わせるものを含む。）を受審し、その結果をホームページ等により広く公表する施設に加算する。

(2)　加算の認定

加算の認定は、施設が所在する市町村が行うこととし、加算を認定するにあたっては、その施設の設置者からその旨の申請（施設名、加算の適用年度、受審状況が分かる資料等）を毎年12月末までに提出させ、必要な審査を行うこと。

（注１）評価機関との間の契約書等により、当年度に第三者評価の受審や結果の公表（評価機関からの評価結果の提示が翌年度以降となるため、結果の公表が翌年度になる場合を含む。）が行われることが確認できる場合は本加算の対象とする。その場合、市町村は受審や結果の公表が確実に行われていることを事後に確認すること。

（注２）第三者評価の受審は５年に一度程度を想定しており、加算適用年度から５年度間は再度の加算適用はできないこと。

(3)　加算額の算定

加算額は、定められた額を、３月初日の利用子ども数で除して得た額（算定して得た額に10円未満の端数がある場合は切り捨てる。）とし、３月初日に利用する子どもの単価に加算する。

別紙２（保育所（保育認定２・３号））

Ⅰ　地域区分等

1　地域区分（①）

利用する施設が所在する市町村ごとに定められた告示別表第１による区分を適用する。

2　定員区分（②）

利用する施設の利用定員の総和に応じた区分を適用する。

なお、分園を設置する施設に係る基本分単価（⑥）、処遇改善等加算Ⅰ（⑦）及び加減調整部分における施設長を配置していない場合（⑰）については、中心園と分園それぞれの利用定員の総和に応じた区分を適用する。

3　認定区分（③）

利用子どもの認定区分に応じた区分を適用する。

4　年齢区分（④）

利用子どもの満年齢に応じた区分を適用する。

なお、年度の初日の前日における満年齢に基づき区分した場合に、年齢区分が異なる場合は、適用される年齢区分における基本分単価（⑥）、処遇改善等加算Ⅰ（⑦）、３歳児配置改善加算（⑧）及び夜間保育加算（⑪）の単価について、それぞれの「月額調整」欄に定める額に置き替えて適用するものとする。

5　保育必要量区分（⑤）

利用子どもの保育必要量に応じた区分を適用する。

Ⅱ　基本部分

1　基本分単価（⑥）

(1)　額の算定

地域区分（①）、定員区分（②）、認定区分（③）、年齢区分（④）、保育必要量区分（⑤）（以下「地域区分等」という。）に応じて定められた額とする。

(2)　基本分単価に含まれる職員構成

基本分単価に含まれる職員構成は以下のとおりであることから、これを充足すること。

なお、分園は中心園の施設長のもと中心園と一体的に施設運営が行われるものとすること。その際、以下の職員（施設長を除く。）を充足すること。ただし、嘱託医については、中心園に配置していることから不要である。また、調理員等については、中心園等から給食を搬入する場合は、配置不要であること。

(ア)　保育士

基本分単価における必要保育士数は以下のⅰとⅱを合計した数であること。

また、これとは別に非常勤の保育士が配置されていること。

ⅰ　年齢別配置基準(※)

４歳以上児30人につき１人、３歳児20人につき１人、１、２歳児６人につき１人、乳児３人につき１人

（注１）ここでいう「４歳以上児」、「３歳児」、「１、２歳児」及び「乳児」とは、年度の初日の前日における満年齢によるものであること。

（注２）確認に当たっては以下の算式によること。

＜算式＞

｛４歳以上児数×１／30（小数点第１位まで計算（小数点第２位以下切り捨

て))} ＋ {3歳児数×1／20（同)} ＋ {1、2歳児数×1／6（同)} ＋ {乳児数×1／3（同)} ＝配置基準上保育士数（小数点以下四捨五入）

ⅱ　その他[※]

a　利用定員90人以下の施設については1人

b　保育標準時間認定を受けた子どもが利用する施設については1人[注1]

c　上記ⅰ及びⅱのa、bの保育士1人当たり、研修代替保育士として年間3日分の費用を算定[注2]

（注1）施設全体の利用定員に占める保育標準時間認定を受けた子どもの人数の割合が低い場合は非常勤の保育士としても差し支えないこと。

（注2）当該費用については、保育士が研修を受講する際の受講費用や、時間外における研修受講の際の時間外手当等に充当しても差し支えないこと。

（※）保育士には、児童福祉施設の設備及び運営に関する基準（昭和23年厚生省令第63号。以下「児童福祉施設設備運営基準」という。）附則第95条、第96条及び児童福祉施設最低基準の一部を改正する省令（平成10年厚生省令第51号）附則第2条に基づいて都道府県（指定都市及び中核市を含む。以下同じ。）が定める条例に基づき保育士とみなされた者を含む。

(イ)　その他

ⅰ　施設長

1人

（注）施設長は児童福祉事業等に2年以上従事した者又はこれと同等以上の能力を有すると認められる者で、常時実際にその施設の運営管理の業務に専従し、かつ委託費からの給与支出がある者とする。

＜児童福祉事業等に従事した者の例示＞

児童福祉施設の職員、幼稚園・小学校等における教諭、市町村等の公的機関において児童福祉に関する事務を取り扱う部局の職員、民生委員・児童委員の他、教育・保育施設又は地域型保育事業に移行した施設・事業所における移行前の認可外保育施設の職員等

＜同等以上の能力を有すると認められる者の例示＞

公的機関等の実施する施設長研修等を受講した者等

ⅱ　調理員等

利用定員40人以下の施設は1人、41人以上150人以下の施設は2人、151人以上の施設は3人（うち1人は非常勤）[注]

（注）調理業務の全部を委託する場合、または搬入施設から食事を搬入する場合は、調理員を置かないことができる。

ⅲ　非常勤事務職員

（注）施設長等の職員が兼務する場合又は業務委託する場合は、配置は不要であること。

ⅳ　嘱託医・嘱託歯科医

Ⅲ　基本加算部分

1　処遇改善等加算Ⅰ（⑦）

⑴　加算の要件及び加算の認定

加算の要件及び加算の認定は別に定めるところによる。

⑵　加算額の算定

加算額は、地域区分等に応じた単価に、別に定めるところにより認定した加算率×100を乗じて得た額とする。

2　3歳児配置改善加算（⑧）

⑴　加算の要件

Ⅱの1⑵(ア)ⅰの年齢別配置基準のうち、3歳児に係る保育士配置基準を3歳児15人につき1人により実施する施設に加算する。なお、3歳児の実人数が15人を下回る場合であっても、以下の算式による配置基準上保育士数を満たす場合は、加算が適用される。

＜算式＞

{4歳以上児数×1／30（小数点第1位まで計算（小数点第2位以下切り捨て))} ＋ {3歳児数×1／15（同)} ＋ {1、2歳児数×1／6（同)} ＋ {乳児数×1／3（同)} ＝配置基準上保育士数（小数点以下四捨五入）

⑵　加算の認定

(ア)　加算の認定は、施設が所在する市町村長が行うこととし、加算の認定をするにあたっては、その施設の設置者からその旨の申請（施設名、加算の適用年月、利用子ども数（見込み）及び保育士の配置状況が記載された職員

体制図等）を徴して確認すること。

(ｲ)　市町村長は、加算の認定がされている施設について、申請又は指導監督等を通じてその状況を把握し、⑴の要件に適合しなくなった場合には、⑴の要件に適合しなくなった日の属する月の翌月（月初日に⑴に適合しなくなった場合はその月）から加算の適用が無いものとすること。

⑶　加算額の算定

加算額は、地域区分等に応じた単価に、当該加算に係る処遇改善等加算Ⅰの単価に１の⑵で認定した加算率×100を乗じて得た額を加えた額とする（年度の初日の前日における年齢が満２歳の子どもを除く）。

3　４歳以上児配置改善加算（⑨）

⑴　加算の要件

Ⅱの１⑵（ア）ｉの年齢別配置基準のうち、４歳以上児に係る保育士配置基準を４歳以上児25人につき１人により実施する施設（チーム保育推進加算を算定している施設は除く。）に加算する。なお、４歳以上児の実人数が25人を下回る場合であっても、以下の算式による配置基準上保育士数を満たす場合は、加算が適用される。

＜算式＞

{４歳以上児数×１／25（小数点第１位まで計算（小数点第２位以下切り捨て))}＋{３歳児数×１／20（同)}＋{1、２歳児数×１／６（同)}＋{乳児数×１／３（同)}＝配置基準上保育士数（小数点以下四捨五入）

⑵　加算の認定

(ｱ)　加算の認定は、施設が所在する市町村長が行うこととし、加算の認定をするにあたっては、その施設の設置者からその旨の申請（施設名、加算の適用年月、利用子ども数（見込み）及び保育士の配置状況が記載された職員体制図等）を徴して確認すること。

(ｲ)　市町村長は、加算の認定がされている施設について、申請又は指導監督等を通じてその状況を把握し、⑴の要件に適合しなくなった場合には、⑴の要件に適合しなくなった日の属する月の翌月（月初日に⑴に適合しなくなった場合はその月）から加算の適用が無いものとすること。

⑶　加算額の算定

加算額は、地域区分等に応じた単価に、当該加算に係る処遇改善等加算Ⅰの単価に１の⑵で認定した加算率×100を乗じて得た額を加えた額とする。（年度の初日の前日における年齢が満３歳の子どもを除く）。

4　休日保育加算（⑩）

⑴　加算の要件

日曜日、国民の祝日及び休日（以下「休日等」という。）において、以下の要件を満たして、保育を実施する施設に加算する。

(ｱ)　休日等を含めて年間を通じて開所する施設（複数の特定教育・保育施設、地域型保育事業所（居宅訪問型保育事業所は除く。）又は企業主導型保育施設との共同により年間を通じて開所する施設（以下「共同実施施設」という。）を含む。）を市町村が指定して実施すること。

(ｲ)　児童福祉施設設備運営基準第33条の第２項及び附則第94条から第97条並びに児童福祉施設最低基準の一部を改正する省令附則第２条の規定に基づき、対象子どもの年齢及び人数に応じて、本事業を担当する保育士を配置すること。

(ｳ)　対象となる子どもに対して、適宜、間食又は給食等を提供すること。

(ｴ)　対象となる子どもは、原則、休日等に常態的に保育を必要とする保育認定子どもであること。

⑵　加算の認定

(ｱ)　加算の認定は、施設が所在する市町村長が行うこととし、加算の認定をするにあたっては、その施設の設置者からその旨の申請（施設名、加算の適用年月、休日等における保育士の配置状況が記載された職員体制図、⑶の加算額の算定に必要な利用子ども数の見込み及び数の根拠となる実績等）を徴して確認すること。

また、共同実施施設については、上記に加えて、複数の施設・事業所との共同により年間を通じて開所する場合の実施要綱や運営規程を徴して確認すること。

(ｲ)　市町村長は、加算の認定がされている施設について、申請又は指導監督等を通じてその状況を把握し、⑴の要件に適合しなくなった場合には、⑴の要件に適合しなくなった日の属する月の翌月（月初日に⑴に適合しなくなった場合はその月）から加算の適用が無いものとすること。

⑶　加算額の算定

加算額は、地域区分等及び以下により認定した休日等に保育を利用する年間の延べ利用子ども数（以下「休日延べ利用子ども数」という。）に応じた単価に、当該加算に係る処遇改善等加算Ⅰの単価に１の⑵で認定した加算率×100を乗じた額を加えて算出した額を、当該施設における各月初日の利用子ども数（休日等に保育を利用しない子どもを含む。）で除して得た額とする（算定して得た額に10円未満の端数がある場合は切り捨てる。）。

㋐ 市町村は、毎年度、休日保育加算の対象となる施設（以下「休日保育対象施設」という。）から、当該休日保育対象施設における休日延べ利用子ども数の見込みを徴収して認定を行うこと。

なお、複数の施設・事業所との共同により年間を通じて開所する場合は、実施する各施設・事業所の休日延べ利用子ども数の見込み数を徴収して認定を行うこと。

㋑ 休日延べ利用子ども数には、休日等に当該休日保育対象施設を利用する、休日保育対象施設以外の特定教育・保育施設又は特定地域型保育事業を利用する子どもを含むこと。

なお、当該休日保育対象施設が共同実施施設である場合は、休日延べ利用子ども数には、上記に加えて、共同する企業主導型保育施設を休日等に利用する、特定教育・保育施設又は特定地域型保育事業所を利用する子どもを含むこと。

㋒ 認定された休日延べ利用子ども数は、⑵の㋑により、加算の適用が無くなった場合を除き、年間を通じて適用されること。そのため、認定に当たっては、前年度における実績等を踏まえて適正に審査されたいこと。

⑷ 実績の報告等

本加算の適用を受けた施設は、翌年４月末日までに実績報告書を市町村長に提出すること。

5 夜間保育加算（⑪）

⑴ 加算の要件

夜間保育を実施する施設（「夜間保育所の設置認可等について（平成12年３月30日児発第298号厚生省児童家庭局長通知）」により設置認可された施設。）に加算する。

⑵ 加算額の算定

加算額は、地域区分等に応じた単価に、当該加算に係る処遇改善等加算Ⅰの単価に１の⑵で認定した加算率×100を乗じて得た額を加えた額とする。

6 減価償却費加算（⑫）

⑴ 加算の要件

以下の要件全てに該当する施設に加算する。

㋐ 保育所の用に供する建物が自己所有であること（注1）

㋑ 建物を整備・改修又は取得する際に、建設資金又は購入資金が発生していること

㋒ 建物の整備・改修に当たって、施設整備費又は改修費等（以下「施設整備費等」という。）の国庫補助金の交付を受けていないこと（注2）

㋓ 賃借料加算（⑬）の対象となっていないこと

（注１）施設の一部が賃貸物件の場合は、自己所有の建物の延べ面積が施設全体の延べ面積の50％以上であること

（注２）施設整備費等の国庫補助の交付を受けて建設した建物について、整備後一定年数が経過した後に、以下の要件全てに該当する改修等を行った場合には㋒に該当することとして差し支えない。

① 老朽化等を理由として改修等が必要であったと市町村が認める場合

② 当該改修等に当たって、国庫補助の交付を受けていないこと

③ １施設当たりの改修等に要した費用を2000で除して得た値が、建物全体の延面積に２を乗じて得た値を上回る場合で、かつ、改修等に要した費用が1000万円以上であること

⑵ 加算の認定

㋐ 加算の認定は、施設が所在する市町村長が行うこととし、加算の認定をするにあたっては、その施設の設置者からその旨の申請（施設名、加算の適用年月、建物を整備・改修又は取得する際の契約書類等）を徴して確認すること。

㋑ 市町村長は、加算の認定がされている施設について、⑴の要件に適合しなくなった場合には、⑴の要件に適合しなくなった日の属する月の翌月（月初日に⑴に適合しなくなった場合はその月）から加算の適用が無いものとすること。

⑶ 加算額の算定

加算額は、「標準」又は「都市部」の区分に応じて定められた額とする。なお、「標準」と

は都市部に該当する市町村以外の市町村をいい、「都市部」とは当年度又は前年度における4月1日現在の人口密度が1000人／㎢以上の市町村をいう。

7　賃借料加算（⑬）

(1)　加算の要件

以下の要件全てに該当する施設に加算する。

(ア)　保育所の用に供する建物が賃貸物件であること[注]

(イ)　(ア)の賃貸物件に対する賃借料が発生していること

(ウ)　賃借料の国庫補助（「認可保育所等設置支援事業の実施について」（令和5年4月19日こ成保第15号こども家庭庁成育局長通知）に定める「都市部における保育所への賃借料等支援事業」による国庫補助を除く。）を受けた施設については、当該補助に係る残額が生じていないこと

(エ)　減価償却費加算（⑫）の対象となっていないこと

（注）施設の一部が自己所有の場合は、賃貸による建物の延べ面積が施設全体の延べ面積の50％以上であること

(2)　加算の認定

(ア)　加算の認定は、施設が所在する市町村長が行うこととし、加算の認定をするにあたっては、その施設の設置者からその旨の申請（施設名、加算の適用年月、賃貸契約書等）を徴して確認すること。

(イ)　市町村長は、加算の認定がされている施設について、(1)の要件に適合しなくなった場合には、(1)の要件に適合しなくなった日の属する月の翌月（月初日に(1)に適合しなくなった場合はその月）から加算の適用が無いものとすること。

(3)　加算額の算定

加算額は、以下の地域の区分ごとに定められた額とする。

区分		都道府県
A地域	標　準 都市部	埼玉県　千葉県　東京都 神奈川県
B地域	標　準 都市部	静岡県　滋賀県　京都府 大阪府　兵庫県　奈良県
C地域	標　準	宮城県　茨城県　栃木県 群馬県　新潟県　石川県 長野県　愛知県　三重県
	都市部	和歌山県　鳥取県　岡山県 広島県　香川県　福岡県 沖縄県
D地域	標　準 都市部	北海道　青森県　岩手県 秋田県　山形県　福島県 富山県　福井県　山梨県 岐阜県　島根県　山口県 徳島県　愛媛県　高知県 佐賀県　長崎県　熊本県 大分県　宮崎県　鹿児島県

＊表中「都市部」とは当年度又は前年度における4月1日現在の人口密度が1000人／㎢以上の市町村をいい、「標準」とはそれ以外の市町村をいう。

8　チーム保育推進加算（⑭）

(1)　加算の要件

以下の要件全てに該当する施設に加算する。

なお、本加算の算定上の「加配人数」は、利用定員の区分ごとの上限人数[注1]の範囲内で、「必要保育士数」を超えて配置する保育士の数[注2]とする。

(ア)　「必要保育士数」（基本分単価（⑥）及び他の加算の認定に当たって求められる数）を超えて保育士を配置していること

(イ)　キャリアを積んだチームリーダーの位置付け等チーム保育体制を整備すること[注3]

(ウ)　職員の平均経験年数が12年以上であること[注4]

(エ)　当該加算による増収は、保育士の増員や、当該保育所全体の職員の賃金改善に充てること

（注1）利用定員の区分ごとの上限人数

120人以下：1人、121人以上：2人

（注2）常勤換算人数（小数点第2位以下切り捨て、小数点第1位四捨五入前）による配置保育士の数から「必要保育士数」を減じて得た数の小数点第1位を四捨五入した員数とする。

（例）1.6人の場合、2人

（注3）チーム保育体制の整備とは、Ⅱの1(2)(ア)ⅰの年齢別配置基準（3歳児配置改善加算が適用される場合には、その配置基準）を超えて、主に3～5歳児について複数保育士による保育体制の構築をいう。

（注4）職員の平均経験年数については、処遇改善等加算Ⅰにおける職員1人当たりの平均経験年数をもって確認するこ

と。

⑵　加算の認定

㈠　加算の認定は、施設が所在する市町村長が行うこととし、加算の認定をするにあたっては、その施設の設置者からその旨の申請を市町村長が定める期日までに提出させ、当該施設の申請内容について必要な審査を行い、必要と認めた場合は当該施設に速やかに通知すること。

㈡　市町村長は、加算の認定がされている施設について、申請及び指導監督等を通じてその状況を把握し、⑴の要件に適合しなくなった場合には、⑴の要件に適合しなくなった日の属する月の翌月（月初日に⑴に適合しなくなった場合はその月）から加算の適用が無いものとすること。

⑶　加算額の算定

加算額は、地域区分等に応じた単価に、当該加算に係る処遇改善等加算Ⅰの単価に１の⑵で認定した加算率×100を乗じて得た額を基本額とし、当該基本額に加配人数を乗じて得た額とする。

⑷　実績の報告等

本加算の適用を受けた施設は、年度終了後速やかに実績報告書を市町村長に提出すること。

なお、加算額の実績と⑴の㈣の要件に掲げる支出とを比較して差額が生じた場合には、翌年度において、その全額を一時金等により賃金改善に充てること。

9　副食費徴収免除加算（⑮）

⑴　加算の要件

全ての施設に加算する。

⑵　加算額の算定

加算額は、定められた額とし、副食費徴収免除対象子ども(注)に加算する。

（注）以下のいずれかに該当する子どもとして、副食費の徴収が免除されることについて市町村から通知がされた子どもとする。

①　特定教育・保育施設及び特定地域型保育事業並びに特定子ども・子育て支援施設等の運営に関する基準（平成26年内閣府令第39号。以下「特定教育・保育施設等運営基準」という。）第13条第４項第３号イの⑴又は⑵に規定する年収360万円未満相当世帯に属する子ども

②　特定教育・保育施設等運営基準第13条第４項第３号ロの⑴又は⑵に規定する第３子以降の子ども

③　保護者及び当該保護者と同一の世帯に属する者が子ども・子育て支援法施行令（平成26年政令第213号）第15条の３第２項各号に規定する市町村民税を課されない者に準ずる者である子ども

Ⅳ　加減調整部分

1　分園の場合（⑯）

⑴　調整の適用を受ける施設の要件

保育所の分園（「保育所分園の設置運営について（平成10年４月９日児発第302号厚生省児童家庭局長通知）」により設置された保育所分園。）に適用する。

⑵　調整額の算定

調整額は、分園に適用される基本分単価（⑥）及び処遇改善等加算Ⅰ（⑦）の額の合計に、地域区分等に応じた調整率を乗じて得た額とする（算定して得た額に10円未満の端数がある場合は切り捨てる。）。

2　施設長を配置していない場合（⑰）

⑴　調整の適用を受ける施設の要件

Ⅱの１⑵の㈡ⅰの（注）の要件を満たす施設長を配置※していない施設に適用する。

※　２以上の施設又は他の事業と兼務し、施設長として職務を行っていない者は欠員とみなされ、要件を満たす施設長を配置したこととはならないこと。

⑵　調整の適用を受ける施設の認定

㈠　調整の適用を受ける施設の認定は、施設が所在する市町村長が行うこと。

㈡　市町村長は、調整の適用を受ける施設について、申請又は指導監督等を通じてその状況を把握すること。

⑶　調整額の算定

調整額は、地域区分等に応じて定められた額とする。

3　土曜日に閉所する場合（⑱）

⑴　調整の適用を受ける施設の要件

施設を利用する保育認定子どもについて、土曜日（国民の祝日及び休日を除く。以下同じ。）に係る保育の利用希望が無いなどの理由により、当該月の土曜日に閉所する日がある施設に適用する。

また、開所していても保育を提供していない場合は、閉所しているものとして取り扱うこと。

なお、他の特定教育・保育施設、地域型保育

事業所（居宅訪問型保育事業所は除く。）又は企業主導型保育施設と共同保育を実施することにより、施設を利用する保育認定子どもの土曜日における保育が確保されている場合には、土曜日に開所しているものとして取り扱うこと。

⑵ 調整の適用を受ける施設の認定

(ア) 調整の適用を受ける施設の認定は、施設が所在する市町村長が行うこととし、認定をするにあたっては、その施設の設置者からその旨の申請（施設名、調整の適用年月、土曜日に閉所することとなる理由等）を徴して確認すること。

なお、保育所については、原則として、土曜日を含む週６日間の開所が求められる施設であることから、土曜日に係る保育の利用希望があるにもかかわらず閉所する等の場合は、当該調整の適用と併せて、市町村において指導を行うこと。

(イ) 市町村長は、調整の適用を受ける施設について、申請又は指導監督等を通じてその状況を把握すること。

⑶ 調整額の算定

調整額は、適用される基本分単価（⑥）、処遇改善等加算Ⅰ（⑦）、３歳児配置改善加算（⑧）、４歳以上児配置改善加算（⑨）及び夜間保育加算（⑪）の額の合計に、地域区分等及び閉所日数（当該月の土曜日のうち閉所する日の数をいう。）に応じた調整率を乗じて得た額とする。（算定して得た額に10円未満の端数がある場合は切り捨てる。）

Ⅴ 乗除調整部分

１ 定員を恒常的に超過する場合（⑲）

⑴ 調整の適用を受ける施設の要件

直前の連続する５年度間常に利用定員を超えており[注1]、かつ、各年度の年間平均在所率[注2]が120％以上の状態にある施設に適用する。

なお、教育・保育の提供は利用定員の範囲内で行われることが原則であること。

また、上記の状態にある施設に対しては、利用定員の見直しに向けた指導を行うこと。

（注１）利用定員を超えて受け入れる場合の留意事項

利用定員を超えて受け入れる場合であっても、施設の設備又は職員数が、利用定員を超えて利用する子どもを含めた利用子ども数に照らし、児童福祉施設設備運営基準及び本通知等に定める基準を満たしていること。

（注２）年間平均在所率

当該年度内における各月の初日の利用子ども数の総和を各月の初日の利用定員の総和で除したものをいう。

⑵ 調整の適用を受ける施設の認定

(ア) 調整の適用を受ける施設の認定は、施設が所在する市町村長が施設の利用状況を確認のうえ行うこととする。

(イ) 市町村長は、調整の適用を受ける施設について、指導監督等を通じて利用定員の見直しが行われた場合又は地域における需要の動向等を踏まえて当該年度における年間平均在所率が120％以上の状態にならないものと認められる場合には、見直し等が行われた日の属する月の翌月（月初日に⑴に適合しなくなった場合はその月）から調整の適用が無いものとすること。

⑶ 適用される基本部分及び加減調整部分の額の調整の方法

本調整措置が適用される施設における基本分単価（⑥）から土曜日に閉所する場合（⑱）（副食費徴収免除加算（⑮）を除く。）の額については、それぞれの額の総和に各月初日の利用子ども数の区分及び地域区分等に応じた調整率を乗じて得た額とする（算定して得た額に10円未満の端数がある場合は切り捨てる。）。

Ⅵ 特定加算部分

１ 主任保育士専任加算（⑳）

⑴ 加算の要件

主任保育士を保育計画の立案等の主任業務に専任させるため、基本分単価（⑥）及び他の加算等の認定に当たって求められる「必要保育士数」を超えて代替保育士[注1]を配置し、以下の事業等を複数実施する施設に加算する。

なお、当該加算が適用される施設においては、保護者や地域住民からの育児相談、地域の子育て支援活動等に積極的に取り組むこと。

なお、主任保育士がクラス担当を兼務することは適切ではなく、代理で行う場合であっても、１月を超えて兼務が継続している場合、加算は適用されないこと。

ⅰ 延長保育事業（子ども・子育て支援交付金の交付に係る要件に適合するもの及びこれと同等の要件を満たして自主事業として実施しているもの。ただし、当該要件を満たした月以降の各月においては、同一年度内に限り、事業を実施する体制が取られていることをもって当該要件を満たしているものと取り扱う。)

ⅱ 一時預かり事業（一般型）（子ども・子育て支援交付金に係る要件に適合しており、かつ、月の平均対象子どもが１人以上いるもの（年度当初から事業を開始する場合は５月において当該要件を満たしていることをもって４月から当該要件を満たしているものと取り扱う。）。ただし、当該要件を満たした月以降の各月においては、同一年度に限り、事業を実施する体制が取られていることをもって当該要件を満たしているものと取り扱う。)

ただし、当分の間は平成21年６月３日雇児発第0603002号厚生労働省雇用均等・児童家庭局長通知「『保育対策等促進事業の実施について』の一部改正について」以前に定める一時保育促進事業の要件を満たしていると認められ、実施しているものも含むこととされること。

ⅲ 病児保育事業（子ども・子育て支援交付金に係る要件に適合するもの及びこれと同等の要件を満たして自主事業として実施しているもの。)

ⅳ 乳児が３人以上利用している施設（月の初日において乳児が３人以上利用している月から年度を通じて当該要件を満たしているものとする。)

また、①乳児の利用定員が３人以上あり、かつ、②乳児保育を実施する職員体制を維持し、③地域の親子が交流する場の提供や子育てに関する相談会を月２回以上開催している場合、前年度に要件を満たしていた月（令和５年度に特例の適用があった月を含む）については、乳児３人以上の利用の要件を満たしたものと取り扱う。

ⅴ 障害児（軽度障害児を含む。）（注２）が１人以上利用している施設（月の初日において障害児が１人以上利用している月から年度を通じて当該要件を満たしているものとする。)

（注１）児童福祉施設設備運営基準附則第95条、第96条及び児童福祉施設最低基準の一部を改正する省令附則第２条により保育士とみなされる者を含む。

（注２）市町村が認める障害児とし、身体障害者手帳等の交付の有無は問わない。医師による診断書や巡回支援専門員等障害に関する専門的知見を有する者による意見提出など障害の事実が把握可能な資料をもって確認しても差し支えない。

⑵ 加算の認定

㋐ 加算の認定は、施設が所在する市町村長が行うこととし、加算の認定をするにあたっては、その施設の設置者からその旨の申請（施設名、加算の適用年月、育児相談・地域の子育て支援活動等の内容、事業等の実施状況等）を徴して確認すること。

㋑ 市町村長は、加算の認定がされている施設について、申請又は指導監督等を通じてその状況を把握し、⑴の要件に適合しなくなった場合には、⑴の要件に適合しなくなった日の属する月の翌月（月初日に⑴に適合しなくなった場合はその月）から加算の適用が無いものとすること。

⑶ 加算額の算定

加算額は、基本額に、当該加算に係る処遇改善等加算Ⅰの単価にⅢの１⑵で認定した加算率×100を乗じて得た額を加えた額を、各月初日の利用子ども数で除して得た額とする（算定して得た額に10円未満の端数がある場合は切り捨てる。）。

２ 療育支援加算（㉑）

⑴ 加算の要件

主任保育士専任加算（⑳）の対象施設かつ障害児（注１）を受け入れている（注２）施設において、主任保育士を補助する者（注３）を配置し、地域住民等の子どもの療育支援に取り組む場合に加算する。

なお、当該加算が適用される施設においては、障害児施策との連携を図りつつ、障害児保育に関する専門性を活かして、地域住民や保護者からの育児相談等の療育支援に積極的に取り組むこと（注４）。

（注１）市町村が認める障害児とし、身体障害者手帳等の交付の有無は問わない。医師による診断書や巡回支援専門員等障害に関する専門的知見を有する者による意見提出など障害の事実が把握可能な資料をもって確認しても差し支えない。

（注２）「障害児を受け入れている」とは、月の初日において障害児が１人以上利用していることをもって満たしているものと

し、以降年度を通じて当該要件を満たしているものとすること。

（注３）非常勤職員であって、資格の有無は問わない。

（注４）取組の例示

・　施設を利用する気になる段階の子どもを含む障害児について、障害児施策との連携により、早期の段階から専門的な支援へと結びつける。

・　地域住民からの育児相談等へ対応し、専門的な支援へと結びつける。

・　補助者の活用により障害児施策との連携を図る。

・　保育所等訪問支援事業における個別支援計画の策定に当たっての連携役。

・　障害児施策との連携により、施設における障害児保育の専門性を強化し、障害児に対する支援の充実を図る。

⑵　加算の認定

㈠　加算の認定は、施設が所在する市町村長が行うこととし、加算の認定をするにあたっては、その施設の設置者からその旨の申請（施設名、加算の適用年月、対象子ども等）を徴して確認すること。

㈡　市町村長は、加算の認定がされている施設について、申請又は指導監督等を通じてその状況を把握し、⑴の要件に適合しなくなった場合には、⑴の要件に適合しなくなった日の属する月の翌月（月初日に⑴に適合しなくなった場合はその月）から加算の適用が無いものとすること。

⑶　加算額の算定

加算額は、特別児童扶養手当支給対象児童（注）受入施設又はそれ以外の障害児受入施設の別に定められた基本額に、当該加算に係る処遇改善等加算Ⅰの単価にⅢの１⑵で認定した加算率×100を乗じて得た額を加えた額を、各月初日の利用子ども数で除して得た額とする（算定して得た額に10円未満の端数がある場合は切り捨てる。）。

（注）特別児童扶養手当の支給要件に該当するが所得制限により当該手当の支給がされていない児童を含む。

３　事務職員雇上費加算（㉒）

⑴　加算の要件

事務職員を配置し、以下の事業等のいずれかを実施する施設に加算する。

（注）施設長等の職員が兼務する場合又は業務委託する場合は、配置は不要であること。

ⅰ　延長保育事業（子ども・子育て支援交付金の交付に係る要件に適合するもの及びこれと同等の要件を満たして自主事業として実施しているもの。ただし、当該要件を満たした月以降の各月においては、同一年度内に限り、事業を実施する体制が取られていることをもって当該要件を満たしているものと取り扱う。）

ⅱ　一時預かり事業（一般型）（子ども・子育て支援交付金に係る要件に適合しており、かつ、月の平均対象子どもが１人以上いるもの（年度当初から事業を開始する場合は５月において当該要件を満たしていることをもって４月から当該要件を満たしているものと取り扱う。）。ただし、当該要件を満たした月以降の各月においては、同一年度に限り、事業を実施する体制が取られていることをもって当該要件を満たしているものと取り扱う。）

ただし、当分の間は平成21年６月３日雇児発第0603002号厚生労働省雇用均等・児童家庭局長通知「『保育対策等促進事業の実施について』の一部改正について」以前に定める一時保育促進事業の要件を満たしていると認められ、実施しているものも含むこととされること。

ⅲ　病児保育事業（子ども・子育て支援交付金に係る要件に適合するもの及びこれと同等の要件を満たして自主事業として実施しているもの。）

ⅳ　乳児が３人以上利用している施設（月の初日において乳児が３人以上利用している月から年度を通じて当該要件を満たしているものとする。）

また、①乳児の利用定員が３人以上あり、かつ、②乳児保育を実施する職員体制を維持し、③地域の親子が交流する場の提供や子育てに関する相談会を月２回以上開催している場合、前年度に要件を満たしていた月については、乳児３人以上の利用の要件を満たしたものと取り扱う。

ⅴ　障害児（軽度障害児を含む。）（注）が１人以上利用している施設（月の初日において障害児が１人以上利用している月から年度を通じて当該要件を満たしているものとする。）

（注）市町村が認める障害児とし、身体障害

者手帳等の交付の有無は問わない。医師による診断書や巡回支援専門員等障害に関する専門的知見を有する者による意見提出など障害の事実が把握可能な資料をもって確認しても差し支えない。

(2) 加算の認定

(ア) 加算の認定は、施設が所在する市町村長が行うこととし、加算の認定をするにあたっては、その施設の設置者からその旨の申請（施設名、加算の適用年月、事業等の実施状況等）を徴して確認すること。

(イ) 市町村長は、加算の認定がされている施設について、申請又は指導監督等を通じてその状況を把握し、(1)の要件に適合しなくなった場合には、(1)の要件に適合しなくなった日の属する月の翌月（月初日に(1)に適合しなくなった場合はその月）から加算の適用が無いものとすること。

(3) 加算額の算定

加算額は、基本額に、当該加算に係る処遇改善等加算Ⅰの単価にⅢの１(2)で認定した加算率×100を乗じて得た額を加えた額を、各月初日の利用子ども数で除して得た額とする（算定して得た額に10円未満の端数がある場合は切り捨てる。）。

4 処遇改善等加算Ⅱ（㉓）

(1) 加算の要件及び加算の認定

加算の要件及び加算の認定は別に定めるところによる。

(2) 加算額の算定

加算額は、処遇改善等加算Ⅱ―①及びⅡ―②の別に定められる額にそれぞれ対象人数を乗じて得た額の合計を、各月初日の利用子ども数で除して得た額とする（算定して得た額に10円未満の端数がある場合は切り捨てる。）。

5 処遇改善等加算Ⅲ（㉔）

(1) 加算の要件及び加算の認定

加算の要件及び加算の認定は別に定めるところによる。

(2) 加算額の算定

加算額は、別に定める額に対象人数を乗じて得た額を、各月初日の利用子ども数で除して得た額とする（算定して得た額に10円未満の端数がある場合は切り捨てる。）。

6 冷暖房費加算（㉕）

(1) 加算の要件

全ての施設に加算する。

(2) 加算額の算定

加算額は、以下の地域の区分に応じて定める額とする。

１級地	国家公務員の寒冷地手当に関する法律（昭和24年法律第200号）別表に規定する１級地をいう。
２級地	国家公務員の寒冷地手当に関する法律別表に規定する２級地をいう。
３級地	国家公務員の寒冷地手当に関する法律別表に規定する３級地をいう。
４級地	国家公務員の寒冷地手当に関する法律別表に規定する４級地をいう。
その他地域	上記以外の地域をいう。

7 除雪費加算（㉖）

(1) 加算の要件

豪雪地帯対策特別措置法（昭和37年法律第73号）第２条第２項に規定する地域に所在する施設に加算する。

(2) 加算額の算定

加算額は、定められた額とし、３月初日に利用する子どもの単価に加算する。

8 降灰除去費加算（㉗）

(1) 加算の要件

活動火山対策特別措置法（昭和48年法律第61号）第23条第１項に規定する降灰防除地域に所在する施設に加算する。

(2) 加算額の算定

加算額は、定められた額を、３月初日の利用子ども数で除して得た額（算定して得た額に10円未満の端数がある場合は切り捨てる。）とし、３月初日に利用する子どもの単価に加算する。

9 高齢者等活躍促進加算（㉘）

(1) 加算の要件

高齢化社会の到来等に対応して、高齢者等ができるだけ働きやすい条件の整備を図り、また、高齢者等によるきめ細やかな利用子ども等の処遇の向上を図るため、以下の要件を満たす施設に加算する。

(ア) 高齢者等（注１）を職員配置基準以外に非常勤職員（注２）として雇用（注３）し、施設の業務の中で比較的高齢者等に適した業務（注４）を行わせ、かつ、当該年度中における高齢者等の総雇用人員の累積年間総雇用時間が、400

時間以上見込まれること。

また、「特定就職困難者雇用開発助成金」等を受けている施設（受ける予定の施設を含む。）でその補助の対象となる職員は対象としないこと。

なお、雇用形態は通年が望ましいが短期間でも雇用予定がはっきりしていて、利用子ども等の処遇の向上が期待される場合には、この加算対象として差し支えないこと。

（注１）高齢者等の範囲

ⅰ　当該年度の４月１日現在または、その年度の途中で雇用する場合はその雇用する時点において満60歳以上の者

ⅱ　身体障害者（身体障害者福祉法（昭和24年法律第243号）に規定する身体障害者手帳を所持している者）

ⅲ　知的障害者（知的障害者更生相談所、児童相談所等において知的障害者と判定された者で、都道府県知事が発行する療育手帳または判定書を所持している者）

ⅳ　精神障害者（精神保健及び精神障害福祉法に関する法律（昭和25年法律第123号）に規定する精神障害者保健福祉手帳を所持している者）

ⅴ　母子家庭の母及び父子家庭の父並びに寡婦（母子及び父子並びに寡婦福祉法（昭和39年法律第129号）に規定する母子家庭の母及び父子家庭の父並びに寡婦）

（注２）非常勤職員の範囲

１日６時間未満又は月20日未満勤務の者を対象とする。

（注３）雇用の範囲

雇用契約又は派遣契約による場合のみを対象とする。

（注４）高齢者等が行う業務の内容の例示

ⅰ　利用子ども等との話し相手、相談相手

ⅱ　身の回りの世話（爪切り、洗面等）

ⅲ　通院、買い物、散歩の付き添い

ⅳ　クラブ活動の指導

ⅴ　給食のあとかたづけ

ⅵ　喫食の介助

ⅶ　洗濯、清掃等の業務

ⅷ　その他高齢者等に適した業務

(イ) 以下の事業等のうち、いずれかを実施していること。

ⅰ　延長保育事業（子ども・子育て支援交付金の交付に係る要件に適合するもの及びこれと同等の要件を満たして自主事業として実施しているもの。ただし、当該要件を満たした月以降の各月においては、同一年度内に限り、事業を実施する体制が取られていることをもって当該要件を満たしているものと取り扱う。）

ⅱ　一時預かり事業（一般型）（子ども・子育て支援交付金に係る要件に適合しており、かつ、月の平均対象子どもが１人以上いるもの（年度当初から事業を開始する場合は５月において当該要件を満たしていることをもって４月から当該要件を満たしているものと取り扱う。）。ただし、当該要件を満たした月以降の各月においては、同一年度に限り、事業を実施する体制が取られていることをもって当該要件を満たしているものと取り扱う。）

ただし、当分の間は平成21年６月３日雇児発第0603002号厚生労働省雇用均等・児童家庭局長通知「『保育対策等促進事業の実施について』の一部改正について」以前に定める一時保育促進事業の要件を満たしていると認められ、実施しているものも含むこととされること。

ⅲ　病児保育事業（子ども・子育て支援交付金に係る要件に適合するもの及びこれと同等の要件を満たして自主事業として実施しているもの。）

ⅳ　乳児が３人以上利用している施設（４月から11月までの各月初日を平均して乳児が３人以上利用していること。）

また、①乳児の利用定員が３人以上あり、かつ、②乳児保育を実施する職員体制を維持し、③地域の親子が交流する場の提供や子育てに関する相談会を月２回以上開催している場合、前年度に要件を満たしていた場合については、乳児３人以上の利用の要件を満たしたものと取り扱う。

ⅴ　障害児（軽度障害児を含む。）(注) が１人以上利用している施設（４月から11月までの間に１人以上の障害児の利用があること。）

（注）市町村が認める障害児とし、身体障害者手帳等の交付の有無は問わない。

医師による診断書や巡回支援専門員等障害に関する専門的知見を有する者に

よる意見提出など障害の事実が把握可能な資料をもって確認しても差し支えない。

⑵　加算の認定

加算の認定は、施設が所在する市町村長が行うこととし、加算の認定をするにあたっては、その施設の設置者からその旨の申請を毎年12月末までに提出させ、当該施設の申請内容について必要な審査を行い、必要と認めた場合は当該施設に速やかに通知すること。

なお、⑶の加算額の算定に必要な「年間総雇用時間数」の認定に当たっては、毎年度４月から11月までの実績及び12月から３月までの雇用計画を元に認定すること。

⑶　加算額の算定

加算額は、⑵で認定された「年間総雇用時間数」の区分に応じて定められた額を、３月初日の利用子ども数で除して得た額（算定して得た額に10円未満の端数がある場合は切り捨てる。）とし、３月初日に利用する子どもの単価に加算する。

⑷　実績の報告等

本加算の適用を受けた施設は、翌年４月末日までに実績報告書を市町村長に提出すること。

なお、次年度以降の加算の認定に当たっては、当該実績報告書を参考に決定すること。

また、市町村長は、本加算を行った施設について、検査時等に検証を行うこと。

10　施設機能強化推進費加算（㉙）

⑴　加算の要件

施設における火災・地震等の災害時に備え、職員等の防災教育及び災害発生時の安全かつ、迅速な避難誘導体制を充実する等の施設の総合的な防災対策を図る取組(注1・注2・注3)を行う施設で、以下の事業等を複数実施する施設に加算する。

ｉ　延長保育事業（子ども・子育て支援交付金の交付に係る要件に適合するもの及びこれと同等の要件を満たして自主事業として実施しているもの。ただし、当該要件を満たした月以降の各月においては、同一年度内に限り、事業を実施する体制が取られていることをもって当該要件を満たしているものと取り扱う。）

ⅱ　一時預かり事業（一般型）（子ども・子育て支援交付金に係る要件に適合しており、かつ、月の平均対象子どもが１人以上いるもの（年度当初から事業を開始する場合は５月において当該要件を満たしていることをもって４月から当該要件を満たしているものと取り扱う。）。ただし、当該要件を満たした月以降の各月においては、同一年度に限り、事業を実施する体制が取られていることをもって当該要件を満たしているものと取り扱う。）

ただし、当分の間は平成21年６月３日雇児発第0603002号厚生労働省雇用均等・児童家庭局長通知「『保育対策等促進事業の実施について』の一部改正について」以前に定める一時保育促進事業の要件を満たしていると認められ、実施しているものも含むこととされること。

ⅲ　病児保育事業（子ども・子育て支援交付金に係る要件に適合するもの及びこれと同等の要件を満たして自主事業として実施しているもの。）

ⅳ　乳児が３人以上利用している施設（４月から11月までの各月初日を平均して乳児が３人以上利用していること。）

また、①乳児の利用定員が３人以上あり、かつ、②乳児保育を実施する職員体制を維持し、③地域の親子が交流する場の提供や子育てに関する相談会を月２回以上開催している場合、前年度に要件を満たしていた場合については、乳児３人以上の利用の要件を満たしたものと取り扱う。

ｖ　障害児（軽度障害児を含む。）(注4)が１人以上利用している施設（４月から11月までの間に１人以上の障害児の利用があること。）

（注１）取組の実施方法の例示

ｉ　地域住民等への防災支援協力体制の整備及び合同避難訓練等を実施する。

ⅱ　職員等への防災教育、訓練の実施及び避難具の整備を促進する。

（注２）取組に必要となる経費の額

取組に必要となる経費の総額が、概ね16万円以上見込まれること。

（注３）支出対象経費

需用費（消耗品費、燃料費、印刷製本費、修繕費、食糧費（茶菓）、光熱水費、医療材料費）・役務費（通信運搬費）・旅費・謝金・備品購入費・原材料費・使用料及び賃借料・賃金・委託費（防災訓練及び避難具の整備等に

要する特別の経費に限り、教育・保育の提供に当たって、通常要する費用は含まない。）

（注４）市町村が認める障害児とし、身体障害者手帳等の交付の有無は問わない。医師による診断書や巡回支援専門員等障害に関する専門的知見を有する者による意見提出など障害の事実が把握可能な資料をもって確認しても差し支えない。

⑵　加算の認定

加算の認定は、施設が所在する市町村長が行うこととし、加算の認定をするにあたっては、その施設の設置者からその旨の申請を毎年12月末までに提出させ、必要性及び経費等について必要な審査を行うこと。

⑶　加算額の算定

加算額は、定められた額を、３月初日の利用子ども数で除して得た額（算定して得た額に10円未満の端数がある場合は切り捨てる。）とし、３月初日に利用する子どもの単価に加算する。

⑷　実績の報告等

本加算の適用を受けた施設は、翌年４月末日までに実績報告書を市町村長に提出すること。

なお、市町村長は、本加算を行った施設について、検査時等に検証を行うこと。

11　小学校接続加算（㉚）

⑴　加算の要件

小学校との連携・接続について次に掲げる取組を行う施設に、⑶に定める通り加算する。

ⅰ　小学校との連携・接続の担当に関する業務分掌を明確にすること。

ⅱ　授業・行事、研究会・研修等の小学校との子ども及び教職員の交流活動を実施していること。

ⅲ　小学校と協働して、５歳児から小学校１年生の２年間（２年以上を含む。）のカリキュラムを編成・実施していること（小学校との継続的な協議会の開催等により具体的な編成に着手していると認められる場合を含む。）。

⑵　加算の認定

㋐　加算の認定は、施設が所在する市町村長が行うこととし、加算を認定するにあたっては、その施設の設置者からその旨の申請（施設名、加算の適用年度、小学校との連携・接続に係る取組等の実施状況等が分かる資料等）を徴して確認すること。

㋑　当年度の３月時点で上記の要件を満たす取組が確認できれば、当年度の３月分の単価に加算する。

⑶　加算額の算定

加算額は、以下に掲げる通りに要件を満たす場合に、それぞれに定められた額を、３月初日の利用子ども数で除して得た額（算定して得た額に10円未満の端数がある場合は切り捨てる。）とし、３月初日に利用する子どもの単価に加算する。

㋐　⑴のⅰ及びⅱのいずれの取組も実施している場合

㋑　㋐に加えて、⑴ⅲの取組を実施している場合

12　栄養管理加算（㉛）

⑴　加算の要件

食事の提供にあたり、栄養士を活用[注]して、栄養士から献立やアレルギー、アトピー等への助言、食育等に関する継続的な指導を受ける施設に加算する。

（注）栄養士の活用に当たっては、雇用形態を問わず、嘱託する場合や、調理員として栄養士を雇用している場合も対象となる。

⑵　加算の認定

㋐　加算の認定は、施設が所在する市町村長が行うこととし、加算を認定するにあたっては、その施設の設置者からその旨の申請（施設名、加算の適用年月、栄養士の活用状況・配置等の形態の別が確認できる書類等）を徴して確認すること。

㋑　市町村長は、加算の認定がされている施設について、申請又は指導監督等を通じてその状況を把握し、⑴の要件に適合しなくなった場合には、⑴の要件に適合しなくなった日の属する月の翌月（月初日に⑴に適合しなくなった場合はその月）から加算の適用がないものとすること。

⑶　加算額の算定

加算額は、以下に掲げる栄養士の配置等の形態の別に応じ、それぞれに定める計算式により算出された額（算定して得た額に10円未満の端数がある場合は切り捨てる。）とする。

㋐　配置[注1]　定められた基本額に当該加算に係る処遇改善等加算Ⅰの単価にⅢの１⑵で認定した加算率×100を乗じて得た額を加えた額

を、各月初日の利用子ども数で除して得た額とする。

(イ) 兼務[注2] 定められた基本額に当該加算に係る処遇改善等加算Ⅰの単価にⅢの1(2)で認定した加算率×100を乗じて得た額を加えた額を、各月初日の利用子ども数で除して得た額とする。

(ウ) 嘱託[注3] 定められた基本額を、各月初日の利用子ども数で除して得た額とする。

(注1) 本加算に係る栄養士が雇用契約等により配置されている場合をいい、兼務に該当する場合を除く。

(注2) 基本分単価及び他の加算の認定に当たって求められる職員が本加算に係る栄養士としての業務を兼務している場合をいう。

(注3) 配置又は兼務に該当する場合を除き、本加算に係る栄養士としての業務を嘱託等する場合をいう。

13 第三者評価受審加算（㉜）

(1) 加算の要件

「福祉サービス第三者評価基準ガイドライン」等に沿って、第三者評価を適切に実施することが可能であると市町村が認める第三者機関による評価（行政が委託等により民間機関に行わせるものを含む。）を受審し、その結果をホームページ等により広く公表する施設に加算する。

(2) 加算の認定

加算の認定は、施設が所在する市町村長が行うこととし、加算を認定するにあたっては、その施設の設置者からその旨の申請（施設名、加算の適用年度、受審状況が分かる資料等）を毎年12月末までに提出させ、必要な審査を行うこと。

(注1) 評価機関との間の契約書等により、当年度に第三者評価の受審や結果の公表（評価機関からの評価結果の提示が翌年度以降となるため、結果の公表が翌年度になる場合を含む。）が行われることが確認できる場合は本加算の対象とする。その場合、市町村は受審や結果の公表が確実に行われていることを事後に確認すること。

(注2) 第三者評価の受審は5年に一度程度を想定しており、加算適用年度から5年度間は再度の加算適用はできないこと。

(3) 加算額の算定

加算額は、定められた額を、3月初日の利用子ども数で除して得た額（算定して得た額に10円未満の端数がある場合は切り捨てる。）とし、3月初日に利用する子どもの単価に加算する。

別紙3（認定こども園（教育標準時間認定1号））

Ⅰ 地域区分等

1 地域区分（①）

利用する施設が所在する市町村ごとに定められた告示別表第1による区分を適用する。

2 定員区分（②）

利用する施設の教育標準時間認定子どもに係る利用定員の総和に応じた区分を適用する。

3 認定区分（③）

利用子どもの認定区分に応じた区分を適用する。

4 年齢区分（④）

利用子どもの満年齢に応じた区分を適用する。

なお、年度の初日の前日における満年齢に基づき区分した場合に、年齢区分が異なる場合は、適用される年齢区分における基本分単価（⑤）、処遇改善等加算Ⅰ（⑥）及び3歳児配置改善加算（⑨）の単価について、それぞれの「月額調整」欄に定める額に置き替えて適用するものとする。

Ⅱ 基本部分

1 基本分単価（⑤）

(1) 額の算定

地域区分（①）、定員区分（②）、認定区分（③）、年齢区分（④）（以下「地域区分等」という。）に応じて定められた額とする。

(2) 基本分単価に含まれる職員構成

基本分単価（保育認定子どもに係る基本分単価を含む。）に含まれる職員構成は以下のとおりであることから、これを充足すること。

なお、分園は中心園の園長のもと中心園と一体的に施設運営が行われるものとすること。その際、以下の職員を充足すること。ただし、嘱託医（幼保連携型認定こども園にあっては学校医等）については、中心園に配置していることから不要である。また、調理員等については、中心園等から給食を搬入する場合は、配置不要であること。

(ア) 保育教諭等

基本分単価における必要保育教諭等の数（幼保連携型認定こども園の学級の編制、職員、設備及び運営に関する基準（平成26年内閣府・文部科学省・厚生労働省令第１号。以下「幼保連携型認定こども園設備運営基準」という。）第５条第３項の表備考第４号に規定する園長が専任でない場合に１名増加して配置する教員及び幼稚園設置基準（昭和31年文部省令第32号）第５条第３項に規定する教員を除く。）は以下のⅰとⅱを合計した数であること。

ⅰ　年齢別配置基準（※）

４歳以上児30人につき１人、３歳児及び満３歳児20人につき１人、１、２歳児（保育認定子どもに限る。）６人につき１人、乳児３人につき１人

（注１）「保育教諭等」とは、幼保連携型認定こども園にあっては、幼稚園教諭免許状を有し、かつ、保育士としての登録を受けた者（令和７年３月31日までの間に限り、幼稚園教諭免許状のみを有する者又は保育士としての登録のみを受けた者を含む。）をいい、その他の認定こども園にあっては、幼稚園教諭免許状を有する者又は保育士としての登録を受けた者をいうこと（なお、副園長及び教頭については、この限りでない。）。

（注２）ここでいう「４歳以上児」、「３歳児」、「１、２歳児（保育認定子どもに限る。）」及び「乳児」とは、年度の初日の前日における満年齢によるものであること。

また、「満３歳児」とは、以下の者をいうこと（当該年度内に限る。）。

・教育標準時間認定を受けた子どものうち、年度の初日の前日における満年齢が２歳で年度途中に満３歳に達して入園した者

・２歳児（保育認定子どもに限る。）が年度途中に満３歳に達した後、保育認定から教育標準時間認定に認定区分が変更となった者

（注３）確認に当たっては以下の算式によることとし、教育標準時間認定子ども及び保育認定子どもの人数の合計をもとに確認すること。

＜算式＞

｛４歳以上児数×１／30（小数点第１位まで計算（小数点第２位以下切り捨て））｝＋｛３歳児及び満３歳児数×１／20（同）｝＋｛１、２歳児数（保育認定を受けた子どもに限る。）×１／６（同）｝＋｛乳児数×１／３（同）｝

＝配置基準上保育教諭等数（小数点以下四捨五入）

（注４）基本分単価の費用の算定上、ⅰ年齢別配置基準の保育教諭等には主幹保育教諭等２人（教育標準時間認定子どもに係る分及び保育認定子どもに係る分でそれぞれ１人ずつ）を配置するための費用が含まれている。

主幹保育教諭等２人又は１人の配置がなされていない場合は、「主幹保育教諭等の専任化により子育て支援の取組みを実施していない場合」の減額調整を行う必要があること。

また、主幹保育教諭等が１人しか配置されていない場合は、教育標準時間認定又は保育認定のいずれか一方を減算調整すること。

別紙４（認定こども園（保育認定２・３号））における「教育標準時間認定子どもの利用定員を設定しない場合（⑰）」の調整を受ける施設の場合については、主幹保育教諭等及び代替保育教諭は保育認定に係るそれぞれ１人ずつの配置があれば足りること。

また、第４⑴に定める基本分単価において充足すべき職員と各加算に係る取扱いにおいては、主幹保育教諭等２人又は１人が配置されていない場合も、必要となる基本分単価において充足すべき年齢別配置基準職員数及び年齢別配置基準職員を補完する職員数を満たす場合は、基本分単価において充足すべき職員数を満たしていると取り扱って差し支えないこと。

ⅱ　その他（※）

ａ　保育認定子どもに係る利用定員が90人以下の施設については１人

ｂ　保育標準時間認定を受けた子どもが利

用する施設については１人(注１)

c　主幹保育教諭等（就学前の子どもに関する教育、保育等の総合的な提供の推進に関する法律第14条に規定する副園長、教頭及び主幹保育教諭・指導保育教諭（幼保連携型認定こども園以外の認定こども園においては、主幹教諭・指導教諭・主任保育士）をいう。以下同じ。）２人を専任化させるための代替保育教諭等を２人（うち１人は非常勤講師等でも可とする）(注２)

d　上記ｉ及びⅱのａ、ｂの保育教諭等１人当たり、研修代替保育教諭等として年間３日分の費用を算定（保育認定子どもの人数に係る保育教諭等に限る。）(注３)

（注１）保育認定子どもに係る利用定員に占める保育標準時間認定を受けた子どもの人数の割合が低い場合は非常勤の講師としても差し支えないこと。

（注２）当該代替保育教諭等の配置により、主幹保育教諭等を教育・保育計画の立案や地域の子育て支援活動等の業務に専任させ、保護者や地域住民からの教育・育児相談、地域の子育て支援活動等に積極的に取り組むこと。

（注３）当該費用については、非常勤講師等の人件費、保育教諭等が研修を受講する際の受講費用又は時間外における研修受講の際の時間外手当等に充当しても差し支えないこと。

（※）保育教諭等には幼保連携型認定こども園設備運営基準附則第６条及び第７条等に基づいて都道府県等が定める条例に基づき配置される職員を含む。

(イ)　その他

ⅰ　園長（施設長）

ⅱ　調理員等

保育認定子どもに係る利用定員40人以下の施設は１人、41人以上150人以下の施設は２人、151人以上の施設は３人（うち１人は非常勤）

ⅲ　事務職員及び非常勤事務職員

（注）施設長等の職員が兼務する場合又は業務委託する場合は、配置は不要であること。

（注）非常勤事務職員については、１人分の費用（教育標準時間認定子どもに係る利用定員が91人以上の施設に限る。）及び週２日分の費用を算定。

ⅳ　学校医・学校歯科医・学校薬剤師（嘱託医・嘱託歯科医・嘱託薬剤師）

Ⅲ　基本加算部分

１　処遇改善等加算Ⅰ（⑥）

(1)　加算の要件及び加算の認定

加算の要件及び加算の認定は別に定めるところによる。

(2)　加算額の算定

加算額は、地域区分等に応じた単価に、別に定めるところにより認定した加算率×100を乗じて得た額とする。

２　副園長・教頭配置加算（⑦）

(1)　加算の要件

園長（施設長）以外の教員として、次の要件を満たす副園長又は教頭を配置している施設（保育所型認定こども園及び地方裁量型認定こども園においては、次の要件に準じて副園長又は教頭を配置している施設）に加算する。配置人数にかかわらず同額とする。

ⅰ　就学前の子どもに関する教育、保育等の総合的な提供の推進に関する法律（平成18年法律第77号。以下「認定こども園法」という。）第14条又は学校教育法（昭和22年法律第26号）第27条に規定する副園長又は教頭の職務をつかさどっていること。学級担任など教育・保育への従事状況は問わない。

ⅱ　就学前の子どもに関する教育、保育等の総合的な提供の推進に関する法律施行規則（平成26年内閣府・文部科学省・厚生労働省令第２号。以下「認定こども園法施行規則」という。）第14条において準用する第13条又は学校教育法施行規則（昭和25年文部省令第11号）第23条において準用する第20条から第22条までに該当するものとして発令を受けていること。幼稚園教諭免許状を有さない場合も含む。

ⅲ　当該施設に常時勤務する者であること。

ⅳ　園長が専任でない施設において、幼保連携型認定こども園設備運営基準第５条第３項の表備考第４号に規定する園長が専任でない場合に１名増加して配置する教員又は幼稚園設置基準第５条第３項に規定する教員に該当しないこと。

⑵　加算の認定

(ア)　加算の認定は、施設が所在する市町村が行うこととし、新たに加算を認定するにあたっては、その施設の設置者からその旨の申請（施設名、加算の適用開始年月、副園長又は教頭となる者の氏名、年齢、給与等を記載した履歴書、保育教諭等の配置状況が記載された職員体制図等）を徴して⑴の要件への適合状況を確認すること。

(イ)　市町村は、加算の認定がされている施設について、申請又は指導監督等を通じてその状況を把握し、⑴の要件に適合しなくなった場合には、⑴の要件に適合しなくなった日の属する月の翌月（月の初日に⑴に適合しなくなった場合はその月）から加算の適用が無いものとすること。

⑶　加算額の算定

加算額は、地域区分等に応じた単価に、当該加算に係る処遇改善等加算Ⅰの単価に１の⑵で認定した加算率×100を乗じて得た額を加えた額とする。

3　学級編制調整加配加算（⑧）

⑴　加算の要件

全ての学級に専任の学級担任を配置できるよう、基本分単価（⑤）及び他の加算等の認定に当たって求められる「必要教員数」を超えて、保育教諭等を配置する教育標準時間認定子ども及び保育（２号）認定子どもに係る利用定員が36人以上300人以下の施設に加算する。

⑵　加算の認定

(ア)　加算の認定は、施設が所在する市町村が行うこととし、加算を認定するにあたっては、その施設の設置者からその旨の申請（施設名、加算の適用年月、利用子ども数（見込）及び保育教諭等の配置状況が記載された職員体制図等）を徴して確認すること。

(イ)　市町村は、加算の認定がされている施設について、申請又は指導監督等を通じてその状況を把握し、⑴の要件に適合しなくなった場合には、⑴の要件に適合しなくなった日の属する月の翌月（月の初日に⑴に適合しなくなった場合はその月）から加算の適用が無いものとすること。

⑶　加算額の算定

加算額は、地域区分等に応じた単価に、当該加算に係る処遇改善等加算Ⅰの単価に１の⑵で認定した加算率×100を乗じて得た額を加えた額とする。

4　３歳児配置改善加算（⑨）

⑴　加算の要件

Ⅱの１⑵(ア)ⅰの年齢別配置基準のうち、３歳児及び満３歳児に係る保育教諭等の配置基準を３歳児及び満３歳児15人につき１人により実施する施設に加算する。なお、３歳児の実人数が15人を下回る場合であっても、以下の算式による配置基準上保育教諭等数を満たす場合は、加算が適用される。

＜算式＞

｛４歳以上児数×１／30（小数点第１位まで計算（小数点第２位以下切り捨て)）｝＋｛３歳児及び満３歳児数×１／15（同)｝＋｛1、２歳児数（保育認定を受けた子どもに限る。）×１／６（同)｝＋｛乳児数×１／３（同)｝＝配置基準上保育教諭等数（小数点以下四捨五入）

⑵　加算の認定

(ア)　加算の認定は、施設が所在する市町村が行うこととし、加算を認定するにあたっては、その施設の設置者からその旨の申請（施設名、加算の適用開始年月、利用子ども数（見込)、施設全体の常勤換算人数による配置保育教諭等の数及び職員体制図等）を徴して確認すること。

(イ)　市町村は、加算の認定がされている施設について、申請又は指導監督等を通じてその状況を把握し、⑴の要件に適合しなくなった場合には、⑴の要件に適合しなくなった日の属する月の翌月（月の初日に⑴に適合しなくなった場合はその月）から加算の適用が無いものとすること。

⑶　加算額の算定

加算額は、地域区分等に応じた単価に、当該加算に係る処遇改善等加算Ⅰの単価に１の⑵で認定した加算率×100を乗じて得た額を加えた額とする。

5　４歳以上児配置改善加算（⑩）

⑴　加算の要件

Ⅱの１⑵(ア)ⅰの年齢別配置基準のうち、４歳以上児に係る保育教諭等の配置基準を４歳以上児25人につき１人により実施する施設（チーム保育加配加算を算定している施設は除く。）に加算する。なお、４歳以上児の実人数が25人を下回る場合であっても、以下の算式による配置基準上保育教諭等数を満たす場合は、加算が適用される。

＜算式＞

{4歳以上児数×1／25（小数点第1位まで計算（小数点第2位以下切り捨て））} ＋ {3歳児及び満3歳児数×1／20（同）} ＋ {1、2歳児数（保育認定を受けた子どもに限る。）×1／6（同）} ＋ {乳児数×1／3（同）} ＝配置基準上保育教諭等数（小数点以下四捨五入）

(2) 加算の認定

(ア) 加算の認定は、施設が所在する市町村が行うこととし、加算を認定するにあたっては、その施設の設置者からその旨の申請（施設名、加算の適用開始年月、利用子ども数（見込）、施設全体の常勤換算人数による配置保育教諭等の数及び職員体制図等）を徴して確認すること。

(イ) 市町村は、加算の認定がされている施設について、申請又は指導監督等を通じてその状況を把握し、(1)の要件に適合しなくなった場合には、(1)の要件に適合しなくなった日の属する月の翌月（月の初日に(1)に適合しなくなった場合はその月）から加算の適用が無いものとすること。

(3) 加算額の算定

加算額は、地域区分等に応じた単価に、当該加算に係る処遇改善等加算Ⅰの単価に1の(2)で認定した加算率×100を乗じて得た額を加えた額とする。（年度の初日の前日における年齢が満3歳の子どもを除く）。

6 満3歳児対応加配加算（⑪又は⑪'）

(1) 加算の要件

(ア) 3歳児配置改善加算の適用がない場合【⑪】

Ⅱの1(2)(ア)ⅰの年齢別配置基準のうち、満3歳児に係る保育教諭等の配置基準を満3歳児6人につき1人（満3歳児を除いた3歳児は20人につき1人）により実施する施設に加算する。なお、満3歳児の実人数が6人を下回る場合であっても、以下の算式による配置基準上保育教諭等数を満たす場合は、加算が適用される。

＜算式＞

{4歳以上児数×1／30（小数点第1位まで計算（小数点第2位以下切り捨て））} ＋ {3歳児数（満3歳児を除く）×1／20（同）} ＋ {満3歳児×1／6（同）} ＝配置基準上保育教諭等数（小数点以下四捨五入）

(イ) 3歳児配置改善加算の適用がある場合【⑪'】

Ⅱの1(2)(ア)ⅰの年齢別配置基準のうち、満3歳児に係る保育教諭等の配置基準を満3歳児6人につき1人（満3歳児を除いた3歳児は15人につき1人）により実施する施設に加算する。なお、満3歳児の実人数が6人を下回る場合であっても、以下の算式による配置基準上保育教諭等数を満たす場合は、加算が適用される。

＜算式＞

{4歳以上児数×1／30（小数点第1位まで計算（小数点第2位以下切り捨て））} ＋ {3歳児数（満3歳児を除く）×1／15（同）} ＋ {満3歳児×1／6（同）} ＝配置基準上保育教諭等数（小数点以下四捨五入）

(2) 加算の認定

(ア) 加算の認定は、施設が所在する市町村が行うこととし、加算を認定するにあたっては、その施設の設置者からその旨の申請（施設名、加算の適用開始年月、利用子ども数（見込）、施設全体の常勤換算人数による配置保育教諭等の数及び職員体制図等）を徴して確認すること。

(イ) 市町村は、加算の認定がされている施設について、申請又は指導監督等を通じてその状況を把握し、(1)の要件に適合しなくなった場合には、(1)の要件に適合しなくなった日の属する月の翌月（月の初日に(1)に適合しなくなった場合はその月）から加算の適用が無いものとすること。

(3) 加算額の算定

加算額は、利用する満3歳児に係る地域区分等に応じた単価に、当該加算に係る処遇改善等加算Ⅰの単価に1の(2)で認定した加算率×100を乗じて得た額を加えた額とする。

7 講師配置加算（⑫）

(1) 加算の要件

基本分単価（⑤）及び他の加算等の認定に当たって求められる「必要教員数」を超えて、非常勤講師（幼稚園教諭免許状を有し、教諭等の発令を受けている者）を配置する教育標準時間認定子どもに係る利用定員が35人以下又は121人以上の施設に加算する。

(2) 加算の認定

(ア)　加算の認定は、施設が所在する市町村が行うこととし、加算を認定するにあたっては、その施設の設置者からその旨の申請（施設名、加算の適用年月、利用子ども数（見込)、施設全体の常勤換算人数による配置教員数及び職員体制図等）を徴して確認すること。

(イ)　市町村は、加算の認定がされている施設について、申請又は指導監督等を通じてその状況を把握し、(1)の要件に適合しなくなった場合には、(1)の要件に適合しなくなった日の属する月の翌月（月の初日に(1)に適合しなくなった場合はその月）から加算の適用が無いものとすること。

(3)　加算額の算定

加算額は、地域区分等に応じた単価に、当該加算に係る処遇改善等加算Ⅰの単価に１の(2)で認定した加算率×100を乗じて得た額を加えた額とする。

8　チーム保育加配加算（⑬）

(1)　加算の要件

基本分単価（⑤）及び他の加算等の認定に当たって求められる「必要保育教諭等の数」を超えて、保育教諭等（幼稚園教諭の免許状を有するが教諭等の発令を受けていない教育補助者を含む。）を配置する施設において、副担任等の学級担任以外の保育教諭等を配置する、少人数の学級編制を行うなど、３歳以上子ども（認定こども園全体の教育標準時間認定子ども及び保育認定子ども（４歳以上児及び３歳児に限る。）をいう。以下同じ。）に対し、低年齢児を中心として小集団化したグループ教育を実施する場合に加算する。

なお、本加算の算定上の「加配人数」は、３歳以上子どもに係る利用定員の区分ごとの上限人数[注１]の範囲内で、「必要保育教諭等の数」を超えて配置する保育教諭等の数[注２]とする。

（注１）３歳以上子どもに係る利用定員の区分ごとの上限人数

45人以下：１人、46人以上150人以下：２人、151人以上240人以下：３人、241人以上270人以下：3.5人、271人以上300人以下：５人、301人以上450人以下：６人、451人以上：８人

（注２）「必要保育教諭等の数」を超えて配置する保育教諭等の数に応じ、以下のとおり取り扱うこととする。

①　常勤換算人数（小数点第２位以下切り捨て、小数点第１位四捨五入前）による配置保育教諭等の数から「必要保育教諭等の数」を減じて得た員数が３人未満の場合

小数点第１位を四捨五入した員数とする。

（例）2.3人の場合、２人

②　常勤換算人数（小数点第２位以下切り捨て、小数点第１位四捨五入前）による配置保育教諭等の数から「必要保育教諭等の数」を減じて得た員数が３人以上の場合

小数点第１位が１又は２のときは小数点第１位を切り捨て、小数点第１位が３又は４のときは小数点第１位を0.5とし、小数点第１位が５以上のときは小数点第１位を切り上げて得た員数とする。

（例）3.2人の場合→３人、3.4人の場合→3.5人、3.6人の場合→４人

(2)　加算の認定

(ア)　加算の認定は、施設が所在する市町村が行うこととし、加算を認定するにあたっては、その施設の設置者からその旨の申請（施設名、加算の適用開始年月、利用子ども数（見込)、施設全体の常勤換算人数による配置保育教諭等の数及び職員体制図等）を徴して確認すること。

(イ)　市町村は、加算の認定がされている施設について、申請又は指導監督等を通じてその状況を把握し、(1)の要件に適合しなくなった場合には、(1)の要件に適合しなくなった日の属する月の翌月（月の初日に(1)に適合しなくなった場合はその月）から加算の適用が無いものとすること。

(3)　加算額の算定

加算額は、地域区分及び３歳以上子どもの利用定員の区分に応じた単価に、当該加算に係る処遇改善等加算Ⅰの単価に１の(2)で認定した加算率×100を乗じて得た額を加えた額を基本額とし、当該基本額に加配人数を乗じて得た額とする。

9　通園送迎加算（⑭）

(1)　加算の要件

利用子どもの通園の便宜のため送迎を行う施設に加算する。

なお、年間に必要な経費を平準化して単価を

設定しているため、通園送迎を利用していない園児についても同額を加算し、また、長期休業期間の単価にも加算するものとする。

（注）送迎の実施方法（運転手を雇用して実施又は業務委託して実施等）は問わない。

(2) 加算の認定

(ア) 加算の認定は、施設が所在する市町村が行うこととし、加算を認定するにあたっては、その施設の設置者からその旨の申請（施設名、加算の適用開始年月、利用子ども数（見込）及び通園送迎の実施状況等が分かる資料等）を徴して確認すること。

(イ) 市町村は、加算の認定がされている施設について、申請又は指導監督等を通じてその状況を把握し、(1)の要件に適合しなくなった場合には、(1)の要件に適合しなくなった日の属する月の翌月（月の初日に(1)に適合しなくなった場合はその月）から加算の適用が無いものとすること。

(3) 加算額の算定

加算額は、地域区分等に応じた単価に、当該加算に係る処遇改善等加算Ⅰの単価に１の(2)で認定した加算率×100を乗じて得た額を加えた額とする。

10 給食実施加算（⑮）

(1) 加算の要件

給食を実施している施設に加算する。

本加算の算定上の「週当たり実施日数」は、修業期間中の平均的な月当たり実施日数を４（週）で除して算出（小数点第１位を四捨五入）することとし、子ども全員に給食を提供できる体制をとっている日を実施日とみなすものとする（保護者が弁当持参を希望するなどにより給食を利用しない子どもがいる場合も実施日に含む）。

なお、年間に必要な経費を平準化して単価を設定しているため、長期休業期間の単価にも加算するものとする。

（注）給食の実施方法（業務委託、外部搬入等）は問わない。

(2) 加算の認定

(ア) 加算の認定は、施設が所在する市町村が行うこととし、加算を認定するにあたっては、その施設の設置者からその旨の申請（施設名、加算の適用開始年月、利用子ども数（見込）及び給食の実施状況・実施形態の別等が分かる資料等）を徴して確認すること。

(イ) 市町村は、加算の認定がされている施設について、申請又は指導監督等を通じてその状況を把握し、(1)の要件に適合しなくなった場合には、(1)の要件に適合しなくなった日の属する月の翌月（月の初日に(1)に適合しなくなった場合はその月）から加算の適用が無いものとすること。

(3) 加算額の算定

加算額は、定員区分及び以下の給食の実施形態の別に応じて定められた単価に、当該加算に係る処遇改善等加算Ⅰの単価に１の(2)で認定した加算率×100を乗じて得た額を加えた額とする。

(ア) 施設内の調理設備を使用してきめ細かに調理を行っている場合（注１）

(イ) 施設外で調理して施設に搬入する方法により給食を実施している場合（注２）

（注１） 施設の職員が調理を行っている場合のほか、安全・衛生面、栄養面、食育等の観点から施設の管理者が業務上必要な注意を果たし得るような体制及び契約内容により、調理業務を第三者に委託する場合を含む。

（注２） 搬入後に施設内において喫食温度まで加温し提供する場合を含む。

11 外部監査費加算（⑯）

(1) 加算の要件

認定こども園を設置する学校法人等が、当年度の認定こども園の運営に係る会計について、公認会計士又は監査法人による監査（以下「外部監査」という。）を受ける場合に加算する。

外部監査の内容等については、幼稚園に係る私立学校振興助成法（昭和50年法律第61号）第14条第３項の規定に基づく公認会計士又は監査法人の監査及びこれに準ずる公認会計士又は監査法人の監査と同等のものとする。

(2) 加算の認定

(ア) 加算の認定は、施設が所在する市町村が行うこととし、加算を認定するにあたっては、その施設の設置者からその旨の申請（施設名、加算の適用開始年度、利用子ども数（見込）及び外部監査の実施状況等が分かる資料等）を徴して確認すること。

(イ) 当年度の３月時点で外部監査を実施することが確認できれば、当年度の３月分の単価に加算する（監査報告書の作成等の時期が翌年度になる場合でも、監査実施契約が締結されているなど、確実に外部監査が実施されることが確認できれば、当年度の３月分の単価に加算する)。

なお、監査報告書については、作成次第速やかに、監査実施者から施設が所在する市町村あて提出すること。

⑶　加算額の算定

加算額は、認定こども園全体の利用定員に応じて定められた額とし、３月初日に利用する子どもの単価に加算する。

12　副食費徴収免除加算（⑰）

⑴　加算の要件

利用子どもの全てに副食の全てを提供する日（以下「給食実施日」という。）[注1]があり、かつ、利用子どもである副食費徴収免除対象子ども[注2]に副食の全てを提供する日がある施設に加算する。

（注１）副食の提供状況については保護者への意向聴取等により施設が把握している各月初日における副食の提供予定による。また、施設の都合によらずに副食の一部又は全部の提供を要しない利用子どもについては副食の全てを提供しているものと見なすものとする。

（注２）以下のいずれかに該当する子どもとして、副食費の徴収が免除されることについて市町村から通知がされた子どもとする。

①　特定教育・保育施設及び特定地域型保育事業並びに特定子ども・子育て支援施設等の運営に関する基準（平成26年内閣府令第39号。以下「特定教育・保育施設等運営基準」という。）第13条第４項第３号イの⑴又は⑵に規定する年収360万円未満相当世帯に属する教育標準時間認定子ども

②　特定教育・保育施設等運営基準第13条第４項第３号ロの⑴又は⑵に規定する第３子以降の教育標準時間認定子ども

③　保護者及び当該保護者と同一の世帯に属する者が子ども・子育て支援法施行令（平成26年政令第213号）第15条の３第２項各号に規定する市町村民税を課されない者に準ずる者である教育標準時間認定子ども

⑵　加算の認定

(ア)　加算の認定は、施設が所在する市町村長が月毎に行うこととし、加算の認定をするにあたっては、その施設の設置者からその旨の申請（施設名、加算の適用年月、副食の提供予定等）を徴して確認すること。

(イ)　市町村長は、加算の認定がされている施設について、指導監督等を通じて副食の提供状況を把握し、申請内容と実績に乖離がある場合には、施設の設置者から理由を徴すること。

⑶　加算額の算定

加算額は、定められた額に、各月の給食実施日数[注]を乗じて得た額とし、副食費徴収免除対象子どもについて加算する（算定して得た額に10円未満の端数がある場合は切り捨てる。）。

（注）20を超える場合には20とする。

Ⅳ　加減調整部分

1　主幹保育教諭等の専任化により子育て支援の取組みを実施していない場合（⑱）

⑴　調整の適用を受ける施設の要件

以下の要件を満たさない施設に適用する。

（要件）

Ⅱの１⑵(ア)ⅰ（注４）の主幹保育教諭等１人を配置し、その主幹保育教諭等を教育・保育計画の立案や地域の子育て支援活動等の業務に専任させるためのⅡの１⑵(ア)ⅱｃの代替保育教諭等を配置し、以下の事業等を複数実施すること。

また、保護者や地域住民からの教育・育児相談、地域の子育て支援活動等に積極的に取り組むこと。

認定こども園の基本分単価は、主幹保育教諭等がクラス担当等から離れて、指導計画の立案や子育て活動等に専任できるよう、代替保育教諭等の配置のための費用を算定していることから、主幹保育教諭等がクラス担当や学級担任を兼務することは適切ではなく、代理で行う場合であっても、１月を超えて兼務が継続している場合は減算調整を行うこと。

ⅰ　幼稚園型一時預かり事業（子ども・子育て支援交付金の交付に係る要件に適合しており、かつ、月の平均対象子どもが１人以上いるもの（年度当初から事業を開始する場合は５月において当該要件を満たしていることをもって４月から当該要件を満たしているものと取り扱う。）。私学助成の預かり保育推進事業、幼稚園長時間預かり保育支援事業、市町村の単独事業・自主事業（私学助成の国庫補助事業の対象に準ずる

形態で実施されている場合に限る。）等により行う預かり保育を含む。ただし、当該要件を満たした月以降の各月においては、同一年度に限り、事業を実施する体制が取られていることをもって当該要件を満たしているものと取り扱う。）

ii　一般型一時預かり事業（子ども・子育て支援交付金の交付に係る要件に適合しており、かつ、月の平均対象子どもが1人以上いるもの（年度当初から事業を開始する場合は5月において当該要件を満たしていることをもって4月から当該要件を満たしているものと取り扱う。）。私学助成の子育て支援活動の推進等により行う未就園児の保育、幼稚園型一時預かり事業により行う非在園児の預かり及びこれらと同等の要件を満たして実施しているもの。ただし、当該要件を満たした月以降の各月においては、同一年度に限り、事業を実施する体制が取られていることをもって当該要件を満たしているものと取り扱う。）

iii　満3歳児に対する教育・保育の提供（月の初日において満3歳児が1人以上利用している月から年度を通じて当該要件を満たしているものとする。）

iv　障害児（軽度障害児を含む。）(注)に対する教育・保育の提供（月の初日において障害児が1人以上利用している月から年度を通じて当該要件を満たしているものとする。）

（注）市町村が認める障害児とし、身体障害者手帳等の交付の有無は問わない。医師による診断書や巡回支援専門員等障害に関する専門的知見を有する者による意見提出など障害の事実が把握可能な資料をもって確認しても差し支えない。

v　継続的な小学校との連携・接続に係る取組で以下の全ての要件を満たすもの（年度当初から当該取組を開始する場合は5月において計画により下記の要件を満たしていることをもって4月から年度を通じて当該要件を満たしているものと取り扱う。）

(ア)　小学校との連携・接続に関する業務分掌を明確にしていること。

(イ)　授業・行事、研究会・研修等の小学校との子ども及び教職員の交流活動を年度を通じて複数回実施していること。

(ウ)　小学校と協働して、5歳児から小学校1年生の2年間（2年以上を含む。）のカリキュラムを編成・実施していること（小学校との継続的な協議会の開催等により具体的な編成に着手していると認められる場合を含む。）。

vi　都道府県及び市町村等の教育委員会又は幼児教育センターなど幼児教育施設に対して幼児教育の内容・指導方法等の指導助言等を行う部局、あるいは幼児教育アドバイザーなど地方自治体に所属して幼児教育の専門的な知見や豊富な実践経験に基づき幼児教育に関する指導助言等を行う者と連携して、園内研修を企画・実施していること。

(2)　調整の適用を受ける施設の認定

(ア)　調整の適用を受ける施設の認定は、施設が所在する市町村が、Ⅱの1(2)で定める職員の充足状況の確認と併せて、施設の設置者から(1)の要件を満たしている旨の申請（施設名、調整の適用年月、主幹保育教諭等1人の配置、教育・育児相談・地域の子育て支援活動等の内容、(1) i から v の事業等の実施状況等）を徴し、要件への適合状況を確認すること。

(イ)　市町村は、調整の適用を受ける施設について、申請等を通じてその状況を把握し、(1)の要件に適合しなくなった場合には、(1)の要件に適合しなくなった日の属する月の翌月（月の初日に(1)に適合しなくなった場合はその月）から調整の適用が無いものとすること。

(3)　調整額の算定

調整額は、地域区分等に応じた単価に、当該調整額に係る処遇改善等加算Ⅰの単価にⅢの1(2)で認定した加算率×100を乗じて得た額を加えた額とする。

2　年齢別配置基準を下回る場合（⑲）

(1)　調整の適用を受ける施設の要件

施設に配置する保育教諭等の数が、Ⅱの1(2)(ア) i 及び ii で定める保育教諭等の数（ii の c を除き、学級編制調整加配加算が適用される場合は、当該加算に係る保育教諭等1人を含む。）を下回る場合に調整する。

本調整の算定上の「人数」は、認定こども園全体の必要保育教諭等の数から実際に配置する保育教諭等の数を減じて得た数を2で除して得た数とする。

⑵　調整の適用を受ける施設の認定

㈠　調整の適用を受ける施設の認定は、施設が所在する市町村が、Ⅱの1⑵で定める職員の充足状況の確認と併せて本調整の適用の有無を確認の上行うこと。

㈡　市町村は、調整の適用を受ける施設について、申請等を通じてその状況を把握し、⑴の要件に適合しなくなった場合には、⑴の要件に適合しなくなった日の属する月の翌月（月の初日に⑴に適合しなくなった場合はその月）から調整の適用が無いものとすること。

⑶　調整額の算定

不足する保育教諭等の1人当たりの額は、地域区分等に応じた単価に、当該額に係る処遇改善等加算Ⅰの単価にⅢの1⑵で認定した加算率×100を乗じて得た額を加えた額とし、当該額に不足する「人数」を乗じて得た額を調整額とする。

3　配置基準上求められる職員資格を有しない場合（⑳）

⑴　調整の適用を受ける施設の要件

Ⅱの1⑵㈠で定める保育教諭等の数に含まれる教育・保育従事者のうち、幼稚園教諭免許又は保育士資格のいずれも有しない者がいる場合に調整する。

本調整の算定上の「人数」は、上記の必要資格を有しない者の数を2で除して得た数とする。

⑵　調整の適用を受ける施設の認定

㈠　調整の適用を受ける施設の認定は、施設が所在する市町村が、Ⅱの1⑵で定める職員の充足状況の確認と併せて本調整の適用の有無を確認の上行うこと。

㈡　市町村は、調整の適用を受ける施設について、申請等を通じてその状況を把握し、⑴の要件に適合しなくなった場合には、⑴の要件に適合しなくなった日の属する月の翌月（月の初日に⑴に適合しなくなった場合はその月）から調整の適用が無いものとすること。

⑶　調整額の算定

必要資格を有しない教育・保育従事者の1人当たりの額は、地域区分等に応じた単価に、当該額に係る処遇改善等加算Ⅰの単価にⅢの1⑵で認定した加算率×100を乗じて得た額を加えた額とし、当該額に必要資格を有しない教育・保育従事者の「人数」を乗じて得た額を調整額とする。

Ⅴ　乗除調整部分

1　定員を恒常的に超過する場合（㉑）

⑴　調整の適用を受ける施設の要件

直前の連続する2年度間常に利用定員を超えており(注1)、かつ、各年度の年間平均在所率(注2)が120％以上の状態にある施設に適用する。

なお、教育・保育の提供は利用定員の範囲内で行われることが原則であること。

また、上記の状態にある施設に対しては、利用定員の見直しに向けた指導を行うこと。

（注1）利用定員を超えて受け入れる場合の留意事項

利用定員を超えて受け入れる場合であっても、施設の設備又は職員数が、利用定員を超えて利用する子どもを含めた利用子ども数に照らし、幼保連携型認定こども園設備運営基準又は就学前の子どもに関する教育、保育等の総合的な提供の推進に関する法律第3条第2項及び第4項の規定に基づき内閣総理大臣、文部科学大臣及び厚生労働大臣が定める施設の設備及び運営に関する基準（平成26年内閣府・文部科学省・厚生労働省告示第2号）及び本通知等に定める基準を満たしていること。

（注2）年間平均在所率

当該年度内における各月の初日の教育標準時間認定を受けた利用子ども数の総和を各月の初日の教育標準時間認定に係る利用定員の総和で除したものをいう。

⑵　調整の適用を受ける施設の認定

㈠　調整の適用を受ける施設の認定は、施設が所在する市町村が施設の利用状況を確認のうえ行うこととする。

㈡　ただし、子ども・子育て支援法（平成24年8月22日法律第65号。以下「支援法」という。）による確認を受ける前から既に認可定員（認定こども園を構成する幼稚園の収容定員を前提として定められた現行の認定こども園法第4条第1項第3号の利用定員又は満3歳以上の子どもに係る同項第4号の利用定員をいう。）を超過していた認定こども園については、現行の都道府県の私学助成における補助金の交付額の減額の仕組み等による対応との整合性等を踏まえ、都道府県の判断により、支援法の施行当初又は確認を受けた時から減算を適用することも可能とする。この場合の考え方及び手続は、平成26年10月17日付け事務連絡「認可定員を超過して園児を受け入れている私立幼稚園に係る子ども・子育て支援法に基づく確認等に関する留意事項について」によるものとする。

(ウ) 市町村は、調整の適用を受ける施設について、指導監督等を通じて利用定員の見直しが行われた場合又は地域における需要の動向等を踏まえて当該年度における年間平均在所率が120％以上の状態にならないものと認められる場合には、見直し等が行われた日の属する月の翌月（月の初日に(1)に適合しなくなった場合はその月）から調整の適用が無いものとすること。

(3) 適用される基本部分及び加減調整部分の額の調整の方法

本調整措置が適用される施設における基本分単価（⑤）から配置基準上求められる職員資格を有しない場合（⑳）（副食費徴収免除加算（⑰）を除く。）の額については、それぞれの額の総和に各月初日の利用子ども数の区分及び地域区分等に応じた調整率を乗じて得た額とする（算定して得た額に10円未満の端数がある場合は切り捨てる。）。

Ⅵ 特定加算部分

1 療育支援加算（㉒）

(1) 加算の要件

障害児[注1]を受け入れている[注2]施設[注3]において、主幹保育教諭等を補助する者[注4]を配置し、地域住民等の子どもの療育支援に取り組む場合に加算する。

なお、主幹保育教諭等の専任化により子育て支援の取組みを実施していない場合（⑱）の調整が適用されている施設については、当該加算の対象とはならないこと。

また、当該加算が適用される施設においては、障害児施策との連携を図りつつ、障害児教育・保育に関する専門性を活かして、地域住民や保護者からの育児相談等の療育支援に積極的に取り組むこと[注5]。

（注1）市町村が認める障害児とし、身体障害者手帳等の交付の有無は問わない。医師による診断書や巡回支援専門員等障害に関する専門的知見を有する者による意見提出など障害の事実が把握可能な資料をもって確認しても差し支えない。

（注2）「障害児を受け入れている」とは、月の初日において障害児が1人以上利用していることをもって満たしているものとし、以降年度を通じて当該要件を満たしているものとすること。

（注3）本加算の適用の有無は認定こども園全体（教育標準時間認定及び保育認定）を通じて行われるものであること。

（注4）非常勤職員であって、資格の有無は問わない。

（注5）取組の例示

- 施設を利用する気になる段階の子どもを含む障害児について、障害児施策との連携により、早期の段階から専門的な支援へと結びつける。
- 地域住民からの教育・育児相談等へ対応し、専門的な支援へと結びつける。
- 補助者の活用により障害児施策との連携を図る。
- 保育所等訪問支援事業における個別支援計画の策定に当たっての連携役
- 障害児施策との連携により、施設における障害児教育・保育の専門性を強化し、障害児に対する支援を充実する。

(2) 加算の認定

(ア) 加算の認定は、施設が所在する市町村が行うこととし、加算の認定をするにあたっては、その施設の設置者からその旨の申請（施設名、加算の適用年月、対象子ども等）を徴して確認すること。

(イ) 市町村は、加算の認定がされている施設について、申請又は指導監督等を通じてその状況を把握し、(1)の要件に適合しなくなった場合には、(1)の要件に適合しなくなった日の属する月の翌月（月の初日に(1)に適合しなくなった場合はその月）から加算の適用が無いものとすること。

(3) 加算額の算定

加算額は、特別児童扶養手当支給対象児童[注]受入施設又はそれ以外の障害児受入施設の別に定められた基本額に、当該加算に係る処遇改善等加算Ⅰの単価にⅢの1(2)で認定した加算率×100を乗じて得た額を加えた額を、各月初日の教育標準時間認定を受けた利用子ども数で除して得た額とする。（算定して得た額に10円未満の端数がある場合は切り捨てる。）

(注) 特別児童扶養手当の支給要件に該当するが、所得制限により当該手当の支給がされていない児童を含む。

2　事務職員配置加算（㉓）

⑴　加算の要件

基本分単価（⑤）において求められる事務職員及び非常勤事務職員[注]を超えて、非常勤事務職員を配置する認定こども園全体の利用定員が91人以上の施設に加算する。

(注) 園長等の職員が兼務する場合又は業務委託をする場合は、配置は不要であること。

⑵　加算の認定

(ア)　加算の認定は、施設が所在する市町村が行うこととし、加算の認定をするにあたっては、その施設の設置者からその旨の申請（施設名、加算の適用年月、利用子ども数（見込）、職員の配置状況が記載された職員体制図等）を徴して確認すること。

(イ)　市町村は、加算の認定がされている施設について、申請又は指導監督等を通じてその状況を把握し、⑴の要件に適合しなくなった場合には、⑴の要件に適合しなくなった日の属する月の翌月（月の初日に⑴に適合しなくなった場合はその月）から加算の適用が無いものとすること。

⑶　加算額の算定

加算額は、区分ごとの基本額に、当該加算に係る処遇改善等加算Ⅰの単価にⅢの1⑵で認定した加算率×100を乗じて得た額を加えた額を、各月初日の教育標準時間認定を受けた利用子ども数で除して得た額とする。（算定して得た額に10円未満の端数がある場合は切り捨てる。）

3　指導充実加配加算（㉔）

⑴　加算の要件

基本分単価（⑤）及び他の加算等の認定に当たって求められる必要保育教諭等の数を超えて、非常勤講師を配置する教育標準時間認定子ども及び保育認定（2号）子どもに係る利用定員が271人以上の施設に加算する。

⑵　加算の認定

(ア)　加算の認定は、施設が所在する市町村が行うこととし、加算を認定するにあたっては、その施設の設置者からその旨の申請（施設名、加算の適用年月、非常勤講師の配置が分かる資料等）を徴して確認すること。

(イ)　市町村は、加算の認定がされている施設について、申請又は指導監査等を通じてその状況を把握し、⑴の要件に適合しなくなった場合には、⑴の要件に適合しなくなった日の属する月の翌月（月の初日に⑴に適合しなくなった場合はその月）から加算の適用が無いものとすること。

⑶　加算の算定

加算額は、基本額に、当該加算に係る処遇改善等加算Ⅰの単価にⅢの1⑵で認定した加算率×100を乗じて得た額を、各月初日の教育標準時間認定を受けた利用子ども数で除して得た額とする。（算定して得た額に10円未満の端数がある場合は切り捨てる。）

4　事務負担対応加配加算（㉕）

⑴　加算の要件

基本分単価（⑤）において求められる事務職員及び非常勤事務職員[注]並びに事務職員配置加算（㉓）において求められる非常勤事務職員を超えて、非常勤事務職員を配置する認定こども園全体の利用定員が271人以上の施設に加算する。

(注) 園長等の職員が兼務する場合又は業務委託をする場合は、配置は不要であること。

⑵　加算の認定

(ア)　加算の認定は、施設が所在する市町村が行うこととし、加算を認定するにあたっては、その施設の設置者からその旨の申請（施設名、加算の適用年月、非常勤事務職員の配置が分かる資料等）を徴して確認すること。

(イ)　市町村は、加算の認定がされている施設について、申請又は指導監査等を通じてその状況を把握し、⑴の要件に適合しなくなった場合には、⑴の要件に適合しなくなった日の属する月の翌月（月の初日に⑴に適合しなくなった場合はその月）から加算の適用が無いものとすること。

⑶　加算の算定

加算額は、基本額に、当該加算に係る処遇改善等加算Ⅰの単価にⅢの1⑵で認定した加算率×100を乗じて得た額を、各月初日の教育標準時間認定を受けた利用子ども数で除して得た額とする。（算定して得た額に10円未満の端数がある場合は切り捨てる。）

5　処遇改善等加算Ⅱ（㉖）

⑴　加算の要件及び加算の認定

加算の要件及び加算の認定は別に定めるところによる。

(2) 加算額の算定

加算額は、処遇改善等加算Ⅱ―①及びⅡ―②の別に定められる額にそれぞれ対象人数を乗じて得た額の合計を、各月初日の教育標準時間認定を受けた利用子ども数で除して得た額とする（算定して得た額に10円未満の端数がある場合は切り捨てる。）。

6 処遇改善等加算Ⅲ（㉗）

(1) 加算の要件及び加算の認定

加算の要件及び加算の認定は別に定めるところによる。

(2) 加算額の算定

加算額は、別に定める額に対象人数を乗じて得た額を、各月初日の教育標準時間認定を受けた利用子ども数で除して得た額とする（算定して得た額に10円未満の端数がある場合は切り捨てる。）。

7 冷暖房費加算（㉘）

(1) 加算の要件

全ての施設に加算する。

(2) 加算額の算定

加算額は、以下の地域の区分に応じて定める額とする。

1級地	国家公務員の寒冷地手当に関する法律（昭和24年法律第200号）別表に規定する1級地をいう。
2級地	国家公務員の寒冷地手当に関する法律別表に規定する2級地をいう。
3級地	国家公務員の寒冷地手当に関する法律別表に規定する3級地をいう。
4級地	国家公務員の寒冷地手当に関する法律別表に規定する4級地をいう。
その他地域	上記以外の地域をいう。

8 施設関係者評価加算（㉙）

(1) 加算の要件

認定こども園法施行規則第23条又は学校教育法施行規則第39条において準用する第66条の規定による評価（以下「自己評価」という。）を実施するとともに、認定こども園法施行規則第24条又は学校教育法施行規則第39条において準用する第67条の規定に準じて、保護者その他の施設の関係者（施設職員を除く。）による評価（以下「施設関係者評価」という。）を実施し、その結果をホームページ・広報誌への掲載、保護者への説明等により広く公表する場合に加算する。

施設関係者評価の内容等については、「幼稚園における学校評価ガイドライン」（これに準じて自治体が作成したものを含む。）に準拠し、自己評価の結果に基づき実施するとともに、授業・行事等の活動の公開、園長等との意見交換の確保などに配慮して実施するものとする。

（注）本加算の適用の有無は認定こども園全体（教育標準時間認定及び保育認定）を通じて行われるものであること。

(2) 加算の認定

加算の認定は、施設が所在する市町村が行うこととし、加算を認定するにあたっては、その施設の設置者からその旨の申請（施設名、加算の適用開始年度、自己評価の実施状況、施設関係者評価の実施状況、公開保育の実施状況が分かる資料等）を毎年12月末までに提出させ、必要な審査を行うこと。

（注）評価者の委嘱や会議の開催予定等により、当年度に評価や結果の公表（評価報告書の作成が翌年度以降となるため、結果の公表が翌年度になる場合を含む。）が行われることが確認できる場合は本加算の対象とする。その場合、市町村は評価や結果の公表が確実に行われていることを事後に確認すること。

(3) 加算額の算定

加算額は、公開保育の取組と組み合わせて施設関係者評価を実施する施設（注）とそれ以外の施設の別に応じて定められた額を、3月初日の教育標準時間認定を受けた利用子ども数で除して得た額（算定して得た額に10円未満の端数がある場合は切り捨てる。）とし、3月初日に利用する子どもの単価に加算する。

（注）幼児期の教育・保育に専門的知見を有する外部有識者の協力を得て、他の幼稚園・認定こども園・保育所の職員や地域の幼児教育関係者、小学校等の他校種の教員等を招いて行われる公開保育を実施するとともに、当該公開保育に施設関係者評価の評価者の全部又は一部を参加させ、その結果を踏まえて施設関係者評価を行う施設をいう。

9 除雪費加算（㉚）

(1) 加算の要件

豪雪地帯対策特別措置法（昭和37年法律第73

号）第２条第２項に規定する地域に所在する施設に加算する。

⑵　加算額の算定

加算額は、定められた額とし、３月初日に利用する子どもの単価に加算する。

10　降灰除去費加算（㉛）

⑴　加算の要件

活動火山対策特別措置法（昭和48年法律第61号）第23条第１項に規定する降灰防除地域に所在する施設に加算する。

⑵　加算額の算定

加算額は、定められた額を、３月初日の教育標準時間認定を受けた利用子ども数で除して得た額（算定して得た額に10円未満の端数がある場合は切り捨てる。）とし、３月初日に利用する子どもの単価に加算する。

11　施設機能強化推進費加算（㉜）

⑴　加算の要件

施設における火災・地震等の災害時に備え、職員等の防災教育及び災害発生時の安全かつ、迅速な避難誘導体制を充実する等の施設の総合的な防災対策を図る取組（注１・注２・注３）を行う施設で、以下の事業等を複数実施する施設に加算する。

ⅰ　延長保育事業（子ども・子育て支援交付金の交付に係る要件に適合するもの及びこれと同等の要件を満たして自主事業として実施しているもの。ただし、当該要件を満たした月以降の各月においては、同一年度内に限り、事業を実施する体制が取られていることをもって当該要件を満たしているものと取り扱う。）

ⅱ　幼稚園型一時預かり事業（子ども・子育て支援交付金の交付に係る要件に適合しており、かつ、月の平均対象子どもが１人以上いるもの（年度当初から事業を開始する場合は５月において当該要件を満たしていることをもって４月から当該要件を満たしているものと取り扱う。）。私学助成の預かり保育推進事業、幼稚園長時間預かり保育支援事業、市町村の単独事業・自主事業（私学助成の国庫補助事業の対象に準ずる形態で実施されている場合に限る。）等により行う預かり保育を含む。ただし、当該要件を満たした月以降の各月においては、同一年度に限り、事業を実施する体制が取られていることをもって当該要件を満たしているものと取り扱う。）

ⅲ　一時預かり事業（一般型）（子ども・子育て支援交付金に係る要件に適合しており、かつ、月の平均対象子どもが１人以上いるもの（年度当初から事業を開始する場合は５月において当該要件を満たしていることをもって４月から当該要件を満たしているものと取り扱う。）。ただし、当該要件を満たした月以降の各月においては、同一年度に限り、事業を実施する体制が取られていることをもって当該要件を満たしているものと取り扱う。）

ただし、当分の間は平成21年６月３日雇児発第0603002号厚生労働省雇用均等・児童家庭局長通知「『保育対策等促進事業の実施について』の一部改正について」以前に定める一時保育促進事業の要件を満たしていると認められ、実施しているものも含むこととされること。また、私学助成の子育て支援活動の推進等により行う未就園児の保育、幼稚園型一時預かり事業により行う非在園児の預かり及びこれらと同等の要件を満たして実施しているもの。

ⅳ　病児保育事業（子ども・子育て支援交付金の交付に係る要件に適合するもの及びこれと同等の要件を満たして自主事業として実施しているもの。）

ⅴ　満３歳児（教育標準時間認定子どもに限る。）に対する教育・保育の提供（４月から11月までの各月初日を平均して満３歳児が１人以上利用していること。）

ⅵ　乳児に対する教育・保育の提供（４月から11月までの各月初日を平均して乳児が３人以上利用していること。）

また、①乳児の利用定員が３人以上あり、かつ、②乳児保育を実施する職員体制を維持し、③地域の親子が交流する場の提供や子育てに関する相談会を月２回以上開催している場合、前年度に要件を満たしていた場合については、乳児３人以上の利用の要件を満たしたものと取り扱う。

ⅶ　障害児（軽度障害児を含む。）（注５）に対する教育・保育の提供（４月から11月までの間に１人以上の障害児の利用があること。）

（注１）取組の実施方法の例示

ⅰ　地域住民等への防災支援協力体制の整備及び合同避難訓練等を実施する。

ⅱ　職員等への防災教育、訓練の実施及び避難具の整備を促進する。

（注２）取組に必要となる経費の額
取組に必要となる経費の総額が、概ね16万円以上見込まれること。

（注３）支出対象経費
需用費（消耗品費、燃料費、印刷製本費、修繕費、食糧費（茶菓）、光熱水費、医療材料費）・役務費（通信運搬費）・旅費・謝金・備品購入費・原材料費・使用料及び賃借料・賃金・委託費（防災訓練及び避難具の整備等に要する特別の経費に限り、教育・保育の提供に当たって、通常要する費用は含まない。）

（注４）本加算の適用の有無は認定こども園全体（教育標準時間認定及び保育認定）を通じて行われるものであること。

（注５）市町村が認める障害児とし、身体障害者手帳等の交付の有無は問わない。医師による診断書や巡回支援専門員等障害に関する専門的知見を有する者による意見提出など障害の事実が把握可能な資料をもって確認しても差し支えない。

⑵　加算の認定
加算の認定は、施設が所在する市町村が行うこととし、加算の認定をするにあたっては、その施設の設置者からその旨の申請を毎年12月末までに提出させ、必要性及び経費等について必要な審査を行うこと。

⑶　加算額の算定
加算額は、定められた額を、３月初日の教育標準時間認定を受けた利用子ども数で除して得た額（算定して得た額に10円未満の端数がある場合は切り捨てる。）とし、３月初日に利用する子どもの単価に加算する。

⑷　実績の報告等
本加算の適用を受けた施設は、翌年４月末日までに実績報告書を市町村に提出すること。
なお、市町村は、本加算を行った施設について、検査時等に検証を行うこと。

12　小学校接続加算（㉝）

⑴　加算の要件
小学校との連携・接続について次に掲げる取組を行う施設に、⑶に定める通り加算する。

（注）本加算の適用の有無は認定こども園全体（教育標準時間認定及び保育認定）を通じて行われるものであること。

ⅰ　小学校との連携・接続に関する業務分掌を明確にすること。

ⅱ　授業・行事、研究会・研修等の小学校との子ども及び教職員の交流活動を実施していること。

ⅲ　小学校と協働して、５歳児から小学校１年生の２年間（２年以上を含む。）のカリキュラムを編成・実施していること（小学校との継続的な協議会の開催等により具体的な編成に着手していると認められる場合を含む。）。

⑵　加算の認定
㈠　加算の認定は、施設が所在する市町村長が行うこととし、加算を認定するにあたっては、その施設の設置者からその旨の申請（施設名、加算の適用年度、小学校との連携・接続に係る取組等の実施状況等が分かる資料等）を徴して確認すること。
㈡　当年度の３月時点で上記の要件を満たす取組が確認できれば、当年度の３月分の単価に加算する。

⑶　加算額の算定
加算額は、以下に掲げる通りに要件を満たす場合に、それぞれに定められた額を、３月初日の教育標準時間認定を受けた利用子ども数で除して得た額（算定して得た額に10円未満の端数がある場合は切り捨てる。）とし、３月初日に利用する子どもの単価に加算する。
㈠　⑴のⅰ及びⅱのいずれの取組も実施している場合
㈡　㈠に加えて、⑴ⅲの取組を実施している場合

13　第三者評価受審加算（㉞）

⑴　加算の要件
「幼稚園における学校評価ガイドライン」又は「福祉サービス第三者評価基準ガイドライン」等に沿って、第三者評価を適切に実施することが可能であると市町村が認める第三者評価機関（又は評価者）による評価（行政が委託等により民間機関に行わせるものを含む。）を受審し、その結果をホームページ等により広く公表する施設に加算する。

（注）本加算の適用の有無は認定こども園全体（教育標準時間認定及び保育認定）を通じて行われるものであること。

⑵　加算の認定
加算の認定は、施設が所在する市町村が行う

こととし、加算を認定するにあたっては、その施設の設置者からその旨の申請（施設名、加算の適用開始年度、受審状況が分かる資料等）を毎年12月末までに提出させ、必要な審査を行うこと。

（注１）評価機関との間の契約書等により、当年度に第三者評価の受審や結果の公表（評価機関からの評価結果の提示が翌年度以降となるため、結果の公表が翌年度になる場合を含む。）が行われることが確認できる場合は本加算の対象とする。

その場合、市町村は受審や結果の公表が確実に行われていることを事後に確認すること。

（注２）第三者評価の受審は５年に一度程度を想定しており、加算適用年度から５年度間は再度の加算適用はできないこと。

⑶　加算額の算定

加算額は、定められた額を、３月初日の教育標準時間認定を受けた利用子ども数で除して得た額（算定して得た額に10円未満の端数がある場合は切り捨てる。）とし、３月初日に利用する子どもの単価に加算する。

別紙４（認定こども園（保育認定２・３号））

Ⅰ　地域区分等

１　地域区分（①）

利用する施設が所在する市町村ごとに定められた告示別表第１による区分を適用する。

２　定員区分（②）

利用する施設の保育認定子どもに係る利用定員の総和に応じた区分を適用する。

なお、分園を設置する施設に係る基本分単価（⑥）及び処遇改善等加算Ⅰ（⑦）については、中心園と分園それぞれの保育認定子どもに係る利用定員の総和に応じた区分を適用する。

３　認定区分（③）

利用子どもの認定区分に応じた区分を適用する。

４　年齢区分（④）

利用子どもの満年齢に応じた区分を適用する。

なお、年度の初日の前日における満年齢に基づき区分した場合に、年齢区分が異なる場合は、適用される年齢区分における基本分単価（⑥）、処遇改善等加算Ⅰ（⑦）、３歳児配置改善加算（⑧）及び夜間保育加算（⑪）の単価について、それぞれの「月額調整」欄に定める額に置き替えて適用するものとする。

５　保育必要量区分（⑤）

利用子どもの保育必要量に応じた区分を適用する。

Ⅱ　基本部分

１　基本分単価（⑥）

⑴　額の算定

地域区分（①）、定員区分（②）、認定区分（③）、年齢区分（④）、保育必要量区分（⑤）（以下「地域区分等」という。）に応じて定められた額とする。

⑵　基本分単価に含まれる職員構成

基本分単価（教育標準時間認定子どもに係る基本分単価を含む。）に含まれる職員構成は別紙３のⅡ１⑵のとおりであることから、これを充足すること。

Ⅲ　基本加算部分

１　処遇改善等加算Ⅰ（⑦）

⑴　加算の要件及び加算の認定

加算の要件及び加算の認定は別に定めるところによる。

⑵　加算額の算定

加算額は、地域区分等に応じた単価に、別に定めるところにより認定した加算率×100を乗じて得た額とする。

２　３歳児配置改善加算（⑧）

⑴　加算の要件及び加算の認定

加算の要件及び加算の認定は、別紙３のⅢの４⑴及び⑵により行うこと。

⑵　加算額の算定

加算額は、地域区分等に応じた単価に、当該加算に係る処遇改善等加算Ⅰの単価に１の⑵で認定した加算率×100を乗じて得た額を加えた額とし、利用子ども（３歳児（年度の初日の前日に満２歳であった者を除く。）に限る。）の単価に加算する。

３　４歳以上児配置改善加算（⑨）

⑴　加算の要件及び加算の認定

加算の要件及び加算の認定は、別紙３のⅢの５⑴及び⑵により行うこと。

⑵　加算額の算定

加算額の算定は、別紙３のⅢの５⑶により行うこと。

４　休日保育加算（⑩）

⑴　加算の要件

日曜日、国民の祝日及び休日（以下「休日等」という。）において、以下の要件を満たして、保育を実施する施設に加算する。

(ア) 休日等を含めて年間を通じて開所する施設（複数の特定教育・保育施設、地域型保育事業所（居宅訪問型保育事業所は除く。）又は企業主導型保育施設との共同により年間を通じて開所する施設（以下「共同実施施設」という。）を含む。）を市町村が指定して実施すること。

(イ) 幼保連携型認定こども園にあっては幼保連携型認定こども園の学級の編制、職員、設備及び運営に関する基準（平成26年内閣府・文部科学省・厚生労働省令第1号。以下「幼保連携型認定こども園設備運営基準」という。）第5条第3項及び附則第5条から第8条、それ以外の認定こども園にあっては就学前の子どもに関する教育、保育等の総合的な提供の推進に関する法律第3条第2項及び第4項の規定に基づき内閣総理大臣、文部科学大臣及び厚生労働大臣が定める施設の設備及び運営に関する基準（平成26年内閣府・文部科学省・厚生労働省告示第2号。以下「認定こども園設備運営基準」という。）第2の一及び附則第3から第7の規定に基づき、対象子どもの年齢及び人数に応じて、本事業を担当する保育教諭等を配置すること。

(ウ) 対象となる子どもに対して、適宜、間食又は給食等を提供すること。

(エ) 対象となる子どもは、原則、休日等に常態的に保育を必要とする保育認定子どもであること。

(2) 加算の認定

(ア) 加算の認定は、施設が所在する市町村長が行うこととし、加算の認定をするにあたっては、その施設の設置者からその旨の申請（施設名、加算の適用年月、休日等における保育教諭等の配置状況が記載された職員体制図、(3)の加算額の算定に必要な利用子ども数の見込み及び数の根拠となる実績等）を徴して確認すること。

また、共同実施施設については、上記に加えて複数の施設・事業所との共同により年間を通じて開所する場合の実施要綱や運営規程を徴して確認すること。

(イ) 市町村長は、加算の認定がされている施設について、申請又は指導監督等を通じてその状況を把握し、(1)の要件に適合しなくなった場合には、(1)の要件に適合しなくなった日の属する月の翌月（月初日に(1)に適合しなくなった場合はその月）から加算の適用が無いものとすること。

(3) 加算額の算定

加算額は、地域区分等及び以下により認定した休日等に保育を利用する年間の延べ利用子ども数（以下「休日延べ利用子ども数」という。）に応じた単価に、当該加算に係る処遇改善等加算Ⅰの単価に1の(2)で認定した加算率×100を乗じた額を加えて算出した額を、当該施設における各月初日の利用子ども数（休日等に保育を利用しない子どもを含む。）で除して得た額とする（算定して得た額に10円未満の端数がある場合は切り捨てる。）。

(ア) 市町村は、毎年度、休日保育加算の対象となる施設（以下「休日保育対象施設」という。）から、当該休日保育対象施設における休日延べ利用子ども数の見込みを徴収して認定を行うこと。

なお、複数の施設・事業所との共同により年間を通じて開所する場合は、実施する各施設・事業所の休日延べ利用子ども数の見込み数を徴収して認定を行うこと。

(イ) 休日延べ利用子ども数には、休日等に当該休日保育対象施設を利用する、休日保育対象施設以外の特定教育・保育施設又は特定地域型保育事業を利用する子どもを含むこと。

なお、当該休日保育対象施設が共同実施施設である場合は、休日延べ利用子ども数には、上記に加えて、共同する企業主導型保育施設を休日等に利用する、特定教育・保育施設又は特定地域型保育事業所を利用する子どもを含むこと。

(ウ) 認定された休日延べ利用子ども数は、(2)の(イ)により、加算の適用が無くなった場合を除き、年間を通じて適用されること。そのため、認定に当たっては、前年度における実績等を踏まえて適正に審査されたいこと。

(4) 実績の報告等

本加算の適用を受けた施設は、翌年4月末日までに実績報告書を市町村長に提出すること。

5 夜間保育加算（⑪）

(1) 加算の要件

保育所型認定こども園については、「夜間保育所の設置認可等について（平成12年3月30日児発第298号厚生省児童家庭局長通知）」により設置認可された施設、それ以外の認定こども園については、以下の要件に適合するものとして市町村に認定された夜間保育を実施する施設に加算する。

(ア)　設置経営主体

夜間保育の場合は、生活面への対応や個別的な援助がより一層求められることから、保育に関し、長年の経験を有し、良好な成果をおさめているものであること。

(イ)　事業所

保育認定子どもに対して夜間保育を行う施設であること。

(ウ)　職員

施設長は、幼稚園教諭又は保育士の資格を有し、直接子どもの保育に従事することができる者を配置するよう努めること。

(エ)　設備及び備品

仮眠のための設備及びその他夜間保育のために必要な設備、備品を備えていること。

(オ)　開所時間

保育認定子どもに係る開所時間は原則として11時間とし、おおよそ午後10時までとすること。

(2)　加算の認定

加算の認定は、施設が所在する市町村長が行うこととし、加算の認定をするにあたっては、その施設の設置者からその旨の申請（事業所名、加算の適用年月、夜間における保育教諭等の配置状況が記載された職員体制図等）を徴して確認すること。

(3)　加算額の算定

加算額は、地域区分等に応じた単価に、当該加算に係る処遇改善等加算Ⅰの単価に1の(2)で認定した加算率×100を乗じて得た額を加えた額とする。

6　チーム保育加配加算（⑫）

(1)　加算の要件及び加算の認定

加算の要件及び加算の認定は、別紙3のⅢの8(1)及び(2)より行うこと。

(2)　加算額の算定

加算額は、別紙3のⅢの8(3)による額を、利用する4歳以上児及び3歳児の単価に加算する。

7　減価償却費加算（⑬）

(1)　加算の要件

以下の要件全てに該当する施設に加算する。

(ア)　認定こども園の用に供する建物が自己所有であること(注1)

(イ)　建物を整備・改修又は取得する際に、建設資金又は購入資金が発生していること

(ウ)　建物の整備・改修に当たって、施設整備費又は改修費等（以下「施設整備費等」という。）の国庫補助金の交付を受けていないこと(注2)

(エ)　賃借料加算（⑭）の対象となっていないこと

（注1）施設の一部が賃貸物件の場合は、自己所有の建物の延べ面積が施設全体の延べ面積の50％以上であること

（注2）施設整備費等の国庫補助の交付を受けて建設した建物について、整備後一定年数が経過した後に、以下の要件全てに該当する改修等を行った場合には(ウ)に該当することとして差し支えない。

①　老朽化等を理由として改修等が必要であったと市町村が認める場合

②　当該改修等に当たって、国庫補助の交付を受けていないこと

③　1施設当たりの改修等に要した費用を2000で除して得た値が、建物全体の延べ面積に2を乗じて得た値を上回る場合で、かつ、改修等に要した費用が1000万円以上であること

(2)　加算の認定

(ア)　加算の認定は、施設が所在する市町村長が行うこととし、加算の認定をするにあたっては、その施設の設置者からその旨の申請（施設名、加算の適用年月、建物を整備・改修又は取得する際の契約書類等）を徴して確認すること。

(イ)　市町村長は、加算の認定がされている施設について、(1)の要件に適合しなくなった場合には、(1)の要件に適合しなくなった日の属する月の翌月（月初日に(1)に適合しなくなった場合はその月）から加算の適用が無いものとすること。

(3)　加算額の算定

加算額は、「標準」又は「都市部」の区分に応じて定められた額とする。なお、「標準」とは都市部に該当する市町村以外の市町村をいい、「都市部」とは当年度又は前年度における4月1日現在の人口密度が1000人／㎢以上の市町村をいう。

8　賃借料加算（⑭）

(1)　加算の要件

以下の要件全てに該当する施設に加算する。

(ア)　認定こども園の用に供する建物が賃貸物件であること(注)

(イ)　(ア)の賃貸物件に対する賃借料が発生していること

(ウ)　賃借料の国庫補助（「認可保育所等設置支援事業の実施について」（令和５年４月19日こ成保第15号こども家庭庁成育局長通知）に定める「都市部における保育所への賃借料等支援事業」による国庫補助を除く。）を受けた施設については、当該補助に係る残額が生じていないこと

(エ)　減価償却費加算（⑬）の対象となっていないこと

（注）施設の一部が自己所有の場合は、賃貸による建物の延べ面積が施設全体の延べ面積の50％以上であること

(2)　加算の認定

(ア)　加算の認定は、施設が所在する市町村長が行うこととし、加算の認定をするにあたっては、その施設の設置者からその旨の申請（施設名、加算の適用年月、賃貸契約書等）を徴して確認すること。

(イ)　市町村長は、加算の認定がされている施設について、(1)の要件に適合しなくなった場合には、(1)の要件に適合しなくなった日の属する月の翌月（月初日に(1)に適合しなくなった場合はその月）から加算の適用が無いものとすること。

(3)　加算額の算定

加算額は、以下の地域の区分ごとに定められた額とする。

区分		都道府県
A地域	標　準	埼玉県　千葉県　東京都　神奈川県
	都市部	
B地域	標　準	静岡県　滋賀県　京都府　大阪府　兵庫県　奈良県
	都市部	
C地域	標　準	宮城県　茨城県　栃木県　群馬県　新潟県　石川県　長野県　愛知県　三重県　和歌山県　鳥取県　岡山県　広島県　香川県　福岡県　沖縄県
	都市部	
D地域	標　準	北海道　青森県　岩手県　秋田県　山形県　福島県　富山県　福井県　山梨県　岐阜県　島根県　山口県　徳島県　愛媛県　高知県　佐賀県　長崎県　熊本県　大分県　宮崎県　鹿児島県
	都市部	

＊表中「都市部」とは当年度又は前年度における４月１日現在の人口密度が1000人／㎢以上の市町村をいい、「標準」とはそれ以外の市町村をいう。

9　外部監査費加算（⑮）

(1)　加算の要件及び加算の認定

加算の要件及び加算の認定は、別紙３のⅢの11(1)及び(2)により行うこと。

(2)　加算額の算定

加算額は、認定こども園全体の利用定員に応じて定められた額とし、３月初日に利用する子どもの単価に加算する。

10　副食費徴収免除加算（⑯）

(1)　加算の要件

全ての施設に加算する。

(2)　加算額の算定

加算額は、定められた額とし、副食費徴収免除対象子ども(注)に加算する。

（注）以下のいずれかに該当する子どもとして、副食費の徴収が免除されることについて市町村から通知がされた子どもとする。

①　特定教育・保育施設及び特定地域型保育事業並びに特定子ども・子育て支援施設等の運営に関する基準（平成26年内閣府令第39号。以下「特定教育・保育施設等運営基準」という。）第13条第４項第３号イの(1)又は(2)に規定する年収360万円未満相当世帯に属する保育認定子ども

②　特定教育・保育施設等運営基準第13条第４項第３号ロの(1)又は(2)に規定する第３子以降の保育認定子ども

③　保護者及び当該保護者と同一の世帯に属する者が子ども・子育て支援法施行令（平成26年政令第213号）第15条の３第２項各号に規定する市町村民税を課されない者に準ずる者である子ども

Ⅳ　加減調整部分

1　教育標準時間認定子どもの利用定員を設定しない場合（⑰）

⑴　調整の適用を受ける施設の要件

教育標準時間認定子どもの利用定員を設定しない幼保連携型認定こども園（注）に適用する。

（注）教育標準時間認定子どもの利用定員は設定しているものの、利用子どもがいない場合においては、幼保連携型認定こども園に限らず適用する。

⑵　調整額の算定

調整額は、地域区分等に応じた単価に、当該調整額に係る処遇改善等加算Ⅰの単価にⅢの1⑵で認定した加算率×100を乗じて得た額を加えた額とする。

2　分園の場合（⑱）

⑴　調整の適用を受ける施設の要件

幼保連携型認定こども園又は保育所型認定こども園の分園（「保育所分園の設置運営について（平成10年4月9日児発第302号厚生省児童家庭局長通知）」により設置された分園（幼保連携型認定こども園にあっては、当該分園を設置する保育所が、幼保連携型認定こども園に移行した場合に限る。））に適用する。

⑵　調整額の算定

調整額は、分園に適用される基本分単価（⑥）及び処遇改善等加算Ⅰ（⑦）の額の合計に、地域区分等に応じた調整率を乗じて得た額とする（算定して得た額に10円未満の端数がある場合は切り捨てる。）。

3　土曜日に閉所する場合（⑲）

⑴　調整の適用を受ける施設の要件

施設を利用する保育認定子どもについて、土曜日（国民の祝日及び休日を除く。以下同じ。）に係る保育の利用希望が無いなどの理由により、当該月の土曜日に閉所する日がある施設に適用する。

また、開所していても保育を提供していない場合は、閉所しているものとして取り扱うこと。

なお、他の特定教育・保育施設、地域型保育事業所（居宅訪問型保育事業所は除く。）又は企業主導型保育施設と共同保育を実施することにより、施設を利用する保育認定子どもの土曜日における保育が確保されている場合には、土曜日に開所しているものとして取り扱うこと。

⑵　調整の適用を受ける施設の認定

㈠　調整の適用を受ける施設の認定は、施設が所在する市町村長が行うこととし、認定をするにあたっては、その施設の設置者からその旨の申請（施設名、調整の適用年月、土曜日に閉所することとなる理由等）を徴して確認すること。

なお、認定こども園については、原則として、土曜日を含む週6日間の開所が求められる施設であることから、土曜日に係る保育の利用希望があるにもかかわらず閉所する等の場合は、当該調整の適用と併せて、市町村において指導を行うこと。

㈡　市町村長は、調整の適用を受ける施設について、申請又は指導監督等を通じてその状況を把握すること。

⑶　調整額の算定

調整額は、適用される基本分単価（⑥）、処遇改善等加算Ⅰ（⑦）、3歳児配置改善加算（⑧）、4歳以上児配置改善加算（⑨）及び夜間保育加算（⑪）の額の合計に、地域区分等及び閉所日数（当該月の土曜日のうち閉所する日の数をいう。）に応じた調整率を乗じて得た額とする（算定して得た額に10円未満の端数がある場合は切り捨てる。）。

4　主幹保育教諭等の専任化により子育て支援の取組みを実施していない場合（⑳）

⑴　調整の適用を受ける施設の要件

以下の要件を満たさない施設に適用する。

（要件）

別紙3のⅡの1⑵㈠ⅰ（注4）の主幹保育教諭等1人を配置し、その主幹保育教諭等を教育・保育計画の立案等の業務に専任させるための別紙3のⅡの1⑵㈠ⅱcの代替保育教諭等を配置し、以下の事業等を複数実施すること。

また、保護者や地域住民からの教育・育児相談、地域の子育て支援活動等に積極的に取り組むこと。

認定こども園の基本分単価は、主幹保育教諭等がクラス担当等から離れて、指導計画の立案や子育て活動等に専任できるよう、代替保育教諭等の配置のための費用を算定していることから、主幹保育教諭等がクラス担当や学級担任を兼務することは適切ではなく、代理で行う場合であっても、1月を超えて兼務が継続している場合は減算調整を行うこと。

ⅰ　延長保育事業（子ども・子育て支援交付金の交付に係る要件に適合するもの及びこれと同等の要件を満たして自主事業として実施しているもの。ただし、当該要件を満たした月以降の各月においては、同一年度内に限り、事業を実施する体制が取られていることをもって当該要件を満たしているものと取り扱う。）

ⅱ　一時預かり事業（一般型）（子ども・子育て支援交付金に係る要件に適合しており、かつ、月の平均対象子どもが１人以上いるもの（年度当初から事業を開始する場合は５月において当該要件を満たしていることをもって４月から当該要件を満たしているものと取り扱う。）。ただし、当該要件を満たした月以降の各月においては、同一年度内に限り、事業を実施する体制が取られていることをもって当該要件を満たしているものと取り扱う。）

ただし、当分の間は平成21年６月３日雇児発第0603002号厚生労働省雇用均等・児童家庭局長通知「『保育対策等促進事業の実施について』の一部改正について」以前に定める一時保育促進事業の要件を満たしていると認められ、実施しているものも含むこととされること。

ⅲ　病児保育事業（子ども・子育て支援交付金に係る要件に適合するもの及びこれと同等の要件を満たして自主事業として実施しているもの。）

ⅳ　乳児が３人以上利用している施設（月の初日において乳児が３人以上利用している月から年度を通じて当該要件を満たしているものとする。）

また、①乳児の利用定員が３人以上あり、かつ、②乳児保育を実施する職員体制を維持し、③地域の親子が交流する場の提供や子育てに関する相談会を月２回以上開催している場合、前年度に要件を満たしていた月（令和５年度に特例の適用があった月を含む。）については、乳児３人以上の利用の要件を満たしたものと取り扱う。

ⅴ　障害児（軽度障害児を含む。）（注）が１人以上利用している施設（月の初日において障害児が１人以上利用している月から年度を通じて当該要件を満たしているものとする。）

（注）市町村が認める障害児とし、身体障害者手帳等の交付の有無は問わない。医師による診断書や巡回支援専門員等障害に関する専門的知見を有する者による意見提出など障害の事実が把握可能な資料をもって確認しても差し支えない。

(2)　調整の適用を受ける施設の認定

(ア)　調整の適用を受ける施設の認定は、施設が所在する市町村長が行うこととし、別紙３のⅡの１(2)で定める職員の充足状況の確認と併せて、施設の設置者から(1)の要件を満たしている旨の申請（施設名、調整の適用年月、主幹保育教諭等１人の配置、教育・育児相談・地域の子育て支援活動等の内容、(1)ⅰからⅴの事業等の実施状況等）を徴し、要件への適合状況を確認すること。

(イ)　市町村長は、調整の適用を受ける施設について、申請等を通じてその状況を把握し、(1)の要件に適合しなくなった場合には、(1)の要件に適合しなくなった日の属する月の翌月（月初日に(1)に適合しなくなった場合はその月）から調整の適用が無いものとすること。

(3)　調整額の算定

調整額は、地域区分等に応じた単価に、当該調整額に係る処遇改善等加算Ⅰの単価にⅢの１(2)で認定した加算率×100を乗じて得た額を加えた額とする。

5　年齢別配置基準を下回る場合（㉑）

(1)　調整の適用を受ける施設の要件及び認定

調整の適用を受ける施設の要件及び認定は、別紙３のⅣの２(1)及び(2)により行うこと。

(2)　調整額の算定

不足する保育教諭等の１人当たりの額は、地域区分等に応じた単価に、当該額に係る処遇改善等加算Ⅰの単価にⅢの１(2)で認定した加算率×100を乗じて得た額を加えた額とし、当該額に不足する「人数」を乗じて得た額を調整額とする。

6　配置基準上求められる職員資格を有しない場合（㉒）

(1)　調整の適用を受ける施設の要件及び認定

調整の適用を受ける施設の要件及び認定は、別紙３のⅣの３(1)及び(2)により行うこと。

(2)　調整額の算定

必要資格を有しない教育・保育従事者の１人当たりの額は、地域区分等に応じた単価に、当該額に係る処遇改善等加算Ⅰの単価にⅢの１(2)で認定した加算率×100を乗じて得た額を加えた額とし、当該額に必要資格を有しない保育従事者の「人数」を乗じて得た額を調整額とする。

Ⅴ　乗除調整部分

1　定員を恒常的に超過する場合（㉓）

⑴　調整の適用を受ける施設の要件

直前の連続する５年度間常に保育認定子どもに係る利用定員を超えており(注1)、かつ、各年度の年間平均在所率(注2)が120％以上の状態にある施設に適用する。

なお、教育・保育の提供は利用定員の範囲内で行われることが原則であること。

また、上記の状態にある施設に対しては、利用定員の見直しに向けた指導を行うこと。

（注１）利用定員を超えて受け入れる場合の留意事項

利用定員を超えて受け入れる場合であっても、施設の設備又は職員数が、利用定員を超えて利用する子どもを含めた利用子ども数に照らし、幼保連携型認定こども園設備運営基準又は認定こども園設備運営基準及び本通知等に定める基準を満たしていること。

（注２）年間平均在所率

当該年度内における各月の初日の保育認定を受けた利用子ども数の総和を各月の初日の保育認定に係る利用定員の総和で除したものをいう。

⑵　調整の適用を受ける施設の認定

㈠　調整の適用を受ける施設の認定は、施設が所在する市町村長が施設の利用状況を確認のうえ行うこととする。

㈡　市町村長は、調整の適用を受ける施設について、指導監督等を通じて利用定員の見直しが行われた場合又は地域における需要の動向等を踏まえて当該年度における年間平均在所率が120％以上の状態にならないものと認められる場合には、見直し等が行われた日の属する月の翌月（月初日に⑴に適合しなくなった場合はその月）から調整の適用が無いものとすること。

⑶　適用される基本部分及び加減調整部分の額の調整の方法

本調整措置が適用される施設における基本分単価（⑥）から配置基準上求められる職員資格を有しない場合（㉒）（副食費徴収免除加算（⑯）は除く。）の額については、それぞれの額の総和に各月初日の利用子ども数の区分及び地域区分等に応じた調整率を乗じて得た額とする（算定して得た額に10円未満の端数がある場合は切り捨てる。）。

Ⅵ　特定加算部分

1　療育支援加算（㉔）

⑴　加算の要件及び認定

加算の要件及び加算の認定は、別紙３のⅥの1⑴及び⑵により行うこと。

⑵　加算額の算定

加算額は、特別児童扶養手当支給対象児童受入施設(注)又はそれ以外の障害児受入施設の別に定められた基本額に、当該加算に係る処遇改善等加算Ⅰの単価にⅢの1⑵で認定した加算率×100を乗じて得た額を加えた額を、各月初日の保育認定を受けた利用子ども数で除して得た額とする。（算定して得た額に10円未満の端数がある場合は切り捨てる。）

（注）　特別児童扶養手当の支給要件に該当するが、所得制限により当該手当の支給がされていない児童を含む。

2　処遇改善等加算Ⅱ（㉕）

⑴　加算の要件及び加算の認定

加算の要件及び加算の認定は別に定めるところによる。

⑵　加算額の算定

加算額は、処遇改善等加算Ⅱ—①及びⅡ—②の別に定められる額にそれぞれ対象人数を乗じて得た額の合計を、各月初日の保育認定を受けた利用子ども数で除して得た額とする（算定して得た額に10円未満の端数がある場合は切り捨てる。）。

3　処遇改善等加算Ⅲ（㉖）

⑴　加算の要件及び加算の認定

加算の要件及び加算の認定は別に定めるところによる。

⑵　加算額の算定

加算額は、別に定める額に対象人数を乗じて得た額を、各月初日の保育認定を受けた利用子ども数で除して得た額とする（算定して得た額に10円未満の端数がある場合は切り捨てる。）。

4　冷暖房費加算（㉗）

⑴　加算の要件

全ての施設に加算する。

⑵　加算額の算定

加算額は、以下の地域の区分に応じて定める額とする。

1級地	国家公務員の寒冷地手当に関する法律（昭和24年法律第200号）別表に規定する1級地をいう。
2級地	国家公務員の寒冷地手当に関する法律別表に規定する2級地をいう。
3級地	国家公務員の寒冷地手当に関する法律別表に規定する3級地をいう。
4級地	国家公務員の寒冷地手当に関する法律別表に規定する4級地をいう。
その他地域	上記以外の地域をいう。

5　施設関係者評価加算（㉘）

(1)　加算の要件及び認定

加算の要件及び加算の認定は、別紙3のⅥの8(1)及び(2)により行うこと。

(2)　加算額の算定

加算額は、公開保育の取組と組み合わせて施設関係者評価を実施する施設（注）とそれ以外の施設の別に応じて定められた額を、3月初日の保育認定を受けた利用子ども数で除して得た額（算定して得た額に10円未満の端数がある場合は切り捨てる。）とし、3月初日に利用する子どもの単価に加算する。

（注）幼児期の教育・保育に専門的知見を有する外部有識者の協力を得て、他の幼稚園・認定こども園・保育所の職員や地域の幼児教育関係者、小学校等の他校種の教員等を招いて行われる公開保育を実施するとともに、当該公開保育に施設関係者評価の評価者の全部又は一部を参加させ、その結果を踏まえて施設関係者評価を行う施設をいう。

6　除雪費加算（㉙）

(1)　加算の要件

豪雪地帯対策特別措置法（昭和37年法律第73号）第2条第2項に規定する地域に所在する施設に加算する。

(2)　加算額の算定

加算額は、定められた額とし、3月初日に利用する子どもの単価に加算する。

7　降灰除去費加算（㉚）

(1)　加算の要件

活動火山対策特別措置法（昭和48年法律第61号）第23条第1項に規定する降灰防除地域に所在する施設に加算する。

(2)　加算額の算定

加算額は、定められた額を、3月初日の保育認定を受けた利用子ども数で除して得た額（算定して得た額に10円未満の端数がある場合は切り捨てる。）とし、3月初日に利用する子どもの単価に加算する。

8　高齢者等活躍促進加算（㉛）

(1)　加算の要件

高齢化社会の到来等に対応して、高齢者等ができるだけ働きやすい条件の整備を図り、また、高齢者等によるきめ細やかな利用子ども等の処遇の向上を図るため、以下の要件を満たす施設に加算する。

(ア)　高齢者等（注1）を職員配置基準以外に非常勤職員（注2）として雇用（注3）し、施設の業務の中で比較的高齢者等に適した業務（注4）を行わせ、かつ、当該年度中における高齢者等の総雇用人員の累積年間総雇用時間が、400時間以上見込まれること。

また、「特定就職困難者雇用開発助成金」等を受けている施設（受ける予定の施設を含む。）でその補助の対象となる職員は対象としないこと。

なお、雇用形態は通年が望ましいが短期間でも雇用予定がはっきりしていて、利用子ども等の処遇の向上が期待される場合には、この加算対象として差し支えないこと。

（注1）高齢者等の範囲

ⅰ　当該年度の4月1日現在または、その年度の途中で雇用する場合はその雇用する時点において満60歳以上の者

ⅱ　身体障害者（身体障害者福祉法（昭和24年法律第243号）に規定する身体障害者手帳を所持している者）

ⅲ　知的障害者（知的障害者更生相談所、児童相談所等において知的障害者と判定された者で、都道府県知事が発行する療育手帳または判定書を所持している者）

ⅳ　精神障害者（精神保健及び精神障害者福祉に関する法律（昭和25年法律第123号）に規定する精神障害者保健福祉手帳を所持している者）

ⅴ　母子家庭の母及び父子家庭の父並びに寡婦（母子及び父子並びに寡婦福祉法（昭和39年法律第129号）に規定する母

子家庭の母及び父子家庭の父並びに寡婦）

（注２）非常勤職員の範囲

１日６時間未満又は月20日未満勤務の者を対象とする。

（注３）雇用の範囲

雇用契約又は派遣契約による場合のみを対象とする。

（注４）高齢者等が行う業務の内容の例示

ⅰ　利用子ども等との話し相手、相談相手

ⅱ　身の回りの世話（爪切り、洗面等）

ⅲ　通院、買い物、散歩の付き添い

ⅳ　クラブ活動の指導

ⅴ　給食のあとかたづけ

ⅵ　喫食の介助

ⅶ　洗濯、清掃等の業務

ⅷ　その他高齢者等に適した業務

(ｲ)　以下の事業等のうち、いずれかを実施していること。

ⅰ　延長保育事業（子ども・子育て支援交付金の交付に係る要件に適合するもの及びこれと同等の要件を満たして自主事業として実施しているもの。ただし、当該要件を満たした月以降の各月においては、同一年度内に限り、事業を実施する体制が取られていることをもって当該要件を満たしているものと取り扱う。）

ⅱ　一時預かり事業（一般型）（子ども・子育て支援交付金に係る要件に適合しており、かつ、月の平均対象子どもが１人以上いるもの（年度当初から事業を開始する場合は５月において当該要件を満たしていることをもって４月から当該要件を満たしているものと取り扱う。）。ただし、当該要件を満たした月以降の各月においては、同一年度内に限り、事業を実施する体制が取られていることをもって当該要件を満たしているものと取り扱う。）

ただし、当分の間は平成21年６月３日雇児発第0603002号厚生労働省雇用均等・児童家庭局長通知「『保育対策等促進事業の実施について』の一部改正について」以前に定める一時保育促進事業の要件を満たしていると認められ、実施しているものも含むこととされること。

ⅲ　病児保育事業（子ども・子育て支援交付金に係る要件に適合するもの及びこれと同等の要件を満たして自主事業として実施しているもの。）

ⅳ　乳児が３人以上利用している施設（４月から11月までの各月初日を平均して乳児が３人以上利用していること。）

また、①乳児の利用定員が３人以上あり、かつ、②乳児保育を実施する職員体制を維持し、③地域の親子が交流する場の提供や子育てに関する相談会を月２回以上開催している場合、前年度に要件を満たしていた場合については、乳児３人以上の利用の要件を満たしたものと取り扱う。

ⅴ　障害児（軽度障害児を含む。）（注）が１人以上利用している施設（４月から11月までの間に１人以上の障害児の利用があること。）

（注）市町村が認める障害児とし、身体障害者手帳等の交付の有無は問わない。医師による診断書や巡回支援専門員等障害に関する専門的知見を有する者による意見提出など障害の事実が把握可能な資料をもって確認しても差し支えない。

⑵　加算の認定

加算の認定は、施設が所在する市町村長が行うこととし、加算の認定をするにあたっては、その施設の設置者からその旨の申請を毎年12月末までに提出させ、当該施設の申請内容について必要な審査を行い、必要と認めた場合は当該施設に速やかに通知すること。

なお、⑶の加算額の算定に必要な「年間総雇用時間数」の認定に当たっては、毎年度４月から11月までの実績及び12月から３月までの雇用計画を元に認定すること。

⑶　加算額の算定

加算額は、⑵で認定された「年間総雇用時間数」の区分に応じて定められた額を、３月初日の保育認定を受けた利用子ども数で除して得た額（算定して得た額に10円未満の端数がある場合は切り捨てる。）とし、３月初日に利用する子どもの単価に加算する。

⑷　実績の報告等

本加算の適用を受けた施設は、翌年４月末日までに実績報告書を市町村長に提出すること。

なお、次年度以降の加算の認定に当たっては、当該実績報告書を参考に決定すること。

また、市町村長は、本加算を行った施設について、検査時等に検証を行うこと。

9　施設機能強化推進費加算（㉜）

⑴　加算の要件、認定及び実績の報告等

加算の要件、加算の認定及び実績の報告等は、別紙３のⅥの11⑴、⑵及び⑷により行うこと。

⑵　加算額の算定

加算額は、定められた額を、３月初日の保育認定を受けた利用子ども数で除して得た額（算定して得た額に10円未満の端数がある場合は切り捨てる。）とし、３月初日に利用する子どもの単価に加算する。

10　小学校接続加算（㉝）

⑴　加算の要件及び認定

加算の要件及び加算の認定は、別紙３のⅥの12⑴及び⑵により行うこと。

⑵　加算額の算定

加算額は、以下に掲げる通りに要件を満たす場合に、それぞれに定められた額を、３月初日の保育認定を受けた利用子ども数で除して得た額（算定して得た額に10円未満の端数がある場合は切り捨てる。）とし、３月初日に利用する子どもの単価に加算する。

(ア)　⑴のⅰ及びⅱのいずれの取組も実施している場合

(イ)　(ア)に加えて、⑴ⅲの取組を実施している場合

11　栄養管理加算（㉞）

⑴　加算の要件

食事の提供にあたり、栄養士を活用(注)して、栄養士から献立やアレルギー、アトピー等への助言、食育等に関する継続的な指導を受ける施設に加算する。

（注）栄養士の活用に当たっては、雇用形態を問わず、嘱託する場合や、栄養教諭、学校栄養職員又は調理員として栄養士を雇用している場合も対象となる。

⑵　加算の認定

(ア)　加算の認定は、施設が所在する市町村長が行うこととし、加算を認定するにあたっては、その施設の設置者からその旨の申請（施設名、加算の適用年月、栄養士の活用状況・配置等の形態の別が確認できる書類等）を徴して確認すること。

(イ)　市町村長は、加算の認定がされている施設について、申請又は指導監督等を通じてその状況を把握し、⑴の要件に適合しなくなった場合には、⑴の要件に適合しなくなった日の属する月の翌月（月初日に⑴に適合しなくなった場合はその月）から加算の適用がないものとすること。

⑶　加算額の算定

加算額は、以下に掲げる栄養士の配置等の形態の別に応じ、それぞれに定める計算式により算出された額（算定して得た額に10円未満の端数がある場合は切り捨てる。）とする。

(ア)　配置(注1)　定められた基本額に当該加算に係る処遇改善等加算Ⅰの単価にⅢの１⑵で認定した加算率×100を乗じて得た額を加えた額を、各月初日の利用子ども数で除して得た額とする。

(イ)　兼務(注2)　定められた基本額に当該加算に係る処遇改善等加算Ⅰの単価にⅢの１⑵で認定した加算率×100を乗じて得た額を加えた額を、各月初日の利用子ども数で除して得た額とする。

(ウ)　嘱託(注3)　定められた基本額を、各月初日の利用子ども数で除して得た額とする。

（注１）本加算に係る栄養士が雇用契約等により配置されている場合をいい、兼務に該当する場合を除く。

（注２）基本分単価及び他の加算の認定に当たって求められる職員（別紙３の給食実施加算（⑭）の適用施設（９⑶(ア)の場合に限る。）において雇用等される調理員を含む。）が本加算に係る栄養士としての業務を兼務している場合をいう。

（注３）配置又は兼務に該当する場合を除き、本加算に係る栄養士としての業務を嘱託等する場合をいう。

12　第三者評価受審加算（㉟）

⑴　加算の要件

加算の要件及び加算の認定は、別紙３のⅥの13⑴及び⑵により行うこと。

⑵　加算額の算定

加算額は、定められた額を、３月初日の保育認定を受けた利用子ども数で除して得た額（算定して得た額に10円未満の端数がある場合は切り捨てる。）とし、３月初日に利用する子どもの単価に加算する。

別紙５（家庭的保育事業（保育認定３号））

Ⅰ　地域区分等

１　地域区分（①）

利用する事業所が所在する市町村ごとに定められた告示別表第１による区分を適用する。

２　認定区分（②）

利用子どもの認定区分に応じた区分を適用する。

３　保育必要量区分（③）

利用子どもの保育必要量に応じた区分を適用する。

Ⅱ　基本部分

１　基本分単価（④）

⑴　額の算定

地域区分（①）、認定区分（②）、保育必要量区分（③）（以下「地域区分等」という。）に応じて定められた額とする。

⑵　基本分単価に含まれる職員構成

基本分単価に含まれる職員構成は以下のとおりであることから、これを充足すること。

㈠　保育従事者

基本分単価における必要保育従事者数は以下のⅰとⅱを合計した数であること。

ⅰ　家庭的保育者及び家庭的保育補助者

子ども３人につき家庭的保育者１人（家庭的保育補助者を配置する場合は子ども５人）

ⅱ　その他

上記ⅰの家庭的保育者及び家庭的保育補助者１人当たり、研修代替保育従事者として年間３日分の費用を算定（注）

（注）当該費用については、家庭的保育者及び家庭的保育補助者が研修を受講する際の受講費用や、時間外における研修受講の際の時間外手当等に充当しても差し支えないこと。

㈡　その他

ⅰ　非常勤調理員等（注）

（注）調理業務の全部を委託する場合、または搬入施設から食事を搬入する場合は、調理員を置かないことができる。

ⅱ　非常勤事務職員（注１・２）

（注１）利用子どもが３人以下の場合で家庭的保育補助者加算（⑦）の適用を受ける事業所を除く。

（注２）家庭的保育者等が兼務する場合又は業務委託する場合は、配置は不要であること。

ⅲ　嘱託医・嘱託歯科医

⑶　連携施設経費

基本分単価には、家庭的保育事業等の設備及び運営に関する基準（平成26年厚生労働省令第61号。以下「家庭的保育事業等設備運営基準」という。）第６条第１項に定める連携施設（同条第２項及び第４項第２号により市町村が連携施設の確保が著しく困難であると認める場合においては、それぞれ同条第３項及び第５項に定める連携協力を行う者を含む。本項、Ⅲ及びⅣの１において同じ。）に係る経費を算定していること。そのため、連携施設を設定していない事業所については、Ⅳの１による調整が行われること。

Ⅲ　基本加算部分

１　処遇改善等加算Ⅰ（⑤）

⑴　加算の要件及び加算の認定

加算の要件及び加算の認定は別に定めるところによる。

⑵　加算額の算定

加算額は、地域区分等に応じた単価に、別に定めるところにより認定した加算率×100を乗じて得た額とする。

２　資格保有者加算（⑥）

⑴　加算の要件

家庭的保育者が保育士資格、看護師免許又は准看護師免許を有する事業所に加算する。

⑵　加算の認定

加算の認定は、事業所が所在する市町村長が行うこととし、新たに加算の認定をするにあたっては、その事業所の設置者からその旨の申請（事業所名、加算の適用年月、家庭的保育者の有する保育士証、看護師免許証又は准看護師免許証の写し等）を徴して⑴の要件への適合状況を確認すること。

⑶　加算額の算定

加算額は、地域区分等に応じた単価に、当該加算に係る処遇改善等加算Ⅰの単価に１の⑵で認定した加算率×100を乗じて得た額を加えた額とする。

３　家庭的保育補助者加算（⑦）

⑴　加算の要件

家庭的保育補助者を配置（注）する事業所に加算する。

（注）非常勤の調理員（食事の提供について自

園調理又は連携施設等からの搬入以外の方法による場合（⑬）の調整の適用を受ける事業所を除く。）とは別途、家庭的保育補助者の配置が必要。

⑵　加算の認定

㈠　加算の認定は、事業所が所在する市町村長が行うこととし、新たに加算の認定をするにあたっては、その事業所の設置者からその旨の申請（事業所名、加算の適用年月、対象子ども、家庭的保育補助者等の配置状況が記載された職員体制図等）を徴して⑴の要件への適合状況を確認すること。

㈡　市町村長は、加算の認定がされている事業所について、申請又は指導監督等を通じてその状況を把握し、⑴の要件に適合しなくなった場合には、⑴の要件に適合しなくなった日の属する月の翌月（月初日に⑴に適合しなくなった場合はその月）から加算の適用が無いものとすること。

⑶　加算額の算定

加算額は、地域区分等及び各月初日の利用子どもの人数に応じた単価に、当該加算に係る処遇改善等加算Ⅰの単価に１の⑵で認定した加算率×100を乗じて得た額を加えた額とする。

４　家庭的保育支援加算（⑧）

⑴　加算の要件

家庭的保育支援者（注１）又は連携施設（注２）から代替保育等の特別な支援（注３）を受けて保育を実施する事業所に加算する。

（注１）家庭的保育支援者は、以下の要件を満たして市町村の認定を受け、家庭的保育者又は家庭的保育補助者に対する指導・支援を行う者とする。

なお、家庭的保育支援者は、専任の者を、原則として連携施設に配置すること。

また、家庭的保育支援者の配置は、家庭的保育者３人から15人に対し１人の配置を標準とすること。

①　保育士であり10年以上の保育所における勤務又は家庭的保育の経験を有し、一定の研修を修了した者であること。

②　心身ともに健全であること。

③　乳幼児の保育についての理解及び熱意並びに乳幼児に対する豊かな愛情を有していること。

④　乳幼児の保育に関し虐対等の問題が無いと認められること。

⑤　児童福祉法及び児童売春、児童ポルノに係る行為等の処罰及び児童の保護等に関する法律の規定により、罰金以上の刑に処せられたことが無いこと。

（注２）連携施設は以下の要件を満たして市町村の認定を受け、家庭的保育者又は家庭的保育補助者に対する指導・支援を行うものとする。

①　連携施設であること。

②　乳幼児の育児・保育に関する相談・指導について知識及び経験を有するとともに、児童福祉施策について知識を有している専任の保育士等（以下「担当者」という。）を配置すること。担当者は家庭的保育支援者に求められる要件を満たした者であること。

（注３）家庭的保育支援者又は連携施設は以下の支援又は業務を行うこととする。

①　事業所の求めに応じて、緊急時においても相談・連絡を受ける体制を整備すること。

②　保育標準時間認定を受けた子ども等への保育や延長保育、家庭的保育者が病気、研修参加又は休暇等を取得する場合等に、当該家庭的保育者に代わって乳幼児の保育を行うこと。その場合は必要に応じて家庭的保育支援者又は担当者が連携施設まで送迎を行うこと。

③　家庭的保育事業の実施場所を訪問等することにより、保育の状況把握に努めるとともに、家庭的保育者の相談に応じ、必要な指導・援助を行うこと。

④　家庭的保育者が保育する乳幼児を定期的に連携施設に招いたり、乳幼児の健康診断を連携施設の利用子どもとともに行うなどの連携を図るとともに、家庭的保育者に対し、連携施設や地域の行事に関する情報を提供し、当該行事に参加するよう勧めること。

⑤　家庭的保育者の居宅等における保育の状況を把握するため、家庭的保育支援者又は担当者は少なくとも３か月に１回以上、さらに、家庭的保育者の状況に応じて、必要な都度、訪問させる

こと。また、その状況等について市町村との情報共有を図ること。

⑵　加算の認定

㋐　加算の認定は、事業所が所在する市町村長が行うこととし、新たに加算の認定をするにあたっては、その事業所の設置者からその旨の申請（事業所名、加算の適用年月、家庭的保育支援者又は担当者の氏名、経歴及び支援の内容等が確認できるもの等）を徴して⑴の要件への適合状況を確認すること。

㋑　市町村長は、加算の認定がされている事業所について、申請又は指導監督等を通じてその状況を把握し、⑴の要件に適合しなくなった場合には、⑴の要件に適合しなくなった日の属する月の翌月（月初日に⑴に適合しなくなった場合はその月）から加算の適用が無いものとすること。

⑶　加算額の算定

加算額は、地域区分等に応じて定められた額とする。

5　障害児保育加算（⑨）

⑴　加算の要件

障害児（軽度障害児を含む。）(注) を受け入れる事業所において、当該障害児に係る家庭的保育者及び家庭的保育補助者の配置基準を障害児2人につき1人とする場合に加算する。

その際の計算に当たっては、配置する家庭的保育補助者数が、以下の算式により得た「必要補助者数」以上になること。

(注) 市町村が認める障害児とし、身体障害者手帳等の交付の有無は問わない。医師による診断書や巡回支援専門員等障害に関する専門的知見を有する者による意見提出など障害の事実が把握可能な資料をもって確認して差し支えない。

＜算式＞

{利用子ども数（障害児を除く）×1／5（小数点第1位まで計算)} ＋ {障害児数×1／2（〃)} ＝必要補助者数（小数点第1位を切り上げ)

⑵　加算の認定

㋐　加算の認定は、事業所が所在する市町村長が行うこととし、新たに加算の認定をするにあたっては、その事業所の設置者からその旨の申請（事業所名、加算の適用年月、対象子ども、利用子ども数（見込み）及び家庭的保育補助者等の配置状況が記載された職員体制図等）を徴して⑴の要件への適合状況を確認すること。

㋑　市町村長は、加算の認定がされている事業所について、申請又は指導監督等を通じてその状況を把握し、⑴の要件に適合しなくなった場合には、⑴の要件に適合しなくなった日の属する月の翌月（月初日に⑴に適合しなくなった場合はその月）から加算の適用が無いものとすること。

⑶　加算額の算定

加算額は、地域区分等に応じた単価に、当該加算に係る処遇改善等加算Ⅰの単価に1の⑵で認定した加算率×100を乗じて得た額を加えた額とする。

6　減価償却費加算（⑩）

⑴　加算の要件

以下の要件全てに該当する事業所に加算する。

㋐　家庭的保育事業の用に供する建物が自己所有であること (注1)

㋑　建物を整備・改修又は取得する際に、建設資金又は購入資金が発生していること

㋒　建物の整備・改修に当たって、改修費等の国庫補助金の交付を受けていないこと (注2)

㋓　賃借料加算（⑪）の対象となっていないこと

（注1）事業所の一部が賃貸物件の場合は、自己所有の建物の延べ面積が事業所全体の延べ面積の50％以上であること

（注2）改修費等の国庫補助の交付を受けて建設・改修した建物について、整備後一定年数が経過した後に、以下の要件全てに該当する改修等を行った場合には㋒に該当することとして差し支えない。

①　老朽化等を理由として改修等が必要であったと市町村が認める場合

②　当該改修等に当たって、国庫補助の交付を受けていないこと

③　1事業所当たりの改修等に要した費用を2000で除して得た値が、建物全体の延面積に2を乗じて得た値を上回る場合で、かつ、改修等に要した費用が1000万円以上であること

⑵　加算の認定

㋐　加算の認定は、事業所が所在する市町村長が行うこととし、加算の認定をするにあたっ

ては、その事業所の設置者からその旨の申請（事業所名、加算の適用年月、建物を整備・改修又は取得する際の契約書類等）を徴して確認すること。

(イ) 市町村長は、加算の認定がされている事業所について、(1)の要件に適合しなくなった場合には、(1)の要件に適合しなくなった日の属する月の翌月（月初日に(1)に適合しなくなった場合はその月）から加算の適用が無いものとすること。

(3) 加算額の算定

加算額は、「標準」又は「都市部」の区分に応じて定められた額とする。なお、「標準」とは都市部に該当する市町村以外の市町村をいい、「都市部」とは当年度又は前年度における４月１日現在の人口密度が1000人／㎢以上の市町村をいう。

7 賃借料加算（⑪）

(1) 加算の要件

以下の要件全てに該当する事業所に加算する。

(ア) 家庭的保育事業の用に供する建物が賃貸物件であること(注)

(イ) (ア)の賃貸物件に対する賃借料が発生していること

(ウ) 賃借料の国庫補助（「認可保育所等設置支援事業の実施について」（令和５年４月19日こ成保第15号こども家庭庁成育局長通知）に定める「都市部における保育所への賃借料等支援事業」による国庫補助を除く。）を受けた事業所については、当該補助に係る残額が生じていないこと

(エ) 減価償却費加算（⑩）の対象となっていないこと

（注）事業所の一部が自己所有の場合は、賃貸による建物の延べ面積が事業所全体の延べ面積の50％以上であること

(2) 加算の認定

(ア) 加算の認定は、事業所が所在する市町村長が行うこととし、加算の認定をするにあたっては、その事業所の設置者からその旨の申請（事業所名、加算の適用年月、賃貸契約書等）を徴して確認すること。

(イ) 市町村長は、加算の認定がされている事業所について、(1)の要件に適合しなくなった場合には、(1)の要件に適合しなくなった日の属する月の翌月（月初日に(1)に適合しなくなった場合はその月）から加算の適用が無いものとすること。

(3) 加算額の算定

加算額は、以下の地域の区分ごとに定められた額とする。

<table>
<tr><th colspan="2">区分</th><th>都道府県</th></tr>
<tr><td rowspan="2">Ａ地域</td><td>標　準</td><td rowspan="2">埼玉県　千葉県　東京都
神奈川県</td></tr>
<tr><td>都市部</td></tr>
<tr><td rowspan="2">Ｂ地域</td><td>標　準</td><td rowspan="2">静岡県　滋賀県　京都府
大阪府　兵庫県　奈良県</td></tr>
<tr><td>都市部</td></tr>
<tr><td rowspan="2">Ｃ地域</td><td>標　準</td><td rowspan="2">宮城県　茨城県　栃木県
群馬県　新潟県　石川県
長野県　愛知県　三重県
和歌山県　鳥取県　岡山県
広島県　香川県　福岡県
沖縄県</td></tr>
<tr><td>都市部</td></tr>
<tr><td rowspan="2">Ｄ地域</td><td>標　準</td><td rowspan="2">北海道　青森県　岩手県
秋田県　山形県　福島県
富山県　福井県　山梨県
岐阜県　島根県　山口県
徳島県　愛媛県　高知県
佐賀県　長崎県　熊本県
大分県　宮崎県　鹿児島県</td></tr>
<tr><td>都市部</td></tr>
</table>

＊表中「都市部」とは当年度又は前年度における４月１日現在の人口密度が1000人／㎢以上の市町村をいい、「標準」とはそれ以外の市町村をいう。

Ⅳ 加減調整部分

1 連携施設を設定していない場合（⑫）

(1) 調整の適用を受ける事業所の要件

連携施設を設定しない事業所に適用する。

(2) 調整の適用を受ける事業所の認定

(ア) 調整の適用を受ける事業所の認定は、事業所が所在する市町村長が連携施設の設定状況を確認のうえ行うこととする。

(イ) 市町村長は、調整の適用を受ける事業所について、申請等を通じてその状況を把握し、(1)の要件に適合しなくなった場合には、(1)の要件に適合しなくなった日の属する月の翌月（月初日に(1)に適合しなくなった場合はその月）から調整の適用が無いものとすること。

(3) 調整額の算定

調整額は、地域区分等に応じて定められた額とする。

2 食事の提供について自園調理又は連携施設等か

らの搬入以外の方法による場合（⑬）

(1)　調整の適用を受ける事業所の要件

食事の提供に当たり、事業所において調理する方法又は家庭的保育事業等設備運営基準第16条第２項各号に定める搬入施設から搬入する方法以外の方法による事業所に適用する。

(2)　調整の適用を受ける事業所の認定

(ア)　調整の適用を受ける事業所の認定は、事業所が所在する市町村長が食事の提供状況を確認のうえ行うこととする。

(イ)　市町村長は、調整の適用を受ける事業所について、申請等を通じてその状況を把握し、(1)の要件に適合しなくなった場合には、(1)の要件に適合しなくなった日の属する月の翌月（月初日に(1)に適合しなくなった場合はその月）から調整の適用が無いものとすること。

(3)　調整額の算定

調整額は、適用される基本分単価（④）、処遇改善等加算Ⅰ（⑤）及び家庭的保育支援加算（⑧）の額の合計に、地域区分等に応じた調整率を乗じて得た額とする。(算定して得た額に10円未満の端数がある場合は切り捨てる。)

3　土曜日に閉所する場合（⑭）

(1)　調整の適用を受ける事業所の要件

事業所を利用する保育認定子どもについて、土曜日（国民の祝日及び休日を除く。以下同じ。）に係る保育の利用希望が無いなどの理由により、当該月の土曜日に閉所する日がある施設に適用する。

また、開所していても保育を提供していない場合は、閉所しているものとして取り扱うこと。

なお、他の特定教育・保育施設、地域型保育事業所（居宅訪問型保育事業所は除く。）又は企業主導型保育施設と共同保育を実施することにより、事業所を利用する保育認定子どもの土曜日における保育が確保されている場合には、土曜日に開所しているものとして取り扱うこと。

(2)　調整の適用を受ける事業所の認定

(ア)　調整の適用を受ける事業所の認定は、事業所が所在する市町村長が行うこととし、認定をするにあたっては、その事業所の設置者からその旨の申請（事業所名、調整の適用年月、土曜日に閉所することとなる理由等）を徴して確認すること。

(イ)　市町村長は、調整の適用を受ける事業所について、申請又は指導監督等を通じてその状況を把握すること。

(3)　調整額の算定

調整額は、地域区分等及び閉所日数（当該月の土曜日のうち閉所する日の数をいう。）に応じて定められた額とする。

Ⅴ　特定加算部分

1　処遇改善等加算Ⅱ（⑮）

(1)　加算の要件及び加算の認定

加算の要件及び加算の認定は別に定めるところによる。

(2)　加算額の算定

加算額は、処遇改善等加算Ⅱ―①又はⅡ―②の別に定められる額を各月初日の利用子ども数で除して得た額とする（算定して得た額に10円未満の端数がある場合は切り捨てる。）。

2　処遇改善等加算Ⅲ（⑯）

(1)　加算の要件及び加算の認定

加算の要件及び加算の認定は別に定めるところによる。

(2)　加算額の算定

加算額は、別に定める額に対象人数を乗じて得た額を、各月初日の利用子ども数で除して得た額とする（算定して得た額に10円未満の端数がある場合は切り捨てる。）。

3　冷暖房費加算（⑰）

(1)　加算の要件

全ての事業所に加算する。

(2)　加算額の算定

加算額は、以下の地域の区分に応じて定める額とする。

１級地	国家公務員の寒冷地手当に関する法律（昭和24年法律第200号）別表に規定する１級地をいう。
２級地	国家公務員の寒冷地手当に関する法律別表に規定する２級地をいう。
３級地	国家公務員の寒冷地手当に関する法律別表に規定する３級地をいう。
４級地	国家公務員の寒冷地手当に関する法律別表に規定する４級地をいう。
その他地域	上記以外の地域をいう。

4　除雪費加算（⑱）

(1)　加算の要件

豪雪地帯対策特別措置法（昭和37年法律第73

号）第２条第２項に規定する地域に所在する事業所に加算する。

⑵　加算額の算定

加算額は、定められた額とし、３月初日に利用する子どもの単価に加算する。

5　降灰除去費加算（⑲）

⑴　加算の要件

活動火山対策特別措置法（昭和48年法律第61号）第23条第１項に規定する降灰防除地域に所在する事業所に加算する。

⑵　加算額の算定

加算額は、定められた額を、３月初日の利用子ども数で除して得た額（算定して得た額に10円未満の端数がある場合は切り捨てる。）とし、３月初日に利用する子どもの単価に加算する。

6　施設機能強化推進費加算（⑳）

⑴　加算の要件

事業所における火災・地震等の災害時に備え、職員等の防災教育及び災害発生時の安全かつ、迅速な避難誘導体制を充実する等の事業所の総合的な防災対策を図る取組（注１・注２・注３）を行う事業所で、以下の事業等を複数実施する事業所に加算する。

ⅰ　延長保育事業（子ども・子育て支援交付金の交付に係る要件に適合するもの及びこれと同等の要件を満たして自主事業として実施しているもの。ただし、当該要件を満たした月以降の各月においては、同一年度内に限り、事業を実施する体制が取られていることをもって当該要件を満たしているものと取り扱う。）

ⅱ　一時預かり事業（一般型）（子ども・子育て支援交付金に係る要件に適合しており、かつ、月の平均対象子どもが１人以上いるもの（年度当初から事業を開始する場合は５月において当該要件を満たしていることをもって４月から当該要件を満たしているものと取り扱う。)。ただし、当該要件を満たした月以降の各月においては、同一年度内に限り、事業を実施する体制が取られていることをもって当該要件を満たしているものと取り扱う。）

ただし、当分の間は平成21年６月３日雇児発第0603002号厚生労働省雇用均等・児童家庭局長通知「『保育対策等促進事業の実施について』の一部改正について」以前に定める一時保育促進事業の要件を満たしていると認められ、実施しているものも含むこととされること。

ⅲ　病児保育事業（子ども・子育て支援交付金に係る要件に適合するもの及びこれと同等の要件を満たして自主事業として実施しているもの。）

ⅳ　乳児が３人以上利用している施設（４月から11月までの各月初日を平均して乳児が３人以上利用していること。）

また、①乳児の利用定員が３人以上あり、かつ、②乳児保育を実施する職員体制を維持し、③地域の親子が交流する場の提供や子育てに関する相談会を月２回以上開催している場合、前年度に要件を満たしていた場合については、乳児３人以上の利用の要件を満たしたものと取り扱う。

ⅴ　障害児（軽度障害児を含む。）（注４）が１人以上利用している施設（４月から11月までの間に１人以上の障害児の利用があること。）

（注１）取組の実施方法の例示

ⅰ　地域住民等への防災支援協力体制の整備及び合同避難訓練等を実施する。

ⅱ　職員等への防災教育、訓練の実施及び避難具の整備を促進する。

（注２）取組に必要となる経費の額

取組に必要となる経費の総額が、概ね16万円以上見込まれること。

（注３）支出対象経費

需用費（消耗品費、燃料費、印刷製本費、修繕費、食糧費（茶菓）、光熱水費、医療材料費）・役務費（通信運搬費）・旅費・謝金・備品購入費・原材料費・使用料及び賃借料・賃金・委託費（防災訓練及び避難具の整備等に要する特別の経費に限り、保育の提供に当たって、通常要する費用は含まない。）

（注４）市町村が認める障害児とし、身体障害者手帳等の交付の有無は問わない。医師による診断書や巡回支援専門員等障害に関する専門的知見を有する者による意見提出など障害の事実が把握可能な資料をもって確認しても差し支えない。

⑵　加算の認定

加算の認定は、事業所が所在する市町村長が行うこととし、加算の認定をするにあたっては、その事業所の設置者からその旨の申請を毎年12月末までに提出させ、必要性及び経費等について必要な審査を行うこと。

⑶　加算額の算定

加算額は、定められた額を、３月初日の利用子ども数で除して得た額（算定して得た額に10円未満の端数がある場合は切り捨てる。）とし、３月初日に利用する子どもの単価に加算する。

⑷　実績の報告等

本加算の適用を受けた事業所は、翌年４月末日までに実績報告書を市町村長に提出すること。

なお、市町村長は、本加算を行った事業所について、検査時等に検証を行うこと。

7　栄養管理加算（㉑）

⑴　加算の要件

食事の提供にあたり、栄養士を活用（注）して、栄養士から献立やアレルギー、アトピー等への助言、食育等に関する継続的な指導を受ける事業所に加算する。

（注）栄養士の活用に当たっては、雇用形態を問わず、嘱託する場合や、調理員として栄養士を雇用している場合も対象となる。

⑵　加算の認定

㈠　加算の認定は、事業所が所在する市町村長が行うこととし、加算を認定するにあたっては、その事業所の設置者からその旨の申請（事業所名、加算の適用年月、栄養士の活用状況・配置等の形態の別が確認できる書類等）を徴して確認すること。

㈡　市町村長は、加算の認定がされている事業所について、申請又は指導監督等を通じてその状況を把握し、⑴の要件に適合しなくなった場合には、⑴の要件に適合しなくなった日の属する月の翌月（月初日に⑴に適合しなくなった場合はその月）から加算の適用がないものとすること。

⑶　加算額の算定

加算額は、以下に掲げる栄養士の配置等の形態の別に応じ、それぞれに定める計算式により算出された額（算定して得た額に10円未満の端数がある場合は切り捨てる。）とする。

㈠　配置（注1）　定められた基本額に当該加算に係る処遇改善等加算Ⅰの単価にⅢの１⑵で認定した加算率×100を乗じて得た額を加えた額を、各月初日の利用子ども数で除して得た額とする。

㈡　兼務（注2）　定められた基本額に当該加算に係る処遇改善等加算Ⅰの単価にⅢの１⑵で認定した加算率×100を乗じて得た額を加えた額を、各月初日の利用子ども数で除して得た額とする。

㈢　嘱託（注3）　定められた基本額を、各月初日の利用子ども数で除して得た額とする。

（注１）本加算に係る栄養士が雇用契約等により配置されている場合をいい、兼務に該当する場合を除く。

（注２）基本分単価及び他の加算の認定に当たって求められる職員が本加算に係る栄養士としての業務を兼務している場合をいう。

（注３）配置又は兼務に該当する場合を除き、本加算に係る栄養士としての業務を嘱託等する場合をいう。

8　第三者評価受審加算（㉒）

⑴　加算の要件

「福祉サービス第三者評価基準ガイドライン」等に沿って、第三者評価を適切に実施することが可能であると市町村が認める第三者機関による評価（行政が委託等により民間機関に行わせるものを含む。）を受審し、その結果をホームページ等により広く公表する事業所に加算する。

⑵　加算の認定

加算の認定は、事業所が所在する市町村長が行うこととし、加算を認定するにあたっては、その事業所の設置者からその旨の申請（事業所名、加算の適用年度、受審状況が分かる資料等）を毎年12月末までに提出させ、必要な審査を行うこと。

（注１）評価機関との間の契約書等により、当年度に第三者評価の受審や結果の公表（評価機関からの評価結果の提示が翌年度以降となるため、結果の公表が翌年度になる場合を含む。）が行われることが確認できる場合は本加算の対象とする。その場合、市町村は受審や結果の公表が確実に行われていることを事後に確認すること。

（注２）第三者評価の受審は５年に一度程度を

想定しており、加算適用年度から５年度間は再度の加算適用はできないこと。

⑶　加算額の算定

加算額は、定められた額を、３月初日の利用子ども数で除して得た額（算定して得た額に10円未満の端数がある場合は切り捨てる。）とし、３月初日に利用する子どもの単価に加算する。

別紙６（小規模保育事業Ａ型・Ｂ型（保育認定３号））

Ⅰ　地域区分等

１　地域区分（①）

利用する事業所が所在する市町村ごとに定められた告示別表第１による区分を適用する。

２　定員区分（②）

利用する事業所の利用定員の総和に応じた区分を適用する。

３　認定区分（③）

利用子どもの認定区分に応じた区分を適用する。

４　年齢区分（④）

利用子どもの満年齢に応じた区分を適用する。

なお、年齢区分が年度の初日の前日における満年齢に基づき区分した場合に、年齢区分が異なる場合は、適用される年齢区分における基本分単価（⑥）、処遇改善等加算Ⅰ（⑦）、保育士比率向上加算（⑧）、障害児保育加算（⑨）及び夜間保育加算（⑪）の単価について、それぞれの「月額調整」欄に定める額に置き替えて適用するものとする。

５　保育必要量区分（⑤）

利用子どもの保育必要量に応じた区分を適用する。

Ⅱ　基本部分

１　基本分単価（⑥）

⑴　額の算定

地域区分（①）、定員区分（②）、認定区分（③）、年齢区分（④）、保育必要量区分（⑤）（以下「地域区分等」という。）に応じて定められた額とする。

⑵　基本分単価に含まれる職員構成

基本分単価に含まれる職員構成は以下のとおりであることから、これを充足すること。

㋐　保育従事者（※）

基本分単価における必要保育従事者数は以下のⅰとⅱを合計した数であること。

また、これとは別に非常勤の保育従事者（小規模保育事業Ａ型にあっては保育士）が配置されていること。

ⅰ　年齢別配置基準（※）

ａ　小規模保育事業Ａ型

１、２歳児６人につき１人、乳児３人につき１人、左記に加えて１人

上記はすべて保育士であること。

（注１）ここでいう「１、２歳児」、「乳児」とは、年度の初日の前日における満年齢によるものであること。

（注２）確認に当たっては以下の算式によること。

＜算式＞

{１、２歳児数×１／６（小数点第１位まで計算（小数点第２位以下切り捨て））}＋{乳児数×１／３（同）}＋１＝配置基準上保育士数（小数点以下四捨五入）

ｂ　小規模保育事業Ｂ型

１、２歳児６人につき１人、乳児３人につき１人、左記に加えて１人

上記のうち、１／２以上は保育士であること。

（注１）ここでいう「１、２歳児」、「乳児」とは、年度の初日の前日における満年齢によるものであること。

（注２）確認に当たっては以下の算式１（保育従事者数）、算式２（保育士数）によること。

＜算式１＞

{１、２歳児数×１／６（小数点第１位まで計算（小数点第２位以下切り捨て））}＋{乳児数×１／３（同）}＋１＝配置基準上保育従事者数（小数点以下四捨五入）

＜算式２＞

配置基準上保育従事者数×１／２＝配置基準上保育士数（小数点以下四捨五入）

ⅱ　その他（※）

ａ　保育標準時間認定を受けた子どもが利用する事業所については非常勤保育従事者１人（小規模保育事業Ａ型にあっては保育士）

ｂ　上記ⅰの保育従事者１人当たり、研修

代替保育従事者として年間３日分の費用を算定（注）

（注）当該費用については、保育従事者が研修を受講する際の受講費用や、時間外における研修受講の際の時間外手当等に充当しても差し支えないこと。

（※）小規模保育事業Ａ型における保育士には、家庭的保育事業等の設備及び運営に関する基準（平成26年厚生労働省令第61号。以下「家庭的保育事業等設備運営基準」という。）第29条第３項並びに附則第７条及び第８条に基づいて市町村が定める条例に基づき保育士とみなされた者を含む。

（※）小規模保育事業Ｂ型における保育士には、家庭的保育事業等設備運営基準第31条第３項に基づいて市町村が定める条例に基づき保育士とみなされた者を含む。

(ｲ)　その他

ｉ　管理者

１人

（注）管理者は児童福祉事業等に２年以上従事した者又はこれと同等以上の能力を有すると認められる者で、常時実際にその事業所の運営管理の業務に専従し、かつ給付費からの給与支出がある者とする。

<児童福祉事業等に従事した者の例示>

児童福祉施設の職員、幼稚園・小学校等における教諭、市町村等の公的機関において児童福祉に関する事務を取り扱う部局の職員、民生委員・児童委員の他、教育・保育施設又は地域型保育事業に移行した施設・事業所における移行前の認可外保育施設の職員等

<同等以上の能力を有すると認められる者の例示>

公的機関等の実施する施設長研修等を受講した者等

ⅱ　非常勤調理員等（注）

（注）調理業務の全部を委託する場合、または搬入施設から食事を搬入する場合は、調理員を置かないことができる。

ⅲ　非常勤事務職員（注）

（注）管理者等の職員が兼務する場合又は業務委託する場合は、配置は不要であること。

ⅳ　嘱託医・嘱託歯科医

(3)　連携施設経費

基本分単価には、家庭的保育事業等設備運営基準第６条第１項に定める連携施設（同条第２項及び第４項第２号により市町村が連携施設の確保が著しく困難であると認める場合においては、それぞれ同条第３項及び第５項に定める連携協力を行う者を含む。本項及びⅣの１において同じ。）に係る経費を算定していること。そのため、連携施設を設定していない事業所については、Ⅳの１による調整が行われること。

Ⅲ　基本加算部分

1　処遇改善等加算Ⅰ（⑦）

(1)　加算の要件及び加算の認定

加算の要件及び加算の認定は別に定めるところによる。

(2)　加算額の算定

加算額は、地域区分等に応じた単価に、別に定めるところにより認定した加算率×100を乗じて得た額とする。

2　保育士比率向上加算（⑧）<小規模保育事業Ｂ型>

(1)　加算の要件

Ⅱの１(2)(ｱ)ｉｂの年齢別配置基準について、保育士資格を有する者の占める割合が３／４以上となる事業所に加算する。

その際の計算に当たっては、以下の算式によること。

<算式>

配置基準上保育従事者数（小数点以下四捨五入）×３／４＝必要保育士数（小数点以下四捨五入）

(2)　加算の認定

(ｱ)　加算の認定は、事業所が所在する市町村長が行うこととし、新たに加算の認定をするにあたっては、その事業所の設置者からその旨の申請（事業所名、加算の適用年月、利用子ども数（見込み）及び保育従事者の配置状況が記載された職員体制図等）を徴して(1)の要件への適合状況を確認すること。

(ｲ)　市町村長は、加算の認定がされている事業所について、申請又は指導監督等を通じてその状況を把握し、(1)の要件に適合しなくなった場合には、(1)の要件に適合しなくなった日の属する月の翌月（月初日に(1)に適合しなく

なった場合はその月）から加算の適用が無いものとすること。

(3) 加算額の算定

加算額は、地域区分等に応じた単価に、当該加算に係る処遇改善等加算Ⅰの単価に1の(2)で認定した加算率×100を乗じて得た額を加えた額とする。

3 障害児保育加算（⑨）

(1) 加算の要件

障害児（軽度障害児を含む。）(注)を受け入れる事業所において、当該障害児に係る保育従事者の配置基準を障害児2人につき1人とする場合に加算する。

その際の計算に当たっては、Ⅱの1(2)(ア)ⅰの年齢別配置基準について、以下の算式に置き替えて算定すること。

（注）市町村が認める障害児とし、身体障害者手帳等の交付の有無は問わない。医師による診断書や巡回支援専門員等障害に関する専門的知見を有する者による意見提出など障害の事実が把握可能な資料をもって確認して差し支えない。

＜算式＞

{1、2歳児数（障害児を除く）×1／6（小数点第1位まで計算（小数点第2位以下切り捨て））} ＋ {乳児数（同）×1／3（同）} ＋ {障害児数×1／2（同）} ＋1 ＝配置基準上保育士・保育従事者数（小数点以下四捨五入）

(2) 加算の認定

(ア) 加算の認定は、事業所が所在する市町村長が行うこととし、新たに加算の認定をするにあたっては、その事業所の設置者からその旨の申請（事業所名、加算の適用年月、対象子ども、利用子ども数（見込み）及び保育従事者の配置状況が記載された職員体制図等）を徴して(1)の要件への適合状況を確認すること。

(イ) 市町村長は、加算の認定がされている事業所について、申請又は指導監督等を通じてその状況を把握し、(1)の要件に適合しなくなった場合には、(1)の要件に適合しなくなった日の属する月の翌月（月初日に(1)に適合しなくなった場合はその月）から加算の適用が無いものとすること。

(3) 加算額の算定

加算額は、対象となる子どもの地域区分等に応じた単価に、当該加算に係る処遇改善等加算Ⅰの単価に1の(2)で認定した加算率×100を乗じて得た額を加えた額とする。

4 休日保育加算（⑩）

(1) 加算の要件

日曜日、国民の祝日及び休日（以下「休日等」という。）において、以下の要件を満たして、保育を実施する事業所に加算する。

(ア) 休日等を含めて年間を通じて開所する事業所（複数の特定教育・保育施設、地域型保育事業所（居宅訪問型保育事業所は除く。）又は企業主導型保育施設との共同により年間を通じて開所する事業所（以下「共同実施事業所」という。）を含む。）を市町村が指定して実施すること。

(イ) 家庭的保育事業等設備運営基準第29条第2項及び第3項並びに附則第6条から第9条（A型）又は第31条第2項（B型）の規定に基づき、対象子どもの年齢及び人数に応じて、本事業を担当する保育従事者を配置すること。

(ウ) 対象となる子どもに対して、適宜、間食又は給食等を提供すること。

(エ) 対象となる子どもは、原則、休日等に常態的に保育を必要とする保育認定子どもであること。

(2) 加算の認定

(ア) 加算の認定は、事業所が所在する市町村長が行うこととし、加算の認定をするにあたっては、その事業所の設置者からその旨の申請（事業所名、加算の適用年月、休日等における保育従事者の配置状況が記載された職員体制図、(3)の加算額の算定に必要な利用子ども数の見込み及び数の根拠となる実績等）を徴して確認すること。

また、共同実施事業所については、上記に加えて複数の施設・事業所との共同により年間を通じて開所する場合の実施要綱や運営規程を徴して確認すること。

(イ) 市町村長は、加算の認定がされている事業所について、申請又は指導監督等を通じてその状況を把握し、(1)の要件に適合しなくなった場合には、(1)の要件に適合しなくなった日の属する月の翌月（月初日に(1)に適合しなくなった場合はその月）から加算の適用が無いものとすること。

(3) 加算額の算定

加算額は、地域区分等及び以下により認定した休日等に保育を利用する年間の延べ利用子ども数（以下、「休日延べ利用子ども数」という。）に応じた単価に、当該加算に係る処遇改善等加算Ⅰの単価に１の⑵で認定した加算率×100を乗じた額を加えて算出した額を、当該事業所における各月初日の利用子ども数（休日等に保育を利用しない子どもを含む。）で除して得た額とする。（算定して得た額に10円未満の端数がある場合は切り捨てる。）

(ア)　市町村は、毎年度、休日保育加算の対象となる事業所（以下、「休日保育対象事業所」という。）から、当該休日保育対象事業所における休日延べ利用子ども数の見込みを徴収して認定を行うこと。

なお、複数の施設・事業所との共同により年間を通じて開所する場合は、実施する各施設・事業所の休日延べ利用子ども数の見込み数を徴収して認定を行うこと。

(イ)　休日延べ利用子ども数には、休日等に当該休日保育対象事業所を利用する、休日保育対象事業所以外の特定教育・保育施設又は特定地域型保育事業を利用する子どもを含むこと。

なお、当該休日保育対象事業所が共同実施事業所である場合は、休日延べ利用子ども数には、上記に加えて、共同する企業主導型保育施設を休日等に利用する、特定教育・保育施設又は特定地域型保育事業所を利用する子どもを含むこと。

(ウ)　認定された休日延べ利用子ども数は、⑵の(イ)により、加算の適用が無くなった場合を除き、年間を通じて適用されること。そのため、認定に当たっては、前年度における実績等を踏まえて適正に審査されたいこと。

⑷　実績の報告等

本加算の適用を受けた事業所は、翌年４月末日までに実績報告書を市町村長に提出すること。

5　夜間保育加算（⑪）

⑴　加算の要件

以下の要件に適合するものとして市町村に認定された夜間保育を実施する事業所に加算する。

(ア)　設置経営主体

夜間保育の場合は、生活面への対応や個別的な援助がより一層求められることから、保育に関し、長年の経験を有し、良好な成果をおさめているものであること。

(イ)　事業所

夜間保育を行う事業所であること。

(ウ)　職員

管理者は、保育士の資格を有し、直接子どもの保育に従事することができる者を配置するよう努めること。

(エ)　設備及び備品

仮眠のための設備及びその他夜間保育のために必要な設備、備品を備えていること。

(オ)　開所時間

開所時間は原則として11時間とし、おおよそ午後10時までとすること。

⑵　加算の認定

加算の認定は、事業所が所在する市町村長が行うこととし、加算の認定をするにあたっては、その事業所の設置者からその旨の申請（事業所名、加算の適用年月、夜間における保育従事者の配置状況が記載された職員体制図等）を徴して確認すること。

⑶　加算額の算定

加算額は、地域区分等に応じた単価に、当該加算に係る処遇改善等加算Ⅰの単価に１の⑵で認定した加算率×100を乗じて得た額を加えた額とする。

6　減価償却費加算（⑫）

⑴　加算の要件

以下の要件全てに該当する事業所に加算する。

(ア)　小規模保育事業の用に供する建物が自己所有であること（注１）

(イ)　建物を整備・改修又は取得する際に、建設資金又は購入資金が発生していること

(ウ)　建物の整備・改修に当たって、施設整備費又は改修費等（以下「施設整備費等」という。）の国庫補助金の交付を受けていないこと（注２）

(エ)　賃借料加算（⑬）の対象となっていないこと

（注１）事業所の一部が賃貸物件の場合は、自己所有の建物の延べ面積が事業所全体の延べ面積の50％以上であること

（注２）施設整備費等の国庫補助の交付を受けて建設・改修した建物について、整備後一定年数が経過した後に、以下の要件全てに該当する改修等を行った場

合には(ウ)に該当することとして差し支えない。

① 老朽化等を理由として改修等が必要であったと市町村が認める場合

② 当該改修等に当たって、国庫補助の交付を受けていないこと

③ 1事業所当たりの改修等に要した費用を2000で除して得た値が、建物全体の延べ面積に2を乗じて得た値を上回る場合で、かつ、改修等に要した費用が1000万円以上であること

(2) 加算の認定

(ア) 加算の認定は、事業所が所在する市町村長が行うこととし、加算の認定をするにあたっては、その事業所の設置者からその旨の申請（事業所名、加算の適用年月、建物を整備・改修又は取得する際の契約書類等）を徴して確認すること。

(イ) 市町村長は、加算の認定がされている事業所について、(1)の要件に適合しなくなった場合には、(1)の要件に適合しなくなった日の属する月の翌月（月初日に(1)に適合しなくなった場合はその月）から加算の適用が無いものとすること。

(3) 加算額の算定

加算額は、「標準」又は「都市部」の区分に応じて定められた額とする。なお、「標準」とは都市部に該当する市町村以外の市町村をいい、「都市部」とは当年度又は前年度における4月1日現在の人口密度が1000人／㎢以上の市町村をいう。

7 賃借料加算（⑬）

(1) 加算の要件

以下の要件全てに該当する事業所に加算する。

(ア) 小規模保育事業の用に供する建物が賃貸物件であること[注]

(イ) (ア)の賃貸物件に対する賃借料が発生していること

(ウ) 賃借料の国庫補助（「認可保育所等設置支援事業の実施について」（令和5年4月19日こ成保第15号こども家庭庁成育局長通知）に定める「都市部における保育所への賃借料等支援事業」による国庫補助を除く。）を受けた事業所については、当該補助に係る残額が生じていないこと

(エ) 減価償却費加算（⑫）の対象となっていないこと

（注） 事業所の一部が自己所有の場合は、賃貸による建物の延べ面積が事業所全体の延べ面積の50％以上であること

(2) 加算の認定

(ア) 加算の認定は、事業所が所在する市町村長が行うこととし、加算の認定をするにあたっては、その事業所の設置者からその旨の申請（事業所名、加算の適用年月、賃貸契約書等）を徴して確認すること。

(イ) 市町村長は、加算の認定がされている事業所について、(1)の要件に適合しなくなった場合には、(1)の要件に適合しなくなった日の属する月の翌月（月初日に(1)に適合しなくなった場合はその月）から加算の適用が無いものとすること。

(3) 加算額の算定

加算額は、以下の地域の区分ごとに定められた額とする。

区分		都道府県
A地域	標準	埼玉県　千葉県　東京都 神奈川県
	都市部	
B地域	標準	静岡県　滋賀県　京都府 大阪府　兵庫県　奈良県
	都市部	
C地域	標準	宮城県　茨城県　栃木県 群馬県　新潟県　石川県 長野県　愛知県　三重県 和歌山県　鳥取県　岡山県 広島県　香川県　福岡県 沖縄県
	都市部	
D地域	標準	北海道　青森県　岩手県 秋田県　山形県　福島県 富山県　福井県　山梨県 岐阜県　島根県　山口県 徳島県　愛媛県　高知県 佐賀県　長崎県　熊本県 大分県　宮崎県　鹿児島県
	都市部	

＊表中「都市部」とは当年度又は前年度における4月1日現在の人口密度が1000人／㎢以上の市町村をいい、「標準」とはそれ以外の市町村をいう。

Ⅳ 加減調整部分

1 連携施設を設定していない場合（⑭）

(1) 調整の適用を受ける事業所の要件

連携施設を設定しない事業所に適用する。

⑵　調整の適用を受ける事業所の認定

㈠　調整の適用を受ける事業所の認定は、事業所が所在する市町村長が連携施設の設定状況を確認のうえ行うこととする。

㈡　市町村長は、調整の適用を受ける事業所について、申請等を通じてその状況を把握し、⑴の要件に適合しなくなった場合には、⑴の要件に適合しなくなった日の属する月の翌月（月初日に⑴に適合しなくなった場合はその月）から調整の適用が無いものとすること。

⑶　調整額の算定

調整額は、地域区分等に応じて定められた額とする。

2　食事の提供について自園調理又は連携施設等からの搬入以外の方法による場合（⑮）

⑴　調整の適用を受ける事業所の要件

食事の提供に当たり、事業所において調理する方法又は家庭的保育事業等設備運営基準第16条第２項各号に定める搬入施設から搬入する方法以外の方法による事業所に適用する。

⑵　調整の適用を受ける事業所の認定

㈠　調整の適用を受ける事業所の認定は、事業所が所在する市町村長が食事の提供状況を確認のうえ行うこととする。

㈡　市町村長は、調整の適用を受ける事業所について、申請等を通じてその状況を把握し、⑴の要件に適合しなくなった場合には、⑴の要件に適合しなくなった日の属する月の翌月（月初日に⑴に適合しなくなった場合はその月）から調整の適用が無いものとすること。

⑶　調整額の算定

調整額は、適用される基本分単価（⑥）、処遇改善等加算Ⅰ（⑦）及び夜間保育加算（⑪）の額の合計に、地域区分等に応じた調整率を乗じて得た額とする。（算定して得た額に10円未満の端数がある場合は切り捨てる。）

3　管理者を配置していない場合（⑯）

⑴　調整の適用を受ける事業所の要件

Ⅱの１⑵の㈡ⅰの（注１）の要件を満たす管理者を配置※していない事業所に適用する。

※　２以上の事業所又は他の事業と兼務し、管理者として職務を行っていない者は欠員とみなされ、要件を満たす管理者を配置したこととはならないこと。

⑵　調整の適用を受ける事業所の認定

㈠　調整の適用を受ける施設の認定は、事業所が所在する市町村長が行うこと。

㈡　市町村長は、調整の適用を受ける事業所について、申請又は指導監督等を通じてその状況を把握すること。

⑶　調整額の算定

調整額は、地域区分等に応じて定められた額とする。

4　土曜日に閉所する場合（⑰）

⑴　調整の適用を受ける事業所の要件

事業所を利用する保育認定子どもについて、土曜日（国民の祝日及び休日を除く。以下同じ。）に係る保育の利用希望が無いなどの理由により、当該月の土曜日に閉所する日がある施設に適用する。

また、開所していても保育を提供していない場合は、閉所しているものとして取り扱うこと。

なお、他の特定教育・保育施設、地域型保育事業所（居宅訪問型保育事業所は除く。）又は企業主導型保育施設と共同保育を実施することにより、事業所を利用する保育認定子どもの土曜日における保育が確保されている場合には、土曜日に開所しているものとして取り扱うこと。

⑵　調整の適用を受ける事業所の認定

㈠　調整の適用を受ける事業所の認定は、事業所が所在する市町村長が行うこととし、認定をするにあたっては、その事業所の設置者からその旨の申請（事業所名、調整の適用年月、土曜日に閉所することとなる理由等）を徴して確認すること。

なお、小規模保育事業については、原則として、土曜日を含む週６日間の開所が求められる事業であることから、土曜日に係る保育の利用希望があるにもかかわらず閉所する等の場合は、当該調整の適用と併せて、市町村において指導を行うこと。

㈡　市町村長は、調整の適用を受ける事業所について、申請又は指導監督等を通じてその状況を把握すること。

⑶　調整額の算定

調整額は、適用される基本分単価（⑥）、処遇改善等加算Ⅰ（⑦）、障害児保育加算（⑨）及び夜間保育加算（⑪）の額の合計に、地域区分等及び閉所日数（当該月の土曜日のうち閉所する日の数をいう。）に応じた調整率を乗じて得た額とする。（算定して得た額に10円未満の端数がある場合は切り捨てる。）

Ⅴ　乗除調整部分

1　定員を恒常的に超過する場合（⑱）

⑴　調整の適用を受ける事業所の要件

次の㋐又は㋑に該当する事業所に適用する。

㋐　直前の連続する５年度間常に利用定員を超えており[注1]、かつ、各年度の年間平均在所率[注2]が120％以上（令和２年度以降のいずれかの年度の４月１日時点の待機児童数が１人以上である市町村に所在する事業所であって、同一の敷地又は隣接する敷地に所在する幼稚園の設備を活用して小規模保育事業を実施するもの（以下本項において「特定事業所」という。）にあっては133％以上）の状態にある事業所に適用する。

なお、教育・保育の提供は利用定員の範囲内で行われることが原則であること。

また、上記の状態にある施設に対しては、利用定員の見直しに向けた指導を行うこと。

なお、小規模保育事業は定員19人以下の事業であるが、㋑に該当する地域に所在する事業所を除き、定員を超えて22人まで（特定事業所にあっては25人まで）の受け入れが可能であること。

（注１）利用定員を超えて受け入れる場合の留意事項

利用定員を超えて受け入れる場合であっても、事業所の設備又は職員数が、利用定員を超えて利用する子どもを含めた利用子ども数に照らし、家庭的保育事業等設備運営基準及び本通知等に定める基準を満たしていること。

（注２）年間平均在所率

当該年度内における各月の初日の利用子ども数の総和を各月の初日の利用定員の総和で除したものをいう。

㋑　子ども・子育て支援法（平成24年法律第65号）第30条第１項第４号に定める離島その他の地域に所在する定員19人を超えて子どもを受け入れる事業所に適用する。

⑵　調整の適用を受ける事業所の認定

㋐　調整の適用を受ける事業所の認定は、事業所が所在する市町村長が事業所の利用状況を確認のうえ行うこととする。

㋑　市町村長は、調整の適用を受ける事業所について、指導監督等を通じて利用定員の見直しが行われた場合又は地域における需要の動向等を踏まえて当該年度における年間平均在所率が120％以上の状態にならないものと認められる場合には、見直し等が行われた日の属する月の翌月（月初日に⑴に適合しなくなった場合はその月）から調整の適用が無いものとすること。

⑶　適用される基本部分及び加減調整部分の額の調整の方法

㋐　⑴の㋐に該当する事業所

本調整措置が適用される事業所における基本分単価（⑥）から土曜日に閉所する場合（⑰）の額については、それぞれの額の総和に地域区分等に応じた調整率を乗じて得た額とする。（算定して得た額に10円未満の端数がある場合は切り捨てる。）

㋑　⑴の㋑に該当する事業所

本調整措置が適用される事業所における基本分単価（⑥）から土曜日に閉所する場合（⑰）の額については、それぞれの額の総和に地域区分等及び各月初日の利用子ども数に応じた調整率を乗じて得た額とする。（算定して得た額に10円未満の端数がある場合は切り捨てる。）

Ⅵ　特定加算部分

1　処遇改善等加算Ⅱ（⑲）

⑴　加算の要件及び加算の認定

加算の要件及び加算の認定は別に定めるところによる。

⑵　加算額の算定

加算額は、処遇改善等加算Ⅱ―①及びⅡ―②の別に定められる額にそれぞれ対象人数を乗じて得た額の合計を、各月初日の利用子ども数で除して得た額とする（算定して得た額に10円未満の端数がある場合は切り捨てる。）。

2　処遇改善等加算Ⅲ（⑳）

⑴　加算の要件及び加算の認定

加算の要件及び加算の認定は別に定めるところによる。

⑵　加算額の算定

加算額は、別に定める額に対象人数を乗じて得た額を、各月初日の利用子ども数で除して得た額とする（算定して得た額に10円未満の端数がある場合は切り捨てる。）。

3　冷暖房費加算（㉑）

⑴　加算の要件

全ての事業所に加算する。

⑵　加算額の算定

加算額は、以下の地域の区分に応じて定める額とする。

１級地	国家公務員の寒冷地手当に関する法律（昭和24年法律第200号）別表に規定する１級地をいう。
２級地	国家公務員の寒冷地手当に関する法律別表に規定する２級地をいう。
３級地	国家公務員の寒冷地手当に関する法律別表に規定する３級地をいう。
４級地	国家公務員の寒冷地手当に関する法律別表に規定する４級地をいう。
その他地域	上記以外の地域をいう。

4　除雪費加算（㉒）

⑴　加算の要件

豪雪地帯対策特別措置法（昭和37年法律第73号）第２条第２項に規定する地域に所在する事業所に加算する。

⑵　加算額の算定

加算額は、定められた額とし、３月初日に利用する子どもの単価に加算する。

5　降灰除去費加算（㉓）

⑴　加算の要件

活動火山対策特別措置法（昭和48年法律第61号）第23条第１項に規定する降灰防除地域に所在する事業所に加算する。

⑵　加算額の算定

加算額は、定められた額を、３月初日の利用子ども数で除して得た額（算定して得た額に10円未満の端数がある場合は切り捨てる。）とし、３月初日に利用する子どもの単価に加算する。

6　施設機能強化推進費加算（㉔）

⑴　加算の要件

事業所における火災・地震等の災害時に備え、職員等の防災教育及び災害発生時の安全かつ、迅速な避難誘導体制を充実する等の事業所の総合的な防災対策を図る取組（注１・注２・注３）を行う事業所で、以下の事業等を複数実施する事業所に加算する。

ｉ　延長保育事業（子ども・子育て支援交付金の交付に係る要件に適合するもの及びこれと同等の要件を満たして自主事業として実施しているもの。ただし、当該要件を満たした月以降の各月においては、同一年度内に限り、事業を実施する体制が取られていることをもって当該要件を満たしているものと取り扱う。）

ⅱ　一時預かり事業（一般型）（子ども・子育て支援交付金に係る要件に適合しており、かつ、月の平均対象子どもが１人以上いるもの（年度当初から事業を開始する場合は５月において当該要件を満たしていることをもって４月から当該要件を満たしているものと取り扱う。）。ただし、当該要件を満たした月以降の各月においては、同一年度内に限り、事業を実施する体制が取られていることをもって当該要件を満たしているものと取り扱う。）

ただし、当分の間は平成21年６月３日雇児発第0603002号厚生労働省雇用均等・児童家庭局長通知「『保育対策等促進事業の実施について』の一部改正について」以前に定める一時保育促進事業の要件を満たしていると認められ、実施しているものも含むこととされること

ⅲ　病児保育事業（子ども・子育て支援交付金に係る要件に適合するもの及びこれと同等の要件を満たして自主事業として実施しているもの。）

ⅳ　乳児が３人以上利用している施設（４月から11月までの各月初日を平均して乳児が３人以上利用していること。）

また、①乳児の利用定員が３人以上あり、かつ、②乳児保育を実施する職員体制を維持し、③地域の親子が交流する場の提供や子育てに関する相談会を月２回以上開催している場合、前年度に要件を満たしていた場合については、乳児３人以上の利用の要件を満たしたものと取り扱う。

ⅴ　障害児（軽度障害児を含む。）（注４）が１人以上利用している施設（４月から11月までの間に１人以上の障害児の利用があること。）

（注１）取組の実施方法の例示

ｉ　地域住民等への防災支援協力体制の整備及び合同避難訓練等を実施する。

ⅱ　職員等への防災教育、訓練の実施及び避難具の整備を促進する。

（注２）取組に必要となる経費の額

取組に必要となる経費の総額が、概ね16万円以上見込まれること。

（注３）支出対象経費

需用費（消耗品費、燃料費、印刷製本費、修繕費、食糧費（茶菓）、光熱水費、医療材料費）・役務費（通信運

搬費）・旅費・謝金・備品購入費・原材料費・使用料及び賃借料・賃金・委託費（防災訓練及び避難具の整備等に要する特別の経費に限り、保育の提供に当たって、通常要する費用は含まない。）

（注４）市町村が認める障害児とし、身体障害者手帳等の交付の有無は問わない。医師による診断書や巡回支援専門員等障害に関する専門的知見を有する者による意見提出など障害の事実が把握可能な資料をもって確認しても差し支えない。

⑵　加算の認定

加算の認定は、事業所が所在する市町村長が行うこととし、加算の認定をするにあたっては、その事業所の設置者からその旨の申請を毎年12月末までに提出させ、必要性及び経費等について必要な審査を行うこと。

⑶　加算額の算定

加算額は、定められた額を、３月初日の利用子ども数で除して得た額（算定して得た額に10円未満の端数がある場合は切り捨てる。）とし、３月初日に利用する子どもの単価に加算する。

⑷　実績の報告等

本加算の適用を受けた事業所は、翌年４月末日までに実績報告書を市町村長に提出すること。

なお、市町村長は、本加算を行った事業所について、検査時等に検証を行うこと。

7　栄養管理加算（㉕）

⑴　加算の要件

食事の提供にあたり、栄養士を活用（注）して、栄養士から献立やアレルギー、アトピー等への助言、食育等に関する継続的な指導を受ける事業所に加算する。

（注）栄養士の活用に当たっては、雇用形態を問わず、嘱託する場合や、調理員として栄養士を雇用している場合も対象となる。

⑵　加算の認定

㋐　加算の認定は、事業所が所在する市町村長が行うこととし、加算を認定するにあたっては、その事業所の設置者からその旨の申請（事業所名、加算の適用年月、栄養士の活用状況・配置等の形態の別が確認できる書類等）を徴して確認すること。

㋑　市町村長は、加算の認定がされている事業所について、申請又は指導監督等を通じてその状況を把握し、⑴の要件に適合しなくなった場合には、⑴の要件に適合しなくなった日の属する月の翌月（月初日に⑴に適合しなくなった場合はその月）から加算の適用がないものとすること。

⑶　加算額の算定

加算額は、以下に掲げる栄養士の配置等の形態の別に応じ、それぞれに定める計算式により算出された額（算定して得た額に10円未満の端数がある場合は切り捨てる。）とする。

㋐　配置（注1）　定められた基本額に当該加算に係る処遇改善等加算Ⅰの単価にⅢの１⑵で認定した加算率×100を乗じて得た額を加えた額を、各月初日の利用子ども数で除して得た額とする。

㋑　兼務（注2）　定められた基本額に当該加算に係る処遇改善等加算Ⅰの単価にⅢの１⑵で認定した加算率×100を乗じて得た額を加えた額を、各月初日の利用子ども数で除して得た額とする。

㋒　嘱託（注3）　定められた基本額を、各月初日の利用子ども数で除して得た額とする。

（注１）本加算に係る栄養士が雇用契約等により配置されている場合をいい、兼務に該当する場合を除く。

（注２）基本分単価及び他の加算の認定に当たって求められる職員が本加算に係る栄養士としての業務を兼務している場合をいう。

（注３）配置又は兼務に該当する場合を除き、本加算に係る栄養士としての業務を嘱託等する場合をいう。

8　第三者評価受審加算（㉖）

⑴　加算の要件

「福祉サービス第三者評価基準ガイドライン」等に沿って、第三者評価を適切に実施することが可能であると市町村が認める第三者機関による評価（行政が委託等により民間機関に行わせるものを含む。）を受審し、その結果をホームページ等により広く公表する事業所に加算する。

⑵　加算の認定

加算の認定は、事業所が所在する市町村長が行うこととし、加算を認定するにあたっては、その事業所の設置者からその旨の申請（事業所名、加算の適用年度、受審状況が分かる資料等）を毎年12月末までに提出させ、必要な審査を行うこと。

（注１）評価機関との間の契約書等により、当年度に第三者評価の受審や結果の公表（評価機関からの評価結果の提示が翌年度以降となるため、結果の公表が翌年度になる場合を含む。）が行われることが確認できる場合は本加算の対象とする。

その場合、市町村は受審や結果の公表が確実に行われていることを事後に確認すること。

（注２）第三者評価の受審は５年に一度程度を想定しており、加算適用年度から５年度間は再度の加算適用はできないこと。

⑶　加算額の算定

加算額は、定められた額を、３月初日の利用子ども数で除して得た額（算定して得た額に10円未満の端数がある場合は切り捨てる。）とし、３月初日に利用する子どもの単価に加算する。

別紙７（小規模保育事業Ｃ型（保育認定３号））

Ⅰ　地域区分等

１　地域区分（①）

利用する事業所が所在する市町村ごとに定められた告示別表第１による区分を適用する。

２　定員区分（②）

利用する事業所の利用定員の総和に応じた区分を適用する。

３　認定区分（③）

利用子どもの認定区分に応じた区分を適用する。

４　保育必要量区分（④）

利用必要量に応じた区分を適用する。

Ⅱ　基本部分

１　基本分単価（⑤）

⑴　額の算定

地域区分（①）、定員区分（②）、認定区分（③）、保育必要量区分（④）（以下「地域区分等」という。）に応じて定められた額とする。

⑵　基本分単価に含まれる職員構成

基本分単価に含まれる職員構成は以下のとおりであることから、これを充足すること。

㈠　保育従事者

基本分単価における必要保育従事者数は以下のｉとⅱを合計した数であること。

また、これとは別に非常勤の保育従事者が配置されていること。

ｉ　家庭的保育者及び家庭的保育補助者

子ども３人につき家庭的保育者１人（家庭的保育補助者を配置する場合は子ども５人）

ⅱ　その他

ａ　保育標準時間認定を受けた子どもが利用する事業所については非常勤保育従事者１人

ｂ　上記ｉの家庭的保育者及び家庭的保育補助者１人当たり、研修代替保育従事者として年間３日分の費用を算定[注]

（注）当該費用については、家庭的保育者及び家庭的保育補助者が研修を受講する際の受講費用や、時間外における研修受講の際の時間外手当等に充当しても差し支えないこと。

㈡　その他

ｉ　管理者

１人

（注）管理者は児童福祉事業等に２年以上従事した者又はこれと同等以上の能力を有すると認められる者で、常時実際にその事業所の運営管理の業務に専従し、かつ給付費からの給与支出がある者とする。

<児童福祉事業等に従事した者の例示>

児童福祉施設の職員、幼稚園・小学校等における教諭、市町村等の公的機関において児童福祉に関する事務を取り扱う部局の職員、民生委員・児童委員の他、教育・保育施設又は地域型保育事業に移行した施設・事業所における移行前の認可外保育施設の職員等

<同等以上の能力を有すると認められる者の例示>

公的機関等の実施する施設長研修等を受講した者等

ⅱ　非常勤調理員等[注１・２]

（注１）グループのうちいずれかの利用子どもが３人以下の場合は家庭的保育補助者が兼ねることができること。

（注２）調理業務の全部を委託する場合、

または搬入施設から食事を搬入する場合は、調理員を置かないことができる。

iii 非常勤事務職員

(注) 管理者等の職員が兼務する場合又は業務委託する場合は、配置は不要であること。

iv 嘱託医・嘱託歯科医

(3) 連携施設経費

基本分単価には、家庭的保育事業等の設備及び運営に関する基準（平成26年厚生労働省令第61号。以下「家庭的保育事業等設備運営基準」という。）第6条第1項に定める連携施設（同条第2項及び第4項第2号により市町村が連携施設の確保が著しく困難であると認める場合においては、それぞれ同条第3項及び第5項に定める連携協力を行う者を含む。本項及びⅣの1において同じ。）に係る経費を算定していること。そのため、連携施設を設定していない事業所については、Ⅳの1による調整が行われること。

Ⅲ 基本加算部分

1 処遇改善等加算Ⅰ（⑥）

(1) 加算の要件及び加算の認定

加算の要件及び加算の認定は別に定めるところによる。

(2) 加算額の算定

加算額は、地域区分等に応じた単価に、別に定めるところにより認定した加算率×100を乗じて得た額とする。

2 資格保有者加算（⑦）

(1) 加算の要件

保育士資格、看護師免許又は准看護師免許を有する家庭的保育者を配置する事業所に加算する。

(2) 加算の認定

(ア) 加算の認定は、事業所が所在する市町村長が行うこととし、新たに加算の認定をするにあたっては、その事業所の設置者からその旨の申請（事業所名、加算の適用年月、家庭的保育者の有する保育士証、看護師免許証又は准看護師免許証の写し等）を徴して(1)の要件への適合状況を確認すること。

(イ) 市町村長は、加算の認定がされている事業所について、申請等を通じてその状況を把握し、(1)の要件に適合しなくなった場合には、(1)の要件に適合しなくなった日の属する月の翌月（月初日に(1)に適合しなくなった場合はその月）から加算の適用が無いものとすること。

(3) 加算額の算定

加算額は、地域区分等及び資格保有者の人数に応じた単価に、当該加算に係る処遇改善等加算Ⅰの単価に1の(2)で認定した加算率×100を乗じて得た額を加えた額とする。

3 障害児保育加算（⑧）

(1) 加算の要件

障害児（軽度障害児を含む。）(注)を受け入れる事業所において、当該障害児に係る家庭的保育者及び家庭的保育補助者の配置基準を障害児2人につき1人とする場合に加算する。

その際の計算に当たっては、各グループに配置する家庭的保育補助者数が、以下の算式により得た「必要補助者数」以上になること。

(注) 市町村が認める障害児とし、身体障害者手帳等の交付の有無は問わない。医師による診断書や巡回支援専門員等障害に関する専門的知見を有する者による意見提出など障害の事実が把握可能な資料をもって確認して差し支えない。

<算式>

{グループの利用子ども数（障害児を除く）×1／5（小数点第1位まで計算)} ＋ {障害児数×1／2（〃)} ＝必要補助者数（小数点第1位を切り上げ)

(2) 加算の認定

(ア) 加算の認定は、事業所が所在する市町村長が行うこととし、新たに加算の認定をするにあたっては、その事業所の設置者からその旨の申請（事業所名、加算の適用年月、対象子ども、各グループの利用子ども数（見込み）及び家庭的保育補助者等の配置状況が記載された職員体制図等）を徴して(1)の要件への適合状況を確認すること。

(イ) 市町村長は、加算の認定がされている事業所について、申請又は指導監督等を通じてその状況を把握し、(1)の要件に適合しなくなった場合には、(1)の要件に適合しなくなった日の属する月の翌月（月初日に(1)に適合しなくなった場合はその月）から加算の適用が無いものとすること。

(3) 加算額の算定

加算額は、対象となる子どもの地域区分等に応じた単価に、当該加算に係る処遇改善等加算

Ｉの単価に１の⑵で認定した加算率×100を乗じて得た額を加えた額とする。

4　減価償却費加算（⑨）

⑴　加算の要件

以下の要件全てに該当する事業所に加算する。

㋐　小規模保育事業の用に供する建物が自己所有であること[注1]

㋑　建物を整備・改修又は取得する際に、建設資金又は購入資金が発生していること

㋒　建物の整備・改修に当たって、施設整備費又は改修費等（以下「施設整備費等」という。）の国庫補助金の交付を受けていないこと[注2]

㋓　賃借料加算（⑩）の対象となっていないこと

（注１）事業所の一部が賃貸物件の場合は、自己所有の建物の延べ面積が事業所全体の延べ面積の50％以上であること

（注２）施設整備費等の国庫補助の交付を受けて建設・改修した建物について、整備後一定年数が経過した後に、以下の要件全てに該当する改修等を行った場合には㋒に該当することとして差し支えない。

①　老朽化等を理由として改修等が必要であったと市町村が認める場合

②　当該改修等に当たって、国庫補助の交付を受けていないこと

③　１事業所当たりの改修等に要した費用を2000で除して得た値が、建物全体の延面積に２を乗じて得た値を上回る場合で、かつ、改修等に要した費用が1000万円以上であること

⑵　加算の認定

㋐　加算の認定は、事業所が所在する市町村長が行うこととし、加算の認定をするにあたっては、その事業所の設置者からその旨の申請（事業所名、加算の適用年月、建物を整備・改修又は取得する際の契約書類等）を徴して確認すること。

㋑　市町村長は、加算の認定がされている事業所について、⑴の要件に適合しなくなった場合には、⑴の要件に適合しなくなった日の属する月の翌月（月初日に⑴に適合しなくなった場合はその月）から加算の適用が無いものとすること。

⑶　加算額の算定

加算額は、「標準」又は「都市部」の区分に応じて定められた額とする。なお、「標準」とは都市部に該当する市町村以外の市町村をいい、「都市部」とは当年度又は前年度における４月１日現在の人口密度が1000人／㎢以上の市町村をいう。

5　賃借料加算（⑩）

⑴　加算の要件

以下の要件全てに該当する事業所に加算する。

㋐　小規模保育事業の用に供する建物が賃貸物件であること[注]

㋑　㋐の賃貸物件に対する賃借料が発生していること

㋒　賃借料の国庫補助（「認可保育所等設置支援事業の実施について」（令和５年４月19日こ成保第15号こども家庭庁成育局長通知）に定める「都市部における保育所への賃借料等支援事業」による国庫補助を除く。）を受けた事業所については、当該補助に係る残額が生じていないこと

㋓　減価償却費加算（⑨）の対象となっていないこと

（注）事業所の一部が自己所有の場合は、賃貸による建物の延べ面積が事業所全体の延べ面積の50％以上であること

⑵　加算の認定

㋐　加算の認定は、事業所が所在する市町村長が行うこととし、加算の認定をするにあたっては、その事業所の設置者からその旨の申請（事業所名、加算の適用年月、賃貸契約書等）を徴して確認すること。

㋑　市町村長は、加算の認定がされている事業所について、⑴の要件に適合しなくなった場合には、⑴の要件に適合しなくなった日の属する月の翌月（月初日に⑴に適合しなくなった場合はその月）から加算の適用が無いものとすること。

⑶　加算額の算定

加算額は、以下の地域の区分ごとに定められた額とする。

区分		都道府県
A地域	標　準	埼玉県　千葉県　東京都　神奈川県
	都市部	

B地域	標　準	静岡県　滋賀県　京都府 大阪府　兵庫県　奈良県
	都市部	
C地域	標　準	宮城県　茨城県　栃木県 群馬県　新潟県　石川県 長野県　愛知県　三重県 和歌山県　鳥取県　岡山県 広島県　香川県　福岡県 沖縄県
	都市部	
D地域	標　準	北海道　青森県　岩手県 秋田県　山形県　福島県 富山県　福井県　山梨県 岐阜県　島根県　山口県 徳島県　愛媛県　高知県 佐賀県　長崎県　熊本県 大分県　宮崎県　鹿児島県
	都市部	

＊表中「都市部」とは当年度又は前年度における４月１日現在の人口密度が1000人／㎢以上の市町村をいい、「標準」とはそれ以外の市町村をいう。

Ⅳ　加減調整部分

1　連携施設を設定していない場合（⑪）

(1)　調整の適用を受ける事業所の要件

連携施設を設定しない事業所に適用する。

(2)　調整の適用を受ける事業所の認定

(ア)　調整の適用を受ける事業所の認定は、事業所が所在する市町村長が連携施設の設定状況を確認のうえ行うこととする。

(イ)　市町村長は、調整の適用を受ける事業所について、申請等を通じてその状況を把握し、(1)の要件に適合しなくなった場合には、(1)の要件に適合しなくなった日の属する月の翌月（月初日に(1)に適合しなくなった場合はその月）から調整の適用が無いものとすること。

(3)　調整額の算定

調整額は、地域区分等に応じて定められた額とする。

2　食事の提供について自園調理又は連携施設等からの搬入以外の方法による場合（⑫）

(1)　調整の適用を受ける事業所の要件

食事の提供に当たり、事業所において調理する方法又は家庭的保育事業等設備運営基準第16条第２項各号に定める搬入施設から搬入する方法以外の方法による事業所に適用する。

(2)　調整の適用を受ける事業所の認定

(ア)　調整の適用を受ける事業所の認定は、事業所が所在する市町村長が食事の提供状況を確認のうえ行うこととする。

(イ)　市町村長は、調整の適用を受ける事業所について、申請等を通じてその状況を把握し、(1)の要件に適合しなくなった場合には、(1)の要件に適合しなくなった日の属する月の翌月（月初日に(1)に適合しなくなった場合はその月）から調整の適用が無いものとすること。

(3)　調整額の算定

調整額は、適用される基本分単価（⑤）及び処遇改善等加算Ⅰ（⑥）の額の合計に、地域区分等に応じた調整率を乗じて得た額とする。（算定して得た額に10円未満の端数がある場合は切り捨てる。）

3　管理者を配置していない場合（⑬）

(1)　調整の適用を受ける事業所の要件

Ⅱの１(2)の(イ)ⅰの（注）の要件を満たす管理者を配置※していない事業所に適用する。

※　２以上の事業所又は他の事業と兼務し、管理者として職務を行っていない者は欠員とみなされ、要件を満たす管理者を配置したこととはならないこと。

(2)　調整の適用を受ける事業所の認定

(ア)　調整の適用を受ける施設の認定は、事業所が所在する市町村長が行うこと。

(イ)　市町村長は、調整の適用を受ける事業所について、申請又は指導監督等を通じてその状況を把握すること。

(3)　調整額の算定

調整額は、地域区分等に応じて定められた額とする。

4　土曜日に閉所する場合（⑭）

(1)　調整の適用を受ける事業所の要件

事業所を利用する保育認定子どもについて、土曜日（国民の祝日及び休日を除く。以下同じ。）に係る保育の利用希望が無いなどの理由により、当該月の土曜日に閉所する日がある施設に適用する。

また、開所していても保育を提供していない場合は、閉所しているものとして取り扱うこと。

なお、他の特定教育・保育施設、地域型保育事業所（居宅訪問型保育事業所は除く。）又は企業主導型保育施設と共同保育を実施することにより、事業所を利用する保育認定子どもの土曜日における保育が確保されている場合には、土曜日に開所しているものとして取り扱うこと。

(2)　調整の適用を受ける事業所の認定

(ア)　調整の適用を受ける事業所の認定は、事業所が所在する市町村長が行うこととし、認定をするにあたっては、その事業所の設置者からその旨の申請（事業所名、調整の適用年月、土曜日に閉所することとなる理由等）を徴して確認すること。

なお、小規模保育事業については、原則として、土曜日を含む週6日間の開所が求められる事業であることから、土曜日に係る保育の利用希望があるにもかかわらず閉所する等の場合は、当該調整の適用と併せて、市町村において指導を行うこと。

(イ)　市町村長は、調整の適用を受ける施設について、申請又は指導監督等を通じてその状況を把握すること。

(3)　調整額の算定

調整額は、適用される基本分単価（⑤）、処遇改善等加算Ⅰ（⑥）及び障害児保育加算（⑧）の額の合計に、地域区分等及び閉所日数（当該月の土曜日のうち閉所する日の数をいう。）に応じた調整率を乗じて得た額とする。（算定して得た額に10円未満の端数がある場合は切り捨てる。）

Ⅴ　乗除調整部分

1　定員を恒常的に超過する場合（⑮）

(1)　調整の適用を受ける事業所の要件

直前の連続する5年度間常に利用定員を超えており(注1)、かつ、各年度の年間平均在所率(注2)が120％以上の状態にある事業所に適用する。

なお、保育の提供は利用定員の範囲内で行われることが原則であること。

また、上記の状態にある事業所に対しては、利用定員の見直しに向けた指導を行うこと。

なお、小規模保育事業C型は定員15人以下の事業であることから、定員15人を超えて子どもを受け入れることはできないこと。

（注1）利用定員を超えて受け入れる場合の留意事項

利用定員を超えて受け入れる場合であっても、事業所の設備又は職員数が、利用定員を超えて利用する子どもを含めた利用子ども数に照らし、家庭的保育事業等設備運営基準及び本通知等に定める基準を満たしていること。

（注2）年間平均在所率

当該年度内における各月の初日の利用子ども数の総和を各月の初日の利用定員の総和で除したものをいう。

(2)　調整の適用を受ける事業所の認定

(ア)　調整の適用を受ける事業所の認定は、事業所が所在する市町村長が事業所の利用状況を確認のうえ行うこととする。

(イ)　市町村長は、調整の適用を受ける事業所について、指導監督等を通じて利用定員の見直しが行われた場合又は地域における需要の動向等を踏まえて当該年度における年間平均在所率が120％以上の状態にならないものと認められる場合には、見直し等が行われた日の属する月の翌月（月初日に(1)に適合しなくなった場合はその月）から調整の適用が無いものとすること。

(3)　適用される基本部分及び加減調整部分の額の調整の方法

本調整措置が適用される事業所における基本分単価（⑤）から土曜日に閉所する場合（⑭）の額については、それぞれの額の総和に地域区分等に応じた調整率を乗じて得た額とする。（算定して得た額に10円未満の端数がある場合は切り捨てる。）

Ⅵ　特定加算部分

1　処遇改善等加算Ⅱ（⑯）

(1)　加算の要件及び加算の認定

加算の要件及び加算の認定は別に定めるところによる。

(2)　加算額の算定

加算額は、処遇改善等加算Ⅱ—①及びⅡ—②の別に定められる額にそれぞれ対象人数を乗じて得た額の合計を、各月初日の利用子ども数で除して得た額とする（算定して得た額に10円未満の端数がある場合は切り捨てる。）。

2　処遇改善等加算Ⅲ（⑰）

(1)　加算の要件及び加算の認定

加算の要件及び加算の認定は別に定めるところによる。

(2)　加算額の算定

加算額は、別に定める額に対象人数を乗じて得た額を、各月初日の利用子ども数で除して得た額とする（算定して得た額に10円未満の端数がある場合は切り捨てる。）。

3　冷暖房費加算（⑱）

(1)　加算の要件

全ての事業所に加算する。

(2)　加算額の算定

加算額は、以下の地域の区分に応じて定める額とする。

１級地	国家公務員の寒冷地手当に関する法律（昭和24年法律第200号）別表に規定する１級地をいう。
２級地	国家公務員の寒冷地手当に関する法律別表に規定する２級地をいう。
３級地	国家公務員の寒冷地手当に関する法律別表に規定する３級地をいう。
４級地	国家公務員の寒冷地手当に関する法律別表に規定する４級地をいう。
その他地域	上記以外の地域をいう。

4　除雪費加算（⑲）

⑴　加算の要件

豪雪地帯対策特別措置法（昭和37年法律第73号）第２条第２項に規定する地域に所在する事業所に加算する。

⑵　加算額の算定

加算額は、定められた額とし、３月初日に利用する子どもの単価に加算する。

5　降灰除去費加算（⑳）

⑴　加算の要件

活動火山対策特別措置法（昭和48年法律第61号）第23条第１項に規定する降灰防除地域に所在する事業所に加算する。

⑵　加算額の算定

加算額は、定められた額を、３月初日の利用子ども数で除して得た額（算定して得た額に10円未満の端数がある場合は切り捨てる。）とし、３月初日に利用する子どもの単価に加算する。

6　施設機能強化推進費加算（㉑）

⑴　加算の要件

事業所における火災・地震等の災害時に備え、職員等の防災教育及び災害発生時の安全かつ、迅速な避難誘導体制を充実する等の事業所の総合的な防災対策を図る取組（注１・注２・注３）を行う事業所で、以下の事業等を複数実施する事業所に加算する。

ⅰ　延長保育事業（子ども・子育て支援交付金の交付に係る要件に適合するもの及びこれと同等の要件を満たして自主事業として実施しているもの。ただし、当該要件を満たした月以降の各月においては、同一年度内に限り、事業を実施する体制が取られていることをもって当該要件を満たしているものと取り扱う。）

ⅱ　一時預かり事業（一般型）（子ども・子育て支援交付金に係る要件に適合しており、かつ、月の平均対象子どもが１人以上いるもの（年度当初から事業を開始する場合は５月において当該要件を満たしていることをもって４月から当該要件を満たしているものと取り扱う。）。ただし、当該要件を満たした月以降の各月においては、同一年度内に限り、事業を実施する体制が取られていることをもって当該要件を満たしているものと取り扱う。）

ただし、当分の間は平成21年６月３日雇児発第0603002号厚生労働省雇用均等・児童家庭局長通知「『保育対策等促進事業の実施について』の一部改正について」以前に定める一時保育促進事業の要件を満たしていると認められ、実施しているものも含むこととされること。

ⅲ　病児保育事業（子ども・子育て支援交付金に係る要件に適合するもの及びこれと同等の要件を満たして自主事業として実施しているもの。）

ⅳ　乳児が３人以上利用している施設（４月から11月までの各月初日を平均して乳児が３人以上利用していること。）

また、①乳児の利用定員が３人以上あり、かつ、②乳児保育を実施する職員体制を維持し、③地域の親子が交流する場の提供や子育てに関する相談会を月２回以上開催している場合、前年度に要件を満たしていた場合については、乳児３人以上の利用の要件を満たしたものと取り扱う。

ⅴ　障害児（軽度障害児を含む。）（注４）が１人以上利用している施設（４月から11月までの間に１人以上の障害児の利用があること。）

（注１）取組の実施方法の例示

ⅰ　地域住民等への防災支援協力体制の整備及び合同避難訓練等を実施する。

ⅱ　職員等への防災教育、訓練の実施及び避難具の整備を促進する。

（注２）取組に必要となる経費の額

取組に必要となる経費の総額が、概ね16万円以上見込まれること。

（注３）支出対象経費

需用費（消耗品費、燃料費、印刷製本費、修繕費、食糧費（茶菓）、光熱

水費、医療材料費）・役務費（通信運搬費）・旅費・謝金・備品購入費・原材料費・使用料及び賃借料・賃金・委託費（防災訓練及び避難具の整備等に要する特別の経費に限り、保育の提供に当たって、通常要する費用は含まない。）

（注4）市町村が認める障害児とし、身体障害者手帳等の交付の有無は問わない。医師による診断書や巡回支援専門員等障害に関する専門的知見を有する者による意見提出など障害の事実が把握可能な資料をもって確認しても差し支えない。

⑵ 加算の認定

加算の認定は、事業所が所在する市町村長が行うこととし、加算の認定をするにあたっては、その事業所の設置者からその旨の申請を毎年12月末までに提出させ、必要性及び経費等について必要な審査を行うこと。

⑶ 加算額の算定

加算額は、定められた額を、3月初日の利用子ども数で除して得た額（算定して得た額に10円未満の端数がある場合は切り捨てる。）とし、3月初日に利用する子どもの単価に加算する。

⑷ 実績の報告等

本加算の適用を受けた事業所は、翌年4月末日までに実績報告書を市町村長に提出すること。

なお、市町村長は、本加算を行った事業所について、検査時等に検証を行うこと。

7 栄養管理加算（㉒）

⑴ 加算の要件

食事の提供にあたり、栄養士を活用[注]して、栄養士から献立やアレルギー、アトピー等への助言、食育等に関する継続的な指導を受ける事業所に加算する。

（注）栄養士の活用に当たっては、雇用形態を問わず、嘱託する場合や、調理員として栄養士を雇用している場合も対象となる。

⑵ 加算の認定

㋐ 加算の認定は、事業所が所在する市町村長が行うこととし、加算を認定するにあたっては、その事業所の設置者からその旨の申請（事業所名、加算の適用年月、栄養士の活用状況・配置等の形態の別が確認できる書類等）を徴して確認すること。

㋑ 市町村長は、加算の認定がされている事業所について、申請又は指導監督等を通じてその状況を把握し、⑴の要件に適合しなくなった場合には、⑴の要件に適合しなくなった日の属する月の翌月（月初日に⑴に適合しなくなった場合はその月）から加算の適用がないものとすること。

⑶ 加算額の算定

加算額は、以下に掲げる栄養士の配置等の形態の別に応じ、それぞれに定める計算式により算出された額（算定して得た額に10円未満の端数がある場合は切り捨てる。）とする。

㋐ 配置[注1] 定められた基本額に当該加算に係る処遇改善等加算Ⅰの単価にⅢの1⑵で認定した加算率×100を乗じて得た額を加えた額を、各月初日の利用子ども数で除して得た額とする。

㋑ 兼務[注2] 定められた基本額に当該加算に係る処遇改善等加算Ⅰの単価にⅢの1⑵で認定した加算率×100を乗じて得た額を加えた額を、各月初日の利用子ども数で除して得た額とする。

㋒ 嘱託[注3] 定められた基本額を、各月初日の利用子ども数で除して得た額とする。

（注1）本加算に係る栄養士が雇用契約等により配置されている場合をいい、兼務に該当する場合を除く。

（注2）基本分単価及び他の加算の認定に当たって求められる職員が本加算に係る栄養士としての業務を兼務している場合をいう。

（注3）配置又は兼務に該当する場合を除き、本加算に係る栄養士としての業務を嘱託等する場合をいう。

8 第三者評価受審加算（㉓）

⑴ 加算の要件

「福祉サービス第三者評価基準ガイドライン」等に沿って、第三者評価を適切に実施することが可能であると市町村が認める第三者機関による評価（行政が委託等により民間機関に行わせるものを含む。）を受審し、その結果をホームページ等により広く公表する事業所に加算する。

⑵　加算の認定

加算の認定は、事業所が所在する市町村長が行うこととし、加算を認定するにあたっては、その事業所の設置者からその旨の申請（事業所名、加算の適用年度、受審状況が分かる資料等）を毎年12月末までに提出させ、必要な審査を行うこと。

（注１）評価機関との間の契約書等により、当年度に第三者評価の受審や結果の公表（評価機関からの評価結果の提示が翌年度以降となるため、結果の公表が翌年度になる場合を含む。）が行われることが確認できる場合は本加算の対象とする。その場合、市町村は受審や結果の公表が確実に行われていることを事後に確認すること。

（注２）第三者評価の受審は５年に一度程度を想定しており、加算適用年度から５年度間は再度の加算適用はできないこと。

⑶　加算額の算定

加算額は、定められた額を、３月初日の利用子ども数で除して得た額（算定して得た額に10円未満の端数がある場合は切り捨てる。）とし、３月初日に利用する子どもの単価に加算する。

別紙８（事業所内保育事業（保育認定３号））

Ⅰ　地域区分等

１　地域区分（①）

利用する事業所が所在する市町村ごとに定められた告示別表第１による区分を適用する。

２　定員区分（②）

利用する事業所の利用定員の総和に応じた区分を適用する。

３　認定区分（③）

利用子どもの認定区分に応じた区分を適用する。

４　年齢区分（④）

利用子どもの満年齢に応じた区分を適用する。

なお、年齢区分が年度の初日の前日における満年齢に基づき区分した場合に、年齢区分が異なる場合は、適用される年齢区分における基本分単価（⑥）、処遇改善等加算Ⅰ（⑧）、保育士比率向上加算（⑨）、障害児保育加算（⑩）及び夜間保育加算（⑫）の単価について、それぞれの「月額調整」欄に定める額に置き替えて適用するものとする。

５　保育必要量区分（⑤）

利用子どもの保育必要量に応じた区分を適用する。

Ⅱ　基本部分

１　基本分単価（⑥）

⑴　額の算定

地域区分（①）、定員区分（②）、認定区分（③）、年齢区分（④）、保育必要量区分（⑤）（以下「地域区分等」という。）に応じて定められた額とする。

⑵　基本分単価に含まれる職員構成

基本分単価に含まれる職員構成は以下のとおりであることから、これを充足すること。

㋐　保育従事者（※）

基本分単価における必要保育従事者数は以下のⅰとⅱを合計した数であること。

また、これとは別に非常勤の保育従事者（小規模保育事業Ａ型の基準が適用される事業所及び定員20人以上の事業所にあっては保育士）が配置されていること。

ⅰ　年齢別配置基準

ａ　小規模保育事業Ａ型の基準が適用される事業所（※）

１、２歳児６人につき１人、乳児３人につき１人、左記に加えて１人

上記はすべて保育士であること。

（注１）ここでいう「１、２歳児」、「乳児」とは、年度の初日の前日における満年齢によるものであること。

（注２）確認に当たっては以下の算式によること。

＜算式＞

{１、２歳児数×１／６（小数点第１位まで計算（小数点第２位以下切り捨て））}＋{乳児数×１／３（同）}＋１＝配置基準上保育士数（小数点以下四捨五入）

ｂ　小規模保育事業Ｂ型の基準が適用される事業所

１、２歳児６人につき１人、乳児３人につき１人、左記に加えて１人

上記のうち、１／２以上は保育士であること。

（注１）ここでいう「１、２歳児」、「乳児」とは、年度の初日の前日における満年齢によるものであるこ

と。

（注２）確認に当たっては以下の算式１（保育従事者数）、算式２（保育士数）によること。

＜算式１＞

｛１、２歳児数×１／６（小数点第１位まで計算（小数点第２位以下切り捨て））｝＋｛乳児数×１／３（同）｝＋１＝配置基準上保育従事者数（小数点以下四捨五入）

＜算式２＞

配置基準上保育従事者数×１／２＝配置基準上保育士数（小数点以下四捨五入）

c　利用定員20人以上の事業所[※]

１、２歳児６人につき１人、乳児３人につき１人

上記はすべて保育士であること。

（注１）ここでいう「１、２歳児」、「乳児」とは、年度の初日の前日における満年齢によるものであること。

（注２）確認に当たっては以下の算式によること。

＜算式＞

｛１、２歳児数×１／６（小数点第１位まで計算（小数点第２位以下切り捨て））｝＋｛乳児数×１／３（同）｝＝配置基準上保育士数（小数点以下四捨五入）

ⅱ　その他[※]

a　利用定員20人以上の事業所については１人

b　保育標準時間認定を受けた子どもが利用する事業所について、利用定員19人以下の事業所は非常勤保育従事者１人（小規模保育事業Ａ型にあっては保育士）、利用定員20人以上の事業所は保育士１人[注1]

c　上記ⅰ及びⅱのａ、ｂ（利用定員20人以上の事業所に限る。）の保育従事者１人当たり、研修代替保育従事者として年間３日分の費用を算定[注2]

（注１）事業所全体の利用定員に占める保育標準時間認定を受けた子どもの人数の割合が低い場合は非常勤の保育士としても差し支えないこと。

（注２）当該費用については、保育従事者が研修を受講する際の受講費用や、時間外における研修受講の際の時間外手当等に充当しても差し支えないこと。

（※）小規模保育事業Ａ型若しくは小規模保育事業Ｂ型の基準が適用される事業所における保育士には、家庭的保育事業等の設備及び運営に関する基準（平成26年厚生労働省令第61号。以下「家庭的保育事業等設備運営基準」という。）第47条第３項、附則第７条及び附則第８条に基づいて、又は、利用定員20人以上の事業所における保育士には、家庭的保育事業等設備運営基準第44条第３項、附則第７条及び附則第８条に基づいて市町村が定める条例に基づき保育士とみなされた者を含む。

(イ)　その他

ⅰ　管理者

１人

（注）管理者は児童福祉事業等に２年以上従事した者又はこれと同等以上の能力を有すると認められる者で、常時実際にその事業所の運営管理の業務に専従し、かつ給付費からの給与支出がある者とする。

＜児童福祉事業等に従事した者の例示＞

児童福祉施設の職員、幼稚園・小学校等における教諭、市町村等の公的機関において児童福祉に関する事務を取り扱う部局の職員、民生委員・児童委員の他、教育・保育施設又は地域型保育事業に移行した施設・事業所における移行前の認可外保育施設の職員等

＜同等以上の能力を有すると認められる者の例示＞

公的機関等の実施する施設長研修等を受講した者等

ⅱ　調理員等

a　利用定員19人以下の事業所

非常勤調理員等[注]

b　利用定員20人以上の事業所

利用定員40人以下の事業所は１人、41人以上の事業所は２人[注]

（注）調理業務の全部を委託する場合、

または搬入施設から食事を搬入する場合は、調理員を置かないことができる。

ⅲ　非常勤事務職員（注）

（注）管理者等の職員が兼務する場合又は業務委託する場合は、配置は不要であること。

ⅳ　嘱託医・嘱託歯科医

⑶　連携施設経費

基本分単価には、家庭的保育事業等設備運営基準第６条第１項に定める連携施設（同条第２項及び第４項第２号により市町村が連携施設の確保が著しく困難であると認める場合においては、それぞれ同条第３項及び第５項に定める連携協力を行う者を含む。本項及びⅣの１において同じ。）に係る経費を算定していること。そのため、連携施設を設定していない事業所については、Ⅳの１による調整が行われること。

２　従業員枠の子どもの場合（⑦）

⑴　適用の要件

事業主が雇用する労働者の子どもの場合に適用する。

⑵　適用される場合の基本分単価（⑥）の算定

事業主が雇用する労働者の子どもに係る基本分単価（⑥）の額については、基本分単価（⑥）の額に定められた調整率を乗じて得た額とする。（算定して得た額に10円未満の端数がある場合は切り捨てる。）

Ⅲ　基本加算部分

１　処遇改善等加算Ⅰ（⑧）

⑴　加算の要件及び加算の認定

加算の要件及び加算の認定は別に定めるところによる。

⑵　加算額の算定

加算額は、地域区分等に応じた単価に、別に定めるところにより認定した加算率×100を乗じて得た額とする。

２　保育士比率向上加算（⑨）＜小規模保育事業B型の基準が適用される事業所＞

⑴　加算の要件

Ⅱの１⑵(ア)ｉｂの年齢別配置基準について、保育士資格を有する者の占める割合が３／４以上となる事業所に加算する。

その際の計算に当たっては、以下の算式によること。

＜算式＞

配置基準上保育従事者数（小数点以下四捨五入）×３／４＝必要保育士数（小数点以下四捨五入）

⑵　加算の認定

(ア)　加算の認定は、事業所が所在する市町村長が行うこととし、新たに加算の認定をするにあたっては、その事業所の設置者からその旨の申請（事業所名、加算の適用年月、利用子ども数（見込み）及び保育従事者の配置状況が記載された職員体制図等）を徴して⑴の要件への適合状況を確認すること。

(イ)　市町村長は、加算の認定がされている事業所について、申請又は指導監督等を通じてその状況を把握し、⑴の要件に適合しなくなった場合には、⑴の要件に適合しなくなった日の属する月の翌月（月初日に⑴に適合しなくなった場合はその月）から加算の適用が無いものとすること。

⑶　加算額の算定

加算額は、地域区分等に応じた単価に、当該加算に係る処遇改善等加算Ⅰの単価に１の⑵で認定した加算率×100を乗じて得た額を加えた額とする。

３　障害児保育加算（⑩）

⑴　加算の要件

障害児（軽度障害児を含む。）（注）を受け入れる事業所において、当該障害児に係る保育従事者の配置基準を障害児２人につき１人とする場合に加算する。

その際の計算に当たっては、Ⅱの１⑵(ア)ｉの年齢別配置基準について、以下の算式に置き替えて算定すること。

（注）市町村が認める障害児とし、身体障害者手帳等の交付の有無は問わない。医師による診断書や巡回支援専門員等障害に関する専門的知見を有する者による意見提出など障害の事実が把握可能な資料をもって確認して差し支えない。

＜算式＞

{１、２歳児数（障害児を除く）×１／６（小数点第１位まで計算（小数点第２位以下切り捨て））}＋{乳児数（同）×１／３（同）}＋{障害児数×１／２（同）}＋１（利用定員20人以上の事業所の場合を除く）＝配置基準上保育士・保育従事者数（小数点以下四捨五入）

⑵　加算の認定

(ア)　加算の認定は、事業所が所在する市町村長が行うこととし、新たに加算の認定をするにあたっては、その事業所の設置者からその旨の申請（事業所名、加算の適用年月、対象子ども、利用子ども数（見込み）及び保育従事者の配置状況が記載された職員体制図等）を徴して⑴の要件への適合状況を確認すること。

㈠　市町村長は、加算の認定がされている事業所について、申請又は指導監督等を通じてその状況を把握し、⑴の要件に適合しなくなった場合には、⑴の要件に適合しなくなった日の属する月の翌月（月初日に⑴に適合しなくなった場合はその月）から加算の適用が無いものとすること。

⑶　加算額の算定

加算額は、対象となる子どもの地域区分等に応じた単価に、当該加算に係る処遇改善等加算Ⅰの単価に1の⑵で認定した加算率×100を乗じて得た額を加えた額とする。

4　休日保育加算（⑪）

⑴　加算の要件

日曜日、国民の祝日及び休日（以下「休日等」という。）において、以下の要件を満たして、保育を実施する事業所に加算する。

㈠　休日等を含めて年間を通じて開所する事業所（複数の特定教育・保育施設、地域型保育事業所（居宅訪問型保育事業所は除く。）又は企業主導型保育施設との共同により年間を通じて開所する事業所（以下「共同実施事業所」という。）を含む。）を市町村が指定して実施すること。

㈡　家庭的保育事業等設備運営基準第29条第2項並びに附則第6条から第9条（A型）又は第31条第2項（B型）の規定に基づき、対象子どもの年齢及び人数に応じて、本事業を担当する保育従事者を配置すること。

㈢　対象となる子どもに対して、適宜、間食又は給食等を提供すること。

㈣　対象となる子どもは、原則、休日等に常態的に保育を必要とする保育認定子どもであること。

⑵　加算の認定

㈠　加算の認定は、事業所が所在する市町村長が行うこととし、加算の認定をするにあたっては、その事業所の設置者からその旨の申請（事業所名、加算の適用年月、休日等における保育従事者の配置状況が記載された職員体制図、⑶の加算額の算定に必要な利用子ども数の見込み及び数の根拠となる実績等）を徴して確認すること。

また、共同実施事業所については、上記に加えて複数の施設・事業所との共同により年間を通じて開所する場合の実施要綱や運営規程を徴して確認すること。

㈡　市町村長は、加算の認定がされている事業所について、申請又は指導監督等を通じてその状況を把握し、⑴の要件に適合しなくなった場合には、⑴の要件に適合しなくなった日の属する月の翌月（月初日に⑴に適合しなくなった場合はその月）から加算の適用が無いものとすること。

⑶　加算額の算定

加算額は、地域区分等及び以下により認定した休日等に保育を利用する年間の延べ利用子ども数（以下、「休日延べ利用子ども数」という。）に応じた単価に、当該加算に係る処遇改善等加算Ⅰの単価に1の⑵で認定した加算率×100を乗じた額を加えて算出した額を、当該事業所における各月初日の利用子ども数（休日等に保育を利用しない子どもを含む。）で除して得た額とする。（算定して得た額に10円未満の端数がある場合は切り捨てる。）

㈠　市町村は、毎年度、休日保育加算の対象となる事業所（以下、「休日保育対象事業所」という。）から、当該休日保育対象事業所における休日延べ利用子ども数の見込みを徴収して認定を行うこと。

なお、複数の施設・事業所との共同により年間を通じて開所する場合は、実施する各施設・事業所の休日延べ利用子ども数の見込み数を徴収して認定を行うこと。

㈡　休日延べ利用子ども数には、休日等に当該休日保育対象事業所を利用する、休日保育対象事業所以外の特定教育・保育施設又は特定地域型保育事業を利用する子どもを含むこと。

なお、当該休日保育対象事業所が共同実施事業所である場合は、休日延べ利用子ども数には、上記に加えて、共同する企業主導型保育施設を休日等に利用する、特定教育・保育施設又は特定地域型保育事業所を利用する子どもを含むこと。

㈢　認定された休日延べ利用子ども数は、⑵の㈡により、加算の適用が無くなった場合を除き、年間を通じて適用されること。そのため、認定に当たっては、前年度における実績等を踏まえて適正に審査されたいこと。

(4) 実績の報告等

本加算の適用を受けた事業所は、翌年4月末日までに実績報告書を市町村長に提出すること。

5 夜間保育加算（⑫）

(1) 加算の要件

以下の要件に適合するものとして市町村に認定された夜間保育を実施する事業所に加算する。

(ア) 設置経営主体

夜間保育の場合は、生活面への対応や個別的な援助がより一層求められることから、保育に関し、長年の経験を有し、良好な成果をおさめているものであること。

(イ) 事業所

夜間保育を行う事業所であること。

(ウ) 職員

管理者は、保育士の資格を有し、直接子どもの保育に従事することができる者を配置するよう努めること。

(エ) 設備及び備品

仮眠のための設備及びその他夜間保育のために必要な設備、備品を備えていること。

(オ) 開所時間

開所時間は原則として11時間とし、おおよそ午後10時までとすること。

(2) 加算の認定

加算の認定は、事業所が所在する市町村長が行うこととし、加算の認定をするにあたっては、その事業所の設置者からその旨の申請（事業所名、加算の適用年月、夜間における保育従事者の配置状況が記載された職員体制図等）を徴して(1)の要件への適合状況を確認すること。

(3) 加算額の算定

加算額は、地域区分等に応じた単価に、当該加算に係る処遇改善等加算Ⅰの単価に1の(2)で認定した加算率×100を乗じて得た額を加えた額とする。

6 減価償却費加算（⑬）

(1) 加算の要件

以下の要件全てに該当する事業所に加算する。

(ア) 事業所内保育事業の用に供する建物が自己所有であること[注1]

(イ) 建物を整備・改修又は取得する際に、建設資金又は購入資金が発生していること

(ウ) 建物の整備・改修に当たって、改修費等の国庫補助金の交付を受けていないこと[注2]

(エ) 賃借料加算（⑭）の対象となっていないこと

（注1）事業所の一部が賃貸物件の場合は、自己所有の建物の延べ面積が事業所全体の延べ面積の50%以上であること

（注2）改修費等の国庫補助の交付を受けて建設・改修した建物について、整備後一定年数が経過した後に、以下の要件全てに該当する改修等を行った場合には(ウ)に該当することとして差し支えない。

① 老朽化等を理由として改修等が必要であったと市町村が認める場合

② 当該改修等に当たって、国庫補助の交付を受けていないこと

③ 1事業所当たりの改修等に要した費用を2000で除して得た値が、建物全体の延べ面積に2を乗じて得た値を上回る場合で、かつ、改修等に要した費用が1000万円以上であること

(2) 加算の認定

(ア) 加算の認定は、事業所が所在する市町村長が行うこととし、加算の認定をするにあたっては、その事業所の設置者からその旨の申請（事業所名、加算の適用年月、建物を整備・改修又は取得する際の契約書類等）を徴して(1)の要件への適合状況を確認すること。

(イ) 市町村長は、加算の認定がされている事業所について、(1)の要件に適合しなくなった場合には、(1)の要件に適合しなくなった日の属する月の翌月（月初日に(1)に適合しなくなった場合はその月）から加算の適用が無いものとすること。

(3) 加算額の算定

加算額は、「標準」又は「都市部」の区分に応じて定められた額とする。なお、「標準」とは都市部に該当する市町村以外の市町村をいい、「都市部」とは当年度又は前年度における4月1日現在の人口密度が1000人／㎢以上の市町村をいう。

7 賃借料加算（⑭）

⑴　加算の要件

以下の要件全てに該当する事業所に加算する。

㋐　事業所内保育事業の用に供する建物が賃貸物件であること(注)

㋑　㋐の賃貸物件に対する賃借料が発生していること

㋒　賃借料の国庫補助（「認可保育所等設置支援事業の実施について」（令和５年４月19日こ成保第15号こども家庭庁成育局長通知）に定める「都市部における保育所への賃借料等支援事業」による国庫補助を除く。）を受けた事業所については、当該補助に係る残額が生じていないこと

㋓　減価償却費加算（⑬）の対象となっていないこと

（注）事業所の一部が自己所有の場合は、賃貸による建物の延べ面積が事業所全体の延べ面積の50％以上であること

⑵　加算の認定

㋐　加算の認定は、事業所が所在する市町村長が行うこととし、加算の認定をするにあたっては、その事業所の設置者からその旨の申請（事業所名、加算の適用年月、賃貸契約書等）を徴して⑴の要件への適合状況を確認すること。

㋑　市町村長は、加算の認定がされている事業所について、⑴の要件に適合しなくなった場合には、⑴の要件に適合しなくなった日の属する月の翌月（月初日に⑴に適合しなくなった場合はその月）から加算の適用が無いものとすること。

⑶　加算額の算定

加算額は、以下の地域の区分ごとに定められた額とする。

区分		都道府県
Ａ地域	標　準	埼玉県　千葉県　東京都　神奈川県
	都市部	
Ｂ地域	標　準	静岡県　滋賀県　京都府　大阪府　兵庫県　奈良県
	都市部	
Ｃ地域	標　準	宮城県　茨城県　栃木県　群馬県　新潟県　石川県　長野県　愛知県　三重県　和歌山県　鳥取県　岡山県　広島県　香川県　福岡県　沖縄県
	都市部	
Ｄ地域	標　準	北海道　青森県　岩手県　秋田県　山形県　福島県　富山県　福井県　山梨県　岐阜県　島根県　山口県　徳島県　愛媛県　高知県　佐賀県　長崎県　熊本県　大分県　宮崎県　鹿児島県
	都市部	

＊表中「都市部」とは当年度又は前年度における４月１日現在の人口密度が1000人／㎢以上の市町村をいい、「標準」とはそれ以外の市町村をいう。

Ⅳ　加減調整部分

１　連携施設を設定していない場合（⑮）

⑴　調整の適用を受ける事業所の要件

連携施設を設定しない事業所に適用する。

⑵　調整の適用を受ける事業所の認定

㋐　調整の適用を受ける事業所の認定は、事業所が所在する市町村長が連携施設の設定状況を確認のうえ行うこととする。

㋑　市町村長は、調整の適用を受ける事業所について、申請等を通じてその状況を把握し、⑴の要件に適合しなくなった場合には、⑴の要件に適合しなくなった日の属する月の翌月（月初日に⑴に適合しなくなった場合はその月）から調整の適用が無いものとすること。

⑶　調整額の算定

調整額は、地域区分等に応じて定められた額とする。

２　食事の提供について自園調理又は連携施設等からの搬入以外の方法による場合（⑯）

⑴　調整の適用を受ける事業所の要件

食事の提供に当たり、事業所において調理する方法又は家庭的保育事業等設備運営基準第16条第２項各号に定める搬入施設から搬入する方法以外の方法による事業所に適用する。

⑵　調整の適用を受ける事業所の認定

㋐　調整の適用を受ける事業所の認定は、事業所が所在する市町村長が食事の提供状況を確認のうえ行うこととする。

㋑　市町村長は、調整の適用を受ける事業所について、申請等を通じてその状況を把握し、⑴の要件に適合しなくなった場合には、⑴の要件に適合しなくなった日の属する月の翌月（月初日に⑴に適合しなくなった場合はその月）から調整の適用が無いものとすること。

⑶　調整額の算定

調整額は、適用される基本分単価（⑥）（事

業主が雇用する労働者の子どもに係る基本分単価（⑥）の額については、基本分単価（⑥）の額に従業員枠の子どもの場合（⑦）の調整率を乗じて得た額)、処遇改善等加算Ⅰ（⑧）及び夜間保育加算（⑫）の額の合計に、地域区分等に応じた調整率を乗じて得た額とする。(算定して得た額に10円未満の端数がある場合は切り捨てる。)

3　管理者を配置していない場合（⑰）

(1)　調整の適用を受ける事業所の要件

Ⅱの1(2)の(イ) i の（注）の要件を満たす管理者を配置※していない事業所に適用する。

※　2以上の事業所又は他の事業と兼務し、管理者として職務を行っていない者は欠員とみなされ、要件を満たす管理者を配置したこととはならないこと。

(2)　調整の適用を受ける事業所の認定

(ア)　調整の適用を受ける施設の認定は、事業所が所在する市町村長が行うこと。

(イ)　市町村長は、調整の適用を受ける事業所について、申請又は指導監督等を通じてその状況を把握すること。

(3)　調整額の算定

調整額は、地域区分等に応じて定められた額とする。

4　土曜日に閉所する場合（⑱）

(1)　調整の適用を受ける事業所の要件

事業所を利用する保育認定子どもについて、土曜日（国民の祝日及び休日を除く。以下同じ。）に係る保育の利用希望が無いなどの理由により、当該月の土曜日に閉所する日がある施設に適用する。

また、開所していても保育を提供していない場合は、閉所しているものとして取り扱うこと。

なお、他の特定教育・保育施設、地域型保育事業所（居宅訪問型保育事業所は除く。）又は企業主導型保育施設と共同保育を実施することにより、事業所を利用する保育認定子どもの土曜日における保育が確保されている場合には、土曜日に開所しているものとして取り扱うこと。

(2)　調整の適用を受ける事業所の認定

(ア)　調整の適用を受ける事業所の認定は、事業所が所在する市町村長が行うこととし、認定をするにあたっては、その事業所の設置者からその旨の申請（事業所名、調整の適用年月、土曜日に閉所することとなる理由等）を徴して(1)の要件への適合状況を確認すること。

なお、事業所内保育事業については、原則として、土曜日を含む週6日間の開所が求められる事業であることから、土曜日に係る保育の利用希望があるにもかかわらず閉所する等の場合は、当該調整の適用と併せて、市町村において指導を行うこと。

(イ)　市町村長は、調整の適用を受ける事業所について、申請又は指導監督等を通じてその状況を把握すること。

(3)　調整額の算定

調整額は、適用される基本分単価（⑥）（事業主が雇用する労働者の子どもに係る基本分単価（⑥）の額については、基本分単価（⑥）の額に従業員枠の子どもの場合（⑦）の調整率を乗じて得た額)、処遇改善等加算Ⅰ（⑧)、障害児保育加算（⑩）及び夜間保育加算（⑫）の額の合計に、地域区分等及び閉所日数（当該月の土曜日のうち閉所する日の数をいう。）に応じた調整率を乗じて得た額とする。(算定して得た額に10円未満の端数がある場合は切り捨てる。)

Ⅴ　乗除調整部分

1　定員を恒常的に超過する場合（⑲）

(1)　調整の適用を受ける事業所の要件

直前の連続する5年度間常に利用定員を超えており(注1)、かつ、各年度の年間平均在所率(注2)が120％以上の状態にある事業所に適用する。

なお、保育の提供は利用定員の範囲内で行われることが原則であること。

また、上記の状態にある事業所に対しては、利用定員の見直しに向けた指導を行うこと。

なお、小規模保育事業Ａ型又はＢ型の基準が適用される事業所内保育事業については、定員19人以下の事業であるが、定員を超えて22人までの受け入れが可能であること。

(注1)　利用定員を超えて受け入れる場合の留意事項

利用定員を超えて受け入れる場合であっても、事業所の設備又は職員数が、利用定員を超えて利用する子どもを含めた利用子ども数に照らし、家庭的保育事業等設備運営基準及び本通知等に定める基準を満たしていること。

（注２）年間平均在所率
当該年度内における各月の初日の利用子ども数の総和を各月の初日の利用定員の総和で除したものをいう。

⑵　調整の適用を受ける事業所の認定

㈠　調整の適用を受ける事業所の認定は、事業所が所在する市町村長が事業所の利用状況を確認のうえ行うこととする。

㈡　市町村長は、調整の適用を受ける事業所について、指導監督等を通じて利用定員の見直しが行われた場合又は地域における需要の動向等を踏まえて当該年度における年間平均在所率が120％以上の状態にならないものと認められる場合には、見直し等が行われた日の属する月の翌月（月初日に⑴に適合しなくなった場合はその月）から調整の適用が無いものとすること。

⑶　適用される基本部分及び加減調整部分の額の調整の方法
本調整措置が適用される事業所における基本分単価（⑥）から土曜日に閉所する場合（⑱）の額については、それぞれの額の総和に各月初日の利用子ども数の区分及び地域区分等に応じた調整率を乗じて得た額とする。（算定して得た額に10円未満の端数がある場合は切り捨てる。）

Ⅵ　特定加算部分

1　処遇改善等加算Ⅱ（⑳）

⑴　加算の要件及び加算の認定
加算の要件及び加算の認定は別に定めるところによる。

⑵　加算額の算定

㈠　利用定員６人以上
加算額は、処遇改善等加算Ⅱ―①及びⅡ―②の別に定められる額にそれぞれ対象人数を乗じて得た額の合計を、各月初日の利用子ども数で除して得た額とする（算定して得た額に10円未満の端数がある場合は切り捨てる。）。

㈡　利用定員５人以下
加算額は、処遇改善等加算Ⅱ―①又はⅡ―②の別に定められる額を各月初日の利用子ども数で除して得た額とする（算定して得た額に10円未満の端数がある場合は切り捨てる。）。

2　処遇改善等加算Ⅲ（㉑）

⑴　加算の要件及び加算の認定
加算の要件及び加算の認定は別に定めるところによる。

⑵　加算額の算定
加算額は、別に定める額に対象人数を乗じて得た額を、各月初日の利用子ども数で除して得た額とする（算定して得た額に10円未満の端数がある場合は切り捨てる。）。

3　冷暖房費加算（㉒）

⑴　加算の要件
全ての事業所に加算する。

⑵　加算額の算定
加算額は、以下の地域の区分に応じて定める額とする。

１級地	国家公務員の寒冷地手当に関する法律（昭和24年法律第200号）別表に規定する１級地をいう。
２級地	国家公務員の寒冷地手当に関する法律別表に規定する２級地をいう。
３級地	国家公務員の寒冷地手当に関する法律別表に規定する３級地をいう。
４級地	国家公務員の寒冷地手当に関する法律別表に規定する４級地をいう。
その他地域	上記以外の地域をいう。

4　除雪費加算（㉓）

⑴　加算の要件
豪雪地帯対策特別措置法（昭和37年法律第73号）第２条第２項に規定する地域に所在する事業所に加算する。

⑵　加算額の算定
加算額は、定められた額とし、３月初日に利用する子どもの単価に加算する。

5　降灰除去費加算（㉔）

⑴　加算の要件
活動火山対策特別措置法（昭和48年法律第61号）第23条第１項に規定する降灰防除地域に所在する事業所に加算する。

⑵　加算額の算定
加算額は、定められた額を、３月初日の利用子ども数で除して得た額（算定して得た額に10円未満の端数がある場合は切り捨てる。）とし、３月初日に利用する子どもの単価に加算する。

6　施設機能強化推進費加算（㉕）

⑴　加算の要件
事業所における火災・地震等の災害時に備え、職員等の防災教育及び災害発生時の安全かつ、迅速な避難誘導体制を充実する等の事業所

の総合的な防災対策を図る取組（注1・注2・注3）を行う事業所で、以下の事業等を複数実施する事業所に加算する。

i　延長保育事業（子ども・子育て支援交付金の交付に係る要件に適合するもの及びこれと同等の要件を満たして自主事業として実施しているもの。ただし、当該要件を満たした月以降の各月においては、同一年度内に限り、事業を実施する体制が取られていることをもって当該要件を満たしているものと取り扱う。）

ii　一時預かり事業（一般型）（子ども・子育て支援交付金に係る要件に適合しており、かつ、月の平均対象子どもが１人以上いるもの（年度当初から事業を開始する場合は５月において当該要件を満たしていることをもって４月から当該要件を満たしているものと取り扱う。）。ただし、当該要件を満たした月以降の各月においては、同一年度内に限り、事業を実施する体制が取られていることをもって当該要件を満たしているものと取り扱う。）

ただし、当分の間は平成21年６月３日雇児発第0603002号厚生労働省雇用均等・児童家庭局長通知「『保育対策等促進事業の実施について』の一部改正について」以前に定める一時保育促進事業の要件を満たしていると認められ、実施しているものも含むこととされること。

iii　病児保育事業（子ども・子育て支援交付金に係る要件に適合するもの及びこれと同等の要件を満たして自主事業として実施しているもの。）

iv　乳児が３人以上利用している施設（４月から11月までの各月初日を平均して乳児が３人以上利用していること。）

また、①乳児の利用定員が３人以上あり、かつ、②乳児保育を実施する職員体制を維持し、③地域の親子が交流する場の提供や子育てに関する相談会を月２回以上開催している場合、前年度に要件を満たしていた場合については、乳児３人以上の利用の要件を満たしたものと取り扱う。

v　障害児（軽度障害児を含む。）（注4）が１人以上利用している施設（４月から11月までの間に１人以上の障害児の利用があること。）

（注１）取組の実施方法の例示

i　地域住民等への防災支援協力体制の整備及び合同避難訓練等を実施する。

ii　職員等への防災教育、訓練の実施及び避難具の整備を促進する。

（注２）取組に必要となる経費の額

取組に必要となる経費の総額が、概ね16万円以上見込まれること。

（注３）支出対象経費

需用費（消耗品費、燃料費、印刷製本費、修繕費、食糧費（茶菓）、光熱水費、医療材料費）・役務費（通信運搬費）・旅費・謝金・備品購入費・原材料費・使用料及び賃借料・賃金・委託費（防災訓練及び避難具の整備等に要する特別の経費に限り、保育の提供に当たって、通常要する費用は含まない。）

（注４）市町村が認める障害児とし、身体障害者手帳等の交付の有無は問わない。医師による診断書や巡回支援専門員等障害に関する専門的知見を有する者による意見提出など障害の事実が把握可能な資料をもって確認しても差し支えない。

⑵　加算の認定

加算の認定は、事業所が所在する市町村長が行うこととし、加算の認定をするにあたっては、その事業所の設置者からその旨の申請を毎年12月末までに提出させ、必要性及び経費等について必要な審査を行うこと。

⑶　加算額の算定

加算額は、定められた額を、３月初日の利用子ども数で除して得た額（算定して得た額に10円未満の端数がある場合は切り捨てる。）とし、３月初日に利用する子どもの単価に加算する。

⑷　実績の報告等

本加算の適用を受けた事業所は、翌年４月末日までに実績報告書を市町村長に提出すること。

なお、市町村長は、本加算を行った事業所について、検査時等に検証を行うこと。

7　栄養管理加算（㉖）

⑴　加算の要件

食事の提供にあたり、栄養士を活用（注）して、栄養士から献立やアレルギー、アトピー等への助言、食育等に関する継続的な指導を受ける事業所に加算する。

（注）栄養士の活用に当たっては、雇用形態を問わず、嘱託する場合や、調理員として栄養士を雇用している場合も対象となる。

⑵　加算の認定

㈠　加算の認定は、事業所が所在する市町村長が行うこととし、加算を認定するにあたっては、その事業所の設置者からその旨の申請（事業所名、加算の適用年月、栄養士の活用状況・配置等の形態の別が確認できる書類等）を徴して確認すること。

㈡　市町村長は、加算の認定がされている事業所について、申請又は指導監督等を通じてその状況を把握し、⑴の要件に適合しなくなった場合には、⑴の要件に適合しなくなった日の属する月の翌月（月初日に⑴に適合しなくなった場合はその月）から加算の適用がないものとすること。

⑶　加算額の算定

加算額は、以下に掲げる栄養士の配置等の形態の別に応じ、それぞれに定める計算式により算出された額（算定して得た額に10円未満の端数がある場合は切り捨てる。）とする。

㈠　配置（注1）　定められた基本額に当該加算に係る処遇改善等加算Ⅰの単価にⅢの1⑵で認定した加算率×100を乗じて得た額を加えた額を、各月初日の利用子ども数で除して得た額とする。

㈡　兼務（注2）　定められた基本額に当該加算に係る処遇改善等加算Ⅰの単価にⅢの1⑵で認定した加算率×100を乗じて得た額を加えた額を、各月初日の利用子ども数で除して得た額とする。

㈢　嘱託（注3）　定められた基本額を、各月初日の利用子ども数で除して得た額とする。

（注1）本加算に係る栄養士が雇用契約等により配置されている場合をいい、兼務に該当する場合を除く。

（注2）基本分単価及び他の加算の認定に当たって求められる職員が本加算に係る栄養士としての業務を兼務している場合をいう。

（注3）配置又は兼務に該当する場合を除き、本加算に係る栄養士としての業務を嘱託等する場合をいう。

8　第三者評価受審加算（㉗）

⑴　加算の要件

「福祉サービス第三者評価基準ガイドライン」等に沿って、第三者評価を適切に実施することが可能であると市町村が認める第三者機関による評価（行政が委託等により民間機関に行わせるものを含む。）を受審し、その結果をホームページ等により広く公表する事業所に加算する。

⑵　加算の認定

加算の認定は、事業所が所在する市町村長が行うこととし、加算を認定するにあたっては、その事業所の設置者からその旨の申請（事業所名、加算の適用年度、受審状況が分かる資料等）を毎年12月末までに提出させ、必要な審査を行うこと。

（注1）評価機関との間の契約書等により、当年度に第三者評価の受審や結果の公表（評価機関からの評価結果の提示が翌年度以降となるため、結果の公表が翌年度になる場合を含む。）が行われることが確認できる場合は本加算の対象とする。その場合、市町村は受審や結果の公表が確実に行われていることを事後に確認すること。

（注2）第三者評価の受審は5年に一度程度を想定しており、加算適用年度から5年度間は再度の加算適用はできないこと。

⑶　加算額の算定

加算額は、定められた額を、3月初日の利用子ども数で除して得た額（算定して得た額に10円未満の端数がある場合は切り捨てる。）とし、3月初日に利用する子どもの単価に加算する。

別紙9（居宅訪問型保育事業（保育認定3号））

Ⅰ　地域区分等

1　地域区分（①）

支給認定保護者の居宅が所在する市町村ごとに定められた告示別表第1による区分を適用する。

2　認定区分（②）

利用子どもの認定区分に応じた区分を適用する。

3　保育必要量区分（③）

利用子どもの保育必要量に応じた区分を適用する。

Ⅱ　基本部分

1　基本分単価（④）

(1)　額の算定

地域区分（①）、定員区分（②）、認定区分（③）、保育必要量区分（④）（以下「地域区分等」という。）に応じて定められた額とする。

(2)　基本分単価に含まれる職員構成

基本分単価に含まれる職員構成は以下のとおりであることから、これを充足すること。

(ア)　保育従事者

基本分単価における必要保育従事者数は以下のⅰとⅱを合計した数であること。

ⅰ　家庭的保育者（居宅訪問型保育事業に従事するために必要な研修を受講した者をいう。以下同じ。）

子ども1人につき1人

ⅱ　その他

a　保育標準時間認定を受けた子どもが利用する事業所については非常勤保育従事者1人(注1)

b　上記ⅰの家庭的保育者及び家庭的保育補助者1人当たり、研修代替保育従事者として年間3日分の費用を算定(注2)

（注1）当該費用については、家庭的保育者の時間外手当等に充当しても差し支えないこと。

（注2）当該費用については、家庭的保育者及び家庭的保育補助者が研修を受講する際の受講費用や、時間外における研修受講の際の時間外手当等に充当しても差し支えないこと。

Ⅲ　基本加算部分

1　処遇改善等加算Ⅰ（⑤）

(1)　加算の要件及び加算の認定

加算の要件及び加算の認定は別に定めるところによる。

(2)　加算額の算定

加算額は、地域区分等に応じた単価に、別に定めるところにより認定した加算率×100を乗じて得た額とする。

2　資格保有者加算（⑥）

(1)　加算の要件

家庭的保育者(注)が保育士資格、看護師免許又は准看護師免許を有する事業所に加算する。

（注）利用子どもに対して複数の家庭的保育者が保育を行う場合は、当該利用子どもを主に保育する家庭的保育者の資格の保有状況によること。

(2)　加算の認定

加算の認定は、支給認定保護者が居住する市町村長が行うこととし、新たに加算の認定をするにあたっては、その事業所の設置者からその旨の申請（事業所名、加算の適用年月、家庭的保育者の有する保育士証、看護師免許証又は准看護師免許証の写し等）を徴して(1)の要件への適合状況を確認すること。

(3)　加算額の算定

加算額は、地域区分等及び資格保有者の人数に応じた単価に、当該加算に係る処遇改善等加算Ⅰの単価に1の(2)で認定した加算率×100を乗じて得た額を加えた額とする。

3　休日保育加算（⑦）

(1)　加算の要件

日曜日、国民の祝日及び休日（以下「休日等」という。）において、常態的(注)に保育を必要とする保育認定子どもが利用する事業所に加算する。

（注）各月における休日等の日数の合計に対して、概ね3／4以上の利用が見込まれること。

(2)　加算の認定

(ア)　加算の認定は、支給認定保護者が居住する市町村長が休日等における利用状況を確認のうえ行うこととする。

(イ)　市町村長は、加算の認定がされている事業所について、申請等を通じてその状況を把握し、(1)の要件に適合しなくなった場合には、(1)の要件に適合しなくなった日の属する月の翌月（月初日に(1)に適合しなくなった場合はその月）から加算の適用が無いものとすること。

(3)　加算額の算定

加算額は、地域区分等に応じた単価に、当該加算に係る処遇改善等加算Ⅰの単価に1の(2)で認定した加算率×100を乗じて得た額を加えた額とする。

4　夜間保育加算（⑧）

(1)　加算の要件

母子家庭等の子どもの保護者が夜間及び深夜(注)の勤務に従事する場合への対応等、保育の必要の程度及び家庭等の状況を勘案し、居宅訪問型保育を提供すると市町村が認めた場合に適用する。

（注）概ね午後10時から午前5時の間に利用す

る日数が、各月における利用日数の合計に対して、概ね3／4以上見込まれること。

(2)　加算の認定

(ア)　加算の認定は、支給認定保護者が居住する市町村長が夜間及び深夜における利用状況を確認のうえ行うこととする。

(イ)　市町村長は、加算の認定がされている事業所について、申請等を通じてその状況を把握し、(1)の要件に適合しなくなった場合には、(1)の要件に適合しなくなった日の属する月の翌月（月初日に(1)に適合しなくなった場合はその月）から加算の適用が無いものとすること。

(3)　加算額の算定

加算額は、地域区分等に応じた単価に、当該加算に係る処遇改善等加算Ⅰの単価に1の(2)で認定した加算率×100を乗じて得た額を加えた額とする。

5　連携施設加算（⑨）

(1)　加算の要件

家庭的保育事業等の設備及び運営に関する基準（平成26年厚生労働省令第61号。以下「家庭的保育事業等設備運営基準」という。）第6条第1項に定める連携施設（同条第2項及び第4項第2号により市町村が連携施設の確保が著しく困難であると認める場合においては、それぞれ同条第3項及び第5項に定める連携協力を行う者を含む。以下同じ。）を設定する事業所又は同第37条第1号に規定する乳幼児に対する保育を行う場合に同第40条に定める居宅訪問型保育連携施設を設定する事業所に加算する。

(2)　加算の認定

(ア)　加算の認定は、事業所が所在する市町村長が連携施設の設定状況を確認のうえ行うこととする。

(イ)　市町村長は、加算の認定がされている事業所について、申請等を通じてその状況を把握し、(1)の要件に適合しなくなった場合には、(1)の要件に適合しなくなった日の属する月の翌月（月初日に(1)に適合しなくなった場合はその月）から加算の適用が無いものとすること。

(3)　加算額の算定

加算額は、地域区分等及び障害・疾病のある子どもを保育する場合[注]又はそれ以外の場合の別に応じて定められた額とする。

（注）家庭的保育事業等設備運営基準第37条第1号に規定する乳幼児に対する保育を行う場合に同第40条に定める居宅訪問型保育連携施設を設定する場合をいう。

Ⅳ　加減調整部分

1　特定の日に保育を行わない場合（⑩）

(1)　調整の適用を受ける事業所の要件

事業所を利用する保育認定子どもについて、月曜日から土曜日までのうち特定の日において保育の利用希望が無いなど、保育認定子どもが利用しない日が予め決まっているときに保育を行わない事業所に適用する。

(2)　調整の適用を受ける事業所の認定

(ア)　調整の適用は、支給認定保護者が居住する市町村長が各月の利用状況（予定）を確認のうえ行うこととする。

(イ)　市町村長は、調整の適用を受ける事業所について、申請等を通じてその状況を把握し、(1)の要件に適合しなくなった場合には、(1)の要件に適合しなくなった日の属する月の翌月（月初日に(1)に適合しなくなった場合はその月）から調整の適用が無いものとすること。

(3)　調整額の算定

調整額は、適用される基本分単価（④）、処遇改善等加算Ⅰ（⑤）、夜間保育加算（⑧）及び連携施設加算（⑨）の額の合計に、地域区分等に応じた調整率を乗じて得た数に、週当たりの保育を行わない日数を乗じて得た額とする。（算定して得た額に10円未満の端数がある場合は切り捨てる。）

なお、本調整の算定上の「週当たりの保育を行わない日数」は、その月の特定の日に保育を行わない日数（閉所日数）を4（週）で除して算出（小数点第1位を四捨五入）すること。

Ⅴ　特定加算部分

1　処遇改善等加算Ⅱ（⑪）

(1)　加算の要件及び加算の認定

加算の要件及び加算の認定は別に定めるところによる。

(2)　加算額の算定

加算額は、処遇改善等加算Ⅱ—①又はⅡ—②の別に定められる額を各月初日の利用子どもの単価に加算する。

2　処遇改善等加算Ⅲ（⑫）

(1)　加算の要件及び加算の認定

加算の要件及び加算の認定は別に定めるところによる。

(2)　加算額の算定

加算額は、別に定める額に対象人数を乗じて得た額を、各月初日の利用子ども数で除して得た額とする（算定して得た額に10円未満の端数がある場合は切り捨てる。）。

3　第三者評価受審加算（⑬）

⑴　加算の要件

「福祉サービス第三者評価基準ガイドライン」等に沿って、第三者評価を適切に実施することが可能であると市町村が認める第三者機関による評価（行政が委託等により民間機関に行わせるものを含む。）を受審し、その結果をホームページ等により広く公表する事業所に加算する。

なお、当該加算については、１事業所につき１件までを限度とする。

⑵　加算の認定

加算の認定は、事業所が所在する市町村長が行うこととし、加算を認定するにあたっては、その事業所の設置者からその旨の申請（事業所名、加算の適用年度、受審状況が分かる資料等）を毎年12月末までに提出させ、必要な審査を行うこと。

（注１）評価機関との間の契約書等により、当年度に第三者評価の受審や結果の公表（評価機関からの評価結果の提示が翌年度以降となるため、結果の公表が翌年度になる場合を含む。）が行われることが確認できる場合は本加算の対象とする。その場合、市町村は受審や結果の公表が確実に行われていることを事後に確認すること。

（注２）第三者評価の受審は５年に一度程度を想定しており、加算適用年度から５年度間は再度の加算適用はできないこと。

⑶　加算額の算定

加算額は、定められた額を、３月初日に利用する子どもの単価に加算（注）する。

（注）事業所所在市町村の利用子ども１人の単価に加算すること。なお、事業所所在市町村での利用がない場合については、当該事業所を利用する子どもが最も多く居住する市町村の利用子ども１人の単価に加算すること。

別紙10（特例施設型給付費・特例地域型保育給付費）

Ⅰ　特別利用保育

⑴　特別利用保育の実施基準

特別利用保育に係る特例施設型給付費については、以下のような事情がある場合で、市町村が必要と認めた場合に限り支給することができるものであること。

ⅰ　支給認定保護者が居住する地域に幼稚園又は認定こども園が無い場合又は教育標準時間認定に係る利用定員に空きがない場合。

なお、この場合においては、保育認定子どもに係る利用定員の範囲内での受入が原則であること。

ⅱ　保育所を利用する保育認定子どもの保護者の就労状況の変化により、教育標準時間認定を受けることになったが、翌年度に小学校への就学を控えるなど、子どもの環境の変化に配慮が必要な場合。

⑵　公定価格の算定方法等

特別利用保育に係る公定価格については、保育所に適用される２号認定（保育短時間認定）に係る公定価格を適用する。

ただし、年度の初日の前日における年齢が、満２歳の子どもの場合は基本分単価（保育短時間認定）から7500円（副食費徴収免除対象子ども（注）については3000円（主食費相当額））（給食材料費相当額）を減じた額とする。

また、特別利用保育を提供する施設に係る別紙２の算定方法、加算の要件及び申請手続き等については、特別利用保育の提供を受ける子どもの人数を含めて公定価格の算定及び加算要件への適合状況等の確認を行うこと。

（注）以下のいずれかに該当する子どもとして、副食費の徴収が免除されることについて市町村から通知がされた子ども。

①　特定教育・保育施設及び特定地域型保育事業並びに特定子ども・子育て支援施設等の運営に関する基準（平成26年内閣府令第39号。以下「特定教育・保育施設等運営基準」という。）第13条第４項第３号イの⑴又は⑵に規定する年収360万円未満相当世帯に属する子ども

②　特定教育・保育施設等運営基準第13条第４項第３号ロの⑴又は⑵に規定する第３子以降の子ども

③　保護者及び当該保護者と同一の世帯に属する者が子ども・子育て支援法施行令（平成26年政令第213号）第15条の３第２項各号に規定する市町村民税を課されない者に準ずる者である子ども

Ⅱ　特別利用教育

⑴　特別利用教育の実施基準

特別利用教育に係る特例施設型給付費については、以下のような事情がある場合に支給することができるものであること。

なお、保護者の就労等により保育の必要性に係る事由に該当する満3歳以上について、保護者の希望により幼稚園を利用する場合には、教育標準時間認定を受けて利用することになること。

ⅰ　支給認定保護者が居住する地域に保育所又は認定こども園が無い場合。

ⅱ　保育認定（2号認定）を受けた子どもが、保育所や認定こども園等の利用を希望したが、利用調整の結果、保育認定に係る利用定員に空きがないことから、幼稚園を利用する場合。

なお、この場合において、その後の保護者の意向を確認のうえ、転園の意思がないときは、教育標準時間認定へ変更することも考えられるが、その場合は施設型給付費が支給されること。

⑵　公定価格の算定方法等

特別利用教育に係る公定価格については、幼稚園に適用される1号認定に係る公定価格を適用する。

また、特別利用教育を提供する施設に係る別紙1の算定方法、加算の要件及び申請手続き等については、特別利用教育の提供を受ける子どもの人数を含めて公定価格の算定及び加算要件への適合状況等の確認を行うこと。

なお、特別利用教育の提供を受ける場合の利用者負担額については、教育標準時間認定に係る利用者負担額が適用されること。

Ⅲ　特別利用地域型保育

⑴　特別利用地域型保育の実施基準

特別利用地域型保育に係る特例地域型保育給付費については、以下のような事情がある場合で、市町村が必要と認めた場合に限り支給することができるものであること。

なお、居宅訪問型保育事業については、その事業の特性上、本来、幼稚園等において教育標準時間認定子どもに提供すべき教育との関係を踏まえて、真にやむを得ないと認められる場合に限られるものであること。

ⅰ　支給認定保護者が居住する地域に幼稚園又は認定こども園が無い場合又は教育標準時間認定に係る利用定員に空きがない場合。

なお、この場合においては、保育認定子どもに係る利用定員の範囲内での受入が原則であること。

ⅱ　Ⅳにより特定利用地域型保育に係る特定地域型保育給付費の支給を受ける保育認定子ども（2号認定）の保護者の就労状況の変化により、教育標準時間認定を受けることになったが、翌年度に小学校への就学を控えるなど、子どもの環境の変化に配慮が必要な場合。

⑵　公定価格の算定方法等

特別利用地域型保育に係る公定価格については、告示にあるとおり、利用する地域型保育事業の類型に応じて以下のとおりとしている。

また、特別利用地域型保育を提供する事業所に係る別紙5から別紙9の算定方法、加算の要件及び申請手続き等については、特別利用地域型保育の提供を受ける子どもの人数を含めて公定価格の算定及び加算要件への適合状況等の確認を行うこと。

㈠　家庭的保育事業又は小規模保育事業C型

家庭的保育事業又は小規模保育事業C型に適用される3号認定（保育短時間認定）に係る公定価格を適用し、基本分単価から7500円（給食材料費相当額）を減じた額とする。

㈡　小規模保育事業A型、B型又は事業所内保育事業

小規模保育事業A型、B型又は事業所内保育事業に適用される3号認定（保育短時間認定）に係る公定価格（年齢区分は「1、2歳児」）を適用し、基本分単価については、年度の初日の前日における年齢が、満2歳の子どもは7500円（給食材料費相当額）を減じた額、満3歳の子どもは65／100（保育所型事業所内保育事業は50／100）を乗じて得た額（算定して得た額に10円未満の端数がある場合は切り捨てる。）、満4歳以上の子どもは60／100（保育所型事業所内保育事業は45／100）を乗じて得た額（算定して得た額に10円未満の端数がある場合は切り捨てる。）とする。

ただし、利用定員20人以上の事業所内保育事業を除き、各月初日における満3歳以上の子ども（年度の初日の前日における年齢が満2歳の子どもを除く。）の数が、利用定員の3割未満となる場合は、基本分単価から7500円（給食材料費相当額）を減じた額とする。

㈢　居宅訪問型保育事業

居宅訪問型保育事業に適用される3号認定

（保育短時間認定）に係る公定価格を適用する。

(エ) (ア)又は(イ)の場合において、副食費徴収免除対象子どもについては、算定した額に4500円を加えた額とする。

Ⅳ　特定利用地域型保育

(1)　特定利用地域型保育の実施基準

特定利用地域型保育に係る特例地域型保育給付費については、以下のような事情がある場合で、市町村が必要と認めた場合において支給することができるものであること。なお、２号認定子どもを受け入れる際には集団での遊びの種類や機会に課題がある点に留意が必要であることから、適切に集団での遊びの種類や機会を確保できるよう、工夫、配慮すること。

ⅰ　支給認定保護者が居住する地域に保育所又は認定こども園が無い場合。

ⅱ　特定地域型保育事業を利用する３号認定子どもが、年度の途中で満３歳を迎えて認定区分が２号となったが、地域において２号認定に係る利用定員に空きがない場合に当該年度内において、引き続き特定地域型保育事業を利用する場合。

この場合において、満３歳を迎えた年度を超えてもなお、保育所や認定こども園の利用が困難な場合については、満４歳を迎える年度内に受入先を確保することを基本として、市町村が真にやむを得ないと判断する場合に限り、特定地域型保育費を支給することができるものであること。

ⅲ　保育認定を受けた事業主が雇用する労働者の子どもが、保護者の希望により満３歳以降も、引き続き利用する場合。

なお、この場合においては、雇用する労働者に係る利用定員の範囲内での受入が原則であること。

ⅳ　集団生活を行うことが困難である場合。

ⅴ　上記の他、保育の体制整備の状況その他の地域の事情を勘案して、満３歳以上の幼児の保育が必要な場合。

(2)　公定価格の算定方法等

特定利用地域型保育に係る公定価格については、利用する地域型保育事業の類型に応じて以下のとおりとする。

また、特定利用地域型保育を提供する事業所に係る別紙５から別紙９の算定方法、加算の要件及び申請手続き等については、特定利用地域型保育の提供を受ける子どもの人数を含めて公定価格の算定及び加算要件への適合状況等の確認を行うこと。

(ア)　家庭的保育事業又は小規模保育事業Ｃ型

家庭的保育事業又は小規模保育事業Ｃ型に適用される３号認定に係る公定価格を適用し、基本分単価から7500円（給食材料費相当額）を減じた額とする。

ただし、年度の初日の前日における年齢が、満２歳の子どもの場合は基本分単価を減じないものとする。

(イ)　小規模保育事業Ａ型、Ｂ型又は事業所内保育事業

小規模保育事業Ａ型、Ｂ型又は事業所内保育事業に適用される３号認定に係る公定価格（年齢区分は「１、２歳児」）を適用し、年度の初日の前日における年齢が満３歳以上となる子どもの場合は、基本分単価について、満３歳の子どもは65／100（保育所型事業所内保育事業は55／100）を乗じて得た額（算定して得た額に10円未満の端数がある場合は切り捨てる。）、満４歳以上の子どもは60／100（保育所型事業所内保育事業は45／100）を乗じて得た額（算定して得た額に10円未満の端数がある場合は切り捨てる。）とする。（年度の初日の前日における年齢が、満２歳の子どもの場合は、３号認定に係る公定価格（年齢区分は「１、２歳児」）そのものを適用する。）。

ただし、利用定員20人以上の事業所内保育事業を除き、各月初日における満３歳以上の子ども（年度の初日の前日における年齢が満２歳の子どもを除く。）の数が、利用定員の３割未満となる場合は、基本分単価から7500円（給食材料費相当額）を減じた額（年度の初日の前日における年齢が満２歳の子どもの場合は減じない。）とする。なお、地域における満３歳以上に係る保育の提供体制や事業所の職員体制等を踏まえて、利用定員の３割以上となることがやむを得ないと市町村が認める場合には、これと同様の額とすることができること。

(ウ)　居宅訪問型保育事業

居宅訪問型保育事業に適用される３号認定に係る公定価格を適用する。

(エ)　(ア)又は(イ)の場合において、副食費徴収免除対象子ども（ただし、年度の初日の前日における年齢が満２歳の子どもを除く。）については、算定した額に4500円を加えた額とする。

Ⅴ　特例保育

⑴　特例保育の実施基準

特例保育に係る特例地域型保育給付費は、特定教育・保育及び特定地域型保育の確保が著しく困難な離島・その他地域に居住する支給認定保護者の子どもに対して、特例保育を提供する場合に支給することができるものとされているが、その実施に当たっては以下によること。

㋐　実施主体

市町村

㋑　実施場所

特例保育を提供する事業所は以下の地域に所在する事業所とする。

ⅰ　へき地教育振興法（昭和29年法律第143号）第５条の２の規定によるへき地手当（以下「へき地手当」という。）の支給の指定を受けているへき地学校の通学区域内であること。

ⅱ　一般職の職員の給与に関する法律（昭和25年法律第95号）第13条の２第１項又は地方自治法（昭和22年法律第67号）第204条第２項の規定による特地勤務手当（以下「特地勤務手当」という。）の支給の指定を受けている国又は地方公共団体の公官署の４キロメートル以内にあること。

ⅲ　へき地手当又は特地勤務手当の支給の指定を受けることとなる地域内にあること。

ⅳ　上記ⅰからⅲまでのいずれかに準ずるものとして市町村長が認める地域内にあること。

㋒　設備及び運営

特例保育の提供に当たっては、次に掲げる基準によるもののほか、児童福祉施設の設備及び運営に関する基準（昭和23年厚生省令第63号）の精神を尊重して行うものとする。

ⅰ　公民館、学校、集会所等の既設建物の一部を用いて事業所を設置する場合においては、その設備をその事業所のために常時使用することができるものでなければならないこと。

ⅱ　保育室、便所及び屋外遊戯場（その附近にあるこれに代わるべき場を含む。）その他必要な設備を設け、それらの規模は適正な保育ができるように定めること。

ⅲ　必要な医療器具、医薬品、ほう帯材料等を備えるほか、必要に応じて楽器、黒板、机、椅子、積木、絵本、砂場、すべり台、ぶらんこ等を備えること。

ⅳ　保育士を２人以上置くこと。

ただし、所定の資格を有する者がいない等やむを得ない事情があるときは、うち１人に限り児童の保育に熱意を有し、かつ、心身ともに健全な者をもってこれに代えることができること。

ⅴ　保育時間、保育の内容、保護者との連絡方法等については、利用子どもが健やかに育成されるようその地方の実情に応じて定めること。

ⅵ　なお、１日当たりの平均入所児童数が５人以下となることが見込まれる事業所については、特別な事情が認められるときは、上記ⅳについて、個々の事情に応じた配置も認められる場合もあること。

⑵　公定価格の算定方法等

特例保育に係る特例地域型保育給付費の額については、内閣総理大臣が定める公定価格から、利用者負担を控除した額を基準として、市町村が定めることになるが、内閣総理大臣が定める公定価格については、個々の事情に応じて定めることとしている。

具体的には、各市町村における特例保育の実施に要する費用等を勘案して定めることになるが、これに当たっての各年度の協議については、別途通知するところによる。

別添１

「４歳以上児配置改善加算」と他の年齢別の配置改善加算との適用の整理について

○別紙１（幼稚園（教育標準時間認定１号））

４歳以上児配置改善加算及び３歳児配置改善加算、満３歳児対応加配加算の適用については、以下のＡ～Ｈの算式により算出された職員数を満たしているか確認することにより、Ａ～Ｈの組み合わせに応じた加算が適用される。

ただし、チーム保育加配加算を算定している施設は、４歳以上児配置改善加算は適用しない。また、チーム保育加配加算は、３歳児配置改善加算、満３歳児対応加配加算と併給する場合であっても配置基準上教員数とは別に必要教員数を算出する。

Ａ：４歳以上児配置改善加算、３歳児配置改善加算、満３歳児対応加配加算

Ｂ：４歳以上児配置改善加算、３歳児配置改善加算

Ｃ：４歳以上児配置改善加算、満３歳児対応加配加算

Ｄ：４歳以上児配置改善加算

Ｅ：３歳児配置改善加算、満３歳児対応加配加算

Ｆ：３歳児配置改善加算
Ｇ：満３歳児対応加配加算
Ｈ：いずれも対象外

＜算式Ａ＞
｛４歳以上児数×１／25（小数点第１位まで計算（小数点第２位以下切り捨て））｝＋｛３歳児数（満３歳児を除く）×１／15（同）｝＋｛満３歳児数×１／６（同）｝＝配置基準上教員数（小数点以下四捨五入）

＜算式Ｂ＞
｛４歳以上児数×１／25（小数点第１位まで計算（小数点第２位以下切り捨て））｝＋｛３歳児数×１／15（同）｝＝配置基準上教員数（小数点以下四捨五入）

＜算式Ｃ＞
｛４歳以上児数×１／25（小数点第１位まで計算（小数点第２位以下切り捨て））｝＋｛３歳児数（満３歳児を除く）×１／20（同）｝＋｛満３歳児数×１／６（同）｝＝配置基準上教員数（小数点以下四捨五入）

＜算式Ｄ＞
｛４歳以上児数×１／25（小数点第１位まで計算（小数点第２位以下切り捨て））｝＋｛３歳児数×１／20（同）｝＝配置基準上教員数（小数点以下四捨五入）

＜算式Ｅ＞
｛４歳以上児数×１／30（小数点第１位まで計算（小数点第２位以下切り捨て））｝＋｛３歳児数（満３歳児を除く）×１／15（同）｝＋｛満３歳児数×１／６（同）｝＝配置基準上教員数（小数点以下四捨五入）

＜算式Ｆ＞
｛４歳以上児数×１／30（小数点第１位まで計算（小数点第２位以下切り捨て））｝＋｛３歳児数×１／15（同）｝＝配置基準上教員数（小数点以下四捨五入）

＜算式Ｇ＞
｛４歳以上児数×１／30（小数点第１位まで計算（小数点第２位以下切り捨て））｝＋｛３歳児数（満３歳児を除く）×１／20（同）｝＋｛満３歳児数×１／６（同）｝＝配置基準上教員数（小数点以下四捨五入）

＜算式Ｈ＞
｛４歳以上児数×１／30（小数点第１位まで計算（小数点第２位以下切り捨て））｝＋｛３歳児数×１／20（同）｝＝配置基準上教員数（小数点以下四捨五入）

○別紙２（保育所（保育認定２・３号））

４歳以上児配置改善加算、３歳児配置改善加算の適用については、以下のＡ～Ｈの算式により算出された職員数を満たしているか確認することにより、Ａ～Ｈの組み合わせに応じた加算が適用される。

ただし、チーム保育推進加算を算定している施設は、４歳以上児配置改善加算は適用しない。また、チーム保育推進加算は、３歳児配置改善加算と併給する場合であっても、配置基準上保育士数とは別に必要職員数を算出する。

Ａ：４歳以上児配置改善加算、３歳児配置改善加算
Ｂ：４歳以上児配置改善加算
Ｃ：３歳児配置改善加算
Ｄ：いずれも対象外

＜算式Ａ＞
｛４歳以上児数×１／25（小数点第１位まで計算（小数点第２位以下切り捨て））｝＋｛３歳児数×１／15（同）｝＋｛１，２歳児数×１／６（同）｝＋｛乳児数×１／３（同）｝＝配置基準上保育士数（小数点以下四捨五入）

＜算式Ｂ＞
｛４歳以上児数×１／25（小数点第１位まで計算（小数点第２位以下切り捨て））｝＋｛３歳児数×１／20（同）｝＋｛１，２歳児数×１／６（同）｝＋｛乳児数×１／３（同）｝＝配置基準上保育士数（小数点以下四捨五入）

＜算式Ｃ＞
｛４歳以上児数×１／30（小数点第１位まで計算（小数点第２位以下切り捨て））｝＋｛３歳児数×１／15（同）｝＋｛１，２歳児数×１／６（同）｝＋｛乳児数×１／３（同）｝＝配置基準上保育士数（小数点以下四捨五入）

＜算式Ｄ＞
｛４歳以上児数×１／30（小数点第１位まで計算（小数点第２位以下切り捨て））｝＋｛３歳児数×１／20（同）｝＋｛１，２歳児数×１／６（同）｝＋｛乳児数×１／３（同）｝＝配置基準上保育士数（小数点以下四捨五入）

○別紙３（認定こども園（教育標準時間認定１号））・別紙４（認定こども園（保育認定２・３号））

４歳以上児配置改善加算、３歳児配置改善加算、満３歳児対応加配加算の適用については、以下のＡ～Ｈの算式により算出された職員数を満たしているか確認することにより、Ａ～Ｈの組み合わせに応じた加算が適用される。

認定こども園は教育標準時間認定子ども及び保育認定子どもの人数の合計をもとに算出すること。ただし、チーム保育加配加算を算定している施設は、４歳以上児配置改善加算は適用しない。また、チーム保育加配加算は、３歳児配置改善加算、満３歳児対応加配加算と併給する場合であっても、配置基準上保育教諭等数とは別に必要保育教諭等数を算出する。

Ａ：４歳以上児配置改善加算、３歳児配置改善加算、満３歳児対応加配加算
Ｂ：４歳以上児配置改善加算、３歳児配置改善加算
Ｃ：４歳以上児配置改善加算、満３歳児対応加配加算
Ｄ：４歳以上児配置改善加算
Ｅ：３歳児配置改善加算、満３歳児対応加配加算
Ｆ：３歳児配置改善加算
Ｇ：満３歳児対応加配加算
Ｈ：いずれも対象外

＜算式Ａ＞
｛４歳以上児数×１／25（小数点第１位まで計算（小数点第２位以下切り捨て））｝＋｛３歳児数（満３歳児を除く）×１／15（同）｝＋｛満３歳児数×１／６（同）｝＋｛1，２歳児数×１／６（同）｝＋｛乳児数×１／３（同）｝＝配置基準上保育教諭等数（小数点以下四捨五入）

＜算式Ｂ＞
｛４歳以上児数×１／25（小数点第１位まで計算（小数点第２位以下切り捨て））｝＋｛３歳児数×１／15（同）｝＋｛満３歳児数×１／15（同）｝＋｛1，２歳児数×１／６（同）｝＋｛乳児数×１／３（同）｝＝配置基準上保育教諭等数（小数点以下四捨五入）

＜算式Ｃ＞
｛４歳以上児数×１／25（小数点第１位まで計算（小数点第２位以下切り捨て））｝＋｛３歳児数（満３歳児を除く）×１／20（同）｝＋｛満３歳児数×１／６（同）｝＋｛1，２歳児数×１／６（同）｝＋｛乳児数×１／３（同）｝＝配置基準上保育教諭等数（小数点以下四捨五入）

＜算式Ｄ＞
｛４歳以上児数×１／25（小数点第１位まで計算（小数点第２位以下切り捨て））｝＋｛３歳児数×１／20（同）｝＋｛満３歳児数×１／20（同）｝＋｛1，２歳児数×１／６（同）｝＋｛乳児数×１／３（同）｝＝配置基準上保育教諭等数（小数点以下四捨五入）

＜算式Ｅ＞
｛４歳以上児数×１／30（小数点第１位まで計算（小数点第２位以下切り捨て））｝＋｛３歳児数（満３歳児を除く）×１／15（同）｝＋｛満３歳児数×１／６（同）｝＋｛1，２歳児数×１／６（同）｝＋｛乳児数×１／３（同）｝＝配置基準上保育教諭等数（小数点以下四捨五入）

＜算式Ｆ＞
｛４歳以上児数×１／30（小数点第１位まで計算（小数点第２位以下切り捨て））｝＋｛３歳児数×１／15（同）｝＋｛満３歳児数×１／15（同）｝＋｛1，２歳児数×１／６（同）｝＋｛乳児数×１／３（同）｝＝配置基準上保育教諭等数（小数点以下四捨五入）

＜算式Ｇ＞
｛４歳以上児数×１／30（小数点第１位まで計算（小数点第２位以下切り捨て））｝＋｛３歳児数（満３歳児を除く）×１／20（同）｝＋｛満３歳児数×１／６（同）｝＋｛1，２歳児数×１／６（同）｝＋｛乳児数×１／３（同）｝＝配置基準上保育教諭等数（小数点以下四捨五入）

＜算式Ｈ＞
｛４歳以上児数×１／30（小数点第１位まで計算（小数点第２位以下切り捨て））｝＋｛３歳児数×１／20（同）｝＋｛満３歳児数×１／20（同）｝＋｛1，２歳児数×１／６（同）｝＋｛乳児数×１／３（同）｝＝配置基準上保育教諭等数（小数点以下四捨五入）

○施設型給付費等に係る処遇改善等加算について

〔令和５年６月７日　こ成保39・５文科初第591号
各都道府県知事宛　こども家庭庁成育・文部科学省初等中
等教育局長連名通知〕

注　令和６年４月12日こ成保227・６文科初第153号改正現在

特定教育・保育、特別利用保育、特別利用教育、特定地域型保育、特別利用地域型保育、特定利用地域型保育及び特例保育に要する費用の額の算定に関する基準等（平成27年内閣府告示第49号。以下「告示」という。）の実施に伴う留意事項として、「特定教育・保育等に要する費用の額の算定に関する基準等の実施上の留意事項について」（令和５年５月19日付けこ成保38・５文科初第483号こども家庭庁成育局長及び文部科学省初等中等教育局長連名通知）別紙１から別紙９までにおいて「別に定める」こととしている処遇改善等加算Ⅰ（各種加算項目に付随するものを含む。以下同じ。）（以下「加算Ⅰ」という。）、処遇改善等加算Ⅱ（以下「加算Ⅱ」という。）及び処遇改善等加算Ⅲ（以下「加算Ⅲ」という。）（以下「処遇改善等加算」と総称する。）に係る取扱いを下記のとおり定めたので、通知する。

本通知では、「平成30年の地方からの提案等に関する対応方針」（平成30年12月25日閣議決定）を踏まえ、本通知に基づく都道府県の事務の実施を希望する市町村（特別区を含む。以下同じ。）への権限委譲や加算Ⅱの配分方法の更なる緩和を講じるとともに、「子ども・子育て支援新制度施行後５年の見直しに係る対応方針について」（令和元年12月10日子ども・子育て会議取りまとめ）を踏まえ、処遇改善等加算の賃金改善の起点を前年度とし、計画・実績報告の手続の簡素化を図っている。そのほか、「令和元年の地方からの提案等に関する対応方針」（令和元年12月23日閣議決定）を踏まえ、加算Ⅰの加算率の認定に係る職員の経験年数について、年金加入記録等による推認が可能であることを明確にする措置を講じている。

また、「待機児童解消、子どもの貧困対策等の子ども・子育て支援施策に関する会計検査の結果について」（令和元年12月20日会計検査院報告）を踏まえ、処遇改善等加算による賃金改善に要した費用について、前年度の加算額に係る残額の支払分を除くことについて明確化を図っている。

各都道府県知事におかれては、これらの趣旨を十分に御了知の上、管内の市町村に対して遅滞なく周知するようお願いする。

なお、本通知は、令和５年４月１日以降に支給された処遇改善等加算から適用する。これに伴い、「施設型給付費等に係る処遇改善等加算について」（令和２年７月30日付け府子本第761号・２文科初第643号・子発0730第２号内閣府子ども・子育て本部統括官、文部科学省初等中等教育局長及び厚生労働省子ども家庭局長連名通知）は廃止する。

この通知の適用前に、旧通知に基づき支給された処遇改善等加算の取り扱いについては、なお従前の例によることとする。

記

第１　目的・対象

１　目的

処遇改善等加算は、教育・保育の提供に従事する人材の確保及び資質の向上のため、特定教育・保育等に通常要する費用の額を勘案して定める基準額（以下「公定価格」という。）において、職員の平均経験年数の上昇に応じた昇給に要する費用（加算Ⅰの基礎分）、職員の賃金の改善やキャリアパスの構築の取組に要する費用（加算Ⅰの賃金改善要件分）、職員の技能・経験の向上に応じた追加的な賃金の改善に要する費用（加算Ⅱ）及び職員の賃金の継続的な引上げ（ベースアップ）等に要する費用（加算Ⅲ）を確保することにより、賃金体系の改善を通じて「長く働くことができる」職場環境を構築し、もって質の高い教育・保育の安定的な供給に資するものとすること。

２　加算対象施設・事業所

特定教育・保育施設（都道府県又は市町村が設置するものを除く。）及び特定地域型保育事業所（加算Ⅰ及び加算Ⅱにあっては都道府県又は市町村が運営するものを除く。）とすること。

第２　加算の認定に関する事務

１　加算の認定

⑴　加算Ⅰ及び加算Ⅱの認定に関する事務は、次に掲げる区分に応じ、それぞれに定めるところにより行うこと。

ア　指定都市、中核市及び特定市町村（都道府県知事との協議により本通知に基づく事務を行うこととする市町村をいう。以下同じ。）（以下「指定都市等」という。）が管轄する施設・事業所については、その施設・事業所を管轄する指定都市等の長が加算の認定を行うこととし、認定の内容を施設・事業所に通知することとする。

イ　一般市町村（指定都市等以外の市町村をいう。以下同じ。）が管轄する施設・事業所については、その施設・事業所を管轄する一般市町村の長が取りまとめた上で都道府県知事が加算の認定を行うこととする。都道府県知事は、一般市町村の長に施設・事業所ごとの認定結果を通知し、通知を受けた一般市町村は、その内容を施設・事業所の設置者・事業者に通知することとする。

⑵　加算Ⅲの認定に関する事務は、施設・事業所を管轄する市町村の長が加算の認定を行うこととし、認定の内容を施設・事業所に通知することとする。

2　加算申請書の提出時期

⑴　加算Ⅰ及び加算Ⅱに関する加算申請書の提出については、次に掲げる区分に応じ、それぞれに定めるところにより行うこと。

ア　指定都市等が管轄する施設・事業所の設置者・事業者は、指定都市等の長の定める日までに、施設・事業所ごとに、必要書類を当該施設・事業所の所在する指定都市等の長に提出すること。

イ　一般市町村が管轄する施設・事業所の設置者・事業者は、都道府県知事の定める日までに、施設・事業所ごとに、必要書類を当該施設・事業所の所在する一般市町村の長に提出するものとする。一般市町村の長は、管轄する施設・事業所の必要書類を取りまとめた上で、都道府県知事の定める日までに、都道府県知事に提出すること。

⑵　加算Ⅲに関する加算申請書の提出については、施設・事業所の設置者・事業者は、市町村の長の定める日までに、施設・事業所ごとに、必要書類を当該施設・事業所の所在する市町村の長に提出すること。

第3　加算額に係る使途

1　基本的な考え方

加算Ⅰの基礎分に係る加算額は、職員（非常勤職員及び法人の役員等を兼務している職員を含む。以下同じ。）の賃金（退職金[注]及び法人の役員等としての報酬を除く。以下同じ。）の勤続年数等を基準として行う昇給等に適切に充てること。

加算Ⅰの賃金改善要件分、加算Ⅱ及び加算Ⅲに係る加算額は、その全額を職員の賃金の改善に確実に充てること。また、当該改善の前提として、国家公務員の給与改定に伴う公定価格における人件費の増額改定（以下「増額改定」という。）分に係る支給額についても、同様であること。

（注）　退職者に対して第1の1の目的と関連なく適用される賃金の項目やその増額については、その名目にかかわらず、処遇改善等加算の賃金の改善に要した費用に含めることができない。

2　賃金の改善の方法

処遇改善等加算による賃金の改善に当たっては、第1の1の目的に鑑み、その方針をあらかじめ職員に周知し、改善を行う賃金の項目以外の賃金の項目（業績等に応じて変動するものを除く。）の水準を低下させないこと[注]を前提に行うとともに、対象者や賃金改善額が恣意的に偏ることなく、改善が必要な職種の職員に対して重点的に講じられるよう留意すること。

（注）　3により加算額の一部を同一の設置者・事業者が運営する他の施設・事業所の賃金改善に充てる場合であっても、それを理由として賃金水準を低下させたり、加算による改善の水準を拠出の程度を超えて低下させたりしないこと。

また、加算Ⅰのキャリアパス要件を満たさなくなること等により賃金改善要件分に係る加算率が減少する場合については、減少する加算額に相当する部分はこの限りでない。

加えて、「公定価格に関するＦＡＱ（よくある質問）」（以下「公定価格ＦＡＱ」という。）の№221により、令和５年度においては、令和５年度当初予算の公定価格に基づいて計算した金額と令和５年度補正を反映した公定価格に基づいて計算した金額との差額（以下、「令和５年度の改定による影響額」という。）又は旧通知における「基準翌年度から加算当年度までの公定価格における人件費の改定分」の＜算式１＞に0.9（調整率）を乗じた額（以下、「調整率を乗じた額」という。）を「基準翌年度から加算当年度までの公定価格における人件費の改定分」として取り扱うことも可能としているため、新規事由なしの場合は令和５年度の支払賃金総額が起点賃金水準を超えている場合（新規事由有りの場合は令和５年度の賃金改善等実績額が特定加算額を超えている場合）は後述の<算式１>又は<算式２>を上限に、当該超えている部分はこの限りではない。

加算Ⅰの賃金改善要件分及び加算Ⅲに係る加算額については、各施設・事業所で決定する範囲の職員に対し、基本給、手当、賞与又は一時金等のうちから改善を行う賃金の項目を特定した上で、毎月払い、一括払い等の方法により賃金の改善を行うことができ、各施設・事業所においてその名称、内訳等を明確に管理すること。なお、手当や一時金等については、基本給の引上げや定期昇給の増額等に段階的に反映していくことが望ましく、給与表や給与規程の見直しを推進すること。

加算Ⅱに係る加算額については、副主任保育士、専門リーダー又は中核リーダー及び職務分野別リーダー又は若手リーダーに対し、役職手当、職務手当など職位、職責又は職務内容等に応じて、決まって毎月支払われる手当又は基本給により賃金の改善を行うこととし、各施設・事業所においてその名称、内訳等を明確に管理すること。

３　他の施設・事業所の賃金の改善への充当

加算Ⅰの賃金改善要件分及び加算Ⅲ（令和６年度までの間は、加算Ⅱを含む。）に係る加算額については、その一部（加算Ⅱにあっては、加算見込額の20％（10円未満の端数切り捨て）を上限とする。）を同一の設置者・事業者が運営する他の施設・事業所（注）における賃金の改善に充てることができること。

（注）　特定教育・保育施設及び特定地域型保育事業所（当該施設・事業所が所在する市町村の区域外に所在するものを含む。）に限る。

４　加算残額の取扱い

加算Ⅰの賃金改善要件分、加算Ⅱ及び加算Ⅲについて、加算当年度（加算の適用を受けようとする年度をいう。以下同じ。）の終了後、第４の２⑶又は⑷、第５の２⑶又は⑷及び第６の２⑶又は⑷による算定の結果、賃金改善等実績総額が特定加算実績額を下回り、又は支払賃金総額が起点賃金水準を下回った場合には、その翌年度内に速やかに、その差額（以下「加算残額」という。）の全額を一時金等により支払い、賃金の改善に充てること。

なお、第２の１により加算の認定を行った地方自治体は、加算当年度に係る加算残額については、加算当年度分の実績報告において金額を確定するとともに、監査や当該翌年度分の実績報告により、当該翌年度内にその支払が完了したことを確認すること。

第４　加算Ⅰの要件

１　加算率

加算額の算定に用いる加算率は、職員１人当たりの平均経験年数の区分に応じ、基礎分の割合に、賃金改善要件分の割合（キャリアパス要件に適合しない場合は、当該割合からキャリアパス要件分の割合を減じた割合。賃金改善要件分の要件に適合しない場合は、０％。）を加えて得た割合とする（加算率については、以下の加算率区分表を参照。）。

（加算率区分表）

<table>
<tr><th rowspan="2">職員１人当たりの平均経験年数</th><th colspan="3">加算率</th></tr>
<tr><th>基礎分</th><th>賃金改善要件分</th><th>うちキャリアパス要件分</th></tr>
<tr><td>11年以上</td><td>12％</td><td>７％</td><td rowspan="12">２％</td></tr>
<tr><td>10年以上11年未満</td><td>12％</td><td rowspan="11">６％</td></tr>
<tr><td>９年以上10年未満</td><td>11％</td></tr>
<tr><td>８年以上９年未満</td><td>10％</td></tr>
<tr><td>７年以上８年未満</td><td>９％</td></tr>
<tr><td>６年以上７年未満</td><td>８％</td></tr>
<tr><td>５年以上６年未満</td><td>７％</td></tr>
<tr><td>４年以上５年未満</td><td>６％</td></tr>
<tr><td>３年以上４年未満</td><td>５％</td></tr>
<tr><td>２年以上３年未満</td><td>４％</td></tr>
<tr><td>１年以上２年未満</td><td>３％</td></tr>
<tr><td>１年未満</td><td>２％</td></tr>
</table>

「職員１人当たりの平均経験年数」は、その職種にかかわらず、当該施設・事業所に勤務する全ての常勤職員（当該施設・事業所の就業規則において定められている常勤の従事者が勤務すべき時間数（教育・保育に従事する者にあっては、１か月に勤務すべき時間数が120時間以上であるものに限る。）に達している者又は当該者以外の者であって１日６時間以上かつ月20日以上勤務するも

の）について、当該施設・事業所又は他の施設・事業所（次に掲げるものに限る。）における勤続年月数を通算した年月数を合算した総年月数を当該職員の総数で除して得た年数（6月以上の端数は1年とし、6月未満の端数は切り捨てとする。）とする（居宅訪問型保育事業においても、当該事業を行う事業所を単位として職員1人当たりの平均経験年数を算定すること。）。なお、勤続年月数の確認に当たっては、施設・事業所による職歴証明書のほか、年金加入記録等から推認する取扱いも可能である。

(1)　子ども・子育て支援法（平成24年法律第65号。以下「支援法」という。）第7条第4項に定める教育・保育施設、同条第5項に定める地域型保育事業を行う事業所及び同法第30条第1項第4号に定める特例保育を行う施設・事業所

(2)　学校教育法（昭和22年法律第26号）第1条に定める学校及び同法第124条に定める専修学校

(3)　社会福祉法（昭和26年法律第45号）第2条に定める社会福祉事業を行う施設・事業所

(4)　児童福祉法（昭和22年法律第164号）第12条の4に定める施設

(5)　認可外保育施設（児童福祉法第59条の2第1項に定める施設をいう。以下同じ。）で以下に掲げるもの

ア　地方公共団体における単独保育施策による施設

イ　認可外保育施設指導監督基準を満たす旨の証明書を交付された施設

ウ　企業主導型保育施設

エ　幼稚園を設置する者が当該幼稚園と併せて設置している施設

オ　アからエまでに掲げる施設以外の認可外保育施設が(1)の施設・事業所に移行した場合における移行前の認可外保育施設

(6)　医療法（昭和23年法律第205号）に定める病院、診療所、介護老人保健施設、介護医療院及び助産所（保健師、看護師又は准看護師に限る。）

また、「職員1人当たりの平均経験年数」の算定は、加算当年度の4月1日（当該年度の途中において支援法第27条第1項又は第29条第1項の確認（以下「支援法による確認」という。）を受けた施設・事業所にあっては、支援法による確認を受けた日）時点で行うこと。

2　賃金改善要件

（加算認定に係る要件）

次の(1)ア又は(2)アのいずれかに掲げる要件を満たす別紙様式5「賃金改善計画書（処遇改善等加算Ⅰ）」を都道府県知事又は指定都市等の長に対して提出するとともに、その具体的な内容を職員に周知していること。

なお、加算当年度の前年度に処遇改善等加算Ⅰの適用を受けている施設は、別紙様式11「賃金改善に係る誓約書」を都道府県知事又は指定都市等の長に対して提出するとともに、職員に対しても周知している場合は、別紙様式5「賃金改善計画書（処遇改善等加算Ⅰ）」の作成及び提出を不要とする。

また、一般市町村が管轄する施設・事業所であって、加算Ⅲの申請を行うものは、別紙様式5の添付資料として、別紙様式9「賃金改善計画書（処遇改善等加算Ⅲ）」の写しを添付すること。

(1)　加算Ⅰ新規事由がある場合

ア　加算当年度における次に掲げる事由（以下「加算Ⅰ新規事由」という。）に応じ、賃金改善実施期間において、賃金改善等見込総額が特定加算見込額を下回っていないこと。また、加算当年度の途中において増額改定が生じた場合には、それに応じた賃金の追加的な支払を行うものとすること。

i　加算前年度（加算当年度の前年度をいう。以下同じ。）に加算Ⅰの賃金改善要件分の適用を受けており、加算当年度に適用を受けようとする賃金改善要件分に係る加算率が公定価格の改定やキャリアパス要件の充足等により基準年度に比して増加する場合（当該加算率の増加のない施設・事業所において、当該加算率の増加のある他の施設・事業所に係る特定加算見込額の一部を受け入れる場合を含む。）

ii　新たに加算Ⅰの賃金改善要件分の適用を受けようとする場合

イ　「賃金改善実施期間」とは、加算当年度の賃金改善を実施する月からその後の最初の3月までをいう。

ウ　「賃金改善等見込総額」とは、「賃金改善見込総額」と「事業主負担増加見込総額」を合計して得た額（千円未満の端数は切り捨て）をいう。

エ　「賃金改善見込総額」とは、各職員について「賃金改善見込額」を合算して得た額をいう。

オ　「事業主負担増加見込総額」とは、各職員

について、「賃金改善見込額」に応じて増加することが見込まれる法定福利費等の事業主負担分の額を合算して得た額をいい、次の＜算式＞により算定することを標準とする。

＜算式＞

「加算前年度における法定福利費等の事業主負担分の総額」÷「加算前年度における賃金の総額」×「加算当年度の賃金改善見込額」

カ　「賃金改善見込額」とは、加算当年度内の賃金改善実施期間における見込賃金（当該年度に係る第５の２⑴アに定める加算Ⅱ新規事由及び第６の２⑴イに定める加算Ⅲ新規事由による賃金の改善見込額並びに加算前年度に係る加算残額の支払を除く。）のうち、その水準が「起点賃金水準」を超えると認められる部分に相当する額をいう。

キ　「起点賃金水準」とは、次に掲げる場合に応じ、それぞれに定める基準年度の賃金水準[※1]（当該年度に係る加算残額を含み、基準年度の前年度に係る加算残額の支払を除く。）に、基準年度の翌年度（以下「基準翌年度」という。）から加算当年度までの公定価格における人件費の改定分[※2]を合算した水準[※3]をいう。

a　アｉの場合又は私立高等学校等経常費助成費補助金（以下「私学助成」という。）を受けていた幼稚園が初めて加算Ⅰの賃金改善要件分の適用を受ける場合　加算前年度の賃金水準。ただし、施設・事業所において基準年度を加算前年度とすることが難しい事情があると認められる場合には、加算当年度の３年前の年度の賃金水準とすることができる。

b　アⅱの場合（私学助成を受けていた幼稚園が初めて加算Ⅰの賃金改善要件分の適用を受ける場合を除く。）　次に掲げる場合に応じ、それぞれに定める基準年度の賃金水準[※4]。

b－１　加算前年度に加算Ⅰの賃金改善要件分の適用を受けておらず、それ以前に適用を受けたことがある場合　加算Ⅰの賃金改善要件分の適用を受けた直近の年度。

b－２　加算当年度に初めて加算Ⅰの賃金改善要件分の適用を受けようとする場合　支援法による確認の効力が発生する年度の前年度（平成26年度以前に運営を開始した保育所にあっては、平成24年度。）。

※１　基準年度に施設・事業所がない場合は、地域又は同一の設置者・事業者における当該年度の賃金水準との均衡が図られていると認められる賃金水準。

※２　「基準翌年度から加算当年度までの公定価格における人件費の改定分」の額は、利用子どもの認定区分及び年齢区分ごとに、次の＜算式１＞により算定した額を合算して得た額から＜算式２＞を標準として算定した法定福利費等の事業主負担分を控除した額とする。

＜算式１＞

「加算当年度の加算Ⅰの単価の合計額」×｛「基準翌年度から加算当年度までの人件費の改定分に係る改定率」×100｝×「見込平均利用子ども数」×「賃金改善実施期間の月数」×0.9（調整率）

＜算式２＞

「加算前年度における法定福利費等の事業主負担分の総額」÷「加算前年度における賃金の総額及び法定福利費等の事業主負担分の総額の合計額」×「＜算式１＞により算定した金額」

※３　公定価格ＦＡＱの№221を踏まえ、令和５年度の賃金改善等実績額が特定加算額を超えている場合は、次の＜算式１＞又は＜算式２＞を上限に、当該超えている額を控除することができる。

＜算式１＞

「令和５年度の加算Ⅰの加算額総額（増額改定を反映させた額）」×「令和５年度の算定に用いた人件費の改定分に係る改定率」÷「令和５年度に適用を受けた基礎分及び賃金改善要件分に係る加算率」×0.1

＜算式２＞

｛「令和５年度の加算Ⅰの加算額総額（増額改定を反映させた額）」×「令和５年度の算定に用いた人件費の改定分に係る改定率」÷「令和５年度に適用を受けた基礎分及び賃金改善要件分に係る加算率」｝－「令和５年度の改定による影響額」

※４　ｂ－１の場合は、基準年度における加

算Ｉの賃金改善要件分による賃金改善額を控除すること。

ク　「特定加算見込額」とは、賃金改善実施期間における加算見込額のうち加算Ｉ新規事由に係る額として、利用子どもの認定区分及び年齢区分ごとに、次の＜算式＞により算定した額を合算して得た額※（千円未満の端数は切り捨て）をいう。

＜算式＞

「加算当年度の加算Ｉの単価の合計額」×{「加算Ｉ新規事由に係る加算率」×100}×「見込平均利用子ども数」×「賃金改善実施期間の月数」

※　施設・事業所間で加算見込額の一部の配分を調整する場合には、それぞれ、その受入（拠出）見込額が基準年度の受入（拠出）実績額を上回る（下回る）ときはその差額を加える（減じる）こと。

ケ　「加算Ｉ新規事由に係る加算率」とは、次に掲げる場合に応じ、それぞれに定める割合をいう。

ａ　アⅰの場合　賃金改善要件分に係る加算率について、加算当年度の割合から基準年度の割合を減じて得た割合

※　例えば、賃金改善要件分を加算当年度から加算前年度に比して１％引き上げる公定価格の改定が行われた場合は0.01、キャリアパス要件を新たに充足した場合は0.02、両事例に該当する場合はその合算値の0.03となる。

ｂ　アⅱの場合　適用を受けようとする賃金改善要件分に係る加算率

コ　「見込平均利用子ども数」とは、加算当年度内の賃金改善実施期間における各月初日の利用子ども数（広域利用子ども数を含む。以下同じ。）の見込数の総数を賃金改善実施期間の月数で除して得た数をいう。利用子ども数の見込数については、過去の実績等を勘案し、実態に沿ったものとすること。

サ　特定の年度における「賃金水準」とは、加算当年度の職員について、雇用形態、職種、勤続年数、職責等が加算当年度と同等の条件の下で、当該特定の年度に適用されていた賃金の算定方法により算定される賃金の水準をいう。

したがって、例えば、基準年度から継続して勤務する職員に係る水準は、単に基準年度に支払った賃金を指すものではなく、短時間勤務から常勤への変更、補助者から保育士への変更、勤続年数の伸び、役職の昇格、職務分担の増加（重点的に改善していた職員の退職に伴うものなど）等を考慮し、加算当年度における条件と同等の条件の下で算定されたものとする必要がある。

⑵　加算Ｉ新規事由がない場合

ア　賃金改善実施期間において、賃金見込総額が起点賃金水準を下回っていないこと。また、加算当年度の途中において増額改定が生じた場合には、それに応じた賃金の追加的な支払を行うものとすること。

イ　「賃金改善実施期間」とは、加算当年度の４月から翌年３月までをいう。

ウ　「賃金見込総額」とは、各職員について「賃金見込額」を合算して得た額（千円未満の端数は切り捨て）をいう。

エ　「賃金見込額」とは、加算当年度内の賃金改善実施期間における見込賃金（当該年度における第５の２⑴アに定める加算Ⅱ新規事由及び第６の２⑴イに定める加算Ⅲ新規事由による賃金の改善見込額並びに加算前年度に係る加算残額の支払を除く。）をいう。

オ　「起点賃金水準」とは、基準年度の賃金水準（加算前年度の賃金水準。ただし、施設・事業所において基準年度を加算前年度とすることが難しい事情があると認められる場合には、加算当年度の３年前の年度の賃金水準とすることができる。また、基準年度に係る加算残額を含み、基準年度の前年度に係る加算残額の支払を除く。）に、基準翌年度から加算当年度までの公定価格における人件費の改定分※1を合算した水準※2・※3・※4（千円未満の端数は切り捨て）をいう。

※1　「基準翌年度から加算当年度までの公定価格における人件費の改定分」の額については⑴キに準じる。

※2　キャリアパス要件を満たさなくなる場合等、賃金改善要件分に係る加算率が減少する場合において、基準年度の賃金水準を算定するに当たっては、減少する賃金改善要件分の加算率に相当する加算見込額(注1)（法定福利費等の事業主負担分(注2)を除く。）を控除すること。

※3　公定価格ＦＡＱの№221を踏まえ、令和５年度の支払賃金総額が起点賃金水準を

超えている場合は、次の＜算式１＞又は＜算式２＞を上限に、当該超えている額を控除することができる。

＜算式１＞

「令和５年度の加算Ｉの加算額総額（増額改定を反映させた額）」×「令和５年度の算定に用いた人件費の改定分に係る改定率」÷「令和５年度に適用を受けた基礎分及び賃金改善要件分に係る加算率」×0.1

＜算式２＞

{「令和５年度の加算Ｉの加算額総額（増額改定を反映させた額）」×「令和５年度の算定に用いた人件費の改定分に係る改定率」÷「令和５年度に適用を受けた基礎分及び賃金改善要件分に係る加算率」}－「令和５年度の改定による影響額」

※４　施設・事業所間で加算額の一部の配分を調整する場合には、それぞれ、その受入（拠出）見込額が基準年度の受入（拠出）実績額を上回る（下回る）ときはその差額から法定福利費等の事業主負担分を控除した額（注３）を加える（減じる）こと。

（注１）　利用子どもの認定区分及び年齢区分ごとに、次の＜算式１＞により算定した額を合算して得た額とする。

＜算式１＞

「加算当年度の加算Ｉの単価の合計額」×「見込平均利用子ども数」×「賃金改善実施期間の月数」×{「減少する賃金改善要件分の加算率」×100}

（注２）　次の＜算式２＞により算定することを標準とする。

＜算式２＞

「基準年度における法定福利費等の事業主負担分の総額」÷「基準年度における賃金の総額」×「減少する賃金改善要件分の加算率に相当する加算見込額」

（注３）　次の＜算式３＞を標準として算定した法定福利費等の事業主負担分を控除すること。

＜算式３＞

「加算前年度における法定福利費等の事業主負担分の総額」÷「加算前年度における賃金の総額」×「受入（拠出）見込額と基準年度の受入（拠出）実績額との差額」

カ　「見込平均利用子ども数」については⑴コに、特定の年度における「賃金水準」については⑴サに、それぞれ準じる。

（実績報告に係る要件）

加算当年度の翌年度速やかに、次の⑶ア又は⑷アのいずれかに掲げる要件を満たす別紙様式６「賃金改善実績報告書（処遇改善等加算Ｉ）」を市町村の長に対して提出すること。

⑶　加算Ｉ新規事由がある場合

ア　加算Ｉ新規事由に応じ、賃金改善実施期間において、賃金改善等実績総額が特定加算実績額を下回っていないこと。また、賃金改善等実績総額が特定加算実績額を下回った場合には、生じた加算残額の全額を当該翌年度に速やかに職員の賃金（法定福利費等の事業主負担分を含む。）として支払うこと。

イ　「賃金改善等実績総額」とは、「賃金改善実績総額」と「事業主負担増加相当総額」を合計して得た額（千円未満の端数は切り捨て）をいう。

ウ　「賃金改善実績総額」とは、各職員について「賃金改善実績額」を合算して得た額をいう。

エ　「事業主負担増加相当総額」とは、各職員について、「賃金改善実績額」に応じて増加した法定福利費等の事業主負担分に相当する額を合算して得た額をいい、次の＜算式＞により算定することを標準とする。

＜算式＞

「加算前年度における法定福利費等の事業主負担分の総額」÷「加算前年度における賃金の総額」×「加算当年度の賃金改善実績額」

オ　「賃金改善実績額」とは、加算当年度内の賃金改善実施期間における支払賃金（当該年度に係る加算残額を含む。また、当該年度に係る第５の２⑴アに定める加算Ⅱ新規事由及び第６の２⑴イに定める加算Ⅲ新規事由による賃金の改善額並びに加算前年度に係る加算残額の支払を除く。）のうち、その水準が「起点賃金水準」（加算当年度に国家公務員の給与改定に伴う公定価格における人件費の改定があった場合には、当該改定分※を反映させた賃金水準）を超えると認められる部分に相当する額をいう。

※　増額改定があった場合の、各職員の増額改定分の合算額（法定福利費等の事業主負担分の増額分を含む。）は、次の＜算式１＞により算定した額以上となっていることを要する。

＜算式１＞

「加算当年度の加算Ⅰの加算額総額（増額改定を反映させた額）」×「増額改定に係る改定率」÷「加算当年度に適用を受けた基礎分及び賃金改善要件分に係る加算率」×0.9（調整率）

また、国家公務員の給与改定に伴う公定価格における人件費の減額改定（以下「減額改定」という。）があった場合の、各職員の減額改定分の合算額（法定福利費等の事業主負担分の減額分を含む。）は、以下の＜算式２＞により算定した額を超えない減額となっていることを要する。

＜算式２＞

「加算当年度の加算Ⅰの加算額総額（減額改定を反映させた額）」×「減額改定に係る改定率」÷「加算当年度に適用を受けた基礎分及び賃金改善要件分に係る加算率」×0.9（調整率）

カ　「起点賃金水準」とは、次に掲げる場合に応じ、それぞれに定める基準年度の賃金水準[※1]（当該年度に係る加算残額を含み、基準年度の前年度に係る加算残額の支払を除く。）に、基準翌年度から加算当年度までの公定価格における人件費の改定分[※2]を合算した水準[※3]をいう。

a　⑴アⅰの場合又は私学助成を受けていた幼稚園が初めて加算Ⅰの賃金改善要件分の適用を受ける場合　加算前年度の賃金水準。ただし、施設・事業所において基準年度を加算前年度とすることが難しい事情があると認められる場合には、加算当年度の３年前の年度の賃金水準とすることができる。

b　⑴アⅱの場合（私学助成を受けていた幼稚園が初めて加算Ⅰの賃金改善要件分の適用を受ける場合を除く。）　次に掲げる場合に応じ、それぞれに定める基準年度の賃金水準[※4]。

b－1　加算前年度に加算Ⅰの賃金改善要件分の適用を受けておらず、それ以前に適用を受けたことがある場合　加算Ⅰの賃金改善要件分の適用を受けた直近の年度。

b－2　加算当年度に初めて加算Ⅰの賃金改善要件分の適用を受けようとする場合　支援法による確認の効力が発生する年度の前年度（平成26年度以前に運営を開始した保育所にあっては、平成24年度。）。

※１　基準年度に施設・事業所がない場合は、地域又は同一の設置者・事業者における当該年度の賃金水準との均衡が図られていると認められる賃金水準。

※２　「基準翌年度から加算当年度までの公定価格における人件費の改定分」の額は、次の＜算式１＞により算定した額から＜算式２＞を標準として算定した法定福利費等の事業主負担分を控除した額とする。

＜算式１＞

「加算当年度の加算Ⅰの加算額総額（増額改定又は減額改定を反映させた額）」×「基準翌年度から加算当年度までの人件費の改定分に係る改定率」÷「加算当年度に適用を受けた基礎分及び賃金改善要件分に係る加算率」×0.9（調整率）

＜算式２＞

「加算前年度における法定福利費等の事業主負担分の総額」÷「加算前年度における賃金の総額及び法定福利費等の事業主負担分の総額の合計額」×「＜算式１＞により算定した金額」

※３　公定価格ＦＡＱの№221を踏まえ、令和５年度の賃金改善等実績額が特定加算額を超えている場合は、次の＜算式１＞又は＜算式２＞を上限に、当該超えている額を控除することができる。

＜算式１＞

「令和５年度の加算Ⅰの加算額総額（増額改定を反映させた額）」×「令和５年度の算定に用いた人件費の改定分に係る改定率」÷「令和５年度に適用を受けた基礎分及び賃金改善要件分に係る加算率」×0.1

＜算式２＞

｛「令和５年度の加算Ⅰの加算額総額（増額改定を反映させた額）」×「令

和５年度の算定に用いた人件費の改定分に係る改定率」÷「令和５年度に適用を受けた基礎分及び賃金改善要件分に係る加算率」｝－「令和５年度の改定による影響額」

※４　ｂ－１の場合は、基準年度における加算Ⅰの賃金改善要件分による賃金改善額を控除すること。

キ　「特定加算実績額」とは、賃金改善実施期間における加算実績額のうち加算Ⅰ新規事由に係る額（加算当年度に増額改定があった場合には、当該増額改定における加算Ⅰの単価増に伴う増加額を、減額改定があった場合には、当該減額改定における加算Ⅰの単価減に伴う減少額を反映させた額。）として次の＜算式＞により算定した額[※]（千円未満の端数は切り捨て）をいう。

＜算式＞

「加算当年度の加算Ⅰの加算額総額（増額改定又は減額改定を反映させた額）」×「加算Ⅰ新規事由に係る加算率」÷「加算当年度に適用を受けた基礎分及び賃金改善要件分に係る加算率」

※　施設・事業所間で加算実績額の一部の配分を調整した場合には、それぞれ、受入（拠出）実績額が基準年度の受入（拠出）実績額を上回った（下回った）ときはその差額を加える（減じる）こと。

ク　特定の年度における「賃金水準」については⑴サに準じる。

⑷　加算Ⅰ新規事由がない場合

ア　賃金改善実施期間において、支払賃金総額が起点賃金水準を下回っていないこと。また、支払賃金総額が起点賃金水準を下回った場合には、生じた加算残額の全額を当該翌年度に速やかに職員の賃金（法定福利費等の事業主負担分を含む。）として支払うこと。

イ　「支払賃金総額」とは、各職員について「支払賃金額」を合算して得た額（千円未満の端数は切り捨て）をいう。

ウ　「支払賃金額」とは、加算当年度内の賃金改善実施期間における支払賃金（当該年度に係る加算残額を含む。また、当該年度に係る第５の２⑴アに定める加算Ⅱ新規事由及び第６の２⑴イに定める加算Ⅲ新規事由による賃金の改善額並びに加算前年度に係る加算残額の支払を除く。）をいう。

エ　「起点賃金水準」とは、基準年度の賃金水準（加算前年度の賃金水準。ただし、施設・事業所において基準年度を加算前年度とすることが難しい事情があると認められる場合には、加算当年度の３年前の年度の賃金水準とすることができる。また、基準年度に係る加算残額を含み、基準年度の前年度に係る加算残額の支払を除く。）に、基準翌年度から加算当年度までの公定価格における人件費の改定分[※１・※２]を合算した水準[※３・※４・※５]（千円未満の端数は切り捨て）をいう。

※１「基準翌年度から加算当年度までの公定価格における人件費の改定分」の額については⑶カに準じる。

※２　増額改定があった場合の、各職員の増額改定分の合算額（法定福利費等の事業主負担分の増額分を含む。）は、次の＜算式１＞により算定した額以上となっていることを要する。

＜算式１＞

「加算当年度の加算Ⅰの加算額総額（増額改定を反映させた額）」×「増額改定に係る改定率」÷「加算当年度に適用を受けた基礎分及び賃金改善要件分に係る加算率」×0.9（調整率）

また、減額改定があった場合の、各職員の減額改定分の合算額（法定福利費等の事業主負担分の減額分を含む。）は、以下の＜算式２＞により算定した額を超えない減額となっていることを要する。

＜算式２＞

「加算当年度の加算Ⅰの加算額総額（減額改定を反映させた額）」×「減額改定に係る改定率」÷「加算当年度に適用を受けた基礎分及び賃金改善要件分に係る加算率」×0.9（調整率）

※３　キャリアパス要件を満たさなくなった場合等、賃金改善要件分に係る加算率が減少した場合において、基準年度の賃金水準を算定するに当たっては、減少した賃金改善要件分の加算率に相当する加算実績額[（注１）]（法定福利費等の事業主負担分[（注２）]を除く。）を控除すること。

※４　公定価格ＦＡＱの№221を踏まえ、令和５年度の支払賃金総額が起点賃金水準を超えている場合は、次の＜算式１＞又は＜算式２＞を上限に、当該超えている額を控

除することができる。

＜算式１＞

「令和５年度の加算Ⅰの加算額総額（増額改定を反映させた額）」×「令和５年度の算定に用いた人件費の改定分に係る改定率」÷「令和５年度に適用を受けた基礎分及び賃金改善要件分に係る加算率」×0.1

＜算式２＞

｛「令和５年度の加算Ⅰの加算額総額（増額改定を反映させた額）」×「令和５年度の算定に用いた人件費の改定分に係る改定率」÷「令和５年度に適用を受けた基礎分及び賃金改善要件分に係る加算率」｝－「令和５年度の改定による影響額」

※５　施設・事業所間で加算額の一部の配分を調整した場合には、それぞれ、受入（拠出）実績額が基準年度の受入（拠出）実績額を上回った（下回った）ときはその差額から法定福利費等の事業主負担分を控除した額（注３）を加える（減じる）こと。

（注１）　次の＜算式１＞により算定した額とする。

＜算式１＞

「加算当年度の加算Ⅰの加算額総額（増額改定又は減額改定を反映させた額）」×「減少した賃金改善要件分の加算率」÷「加算当年度に適用を受けた基礎分及び賃金改善要件分に係る加算率」

（注２）　次の＜算式２＞により算定することを標準とする。

＜算式２＞

「基準年度における法定福利費等の事業主負担分の総額」÷「基準年度における賃金の総額」×「減少した賃金改善要件分の加算率に相当する加算実績額」

（注３）　次の＜算式３＞を標準として算定した法定福利費等の事業主負担分を控除すること。

＜算式３＞

「加算前年度における法定福利費等の事業主負担分の総額」÷「加算前年度における賃金の総額」×「受入（拠出）実績額と基準年度の受入（拠出）実績額との差額」

オ　特定の年度における「賃金水準」については⑴サに準じる。

３　キャリアパス要件

当該施設・事業所の取組が次の⑴及び⑵のいずれにも適合すること又は加算Ⅱの適用を受けていること。

⑴　次に掲げる要件の全てに適合し、それらの内容について就業規則等の明確な根拠規定を書面で整備し、全ての職員に周知していること。

ア　職員の職位、職責又は職務内容等に応じた勤務条件等の要件（職員の賃金に関するものを含む。）を定めていること。

イ　アに掲げる職位、職責又は職務内容等に応じた賃金体系（一時金等の臨時的に支払われるものを除く。）を定めていること。

⑵　職員の職務内容等を踏まえ、職員と意見を交換しながら、資質向上の目標並びに次のア及びイに掲げる具体的な計画を策定し、当該計画に係る研修（通常業務中に行うものを除き、教育に係る長期休業期間に行うものを含む。以下同じ。）の実施又は研修の機会を確保し、それを全ての職員に周知していること。

ア　資質向上のための計画に沿って、研修機会の提供又は技術指導等を実施するとともに、職員の能力評価を行うこと。

イ　幼稚園教諭免許状・保育士資格等を取得しようとする者がいる場合は、資格取得のための支援（研修受講のための勤務シフトの調整、休暇の付与、費用（交通費、受講料等）の援助等）を実施すること。

第５　加算Ⅱの要件

１　加算Ⅱ算定対象人数の算定

⑴　家庭的保育事業、事業所内保育事業（利用定員５人以下の事業所に限る。）及び居宅訪問型保育事業を行う事業所以外の施設・事業所

加算Ⅱ－①の「人数Ａ」又は加算Ⅱ－②の「人数Ｂ」（告示別表第２特定加算部分及び別表第３特定加算部分。以下「加算Ⅱ算定対象人数」という。）は、次の＜算式＞により算定すること（１人未満の端数は四捨五入。ただし、四捨五入した結果が「０」となる場合は「１」とする。）。

＜算式＞

「人数Ａ」＝「基礎職員数」（注）×１／３

「人数Ｂ」＝「基礎職員数」（注）×１／５

（注）　「基礎職員数」とは、別表１の左欄

の施設・事業所の区分に応じて同表の右欄により算出される基礎職員数（1人未満の端数は四捨五入）をいう。

別表1の右欄による算出に当たっては、年齢別の児童数は、加算当年度の4月時点の利用子ども数又は「見込平均利用子ども数」（算定方法は第4の2⑴コに準じる。）を用い、各種加算の適用状況は、加算当年度の4月時点の状況により判断する。

⑵　家庭的保育事業、事業所内保育事業（利用定員5人以下の事業所に限る。）及び居宅訪問型保育事業を行う事業所

加算Ⅱ－①又は加算Ⅱ－②のいずれの適用を受けるかを選択する（「人数A」又は「人数B」のいずれかを「1」とし、他方を「0」とする）こと。

2　加算要件

（加算認定に係る要件）

次の⑴ア又は⑵アのいずれかに掲げる要件を満たす別紙様式7「賃金改善計画書（処遇改善等加算Ⅱ）」を都道府県知事又は指定都市等の長に対して提出するとともに、その具体的な内容を職員に周知していること。

なお、加算当年度の前年度に処遇改善等加算Ⅱの適用を受けている施設は、別紙様式11「賃金改善に係る誓約書」を都道府県知事又は指定都市等の長に対して提出するとともに、職員に対しても周知している場合は、別紙様式7「賃金改善計画書（処遇改善等加算Ⅱ）」の作成及び提出を不要とする。

⑴　加算Ⅱ新規事由がある場合

ア　加算当年度における次に掲げる事由（以下「加算Ⅱ新規事由」という。）に応じ、賃金改善実施期間において、賃金改善等見込総額が特定加算見込額※を下回っていないこと。

ⅰ　加算前年度に加算の適用を受けており、加算当年度に適用を受けようとする加算Ⅱ－①若しくは加算Ⅱ－②の単価又は加算Ⅱ算定対象人数が公定価格の改定※により加算前年度に比して増加する場合（当該単価又は当該人数の増加のない施設・事業所において、当該単価又は当該人数の増加のある他の施設・事業所に係る特定加算見込額の一部を受け入れる場合を含む。）

ⅱ　新たに加算Ⅱの適用を受けようとする場合

※　賃金改善に係る算定額（コにおいて原則として示す額）の増額改定による単価の増加及び1⑴の＜算式＞において基礎職員数に乗じる割合の増額改定による加算Ⅱ算定対象人数の増加に限り、法定福利費等の事業主負担分の算定額のみの増額及び基礎職員数の変動に伴う加算Ⅱ算定対象人数の増加を除く。

イ　「賃金改善実施期間」とは、加算当年度の賃金改善を実施する月からその後の最初の3月までをいう。

ウ　「賃金改善等見込総額」とは、「賃金改善見込総額」と「事業主負担増加見込総額」を合計して得た額（千円未満の端数は切り捨て）をいう。

エ　「賃金改善見込総額」とは、以下の①から③までの職員に係る「賃金改善見込額」を合算して得た額をいう。

①　ケⅰに定める副主任保育士等

②　ケⅱに定める職務分野別リーダー等

③　ケ（注1）に定める園長以外の管理職（ケ（注1）に基づき賃金の改善を行う職員に限る。）

オ　「事業主負担増加見込総額」とは、エ①から③までの職員に係る「賃金改善見込額」に応じて増加することが見込まれる法定福利費等の事業主負担分の額を合算して得た額をいい、次の＜算式＞により算定することを標準とする。

＜算式＞

「加算前年度における法定福利費等の事業主負担分の総額」÷「加算前年度における賃金の総額」×「加算当年度の賃金改善見込額」

カ　「賃金改善見込額」とは、加算当年度内の賃金改善実施期間におけるエ①から③までの職員に係る見込賃金（役職手当、職務手当など職位、職責又は職務内容等に応じて、決まって毎月支払われる手当及び基本給に限る。また、当該年度に係る加算残額を含み、加算前年度に係る加算残額の支払を除く。）のうち、その水準がエ①から③までの職員に係る「起点賃金水準」を超えると認められる部分に相当する額をいう。

ただし、基準年度に加算Ⅱの賃金改善の対象であり、かつ、加算当年度において加算Ⅱの賃金改善の対象外である職員がいる場合

は、当該職員に係る基準年度における加算Ⅱによる賃金改善額を控除するものとする。

キ　「起点賃金水準」とは、次に掲げる場合に応じ、それぞれに定める基準年度の賃金水準[※1]（役職手当、職務手当など職位、職責又は職務内容等に応じて、決まって毎月支払われる手当及び基本給に限る。また、当該年度に係る加算残額を含み、基準年度の前年度に係る加算残額の支払を除く。算定方法は、第４の２(1)サに準じる。）に、基準翌年度から加算当年度までの公定価格における人件費の改定分[※2]を合算した水準をいう。

ａ　アⅰの場合　加算前年度の賃金水準。ただし、施設・事業所において基準年度を加算前年度とすることが難しい事情があると認められる場合には、加算当年度の３年前の年度の賃金水準とすることができる。

ｂ　アⅱの場合　次に掲げる場合に応じ、それぞれに定める基準年度の賃金水準[※3]。

ｂ－１　加算前年度に加算Ⅱの適用を受けておらず、それ以前に適用を受けたことがある場合　加算Ⅱの適用を受けた直近の年度。

ｂ－２　加算当年度に初めて加算Ⅱの適用を受けようとする場合　加算前年度。

※１　基準年度に施設・事業所がない場合は、地域又は同一の設置者・事業者における当該年度の賃金水準との均衡が図られていると認められる賃金水準。

※２　「基準翌年度から加算当年度までの公定価格における人件費の改定分」の額は、国家公務員の給与改定に伴う公定価格における人件費の改定分（法定福利費等の事業主負担分を除く。）による賃金の改善（賃金改善実施期間におけるものに限る。）のうち、加算Ⅱによる賃金改善対象となる各職員の役職手当、職務手当など職位、職責又は職務内容等に応じて、決まって毎月支払われる手当及び基本給に係る部分を合算して得た額とする。

※３　ｂ－１の場合は、基準年度における加算Ⅱによる賃金改善額を控除すること。

ク　「特定加算見込額」とは、賃金改善実施期間における加算見込額のうち加算Ⅱ新規事由に係る額として、次に掲げる施設・事業所の区分に応じ、それぞれに定めるところにより算定した額[※]をいう。

＜アｉの場合＞

ａ　家庭的保育事業、事業所内保育事業（利用定員５人以下の事業所に限る。）及び居宅訪問型保育事業を行う事業所以外の施設・事業所　加算Ⅱの区分に応じてそれぞれに定める＜算式＞により算定した額の合算額

＜算式＞

加算Ⅱ－①　{「加算当年度の単価」×「加算当年度の人数Ａ」－「基準年度の単価」×「基準年度の人数Ａ」}×「賃金改善実施期間の月数」（千円未満の端数は切り捨て）

加算Ⅱ－②　{「加算当年度の単価」×「加算当年度の人数Ｂ」－「基準年度の単価」×「基準年度の人数Ｂ」}×「賃金改善実施期間の月数」（同）

ｂ　家庭的保育事業、事業所内保育事業（利用定員５人以下の事業所に限る。）及び居宅訪問型保育事業を行う事業所　加算Ⅱ－①又は加算Ⅱ－②のいずれか選択されたものについて、次に掲げる＜算式＞により算定した額

＜算式＞

{「加算当年度の単価」－「基準年度の単価」}×「賃金改善実施期間の月数」（千円未満の端数は切り捨て）

＜アⅱの場合＞

ａ　家庭的保育事業、事業所内保育事業（利用定員５人以下の事業所に限る。）及び居宅訪問型保育事業を行う事業所以外の施設・事業所　加算Ⅱの区分に応じてそれぞれに定める＜算式＞により算定した額の合算額

＜算式＞

加算Ⅱ－①　「加算当年度の単価」×「加算当年度の人数Ａ」×「賃金改善実施期間の月数」（千円未満の端数は切り捨て）

加算Ⅱ－②　「加算当年度の単価」×「加算当年度の人数Ｂ」×「賃金改善実施期間の月数」（同）

ｂ　家庭的保育事業、事業所内保育事業（利用定員５人以下の事業所に限る。）及び居宅訪問型保育事業を行う事業所　加算Ⅱ－①又は加算Ⅱ－②のいずれか選

択されたものについて、次に掲げる＜算式＞により算定した額

＜算式＞

「加算当年度の単価」×「賃金改善実施期間の月数」（千円未満の端数は切り捨て）

※　施設・事業所間で加算見込額の一部の配分を調整する場合には、それぞれ、その受入（拠出）見込額が基準年度の受入（拠出）実績額を上回る（下回る）ときはその差額を加える（減じる）こと。

ケ　次に掲げる加算の区分に応じそれぞれに定める職員（看護師、調理員、栄養士、事務職員等を含む。）に対し賃金の改善を行い、かつ、職員の職位、職責又は職務内容等に応じた勤務条件等の要件（職員の賃金に関するものを含む。）及びこれに応じた賃金体系（一時金等の臨時的に支払われるものを除く。）を定めて就業規則等の書面で整備し、全ての職員に周知していること。

ⅰ　加算Ⅱ－①　次に掲げる要件を満たす職員（以下「副主任保育士等」という。）[注1]

ａ　副主任保育士・専門リーダー（保育所、地域型保育事業所及び認定こども園）若しくは中核リーダー・専門リーダー（幼稚園及び認定こども園）又はこれらに相当する職位の発令や職務命令を受けていること[注2]。

ｂ　概ね７年以上の経験年数[注3]を有するとともに、別に定める研修を修了していること[注4]。

ⅱ　加算Ⅱ－②　次に掲げる要件を満たす職員（以下「職務分野別リーダー等」という。）[注5]

ａ　職務分野別リーダー（保育所、地域型保育事業所及び認定こども園）若しくは若手リーダー（幼稚園及び認定こども園）又はこれらに相当する職位の発令や職務命令を受けていること[注2]。

ｂ　概ね３年以上の経験年数[注3]を有するとともに、「乳児保育」「幼児教育」「障害児保育」「食育・アレルギー」「保健衛生・安全対策」「保護者支援・子育て支援」のいずれかの分野（若手リーダー又はこれに相当する職位については、これに準ずる分野や園運営に関する連絡調整等）を担当するとともに、別に定める研修を修了していること[注4]。

（注１）　職員の経験年数、技能、給与等の実態を踏まえ、当該施設・事業所において必要と認める場合には、職務分野別リーダー等に対して加算Ⅱ－①による賃金の改善を行うことができる。

また、改善後の副主任保育士等の賃金が園長以外の管理職（幼稚園及び認定こども園の副園長、教頭及び主幹教諭等並びに保育所等の主任保育士をいう。以下同じ。）の賃金を上回ることとなる場合など賃金のバランス等を踏まえて必要な場合には、当該園長以外の管理職に対して加算Ⅱ－①による賃金の改善を行うことができる。

要件を満たす者が１人以上（「人数Ａ」に２分の１を乗じて得た人数が１人未満となる場合には、確保することを要しない。家庭的保育事業、事業所内保育事業（利用定員５人以下の事業所に限る。）及び居宅訪問型保育事業にあっても同じ。）いること。当該要件を満たす者がいない場合は加算Ⅱを取得することができない。

（注２）　家庭的保育事業及び居宅訪問型保育事業にあっては、職位の発令や職務命令を受けていることを要しない。

（注３）　職員の経験年数の算定については、第４の１に準じる。「概ね」の判断については、施設・事業所の職員の構成・状況を踏まえた柔軟な対応が可能である。

家庭的保育事業及び居宅訪問型保育事業にあっては、副主任保育士等について「概ね７年以上」とあるのを「７年以上」、職務分野別リーダー等について「概ね３年以上」とあるのを「３年以上」と読み替える。

（注４）　研修に係る要件の適用時期については、別に定める。

（注５）　要件を満たす者が人数Ｂ以上（家庭的保育事業、事業所内保育事業

（利用定員5人以下の事業所に限る。）及び居宅訪問型保育事業にあっては、1人以上）いること。当該要件を満たす者がいない場合は加算Ⅱを取得することができない。

コ　個別の職員に対する賃金の改善額は、次に掲げる職員の区分に応じそれぞれに定める要件を満たすこと。

ⅰ　副主任保育士等　原則として月額4万円[注1]。ただし、月額4万円の改善を行う者を1人以上確保した上で[注2]、それ以外の副主任保育士等[注3]について月額5000円以上4万円未満の改善額とすることができる。

ⅱ　職務分野別リーダー等　原則として月額5000円[注1]。ただし、副主任保育士等において月額4万円の改善を行う者を1人以上確保した場合には、月額5000円以上4万円未満の改善額[注4]とすることができる。

（注1）　例えば、法定福利費等の事業主負担がない又は少ない非常勤職員の賃金の改善を図っているなど、事業主負担額の影響により前年度において残額が生じた場合には、その実績も加味し、計画当初から原則額を上回る賃金の改善額を設定することが望ましい。

（注2）　「人数A」に2分の1を乗じて得た人数が1人未満となる場合には、確保することを要しない。家庭的保育事業、事業所内保育事業（利用定員5人以下の事業所に限る。）及び居宅訪問型保育事業にあっても同じ。

（注3）　ケ（注1）により園長以外の管理職に対して加算Ⅱ－①による賃金の改善を行う必要がある場合に限っては、当該園長以外の管理職を含む。

（注4）　ⅰのただし書による副主任保育士等（園長以外の管理職は含まない。）に対する改善額のうち最も低い額を上回らない範囲とする。

⑵　加算Ⅱ新規事由がない場合

ア　賃金改善実施期間において、次に掲げる要件を満たしていること。

ⅰ　⑴エ①から③までの職員に係る賃金見込総額が当該職員に係る起点賃金水準を下回っていないこと。

ⅱ　加算当年度における⑴エ①から③までの職員に係る役職手当、職務手当など職位、職責又は職務内容等に応じて、決まって毎月支払われる手当及び基本給（加算Ⅱにより改善を行う部分に限り、これに対応する法定福利費等の事業主負担分を含む。）の総額が加算当年度の加算Ⅱによる加算見込額を下回っていないこと。

イ　「賃金改善実施期間」とは、加算当年度の賃金改善を実施する月からその後の最初の3月までをいう。

ウ　「賃金見込総額」とは、⑴エ①から③までの職員に係る「賃金見込額」を合算して得た額（千円未満の端数は切り捨て）をいう。

エ　「賃金見込額」とは、加算当年度内の賃金改善実施期間における見込賃金（役職手当、職務手当など職位、職責又は職務内容等に応じて、決まって毎月支払われる手当及び基本給に限る。また、加算前年度に係る加算残額の支払を除く。）をいう。

オ　「起点賃金水準」とは、基準年度の賃金水準（加算前年度の賃金水準。ただし、施設・事業所において基準年度を加算前年度とすることが難しい事情があると認められる場合には、加算当年度の3年前の年度の賃金水準とすることができる。また、役職手当、職務手当など職位、職責又は職務内容等に応じて、決まって毎月支払われる手当及び基本給に限る。基準年度に係る加算残額を含み、基準年度の前年度に係る加算残額の支払を除く。算定方法は、第4の2⑴サに準じる。）に、基準翌年度から加算当年度までの公定価格における人件費の改定分[※1]を合算した水準[※2]（千円未満の端数は切り捨て）をいう。

※1　「基準翌年度から加算当年度までの公定価格における人件費の改定分」の額については⑴キに準じる。

※2　施設・事業所間で加算額の一部の配分を調整する場合には、それぞれ、その受入（拠出）見込額が基準年度の受入（拠出）実績額を上回る（下回る）ときはその差額[注]を加える（減じる）こと。

（注）　次の<算式>を標準として算定した法定福利費等の事業主負担分を控除すること。

<算式>

「加算前年度における法定福利費等の事業主負担分の総額」÷「加算前年度における賃金の総額」×「受入（拠出）見込額（と基準年度の受入（拠出）実績額との差額）」

カ　加算の区分に応じた賃金改善の対象者等については⑴ケに、個別の職員に対する賃金の改善額については⑴コに、それぞれ準じる。

（実績報告に係る要件）

加算当年度の翌年度速やかに、次の⑶ア又は⑷アのいずれかに掲げる要件を満たす別紙様式８「賃金改善実績報告書（処遇改善等加算Ⅱ）」を市町村の長に対して提出すること。

⑶　加算Ⅱ新規事由がある場合

ア　加算Ⅱ新規事由に応じ、賃金改善実施期間において、賃金改善等実績総額が特定加算実績額を下回っていないこと。また、賃金改善等実績総額が特定加算実績額を下回った場合には、生じた加算残額の全額を当該翌年度に速やかに加算当年度の加算対象職員の賃金（法定福利費等の事業主負担分を含む。）として支払うこと。

イ　「賃金改善等実績総額」とは、「賃金改善実績総額」と「事業主負担増加相当総額」を合計して得た額（千円未満の端数は切り捨て）をいう。

ウ　「賃金改善実績総額」とは、以下の①から③までの職員に係る「賃金改善実績額」を合算して得た額をいう。

①　副主任保育士等

②　職務分野別リーダー等

③　園長以外の管理職（２⑴ケ（注１）に基づき賃金の改善を行った職員に限る。）

エ　「事業主負担増加相当総額」とは、ウ①から③までの職員に係る「賃金改善実績額」に応じて増加した法定福利費等の事業主負担分に相当する額を合算して得た額をいい、次の＜算式＞により算定することを標準とする。

＜算式＞

「加算前年度における法定福利費等の事業主負担分の総額」÷「加算前年度における賃金の総額」×「加算当年度の賃金改善実績額」

オ　「賃金改善実績額」とは、加算当年度内の賃金改善実施期間におけるウ①から③までの職員に係る支払賃金（役職手当、職務手当など職位、職責又は職務内容等に応じて、決まって毎月支払われる手当及び基本給に限る。また、当該年度に係る加算残額を含み、加算前年度に係る加算残額の支払を除く。）のうち、その水準がウ①から③までの職員に係る「起点賃金水準」を超えると認められる部分に相当する額をいう。ただし、基準年度に加算Ⅱの賃金改善の対象であり、かつ、加算当年度において加算Ⅱの賃金改善の対象外である職員がいる場合は、当該職員に係る基準年度における加算Ⅱによる賃金改善額を控除するものとする。

カ　「起点賃金水準」とは、次に掲げる場合に応じ、それぞれに定める基準年度の賃金水準[※1]（役職手当、職務手当など職位、職責又は職務内容等に応じて、決まって毎月支払われる手当及び基本給に限る。また、当該年度に係る加算残額を含み、基準年度の前年度に係る加算残額の支払を除く。算定方法は、第４の２⑴サに準じる。）に、基準翌年度から加算当年度までの公定価格における人件費の改定分[※2]を合算した水準をいう。

ａ　⑴アⅰの場合　加算前年度の賃金水準。ただし、施設・事業所において基準年度を加算前年度とすることが難しい事情があると認められる場合には、加算当年度の３年前の年度の賃金水準とすることができる。

ｂ　⑴アⅱの場合　次に掲げる場合に応じ、それぞれに定める基準年度の賃金水準[※3]。

ｂ－１　加算前年度に加算Ⅱの適用を受けておらず、それ以前に適用を受けたことがある場合　加算Ⅱの適用を受けた直近の年度。

ｂ－２　加算当年度に初めて加算Ⅱの適用を受けようとする場合　加算前年度。

※１　基準年度に施設・事業所がない場合は、地域又は同一の設置者・事業者における当該年度の賃金水準との均衡が図られていると認められる賃金水準。

※２　「基準翌年度から加算当年度までの公定価格における人件費の改定分」の額については⑴キに準じる。

※３　ｂ－１の場合は、基準年度における加算Ⅱによる賃金改善額を控除すること。

キ　「特定加算実績額」とは、賃金改善実施期間における加算実績額のうち加算Ⅱ新規事由に係る額（加算当年度に増額改定があった場合には、当該増額改定における加算Ⅱの単価増に伴う増加額を含む。）をいい、(1)クの＜算式＞において、実際に適用を受けた加算Ⅱ算定対象人数により算定した額※をいう。

※　施設・事業所間で加算実績額の一部の配分を調整した場合には、それぞれ、受入（拠出）実績額が基準年度の受入（拠出）実績額を上回った（下回った）ときはその差額を加える（減じる）こと。

(4)　加算Ⅱ新規事由がない場合

ア　賃金改善実施期間において、次に掲げる要件を満たしていること。また、支払賃金総額が起点賃金水準を下回った場合又は(3)ウ①から③までの職員に係る役職手当、職務手当など職位、職責又は職務内容等に応じて、決まって毎月支払われる手当及び基本給（加算Ⅱにより改善を行う部分に限り、これに対応する法定福利費等の事業主負担分を含む。）の総額が加算当年度の加算Ⅱによる加算実績額を下回った場合には、生じた加算残額の全額を当該翌年度に速やかに加算当年度の加算対象職員の賃金（法定福利費等の事業主負担分を含む。）として支払うこと。

ⅰ　(3)ウ①から③までの職員に係る支払賃金総額が当該職員に係る起点賃金水準を下回っていないこと。

ⅱ　加算当年度における(3)ウ①から③までの職員に係る役職手当、職務手当など職位、職責又は職務内容等に応じて、決まって毎月支払われる手当及び基本給（加算Ⅱにより改善を行う部分に限り、これに対応する法定福利費等の事業主負担分を含む。）の総額が加算当年度の加算Ⅱによる加算実績額を下回っていないこと。

イ　「支払賃金総額」とは、(3)ウ①から③までの職員に係る「支払賃金額」を合算して得た額（千円未満の端数は切り捨て）をいう。

ウ　「支払賃金額」とは、加算当年度内の賃金改善実施期間における支払賃金（役職手当、職務手当など職位、職責又は職務内容等に応じて、決まって毎月支払われる手当及び基本給に限る。また、当該年度に係る加算残額を含み、加算前年度に係る加算残額の支払を除く。）をいう。

エ　「起点賃金水準」とは、基準年度の賃金水準（加算前年度の賃金水準。ただし、施設・事業所において基準年度を加算前年度とすることが難しい事情があると認められる場合には、加算当年度の３年前の年度の賃金水準とすることができる。役職手当、職務手当など職位、職責又は職務内容等に応じて、決まって毎月支払われる手当及び基本給に限る。また、基準年度に係る加算残額を含み、基準年度の前年度に係る加算残額の支払を除く。算定方法は、第４の２(1)サに準じる。）に、基準翌年度から加算当年度までの公定価格における人件費の改定分[※1]を合算した水準[※2]（千円未満の端数は切り捨て）をいう。

※１　「基準翌年度から加算当年度までの公定価格における人件費の改定分」の額については(1)キに準じる。

※２　施設・事業所間で加算額の一部の配分を調整した場合には、それぞれ、受入（拠出）実績額が基準年度の受入（拠出）実績額を上回った（下回った）ときはその差額から法定福利費等の事業主負担分を控除した額[(注)]を加える（減じる）こと。

（注）　次の＜算式＞を標準として算定した法定福利費等の事業主負担分を控除すること。

＜算式＞

「加算前年度における法定福利費等の事業主負担分の総額」÷「加算前年度における賃金の総額」×「受入（拠出）実績額と基準年度の受入（拠出）実績額との差額」

第６　加算Ⅲの要件

１　加算Ⅲ算定対象人数の算定

加算Ⅲの加算算定対象人数（告示別表第２特定加算部分及び別表第３特定加算部分。以下「加算Ⅲ算定対象人数」という。）は、別表２の左欄の施設・事業所の区分に応じて同表の右欄により算出される職員数（１人未満の端数は四捨五入）とすること。

別表２の右欄による算出に当たっては、年齢別の児童数は、加算当年度の４月時点の利用子ども数又は「見込平均利用子ども数」（算定方法は第４の２(1)コに準じる。）を用い、各種加算の適用状況は、加算当年度の４月時点の状況により判断すること。

２　加算要件

（加算認定に係る要件）

次の(1)ア又は(2)アのいずれかに掲げる要件を満

たす別紙様式９「賃金改善計画書（処遇改善等加算Ⅲ）」を市町村の長に対して提出するとともに、その具体的な内容を職員に周知していること。

なお、加算当年度の前年度に処遇改善等加算Ⅲの適用を受けている施設は、別紙様式11「賃金改善に係る誓約書」を都道府県知事又は指定都市等の長に対して提出するとともに、職員に対しても周知している場合は、別紙様式９「賃金改善計画書（処遇改善等加算Ⅲ）」の作成及び提出を不要とする。

また、一般市町村が管轄する施設・事業所であって、加算Ⅱの申請を行うものは、別紙様式９の添付資料として、別紙様式７「賃金改善計画書（処遇改善等加算Ⅱ）」の写しを添付すること。

⑴　加算Ⅲ新規事由がある場合

ア　賃金改善実施期間において、次に掲げる要件を満たしていること。

ⅰ　職員（法人の役員を兼務している施設長を除く。以下２において同じ。）に係る賃金改善等見込総額が特定加算見込額を下回っていないこと。

ⅱ　職員の賃金見込総額のうち加算Ⅲにより改善を行う部分の総額（当該改善に伴い増加する法定福利費等の事業主負担分を含む。）が加算当年度の加算見込額を下回っていないこと。また、加算Ⅲによる賃金改善見込額の総額の３分の２以上が、基本給又は決まって毎月支払われる手当の引上げによるものであること。

イ　「加算Ⅲ新規事由」とは、次に掲げる事由をいう。

ⅰ　加算前年度に加算Ⅲの適用を受けており、加算当年度に適用を受けようとする加算単価が公定価格の改定[※]により加算前年度に比して増加する場合（当該単価の増加のない施設・事業所において、当該単価の増加のある他の施設・事業所に係る特定加算見込額の一部を受け入れる場合を含む。）

ⅱ　新たに加算Ⅲの適用を受けようとする場合

※　法定福利費等の事業主負担分の算定額の増額による加算単価の改定を除く。

ウ　「賃金改善実施期間」とは、加算当年度の賃金改善を実施する月からその後の最初の３月までをいう。

エ　「賃金改善等見込総額」とは、「賃金改善見込総額」と「事業主負担増加見込総額」を合計して得た額（千円未満の端数は切り捨て）をいう。

オ　「賃金改善見込総額」とは、職員に係る「賃金改善見込額」を合算して得た額をいう。

カ　「事業主負担増加見込総額」とは、職員に係る「賃金改善見込額」に応じて増加することが見込まれる法定福利費等の事業主負担分の額を合算して得た額をいい、次の＜算式＞により算定することを標準とする。

＜算式＞

「加算前年度における法定福利費等の事業主負担分の総額」÷「加算前年度における賃金の総額」×「加算当年度の賃金改善見込額」

キ　「賃金改善見込額」とは、加算当年度内の賃金改善実施期間における職員に係る見込賃金（当該年度に係る第５の２⑴アに定める加算Ⅱ新規事由による賃金の改善見込み額及び加算前年度に係る加算残額の支払を除く。）のうち、その水準が当該職員に係る「起点賃金水準」を超えると認められる部分に相当する額をいう。

ク　「賃金見込総額」とは、職員について「賃金見込額」を合算して得た額（千円未満の端数は切り捨て）をいう。

ケ　「賃金見込額」とは、加算当年度内の賃金改善実施期間における職員に係る見込賃金（当該年度における第５の２⑴アに定める加算Ⅱ新規事由による賃金の改善見込額及び加算前年度に係る加算残額の支払を除く。）をいう。

コ　「起点賃金水準」とは、次に掲げる場合に応じ、それぞれに定める基準年度の賃金水準[※1]（当該年度に係る加算残額を含み、基準年度の前年度に係る加算残額の支払を除く。）に、基準翌年度から加算当年度までの公定価格における人件費の改定分[※2]を合算した水準[※3・※4]をいう。

ａ　イⅰの場合　加算前年度の賃金水準。ただし、施設・事業所において基準年度を加算前年度とすることが難しい事情があると認められる場合には、加算当年度の３年前の年度の賃金水準とすることができる。

ｂ　イⅱの場合　次に掲げる場合に応じ、それぞれに定める基準年度の賃金水準[※5]。

ｂ－１　加算前年度に加算Ⅲの賃金改善要件分の適用を受けておらず、それ以前に適用を受けたことがある場合　加算Ⅲの適用を受けた直近の年度。

ｂ－２　加算当年度に初めて加算Ⅲの適用を受けようとする場合　加算前年度。

※１　基準年度に施設・事業所がない場合は、地域又は同一の設置者・事業者における当該年度の賃金水準との均衡が図られていると認められる賃金水準。

※２　「基準翌年度から加算当年度までの公定価格における人件費の改定分」の額については第４の２⑴キに準じる。

※３　加算Ⅰのキャリアパス要件を満たさなくなる場合等、第４の１に定める賃金改善要件分に係る加算率が減少する場合において、基準年度の賃金水準を算定するに当たっては、減少する賃金改善要件分の加算率に相当する加算Ⅰの加算見込額（法定福利費等の事業主負担分を除く。算定方法は第４の２⑵オに準じる。）を控除すること。

※４　公定価格ＦＡＱの№221を踏まえ、令和５年度の賃金改善等実績額が特定加算額及び加算Ⅰの新規事由による賃金改善額を合算した額を超えている場合は、次の＜算式１＞又は＜算式２＞を上限に、当該超えている額を控除することができる。

＜算式１＞

「令和５年度の加算Ⅰの加算額総額（増額改定を反映させた額）」×「令和５年度の算定に用いた人件費の改定分に係る改定率」÷「令和５年度に適用を受けた基礎分及び賃金改善要件分に係る加算率」×0.1

＜算式２＞

{「令和５年度の加算Ⅰの加算額総額（増額改定を反映させた額）」×「令和５年度の算定に用いた人件費の改定分に係る改定率」÷「令和５年度に適用を受けた基礎分及び賃金改善要件分に係る加算率」}－「令和５年度の改定による影響額」

※５　ｂ－１の場合は、基準年度における加算Ⅲによる賃金改善額を控除すること。

サ　「特定加算見込額」とは、賃金改善実施期間における加算見込額のうち加算Ⅲ新規事由に係る額として、以下により算定した額※をいう。

＜イⅰの場合＞

{「加算当年度の単価」－「基準年度の単価」}×「加算当年度の加算Ⅲ算定対象人数」×「賃金改善実施期間の月数」（千円未満の端数は切り捨て）

＜イⅱ及びⅲの場合＞

「加算当年度の単価」×「加算当年度の加算Ⅲ算定対象人数」×「賃金改善実施期間の月数」（千円未満の端数は切り捨て）

※　施設・事業所間で加算見込額の一部の配分を調整する場合には、それぞれ、その受入（拠出）見込額が基準年度の受入（拠出）実績額を上回る（下回る）ときはその差額を加える（減じる）こと。

シ　「見込平均利用子ども数」については第４の２⑴コに、特定の年度における「賃金水準」については第４の２⑴サに、それぞれ準じる。

⑵　加算Ⅲ新規事由がない場合

ア　賃金改善実施期間において、次に掲げる要件を満たしていること。

ⅰ　職員に係る賃金見込総額が、当該職員に係る起点賃金水準を下回っていないこと。

ⅱ　職員の賃金見込総額のうち加算Ⅲにより改善を行う部分の総額（当該改善に伴い増加する法定福利費等の事業主負担分を含む。）が加算当年度の加算見込額を下回っていないこと。また、加算Ⅲによる賃金見込額の総額の３分の２以上が、基本給又は決まって毎月支払われる手当の引上げによるものであること。

イ　「賃金改善実施期間」とは、加算当年度の４月から翌年３月までをいう。

ウ　「賃金見込総額」とは、各職員について「賃金見込額」を合算して得た額（千円未満の端数は切り捨て）をいう。

エ　「賃金見込額」とは、加算当年度内の賃金改善実施期間における見込賃金（当該年度における第５の２⑴アに定める加算Ⅱ新規事由による賃金の改善見込額及び加算前年度に係る加算残額の支払を除く。）をいう。

オ　「起点賃金水準」とは、基準年度の賃金水準（加算前年度の賃金水準。ただし、施設・事業所において基準年度を加算前年度とすることが難しい事情があると認められる場合には、加算当年度の３年前の年度の賃金水準とすることができる。また、基準年度に係る加算残額を含み、基準年度の前年度に係る加算残額の支払を除く。算定方法は、第４の２⑴サに準じる。）に、基準翌年度から加算当年度までの公定価格における人件費の改定分[※1]を合算した水準[※2・※3・※4]（千円未満の端数は切り捨て）をいう。

※１　「基準翌年度から加算当年度までの公定価格における人件費の改定分」の額については第４の２⑴キに準じる。

※２　施設・事業所間で加算額の一部の配分を調整する場合には、それぞれ、その受入（拠出）見込額が基準年度の受入（拠出）実績額を上回る（下回る）ときはその差額から法定福利費等の事業主負担分を控除した額（注１）を加える（減じる）こと。

※３　加算Ⅰのキャリアパス要件を満たさなくなる場合等、第４の１に定める賃金改善要件分に係る加算率が減少する場合において、基準年度の賃金水準を算定するに当たっては、減少する賃金改善要件分の加算率に相当する加算Ⅰの加算見込額（法定福利費等の事業主負担分を除く。算定方法は第４の２⑵オに準じる。）を控除すること。

（注１）次の＜算式＞を標準として算定した法定福利費等の事業主負担分を控除すること。

＜算式＞

「加算前年度における法定福利費等の事業主負担分の総額」÷「加算前年度における賃金の総額」×「受入（拠出）見込額と基準年度の受入（拠出）実績額との差額」

※４　公定価格ＦＡＱの№221を踏まえ、令和５年度の支払賃金総額が起点賃金水準及び加算Ⅰの新規事由による賃金改善額を合算した額を超えている場合は、次の＜算式１＞又は＜算式２＞を上限に、当該超えている額を控除することができる。

＜算式１＞

「令和５年度の加算Ⅰの加算額総額（増額改定を反映させた額）」×「令和５年度の算定に用いた人件費の改定分に係る改定率」÷「令和５年度に適用を受けた基礎分及び賃金改善要件分に係る加算率」×0.1

＜算式２＞

{「令和５年度の加算Ⅰの加算額総額（増額改定を反映させた額）」×「令和５年度の算定に用いた人件費の改定分に係る改定率」÷「令和５年度に適用を受けた基礎分及び賃金改善要件分に係る加算率」} －「令和５年度の改定による影響額」

カ　「見込平均利用子ども数」については第４の２⑴コに、特定の年度における「賃金水準」については第４の２⑴サに、それぞれ準じる。

（実績報告に係る要件）

加算当年度の翌年度速やかに、次の⑶ア又は⑷アのいずれかに掲げる要件を満たす別紙様式10「賃金改善実績報告書（処遇改善等加算Ⅲ）」を市町村の長に対して提出すること。

⑶　加算Ⅲ新規事由がある場合

ア　賃金改善実施期間において、次に掲げる要件を満たしていること。また、賃金改善等実績総額が特定加算実績額を下回った場合又は職員の支払賃金のうち加算Ⅲにより改善を行う部分の総額（当該改善に伴い増加する法定福利費等の事業主負担分を含む。）が加算当年度の加算実績額を下回った場合には、生じた加算残額の全額を当該翌年度に速やかに職員の賃金（法定福利費等の事業主負担分を含む。）として支払うこと。

ⅰ　職員に係る賃金改善等実績総額が特定加算実績額を下回っていないこと。

ⅱ　職員の支払賃金のうち加算Ⅲにより改善を行う部分の総額（当該改善に伴い増加する法定福利費等の事業主負担分を含む。）が加算当年度の加算実績額を下回っていないこと。また、加算Ⅲによる賃金改善実績額の総額の３分の２以上が、基本給又は決まって毎月支払われる手当の引上げによるものであること。

イ　「加算Ⅲ新規事由」とは、次に掲げる事由をいう。

ⅰ　加算前年度に加算Ⅲの適用を受けており、加算当年度に適用を受けようとする加算単価が公定価格の改定[※]により加算前年度に比して増加する場合（当該単価の増加のない施設・事業所において、当該単価の増加のある他の施設・事業所に係る特定加算見込額の一部を受け入れる場合を含む。）

ⅱ　新たに加算Ⅲの適用を受けようとする場

合

※　法定福利費等の事業主負担分の算定額の増額による加算単価の改定を除く。

ウ　「賃金改善等実績総額」とは、「賃金改善実績総額」と「事業主負担増加相当総額」を合計して得た額（千円未満の端数は切り捨て）をいう。

エ　「賃金改善実績総額」とは、職員に係る「賃金改善実績額」を合算して得た額をいう。

オ　「事業主負担増加相当総額」とは、職員に係る「賃金改善実績額」に応じて増加した法定福利費等の事業主負担分に相当する額を合算して得た額をいい、次の＜算式＞により算定することを標準とする。

＜算式＞

「加算前年度における法定福利費等の事業主負担分の総額」÷「加算前年度における賃金の総額」×「加算当年度の賃金改善実績額」

カ　「賃金改善実績額」とは、加算当年度内の賃金改善実施期間における職員に係る支払賃金（当該年度に係る第５の２⑴アに定める加算Ⅱ新規事由による賃金の改善額及び加算前年度に係る加算残額の支払いを除く。）のうち、その水準が当該職員に係る「起点賃金水準」（加算当年度に国家公務員の給与改定に伴う公定価格における人件費の改定があった場合には、当該改定分[※]を反映させた賃金水準）を超えると認められる部分に相当する額をいう。

※　増額改定があった場合の、各職員の増額改定分の合算額（法定福利費等の事業主負担分の増額分を含む。）は、次の＜算式１＞により算定した額以上となっていることを要する。

＜算式１＞

「加算当年度の加算Ⅰの加算額総額（増額改定を反映させた額）」×「増額改定に係る改定率」÷「加算当年度に適用を受けた基礎分及び賃金改善要件分に係る加算率」×0.9（調整率）

また、国家公務員の給与改定に伴う公定価格における人件費の減額改定（以下「減額改定」という。）があった場合の、各職員の減額改定分の合算額（法定福利費等の事業主負担分の減額分を含む。）は、以下の＜算式２＞により算定した額を超えない減額となっていることを要する。

＜算式２＞

「加算当年度の加算Ⅰの加算額総額（減額改定を反映させた額）」×「減額改定に係る改定率」÷「加算当年度に適用を受けた基礎分及び賃金改善要件分に係る加算率」×0.9（調整率）

キ　「支払賃金総額」とは、職員について「支払賃金額」を合算して得た額（千円未満の端数は切り捨て）をいう。

ク　「支払賃金額」とは、加算当年度内の賃金改善実施期間における職員に係る支払賃金（当該年度における第５の２⑴アに定める加算Ⅱ新規事由による賃金の改善額及び加算前年度に係る加算残額の支払を除く。）をいう。

ケ　「起点賃金水準」とは、次に掲げる場合に応じ、それぞれに定める基準年度の賃金水準[※1]（当該年度に係る加算残額を含み、基準年度の前年度に係る加算残額の支払を除く。）に、基準翌年度から加算当年度までの公定価格における人件費の改定分[※2]を合算した水準[※3・※4]をいう。

a　イⅰの場合　加算前年度の賃金水準。ただし、施設・事業所において基準年度を加算前年度とすることが難しい事情があると認められる場合には、加算当年度の３年前の年度の賃金水準とすることができる。

b　イⅱの場合　次に掲げる場合に応じ、それぞれに定める基準年度の賃金水準[※5]。

b－１　加算前年度に加算Ⅲの適用を受けておらず、それ以前に適用を受けたことがある場合　加算Ⅲの適用を受けた直近の年度。

b－２　加算当年度に初めて加算Ⅲの適用を受けようとする場合　加算前年度。

※１　基準年度に施設・事業所がない場合は、地域又は同一の設置者・事業者における当該年度の賃金水準との均衡が図られていると認められる賃金水準とする。

※２　「基準翌年度から加算当年度までの公定価格における人件費の改定分」の額については第４の２⑶カに準じる。

※３　加算Ⅰのキャリアパス要件を満たさなくなった場合等、第４の１に定める賃金改善要件分に係る加算率が減少した場合において、基準年度の賃金水準を算定するに当

たっては、減少した賃金改善要件分の加算率に相当する加算Ⅰの加算実績額（法定福利費等の事業主負担分を除く。算定方法は第４の２(4)エに準じる。）を控除すること。

※４　公定価格ＦＡＱの№221を踏まえ、令和５年度の賃金改善等実績額が特定加算額及び加算Ⅰの新規事由による賃金改善額を合算した額を超えている場合は、次の＜算式１＞又は＜算式２＞を上限に、当該超えている額を控除することができる。

＜算式１＞

「令和５年度の加算Ⅰの加算額総額（増額改定を反映させた額）」×「令和５年度の算定に用いた人件費の改定分に係る改定率」÷「令和５年度に適用を受けた基礎分及び賃金改善要件分に係る加算率」×0.1

＜算式２＞

{「令和５年度の加算Ⅰの加算額総額（増額改定を反映させた額）」×「令和５年度の算定に用いた人件費の改定分に係る改定率」÷「令和５年度に適用を受けた基礎分及び賃金改善要件分に係る加算率」} －「令和５年度の改定による影響額」

※５　ｂ－１の場合は、基準年度における加算Ⅲによる賃金改善額を控除すること。

コ　「特定加算実績額」とは、賃金改善実施期間における加算実績額のうち加算Ⅲ新規事由に係る額として、以下により算定した額[※]をいう。

＜イⅰの場合＞

{「加算当年度の単価」－「基準年度の単価」}×「加算当年度の加算Ⅲ算定対象人数」×「賃金改善実施期間の月数」（千円未満の端数は切り捨て）

＜イⅱ及びⅲの場合＞

「加算当年度の単価」×「加算当年度の加算Ⅲ算定対象人数」×「賃金改善実施期間の月数」（千円未満の端数は切り捨て）

※　施設・事業所間で加算実績額の一部の配分を調整する場合には、それぞれ、その受入（拠出）実績額が基準年度の受入（拠出）実績額を上回る（下回る）ときはその差額を加える（減じる）こと。

サ　特定の年度における「賃金水準」については第４の２(1)サに準じる。

(4)　加算Ⅲ新規事由がない場合

ア　賃金改善実施期間において、次に掲げる要件を満たしていること。また、支払賃金総額が起点賃金水準を下回った場合又は職員の支払賃金のうち加算Ⅲにより改善を行う部分の総額（当該改善に伴い増加する法定福利費等の事業主負担分を含む。）が加算当年度の加算実績額を下回った場合には、生じた加算残額の全額を当該翌年度に速やかに職員の賃金（法定福利費等の事業主負担分を含む。）として支払うこと。

ⅰ　職員に係る支払賃金総額が、当該職員に係る起点賃金水準を下回っていないこと。

ⅱ　職員の支払賃金のうち加算Ⅲにより改善を行う部分の総額（当該改善に伴い増加する法定福利費等の事業主負担分を含む。）が加算当年度の加算実績額を下回っていないこと。また、加算Ⅲによる支払賃金額の総額の３分の２以上が、基本給又は決まって毎月支払われる手当によるものであること。

イ　「支払賃金総額」とは、職員に係る「支払賃金額」を合算して得た額（千円未満の端数は切り捨て）をいう。

ウ　「支払賃金額」とは、加算当年度内の賃金改善実施期間における支払賃金（当該年度における第５の２(1)アに定める加算Ⅱ新規事由による賃金の改善額及び加算前年度に係る加算残額の支払を除く。）をいう。

エ　「起点賃金水準」とは、基準年度の賃金水準（加算前年度の賃金水準。ただし、施設・事業所において基準年度を加算前年度とすることが難しい事情があると認められる場合には、加算当年度の３年前の年度の賃金水準とすることができる。また、基準年度に係る加算残額を含み、基準年度の前年度に係る加算残額の支払を除く。）に、基準翌年度から加算当年度までの公定価格における人件費の改定分[※1・※2]を合算した水準[※3・※4・※5]（千円未満の端数は切り捨て）をいう。

※１　「基準翌年度から加算当年度までの公定価格における人件費の改定分」の額については第４の２(3)カに準じる。

※２　増額改定があった場合の、各職員の増額改定分の合算額（法定福利費等の事業主負担分の増額分を含む。）は、次の＜算式１＞により算定した額以上となっているこ

とを要する。

＜算式１＞

「加算当年度の加算Ⅰの加算額総額（増額改定を反映させた額）」×「増額改定に係る改定率」÷「加算当年度に適用を受けた基礎分及び賃金改善要件分に係る加算率」×0.9（調整率）

また、減額改定があった場合の、各職員の減額改定分の合算額（法定福利費等の事業主負担分の減額分を含む。）は、以下の＜算式２＞により算定した額を超えない減額となっていることを要する。

＜算式２＞

「加算当年度の加算Ⅰの加算額総額（減額改定を反映させた額）」×「減額改定に係る改定率」÷「加算当年度に適用を受けた基礎分及び賃金改善要件分に係る加算率」×0.9（調整率）

※３　施設・事業所間で加算額の一部の配分を調整した場合には、それぞれ、受入（拠出）実績額が基準年度の受入（拠出）実績額を上回った（下回った）ときはその差額から法定福利費等の事業主負担分を控除した額（注）を加える（減じる）こと。

※４　加算Ⅰのキャリアパス要件を満たさなくなった場合等、第４の１に定める賃金改善要件分に係る加算率が減少した場合において、基準年度の賃金水準を算定するに当たっては、減少した賃金改善要件分の加算率に相当する加算Ⅰの加算実績額（法定福利費等の事業主負担分を除く。算定方法は第４の２(4)エに準じる。）を控除すること。

（注）次の＜算式＞を標準として算定した法定福利費等の事業主負担分を控除すること。

＜算式＞

「加算前年度における法定福利費等の事業主負担分の総額」÷「加算前年度における賃金の総額」×「受入（拠出）見込額と基準年度の受入（拠出）実績額との差額」

※５　公定価格ＦＡＱの№221を踏まえ、令和５年度の支払賃金総額が起点賃金水準及び加算Ⅰの新規事由による賃金改善額を合算した額を超えている場合は、次の＜算式１＞又は＜算式２＞を上限に、当該超えている額を控除することができる。

＜算式１＞

「令和５年度の加算Ⅰの加算額総額（増額改定を反映させた額）」×「令和５年度の算定に用いた人件費の改定分に係る改定率」÷「令和５年度に適用を受けた基礎分及び賃金改善要件分に係る加算率」×0.1

＜算式２＞

{「令和５年度の加算Ⅰの加算額総額（増額改定を反映させた額）」×「令和５年度の算定に用いた人件費の改定分に係る改定率」÷「令和５年度に適用を受けた基礎分及び賃金改善要件分に係る加算率」}－「令和５年度の改定による影響額」

オ　特定の年度における「賃金水準」については第４の２(1)サに準じる。

第７　加算の認定、算定、実績の報告等

１　加算の認定

加算Ⅰの認定をするに当たっては、設置者・事業者から別紙様式１「加算率等認定申請書（処遇改善等加算Ⅰ）」を徴し、加算Ⅰの賃金改善要件分の適用を申請する設置者・事業者（加算Ⅱの適用を申請する設置者・事業者を除く。）については、別紙様式２「キャリアパス要件届出書（処遇改善等加算Ⅰ）」も徴し（注1）、加算の適用の可否及び適用する加算率の値を決定すること。

また、都道府県知事は、一般市町村が管轄する施設・事業所であって、加算Ⅰ及び加算Ⅲの両方について適用の申請を行っているものに対しては、別紙様式５の添付資料として加算Ⅲの適用の申請に係る書類（別紙様式９）の写しの提出を求めること。

（注１）　キャリアパス要件分を含む加算率の適用を受けようとする施設・事業所の設置者・事業者が過年度に別紙様式２を提出している場合においてその内容に変更がないときは、その提出を省略させることができる。

加算Ⅱの認定をするに当たっては、設置者・事業者から別紙様式３「加算算定対象人数等認定申請書（処遇改善等加算Ⅱ）」を徴し、基礎職員数・見込平均利用子ども数の算出方法書を別紙様式３に添付させること。

加算Ⅲの認定をするに当たっては、設置者・事業者から別紙様式４「加算算定対象人数等認定申請書（処遇改善等加算Ⅲ）」を徴し、基礎職員

数・見込平均利用子ども数の算出方法書を別紙様式４に添付させること。

また、加算Ⅰの賃金改善要件分、加算Ⅱ及び加算Ⅲの認定をするに当たっては、上記に加え、設置者・事業者から別紙様式５「賃金改善計画書（処遇改善等加算Ⅰ）」、別紙様式７「賃金改善計画書（処遇改善等加算Ⅱ）」（注２）及び別紙様式９「賃金改善計画書（処遇改善等加算Ⅲ）」を徴するとともに、職員ごとの賃金水準や賃金改善等見込額を示す明細書（別紙様式５別添１、別紙様式７別添１及び別紙様式９別添１）を添付させること。その際、改善の対象者や賃金改善額が偏っている場合等必要があると認める場合には、必要に応じて改善が必要な職種の職員に対する改善の充実を行うよう指導すること。

なお、加算当年度の前年度に処遇改善等加算の適用を受けている施設は、別紙様式11「賃金改善に係る誓約書」を都道府県知事又は指定都市等の長に対して提出するとともに、職員に対しても周知している場合は、別紙様式５「賃金改善計画書（処遇改善等加算Ⅰ）」、別紙様式７「賃金改善計画書（処遇改善等加算Ⅱ）」又は別紙様式９「賃金改善計画書（処遇改善等加算Ⅲ）」の作成及び提出を不要とする。

また、加算Ⅰの賃金改善要件分、加算Ⅱ又は加算Ⅲに係る加算額を複数の施設・事業所間で調整しようとする場合には、施設・事業所ごとの拠出・受入の見込みに係る内訳表（別紙様式５別添２、別紙様式７別添２及び別紙様式９別添２）を添付させること。

同一の市町村内に所在する施設・事業所分については、各施設・事業所の内訳を明らかにした上で、一括して申請させるなど事務処理の簡素化を適宜図って差し支えないこと。

（注２）　加算Ⅰの賃金改善要件分の適用を申請する施設・事業所の設置者・事業者については、見込平均利用子ども数の算出方法書を別紙様式５に添付させること（加算Ⅱの適用を受ける施設・事業所について、別紙様式３に添付した場合を除く。）。

２　加算の算定

加算Ⅰの加算額は、加算当年度を通じて同じ加算率の値を適用するとともに、実際の各月の利用子ども数により算定すること。

加算Ⅱの加算額は、原則として、加算当年度を通じて同じ加算Ⅱ算定対象人数及び加算Ⅱの種類を適用すること。

加算Ⅲの加算額は、原則として、加算当年度を通じて同じ加算Ⅲ算定対象人数により算定すること。

また、市町村の長は、職員への賃金の適切な支払に資するよう、加算当年度内に公定価格における人件費の改定があった場合には、その影響額を設置者・事業者にすみやかに通知すること。その際、広域利用子ども分の影響額については、施設の所在する市町村において通知すること。

この場合において、増額改定があった場合には、設置者・事業者に対し、加算額の増加分を含む給付増加額について、一時金等による迅速かつ確実な賃金や法定福利費等の事業主負担の支払に充てるよう指導するとともに、増額改定を加味した次年度以降の給与表、給与規程等の改定にも計画的に取り組むことについても要請すること。

また、減額改定があった場合には、設置者・事業者に対し、減額改定を理由に公定価格を原資とする職員の人件費をやむを得ず引き下げる場合でも、賃金や法定福利費等の事業主負担分について、施設・事業所全体で公定価格の年間の減額相当額（第４の２⑶オ※又は⑷エ※２に示す＜算式２＞により算出される減額改定分）を超える減額が行われないよう指導するとともに、減額改定を加味した次年度以降の給与表、給与規定等の改定を行う場合は、この趣旨を適切に反映したものとなるよう要請すること。

３　実績の報告等

市町村の長は、加算Ⅰの賃金改善要件分、加算Ⅱ又は加算Ⅲの適用を受けた施設・事業所の設置者・事業者から、加算当年度の翌年度速やかに、別紙様式６「賃金改善実績報告書（処遇改善等加算Ⅰ）」、別紙様式８「賃金改善実績報告書（処遇改善等加算Ⅱ）」及び別紙様式10「賃金改善実績報告書（処遇改善等加算Ⅲ）」を提出させること。加算当年度内に公定価格における人件費の改定があった場合には、別紙様式６、別紙様式８及び別紙様式10においてそれに伴う対応（注）を反映させること。

（注）　加算Ⅰについては第４の２⑶イからクまで又は⑷イからオまでを、加算Ⅱについては第５の２⑶イからキまで又は⑷イからエまでを、加算Ⅲについては第６の２⑶ウからサまで又は⑷イからオまでを参照。

加えて、職員ごとの賃金水準や賃金改善等実績額を示す明細書（別紙様式６別添１、別紙様式８別添１及び別紙様式10別添１）を添付させ、改善の対象者や賃金改善額が偏っている場合等必要と認める場合には、理由を徴するとともに、必要に応じて改善が必要な職種の職員に対する改善の充実を行うよう指導すること。

加算Ⅰの賃金改善要件分、加算Ⅱ又は加算Ⅲに係る加算額を複数の施設・事業所間で調整した場合には、施設・事業所ごとの拠出・受入の実績に係る内訳表（別紙様式6別添2、別紙様式8別添2又は別紙様式10別添2）を添付させること。

また、加算Ⅰの賃金改善要件分、加算Ⅱ又は加算Ⅲの適用を受けた施設・事業所は、賃金の改善に係る収入及び支出を明らかにした帳簿を備え、当該収入及び支出についての証拠書類を整理し、かつ、当該帳簿及び証拠書類を実績報告後5年間保管し、市町村からこの提供を求められた場合には提出をしなければならないこと。

第8　虚偽等の場合の返還措置

施設・事業者が虚偽又は不正の手段により処遇改善等加算の適用を受けた場合には、支給された加算額の全部又は一部に関し、一般市町村が管轄する施設・事業所については、都道府県知事が一般市町村の長に対し返還措置を講じるよう求め、指定都市等が管轄する施設・事業所については、指定都市等の長が設置者・事業者に対し返還を命じることとする。

別表１（第５の１関係）　加算Ⅱ算定対象人数の算出の基礎とする職員数

施設・事業所	基礎職員数
幼稚園	以下のａ～ｊの合計に、定員35人以下又は301人以上の場合は0.4、定員36～300人の場合は1.4を加え、ｋ・ｌの合計を減じて得た人数 ａ　年齢別配置基準による職員数　次の算式により算出する数 ｛４歳以上児数×１／30（小数点第２位以下切り捨て）｝＋｛３歳児及び満３歳児数×１／20（同）｝（小数点第１位以下四捨五入） ※１　３歳児配置改善加算を受けている場合　｛３歳児及び満３歳児数×１／20（同）｝を｛３歳児及び満３歳児数×１／15（同）｝に置き換えて算出 ※２　４歳以上児配置改善加算を受けている場合　｛４歳以上児数×１／30（小数点第２位以下切り捨て）｝を｛４歳以上児数×１／25（同）｝に置き換えて算出 ※３　満３歳児対応加配加算を受けている場合 ｉ）３歳児配置改善加算を受けていない場合 ｛３歳児及び満３歳児数×１／20（同）｝を｛３歳児数（満３歳児を除く）×１／20（同）｝＋｛満３歳児数×１／６（同）｝に置き換えて算出 ⅱ）３歳児配置改善加算を受けている場合 ｛３歳児及び満３歳児数×１／20（同）｝を｛３歳児数（満３歳児を除く）×１／15（同）｝＋｛満３歳児数×１／６（同）｝に置き換えて算出 ｂ　講師配置加算を受けている場合　0.8 ｃ　チーム保育加配加算を受けている場合　算定上の加配人数 ｄ　通園送迎加算を受けている場合　定員150人以下の場合は0.8、151人以上の場合は1.5 ｅ　給食実施加算（自園調理に限る。）を受けている場合　定員150人以下の場合は２、151人以上の場合は３ ｆ　主幹教諭等専任加算を受けている場合　１ ｇ　事務職員配置加算を受けている場合　0.8 ｈ　指導充実加配加算を受けている場合　0.8 ｉ　事務負担対応加配加算を受けている場合　0.8 ｊ　栄養管理加算（Ａ：配置）を受けている場合　0.5 ｋ　副園長・教頭配置加算を受けている場合　１ ｌ　年齢別配置基準を下回る場合　下回る人数（必要教員数－配置教員数）
保育所	以下のａ～ｇの合計に、定員40人以下の場合は1.5、定員41～90人の場合は2.5、定員91～150人の場合は2.3、定員151人以上の場合は3.3を加えて得た人数 ａ　年齢別配置基準による職員数　次の算式により算出する数 ｛４歳以上児数×１／30（小数点第２位以下切り捨て）｝＋｛３歳児数×１／20（同）｝＋｛１、２歳児数×１／６（同）｝＋｛０歳児数×１／３（同）｝（小数点第１位以下四捨五入） ※１　３歳児配置改善加算を受けている場合　｛３歳児数×１／20（同）｝を｛３歳児数×１／15（同）｝に置き換えて算出 ※２　４歳以上児配置改善加算を受けている場合　｛４歳以上児数×１／30（小数点第２位以下切り捨て）｝を｛４歳以上児数×１／25（同）｝に置き換えて算出 ｂ　保育標準時間認定の子どもがいる場合　1.4 ｃ　主任保育士専任加算を受けている場合　１ ｄ　事務職員雇上加算を受けている場合　0.3 ｅ　休日保育加算を受けている場合　0.5 ｆ　チーム保育推進加算を受けている場合　算定上の加配人数 ｇ　栄養管理加算（Ａ：配置）を受けている場合　0.6
認定こども園	以下のａ～ｎの合計に、定員90人以下の場合は1.4、定員91人以上の場合は2.2を加え、

	ｏ～ｑの合計を減じて得た人数 ａ　年齢別配置基準による職員数　次の算式により算出する数 {４歳以上児数×１／30（小数点第２位以下切り捨て)}＋{３歳児及び満３歳児数×１／20（同)}＋{１、２歳児数（保育認定子どもに限る。）×１／６（同)}＋{乳児数×１／３（同)}（小数点第１位以下四捨五入） ※１　３歳児配置改善加算を受けている場合 {３歳児及び満３歳児数×１／20（同)}を{３歳児及び満３歳児数×１／15（同)}に置き換えて算出 ※２　４歳以上児配置改善加算を受けている場合　{４歳以上児数×１／30（小数点第２位以下切り捨て)}を{４歳以上児数×１／25（同)}に置き換えて算出 ※３　満３歳児対応加配加算を受けている場合 ⅰ）３歳児配置改善加算を受けていない場合 {３歳児及び満３歳児数×１／20（同)}を{３歳児数（満３歳児を除く）×１／20（同)}＋{満３歳児数×１／６（同)}に置き換えて算出 ⅱ）３歳児配置改善加算を受けている場合 {３歳児及び満３歳児数×１／20（同)}を{３歳児数（満３歳児を除く）×１／15（同)}＋{満３歳児数×１／６（同)}に置き換えて算出 ｂ　休けい保育教諭　２・３号定員90人以下の場合は１、91人以上の場合は0.8 ｃ　調理員　２・３号定員40人以下の場合は１、41～150人の場合は２、151人以上の場合は３ ｄ　保育標準時間認定の子どもがいる場合　1.4 ｅ　学級編制調整加配加算を受けている場合　１ ｆ　講師配置加算を受けている場合　0.8 ｇ　チーム保育加配加算を受けている場合　算定上の加配人数 ｈ　通園送迎加算を受けている場合　１号定員150人以下の場合は0.8、151人以上の場合は1.5 ｉ　給食実施加算（自園調理に限る。）を受けている場合　１号定員150人以下の場合は２、151人以上の場合は３ ｊ　休日保育加算を受けている場合　0.5 ｋ　事務職員配置加算を受けている場合　0.8 ｌ　指導充実加配加算を受けている場合　0.8 ｍ　事務負担対応加配加算を受けている場合　0.8 ｎ　栄養管理加算（Ａ：配置）を受けている場合　0.6 ｏ　副園長・教頭配置加算を受けている場合　１ ｐ　主幹保育教諭等の専任化により子育て支援の取組を実施していない場合であって代替保育教諭等を配置していない場合　配置していない人数（必要代替保育教諭等数－配置代替保育教諭等数） ｑ　年齢別配置基準を下回る場合　下回る人数（必要保育教諭等数－配置保育教諭等数）
小規模保育事業（Ａ型又はＢ型）及び事業所内保育事業（定員（小規模保育事業Ａ型又はＢ型の基準が適用されるもの））	以下のａ～ｄの合計に1.3を加え、ｅを減じて得た人数 ａ　年齢別配置基準による職員数　次の算式により算出する数 {１、２歳児数×１／６（小数点第２位以下切り捨て)}＋{０歳児数（同）×１／３（同)}＋１（小数点第１位四捨五入） ※　障害児保育加算を受けている場合　次の算式により算出された数 {１、２歳児数（障害児を除く）×１／６（小数点第２位以下切り捨て)}＋{０歳児数（同）×１／３（同)}＋{障害児数×１／２（同)}＋１（小数点第１位以下四捨五入） ｂ　保育標準時間認定の子どもがいる場合　0.4 ｃ　休日保育加算を受けている場合　0.5 ｄ　栄養管理加算（Ａ：配置）を受けている場合　0.6

	ｅ　食事の提供について自園調理又は連携施設等からの搬入以外の方法による減算を受けている場合　１
小規模保育事業（Ｃ型）	以下のａ～ｃの合計に1.6を加え、ｄを減じて得た人数 ａ　年齢別配置基準による職員数　次の割合により算出する数 利用子ども３人（家庭的保育補助者を配置する場合は５人）につき１人（小数点第１位以下四捨五入） ※　障害児保育加算を受けている場合　次の算式により算出された数 ｛利用子ども数（障害児を除く）×１／５（小数点第２位以下切り捨て)｝＋｛障害児数×１／２（同)｝（小数点第１位以下四捨五入） ｂ　保育標準時間認定の子どもがいる場合　0.4 ｃ　栄養管理加算（Ａ：配置）を受けている場合　0.6 ｄ　食事の提供について自園調理又は連携施設等からの搬入以外の方法による減算を受けている場合　１
事業所内保育事業（20人以上）	以下のａ～ｄの合計に、定員40人以下の場合は1.5、41人～90人の場合は2.5を加え、ｅを減じて得た人数 ａ　年齢別配置基準による職員数　次の算式により算定する数 ｛１、２歳児数×１／６（小数点第２位以下切り捨て)｝＋｛０歳児数×１／３（同)｝（小数点第１位以下四捨五入） ※　障害児保育加算を受けている場合　次の算式により算出された数 ｛１、２歳児数（障害児を除く）×１／６（小数点第２位以下切り捨て)｝＋｛０歳児数（同）×１／３（同)｝＋｛障害児数×１／２（同)｝（小数点第１位以下四捨五入） ｂ　保育標準時間認定の子どもがいる場合　1.4 ｃ　休日保育加算を受けている場合　0.5 ｄ　栄養管理加算（Ａ：配置）を受けている場合　0.6 ｅ　食事の提供について自園調理又は連携施設等からの搬入以外の方法による減算を受けている場合　定員40人以下の場合は１、41人以上の場合は２

別表２（第６の１関係）　加算Ⅲ算定対象人数の算出の基礎とする職員数

施設・事業所	基礎職員数
幼稚園	以下のａ～ｋの合計に、定員35人以下又は301人以上の場合は2.4、定員36～300人の場合は3.5を加え、ｍを減じて得た人数 ａ　年齢別配置基準による職員数　次の算式により算出する数に1.1を乗じて得た数 ｛４歳以上児数×１／30（小数点第２位以下切り捨て)｝＋｛３歳児及び満３歳児数×１／20（同)｝（小数点第１位以下四捨五入） ※１　３歳児配置改善加算を受けている場合　｛３歳児及び満３歳児数×１／20（同)｝を｛３歳児及び満３歳児数×１／15（同)｝に置き換えて算出 ※２　４歳以上児配置改善加算を受けている場合　｛４歳以上児数×１／30（小数点第２位以下切り捨て)｝を｛４歳以上児数×１／25（同)｝に置き換えて算出 ※３　満３歳児対応加配加算を受けている場合 ⅰ）３歳児配置改善加算を受けていない場合 ｛３歳児及び満３歳児数×１／20（同)｝を｛３歳児数（満３歳児を除く）×１／20（同)｝＋｛満３歳児数×１／６（同)｝に置き換えて算出 ⅱ）３歳児配置改善加算を受けている場合 ｛３歳児及び満３歳児数×１／20（同)｝を｛３歳児数（満３歳児を除く）×１／15（同)｝＋｛満３歳児数×１／６（同)｝に置き換えて算出 ｂ　講師配置加算を受けている場合　0.7 ｃ　チーム保育加配加算を受けている場合　算定上の加配人数×1.1

<table>
<tr>
<td></td>
<td>d　通園送迎加算を受けている場合　定員150人以下の場合は0.7、151人以上の場合は1.3
e　給食実施加算を受けている場合
・施設内調理の場合：定員150人以下の場合は1.8、151人以上の場合は2.7
・外部搬入の場合：定員150人以下の場合は0.3、151人以上の場合は0.5
f　主幹教諭等専任加算を受けている場合　0.8
g　療育支援加算を受けている場合　Ａの場合は0.3、Ｂの場合は0.2
h　事務職員配置加算を受けている場合　0.7
i　指導充実加配加算を受けている場合　0.6
j　事務負担対応加配加算を受けている場合　0.6
k　栄養管理加算（Ａ：配置）を受けている場合　0.5
m　年齢別配置基準を下回る場合　下回る人数（必要教員数－配置教員数）×1.1</td>
</tr>
<tr>
<td>保育所</td>
<td>以下のａ～ｉの合計に、定員30人以下の場合は4.5、定員31～40人以下の場合は4.2、定員41～90人の場合は5.4、定員91～150人の場合は5.1、定員151人以上の場合は6.3を加え、ｊ、ｋの合計を減じて得た人数
a　年齢別配置基準による職員数　次の算式により算出する数に1.3を乗じて得た数
｛４歳以上児数×１／30（小数点第２位以下切り捨て）｝＋｛３歳児数×１／20（同）｝＋｛1、２歳児数×１／６（同）｝＋｛０歳児数×１／３（同）｝（小数点第１位以下四捨五入）
※１　３歳児配置改善加算を受けている場合　｛３歳児数×１／20（同）｝を｛３歳児数×１／15（同）｝に置き換えて算出
※２　４歳以上児配置改善加算を受けている場合　｛４歳以上児数×１／30（小数点第２位以下切り捨て）｝を｛４歳以上児数×１／25（同）｝に置き換えて算出
b　保育標準時間認定の子どもがいる場合　1.7
c　主任保育士専任加算を受けている場合　1.2
d　療育支援加算を受けている場合　Ａの場合は0.4、Ｂの場合は0.3
e　事務職員雇上加算を受けている場合　0.4
f　休日保育加算を受けている場合　下表に定める人数
<table>
<tr><th>休日保育の年間延べ利用子ども数</th><th>人数</th></tr>
<tr><td>～210人</td><td>0.5</td></tr>
<tr><td>211人～279人</td><td>0.5</td></tr>
<tr><td>280人～349人</td><td>0.6</td></tr>
<tr><td>350人～419人</td><td>0.7</td></tr>
<tr><td>420人～489人</td><td>0.8</td></tr>
<tr><td>490人～559人</td><td>0.8</td></tr>
<tr><td>560人～629人</td><td>0.9</td></tr>
<tr><td>630人～699人</td><td>1.0</td></tr>
<tr><td>700人～769人</td><td>1.1</td></tr>
<tr><td>770人～839人</td><td>1.1</td></tr>
<tr><td>840人～909人</td><td>1.2</td></tr>
<tr><td>910人～979人</td><td>1.3</td></tr>
<tr><td>980人～1,049人</td><td>1.4</td></tr>
<tr><td>1,050人～</td><td>1.5</td></tr>
</table>
g　夜間保育加算を受けている場合　2.7</td>
</tr>
</table>

<table>
<tr><td></td><td>h　チーム保育推進加算を受けている場合　算定上の加配人数×1.3
i　栄養管理加算（A：配置）を受けている場合　0.6
j　分園の場合　定員40人以下の場合1.3、定員41人～150人の場合2.6、定員151人以上の場合3.8人
k　施設長を配置していない場合　1</td></tr>
<tr><td>認定こども園</td><td>以下の１号定員、２・３号定員により算定される値の合計に、ａ～ｑの合計を加え、ｒ～ｔの合計を減じて得た人数
・１号定員：定員90人以下の場合は2.0、定員91人以上の場合は2.7
・２・３号定員：定員30人以下の場合は2.8、定員31人以上の場合は2.4
a　年齢別配置基準による職員数　１号、２・３号それぞれの利用子ども数により以下の算式で算定される値に、１号は1.1、２・３号は1.3を乗じて得た値の合計
{４歳以上児数×１／30（小数点第２位以下切り捨て)}＋{３歳児及び満３歳児数×１／20（同)}＋{1、２歳児数（保育認定子どもに限る。）×１／６（同)}＋{乳児数×１／３（同)}（小数点第１位以下四捨五入）
※１　３歳児配置改善加算を受けている場合
{３歳児及び満３歳児数×１／20（同)}を{３歳児及び満３歳児数×１／15（同)}に置き換えて算出
※２　４歳以上児配置改善加算を受けている場合　{４歳以上児数×１／30（小数点第２位以下切り捨て)}を{４歳以上児数×１／25（同)}に置き換えて算出
※３　満３歳児対応加配加算を受けている場合
ｉ）３歳児配置改善加算を受けていない場合
{３歳児及び満３歳児数×１／20（同)}を{３歳児数（満３歳児を除く）×１／20（同)}＋{満３歳児数×１／６（同)}に置き換えて算出
ⅱ）３歳児配置改善加算を受けている場合
{３歳児及び満３歳児数×１／20（同)}を{３歳児数（満３歳児を除く）×１／15（同)}＋{満３歳児数×１／６（同)}に置き換えて算出
b　休けい保育教諭　２・３号定員90人以下の場合は1.3、91人以上の場合は0.9
c　調理員　２・３号定員40人以下の場合は1.3、41～150人の場合は2.6、151人以上の場合は3.8
d　保育標準時間認定の子どもがいる場合　1.7
e　学級編制調整加配加算を受けている場合　1.1
f　講師配置加算を受けている場合　0.7
g　チーム保育加配加算を受けている場合　算定上の加配人数×1.1
h　通園送迎加算を受けている場合　１号定員150人以下の場合は0.7、151人以上の場合は1.3
i　給食実施加算を受けている場合
・施設内調理の場合：１号定員150人以下の場合は1.8、151人以上の場合は2.7
・外部搬入の場合：１号定員150人以下の場合は0.3、151人以上の場合は0.5
j　休日保育加算を受けている場合　下表に定める人数
<table>
<tr><th>休日保育の年間延べ利用子ども数</th><th>人数</th></tr>
<tr><td>～210人</td><td>0.5</td></tr>
<tr><td>211人～279人</td><td>0.5</td></tr>
<tr><td>280人～349人</td><td>0.6</td></tr>
<tr><td>350人～419人</td><td>0.7</td></tr>
<tr><td>420人～489人</td><td>0.8</td></tr>
<tr><td>490人～559人</td><td>0.8</td></tr>
</table></td></tr>
</table>

<table>
<tr><td></td><td>
<table>
<tr><td>560人～629人</td><td>0.9</td></tr>
<tr><td>630人～699人</td><td>1.0</td></tr>
<tr><td>700人～769人</td><td>1.1</td></tr>
<tr><td>770人～839人</td><td>1.1</td></tr>
<tr><td>840人～909人</td><td>1.2</td></tr>
<tr><td>910人～979人</td><td>1.3</td></tr>
<tr><td>980人～1,049人</td><td>1.4</td></tr>
<tr><td>1,050人～</td><td>1.5</td></tr>
</table>
k　夜間保育加算を受けている場合　2.7
l　療育支援加算を受けている場合　Ａの場合は0.4、Ｂの場合は0.3
m　事務職員配置加算を受けている場合　0.7
n　指導充実加配加算を受けている場合　0.6
o　事務負担対応加配加算を受けている場合　0.6
p　栄養管理加算（Ａ：配置）を受けている場合　0.6
q　１号認定子どもの利用定員を設定しない場合　1.2
r　主幹保育教諭等の専任化により子育て支援の取組を実施していない場合であって代替保育教諭等を配置していない場合
・１号が調整の適用を受ける場合　0.8
・２・３号が調整の適用を受ける場合　0.6
s　年齢別配置基準を下回る場合　下回る人数（必要保育教諭等数－配置保育教諭等数）×1.2
t　分園の場合　分園の２・３号定員40人以下の場合1.3、定員41人～150人の場合2.6、定員151人以上の場合3.8人
</td></tr>
<tr><td>家庭的保育事業</td><td>
以下のａ～ｃの合計に2.6を加え、ｄを減じて得た人数
a　家庭的保育補助者加算
・利用子どもが４人以上の場合　1.1
・利用子どもが３人以下の場合　0.5
b　障害児保育加算　特別な支援が必要な利用子どもの人数×0.3
c　栄養管理加算（Ａ：配置）を受けている場合　0.6
d　食事の提供について自園調理又は連携施設等からの搬入以外の方法による場合　1
</td></tr>
<tr><td>小規模保育事業（Ａ型又はＢ型）及び事業所内保育事業（定員（小規模保育事業Ａ型又はＢ型の基準が適用されるもの））</td><td>
以下のａ～ｅの合計に3.1を加え、ｆ、ｇの合計を減じて得た人数
a　年齢別配置基準による職員数　次の算式により算出する数に1.3を乗じて得た数
{1、２歳児数×１／６（小数点第２位以下切り捨て）}＋{０歳児数（同）×１／３（同）}＋１（小数点第１位四捨五入）
※　障害児保育加算を受けている場合　次の算式により算出された数
{1、２歳児数（障害児を除く）×１／６（小数点第２位以下切り捨て）}＋{０歳児数（同）×１／３（同）}＋{障害児数×１／２（同）}＋１（小数点第１位以下四捨五入）
b　保育標準時間認定の子どもがいる場合　0.4
c　休日保育加算を受けている場合　下表に定める人数
<table>
<tr><th>休日保育の年間延べ利用子ども数</th><th>人数</th></tr>
<tr><td>～210人</td><td>0.5</td></tr>
<tr><td>211人～279人</td><td>0.5</td></tr>
<tr><td>280人～349人</td><td>0.6</td></tr>
</table>
</td></tr>
</table>

<table>
<tr>
<td></td>
<td>
<table>
<tr><td>350人～419人</td><td>0.7</td></tr>
<tr><td>420人～489人</td><td>0.8</td></tr>
<tr><td>490人～559人</td><td>0.8</td></tr>
<tr><td>560人～629人</td><td>0.9</td></tr>
<tr><td>630人～699人</td><td>1.0</td></tr>
<tr><td>700人～769人</td><td>1.1</td></tr>
<tr><td>770人～839人</td><td>1.1</td></tr>
<tr><td>840人～909人</td><td>1.2</td></tr>
<tr><td>910人～979人</td><td>1.3</td></tr>
<tr><td>980人～1,049人</td><td>1.4</td></tr>
<tr><td>1,050人～</td><td>1.5</td></tr>
</table>
ｄ　夜間保育加算を受けている場合　2.7
ｅ　栄養管理加算（Ａ：配置）を受けている場合　0.6
ｆ　食事の提供について自園調理又は連携施設等からの搬入以外の方法による減算を受けている場合　1.2
ｇ　管理者を配置していない場合　0.4
</td>
</tr>
<tr>
<td>小規模保育事業（Ｃ型）</td>
<td>
以下のａ～ｃの合計に1.8を加え、ｄ、ｅの合計を減じて得た人数
ａ　年齢別配置基準による職員数　次の割合により算出する数に1.3を乗じて得た数
利用子ども３人（家庭的保育補助者を配置する場合は５人）につき１人（小数点第１位以下四捨五入）
※　障害児保育加算を受けている場合　次の算式により算出された数
｛利用子ども数（障害児を除く）×１／５（小数点第２位以下切り捨て)｝＋｛障害児数×１／２（同)｝（小数点第１位以下四捨五入）
ｂ　保育標準時間認定の子どもがいる場合　0.4
ｃ　栄養管理加算（Ａ：配置）を受けている場合　0.6
ｄ　食事の提供について自園調理又は連携施設等からの搬入以外の方法による減算を受けている場合　0.6
ｅ　管理者を配置していない場合　0.4
</td>
</tr>
<tr>
<td>事業所内保育事業（20人以上）</td>
<td>
以下のａ～ｅの合計に、定員30人以下の場合は4.5、定員31人～40人以下の場合は4.2、41人以上の場合は5.4を加え、ｆ、ｇの合計を減じて得た人数
ａ　年齢別配置基準による職員数　次の算式により算定する数に1.3を乗じて得た数
｛１，２歳児数×１／６（小数点第２位以下切り捨て)｝＋｛０歳児数×１／３（同)｝（小数点第１位以下四捨五入）
※　障害児保育加算を受けている場合　次の算式により算出された数
｛１，２歳児数（障害児を除く）×１／６（小数点第２位以下切り捨て)｝＋｛０歳児数（同）×１／３（同)｝＋｛障害児数×１／２（同)｝（小数点第１位以下四捨五入）
ｂ　保育標準時間認定の子どもがいる場合　1.7
ｃ　休日保育加算を受けている場合　下表に定める人数
<table>
<tr><th>休日保育の年間延べ利用子ども数</th><th>人数</th></tr>
<tr><td>～210人</td><td>0.5</td></tr>
<tr><td>211人～279人</td><td>0.5</td></tr>
<tr><td>280人～349人</td><td>0.6</td></tr>
</table>
</td>
</tr>
</table>

<table>
<tr>
<td></td>
<td>
<table>
<tr><td>350人～419人</td><td>0.7</td></tr>
<tr><td>420人～489人</td><td>0.8</td></tr>
<tr><td>490人～559人</td><td>0.8</td></tr>
<tr><td>560人～629人</td><td>0.9</td></tr>
<tr><td>630人～699人</td><td>1.0</td></tr>
<tr><td>700人～769人</td><td>1.1</td></tr>
<tr><td>770人～839人</td><td>1.1</td></tr>
<tr><td>840人～909人</td><td>1.2</td></tr>
<tr><td>910人～979人</td><td>1.3</td></tr>
<tr><td>980人～1,049人</td><td>1.4</td></tr>
<tr><td>1,050人～</td><td>1.5</td></tr>
</table>
d　夜間保育加算を受けている場合　2.7
e　栄養管理加算（A：配置）を受けている場合　0.6
f　食事の提供について自園調理又は連携施設等からの搬入以外の方法による減算を受けている場合　定員40人以下の場合は1.3、41人以上の場合は2.6
g　管理者を配置していない場合　1
</td>
</tr>
<tr>
<td>居宅訪問型保育事業</td>
<td>以下のａに1.3を加え、ｂを減じて得た人数
a　保育標準時間認定の子どもがいる場合　0.4
b　特定の日に保育を行わない場合　0.2</td>
</tr>
</table>

別紙様式　略

○施設型給付費等に係る処遇改善等加算Ⅱに係る研修修了要件について

〔令和元年６月24日　府子本第197号・元初幼教第８号・子保発0624第１号
各都道府県知事宛　内閣府子ども・子育て本部参事官（子ども・子育て支援担当）・（認定こども園担当）・文部科学省初等中等教育局幼児教育・厚生労働省子ども家庭局保育課長連名通知〕

注　令和４年12月７日府子本第1017号・４初幼教第23号・子保発1207第１号改正現在

「施設型給付費等に係る処遇改善等加算について」（令和２年７月30日付け府子本第761号・２文科初第643号・子発0730第２号内閣府子ども・子育て本部統括官、文部科学省初等中等教育局長及び厚生労働省子ども家庭局長連名通知。以下「処遇改善等加算通知」という。）の第５の２(1)ケⅰｂ・ⅱｂにおける処遇改善等加算Ⅱ（以下「加算」という。）に係る「別に定める研修」及び第５の２(1)ケ（注４）における「別に定める」研修修了要件の適用時期について、下記のとおり定めたので、十分御了知の上、関係団体等の活用も含め研修の積極的な実施をお願いする。

また、各都道府県においては、貴管内の市町村（特別区を含む。以下同じ。）に対して遅滞なく周知を図られたい。

記

Ⅰ　各施設類型における研修内容について

１　保育所及び地域型保育事業所

(1)　実施主体

実施主体は以下の者とする。

①　都道府県

②　「保育士等キャリアアップ研修の実施について」（平成29年４月１日付け雇児保発0401第１号厚生労働省雇用均等・児童家庭局保育課長通知）の別紙「保育士等キャリアアップ研修ガイドライン」（以下「ガイドライン」という。）の６による指定を受けた機関（市町村、指定保育士養成施設又は就学前の子どもに対する保育に関する研修の実績を有する非営利団体に限る。）

(2)　研修内容

ア　専門分野別研修

①乳児保育、②幼児教育、③障害児保育、④食育・アレルギー対応、⑤保健衛生・安全対策、⑥保護者支援・子育て支援の６分野とし、それぞれの研修内容については、ガイドラインの別添１「分野別リーダー研修の内容」において、対応する分野毎に定める「ねらい」及び「内容」を満たすものとする。

また、研修時間は各分野15時間以上とする。

イ　マネジメント研修

ガイドラインの別添１「分野別リーダー研修の内容」において定めるマネジメント分野の「ねらい」及び「内容」を満たすものとし、研修時間は15時間以上とする。

(3)　対象者及び修了すべき研修分野

ア　副主任保育士

専門分野別研修のうちの３以上の研修分野及びマネジメント研修

イ　専門リーダー

専門分野別研修のうちの４以上の研修分野

ウ　職務分野別リーダー

専門分野別研修のうち、職務分野別リーダーとして担当する職務分野に対応する分野を含む１以上の研修分野

※　教育公務員特例法及び教育職員免許法の一部を改正する法律（令和４年法律第40号）の一部施行（令和４年７月１日）より前に実施された幼稚園教諭免許状に係る免許状更新講習（以下「旧免許状更新講習」という。）及び免許法認定講習のうち、都道府県が専門分野別研修の各研修分野として適当と認める研修を修了し、それらを複数組み合わせて１つの分野の修了時間が計15時間以上に達した場合には、当該研修分野に係る専門分野別研修を修了したとみなすことができる。

(4)　保育所等における園内研修の取扱いについて

保育所及び地域型保育事業所（以下「保育所等」という。）が企画・実施する園内における研修（以下「保育所等における園内研修」という。）については、保育所等における園内研修を行う施設・事業者からの申請に基づき、都道府県が、その内容及び研修時間について、以下の要件を満たしていることを確認した場合には、当該保育所等における園内研修の修了者について、対応する研修分野の研修に関して１分野最大４時間の研修時

間が短縮されるものとする。

・　研修の講師が、(5)に定める研修の講師であること。

・　研修の目的及び内容が明確に設定されており、また、(2)に定める研修分野が設定されているとともにその内容が(2)に沿ったものとなっていること。

・　研修受講者が明確に特定されており、園内研修を実施する保育所等において研修修了の証明が可能であること。

(5)　実施方法等

研修の実施に当たっては、講義形式のほか、演習やグループ討議等を組み合わせることにより、より円滑、かつ、主体的に受講者が知識や技能を修得できるよう、工夫することが望ましい。なお、ｅラーニングで実施する場合は、保育士等キャリアアップ研修をｅラーニングで実施する方法等に関する調査研究（平成30年度厚生労働省委託事業）を参考にすること。

さらに、研修の講師は、指定保育士養成施設の教員又は研修内容に関して、十分な知識及び経験を有すると都道府県知事が認める者とする。

(6)　その他

ア　(1)から(5)に定めるほか、研修の実施に当たって必要な事項は、ガイドラインに定めるとおりとする。

イ　研修に係る要件の必須化後は、加算の認定に当たっては、認定を行う都道府県、指定都市、中核市又は都道府県知事との協議により処遇改善等加算通知に基づく事務を行うこととする市町村（以下「加算認定自治体」という。）において、加算の申請を行う施設・事業所からガイドラインの5(1)に定める修了証の写しを提出させること等により、加算の対象職員（以下「加算対象職員」という。）が研修を修了していることを適切に確認することを想定している。

また、ガイドラインの5(3)のとおり、修了証については、修了した研修が実施された都道府県以外の都道府県においても効力を有するものであること。

2　幼稚園

(1)　実施主体

実施主体は以下の者とする。

①　都道府県又は市町村（教育委員会を含む。）

②　幼稚園関係団体又は認定こども園関係団体のうち、都道府県が適当と認めた者

③　大学等（大学、大学共同利用機関若しくは指定教員養成機関又は独立行政法人教職員支援機構若しくは独立行政法人国立特別支援教育総合研究所をいう。）

④　その他都道府県が適当と認めた者

⑤　園内における研修を企画・実施する幼稚園又は認定こども園

なお、②又は④に基づき、管内に所在する施設の加算に係る研修の実施主体として適当な者と認めるに当たっては、都道府県は、実施者からの申請に基づき、以下の要件を満たしているか確認を行うこと。

・　これまで幼稚園教諭又は保育教諭等に対し研修を実施してきた実績を有すること。

・　実施する研修が体系的に整理されているとともに、個々の研修の目的及び内容が明確となっていること。

・　研修修了の証明及び研修受講歴の情報管理を行う能力を有すること。

また、⑤に基づき、各園が企画・実施する園内における研修（以下「園内研修」という。）を加算に係る研修と認めるに当たっては、加算認定自治体は、幼稚園からの加算の申請に基づき、以下の要件を満たしているか確認を行うこと。

・　研修内容に関して十分な知識及び経験を有すると①、②若しくは④が認める者又は③に所属する者を講師として行うものであること。

・　研修の目的及び内容が明確に設定されていること。

・　研修受講者が明確に特定されており、各園において研修修了の証明が可能であること。

(2)　研修内容

(1)に定める実施主体が実施する研修であって、幼稚園教育要領等を踏まえて教育の質を高めるための知識・技能の向上を目的としたものとする。なお、加算認定自治体が個別の研修についてあらかじめ認定を行うことは不要である。

また、中核リーダーについては、(3)に定める時間数のマネジメント分野に係る研修（カリキュラム・マネジメント、組織マネジメント、他機関との連携、リーダーシップ、人材育成・研修、働きやすい環境作りなど、園の円滑な運営、教育・保育の質を高めるために必要なマネジメント及びリーダーシップの能力を身につけるために必要な研修をいう。）を受講すること。

(3)　対象者及び修了すべき研修時間

ア　中核リーダー及び専門リーダー

合計60時間以上（ただし、中核リーダーにつ

いては、15時間以上のマネジメント分野に係る研修を含む。また、園内研修については、15時間以内の範囲で含めることができる。）

イ　若手リーダー

合計15時間以上（担当する職務分野に対応する研修を含む。園内研修については、４時間以内の範囲で含めることができる。）

⑷　その他

ア　個別の研修の受講歴については、職員個人が管理することを基本とする。

イ　加算の申請を行う施設においては、研修に係る要件の必須化後を見据えつつ、幼児教育センター、教育委員会等が行う経験年数や園内の役割に着目した研修やテーマ別の研修、都道府県が適当と認めた者が行う研修、旧免許状更新講習、免許法認定講習、都道府県等が行う保育士向けの研修及び園内研修など、各加算対象職員が受講した多様な研修の修了状況を把握し、加算対象職員の発令の種類に応じた研修受講歴の一覧化を行うこと。

ウ　研修に係る要件の必須化後は、加算の認定に当たっては、加算認定自治体において、加算の申請を行う施設から各職員の研修受講歴の一覧を提出させること等により、加算対象職員が本通知に定める研修を受講していることを適切に確認することを想定している。

また、加算認定自治体により加算に係る研修を修了していることが確認された研修修了の証明については、他の加算認定自治体においても引き続き効力を有するものとして取り扱うこと。

なお、⑴②又は④に定める実施主体が実施する研修に関して、加算に係る研修を修了していることの確認を受けていない研修修了の証明が、当該証明を発行した者を研修実施主体として認めていない都道府県又は当該都道府県の管内の加算認定自治体に提出された場合についても、加算に係る研修を修了したことを加算認定自治体において確認することにより、効力を有するものとして取り扱うことが可能であること。

エ　保育士等キャリアアップ研修（乳児保育分野その他の保育所等に係る内容に特化した研修及び保育実践研修を除く。）については、本項に定める研修に含まれるものであり、本項の研修修了要件を満たすものとして取り扱う（注）こと。ただし、マネジメント研修は中核リーダーに限り有効であること。

（注）　各分野15時間を修了する必要はなく、受講した時間数を加算に係る研修の修了時間として算入することが可能であること。

3　認定こども園

⑴　実施主体

実施主体は以下の者とする。

①　都道府県又は市町村（教育委員会を含む。）

②　認定こども園関係団体、幼稚園関係団体又は保育関係団体のうち、都道府県が適当と認めた者

③　大学等（大学、大学共同利用機関若しくは指定教員養成機関又は独立行政法人教職員支援機構若しくは独立行政法人国立特別支援教育総合研究所をいう。）

④　その他都道府県が適当と認めた者

⑤　園内における研修を企画・実施する認定こども園又は幼稚園

なお、②又は④に基づき、管内に所在する施設の加算に係る研修の実施主体として適当な者と認めるに当たっては、都道府県は、実施者からの申請に基づき、以下の要件を満たしているか確認を行うこと。

・　これまで保育教諭・幼稚園教諭・保育士等に対し研修を実施してきた実績を有すること。
・　実施する研修が体系的に整理されているとともに、個々の研修の目的及び内容が明確となっていること。
・　研修修了の証明及び研修受講歴の情報管理を行う能力を有すること。

また、⑤に基づき、園内研修を加算に係る研修と認めるに当たっては、加算認定自治体は、認定こども園からの加算の申請に基づき、以下の要件を満たしているか確認を行うこと。

・　研修内容に関して十分な知識及び経験を有すると①、②若しくは④が認める者又は③に属する者を講師として行うものであること。
・　研修の目的及び内容が明確に設定されていること。
・　研修受講者が明確に特定されており、各園において研修修了の証明が可能であること。

⑵　研修内容

⑴に定める実施主体が実施する研修であって、幼保連携型認定こども園教育・保育要領、幼稚園教育要領及び保育所保育指針を踏まえて教育及び保育の質を高めるための知識・技能の向上を目的

としたもの[注]とする。なお、加算認定自治体が個別の研修についてあらかじめ認定を行うことは不要である。

（注）　認定こども園に勤務する加算対象職員であれば、担当する子どもの認定区分（子ども・子育て支援法（平成24年法律第65号）第19条第１項各号に掲げる就学前子どもの区分）や幼稚園教諭免許状及び保育士資格の保有状況にかかわらず差異はないこと。

また、中核リーダーについては、⑶に定める時間数のマネジメント分野に係る研修（カリキュラム・マネジメント、組織マネジメント、他機関との連携、リーダーシップ、人材育成・研修、働きやすい環境作りなど、園の円滑な運営、教育・保育の質を高めるために必要なマネジメント及びリーダーシップの能力を身につけるために必要な研修をいう。）を受講すること。

⑶　対象者及び修了すべき研修時間

ア　中核リーダー及び専門リーダー

合計60時間以上（ただし、中核リーダーについては、15時間以上のマネジメント分野に係る研修を含む。また、園内研修については、15時間以内の範囲で含めることができる。）

イ　若手リーダー

合計15時間以上（園内研修については、４時間以内の範囲で含めることができる。）

⑷　その他

ア　個別の研修の受講歴については、職員個人が管理することを基本とする。

イ　加算の申請を行う施設においては、研修に係る要件の必須化後を見据えつつ、幼児教育センター、教育委員会等が行う経験年数や園内の役割に着目した研修やテーマ別の研修、都道府県が適当と認めた者が行う研修、旧免許状更新講習、免許法認定講習、都道府県等が行う保育士向けの研修及び園内研修など、各加算対象職員が受講した多様な研修の修了状況を把握し、加算対象職員の発令の種類に応じた研修受講歴の一覧化を行うこと。

ウ　研修に係る要件の必須化後は、加算の認定に当たっては、加算認定自治体において、加算の申請を行う施設から各職員の研修受講歴の一覧を提出させる等により、加算対象職員が研修を修了していることを適切に確認することを想定していること。

また、加算認定自治体により加算に係る研修を修了していることが確認された研修修了の証明については、他の加算認定自治体においても引き続き効力を有するものとして取り扱うこと。

なお、⑴②又は④に定める実施主体が実施する研修に関して、加算に係る研修を修了していることの確認を受けていない研修修了の証明が、当該証明を発行した者を研修実施主体として認めていない都道府県又は当該都道府県の管内の加算認定自治体に提出された場合についても、加算に係る研修を修了したことを加算認定自治体において確認することにより、効力を有するものとして取り扱うことが可能であること。

エ　保育士等キャリアアップ研修（保育実践研修を除く。）については、本項に定める研修に含まれるものであり、本項の研修修了要件を満たすものとして取り扱う[注]こと。ただし、マネジメント研修は中核リーダーに限り有効であること。

（注）　各分野15時間を修了する必要はなく、受講した時間数を加算に係る研修の修了時間として算入することが可能であること。

Ⅱ　研修修了要件の適用時期について

⑴　副主任保育士、中核リーダー及び専門リーダー

Ⅰ１⑶ア若しくはイ、Ⅰ２⑶ア又はⅠ３⑶アに定める研修修了要件については、令和８年度から適用することとし、令和７年度までの経過措置期間における修了すべき研修は以下のとおりとすること。

・令和４年度までの間は研修修了要件を適用しない。

・令和５年度は、Ⅰ１⑶ア又はイのうち１以上の研修分野、Ⅰ２⑶ア又はⅠ３⑶アのうち15時間以上の研修を修了すること。

・令和６年度は、Ⅰ１⑶ア又はイのうち２以上の研修分野、Ⅰ２⑶ア又はⅠ３⑶アのうち30時間以上の研修を修了すること。

・令和７年度は、Ⅰ１⑶ア又はイのうち３以上の研修分野、Ⅰ２⑶ア又はⅠ３⑶アのうち45時間以上の研修を修了すること。

⑵　職務分野別リーダー及び若手リーダー

Ⅰ１⑶ウ、Ⅰ２⑶イ又はⅠ３⑶イに定める研修修了要件については、令和６年度から適用することとし、令和５年度までの間は研修修了要件を適用しない。

なお、処遇改善等加算通知の第５の２の⑴コⅱ

ただし書により、副主任保育士、中核リーダー又は専門リーダーにおいて月額４万円の改善を行う者を１人以上確保したうえで、加算Ⅱ－①に係る賃金の改善を行う職務分野別リーダー又は若手リーダーについても、令和６年度以降は、Ｉ１⑶ウ、Ｉ２⑶イ又はＩ３⑶イに定める研修修了要件を満たす必要があること。

Ⅲ　研修実施主体に係る経過措置について

⑴　令和３年度までの間は、Ｉ２⑴②及び④並びにＩ３⑴②及び④については、「都道府県」とあるのを「加算認定自治体」と読み替えるものとすること。

⑵　令和３年度までに都道府県以外の加算認定自治体が研修の実施主体として適当と認めた者については、令和４年度以降において、当該加算認定自治体が所在する都道府県から研修の実施主体として認められていない場合、引き続き、当該加算認定自治体に所在する幼稚園又は認定こども園の加算に係る研修の実施主体としてのみ適当と認めた者として扱うこと。この場合において、当該実施主体が発行した研修修了の証明について、Ｉ２⑷ウなお書き及びＩ３⑷ウなお書きの取扱いを妨げるものではないこと。なお、当該都道府県が研修の実施主体として適当な者と認めた場合は、Ｉ２⑴②若しくは④又はＩ３⑴②若しくは④の取扱いとなること。

Ⅳ　平成30年度以前に受講した研修の取扱いについて

平成30年度以前に受講した研修については、加算認定自治体において、Ｉに定める研修と内容が同等であると認められ、研修の受講が適切に確認できる場合に限り、要件を満たすものとして差し支えない。

Ⅴ　旧免許状更新講習の取扱いについて

旧免許状更新講習については、加算認定自治体において、研修の受講が適切に確認できる場合に限り、引き続き、幼稚園又は認定こども園における研修修了要件を満たすものとして差し支えない。

Ⅵ　幼稚園又は認定こども園に勤務していた者が、保育所又は地域型保育事業所に勤務することになり、Ｉに定める研修を受講していない場合の取扱いについて

⑴　加算認定自治体が、Ｉ２⑵又はＩ３⑵に定める研修を、それぞれＩ２⑶ア又はＩ３⑶アに定める時間以上受講していることを確認できる場合、Ｉ１⑶ア及びイに定める研修に係る要件を満たすものとする。

ただし、加算認定自治体において、当該者の研修受講計画を確認するなど、できるだけ速やかにＩ１⑶ア及びイに定める研修を受講することを促すこと。

⑵　加算認定自治体が、Ｉ２⑵又はＩ３⑵に定める研修を、それぞれＩ２⑶イ又はＩ３⑶イに定める時間以上受講していることを確認できる場合、Ｉ１⑶ウに定める研修に係る要件を満たすものとする。

ただし、加算認定自治体において、当該者の研修受講計画を確認するなど、できるだけ速やかにＩ１⑶ウに定める研修を受講することを促すこと。

Ⅶ　その他

加算認定自治体は、本通知に定めた研修修了要件も踏まえ、関係団体の行う研修はもとより、幼稚園教諭免許状に係る旧免許状更新講習や免許法認定講習の制度にも御理解の上、これらを加算における研修の実施主体、研修内容等として適切に取り扱い、幼稚園教諭、保育教諭等の負担軽減への配慮を促進されたい。

○処遇改善等加算Ⅱに係る研修実施体制の確保等について

〔令和３年９月２日　事務連絡
各都道府県子ども・子育て支援新制度担当部局宛　内閣府子ども・子育て本部参事官（子ども・子育て支援担当）・（認定こども園担当）・文部科学省初等中等教育局幼児教育・厚生労働省子ども家庭局保育課〕

平素より、子ども・子育て支援施策の推進に御尽力いただき厚く御礼申し上げます。

処遇改善等加算Ⅱ（以下「加算Ⅱ」という。）に係る研修修了要件については、その内容等を「施設型給付費等に係る処遇改善等加算Ⅱに係る研修修了要件について」（令和元年６月24日付け府子本第197号・元初幼教第８号・子保発0624第１号内閣府子ども・子育て本部参事官（子ども・子育て支援担当）、内閣府子ども・子育て本部参事官（認定こども園担当）、文部科学省初等中等教育局幼児教育課長及び厚生労働省子ども家庭局保育課長連名通知。以下「研修通知」という。）により通知するとともに、その適用時期については「施設型給付費等に係る処遇改善等加算Ⅰ及び処遇改善等加算Ⅱについて」（令和２年７月30日付け府子本第761号・２文科初第643号・子発0730第２号内閣府子ども・子育て本部統括官、文部科学省初等中等教育局長及び厚生労働省子ども家庭局長連名通知。以下「処遇改善等加算通知」という。）において「令和３年度までの間は適用を猶予し、令和４年度を目途に、職員の研修の受講状況等を踏まえて必須化を目指す」としてきたところです。

この研修修了要件の取扱いについては、新型コロナウイルス感染症が加算Ⅱに係る研修の実施や受講に影響を与えており、「令和２年の地方分権改革に関する提案募集」においても研修修了要件の適用時期の延期について要望が出されたことを踏まえ、「令和２年の地方からの提案等に関する対応方針」（令和２年12月18日閣議決定）において「研修受講の必須化の延期については、研修受講の状況等に係る調査を行った上で検討し、令和３年度の早期に結論を得る」とされました。

これを踏まえ、令和２年度末の加算Ⅱに係る研修の修了状況等について調査を行ったところ、研修修了要件を満たしている者が、副主任保育士、中核リーダー及び専門リーダー（以下「副主任保育士等」という。）で２割から３割、職務分野別リーダー及び若手リーダー（以下「職務分野別リーダー等」という。）で３割から５割となっており、また、研修の実施状況についても幼稚園・認定こども園に係る研修の実施主体としての認定を行っていない加算認定自治体（加算の認定を行う都道府県、指定都市、中核市又は都道府県知事との協議により処遇改善等加算通知に基づく事務を行うこととする市町村をいう。以下同じ。）が６割を超えているなど、研修の修了及びそのための研修機会の提供に係る体制整備が進んでいない状況にあることが明らかとなりました。（別添１参照）

このため、地方自治体における研修実施体制の構築には一定の期間を要することも踏まえ、今般研修通知を改正し、研修修了要件の適用時期の取扱いについては、

・令和４年度からの必須化は行わず、副主任保育士等については令和５年度、職務分野別リーダー等については令和６年度から研修修了要件を適用することとし、
・その上で、副主任保育士等については研修修了要件を段階的に適用し、具体的には、初年度（令和５年度）に求める研修修了数は、保育所及び地域型保育事業所（以下「保育所等」という。）にあっては１分野以上、幼稚園及び認定こども園にあっては15時間以上とし、令和６年度以降、毎年度、保育所等にあっては１分野、幼稚園及び認定こども園にあっては15時間ずつ必要となる研修修了数を引き上げる

こととしました。

これを踏まえ、今後、研修修了要件の適用に向け加算Ⅱに係る研修実施体制の確保等に当たって留意いただきたい点について以下のとおりまとめましたのでお知らせいたします。各都道府県においては内容について御了知いただき研修実施体制の確保に取り組むとともに、管内市町村（特別区を含む。以下同じ。）についても周知いただき、事務に遺漏のないよう配意願います。

記

１　研修実施体制の確保について

(1)　保育所等に係る研修について

ア　加算Ⅱの研修修了要件の円滑な適用開始に際しては、地域において十分な量の研修が実施されていることが重要であるが、都道府県は、加算Ⅱに係る研修が、保育に関わる職員の専門性の向上の資するものとして、保育所等の副主任保育士や専門リーダー、職務分野別リーダーに限らず認定こども園や公立の保育所の職員も含めた幅広い者が受講するものであることを考慮して、研修実施体制の整備を行うこと。

イ　市町村は、保育所等から、加算Ⅱの賃金改善計画書・賃金改善実績報告書と併せて副主任保育士や専門リーダー、職務分野別リーダーの研修修了状況を徴して地域の研修修了状況を把握するとともに、各種加算の認定時に研修の受講希望を確認することや過去の研修の申し込み状況等を考慮すること等により研修必要量の把握を行い、当該情報を都道府県との間で共有を図ること。

ウ　研修の受講に当たっては地理的な要因が制約となることもあることから、都道府県は、研修実施体制の整備に当たって地理的要因や保育所等の分布等を考慮して都道府県内を複数の地域に区分けし、各地域において十分な研修が提供されるよう、地域ごとに研修必要量を見込んだ上でｅラーニングによる実施も含めて適切な研修実施体制の整備に取り組むこと。

エ　保育士等キャリアアップ研修に係る実施計画（「保育士等キャリアアップ研修の実施計画等について」（平成30年５月２日付け厚生労働省子ども家庭局保育課事務連絡）に基づく研修実施計画）については、令和３年度までの計画を策定することとされているところであるが、研修修了要件の適用時期が延期されたことを踏まえ、研修修了要件が完全に適用される令和８年度までについても策定することとし、都道府県は、策定に当たり、研修実施量に加えて各年度における研修必要量を記載すること。策定に当たっての留意事項及び策定結果の報告については、別途、厚生労働省子ども家庭局保育課から発出する事務連絡を参照すること。

なお、研修修了要件が令和５年度から段階的に適用されることから、研修実施計画については、令和３年度において各地域の状況の把握を行った上で見直しを行い、令和４年度の研修実施体制に反映することを想定していること。

オ　特定の年度に研修の受講希望が集中するなど、安定的な研修実施体制の整備が困難な場合には、令和５年度からの研修修了要件の段階的な実施に対応可能な研修実施量を確保した上で、保育関係団体等と調整を行いながら各年度における研修実施量について平準化することが考えられること。また、結果的に特定の年度において研修実施量が不足した場合には、研修要件を満たしていない副主任保育士や専門リーダー、職務分野別リーダーを優先的に受講対象とすることも考えられること。

(2)　幼稚園及び認定こども園に係る研修について

ア　研修実施主体の認定に係る見直しについて

今般の研修通知の改正では、同一都道府県内に所在する市町村ごとに研修実施主体の認定状況が異なることがないようにするとともに、幼稚園及び認定こども園関係団体による申請手続の簡素化を図ることで研修実施体制を早急に整備する観点や、「教育・保育及び地域子ども・子育て支援事業の提供体制の整備並びに子ども・子育て支援給付並びに地域子ども・子育て支援事業及び仕事・子育て両立支援事業の円滑な実施を確保するための基本的な指針」（平成26年内閣府告示第159号）において、幼稚園教諭の人材確保及び研修の提供については都道府県の担当すべき事項とされていること等も踏まえ、

①　令和４年度より、幼稚園・認定こども園関係団体等の研修実施主体としての認定に関する事務について、都道府県に一本化して実施することとし、令和３年度までに都道府県が研修実施主体として認定した主体については、令和４年度以降において都道府県以外の加算認定自治体も含む当該都道府県に所在する全ての幼稚園又は認定こども園の研修実施主体として認定されたものとして扱うとともに、

②　令和３年度までに都道府県以外の加算認定自治体が研修実施主体として認定した主体については、令和４年度以降において当該加算認定自治体が所在する都道府県から研修実施主体として認定されていない場合、引き続き、当該加算認定自治体に所在する幼稚園又は認定こども園の研修実施主体としてのみ認定されたものとして扱う

こととしていること。このため、都道府県においては、研修実施主体の認定を行った際には、速やかに域内の加算認定自治体である市町村に対して周知を図られたいこと。

なお、同一都道府県内に所在する市町村ごとに研修実施主体の認定状況が異なることがないようにする観点から、都道府県は、②により引き続き、都道府県以外の加算認定自治体に所在する幼稚園又は認定こども園の研修実施主体としてのみ認定されたものとして扱われる主体に対して、研修実施主体としての認定の申請を促す等の対応を取ることが望ましいこと。

イ　研修実施主体の積極的な認定について

㈠　研修実施主体の認定について

幼稚園及び認定こども園における加算Ⅱに係る研修については、①都道府県又は市町村（教育委員会を含む。）、②関係団体のうち都道府県が適当と認めた者、③大学等（大学、大学共同利用機関、指定教員養成機関若しくは免許状更新講習開設者又は独立行政法人教職員支援機構若しくは独立行政法人国立特別支援教育総合研究所）、④その他都道府県が適当と認めた者が行う、教育・保育の質を高めるための知識・技能の向上を目的とした研修及び⑤幼稚園又は認定こども園が企画・実施する園内における研修としている。

これは、新たな研修の枠組みを作る趣旨ではなく、職員の専門性の向上に関する研修として従来から現場において活用されてきた下記のような様々な研修を幅広く対象とすることを想定していること。

このため、研修実施主体の認定に当たっては、過去の活動実績や研修実施体制等を勘案した上で、研修実施主体として不適切と考えられるもの以外については全ての主体を認定すべきであり、都道府県の判断により特定の主体や類型の研修に限定する等の対応を行うことは適当ではないこと。

＜研修の例＞

・経験年数に着目した研修（３年目研修、５年目研修、10年目研修など）
・役職に着目した研修（主任研修、リーダー教員研修など）
・広く一般職員を対象とした公募型の研修
・免許状更新講習
・免許法認定講習（一種免許状への上進を行う場合など）
・保育士等キャリアアップ研修（乳児保育分野その他の保育所等に係る内容に特化した研修及び保育実践研修を除く）

また、管内に所在する関係団体のみならず、全国的または広域的に活動し研修を行う団体（以下「全国団体等」という。）についても、研修通知に定める要件を満たすものは研修実施団体として認定することが基本であり、全国団体等の所在地や主な活動場所のみをもって、都道府県間で取扱いに差を設けることは適当でないこと。

なお、研修実施主体の認定に際し、全国団体等とそれに連なる加盟団体が共通の枠組みで研修を行っている場合は、加盟団体ごとに申請・認定を行う必要はなく、全国団体等において、加盟団体分も含めた連名の申請書を作成し、全国団体等から一括して申請することが可能であり、この場合、申請内容が適切であれば申請書に記載された団体全てを一括して認定することが可能である旨を「処遇改善等加算Ⅱ研修受講要件に係るＦＡＱ」において示しているので留意すること。また、一括申請された団体のうち、どの団体を研修実施主体として認定したかについては、認定時に一括申請した全国団体等に対して示すこと。

㈡　研修実施主体の認定に係る申請について

研修実施主体の認定に係る申請様式については「施設型給付費等に係る処遇改善等加算Ⅱに係る研修（幼稚園・認定こども園）の実施主体の認定等に係る申請書類の統一様式について」（令和元年11月11日付け内閣府子ども・子育て本部参事官付及び文部科学省初等中等教育局幼児教育課連名事務連絡。別添２参照）により統一様式を示すとともに、特段の事情により別の様式を用いる場合であっても、①統一様式をベースとし、可能な限り簡素なものとすることや、②全国的もしくは広域的に研修を実施している主体から統一様式による申請があった場合には、一度受理した上で、不足している情報のみ追加で求めることなどの配慮をお願いしているところであるので留意すること。

ウ　研修修了状況の把握等について

加算認定自治体は、管内の幼稚園及び認定こども園から、加算Ⅱの賃金改善計画書・賃金改善実績報告書と併せて中核リーダー、専門リーダー及び若手リーダーの研修修了状況を徴して地域の研修修了状況を把握するとともに、当該情報について都道府県と市町村間で共有を図ること。

また、その結果、研修修了状況が低調な地域がある場合には、当該地域を対象とした研修の実施を研修実施主体に働きかけることや、認定を受けていない関係団体に認定申請を働きかけるなどの対応を行うことが考えられること。

エ　研修修了の証明の取扱いについて

研修実施主体としての認定は、認定を行った都道府県の域内においてのみ有効となること。

一方で、加算認定自治体により加算Ⅱに係る研修を修了していることが確認された研修修了の証明については、他の加算認定自治体においても引き続き効力を有するものとして取り扱うこと。

また、イ(ア)②又は④の主体が実施する研修に関して、加算Ⅱに係る研修を修了していることの確認を受けていない研修修了の証明が、当該修了の証明を発行した主体を研修実施主体として認めていない都道府県又は当該都道府県の管内の加算認定自治体に提出された場合についても、加算に係る研修を修了したことを加算認定自治体において確認することにより、効力を有するものとして取り扱うことが可能であること。

2　ｅラーニングの活用も含めた多様な研修方法を通じた研修機会の確保等について

(1)　加算Ⅱにおいては加算対象職員について研修の修了を要件とし、令和５年度から段階的に適用することとしているが、都市部において集合型研修を実施することとした場合、交通手段等の地理的な要因により参加が難しい島しょ部や中山間地域等の施設等や、週６日・１日11時間開所のため一度に多くの職員を派遣することが難しい保育所等、幼稚園及び認定こども園においては、職員に対する十分な研修機会の確保が困難となる場合が想定されること。また、新型コロナウイルス感染症の流行下においては、集合型研修のみでは都市部においても十分な研修の実施が困難となることも考えられることから、ｅラーニングによる研修の実施について積極的に取り組むこと。

(2)　保育士等キャリアアップ研修をｅラーニングにより実施する場合には、ｅラーニングの実施に際しての留意点等について「保育士等キャリアアップ研修のｅラーニング等による実施方法等について」（平成31年４月15日付け厚生労働省子ども家庭局保育課事務連絡。別添３参照）において示すとともに、「マネジメント研修に係る研修映像及びガイドブック」を送付しているので参考とされたいこと。

なお、当該留意点等については、幼稚園及び認定こども園に係る研修においても参考とすることが可能なものであることから、これらの分野における研修においても必要に応じて活用すること。

(3)　研修実施主体の体制や施設等の環境・意向等により、ｅラーニングによる研修の実施や受講が困難な場合も考えられるが、集合型研修により研修を行う場合には、施設等の職員に十分な研修の機会が確保されるよう、研修の実施場所や時間帯、開催頻度について配慮すること。

(4)　なお、研修機会の確保に当たっては、

・保育所等に係る研修については、厚生労働省が令和３年度においても令和２年度第３次補正予算の繰越しにより実施している、都道府県等が研修をｅラーニングで行うために必要となる基盤整備や教材作成等に要する費用に対する補助（保育所等におけるＩＣＴ化推進事業。別添４参照）を活用すること、

・幼稚園及び認定こども園に係る研修については、文部科学省における教育支援体制整備事業費交付金（別添５参照）を活用すること、夏季休業等の長期休業期間を活用して研修を集中的に行うこと

といった対応も考えられることから、地域の実情も踏まえつつ、関係団体や研修実施主体と調整を行いながら十分な研修機会の確保に努めること。

別添１～５　略

○保育士・幼稚園教諭等処遇改善臨時特例事業の実施について

〔令和３年12月23日　府子本第1203号
各都道府県知事宛　内閣府子ども・子育て本部統括官通知〕

「コロナ克服・新時代開拓のための経済対策」（令和３年11月19日閣議決定）において「保育士等・幼稚園教諭を対象に、賃上げ効果が継続される取組を行うことを前提として、収入を３％程度（月額9000円）引き上げるための措置を来年２月から前倒しで実施する」こととされたことを踏まえ、保育士、幼稚園教諭、保育教諭等の処遇改善を行うこととし、今般、別紙のとおり「保育士・幼稚園教諭等処遇改善臨時特例事業実施要綱」を定め、令和３年12月20日から適用することとしたので通知する。

ついては、管内市町村（特別区を含む。）に対して周知をお願いするとともに、本事業の適正かつ円滑な実施に向け、特段の御配慮をお願いする。

別　紙

保育士・幼稚園教諭等処遇改善臨時特例事業実施要綱

１　事業の目的

新型コロナウイルス感染症への対応と少子高齢化への対応が重なる最前線において働く、幼稚園、保育所、認定こども園及び地域型保育事業所等における保育士、幼稚園教諭、保育教諭等の処遇の改善のため、賃上げ効果が継続される取組を行うことを前提として、令和４年２月から収入を３％程度（月額9000円）引き上げるための措置を実施することを目的とする。

２　実施主体

本事業の実施主体は、市町村（特別区を含む。以下同じ。）とする。

３　処遇改善の対象

本事業の対象は、特定教育・保育施設、特定地域型保育事業所及び特例保育を実施する施設（以下「教育・保育施設等」という。）に勤務する職員（非常勤職員を含み、法人役員を兼務する施設長を除く。以下同じ。）とする。

４　事業内容

令和４年２月から９月までの間、職員に対して３％程度（月額9000円）の賃金改善を行う教育・保育施設等に対して、当該賃金改善を行うために必要な費用（以下「賃金改善部分」という。）を補助する。

また、併せて、令和３年人事院勧告に伴う国家公務員給与の改定内容が令和４年度の公定価格に反映された場合に、それにより見込まれる公定価格の減額分に対応するための費用（以下「国家公務員給与改定対応部分」という。）を教育・保育施設等に対して補助する。

５　賃金改善等の要件

⑴　原則として、令和４年２月から職員に対する賃金改善を実施すること。

※　賃金改善とは、本事業の実施により、職員について、雇用形態、職種、勤続年数、職責等が事業実施年度と同等の条件の下で、本事業実施前に適用されていた算定方法に基づく賃金水準を超えて、賃金を引き上げることをいう。

⑵　本事業による賃金改善（国家公務員給与改定対応部分への対応を含む。以下⑶及び⑹において同じ。）に係る計画書を作成すること。また、計画の具体的な内容を職員に周知すること。

⑶　本事業による補助額は、職員の賃金改善及び当該賃金改善に伴い増加する法定福利費等の事業主負担分に全額充てること。

※　法定福利費等の事業主負担分については、以下の算式により算定した金額を標準とする。

＜算式＞

「令和２年度における法定福利費等の事業主負担分の総額」÷「令和２年度における賃金の総額」×「賃金改善額」

⑷　本事業による賃金改善が賃上げ効果の継続に資するよう、最低でも賃金改善の合計額の３分の２以上は、基本給又は決まって毎月支払われる手当の引上げにより改善を図ること。ただし、給与規程の改定に時間を要するなど、やむを得ない場合は、令和４年２月分、３月分については、この限りではない。

(5) 本事業により改善を行う賃金項目以外の賃金項目（業績等に応じて変動するものを除く。）の水準を低下させていないこと。

(6) 令和４年10月以降においても、本事業により講じた賃金改善の水準を維持すること。

(7) 令和４年度の賃金に関する規程について、令和３年人事院勧告を受けた国家公務員給与の改定に伴う公定価格の引下げに関わらず、当該引下げに係る分を賃金水準に反映していないこと。

6 補助額の算定

補助額は、施設・事業所ごとに、賃金改善部分、国家公務員給与改定対応部分それぞれ、別に定める年齢区分別の補助基準額を基に、以下の算式により算定すること。

<算式>

補助基準額（月額）×令和３年度年齢別平均利用児童数（見込み）×事業実施月数

※ 令和３年度年齢別平均利用児童数（見込み）とは、令和３年度における各月初日の利用児童数（広域利用の児童数を含む。）の総数を12で除して得た数をいう。なお、算出に当たっては、令和３年12月までは実績値とし、令和４年１月以降は推計値とする。推計値の算出に当たっては、過去の実績等を勘案し、実態に沿ったものとすること。

※ 事業実施月数は、令和４年２月からの賃金改善部分、令和４年４月からの国家公務員給与改定対応部分ごとの実施月数によること。

7 事業実施手続

(1) 教育・保育施設等は、事業開始に当たって施設・事業所の所在する市町村に対して事業計画書（別紙様式１）を提出することとする。

(2) 教育・保育施設等は、本事業の終了後、事業実績報告書（別紙様式２）を市町村に提出し、市町村の確認を受けることとする。

8 留意事項

(1) 事業実績報告書等により、教育・保育施設等において実施された賃金改善の内容が要件を満たさないことが確認された場合、特段の理由がある場合を除き、補助額の全部又は一部について返還させる。

(2) 本事業による賃金改善については、公定価格における処遇改善等加算Ⅰ及び処遇改善等加算Ⅱにおける賃金改善額及び支払賃金には含めないこととする。

(3) 補助額（賃金改善部分に限る。）については、同一の設置者・事業者が運営する他の教育・保育施設等における賃金改善に充てることができる。

(4) 教育・保育施設等に対する補助については毎月支払うことを基本とすること。ただし、あらかじめ概算により支払うことも差し支えない。

9 経費の負担

本事業の実施に要する費用について、国は別に定めるところにより補助するものとする。

別紙様式1

保育士・幼稚園教諭等処遇改善臨時特例事業賃金改善計画書

令和4年　　月　　日

市　町　村　名	
施設・事業所名	
施設・事業所類型	
施設・事業所番号	

1　補助額

①　事業実施期間	令和4年　　月　～　令和4年　　月
令和3年度	
②　補助見込額（賃金改善部分）	
③　同一事業者内における拠出見込額・受入見込額	
④　調整後補助見込額（賃金改善部分）（②+③）	円
令和4年度	
⑤　補助見込額（賃金改善部分）	
⑥　同一事業者内における拠出見込額・受入見込額	
⑦　調整後補助見込額（賃金改善部分）（⑤+⑥）	円
⑧　補助見込額（国家公務員給与改定対応部分）	
⑨　調整後補助見込額合計（賃金改善部分）（④+⑦）	円
⑩　補助見込額合計（②+⑤+⑧）	円

※　②・⑤・⑧欄については、補助基準額、年齢別平均利用児童数（見込）及び事業実施月数により算定された金額を記入すること。

※　③・⑥欄については、同一設置者・事業者が運営する他の施設・事業所から本事業の補助額の一部を受け入れた場合には当該金額を正の値で、他の施設・事業所へ拠出した場合は当該金額を負の値で記入すること。

2　賃金改善額

令和3年度		
①　賃金改善見込額		円
②　賃金改善に伴い増加する法定福利費等の事業主負担分		円
令和4年度		
③　賃金改善見込額		円
	④　基本給及び決まって毎月支払う手当	円
	（⑤　基本給及び決まって毎月支払う手当の割合）	（ . %）
⑥　賃金改善に伴い増加する法定福利費等の事業主負担分		円
⑦　賃金改善額合計（（①+②）+（③+⑥））		円
⑧　本事業による賃金改善に係る計画の具体的内容を職員に周知している		
⑨　令和4年度の賃金に関する規程について、令和3年人事院勧告を受けた国家公務員給与の改定に伴う公定価格の引下げに関わらず、当該引下げに係る分を賃金水準に反映していないこと。		
⑩　令和4年10月以降における本事業により講じた賃金改善の水準維持		

上記の内容について、全ての職員に対し周知をした上で、提出していることを証明いたします。

令和4年　　月　　日

事　業　者　名

代　表　者　名

別添１

施設・事業所名	

賃金改善内訳（職員別内訳）

No	職員名	職種 ※２	常勤・非常勤の別 ※３	常勤換算値 ※４	令和３年度		令和４年度				備考　※７
					賃金改善見込額 ※５	賃金改善に伴い増加する法定福利費等の事業主負担分　※６	賃金改善見込額　※５			賃金改善に伴い増加する法定福利費等の事業主負担分　※６	
								基本給及び決まって毎月支払う手当	その他		
1							円				
2							円				
3							円				
4							円				
5							円				
6							円				
7							円				
8							円				
9							円				
10							円				
11							円				
12							円				
13							円				
14							円				
15							円				
16							円				
17							円				
18							円				
19							円				

20							円				
21							円				
22							円				
23							円				
24							円				
25							円				
26							円				
27							円				
28							円				
29							円				
30							円				
	総額				円		円	円	円		

【記入における留意事項】

※1　施設・事業所に現に勤務している職員全員（職種を問わず、非常勤を含む。）を記入すること。

※2　職員の職種（施設長、主任保育士、保育士、調理員、事務職員　等）を記入すること。

※3　「常勤」とは、原則として施設で定めた勤務時間（所定労働時間）の全てを勤務する者、又は1日6時間以上かつ20日以上勤務している者をいい、「非常勤」とは常勤以外の者をいう。

※4　常勤換算値について、常勤の者については1.0とし、非常勤の者については、以下の算式によって得た値とする。

〔算式〕

常勤以外の職員の1か月の勤務時間数の合計÷各施設・事業所の就業規則等で定めた常勤職員の1か月の勤務時間数　＝　常勤換算値

※5　賃金改善に伴い増加する法定福利費等の事業主負担分を除く。

※6　賃金改善に伴い増加する法定福利費等の事業主負担分については以下の算式により算定することを標準とする。

〔算式〕

令和2年度における法定福利費等の事業主負担分の総額÷令和2年度における賃金の総額×賃金改善額

※7　備考欄には、事業実施期間中の採用や退職がある場合にはその旨、また、賃金改善額が他の職員と比較して高額（低額、賃金改善を実施しない場合も含む）である場合についてはその理由を記入すること。

別添２

施設・事業所名	

同一事業者内における拠出見込額・受入見込額一覧表

番号	都道府県名	市町村名	施設・事業所名※	他事業所への拠出額	他事業所からの受入額
例１	○○県	○○市	○○保育所	200,000円	
合計				円	円

※　同一事業者が運営する全ての施設・事業所（特定教育・保育施設及び特定地域型保育事業所、特例保育を提供する施設）について記入すること。

別紙様式２

保育士・幼稚園教諭等処遇改善臨時特例事業賃金改善実績報告書

令和４年　　月　　日

市　町　村　名	
施設・事業所名	
施設・事業所類型	
施設・事業所番号	

１　補助額

①　事業実施期間	令和４年　　月　～　令和４年　　月
令和３年度	
②　補助実績額（賃金改善部分）	
③　同一事業者内における拠出実績額・受入実績額	
④　調整後補助実績額（賃金改善部分）（②＋③）	円
令和４年度	
⑤　補助実績額（賃金改善部分）	
⑥　同一事業者内における拠出実績額・受入実績額	
⑦　調整後補助実績額（賃金改善部分）（⑤＋⑥）	円
⑧　補助実績額（国家公務員給与改定対応部分）	
⑨　調整後補助実績額合計（賃金改善部分）（④＋⑦）	円
⑩　補助実績額合計（②＋⑤＋⑧）	円

※　②・⑤・⑧欄については、補助基準額、年齢別平均利用児童数（見込）及び事業実施月数により算定された金額を記入すること。

※　③・⑥欄については、同一設置者・事業者が運営する他の施設・事業所から本事業の補助額の一部を受け入れた場合には当該金額を正の値で、他の施設・事業所へ拠出した場合は当該金額を負の値で記入すること。

２　賃金改善額

令和３年度		
①　賃金改善実績額		円
②　賃金改善に伴い増加する法定福利費等の事業主負担分		円
令和４年度		
③　賃金改善実績額		円
	④　基本給及び決まって毎月支払う手当 （⑤　基本給及び決まって毎月支払う手当の割合）	円 （ . ％）
⑥　賃金改善に伴い増加する法定福利費等の事業主負担分		円
⑦　賃金改善額合計（（①＋②）＋（③＋⑥））		円
⑧　本事業による賃金改善に係る計画の具体的内容を職員に周知している		
⑨　令和４年度の賃金に関する規程について、令和３年人事院勧告を受けた国家公務員給与の改定に伴う公定価格の引下げに関わらず、当該引下げに係る分を賃金水準に反映していないこと。		
⑩　令和４年10月以降における本事業により講じた賃金改善の水準維持		

※　賃金改善前後の賃金を定める規定等、必要な書類を添付すること。

上記の内容について、全ての職員に対し周知をした上で、提出していることを証明いたします。

令和４年　　月　　日

事　業　者　名

代　表　者　名

別添1

施設・事業所名	

賃金改善内訳（職員別内訳）

No	職員名	職種 ※2	常勤・非常勤の別 ※3	常勤換算値 ※4	令和3年度		令和4年度				賃金改善月額　※7								備考 ※8
					賃金改善額 ※5	賃金改善に伴い増加する法定福利費等の事業主負担分 ※6	賃金改善額　※5			賃金改善に伴い増加する法定福利費等の事業主負担分 ※6	令和3年度	令和4年度							
								基本給及び決まって毎月支払う手当	その他		平均	4月分	5月分	6月分	7月分	8月分	9月分	平均	
1							円												
2							円												
3							円												
4							円												
5							円												
6							円												
7							円												
8							円												
9							円												
10							円												
11							円												
12							円												
13							円												
14							円												
15							円												
16							円												
17							円												
18							円												
19							円												

20							円												
21							円												
22							円												
23							円												
24							円												
25							円												
26							円												
27							円												
28							円												
29							円												
30							円												
	総額				円		円	円	円										

【記入における留意事項】

※１　施設・事業所に現に勤務している職員全員（職種を問わず、非常勤を含む。）を記入すること。

※２　職員の職種（施設長、主任保育士、保育士、調理員、事務職員　等）を記入すること。

※３　「常勤」とは、原則として施設で定めた勤務時間（所定労働時間）の全てを勤務する者、又は１日６時間以上かつ20日以上勤務している者をいい、「非常勤」とは常勤以外の者をいう。

※４　常勤換算値について、常勤の者については1.0とし、非常勤の者については、以下の算式によって得た値を記入すること。

〔算式〕

常勤以外の職員の１か月の勤務時間数の合計÷各施設・事業所の就業規則等で定めた常勤職員の１か月の勤務時間数＝常勤換算値

※５　賃金改善に伴い増加する法定福利費等の事業主負担分を除く。

※６　賃金改善に伴い増加する法定福利費等の事業主負担分については以下の算式により算定することを標準とする。

〔算式〕

令和２年度における法定福利費等の事業主負担分の総額÷令和２年度における賃金の総額×賃金改善額

※７　職員ごとの賃金改善月額について以下の算式によって得た金額を記入すること。

〔算式〕

当該月における賃金改善額÷常勤換算値＝賃金改善月額

※８　備考欄には、事業実施期間中の採用や退職がある場合にはその旨、また、賃金改善額が他の職員と比較して高額（低額、賃金改善を実施しない場合も含む）である場合についてはその理由を記入すること。

別添２

施設・事業所名	

同一事業者内における拠出実績額・受入実績額一覧表

番号	都道府県名	市町村名	施設・事業所名※	他事業所への拠出額	他事業所からの受入額
例１	○○県	○○市	○○保育所	200,000円	
合計				円	円

※　同一事業者が運営する全ての施設・事業所（特定教育・保育施設及び特定地域型保育事業所、特例保育を提供する施設）について記入すること。

○子どものための教育・保育給付交付金の交付について

〔令和５年６月16日　こ成保第51号
各都道府県知事宛　こども家庭庁長官通知〕

注　令和６年６月14日こ成保第285号改正現在

子ども・子育て支援法（平成24年法律第65号）第68条第１項の規定に基づく交付金の交付については、別紙「子どものための教育・保育給付交付金交付要綱」により行うこととされ、令和５年４月１日から適用することとされたので通知する。

各都道府県におかれては、貴管内市町村（特別区を含む。）に対してこの旨通知されたい。

なお、「子どものための教育・保育給付交付金の交付について」（平成30年４月18日府子本第333号。以下「旧要綱」という。）は廃止する。

この要綱の施行前に、旧要綱に基づき実施した事業に係る交付金の取り扱いについては、なお従前の例によることとする。

別　紙

子どものための教育・保育給付交付金交付要綱

（通則）

1　子どものための教育・保育給付交付金（以下「交付金」という。）については、補助金等に係る予算の執行の適正化に関する法律（昭和30年法律第179号）及び補助金等に係る予算の執行の適正化に関する法律施行令（昭和30年政令第255号。以下「適正化法施行令」という。）及びこども家庭庁の所掌に属する補助金等交付規則（令和５年内閣府令第41号）の規定によるほか、この要綱の定めるところによる。

（交付の目的）

2　この交付金は、子ども・子育て支援法（平成24年法律第65号。以下「法」という。）第68条第１項の規定に基づき、市町村（特別区を含む。以下同じ。）が支弁する施設型給付費等の支給に要する費用の一部を負担することにより、子どもが健やかに成長するように支援することを目的とする。

（交付の対象）

3　この交付金は、市町村が行う次の区分ごとの給付費等の支給等に要する費用を交付の対象とする。

⑴　施設型給付費等

ア　法第27条第１項の規定に基づく施設型給付費（都道府県又は市町村以外の者が設置する施設に係るものに限る。以下同じ。）

イ　法第28条第１項の規定に基づく特例施設型給付費（都道府県又は市町村以外の者が設置する施設に係るものに限る。以下同じ。）

⑵　地域型保育給付費等

ア　法第29条第１項の規定に基づく地域型保育給付費

イ　法第30条第１項の規定に基づく特例地域型保育給付費

⑶　法附則第６条第１項の規定に基づく委託費

（交付額の算定方法）

4　この交付金の交付額は、満３歳以上の小学校就学前子ども（法第19条第２号に掲げる小学校就学前子どもに該当する教育・保育給付認定子どものうち、満３歳に達する日以後の最初の３月31日までの間にある者（以下「特定満３歳以上保育認定子ども」という。）を除く。）に係るものについては、次の区分ごとに算出された額の合計額の２分の１、満３歳未満保育認定子ども（特定満３歳以上保育認定子どもを含む。）に係るものについては、次の区分ごとに算出された額の合計額の100分の59.08とする。

⑴　施設型給付費等

ア　施設型給付費

㈠　法第19条第１号に掲げる小学校就学前子ども（以下「１号認定子ども」という。）に係るもの

法附則第９条第１項第１号イに掲げる内閣総理大臣が定める基準により算定した額（その額が現に要した費用の額を超えるときは、当該現に要した費用の額）から同号イに掲げる政令で定める額を控除して得た額

㈡　法第19条第２号及び第３号に掲げる小学校就学前子ども（以下「２・３号認定子ども」という。）に係るもの

法第27条第３項第１号に掲げる内閣総理大臣が定める基準により算定した額（その額が現に要した費用の額を超えるときは、当該現に要した費用の額）から同項第２号に掲げる政令で定める額を控除して得た額

イ　特例施設型給付費

㈠　特定教育・保育

①　１号認定子どもに係るもの

法附則第９条第１項第２号イ⑴に掲げる内閣総理大臣が定める基準により算定した費用の額（その額が現に要した費用の額を超えるときは、当該現に要した費用の額）

から同号イ(1)に掲げる政令で定める額を控除して得た額

② ２・３号認定子どもに係るもの

法第28条第２項第１号に掲げる内閣総理大臣が定める基準により算定した費用の額（その額が現に要した費用の額を超えるときは、当該現に要した費用の額）から同号に掲げる政令で定める額を控除して得た額

(イ) 特別利用保育

法附則第９条第１項第２号ロ(1)に掲げる内閣総理大臣が定める基準により算定した費用の額（その額が現に要した費用の額を超えるときは、当該現に要した費用の額）から同号ロ(1)に掲げる政令で定める額を控除して得た額

(ウ) 特別利用教育

法第28条第２項第３号に掲げる内閣総理大臣が定める基準により算定した費用の額（その額が現に要した費用の額を超えるときは、当該現に要した費用の額）から同号に掲げる政令で定める額を控除して得た額

(2) 地域型保育給付費等

ア 地域型保育給付費

法第29条第３項第１号に掲げる内閣総理大臣が定める基準により算定した費用の額（その額が現に要した費用の額を超えるときは、当該現に要した費用の額）から同項第２号に掲げる政令で定める額を控除して得た額

イ 特例地域型保育給付費

(ア) 特定地域型保育

法第30条第２項第１号に掲げる内閣総理大臣が定める基準により算定した費用の額（その額が現に要した費用の額を超えるときは、当該現に要した費用の額）から同号に掲げる政令で定める額を控除して得た額

(イ) 特別利用地域型保育

法附則第９条第１項第３号イ(1)に掲げる内閣総理大臣が定める基準により算定した費用の額（その額が現に要した費用の額を超えるときは、当該現に要した費用の額）から同号イ(1)に掲げる政令で定める額を控除して得た額

(ウ) 特定利用地域型保育

法第30条第２項第３号に掲げる内閣総理大臣が定める基準により算定した費用の額（その額が現に要した費用の額を超えるときは、当該現に要した費用の額）から同号に掲げる政令で定める額を控除して得た額

(エ) 特例保育

① １号認定子どもに係るもの

法附則第９条第１項第３号ロ(1)に掲げる内閣総理大臣が定める基準により算定した費用の額（その額が現に要した費用の額を超えるときは、当該現に要した費用の額）から同号ロ(1)に掲げる政令で定める額を控除して得た額

② ２・３号認定子どもに係るもの

法第30条第２項第４号に掲げる内閣総理大臣が定める基準により算定した費用の額（その額が現に要した費用の額を超えるときは、当該現に要した費用の額）から同号に掲げる政令で定める額を控除して得た額

(3) 委託費

法第27条第３項第１号に掲げる内閣総理大臣が定める基準により算定した費用の額（その額が現に要した費用の額を超えるときは、当該現に要した費用の額）から同項第２号に掲げる政令で定める額を控除して得た額

（交付の条件）

5 この交付金の交付の決定には、次の条件が付されるものとする。

(1) 事業を中止し、又は廃止する場合には、地方厚生局長（徳島県、香川県、愛媛県及び高知県にあっては四国厚生支局長。以下「地方厚生（支）局長」という。）の承認を受けなければならない。

(2) 事業の執行が困難となった場合には速やかに地方厚生（支）局長に報告して、その指示を受けなければならない。

(3) 事業により取得し、又は効用の増加した価格が、単価50万円以上の機械及び器具については、適正化法施行令第14条第１項第２号の規定により、こども家庭庁長官が別に定める期間を超過するまで、地方厚生（支）局長の承認を受けないで、この交付金の目的に反して使用し、譲渡し、交換し、貸し付け、担保に供し、又は廃棄してはならない。

(4) 地方厚生（支）局長の承認を受けて財産を処分することにより収入があった場合には、その収入の全部又は一部を国庫に返納させることがある。

(5) 事業により取得し、又は効用の増加した財産については、事業の完了後においても、善良な管理者の注意をもって管理するとともに、その効率的な運営を図らなければならない。

(6) 交付金と事業に係る予算及び決算との関係を明

らかにした調書を作成し、これを事業完了後５年間保存しておかなければならない。

（申請手続）

6　この交付金の交付の申請は、次により行うものとする。

⑴　市町村長は、様式第１号による申請書を都道府県知事が別に定める日までに都道府県知事に提出するものとする。

⑵　都道府県知事は、市町村から⑴の申請書の提出があった場合には、必要な審査を行い、適正と認めたときはこれを取りまとめの上、様式第２号と併せて別途定める日までに地方厚生（支）局長に提出するものとする。

（変更交付申請）

7　この交付金の交付決定後の事情の変更により、年間所要額に増減を生じ、申請の内容を変更して追加交付申請等を行う場合には、次により行うものとする。

⑴　市町村長は、様式第３号による申請書を都道府県知事が別に定める日までに都道府県知事に提出するものとする。

⑵　都道府県知事は、市町村から⑴の申請書の提出があった場合には、必要な審査を行い、適正と認めたときはこれを取りまとめの上、様式第４号と併せて別に定める日までに地方厚生（支）局長に提出するものとする。

（交付決定）

8　この交付金の交付の決定は、次により行うものとする。

⑴　地方厚生（支）局長は、交付申請書又は変更交付申請書が到達した日から起算して原則として２か月以内に交付の決定又は決定の変更を行うものとする。

⑵　都道府県知事は、地方厚生（支）局長の交付決定があったときは、市町村に対し様式第５号により、決定の変更があったときは、市町村に対し様式第６号により、速やかに決定内容及びこれに付された条件を通知すること。

⑶　市町村は、交付決定の内容又はこれに付された条件に対して不服があることにより、交付の申請を取下げようとするときは、交付決定の通知を受けた日から15日以内にその旨を記載した書面を地方厚生（支）局長に提出しなければならない。

（交付金の概算払）

9　こども家庭庁長官は、必要があると認める場合においては、国の支払計画承認額の範囲内において概算払をすることができる。

（実績報告）

10　この交付金の事業実績の報告は、次により行うものとする。

⑴　市町村長は、翌年度の６月末日（５の⑴により事業の中止又は廃止の承認を受けた場合には、当該承認通知を受理した日から１か月を経過した日）までに、様式第７号による報告書を都道府県知事に提出するものとする。

⑵　都道府県知事は、市町村から⑴の報告書の提出があった場合には、必要な審査を行い、適正と認めたときはこれを取りまとめの上、様式第８号と併せて翌年度の７月末日までに、地方厚生（支）局長に提出するものとする。

（額の確定）

11　都道府県知事は、地方厚生（支）局長の確定通知があったときは、市町村に対し、様式第９号により、速やかに確定の通知を行うこと。

（交付金の返還）

12　地方厚生（支）局長は、交付すべき交付金の額を確定した場合において、既にその額を超える交付金等が交付されているときは、期限を定めて、その超える部分について国庫に返還することを命ずる。

（事業実績報告の訂正）

13　地方厚生（支）局長が額の確定を終了した後において、当該確定の基礎となった実績報告を訂正する事由が生じた場合の取扱いは、次により行うものとする。

⑴　市町村長は、実績報告を訂正する事由が生じたときは、様式第10号による報告書を速やかに都道府県知事に提出するものとする。

⑵　都道府県知事は、市町村から⑴の報告書の提出があった場合には、必要な審査を行い、適正と認めたときはこれを取りまとめの上、様式第11号と併せて速やかに地方厚生（支）局長に提出するものとする。

⑶　実績報告の訂正に伴うその他の手続等については、10、12及び14に定めるところに準じて行うものとする。

（その他）

14　この交付金の交付に当たっては、上記に定めるところの他、以下によるものとする。

⑴　特別の事情により、本交付要綱に定める手続によることができない場合には、あらかじめ地方厚生（支）局長の承認を受けてその定めるところによるものとする。

なお、この交付金について、精算交付申請を行う場合には、別途指示する期日までに10に定める様式及び手続に準じて行うものとする。

⑵　都道府県知事は、市町村長が都道府県知事に提出すべき市町村分交付金に係る各様式に定められている事項のほかに必要と認める事項を加えて定めることができるものとし、かつ、その提出時期についても必要と認めるときはこれを変更して定めることができるものとする。

⑶　都道府県知事が地方厚生（支）局長に提出すべき書類の部数は、全て正本一部とし、市町村長が都道府県知事に提出すべき書類の部数は、都道府県知事が定めるところによるものとする。

⑷　市町村長が都道府県知事に提出した市町村分交付金に係る書類は、全て都道府県において各会計年度毎に各書類の種別に分類し一括して保存するものとする。

様式第１号～第11号　略

○新型インフルエンザ対策に伴う保育所運営費の取扱いについて

〔平成21年6月9日　雇児発第0609004号
各都道府県知事・各指定都市市長・各中核市市長宛　厚生労働省雇用均等・児童家庭局長通知〕

標記について、「児童福祉法による保育所運営費国庫負担金について」（昭和51年4月16日厚生省発児第59号の2厚生省事務次官通知）の第4の2徴収金（保育料）基準額の特例の取扱いについて下記のとおり行った場合は厚生労働大臣の承認が得られたものとして取扱うことができるものとするので通知する。

なお、臨時休業の要請を受けて休業した場合の運営費の支弁については、保育の実施は継続していることとして、通常どおり月額で支弁して差し支えない。

記

休業要請を受けて休所した場合の徴収基準額の算定については次の算式によることとして差し支えない。

算式

入所児童の属する世帯の階層及びその児童の年齢の区分によって定まる基準額×その月の臨時休業日を除く開所日数（25日を超える場合は25日）÷25日

（注）10円未満の端数は切り捨てる。

○新型コロナウイルス感染症により保育所等が臨時休園等を行う場合の公定価格等の取扱いについて

〔令和2年6月17日　府子本第646号・2初幼教第11号・子保発0617第1号
各都道府県子ども・子育て支援部(局)長宛　内閣府子ども・子育て本部参事官（子ども・子育て支援担当）・文部科学省初等中等教育局幼児教育・厚生労働省子ども家庭局保育課長連名通知〕

新型コロナウイルス感染症により臨時休園（一部休園を含む。）や保育の提供の縮小等（以下「臨時休園等」という。）を行っている「特定教育・保育、特別利用保育、特別利用教育・特定地域型保育、特定利用地域型保育及び特例保育に要する費用の額の算定に関する基準等」第1条第12号に定める公定価格及び子ども・子育て支援法附則第6条に定める委託費（以下「公定価格等」という。）については、このような状況下でも教育・保育の提供体制を維持するため通常どおり支給することとし、その具体的な取扱いについては、「「新型コロナウイルス感染症により保育所等が臨時休園等した場合の「利用者負担額」及び「子育てのための施設等利用給付」等の取扱いについて」に係るFAQについて」（令和2年4月28日内閣府子ども・子育て本部参事官（子ども・子育て支援担当）等連名事務連絡）等において、これまでお示ししていたところである。

今般、新型コロナウイルス感染症への対応として臨時休園等を行った施設の一部において、公定価格等の支給を通常どおり受けているにもかかわらず職員に対する賃金を減額して支払う事案がある旨、報道や国会における議論の中でご指摘をいただいたところである。

これを踏まえ、新型コロナウイルス感染症により臨時休園等を行っている保育所等に対する公定価格等の取扱いについて、下記のとおり整理したので、改めてお知らせする。都道府県におかれては、管内市町村（特別区を含む。以下同じ。）及び関係団体に対して周知いただくとともに、保育所等や関係団体に対する指導についてお願いする。また、同様に、市町村においても管内の保育所等や関係団体に対して周知及び指導をお願いする。

なお、本通知は、地方自治法（昭和22年法律第67号）第245条の4第1項に規定する技術的な助言として発出するものであることを申し添える。

記

1　公定価格等の取扱いについて

(1)　臨時休園等を行っている保育所等に対する公定価格等については、各保育所等における教育・保育の提供体制が維持されるよう、新型コロナウイルス感染症への感染や濃厚接触者となったことに伴う出勤や登園の回避、要請に基づいた登園自粛による利用児童数の減少などの新型コロナウイルス感染症による影響を除いた通常の状態に基づき、各種加算や減算も含めた算定を行うこと。

⑵　臨時休園等を行う保育所等に在籍する子どもに係る利用者負担額については、子ども・子育て支援法施行令（平成26年政令第213号）第24条第２項及び子ども・子育て支援法施行規則（平成26年内閣府令第44号）第58条第４号に基づき、日割り計算による減免が行われることとなるが、この場合の国及び地方公共団体の負担増分については、子ども・子育て支援法（平成24年法律第65号）等に定める施設型給付費等の負担割合により負担することとなること。

2　臨時休園等に伴う人件費の取扱いについて

公定価格等の対象となる職員の人件費については、１のとおり、新型コロナウイルス感染症による影響を除いた通常の状態に基づき算定を行うこととしていることを踏まえ、労働関係法令を遵守した上で、人件費の支出についても適切な対応が求められること。

この場合の「適切な対応」とは、通常の状態に基づき公定価格等の算定が行われ、収入が保障されていることを踏まえ、労働基準法（昭和22年法律第49号）に基づき休業手当として平均賃金の６割を支払うことに止まるものではなく、休ませた職員についても通常どおりの賃金や賞与等を支払うなど、公定価格等に基づく人件費支出について、通常時と同水準とする対応が求められること。

また、この対応に当たっては、常勤・非常勤や正規・非正規といった雇用形態の違いのみに着目して異なる取扱いを行うことは、適切ではないこと。

（別添のＱ＆Ａについても参照すること。）

3　指導監査等について

本通知の内容も含め、公定価格等が保育所等において適正に使われているかについては、子どものための教育・保育給付に関する事務の一部を構成するものとして、子ども・子育て支援法第14条等に基づく市町村の確認指導監査の対象となる。市町村においては、１及び２の内容も踏まえ、適切な指導等を行うこと。

また、児童福祉法（昭和22年法律第164号）に基づく施設監査の指導監査事項では、「措置費等を財源に運営する児童福祉施設の経理事務は、適切に事務処理され、措置費等が適正に使われているか。」が掲げられているが、これの確認にあたっては、本通知の内容も含まれることから、都道府県、指定都市及び中核市（以下「都道府県等」という。）においても、適切に指導等を行うこと。なお、この指導等を行うに当たっては、市町村の確認指導監査と必要に応じて連携し、効率的に実施することが望ましい。

（別　添）

Ｑ１―１　人件費の支出について、公定価格等が通常どおりに算定されていることを踏まえて適切に対応すべきとされていますが、具体的にどのような対応が求められるのでしょうか。

（答）

○　新型コロナウイルス感染症による臨時休園等により登園児童が減少している場合等であっても、保育所等における教育・保育の提供体制の維持のための特例的な取扱いとして、公定価格等の減額を行わずに通常どおりに算定し、施設等の収入を保証することとしています。

○　新型コロナウイルス感染症により休ませた職員の賃金については、労働基準法では平均賃金の６割以上を休業手当として支払わなければならないこととされていますが、仮に保育所等において平均賃金の６割に相当する休業手当のみを支払うこととした場合、通常時の人件費との差額が発生することとなります。

この差額が、各種積立金や当期末支払資金残高といった人件費以外の経費に充てられることは、新型コロナウイルス感染症がある中でも教育・保育の提供体制を維持するという今般の特例の趣旨にそぐわないことから、休ませた職員についても通常どおりの賃金や賞与等を支払うなどの対応により、公定価格等に基づく人件費支出について通常時と同水準を維持することが求められます。

Ｑ１―２　公定価格等に基づく人件費支出について通常時と同水準とすべきとされていますが、公定価格等以外の収入もあり、人件費総額のうち公定価格等が充てられている部分の区別がつかない場合はどのように考えれば良いでしょうか。

（答）

○　そのような場合、まずは施設全体の人件費支出が通常時と同水準であることを基本としつつ、公定価格等以外の減収による資金の不足があり、やむを得ず人件費支出を減額とする場合は、Ｑ３も踏まえつつ、収入の不足額を勘案して必要最小限度の減額幅とすることが求められます。

Ｑ２　全ての職員について、通常どおりに賃金を支払う必要があるのでしょうか。

（答）

○　今般の公定価格等の特例の趣旨を踏まえれば、原則として、休ませた職員も含め、全ての職員に通常どおりの賃金や賞与等を支払うことが望ましいと考えます。

○　一方で、勤務の状況が職員ごとに異なることも考えられ、このような場合には、公定価格等による人件費支出の水準を維持することを前提として、実際に勤務した職員の手当等を増額し、自宅待機の職員の手当等を減額するなど、勤務状況に応じて賃金に傾斜を付ける取扱いとすることは、差し支えありません。

　ただし、常勤・非常勤や正規・非正規といった雇用形態の違いのみを理由として異なる取扱いを行うことは適切ではないと考えます。

○　なお、手当等の減額を検討する前に、まず、人件費等積立金等の活用可能な資金を活用して、通常の賃金の支払を確保することについて、ご検討ください。

Ｑ３　公定価格等以外の収入（地域子ども・子育て支援事業、地方単独事業、特定保育料）において減収がある場合でも、通常どおりに賃金を支払う必要があるのでしょうか。

（答）

○　今般、教育・保育の提供体制を維持するために、特例として公定価格等を通常どおり算定していることを踏まえ、公定価格等に基づく人件費支出について通常時と同水準の支出を求めるものです。

○　今回の新型コロナウイルス感染症への対応の結果として、公定価格等以外の収入（地域子ども・子育て支援事業、地方単独事業、特定保育料）において減収がある場合であっても、地域子ども・子育て支援事業等の職員に係る雇用調整助成金等の活用などを通じて、できる限り、通常どおりの賃金を支払うことが望ましいと考えます。

○　これらを活用できない場合など、なお減収による不足分がある場合には、不足額を勘案して必要最小限の減額とすることが求められるとともに、公定価格等に基づく人件費支出については通常時と同水準の支出が維持されていることなど、減額幅の考え方について監査等の際に説明できることが求められます。

Ｑ４　本通知で示された考え方については、いつから適用すればいいのでしょうか。

（答）

○　本通知は本年２月から実施している公定価格等の特例の取扱いを明確化したものです。このため、本通知およびＱ１からＱ３までにおいてお示しした取扱いについても、当該時期に遡り適用することとなります。

　なお、会計年度が終了している令和元年度に賃金や賞与等の減額を行っていた場合には、当該減額分について一時金等により支払うことになると考えます。

Ｑ５　公立保育所等に勤務する職員の賃金等についての取扱いはどうか。

（答）

○　公立・私立にかかわらず、地域の教育・保育の提供体制の確保を維持する観点から、公立保育所等に勤務する職員の賃金等についても、本取扱いを踏まえ、地方公共団体において適切にご判断いただきたいと考えます。

○児童福祉法等の一部を改正する法律等の施行について

〔平成16年３月31日　雇児発第0331029号・老発第0331015号・保発第0331013号
各都道府県知事・各政令指定都市市長・各中核市市長宛
厚生労働省雇用均等・児童家庭・老健・保険局長連名通知〕

児童福祉法等の一部を改正する法律（平成16年法律第21号）、児童福祉法等の一部を改正する法律の施行に伴う関係政令の整備に関する政令（平成16年政令第111号）、児童手当事務費交付金の額の算定に関する省令を廃止する省令（平成16年厚生労働省令第83号）及び介護保険の事務費交付金の交付額の算定に関する省令を廃止する省令（平成16年厚生労働省令第84号）が、別添のとおり、平成16年３月31日に公布され、平成16年４月１日から施行することとされたところである。その改正の趣旨及び主な内容は下記のとおりであるので、その運用に遺憾なきを期されたい。

記

第１　改正の趣旨

　「経済財政運営と構造改革に関する基本方針

2003」（平成15年６月27日閣議決定）、「平成16年度予算編成の基本方針」（平成15年12月５日閣議決定）等を踏まえ、公立保育所運営費及び介護保険法等に係る法施行事務費について、国庫補助負担の対象外としたものである。なお、これに伴う地方財源の手当てについては、所得譲与税等を通じて所要の財源措置が講じられることとされている。

第２　改正の内容

１　児童福祉法の一部改正関係

1)　都道府県及び市町村が設置する保育所（以下「公立保育所」という。）における保育の実施に要する費用について、国の負担を廃止したこと。また、市町村が設置する保育所における保育の実施に要する費用について、都道府県の負担を廃止したこと。なお、公立保育所の運営が民間に委託されている場合については、当該保育所の設置者は地方公共団体であることから、国及び都道府県の負担の廃止の対象となる。

2)　平成15年度以前の年度における公立保育所の運営費に係る国及び都道府県の負担については、従前どおりの扱いとしたこと。

3)　なお、公立保育所における保育の実施に要する費用について国及び都道府県の負担を廃止した後であっても、児童福祉法（昭和22年法律第164号）第24条第１項に基づく市町村による保育の実施責任には変更がないこと。また、公立保育所の設置者は、公立保育所の設備及び運営について、児童福祉施設最低基準（昭和23年厚生省令第63号）を遵守する必要があること。

4)　前記1)に伴い、児童福祉法施行令（昭和23年政令第74号）の一部を改正し、所要の規定を整備したこと。

２　国民健康保険法の一部改正関係

1)　介護納付金の納付に関する事務費用のうち市町村が実施するものについて、国の負担を廃止したこと。

2)　前記1)に伴い、国民健康保険の国庫負担金及び被用者保険等保険者拠出金等の算定等に関する政令（昭和34年政令第41号）の一部を改正し、所要の規定を整備したこと。

３　児童扶養手当法の一部改正関係

1)　都道府県、市及び福祉事務所設置町村が支給する児童扶養手当に関する事務費用について、国からの交付を廃止したこと。

2)　平成15年度以前の年度における事務費用については、従前どおりの扱いとしたこと。

3)　事務費用に対する国からの交付を廃止したことに伴い、交付する事務費の額について算定基準を示した、児童扶養手当法に基づき都道府県及び市町村に交付する事務費に関する政令（昭和38年政令第300号）を廃止したこと。

４　児童手当法の一部改正関係

1)　市町村が支給する児童手当に関する事務費用について、国からの交付を廃止したこと。

2)　特例給付の事務費用について、事業主拠出金率の算定基礎から除外したこと。

3)　事務費用に対する国からの交付を廃止したことに伴い、交付金の額について算定基準を示した、児童手当法に基づき市町村に交付する事務費に関する政令（昭和46年政令第339号）及び児童手当事務費交付金の額の算定に関する省令（昭和52年厚生省令第11号）を廃止したこと。

５　介護保険法の一部改正関係

1)　市町村が行う要介護認定又は要支援認定（以下「要介護認定等」という。）に係る事務費用について、国からの交付を廃止したこと。

2)　前記1)に伴い、介護保険の国庫負担金の算定等に関する政令（平成10年政令第413号）のうち交付金の算定基準等の規定を削除するとともに、交付金の算定額を定めた介護保険の事務費交付金の交付額の算定に関する省令（平成13年厚生労働省令第14号）を廃止したこと。

3)　なお、平成16年４月１日から、要介護認定等の事務の効率化のため、介護保険法施行規則の一部を改正する省令（平成16年厚生労働省令第50号）により要介護認定等の更新に係る有効期間を拡大するとともに、「「介護認定審査会の運営について」の一部改正について」（平成16年３月29日老発第0329001号）により介護認定審査会の合議体の定数の弾力的運用を認めたところである。

第３　施行期日等

1)　施行期日は、平成16年４月１日からであること。

2)　これらの法律、政令及び省令の施行に際し必要な経過措置を定めるとともに、その他関係法律、政令及び省令について所要の規定の整備を行うこと。

別添　略

○子どものための教育・保育給付費支弁台帳について

平成27年8月21日　府子本第271号・27初幼教第19号・雇児保発0821第2号
各都道府県子ども・子育て支援新制度担当部(局)長宛　内閣府子ども・子育て本部参事官（子ども・子育て支援担当）・文部科学省初等中等教育局幼児教育・厚生労働省雇用均等・児童家庭局保育課長連名通知

子どものための教育・保育給付費については、「子どものための教育・保育給付費国庫負担金交付要綱」に基づき国庫負担金の交付が行われるところですが、今般、その所要額等の迅速かつ適正な把握のため、子どものための教育・保育給付費支弁台帳制度を下記のとおり設け、平成27年度の経理事務から適用することとしましたので通知します。

各都道府県におかれましては、貴管内市町村（特別区を含む。以下同じ。）に対して周知していただくようお願いいたします。

記

第1　子どものための教育・保育給付費支弁台帳の整備について

⑴　子どものための教育・保育給付費支弁台帳の作成の対象は、次の給付費等とする。

ア　子ども・子育て支援法（平成24年法律第65号。以下「法」という。）第27条第1項の規定に基づく施設型給付費（都道府県又は市町村以外の者が設置する施設に係るものに限る。以下同じ。）

イ　法第28条第1項の規定に基づく特例施設型給付費（都道府県又は市町村以外の者が設置する施設に係るものに限る。以下同じ。）

ウ　法第29条第1項の規定に基づく地域型保育給付費

エ　法第30条第1項の規定に基づく特例地域型保育給付費

オ　法附則第6条第1項の規定に基づく委託費

⑵　市町村は、各月支弁した⑴に掲げる給付費等について、別紙「子どものための教育・保育給付費支弁台帳の記載要領」に基づき、第1号様式及び第2号様式を作成すること。

なお、各市町村における経理処理及び電算処理上の便宜等の観点から、各様式について必要な修正を加えてこれを定めて差し支えありません。その際、各様式に定める事項の数値等が把握できるようにすること。

第2　支弁台帳と国庫負担金交付申請書等との関連について

子どものための教育・保育給付費国庫負担金については、「子どものための教育・保育給付費国庫負担金交付要綱」に基づき国庫負担金の交付が行われるところですが、交付申請書及び実績報告書等の金額については、支弁台帳の金額を基に行われますので、その関連性に十分留意の上、適正な処理をお願いいたします。

別　紙

子どものための教育・保育給付費支弁台帳の記載要領について

1　総括表（第1号様式）の記載について

総括表（以下「第1号様式」という。）は、市町村単位で、施設型給付費（特例施設型給付費を含む。）、地域型保育給付費（特例地域型保育給付費を含む。）、委託費の区分ごとに集計した第1号様式（A表）と、特定教育・保育施設・特定地域型保育事業ごとに集計した第1号様式（B表）を作成すること。

なお、その作成に当たっては、第1号様式（A表）は、第1号様式（B表）の数値を区分ごとに毎月集計し作成するとともに、第1号様式（B表）は施設・事業所表（以下「第2号様式」という。）の数値を毎月集計して作成すること。

⑴　第1号様式（A表）の記載について

第1号様式（A表）の各欄は、第1号様式（B表）の当該欄の数値を集計して記載すること。

⑵　第1号様式（B表）の記載について

①　「施設・事業所数」の欄には、給付費等を支弁した施設・事業所数を記載すること。

なお、「施設・事業所数」の欄の（　）内には、特例施設型給付費及び特例地域型保育給付費を支弁した施設・事業所数を再掲すること。ただし、他の市町村の区域に存在する施設・事業所（第2号様式の施設・事業所名の欄を（　）書きにより記載しているもの。以下同じ。）の数は、これを除外して集計することとし、他の市町村と二重に計上されることとならないようにすること。

②　「認可定員」・「利用定員」の欄には、第2号様式（B表）の当該欄の数値を集計して記載す

ること。ただし、他の市町村の区域に存在する施設・事業所の認可定員・利用定員は、これを除外して集計することとし、他の市町村と二重に計上されることとならないようにすること。

③ 「利用者負担額（国基準額）」の欄には、第2号様式（B表）の㊿欄の数値を集計して記載すること。

また、「利用者負担額（市町村が定めた額）」の欄には、市町村又は各施設・事業所が毎月個々の世帯から徴収する市町村が定めた利用者負担額を集計して記載すること。なお、実際に徴収した額ではなく、市町村が定める利用者負担額により徴収することとしている額を集計すること。

④ 以上に掲げる欄以外の欄には、第2号様式（B表）の当該欄の数値を集計して記載すること。

2 施設・事業所表（第2号様式）の記載について

第2号様式は、各施設・事業所における加算の適用状況並びに年齢区分ごとの給付単価を把握するための第2号様式（A表）と、各月の年齢区分ごとの利用人員及び単価表に基づく費用、並びに各月階層区分ごとの利用人員及び利用者負担額（国基準）を把握するための第2号様式（B表）を作成することとし、施設・事業所からの給付費等の請求書等を基礎として、毎月その月分について施設・事業所に給付費等を支弁した都度、所定の事項を記載すること。

また、第2号様式は、施設・事業所ごと（分園がある場合は中心園、分園ごと）に、その施設・事業所の種別（アからク）に応じて、以下の①から③の給付等の種類ごとに作成すること。

なお、アからクの施設・事業所ごとに作成したうえで、①から③のそれぞれの内訳が別途把握できる場合は、適宜、作成単位を変更して差し支えないこと。

ア 幼稚園（都道府県又は市町村以外の者が設置する施設に限る。）（A表—1）

① 施設型給付費

② 特例施設型給付費（特定教育・保育及び特別利用教育に係るもの）

イ 保育所（都道府県又は市町村以外の者が設置する施設に限る。）（A表—2）

① 委託費

② 特例施設型給付費（特定・教育保育に係るもの）

③ 特例施設型給付費（特別利用保育に係るもの）

ウ 認定こども園（都道府県又は市町村以外の者が設置する施設に限る。）（A表—3）

① 施設型給付費

② 特例施設型給付費（特定教育・保育に係るもの）

③ 特例施設型給付費（特別利用保育に係るもの）

エ 家庭的保育事業（A表—4）

① 地域型保育給付費

② 特例地域型保育給付費（特別利用地域型保育に係るもの）

③ 特例地域型保育給付費（特定利用地域型保育に係るもの）

オ 小規模保育事業（A表—5（A型、B型）、A表—6（C型））

① 地域型保育給付費

② 特例地域型保育給付費（特別利用地域型保育に係るもの）

③ 特例地域型保育給付費（特定利用地域型保育に係るもの）

カ 事業所内保育事業（A表—7）

① 地域型保育給付費

② 特例地域型保育給付費（特別利用地域型保育に係るもの）

③ 特例地域型保育給付費（特定利用地域型保育に係るもの）

キ 居宅訪問型保育事業（A表—8）

① 地域型保育給付費

② 特例地域型保育給付費（特別利用地域型保育に係るもの）

③ 特例地域型保育給付費（特定利用地域型保育に係るもの）

ク 特例保育（A表—5）

① 特例地域型保育給付費（教育標準時間認定に係るもの）

② 特例地域型保育給付費（保育認定に係るもの）

(1) 第2号様式（A表）の記載について

① 「施設・事業所名」の欄は、他の市町村の区域に所在する施設・事業所の場合には、施設・事業所名の字句は、括弧書き（例えば、「(〇〇〇園)」）とすること。

② 「適用単価の認定」の各欄の不動文字は、該当する字句を〇で囲むことと。また、「認可定員」及び「利用定員」の欄には、各自治体が認可・確認した施設・事業所の認可定員及び利用定員を記載することとし、年齢ごとに分けて定員を定めているときは、その合算人員とすること。

③ 「適用単価の認定」の欄における「認定月日」の欄には、年度当初（又は事業開始月）の適用単価に係る認定月日や、加算認定に変更が生じ

た際等の認定月日を記載すること。また、「適用月日」欄には、年度初日（又は事業開始月の初日）のほか、加算認定の変更等により、月額単価に改定が生じた際に、改定後の月額単価が適用される月日を記載すること。

(2)　第２号様式（Ｂ表）の記載について

①「初日利用人員」の欄には、支給認定区分ごとにそれぞれ年齢区分に応じて記載することとし、この人員を各階層別に分けるとともに、教育標準時間認定に係る第２階層から第５階層、及び保育認定に係る第２階層から第８階層については、さらに多子軽減に係る半額徴収分と徴収額０円分に分けて記載すること。

また、ひとり親世帯等の減免が適用されている世帯の子どもについては、第２階層及び第３階層における⑯、⑱、⑳、㉑、㉓、㉕欄の「　」内に再掲すること。

なお、支給認定を受けていない私的契約児などは利用人員に含まないこと。

②「費用（単価表による額）」の欄には、支給認定区分及び年齢区分ごとの初日利用人員に、各月に適用される第２号様式（Ａ表）の月額単価を乗じて記載すること。

なお、給与改定による給付単価の改定に伴い、数か月分の差額を一括して支弁したときには、実際に支弁した月の欄（例えば、２月に差分を一括して支弁した場合は「２月分」の欄）に既定分及び差額の順に２段に分けて別掲とすること。

③「利用者負担の適用基準額」の欄には、各支給認定区分及び年齢区分（保育認定に当たっては、さらに保育必要量の区分）ごとに子ども・子育て支援法施行令（平成26年政令第213号）で定める各階層別の国基準額を記載するものであり、市町村が定める基準額ではないことに注意すること。

また、教育標準時間認定に係る第２階層から第５階層、及び保育認定に係る第２階層から第８階層については、さらに多子軽減に係る半額徴収額を記載すること。

また、給付単価限度額を徴収額としている階層については、給付単価限度額を記載することとし、給付単価の改定によって、利用者負担額（国基準）に変更が生じた場合には、適用となる月日を「適用月日」の欄に記載のうえ、各階層別に改定後の利用者負担額（国基準額）を記載すること。

なお、利用者負担額（国基準額）の数か月分の差額を一括して徴収したなどの場合には、上記②のなお書きの取扱いに準じ、実際に徴収した月の欄に既定分及び差額の順に２段に分けて別掲とすること。

このほか、ひとり親世帯等の減免が適用されている世帯の子どもについては、第２階層及び第３階層における㊼、㊽、㊾、㊿欄の「　」内に減免後の利用者負担額（国基準額）を記載すること。

④ 支弁額の誤り、階層区分認定の誤り等を発見し、この台帳の金額等を訂正するときは、上記②のなお書きの取扱いに準じ、実際に出納事務を処理した月の欄に既定分及び差額の順に２段に分けて別掲し、かつ、必要に応じてその内容の明細を欄外又は付表に明確にしておくこと。

3　月途中の入退所に伴う日割計算の取扱いについて

月途中の入退所に伴う給付費等の日割支弁・利用者負担額の日割徴収については、第１号様式及び第２号様式を準用して、当該支弁・徴収が把握できるよう作成することとする。

第１号様式・第２号様式　略

○子育てのための施設等利用給付交付金の交付について

〔令和５年６月16日　こ成保第63号
各都道府県知事宛　こども家庭庁長官通知〕

子ども・子育て支援法（平成24年法律第65号）第68条第２項の規定に基づく標記交付金の交付については、別紙「子育てのための施設等利用給付交付金交付要綱」により行うこととし、令和５年４月１日から適用することとしたので通知する。

なお、各都道府県におかれては、貴管内市町村（特別区を含む。）に対してこの旨通知されたい。

また、子育てのための施設等利用給付交付金の交付について（令和元年９月25日府子本第476号。以下「旧要綱」という。）は廃止する。

ただし、この要綱の施行前に、旧要綱に基づき実施した事業に係る交付金の取り扱いについては、なお従前の例によることとする。

別　紙

子育てのための施設等利用給付交付金交付要綱

（通則）

１　子育てのための施設等利用給付交付金（以下「交付金」という。）については、補助金等に係る予算の執行の適正化に関する法律（昭和30年法律第179号）及び補助金等に係る予算の執行の適正化に関する法律施行令（昭和30年政令第255号）及びこども家庭庁の所掌に属する補助金等交付規則（令和５年内閣府令第41号）の定めによるほか、この要綱の定めるところによる。

（交付の目的）

２　この交付金は、子ども・子育て支援法（平成24年法律第65号。以下「法」という。）第68条第２項の規定に基づき、市町村（特別区を含む。以下同じ。）が支弁する施設等利用費の支給に要する費用の一部を負担することにより、子どもが健やかに成長するように支援すること及び子どもの保護者の経済的負担を軽減することを目的とする。

（交付の対象）

３　この交付金は、市町村が行う次の区分ごとの子ども・子育て支援施設等に係る法第30条の11第１項に基づく施設等利用費の支給に要する費用を交付の対象とする。

⑴　認定こども園（法第７条第10項第１号に規定するものに限り、都道府県（都道府県が単独で又は他の地方公共団体と共同して設立する公立大学法人を含む。）又は市町村（市町村が単独で又は他の市町村と共同して設立する公立大学法人を含む。）が設置するものを除く。以下同じ。）

⑵　幼稚園（法第７条第10項第２号に規定するものに限り、都道府県（都道府県が単独で又は他の地方公共団体と共同して設立する公立大学法人を含む。）又は市町村（市町村が単独で又は他の市町村と共同して設立する公立大学法人を含む。）が設置するものを除く。以下同じ。）

⑶　特別支援学校（法第７条第10項第３号に規定するものに限り、都道府県（都道府県が単独で又は他の地方公共団体と共同して設立する公立大学法人を含む。）又は市町村（市町村が単独で又は他の市町村と共同して設立する公立大学法人を含む。）が設置するものを除く。以下同じ。）

⑷　認可外保育施設（法第７条第10項第４号に規定するものに限る。以下同じ。）

⑸　預かり保育事業（法第７条第10項第５号に規定するものに限る。以下同じ。）

⑹　一時預かり事業（法第７条第10項第６号に規定するものに限る。以下同じ。）

⑺　病児保育事業（法第７条第10項第７号に規定するものに限る。以下同じ。）

⑻　子育て援助活動支援事業（法第７条第10項第８号に規定するものに限る。以下同じ。）

（交付額の算定方法）

４　この交付金の交付額は、国（国立大学法人法（平成15年法律第112号）第２条第１項に規定する国立大学法人を含む。以下同じ。）が設置する子ども・子育て支援施設等（認定こども園、幼稚園又は特別支援学校に係るものに限る。）にあっては、子ども・子育て支援法施行令（平成26年政令第213号。以下「令」という。）第15条の６で定める額に基づき、３の⑴から⑶の区分ごとに算出された額の合計額とする。国が設置する子ども・子育て支援施設等（認定こども園、幼稚園又は特別支援学校に係るものを除く。）及び国以外の者が設置する子ども・子育て支援施設等に係るものにあっては、令第15条の６で定める額に基づき、３の⑴から⑻の区分ごとに算出された合計額の２分の１とする。

（交付の条件）

5　この交付金の交付の決定には、次の条件が付されるものとする。

⑴　事業を中止し、又は廃止する場合には、地方厚生局長（徳島県、香川県、愛媛県及び高知県にあっては四国厚生支局長。以下「地方厚生（支）局長」という。）の承認を受けなければならない。

⑵　事業の執行が困難となった場合には速やかに地方厚生（支）局長に報告して、その指示を受けなければならない。

⑶　交付金と事業に係る予算及び決算との関係を明らかにした調書を作成し、これを事業完了後５年間保存しておかなければならない。

（申請手続）

6　この交付金の交付の申請は、次により行うものとする。

⑴　市町村長は、様式第１号による申請書を都道府県知事が別に定める日までに都道府県知事に提出するものとする。

⑵　都道府県知事は、市町村から⑴の申請書の提出があった場合には、必要な審査を行い、適正と認めたときはこれを取りまとめの上、様式第２号と併せて別途定める日までに地方厚生（支）局長に提出するものとする。

（変更交付申請）

7　この交付金の交付決定後の事情の変更により、年間所要額に増減を生じ、申請の内容を変更して追加交付申請等を行う場合には、次により行うものとする。

⑴　市町村長は、様式第３号による申請書を都道府県知事が別に定める日までに都道府県知事に提出するものとする。

⑵　都道府県知事は、市町村から⑴の申請書の提出があった場合には、必要な審査を行い、適正と認めたときはこれを取りまとめの上、様式第４号と併せて別に定める日までに地方厚生（支）局長に提出するものとする。

（交付決定）

8　この交付金の交付の決定は、次により行うものとする。

⑴　地方厚生（支）局長は、交付申請書又は変更交付申請書が到達した日から起算して原則として２か月以内に交付の決定又は決定の変更を行うものとする。

⑵　都道府県知事は、地方厚生（支）局長の交付決定があったときは、市町村に対し様式第５号により、決定の変更があったときは、市町村に対し様式第６号により、速やかに決定内容及びこれに付された条件を通知すること。

⑶　市町村は、交付決定の内容又はこれに付された条件に対して不服があることにより、交付の申請を取下げようとするときは、交付決定の通知を受けた日から15日以内にその旨を記載した書面を地方厚生（支）局長に提出しなければならない。

（交付金の概算払）

9　こども家庭庁長官は、必要があると認める場合においては、国の支払計画承認額の範囲内において概算払をすることができる。

（実績報告）

10　この交付金の事業実績の報告は、次により行うものとする。

⑴　市町村長は、翌年度の６月末日（５の⑴により事業の中止又は廃止の承認を受けた場合には、当該承認通知を受理した日から１か月を経過した日）までに様式第７号による報告書を都道府県知事に提出するものとする。

⑵　都道府県知事は、市町村から⑴の報告書の提出があった場合には、必要な審査を行い、適正と認めたときはこれを取りまとめの上、様式第８号と併せて翌年度の７月末日までに、地方厚生（支）局長に提出するものとする。

（額の確定）

11　都道府県知事は、地方厚生（支）局長の確定通知があったときは、市町村に対し、様式第９号により、速やかに確定の通知を行うこと。

（交付金等の返還）

12　地方厚生（支）局長は、交付すべき交付金の額を確定した場合において、既にその額を超える交付金が交付されているときは、期限を定めて、その超える部分について国庫に返還することを命ずる。

（事業実績報告の訂正）

13　地方厚生（支）局長が額の確定を終了した後において、当該確定の基礎となった実績報告を訂正する事由が生じた場合の取扱いは、次により行うものとする。

⑴　市町村長は、実績報告を訂正する事由が生じたときは、様式第10号による報告書を速やかに都道府県知事に提出するものとする。

⑵　都道府県知事は、市町村から⑴の報告書の提出があった場合には、必要な審査を行い、適正と認めたときはこれを取りまとめの上、様式第11号と併せて速やかに地方厚生（支）局長に提出するものとする。

⑶　実績報告の訂正に伴うその他の手続等については、10に定めるところに準じて行うものとする。

（その他）

14　この交付金の交付に当たっては、上記に定めるところの他、以下によるものとする。

⑴　特別の事情により、本交付要綱に定める手続によることができない場合には、あらかじめ地方厚生（支）局長の承認を受けてその定めるところによるものとする。なお、この交付金について、精算交付申請を行う場合には、別途指示する期日までに10に定める様式及び手続に準じて行うものとする。

⑵　都道府県知事は、市町村長が都道府県知事に提出すべき市町村分交付金に係る各様式に定められている事項のほかに必要と認める事項を加えて定めることができるものとし、かつ、その提出時期についても必要と認めるときはこれを変更して定めることができるものとする。

⑶　都道府県知事が地方厚生（支）局長に提出すべき書類の部数は、全て正本一部とし、市町村長が都道府県知事に提出すべき書類の部数は、都道府県知事が定めるところによるものとする。

⑷　市町村長が都道府県知事に提出した市町村分交付金に係る書類は、全て都道府県において各会計年度毎に各書類の種別に分類し一括して保存するものとする。

様式　略

○子育てのための施設等利用給付支弁台帳について

〔令和元年11月22日　府子本第684号・元初幼教第10号・子少発1122第１号・子保発1122第１号・子子発1122第１号
各都道府県子ども・子育て支援新制度担当部(局)長宛　内閣府子ども・子育て本部参事官（子ども・子育て支援担当）・文部科学省初等中等教育局幼児教育課長・厚生労働省子ども家庭局総務課少子化総合対策室長・保育・子育て支援課長連名通知〕

子育てのための施設等利用給付については、「子育てのための施設等利用給付交付金交付要綱」に基づき交付金の交付が行われるところですが、今般、その所要額等の迅速かつ適正な把握のため、子育てのための施設等利用給付支弁台帳制度を下記のとおり設け、令和元年度の経理事務から適用することとしましたので通知します。

各都道府県におかれましては、貴管内市町村（特別区を含む。以下同じ。）に対して周知していただくようお願いします。

記

第１　子育てのための施設等利用給付支弁台帳の整備について

⑴　子育てのための施設等利用給付支弁台帳の作成の対象は、施設等利用費（次のアからウに掲げるものを除く。）とする。

ア　子ども・子育て支援法（平成24年法律第65号。以下「法」という。）第７条第10項第１号に規定する「認定こども園」のうち、都道府県（都道府県が単独で又は他の地方公共団体と共同して設立する公立大学法人を含む。以下同じ。）又は市町村（市町村が単独で又は他の地方公共団体と共同して設立する公立大学法人を含む。⑴において同じ。）が設置するもの

イ　法第７条第10項第２号に規定する「幼稚園」のうち、都道府県又は市町村が設置するもの

ウ　法第７条第10項第３号に規定する「特別支援学校」のうち、都道府県又は市町村が設置するもの

⑵　市町村は、支弁した⑴に掲げる施設等利用費について、次のアからエの項目を記載した書類を作成し、支弁台帳として整備すること。

なお、各市町村における経理処理及び電算処理上の便宜等の観点から、様式は指定しませんが、別添の参考様式を参考としながら、必要に応じて項目を追加したり、様式を加工したりするなどして適切に定めていただくようお願いします。

ア　施設等利用給付認定子ども（法第30条の８第１項に規定する施設等利用給付認定子どもをいう。以下同じ。）の氏名、生年月日、認定番号及び認定区分

イ　施設等利用給付認定保護者（法第30条の５第３項に規定する施設等利用給付認定保護者をいう。）の氏名及び住所

ウ　アの施設等利用給付認定子どもに係る月別の施設等利用費の支給額

エ　ウの施設等利用費の支給対象となった特定子ども・子育て支援施設等（法第30条の11第１項に規定する特定子ども・子育て支援施設等をいう。）の種類（当該特定子ども・子育て支援施設等の該当する法第７条第10項の「号」の番号）

第２　支弁台帳と交付金交付申請書等との関連について

子育てのための施設等利用給付交付金については、「子育てのための施設等利用給付交付金交付要綱」に基づき交付金の交付が行われるところですが、交付申請書及び実績報告書等の金額については、支弁台帳の金額に基づき、適正に処理していただくようお願いします。

様式　略

10　経　　理

○子ども・子育て支援法附則第６条の規定による私立保育所に対する委託費の経理等について

〔平成27年９月３日　府子本第254号・雇児発0903第６号
各都道府県知事宛　内閣府子ども・子育て本部統括官・厚生労働省雇用均等・児童家庭局長連名通知〕

注　平成30年４月16日府子本第367号・子発0416第３号改正現在

保育所の運営に要する費用については、平成27年４月施行の子ども・子育て支援新制度において、これまでの児童福祉法（昭和22年法律第164号）に基づく保育の実施に要する費用の支弁から、子ども・子育て支援法（平成24年法律第65号）に基づく費用の支弁が行われることとされたところである。

一方で、保育所における保育の実施については、子ども・子育て支援法及び就学前の子どもに関する教育、保育等の総合的な提供の推進に関する法律の一部を改正する法律の施行に伴う関係法律の整備等に関する法律（平成24年法律第67号）による改正後の児童福祉法第24条第１項により、引き続き、市町村の実施義務が堅持されたところであり、これに基づき、私立保育所に対しては、子ども・子育て支援法においても、引き続き、市町村からの委託費として運営に要する費用が支弁されることとされている。

そのため、この児童福祉法第24条第１項に由来する委託費については、その性格上、引き続き、一定の使途範囲を定めることとしており、今般、その運用について、下記のとおりの取扱いを行うこととし、平成27年度分の委託費から適用することとしたので、貴管下関係機関及び各私立保育所に対し、周知徹底方お願いする。

また、本通知に定める委託費の弾力運用は、適切な施設運営が確保されていることを前提として認められるものである。したがって、認可保育所及び保育制度に対する信頼と期待に十分に応えていくためには、保育所においては適切な保育を実施することが求められるとともに、併せて、行政庁においては指導監査の一層の徹底が求められるところであるので、本通知中「５　委託費の経理に係る指導監督」について特に配意願いたい。

なお、本通知の施行に伴い、平成12年３月30日児発第299号厚生省児童家庭局長通知「保育所運営費の経理等について」は、平成27年３月31日限りで廃止する。

記

１　委託費の使途範囲

(1)　子ども・子育て支援法（平成24年法律第65号）附則第６条第１項の規定により、市町村から私立保育所に対して支払われる委託費（以下単に「委託費」という。）のうち人件費については、保育所に属する職員の給与、賃金等保育所運営における職員の処遇に必要な一切の経費に支出されるもの、管理費については、物件費・旅費等保育所の運営に必要な経費（減価償却費加算の認定を受けている場合は、建物・設備及び機器器具等備品の整備・修繕、環境の改善等に要する経費、賃借料加算の認定を受けている場合は、建物に係る賃借料を含む。）に支出されるもの、事業費は、保育所入所児童の処遇に直接必要な一切の経費に支出されるものであること。

(2)　(1)に関わらず、人件費、管理費又は事業費については、保育所において次の要件のすべてが満たされている場合にあっては、各区分にかかわらず、当該保育所を経営する事業に係る人件費、管理費又は事業費に充てることができること。

①　児童福祉法（昭和22年法律第164号）第45条第１項の基準が遵守されていること。

②　委託費に係る交付基準及びそれに関する通知等に示す職員の配置等の事項が遵守されていること。

③　給与に関する規程が整備され、その規程により適正な給与水準が維持されている等人件費の運用が適正に行われていること。

④　給食について必要な栄養量が確保され、嗜好を生かした調理がなされているとともに、日常生活について必要な諸経費が適正に確保されていること。

⑤　入所児童に係る保育が保育所保育指針（平成20年３月28日厚生労働省告示第141号）を踏まえているとともに、処遇上必要な設備が整備されているなど、児童の処遇が適切であること。

⑥　運営・経営の責任者である理事長等の役員、施設長及び職員が国等の行う研修会に積極的に

参加するなど役職員の資質の向上に努めていること。

⑦　その他保育所運営以外の事業を含む当該保育所の設置者の運営について、問題となる事由がないこと。

(3)　(1)に関わらず、委託費については、(2)の①から⑦までに掲げる要件を満たす保育所にあっては、長期的に安定した施設経営を確保するため、以下の積立資産に積み立て、次年度以降の当該保育所の経費に充てることができること。

①　人件費積立資産（人件費の類に属する経費にかかる積立資産）

②　修繕積立資産（建物及び建物付属設備又は機械器具等備品の修繕に要する費用にかかる積立資産）

③　備品等購入積立資産（業務省力化機器をはじめ施設運営費・経営上効果のある物品を購入するための積立資産）

なお、各積立資産をそれぞれの積立目的以外に使用する場合は、事前に貴職に協議を求め、審査の上適当と認められる場合は、使用を認めて差し支えないこと。

(4)　(1)に関わらず、別表1に掲げる事業等のいずれかを実施する保育所であって、(2)の①から⑦までに掲げる要件を満たすものにあっては、当該事業を実施する会計年度において、委託費を(2)に掲げる経費又は(3)に掲げる積立資産への積立支出に加え、処遇改善等加算の基礎分（以下「改善基礎分」という。）として加算された額に相当する額の範囲内で、同一の設置者が設置する保育所等（保育所及び保育所以外の子ども・子育て支援法に規定する特定教育・保育施設及び特定地域型保育事業をいう。以下同じ。）に係る別表2に掲げる経費等に充てることができること。また、別表2の3の保育所等の施設・設備整備のための積立支出については、保育所の拠点区分（当該拠点区分においてサービス区分を設定している場合には、「積立金・積立資産明細書」の摘要欄にサービス区分名を記載すること）に「保育所施設・設備整備積立資産積立支出」の科目を設けて行い、貸借対照表の固定資産の部に「保育所施設・設備整備積立資産」を、純資産の部に「保育所施設・設備整備積立金」をそれぞれ設けて行うものとすること。

また、この保育所施設・設備整備積立資産を同一の設置者が設置する他の保育所等の施設・設備に充てようとする場合は、事前に貴職に協議を求め、審査の上、適当と認められる場合は、使用を認めて差し支えないこと。

(5)　(4)に掲げる弾力運用に係る要件を満たした上で、さらに、保育サービスの質の向上に関する下記の①から③の要件を満たすものにあっては、当該事業を実施する会計年度において、改善基礎分として加算された額に相当する額の範囲内で、同一の設置者が運営する子育て支援事業（子ども・子育て支援法第59条に規定する地域子ども・子育て支援事業及び同法第59条の2第1項に規定する仕事・子育て両立支援事業により助成を受けた企業主導型保育事業をいう。以下同じ。）に係る別表3に掲げる経費及び同一の設置者が運営する社会福祉施設等（「社会福祉法人が経営する社会福祉施設における運営費の使用及び指導について」（平成16年3月12日雇児発第0312001号、社援発第0312001号、老発第0312001号）別表3に掲げる施設をいう。以下同じ。）に係る別表4に掲げる経費等に充てることができること。

また、当該会計年度において、委託費の3か月分（当該年度4月から3月までの12か月分の委託費額の4分の1の額）に相当する額の範囲内（(4)の改善基礎分を含み、処遇改善等加算の賃金改善要件分（以下「改善要件分」という。）を除く。）まで、委託費を同一の設置者が設置する保育所等に係る別表5に掲げる経費及び同一の設置者が実施する子育て支援事業に係る別表3に掲げる経費等に充てることができること。なお、同一の設置者が実施する子育て支援事業への充当額は、拠点区分（当該拠点区分においてサービス区分を設定している場合には、サービス区分。以下同じ。）を設定している場合には、当該年度の支出に充当するため施設拠点区分から当該拠点区分へ繰り入れ支出し、拠点区分を設定していない場合には、当該支出額について書類により整理すること。

①　「社会福祉法人会計基準」（平成28年厚生労働省令第79号）に基づく資金収支計算書、事業区分資金収支内訳表、拠点区分資金収支計算書及び拠点区分資金収支明細書又は学校法人会計基準に基づく資金収支計算書及び資金収支内訳表もしくは企業会計による損益計算書及び「保育所の設置認可等について」（平成12年3月30日児発第295号）に定める貸借対照表、これら以外の会計基準により会計処理を行っている場合は、これらに相当する財務諸表（以下「計算書等」という。）を保育所に備え付け、閲覧に供すること。

②　毎年度、次のア又はイが実施されていること。

ア　第三者評価加算の認定を受け、サービスの質の向上に努めること。

イ　「社会福祉事業の経営者による福祉サービスに関する苦情解決の仕組みの指針について」（平成12年６月７日障第452号・社援第1352号・老発第514号・児発第575号）により、入所者等に対して苦情解決の仕組みが周知されており、第三者委員を設置して適切な対応を行っているとともに、入所者等からのサービスに係る苦情内容及び解決結果の定期的な公表を行うなど、利用者の保護に努めること。

③　処遇改善等加算の賃金改善要件（キャリアパス要件も含む。以下同じ。）のいずれも満たしていること。

(6)　(1)に関わらず、委託費については、(5)に掲げる弾力運用に係る要件を満たす保育所にあっては、長期的に安定した施設経営を確保するため、以下の積立資産に積み立て、次年度以降の当該保育所の経費に充てることができること。

①　人件費積立資産

②　保育所施設・設備整備積立資産（建物・設備及び機器器具等備品の整備・修繕、環境の改善等に要する費用、業務省力化機器をはじめ施設運営費・経営上効果のある物品の購入に要する費用、及び増改築に伴う土地取得に要する費用に係る積立資産）

なお、各積立資産についてそれぞれの目的以外に使用する場合は、事前に貴職（当該保育所の設置主体が社会福祉法人又は学校法人である場合は理事会）において、その使用目的、取り崩す金額、時期等を十分審査の上、当該保育所設置主体の経営上やむを得ないものとして承認された場合については使用して差し支えない。

2　処遇改善等加算の取扱い

「施設型給付費等に係る処遇改善等加算の取扱いについて（平成27年３月31日府政共生第349号・26文科初第1463号・雇児発0331第10号内閣府政策統括官（共生社会政策担当）・文部科学省初等中等教育局長・厚生労働省雇用均等・児童家庭局長連名通知）」による、処遇改善等加算Ⅰの賃金改善要件分及び処遇改善等加算Ⅱについては、職員の賃金改善に充てることとされているところであるが、当該通知のⅥの１の(2)のアの(ク)及び２の(2)のクにより、複数の施設を運営する事業者が、同一の事業者内の複数の施設・事業所間で配分する場合には、上記１によらず、当該通知において定めるところによる。

また、当該通知において、「職員１人当りの平均勤続年数が上昇することに伴い増加する基礎分に係る加算額については、適切に昇給等に充当すること。」とされている点にも留意すること。

なお、委託費には保育の質の向上のために消費税率引上げによる増収分が充てられており、また、「保育士確保プラン（平成27年１月14日公表（厚生労働省））」による保育士確保の取組が進められていること等を踏まえて、各保育所に対して、保育の質の向上及び保育士等の賃金改善に積極的に取り組むよう要請すること。

3　前期末支払資金残高の取扱い

(1)　前期末支払資金残高の取り崩しについては、事前に貴職に協議を求め、審査の上適当と認められる場合は、使用を認めて差し支えないこと。

なお、前期末支払資金残高については、自然災害その他止むを得ない事由によりその取崩しを必要とする場合又は取り崩す額の合計額がその年度の取崩しを必要とする施設に係る拠点区分の事業活動収入計（予算額）の３％以下である場合は事前の協議を省略して差し支えないこと。

(2)　前期末支払資金残高については、１(5)の要件を満たす場合においては、あらかじめ貴職（当該保育所の設置主体が社会福祉法人又は学校法人である場合は理事会）の承認を得た上で、当該施設の人件費、光熱水料等通常経費の不足分を補填できるほか、当該施設の運営に支障が生じない範囲において以下の経費に充当することができる。

なお、翌年度に前期末支払資金残高として取り扱うことができる当期末支払資金残高は、委託費の適正な執行により適正な保育所運営が確保された上で、長期的に安定した経営を確保するために将来発生が見込まれる経費を計画的に積み立てた結果において保有するものであり、過大な保有を防止する観点から、当該年度の委託費収入の30％以下の保有とすること。

①　当該保育所を設置する法人本部の運営に要する経費

②　同一の設置者が運営する社会福祉法（昭和26年法律第45号）第２条に定める第１種社会福祉事業及び第２種社会福祉事業並びに子育て支援事業の運営、施設設備の整備等に要する経費

③　同一の設置者が運営する公益事業（子育て支援事業を除く）の運営、施設設備の整備等に要する経費

(3)　企業会計の基準による会計処理をおこなっている者の支払資金は、企業会計の基準による貸借対照表の流動資産及び流動負債とし、その残高は流

動資産と流動負債の差額とする。ただし、１年基準により固定資産又は固定負債から振替えられた流動資産・流動負債、引当金並びに棚卸資産（貯蔵品を除く。）を除くものとする。また、当期末支払資金残高から前期末支払資金残高を差し引いた額が、当期資金収支差額合計になること。

4　委託費の管理・運用

⑴　委託費の管理・運用については、銀行、郵便局等への預貯金等安全確実でかつ換金性の高い方法により行うこと。

⑵　委託費の同一法人内における各施設拠点区分、本部拠点区分又は収益事業等の事業区分への資金の貸付については、当該法人の経営上やむを得ない場合に、当該年度内に限って認められるものであること。

なお、同一法人内における各施設拠点区分、本部拠点区分又は収益事業等の事業区分以外への貸付は一切認められないこと。

5　委託費の経理に係る指導監督

委託費の経理に係る指導監督については、社会福祉施設に対する指導監督に係る関係通知と併せ、以下の点を徹底されたいこと。

⑴　設置者から提出された計算書等及び現況報告書については、厳正に審査確認を行うこと。特に、計算書等については、各事業区分、拠点区分ごとの審査はもちろんのこと、各事業区分、拠点区分間及び経年の整合性についても審査を徹底されたいこと。なお、経理の審査に際しては、「1　委託費の使途範囲」の⑵①から⑦までに掲げる要件が充足されているかどうかを併せて確認すること。

⑵　設置者から提出された計算書等が以下のいずれかに該当する場合については、別表６の収支計算分析表の提出を求め、「1　委託費の使途範囲」から「4　委託費の管理・運用」までに示された事項の遵守状況を確認すること。特に、「1　委託費の使途範囲」の⑵①から⑦までに掲げる要件が充足されているかどうかをはじめ入所児童の処遇の状況を十分に確認すること。

①　1の⑷による別表２の経費等への支出の合計額が改善基礎分を超えている場合

②　1の⑸による別表３及び別表４の経費等への支出の合計額が改善基礎分を超えている場合又は別表３及び別表５の経費等への支出の合計額が委託費の３か月分に相当する額を超えている場合

③　保育所に係る拠点区分から、「1　委託費の使途範囲」から「4　委託費の管理・運用」までに定める以外の支出が行われている場合

④　委託費に係る当該会計年度の各種積立資産への積立支出及び当期資金収支差額合計が、当該施設に係る拠点区分の事業活動収入計（決算額）の５％相当額を上回る場合

⑶　⑵の結果、「1　委託費の使途範囲」から「4　委託費の管理・運用」までに定める以外の支出が行われていた場合には、４月分から翌年３月分までの間で貴職が適当と認める間の改善基礎分全額について加算を停止するものとすること。

なお、加算を停止した施設であっても、別表１に掲げる事業等のいずれかを実施する保育所であって、「1　委託費の使途範囲」の⑵の①から⑦までに掲げる要件を満たすものについては、改善基礎分が加算されたものと仮定して、別表２に掲げる経費等への充当を行って差し支えないこと。

⑷　入所児童の処遇等に不適切な事由が認められる場合には改善計画を徴する等により速やかに当該事由の解消が図られるよう強力に指導すること。

これら入所児童の処遇等に係る指摘事項について、改善措置が講じられない場合は、改善措置が講じられるまでの間で貴職が必要と認める期間、改善基礎分の管理費相当分若しくは人件費相当分又はその両者を減ずること。ただし、遡及適用は行わないこと。

⑸　入所児童の処遇に影響を及ぼすような悪質なケース等の場合には、新規入所児童の委託の停止、既入所児童に対する施設の変更の勧奨、事業の停止、施設認可の取消等についても検討すること。また、事案の内容に応じて、以上の措置に加え、当該不祥事の関係者はもちろんのこと、設置主体の責任者、施設管理者等の責任を明確にし、関係者の氏名の公表等も検討すること。

この際、特に必要と認められる場合には、事前に保育所に連絡することなく児童福祉法第46条第１項に規定する調査を行うことも考慮されたいこと。

6　措置費等の取扱い

私立保育所（保育所型認定こども園を除く。）が児童福祉法第24条第５項又は第６項に基づく措置に基づく費用（以下「措置費」という。）、又は、子ども・子育て支援法（平成24年法律第65号）に基づく特例施設型給付費の支弁を受けた場合には、当該特例施設型給付費の支給に係る保護者から徴収する利用者負担と合わせて、運営費に含めて本通知の適用を受けるものであること。

なお、私立保育所（保育所型認定こども園を除く。）

以外の施設・事業において措置費の支弁を受けた場合には、本通知における委託費の使途の取扱いの趣旨を踏まえて対応するよう要請すること。

7　平成26年度末時点において生じた繰越金等の取扱い

平成26年度末時点で私立保育所として運営していた施設で、平成27年度以降も引き続き私立保育所（保育所型認定こども園を除く。）として運営する施設における平成26年度末時点の保育所運営費を財源とした各種積立資産及び支払資金残高については、平成27年度以降、本通知に基づく運用を行うこと。

8　その他

本通知中に示した使途等に係る取扱いは、委託費について適用されるものであり、委託費以外の収入については適用されないものであること。

なお、委託費以外の収入のうち、国庫補助事業に基づく補助金等については、その事業に応じ、補助金等に係る予算の執行の適正化に関する法律（昭和30年法律第179号）その他の関係法令及び当該事業の補助要綱等に示された要件の適用があるものであること。

別表１

1　「延長保育事業の実施について」（平成27年７月17日雇児発0717第10号厚生労働省雇用均等・児童家庭局長通知）に定める延長保育事業及びこれと同様の事業と認められるもの

2　「一時預かり事業の実施について」（平成27年７月17日27文科初第238号、雇児発0717第11号文部科学省初等中等教育局長、厚生労働省雇用均等・児童家庭局長通知）に定める一時預かり事業

ただし、当分の間は平成21年６月３日雇児発第0603002号本職通知「『保育対策等促進事業の実施について』の一部改正について」以前に定める一時保育促進事業の要件を満たしていると認められ、実施しているものも含むこととされること

3　乳児を３人以上受け入れている等低年齢児童の積極的な受入れ

4　「地域子育て支援拠点事業の実施について」（平成26年５月29日雇児発0529第18号厚生労働省雇用均等・児童家庭局長通知）に定める地域子育て支援拠点事業又はこれと同様の事業と認められるもの

5　集団保育が可能で日々通所でき、かつ、「特別児童扶養手当等の支給に関する法律」（昭和39年法律第134号）に基づく特別児童扶養手当の支給対象障害児（所得により手当の支給を停止されている場合を含む。）の受入れ

6　「家庭支援推進保育事業の実施について」（平成25年５月16日雇児発0516第５号厚生労働省雇用均等・児童家庭局長通知）に定める家庭支援推進保育事業又はこれと同様の事業と認められるもの

7　休日保育加算の対象施設

8　「病児保育事業の実施について」（平成27年７月17日雇児発0717第12号厚生労働省雇用均等・児童家庭局長通知）に定める病児保育事業又はこれと同様の事業と認められるもの

別表２

1　保育所等の建物、設備の整備・修繕、環境の改善等に要する経費（保育所等を経営する事業に必要なものに限る。以下２及び３において同じ。）

2　保育所等の土地又は建物の賃借料

3　以上の経費に係る借入金（利息部分を含む。）の償還又は積立のための支出

4　保育所等を経営する事業に係る租税公課

別表３

1　子育て支援事業を実施する施設の建物、設備の整備・修繕、環境の改善及び土地の取得等に要する経費（子育て支援事業に必要なものに限る。以下２において同じ。）

2　１の経費に係る借入金（利息部分を含む。）の償還又は積立のための支出

別表４

1　社会福祉施設等の建物、設備の整備・修繕、環境の改善、土地の取得等に要する経費（社会福祉施設等を経営する事業に必要なものに限る。以下２及び３において同じ。）

2　社会福祉施設等の土地又は建物の賃借料

3　以上の経費に係る借入金（利息部分含む。）の償還又は積立のための支出

4　社会福祉施設等を経営する事業に係る租税公課

別表５

1　保育所等の建物、設備の整備・修繕、環境の改善、土地の取得等に要する経費（保育所等を経営する事業に必要なものに限る。以下２及び３において同じ。）

2　保育所等の土地又は建物の賃借料

3　以上の経費に係る借入金（利息部分含む。）の償還

4　保育所等を経営する事業に係る租税公課

別表６

平成　　年度収支計算分析表

収入		支出		差引過△不足額（①−②）
科目	金額（円）①	科目	金額（円）②	
1　委託費収入		14　人件費支出		
（改善基礎分を除く。）		(1)　職員給料支出		
(1)　人件費（改善基礎分を除く。）		(2)　職員賞与支出		
(2)　事業費		(3)　非常勤職員給与支出		
(3)　管理費（改善基礎分を除く。）		(4)　派遣職員費支出		
2　私的契約利用料収入		(5)　退職給付支出		
3　その他の事業収入		(6)　法定福利費支出		
4　人件費積立資産取崩収入		15　事業費支出		
5　修繕積立資産取崩収入		(1)　給食費支出		
6　備品等購入積立資産取崩収入		(2)　保健衛生費支出		
7　保育所施設・設備整備積立資産取崩収入		(3)　保育材料費支出		
		(4)　水道光熱費支出		
		(5)　燃料費支出		
		(6)　消耗器具備品支出		
		(7)　保険料支出		
		(8)　賃借料支出		
		(9)　車両費支出		
		(10)　雑支出		
		16　事務費支出		
		(1)　福利厚生費支出		
		(2)　職員被服費支出		
		(3)　旅費交通費支出		
		(4)　研修研究費支出		
		(5)　事務消耗品費支出		
		(6)　印刷製本費支出		
		(7)　水道光熱費支出		
		(8)　燃料費支出		
		(9)　修繕費支出		
		(10)　通信運搬費支出		
		(11)　会議費支出		
		(12)　広報費支出		
		(13)　業務委託費支出		
		(14)　手数料支出		
		(15)　保険料支出		

		⒃ 賃借料支出 ⒄ 保守料支出 ⒅ 雑支出		
		17 人件費積立資産支出 18 修繕積立資産支出 19 備品等購入積立資産支出 20 保育所施設・設備整備積立資産支出		
9 当期資金収支差額合計（欠損金）		21 当期資金収支差額合計		
１から９までの小計		14から21までの小計		
10 委託費収入のうち改善基礎分 11 国庫補助事業に係る施設整備補助金収入 12 国庫補助事業に係る設備整備補助金収入 13 22及び23の経費に係る積立資産取崩収入		22 固定資産取得支出のうち施設の整備等に係る支出 23 土地・建物賃借料支出 24 22及び23の経費に係る借入金利息支出 25 22及び23の経費に係る借入金償還支出 26 22及び23の経費に係る積立資産支出 27 租税公課		
10から13までの小計		22から27までの小計		
合計		合計		

※ 14から27の経費等に係る借入金収入がある場合には、その受入額についても収入欄に計上すること。

○「子ども・子育て支援法附則第６条の規定による私立保育所に対する委託費の経理等について」の取扱いについて

〔平成27年９月３日　府子本第255号・雇児保発0903第１号
各都道府県子ども・子育て支援新制度担当部(局)長宛　内閣府子ども・子育て本部参事官（子ども・子育て支援担当）・厚生労働省雇用均等・児童家庭局保育課長連名通知〕

本日、平成27年９月３日府子本第254号、雇児発0903第６号「子ども・子育て支援法附則第６条の規定による私立保育所に対する委託費の経理等について」（以下「経理等通知」という。）が施行されたところであるが、この取扱いについては、次の事項に留意されたい。

なお、本通知の施行に伴い、平成12年３月30日児発第12号厚生省児童家庭局保育課長通知「『保育所運営費の経理等について』の取扱いについて」は、平成27年３月31日限りで廃止する。

記

1　経理等通知の前文において「適切な施設運営が確保されている」とは、施設の運営状況について、経理等通知の１の(2)の①から⑦までに掲げる要件すべてが満たされていることをいうこと。

2　経理等通知の１の(2)において「人件費、管理費又は事業費」とは、保育所を経営する事業に係る経費であって、「社会福祉法人会計基準の運用上の取扱い等について」（平成23年７月27日雇児総発0727第３号、社援基発0727第１号、障障発0727第２号、老総発0727第１号）に定める別紙１「社会福祉法人会計基準適用上の留意事項（運用指針）」中、別添３の資金収支計算書勘定科目において事業活動による支出に設けられている科目のうち、経理等通知別表６の収支計算分析表において、それぞれ人件費支出、事務費支出及び事業費支出として掲げた科目を指す。

3　経理等通知の１の(2)の③における「適正な給与水準」の判断に当たっては、次のような事項に留意されたいこと。

(1)　正規の手続きを経て給与規程が整備されていること。

(2)　施設長及び職員の給与が、地域の賃金水準と均衡がとれていること。

(3)　初任給、定期昇給について職員間の均衡がとれていること。

(4)　一部職員にのみ他の職員と均衡を失する手当が支給されていないこと。

(5)　各種手当は給与規程に定められたものでありかつ手当額、支給率が適当であること。

4　新たに保育所を経営する事業を行う設置者については、概ね１年間程度資金計画及び償還計画を着実に履行している場合に、経理等通知の１の(4)から(6)までに関して、既に保育所を経営している他の設置者と同様の取扱いが認められること。

5　経理等通知の１の(3)及び(4)並びに３の(1)に関して、各積立資産をそれぞれの積立目的以外に使用する場合又は前期末支払資金残高を取り崩して使用する場合は、使途範囲がその施設の運営や入所児童の処遇に必要な経費又は同通知１の(4)による別表２に係る経費等であれば、取崩しを認めて差し支えないこと。「その施設の運営や入所児童の処遇に必要な経費」とは、具体的には、次のような事例が考えられること。

(1)　人件費、光熱水料等通常経費の不足分の補填

(2)　建物の修繕、模様替え等

(3)　建物附属設備の更新

(4)　省力化機器並びにソーラーシステム、集中冷暖房、給湯設備、フェンス、スプリンクラー、防火設備等の設備の整備

(5)　花壇、遊歩道等の環境の整備、その施設の用に供する駐車場、道路の舗装等

(6)　登所バス等の購入、修理等

なお、経理等通知１の(6)に関して、目的以外に使用する場合とは、保育所施設・設備整備積立資産を同一の設置者の当該保育所以外の社会福祉施設等（「社会福祉法人が経営する社会福祉施設における運営費の運用及び指導について」（平成16年３月12日雇児発第0312001号、社援発第0312001号、老発第0312001号）別表３に掲げる施設、子ども・子育て支援法に規定する特定教育・保育施設及び特定地域型保育事業をいう。）の新築又は増改築に係る経費（土地取得費を含む。）に充当する等法人の経営上やむを得ない場合に限られるものであること。

6　経理等通知の４の(1)における「安全確実でかつ換金性の高い方法」として、銀行、郵便局、農業協同組合等への預貯金のほか、国債、地方債、信託銀行への金銭信託等元本保障のある方法が考えられるが、株式投資、商品取引等リスクが大きいものは認

められないこと。

７　経理等通知の別表２において「保育所等の建物、設備の整備・修繕、環境の改善等」とは、保育所等の建物（保育所等を経営する事業を行う上で不可欠な車庫、物置及び駐車場等を含む。）及び建物附属設備の整備、修繕並びに模様替、並びに、入所者処遇上必要な屋外遊具、屋外照明、花壇、門扉塀の整備等の環境の改善を指し、土地取得費や保育所等以外の建物・設備の整備、修繕等は含まないこと。

８　経理等通知の別表３において「子育て支援事業を実施する施設の建物、設備の整備・修繕、環境の改善及び土地の取得等」とは、子育て支援事業を実施する施設の建物（子育て支援事業を行う上で不可欠な車庫、物置及び駐車場等を含む。）及び建物附属設備の整備、修繕並びに模様替、並びに、事業対象者の処遇上必要な屋外遊具、屋外照明、花壇、門扉塀の整備等の環境の改善や土地の取得を指し、子育て支援事業を実施する施設以外の建物・設備の整備、修繕等は含まないこと。

９　経理等通知により委託費の使途等の取扱いが改められたことに伴い、施設設置法人への寄付を前提に幹部職員の給与額を設定して当該幹部職員がその一部を当該法人に寄付することにより施設整備等に係る借入金の償還を進めるといった事例があった場合にはこれが速やかに解消されるよう、指導等において配慮すること。

○「子ども・子育て支援法附則第６条の規定による私立保育所に対する委託費の経理等について」の運用等について

（平成27年９月３日　府子本第256号・雇児保発0903第２号
各都道府県子ども・子育て支援新制度担当部(局)長宛　内閣府子ども・子育て本部参事官（子ども・子育て支援担当）・厚生労働省雇用均等・児童家庭局保育課長連名通知）

注　平成29年４月６日府子本第228号・雇児保発0406第１号改正現在

子ども・子育て支援法附則第６条の規定による私立保育所に対する委託費の経理等については、「子ども・子育て支援法附則第６条の規定による私立保育所に対する委託費の経理等について」（平成27年９月３日府子本第254号、雇児発0903第６号）及び「『子ども・子育て支援法附則第６条の規定による私立保育所に対する委託費の経理等について』の取扱いについて」（平成27年９月３日府子本第255号、雇児保発0903第１号）等によりお示ししているところであるが、今般、以下のとおり問答を取りまとめたので、御了知いただくとともに、貴管下関係機関及び保育所に対して周知徹底を図られるよう、お願い申し上げる。

なお、本通知の施行に伴い、平成12年６月16日児発第21号厚生省児童家庭局保育課長通知「『保育所運営費の経理等について』の運用等について」は、平成27年３月31日限りで廃止する。

○この通知における用語の定義は、次のとおりとする。

用　語	定　　義
委託費	子ども・子育て支援法（平成24年法律第65号）附則第６条第１項の規定により、市町村から私立保育所に対して支払われる委託費
経理等通知	「子ども・子育て支援法附則第６条の規定による私立保育所に対する委託費の経理等について」（平成27年９月３日府子本第254号、雇児発0903第６号）
新会計基準	「社会福祉法人会計基準の制定について」（平成23年７月27日雇児発0727第１号、社援発0727第１号、老発0727第１号通知）
運用指針	「社会福祉法人会計基準の運用上の取扱い等について」（平成23年７月27日雇児総発0727第３号、社援基発0727第１号、障障発0727第２号、老総発0727第１号通知）別紙１
雇児発第0312001号通知	「社会福祉法人が経営する社会福祉施設における運営費の運用及び指導について」（平成16年３月12日雇児発第0312001号通知）
改善基礎分	処遇改善等加算の基礎分
経理等取扱通知	「『子ども・子育て支援法附則第６条の規定による私立保育所に対する委託費の経理等について』の取扱いについて」（平成27年９月３日府子本第255号、雇児保発0903第１号）

（問１）　経理等通知を適用するためには、新会計基準に基づく経理処理を行わなければならないのか。

（答）

委託費の経理処理に当たっては、保育所を経営するそれぞれの法人種別に応じた会計処理を行うことになり、社会福祉法人が経営する保育所の経理処理に当たっては、平成27年４月１日より新会計基準により処理することとなる。

また、個人立など公的な会計基準のない施設においては、新会計基準により処理することが基本となる。

（問２）　経理等通知の１⑶に関して、人件費積立資産、修繕費積立資産及び備品等購入積立資産についての繰入限度額が示されていないが、単年度繰入限度額及び累積限度額ともに繰入限度額はないと考えてよいのか。

（答）

これら三種の積立資産について、単年度繰入額及び累積限度額ともに制限を設けていない。これは、これらの取扱いについて行政的に一律に制限を設けるのではなく、第一義的には運営主体内部の合理的な判断に委ねるべきという考え方からである。したがって、単年度繰入額及び累積限度額の如何について行政が運営主体に対して何らかの指摘をすることは通常予定されていないが、これらの額が合理的な範囲を著しく逸脱しているような例外的場合においては、まず運営主体内部で適正化が行われるよう行政として注意喚起するなどの行為は妨げられないものと解すべきである。

なお、単年度の積立支出及び当期資金収支差額合計が当該施設に係る拠点区分（当該拠点区分においてサービス区分を設定している場合には、サービス区分。以下同じ。）の事業活動収入の５％を上回る場合は、経理等通知の５⑵④により、収支計算分析表の提出を要することとなる。

（問３）　経理等通知の１⑷及び別表２に関して、同通知の５⑶の規定により、改善基礎分の加算停止となっている場合にも、経理等通知の別表２に掲げる経費に充てることができるか。

（答）

経理等通知の５⑶のなお書きに規定するとおり、経理等通知の別表１に掲げる事業等のいずれかを実施する保育所であって同通知の１の⑵の①から⑦までに掲げる要件を満たすものについては、改善基礎分が加算されたものと仮定してこれを行って差し支えない。

（問４）　経理等通知の１⑷及び別表２に関して、平成12年３月30日以前において、老人デイサービス事業に係る建物の整備費の借入金の償還を、保育所の施設会計からの法人本部会計繰入により毎年度計画的に行ってきたが、従来どおりこれを行ってよいか。

（答）

経理等通知においては、一定の範囲での充当先は同一の設置者が設置する保育所等及び同一設置者が実施する子育て支援事業に係る経費等に限定しているところである。ただし、平成12年３月30日において、既に同一法人が運営する他の社会福祉施設の整備に係る借入金の償還金に現に充当している場合又は充当することとした償還計画が確定している場合であって、償還財源の切替え等の検討を十分に行った上、それでもやむを得ない場合は、当該償還金の額の範囲において充当を行うことは経過的に認められるものとする。

（問５）　経理等通知に「保育所の土地又は建物の賃借料」とあるが、敷金等を含むのか。

（答）

経理等通知にいう「賃借料」とは、賃借に伴って必然的に生ずる対価のことをいうものであって、敷金、礼金、更新料等も含まれ得る。

（問６）　経理等通知に「土地又は建物の賃借料」とあるが、従来、理事長から無償貸与されていた土地について、賃借契約を締結し、賃借料を支払うことができるか。

（答）

従来から無償貸与されていた場合は、貸し主が変更になる等の特段の事情がなければ、そのまま無償貸与とすることが望ましい。

（問７）　経理等通知の１⑷、⑸及び別表２に関して、平成11年度以前の借入金の償還金も対象となるのか。

（答）

平成11年度以前の借入金に係る平成12年度以降の償還金に対して、充当することは可能である。

（問８）　経理等通知の保育所施設・設備整備積立預金の経理上の取扱いはどのようになるのか。

（答）

１　保育所については、各施設ごとに積立金・積立資産の累計額が把握できるよう、それぞれの拠点区分ごとに各積立金・積立資産の累計額に係る明細表を作成（当該拠点区分においてサービス区分を設定している場合には、摘要欄にサービス区分名を記載すること。）することとされている（運用指針19(1)）。したがって、複数の保育所を経営している場合にあっては、「保育所施設・設備整備積立金」及び「保育所施設・設備整備積立資産」について、各保育所の拠点区分において積立支出された額の累計額を当該拠点区分ごとの積立（資産）金累計額として明細表を作成することとなる。

2　保育所の増改築を行う場合には、増改築を行う当該保育所に係る拠点区分において、施設・設備整備を行う年度に、当該拠点区分に係る積立金累計額の範囲で積立金を取り崩し、「保育所施設・設備整備積立資産取崩収入」を計上して施設・設備整備費に充てることとなる。

3　「保育所施設・設備整備積立資産」の各保育所の拠点区分ごとの積立金累計額は一義的には、当該拠点区分に係る保育所の増改築に充てることを目的とした積立金であることから、同一の設置者が設置する他の保育所等の増改築又は創設に充てようとする場合には、

①　経理等通知の1(4)により、積立目的以外に使用するものとして事前に協議を求め、当該増改築又は創設に充てられることを確認する等の審査を行って適当と認められる場合

②　経理等通知の1(6)により事前に貴職（当該保育所の設置主体が社会福祉法人である場合は理事会）において承認された場合

には、当該増改築又は創設に必要な額を積立金から取り崩して「保育所施設・設備整備積立資産取崩収入」に計上した上で、当該増改築又は創設に係る保育所等の拠点区分に繰り入れて使用することを認めて差し支えない。

4　保育所の創設の場合には、施設・設備整備を行う年度に、創設される保育所に係る拠点区分を設け、当該拠点区分に「保育所施設・設備整備積立資産取崩収入」を繰り入れて使用することとなる。

5　なお、保育所施設・設備整備積立資産から土地取得に要する費用を取り崩すことができるのは、当該保育所の増改築に係る計画について、都道府県知事（当該保育所の設置主体が社会福祉法人である場合は理事会）の承認を得るとともに、都道府県及び市町村など関係行政機関との事前協議及び地元調整が終了しており、施設の整備が確実な場合に限るものとする。

（問９）　経理等通知の別表２等における租税公課とは具体的には何を指すのか。

（答）

保育所の運営に関して、個人立の保育所の場合に課せられる所得税、営利法人立の保育所の場合に課せられる法人税等が考えられる。

（問10）　経理等通知の1(5)に関して「同一の設置者が実施する子育て支援事業」とあるが、具体的にどのような事業をいうのか。

（答）

子育て支援事業とは、子ども・子育て支援法第59条に規定する地域子ども・子育て支援事業及び同法第59条の２第１項に規定する仕事・子育て両立支援事業により助成を受けた企業主導型保育事業をいい、例えば、保育所と一体的に運営している児童館等において実施される子育て支援事業についても、ここでいう子育て支援事業に該当するものとして差し支えない。

子育て支援事業に該当するかどうかについては、国の補助を受けて実施している事業に限るものではなく、国の補助を受けていなくても、同内容の事業を実施している場合には該当することとなる。また実施している事業がこうした事業名で呼ばれていない場合でも、事業内容が同様であれば子育て支援事業に該当することとなる。

したがって、子育て支援事業に該当するかどうかについては、事業内容に即して判断する点に留意されたい。

（問11）　経理等通知の1(5)の②アに関して、第三者評価の受審及び結果の公表は、具体的にどのように行うのか。

（答）

1　第三者評価の受審は、自己評価、利用者の意向及び第三者評価機関によるサービスの質の向上や経営の改善を図るためのものであり、その結果が次年度の事業計画に反映されていること。

このため、原則として局長通知の1(5)の②の通知（「福祉サービス第三者評価事業に関する指針について」（平成16年５月７日雇児発第0507001号、社援発第0507001号、老発第0507001号））で示す指針に基づく第三者評価を受審し、公表すること。

2　第三者評価の結果の公表については、保育サービスの利用者のみならず、一般に対しても、ホームページ及び広報誌等の活用などにより行うこと。

（問12）　経理等通知の1(5)の②イに関して、「入所者等に対する苦情解決処理の仕組みの周知」、「第三者委員の設置」及び「入所

者等からのサービスに係る苦情内容及び解決結果の定期的な公表」は具体的にどのように行うか。

（答）

1　入所者等に対する苦情解決処理の仕組みの周知については、施設に配置される苦情解決責任者が、施設内への掲示、パンフレットの配布等により、苦情解決責任者、苦情受付担当者及び第三者委員の氏名や連絡先並びに苦情解決の仕組みについて周知し、随時、入所者等からの苦情を受け付けていること。

2　第三者委員の設置については、苦情解決に社会性や客観性を確保し、利用者の立場や特性に配慮した適切な対応を推進するため、苦情解決を円滑・円満に図ることができる者又は世間からの信頼性を有する者を設置し、定期的に第三者委員会を開催するなど、迅速な対応を行っていること。

3　入所者等からのサービスに係る苦情内容及び解決結果の定期的な公表については、保育サービスの利用者のみならず、一般に対しても、ホームページ及び広報誌等の活用などにより行うこと。

（問13）　経理等通知の2⑴及び3⑵に関して、当該保育所を設置する「法人本部の運営に要する経費」の対象範囲は、具体的にどこまで認められるのか。

（答）

前期末支払資金残高を当該保育所を設置する法人本部の運営に要する経費として支出できる対象経費は、当該保育所設置法人の事務費であって、社会福祉法人会計基準に定める本部拠点区分資金収支計算書及び社会福祉事業区分資金収支内訳表の本部拠点区分の勘定科目大区分「人件費支出」及び「事務費支出」に相当する経費とし、いずれも保育所の運営に関する経費に限り認められるものであること。なお、「事務費支出」には、会計監査人の設置に要する費用を含めて差し支えない。

また、役員報酬については対象経費として差し支えないが、役員報酬規定等を整備した上で、勤務形態に即して支給しているものであること。

（問14）　経理等通知の4⑵に関して、「当該法人の経営上止むを得ない場合」とは具体的にどのような状況をいうのか。

（答）

具体的には、次のような事例が考えられる。

1　当該法人内の他の施設拠点区分において補助金収入（措置費及び委託費を含む。）の遅れ等により、資金不足が生じた場合

2　当該法人内の施設拠点区分において都道府県補助金収入が予定より遅れたため、資金不足を生じた場合

3　当該法人内の収益事業において、一時的な資金不足が生じた場合

なお、いずれの場合においても真に止むを得ないと認められる場合であって、かつ当該年度内に返済が確実である場合に限られるものである。

（問15）　経理等通知の4⑵に関して、本部拠点区分への貸付の対象範囲は、具体的にどこまで認められるのか。

（答）

委託費等の同一法人内における貸付のうち、本部拠点区分に対しての貸付について、社会福祉法人会計基準に定める本部拠点区分資金収支計算書及び社会福祉事業区分資金収支内訳表の本部拠点区分の勘定科目大区分「人件費支出」及び「事務費支出」に相当する経費とし、いずれも社会福祉事業、公益事業又は収益事業に関する経費に限り認められるものであること。

（問16）　経理等通知の5⑶に関して、事業年度の翌年度に使途範囲に定める以外の支出等が判明した場合の改善基礎分の加算停止は、使途範囲に定める以外の支出等があった年度における改善基礎分を加算停止するのか。それとも判明した年度における改善基礎分を加算停止するのか。

（答）

経理等通知の5⑶に基づく改善基礎分の加算停止は、設置者から提出された財務諸表に基づいて判断するため、例えば、平成12年度の財務諸表を平成13年度に確認した結果、使途範囲に定める以外の支出等が判明した場合は、平成13年の4月から平成14年3月までの改善基礎分加算を停止することとなる。

また、年度途中の監査等により、入所児童の処遇等に不適切な事由が認められる場合は、同通知の5⑷に基づき、年度途中から改善措置が講じられるまでの間であって必要と認められる期間、改善基礎分の管理費加算分等の減額を行うことが可能である。

（問17）　経理等通知の6に関して、運用収入の取扱い如何。

（答）

運用収入については制限を設けていない。

（問18）　経理等通知の1(4)、(5)及び別表2に関して、「保育所等の土地又は建物の賃借料」には、駐車場も含まれるのか。

（答）

保護者の送迎用の駐車場については、保護者全員が利用するものでないことから、利用する児童の保護者からその実費を徴収することが原則であるが、適正な施設運営が確保されている保育所等において、保育所等周辺の交通事情等により地域住民等から駐車場の設置が求められ、保育所等として駐車場の賃借が必要となった場合には、経理等通知の別表2の「保育所等の土地又は建物の賃借料」に含まれるものとして、同通知の1の(4)及び(5)により、支出が可能である。

（問19）　登所バス以外の行事を目的とした車の購入に委託費を充てることは可能か。

（答）

登所バス以外の行事を目的とした車の購入については、都道府県、市町村において使用目的、使用度などの判断を十分加えた上で、備品等購入積立資産及び当期末支払資金残高を充てることとして差し支えない。

なお、登所に用いるバスやワゴンについては、「保育所入所手続き等に関する運用改善等について」（平成8年6月28日児保第12号）の第1の問10及び11に定めるとおりである。

（問20）　経理等通知3(2)の当期末支払資金残高について、「当該年度の委託費収入の30％以下の保有とすること。」とは、どういうことか。

（答）

「当該年度の委託費収入の30％以下の保有とすること。」とは、A年度決算時に計上されている当期末支払資金残高について、当該施設がA年度に受け入れた委託費収入の30％以下であることをいう。

（問21）　経理等通知3(2)について、当期末支払資金残高が、当該年度の委託費収入の30％を超える場合の取扱い如何。

（答）

当期末支払資金残高が、当該年度の委託費収入の30％を超えている場合は、将来発生が見込まれる経費を積立預金として積み立てるなど、長期的に安定した経営が確保できるような計画を作るよう指導を行い、それでもなお、委託費収入の30％を超えている場合については、超過額が解消されるまでの間、改善基礎分について加算を停止すること。

（問22）　特例施設型給付費の支弁を受けた場合における経理等通知の1(4)(5)の「改善基礎分相当額」、1(5)の「委託費の3か月分に相当する額」の算定はどのようになるのか。

（答）

私立保育所が特例施設型給付費の支弁を受けた場合は、経理等通知の6により当該特例施設型給付費及び保護者から徴収する利用者負担と合わせて経理等通知の適用を受けることになるが、処遇改善等加算は利用者負担に含まれていないことから、1(4)及び(5)における「改善基礎分相当額」については、委託費と特例施設型給付費との差違はない。

また、特例施設型給付費の場合の1(5)の「委託費の3か月分に相当する額」は、当該年度の4月から3月までの12か月の市町村の特例施設型給付費の支弁額及び当該特例施設型給付費の支給に係る保護者から徴収する利用者負担の額の合計の4分の1の額となる。

（問23）　児発第299号通知の別表2及び別表5に関して、保育所等の建物の整備等に要する経費や賃借料、また、保育所等の土地の取得（別表5に限る。）や賃借料に充てられることとされているが、職員用の宿舎や駐車場の整備等に充てることはできるか。

（答）

職員用の宿舎や駐車場等に係る経費は、基本的には法人や職員からの賃借料等により賄われるものであるが、地域の雇用情勢や、地域の交通事情等により、保育士の確保に支障が生じる等の事情がある場合には、これらの整備等に充てて差し支えない。

○令和５年度における私立保育所の運営に要する費用について

〔令和５年６月21日　こ成保第59号
各都道府県子ども・子育て支援制度担当部(局)長宛　こども家庭庁成育局保育政策課長通知〕

注　令和５年12月８日こ成保第186号改正現在

標記については、市町村からの委託費として運営に要する費用が支給されることとされており、その性格上、一定の使途範囲が定められている。その適切な運用のため、令和５年度における公定価格の基本分単価等の内訳について下記のとおり通知する。

記

公定価格の基本分内訳

基本分単価＝事務費（人件費、管理費）＋事業費

1　事業費関係

一般生活費

・３歳未満児　児童１人月額　１万812円

・３歳以上児　　〃　　1868円

2　管理費関係

基本分単価に含まれている管理費

別紙「基本分単価に含まれている管理費」のとおり

3　人件費関係

令和５年度保育所職員の本俸基準額及び特殊業務手当基準額

職種	格付	本俸基準額	特殊業務手当基準額
所長	(福)　２―33	266,300円	―
主任保育士	(福)　２―17	251,940円	9,300円
保育士	(福)　１―29	218,892円	7,800円
調理員等	(行二)　１―37	192,200円	―

職種	人件費（年額）				
	20/100地域	16/100地域	15/100地域	12/100地域	10/100地域
所長	575万円	556万円	551万円	537万円	527万円
主任保育士	548万円	530万円	525万円	512万円	503万円
保育士	470万円	455万円	451万円	439万円	432万円
調理員等	400万円	387万円	384万円	374万円	367万円

職種	人件費（年額）			
	６/100地域	３/100地域	その他地域	全国平均
所長	508万円	493万円	479万円	513万円
主任保育士	485万円	471万円	457万円	489万円
保育士	416万円	404万円	393万円	420万円
調理員等	354万円	344万円	334万円	357万円

(注)１　この表は、私立保育所への委託費に係る予算積算上の給与格付けやそれに基づいて算出した人件費（年額）を参考として示したものであり、次の事項について留意する必要がある。

・　職員の人数や経験年数、賃金体系等は保育所ごとに異なり、例えば、委託費で算定されている職員数（配置基準）を超えて職員を雇用している保育所では、その職員数に応じた職員１人当たりの給与水準となることも考えられるなど、本通知で示す人件費と実際に支払われる人件費との差額のみをもって単純に給与水準の適否を判断することはできないこと。

・　本通知で示す１人当たりの人件費を理由に給与水準を低下させることは不適切であること。

２　この表における「格付」とは、国家公務員給与法に定める俸給表及び級号俸を指している。

３　主任保育士・保育士にあっては、当該俸給額の他、特別給与改善費を加えたものを本俸基準額としている。

なお、主任保育士・保育士は、本俸基準額とは別に特殊業務手当基準額を加えている。

４　この表における「人件費（年額）」とは、賞与や地域手当等を含めて算出した予算積算上の人件費の年額である。

事業費や管理費は全国一律である一方、「人件費（年額）」については、地域手当が地域区分ごとに異なることから地域区分別に算出している。また、「全国平均」は、加重平均により算出した地域手当の全国平均値を用いて算出した額である。

なお、「人件費（年額）」には、処遇改善等加算Ⅰ、処遇改善等加算Ⅱ及び処遇改善等加算Ⅲは含まない。

４　夜間保育加算

夜間保育加算における単価表（月額：児童１人当たり）　（単位：円）

定員区分	年齢区分	事業費	管理費
20人まで	３歳未満児	5,300	135
	３歳以上児	7,067	
21人～30人まで	３歳未満児	5,300	90
	３歳以上児	7,067	
31人～40人まで	３歳未満児	5,300	68
	３歳以上児	7,067	
41人～50人まで	３歳未満児	5,300	54
	３歳以上児	7,067	
51人～60人まで	３歳未満児	5,300	45
	３歳以上児	7,067	
61人～70人まで	３歳未満児	5,300	39
	３歳以上児	7,067	
71人～80人まで	３歳未満児	5,300	34
	３歳以上児	7,067	
81人～90人まで	３歳未満児	5,300	30
	３歳以上児	7,067	

（注）　夜間保育加算に含まれる人件費は当該加算額からこの表の事業費、管理費を減じて算定する必要がある。

５　休日保育加算

休日保育加算における単価表（月額）　（単位：円）

休日保育の年間延べ利用数	事業費	管理費
～210人	60,000	3,076
211人～279人	62,431	3,326
280人～349人	67,292	3,824
350人～419人	72,153	4,323
420人～489人	77,014	4,821
490人～559人	81,875	5,320
560人～629人	86,736	5,818
630人～699人	91,597	6,317
700人～769人	96,458	6,815
770人～839人	101,319	7,314
840人～909人	106,181	7,812
910人～979人	111,042	8,311
980人～1,049人	115,903	8,809
1,050人～（1,119人）	120,764	9,308

（注）　休日保育加算に含まれる人件費は当該加算額からこの表の事業費、管理費を減じて算定する必要がある。

６　処遇改善等加算Ⅰ（基礎分）

加算率の区分	職員１人当たりの平均経験年数	内訳	
		人件費	管理費
12％加算分	10年以上	10％	２％
11％加算分	９年以上　10年未満	９％	２％
10％加算分	８年以上　９年未満	８％	２％
９％加算分	７年以上　８年未満	７％	２％
８％加算分	６年以上　７年未満	６％	２％
７％加算分	５年以上　６年未満	５％	２％
６％加算分	４年以上　５年未満	４％	２％
５％加算分	３年以上　４年未満	３％	２％

４％加算分	２年以上　３年未満	２％	２％
３％加算分	１年以上　２年未満	１％	２％
２％加算分	１年未満	０％	２％

7　その他加算について

①　人件費関係

処遇改善等加算Ⅰ（賃金改善要件分）、処遇改善等加算Ⅱ、処遇改善等加算Ⅲ、３歳児配置改善加算、主任保育士専任加算、療育支援加算、事務職員雇上費加算、チーム保育推進加算、栄養管理加算（単価Ａ又はＢの区分）

②　管理費関係

減価償却費加算、賃借料加算、冷暖房費加算、除雪費加算、降灰除去費加算、高齢者等活躍促進加算、施設機能強化推進費加算、小学校接続加算、第三者評価受審加算、栄養管理加算（単価Ｃの区分）

※　調整部分（分園の場合、施設長を設置していない場合、土曜日に閉所する場合、定員を恒常的に超過する場合）については、調整部分以外の人件費、事業費、管理費の割合で按分して算出すること。

別　紙

基本分単価に含まれている管理費

（単位：円）

定員区分	保育必要量区分	年齢区分	管理費
20人まで	保育標準時間	乳　児	17,144
		１、２歳児	11,710
		３　歳　児	7,907
		４歳以上児	7,364
	保育短時間	乳　児	15,514
		１、２歳児	10,080
		３　歳　児	6,277
		４歳以上児	5,734
21人から30人まで	保育標準時間	乳　児	15,115
		１、２歳児	9,681
		３　歳　児	5,878
		４歳以上児	5,335
	保育短時間	乳　児	14,029
		１、２歳児	8,595
		３　歳　児	4,792
		４歳以上児	4,249
31人から40人まで	保育標準時間	乳　児	14,226
		１、２歳児	8,792
		３　歳　児	4,989
		４歳以上児	4,446
	保育短時間	乳　児	13,411
		１、２歳児	7,977
		３　歳　児	4,174
		４歳以上児	3,631
41人から50人まで	保育標準時間	乳　児	14,102
		１、２歳児	8,668
		３　歳　児	4,865
		４歳以上児	4,322
	保育短時間	乳　児	13,450
		１、２歳児	8,016
		３　歳　児	4,213
		４歳以上児	3,670
51人から60人まで	保育標準時間	乳　児	13,499
		１、２歳児	8,065
		３　歳　児	4,262
		４歳以上児	3,719
	保育短時間	乳　児	12,956
		１、２歳児	7,522
		３　歳　児	3,719
		４歳以上児	3,176
61人から70人まで	保育標準時間	乳　児	13,146
		１、２歳児	7,712
		３　歳　児	3,909
		４歳以上児	3,366
	保育短時間	乳　児	12,680
		１、２歳児	7,246
		３　歳　児	3,443
		４歳以上児	2,900
71人から80人まで	保育標準時間	乳　児	12,885
		１、２歳児	7,451
		３　歳　児	3,648
		４歳以上児	3,105
	保育短時間	乳　児	12,477
		１、２歳児	7,043
		３　歳　児	3,240
		４歳以上児	2,697

81人から90人まで	保育標準時間	乳児	12,678
		１、２歳児	7,244
		３歳児	3,441
		４歳以上児	2,898
	保育短時間	乳児	12,315
		１、２歳児	6,881
		３歳児	3,078
		４歳以上児	2,535
91人から100人まで	保育標準時間	乳児	12,186
		１、２歳児	6,752
		３歳児	2,949
		４歳以上児	2,406
	保育短時間	乳児	11,860
		１、２歳児	6,426
		３歳児	2,623
		４歳以上児	2,080
101人から110人まで	保育標準時間	乳児	12,084
		１、２歳児	6,650
		３歳児	2,847
		４歳以上児	2,304
	保育短時間	乳児	11,787
		１、２歳児	6,353
		３歳児	2,550
		４歳以上児	2,007
111人から120人まで	保育標準時間	乳児	11,995
		１、２歳児	6,561
		３歳児	2,758
		４歳以上児	2,215
	保育短時間	乳児	11,724
		１、２歳児	6,290
		３歳児	2,487
		４歳以上児	1,944
121人から130人まで	保育標準時間	乳児	11,921
		１、２歳児	6,487
		３歳児	2,684
		４歳以上児	2,141
	保育短時間	乳児	11,670
		１、２歳児	6,236
		３歳児	2,433
		４歳以上児	1,890

131人から140人まで	保育標準時間	乳児	11,859
		１、２歳児	6,425
		３歳児	2,622
		４歳以上児	2,079
	保育短時間	乳児	11,626
		１、２歳児	6,192
		３歳児	2,389
		４歳以上児	1,846
141人から150人まで	保育標準時間	乳児	11,809
		１、２歳児	6,375
		３歳児	2,572
		４歳以上児	2,029
	保育短時間	乳児	11,592
		１、２歳児	6,158
		３歳児	2,355
		４歳以上児	1,812
151人から160人まで	保育標準時間	乳児	11,760
		１、２歳児	6,326
		３歳児	2,523
		４歳以上児	1,980
	保育短時間	乳児	11,557
		１、２歳児	6,123
		３歳児	2,320
		４歳以上児	1,777
161人から170人まで	保育標準時間	乳児	11,719
		１、２歳児	6,285
		３歳児	2,482
		４歳以上児	1,939
	保育短時間	乳児	11,527
		１、２歳児	6,093
		３歳児	2,290
		４歳以上児	1,747
171人以上	保育標準時間	乳児	11,685
		１、２歳児	6,251
		３歳児	2,448
		４歳以上児	1,905
	保育短時間	乳児	11,504
		１、２歳児	6,070
		３歳児	2,267
		４歳以上児	1,724

11　整 備 費

（保育所）

○就学前教育・保育施設整備交付金の交付について

〔令和５年８月22日　こ成事第466号
各都道府県知事・各指定都市市長・各中核市市長・各市区町村長宛　こども家庭庁長官通知〕

注　令和６年１月18日こ成事第12号改正現在

標記の交付金については、別紙「就学前教育・保育施設整備交付金交付要綱」（以下「交付要綱」という。）により行うこととされ、令和５年４月１日から適用することとされたので通知する。

別　紙

就学前教育・保育施設整備交付金交付要綱

（通則）

１　就学前教育・保育施設整備交付金（以下「交付金」という。）については、法令又は予算の定めるところに従い、予算の範囲内において交付するものとし、補助金等に係る予算の執行の適正化に関する法律（昭和30年法律第179号）、補助金等に係る予算の執行の適正化に関する法律施行令（昭和30年政令第255号。以下「適正化法施行令」という。）及びこども家庭庁の所掌に属する補助金等交付規則（令和５年内閣府令第41号）の規定によるほか、この交付要綱の定めるところによる。

（交付の目的）

２　この交付金は、保育所、認定こども園、小規模保育事業所又はこども誰でも通園制度（仮称）試行的事業（「多様な保育促進事業の実施について」平成29年４月17日雇児発0417第４号こども家庭庁成育局長通知）に規定する事業を行う施設（以下、「こども誰でも通園制度（仮称）試行的事業を行う事業所」という。）の新設、修理、改造又は整備に要する経費（小規模保育事業所の場合、民間資金等の活用による公共施設等の整備等の促進に関する法律（平成11年法律第117号）第８条第１項の規定により選定された選定事業者が、同法第14条第１項の規定により整備した施設を市町村（特別区、一部事務組合及び広域連合を含む。以下同じ。）が買収する場合を含む。）、並びに保育所、私立認定こども園、小規模保育事業所又はこども誰でも通園制度（仮称）試行的事業を行う事業所の防音壁の整備及び保育所、私立認定こども園、小規模保育事業所又はこども誰でも通園制度（仮称）試行的事業を行う事業所の防犯対策の強化に係る整備に要する経費の一部に充てるために国が交付する交付金であり、もって、こどもを安心して育てることが出来る体制の整備を促進することを目的とする。

（交付の対象）

３　この交付金は、こどもを安心して育てることが出来る体制を確保するために市町村が策定する市町村整備計画（都道府県が設置する認定こども園の場合にあっては都道府県が策定する整備計画。以下「整備計画」という。）に基づいて実施される保育所、認定こども園、小規模保育事業所又はこども誰でも通園制度（仮称）試行的事業を行う事業所に関する施設整備事業、防音壁設置計画（以下「設置計画」という。）に基づいて実施される保育所、私立認定こども園、小規模保育事業所又はこども誰でも通園制度（仮称）試行的事業を行う事業所の防音壁整備事業（以下「防音壁整備事業」という。）及び防犯対策強化整備計画（以下「防犯計画」という。）に基づいて実施される保育所、私立認定こども園、小規模保育事業所又はこども誰でも通園制度（仮称）試行的事業を行う事業所の防犯対策強化整備事業（以下「防犯対策強化整備事業」という。）に交付する。

（定義）

４　この交付要綱において「保育所」、「認定こども園」、「小規模保育事業所」、「こども誰でも通園制度（仮称）試行的事業を行う事業所」、「防音壁整備事業」、「防犯対策強化整備事業」とは、次の表に定める施設又は事業をいう。

区分	定義
保育所	・児童福祉法（昭和22年法律第164号）第39条第１項に規定する保育所（同法第56条の８に規定する公私連携型保育所を含む。以下この項において同じ。） ・平成10年４月９日児発第302号厚生省児童家庭局長通知「保育所分園の設置運営について」に基づき設置する保育所分園
認定こども園	・就学前の子どもに関する教育、保育等の総合的な提供の推進に関する法律（平成18年法律第77号。以下「認

	定こども園法」という。）第２条第７項に規定する幼保連携型認定こども園（認定こども園法第34条に規定する公私連携幼保連携型認定こども園を含む。） ・認定こども園法第３条第１項に基づく認定を受けたもの又は第３項の認定を受けたもの及び同条第11項による公示がなされたもの ・認定こども園法第３条第１項に基づく認定を受けることができるもの又は第３項の認定を受けることができるもの及び同条第11項による公示がなされ得るもの ・平成28年８月８日府子本第555号・28文科初第682号・雇児発0808第１号内閣府子ども・子育て本部統括官・文部科学省初等中等教育局長・厚生労働省雇用均等・児童家庭局長通知「幼保連携型認定こども園において新たに分園を設置する場合の取扱いについて」に基づき設置する幼保連携型認定こども園分園・保育所型認定こども園分園・幼稚園型認定こども園分園
小規模保育事業所	・児童福祉法第６条の３第10項に規定する事業を行う事業所
こども誰でも通園制度（仮称）試行的事業を行う施設	・平成29年４月17日雇児発0417第４号こども家庭庁成育局長通知「多様な保育促進事業の実施について」に基づき設置するこども誰でも通園制度（仮称）試行的事業を行う事業所
防音壁整備事業	・近隣住民等への配慮から防音対策を必要とする保育所、私立認定こども園、小規模保育事業所又はこども誰でも通園制度（仮称）試行的事業を行う事業所の防音壁設置に係る費用の一部を補助する事業
防犯対策強化整備事業	・施設の防犯対策を強化する観点から保育所、私立認定こども園、小規模保育事業所又はこども誰でも通園制度（仮称）試行的事業を行う事業所の防犯対策の強化に係る費用の一部を補助する事業

5　この交付要綱において「施設整備」とは、次の表の種類ごとに掲げる整備内容をいう。ただし、公立の認定こども園の施設整備に関しては、別表１―６又は別表１―７に定めるところによるものとする。

種類	整備区分	整備内容
新設	創設	・新たに保育所、認定こども園、小規模保育事業所又はこども誰でも通園制度（仮称）試行的事業を行う事業所を整備すること。 （地域の余裕スペース（学校、公営住宅、公民館、公有地等）を活用して、定員30名までの小規模な保育所を整備する事業を含む。）
修理	大規模修繕等	・既存施設について、令和５年８月22日こ成事第426号こども家庭庁成育局長通知「次世代育成支援対策施設整備交付金における大規模修繕等の取扱いについて」に準じて整備すること。 ・地震防災上倒壊等の危険性のある建物の耐震化又は津波対策としての高台への移転を図るため、改築又は補強等の整備を行う事業（以下「耐震化等整備事業」という。）のうち、改築整備を除く事業においては、既存施設の耐震補強のために必要な補強改修工事や当該工事と併せて付帯設備の改造等を行う次の整備をすること。 ①　給排水設備、電気設備、ガス設備、冷暖房設備、消防用設備等付帯設備の改造工事 ②　その他必要と認められる前記に準ずる工事
	耐震診断	・耐震化整備を行うことを予定している既存施設について、事前に耐震診断を行うこと。
改造	増築	・既存施設の現在定員の増員を図るための整備をすること。
	増改築	・既存施設の現在定員の増員を図るための増築整備をするとともに既存施設の改築整備（一部改築を含む。）をすること。
	改築	・既存施設の現在定員の増員を行わないで改築整備（一部改築を含む。）をすること。

		・耐震化等整備事業のうち、改築整備をすること。 ＊改築部分については老朽民間児童福祉施設整備の対象とすることができる。 ＊地すべり防止危険か所等危険区域に所在する施設の移転整備（増改築及び改築）については、令和５年８月22日こ成事第430号こども家庭庁成育局長通知「地すべり防止危険か所等危険区域に所在する施設の移転整備について」に準じて取り扱う。
整備	老朽民間児童福祉施設整備	・社会福祉法人が設置する施設について、令和５年８月22日こ成事第431号こども家庭庁成育局長通知「老朽民間児童福祉施設等の整備について」に準じて改築整備（一部改築を含む。）をすること。
	防音壁整備	・近隣住民の生活環境の保全が見込まれる防音壁の整備（市町村が必要性を認めたものに限る。）
	防犯対策の強化に係る整備	・防犯対策を強化するため、非常通報装置・防犯カメラ設置や外構等の設置・修繕等必要な安全対策に係る整備

6　交付金の交付の対象となる施設整備事業は、次の表の①の施設の種類ごとに、②欄に定める設置根拠（⑵のイ公立認定こども園、⑷こども誰でも通園制度（仮称）試行的事業を行う事業所、⑸防音壁を設置する施設及び⑹防犯対策の強化に係る整備を行う施設を除く。）により、③欄に定める設置主体が設置する施設に係る施設整備事業に対し、市町村が行う補助事業（⑵のイ、⑶及び⑷のうちの公立施設については、地方公共団体が実施する施設整備事業）とする。

①　施設の種類	②　設置根拠	③　設置主体
⑴　保育所	児童福祉法第35条第４項及び同法第56条の８第３項	社会福祉法人、日本赤十字社、公益社団法人又は公益財団法人（以下「社会福祉法人等」という。）ただし、「新子育て安心プラン実施計画」の採択を受けている市町村又は、「新子育て安心プラン実施計画」の採択を受けていない市町村のうち財政力指数が1.0未満の市町村は、市町村が認めた者（公立施設を除く。）とする。
⑵ア　私立認定こども園	認定こども園法第３条第２項第１号、同条第２項第２号、同条第４項第１号、第17条第１項及び第34条第３項	社会福祉法人又は学校法人 ただし、「新子育て安心プラン実施計画」の採択を受けている市町村又は、「新子育て安心プラン実施計画」の採択を受けていない市町村のうち財政力指数が1.0未満の市町村は、市町村が認めた者（公立施設を除く。）とする。
⑵イ　公立認定こども園（ただし、認定こども園法第２条第７項に規定する幼保連携型認定こども園並びに第３条第１項又は第３項の認定を受けた幼稚園及び同条第11項の公示を受けた幼稚園に限る。）	—	地方公共団体
⑶　小規模保育事業所	児童福祉法第34条の15第１項及び第２項	市町村が認めた者（公立施設を含む。）

(4) こども誰でも通園制度（仮称）試行的事業を行う事業所	—	市町村が認めた者（公立施設を含む。）
(5) 防音壁を設置する施設	—	本表「①施設の種類」の(1)(2)ア(4)に応じた「③設置主体」
(6) 防犯対策の強化に係る整備を行う施設	—	本表「①施設の種類」の(1)(2)ア(4)に応じた「③設置主体」

（交付金の対象除外）

7　この交付金は、次に掲げる費用については対象としないものとする。

(1)　土地の買収又は整地に要する費用

(2)　既存建物の買収（既存建物を買収することが建物を新築することより効率的であると認められる場合又は10【別表①】「1　新築、増築、改築」の「3　買収費」における当該建物の買収を除く。）に要する費用

(3)　職員の宿舎に要する費用

(4)　防音壁整備事業における、防音以外を目的とした整備に要する費用

(5)　防犯対策強化整備事業における、防犯対策強化以外を目的とした整備に要する費用

(6)　その他施設整備として適当と認められない費用

（交付額の算定方法）

8　この交付金は、市町村に対し、整備計画、設置計画又は防犯計画（以下「整備計画等」という。）に記載された施設整備事業に要する経費に充てるために交付するものとし、その交付額は次により算出するものとする。

ただし、算出された交付額に1000円未満の端数が生じた場合には、これを切り捨てるものとする。

なお、この交付金は、原則市町村に対して、整備計画等に記載された施設整備事業に要する経費に充てるために交付するものであるが、6の(2)のアについて、10の経過措置事業を行う場合は、3の整備計画に基づかない事業を都道府県として実施する場合に限り、都道府県に対して交付するものとする。この場合、11から18までにおいて、市町村が行う必要のある事務は都道府県が行うものとする。

また、6の(2)のイについて、都道府県が直接施設整備事業を実施する場合に限り、都道府県に対して交付するものとする。この場合、11から18までにおいて、市町村が行う必要のある事務は都道府県が行うものとする。

(1)　6の(1)の事業

①　「新子育て安心プラン実施計画」の採択を受けている市町村（財政力指数が1.0未満の市町村又は財政力指数が1.0以上であって、整備を行う年度（以下「整備年度」という。）の4月1日現在の待機児童数が10人以上、かつ当該年度の保育拡大量が90人以上の市町村に限る。）が策定する整備計画に基づく施設整備事業（創設、増築、増改築及び老朽民間児童福祉施設整備（現在定員の増員を図るための整備が含まれている場合に限る。）に限る。）であって、原則として、「新子育て安心プラン実施計画」上、施設整備を行う保育所が所在する保育提供区域において整備年度又は整備年度の次年度の4月1日時点の申込児童数が整備年度の4月1日現在の利用定員数を超えることが見込まれている年齢区分（「0歳児」、「1、2歳児」及び「3歳以上児」の3区分。以下同じ。）の利用定員総数が増加する施設整備事業

ア　交付金の交付の対象となる施設整備事業につき、工事請負契約等を締結する単位ごとに、別表1―1、別表2―1で定める基準により算出した基準額の合計を交付基礎額とする。

イ　工事請負契約等を締結する単位ごとに、別表1―1で定める対象経費の実支出額と、総事業費から寄付金その他の収入額を控除した額を比較していずれか少ない方の額の合計に別表1―8に定める国の負担割合を乗じた額を算出する。

ウ　工事請負契約等を締結する単位ごとに、アにより算出した額とイにより算出した額を比較していずれか少ない方の額の合計を交付額とする。

②　①以外の場合

ア　交付金の交付の対象となる施設整備事業につき、工事請負契約等を締結する単位ごとに、別表1―1、別表1―2、別表1―3、別表2―2で定める基準により算出した基準額の合計を交付基礎額とする。

イ　工事請負契約等を締結する単位ごとに、別表1―1、別表1―2、別表1―3で定める対象経費の実支出額と、総事業費から寄付金その他の収入額を控除した額を比較していず

れか少ない方の額の合計に別表１—８に定める国の負担割合を乗じた額を算出する。

ウ　工事請負契約等を締結する単位ごとに、アにより算出した額とイにより算出した額を比較していずれか少ない方の額の合計を交付額とする。

⑵　６の⑵のアの事業

①　「新子育て安心プラン実施計画」の採択を受けている市町村（財政力指数が1.0未満の市町村又は財政力指数が1.0以上であって、整備年度の４月１日現在の待機児童数が10人以上、かつ当該年度の保育拡大量が90人以上の市町村に限る。）が策定する整備計画に基づく施設整備事業であって、原則として、「新子育て安心プラン実施計画」上、施設整備を行う認定こども園が所在する保育提供区域において、２号・３号認定子どもにおける整備年度又は整備年度の次年度の４月１日時点の申込児童数が整備年度の４月１日現在の利用定員数を超えることが見込まれている年齢区分の利用定員総数が増加する施設整備事業（創設、増築、増改築及び老朽民間児童福祉施設整備（現在定員の増員を図るための整備が含まれている場合に限る。）に限る。）

ア　幼保連携型認定こども園に係る市町村が策定する整備計画に基づく施設整備事業

(ア)　交付金の交付の対象となる施設整備事業につき、当該認定こども園における保育を実施する部分（以下、「保育所部分」という。）及び教育を実施する部分（以下、「教育部分」という。）について、工事請負契約等を締結する単位ごとに、別表１—１、別表２—１、別表２—２で定める基準により算出した基準額をそれぞれ合計した額を交付基礎額とする。なお、当該整備事業が保育所部分のみに係る場合は、教育部分の算出は不要とする。

(イ)　保育所部分について、工事請負契約等を締結する単位ごとに、別表１—１で定める対象経費の実支出額と、総事業費から寄付金その他の収入額を控除した額を比較していずれか少ない方の額の合計に別表１—８に定める国の負担割合を乗じた額を算出する。教育部分も同様に算出し、それぞれを合計する。なお、当該整備事業が保育所部分のみに係る場合は、教育部分の算出は不要とする。

(ウ)　工事請負契約等を締結する単位ごとに、(ア)により算出した額と(イ)により算出した額を比較していずれか少ない方の額の合計を交付額とする。

イ　保育所型認定こども園に係る市町村が策定する整備計画に基づく施設整備事業

(ア)　交付金の交付の対象となる施設整備事業につき、保育所部分及び教育部分について、工事請負契約等を締結する単位ごとに、別表１—１、別表２—１、別表２—５で定める基準により算出した基準額をそれぞれ合計した額を交付基礎額とする。なお、当該整備事業が保育所部分のみに係る場合は、教育部分の算出は不要とする。

(イ)　保育所部分について、工事請負契約等を締結する単位ごとに、別表１—１で定める対象経費の実支出額と、総事業費から寄付金その他の収入額を控除した額を比較していずれか少ない方の額の合計に別表１—８に定める国の負担割合を乗じた額を算出する。教育部分も同様に算出し、それぞれを合計する。なお、当該整備事業が保育所部分のみに係る場合は、教育部分の算出は不要とする。

(ウ)　工事請負契約等を締結する単位ごとに、(ア)により算出した額と(イ)により算出した額を比較していずれか少ない方の額の合計を交付額とする。

②　①以外の場合

ア　幼保連携型認定こども園に係る市町村が策定する整備計画に基づく施設整備事業

(ア)　交付金の交付の対象となる施設整備事業につき、保育所部分及び教育部分について、工事請負契約等を締結する単位ごとに、別表１—１、別表１—２、別表１—３、別表２—２で定める基準により算出した基準額をそれぞれ合計した額を交付基礎額とする。なお、当該整備事業が保育所部分又は教育部分のいずれかに係る場合は、その該当する別表で定める基準により算出した基準額を交付基礎額とする。

(イ)　工事請負契約等を締結する単位ごとに、別表１—１、別表１—２、別表１—３で定める対象経費の実支出額と、総事業費から寄付金その他の収入額を控除した額を比較していずれか少ない方の額の合計に別表１—８に定める国の負担割合を乗じた額を算出する。

(ウ)　工事請負契約等を締結する単位ごとに、

(ア)により算出した額と(イ)により算出した額を比較していずれか少ない方の額の合計を交付額とする。

イ　保育所型認定こども園に係る市町村が策定する整備計画に基づく施設整備事業

(ア)　交付金の交付の対象となる施設整備事業につき、保育所部分及び教育部分について、工事請負契約等を締結する単位ごとに、別表１―１、別表１―２、別表１―３、別表２―２、別表２―５で定める基準により算出した基準額をそれぞれ合計した額を交付基礎額とする。なお、当該整備事業が保育所部分又は教育部分のいずれかに係る場合は、その該当する別表で定める基準により算出した基準額を交付基礎額とする。

(イ)　工事請負契約等を締結する単位ごとに、別表１―１、別表１―２、別表１―３で定める対象経費の実支出額と、総事業費から寄付金その他の収入額を控除した額を比較していずれか少ない方の額の合計に別表１―８に定める国の負担割合を乗じた額を算出する。

(ウ)　工事請負契約等を締結する単位ごとに、(ア)により算出した額と(イ)により算出した額を比較していずれか少ない方の額の合計を交付額とする。

ウ　幼稚園型認定こども園に係る市町村が策定する整備計画に基づく施設整備事業

(ア)　交付金の交付の対象となる施設整備事業につき、保育所部分及び教育部分について、工事請負契約等を締結する単位ごとに、別表１―１、別表１―２、別表１―３、別表２―２、別表２―５で定める基準により算出した基準額をそれぞれ合計した額を交付基礎額とする。なお、当該整備事業が保育所部分又は教育部分のいずれかに係る場合は、その該当する別表で定める基準により算出した基準額を交付基礎額とする。

(イ)　工事請負契約等を締結する単位ごとに、別表１―１、別表１―２、別表１―３で定める対象経費の実支出額と、総事業費から寄付金その他の収入額を控除した額を比較していずれか少ない方の額の合計に別表１―８に定める国の負担割合を乗じた額を算出する。

(ウ)　工事請負契約等を締結する単位ごとに、(ア)により算出した額と(イ)により算出した額を比較していずれか少ない方の額の合計を交付額とする。

(3)　６の(2)のイの事業

別表１―６又は別表１―７に定める算定方法により事業ごとに算出した配分基礎額に算定割合を乗じた額と事業に要する経費の額に算定割合を乗じた額とを比較して少ない方の額の総和に事務費を加えた額を交付額とする。

別表１―６又は別表１―７に定めるところにより配分基礎額を算定する場合の学級数に応ずる必要面積、園児１人当たりの基準面積その他建物の基準面積、その他必要な事項については、当分の間、「公立学校施設費国庫負担等に関する関係法令等の運用細目」（平成18年７月13日付け18文科施第188号文部科学大臣裁定）の幼稚園における取扱いと同様のものとする。

別表１―６又は別表１―７に定める事業の概要、交付対象経費の上限額及び下限額、その他必要な事項については、当分の間、「令和５年度学校施設環境改善交付金の事業概要について（通知）」（令和５年４月３日付け４施施助第24号）の幼稚園における取扱いと同様のものとする。

別表１―６又は別表１―７に定めるところにより配分基礎額を算定する場合の１平方メートル当たりの建築の単価等は別途通知する。

別表１―６及び別表１―７に定める対象となる経費は、その種目が本工事費及び附帯工事費（買収その他これに準ずる方法による取得の場合にあっては買収費とする。）であるものとする。

事務費は算定した交付対象経費に100分の１を乗じて算定する。

(4)　６の(3)の事業

①　「新子育て安心プラン実施計画」の採択を受けている市町村（財政力指数が1.0未満の市町村又は財政力指数が1.0以上であって、整備年度の４月１日現在の待機児童数が10人以上、かつ当該年度の保育拡大量が90人以上の市町村に限る。）が策定する整備計画に基づく施設整備事業（創設、増築、増改築及び老朽民間児童福祉施設整備（現在定員の増員を図るための整備が含まれている場合に限る。）に限る。）であって、原則として、「新子育て安心プラン実施計画」上、施設整備を行う小規模保育事業所が所在する保育提供区域において整備年度又は整備年度の次年度の４月１日時点の申込児童数が整備年度の４月１日現在の利用定員数を超えることが見込まれている年齢区分の利用定員総数が

増加する施設整備事業

ア　交付金の交付の対象となる施設整備事業につき、工事請負契約等を締結する単位ごとに、別表１—１、別表２—８で定める基準により算出した基準額の合計を交付基礎額とする。

イ　工事請負契約等を締結する単位ごとに、別表１—１で定める対象経費の実支出額と、総事業費から寄付金その他の収入額を控除した額を比較していずれか少ない方の額の合計に別表１—８で定める国の負担割合を乗じた額を算出する。

ウ　工事請負契約等を締結する単位ごとに、アにより算出した額とイにより算出した額を比較していずれか少ない方の額の合計を交付額とする。

②　①以外の場合

ア　交付金の交付の対象となる施設整備事業につき、工事請負契約等を締結する単位ごとに、別表１—１、別表１—２、別表１—３、別表２—９で定める基準により算出した基準額の合計を交付基礎額とする。

イ　工事請負契約等を締結する単位ごとに、別表１—１、別表１—２、別表１—３で定める対象経費の実支出額と、総事業費から寄付金その他の収入額を控除した額を比較していずれか少ない方の額の合計に別表１—８で定める国の負担割合を乗じた額を算出する。

ウ　工事請負契約等を締結する単位ごとに、アにより算出した額とイにより算出した額を比較していずれか少ない方の額の合計を交付額とする。

(5)　６の(4)の事業

①　交付金の交付の対象となる施設整備事業につき、工事請負契約等を締結する単位ごとに、別表１—１、別表１—２、別表１—３、別表２—12、で定める基準により算出した基準額の合計を交付基礎額とする。

②　工事請負契約等を締結する単位ごとに、別表１—１、別表１—２、別表１—３で定める対象経費の実支出額と、総事業費から寄付金その他の収入額を控除した額を比較していずれか少ない方の額の合計に別表１—８に定める国の負担割合を乗じた額を算出する。

③　工事請負契約等を締結する単位ごとに、①により算出した額と②により算出した額を比較していずれか少ない方の額の合計を交付額とする。

(6)　６の(5)の事業

①　交付金の交付の対象となる施設整備事業につき、工事請負契約等を締結する単位ごとに、別表１—４で定める基準額を交付基礎額とする。

②　工事請負契約等を締結する単位ごとに、別表１—４で定める対象経費の実支出額と、総事業費から寄付金その他の収入額を控除した額を比較していずれか少ない方の額の合計に別表１—８で定める国の負担割合を乗じた額を算出する。

③　工事請負契約等を締結する単位ごとに、①により算出した額と②により算出した額を比較していずれか少ない方の額の合計を交付額とする。

(7)　６の(6)の事業

①　門、フェンス等の外構の設置、修繕等の場合

ア　交付金の交付の対象となる施設整備事業につき、工事請負契約等を締結する単位ごとに、別表１—５の第３欄のアで定める基準額を交付基礎額とする。

イ　工事請負契約等を締結する単位ごとに、別表１—５で定める対象経費の実支出額と、総事業費から寄付金その他の収入額を控除した額を比較していずれか少ない方の額の合計に別表１—８で定める国の負担割合を乗じた額を算出する。

ウ　工事請負契約等を締結する単位ごとに、アにより算出した額とイにより算出した額を比較していずれか少ない方の額の合計を交付額とする。

②　非常通報装置等の設置の場合

ア　交付金の交付の対象となる施設整備事業につき、工事請負契約等を締結する単位ごとに、別表１—５の第３欄のイで定める基準額を交付基礎額とする。

イ　工事請負契約等を締結する単位ごとに、別表１—５で定める対象経費の実支出額と、総事業費から寄付金その他の収入額を控除した額を比較していずれか少ない方の額の合計に別表１—８で定める国の負担割合を乗じた額を算出する。

ウ　工事請負契約等を締結する単位ごとに、アにより算出した額とイにより算出した額を比較していずれか少ない方の額の合計を交付額とする。

（国の財政上の特別措置）

9　次の表に掲げる施設整備事業に係る交付金の交付額の算定にあっては、次により算定するものとす

る。ただし、対象となる「保育所」、「私立認定こども園」、「小規模保育事業所」及び「こども誰でも通園制度（仮称）試行的事業を行う事業所」が豪雪地帯対策特別措置法（昭和37年法律第73号）第２条第２項の規定に基づき指定された特別豪雪地帯、奄美群島振興開発特別措置法（昭和29年法律第189号）第１条に規定された奄美群島、離島振興法（昭和28年法律第72号）第２条第１項の規定に基づき指定された離島振興対策実施地域、小笠原諸島振興開発特別措置法（昭和44年法律第79号）第４条第１項に規定された小笠原諸島又は沖縄振興特別措置法（平成14年法律第14号）第３条第１項第３号に規定された離島のいずれかに所在する場合、８の⑴⑵⑷⑸、９の⑵⑶⑷の算定にあっては、算出された基準額に対して、0.08を乗じて得られた額を加算し、交付基礎額を算出するものとする。なお、公立の認定こども園の施設整備については、別表１―６又は別表１―７に定めるところによる。

⑴　次の表の①に掲げる施設整備事業

①　「保育所」、「小規模保育事業所」及び「こども誰でも通園制度（仮称）試行的事業を行う事業所施設」

ア　交付金の交付の対象となる施設整備事業につき、工事請負契約等を締結する単位ごとに、別表２―３、別表２―10、別表２―13で定める基準により算出した基準額の合計を交付基礎額とする。

イ　工事請負契約等を締結する単位ごとに別表１―１で定める対象経費の実支出額と、総事業費から寄付金その他の収入額を控除した額を比較していずれか少ない方の額の合計に別表１―８で定める国の負担割合を乗じた額を算出する。

ウ　工事請負契約等を締結する単位ごとに、アにより算出した額とイにより算出した額を比較していずれか少ない方の額の合計を交付額とする。

②　「認定こども園」

ア　交付金の交付の対象となる施設整備事業につき、保育所部分及び教育部分について、工事請負契約等を締結する単位ごとに、別表２―３、別表２―６で定める基準により算出した基準額の合計をそれぞれ合計した額を交付基礎額とする。なお、当該整備事業が保育所部分又は教育部分のいずれかに係る場合は、その該当する別表で定める基準により算出した基準額を交付基礎額とする。

イ　工事請負契約等を締結する単位ごとに別表１―１で定める対象経費の実支出額と、総事業費から寄付金その他の収入額を控除した額を比較していずれか少ない方の額の合計に別表１―８で定める国の負担割合を乗じた額を算出する。

ウ　工事請負契約等を締結する単位ごとに、アにより算出した額とイにより算出した額を比較していずれか少ない方の額の合計を交付額とする。

⑵　次の表の②③に掲げる施設整備事業

①　「保育所」、「小規模保育事業所」及び「こども誰でも通園制度（仮称）試行的事業を行う事業所施設」

ア　交付金の交付の対象となる施設整備事業につき、工事請負契約等を締結する単位ごとに、別表２―４、別表２―11、別表２―14で定める基準により算出した基準額の合計を交付基礎額とする。

イ　工事請負契約等を締結する単位ごとに別表１―１で定める対象経費の実支出額と、総事業費から寄付金その他の収入額を控除した額を比較していずれか少ない方の額の合計に別表１―８で定める国の負担割合を乗じた額を算出する。

ウ　工事請負契約等を締結する単位ごとに、アにより算出した額とイにより算出した額を比較していずれか少ない方の額の合計を交付額とする。

②　「認定こども園」

ア　交付金の交付の対象となる施設整備事業につき、保育所部分及び教育部分について、工事請負契約等を締結する単位ごとに、別表２―４、別表２―７で定める基準により算出した基準額の合計をそれぞれ合計した額を交付基礎額とする。なお、当該整備事業が保育所部分又は教育部分のいずれかに係る場合は、その該当する別表で定める基準により算出した基準額を交付基礎額とする。

イ　工事請負契約等を締結する単位ごとに別表１―１で定める対象経費の実支出額と、総事業費から寄付金その他の収入額を控除した額を比較していずれか少ない方の額の合計に別表１―８で定める国の負担割合を乗じた額を算出する。

ウ　工事請負契約等を締結する単位ごとに、アにより算出した額とイにより算出した額を比較していずれか少ない方の額の合計を交付額とする。

(3)　次の表の④⑥に掲げる施設整備事業

①　「保育所」、「小規模保育事業所」及び「こども誰でも通園制度（仮称）試行的事業を行う事業所」

ア　交付金の交付の対象となる施設整備事業につき、工事請負契約等を締結する単位ごとに、別表２—１、別表２—２、別表２—４、別表２—８、別表２—９、別表２—11、別表２—12、別表２—14で定める基準により算出した基準額の合計を交付基礎額とする。

イ　工事請負契約等を締結する単位ごとに別表１—１で定める対象経費の実支出額と、総事業費から寄付金その他の収入額を控除した額を比較していずれか少ない方の額の合計に別表１—８で定める国の負担割合を乗じた額を算出する。

ウ　工事請負契約等を締結する単位ごとに、アにより算出した額とイにより算出した額を比較していずれか少ない方の額の合計を交付額とする。

②　「認定こども園」

ア　交付金の交付の対象となる施設整備事業につき、工事請負契約等を締結する単位ごとに、別表２—１、別表２—２、別表２—４、別表２—５、別表２—７、別表２—８で定める基準により算出した基準額の合計を交付基礎額とする。なお、当該整備事業が保育所部分又は教育部分のいずれかに係る場合は、その該当する別表で定める基準により算出した基準額を交付基礎額とする。

イ　工事請負契約等を締結する単位ごとに別表１—１で定める対象経費の実支出額と、総事業費から寄付金その他の収入額を控除した額を比較していずれか少ない方の額の合計に別表１—８で定める国の負担割合を乗じた額を算出する。

ウ　工事請負契約等を締結する単位ごとに、アにより算出した額とイにより算出した額を比較していずれか少ない方の額の合計を交付額とする。

(4)　次の表の⑤に掲げる「保育所」、「認定こども園」及び「小規模保育事業所」の施設整備事業

８の(1)(2)(4)、９の(1)(2)(3)に基づいて算定し、「交付基準額表」中、「待機児童解消に向けて緊急的に対応する施策に基づく事業の場合」に基づき、交付基礎額を算出するものとする。

①	沖縄振興特別措置法第４条第１項に規定する沖縄振興計画に基づく事業として行う場合
②	過疎地域の持続的発展の支援に関する特別措置法（令和３年法律第19号）第８条第１項に規定する過疎地域持続的発展市町村計画に基づく事業及び附則第５条に基づく事業として行う場合
③	山村振興法（昭和40年法律第64号）第８条第１項に規定する山村振興計画に基づく事業として行う場合（地方交付税法（昭和25年法律第211号）第14条の規定により算定した市町村の基準財政収入額を同法第11条の規定により算定した当該市町村の基準財政需要額で除して得た数値で補助年度前３か年度内の各年度に係るものを合算したものの３分の１の数値が0.4未満である市町村の区域内にあるものに限る。（創設を除く。））
④	南海トラフ地震に係る地震防災対策の推進に関する特別措置法（平成14年法律第92号）第12条第１項に規定する津波避難対策緊急事業計画に基づいて実施される事業のうち、同項第４号に基づき政令で定める施設
⑤	平成28年４月７日雇児発0407第２号「「待機児童解消に向けて緊急的に対応する施策について」の対応方針について」に基づき、参加する自治体が当該事業を行う場合
⑥	日本海溝・千島海溝周辺海溝型地震に係る地震防災対策の推進に関する特別措置法（平成16年法律第27号）第11条第１項に規定する津波避難対策緊急事業計画に基づいて実施される事業のうち同項第４号に基づき政令で定める施設

（経過措置）

10　学校法人（学校法人以外の個人立等から学校法人立に組織変更をし、交付金の交付を決定する会計年度（以下「交付決定年度」という。）までに設置認可がなされた場合を含む。）が交付決定年度中に幼稚園型認定こども園の整備を行う場合、令和６年度までは事前に申請する市町村との協議を行うことで、８及び９に定める算定方法等にかかわらず、補助対象経費及び補助限度額は別表①及び別表②に掲げるとおりとし、補助率は３分の１以内とすることができる。ただし、地震による倒壊の危険性が高いものの耐震化に係る補助対象経費は補助率２分の１以内とすることができる。

この場合、申請手続等については11から18の規定を準用する。

【別表①】対象経費

1　新築、増築、改築

対象経費	
1　本工事費	建物の躯体工事（基礎、軸組、床組、小屋組、壁体等） 仕上げ関係工事（屋根、天井、建具、造作、内外装、諸仕上げ等） 解体撤去費 実施設計費 耐力度調査費 耐震診断費 雑工事 （建物に一般的に附随するもので、建物の部分として工事される黒板、掲示板、流し、棚、鏡、保育室等の室名札、履物・雨具・カバン等の物入れ及び物掛け、換気扇、排気天蓋、スロープ、犬走り、テラス、犬走り又はテラスに附随する足洗場及び水呑場等） 家具又は備品とみなされるもの（机、椅子、タンス、カーテン等）は、建物に固定されていても対象経費には含めない。
2　附帯工事費	本工事に附帯する工事で、次表左欄に掲げる工事の種類ごとに同表中欄に例示するもの（当該建物に直接関係のない工事、既存建物内部の工事、同一敷地外の工事及び同表右欄に例示するものは含めない）

工事の種類	附帯工事に含めるもの	附帯工事に含めないもの
1　電気工事	差し込み口、取付照明器具、建築当初から取付けられた照明灯、エレベータ（障害児が在籍している幼稚園に限る）	移動照明器具
2　給水工事	給水管、給水栓、手洗・洗面等の取付器具、給水ポンプ、貯水槽、受水槽、さく井	
3　衛生工事	汚水管、トラップ、便器、し尿浄化槽、汚水ポンプ	
4　冷暖房工事	配管、ダクト、放熱器、ボイラー及び付属設備一式 冷凍器及び付属設備一式、煙道、煙突	備品的な冷暖房器具（ストーブ等）
5　ガス工事	ガス配管、諸コック	ガス器具（コンロ等）
6　給食リフト工事	給食リフト一式	
7　防火、消火工事	火災報知器、火災感知器、火災警報器、スプリンクラー、消火栓ボックス一式及び消防署への直接連絡設備	消火器
8　放送等弱電工事	室内スピーカー、電気時計	放送器、マイクロホン、電話機
9　避雷工事	避雷針設備工事一式	
10　排水工事	排水管、トラップ、排水桝、側溝、排水ポンプ	
11　門、囲障等の工事	門、さく、へい及び吹き抜けの渡り廊下	

	12　前記工事のための電気配線・配管・変圧器・分電盤・配電盤	
3　買収費	幼稚園の施設を緊急に必要とする場合に限り、原則としてそのまま園舎として使用できる建物を、適正な評価機関による評価に基づいて買収する経費 （教育効果をより高めるために必要となる軽微な補修に要する経費を含む）	

2　屋外教育環境整備（1園当たり500万円以上の事業を対象とする）

補　助　対　象　経　費	
1　樹木	施設を構成する高木・低木・草木・芝張（植樹のための土を含む）
2　アスレチック遊具	一般的な遊具は対象外 〔ブランコ、ジャングルジム、鉄棒、シーソー、スベリ台等は含まない〕
3　築山・池	（園児が立ち入りできるものが望ましい）
4　屋外ステージ	建物の要件にあてはまるものは対象外
5　ベンチ	土地に固着したもの
6　花壇・畑	土地に固着したもの（腐葉土等の客土を含む）
7　水飲み場、足洗場	屋外教育環境整備に付随するもの
8　便所	建物の要件にあてはまるものは対象外
9　給排水工事	屋外教育環境整備に付随するもの
10　電気工事	屋外教育環境整備に付随する放送設備、照明設備等
11　実施設計費	交付対象工事に係る設計費とする

3　耐震補強工事等（1園当たり400万円以上（非構造部材の耐震対策又は防災機能強化のみの場合にあっては下限はないものとする。また、避難所指定を受けている幼稚園が自家発電装置を単体で整備する場合は、1園当たり200万円以上）の事業を交付対象とする）

補　助　対　象　経　費	
1　工事費及び附帯工事費	柱、壁、梁等の補強又は増設等の耐震補強、天井材等の非構造部材の耐震化又は防災機能強化に要する工事費

【防災機能強化事業】

工事の種類	対象となる具体例
非構造部材の耐震化	a　外壁及びその仕上げ材（モルタル・タイル・ALC板等）の剥落・落下防止工事 b　建具及びガラスの落下防止工事 c　間仕切り及び内装材（内装仕上げ材の剥落等）の剥落・落下防止工事 d　天井材（下地材・天井ボード）及び天井器具（照明器具・空調機器等）の落下防止工事 e　屋根材（瓦材等）の落下防止工事 f　屋外避難階段等と本体建物の分離防止工事 g　設備機器（屋外空調設備・受水槽・高置水槽等）の移動・転倒防止工事 h　配管（給排水配管・ガス配管・電線等）の破損・切断（漏電）防止工事 i　既に存在する書架やロッカーなどの備品等を建物に固定させる転倒防止工事
備蓄倉庫等の整備	備蓄倉庫及び防災倉庫設置のための既存園舎等の改修工事等 （倉庫に保存する設備及び食料等は補助対象外）

	防災機能強化	避難経路の確保	外階段や避難経路の設置のための改修・改造工事、通路や出入り口確保の拡幅のための改修・改造工事等
	防災機能強化	屋外防災施設の整備	既存施設への屋外便所、マンホールトイレの設置工事、防火水槽、耐震性貯水槽、防災井戸の設置工事等
	防災機能強化	その他	自家発電設備等の設置工事及びこれに伴い必要となる工事等（耐震化に係る改築または耐震補強工事に関連して実施するものに限る。ただし、避難所の指定を受けている幼稚園にあっては単体で整備する場合も交付対象にする。）
2　耐震診断費、耐震点検費			
3　実施設計費	交付対象工事費に係る設計費とする		

4　防犯対策工事（1園当たり30万円以上の事業を交付対象とする。）

補　助　対　象　経　費	
1　防犯対策工事費	安全対策のために行う以下の施設工事等に要する工事費 ①　管理諸室の配置換え及びそれに伴う改造工事 ②　安全対策上必要な部屋の配置換え及びそれに伴う改造工事 ③　門やフェンス等の設置・改修工事 ④　その他安全対策のために必要と認められる工事 前記の施工工事と一体として行われる防犯監視システムや通報設備の設置工事。
2　実施設計費	補助対象工事に係る設計費とする。

5　アスベスト等対策工事（1園当たり400万円以上の事業を補助対象とする）

補　助　対　象　経　費	
1　アスベスト等対策工事費	吹き付けアスベスト（これに類するもろいアスベスト建材を含む）の除去等に要する工事費及び安定器にＰＣＢを使用した照明器具の交換工事費
2　実施設計費	交付対象工事費に係る設計費とする

6　エコ改修事業（1園当たり400万円以上の事業を補助対象とする）

補　助　対　象　経　費	
1　機器設備等工事費	設備等の本体を設置するための工事
2　電気設備工事費	整備に必要な電源、電気、配線等の工事
3　建築工事	設備等を設置するための既存校舎の建築等の工事
4　給排水設備工事費	整備に必要な給排水等の工事
5　ガス設備工事費	整備に必要なガス設備等の工事
6　土木・造園工事費	緑化推進整備に必要な工事
7　実施設計費	交付対象工事費に係る設計費とする

7　津波移転改築工事（事業費の下限はないものとする）

補　助　対　象　経　費	
本工事費	建物の躯体工事（基礎、軸組、床組、小屋組、壁体等） 仕上げ関係工事（屋根、天井、建具、造作、内外装、諸仕上げ等） 解体撤去費 実施設計費 雑工事

	〔建物に一般的に附随するもので、建物の部分として工事される黒板、掲示板、流し、棚、鏡、保育室等の室名札、履物・雨具・カバン等の物入れ及び物掛け、換気扇、排気天蓋、スロープ、犬走り、テラス、犬走り又はテラスに附随する足洗場及び水呑場等〕 家具又は備品とみなされるもの（机、椅子、タンス、カーテン等）は、建物に固定されていても対象経費には含めない。

8　内部改修工事（衛生環境改善、園舎の一部改修の事業区分毎に各々１件として取扱い、１件当たり200万円以上の事業を交付対象とする。）

<table>
<tr><th colspan="3">補　助　対　象　経　費</th></tr>
<tr><td rowspan="3">１
内部改修工事費</td><td colspan="2">園舎の内部改修のために行う以下の施設工事等に要する工事費</td></tr>
<tr><td>衛生環境改善</td><td>①　園舎の衛生環境の改善の推進を図るためのトイレの改修工事（床の乾式化工事を伴うものに限る）及び手洗い場の設置・改修
②　園舎の衛生環境の改善の推進を図るための教室等の空調設備の整備（新設を伴うものに限る）</td></tr>
<tr><td>園舎の一部改修</td><td>①　預かり保育事業等の実施に伴う園舎の内部改修
②　感染症対策のための間仕切り工事及び部屋の使用目的を変えるための内部改修</td></tr>
<tr><td colspan="2">２　実施設計費</td><td>交付対象工事費に係る設計費とする</td></tr>
</table>

9　バリアフリー化工事（１園当たり150万円以上の事業を交付対象とする。）

補　助　対　象　経　費	
１　バリアフリー化工事費	園舎等のバリアフリー化のために行う以下の施設工事等に要する工事費 ①　障害を有する園児が在園している、又は在園する予定がある幼稚園の工事 ②　障害を有する教職員等が勤務する幼稚園で特に必要と認められる工事 ③　地域コミュニティや防災の拠点として幼稚園を整備する上で園舎等のバリアフリー化が必要と認められる工事 ④　その他園舎等のバリアフリー化が必要と認められる工事
２　実施設計費	交付対象工事に係る設計費とする。

【別表②】交付限度額

事業区分	補　助　限　度　額
１　新築、増築、改築 学級定員の引き下げに伴う増築 津波移転改築工事	毎年度の予算で定める１平方メートル当たりの単価と建築実施単価（補助事業に要する経費を建物面積で除して得た額）とのいずれか小さい額に補助資格面積を乗じて得た「交付対象工事費」に「国の負担割合」を掛けた金額（予算の範囲内）
２　屋外教育環境整備	屋外運動広場、屋外集会施設、屋外学習施設の事業区分毎に各々１件として取り扱い、１件当たり1000万円を限度とする「交付対象工事費」に「国の負担割合」を掛けた金額（予算の範囲内）
３　耐震補強工事等	１園当たり１億円（避難所指定を受けている幼稚園が行う自家発電設備の単体整備については500万円）を限度とする「交付対象工事費」に「国の負担割合」を掛けた金額（予算の範囲内）
４　防犯対策工事	１園当たり１億円を限度とする「交付対象工事費」に「国の負担割合」を掛けた金額（予算の範囲内）
５　アスベスト等対策工事	１園当たり１億円を限度とする「交付対象工事費」に「国の負担割合」を掛けた金額（予算の範囲内）
６　エコ改修事業	１園当たり１億円を限度とする「交付対象工事費」に「国の負担割合」を掛けた金額（予算の範囲内） ただし、建物緑化・屋上緑化については1000万円を限度とする「交付対象工事費」に「国の負担割合」を掛けた金額（予算の範囲内）
７　内部改修工事	衛生環境改善、園舎の一部改修の事業区分毎に各々１件として取扱い、１件当たり１億円を限度とする「交付対象工事費」に「国の負担割合」を掛けた金額（予算の範囲内）

8　バリアフリー化工事	1園当たり1億円を限度とする「交付対象工事費」に「国の負担割合」を掛けた金額（予算の範囲内）

※令和5年度に交付決定する新増改築時の構造別単価

構造	㎡あたり単価
R、耐S、W	220,500円
S	199,300円

（交付金の概算払）

11　こども家庭庁長官は、必要があると認める場合において、国の支払計画承認額の範囲内において概算払することができるものとする。

（交付の条件）

12　この交付金の交付の決定は、次の条件が付されるものとする。

(1)　事業の内容のうち、整備計画等に記載された建物等の用途を変更する場合には、当該都道府県の区域を管轄する地方厚生局長（徳島県、香川県、愛媛県及び高知県にあっては四国厚生支局長、以下「地方厚生（支）局長」という。）の承認を受けなければならない。

(2)　整備計画等に記載された事業を中止又は廃止（一部の中止又は廃止を含む。）する場合には、地方厚生（支）局長の承認を受けなければならない。

(3)　整備計画等に基づく事業が計画期間内に完了しない場合又は事業の遂行が困難になった場合には、速やかに地方厚生（支）局長に報告してその指示を受けなければならない。

(4)　この交付金に係る予算及び決算との関係を明らかにした別紙3の様式による調書を作成するとともに、事業に係る歳入及び歳出について証拠書類を整理し、かつ調書及び証拠書類を交付金の額の確定の日（事業の中止又は廃止の承認を受けた場合には、その承認を受けた日）の属する年度の終了後5年間保管しておかなければならない。

ただし、事業により取得し、又は効用の増加した財産がある場合は、前記の期間を経過後、当該財産の財産処分が完了する日、又は適正化法施行令第14条第1項第2号の規定によりこども家庭庁長官が別に定める期間を経過する日のいずれか遅い日まで保管しておかなければならない。

(5)　この交付金の交付と対象経費を重複して、国庫補助を受けてはならない。

(6)　市町村は社会福祉法人等の事業者に対してこの交付金を財源の一部として補助金を交付する場合には、次の条件を付さなければならない。

ア　(1)〜(3)に掲げる条件

この場合において、「地方厚生（支）局長」とあるのは「市町村長」と読み替えるものとする。

イ　事業により取得し、又は効用の増加した不動産及びその従物並びに事業により取得し、又は効用の増加した価格が単価30万円以上の機械及び器具及びその他財産については、適正化法施行令第14条第1項第2号の規定によりこども家庭庁長官が別に定める期間を経過するまで市町村長の承認を受けないでこの補助金の目的に反して使用し、譲渡し、交換し、貸し付け、担保に供し、取り壊し又は廃棄してはならない。

ウ　事業に係る収入及び支出を明らかにした帳簿を備え、当該収入及び支出について証拠書類を整理し、かつ当該帳簿及び証拠書類を交付金の額の確定の日（事業の中止又は廃止の承認を受けた場合には、その承認を受けた日）の属する年度の終了後5年間保管しておかなければならない。

ただし、事業により取得し、又は効用の増加した財産がある場合は、前記の期間を経過後、当該財産の財産処分が完了する日又は適正化法施行令第14条第1項第2号の規定によりこども家庭庁長官が別に定める期間を経過する日のいずれか遅い日まで保管しておかなければならない。

エ　事業完了後に消費税及び地方消費税の申告によりこの補助金に係る消費税及び地方消費税に係る仕入控除税額が確定した場合（仕入控除税額が0円の場合を含む。）は、別紙7の様式により速やかに、遅くとも補助事業完了日の属する年度の翌々年度6月30日までに市町村長に報告しなければならない。

なお、事業者が全国的に事業を展開する組織の1支部（又は1支社、1支所等）であって、自ら消費税及び地方消費税の申告を行わず、本部（又は本社、本所等）で消費税及び地方消費税の申告を行っている場合は、本部の課税売上割合等の申告内容に基づき報告を行うこと。

また、補助金に係る仕入控除税額があることが確定した場合には、当該仕入控除税額を市町村に返還しなければならない。

(7)　(6)により付した条件に基づき市町村長が承認又は指示する場合には、あらかじめ地方厚生（支）局長の承認又は指示を受けなければならない。

(8)　事業者から財産の処分による収入又は補助金に係る消費税又は地方消費税に係る仕入控除税額の

全部又は一部の納付があった場合には、その納付額の全部又は一部を国庫に納付させることがある。

⑼　事業者が⑹により付した条件に違反した場合には、この交付金の全部又は一部を国庫に納付させることがある。

(申請手続)

13　この交付金の交付の申請は、次により行うものとする。

⑴　東京都及び神奈川県以外

ア　市町村の長は、別紙1の様式による申請書に関係書類を添えて、道府県知事が定める日までに道府県知事に提出するものとする。

イ　道府県知事は、別紙1の申請書を受理したときは、その内容を審査し必要があると認めるときは現地調査等を行い、その後適正と認めたときは、地方厚生（支）局長が別に定める日までに地方厚生（支）局長に提出するものとする。

⑵　東京都及び神奈川県

ア　市町村の長は、別紙1の様式による申請書に関係書類を添えて、都県知事が定める日までに都県知事に提出するものとする。

イ　都県知事は、別紙1の申請書を受理したときは、関東信越厚生局長が別に定める日までに関東信越厚生局長に提出するものとする。

(変更申請手続)

14　この交付金の交付決定後の事情の変更により申請の内容を変更して追加交付申請等を行う場合には、13に定める申請手続に従い、別に指示する日までに行うものとする。

(交付決定までの標準的期間)

15　地方厚生（支）局長は、13又は14による申請書が到達した日から起算して原則として2月以内に交付の決定（変更交付決定を含む。）を行うものとする。

(状況報告)

16　市町村は、交付金の対象となった施設整備事業、防音壁整備事業及び防犯対策強化整備事業に係る工事に着工したときは、別紙4の様式により工事に着工した日から10日以内に、また、工事進捗状況については別紙5の様式により12月末日現在の状況を翌月15日までに、当該市町村の属する都道府県の知事を経由して地方厚生（支）局長に報告しなければならない。

(実績報告)

17　この交付金の実績報告は、次により行うものとする。

⑴　東京都及び神奈川県以外

ア　市町村の長は、別紙2の様式による報告書に関係書類を添えて、道府県知事が定める日までに道府県知事に提出するものとする。

なお、事業が翌年度にわたるときは、この交付金の交付の決定に係る国の会計年度の翌年度の4月30日までに、当該市町村の属する道府県の知事を経由して、別紙6の様式による報告書を地方厚生（支）局長に提出して行わなければならない。

イ　道府県知事は、別紙2の事業実績報告書を受理したときは、その内容を審査し必要があると認めるときは現地調査等を行い、その後適正と認めたときは、事業の完了の日から起算して1月を経過した日（12の⑵⑹により事業の中止又は廃止の承認を受けた場合には、当該承認通知を受理した日から1月を経過した日）又は翌年度4月10日のいずれか早い日までに、地方厚生（支）局長に提出して行わなければならない。

⑵　東京都及び神奈川県

ア　市町村の長は、別紙2の様式による報告書に関係書類を添えて、都県知事が定める日までに都県知事に提出するものとする。

なお、事業が翌年度にわたるときは、この交付金の交付の決定に係る国の会計年度の翌年度の4月30日までに、都県知事を経由して、別紙6の様式による報告書を関東信越厚生局長に提出して行わなければならない。

イ　都県知事は、別紙2の事業実績報告書を受理したときは、事業の完了の日から起算して1月を経過した日（12の⑵⑹により事業の中止又は廃止の承認を受けた場合には、当該承認通知を受理した日から1月を経過した日）又は翌年度4月10日のいずれか早い日までに、関東信越厚生局長に提出して行わなければならない。

(交付金の返還)

18　地方厚生（支）局長は、交付すべき交付金の額を確定した場合において、既にその額を超える交付金が交付されているときは、期限を定めて、その超える部分について国庫に返還することを命ずる。

(その他)

19　特別の事情により、8、13、14、16及び17に定める算定方法、手続きによることができない場合には、あらかじめ地方厚生（支）局長の承認を受けてその定めるところによるものとする。

附　則（令和5年8月22日）

第1条　10の【別表①】のうち、「アスベスト等対策工事（1園当たり400万円以上の事業を補助対象とする)」とあるのは、「アスベスト等対策工事（事業費の下限はないものとする)」と読み替えるものとする。

第2条　前条は、令和5年度末までに交付を決定するものについて適用する。

別表１—１

算　定　基　準

（創設、増築、増改築、改築及び老朽民間児童福祉施設整備）

１　区分	２　種目	３　基準	４　対象経費	５　負担割合
保育所 私立認定こども園 小規模保育事業所 こども誰でも通園制度（仮称）試行的事業を行う事業所	本体工事費	別表２に掲げる１施設当たりの交付基準額を基準とする。 ※１　沖縄振興特別措置法（平成14年法律第14号）第４条第１項に規定する沖縄振興計画に基づく事業、過疎地域の持続的発展の支援に関する特別措置法（令和３年法律第19号）第８条第１項に規定する過疎地域持続的発展市町村計画に基づく事業及び附則第５条に基づく事業、山村振興法（昭和40年法律第64号）第８条第１項に規定する山村振興計画に基づく事業、南海トラフ地震に係る地震防災対策の推進に関する特別措置法（平成25年法律第87号）第12条第１項に規定する津波避難対策緊急事業計画に基づいて実施される事業のうち、同項第４号に基づき政令で定める施設として行う事業、待機児童解消に向けて緊急的に対応する施策に基づく事業を含む。 ※２　豪雪地帯対策特別措置法（昭和37年法律第73号）第２条第２項の規定に基づき指定された特別豪雪地帯、奄美群島振興開発特別措置法（昭和29年法律第189号）第１条に規定された奄美群島、離島振興法（昭和28年法律第72号）第２条第１項の規定に基づき指定された離島振興対策実施地域、小笠原諸島振興開発特別措置法（昭和44年法律第79号）第４条第１項に規定された小笠原諸島又は沖縄振興特別措置法（平成14年法律第14号）第３条第１項第３号に規定された離島のいずれかに所在する場合は、上記に定める方法により算定された基準額に対して0.08を乗じて得た額を加算する。	施設の整備（施設の整備と一体的に整備されるものであって、こども家庭庁長官が必要と認めた整備を含む。）に必要な工事費又は工事請負費（７に定める費用を除く。）、工事事務費（工事施工のため直接必要な事務に要する費用であって、旅費、消耗品費、通信運搬費、印刷製本費及び設計監督料等をいい、その額は、工事費又は工事請負費の2.6％に相当する額を限度額とする。）、実施設計に要する費用、開設準備に必要な費用、新たに土地を賃借して整備する場合に必要な賃借料（敷金を除き礼金を含む。）、定期借地権契約により土地を確保し整備する場合に必要となる権利金や前払地代などの一時金。 ただし、別の補助金等又はこの種目とは別の種目において別途交付対象とする費用を除き、工事費又は工事請負費には、これと同等と認められる委託費、分担金及び適当と認められる購入費等を含む。	別表１—８のとおり
	解体撤去工事費及び仮設施設整備工事費（災害復旧に係る仮設施設整備工事費は除く。）	別表２に掲げる１施設当たりの交付基準額を基準とする。※１、※２について同上。	解体撤去に必要な工事費又は工事請負費及び仮設施設整備に必要な賃借料、工事費又は工事請負費	

別表１―２

算　定　基　準

（大規模修繕等）

１　区分	２　種目	３　基準	４　対象経費	５　負担割合
保育所 私立認定こども園 小規模保育事業所 こども誰でも通園制度（仮称）試行的事業を行う事業所	本体工事費	大規模修繕等その他特別な工事費（耐震化等整備事業における大規模修繕等を含む。）については、次のいずれか低い方の価格に別表１―８に定める国の負担割合を乗じた額を基準にこども家庭庁長官が必要と認めた額とする。 (1)　公的機関（都道府県又は市町村の建築課等）の見積り (2)　工事請負業者２社の見積もり	施設の整備（施設の整備と一体的に整備されるものであって、こども家庭庁長官が必要と認めた整備を含む。）に必要な工事費又は工事請負費（７に定める費用を除く。）、工事事務費（工事施工のため直接必要な事務に要する費用であって、旅費、消耗品費、通信運搬費、印刷製本費及び設計監督料等をいい、その額は、工事費又は工事請負費の2.6％に相当する額を限度額とする。）、実施設計に要する費用。 ただし、別の補助金等又はこの種目とは別の種目において別途交付対象とする費用を除き、工事費又は工事請負費には、これと同等と認められる委託費、分担金及び適当と認められる購入費等を含む。	別表１―８のとおり
	仮設施設整備工事費（災害復旧に係る仮設施設整備工事費は除く。）	大規模修繕等（耐震化整備事業を含む。）については、こども家庭庁長官が必要と認めた額とする。	仮設施設整備に必要な賃借料、工事費又は工事請負費	

別表１―３

算　定　基　準

（耐震診断）

１　区分	２　種目	３　基準	４　対象経費	５　負担割合
保育所 私立認定こども園 小規模保育事業所 こども誰でも通園制度（仮称）試行的事業を行う事業所	耐震診断費	耐震診断費については、次のいずれか低い方の価格に別表１―８に定める国の負担割合を乗じた額を基準にこども家庭庁長官が必要と認めた額とする。 (1)　公的機関（都道府県又は市町村の建築課等）の見積り (2)　工事請負業者２社の見積り	耐震診断に要する経費のうち、こども家庭庁長官が必要と認めた費用	別表１―８のとおり

別表１―４

算　定　基　準

（防音壁整備）

１　区分	２　種目	３　基準	４　対象経費	５　負担割合
防音壁整備	本体工事費	防音壁の整備に係る工事費については、１施設当たり基準額を3,921,000円（１／２相当）とする。	施設の整備（施設の整備と一体的に整備されるものであって、こども家庭庁長官が必要と認めた整備を含む。）に必要な工事費又は工事請負費（７に定める費用を除く。）、工事事務費（工事施工のため直接必要な事務に要する費用であって、旅費、消耗品費、通信運搬費、印刷製本費及び設計監督料等をいい、その額は、工事費又は工事請負費の2.6％に相当する額を限度額とする。）、実施設計に要する費用。 ただし、別の補助金等又はこの種目とは別の種目において別途交付対象とする費用を除き、工事費又は工事請負費には、これと同等と認められる委託費、分担金及び適当と認められる購入費等を含む。	別表１―８のとおり

別表１―５

算　定　基　準
（防犯対策の強化に係る整備）

１　区分	２　種目	３　基準	４　対象経費	５　負担割合
防犯対策の強化に係る整備	本体工事費	防犯対策の強化に係る整備については、次の取り扱いとする。 ア　門、フェンス等の外構の設置、修繕等 次のいずれか低い方の価格（以下「外構の設置、修繕等に係る見積り額」という。）に２分の１を乗じた額とする。 ⑴　公的機関（都道府県又は市町村の建築課等）の見積り ⑵　工事請負業者２社の見積もり ※ただし、外構の設置、修繕等に係る見積り額が300,000円未満の場合は、本事業の対象としない。 イ　非常通報装置等の設置 次のいずれか低い方の価格（以下「非常通報装置等の設置に係る見積り額」という。）に２分の１を乗じた額と900,000円を比較していずれか少ない額とする。 ⑴　公的機関（都道府県又は市町村の建築課等）の見積り ⑵　工事請負業者２社の見積もり ※ただし、非常通報装置等の設置に係る見積り額が300,000円未満の場合は、本事業の対象としない。	防犯対策の強化に係る整備に必要な工事費又は工事請負費（７に定める費用を除く。）、工事事務費（工事施工のため直接必要な事務に要する費用であって、旅費、消耗品費、通信運搬費、印刷製本費及び設計監督料等をいい、その額は、工事費又は工事請負費の2.6％に相当する額を限度額とする。）、実施設計に要する費用。 ただし、別の補助金等又はこの種目とは別の種目において別途交付対象とする費用を除き、工事費又は工事請負費には、これと同等と認められる委託費、分担金及び適当と認められる購入費等を含む。	別表１―８のとおり

別表１—６

（公立の認定こども園のうち本土に係るもの）

項	事業区分	対象となる経費	配分基礎額の算定方法	算定割合
１	構造上危険な状態にある建物の改築	認定こども園の園舎の構造上危険な状態にあるものの改築（買収その他これに準ずる方法による取得を含む。以下同じ。）に要する経費	こども家庭庁長官が必要と認める面積に１平方メートル当たりの建築の単価等を乗じたものとする。 （算定方法の特例） ア　鉄筋コンクリート造以外の構造の建物に関しては、保有面積について、園舎の保有面積のうち鉄筋コンクリート造以外の構造に係る部分の面積について、これに1.02を乗じて行うものとする。 イ　鉄筋コンクリート造以外の構造の建物に関しては、１平方メートル当たりの建築の単価に乗ずべき面積について、当該面積のうち鉄筋コンクリート造以外の構造の園舎に充てようとする部分の面積について、これを1.02で除して行うものとする。 ウ　積雪寒冷地にある認定こども園の学級数に応ずる必要面積については、運用細目に定めるところにより、当該認定こども園の所在地の積雪寒冷地に応じ、必要な補正を加えるものとする。	１／３ （算定割合の特例） ア　認定こども園以外の公共施設との複合化・集約化を行う場合の園舎にあっては１／２ イ　上記ア以外のもので、かつ園舎の改築について財政力指数が1.00を超える都道府県又は地方自治法（昭和22年法律第67号）第252条の19第１項の指定都市（以下「指定都市」という。）の設置するものにあっては１／３×１／(財政力指数)
２	長寿命化改良事業	認定こども園の園舎で構造体の劣化対策を要する建築後40年以上経過したものの長寿命化改良に要する経費	こども家庭庁長官が必要と認める面積等に１平方メートル当たりの建築の単価等を乗じたものとする。	１／３ （算定割合の特例） 認定こども園以外の公共施設との複合化・集約化を行う場合の園舎にあっては１／２
		認定こども園の園舎で建築後20年以上であるものの長寿命化を図るための予防的な改修に要する経費	こども家庭庁長官が必要と認める額とする。	１／３
３	不適格改築	教育を行うのに著しく不適当な認定こども園の建物で特別の事情があるものの改築に要する経費	１の項の例により算定するものとする。	１／３ （算定割合の特例） ア　認定こども園の建物で、地震による倒壊の危険性が高いもののうち、やむを得ない理由により補強が困難なものにあっては１／２ イ　認定こども園以外の公共

				施設との複合化・集約化を行う場合の園舎にあっては１／２ ウ　上記イ以外のもので、かつ財政力指数が1.00を超える都道府県又は指定都市の設置する認定こども園の建物にあっては１／３×１／（財政力指数）
４	津波移転改築	防災のための集団移転促進事業に係る国の財政上の特別措置等に関する法律（昭和47年法律第132号）第２条第２項に規定する集団移転促進事業に関連して移転が必要と認められる認定こども園の建物の改築（南海トラフ地震に係る地震防災対策の推進に関する特別措置法第12条第１項及び日本海溝・千島海溝周辺海溝型地震に係る地震防災対策の推進に関する特別措置法第11条第１項に規定する津波避難対策緊急事業計画に記載された事業に限る。）に要する経費	１の項の例により算定するものとする。	１／２
５	補強	認定こども園の補強を要する建物の補強工事に要する経費	こども家庭庁長官が必要と認める面積に１平方メートル当たりの建築の単価等を乗じたものとする。	１／３ （算定割合の特例） ア　地震による倒壊の危険性が高いものにあっては２／３ イ　上記ア以外のもので、かつ財政力指数が1.00を超える都道府県又は市町村の設置するものにあっては２／７
６	大規模改造（質的整備）	認定こども園の建物等の大規模改造で次に掲げる質的整備に要する経費（ただし、カに掲げるものの経費は令和７年度限りで廃止する。） ア　教育内容及び方法の多様化等に適合させるための建物の内部改造に係る工事 イ　法令等に適合させるための施設整備工事 ウ　空調設置工事 エ　バリアフリー化等施設整備工事 オ　防犯対策施設整備工事（カに掲げるものを除く。） カ　特別防犯対策施設整備工事	こども家庭庁長官が必要と認める面積等に１平方メートル当たりの建築の単価等を乗じたものとする。	１／３ ア　特別防犯対策施設整備工事にあっては１／２ イ　上記ア以外のもので、かつ財政力指数が1.00を超える都道府県又は市町村の設置するものにあっては２／７

		キ　その他こども家庭庁長官が特に認めるもの		
7	屋外教育環境の整備に関する事業	認定こども園の屋外教育環境施設（屋外における教育環境整備の施設（植栽のための立木、芝生を含む。）であり、屋外運動広場のための施設その他これらに附帯する施設をいう。）の整備（令和２年度から令和６年度までの間に行われるものに限る。）に要する経費	こども家庭庁長官が必要と認める面積等に１平方メートル当たりの建築の単価等を乗じたものとする。	１／３
8	認定こども園の園舎の新増築	認定こども園の園舎の新築又は増築（学級定員の引下げに伴う園舎の増築を含む。）に要する経費	こども家庭庁長官が必要と認める面積に１平方メートル当たりの建築の単価等を乗じたものとする。 （算定方法の特例） １の項の例によるものとする。	１／３ （算定割合の特例） ア　筑波研究学園都市（筑波研究学園都市建設法（昭和45年法律第73号）第２条第１項の規定に基づく区域をいう。）内の認定こども園の園舎にあっては１／２ イ　上記ア以外のもので、かつ財政力指数が1.00を超える都道府県又は指定都市の設置するものにあっては１／３×１／（財政力指数）
9	公害	認定こども園のうち公害（環境基本法（平成５年法律第91号）第２条第３項の公害をいう。以下同じ。）の被害園の建物で教育環境上著しく不適当なものの改築及び二重窓、換気装置その他の公害防止工事に要する経費	ア　改築の場合 　１の項の算定方法の例により算定するものとする。 イ　公害防止工事の場合 　こども家庭庁長官が必要と定める面積等に１平方メートル当たりの建築の単価等を乗じたものとする。	１／３ （算定割合の特例） 財政力指数が1.00を超える都道府県又は指定都市の設置する認定こども園にあっては１／３×１／（財政力指数）
10	火山	活動火山対策特別措置法（昭和48年法律第61号）第23条に規定する降灰防除地域内の認定こども園において防じんのため窓に設けられる戸及び窓枠並びに空気調和設備の整備に要する経費	こども家庭庁長官が必要と認める面積等に１平方メートル当たりの建築の単価等を乗じたものとする。	１／２
11	防災機能の強化に関する事業	認定こども園の防災機能を強化するための施設整備（自家発電設備の整備については、避難所指定園に限る。）に要する経費	こども家庭庁長官が必要と認める額とする。	１／３
12	太陽光発電等の整備に関する事業	認定こども園における次に掲げる設備（エに掲げるものを単独で整備する場合には太陽光発電設置園に限り、オからキまでに掲げるものについては設計一次エネルギー消費量を基準一次エ	こども家庭庁長官が必要と認める面積等に１平方メートル当たりの建築の単価等を乗じたものとする。	１／２

		ネルギー消費量から50％以上削減できる建物に整備するものに限る。）の整備に要する経費 ア　太陽光発電 イ　風力発電 ウ　太陽熱利用 エ　蓄電池 オ　地中熱利用 カ　雪氷熱利用 キ　小水力発電		

別表１―７

（公立の認定こども園のうち沖縄に係るもの）

項	事業区分	対象となる経費	配分基礎額の算定方法	算定割合
1	補強	認定こども園の補強を要する建物の補強工事に要する経費	こども家庭庁長官が必要と認める面積に１平方メートル当たりの建築の単価等を乗じたものとする。	１／３ （算定割合の特例） ア　地震による倒壊の危険性が高いものにあっては２／３ イ　上記ア以外のもので、かつ財政力指数が1.00を超える県又は市町村の設置するものにあっては２／７
2	大規模改造（質的整備）	認定こども園の建物の大規模改造で次に掲げる質的整備に要する経費（ただし、１の項の補強と同時に整備するものに限る。また、カに掲げるものの経費は令和７年度限りで廃止する。） ア　教育内容及び方法の多様化等に適合させるための内部改造工事 イ　法令等に適合させるための工事 ウ　空調設置工事 エ　バリアフリー化等対策施設整備工事 オ　防犯対策施設整備工事（カに掲げるものを除く。） カ　特別防犯対策施設整備工事 キ　その他こども家庭庁長官が特に認めるもの	こども家庭庁長官が必要と認める面積等に１平方メートル当たりの建築の単価等を乗じたものとする。	１／３ （算定割合の特例） ア　保育室に空調施設を整備するものにあっては１／２ イ　特別防犯対策施設整備工事にあっては１／２ ウ　上記ア及びイ以外のもので、かつ財政力指数が1.00を超える県又は市町村の設置するものにあっては２／７

別表１―８

就学前教育・保育施設整備交付金における施設整備事業の国、市町村、事業者の負担割合
（公立の認定こども園に係る事業は、別表１―６又は別表１―７による）

	国	市町村	事業者
下記以外	１／２	１／４ （※１）	１／４ （※１）
新子育て安心プラン実施計画の採択を受けている市町村が策定する整備計画に基づく施設整備事業（８⑴①又は８⑵①８の事業に限る。）	２／３	１／12 （※２）	１／４ （※２）
９の表の①に基づく施設整備事業（防音壁整備、防犯対策の強化に係る整備及び耐震診断を除く。）	３／４	１／８ （※３）	１／８ （※３）
９の表の②③に基づく施設整備事業（防音壁整備、防犯対策の強化に係る整備及び耐震診断を除く。）	5.5／10	１／４ （※４）	１／５ （※４）
９の表の④⑥に基づく施設整備事業（防音壁整備、防犯対策の強化に係る整備及び耐震診断を除く。）	２／３	１／12 （※５）	１／４ （※５）
幼稚園型認定こども園（幼稚園部分）の耐震化を促進するための改造を実施する施設整備事業のうち、市町村の承認を得たもの（10の事業に限る。） ※令和６年度までの経過措置	１／２	―	１／２
幼稚園型認定こども園（幼稚園部分）のうち、耐震化以外の施設整備を行う事業であって、市町村の承認を得たもの（10の事業に限る。） ※令和６年度までの経過措置	１／３	―	２／３

※１　公立の小規模保育事業所及びこども誰でも通園制度（仮称）試行的事業を行う事業所の施設整備事業については、市町村１／２
※２　公立の小規模保育事業所の施設整備事業については、市町村１／３
※３　公立の小規模保育事業所及びこども誰でも通園制度（仮称）試行的事業を行う事業所の施設整備事業については、市町村１／４
※４　公立の小規模保育事業所及びこども誰でも通園制度（仮称）試行的事業を行う事業所の施設整備事業については、市町村4.5／10
※５　公立の小規模保育事業所及びこども誰でも通園制度（仮称）試行的事業を行う事業所の施設整備事業については、市町村１／３
※６　市町村は、上記の負担割合に応じて、事業者に対し、国の負担割合分と市町村の負担割合分の合計額を補助する。

別表２―１　［８の⑴①及び⑵①の保育所部分に係る施設整備事業：定額（２／３相当）］

交付基準額表

■本体工事費　　　　　　　　　　　　　　　　　　　　　　　　　　　　　　　　　　　　　単位：千円

	基準額（１施設当たり）	
	標準	都市部
定員20名以下	79,400	87,400
定員21～30名	83,300	91,600
定員31～40名	96,900	106,500
定員41～70名	110,200	121,400
定員71～100名	143,300	157,700
定員101～130名	172,400	189,800
定員131～160名	199,700	219,700
定員161～190名	226,800	249,500
定員191～220名	252,000	277,300
定員221～250名	279,200	307,200
定員251名以上	310,300	341,400
特殊附帯工事	12,040	
設計料加算	本体工事費に係る交付基準額（開設準備費加算、土地借料加算を除く。）の５％（千円未満切り捨て）	
開設準備費加算	次に掲げる整備後の定員区分における交付基準額に増加定員数を乗じて加算	
定員20名以下	41	
定員21～30名	31	
定員31～40名	25	
定員41～70名	22	
定員71～100名	17	
定員101～130名	15	
定員131～160名	14	
定員161名以上	12	
土地借料加算	17,500	
土地借料加算（待機児童解消に向けて緊急的に対応する施策に基づく事業の場合）	34,700	
定期借地権設定のための一時金加算（待機児童解消に向けて緊急的に対応する施策に基づく事業の場合）	保育所等の設置に必要な土地について、当該保育所等が所在する地域を所管する国税局長が定める路線価に基づき相続税における評価額の算出方法により算出された額（路線価が定められていない地域においては、固定資産税評価額に国税局長が定める倍率を乗じた額）の２分の１に別表１―８に定める国の負担割合を乗じた額（千円未満切捨て）	
地域の余裕スペース活用促進加算	標準	都市部
	2,540	2,810
地域の余裕スペース活用促進加算（待機児童解消に向けて緊急的に対応する施策に基づく事業の場合）	標準	都市部
	11,270	12,400

※１　整備を行う年度の４月１日現在の人口密度が、1,000人／㎢以上の市町村については、都市部の基準額を適用し、その他の市町村については、標準の基準額を適用する。

※２　認定こども園の保育所部分を整備する場合、当該部分の定員規模に該当する基準額とする。

※３　増築、一部改築等、定員のすべてが工事にかからない場合は、工事にかかる定員数を整備後の総定員数で除して得た数を、整備後の総定員数の規模における基準額に乗じて得た額を基準額とすること。工事に係る定員数が算定できない場合は、「工事にかかる定員数＝総定員数×整備する面積／整備後の総面積」で算定すること。（いずれも、小数点以下切捨て）

※４　土地借料加算については、新たに土地を賃借して保育所又は認定こども園を整備する場合に加算すること。また、工事着工日までの費用を含む。

※５　地域の余裕スペース活用促進加算については、地域の余裕スペース（学校、公営住宅、公民館、公有地、公園などの都市施設など）を活用して保育所又は認定こども園を整備する場合において、本体工事の補助基準額に加算すること。

※６　豪雪地帯対策特別措置法（昭和37年法律第73号）第２条第２項の規定に基づき指定された特別豪雪地域、奄美群島振興開発特別措置法（昭和29年法律第189号）第１条に規定された奄美群島、離島振興法（昭和28年法律第72号）第２条第１項の規定に基づき指定された離島振興対策実施地域、小笠原諸島振興開発特別措置法（昭和44年法律第79号）第４条第１項に規定された小笠原諸島又は沖縄振興特別措置法（平成14年法律第14号）第３条第１項第３号に規定された離島のいずれかに所在する場合は、基準額に対して0.08を乗じて得られた額を加算すること。（設計料加算、開設準備費加算、土地借料加算を除く。千円未満切捨て。）

※７　前年度から繰越を行った事業については、前年度に設定された交付基準額を適用する。

※８　特殊附帯工事については、「次世代育成支援対策施設整備交付金及び就学前教育・保育施設整備交付金における特殊附帯工事の取扱いについて」（令和５年８月22日こ成事第423号こども家庭庁成育局長通知）に基づき整備すること。なお、認定こども園の保育所部分及び教育部分の両方について特殊付帯工事を行う場合、保育所部分の額を基準額として計上し幼稚園部分の額は計上しないこととする。

別表２―１［８の⑴①及び⑵①の保育所部分に係る施設整備事業：定額（２／３相当）］

交　付　基　準　額　表

（津波避難対策緊急事業計画に基づく事業の場合（９の表の④⑥に該当する場合））

■本体工事費　　　　　　　　　　　　　　　　　　　　　　　　　　　　　　　単位：千円

	基準額（１施設当たり）	
	標準	都市部
定員20名以下	104,800	115,400
定員21～30名	109,900	121,000
定員31～40名	127,800	140,600
定員41～70名	145,700	160,300
定員71～100名	189,300	208,300
定員101～130名	227,700	250,500
定員131～160名	263,500	289,900
定員161～190名	299,500	329,500
定員191～220名	332,800	366,000
定員221～250名	368,500	405,500
定員251名以上	409,600	450,500
特殊附帯工事	15,780	
設計料加算	本体工事費に係る交付基準額（開設準備費加算、土地借料加算を除く。）の５％（千円未満切り捨て）	
開設準備費加算	次に掲げる整備後の定員区分における交付基準額に増加定員数を乗じて加算	
定員20名以下	41	
定員21～30名	31	
定員31～40名	25	
定員41～70名	22	
定員71～100名	17	
定員101～130名	15	
定員131～160名	14	
定員161名以上	12	
土地借料加算	23,300	
土地借料加算（待機児童解消に向けて緊急的に対応する施策に基づく事業の場合）	45,800	
定期借地権設定のための一時金加算（待機児童解消に向けて緊急的に対応する施策に基づく事業の場合）	保育所等の設置に必要な土地について、当該保育所等が所在する地域を所管する国税局長が定める路線価に基づき相続税における評価額の算出方法により算出された額（路線価が定められていない地域においては、固定資産税評価額に国税局長が定める倍率を乗じた額）の２分の１に別表１―８に定める国の負担割合を乗じた額（千円未満切捨て）	
地域の余裕スペース活用促進加算	標準	都市部
	3,330	3,710
地域の余裕スペース活用促進加算（待機児童解消に向けて緊急的に対応する施策に基づく事業の場合）	標準	都市部
	14,090	10,310

※１　整備を行う年度の４月１日現在の人口密度が、1,000人／㎢以上の市町村については、都市部の基準額を適用し、その他の市町村については、標準の基準額を適用する。

※２　認定こども園の保育所部分を整備する場合、当該部分の定員規模に該当する基準額とする。

※３　増築、一部改築等、定員のすべてが工事にかからない場合は、工事にかかる定員数を整備後の総定員数で除して得た数を、整備後の総定員数の規模における基準額に乗じて得た額を基準額とすること。工事に係る定員数が算定できない場合は、「工事にかかる定員数＝総定員数×整備する面積／整備後の総面積」で算定すること。（いずれも、小数点以下切捨て）

※４　土地借料加算については、新たに土地を賃借して保育所又は認定こども園を整備する場合に加算すること。また、工事着工日までの費用を含む。

※５　地域の余裕スペース活用促進加算については、地域の余裕スペース（学校、公営住宅、公民館、公有地、公園などの都市施設など）を活用して保育所又は認定こども園を整備する場合において、本体工事の補助基準額に加算すること。

※６　豪雪地帯対策特別措置法第２条第２項の規定に基づき指定された特別豪雪地域、奄美群島振興開発特別措置法第１条に規定された奄美群島、離島振興法第２条第１項の規定に基づき指定された離島振興対策実施地域、小笠原諸島振興開発特別措置法第４条第１項に規定された小笠原諸島又は沖縄振興特別措置法第３条第１項第３号に規定された離島のいずれかに所在する場合は、基準額に対して0.08を乗じて得られた額を加算すること。（設計料加算、開設準備費加算、土地借料加算を除く。千円未満切捨て。）

※７　前年度から繰越を行った事業については、前年度に設定された交付基準額を適用する。

※８　特殊附帯工事については、「次世代育成支援対策施設整備交付金及び就学前教育・保育施設整備交付金における特殊附帯工事の取扱いについて」に基づき整備すること。なお、認定こども園の保育所部分及び教育部分の両方について特殊付帯工事を行う場合、保育所部分の額を基準額として計上し幼稚園部分の額は計上しないこととする。

別表２―１　［８の⑴①及び⑵①の保育所部分に係る施設整備事業：定額（２／３相当）］

交　付　基　準　額　表

■解体撤去工事費　　　　単位：千円

	基準額（１施設当たり）			
	右記以外		津波避難対策緊急事業計画に基づく事業の場合	
	標準	都市部	標準	都市部
定員20名以下	1,589	1,749	2,097	2,308
定員21～30名	1,802	1,983	2,380	2,619
定員31～40名	2,404	2,644	3,175	3,492
定員41～70名	3,025	3,328	3,994	4,392
定員71～100名	4,266	4,694	5,633	6,196
定員101～130名	5,120	5,634	6,759	7,437
定員131～160名	6,401	7,042	8,450	9,296
定員161～190名	7,683	8,451	10,141	11,157
定員191～220名	8,964	9,859	11,831	13,014
定員221～250名	10,243	11,270	13,523	14,874
定員251名以上	11,525	12,678	15,213	16,733

※１　整備を行う年度の４月１日現在の人口密度が、1,000人／㎢以上の市町村については、都市部の基準額を適用し、その他の市町村については、標準の基準額を適用する。

※２　豪雪地帯対策特別措置法第２条第２項の規定に基づき指定された特別豪雪地域、奄美群島振興開発特別措置法第１条に規定された奄美群島、離島振興法第２条第１項の規定に基づき指定された離島振興対策実施地域、小笠原諸島振興開発特別措置法第４条第１項に規定された小笠原諸島又は沖縄振興特別措置法第３条第１項第３号に規定された離島のいずれかに所在する場合は、基準額に対して0.08を乗じて得られた額を加算する。(設計料加算、開設準備費加算、土地借料加算を除く。千円未満切り捨て)

※３　一部改築等、定員のすべてが工事にかからない場合は、既存施設の工事にかかる定員数を整備前の総定員数で除して得た数を、整備前の総定員数の規模における基準額に乗じて得た額を基準額とすること。工事に係る定員数が算定できない場合は、「工事にかかる定員数＝総定員数×解体面積／既存施設の総面積」で算定すること。(いずれも、小数点以下切捨て)

※４　前年度から繰越を行った事業については、前年度に設定された交付基準額を適用する。

■仮設施設整備工事費　　　　単位：千円

	基準額（１施設当たり）			
	右記以外		津波避難対策緊急事業計画に基づく事業の場合	
	標準	都市部	標準	都市部
定員20名以下	2,831	3,116	3,737	4,110
定員21～30名	3,455	3,802	4,562	5,019
定員31～40名	4,189	4,608	5,530	6,083
定員41～70名	5,819	6,401	7,683	8,450
定員71～100名	8,731	9,604	11,524	12,677
定員101～130名	10,478	11,525	13,829	15,213
定員131～160名	13,097	14,406	17,288	19,018
定員161～190名	14,320	15,752	18,901	20,792
定員191～220名	16,706	18,378	22,053	24,259
定員221～250名	19,093	21,003	25,204	27,723
定員251名以上	21,481	23,629	28,353	31,190

※１　整備を行う年度の４月１日現在の人口密度が、1,000人／㎢以上の市町村については、都市部の基準額を適用し、その他の市町村については、標準の基準額を適用する。

※２　豪雪地帯対策特別措置法第２条第２項の規定に基づき指定された特別豪雪地域、奄美群島振興開発特別措置法第１条に規定された奄美群島、離島振興法第２条第１項の規定に基づき指定された離島振興対策実施地域、小笠原諸島振興開発特別措置法第４条第１項に規定された小笠原諸島又は沖縄振興特別措置法第３条第１項第３号に規定された離島のいずれかに所在する場合は、基準額に対して0.08を乗じて得られた額を加算すること。（設計料加算、開設準備費加算、土地借料加算を除く。千円未満切り捨て）

※３　一部改築等、定員のすべてが工事にかからない場合は、既存施設の工事にかかる定員数を整備前の総定員数で除して得た数を、整備前の総定員数の規模における基準額に乗じて得た額を基準額とすること。工事に係る定員数が算定できない場合は、「工事にかかる定員数＝総定員数×解体面積／既存施設の総面積」で算定すること。(いずれも、小数点以下切捨て)

※４　前年度から繰越を行った事業については、前年度に設定された交付基準額を適用する。

別表２―２　［８の⑴②、⑵②ア・イの保育所部分に係る施設整備事業：定額（１／２相当）］
［８の⑵①ア、②ア・ウの教育部分に係る施設整備事業：定額（１／２相当）］

交　付　基　準　額　表

■本体工事費　　単位：千円

	基準額（１施設当たり）	
	標準	都市部
定員20名以下	59,500	65,500
定員21～30名	62,400	68,600
定員31～40名	72,400	79,800
定員41～70名	82,800	91,000
定員71～100名	107,500	118,200
定員101～130名	129,300	142,200
定員131～160名	149,700	164,600
定員161～190名	170,100	187,100
定員191～220名	188,900	207,900
定員221～250名	209,300	230,400
定員251名以上	232,800	255,900
特殊附帯工事	8,950	
設計料加算	本体工事費に係る交付基準額（開設準備費加算、土地借料加算を除く。）の５％（千円未満切り捨て）	
開設準備費加算	次に掲げる整備後の定員区分における交付基準額に増加定員数を乗じて加算	
定員20名以下	30	
定員21～30名	22	
定員31～40名	18	
定員41～70名	16	
定員71～100名	12	
定員101～130名	10	
定員131～160名	10	
定員161名以上	9	
土地借料加算	13,100	
土地借料加算（待機児童解消に向けて緊急的に対応する施策に基づく事業の場合（保育所部分に限る。））	26,000	
定期借地権設定のための一時金加算（待機児童解消に向けて緊急的に対応する施策に基づく事業の場合（保育所部分に限る。））	保育所等の設置に必要な土地について、当該保育所等が所在する地域を所管する国税局長が定める路線価に基づき相続税における評価額の算出方法により算出された額（路線価が定められていない地域においては、固定資産税評価額に国税局長が定める倍率を乗じた額）の２分の１に別表１―８に定める国の負担割合を乗じた額（千円未満切捨て）	
地域の余裕スペース活用促進加算	標準	都市部
	1,920	2,160
地域の余裕スペース活用促進加算（待機児童解消に向けて緊急的に対応する施策に基づく事業の場合（保育所部分に限る。））	標準	都市部
	8,440	9,290

※１　整備を行う年度の４月１日現在の人口密度が、1,000人／㎢以上の市町村については、都市部の基準額を適用し、その他の市町村については、標準の基準額を適用する。

※２　認定こども園の保育所部分又は教育部分を整備する場合、当該部分の定員規模に該当する基準額とする。なお、保育所部分及び教育部分の両方について整備を行う場合は、それぞれについて別途算出する。また、その場合、土地借料加算、定期借地権設定のための一時金加算及び地域の余裕スペース活用促進加算については、保育所部分に係る額を基準額として計上し、幼稚園部分に係る額は計上しないこととする。

※３　増築、一部改築等、定員のすべてが工事にかからない場合は、工事にかかる定員数を整備後の総定員数で除して得た数を、整備後の総定員数の規模における基準額に乗じて得た額を基準額とすること。工事に係る定員数が算定できない場合は、「工事にかかる定員数＝総定員数×整備する面積／整備後の総面積」で算定すること。（いずれも、小数点以下切捨て）

※４　土地借料加算については、新たに土地を賃借して保育所又は認定こども園を整備する場合に加算すること。また、工事着工日までの費用を含む。

※５　地域の余裕スペース活用促進加算については、地域の余裕スペース（学校、公営住宅、公民館、公有地、公園などの都市施設など）を活用して保育所又は認定こども園を整備する場合において、本体工事の補助基準額に加算すること。

※６　豪雪地帯対策特別措置法第２条第２項の規定に基づき指定された特別豪雪地域、奄美群島振興開発特別措置法第１条に規定された奄美群島、離島振興法第２条第１項の規定に基づき指定された離島振興対策実施地域、小笠原諸島振興開発特別措置法第４条第１項に規定された小笠原諸島又は沖縄振興特別措置法第３条第１項第３号に規定された離島のいずれかに所在する場合は、基準額に対して0.08を乗じて得られた額を加算すること。（設計料加算、開設準備費加算、土地借料加算を除く。千円未満切捨て。）

※７　前年度から繰越を行った事業については、前年度に設定された交付基準額を適用する。

※８　特殊附帯工事については、「次世代育成支援対策施設整備交付金及び就学前教育・保育施設整備交付金における特殊附帯工事の取扱いについて」に基づき整備すること。なお、認定こども園の保育所部分及び教育部分の両方について特殊付帯工事を行う場合、保育所部分の額を基準額として計上し幼稚園部分の額は計上しないこととする。

別表２－２［８の⑴②及び⑵②ア・イの保育所部分に係る施設整備事業：定額（２／３相当）］
［８の⑵①ア、②ア・ウの教育部分に係る施設整備事業：定額（２／３相当）］

交付基準額表

（津波避難対策緊急事業計画に基づく事業の場合（９の表の④⑥に該当する場合））

■本体工事費　単位：千円

	基準額（１施設当たり）	
	標準	都市部
定員20名以下	78,700	86,600
定員21～30名	82,400	90,700
定員31～40名	95,900	105,300
定員41～70名	109,200	120,300
定員71～100名	141,900	156,200
定員101～130名	170,700	187,800
定員131～160名	197,500	217,300
定員161～190名	224,600	246,900
定員191～220名	249,600	274,500
定員221～250名	276,300	304,100
定員251名以上	307,200	337,900
特殊附帯工事	11,770	
設計料加算	本体工事費に係る交付基準額（開設準備費加算、土地借料加算を除く。）の５％（千円未満切り捨て）	
開設準備費加算	次に掲げる整備後の定員区分における交付基準額に増加定員数を乗じて加算	
定員20名以下	30	
定員21～30名	22	
定員31～40名	18	
定員41～70名	16	
定員71～100名	12	
定員101～130名	10	
定員131～160名	10	
定員161名以上	9	
土地借料加算	17,300	
土地借料加算（待機児童解消に向けて緊急的に対応する施策に基づく事業の場合（保育所部分に限る。））	34,200	
定期借地権設定のための一時金加算（待機児童解消に向けて緊急的に対応する施策に基づく事業の場合（保育所部分に限る。））	保育所等の設置に必要な土地について、当該保育所等が所在する地域を所管する国税局長が定める路線価に基づき相続税における評価額の算出方法により算出された額（路線価が定められていない地域においては、固定資産税評価額に国税局長が定める倍率を乗じた額）の２分の１に別表１－８に定める国の負担割合を乗じた額（千円未満切捨て）	
地域の余裕スペース活用促進加算	標準	都市部
	2,540	2,810
地域の余裕スペース活用促進加算（待機児童解消に向けて緊急的に対応する施策に基づく事業の場合（保育所部分に限る。））	標準	都市部
	11,270	12,030

※１　整備を行う年度の４月１日現在の人口密度が、1,000人／㎢以上の市町村については、都市部の基準額を適用し、その他の市町村については、標準の基準額を適用する。

※２　認定こども園の保育所部分又は教育部分を整備する場合、当該部分の定員規模に該当する基準額とする。なお、保育所部分及び教育部分の両方について整備を行う場合は、それぞれについて別途算出する。また、その場合、土地借料加算、定期借地権設定のための一時金加算及び地域の余裕スペース活用促進加算については、保育所部分に係る額を基準額として計上し、幼稚園部分に係る額は計上しないこととする。

※３　増築、一部改築等、定員のすべてが工事にかからない場合は、工事にかかる定員数を整備後の総定員数で除して得た数を、整備後の総定員数の規模における基準額に乗じて得た額を基準額とすること。工事に係る定員数が算定できない場合は、「工事にかかる定員数＝総定員数×整備する面積／整備後の総面積」で算定すること。（いずれも、小数点以下切り捨て）

※４　土地借料加算については、新たに土地を賃借して保育所又は認定こども園を整備する場合に加算すること。また、工事着工日までの費用を含む。

※５　地域の余裕スペース活用促進加算については、地域の余裕スペース（学校、公営住宅、公民館、公有地、公園などの都市施設など）を活用して保育所又は認定こども園を整備する場合において、本体工事の補助基準額に加算すること。

※６　豪雪地帯対策特別措置法第２条第２項の規定に基づき指定された特別豪雪地域、奄美群島振興開発特別措置法第１条に規定された奄美群島、離島振興法第２条第１項の規定に基づき指定された離島振興対策実施地域、小笠原諸島振興開発特別措置法第４条第１項に規定された小笠原諸島又は沖縄振興特別措置法第３条第１項第３号に規定された離島のいずれかに所在する場合は、基準額に対して0.08を乗じて得られた額を加算すること。（設計料加算、開設準備費加算、土地借料加算を除く。千円未満切捨て。）

※７　前年度から繰越を行った事業については、前年度に設定された交付基準額を適用する。

※８　特殊附帯工事については、「次世代育成支援対策施設整備交付金及び就学前教育・保育施設整備交付金における特殊附帯工事の取扱いについて」に基づき整備すること。なお、認定こども園の保育所部分及び教育部分の両方について特殊付帯工事を行う場合、保育所部分の額を基準額として計上し幼稚園部分の額は計上しないことどする。

別表２―２［８の⑴②及び⑵②ア・イの保育所部分に係る施設整備事業：定額（１／２相当)］
［８の⑵①ア、②ア・ウの教育部分に係る施設整備事業：定額（１／２相当)］

交 付 基 準 額 表

■解体撤去工事費　　単位：千円

	基準額（１施設当たり）			
	右記以外		津波避難対策緊急事業計画に基づく事業の場合	
	標準	都市部	標準	都市部
定員20名以下	1,192	1,311	1,572	1,730
定員21～30名	1,351	1,488	1,785	1,964
定員31～40名	1,802	1,983	2,380	2,619
定員41～70名	2,268	2,496	2,995	3,295
定員71～100名	3,200	3,519	4,225	4,645
定員101～130名	3,841	4,225	5,068	5,576
定員131～160名	4,801	5,282	6,337	6,973
定員161～190名	5,761	6,339	7,606	8,366
定員191～220名	6,722	7,394	8,872	9,761
定員221～250名	7,683	8,451	10,141	11,157
定員251名以上	8,643	9,508	11,410	12,552

※１　整備を行う年度の４月１日現在の人口密度が、1,000人／㎢以上の市町村については、都市部の基準額を適用し、その他の市町村については、標準の基準額を適用する。

※２　豪雪地帯対策特別措置法第２条第２項の規定に基づき指定された特別豪雪地域、奄美群島振興開発特別措置法第１条に規定された奄美群島、離島振興法第２条第１項の規定に基づき指定された離島振興対策実施地域、小笠原諸島振興開発特別措置法第４条第１項に規定された小笠原諸島又は沖縄振興特別措置法第３条第１項第３号に規定された離島のいずれかに所在する場合は、基準額に対して0.08を乗じて得られた額を加算する。(設計料加算、開設準備費加算、土地借料加算を除く。千円未満切り捨て)

※３　一部改築等、定員のすべてが工事にかからない場合は、既存施設の工事にかかる定員数を整備前の総定員数で除して得た数を、整備前の総定員数の規模における基準額に乗じて得た額を基準額とすること。工事に係る定員数が算定できない場合は、「工事にかかる定員数＝総定員数×解体面積／既存施設の総面積」で算定すること。(いずれも、小数点以下切捨て)

※４　前年度から繰越を行った事業については、前年度に設定された交付基準額を適用する。

■仮設施設整備工事費　　単位：千円

	基準額（１施設当たり）			
	右記以外		津波避難対策緊急事業計画に基づく事業の場合	
	標準	都市部	標準	都市部
定員20名以下	2,123	2,336	2,801	3,083
定員21～30名	2,593	2,851	3,421	3,764
定員31～40名	3,142	3,455	4,147	4,562
定員41～70名	4,364	4,801	5,761	6,337
定員71～100名	6,547	7,202	8,642	9,507
定員101～130名	7,857	8,643	10,372	11,410
定員131～160名	9,823	10,807	12,966	14,262
定員161～190名	10,739	11,814	14,175	15,594
定員191～220名	12,529	13,783	16,540	18,192
定員221～250名	14,320	15,752	18,903	20,792
定員251名以上	16,110	17,721	21,265	23,393

※１　整備を行う年度の４月１日現在の人口密度が、1,000人／㎢以上の市町村については、都市部の基準額を適用し、その他の市町村については、標準の基準額を適用する。

※２　豪雪地帯対策特別措置法第２条第２項の規定に基づき指定された特別豪雪地域、奄美群島振興開発特別措置法第１条に規定された奄美群島、離島振興法第２条第１項の規定に基づき指定された離島振興対策実施地域、小笠原諸島振興開発特別措置法第４条第１項に規定された小笠原諸島又は沖縄振興特別措置法第３条第１項第３号に規定された離島のいずれかに所在する場合は、基準額に対して0.08を乗じて得られた額を加算する。(設計料加算、開設準備費加算、土地借料加算を除く。千円未満切り捨て)

※３　一部改築等、定員のすべてが工事にかからない場合は、既存施設の工事にかかる定員数を整備前の総定員数で除して得た数を、整備前の総定員数の規模における基準額に乗じて得た額を基準額とすること。工事に係る定員数が算定できない場合は、「工事にかかる定員数＝総定員数×解体面積／既存施設の総面積」で算定すること。(いずれも、小数点以下切捨て)

※４　前年度から繰越を行った事業については、前年度に設定された交付基準額を適用する。

別表２―３［保育所及び幼保連携型又は保育所型認定こども園の保育所部分に係る９の表の①に基づく施設整備事業：定額（３／４相当）］
［幼保連携型及び幼稚園型認定こども園の教育部分に係る９の表の①に基づく施設整備事業：定額（３／４相当）］

交　付　基　準　額　表

■本体工事費　　単位：千円

	基準額（１施設当たり）	
	標準	都市部
定員20名以下	89,300	98,300
定員21～30名	93,600	103,000
定員31～40名	108,900	119,900
定員41～70名	124,100	136,600
定員71～100名	161,400	177,400
定員101～130名	193,900	213,500
定員131～160名	224,600	247,200
定員161～190名	255,300	280,700
定員191～220名	283,700	312,000
定員221～250名	314,200	345,500
定員251名以上	349,200	384,100
特殊附帯工事	13,400	
設計料加算	本体工事費に係る交付基準額（開設準備費加算、土地借料加算を除く。）の５％（千円未満切り捨て）	
開設準備費加算	次に掲げる整備後の定員区分における交付基準額に増加定員数を乗じて加算	
定員20名以下	45	
定員21～30名	35	
定員31～40名	30	
定員41～70名	25	
定員71～100名	21	
定員101～130名	16	
定員131～160名	15	
定員161名以上	15	
土地借料加算	19,900	
土地借料加算（待機児童解消に向けて緊急的に対応する施策に基づく事業の場合（保育所部分に限る。））	39,100	
定期借地権設定のための一時金加算（待機児童解消に向けて緊急的に対応する施策に基づく事業の場合（保育所部分に限る。））	保育所等の設置に必要な土地について、当該保育所等が所在する地域を所管する国税局長が定める路線価に基づき相続税における評価額の算出方法により算出された額（路線価が定められていない地域においては、固定資産税評価額に国税局長が定める倍率を乗じた額）の２分の１に別表１―８に定める国の負担割合を乗じた額（千円未満切捨て）	
地域の余裕スペース活用促進加算	標準	都市部
	2,930	3,200
地域の余裕スペース活用促進加算（待機児童解消に向けて緊急的に対応する施策に基づく事業の場合（保育所部分に限る。））	標準	都市部
	12,670	13,930

※１　整備を行う年度の４月１日現在の人口密度が、1,000人／㎢以上の市町村については、都市部の基準額を適用し、その他の市町村については、標準の基準額を適用する。

※２　認定こども園の保育所部分又は教育部分を整備する場合、当該部分の定員規模に該当する基準額とする。なお、保育所部分及び教育部分の両方について整備を行う場合は、それぞれについて別途算出する。また、教育部分に係る整備において、土地借料加算、定期借地権設定のための一時金加算及び地域の余裕スペース活用促進加算については適用しないこととする。

※３　増築、一部改築等、定員のすべてが工事にかからない場合は、工事にかかる定員数を整備後の総定員数で除して得た数を、整備後の総定員数の規模における基準額に乗じて得た額を基準額とすること。工事に係る定員数が算定できない場合は、「工事にかかる定員数＝総定員数×整備する面積／整備後の総面積」で算定すること。（いずれも、小数点以下切捨て）

※４　土地借料加算については、新たに土地を賃借して保育所又は認定こども園を整備する場合に加算すること。また、工事着工日までの費用を含む。

※５　地域の余裕スペース活用促進加算については、地域の余裕スペース（学校、公営住宅、公民館、公有地、公園などの都市施設など）を活用して保育所又は認定こども園を整備する場合において、本体工事の補助基準額に加算すること。

※６　前年度から繰越を行った事業については、前年度に設定された交付基準額を適用する。

※７　特殊附帯工事については、「次世代育成支援対策施設整備交付金及び就学前教育・保育施設整備交付金における特殊附帯工事の取扱いについて」に基づき整備すること。なお、認定こども園の保育所部分及び教育部分の両方について特殊付帯工事を行う場合、保育所部分に係る額を基準額として計上し、幼稚園部分に係る額は計上しないこととする。

※８　沖縄振興特別措置法第３条第１項第３号に規定された離島のいずれかに所在する場合は、基準額に対して0.08を乗じて得られた額を加算すること。（設計料加算、開設準備費加算、土地借料加算を除く。千円未満切捨て。）

別表２－３［保育所及び幼保連携型又は保育所型認定こども園の保育所部分に係る９の表の①に基づく施設整備事業：定額（３／４相当）］
［幼保連携型及び幼稚園型認定こども園の教育部分に係る９の表の①に基づく施設整備事業：定額（３／４相当）］

交付基準額表

■解体撤去工事費

単位：千円

	基準額（1施設当たり）	
	標準	都市部
定員20名以下	1,788	1,967
定員21～30名	2,030	2,230
定員31～40名	2,705	2,975
定員41～70名	3,402	3,744
定員71～100名	4,800	5,281
定員101～130名	5,761	6,339
定員131～160名	7,202	7,922
定員161～190名	8,642	9,508
定員191～220名	10,083	11,091
定員221～250名	11,525	12,678
定員251名以上	12,965	14,262

※１　整備を行う年度の４月１日現在の人口密度が、1,000人／㎢以上の市町村については、都市部の基準額を適用し、その他の市町村については、標準の基準額を適用する。

※２　一部改築等、定員のすべてが工事にかからない場合は、既存施設の工事にかかる定員数を整備前の総定員数で除して得た数を、整備前の総定員数の規模における基準額に乗じて得た額を基準額とすること。工事に係る定員数が算定できない場合は、「工事にかかる定員数＝総定員数×解体面積／既存施設の総面積」で算定すること。（いずれも、小数点以下切捨て）

※３　前年度から繰越を行った事業については、前年度に設定された交付基準額を適用する。

※４　沖縄振興特別措置法第３条第１項第３号に規定された離島のいずれかに所在する場合は、基準額に対して0.08を乗じて得られた額を加算すること。（千円未満切捨て。）

■仮設施設整備工事費

単位：千円

	基準額（1施設当たり）	
	標準	都市部
定員20名以下	3,186	3,505
定員21～30名	3,889	4,275
定員31～40名	4,714	5,185
定員41～70名	6,547	7,202
定員71～100名	9,823	10,804
定員101～130名	11,786	12,965
定員131～160名	14,735	16,208
定員161～190名	16,110	17,721
定員191～220名	18,795	20,675
定員221～250名	21,481	23,627
定員251名以上	24,165	26,581

※１　整備を行う年度の４月１日現在の人口密度が、1,000人／㎢以上の市町村については、都市部の基準額を適用し、その他の市町村については、標準の基準額を適用する。

※２　一部改築等、定員のすべてが工事にかからない場合は、既存施設の工事にかかる定員数を整備前の総定員数で除して得た数を、整備前の総定員数の規模における基準額に乗じて得た額を基準額とすること。工事に係る定員数が算定できない場合は、
「工事にかかる定員数＝総定員数×解体面積／既存施設の総面積」で算定すること。（いずれも、小数点以下切捨て）

※３　前年度から繰越を行った事業については、前年度に設定された交付基準額を適用する。

※４　沖縄振興特別措置法第３条第１項第３号に規定された離島のいずれかに所在する場合は、基準額に対して0.08を乗じて得られた額を加算すること。（千円未満切捨て。）

別表２―４　［保育所及び幼保連携型又は保育所型認定こども園の保育所部分に係る９の表の②③に基づく施設整備事業：定額（5.5／10相当）］
［幼保連携型及び幼稚園型認定こども園の教育部分に係る９の表の②③に基づく施設整備事業：定額（5.5／10相当）］

交　付　基　準　額　表

■本体工事費　　　　単位：千円

	基準額（１施設当たり）	
	標準	都市部
定員20名以下	65,500	71,900
定員21～30名	68,600	75,500
定員31～40名	79,800	87,700
定員41～70名	91,000	100,200
定員71～100名	118,200	130,000
定員101～130名	142,200	156,400
定員131～160名	164,600	181,200
定員161～190名	187,100	205,700
定員191～220名	208,000	228,800
定員221～250名	230,300	253,500
定員251名以上	256,000	281,400
特殊附帯工事	9,860	
設計料加算	本体工事費に係る交付基準額（開設準備費加算、土地借料加算を除く。）の５％（千円未満切り捨て）	
開設準備費加算	次に掲げる整備後の定員区分における交付基準額に増加定員数を乗じて加算	
定員20名以下	34	
定員21～30名	24	
定員31～40名	21	
定員41～70名	17	
定員71～100名	14	
定員101～130名	11	
定員131～160名	11	
定員161名以上	10	
土地借料加算	14,600	
土地借料加算（待機児童解消に向けて緊急的に対応する施策に基づく事業の場合（保育所部分に限る。））	28,500	
定期借地権設定のための一時金加算（待機児童解消に向けて緊急的に対応する施策に基づく事業の場合（保育所部分に限る。））	保育所等の設置に必要な土地について、当該保育所等が所在する地域を所管する国税局長が定める路線価に基づき相続税における評価額の算出方法により算出された額（路線価が定められていない地域においては、固定資産税評価額に国税局長が定める倍率を乗じた額）の２分の１に別表１―８に定める国の負担割合を乗じた額（千円未満切捨て）	
地域の余裕スペース活用促進加算	標準	都市部
	2,160	2,300
地域の余裕スペース活用促進加算（待機児童解消に向けて緊急的に対応する施策に基づく事業の場合（保育所部分に限る。））	標準	都市部
	9,290	10,210

※１　整備を行う年度の４月１日現在の人口密度が、1,000人／㎢以上の市町村については、都市部の基準額を適用し、その他の市町村については、標準の基準額を適用する。

※２　認定こども園の保育所部分又は教育部分を整備する場合、当該部分の定員規模に該当する基準額とする。なお、保育所部分及び教育部分の両方について整備を行う場合は、それぞれについて別途算出する。また、その場合、土地借料加算、定期借地権設定のための一時金加算及び地域の余裕スペース活用促進加算については、保育所部分に係る額を基準額として計上し、幼稚園部分に係る額は計上しないこととする。

※３　増築、一部改築等、定員のすべてが工事にかからない場合は、工事にかかる定員数を整備後の総定員数で除して得た数を、整備後の総定員数の規模における基準額に乗じて得た額を基準額とすること。工事に係る定員数が算定できない場合は、「工事にかかる定員数＝総定員数×整備する面積／整備後の総面積」で算定すること。（いずれも、小数点以下切捨て）

※４　土地借料加算については、新たに土地を賃借して保育所又は認定こども園を整備する場合に加算すること。また、工事着工日までの費用を含む。

※５　地域の余裕スペース活用促進加算については、地域の余裕スペース（学校、公営住宅、公民館、公有地、公園などの都市施設など）を活用して保育所又は認定こども園を整備する場合において、本体工事の補助基準額に加算すること。

※６　豪雪地帯対策特別措置法第２条第２項の規定に基づき指定された特別豪雪地域、奄美群島振興開発特別措置法第１条に規定された奄美群島、離島振興法第２条第１項の規定に基づき指定された離島振興対策実施地域、小笠原諸島振興開発特別措置法第４条第１項に規定された小笠原諸島又は沖縄振興特別措置法第３条第１項第３号に規定された離島のいずれかに所在する場合は、基準額に対して0.08を乗じて得られた額を加算すること。（設計料加算、開設準備費加算、土地借料加算を除く。千円未満切捨て。）

※７　前年度から繰越を行った事業については、前年度に設定された交付基準額を適用する。

※８　特殊附帯工事については、「次世代育成支援対策施設整備交付金及び就学前教育・保育施設整備交付金における特殊附帯工事の取扱いについて」に基づき整備すること。なお、認定こども園の保育所部分及び教育部分の両方について特殊付帯工事を行う場合、保育所部分の額を基準額として計上し幼稚園部分の額は計上しないこととする。

別表２―４　［保育所及び幼保連携型又は保育所型認定こども園の保育所部分に係る９の表の②③に基づく施設整備事業：定額（5.5／10相当）］
［幼保連携型及び幼稚園型認定こども園の教育部分に係る９の表の②③に基づく施設整備事業：定額（5.5／10相当）］

交　付　基　準　額　表
（津波避難対策緊急事業計画に基づく事業の場合（９の表の④⑥に該当する場合））

■本体工事費　　単位：千円

	基準額（１施設当たり）	
	標準	都市部
定員20名以下	86,400	95,000
定員21～30名	90,700	99,700
定員31～40名	105,400	116,000
定員41～70名	120,300	132,300
定員71～100名	156,100	171,900
定員101～130名	187,600	206,900
定員131～160名	217,200	239,100
定員161～190名	246,900	271,800
定員191～220名	274,500	301,800
定員221～250名	304,100	334,500
定員251名以上	337,900	371,600
特殊附帯工事	13,030	
設計料加算	本体工事費に係る交付基準額（開設準備費加算、土地借料加算を除く。）の５％（千円未満切り捨て）	
開設準備費加算	次に掲げる整備後の定員区分における交付基準額に増加定員数を乗じて加算	
定員20名以下	34	
定員21～30名	24	
定員31～40名	21	
定員41～70名	17	
定員71～100名	14	
定員101～130名	11	
定員131～160名	11	
定員161名以上	10	
土地借料加算	19,200	
土地借料加算（待機児童解消に向けて緊急的に対応する施策に基づく事業の場合（保育所部分に限る。））	37,600	
定期借地権設定のための一時金加算（待機児童解消に向けて緊急的に対応する施策に基づく事業の場合（保育所部分に限る。））	保育所等の設置に必要な土地について、当該保育所等が所在する地域を所管する国税局長が定める路線価に基づき相続税における評価額の算出方法により算出された額（路線価が定められていない地域においては、固定資産税評価額に国税局長が定める倍率を乗じた額）の２分の１に別表１―８に定める国の負担割合を乗じた額（千円未満切捨て）	
地域の余裕スペース活用促進加算	標準	都市部
	2,810	3,060
地域の余裕スペース活用促進加算（待機児童解消に向けて緊急的に対応する施策に基づく事業の場合（保育所部分に限る。））	標準	都市部
	12,030	13,620

※１　整備を行う年度の４月１日現在の人口密度が、1,000人／㎢以上の市町村については、都市部の基準額を適用し、その他の市町村については、標準の基準額を適用する。

※２　認定こども園の保育所部分又は教育部分を整備する場合、当該部分の定員規模に該当する基準額とする。なお、保育所部分及び教育部分の両方について整備を行う場合は、それぞれについて別途算出する。また、その場合、土地借料加算、定期借地権設定のための一時金加算及び地域の余裕スペース活用促進加算については、保育所部分に係る額を基準額として計上し、幼稚園部分に係る額は計上しないこととする。

※３　増築、一部改築等、定員のすべてが工事にかからない場合は、工事にかかる定員数を整備後の総定員数で除して得た数を、整備後の総定員数の規模における基準額に乗じて得た額を基準額とすること。工事に係る定員数が算定できない場合は、「工事にかかる定員数＝総定員数×整備する面積／整備後の総面積」で算定すること。（いずれも、小数点以下切捨て）

※４　土地借料加算については、新たに土地を賃借して保育所又は認定こども園を整備する場合に加算すること。また、工事着工日までの費用を含む。

※５　地域の余裕スペース活用促進加算については、地域の余裕スペース（学校、公営住宅、公民館、公有地、公園などの都市施設など）を活用して保育所又は認定こども園を整備する場合において、本体工事の補助基準額に加算すること。

※６　豪雪地帯対策特別措置法第２条第２項の規定に基づき指定された特別豪雪地域、奄美群島振興開発特別措置法第１条に規定された奄美群島、離島振興法第２条第１項の規定に基づき指定された離島振興対策実施地域、小笠原諸島振興開発特別措置法第４条第１項に規定された小笠原諸島又は沖縄振興特別措置法第３条第１項第３号に規定された離島のいずれかに所在する場合は、基準額に対して0.08を乗じて得られた額を加算すること。（設計料加算、開設準備費加算、土地借料加算を除く。千円未満切捨て。）

※７　前年度から繰越を行った事業については、前年度に設定された交付基準額を適用する。

※８　特殊附帯工事については、「次世代育成支援対策施設整備交付金及び就学前教育・保育施設整備交付金における特殊附帯工事の取扱いについて」に基づき整備すること。なお、認定こども園の保育所部分及び教育部分の両方について特殊付帯工事を行う場合、保育所部分の額を基準額として計上し幼稚園部分の額は計上しないこととする。

別表２―４［保育所及び幼保連携型又は保育所型認定こども園の保育所部分に係る９の表の②③に基づく施設整備事業：定額（5.5／10相当）］
［幼保連携型及び幼稚園型認定こども園の教育部分に係る９の表の②③に基づく施設整備事業：定額（5.5／10相当）］

交　付　基　準　額　表

■解体撤去工事費　　　　単位：千円

	基準額（１施設当たり）			
	右記以外		津波避難対策緊急事業計画に基づく事業の場合	
	標準	都市部	標準	都市部
定員20名以下	1,311	1,444	1,729	1,905
定員21～30名	1,488	1,636	1,964	2,160
定員31～40名	1,983	2,182	2,619	2,880
定員41～70名	2,495	2,745	3,295	3,624
定員71～100名	3,519	3,874	4,645	5,111
定員101～130名	4,225	4,648	5,576	6,135
定員131～160名	5,282	5,810	6,973	7,669
定員161～190名	6,337	6,973	8,366	9,203
定員191～220名	7,394	8,134	9,761	10,737
定員221～250名	8,451	9,298	11,157	12,272
定員251名以上	9,507	10,459	12,550	13,805

※１　整備を行う年度の４月１日現在の人口密度が、1,000人／㎢以上の市町村については、都市部の基準額を適用し、その他の市町村については、標準の基準額を適用する。

※２　豪雪地帯対策特別措置法第２条第２項の規定に基づき指定された特別豪雪地域、奄美群島振興開発特別措置法第１条に規定された奄美群島、離島振興法第２条第１項の規定に基づき指定された離島振興対策実施地域、小笠原諸島振興開発特別措置法第４条第１項に規定された小笠原諸島又は沖縄振興特別措置法第３条第１項第３号に規定された離島のいずれかに所在する場合は、基準額に対して0.08を乗じて得られた額を加算する。（千円未満切り捨て）

※３　一部改築等、定員のすべてが工事にかからない場合は、既存施設の工事にかかる定員数を整備前の総定員数で除して得た数を、整備前の総定員数の規模における基準額に乗じて得た額を基準額とすること。工事に係る定員数が算定できない場合は、「工事にかかる定員数＝総定員数×解体面積／既存施設の総面積」で算定すること。（いずれも、小数点以下切捨て）

※４　前年度から繰越を行った事業については、前年度に設定された交付基準額を適用する。

■仮設施設整備工事費　　　　単位：千円

	基準額（１施設当たり）			
	右記以外		津波避難対策緊急事業計画に基づく事業の場合	
	標準	都市部	標準	都市部
定員20名以下	2,335	2,569	3,083	3,391
定員21～30名	2,851	3,137	3,765	4,140
定員31～40名	3,455	3,802	4,562	5,019
定員41～70名	4,801	5,282	6,337	6,973
定員71～100名	7,202	7,922	9,507	10,458
定員101～130名	8,643	9,507	11,410	12,550
定員131～160名	10,807	11,885	14,262	15,688
定員161～190名	11,814	12,995	15,593	17,155
定員191～220名	13,783	15,162	18,193	20,012
定員221～250名	15,752	17,327	20,792	22,872
定員251名以上	17,721	19,494	23,393	25,732

※１　整備を行う年度の４月１日現在の人口密度が、1,000人／㎢以上の市町村については、都市部の基準額を適用し、その他の市町村については、標準の基準額を適用する。

※２　豪雪地帯対策特別措置法第２条第２項の規定に基づき指定された特別豪雪地域、奄美群島振興開発特別措置法第１条に規定された奄美群島、離島振興法第２条第１項の規定に基づき指定された離島振興対策実施地域、小笠原諸島振興開発特別措置法第４条第１項に規定された小笠原諸島又は沖縄振興特別措置法第３条第１項第３号に規定された離島のいずれかに所在する場合は、基準額に対して0.08を乗じて得られた額を加算する。（千円未満切り捨て）

※３　一部改築等、定員のすべてが工事にかからない場合は、既存施設の工事にかかる定員数を整備前の総定員数で除して得た数を、整備前の総定員数の規模における基準額に乗じて得た額を基準額とすること。工事に係る定員数が算定できない場合は、
「工事にかかる定員数＝総定員数×解体面積／既存施設の総面積」で算定すること。（いずれも、小数点以下切捨て）

※４　前年度から繰越を行った事業については、前年度に設定された交付基準額を適用する。

別表２―５［８の⑵②ウの保育所部分に係る施設整備事業：定額（１／２相当）］
［８の⑵①イ、②イの教育部分に係る施設整備事業：定額（１／２相当）］

交　付　基　準　額　表

■本体工事費　　　　　　　　　　　　　　　　　　　　　　　　　　単位：千円

	基準額（１施設当たり）
定員20名以下	41,500
定員21～30名	43,500
定員31～40名	50,700
定員41～70名	57,900
定員71～100名	75,100
定員101～130名	90,600
定員131～160名	104,700
定員161～190名	119,100
定員191～220名	132,300
定員221～250名	146,400
定員251名以上	162,800

※１　認定こども園の保育所部分又は教育部分を整備する場合、当該部分の定員規模に該当する基準額とすること。

※２　増築、一部改築等、定員のすべてが工事にかからない場合は、工事にかかる定員数を整備後の総定員数で除して得た数を、整備後の総定員数の規模における基準額に乗じて得た額を基準額とすること。工事に係る定員数が算定できない場合は、「工事にかかる定員数＝総定員数×整備する面積／整備後の総面積」で算定すること。（いずれも、小数点以下切捨て）

※３　豪雪地帯対策特別措置法第２条第２項の規定に基づき指定された特別豪雪地域、奄美群島振興開発特別措置法第１条に規定された奄美群島、離島振興法第２条第１項の規定に基づき指定された離島振興対策実施地域、小笠原諸島振興開発特別措置法第４条第１項に規定された小笠原諸島又は沖縄振興特別措置法第３条第１項第３号に規定された離島のいずれかに所在する場合は、基準額に対して0.08を乗じて得られた額を加算すること。（千円未満切捨て。）

※４　前年度から繰越を行った事業については、前年度に設定された交付基準額を適用する。

交　付　基　準　額　表
（津波避難対策緊急事業計画に基づく事業の場合（９の表の④⑥に該当する場合））

■本体工事費　　　　　　　　　　　　　　　　　　　　　　　　　　単位：千円

	基準額（１施設当たり）
定員20名以下	54,700
定員21～30名	57,600
定員31～40名	67,100
定員41～70名	76,300
定員71～100名	99,200
定員101～130名	119,500
定員131～160名	138,300
定員161～190名	157,100
定員191～220名	174,600
定員221～250名	193,300
定員251名以上	214,900

※１　認定こども園の保育所部分又は教育部分を整備する場合、当該部分の定員規模に該当する基準額とすること。

※２　増築、一部改築等、定員のすべてが工事にかからない場合は、工事にかかる定員数を整備後の総定員数で除して得た数を、整備後の総定員数の規模における基準額に乗じて得た額を基準額とすること。工事に係る定員数が算定できない場合は、「工事にかかる定員数＝総定員数×整備する面積／整備後の総面積」で算定すること。（いずれも、小数点以下切捨て）

※３　豪雪地帯対策特別措置法第２条第２項の規定に基づき指定された特別豪雪地域、奄美群島振興開発特別措置法第１条に規定された奄美群島、離島振興法第２条第１項の規定に基づき指定された離島振興対策実施地域、小笠原諸島振興開発特別措置法第４条第１項に規定された小笠原諸島又は沖縄振興特別措置法第３条第１項第３号に規定された離島のいずれかに所在する場合は、基準額に対して0.08を乗じて得られた額を加算すること。（千円未満切捨て。）

※４　前年度から繰越を行った事業については、前年度に設定された交付基準額を適用する。

別表２―５［８の⑵②ウの保育所部分に係る施設整備事業：定額（１／２相当)］
［８の⑵①イ、②イの教育部分に係る施設整備事業：定額（１／２相当)］

交付基準額表

■解体撤去工事費

単位：千円

	基準額（１施設当たり）	
	右記以外	津波避難対策緊急事業計画に基づく事業の場合
定員20名以下	833	1,100
定員21～30名	946	1,247
定員31～40名	1,261	1,666
定員41～70名	1,588	2,094
定員71～100名	2,238	2,957
定員101～130名	2,686	3,548
定員131～160名	3,360	4,436
定員161～190名	4,033	5,323
定員191～220名	4,706	6,213
定員221～250名	5,377	7,099
定員251名以上	6,051	7,985

※１　豪雪地帯対策特別措置法第２条第２項の規定に基づき指定された特別豪雪地域、奄美群島振興開発特別措置法第１条に規定された奄美群島、離島振興法第２条第１項の規定に基づき指定された離島振興対策実施地域、小笠原諸島振興開発特別措置法第４条第１項に規定された小笠原諸島又は沖縄振興特別措置法第３条第１項第３号に規定された離島のいずれかに所在する場合は、基準額に対して0.08を乗じて得られた額を加算すること。(設計料加算、開設準備費加算、土地借料加算を除く。千円未満切り捨て)

※２　一部改築等、定員のすべてが工事にかからない場合は、既存施設の工事にかかる定員数を整備前の総定員数で除して得た数を、整備前の総定員数の規模における基準額に乗じて得た額を基準額とすること。工事に係る定員数が算定できない場合は、「工事にかかる定員数＝総定員数×解体面積／既存施設の総面積」で算定すること。(いずれも、小数点以下切捨て)

※３　前年度から繰越を行った事業については、前年度に設定された交付基準額を適用する。

■仮設施設整備工事費

単位：千円

	基準額（１施設当たり）	
	右記以外	津波避難対策緊急事業計画に基づく事業の場合
定員20名以下	1,486	1,963
定員21～30名	1,814	2,394
定員31～40名	2,199	2,902
定員41～70名	3,054	4,033
定員71～100名	4,584	6,051
定員101～130名	5,500	7,260
定員131～160名	6,875	9,076
定員161～190名	7,516	9,922
定員191～220名	8,771	11,576
定員221～250名	10,023	13,230
定員251名以上	11,277	14,885

※１　豪雪地帯対策特別措置法第２条第２項の規定に基づき指定された特別豪雪地域、奄美群島振興開発特別措置法第１条に規定された奄美群島、離島振興法第２条第１項の規定に基づき指定された離島振興対策実施地域、小笠原諸島振興開発特別措置法第４条第１項に規定された小笠原諸島又は沖縄振興特別措置法第３条第１項第３号に規定された離島のいずれかに所在する場合は、基準額に対して0.08を乗じて得られた額を加算すること。(設計料加算、開設準備費加算、土地借料加算を除く。千円未満切り捨て)

※２　一部改築等、定員のすべてが工事にかからない場合は、既存施設の工事にかかる定員数を整備前の総定員数で除して得た数を、整備前の総定員数の規模における基準額に乗じて得た額を基準額とすること。工事に係る定員数が算定できない場合は、「工事にかかる定員数＝総定員数×解体面積／既存施設の総面積」で算定すること。(いずれも、小数点以下切捨て)

※３　前年度から繰越を行った事業については、前年度に設定された交付基準額を適用する。

別表２―６ ［幼稚園型認定こども園の保育所部分に係る９の表の①に基づく施設整備事業：定額（３／４相当）］
［保育所型認定こども園の教育部分に係る９の表の①に基づく施設整備事業：定額（３／４相当）］

交　付　基　準　額　表

■本体工事費

単位：千円

	基準額（１施設当たり）
定員20名以下	62,400
定員21～30名	65,500
定員31～40名	76,100
定員41～70名	86,900
定員71～100名	112,700
定員101～130名	135,600
定員131～160名	157,200
定員161～190名	178,700
定員191～220名	198,500
定員221～250名	219,900
定員251名以上	244,200

※１　認定こども園の保育所部分又は教育部分を整備する場合、当該部分の定員規模に該当する基準額とすること。
※２　増築、一部改築等、定員のすべてが工事にかからない場合は、工事にかかる定員数を整備後の総定員数で除して得た数を、整備後の総定員数の規模における基準額に乗じて得た額を基準額とすること。工事に係る定員数が算定できない場合は、「工事にかかる定員数＝総定員数×整備する面積／整備後の総面積」で算定すること。（いずれも、小数点以下切捨て）
※３　豪雪地帯対策特別措置法第２条第２項の規定に基づき指定された特別豪雪地域、奄美群島振興開発特別措置法第１条に規定された奄美群島、離島振興法第２条第１項の規定に基づき指定された離島振興対策実施地域、小笠原諸島振興開発特別措置法第４条第１項に規定された小笠原諸島又は沖縄振興特別措置法第３条第１項第３号に規定された離島のいずれかに所在する場合は、基準額に対して0.08を乗じて得られた額を加算すること。（設計料加算、開設準備費加算、土地借料加算を除く。千円未満切捨て。）
※４　前年度から繰越を行った事業については、前年度に設定された交付基準額を適用する。

■解体撤去工事費

単位：千円

	基準額（１施設当たり）
定員20名以下	1,250
定員21～30名	1,419
定員31～40名	1,893
定員41～70名	2,382
定員71～100名	3,360
定員101～130名	4,033
定員131～160名	5,041
定員161～190名	6,051
定員191～220名	7,059
定員221～250名	8,067
定員251名以上	9,076

※１　一部改築等、定員のすべてが工事にかからない場合は、既存施設の工事にかかる定員数を整備前の総定員数で除して得た数を、整備前の総定員数の規模における基準額に乗じて得た額を基準額とすること。工事に係る定員数が算定できない場合は、「工事にかかる定員数＝総定員数×解体面積／既存施設の総面積」で算定すること。（いずれも、小数点以下切捨て）
※２　前年度から繰越を行った事業については、前年度に設定された交付基準額を適用する。
※３　沖縄振興特別措置法第３条第１項第３号に規定された離島のいずれかに所在する場合は、基準額に対して0.08を乗じて得られた額を加算すること。（千円未満切捨て。）

■仮設施設整備工事費

単位：千円

	基準額（１施設当たり）
定員20名以下	2,229
定員21～30名	2,721
定員31～40名	3,299
定員41～70名	4,583
定員71～100名	6,876
定員101～130名	8,250
定員131～160名	10,313
定員161～190名	11,276
定員191～220名	13,156
定員221～250名	15,035
定員251名以上	16,915

※１　一部改築等、定員のすべてが工事にかからない場合は、既存施設の工事にかかる定員数を整備前の総定員数で除して得た数を、整備前の総定員数の規模における基準額に乗じて得た額を基準額とすること。工事に係る定員数が算定できない場合は、「工事にかかる定員数＝総定員数×解体面積／既存施設の総面積」で算定すること。（いずれも、小数点以下切捨て）
※２　前年度から繰越を行った事業については、前年度に設定された交付基準額を適用する。
※３　沖縄振興特別措置法第３条第１項第３号に規定された離島のいずれかに所在する場合は、基準額に対して0.08を乗じて得られた額を加算すること。（千円未満切捨て。）

別表２―７［幼稚園型認定こども園の保育所部分に係る９の表の②③に基づく施設整備事業：定額（5.5/10相当)］
［保育所型認定こども園の教育部分に係る９の表の②③に基づく施設整備事業：定額（5.5/10相当)］

交付基準額表

■本体工事費

単位：千円

	基準額（１施設当たり）
定員20名以下	45,800
定員21～30名	47,900
定員31～40名	55,800
定員41～70名	63,700
定員71～100名	82,700
定員101～130名	99,400
定員131～160名	115,300
定員161～190名	131,000
定員191～220名	145,500
定員221～250名	161,300
定員251名以上	179,200

※１　認定こども園の保育所部分又は教育部分を整備する場合、当該部分の定員規模に該当する基準額とすること。

※２　増築、一部改築等、定員のすべてが工事にかからない場合は、工事にかかる定員数を整備後の総定員数で除して得た数を、整備後の総定員数の規模における基準額に乗じて得た額を基準額とすること。工事に係る定員数が算定できない場合は、「工事にかかる定員数＝総定員数×整備する面積／整備後の総面積」で算定すること。（いずれも、小数点以下切捨て）

※３　豪雪地帯対策特別措置法第２条第２項の規定に基づき指定された特別豪雪地域、奄美群島振興開発特別措置法第１条に規定された奄美群島、離島振興法第２条第１項の規定に基づき指定された離島振興対策実施地域、小笠原諸島振興開発特別措置法第４条第１項に規定された小笠原諸島又は沖縄振興特別措置法第３条第１項第３号に規定された離島のいずれかに所在する場合は、基準額に対して0.08を乗じて得られた額を加算すること。（設計料加算、開設準備費加算、土地借料加算を除く。千円未満切捨て。）

※４　前年度から繰越を行った事業については、前年度に設定された交付基準額を適用する。

交付基準額表

（津波避難対策緊急事業計画に基づく事業の場合（９の表の④⑥に該当する場合））

■本体工事費

単位：千円

	基準額（１施設当たり）
定員20名以下	60,300
定員21～30名	63,300
定員31～40名	73,800
定員41～70名	84,000
定員71～100名	109,200
定員101～130名	131,300
定員131～160名	152,100
定員161～190名	172,800
定員191～220名	192,100
定員221～250名	212,700
定員251名以上	236,500

※１　認定こども園の保育所部分又は教育部分を整備する場合、当該部分の定員規模に該当する基準額とすること。

※２　増築、一部改築等、定員のすべてが工事にかからない場合は、工事にかかる定員数を整備後の総定員数で除して得た数を、整備後の総定員数の規模における基準額に乗じて得た額を基準額とすること。工事に係る定員数が算定できない場合は、「工事にかかる定員数＝総定員数×整備する面積／整備後の総面積」で算定すること。（いずれも、小数点以下切捨て）

※３　豪雪地帯対策特別措置法第２条第２項の規定に基づき指定された特別豪雪地域、奄美群島振興開発特別措置法第１条に規定された奄美群島、離島振興法第２条第１項の規定に基づき指定された離島振興対策実施地域、小笠原諸島振興開発特別措置法第４条第１項に規定された小笠原諸島又は沖縄振興特別措置法第３条第１項第３号に規定された離島のいずれかに所在する場合は、基準額に対して0.08を乗じて得られた額を加算すること。（設計料加算、開設準備費加算、土地借料加算を除く。千円未満切捨て。）

※４　前年度から繰越を行った事業については、前年度に設定された交付基準額を適用する。

別表２―７［幼稚園型認定こども園の保育所部分に係る９の表の②③に基づく施設整備事業：定額（5.5/10相当）］
［保育所型認定こども園の教育部分に係る９の表の②③に基づく施設整備事業：定額（5.5/10相当）］

交　付　基　準　額　表

■解体撤去工事費

単位：千円

	基準額（１施設当たり）	
	右記以外	津波避難対策緊急事業計画に基づく事業の場合
定員20名以下	916	1,211
定員21～30名	1,041	1,375
定員31～40名	1,388	1,832
定員41～70名	1,747	2,305
定員71～100名	2,462	3,253
定員101～130名	2,957	3,902
定員131～160名	3,695	4,880
定員161～190名	4,436	5,856
定員191～220名	5,176	6,832
定員221～250名	5,917	7,808
定員251名以上	6,654	8,785

※１　豪雪地帯対策特別措置法第２条第２項の規定に基づき指定された特別豪雪地域、奄美群島振興開発特別措置法第１条に規定された奄美群島、離島振興法第２条第１項の規定に基づき指定された離島振興対策実施地域、小笠原諸島振興開発特別措置法第４条第１項に規定された小笠原諸島又は沖縄振興特別措置法第３条第１項第３号に規定された離島のいずれかに所在する場合は、基準額に対して0.08を乗じて得られた額を加算する。（設計料加算、開設準備費加算、土地借料加算を除く。千円未満切り捨て）

※２　一部改築等、定員のすべてが工事にかからない場合は、既存施設の工事にかかる定員数を整備前の総定員数で除して得た数を、整備前の総定員数の規模における基準額に乗じて得た額を基準額とすること。工事に係る定員数が算定できない場合は、「工事にかかる定員数＝総定員数×解体面積／既存施設の総面積」で算定すること。（いずれも、小数点以下切捨て）

※３　前年度から繰越を行った事業については、前年度に設定された交付基準額を適用する。

■仮設施設整備工事費

単位：千円

	基準額（１施設当たり）	
	右記以外	津波避難対策緊急事業計画に基づく事業の場合
定員20名以下	1,635	2,158
定員21～30名	1,995	2,634
定員31～40名	2,418	3,191
定員41～70名	3,360	4,436
定員71～100名	5,041	6,654
定員101～130名	6,051	7,985
定員131～160名	7,563	9,982
定員161～190名	8,269	10,913
定員191～220名	9,647	12,735
定員221～250名	11,025	14,554
定員251名以上	12,404	16,373

※１　豪雪地帯対策特別措置法第２条第２項の規定に基づき指定された特別豪雪地域、奄美群島振興開発特別措置法第１条に規定された奄美群島、離島振興法第２条第１項の規定に基づき指定された離島振興対策実施地域、小笠原諸島振興開発特別措置法第４条第１項に規定された小笠原諸島又は沖縄振興特別措置法第３条第１項第３号に規定された離島のいずれかに所在する場合は、基準額に対して0.08を乗じて得られた額を加算する。（設計料加算、開設準備費加算、土地借料加算を除く。千円未満切り捨て）

※２　一部改築等、定員のすべてが工事にかからない場合は、既存施設の工事にかかる定員数を整備前の総定員数で除して得た数を、整備前の総定員数の規模における基準額に乗じて得た額を基準額とすること。工事に係る定員数が算定できない場合は、「工事にかかる定員数＝総定員数×解体面積／既存施設の総面積」で算定すること。（いずれも、小数点以下切捨て）

※３　前年度から繰越を行った事業については、前年度に設定された交付基準額を適用する。

別表２―８［８の⑷①に基づく小規模保育事業所施設整備事業：定額（２／３相当）］

交　付　基　準　額　表

■本体工事費　　　　単位：千円

	基準額（１施設当たり）	
	標準	都市部
定員20名以下	79,400	87,400
特殊附帯工事	12,040	
設計料加算	本体工事費に係る交付基準額（開設準備費加算、土地借料加算を除く。）の５％（千円未満切り捨て）	
開設準備費加算	次に掲げる交付基準額に増加定員数を乗じて加算	
	41	
土地借料加算	17,500	
土地借料加算（待機児童解消に向けて緊急的に対応する施策に基づく事業の場合）	45,800	
定期借地権設定のための一時金加算（待機児童解消に向けて緊急的に対応する施策に基づく事業の場合）	保育所等の設置に必要な土地について、当該保育所等が所在する地域を所管する国税局長が定める路線価に基づき相続税における評価額の算出方法により算出された額（路線価が定められていない地域においては、固定資産税評価額に国税局長が定める倍率を乗じた額）の２分の１に別表１―８に定める国の負担割合を乗じた額（千円未満切捨て）	
地域の余裕スペース活用促進加算	標準	都市部
	2,540	2,810
地域の余裕スペース活用促進加算（待機児童解消に向けて緊急的に対応する施策に基づく事業の場合）	標準	都市部
	14,690	16,310

※１　整備を行う年度の４月１日現在の人口密度が、1,000人／㎢以上の市町村については、都市部の基準額を適用し、その他の市町村については、標準の基準額を適用する。

※２　増築、一部改築等、定員のすべてが工事にかからない場合は、工事にかかる定員数を整備後の総定員数で除して得た数を、整備後の総定員数の規模における基準額に乗じて得た額を基準額とすること。工事に係る定員数が算定できない場合は、「工事にかかる定員数＝総定員数×整備する面積／整備後の総面積」で算定すること。（いずれも、小数点以下切捨て）

※３　土地借料加算については、新たに土地を賃借して小規模保育事業所を整備する場合に加算すること。また、工事着工日までの費用を含む。

※４　地域の余裕スペース活用促進加算については、地域の余裕スペース（学校、公営住宅、公民館、公有地、公園などの都市施設など）を活用して小規模保育事業所を整備する場合において、本体工事の補助基準額に加算すること。

※５　豪雪地帯対策特別措置法第２条第２項の規定に基づき指定された特別豪雪地域、奄美群島振興開発特別措置法第１条に規定された奄美群島、離島振興法第２条第１項の規定に基づき指定された離島振興対策実施地域、小笠原諸島振興開発特別措置法第４条第１項に規定された小笠原諸島又は沖縄振興特別措置法第３条第１項第３号に規定された離島のいずれかに所在する場合は、基準額に対して0.08を乗じて得られた額を加算すること。（設計料加算、開設準備費加算、土地借料加算を除く。千円未満切捨て。）

※６　前年度から繰越を行った事業については、前年度に設定された交付基準額を適用する。

※７　特殊附帯工事については、「次世代育成支援対策施設整備交付金及び就学前教育・保育施設整備交付金における特殊附帯工事の取扱いについて」に基づき整備すること。なお、認定こども園の保育所部分及び教育部分の両方について特殊付帯工事を行う場合、保育所部分の額を基準額として計上し幼稚園部分の額は計上しないこととする。

交付基準額表

（津波避難対策緊急事業計画に基づく事業の場合（９の表の④⑥に該当する場合））

■本体工事費

単位：千円

<table>
<tr><td rowspan="2"></td><td colspan="2">基準額（１施設当たり）</td></tr>
<tr><td>標準</td><td>都市部</td></tr>
<tr><td>定員20名以下</td><td>104,800</td><td>115,400</td></tr>
<tr><td>特殊附帯工事</td><td colspan="2">15,780</td></tr>
<tr><td>設計料加算</td><td colspan="2">本体工事費に係る交付基準額（開設準備費加算、土地借料加算を除く。）の５％（千円未満切り捨て）</td></tr>
<tr><td rowspan="2">開設準備費加算</td><td colspan="2">次に掲げる整備後の定員区分における交付基準額に増加定員数を乗じて加算</td></tr>
<tr><td colspan="2">41</td></tr>
<tr><td>土地借料加算</td><td colspan="2">23,300</td></tr>
<tr><td>土地借料加算（待機児童解消に向けて緊急的に対応する施策に基づく事業の場合）</td><td colspan="2">45,800</td></tr>
<tr><td>定期借地権設定のための一時金加算（待機児童解消に向けて緊急的に対応する施策に基づく事業の場合）</td><td colspan="2">保育所等の設置に必要な土地について、当該保育所等が所在する地域を所管する国税局長が定める路線価に基づき相続税における評価額の算出方法により算出された額（路線価が定められていない地域においては、固定資産税評価額に国税局長が定める倍率を乗じた額）の２分の１に別表１―８に定める国の負担割合を乗じた額（千円未満切捨て）</td></tr>
<tr><td rowspan="2">地域の余裕スペース活用促進加算</td><td>標準</td><td>都市部</td></tr>
<tr><td>3,330</td><td>3,710</td></tr>
<tr><td rowspan="2">地域の余裕スペース活用促進加算（待機児童解消に向けて緊急的に対応する施策に基づく事業の場合）</td><td>標準</td><td>都市部</td></tr>
<tr><td>14,690</td><td>16,310</td></tr>
</table>

※１　整備を行う年度の４月１日現在の人口密度が、1,000人／㎢以上の市町村については、都市部の基準額を適用し、その他の市町村については、標準の基準額を適用する。

※２　増築、一部改築等、定員のすべてが工事にかからない場合は、工事にかかる定員数を整備後の総定員数で除して得た数を、整備後の総定員数の規模における基準額に乗じて得た額を基準額とすること。工事に係る定員数が算定できない場合は、「工事にかかる定員数＝総定員数×整備する面積／整備後の総面積」で算定すること。（いずれも、小数点以下切捨て）

※３　土地借料加算については、新たに土地を賃借して小規模保育事業所を整備する場合に加算すること。また、工事着工日までの費用を含む。

※４　地域の余裕スペース活用促進加算については、地域の余裕スペース（学校、公営住宅、公民館、公有地、公園などの都市施設など）を活用して小規模保育事業所を整備する場合において、本体工事の補助基準額に加算すること。

※５　豪雪地帯対策特別措置法第２条第２項の規定に基づき指定された特別豪雪地域、奄美群島振興開発特別措置法第１条に規定された奄美群島、離島振興法第２条第１項の規定に基づき指定された離島振興対策実施地域、小笠原諸島振興開発特別措置法第４条第１項に規定された小笠原諸島又は沖縄振興特別措置法第３条第１項第３号に規定された離島のいずれかに所在する場合は、基準額に対して0.08を乗じて得られた額を加算すること。（設計料加算、開設準備費加算、土地借料加算を除く。千円未満切捨て。）

※６　前年度から繰越を行った事業については、前年度に設定された交付基準額を適用する。

※７　特殊附帯工事については、「次世代育成支援対策施設整備交付金及び就学前教育・保育施設整備交付金における特殊附帯工事の取扱いについて」に基づき整備すること。なお、認定こども園の保育所部分及び教育部分の両方について特殊付帯工事を行う場合、保育所部分の額を基準額として計上し幼稚園部分の額は計上しないこととする。

別表２―８［８の⑷①に基づく小規模保育事業所施設整備事業：定額（２／３相当)］

交　付　基　準　額　表

■解体撤去工事費

単位：千円

	基準額（１施設当たり）			
	右記以外		津波避難対策緊急事業計画に基づく事業の場合	
	標準	都市部	標準	都市部
定員20名以下	1,589	1,749	2,097	2,308

※１　整備を行う年度の４月１日現在の人口密度が、1,000人／㎢以上の市町村については、都市部の基準額を適用し、その他の市町村については、標準の基準額を適用する。

※２　豪雪地帯対策特別措置法第２条第２項の規定に基づき指定された特別豪雪地域、奄美群島振興開発特別措置法第１条に規定された奄美群島、離島振興法第２条第１項の規定に基づき指定された離島振興対策実施地域、小笠原諸島振興開発特別措置法第４条第１項に規定された小笠原諸島又は沖縄振興特別措置法第３条第１項第３号に規定された離島のいずれかに所在する場合は、上記基準額に対して0.08を乗じて得られた額を加算する。（千円未満切り捨て）

※３　一部改築等、定員のすべてが工事にかからない場合は、既存施設の工事にかかる定員数を整備前の総定員数で除して得た数を、整備前の総定員数の規模における基準額に乗じて得た額を基準額とすること。工事に係る定員数が算定できない場合は、「工事にかかる定員数＝総定員数×解体面積／既存施設の総面積」で算定すること。（いずれも、小数点以下切捨て）

※４　前年度から繰越を行った事業については、前年度に設定された交付基準額を適用する。

■仮設施設整備工事費

単位：千円

	基準額（１施設当たり）			
	右記以外		津波避難対策緊急事業計画に基づく事業の場合	
	標準	都市部	標準	都市部
定員20名以下	2,831	3,116	3,737	4,110

※１　整備を行う年度の４月１日現在の人口密度が、1,000人／㎢以上の市町村については、都市部の基準額を適用し、その他の市町村については、標準の基準額を適用する。

※２　豪雪地帯対策特別措置法第２条第２項の規定に基づき指定された特別豪雪地域、奄美群島振興開発特別措置法第１条に規定された奄美群島、離島振興法第２条第１項の規定に基づき指定された離島振興対策実施地域、小笠原諸島振興開発特別措置法第４条第１項に規定された小笠原諸島又は沖縄振興特別措置法第３条第１項第３号に規定された離島のいずれかに所在する場合は、上記基準額に対して0.08を乗じて得られた額を加算する。（千円未満切り捨て）

※３　一部改築等、定員のすべてが工事にかからない場合は、既存施設の工事にかかる定員数を整備前の総定員数で除して得た数を、整備前の総定員数の規模における基準額に乗じて得た額を基準額とすること。工事に係る定員数が算定できない場合は、「工事にかかる定員数＝総定員数×解体面積／既存施設の総面積」で算定すること。（いずれも、小数点以下切捨て）

※４　前年度から繰越を行った事業については、前年度に設定された交付基準額を適用する。

別表２―９［８の⑷②に基づく小規模保育事業所施設整備事業：定額（１／２相当）］

交　付　基　準　額　表

■本体工事費

単位：千円

	基準額（１施設当たり）	
	標準	都市部
定員20名以下	59,500	65,500
特殊附帯工事	8,950	
設計料加算	本体工事費に係る交付基準額（開設準備費加算、土地借料加算を除く。）の５％（千円未満切り捨て）	
開設準備費加算	次に掲げる整備後の定員区分における交付基準額に増加定員数を乗じて加算	
	30	
土地借料加算	13,100	
土地借料加算（待機児童解消に向けて緊急的に対応する施策に基づく事業の場合）	26,000	
定期借地権設定のための一時金加算（待機児童解消に向けて緊急的に対応する施策に基づく事業の場合）	保育所等の設置に必要な土地について、当該保育所等が所在する地域を所管する国税局長が定める路線価に基づき相続税における評価額の算出方法により算出された額（路線価が定められていない地域においては、固定資産税評価額に国税局長が定める倍率を乗じた額）の２分の１に別表１―８に定める国の負担割合を乗じた額（千円未満切捨て）	
地域の余裕スペース活用促進加算	標準	都市部
	1,920	2,160
地域の余裕スペース活用促進加算（待機児童解消に向けて緊急的に対応する施策に基づく事業の場合）	標準	都市部
	8,440	9,290

※１　整備を行う年度の４月１日現在の人口密度が、1,000人／㎢以上の市町村については、都市部の基準額を適用し、その他の市町村については、標準の基準額を適用する。

※２　増築、一部改築等、定員のすべてが工事にかからない場合は、工事にかかる定員数を整備後の総定員数で除して得た数を、整備後の総定員数の規模における基準額に乗じて得た額を基準額とすること。工事に係る定員数が算定できない場合は、「工事にかかる定員数＝総定員数×整備する面積／整備後の総面積」で算定すること。（いずれも、小数点以下切捨て）

※３　土地借料加算については、新たに土地を賃借して小規模保育事業所を整備する場合に加算すること。また、工事着工日までの費用を含む。

※４　地域の余裕スペース活用促進加算については、地域の余裕スペース（学校、公営住宅、公民館、公有地、公園などの都市施設など）を活用して小規模保育事業所を整備する場合において、本体工事の補助基準額に加算すること。

※５　豪雪地帯対策特別措置法第２条第２項の規定に基づき指定された特別豪雪地域、奄美群島振興開発特別措置法第１条に規定された奄美群島、離島振興法第２条第１項の規定に基づき指定された離島振興対策実施地域、小笠原諸島振興開発特別措置法第４条第１項に規定された小笠原諸島又は沖縄振興特別措置法第３条第１項第３号に規定された離島のいずれかに所在する場合は、基準額に対して0.08を乗じて得られた額を加算すること。（設計料加算、開設準備費加算、土地借料加算を除く。千円未満切捨て。）

※６　前年度から繰越を行った事業については、前年度に設定された交付基準額を適用する。

※７　特殊附帯工事については、「次世代育成支援対策施設整備交付金及び就学前教育・保育施設整備交付金における特殊附帯工事の取扱いについて」に基づき整備すること。なお、認定こども園の保育所部分及び教育部分の両方について特殊付帯工事を行う場合、保育所部分の額を基準額として計上し幼稚園部分の額は計上しないこととする。

交付基準額表

（津波避難対策緊急事業計画に基づく事業の場合（９の表の④⑥に該当する場合））

■本体工事費　　単位：千円

	基準額（１施設当たり）	
	標準	都市部
定員20名以下	78,700	86,600
特殊附帯工事	11,770	
設計料加算	本体工事費に係る交付基準額（開設準備費加算、土地借料加算を除く。）の５％（千円未満切り捨て）	
開設準備費加算	次に掲げる整備後の定員区分における交付基準額に増加定員数を乗じて加算	
	30	
土地借料加算	17,300	
土地借料加算（待機児童解消に向けて緊急的に対応する施策に基づく事業の場合）	34,200	
定期借地権設定のための一時金加算（待機児童解消に向けて緊急的に対応する施策に基づく事業の場合）	保育所等の設置に必要な土地について、当該保育所等が所在する地域を所管する国税局長が定める路線価に基づき相続税における評価額の算出方法により算出された額（路線価が定められていない地域においては、固定資産税評価額に国税局長が定める倍率を乗じた額）の２分の１に別表１―８に定める国の負担割合を乗じた額（千円未満切捨て）	
地域の余裕スペース活用促進加算	標準	都市部
	2,540	2,810
地域の余裕スペース活用促進加算（待機児童解消に向けて緊急的に対応する施策に基づく事業の場合）	標準	都市部
	11,270	12,030

※１　整備を行う年度の４月１日現在の人口密度が、1,000人／㎢以上の市町村については、都市部の基準額を適用し、その他の市町村については、標準の基準額を適用する。

※２　増築、一部改築等、定員のすべてが工事にかからない場合は、工事にかかる定員数を整備後の総定員数で除して得た数を、整備後の総定員数の規模における基準額に乗じて得た額を基準額とすること。工事に係る定員数が算定できない場合は、「工事にかかる定員数＝総定員数×整備する面積／整備後の総面積」で算定すること。（いずれも、小数点以下切捨て）

※３　土地借料加算については、新たに土地を賃借して小規模保育事業所を整備する場合に加算すること。また、工事着工日までの費用を含む。

※４　地域の余裕スペース活用促進加算については、地域の余裕スペース（学校、公営住宅、公民館、公有地、公園などの都市施設など）を活用して小規模保育事業所を整備する場合において、本体工事の補助基準額に加算すること。

※５　豪雪地帯対策特別措置法第２条第２項の規定に基づき指定された特別豪雪地域、奄美群島振興開発特別措置法第１条に規定された奄美群島、離島振興法第２条第１項の規定に基づき指定された離島振興対策実施地域、小笠原諸島振興開発特別措置法第４条第１項に規定された小笠原諸島又は沖縄振興特別措置法第３条第１項第３号に規定された離島のいずれかに所在する場合は、基準額に対して0.08を乗じて得られた額を加算すること。（設計料加算、開設準備費加算、土地借料加算を除く。千円未満切捨て。）

※６　前年度から繰越を行った事業については、前年度に設定された交付基準額を適用する。

※７　特殊附帯工事については、「次世代育成支援対策施設整備交付金及び就学前教育・保育施設整備交付金における特殊附帯工事の取扱いについて」に基づき整備すること。なお、認定こども園の保育所部分及び教育部分の両方について特殊付帯工事を行う場合、保育所部分の額を基準額として計上し幼稚園部分の額は計上しないこととする。

別表２—９［８の⑷②に基づく小規模保育事業所施設整備事業：定額（１／２相当）］

交　付　基　準　額　表

■解体撤去工事費

単位：千円

	基準額（１施設当たり）			
	右記以外		津波避難対策緊急事業計画に基づく事業の場合	
	標準	都市部	標準	都市部
定員20名以下	1,192	1,311	1,572	1,730

※１　整備を行う年度の４月１日現在の人口密度が、1,000人／㎢以上の市町村については、都市部の基準額を適用し、その他の市町村については、標準の基準額を適用する。

※２　豪雪地帯対策特別措置法第２条第２項の規定に基づき指定された特別豪雪地域、奄美群島振興開発特別措置法第１条に規定された奄美群島、離島振興法第２条第１項の規定に基づき指定された離島振興対策実施地域、小笠原諸島振興開発特別措置法第４条第１項に規定された小笠原諸島又は沖縄振興特別措置法第３条第１項第３号に規定された離島のいずれかに所在する場合は、上記基準額に対して0.08を乗じて得られた額を加算する。（千円未満切り捨て）

※３　一部改築等、定員のすべてが工事にかからない場合は、既存施設の工事にかかる定員数を整備前の総定員数で除して得た数を、整備前の総定員数の規模における基準額に乗じて得た額を基準額とすること。工事に係る定員数が算定できない場合は、「工事にかかる定員数＝総定員数×解体面積／既存施設の総面積」で算定すること。（いずれも、小数点以下切捨て）

※４　前年度から繰越を行った事業については、前年度に設定された交付基準額を適用する。

■仮設施設整備工事費

単位：千円

	基準額（１施設当たり）			
	右記以外		津波避難対策緊急事業計画に基づく事業の場合	
	標準	都市部	標準	都市部
定員20名以下	2,123	2,336	2,801	3,083

※１　整備を行う年度の４月１日現在の人口密度が、1,000人／㎢以上の市町村については、都市部の基準額を適用し、その他の市町村については、標準の基準額を適用する。

※２　豪雪地帯対策特別措置法第２条第２項の規定に基づき指定された特別豪雪地域、奄美群島振興開発特別措置法第１条に規定された奄美群島、離島振興法第２条第１項の規定に基づき指定された離島振興対策実施地域、小笠原諸島振興開発特別措置法第４条第１項に規定された小笠原諸島又は沖縄振興特別措置法第３条第１項第３号に規定された離島のいずれかに所在する場合は、上記基準額に対して0.08を乗じて得られた額を加算する。（千円未満切り捨て）

※３　一部改築等、定員のすべてが工事にかからない場合は、既存施設の工事にかかる定員数を整備前の総定員数で除して得た数を、整備前の総定員数の規模における基準額に乗じて得た額を基準額とすること。工事に係る定員数が算定できない場合は、「工事にかかる定員数＝総定員数×解体面積／既存施設の総面積」で算定すること。（いずれも、小数点以下切捨て）

※４　前年度から繰越を行った事業については、前年度に設定された交付基準額を適用する。

別表２—10［小規模保育事業所に係る９の表の①に基づく施設整備事業：定額（３／４相当）］

交　付　基　準　額　表

■本体工事費

単位：千円

	基準額（１施設当たり）	
	標準	都市部
定員20名以下	89,300	98,300
特殊附帯工事	13,400	
設計料加算	本体工事費に係る交付基準額（開設準備費加算、土地借料加算を除く。）の５％（千円未満切り捨て）	
開設準備費加算	次に掲げる整備後の定員区分における交付基準額に増加定員数を乗じて加算	
	45	
土地借料加算	19,900	
土地借料加算（待機児童解消に向けて緊急的に対応する施策に基づく事業の場合）	39,100	
定期借地権設定のための一時金加算（待機児童解消に向けて緊急的に対応する施策に基づく事業の場合）	保育所等の設置に必要な土地について、当該保育所等が所在する地域を所管する国税局長が定める路線価に基づき相続税における評価額の算出方法により算出された額（路線価が定められていない地域においては、固定資産税評価額に国税局長が定める倍率を乗じた額）の２分の１に別表１—８に定める国の負担割合を乗じた額（千円未満切捨て）	
地域の余裕スペース活用促進加算	標準	都市部
	2,930	3,200
地域の余裕スペース活用促進加算（待機児童解消に向けて緊急的に対応する施策に基づく事業の場合）	標準	都市部
	12,670	13,930

※１　整備を行う年度の４月１日現在の人口密度が、1,000人／㎢以上の市町村については、都市部の基準額を適用し、その他の市町村については、標準の基準額を適用する。

※２　増築、一部改築等、定員のすべてが工事にかからない場合は、工事にかかる定員数を整備後の総定員数で除して得た数を、整備後の総定員数の規模における基準額に乗じて得た額を基準額とすること。工事に係る定員数が算定できない場合は、「工事にかかる定員数＝総定員数×整備する面積／整備後の総面積」で算定すること。（いずれも、小数点以下切捨て）

※３　土地借料加算については、新たに土地を賃借して小規模保育事業所を整備する場合に加算すること。また、工事着工日までの費用を含む。

※４　地域の余裕スペース活用促進加算については、地域の余裕スペース（学校、公営住宅、公民館、公有地、公園などの都市施設など）を活用して小規模保育事業所を整備する場合において、本体工事の補助基準額に加算すること。

※５　前年度から繰越を行った事業については、前年度に設定された交付基準額を適用する。

※６　特殊附帯工事については、「次世代育成支援対策施設整備交付金及び就学前教育・保育施設整備交付金における特殊附帯工事の取扱いについて」に基づき整備すること。なお、認定こども園の保育所部分及び教育部分の両方について特殊付帯工事を行う場合、保育所部分の額を基準額として計上し幼稚園部分の額は計上しないこととする。

※７　沖縄振興特別措置法第３条第１項第３号に規定された離島のいずれかに所在する場合は、基準額に対して0.08を乗じて得られた額を加算すること。（設計料加算、開設準備費加算、土地借料加算を除く。千円未満切捨て。）

別表２—10［小規模保育事業所に係る９の表の①に基づく施設整備事業：定額（３／４相当)］
交付基準額表

■解体撤去工事費

単位：千円

	基準額（１施設当たり）	
	標準	都市部
定員20名以下	1,788	1,967

※１　整備を行う年度の４月１日現在の人口密度が、1,000人／㎢以上の市町村については、都市部の基準額を適用し、その他の市町村については、標準の基準額を適用する。

※２　一部改築等、定員のすべてが工事にかからない場合は、既存施設の工事にかかる定員数を整備前の総定員数で除して得た数を、整備前の総定員数の規模における基準額に乗じて得た額を基準額とすること。工事に係る定員数が算定できない場合は、「工事にかかる定員数＝総定員数×解体面積／既存施設の総面積」で算定すること。(いずれも、小数点以下切捨て)

※３　前年度から繰越を行った事業については、前年度に設定された交付基準額を適用する。

※４　沖縄振興特別措置法第３条第１項第３号に規定された離島のいずれかに所在する場合は、基準額に対して0.08を乗じて得られた額を加算すること。(千円未満切捨て。)

■仮設施設整備工事費

単位：千円

	基準額（１施設当たり）	
	標準	都市部
定員20名以下	3,186	3,505

※１　整備を行う年度の４月１日現在の人口密度が、1,000人／㎢以上の市町村については、都市部の基準額を適用し、その他の市町村については、標準の基準額を適用する。

※２　一部改築等、定員のすべてが工事にかからない場合は、既存施設の工事にかかる定員数を整備前の総定員数で除して得た数を、整備前の総定員数の規模における基準額に乗じて得た額を基準額とすること。工事に係る定員数が算定できない場合は、「工事にかかる定員数＝総定員数×解体面積／既存施設の総面積」で算定すること。(いずれも、小数点以下切捨て)

※３　前年度から繰越を行った事業については、前年度に設定された交付基準額を適用する。

※４　沖縄振興特別措置法第３条第１項第３号に規定された離島のいずれかに所在する場合は、基準額に対して0.08を乗じて得られた額を加算すること。(千円未満切捨て。)

別表２―11［小規模保育事業所に係る９の表の②③に基づく施設整備事業：定額（5.5／10相当）］

交　付　基　準　額　表

■本体工事費　　　　　　単位：千円

	基準額（１施設当たり）	
	標準	都市部
定員20名以下	65,500	71,900
特殊附帯工事	9,860	
設計料加算	本体工事費に係る交付基準額（開設準備費加算、土地借料加算を除く。）の５％（千円未満切り捨て）	
開設準備費加算	次に掲げる整備後の定員区分における交付基準額に増加定員数を乗じて加算	
	34	
土地借料加算	14,600	
土地借料加算（待機児童解消に向けて緊急的に対応する施策に基づく事業の場合）	28,500	
定期借地権設定のための一時金加算（待機児童解消に向けて緊急的に対応する施策に基づく事業の場合）	保育所等の設置に必要な土地について、当該保育所等が所在する地域を所管する国税局長が定める路線価に基づき相続税における評価額の算出方法により算出された額（路線価が定められていない地域においては、固定資産税評価額に国税局長が定める倍率を乗じた額）の２分の１に別表１―８に定める国の負担割合を乗じた額（千円未満切捨て）	
地域の余裕スペース活用促進加算	標準	都市部
	2,160	2,300
地域の余裕スペース活用促進加算（待機児童解消に向けて緊急的に対応する施策に基づく事業の場合）	標準	都市部
	9,290	10,210

※１　整備を行う年度の４月１日現在の人口密度が、1,000人／㎢以上の市町村については、都市部の基準額を適用し、その他の市町村については、標準の基準額を適用する。

※２　増築、一部改築等、定員のすべてが工事にかからない場合は、工事にかかる定員数を整備後の総定員数で除して得た数を、整備後の総定員数の規模における基準額に乗じて得た額を基準額とすること。工事に係る定員数が算定できない場合は、「工事にかかる定員数＝総定員数×整備する面積／整備後の総面積」で算定すること。（いずれも、小数点以下切捨て）

※３　土地借料加算については、新たに土地を賃借して小規模保育事業所を整備する場合に加算すること。また、工事着工日までの費用を含む。

※４　地域の余裕スペース活用促進加算については、地域の余裕スペース（学校、公営住宅、公民館、公有地、公園などの都市施設など）を活用して小規模保育事業所を整備する場合において、本体工事の補助基準額に加算すること。

※５　豪雪地帯対策特別措置法第２条第２項の規定に基づき指定された特別豪雪地域、奄美群島振興開発特別措置法第１条に規定された奄美群島、離島振興法第２条第１項の規定に基づき指定された離島振興対策実施地域、小笠原諸島振興開発特別措置法第４条第１項に規定された小笠原諸島又は沖縄振興特別措置法第３条第１項第３号に規定された離島のいずれかに所在する場合は、基準額に対して0.08を乗じて得られた額を加算すること。（設計料加算、開設準備費加算、土地借料加算を除く。千円未満切捨て。）

※６　前年度から繰越を行った事業については、前年度に設定された交付基準額を適用する。

※７　特殊附帯工事については、「次世代育成支援対策施設整備交付金及び就学前教育・保育施設整備交付金における特殊附帯工事の取扱いについて」に基づき整備すること。なお、認定こども園の保育所部分及び教育部分の両方について特殊付帯工事を行う場合、保育所部分の額を基準額として計上し幼稚園部分の額は計上しないこととする。

交 付 基 準 額 表

（津波避難対策緊急事業計画に基づく事業の場合（９の表の④⑥に該当する場合））

■本体工事費　　単位：千円

	基準額（１施設当たり）	
	標準	都市部
定員20名以下	86,400	95,000
特殊附帯工事	13,030	
設計料加算	本体工事費に係る交付基準額（開設準備費加算、土地借料加算を除く。）の５％（千円未満切り捨て）	
開設準備費加算	次に掲げる整備後の定員区分における交付基準額に増加定員数を乗じて加算	
	34	
土地借料加算	19,200	
土地借料加算（待機児童解消に向けて緊急的に対応する施策に基づく事業の場合）	37,600	
定期借地権設定のための一時金加算（待機児童解消に向けて緊急的に対応する施策に基づく事業の場合）	保育所等の設置に必要な土地について、当該保育所等が所在する地域を所管する国税局長が定める路線価に基づき相続税における評価額の算出方法により算出された額（路線価が定められていない地域においては、固定資産税評価額に国税局長が定める倍率を乗じた額）の２分の１に別表１―８に定める国の負担割合を乗じた額（千円未満切捨て）	
地域の余裕スペース活用促進加算	標準	都市部
	2,810	3,060
地域の余裕スペース活用促進加算（待機児童解消に向けて緊急的に対応する施策に基づく事業の場合）	標準	都市部
	12,030	13,620

※１　整備を行う年度の４月１日現在の人口密度が、1,000人／㎢以上の市町村については、都市部の基準額を適用し、その他の市町村については、標準の基準額を適用する。

※２　増築、一部改築等、定員のすべてが工事にかからない場合は、工事にかかる定員数を整備後の総定員数で除して得た数を、整備後の総定員数の規模における基準額に乗じて得た額を基準額とすること。工事に係る定員数が算定できない場合は、「工事にかかる定員数＝総定員数×整備する面積／整備後の総面積」で算定すること。（いずれも、小数点以下切捨て）

※３　土地借料加算については、新たに土地を賃借して小規模保育事業所を整備する場合に加算すること。また、工事着工日までの費用を含む。

※４　地域の余裕スペース活用促進加算については、地域の余裕スペース（学校、公営住宅、公民館、公有地、公園などの都市施設など）を活用して小規模保育事業所を整備する場合において、本体工事の補助基準額に加算すること。

※５　豪雪地帯対策特別措置法第２条第２項の規定に基づき指定された特別豪雪地域、奄美群島振興開発特別措置法第１条に規定された奄美群島、離島振興法第２条第１項の規定に基づき指定された離島振興対策実施地域、小笠原諸島振興開発特別措置法第４条第１項に規定された小笠原諸島又は沖縄振興特別措置法第３条第１項第３号に規定された離島のいずれかに所在する場合は、基準額に対して0.08を乗じて得られた額を加算すること。（設計料加算、開設準備費加算、土地借料加算を除く。千円未満切捨て。）

※６　前年度から繰越を行った事業については、前年度に設定された交付基準額を適用する。

※７　特殊附帯工事については、「次世代育成支援対策施設整備交付金及び就学前教育・保育施設整備交付金における特殊附帯工事の取扱いについて」に基づき整備すること。なお、認定こども園の保育所部分及び教育部分の両方について特殊付帯工事を行う場合、保育所部分の額を基準額として計上し幼稚園部分の額は計上しないこととする。

別表２―11［小規模保育事業所に係る９の表の②③に基づく施設整備事業：定額（5.5／10相当）］

交付基準額表

■解体撤去工事費

単位：千円

	基準額（１施設当たり）			
	右記以外		津波避難対策緊急事業計画に基づく事業の場合	
	標準	都市部	標準	都市部
定員20名以下	1,311	1,444	1,729	1,905

※１　整備を行う年度の４月１日現在の人口密度が、1,000人／㎢以上の市町村については、都市部の基準額を適用し、その他の市町村については、標準の基準額を適用する。

※２　豪雪地帯対策特別措置法第２条第２項の規定に基づき指定された特別豪雪地域、奄美群島振興開発特別措置法第１条に規定された奄美群島、離島振興法第２条第１項の規定に基づき指定された離島振興対策実施地域、小笠原諸島振興開発特別措置法第４条第１項に規定された小笠原諸島又は沖縄振興特別措置法第３条第１項第３号に規定された離島のいずれかに所在する場合は、上記基準額に対して0.08を乗じて得られた額を加算する。（千円未満切り捨て）

※３　一部改築等、定員のすべてが工事にかからない場合は、既存施設の工事にかかる定員数を整備前の総定員数で除して得た数を、整備前の総定員数の規模における基準額に乗じて得た額を基準額とすること。工事に係る定員数が算定できない場合は、「工事にかかる定員数＝総定員数×解体面積／既存施設の総面積」で算定すること。（いずれも、小数点以下切捨て）

※４　前年度から繰越を行った事業については、前年度に設定された交付基準額を適用する。

■仮設施設整備工事費

単位：千円

	基準額（１施設当たり）			
	右記以外		津波避難対策緊急事業計画に基づく事業の場合	
	標準	都市部	標準	都市部
定員20名以下	2,335	2,569	3,083	3,391

※１　整備を行う年度の４月１日現在の人口密度が、1,000人／㎢以上の市町村については、都市部の基準額を適用し、その他の市町村については、標準の基準額を適用する。

※２　豪雪地帯対策特別措置法第２条第２項の規定に基づき指定された特別豪雪地域、奄美群島振興開発特別措置法第１条に規定された奄美群島、離島振興法第２条第１項の規定に基づき指定された離島振興対策実施地域、小笠原諸島振興開発特別措置法第４条第１項に規定された小笠原諸島又は沖縄振興特別措置法第３条第１項第３号に規定された離島のいずれかに所在する場合は、上記基準額に対して0.08を乗じて得られた額を加算する。（千円未満切り捨て）

※３　一部改築等、定員のすべてが工事にかからない場合は、既存施設の工事にかかる定員数を整備前の総定員数で除して得た数を、整備前の総定員数の規模における基準額に乗じて得た額を基準額とすること。工事に係る定員数が算定できない場合は、「工事にかかる定員数＝総定員数×解体面積／既存施設の総面積」で算定すること。（いずれも、小数点以下切捨て）

※４　前年度から繰越を行った事業については、前年度に設定された交付基準額を適用する。

別表２―12［８の(5)こども誰でも通園制度（仮称）試行的事業を行う事業所に係る施設整備事業：定額（１／２相当）］

交　付　基　準　額　表

■本体工事費　　　　単位：千円

	基準額（１施設当たり）	
	標準	都市部
こども誰でも通園制度（仮称）試行的事業を行う事業所	9,496	10,446
特殊附帯工事	9,049	

※１　整備を行う年度の４月１日現在の人口密度が、1,000人／㎢以上の市町村については、都市部の基準額を適用し、その他の市町村については、標準の基準額を適用する。

※２　豪雪地帯対策特別措置法第２条第２項の規定に基づき指定された特別豪雪地域、奄美群島振興開発特別措置法第１条に規定された奄美群島、離島振興法第２条第１項の規定に基づき指定された離島振興対策実施地域、小笠原諸島振興開発特別措置法第４条第１項に規定された小笠原諸島又は沖縄振興特別措置法第３条第１項第３号に規定された離島のいずれかに所在する場合は、基準額に対して0.08を乗じて得られた額を加算すること。（千円未満切捨て。）

※３　前年度から繰越を行った事業については、前年度に設定された交付基準額を適用する。

※４　特殊附帯工事については、「次世代育成支援対策施設整備交付金及び就学前教育・保育施設整備交付金における特殊附帯工事の取扱いについて」に基づき整備する。

交　付　基　準　額　表

（津波避難対策緊急事業計画に基づく事業の場合（９の表の④⑥に該当する場合））

■本体工事費　　　　単位：千円

	基準額（１施設当たり）	
	標準	都市部
こども誰でも通園制度（仮称）試行的事業を行う事業所	12,535	13,789
特殊附帯工事	11,944	

※１　整備を行う年度の４月１日現在の人口密度が、1,000人／㎢以上の市町村については、都市部の基準額を適用し、その他の市町村については、標準の基準額を適用する。

※２　豪雪地帯対策特別措置法第２条第２項の規定に基づき指定された特別豪雪地域、奄美群島振興開発特別措置法第１条に規定された奄美群島、離島振興法第２条第１項の規定に基づき指定された離島振興対策実施地域、小笠原諸島振興開発特別措置法第４条第１項に規定された小笠原諸島又は沖縄振興特別措置法第３条第１項第３号に規定された離島のいずれかに所在する場合は、基準額に対して0.08を乗じて得られた額を加算すること。（千円未満切捨て。）

※３　前年度から繰越を行った事業については、前年度に設定された交付基準額を適用する。

※４　特殊附帯工事については、「次世代育成支援対策施設整備交付金及び就学前教育・保育施設整備交付金における特殊附帯工事の取扱いについて」に基づき整備する。

別表２―12［８の(5)こども誰でも通園制度（仮称）試行的事業を行う事業所に係る施設整備事業：定額（１／２相当）］

交　付　基　準　額　表

■解体撤去工事費　　　　単位：千円

	基準額（１施設当たり）			
	右記以外		津波避難対策緊急事業計画に基づく事業の場合	
	標準	都市部	標準	都市部
こども誰でも通園制度（仮称）試行的事業を行う事業所	540	594	713	785

※１　整備を行う年度の４月１日現在の人口密度が、1,000人／㎢以上の市町村については、都市部の基準額を適用し、その他の市町村については、標準の基準額を適用する。

※２　豪雪地帯対策特別措置法第２条第２項の規定に基づき指定された特別豪雪地域、奄美群島振興開発特別措置法第１条に規定された奄美群島、離島振興法第２条第１項の規定に基づき指定された離島振興対策実施地域、小笠原諸島振興開発特別措置法第４条第１項に規定された小笠原諸島又は沖縄振興特別措置法第３条第１項第３号に規定された離島のいずれかに所在する場合は、基準額に対して0.08を乗じて得られた額を加算すること。（千円未満切捨て。）

※３　前年度から繰越を行った事業については、前年度に設定された交付基準額を適用する。

■仮設施設整備工事費

単位：千円

	基準額（１施設当たり）			
	右記以外		津波避難対策緊急事業計画に基づく事業の場合	
	標準	都市部	標準	都市部
こども誰でも通園制度（仮称）試行的事業を行う事業所	959	1,055	1,266	1,392

※１　整備を行う年度の４月１日現在の人口密度が、1,000人／㎢以上の市町村については、都市部の基準額を適用し、その他の市町村については、標準の基準額を適用する。

※２　豪雪地帯対策特別措置法第２条第２項の規定に基づき指定された特別豪雪地域、奄美群島振興開発特別措置法第１条に規定された奄美群島、離島振興法第２条第１項の規定に基づき指定された離島振興対策実施地域、小笠原諸島振興開発特別措置法第４条第１項に規定された小笠原諸島又は沖縄振興特別措置法第３条第１項第３号に規定された離島のいずれかに所在する場合は、基準額に対して0.08を乗じて得られた額を加算すること。（千円未満切捨て。）

※３　前年度から繰越を行った事業については、前年度に設定された交付基準額を適用する。

別表２―13［８の(5)こども誰でも通園制度（仮称）試行的事業を行う事業所に係る施設整備事業：定額（３／４相当）］

交　付　基　準　額　表

■本体工事費

単位：千円

	基準額（１施設当たり）	
	標準	都市部
こども誰でも通園制度（仮称）試行的事業を行う事業所	14,245	15,669
特殊附帯工事	13,573	

※１　整備を行う年度の４月１日現在の人口密度が、1,000人／㎢以上の市町村については、都市部の基準額を適用し、その他の市町村については、標準の基準額を適用する。

※２　豪雪地帯対策特別措置法第２条第２項の規定に基づき指定された特別豪雪地域、奄美群島振興開発特別措置法第１条に規定された奄美群島、離島振興法第２条第１項の規定に基づき指定された離島振興対策実施地域、小笠原諸島振興開発特別措置法第４条第１項に規定された小笠原諸島又は沖縄振興特別措置法第３条第１項第３号に規定された離島のいずれかに所在する場合は、基準額に対して0.08を乗じて得られた額を加算すること。（千円未満切捨て。）

※３　前年度から繰越を行った事業については、前年度に設定された交付基準額を適用する。

※４　特殊附帯工事については、「次世代育成支援対策施設整備交付金及び就学前教育・保育施設整備交付金における特殊附帯工事の取扱いについて」に基づき整備する。

■解体撤去工事費

単位：千円

	基準額（１施設当たり）	
	標準	都市部
こども誰でも通園制度（仮称）試行的事業を行う事業所	811	892

※１　整備を行う年度の４月１日現在の人口密度が、1,000人／㎢以上の市町村については、都市部の基準額を適用し、その他の市町村については、標準の基準額を適用する。

※２　豪雪地帯対策特別措置法第２条第２項の規定に基づき指定された特別豪雪地域、奄美群島振興開発特別措置法第１条に規定された奄美群島、離島振興法第２条第１項の規定に基づき指定された離島振興対策実施地域、小笠原諸島振興開発特別措置法第４条第１項に規定された小笠原諸島又は沖縄振興特別措置法第３条第１項第３号に規定された離島のいずれかに所在する場合は、基準額に対して0.08を乗じて得られた額を加算すること。（千円未満切捨て。）

※３　前年度から繰越を行った事業については、前年度に設定された交付基準額を適用する。

■仮設施設整備工事費

単位：千円

	基準額（1施設当たり）	
	標準	都市部
こども誰でも通園制度（仮称）試行的事業を行う事業所	1,438	1,582

※1　整備を行う年度の4月1日現在の人口密度が、1,000人／㎢以上の市町村については、都市部の基準額を適用し、その他の市町村については、標準の基準額を適用する。

※2　豪雪地帯対策特別措置法第2条第2項の規定に基づき指定された特別豪雪地域、奄美群島振興開発特別措置法第1条に規定された奄美群島、離島振興法第2条第1項の規定に基づき指定された離島振興対策実施地域、小笠原諸島振興開発特別措置法第4条第1項に規定された小笠原諸島又は沖縄振興特別措置法第3条第1項第3号に規定された離島のいずれかに所在する場合は、基準額に対して0.08を乗じて得られた額を加算すること。（千円未満切捨て。）

※3　前年度から繰越を行った事業については、前年度に設定された交付基準額を適用する。

別表2―14［8の(5)こども誰でも通園制度（仮称）試行的事業を行う事業所に係る施設整備事業：定額（5.5／10相当）］

交付基準額表

■本体工事費

単位：千円

	基準額（1施設当たり）	
	標準	都市部
こども誰でも通園制度（仮称）試行的事業を行う事業所	10,446	11,491
特殊附帯工事	9,954	

※1　整備を行う年度の4月1日現在の人口密度が、1,000人／㎢以上の市町村については、都市部の基準額を適用し、その他の市町村については、標準の基準額を適用する。

※2　豪雪地帯対策特別措置法第2条第2項の規定に基づき指定された特別豪雪地域、奄美群島振興開発特別措置法第1条に規定された奄美群島、離島振興法第2条第1項の規定に基づき指定された離島振興対策実施地域、小笠原諸島振興開発特別措置法第4条第1項に規定された小笠原諸島又は沖縄振興特別措置法第3条第1項第3号に規定された離島のいずれかに所在する場合は、基準額に対して0.08を乗じて得られた額を加算すること。（千円未満切捨て。）

※3　前年度から繰越を行った事業については、前年度に設定された交付基準額を適用する。

※4　特殊附帯工事については、「次世代育成支援対策施設整備交付金及び就学前教育・保育施設整備交付金における特殊附帯工事の取扱いについて」に基づき整備する。

交付基準額表

（津波避難対策緊急事業計画に基づく事業の場合（9の表の④⑥に該当する場合））

■本体工事費

単位：千円

	基準額（1施設当たり）	
	標準	都市部
こども誰でも通園制度（仮称）試行的事業を行う事業所	13,789	15,168
特殊附帯工事	13,139	

※1　整備を行う年度の4月1日現在の人口密度が、1,000人／㎢以上の市町村については、都市部の基準額を適用し、その他の市町村については、標準の基準額を適用する。

※2　豪雪地帯対策特別措置法第2条第2項の規定に基づき指定された特別豪雪地域、奄美群島振興開発特別措置法第1条に規定された奄美群島、離島振興法第2条第1項の規定に基づき指定された離島振興対策実施地域、小笠原諸島振興開発特別措置法第4条第1項に規定された小笠原諸島又は沖縄振興特別措置法第3条第1項第3号に規定された離島のいずれかに所在する場合は、基準額に対して0.08を乗じて得られた額を加算すること。（千円未満切捨て。）

※3　前年度から繰越を行った事業については、前年度に設定された交付基準額を適用する。

※4　特殊附帯工事については、「次世代育成支援対策施設整備交付金及び就学前教育・保育施設整備交付金における特殊附帯工事の取扱いについて」に基づき整備する。

別表２―14［８の(5)こども誰でも通園制度（仮称）試行的事業を行う事業所に係る施設整備事業：定額（5.5／10相当）］

交　付　基　準　額　表

■解体撤去工事費

単位：千円

	基準額（１施設当たり）			
	右記以外		津波避難対策緊急事業計画に基づく事業の場合	
	標準	都市部	標準	都市部
こども誰でも通園制度（仮称）試行的事業を行う事業所	594	654	785	863

※１　整備を行う年度の４月１日現在の人口密度が、1,000人／㎢以上の市町村については、都市部の基準額を適用し、その他の市町村については、標準の基準額を適用する。

※２　豪雪地帯対策特別措置法第２条第２項の規定に基づき指定された特別豪雪地域、奄美群島振興開発特別措置法第１条に規定された奄美群島、離島振興法第２条第１項の規定に基づき指定された離島振興対策実施地域、小笠原諸島振興開発特別措置法第４条第１項に規定された小笠原諸島又は沖縄振興特別措置法第３条第１項第３号に規定された離島のいずれかに所在する場合は、基準額に対して0.08を乗じて得られた額を加算すること。（千円未満切捨て。）

※３　前年度から繰越を行った事業については、前年度に設定された交付基準額を適用する。

■仮設施設整備工事費

単位：千円

	基準額（１施設当たり）			
	右記以外		津波避難対策緊急事業計画に基づく事業の場合	
	標準	都市部	標準	都市部
こども誰でも通園制度（仮称）試行的事業を行う事業所	1,055	1,160	1,392	1,531

※１　整備を行う年度の４月１日現在の人口密度が、1,000人／㎢以上の市町村については、都市部の基準額を適用し、その他の市町村については、標準の基準額を適用する。

※２　豪雪地帯対策特別措置法第２条第２項の規定に基づき指定された特別豪雪地域、奄美群島振興開発特別措置法第１条に規定された奄美群島、離島振興法第２条第１項の規定に基づき指定された離島振興対策実施地域、小笠原諸島振興開発特別措置法第４条第１項に規定された小笠原諸島又は沖縄振興特別措置法第３条第１項第３号に規定された離島のいずれかに所在する場合は、基準額に対して0.08を乗じて得られた額を加算すること。（千円未満切捨て。）

※３　前年度から繰越を行った事業については、前年度に設定された交付基準額を適用する。

別紙１（交付要綱６の⑵イの公立認定こども園、交付要綱10の認定こども園（経過措置）以外）
（様式１―１）

第　　　号
年　　月　　日

地方厚生（支）局長　殿

自治体の長

（元号）　年度就学前教育・保育施設整備交付金の交付申請について

標記について、次により交付金を交付されるよう関係書類を添えて申請する。

１　申　　請　　額　　　金　　　　円
２　整備計画等概要　　　別紙のとおり（別紙１　様式１―２）
３　申請額算出内訳　　　別紙のとおり（別紙１　様式１―３）

（添付書類）
・自治体の歳入歳出予算書（見込書）抄本

（注）前年度から繰越を行った事業については、「(元号)　年度」の後に「((元号)　年度からの繰越分)」と明記すること。

別紙１（交付要綱６の⑵イの公立認定こども園、交付要綱10の認定こども園（経過措置）以外）
（様式１―２）

就学前教育・保育施設整備計画書・防音壁設置計画書・防犯対策強化整備計画書

市町村名：　　県　　市

整備計画等の概要　　（単位：千円）

施設名	施設種別	設置主体	所在地	整備区分	対象経費の支出予定額	交付金申請額	年次計画	抵当権設定の有無
								有・無
								有・無
								有・無
								有・無
								有・無
								有・無
								有・無
合計								

（注）抵当権設定の有無は、防音壁整備事業及び防犯対策強化整備事業以外の場合に記入すること。
但し、建物に係る根抵当権は設定できない。

様式１―２　記入要領

市町村名の欄には、都道府県名も合わせて記入すること。

＜整備計画等の概要＞

整備予定の保育所、認定こども園等について「施設名」・「施設種別」・「設置主体」・「所在地」・「整備区分」・「対象経費の支出予定額」・「交付金申請額」・「年次計画」・「抵当権設定の有無」を記入すること。

※「施設種別」：整備後の施設種別（保育所、保育所分園、幼保連携型認定こども園、幼保連携型認定こども園分園、保育所型認定こども園、保育所型認定こども園分園、幼稚園型認定こども園、幼稚園型認定こども園分園、小規模保育事業所、こども誰でも通園制度（仮称）試行的事業を行う事業所の別）を記入すること。

※「整備区分」：創設・増築・増改築・改築・大規模修繕等・民老・防音壁整備・外構（防犯対策強化整備のための門、フェンス等の外構の設置、修繕等の場合）・非常通報装置等（防犯対策強化整備のための非常通報装置等の設置の場合）

※「交付金申請額」：「交付金申請額」を算出し、記入すること。

※「年次計画」：単年度事業の場合は「単年度」、継続事業の場合は「(元号)　年度●●％～(元号)　年度●●％」と記入すること。

※「抵当権設定の有無」：令和５年６月15日こ成事第331号・こ支虐第69号「こども家庭庁所管補助金等に係る財産処分について」の別添１「こども家庭庁所管補助金等に係る財産処分承認基準」第３の３の（1）に規定する抵当権の設定の有無について、〇を付すこと。

※１つの施設で複数の整備区分がある場合でも、１つを記入し、整備区分については、主たる整備区分（整備計画に基づく主な整備目的）を記入すること。

別紙１（交付要綱６の⑵イの公立認定こども園、交付要綱10の認定こども園（経過措置）以外）
（様式１―３）

就学前教育・保育施設整備交付金申請額内訳

市町村名：　　　県　　　市

区分	施設名	総事業費	寄付金その他の収入額等	差引額	対象経費の支出予定額	選定額	交付基礎額の算定				交付金基本額	交付金所要額	市町村負担額
							交付基礎額（設計料加算、開設準備費加算、土地借料加算、定期借地権設定のための一時金加算を除く）	豪雪地域加算	交付基礎額（設計料加算、開設準備費加算、土地借料加算、定期借地権設定のための一時金加算分）	算定額合計			
		A　円	B　円	C（＝A－B）円	D（≦ A）円	E　円	F　円	G（＝F×８％）円	H　円	I（＝F＋G＋H）円	J　円	K　円	L　円
８の⑴①に基づく保育所施設整備事業［定額２／３相当］													
	小　計　①												
８の⑴②に基づく保育所施設整備事業［定額１／２相当］													
	小　計　②												
９の表の①に基づく保育所施設整備事業［定額３／４相当］													
	小　計　③												
９の表の②③に基づく保育所施設整備事業［定額5.5／10相当］													
	小　計　④												
９の表の④⑥に基づく保育所施設整備事業［定額２／３相当］													
	小　計　⑤												
８の⑵①に基づく私立認定こども園施設整備事業［保育所部分定額２／３相当教育部分定額１／２相当］													
	小　計　⑥												

※施設ごとに、上段に保育所部分の額、下段に教育部分の額を記載すること。なお、Ｅ欄、Ｉ欄～Ｌ欄については、保育所部分と教育部分の合計額を記載すること。

８の⑵②に基づく私立認定こども園施設整備事業［定額１／２相当］													
	小　計　⑦												

9の表の①に基づく私立認定こども園施設整備事業［定額3／4相当］													
	小　計　⑧												
9の表の②③に基づく私立認定こども園施設整備事業［定額5.5／10相当］													
	小　計　⑨												
9の表の④⑥に基づく私立認定こども園施設整備事業［定額2／3相当］													
	小　計　⑩												
8の(4)①に基づく小規模保育事業所施設整備事業［定額2／3相当］													
	小　計　⑪												
8の(4)②に基づく小規模保育事業所施設整備事業［定額1／2相当］													
	小　計　⑫												
9の表の①に基づく小規模保育事業所施設整備事業［定額3／4相当］													
	小　計　⑬												
9の表の②③に基づく小規模保育事業所施設整備事業［定額5.5／10相当］													
	小　計　⑭												
9の表の④⑥に基づく小規模保育事業所施設整備事業［定額2／3相当］													
	小　計　⑮												
8の(5)に基づくこども誰でも通園制度(仮称)試行的事業を行う事業所施設整備事業［定額1／2相当］													
	小　計　⑯												
9の表の①に基づくこども誰でも通園制度(仮称)試行的事業を行う事業所施設整備事業［定額3／4相当］													
	小　計　⑰												

9の表の②③に基づくこども誰でも通園制度（仮称）試行的事業を行う事業所施設整備事業［定額5.5／10相当］													
	小　計　⑱												
9の表の④⑥に基づくこども誰でも通園制度（仮称）試行的事業を行う事業所施設整備事業［定額２／３相当］													
	小　計　⑲												
8の(6)に基づく防音壁整備事業［定額１／２相当］													
	小　計　⑳												
8の(7)①に基づく防犯対策強化整備事業［定額１／２相当］													
	小　計　㉑												
8の(7)②に基づく防犯対策強化整備事業［定額１／２相当］													
	小　計　㉒												
合計（小計①＋②＋③＋④＋⑤＋⑥＋⑦＋⑧＋⑨＋⑩＋⑪＋⑫＋⑬＋⑭＋⑮＋⑯＋⑰＋⑱＋⑲＋⑳＋㉑＋㉒）													

(1)　工事請負契約等を締結する単位で作成すること。
(2)　Ａ欄、Ｂ欄、Ｄ欄には、複数年事業の場合であっても事業全体の額を記入すること。
(3)　Ｅ欄には、Ｃ欄の額とＤ欄の額を比較して少ないほうの額に２／３（又は１／２、３／４、5.5／10）を乗じた額を記入すること。（小数点以下切り捨て）
(4)　Ｅ欄、Ｉ欄、Ｊ欄及びＫ欄の小計及び合計の欄については、内訳の金額の記入の有無に関係なく必ず記入すること。
(5)　Ｇ欄には、設計料加算、開設準備費加算、土地借料加算及び定期借地権設定のための一時金加算を除いた交付基礎額に対して、0.08を乗じて得た額を記入すること。（千円未満切り捨て）
(6)　Ｊ欄は、Ｅ欄の額とＩ欄の額を比較して少ないほうの額を記入すること。（千円未満切り捨て）
(7)　Ｋ欄は、Ｊ欄の額に当年度の進捗率を乗じた額を記入すること。

別紙１（交付要綱６の⑵イの公立認定こども園）
（様式１―４）

第　　　号
年　月　日

地方厚生（支）局長　殿

自治体の長

（元号）　年度就学前教育・保育施設整備交付金の交付申請について

標記について、次により交付金を交付されるよう関係書類を添えて申請する。

1　申　請　額　　金　　　　　円
2　整備計画等概要　　別紙のとおり（別紙１　様式１―５）
3　申請額算出内訳　　別紙のとおり（別紙１　様式１―６）

（添付書類）
・自治体の歳入歳出予算書（見込書）抄本

（注）前年度から繰越を行った事業については、「(元号)　年度」の後に「((元号)　年度からの繰越分)」と明記すること。

別紙１（交付要綱６の⑵イの公立認定こども園）
（様式１―５⑴）

第　　　号
年　月　日

地方厚生（支）局長　殿

自治体の長

下記のとおり施設整備計画を提出します。

記

1　施設整備計画の名称
　○○市（県）公立認定こども園施設整備計画
2　計画期間
　令和　年度～令和　年度（　年間）

（担当）
○○○○
住所：○○県○○市○○
電話：0000―00―0000

別紙1（交付要綱6の(2)イの公立認定こども園）

（様式1－5(2)）

3　施設整備計画の目標

(1)　老朽化対策を図る整備

※個別施設計画等の他の計画において、施設整備計画期間中の老朽化対策のための目標を定めている場合には、当該他の計画を引用することができる項目

(2)　新時代の学びを支える安全・安心な教育環境の確保を図る整備

(3)　教室不足の解消等を図る整備

(4)　教育環境の質的な向上を図る整備

(5)　施設の特性に配慮した教育環境の充実を図る整備

4　域内の認定こども園の整備状況

※地方公共団体において策定・公表する既存の類似計画に同旨記載がある場合には、当該地方公共団体の判断により任意に記載することができる項目

(1)　現在の認定こども園の整備状況

認定こども園	園

(2)　整備に関する計画の策定状況

計画名	策定の有無	策定年月日
個別施設計画※1		
国土強靭化地域計画※2		

※1　インフラ長寿命化基本計画（平成25年11月29日）に基づく、個別施設毎の長寿命化計画。

なお、『個別施設計画』として策定していない場合でも、個別施設計画に記載すべき事項を他の類似の計画により確認できる場合（学校施設と他の公共施設とをあわせた計画を策定している場合等）には、「策定済」とすることができることとする。

※2　強くしなやかな国民生活の実現を図るための防災・減災等に資する国土強靭化基本法（平成25年法律第95号）

5　施設整備計画の目標の達成状況に係る評価に関する事項

別紙１（交付要綱６の⑵イの公立認定こども園）
（様式１―５⑶）
６　施設整備計画の目標を達成するために必要な改築等事業に関する事項（認定こども園ごと）

認定こども園の名称	目標	事業区分	整備方針				事業全体の整備面積等		事業全体の概算工事費		事業実施年度（予定）	備考
			事業単位	建物区分	構造区分	全事業期間（契約～完成）	（㎡、箇所等）	うち、補助対象面積等	（千円）	うち、対象内実工事費（千円）		
計												

（様式１―５　別表）事業区分

項	事業区分（交付要綱別表１―６より）	事業単位
01	構造上危険な状態にある建物の改築	危険改築
02	長寿命化改良事業	長寿命化事業
		予防改修事業
03	不適格改築	不適格改築
04	津波移転改築	津波移転改築
05	補強	大規模改造（補強）
06	大規模改造（質的整備）	大規模改造（教育内容）
		大規模改造（トイレ）
		大規模改造（法令等）
		大規模改造（空調）
		大規模改造（バリアフリー）
		大規模改造（防犯）
		大規模改造（特別防犯）
07	屋外教育環境の整備に関する事業	屋外教育環境
08	認定こども園の園舎の新増築	認定こども園
		認定こども園定員引下げ
09	公害	公害改築
		公害（防止）
10	火山	公害（降灰）
11	防災機能の強化に関する事業	防災機能強化
12	太陽光発電等の整備に関する事業	太陽光発電等

様式１―５　記入要領

１　施設整備計画の名称

設置者名を含む名称を記入する。

２　計画期間

計画期間（３年以内）を記入する。

３　施設整備計画の目標

以下の区分ごとに目標を定めて記入する。ただし、交付金の交付を受ける事業の無い区分は、記入不要とする。

(1)　老朽化対策を図る整備

老朽化対策のための目標を記入する。特に、老朽化した施設の長寿命化等を図るための目標を具体的に記入する。なお、個別施設計画等の他の計画において、２　計画期間中の老朽化対策のための目標を定めている場合には、当該他の計画を引用することでも可とする。

(2)　新時代の学びを支える安全・安心な教育環境の確保を図る整備

耐震性の確保や防災機能の強化、バリアフリー化、衛生環境の改善、空気調和設備の整備、防犯対策など安全性の確保等を図るための目標を具体的に記入する。特に、構造体の耐震化又は吊り天井（照明器具等高所に設置されたものも含む。）の耐震対策を完了していない設置者は早急に対策を完了させるための目標を具体的に記入する。

(3)　教室不足の解消等を図る整備

社会的、自然的要因による児童数の増加等に伴い、教室等に不足が生じる場合や障害のある児童が生活を送る際に施設面に課題がある場合等は、これらを解消するための目標を具体的に記入する。

(4)　教育環境の質的な向上を図る整備

教育内容・教育方法等の変化、地域との連携、環境との共生、木材の積極的な活用及び再生可能エネルギーの導入等の様々な社会的要請を踏まえつつ、教育環境の質的な向上を図るための目標を具体的に記入する。

(5)　施設の特性に配慮した教育環境の充実を図る整備

施設の充実を図るための目標を具体的に記入する。

４　域内の認定こども園の整備状況

施設整備計画作成時点における整備の状況を記入する。なお、当該項目については、地方公共団体において策定・公表する既存の類似計画に同旨記載がある場合には、当該地方公共団体の判断により任意に記載することができる項目とする。

(1)　現在の認定こども園の整備状況

認定こども園の数を記入する。

(2)　整備に関する計画の策定状況

インフラ長寿命化基本計画（平成25年11月29日）に基づく、個別施設毎の長寿命化計画（以下「個別施設計画」という。）及び強くしなやかな国民生活の実現を図るための防災・減災等に資する国土強靭化基本法（平成25年法律第95号）に基づく国土強靭化地域計画の策定の有無等を記入する。

なお、(2)　整備に関する計画の策定状況において、『個別施設計画』として策定していない場合でも、個別施設計画に記載すべき事項を他の類似の計画により確認できる場合（学校施設と他の公共施設とをあわせた計画を策定している場合等）には、「策定済」とすることができることとする。

５　施設整備計画の目標の達成状況に係る評価に関する事項

施設整備計画の計画期間終了後に実施する評価（事後評価）の方法等について記入する。

６　施設整備計画の目標を達成するために必要な改築等事業に関する事項（認定こども園ごと）

以下の項目について記入する。耐震性の確保に当たっては、改築ではなく補強又は改修によって耐震化を図るなど、より効率的に事業を進めるよう計画すること。

①　認定こども園の名称

事業ごとに認定こども園の名称を記入する。複数年度にわたる事業は年度ごとに区分し、括弧書きで何期目かを追記する。

②　目標

「３　施設整備計画の目標」に記入した、事業実施により達成を目指す施設整備計画の目標について、該当する番号(1)～(5)を記入する。

③　事業区分

交付要綱別表１―６又は別表１―７に定める事業区分を確認の上、項番号を記入する。なお、別表１―６の項番号は「(別表）事業区分」のとおり。

④　整備方針

・事業単位：「(別表）事業区分」から、該当する事業単位を記入する。

・建物区分：該当する建物区分を記入する。該当する建物区分が無い場合は、記入不要とする。

園舎……………………園

・構造区分：該当する構造区分を記入する。該当する構造区分が無い場合は、記入不要とする。

鉄筋コンクリート造…Ｒ　　混合構造………ＲＳ

鉄骨その他造…………Ｓ　　木造……………Ｗ

・全事業期間（契約～完成）：契約予定年月及び完成予定年月を記入する。

⑤　事業全体の整備面積等

事業全体の面積等（事業に応じて箇所数等とする。）を記入する。複数年度にわたる事業は、面積等を合計して記入する。

・うち、補助対象面積等

交付金の補助対象となる面積等を記入する。交付金の配分基礎額にかかる面積や箇所数等については、別途通知する算定方法を参照すること。

⑥　事業全体の概算工事費

事業全体の概算工事費を記入する。複数年度にわたる事業は、合計額を記入する。

・うち、対象内実工事費

交付金の算定対象となる工事費を記入する。大規模改造事業等で事業費の上限額又は下限額の設定がある場合は、当該事業の事業費が上限額又は下限額を満たすことを確認の上、計画すること。

⑦　事業実施年度（予定）

各事業の実施予定年度（予定）を記入する。

⑧　備考

このほか、補足すべき事項があれば適宜記入する。

別紙１（交付要綱６の⑵イの公立認定こども園）

（様式１―６）

申請額算出内訳書

番号	都道府県名	設置者名	国の予算の予算年度・予算区分	国の会計区分

事務費（千円）	交付申請額（千円）

申請額の算出

算定対象事業	施設名	事業名	建物区分	構造区分	配分基礎面積	単価種別	配分基礎額（加算前）（千円）	実工事費（千円）	算定割合	加算前算定後配分基礎額（千円）	算定後配分基礎額（千円）	算定後実工事費（千円）	ＬとＭのいずれか少ない方（千円）	加算率	抵当権の設定の有無
Ａ	Ｂ	Ｃ	Ｄ	Ｅ	Ｆ	Ｇ	Ｈ	Ｉ	Ｊ	Ｋ＝Ｈ×Ｊ	Ｌ	Ｍ＝Ｉ×Ｊ	Ｎ	Ｏ＝Ｌ／Ｋ	Ｐ
	合計														

ＬとＭのいずれか少ない方の総和（＝Ｎ）（千円）	事務費（千円）	交付申請（千円）…①

様式１―６　記入要領

＜設置者名等＞

⑴　番号、都道府県名、設置者名

都道府県番号、都道府県名、設置者名を記入する。

⑵　国の予算の予算年度・予算区分

国の予算の予算年度及び予算区分（当初予算や補正予算等）を記入する。

⑶　国の会計区分

会計の区分（一般会計など）を記入する。

＜申請額の算出＞

A　算定対象事業

就学前教育・保育施設整備交付金（以下「交付金」という。）の算定対象となった事業に「○」を記入する。（全ての事業に「○」が記入されることとなる。）

B　施設名～E　構造区分

施設名、事業名、建物区分、構造区分を記入する。

F　配分基礎面積

当該年度の配分基礎額を算定する際の基礎となる面積※を記入する。

※施設整備計画（様式１―５）の「うち、補助対象面積等」欄に記載されている面積と同じ面積。

G　単価種別

各年度の「就学前教育・保育施設整備交付金の配分基礎額の算定方法等について」（以下「配分基礎額通知」という。）で定める単価種別において、老朽単価を用いる事業については「○」を記入する。都道府県等において公共工事等に使用されている積算基準を参考として、事業箇所の実情に即して算定した面積（以下「その他面積」という。）及び単価（以下「その他単価」という。）を用いる事業については「△」を、上記以外については「―」を記入する。

H　配分基礎額（加算前）

交付要綱別表１―６等に基づき算出した、当該年度の配分基礎額※を記入する。

なお、その他面積及びその他単価を用いる場合には、配分基礎額と実工事費は同額となる。

※配分基礎額通知における特別加算額のうち、「その他こども家庭庁長官が特別に認める場合」の金額を反映しない額。

I　実工事費

当該年度の実工事費※を記入する。ただし、当該額が交付金の算定対象となった事業の上限額を超えている場合は、上限額を記入する。また、耐震診断費（耐震化優先度調査、第１次診断を含む。）、耐力度調査費、実施設計費等は含むが、事務費は含まない。なお、交付対象外面積に相当する実工事費は、適切に除外すること。

※施設整備計画（様式１―５）の「うち、対象内実工事費」欄に記載されている金額と同額。

J　算定割合

算定割合を記入する。

K　加算前算定後配分基礎額

事業ごとに算出した配分基礎額（加算前）に算定割合を乗じた額を記入する。

L　算定後配分基礎額

配分基礎額通知における特別加算額のうち「その他こども家庭庁長官が特別に認める場合」の金額を反映した額を記入する。ただし、当該額が交付金の算定対象となった事業の上限額に算定割合を乗じた額を超えている場合は、上限額に算定割合を乗じた額を記入する。

M　算定後実工事費

実工事費に算定割合を乗じた額を記入する。

N　LとMのいずれか少ない方

算定後配分基礎額と算定後実工事費とを事業ごとに比較して少ない方の額を記入する。

O　加算率

算定後配分基礎額を加算前算定後配分基礎額で除した値（小数点第３位以下切り捨て）を記入する。なお、当該値が１未満の場合は「加算なし」と記入する。

P　抵当権設定の有無

令和５年６月15日こ成事第331号・こ支虐第69号「こども家庭庁所管補助金等に係る財産処分について」の別添１「こども家庭庁所管補助金等に係る財産処分承認基準」第３の３の⑴に規定する抵当権の設定の有無について記入する。

別紙１（交付要綱10の認定こども園（経過措置））
（様式１―７）

第　　　号
年　　月　　日

地方厚生（支）局長　殿

自治体の長

（元号）　年度就学前教育・保育施設整備交付金の交付申請について

標記について、次により交付金を交付されるよう関係書類を添えて申請する。

１　申　　請　　額　　　金　　　　　　　円
２　整備計画等概要　　　別紙のとおり（別紙１　様式１―８）
３　申請額算出内訳　　　別紙のとおり（別紙１　様式１―９）

（添付書類）
①　交付を受けようとする年度の収支予算書
②　交付を受けようとする年度の前年度収支決算書（既存の学校法人のみ提出）
③　交付を受けようとする年度の前年度末貸借対照表（新設の学校法人は、学校法人の設立時における貸借対照表）
④　園則（園の新設の場合は開設時のもの、学級増又は学級定員引き下げの場合は学級増又は学級定員引き下げの直前のものに、学級増又は学級定員引き下げに伴って改正した部分を朱書きで表示したもの）
⑤　交付を受けようとする年度の園児募集要綱
⑥　建設予定の園舎等の設計図書（建設前後の部屋の配置が分かる平面図等）
⑦　工事の見積書及び内訳明細書
⑧　新設学校法人に関する調書（様式１―10）（新設学校法人のみ提出）
⑨　園舎の耐力度調査票（公立学校施設費国庫負担金等に関する関係法令等の運用細目（平成18年７月13日18文科施第188号）別表第１、第３、第４、第５を準用）又は建物の経過年数が明確となる資料（改築の場合のみ提出）
⑩　耐震性能判定表（様式１―11）（耐震化に係る工事の場合のみ提出）
⑪　現況写真（必要に応じて提出）
⑫　自治体の歳入歳出予算書（見込書）抄本
※①～⑪については、本交付金に係る整備計画の協議時に添付したものと変更がなければ添付を省略してよい。

（注）前年度から繰越を行った事業については、「（元号）　年度」の後に「((元号)　年度からの繰越分)」と明記すること。

別紙１（交付要綱10の認定こども園（経過措置））
（様式１—８）

市町村の承認	有・無
抵当権の設定	有・無

都道府県名	
市町村名	
学校法人名	
園名	
設置年度	

令和　　年度就学前教育・保育施設整備交付金【経過措置分】事業計画書

1　幼稚園型認定こども園の状況

所在地（変更後）						園地の状況（変更後）				園地面積（変更後）			
幼児数等	区分	令和　　年度（前年度）				令和　　年度（申請年度）				令和　　年度（次年度）			
		定員・学級数		現員・学級数		定員・学級数		現員・学級数		定員・学級数		現員・学級数	
	満３歳児												
	３歳児												
	４歳児												
	５歳児												
	計	人	学級	人	学級	人	学級	人	学級	人	学級	人	学級
	預かり保育												

2　新築・増築・改築

(1)　事業実施後の園舎の状況
（園舎面積　　㎡〔構造　　〕，運動場面積　　㎡）

保育部門		管理部門	
保育室（　　）	㎡	職員室（　　）	㎡
遊戯室（　　）		保健室（　　）	
預かり保育室（　　）		会議室（　　）	
図書室（　　）		相談室（　　）	
教材・器具庫（　　）		ＰＴＡ室（　　）	
その他（　　）		便所	
（　　）		廊下・階段・昇降口	
（　　）		その他（　　）	
計	㎡	計	㎡

(2)　保育室等の内訳

保育室内訳		
タイプ１		
タイプ２		
タイプ３		
タイプ４		
タイプ５		
預かり保育室内訳		
タイプ１		
タイプ２		
タイプ３		

(3)　旧園舎の状況（耐震化に係る改築は、耐力度点数欄に耐震性能に係る数値を記載）

建物名称	構造	建築年度	面積	処分方法	耐力度点数	取り壊し時期	交付金交付年度

(4)　工事費

工事区分	見積額
建築工事費	
解体費	
実施設計費	
計	千円

(5)　工事期間等

契約時期		着工時期		完成時期	

3　屋外教育環境整備

事業区分	事業細目	事業の内容、員数・数量等	見積額
計			千円

契約時期		着工時期		完成時期	

4　耐震補強工事等

対象建物				工事の内容、員数・数量等	見積額
建物名称	構造	建築年度	建物面積		
計			㎡		千円

契約時期		着工時期		完成時期	

5　防犯対策工事

対象建物				工事の内容、員数・数量等	見積額
建物名称	構造	建築年度	建物面積		
計			㎡		千円

契約時期		着工時期		完成時期	

6　アスベスト等対策工事

対象建物				工事の内容、員数・数量等	見積額
建物名称	構造	建築年度	建物面積		
計			㎡		千円

契約時期		着工時期		完成時期	

7　エコ改修事業

事業区分	事業細目	事業の内容、員数・数量等	見積額
計			千円

契約時期		着工時期		完成時期	

8　内部改修工事

事業区分	建物名称	建築年度	工事の内容、員数・数量等	見積額
計				千円

契約時期		着工時期		完成時期	

9　バリアフリー化工事

対象建物				工事の内容、員数・数量等	見積額
建物名称	構造	建築年度	建物面積		
計			㎡		千円

契約時期		着工時期		完成時期	

様式１—８　記入要領

○　抵当権の設定欄は令和５年６月15日こ成事第331号・こ支虐第69号「こども家庭庁所管補助金等に係る財産処分について」の別添１「こども家庭庁所管補助金等に係る財産処分承認基準」第３の３の(1)に規定する抵当権の設定の有無について、○を付すこと。

１　幼稚園型認定こども園の状況（申請する事業区分にかかわらず必ず記入する。）

○　幼稚園型認定こども園所在地を上段に記入し、移転する場合など変更を伴う場合は下段に変更後の所在地を併せて記入する。

○　園地の状況は、自己所有、借地などを上段に記入し、移転する場合など変更を伴う場合は下段に変更後の園地の状況を併せて記入する。

○　園地面積を上段に記入し、移転する場合や園地を拡張する場合など変更を伴う場合は下段に変更後の園地面積を併せて記入する。

○　幼児数等は、申請年度の前年度、申請年度、申請年度の次年度（それぞれ５月１日現在、予定を含む）の定員と定員上の学級数及び現員と現員上の学級数を、「満３歳〜５歳児」及び「預かり保育」に区分して記入する。

２　新築・増築・改築（該当事業を○で囲むこと。）

(1)　事業実施後の園舎の状況

○　完成後の総園舎面積（増築の場合は旧園舎面積を含む）、園舎の構造（下記表示参照、以下同じ）、運動場面積を記入する。

○　園舎を「保育部門」「管理部門」に分類し、用途別に面積の内訳を記入する。

○　一つのスペースを複数の用途に兼用する場合は、主たる用途の区分に面積を記入するとともに、従たる用途を（　　　）内に記入する。

(2)　保育室等の内訳

○　保育室及び預かり保育室については、部屋の間取り等で区分しそれぞれの面積、室数を記入する。

(3)　旧園舎の状況

○　旧園舎の全てについて、建物名称、構造、建築年度、面積を記入する。

○　処分方法は「継続使用」「改修使用」「○○へ転用」「取り壊し」「一部取り壊し」などの区分を記入する。

○　取り壊す場合は耐力度点数、取り壊し時期を記入するとともに、当該園舎の建設時に国庫補助金が交付されていた場合は、その交付年度を記入する。

(4)　工事費

○　工事区分に従って、工事費の見積額を記入する。

(5)　工事期間等

○　契約、着工、完成の時期（予定）を記入する。

園舎の構造区分

構造区分	表示	主要骨組み部分			
		柱	床ばり	けた、胴差	こう配屋根の小屋組み
木　　造	W	木材	木材又は鉄材	木材	木材又は鉄材
鉄筋コンクリート造	R	鉄筋コンクリート、鉄骨鉄筋コンクリート又は耐火被覆鉄骨			鉄筋コンクリート、鉄骨鉄筋コンクリート又は耐火被覆鉄骨
鉄　骨　造	S	鉄骨			
そ　の　他		木造、鉄筋コンクリート造、鉄骨造以外のもの　[例] 石造、れんが造、ブロック造			

３　屋外教育環境整備

○　事業区分、事業細目は下記の区分により記入する。

事業区分	事業細目	当該施設が備えるべき要件
屋外運動広場	木登りの森	複数の高木が平面的広がりを持って植えられていること。
	相撲の芝生	まとまった範囲に芝生が植えられ自由に立ち入りできること。
	冒険の丘	地形の起伏あるいは築山を利用し昇り降り等の運動ができるよう配慮されていること。

	アスレチックコース	複数のアスレチック遊具があること。
	マラソンコース	グラウンドや自動車の通行と区分された走路であること。
	花のトンネル	つる性の植物等により、その下をくぐって運動できるように配慮されている施設であること。
	プレイコート	舗装及び改良を施したコートがあり、球技やボールゲーム等ができること。
屋外集会施設	屋外ステージ	ステージ及び観客席（いすである必要はない）をもつこと。
	語らいの広場	芝生、ベンチ等があり多人数で語らいができること。
	ふれあいの小径	教師と園児又は園児相互の交流を図れるように配慮された施設であること。（散策路、遊歩道等）
	炊さん場	屋外炊さん及び食事が多人数でできること。屋外給食施設を含む。
屋外学習施設	観察の森	木々に対する理解を深めるとともに小鳥や昆虫にふれあうためのみどりの場であること。
	学習園	草花、野菜、果樹などを育てるための庭等で果実などを収穫できる（体験できる）場であること。
	自然体験広場	水性植物や魚等を観察するための小川や池等で、自然（みどり）と一体化できる（自然に関心を持たせる）場であること。

○　事業の内容、員数、数量等を簡潔に記入するとともに、工事の見積もり額並びに契約、着工、完成の時期（予定）を記入する。

4　エコ改修事業

○　事業区分、事業細目は下記の区分により記入する。

事業区分	事業細目	事業概要
新エネルギー活用型	太陽光発電型	屋上、屋根等に太陽電池を設置し、太陽電池により発電した電力を学校で通常使用する電力に活用するためのシステム
	太陽熱利用型	屋上等に太陽熱給湯器を設置し、太陽熱で暖めた温水を暖房（床暖房等）、給湯（シャワー、給食等）に利用する方法
	その他新エネルギー活用型	・風力：屋上、校庭等に風車を設置し、発電する方式で、学校で通常使用する電力を補うシステム ・地中熱：換気用チューブを地中に埋設し、室内空気を循環させて熱交換するシステム ・燃料電池：都市ガス等の燃料から電力を得るシステムで発電の際の排ガスがクリーンで二酸化炭素の排出も少ないシステム
省エネルギー・省資源型		・断熱化：複層ガラスや二重サッシ等の利用、断熱材等の改造 ・採光対策：庇、ルーバー、バルコニー、反射鏡等の設置 ・省エネ型設備：省エネ型空調設備、高効率型照明器具への更新及び学校内での節水効果を高めるために自動水洗や節水型便器への更新 ・中水利用：敷地や屋根等から集めた雨水を再利用貯留槽等に貯め、ろ過等の処理をしてトイレの洗浄水や園庭の散水、園内の池等に利用及び施設内で発生する排水をろ過等の処理をして、トイレ洗浄水等に利用
緑化推進型	園庭芝生化	原則として暗渠排水、表面排水及び芝張り（人工芝を除く。）等が一体として整備された施設であること
	建物緑化、屋上緑	・建物の壁面や屋上、テラス、ベランダ等の緑化を行う ・校内を積極的に緑化し、緑被率の向上、緑のネットワークの形成、ビオトープの設置等をはかる。
木材利用型		地域材、間伐材等の木材を利用した床、壁、天井等の内装等の改造

○　事業の内容、員数、数量等を簡潔に記入するとともに、工事の見積額並びに契約、着工、完成の時期（予定）を記入する。

5　耐震補強工事等、防犯対策工事、アスベスト等対策工事、バリアフリー化工事
○　対象となる建物毎に名称、構造、建築年度、建物面積を記入する。
○　工事等の内容、員数、数量等を簡潔に記入するとともに、工事等の見積額並びに契約、着工、完成の時期（予定）を記入する。
6　内部改修工事
○　区分は、交付要綱10【別表①】に基づき、衛生環境改善、園舎の一部改修のいずれかを記載する。
○　対象となる建物毎に名称、構造、建築年度、建物面積を記入する。
○　工事の内容、員数、数量等を簡潔に記入するとともに、工事の見積額並びに契約、着工、完成の時期（予定）を記入する。

別紙１（交付要綱10の認定こども園（経過措置））
（様式１―９）

令和　　　年度就学前教育・保育施設整備交付金【経過措置分】交付金計算書

園名＿＿＿＿＿＿＿＿＿＿

1　新築・増築・改築
⑴　基準面積
①　計算上の学級数

区分	幼児数	左÷35（切上）
満３歳児		
３歳児		学級
４歳児		学級
５歳児		学級
計	人	学級 →N

↑
定員と現員いずれか小

②　基礎面積の計算

区分	基礎面積の計算式		
N＝１～２	307＋209（N－１）	＝	㎡
N＝３～５	725＋161（N－３）	＝	㎡
N＝６～８	1,208＋168（N－６）	＝	㎡
N＝９以上	1,713＋161（N－９）	＝	㎡

③　預かり保育の面積加算

預かり保育	面積加算
20人以下	㎡
21～35人	㎡
36人以上	㎡

②＋③＝　　　㎡	←A

⑵　保有面積

区　分	保有面積	
健全建物	㎡	←B
危険建物	㎡	←C
計	㎡	←D

⑶　取り壊し面積

区　分	取り壊し面積	
健全建物取り壊し	㎡	←E
危険建物取り壊し	㎡	←F
計	㎡	←G

⑷　新増改築面積

区　分	面積	
建築面積	㎡	←H
純増面積		

↑
H－G＝I

⑸　補助資格面積

区　　分	計　算　式	面　　積	左のうち最小面積	R造以外は左÷1.020
改築	A－B	㎡	㎡	㎡
	C	㎡		
	H－E	㎡		
預かり保育事業等の実施に伴う改築	G	㎡	㎡	㎡
	H	㎡		
新増築	A－D	㎡	㎡	㎡
	I	㎡		

↑J ↗

⑹　補助事業に要する経費

工事請負契約金額（A）	補助対象外経費（B）	補助事業に要する経費（A－B）（C）	建築面積（D）	建築実施単価（C÷D）
		円	㎡	

↑K

⑺　国庫補助金の算定

補助資格面積	補助単価	補助対象工事費	補助率	補助金の額
		千円	1／3以内	
計	円／㎡	千円		千円

↑J　　　　　　　↑Kと予算単価のいずれか小

2　屋外教育環境整備、耐震補強工事、防犯対策工事、アスベスト等対策工事、エコ改修事業、内部改修工事、バリアフリー化工事

⑴　補助事業に要する経費

区　　分	工事内訳	（工事量）	補助事業に要する経費	左のうち補助対象工事費
				千円
				千円
				千円
計			千円	千円

↑L

⑵　交付金の算定

補助対象工事費	補助率	補助金の額
千円	1／3又は 1／2以内	
計		千円

↑L

様式1―9　記入要領

1　新築・増築・改築（該当事業を○で囲むこと。）

⑴　基準面積

①　申請年度における年齢毎の定員又は現員（新設及び定員増に係る増築の場合は予定数）のいずれか少ない幼児数を35人で除し、計算上の学級数…Nを求める。

②　計算上の学級数…Nに応じた基礎面積を求める。

③　下記により算出した預かり保育対象園児数に応じた加算面積を求める。

④　基礎面積に預かり保育加算面積を加え基準面積…Aを求める。

⑤　申請年度の前年度における月別預かり保育延べ園児数の実績を添付すること。（様式任意）

（預かり保育対象園児数の算出方法）

1　申請年度の前年度の4、5、6、7、9、10、11月の実績で、1日当たりの預かり保育対象園児数を次の計算式により求める。（新たに預かり保育を実施する場合は計画による）

⑴　当該月の預かり保育延べ園児数÷当該月の保育日数＝当該月の1日当たりの預かり保育対象園児数

⑵　⑴で算出した対象月毎の園児数を合計し、7で除した数を預かり保育対象園児数とする。

2　預かり保育の面積加算の対象となるのは、年間を通じて、1日2時間以上継続的に幼稚園型一時預かり事業（従来の預かり保育を含む。）を実施する場合とする。

⑵　保有面積

①　保有している建物面積を健全建物と危険建物に区分して記入する。

②　危険建物は次の基準による。

区　　　分	危険建物に区分する基準
木造建物	耐力度がおおむね5,500点以下の建物又は建築後24年を経過した建物
鉄筋コンクリート造建物	耐力度がおおむね5,000点以下の建物又は建築後50年を経過した建物
鉄骨・その他造建物	耐力度がおおむね5,000点以下の建物又は建築後35年を経過した建物

⑶　取り壊し面積

取り壊し面積を、健全建物、危険建物毎に区分して記入する。

⑷　新増改築面積

①　建築面積は下記により算出した面積を記入する。

②　純増面積は建築面積から取り壊し面積を控除した面積を記入する。

（建築面積の算出方法）

1　建築面積は、建物毎に、壁（腰壁は除く、以下同じ）や建具などにより風雨を防ぐことができる部分の、床面積の合計とする。
2　床面積の算定は、各階毎に壁又はその他の区画の中心線で囲まれた床部分の、水平投影面積を測定して行うものとし、建物毎の延面積に１平方メートルに満たない端数が生じたときは、これを四捨五入して算定する。
3　エレベーターやリフトのシャフト部分など、通念上床面積に含まれる部分は床面積に参入するが、次のいずれかに該当する部分は床面積に算入しない。 ⑴　屋内運動場のギャラリーなどで日常利用されず補助的通行に利用される内のり２メートル以下のもの ⑵　天井高又は床下高２メートル以下の中２階など ⑶　建物の外部に固着した内部の高さ２メートル以下の部分 ⑷　二重窓の室内部分 ⑸　ひさし、ぬれ縁、ポーチ、アーケード、壁で囲まれていない外部階段、バルコニー、ピロティーなど
4　次に掲げる建物以外の工作物は床面積に算入しない。 ○吹き抜けの渡り廊下　○柱と屋根のみで壁のない独立した構造物 ○内部の高さが２メートル以下の独立した構造物　○簡易な小規模構造物 ○土地に固着した囲障　○貯水池　○水泳プール　○野球のバックネット ○鉄棒　○井戸　○百葉箱　○フレーム　○ピットなど
5　幼稚園と保育所において、保育上支障のない限り施設や設備を相互に共用するなど施設の共用化等を図ることができるが、その場合において、共用部分に保有面積については、幼稚園及び保育所の各々の専有面積により按分して算定するものとする。

⑸　補助資格面積

改築、新増築の区分に応じた計算式により、補助資格面積…Ｊを算出する。

⑹　補助事業に要する経費

国庫補助対象経費を建築面積で除すことにより、建築実施単価…Ｋを算出する。

⑺　国庫補助金の算定

補助単価は、建築実施単価と毎年度の予算単価のいずれか低い単価を記入する。

⑻　端数処理

建築実施単価及び補助単価は１円未満の端数を切り捨てる。

補助対象工事費及び補助金の額は千円未満の端数を切り捨てる。

⑼　建物の構造に応ずる補正

上記の⑵保有面積、⑶取り壊し面積、⑷新増改築面積のうち、鉄筋コンクリート造以外の構造の園舎に係る部分があるときは、当該部分の面積に1.020を乗じて面積を補正する。

2　屋外環境整備、耐震補強工事等、防犯対策工事、アスベスト等対策工事、エコ改修事業、内部改修工事、バリアフリー化工事（該当事業を○で囲むこと。）

⑴　工事内訳

必要に応じて工事内訳明細書を添付する。

⑵　端数処理

補助金の額は千円未満の端数を切り捨てる。

別紙１（交付要綱10の認定こども園（経過措置））
（様式１―10）

新 設 学 校 法 人 に 関 す る 調 書

学校法人名

1　学校法人の設立代表者と理事長について

区　　分	氏　　名	学 校 法 人 設 立 に 至 る ま で の 経 緯
設 立 代 表 者		
学校法人理事長		

2　学校法人が継承する園舎建築費に係る債務状況

園舎建築費総額				園舎の建築面積	
承継前	支払済	金額	支払（予定）年月日	支払いの相手方	支払財源の調達方法
		円			
計					
学校法人設立年月日			債務の承継年月日		園舎の引渡し年月日
承継後	支払済				
		（小計）			
	支払未済				
		（小計）			
	計				
合計					

(注)１　債務の承継前における支払財源が借入金等の負債によるものについては、「承継前」の金額欄にかっこ書きで記入し、「承継前」の「支払済」又は「支払未済」のいずれかに該当する欄に、債務承継後の処理状況を記入すること。

なお、かっこ書きの金額は、「計」及び「合計」の金額には算入しないこと。したがって「園舎建築費総額」と「合計」の金額とは一致する。

２　参考資料として設立時における財産目録を添付すること。

別紙１（交付要綱10の認定こども園（経過措置））
（様式１—11）

耐 震 性 能 判 定 表

<table>
<tr><td>設 置 者 名</td><td colspan="2"></td><td colspan="2">園名</td><td colspan="4"></td></tr>
<tr><td>建 物 階 数</td><td colspan="2"></td><td colspan="2">構造の種類</td><td colspan="4">ＲＣ　Ｓ　ＳＲＣ　その他（　　）</td></tr>
<tr><td rowspan="2">耐震性能の診断の対象となった棟</td><td colspan="2">棟番号</td><td colspan="2">建築年</td><td colspan="2">面　積</td><td colspan="2">左のうち今回診断対象分</td></tr>
<tr><td colspan="2"></td><td colspan="2"></td><td colspan="2">㎡</td><td colspan="2">㎡</td></tr>
<tr><td>適用した方法</td><td colspan="8">第２次診断　第３次診断　その他（　　）</td></tr>
<tr><td rowspan="2">Ｉｓ（Ｉｗ）又はｑが不足の方向・階</td><td colspan="3">けた行き</td><td colspan="3">はり間</td><td rowspan="2">Ｉｓ（Ｉｗ）が最低の方向・階</td><td rowspan="2"></td></tr>
<tr><td>１階</td><td>２階</td><td>３階</td><td>１階</td><td>２階</td><td>３階</td></tr>
</table>

<table>
<tr><td>耐震性能に係る各数値</td><td>既存建物</td><td>補強設計</td><td>補強前・補強後で左欄の数値が変更になった場合その補強・改修方法を○で囲み、() 内に箇所数を記入</td></tr>
<tr><td>Ｅｏ</td><td></td><td></td><td rowspan="6">ＲＣ壁　：　増設（　）　補強（　）
ＲＣそで壁　：　増設（　）　補強（　）
ＲＣ柱　：　増設（　）　補強（　）
ブレース　：　増設（　）　補強（　）
耐震ｽﾘｯﾄ　：　増設（　）　補強（　）
基礎　：　増設（　）　補強（　）
荷重軽減　：　軽減箇所名（　）
その他　：（　）</td></tr>
<tr><td>Ｆｅｓ</td><td></td><td></td></tr>
<tr><td>Ｚ</td><td></td><td></td></tr>
<tr><td>Ｒｔ</td><td></td><td></td></tr>
<tr><td>Ｉｓ（Ｉｗ）</td><td></td><td></td></tr>
<tr><td>ｑ</td><td></td><td></td></tr>
</table>

<table>
<tr><td>耐震工事全体事業費</td><td></td><td>内、耐震診断（補強設計含）分</td><td></td></tr>
<tr><td colspan="2">耐震性能の診断・補強設計を行った診断者の所見</td><td>診断を終了した日</td><td></td></tr>
<tr><td>既存建物の耐震性能の評価</td><td colspan="3"></td></tr>
<tr><td>補強設計と補強後の耐震性能の評価</td><td colspan="3"></td></tr>
<tr><td>診断・調査の実施者の資格及び氏名</td><td colspan="3"></td></tr>
</table>

（注）　本判定表は、構造別に作成する。なお、非構造部材の耐震対策または防災機能強化のみを実施する場合は作成不要とする。

別紙２（交付要綱６の⑵イの公立認定こども園、交付要綱10の認定こども園（経過措置）以外）
（様式１―１）

第　　　号
年　月　日

地方厚生（支）局長　　殿

自治体の長

（元号）　年度就学前教育・保育施設整備交付金の事業実績報告について

（元号）　年　月　日第　　　号で交付決定を受けた（元号）　年度就学前教育・保育施設整備交付金に係る事業実績については、次の関係書類を添えて報告する。

1　精　　算　　額　　金　　　　　　　円
2　整備計画等実績の概要　　　別紙のとおり（別紙２　様式１―２）
3　精算額算出内訳　　　別紙のとおり（別紙２　様式１―３）
4　事業実績報告書　　　別紙のとおり（別紙２　様式１―４）
5　工事契約金額報告書　　　別紙のとおり（別紙２　様式１―５）
6　自治体及び設置主体の歳入歳出決算書（見込書）抄本

（注）前年度から繰越を行った事業については、「（元号）　年度」の後に「((元号)　年度からの繰越分)」と明記すること。

別紙２（交付要綱６の⑵イの公立認定こども園、交付要綱10の認定こども園（経過措置）以外）
（様式１―２）

就学前教育・保育施設整備計画・防音壁設置計画・防犯対策強化整備計画実績の概要

市町村名：　　県　　市

1　整備計画等実績の概要　　　　　　　　　　　　　　　　（単位：千円）

施設名	施設種別	設置主体	所在地	整備区分	対象経費の実支出額	交付金精算額	年次計画	抵当権設定の有無
								有・無
								有・無
								有・無
								有・無
								有・無
								有・無
								有・無
合計								

（注）抵当権の設定を証明できる書類（登記簿の写し等）を添付すること。
（注）抵当権設定の有無は、防音壁整備事業及び防犯対策強化整備事業以外の場合に記入すること。

2　整備計画等と実績との比較及び進捗状況

別紙２（交付要綱６の(2)イの公立認定こども園、交付要綱10の認定こども園（経過措置）以外）
（様式１―３）

就学前教育・保育施設整備交付金精算額内訳

市町村名：　　　県　　　市

区分	施設名	総事業費	寄付金その他の収入額等	差引額	対象経費の実支出額	選定額	交付基礎額の算定				交付金基本額	交付金所要額	交付金交付決定額	交付金受入済額	差引過△不足額	市町村負担額
							交付基礎額（設計料加算、開設準備費加算、土地借料加算、定期借地権設定のための一時金加算を除く）	豪雪地域加算	交付基礎額（設計料加算、開設準備費加算、土地借料加算、定期借地権設定のための一時金加算分）	算定額合計						
		A　円	B　円	C（＝A－B）円	D（≦A）円	E　円	F　円	G（＝F×8％）円	H　円	I（＝F＋G＋H）円	J　円	K　円	L　円	M　円	N（＝M－K）円	O　円
８の(1)①に基づく保育所施設整備事業［定額２／３相当］																
	小　計　①															
８の(1)②に基づく保育所施設整備事業［定額１／２相当］																
	小　計　②															
９の表の①に基づく保育所施設整備事業［定額３／４相当］																
	小　計　③															
９の表の②③に基づく保育所施設整備事業［定額5.5／10相当］																
	小　計　④															
９の表の④⑥に基づく保育所施設整備事業［定額２／３相当］																
	小　計　⑤															
８の(2)に基づく保育所機能部分施設整備事業［定額１／２相当］																
	小　計　⑥															

※上段に保育所部分の額、下段に教育部分の額を記載すること。なお、E欄、I欄～O欄については、保育所部分と教育部分の合計額を記載すること。

区分	施設名	A	B	C	D	E	F	G	H	I	J	K	L	M	N	O
８の(2)②に基づく私立認定こども園施設整備事業［定額１／２相当］																
	小　計　⑦															

9の表の①に基づく私立認定こども園 施設整備事業 [定額3／4相当]																
	小　計　⑧															
9の表の②③に基づく私立認定こども園 施設整備事業 [定額5.5／10相当]																
	小　計　⑨															
9の表の④⑥に基づく私立認定こども園 施設整備事業 [定額2／3相当]																
	小　計　⑩															
8の(4)①に基づく小規模保育事業所 施設整備事業 [定額2／3相当]																
	小　計　⑪															
8の(4)②に基づく小規模保育事業所 施設整備事業 [定額1／2相当]																
	小　計　⑫															
9の表の①に基づく小規模保育事業所 施設整備事業 [定額3／4相当]																
	小　計　⑬															
9の表の②③に基づく小規模保育事業所 施設整備事業 [定額5.5／10相当]																
	小　計　⑭															
9の表の④⑥に基づく小規模保育事業所 施設整備事業 [定額2／3相当]																
	小　計　⑮															
8の(5)に基づくこども誰でも通園制度(仮称)試行的事業を行う事業所施設整備事業 [定額1／2相当]																
	小　計　⑯															
9の表の①に基づくこども誰でも通園制度(仮称)試行的事業を行う事業所施設整備事業 [定額3／4相当]																
	小　計　⑰															

9の表の②③に基づくこども誰でも通園制度(仮称)試行的事業を行う事業所施設整備事業［定額5.5／10相当］																	
	小　計　⑱																
9の表の④⑥に基づくこども誰でも通園制度(仮称)試行的事業を行う事業所施設整備事業［定額2／3相当］																	
	小　計　⑲																
8の(5)に基づく防音壁整備事業［定額1／2相当］																	
	小　計　⑳																
8の(6)①に基づく防犯対策強化整備事業［定額1／2相当］																	
	小　計　㉑																
8の(6)②に基づく防犯対策強化整備事業［定額1／2相当］																	
	小　計　㉒																
合計（小計①＋②＋③＋④＋⑤＋⑥＋⑦＋⑧＋⑨＋⑩＋⑪＋⑫＋⑬＋⑭＋⑮＋⑯＋⑰＋⑱＋⑲＋⑳＋㉑＋㉒）																	

(1)　工事請負契約等を締結する単位で作成すること。
(2)　A欄、B欄、D欄には、複数年事業の場合であっても事業全体の額を記入すること。
(3)　E欄には、C欄の額とD欄の額を比較して少ないほうの額に2／3（又は1／2、3／4、5.5／10）を乗じた額を記入すること。（小数点以下切り捨て）
(4)　E欄、I欄、J欄及びK欄の小計及び合計の欄については、内訳の金額の記入の有無に関係なく必ず記入すること。
(5)　G欄には、設計料加算、開設準備費加算、土地借料加算及び定期借地権設定のための一時金加算を除いた交付基礎額に対して、0.08を乗じて得た額を記入すること。（千円未満切り捨て）
(6)　J欄は、E欄の額とI欄の額を比較して少ないほうの額を記入すること。（千円未満切り捨て）
(7)　K欄は、J欄の額に当年度の進捗率を乗じた額を記入すること。

別紙２（交付要綱６の⑵イの公立認定こども園、交付要綱10の認定こども園（経過措置）以外）
（様式１―４）

事　業　実　績　報　告　書

※「保育所等」とは、保育所、小規模保育事業所、こども誰でも通園制度（仮称）試行的事業を行う事業所又は認定こども園に係る保育所部分を指しております。

都道府県名	部（局）課名
市町村名	担当者名
	電話　　　mail

交付金		施設種別	

（フリガナ） 施 設 名		（フリガナ） 経営主体名		設　置 主　体			
所 在 地	（移転前）	（移転後）			（フリガナ） 名称		
本整備の該当箇所	□　保育所等	□　教育部分		他の国庫補助金の申請の有無	有（補助金名をご記載ください。）		
整備区分		うち保育所部分		施設種別の変更	整備前　⇒　整備後	保育所等国庫補助率	教育部分国庫補助率
		うち教育部分			⇒		
定　員	現在　　名 ⇒ 増減　　名 ⇒ 整備後　　名			建物延面積及び構造	整備前　　階　　㎡ ⇒ 整備後　　階　　㎡ 整備前　　　　造 ⇒ 整備後　　　　造		

年次計画	R３	R４	R５	R６	R７	民老分交付金額 （保育所部分に係る交付額）	千円	※「民老改築」の場合、「老朽民間児童福祉施設等の整備について」（※発第※号令和※年※月※日こども家庭庁成育局長通知）に定める様式を提出すること。

既存施設の状況	建築年度　　年度 （経過年数　　年） 老朽度　　点 耐震診断　Is/Iw 現存率　　％	国庫補助の有無 ※「有」「無」を記入し、「有」の場合は（　）に「年度」「金額」を記入 〔　　〕（　　　年度） （　　　千円）	財産処分承認申請の必要の有無 ※「有」「無」を記入し、「有」の場合は（　）に「解体」「転用」「その他」を記入 財産処分の種類 〔　　〕（　　　）	施行計画	契　約　年　月　日　（元号）　年　月　日 着　工　年　月　日　（元号）　年　月　日 完　成　年　月　日　（元号）　年　月　日 開　所　年　月　日　（元号）　年　月　日
アスベスト対策の状況	アスベストの使用の有無	関係法令・必要手続きの確認状況	アスベスト使用建物における工事着工前の必要手続きの予定	工事の際の職員・園児の安全性確保の方法	
	□　使用されている □　使用されていない 事前調査日　　年　月　日	□　確認済みである （□石綿則　□大防法　□　　　）	特定粉じん排出等作業届出の提出　（元号）　年　月　日 工事着手にかかる事前届出の実施　（元号）　年　月　日 （その他、実績があれば記載）		

用地の状況	所　　有　　　　㎡	用地未決定の場合における手続きの状況	危険地区指定の有無
	買　　収（令和　　年　　月）　　㎡		
	借　　地（　地上権　賃借権　定期借地権　無償貸与） （借用の相手　　　　）　　㎡	用地について（地域住民との調整状況・環境等）	

施設整備区分	交付基準額					
	保育所等			教育部分		
	(定員等)	(計算式等)	(基準額)	(定員等)	(計算式等)	(基準額)
本体						
特殊附帯工事費						
地域の余裕スペース活用促進加算						
設計料加算						
開設準備費加算						
土地借料加算						
定期借地権設定のための一時金加算						
解体撤去工事費						
仮設施設整備工事費						
計（a）			千円			千円
総計（a'）						千円

大規模修繕等・防犯対策強化事業の場合
見積書毎の対象事業費
千円
千円
千円

対象経費の実支出額（b）	千円	千円

総事業費（c）	千円	千円
寄付金その他の収入額（d）	千円	千円
（c－d）×補助率（e）	千円	千円
実支出額（b） ×補助率（f）	千円	千円
(e)と(f)を比較して小さい方(g)	千円	千円
総計（g'）		千円

交付金の額（h） ※(a')と(g')を比較して小さい方	千円

当該年度の交付金額	千円

施設種別		施設名		都道府県・市町村名

児童年齢別内訳		年齢	0	1	2	3	4	5	合　計
	整備前	定員							
		現員							
		入所率（現員／定員）							
	整備後	定員							
		一時預かり事業を行う場合の人数							
		病児・病後児保育事業（病児型・病後児型）を行う場合の人数							
		（　　　　　）を行う場合の人数							

支給認定区分別内訳	支給認定こども	1号	2号	3号	合　計
	整備前の定員内訳				
	整備後の定員内訳				
	定員に占める１号子どもの割合				
	定員に占める２・３号子どもの割合				
（按分率の算出方法）					

最低基準適合状況（整備後）	区　分	適合状況	延面積	最低基準面積等
	乳児室		㎡	1.65㎡×２歳未満児定員数（　　人）＝　　㎡
	ほふく室		㎡	3.3㎡×２歳未満児定員数（　　人）＝　　㎡
	小　計	（適・否）	㎡	
	保育室		㎡	1.98㎡×２歳以上児定員数（　　人）＝　　㎡
	遊戯室		㎡	1.98㎡×２歳以上児定員数（　　人）＝　　㎡
	小　計	（適・否）	㎡	
	調理室	（適・否）	㎡	
	便　所	（適・否）	㎡	
	医務室	（適・否）	㎡	
	その他		㎡	
	一時預かり保育室		㎡	
	病児・病後児保育室（病児型・病後児型）		㎡	
	地域子育て支援相談室		㎡	
	屋外遊戯場		㎡	屋外遊戯場　（適・否）
	その他（　　　　）		㎡	3.3㎡×２歳以上児定員数（　　人）＝　　㎡
	合　計		㎡	保育に必要な用具　（適・否）

施設整備に係る事業内容	建物の面積	建築面積　㎡	施工期間
		延べ面積　㎡	○解体撤去工事
	○解体撤去工事		着工年月日
	建物の面積	㎡	完成年月日
	建物の構造	造	○仮設施設工事
	建築年月日		着工年月日
	補助金の区分	年度	完成年月日
	処分（取り壊し）年月日		
	○仮設施設工事		
	建物の面積	㎡	
	建物の構造	造	

資金内訳	区分	交付金	市町村負担額	設置者負担							総事業費
				一般財源	地方債	医療機構等借入	寄付金	地方単独補助	（　　）	計	
	施設	千円	千円	千円	千円	千円	千円	千円	千円	千円	千円
市町村の予算措置状況		当初　補正（　月）				設置主体の予算措置状況		当初　補正（　月）			

＜提出資料＞

・請負の場合は、工事請負契約書の写し
　直営の場合は、支払領収書の写し
　賃貸借の場合は、賃貸借契約書の写し（仮設施設整備のみ）
・工事完了を確認するに足る検査済証の写し
　（建築基準法第７条第５項又は第18条第13項の規定による検査済証）
・各室ごとに室名及び面積を明らかにした表
・建物平面図（建築面積を明記したもの）及び立面図
・建物内外主要部分の写真
・工事契約金額報告書（別紙２様式１—５）
・その他必要な書類

別紙２（交付要綱６の⑵イの公立認定こども園、交付要綱10の認定こども園（経過措置）以外）
（様式１－５）

番　　　号
年　月　日

各　自治体の長　殿

〇〇法人〇〇会
理事長　　　〇〇　〇〇

施工業者
株式会社△△建設
代表取締役　△△　△△

工事契約金額報告書

発注者（委託者）〇〇法人〇〇会と請負者（受託者）株式会社△△建設は、◇◇◇保育所建設工事に係る工事請負契約（設計監理委託契約）を次のとおり締結し施工するとともに、交付金についてもこれに基づき算定したことを報告する。

	契約年月日	金額
当初〇〇工事請負契約	（元号）　年　月　日	金　　　円
〇〇変更（追加）契約	（元号）　年　月　日	金　　　円
	（元号）　年　月　日	金　　　円
設計監理委託契約	（元号）　年　月　日	金　　　円
	（元号）　年　月　日	金　　　円

別紙２（交付要綱６の⑵イの公立認定こども園）
（様式１―６）

第　　　号
年　月　日

地方厚生（支）局長　殿

自治体の長

（元号）　年度就学前教育・保育施設整備交付金の事業実績報告について

（元号）　年　月　日第　　　号で交付決定を受けた（元号）　年度就学前教育・保育施設整備交付金に係る事業実績については、次の関係書類を添えて報告する。

1　精算額　　　金　　　　円
2　施設整備計画の写し
3　確定額算出内訳（別紙２　様式１―７）
4　最終の交付決定通知書の写し
5　対象経費算出表（別紙２　様式１―８）及びその根拠資料
6　契約書（請書）の写し（変更契約書含む）
7　竣工（完成）検査調書の写し
8　支出命令書の写し
9　資格面積チェックシート【新増改築事業のみ添付】
10　耐震性能判定表又は耐力度調査票【補強事業、改築事業のみ添付】
11　自治体の歳入歳出決算書（見込書）抄本
12　抵当権の設定を証明できる書類（登記簿の写し等）
13　各室ごとに室名及び面積を明らかにした表
14　完成後の配置図又は平面図
15　建物内外主要部分の写真
16　その他必要な書類

（注）前年度から繰越を行った事業については、「(元号)　年度」の後に「((元号)　年度からの繰越分)」と明記すること。

別紙２（交付要綱６の⑵イの公立認定こども園）
（様式１―７）

確定額算出内訳書

番号	都道府県名	設置者名	国の予算の予算年度・予算区分	国の会計区分

事務費（千円）	交付決定額（千円）

確定額の算出

⑴　交付決定時

算定対象事業	施設名	事業名	建物区分	構造区分	配分基礎面積	単価種別	配分基礎額（加算前）（千円）	実工事費（千円）	算定割合	加算前算定後配分基礎額（千円）	算定後配分基礎額（千円）	算定後実工事費（千円）	ＬとＭのいずれか少ない方（千円）	加算率	抵当権の設定の有無
Ａ	Ｂ	Ｃ	Ｄ	Ｅ	Ｆ	Ｇ	Ｈ	Ｉ	Ｊ	Ｋ＝Ｈ×Ｊ	Ｌ	Ｍ＝Ｉ×Ｊ	Ｎ	Ｏ＝Ｌ／Ｋ	
	合計														

ＬとＭのいずれか少ない方の総和（＝Ｎ）（千円）	事務費（千円）	交付決定額（千円）…①

⑵　本来の交付決定時

算定対象事業	施設名	事業名	建物区分	構造区分	配分基礎面積	単価種別	配分基礎額（加算前）（千円）	実工事費（千円）	算定割合	加算前算定後配分基礎額（千円）	算定後配分基礎額（千円）	算定後実工事費（千円）	ＬとＭのいずれか少ない方（千円）	加算率	不用額
Ａ	Ｂ	Ｃ	Ｄ	Ｅ	Ｆ	Ｇ	Ｈ	Ｉ	Ｊ	Ｋ＝Ｈ×Ｊ	Ｌ	Ｍ＝Ｉ×Ｊ	Ｎ	Ｏ	Ｐ

	合計														

LとMのいずれか少ない方の総和（＝N）（千円）	事務費（千円）	本来の交付決定額(千円)…②

面積減等による不用額…①－②

(3) 額の確定時

算定対象事業	施設名	事業名	建物区分	構造区分	配分基礎面積	単価種別	配分基礎額(加算前)（千円）	実工事費（千円）	算定割合	加算前算定後配分基礎額（千円）	算定後配分基礎額（千円）	算定後実工事費（千円）	LとMのいずれか少ない方（千円）	加算率	流用可能額
A	B	C	D	E	F	G	H	I	J	K＝H×J	L	M＝I×J	N	O	Q
	合計														

LとMのいずれか少ない方の総和（＝N）（千円）	事務費（千円）	合計額（千円）…③

改修比率の再算定
○
その他単価の再算定
○
空調単価の再算定
○

充当額の内訳

算定対象事業	施設名	事業名	建物区分	構造区分	充当額（千円）	完了年月日
A	B	C	D	E	R	S
	合計					＝確定額

不用額の理由

確定額及び不用額

交付決定額（千円）	確定額（千円）			不用額（千円）
		概算払済額	精算額	

様式１―７　記入要領

＜設置者名等＞

⑴　番号、都道府県名、設置者名

都道府県番号、都道府県名、設置者名を記入する。

⑵　国の予算の予算年度・予算区分

交付決定を受けた国の予算の予算年度及び予算区分（当初予算や補正予算等）を記入する。

⑶　国の会計区分

交付決定を受けた会計の区分（一般会計など）を記入する。

＜確定額の算出＞

⑴　交付決定時

以下のＡからＯについて、交付決定時の内容を記入する。

Ａ　算定対象事業

就学前教育・保育施設整備交付金（以下「交付金」という。）の算定対象となった事業に「○」を記入する。（全ての事業に「○」が記入されることとなる。）

Ｂ　施設名～Ｅ　構造区分

施設名、事業名、建物区分、構造区分を記入する。

Ｆ　配分基礎面積

当該年度の配分基礎額を算定する際の基礎となる面積※を記入する。

※施設整備計画の「うち、補助対象面積等」欄に記載されている面積と同じ面積。

Ｇ　単価種別

各年度の「就学前教育・保育施設整備交付金の配分基礎額の算定方法等について」（以下「配分基礎額通知」という。）で定める単価種別において、老朽単価を用いる事業については「○」を記入する。都道府県等において公共工事等に使用されている積算基準を参考として、事業箇所の実情に即して算定した面積（以下「その他面積」という。）及び単価（以下「その他単価」という。）を用いる事業については「△」を、上記以外については「―」を記入する。

Ｈ　配分基礎額（加算前）

交付要綱別表１―６等に基づき算出した、当該年度の配分基礎額※を記入する。

なお、その他面積及びその他単価を用いる場合には、配分基礎額と実工事費は同額となる。

※配分基礎額通知における特別加算額のうち、「その他こども家庭庁長官が特別に認める場合」の金額を反映しない額。

Ｉ　実工事費

当該年度の実工事費※を記入する。ただし、当該額が交付金の算定対象となった事業の上限額を超えている場合は、上限額を記入する。また、当該額は耐震診断費（耐震化優先度調査、第１次診断を含む。）、耐力度調査費、実施設計費等は含むが、事務費は含まない。

なお、交付対象外面積に相当する実工事費は、適切に除外すること。

※施設整備計画の「うち、対象内実工事費」欄に記載されている金額と同額。

Ｊ　算定割合

算定割合を記入する。

Ｋ　加算前算定後配分基礎額

事業ごとに算出した配分基礎額（加算前）に算定割合を乗じた額を記入する。

Ｌ　算定後配分基礎額

配分基礎額通知における特別加算額のうち「その他こども家庭庁長官が特別に認める場合」の金額を反映した額を記入する。ただし、当該額が交付金の算定対象となった事業の上限額に算定割合を乗じた額を超えている場合は、上限額に算定割合を乗じた額を記入する。

Ｍ　算定後実工事費

実工事費に算定割合を乗じた額を記入する。

Ｎ　ＬとＭのいずれか少ない方

算定後配分基礎額と算定後実工事費とを事業ごとに比較して少ない方の額を記入する。

Ｏ　加算率

算定後配分基礎額を加算前算定後配分基礎額で除した値（小数点第３位以下切り捨て）を記入する。なお、当該値が１未満の場合は「加算なし」と記入する。

⑵ 本来の交付決定時

やむを得ない理由等により交付決定の内容の変更手続きを行うことができず、交付決定時から工事実施面積を減じたこと等による配分基礎面積の減がある場合、構造区分を変更した場合又は交付決定の条件で定められた期間内に交付対象となる経費が生じない場合等は、以下のＡからＰについて、変更後の内容を記入する。変更後の内容で再算定した結果、再算定額が交付決定額を下回る場合は、その差額を不用額として整理する。

なお、これらの変更がない場合は⑴交付決定時の内容を転記する。

Ａ 算定対象事業

交付金の算定対象となった事業に「○」を記入する。交付決定の条件で定められた期間内に交付対象となる経費が生じない事業は「×」を記入する。

Ｂ 施設名〜Ｅ 構造区分

施設名、事業名、建物区分、構造区分を記入する。

Ｆ 配分基礎面積

交付決定時から配分基礎面積の減がある場合は減じた配分基礎面積を記入する。交付決定時から配分基礎面積の変更がない場合は⑴交付決定時の配分基礎面積を転記する。なお、当該面積は竣工図や設計図等を確認し、例えば、余裕教室を転用し、教育以外の用途で専用使用することとして財産処分手続きを行った部分など交付対象外となる面積を計上することのないよう留意する。

Ｇ 単価種別

⑴交付決定時と同様、事業の内容に応じて「○」「△」「—」を記入する。

Ｈ 配分基礎額（加算前）

交付決定時から配分基礎面積の減がある場合や構造区分を変更した場合は減じた配分基礎面積又は変更した構造区分に基づき再算定した額を記入する。

空調単価を用いる事業のうち、「受電設備あり」もしくは「GHP」の単価で交付決定を受け、実際には「EHP」で整備を行ったものがある場合は、「EHP」単価で配分基礎額を再算定する。

なお、「EHP」の単価で交付決定を受け、実際には「受電設備あり」又は「GHP」で整備を行ったものがある場合には、⑴交付決定時の配分基礎額を上限として正しい単価での再算定を可能とする。

Ｉ 実工事費

交付決定時から配分基礎面積の減がある場合は減じた配分基礎面積に応じた実工事費を記入する。

Ｊ 算定割合

算定割合を記入する。

Ｋ 加算前算定後配分基礎額

事業ごとに算出した配分基礎額（加算前）に算定割合を乗じた額を記入する。

Ｌ 算定後配分基礎額

加算前算定後配分基礎額に⑴交付決定時の加算率※を乗じた額（千円未満は切り捨て）を記入する。ただし、⑴交付決定時の加算率が１以下の場合は加算前算定後配分基礎額の金額を転記する。なお、加算率を乗じた後の金額（加算率が１以下の場合は加算前算定後配分基礎額）が交付金の算定対象となった事業の上限額に算定割合を乗じた額を超えている場合は、上限額に算定割合を乗じた額を記入する。

なお、⑴交付決定時から配分基礎額（加算前）に変更がない場合は⑴交付決定時の算定後配分基礎額を記入する。

※ここで乗じる加算率は⑴交付決定時の算定後配分基礎額を加算前算定後配分基礎額で除した数値（小数点第３位以下も含めた数値）とする。

Ｍ 算定後実工事費

実工事費に算定割合を乗じた額を記入する。

Ｎ ＬとＭのいずれか少ない方

算定後配分基礎額と算定後実工事費とを事業ごとに比較して少ない方の額を記入する。

Ｏ 加算率

⑴交付決定時の加算率（小数点第３位以下切り捨て）を記入する。

Ｐ 不用額

⑴交付決定時と⑵本来の交付決定時の「ＬとＭのいずれか少ない方」の金額を比較し、配分基礎面積の減、構造区分の変更等により生じた差額を記入する。

⑶　額の確定時

以下のＡからＯ及びＱについて、契約後の内容を記入する。

Ａ　算定対象事業

交付金の算定対象となった事業に「○」を記入する。交付決定の条件で定められた期間内に交付対象となる経費が生じなかった事業は「×」を記入する。

Ｂ　施設名～Ｇ　単価種別、Ｊ　算定割合

⑵本来の交付決定時の内容を転記する。

Ｈ　配分基礎額（加算前）

老朽単価を用いる事業について、改修比率が変動した場合は、変動後の改修比率に基づき再算定した額を記入する。その他単価を用いる事業は、⑶額の確定時の実工事費と同額となる。

Ｉ　実工事費

施設整備計画提出時には予見しえない原因による工事費の増減（設計変更や対象外経費の算出誤りなど）を踏まえ、入札減等を反映させた実際の契約額に基づく額を記入する。ただし、当該額が交付金の算定対象となった事業の上限額を超えている場合は、上限額を記入する。なお、上限額を超えている事業以外は別紙２様式１―８（対象経費算出表）の「事業に要した経費」（Ｄ）と一致する。

Ｋ　加算前算定後配分基礎額

事業ごとに算出した配分基礎額（加算前）に算定割合を乗じた額を記入する。

Ｌ　算定後配分基礎額

加算前算定後配分基礎額に⑴交付決定時の加算率※を乗じた額（千円未満は切り捨て）を記入する。ただし、⑴交付決定時の加算率が１以下の場合は加算前算定後配分基礎額の金額を転記する。なお、加算率を乗じた後の金額（加算率が１以下の場合は加算前算定後配分基礎額）が交付金の算定対象となった事業の上限額に算定割合を乗じた額を超えている場合は、上限額に算定割合を乗じた額を記入する。

※ここで乗じる加算率は⑴交付決定時の算定後配分基礎額を加算前算定後配分基礎額で除した数値（小数点第３位以下も含めた数値）とする。

Ｍ　算定後実工事費

実工事費に算定割合を乗じた額を記入する。

Ｎ　ＬとＭのいずれか少ない方

算定後配分基礎額と算定後実工事費とを事業ごとに比較して少ない方の額を記入する。

Ｏ　加算率

⑴交付決定時の加算率（小数点第３位以下切り捨て）を記入する。

Ｑ　流用可能額

⑵本来の交付決定時と⑶額の確定時の「ＬとＭのいずれか少ない方」の金額を比較し、入札減又は改修比率の減等により生じた差額を記入する。

「改修比率の再算定」欄

老朽単価を用いる事業がある場合は、当該事業について、額の確定時に改修比率を再算定したことをもって「○」を記入する。なお、改修比率に変動がない場合や老朽単価を用いる事業がない場合は記入不要とする。

「その他単価の再算定」欄

その他面積とその他単価を用いる事業がある場合は、当該事業について、額の確定時に配分基礎額及び実工事費を再算定したことをもって「○」を記入する。なお、配分基礎額及び実工事費を再算定していない場合や、その他面積とその他単価を用いる事業がない場合は記入不要とする。

「空調単価の再算定」欄

空調単価を用いる事業について、交付決定時から使用する単価を変更している場合には「○」を記入する。

＜充当額の内訳＞

Ａ　算定対象事業

交付金の算定対象となった事業に「○」を記入する。交付決定の条件で定められた期間内に交付対象となる経費が生じなかった事業は「×」を記入する。また、交付金の算定対象となっていない事業は空欄とする。

Ｂ　施設名～Ｅ　構造区分

⑶額の確定時の施設名等を記入する。

Ｒ　充当額

事業ごとの充当額を記入する。各事業における充当額は⑶額の確定時の算定後実工事費に事務費を加えた金額を上限とする。

Ｓ　完了年月日

事業ごとの完了年月日を記入する。なお、完了年月日とは、事業の完了を確認した日付（完成検査調書の調査実施年月日など）とする。

＜確定額及び不用額＞

(1)　交付決定額

最終の交付決定通知書の交付決定額を記入する。

(2)　確定額

充当額の合計金額を記入する。

(3)　概算払済額、精算額

確定額のうち、概算払済額、精算額をそれぞれ記入する。

(4)　不用額

交付決定額と確定額の差額を記入する。

別紙２（交付要綱６の⑵イの公立認定こども園）
（様式１―８）

対象経費算出表

施設整備計画に計上した施設名	
施設整備計画に計上した事業名	

（単位：円）

	工事名／区分							計
契約前の対象内外工事費	工事費積算額（税抜き）① （②＋⑤）							
	直接工事費　②							
	対象外経費　③							
	対象内経費　④							
	共通費　⑤							
	仮設費　⑥							
	諸経費　⑦							
	対象内共通費　⑧ （⑤×（④／②））							
	対象内経費　⑨ （④＋⑧）							
契約後の対象内外工事費	契約年月日							
	契約金額　⑩（税抜）							
	契約金額　⑩（税込）							
	対象内経費率　⑪ （⑨／①）							
	対象内経費　⑫ （⑩下段×⑪）							A
	対象外経費　⑬ （⑩下段－⑫）							

	経費名／区分							計
耐震診断経費・耐力度調査	経費の支出年度							
	契約金額（税込み）　⑭							
	⑭の内訳　対象外経費							
	⑭の内訳　対象内経費							B

	経費名／区分							計
工事監理委託費・設計費等	経費の支出年度							
	契約金額（税込み）　⑮							
	⑮の内訳　対象外経費							
	⑮の内訳　対象内経費							C

注）本表における「税込み」及び「税込み額」は、算出の元となる各金額に課税される「消費税及び地方消費税を含めた額」を指す。

事業に要した経費 （A＋B＋C）	D

別紙２（交付要綱10の認定こども園（経過措置））
（様式１―９）

第　　　号
年　月　日

地方厚生（支）局長　　殿

自治体の長

（元号）　年度就学前教育・保育施設整備交付金の事業実績報告について

（元号）年　月　日第　　　号で交付決定を受けた（元号）　年度就学前教育・保育施設整備交付金に係る事業実績については、次の関係書類を添えて報告する。

1　精　　算　　額　　　金　　　　　　円
2　実 績 報 告 書　　　別紙のとおり（別紙２　様式１―10）
3　精算額算出内訳　　　別紙のとおり（別紙２　様式１―11）
4　契約書（請書）の写し（変更契約書含む）
5　竣工（完成）検査調書の写し
6　自治体及び設置主体の歳入歳出決算書（見込書）抄本
7　抵当権の設定を証明できる書類（登記簿の写し等）
8　各室ごとに室名及び面積を明らかにした表
9　完成後の配置図又は平面図
10　建物内外主要部分の写真
11　工事契約金額報告書（別紙２　様式１―５）
12　その他必要な書類

（注）　前年度から繰越を行った事業については、「(元号)　年度」の後に「((元号)　年度からの繰越分)」と明記すること。

別紙２（交付要綱10の認定こども園（経過措置））
（様式１―10）

都道府県名	
市町村名	
学校法人名	
園名	
設置年度	

抵当権の設定	有・無

令和　　年度就学前教育・保育施設整備交付金【経過措置分】に係る実績報告書

１　総括表

事業名	交付事業に要する経費	交付対象工事費	交付金の額
計	円	千円	千円

２　幼稚園型認定こども園の状況

所在地（変更後）				園地の状況（変更後）			園地面積（変更後）			
幼児数等	区分	令和　　年度（前年度）			令和　　年度（申請年度）			令和　　年度（次年度）		
		定　員	現　員	学級数	定　員	現　員	学級数	定　員	現　員	学級数
	満３歳児									
	３歳児									
	４歳児									
	５歳児									
	計	人	人	学級	人	人	学級	人	人	学級
	預かり保育									

３　事業別内訳
(1)　新築・増築・改築
①　事業実施後の園舎の状況
（園舎面積　　　㎡［構造　　　、運動場面積　　　㎡）

保　育　部　門		管　理　部　門	
保育室（　　　　）		職員室（　　　　）	
遊戯室（　　　　）		保健室（　　　　）	
預かり保育室（　　）		会議室（　　　　）	
図書室（　　　　）		相談室（　　　　）	
教材・器具庫（　　）		PTA室（　　　　）	
その他（　　　　）		便所	
（　　　　）		廊下・階段・昇降口	
（　　　　）		その他	
計	㎡	計	㎡

②　保育室等の内訳

保　育　室　内　訳		
タイプ１		
タイプ２		
タイプ３		
タイプ４		
タイプ５		
預　か　り　保　育　室　内　訳		
タイプ１		
タイプ２		
タイプ３		

③　旧園舎の状況

建物名称	構造	建築年度	面積	処分方法	耐力度点数	取り壊し時期	交付金交付年度

④　工事費

工　事　区　分	工　事　費
建築工事費	
解体費	
実施設計費	
計	千円

⑤　工事期間等

契約年月日		着工年月日		完成年月日	

⑥　工事費支払状況

支　払　先	第 1 回 支 払	第 2 回 支 払	第 3 回 支 払	計
	円	円	円	円
	円	円	円	円
	円	円	円	円
	円	円	円	円

（注）支払の事実が確認できる資料（領収書写）を添付すること。

⑵　屋外教育環境整備

事 業 区 分	事 業 細 目	事 業 の 内 容、員 数・数 量 等	工 事 費
計			千円

契約年月日		着工年月日		完成年月日	

支　払　先	第 1 回 支 払	第 2 回 支 払	第 3 回 支 払	計
	円	円	円	円
	円	円	円	円
	円	円	円	円
	円	円	円	円

（注）支払の事実が確認できる資料（領収書写）を添付すること。

⑶　耐震補強工事等

対 象 建 物				工 事 の 内 容、員 数・数 量 等	工 事 費
建物名称	構造	建築年度	建物面積		
計			㎡		千円

契約年月日		着工年月日		完成年月日	

支　払　先	第 1 回 支 払	第 2 回 支 払	第 3 回 支 払	計
	円	円	円	円
	円	円	円	円
	円	円	円	円
	円	円	円	円

（注）支払の事実が確認できる資料（領収書写）を添付すること。

⑷　防犯対策工事

対 象 建 物				工 事 の 内 容、員 数・数 量 等	工 事 費
建物名称	構造	建築年度	建物面積		
計			㎡		千円

契約年月日		着工年月日		完成年月日	

支　払　先	第 1 回 支 払	第 2 回 支 払	第 3 回 支 払	計
	円	円	円	円
	円	円	円	円
	円	円	円	円
	円	円	円	円

（注）支払の事実が確認できる資料（領収書写）を添付すること。

⑸　アスベスト等対策工事

事 業 区 分	事 業 細 目	事 業 の 内 容、員 数・数 量 等	工 事 費
計			千円

契約年月日		着工年月日		完成年月日	

支　払　先	第１回支払	第２回支払	第３回支払	計
	円	円	円	円
	円	円	円	円
	円	円	円	円
	円	円	円	円

(注) 支払の事実が確認できる資料（領収書写）を添付すること。

(6) エコ改修事業

事業区分	事業細目	事業の内容、員数・数量等	工事費
計			千円

契約年月日		着工年月日		完成年月日	

支　払　先	第１回支払	第２回支払	第３回支払	計
	円	円	円	円
	円	円	円	円
	円	円	円	円
	円	円	円	円

(注) 支払の事実が確認できる資料（領収書写）を添付すること。

(7) 内部改修工事

事業区分	事業の内容、員数・数量等	工事費
計		千円

契約年月日		着工年月日		完成年月日	

支　払　先	第１回支払	第２回支払	第３回支払	計
	円	円	円	円
	円	円	円	円
	円	円	円	円
	円	円	円	円

(注) 支払の事実が確認できる資料（領収書写）を添付すること。

(8) バリアフリー化工事

対象建物				工事の内容、員数・数量等	工事費
建物名称	構造	建築年度	建物面積		
計			m^2		千円

契約年月日		着工年月日		完成年月日	

支　払　先	第１回支払	第２回支払	第３回支払	計
	円	円	円	円
	円	円	円	円
	円	円	円	円
	円	円	円	円

(注) 支払の事実が確認できる資料（領収書写）を添付すること。

様式１―10　記入要領

○　抵当権の設定欄は令和５年６月15日こ成事第331号・こ支虐第69号「こども家庭庁所管補助金等に係る財産処分について」の別添１「こども家庭庁所管補助金等に係る財産処分承認基準」第３の３の⑴に規定する抵当権の設定の有無について、○を付すこと。

１　総括表（必ず記入する。）

○　事業名、交付事業に要する経費（円単位）、交付対象工事費（千円単位）、交付金の額（千円単位）を記入する。

２　幼稚園型認定こども園の状況（必ず記入する。）

○　幼稚園型認定こども園所在地を上段に記入し、移転する場合など変更を伴う場合は下段に変更後の所在地を併せて記入する。

○　園地の状況は、自己所有、借地などを上段に記入し、移転する場合など変更を伴う場合は下段に変更後の園地の状況を併せて記入する。

○　園地面積を上段に記入し、移転する場合や園地を拡張する場合など変更を伴う場合は下段に変更後の園地面積を併せて記入する。

○　幼児数等は、申請年度の前年度、申請年度、申請年度の次年度（それぞれ５月１日現在、予定を含む）の定員と定員上の学級数及び現員と現員上の学級数を、「満３歳～５歳児」及び「預かり保育」に区分して記入する。

３　新築・増築・改築（該当事業を○で囲むこと。）

⑴　事業実施後の園舎の状況

○　完成後の総園舎面積（増築の場合は旧園舎面積を含む）、園舎の構造（下記表示参照、以下同じ）、運動場面積を記入する。

○　園舎を「保育部門」「管理部門」に分類し、用途別に面積の内訳を記入する。

○　一つのスペースを複数の用途に兼用する場合は、主たる用途の区分に面積を記入するとともに、従たる用途を（　　　）内に記入する。

⑵　保育室等の内訳

○　保育室及び預かり保育室については、部屋の間取り等で区分しそれぞれの面積、室数を記入する。

⑶　旧園舎の状況

○　旧園舎の全てについて、建物名称、構造、建築年度、面積を記入する。

○　処分方法は「継続使用」「改修使用」「○○へ転用」「取り壊し」「一部取り壊し」などの区分を記入する。

○　取り壊す場合は耐力度点数、取り壊し時期を記入するとともに、当該園舎の建設時に国庫補助金が交付されていた場合は、その交付年度を記入する。

⑷　工事費

○　工事区分に従って、工事費を記入する。

⑸　工事期間等

○　契約、着工、完成年月日を記入する。

⑹　工事費支払状況

○　支払先、支払日、支払額を記入する。

園舎の構造区分

<table>
<tr><td rowspan="2">構造区分</td><td rowspan="2">表示</td><td colspan="4">主要骨組み部分</td></tr>
<tr><td>柱</td><td>床ばり</td><td>けた、銅差</td><td>こう配屋根の小屋組み</td></tr>
<tr><td>木　　造</td><td>W</td><td>木材</td><td>木材又は鉄材</td><td>木材</td><td>木材又は鉄材</td></tr>
<tr><td>鉄筋コンクリート造</td><td>R</td><td colspan="3">鉄筋コンクリート、鉄骨鉄筋コンクリート又は耐火被覆鉄骨</td><td>鉄筋コンクリート、鉄骨鉄筋コンクリート又は耐火被覆鉄骨</td></tr>
<tr><td>鉄　骨　造</td><td rowspan="2">S</td><td colspan="4">鉄骨</td></tr>
<tr><td>そ　の　他</td><td colspan="4">木造、鉄筋コンクリート造、鉄骨造以外のもの［例］石造、れんが造、ブロック造</td></tr>
</table>

4　屋外教育環境整備

○　事業区分、事業細目は下記の区分により記入する。

事業区分	事業細目	当該施設が備えるべき要件
屋外運動広場	木登りの森	複数の高木が平面的広がりを持って植えられていること。
	相撲の芝生	まとまった範囲に芝生が植えられ自由に立ち入りできること。
	冒険の丘	地形の起伏あるいは築山を利用し昇り降り等の運動ができるよう配慮されていること。
	アスレチックコース	複数のアスレチック遊具があること。
	マラソンコース	グラウンドや自動車の通行と区分された走路であること。
	花のトンネル	つる性の植物等により、その下をくぐって運動できるように配慮されている施設であること。
	プレイコート	舗装及び改良を施したコートがあり、球技やボールゲーム等ができること。
屋外集会施設	屋外ステージ	ステージ及び観客席（いすである必要はない）をもつこと。
	語らいの広場	芝生、ベンチ等があり多人数で語らいができること。
	ふれあいの小径	教師と園児又は園児相互の交流を図れるように配慮された施設であること。 （散策路、遊歩道等）
	炊さん場	屋外炊さん及び食事が多人数でできること。屋外給食施設を含む。
屋外学習施設	観察の森	木々に対する理解を深めるとともに小鳥や昆虫にふれあうためのみどりの場であること。
	学習園	草花、野菜、果樹などを育てるための庭等で果実などを収穫できる（体験できる）場であること。
	自然体験広場	水性植物や魚等を観察するための小川や池等で、自然（みどり）と一体化できる（自然に関心を持たせる）場であること。

○　事業の内容、員数、数量等を簡潔に記入するとともに、工事費並びに契約、着工、完成年月日を記入する。

○　支払先、支払日、支払額を記入する。

5　エコ改修事業

○　事業区分、事業細目は下記の区分により記入する。

事業区分	事業細目	事業概要
新エネルギー活用型	太陽光発電型	屋上、屋根等に太陽電池を設置し、太陽電池により発電した電力を学校で通常使用する電力に活用するためのシステム
	太陽熱利用型	屋上等に太陽熱給湯器を設置し、太陽熱で暖めた温水を暖房（床暖房等）、給湯（シャワー、給食等）に利用する方法
	その他新エネルギー活用型	・風力：屋上、校庭等に風車を設置し、発電する方式で、学校で通常使用する電力を補うシステム ・地中熱：換気用チューブを地中に埋設し、室内空気を循環させて熱交換するシステム ・燃料電池：都市ガス等の燃料から電力を得るシステムで発電の際の排ガスがクリーンで二酸化炭素の排出も少ないシステム
省エネルギー・省資源型		・断熱化：複層ガラスや二重サッシ等の利用、断熱材等の改造 ・採光対策：庇、ルーバー、バルコニー、反射鏡等の設置 ・省エネ型設備：省エネ型空調設備、高効率型照明器具への更新及び学校内での節水効果を高めるために自動水洗や節水型便器への更新 ・中水利用：敷地や屋根等から集めた雨水を再利用貯留槽等に貯め、ろ過等の処理をしてトイレの洗浄水や園庭の散水、園内の池等に利用及び施設内で発生する排水をろ過等の処理をして、トイレ洗浄水等に利用

緑化推進型	園庭芝生化	原則として暗渠排水、表面排水及び芝張り（人工芝を除く。）等が一体として整備された施設であること
	建物緑化、屋上緑	・建物の壁面や屋上、テラス、ベランダ等の緑化を行う ・校内を積極的に緑化し、緑被率の向上、緑のネットワークの形成、ビオトープの設置等をはかる。
木材利用型		地域材、間伐材等の木材を利用した床、壁、天井等の内装等の改造

○　事業の内容、員数、数量等を簡潔に記入するとともに、工事費並びに契約、着工、完成年月日を記入する。

○　支払先、支払日、支払額を記入する。

6　耐震補強工事等、防犯対策工事、アスベスト等対策工事、バリアフリー化工事

○　対象となる建物毎に名称、構造、建築年度、建物面積を記入する。

○　工事等の内容、員数、数量等を簡潔に記入するとともに、工事費並びに契約、着工、完成年月日を記入する。

○　支払先、支払日、支払額を記入する。

7　内部改修工事

○　区分は、交付要綱別表１に基づき、衛生環境改善、園舎の一部改修のいずれかを記載する。

○　対象となる建物毎に名称、構造、建築年度、建物面積を記入する。

○　工事の内容、員数、数量等を簡潔に記入するとともに、工事費並びに契約、着工、完成年月日を記入する。

○　支払先、支払日、支払額を記入する。

別紙２（交付要綱10の認定こども園（経過措置））
（様式１―11）

令和　　　就学前教育・保育施設整備交付金【経過措置分】交付金計算書

園名＿＿＿＿＿＿＿＿＿＿

1　新築・増築・改築

⑴　基準面積

①　計算上の学級数

区分	幼児数	左÷35 （切上）
満３歳児		
３歳児		学級
４歳児		学級
５歳児		学級
計	人	学級 N

↑
定員と現員いずれか小

②　基礎面積の計算

区分	基礎面積の計算式
N＝１～２	307＋209（N－１）＝　　㎡
N＝３～５	725＋161（N－３）＝　　㎡
N＝６～８	1,208＋168（N－６）＝　　㎡
N＝９以上	1,713＋161（N－９）＝　　㎡

③　預かり保育の面積加算

預かり保育	面積加算
20人以下	㎡
21～35人	㎡
36人以上	㎡

②＋③＝　　　㎡ ←A

⑵　保有面積

区　分	保有面積	
健全建物	㎡	←B
危険建物	㎡	←C
計	㎡	←D

⑶　取り壊し面積

区　分	取り壊し面積	
健全建物取り壊し	㎡	←E
危険建物取り壊し	㎡	←F
計	㎡	←G

⑷　新増改築面積

区　分	面積	
建築面積	㎡	←H
純増面積		

↑
H－G＝I

⑸　補助資格面積

区　　　分	計　算　式	面　　　積	左のうち最小面積	R造以外は左÷1.020
改築	A－B	㎡	㎡	㎡
	C	㎡		
	H－E	㎡		
預かり保育事業等の実施に伴う改築	G	㎡	㎡	㎡
	H	㎡		
新増築	A－D	㎡	㎡	㎡
	I	㎡		

↑J

⑹　補助事業に要する経費

工事請負契約金額 （A）	補助対象外経費 （B）	補助事業に要する経費 （A－B）　（C）	建築面積 （D）	建築実施単価 （C÷D）
		円	㎡	

↑K

⑺　国庫補助金の算定

補助資格面積	補助単価	補助対象工事費	補助率	補助金の額
		千円	1／3以内	
計	円／㎡	千円		千円

↑J　　　　　　↑Kと予算単価のいずれか小

2　屋外教育環境整備、耐震補強工事、防犯対策工事、アスベスト等対策工事、エコ改修事業、内部改修工事、バリアフリー化工事

⑴　補助事業に要する経費

区　　分	工事内訳	（工事量）	補助事業に要する経費	左のうち補助対象工事費
				千円
				千円
				千円
計			千円	千円

↑L

⑵　交付金の算定

補助対象工事費	補助率	補助金の額
千円	1／3又は 1／2以内	
計		千円

↑L

様式1—11　記入要領

1　新築・増築・改築（該当事業を○で囲むこと。）

⑴　基準面積

①　申請年度における年齢毎の定員又は現員（新設及び定員増に係る増築の場合は予定数）のいずれか少ない幼児数を35人で除し、計算上の学級数…Nを求める。

②　計算上の学級数…Nに応じた基礎面積を求める。

③　下記により算出した預かり保育対象園児数に応じた加算面積を求める。

④　基礎面積に預かり保育加算面積を加え基準面積…Aを求める。

⑤　申請年度の前年度における月別預かり保育延べ園児数の実績を添付すること。（様式任意）

（預かり保育対象園児数の算出方法）

1　申請年度の前年度の4、5、6、7、9、10、11月の実績で、1日当たりの預かり保育対象園児数を次の計算式により求める。（新たに預かり保育を実施する場合は計画による）

⑴　当該月の預かり保育延べ園児数÷当該月の保育日数＝当該月の1日当たりの預かり保育対象園児数

⑵　⑴で算出した対象月毎の園児数を合計し、7で除した数を預かり保育対象園児数とする。

2　預かり保育の面積加算の対象となるのは、年間を通じて、1日2時間以上継続的に幼稚園型一時預かり事業（従来の預かり保育を含む。）を実施する場合とする。

⑵　保有面積

①　保有している建物面積を健全建物と危険建物に区分して記入する。

②　危険建物は次の基準による。

区　　分	危険建物に区分する基準
木造建物	耐力度がおおむね5,500点以下の建物又は建築後24年を経過した建物
鉄筋コンクリート造建物	耐力度がおおむね5,000点以下の建物又は建築後50年を経過した建物
鉄骨・その他造建物	耐力度がおおむね5,000点以下の建物又は建築後35年を経過した建物

⑶　取り壊し面積
　取り壊し面積を、健全建物、危険建物毎に区分して記入する。
⑷　新増改築面積
　①　建築面積は下記により算出した面積を記入する。
　②　純増面積は建築面積から取り壊し面積を控除した面積を記入する。
　（建築面積の算出方法）

1　建築面積は、建物毎に、壁（腰壁は除く、以下同じ）や建具などにより風雨を防ぐことができる部分の、床面積の合計とする。
2　床面積の算定は、各階毎に壁又はその他の区画の中心線で囲まれた床部分の、水平投影面積を測定して行うものとし、建物毎の延面積に１平方メートルに満たない端数が生じたときは、これを四捨五入して算定する。
3　エレベーターやリフトのシャフト部分など、通念上床面積に含まれる部分は床面積に参入するが、次のいずれかに該当する部分は床面積に算入しない。 ⑴　屋内運動場のギャラリーなどで日常利用されず補助的通行に利用される内のり２メートル以下のもの ⑵　天井高又は床下高２メートル以下の中２階など ⑶　建物の外部に固着した内部の高さ２メートル以下の部分 ⑷　二重窓の室内部分 ⑸　ひさし、ぬれ縁、ポーチ、アーケード、壁で囲まれていない外部階段、バルコニー、ピロティーなど
4　次に掲げる建物以外の工作物は床面積に算入しない。 ○吹き抜けの渡り廊下　○柱と屋根のみで壁のない独立した構造物 ○内部の高さが２メートル以下の独立した構造物　○簡易な小規模構造物 ○土地に固着した囲障　○貯水池　○水泳プール　○野球のバックネット ○鉄棒　○井戸　○百葉箱　○フレーム　○ピットなど
5　幼稚園と保育所において、保育上支障のない限り施設や設備を相互に共用するなど施設の共用化等を図ることができるが、その場合において、共用部分の保有面積については、幼稚園及び保育所の各々の専有面積により按分して算定するものとする。

⑸　補助資格面積
　改築、新増築の区分に応じた計算式により、補助資格面積…Ｊを算出する。
⑹　補助事業に要する経費
　国庫補助対象経費を建築面積で除すことにより、建築実施単価…Ｋを算出する。
⑺　国庫補助金の算定
　補助単価は、建築実施単価と毎年度の予算単価のいずれか低い単価を記入する。
⑻　端数処理
　建築実施単価及び補助単価は１円未満の端数を切り捨てる。
　補助対象工事費及び補助金の額は千円未満の端数を切り捨てる。
⑼　建物の構造に応ずる補正
　上記の⑵保有面積、⑶取り壊し面積、⑷新増改築面積のうち、鉄筋コンクリート造以外の構造の園舎に係る部分があるときは、当該部分の面積に1.020を乗じて面積を補正する。

2　屋外環境整備、耐震補強工事等、防犯対策工事、アスベスト等対策工事、エコ改修事業、内部改修工事、バリアフリー化工事（該当事業を○で囲むこと。）
⑴　工事内訳
　必要に応じて工事内訳明細書を添付する。
⑵　端数処理
　補助金の額は千円未満の端数を切り捨てる。

別紙３

就学前教育・保育施設整備交付金調書

（元号）　年度　　こども家庭庁所管　　　　　　　　　　　　　　　　　　（市町村名）　○○県　○○市

国		地方公共団体										備考
		歳入			歳出							
歳出予算科目	交付決定の額 円	科目	予算現額 円	収入済額 円	科目	予算現額 円	うち交付金相当額 円	支出済額 円	うち交付金相当額 円	翌年度繰越額 円	うち交付金相当額 円	
（項） （目）												

（作成要領）

1　「国」の「交付決定の額」は、交付決定通知書の交付決定の額を記入すること。

2　「地方公共団体」の「科目」は、歳入にあっては、款、項、目、節を、歳出にあっては、款、項、目をそれぞれ記入すること。なお、歳出については、前記１の額に対応する経費の配分が目の内訳に係るときは、当該経費の配分の目の内訳として記入すること。

3　「予算現額」は、歳入にあっては、当初予算額、補正予算額等の区分を、歳出にあっては、当初予算額、補正予算額、予算費支出額、流用増減額等の区分を明らかにすること。

4　「備考」は、参考となるべき事項を適宜記入すること。

別紙４

（元号）　年度就学前教育・保育施設整備交付金による施設の工事着工報告書

（市町村名）　○○県　○○市

施設の種類		施設の名称		設置団体	
建物の構造及び面積	構造 ＿＿＿＿造	工事費合計	＿＿＿＿＿＿円	直営・請負の別	
	建築面積 ＿＿＿＿㎡			契約年月日	
				着工年月日	
	延面積 ＿＿＿＿㎡			完成予定年月日	

		年　月	月	月	月	月	月	月	月	月	月	月	月
出来高	金額	円	円	円	円	円	円	円	円	円	円	円	円
	%	%	%	%	%	%	%	%	%	%	%	%	%

（注）前年度から繰越を行った事業については、「（元号）　年度」の後に「（（元号）　年度からの繰越分）」と明記すること。

別紙５

（元号）　年度就学前教育・保育施設整備交付金による施設の工事進捗状況報告

施設種別＿＿＿＿＿＿

（市町村名）　○○県　○○市

施設名	設置主体	創設、増築等の別	交付金額 A 円	12月末日の出来高 B %	３月末日までの出来高見込 C %	繰越見込高 D（100－C）%	繰越見込額 E（A×D） 円	備考
合計								

（注）前年度から繰越を行った事業については、「（元号）　年度」の後に「（（元号）　年度からの繰越分）」と明記すること。

別紙６－１（交付要綱６の⑵イの公立認定こども園以外）

第　　　　号
年　　月　　日

地方厚生（支）局長　　殿

自治体の長

（元号）　　年度就学前教育・保育施設整備交付金の年度終了実績報告について

標記について、補助金等に係る予算の執行の適正化に関する法律（昭和30年法律第179号）第14条後段の規定により別紙６－２のとおり報告する。

（注）前年度から繰越を行った事業については、「（元号）　年度」の後に「（（元号）　年度からの繰越分）」と明記すること。

別紙６－２（交付要綱６の⑵イの公立認定こども園以外）

事業名	交付決定の内容			年度内遂行実績			翌年度繰越額		事業実施期間		摘要
	事業費 円	交付金基本額 円	交付金額 円	事業費支払実績見込額 円	事業進捗率 %	交付金受入額 円	事業費 円	交付金 円	着手年月	完了予定年月	

別紙６—３（交付要綱６の⑵イの公立認定こども園）

第　　　号
年　月　日

地方厚生（支）局長　　殿

自治体の長

（元号）　　年度就学前教育・保育施設整備交付金の年度終了実績報告について

標記について、補助金等に係る予算の執行の適正化に関する法律（昭和30年法律第179号）第14条後段の規定により別紙６—４のとおり報告する。

(注)　前年度から繰越を行った事業については、「(元号)　　年度」の後に「((元号)　　年度からの繰越分)」と明記すること。

別紙６—４（交付要綱６の⑵イの公立認定こども園）

番号	都道府県名	設置者名	国の予算の予算年度・予算区分	国の会計区分

事務費（千円）	交付決定額（千円）

算定対象事業	施設名	事業名	構造区分	完了・未完了	契約後工事費（千円）	概算工事費（千円）	年度充当額（千円）	繰越額（千円）	完了（予定）年月日
	合計								

交付決定額（千円）	年度充当額＋繰越額（千円）	不用額（千円）	合計（千円）
A	B	C	D＝B＋C

別紙６—４　記入要領

⑴　番号、都道府県名、設置者名
都道府県番号、都道府県名、設置者名を記入する。

⑵　国の予算の予算年度・予算区分
交付決定を受けた国の予算の予算年度及び予算区分（当初予算や補正予算等）を記入する。

⑶　国の会計区分
交付決定を受けた会計の区分（一般会計など）を記入する。

⑷　算定対象事業
　交付金の算定対象となった事業に「○」を記入する。交付決定の条件で定められた期間内に交付対象となる経費が生じない事業は「×」を記入する。また、交付金の算定対象となっていない事業は空欄とする。
⑸　施設名～構造区分
　施設名、事業名、建物区分、構造区分を記入する。
⑹　完了・未完了
　施設整備計画に計上した事業で、交付金を充当した事業のうち、充当額が確定した（繰越を行わない）事業は「完了」と記入する。繰越を行う事業は「未完了（繰越事業）」と記入する。
⑺　契約後工事費
　契約後工事費※を記入する。変更契約が行われた場合は変更後の額※を記入する。
※別紙２様式１―８（対象経費算出表）の「事業に要した経費」（D）と同額。
⑻　概算工事費
　施設整備計画の「事業全体の概算工事費」欄に記載されている金額と一致する。
⑼　年度充当額
　事務費から工事費への流用額も含めた充当額を記入する。
⑽　繰越額
　繰越額を記入する。
⑾　完了（予定）年月日
　事業の完了を確認した日付（完成検査調書の調査実施年月日など）又は完了予定日の日付を記入する。

別紙７

第　　　　号
年　　月　　日

地方厚生（支）局長　　殿

自治体の長

（元号）　年度消費税及び地方消費税に係る仕入控除税額報告書

（元号）　年　月　日第　　　　号で交付決定を受けた（元号）　年度就学前教育・保育施設整備交付金に係る消費税及び地方消費税に係る仕入控除税額については、次のとおり報告する。

1　整備計画等内における施設の種類及び名称
2　補助金等に係る予算の執行の適正化に関する法律（昭和30年法律第179号）第15条の規定による確定額又は事業実績報告書による精算額
金　　　　　円
3　消費税及び地方消費税の申告により確定した消費税及び地方消費税に係る仕入控除税額（要交付金等返還相当額）
金　　　　　円
4　添付書類
　記載内容を確認するための書類（確定申告書の写し、課税売上割合等が把握できる資料、特定収入の割合を確認できる資料）を添付する。

(注)　前年度から繰越を行った事業については、「(元号)　年度」の後に「((元号)　年度からの繰越分)」と明記すること。

○次世代育成支援対策施設整備交付金の交付について

〔令和５年８月22日　こ成事第370号
各都道府県知事・各指定都市市長・各中核市市長・各児童相談所設置市市長・各市町村長宛　こども家庭庁長官通知〕

注　令和５年12月19日こ成事第548号改正現在

標記の交付金の交付については、別紙「次世代育成支援対策施設整備交付金交付要綱」（以下「交付要綱」という。）により行うこととされ、令和５年４月１日から適用することとされたので通知する。

別　紙

次世代育成支援対策施設整備交付金交付要綱

（通則）

1　次世代育成支援対策推進法（平成15年法律第120号。以下「法」という。）第11条第１項の規定に基づく次世代育成支援対策施設整備交付金の交付については、法令又は予算の定めるところに従い、予算の範囲内において交付するものとし、補助金等に係る予算の執行の適正化に関する法律（昭和30年法律第179号）、補助金等に係る予算の執行の適正化に関する法律施行令（昭和30年政令第255号。以下「適正化法施行令」という。）及びこども家庭庁の所掌に属する補助金等交付規則（令和５年内閣府令第41号）の規定によるほか、この交付要綱の定めるところによる。

（交付の目的）

2　この交付金は、次世代育成支援対策推進法第11条第１項に規定する交付金に関する内閣府令（平成17年厚生労働省令第79号）第１条第２項に規定する施設（以下「児童福祉施設等」及び「障害児施設等」という。）の新設、修理、改造、拡張又は整備に要する経費の一部に充てるために、国が交付する交付金であり、もって、次世代育成支援対策を推進することを目的とする。

（交付の対象）

3　この交付金は、次世代育成支援対策を推進するために都道府県又は指定都市、中核市若しくは市町村（指定都市及び中核市を除き、特別区、一部事務組合及び広域連合を含む。以下同じ。）が策定する都道府県整備計画、市町村整備計画又は防犯対策強化整備計画（以下「整備計画」という。）に基づいて実施される児童福祉施設等及び障害児施設等に関する施設整備事業に交付する。

（定義）

4　本交付要綱において「児童福祉施設等」、「障害児施設等」とは、次の表の区分ごとに掲げる大分類、中分類及び小分類の施設をいう。

⑴　児童福祉施設等

区　分	大分類	中分類	小分類
⑴　児童福祉法（昭和22年法律第164号）（以下「児童福祉法」という。）第７条に基づく児童福祉施設（児童厚生施設については、平成２年８月７日厚生省発児第123号厚生事務次官通知の別紙「児童館の設置運営要綱」の第２から第４に定める小型児童館、児童センター（大型児童センターを含む。）及び大型児童館（「C型児童館」を除く。）とし、児童福祉法等の一部を改正する法律（令和４年法律第66号）第２条による改正後の児童福祉法（以下「改正児童福祉法」という。）第44条の３第１項に基づく里親支援センターを含む。）、児童福祉法第12条の４に基づく児童を一時保護	児童福祉施設	助産施設 乳児院 母子生活支援施設 児童厚生施設 児童養護施設 児童心理治療施設 児童自立支援施設 児童家庭支援センター 里親支援センター	第一種助産施設 第二種助産施設
	一時保護施設		
	職員養成施設		
	児童自立生活援助事業所		
	子育て短期支援事業所		
	地域子育て支援拠点事業所		
	一時預かり事業所		

する一時保護施設、同法第35条第10項に基づく職員養成施設、同法第６条の３第１項に基づく児童自立生活援助事業を行う事業所、同条第３項に基づく子育て短期支援事業所、同条第６項に基づく地域子育て支援拠点事業所、同条第７項に基づく一時預かり事業所、同条第８項に基づく小規模住居型児童養育事業を行う事業所、改正児童福祉法第６条の３第16項に基づく社会的養護自立支援拠点事業所、同条第18項に基づく妊産婦等生活援助事業所、同条第20項に基づく児童育成支援拠点事業所、同法第10条の２第１項に基づくこども家庭センター、子ども・子育て支援法（平成24年法律第65号）第59条第１号に基づく利用者支援事業所、母子保健法（昭和40年法律第141号）第17条の２に基づく産後ケア事業を行う施設、平成11年１月７日児発第14号厚生省児童家庭局長通知「子育て支援のための拠点施設の設置について」に基づく子育て支援のための拠点施設及び平成29年３月31日雇児発0331第49号厚生労働省雇用均等・児童家庭局長通知「市区町村子ども家庭総合支援拠点の設置運営等について」に基づく拠点	小規模住居型児童養育事業所 社会的養護自立支援拠点事業所 妊産婦等生活援助事業所 児童育成支援拠点事業所 こども家庭センター 利用者支援事業所 産後ケア事業を行う施設 子育て支援のための拠点施設 市区町村子ども家庭総合支援拠点		
(2)　上記以外の施設であって、当該施設について国が当該施設の設置及び運営についての基準を定めており、かつ、こども家庭庁長官が特に整備の必要を認めるもの	その他施設		

（注１）　本交付要綱において、地域子育て支援拠点事業所とは、平成26年５月29日雇児発0529第18号厚生労働省雇用均等・児童家庭局長通知「地域子育て支援拠点事業の実施について」（以下「地域子育て支援拠点事業実施要綱」という。）に基づく地域子育て支援拠点事業を行う事業所をいう。なお、開所日数が週３日及び週４日の拠点事業所については、「地域子育て支援拠点事業実施要綱」の４の(2)の④に定める「地域の子育て拠点として地域の子育て支援活動の展開を図るための取組」を行う場合、又は４の(3)の④に定める「地域の子育て力を高める取組」を行う場合を対象とする。

（注２）　本交付要綱において、一時預かり事業については、子ども・子育て支援法第27条に規定する特定教育・保育施設、同法第29条に規定する特定地域型保育事業、特定教育・保育施設に該当しない幼稚園及び企業主導型保育事業と一体的に事業を行う場合以外で行う場合を対象とする。

(2)　障害児施設等

区　　分	大分類	中分類	小分類
(1)　児童福祉法第６条の２の２第	児童発達支援事業		

1項に規定する障害児通所支援事業（同条第2項に規定する児童発達支援、同条第4項に規定する放課後等デイサービスに限る。）を行う事業所、同条第5項に規定する居宅訪問型児童発達支援を行う事業所、同条第6項に規定する保育所等訪問支援を行う事業所、同条第7項に規定する障害児相談支援を行う事業所並びに同法第7条に規定する障害児入所施設及び児童発達支援センター	所 放課後等デイサービス事業所 居宅訪問型児童発達支援事業所 保育所等訪問支援事業所 障害児相談支援事業所		
	児童福祉施設	障害児入所施設	福祉型障害児入所施設 医療型障害児入所施設
		児童発達支援センター	福祉型児童発達支援センター 医療型児童発達支援センター
⑵　上記以外の施設であって、当該施設について国が当該施設の設置及び運営についての基準を定めており、かつ、こども家庭庁長官が特に整備の必要を認めるもの	その他施設		

5　3において「施設整備」とは、次の表の種類ごとに掲げる整備内容をいう。

種　類	整備区分	整　備　内　容
新　設	創設	新たに施設を整備すること。
修　理	大規模修繕等	既存施設について令和5年8月22日こ成事第426号こども家庭庁成育局長通知「次世代育成支援対策施設整備交付金における大規模修繕等の取扱いについて」により整備をすること。 地震防災上倒壊等の危険性のある建物の耐震化又は津波対策としての高台への移転を図るため、改築又は補強等の整備を行う事業（以下「耐震化等整備事業」という。）のうち、改築整備を除く事業においては、既存施設の耐震補強のために必要な補強改修工事や当該工事と併せて付帯設備の改造等を行う次の整備をすること。 ・給排水設備、電気設備、ガス設備、冷暖房設備、消防用設備等付帯設備の改造工事 ・その他必要と認められる前記に準ずる工事
改　造	増築	既存施設の現在定員の増員を図るための整備をすること。
	増改築	既存施設の現在定員の増員を図るための増築整備をするとともに既存施設の改築整備（一部改築を含む。）をすること。
	改築	既存施設の現在定員の増員を行わないで改築整備（一部改築を含む。）をすること。 耐震化等整備事業のうち、改築整備をすること。
拡　張	拡張	既存施設の現在定員の増員を行わないで施設の延面積の増加を図る整備をすること。
整　備	スプリンクラー設備等整備	令和5年8月22日こ成事第422号こども家庭庁成育局長通知「次世代育成支援対策施設整備交付金におけるスプリンクラー設備等の取扱いについて」により整備をすること。
	老朽民間児童福祉施設整備	社会福祉法人が設置する施設について令和5年8月22日こ成事第431号こども家庭庁成育局長通知「老朽民間児童福祉施設等の整備について」により改築整備（一部改築を含む。）をすること。
	児童相談所一時保護施設に	令和5年8月22日こ成事第440号こども家庭庁成育局長通知「児童相談所一時保護施設にお

	おける受入体制強化を図るための整備	ける受入体制強化を図るための整備の特例的な取扱について」により整備をすること。
	防犯対策強化に係る整備	令和５年８月22日こ成事第429号こども家庭庁成育局長通知「児童福祉施設等における防犯対策強化に係る整備について」により整備をすること。
	応急仮設施設整備	令和５年８月22日こ成事第428号こども家庭庁成育局長通知「次世代育成支援対策施設整備交付金における応急仮設施設整備の国庫補助の取扱いについて」により整備すること。
	避難スペース整備	令和５年８月22日こ成事第427号こども家庭庁成育局長通知「次世代育成支援対策施設整備交付金における在宅障害児向け避難スペース整備の取扱いについて」により避難スペース整備をすること。

（事業の種類）

６　交付金の交付の対象となる施設整備事業の種類は、以下によるものとする。

⑴　次の表の①欄に定める施設の種類ごとに、②欄に定める設置根拠等により③欄に定める設置者が設置する施設に係る事業（⑷に掲げる耐震化等整備事業を除く。）

①施設の種類	②設置根拠等	③設置主体
⑴　児童福祉法に基づく施設等		
ア　児童福祉施設（障害児施設等を除く。）	児童福祉法第35条第２項又は第３項改正児童福祉法第44条の３第１項（里親支援センター）	都道府県又は指定都市、中核市若しくは市町村
イ　児童相談所一時保護施設	児童福祉法第12条の４	都道府県又は指定都市、中核市若しくは市（特別区を含む。）
ウ　職員養成施設	児童福祉法第35条第10項	都道府県又は指定都市、中核市若しくは市町村
エ　児童自立生活援助事業所	児童福祉法第６条の３第１項	都道府県又は指定都市、中核市若しくは市町村
オ　子育て短期支援事業所	児童福祉法第６条の３第３項	指定都市、中核市若しくは市町村
カ　地域子育て支援拠点事業所	児童福祉法第６条の３第６項	指定都市、中核市若しくは市町村
キ　一時預かり事業所	児童福祉法第６条の３第７項	指定都市、中核市若しくは市町村
ク　小規模住居型児童養育事業所	児童福祉法第６条の３第８項	都道府県又は指定都市、中核市若しくは市町村
ケ　社会的養護自立支援拠点事業所	改正児童福祉法第６条の３第16項	都道府県又は指定都市、中核市若しくは市町村
コ　妊産婦等生活援助事業所	改正児童福祉法第６条の３第18項	都道府県又は指定都市、中核市若しくは市町村
サ　児童育成支援拠点事業所	改正児童福祉法第６条の３第20項	指定都市、中核市若しくは市町村
シ　こども家庭センター	改正児童福祉法第10条の２	指定都市、中核市若しくは市町村
ス　利用者支援事業所	子ども・子育て支援法第59条第１号	指定都市、中核市若しくは市町村
セ　産後ケア事業を行う施設	母子保健法第17条の２	指定都市、中核市若しくは市町村
ソ　子育て支援のための拠点施設	平成11年１月７日児発第14号厚生省児童家庭局長通知「子育て支援のための拠点施設の設置について」	指定都市、中核市若しくは市町村
タ　市区町村子ども家庭総合支援拠点	平成29年３月31日雇児発0331第49号厚生労働省雇用均等・児童家庭局長通知「市区町村子ども家庭総合支援	指定都市、中核市、市町村

	拠点の設置運営等について」	
(2) その他施設	別途こども家庭庁長官が定める基準等	都道府県、指定都市、中核市、市町村

(2) (1)の表①欄に定める施設について、民間資金等の活用による公共施設等の整備等の促進に関する法律（平成11年法律第117号）第８条第１項の規定により選定された選定事業者が、同法第14条第１項の規定により整備した施設を③欄に定める地方公共団体が買収する事業（以下「ＰＦＩ事業」という。）。

(3) 令和５年８月22日こ成事第437号こども家庭庁成育局長通知「余裕教室を活用した児童福祉施設等への改築整備の促進について」により指定都市、中核市及び市町村が行う学校等の余裕教室の改築等に要する施設整備事業。

(4) 次の表の①欄に定める施設の種類ごとに、②欄に定める設置根拠等により③欄に定める設置者が設置する施設に係る耐震化等整備事業。

①施設の種類	②設置根拠等	③設置主体
児童福祉法に基づく施設等		
ア 児童福祉施設（助産施設、乳児院、母子生活支援施設、児童養護施設、児童心理治療施設、児童自立支援施設に限る。）	児童福祉法第35条第２項又は第３項	都道府県又は指定都市、中核市若しくは市町村
イ 児童相談所一時保護施設	児童福祉法第12条の４	都道府県又は指定都市、中核市若しくは市（特別区を含む。）

(5) 次の表の①欄に定める施設の種類ごとに、②欄に定める設置根拠等により③欄に定める社会福祉法人その他の地方公共団体以外の設置者が設置する施設に係る施設整備事業に対し、都道府県又は指定都市若しくは中核市（障害児入所施設及び児童発達支援センターにかかる整備は児童相談所設置市に限る。）が行う補助事業（(8)に掲げる耐震化等整備事業を除く。）

①施設の種類	②設置根拠等	③設置主体
(1) 児童福祉法に基づく施設等		
ア 障害児入所施設	児童福祉法第35条第４項	社会福祉法人、日本赤十字社、公益社団法人又は公益財団法人
イ 児童発達支援センター	児童福祉法第35条第４項	児童福祉法第34条の３第２項に基づき事業を実施する法人（社会福祉法人、医療法人、日本赤十字社、公益社団法人、一般社団法人、公益財団法人、一般財団法人、ＮＰＯ法人、営利法人等）
ウ 児童発達支援事業所、放課後等デイサービス事業所、居宅訪問型児童発達支援事業所、保育所等訪問支援事業所及び障害児相談支援事業所	児童福祉法第34条の３第２項	

(6) 次の表の①欄に定める施設の種類ごとに、②欄に定める設置根拠等により③欄に定める社会福祉法人その他の地方公共団体以外の設置者が設置する施設に係る施設整備事業に対し、都道府県又は指定都市、中核市若しくは市町村が行う補助事業（(7)に掲げる耐震化等整備事業を除く。）

①施設の種類	②設置根拠等	③設置主体
(1) 児童福祉法に基づく施設等		
ア 児童福祉施設（障害児施設等を除く。）	児童福祉法第35条第４項	社会福祉法人、日本赤十字社（児童厚生施設を除く。）、公益社団法人、公益財団法人又は都道府県又は指定都市、中核市若しくは市町村が認めた法人（児童福祉施設を除く。）
イ 児童自立生活援助事業所	児童福祉法第６条の３第１項	
ウ 子育て短期支援事業所	児童福祉法第６条の３第３項	
エ 地域子育て支援拠点事業所	児童福祉法第６条の３第６項	

オ　一時預かり事業所	児童福祉法第６条の３第７項	
カ　小規模住居型児童養育事業所	児童福祉法第６条の３第８項	
キ　利用者支援事業所	子ども・子育て支援法第59条第１号	
ク　社会的養護自立支援拠点事業所	改正児童福祉法第６条の３第16項	
ケ　妊産婦等生活援助事業所	改正児童福祉法第６条の３第18項	
コ　児童育成支援拠点事業所	改正児童福祉法第６条の３第20項	
サ　産後ケア事業を行う施設	母子保健法第17条の２	
(2)　その他施設	別途こども家庭庁長官が定める基準等	社会福祉法人、日本赤十字社、公益社団法人又は公益財団法人

（注）　「都道府県又は指定都市、中核市若しくは市町村が認めた法人」とは、児童自立生活援助事業所にあっては児童福祉法第６条の３第１項、小規模住居型児童養育事業所にあっては同法第６条の３第８項に基づき事業を実施する都道府県又は指定都市、中核市若しくは市町村が認めた法人をいい、子育て短期支援事業所にあっては同法第６条の３第３項、地域子育て支援拠点事業所にあっては同法第６条の３第６項、一時預かり事業所にあっては同法第６条の３第７項、社会的養護自立支援拠点事業所にあっては改正児童福祉法第６条の３第16項、妊産婦等生活援助事業所にあっては同法第６条の３の第18項、児童育成支援拠点事業所にあっては同法第６条の３第20項、利用者支援事業所にあっては子ども・子育て支援法第59条第１号、母子保健法第17条の２に基づき事業を実施する市町村が認めた法人をいう。

(7)　次の表の①欄に定める施設の種類ごとに、②欄に定める設置根拠等により③欄に定める社会福祉法人その他の地方公共団体以外の設置者が設置する施設に係る耐震化等整備事業に対し、都道府県又は指定都市、中核市若しくは市町村が行う補助事業

①施設の種類	②設置根拠等	③設置主体
児童福祉施設（助産施設、乳児院、母子生活支援施設、児童養護施設、児童心理治療施設、児童自立支援施設に限る。）	児童福祉法第35条第４項	社会福祉法人、日本赤十字社、公益社団法人又は公益財団法人

(8)　次の表の①欄に定める施設の種類ごとに、②欄に定める設置根拠等により③欄に定める社会福祉法人その他の地方公共団体以外の設置者が設置する施設に係る耐震化等整備事業に対し、都道府県又は指定都市若しくは児童相談所設置市が行う補助事業

①施設の種類	②設置根拠等	③設置主体
児童福祉施設（障害児入所施設に限る。）	児童福祉法第35条第４項	社会福祉法人、日本赤十字社、公益社団法人又は公益財団法人

（交付金の対象除外）

7　交付金は、次に掲げる費用については対象としないものとする。

(1)　土地の買収又は整地に要する費用

(2)　既存建物の買収（既存建物を買収することが建物を新築することより、効率的であると認められる場合における当該建物の買収を除く。）に要する費用

(3)　職員の宿舎に要する費用

(4)　防犯対策強化に係る整備における、防犯対策強化以外を目的とした整備に要する費用

(5)　その他施設整備費として適当と認められない費用

（交付額の算定方法）

8　この交付金は、都道府県又は指定都市、中核市若しくは市町村に対し、整備計画に記載された施設整備事業に要する経費に充てるため交付するものとし、その交付額は次により算出するものとする。

ただし、算出された交付額に1000円未満の端数が生じた場合には、これを切り捨てるものとする。

(1)　以下のⅰ～ⅲの要件をいずれも満たし、『「里親委託・施設地域分散化等加速化プラン」の実施方針について』（令和３年２月４日付け子家発0204第１号厚生労働省子ども家庭局家庭福祉課長通知）に基づく「施設地域分散化等加速化プラン」の採択を受けた乳児院若しくは児童養護施設に係

る整備事業
i　概ね10年程度で小規模かつ地域分散化を図るための整備方針（計画）を策定していること。
ii　地域分散化された施設の定員を増加させる整備計画であること。
※　乳児院にあっては、「ケアニーズが非常に高い子どもの養育のため集合する生活単位の整備を含む整備計画であること」
iii　概ね10年程度でケアニーズが非常に高い子どもの養育のため集合する生活単位を除き、全て小規模かつ地域分散化させる整備計画を策定すること。
ア　6の(1)から(4)の事業に係る交付額を算出する。
(ア)　交付金の交付の対象となる施設整備事業につき、工事請負契約等を締結する単位ごとに、別表1―1又は別表1―2で定める基準により算出した合計基礎点数に1000円を乗じた額を交付基礎額とする。
(イ)　(ア)により算出した交付基礎額の施設ごとに、対象経費の実支出額と、総事業費から寄付金その他の収入額を控除した額とを比較して少ない方の額に別表1―4に定める国の負担割合を乗じた額を算出する。
(ウ)　工事請負契約等を締結する単位ごとに、(ア)により算出した額と、(イ)により算出した額を比較して少ない方の額の合計を交付額とする。
イ　6の(5)から(8)の事業に係る交付額を算出する。
(ア)　交付金の交付の対象となる施設整備事業につき、工事請負契約等を締結する単位ごとに、別表1―1又は別表1―2で定める基準により算出した合計基礎点数に1000円を乗じた額を交付基礎額とする。
(イ)　(ア)により算出した交付基礎額の施設ごとに、対象経費の実支出額と、総事業費から寄付金その他の収入額（社会福祉法人の場合は、寄付金収入額を除く。）を控除した額とを比較して少ない方の額に別表1―4に定める国の負担割合を乗じた額を算出する。
(ウ)　工事請負契約等を締結する単位ごとに、(ア)により算出した額と、(イ)により算出した額を比較して少ない方の額の合計を交付額とする。
ウ　ア及びイにより算出した額を合算した額を交付額とする。
(2)　産後ケア事業を行う施設の創設、増築、増改築整備事業
ア　6の(1)から(4)の事業に係る交付額を算出する。
(ア)　交付金の交付の対象となる施設整備事業につき、工事請負契約等を締結する単位ごとに、別表1―1で定める基準により算出した合計基礎点数に1000円を乗じた額を交付基礎額とする。
(イ)　(ア)により算出した交付基礎額の施設ごとに、対象経費の実支出額と、総事業費から寄付金その他の収入額を控除した額とを比較して少ない方の額に別表1―4に定める国の負担割合を乗じた額を算出する。
(ウ)　工事請負契約等を締結する単位ごとに、(ア)により算出した額と、(イ)により算出した額を比較して少ない方の額の合計を交付額とする。
イ　6の(5)から(8)の事業に係る交付額を算出する。
(ア)　交付金の交付の対象となる施設整備事業につき、工事請負契約等を締結する単位ごとに、別表1―1で定める基準により算出した合計基礎点数に1000円を乗じた額を交付基礎額とする。
(イ)　(ア)により算出した交付基礎額の施設ごとに、対象経費の実支出額と、総事業費から寄付金その他の収入額（社会福祉法人の場合は、寄付金収入額を除く。）を控除した額とを比較して少ない方の額に別表1―4に定める国の負担割合を乗じた額を算出する。
(ウ)　工事請負契約等を締結する単位ごとに、(ア)により算出した額と、(イ)により算出した額を比較して少ない方の額の合計を交付額とする。
ウ　ア及びイにより算出した額を合算した額を交付額とする。
(3)　令和5年12月19日こ成事第568号こども家庭庁成育局長通知「児童厚生施設における「こどもの居場所」としての機能強化を図るための整備について」に基づく整備事業
ア　6の(1)から(4)の事業に係る交付額を算出する。
(ア)　交付金の交付の対象となる施設整備事業につき、工事請負契約等を締結する単位ごとに、別表1―1、別表1―2、別表1―3、別表3、別表4又は別表5で定める基準により算出した合計基礎点数に1000円を乗じた額を交付基礎額とする。

(イ)　(ア)により算出した交付基礎額の施設ごとに、対象経費の実支出額と、総事業費から寄付金その他の収入額を控除した額とを比較して少ない方の額に別表１―４に定める国の負担割合を乗じた額を算出する。

(ウ)　工事請負契約等を締結する単位ごとに、(ア)により算出した額と、(イ)により算出した額を比較して少ない方の額の合計を交付額とする。

イ　６の(5)から(8)の事業に係る交付額を算出する。

(ア)　交付金の交付の対象となる施設整備事業につき、工事請負契約等を締結する単位ごとに、別表１―１、別表１―２、別表１―３、別表３、別表４又は別表５で定める基準により算出した合計基礎点数に1000円を乗じた額を交付基礎額とする。

(イ)　(ア)により算出した交付基礎額の施設ごとに、対象経費の実支出額と、総事業費から寄付金その他の収入額（社会福祉法人の場合は、寄付金収入額を除く。）を控除した額とを比較して少ない方の額に別表１―４に定める国の負担割合を乗じた額を算出する。

(ウ)　工事請負契約等を締結する単位ごとに、(ア)により算出した額と、(イ)により算出した額を比較して少ない方の額の合計を交付額とする。

ウ　ア及びイにより算出した額を合算した額を交付額とする。

(4)　(1)～(3)以外の場合

ア　６の(1)から(4)の事業に係る交付額を算出する。

(ア)　交付金の交付の対象となる施設整備事業につき、工事請負契約等を締結する単位ごとに、別表１―１、別表１―２、別表１―３、別表３、別表４又は別表５で定める基準により算出した合計基礎点数に1000円を乗じた額を交付基礎額とする。

(イ)　(ア)により算出した交付基礎額の施設ごとに、対象経費の実支出額と、総事業費から寄付金その他の収入額を控除した額とを比較して少ない方の額に別表１―４に定める国の負担割合を乗じた額を算出する。

(ウ)　工事請負契約等を締結する単位ごとに、(ア)により算出した額と、(イ)により算出した額を比較して少ない方の額の合計を交付額とする。

イ　６の(5)から(8)の事業に係る交付額を算出する。

(ア)　交付金の交付の対象となる施設整備事業につき、工事請負契約等を締結する単位ごとに、別表１―１、別表１―２、別表１―３、別表３、別表４又は別表５で定める基準により算出した合計基礎点数に1000円を乗じた額を交付基礎額とする。

(イ)　(ア)により算出した交付基礎額の施設ごとに、対象経費の実支出額と、総事業費から寄付金その他の収入額（社会福祉法人の場合は、寄付金収入額を除く。）を控除した額とを比較して少ない方の額に別表１―４に定める国の負担割合を乗じた額を算出する。

(ウ)　工事請負契約等を締結する単位ごとに、(ア)により算出した額と、(イ)により算出した額を比較して少ない方の額の合計を交付額とする。

ウ　ア及びイにより算出した額を合算した額を交付額とする。

（国の財政上の特別措置）

９　次の表の第１欄に定める区分ごとに、第２欄に定める対象施設の種類に掲げられている施設の整備に係る交付金の交付額の算定にあっては、次により算定するものとする。

ただし、対象施設が豪雪地帯対策特別措置法（昭和37年法律第73号）第２条第２項の規定に基づき指定された特別豪雪地帯、奄美群島振興開発特別措置法（昭和29年法律第189号）第１条に規定された奄美群島、離島振興法（昭和28年法律第72号）第２条第１項の規定に基づき指定された離島振興対策実施地域、小笠原諸島振興開発特別措置法（昭和44年法律第79号）第４条第１項に規定された小笠原諸島又は沖縄振興特別措置法（平成14年法律第14号）第３条第１項第３号に規定された離島のいずれかに所在する場合は、別表２「交付基礎点数表」により算出された点数に対して、0.08を乗じて得られた点数を加算し、交付基礎額を算出するものとする。

(1)　次の表の①欄に掲げる「助産施設」「乳児院」「母子生活支援施設」及び「障害児入所施設」の整備事業

ア　６の(1)から(4)の事業に係る交付額を算出する。

(ア)　交付金の交付の対象となる施設整備事業につき、工事請負契約等を締結する単位ごとに、別表１―１、別表１―２、別表３、別表４又は別表５で定める基準により算出した合計基礎点数に1000円を乗じた額を交付基礎額とする。

(イ) (ア)により算出した交付基礎額の施設ごとに、対象経費の実支出額と、総事業費から寄付金その他の収入額を控除した額とを比較して少ない方の額に別表１—４に定める国の負担割合を乗じた額を算出する。

(ウ) 工事請負契約等を締結する単位ごとに、(ア)により算出した額と、(イ)により算出した額を比較して少ない方の額の合計を交付額とする。

イ　６の(5)から(8)の事業に係る交付額を算出する。

(ア) 交付金の交付の対象となる施設整備事業につき、工事請負契約等を締結する単位ごとに、別表１—１、別表１—２、別表３、別表４又は別表５で定める基準により算出した合計基礎点数に1000円を乗じた額を交付基礎額とする。

(イ) (ア)により算出した交付基礎額の施設ごとに、対象経費の実支出額と、総事業費から寄付金その他の収入額（社会福祉法人の場合は、寄付金収入額を除く。）を控除した額とを比較して少ない方の額に別表１—４に定める国の負担割合を乗じた額を算出する。

(ウ) 工事請負契約等を締結する単位ごとに、(ア)により算出した額と、(イ)により算出した額を比較して少ない方の額の合計を交付額とする。

ウ　ア及びイにより算出した額を合算した額を交付額とする。

(2) 次の表の②及び③欄に掲げる「乳児院」「児童心理治療施設」及び「障害児入所施設」の整備事業

ア　６の(1)から(4)の事業に係る交付額を算出する。

(ア) 交付金の交付の対象となる施設整備事業につき、工事請負契約等を締結する単位ごとに、別表１—１、別表１—２、別表３、別表４又は別表５で定める基準により算出した合計基礎点数に1000円を乗じた額を交付基礎額とする。

(イ) (ア)により算出した交付基礎額の施設ごとに、対象経費の実支出額と、総事業費から寄付金その他の収入額を控除した額とを比較して少ない方の額に別表１—４に定める国の負担割合を乗じた額を算出する。

(ウ) 工事請負契約等を締結する単位ごとに、(ア)により算出した額と、(イ)により算出した額を比較して少ない方の額の合計を交付額とする。

イ　６の(5)から(8)の事業に係る交付額を算出する。

(ア) 交付金の交付の対象となる施設整備事業につき、工事請負契約等を締結する単位ごとに、別表１—１、別表１—２、別表３、別表４又は別表５で定める基準により算出した合計基礎点数に1000円を乗じた額を交付基礎額とする。

(イ) (ア)により算出した交付基礎額の施設ごとに、対象経費の実支出額と、総事業費から寄付金その他の収入額（社会福祉法人の場合は、寄付金収入額を除く。）を控除した額とを比較して少ない方の額に別表１—４に定める国の負担割合を乗じた額を算出する。

(ウ) 工事請負契約等を締結する単位ごとに、(ア)により算出した額と、(イ)により算出した額を比較して少ない方の額の合計を交付額とする。

ウ　ア及びイにより算出した額を合算した額を交付額とする。

(3) 次の表の④欄に掲げる「児童福祉施設等」及び「障害児施設等」の整備事業

ア　６の(1)から(4)の事業に係る交付額を算出する。

(ア) 交付金の交付の対象となる施設整備事業につき、工事請負契約等を締結する単位ごとに、別表１—１、別表１—２、別表３、別表４又は別表５で定める基準により算出した合計基礎点数に1000円を乗じた額を交付基礎額とする。

(イ) (ア)により算出した交付基礎額の施設ごとに、対象経費の実支出額と、総事業費から寄付金その他の収入額を控除した額とを比較して少ない方の額に別表１—４に定める国の負担割合を乗じた額を算出する。

(ウ) 工事請負契約等を締結する単位ごとに、(ア)により算出した額と、(イ)により算出した額を比較して少ない方の額の合計を交付額とする。

イ　６の(5)から(8)の事業に係る交付額を算出する。

(ア) 交付金の交付の対象となる施設整備事業につき、工事請負契約等を締結する単位ごとに、別表１—１、別表１—２、別表３、別表４又は別表５で定める基準により算出した合計基礎点数に1000円を乗じた額を交付基礎額とする。

(イ)　(ア)により算出した交付基礎額の施設ごとに、対象経費の実支出額と、総事業費から寄付金その他の収入額（社会福祉法人の場合は、寄付金収入額を除く。）を控除した額とを比較して少ない方の額に別表１―４に定める国の負担割合を乗じた額を算出する。

(ウ)　工事請負契約等を締結する単位ごとに、(ア)により算出した額と、(イ)により算出した額を比較して少ない方の額の合計を交付額とする。

ウ　ア及びイにより算出した額を合算した額を交付額とする。

(4)　次の表の⑤欄に掲げる障害児施設等の整備事業

(ア)　交付金の交付の対象となる施設整備事業につき、工事請負契約等を締結する単位ごとに、別表１―１、別表１―２、別表３、別表４又は別表５で定める基準により算出した合計基礎点数に1000円を乗じた額を交付基礎額とする。

(イ)　(ア)により算出した交付基礎額の施設ごとに、対象経費の実支出額と、総事業費から寄付金その他の収入額（社会福祉法人の場合は、寄付金収入額を除く。）を控除した額とを比較して少ない方の額に別表１―４に定める国の負担割合を乗じた額を算出する。

(ウ)　工事請負契約等を締結する単位ごとに、(ア)により算出した額と、(イ)により算出した額を比較して少ない方の額の合計を交付額とする。

１　区　　　分	２　対象施設の種類
①　沖縄振興特別措置法（平成14年法律第14号）第４条第１項に規定する沖縄振興計画に基づく事業として行う場合（以下「沖縄振興計画に基づく事業」という。）	助産施設 乳児院 母子生活支援施設 障害児入所施設
②　地震防災対策強化地域における地震対策緊急整備事業に係る国の財政上の特別措置に関する法律（昭和55年法律第63号）第２条第１項に規定する地震対策緊急整備事業計画に基づいて実施される事業のうち、同法別表第１に掲げる児童福祉施設（木造施設の改築として行う場合）（以下「地震対策緊急整備事業計画に基づく事業」という。）	乳児院 児童心理治療施設 障害児入所施設
③　地震防災対策特別措置法（平成７年法律第111号）第２条第１項に規定する地震防災緊急事業５箇年計画に基づいて実施される事業のうち、同法別表第１に掲げる児童福祉施設（木造施設の改築として行う場合）（以下「地震防災緊急事業５箇年計画に基づく事業」という。）	乳児院 児童心理治療施設 障害児入所施設
④　南海トラフ地震に係る地震防災対策の推進に関する特別措置法（平成25年法律第87号）第12条第１項に規定する津波避難対策緊急事業計画に基づいて実施される事業のうち、同項第４号に基づき政令で定める施設及び日本海溝・千島海溝周辺海溝型地震に係る地震防災対策の推進に関する特別措置法（平成16年法律第27号）第11条第１項に規定する津波避難対策緊急事業計画に基づいて実施される事業のうち、同項第４号に基づき政令で定める施設（以下「津波避難対策緊急事業計画に基づく事業」という。）	児童福祉施設等（児童家庭支援センター、里親支援センター、職員養成施設、その他施設を除く。） 障害児施設等
⑤　公害の防止に関する事業に係る国の財政上の特別措置に関する法律（昭和46年法律第70号）第２条に規定する公害防止対策事業として行う場合（以下「公害防止対策事業」という。）	障害児施設等

（交付金の概算払）

10　こども家庭庁長官は、必要があると認める場合においては、国の支払計画承認額の範囲内において概算払をすることができるものとする。

（交付の条件）

11　この交付金の交付の決定は、次の条件が付されるものとする。

(1)　都道府県、指定都市、中核市及び市町村が事業を実施する場合（(2)に掲げる場合を除く。）

ア　整備計画の計画変更に伴う事業に要する経費の配分の変更をする場合には、当該都道府県の区域を管轄する地方厚生局長（徳島県、香川県、愛媛県及び高知県にあっては四国厚生支局長、以下「地方厚生（支）局長」という。）の承認を受けなければならない。

イ　事業の内容のうち、整備計画に記載された建物等の用途を変更する場合には、地方厚生（支）局長の承認を受けなければならない。

ウ　整備計画に記載された事業を中止、又は廃止（一部の中止、又は廃止を含む。）する場合には、地方厚生（支）局長の承認を受けなければならない。

エ　整備計画に基づく事業が計画期間内に完了しない場合又は事業の遂行が困難になった場合には、速やかに地方厚生（支）局長に報告してその指示を受けなければならない。

オ　事業により取得し、又は効用の増加した不動産及びその従物並びに事業により取得し、又は効用の増加した価格が単価50万円以上の機械及び器具については、適化法施行令第14条第１項第２号の規定によりこども家庭庁長官が別に定める期間を経過するまで、地方厚生（支）局長の承認を受けないでこの交付金の交付の目的に反して使用し、譲渡し、交換し、貸し付け、担保に供し、取壊し又は廃棄してはならない。

カ　地方厚生（支）局長の承認を受けて財産を処分することにより収入があった場合には、その収入の全部又は一部を国庫に納付させることがある。

キ　事業により取得し、又は効用の増加した財産については、事業の完了後においても善良な管理者の注意をもって管理するとともに、その効率的な運用を図らなければならない。

ク　事業完了後に消費税及び地方消費税の申告によりこの交付金に係る消費税及び地方消費税に係る仕入控除税額が確定した場合（仕入控除税額が０円の場合を含む。）は、別紙７の様式により速やかに、遅くとも事業完了日の属する年度の翌々年度６月30日までに地方厚生（支）局長に報告しなければならない。

なお、交付金に係る仕入控除税額があることが確定した場合には、当該仕入控除税額を国庫に返還しなければならない。

ケ　この交付金と事業に係る予算及び決算との関係を明らかにした別紙３の様式による調書を作成するとともに、事業に係る歳入及び歳出について証拠書類を整理し、かつ調書及び証拠書類を交付金の額の確定の日（事業の中止又は廃止の承認を受けた場合には、その承認を受けた日）の属する年度の終了後５年間保管しておかなければならない。

ただし、事業により取得し、又は効用の増加した財産がある場合は、前記の期間を経過後、当該財産の財産処分が完了する日、又は適化法施行令第14条第１項第２号の規定によりこども家庭庁長官が別に定める期間を経過する日のいずれか遅い日まで保管しておかなければならない。

コ　地方公共団体以外の者が事業を行うために締結する契約の相手方及びその関係者から、寄付金等の資金提供を受けてはならない。ただし、共同募金会に対してなされた指定寄付金を除く。

サ　事業を行うために建設工事の完成を目的として締結するいかなる契約においても、契約の相手方が当該工事を一括して第三者に請け負わせることを承諾してはならない。

シ　地方公共団体以外の者が事業を行うために締結する契約については、一般競争入札に付するなど都道府県又は指定都市若しくは中核市、市町村が行う契約手続の取扱いに準拠しなければならない。

ス　この交付金の交付と対象経費を重複して、他の国庫補助、お年玉付き郵便葉書等寄付金配分金、又は財団法人ＪＫＡ若しくは日本船舶振興会の補助金の交付を受けてはならない。

(2)　都道府県、指定都市、中核市又は市町村が社会福祉法人その他の地方公共団体以外の設置者（以下「社会福祉法人等」という。）が実施する施設整備事業に対して補助する場合

ア　(1)のア、イ、ウ、エ及びケに掲げる条件

イ　都道府県、指定都市、中核市又は市町村は社会福祉法人等に対してこの交付金を財源の一部として補助金を交付する場合には、次の条件を付さなければならない。

(ア)　(1)のア、イ、ウ、エ、カ、キ、コ、サ、シ及びスに掲げる条件

この場合において、「地方厚生（支）局長」とあるのは「都道府県知事、指定都市市長、中核市市長又は市町村長」と、「国庫」とあるのは「都道府県、指定都市、中核市又は市町村」と読み替えるものとする。

(イ)　事業により取得し、又は効用の増加した不動産及びその従物並びに事業により取得し、又は効用の増加した価格が単価30万円以上の機械及び器具については、適化法施行令第14条第１項第２号の規定によりこども家庭庁長官が別に定める期間を経過するまで都道府県

知事、指定都市市長、中核市市長又は市町村長の承認を受けないでこの補助金の交付の目的に反して使用し、譲渡し、交換し、貸し付け、担保に供し、取壊し又は廃棄してはならない。

(ウ)　事業に係る収入及び支出を明らかにした帳簿を備え、当該収入及び支出について証拠書類を整理し、かつ、当該帳簿及び証拠書類を補助金の額の確定の日（事業の中止又は廃止の承認を受けた場合には、その承認を受けた日）の属する年度の終了後５年間保管しておかなければならない。

ただし、事業により取得し、又は効用の増加した財産がある場合は、前記の期間を経過後、当該財産の財産処分が完了する日、又は適正化法施行令第14条第１項第２号の規定によりこども家庭庁長官が別に定める期間を経過する日のいずれか遅い日まで保管しておかなければならない。

(エ)　事業完了後に消費税及び地方消費税の申告によりこの補助金に係る消費税及び地方消費税に係る仕入控除税額が確定した場合（仕入控除税額が０円の場合を含む。）は、別紙７の様式に準じて速やかに、遅くとも補助事業の完了日の属する年度の翌々年度６月30日までに都道府県知事、指定都市市長、中核市市長又は市町村長に報告しなければならない。

なお、事業者が全国的に事業を展開する組織の１支部（又は１支社、１支所等）であって、自ら消費税及び地方消費税の申告を行わず、本部（又は本社、本所等）で消費税及び地方消費税の申告を行っている場合は、本部の課税売上割合等の申告内容に基づき報告を行うこと。

また、補助金に係る仕入税額控除税額があることが確定した場合には、当該仕入控除税額を都道府県、指定都市、中核市又は市町村に返還しなければならない。

ウ　イにより付した条件に基づき都道府県知事、指定都市市長、中核市市長又は市町村長が承認又は指示する場合には、あらかじめ地方厚生（支）局長の承認又は指示を受けなければならない。

エ　事業者から財産の処分による収入又は補助金に係る消費税及び地方消費税に係る仕入控除税額の全部又は一部の納付があった場合には、その納付額の全部又は一部を国庫に納付させることがある。

オ　事業者がイにより付した条件に違反した場合には、この交付金の全部又は一部を国庫に納付させることがある。

（申請手続）

12　この交付金の交付の申請は、別紙１の様式による申請書に関係書類を添えて、別に定める日までに各地方厚生（支）局長に提出するものとする。

（変更申請手続）

13　この交付金の交付決定後の事情の変更により申請の内容を変更して追加交付申請等を行う場合には、12に定める申請手続に従い、別に指示する期日までに行うものとする。

（交付決定までの標準的期間）

14　地方厚生（支）局長は、12又は13による申請書が到達した日から起算して原則として２月以内に交付の決定（変更交付決定を含む。）を行うものとする。

（状況報告）

15　都道府県又は指定都市、中核市若しくは市町村は、交付金の交付の対象となった施設整備事業に係る工事に着工したときは、別紙４の様式により工事に着工した日から10日以内に、また、工事進捗状況については別紙５の様式により毎年度12月末日現在の状況を翌月15日までに地方厚生（支）局長に報告しなければならない。

（実績報告）

16　この交付金の事業の実績報告は、別紙２の様式による報告書に関係書類を添えて、事業の完了の日から起算して１月を経過した日（11の(1)のウ又は(2)のウにより事業の中止又は廃止の承認を受けた場合には、当該承認通知を受理した日から１月を経過した日）又は翌年度４月10日のいずれか早い日までに、地方厚生（支）局長に提出して行わなければならない。

なお、事業が翌年度にわたるときは、この交付金の交付の決定に係る国の会計年度の翌年度の４月30日までに、別紙６の様式による報告書を地方厚生（支）局長に提出して行わなければならない。

（交付金の返還）

17　地方厚生（支）局長は、交付すべき交付金の額を確定した場合において、既にその額を超える交付金が交付されているときは、期限を定めて、その超える部分について国庫に返還することを命ずる。

（その他）

18　特別の事情により８、12、13、15及び16に定める算定方法、手続きによることができない場合には、あらかじめ地方厚生（支）局長の承認を受けてその定めるところによるものとする。

別紙１～７　略

別表１―１

算　定　基　準
（耐震化等整備事業を除く。）
創設、増築、増改築、改築、拡張及び老朽民間児童福祉施設整備

１　区分	２　種目	３　基　　　準	４　対象経費	５　負担割合
施設整備	本体工事費	ア　定員１人当たり交付基礎点数を適用する場合 (ア)　別表２に掲げる定員１人当たり交付基礎点数に定員を乗じて得たものを基準とする。 (イ)　沖縄振興計画に基づく事業として行う場合には別表２に掲げる定員１人当たり交付基礎点数に定員を乗じて得たものを基準とする。 (ウ)　地震対策緊急整備事業計画に基づく事業として行う場合には別表２に掲げる定員１人当たり交付基礎点数に定員を乗じて得たものを基準とする。 (エ)　地震防災緊急事業五箇年計画に基づく事業として行う場合には別表２に掲げる定員１人当たり交付基礎点数に定員を乗じて得たものを基準とする。 (オ)　津波避難対策緊急事業計画に基づく事業として行う場合には別表２に掲げる定員１人当たり交付基礎点数に定員を乗じて得たものを基準とする。 イ　１施設当たり交付基礎点数を適用する場合 (ア)　別表２に掲げる１施設当たり交付基礎点数を基準とする。 (イ)　沖縄振興計画に基づく事業として行う場合には別表２に掲げる１施設当たり交付基礎点数を基準とする。 (ウ)　地震対策緊急整備事業計画に基づく事業として行う場合には別表２に掲げる１施設当たり交付基礎点数を基準とする。 (エ)　地震防災緊急事業五箇年計画に基づく事業として行う場合には別表２に掲げる１施設当たり交付基礎点数を基準とする。 (オ)　津波避難対策緊急事業計画に基づく事業として行う場合には別表２に掲げる１施設当たり交付基礎点数を基準とする。	施設の整備（施設の整備と一体的に整備されるものであって、地方厚生（支）局長が必要と認めた整備を含む。）に必要な工事費又は工事請負費（７に定める費用を除く。）及び工事事務費（工事施工のため直接必要な事務に要する費用であって、旅費、消耗品費、通信運搬費、印刷製本費及び設計監督料等をいい、その額は、工事費又は工事請負費の2.6％に相当する額を限度額とする。）並びに既存建物の買収のために必要な公有財産購入費（ＰＦＩ事業に限る。）。ただし、別の補助金等又はこの種目とは別の種目において別途交付対象とする費用を除き（以下同じ。）、工事費又は工事請負費には、これと同等と認められる委託費、分担金及び適当と認められる購入費等を含む（以下同じ。）。	別表１―４のとおり

ウ　１世帯当たり交付基礎点数を適用する場合

(ア)　別表２に掲げる１世帯当たり交付基礎点数に定員（世帯）を乗じて得たものを基準とする。

(イ)　沖縄振興計画に基づく事業として行う場合には別表２に掲げる１世帯当たり交付基礎点数に定員（世帯）を乗じて得たものを基準とする。

(ウ)　津波避難対策緊急事業計画に基づく事業として行う場合には別表２―１及び２―２に掲げる１世帯当たり交付基礎点数に定員（世帯）を乗じて得たものを基準とする。

エ　１グループケア当たり交付基礎点数を適用する場合

(ア)　別表２に掲げる１グループケア当たり交付基礎点数にグループケア数を乗じて得たものを基準とする。

(イ)　沖縄振興計画に基づく事業として行う場合には別表２に掲げる１グループケア当たり交付基礎点数にグループケア数を乗じて得たものを基準とする。

(ウ)　地震対策緊急整備事業計画に基づく事業として行う場合には別表２に掲げる１グループケア当たり交付基礎点数にグループケア数を乗じて得たものを基準とする。

(エ)　地震防災緊急事業五箇年計画に基づく事業として行う場合には別表２に掲げる１グループケア当たり交付基礎点数にグループケア数を乗じて得たものを基準とする。

(オ)　津波避難対策緊急事業計画に基づく事業として行う場合には別表２に掲げる１グループケア当たり交付基礎点数にグループケア数を乗じて得たものを基準とする。

オ　一部改築及び拡張

「次世代育成支援対策施設整備交付金における一部改築及び拡張に係る交付金の算定方法の取扱いについて」（こ成事第433号令和５

年８月22日）により算出されたものを基準とする。

カ　豪雪地帯対策特別措置法第２条第２項の規定に基づき指定された特別豪雪地帯、奄美群島振興開発特別措置法第１条に規定された奄美群島、離島振興法第２条第１項の規定に基づき指定された離島振興対策実施地域、小笠原諸島振興開発特別措置法第４条第１項に規定された小笠原諸島又は沖縄振興特別措置法第３条第１項第３号に規定された離島のいずれかに所在する場合は、上記に定める方法により算定されたものに対して0.08を乗じて得たものを加算する。

キ　積雪寒冷地域（寒冷地手当支給規則（昭和39年総理府令第33号）別表１に掲げる地域（国家公務員の寒冷地手当支給地域）とする。）に所在する下記に掲げる対象施設の体育施設にあっては、別表２に定める交付基礎点数を基準とする。

　ただし、地震対策緊急整備事業計画に基づく事業として行う場合及び地震防災緊急事業五箇年計画に基づく事業として行う場合には、別表２に定める交付基礎点数を基準とする。

〈対象施設〉

児童養護施設、児童心理治療施設、児童自立支援施設

ク　地域に密着した独自の事業を実施するための場等を確保する整備であって、「次世代育成支援対策施設整備交付金における地域福祉の推進等を図るためのスペース（地域交流スペース）の整備について」（こ成事第435号令和５年８月22日）に定める基準に適合する整備を行うときは、別表２に定める交付基礎点数を基準とする。

ケ　１拠点当たり交付基礎点数を採用する場合

　別表２に掲げる１拠点当たり交付基礎点数を基準とする。

コ　公害防止対策事業として行う場合

　別表２に掲げる１施設当たり交付基礎点数を基準とする。

	特殊附帯工事費	別表２に掲げる１施設当たり交付基礎点数を基準とする。	特殊附帯工事費に必要な工事費又は工事請負費	
	解体撤去工事費及び仮設施設整備工事費	別表２に掲げる１単位当たり交付基礎点数を基準とする。	解体撤去に必要な工事費又は工事請負費及び仮設施設整備に必要な賃借料、工事費又は工事請負費	

（注）　前年度から繰越を行った事業については、前年度に設定された算定基準を適用する。

別表１―２

算　定　基　準

（別表１―１、別表１―３、別表３、別表４及び別表５に掲げる整備以外の事業）

１　区分	２　種目	３　基　　　準	４　対象経費	５　負担割合
施設整備	本体工事費	大規模修繕等、その他特別な工事費については、こども家庭庁長官が必要と認めた点数とする。ただし、第４欄に定める対象経費の実支出額を2,000（児童厚生施設（令和５年12月19日こ成事第568号こども家庭庁成育局長通知「児童厚生施設における「こどもの居場所」としての機能強化を図るための整備について」で定めた整備に該当する場合は除く。以下本表及び次表において同じ。）については3,000）で除して得た点数（以下「実支出額を2,000（児童厚生施設については3,000）で除して得た点数」という。）がこれに満たないときは、実支出額を2,000（児童厚生施設については3,000）で除して得た点数とする。 耐震化等整備事業における大規模修繕等については、次のいずれか低い方の価格を基準にこども家庭庁長官が必要と認めた点数とする。 ⑴　公的機関（都道府県又は市町村の建築課等）の見積り ⑵　工事請負業者２社の見積りを比較して、低い方の見積り	施設の整備に必要な工事費又は工事請負費（７に定める費用を除く。）及び工事事務費（工事施工のため直接必要な事務に要する費用であって、旅費、消耗品費、通信運搬費、印刷製本費及び設計監督料等をいい、その額は、工事費又は工事請負費の2.6％に相当する額を限度額とする。）。 ただし、別の補助金等又はこの種目とは別の種目において別途交付対象とする費用を除き（以下同じ。）、工事費又は工事請負費には、これと同等と認められる委託費、分担金及び適当と認められる購入費等を含む（以下同じ。）。	別表１―４のとおり
	スプリンクラー設備等工事費（既存施設）	別表２による「交付基礎点数表」に基づき、算出されたものを基準とする。	スプリンクラー設備等に必要な工事費又は工事請負費	
	仮設施設整備工事費	大規模修繕等については、こども家庭庁長官が必要と認めた点数とする。ただし、第４欄に定める対象経費の実支出額を2,000（児童厚生施設については3,000）で除して得た	仮設施設整備に必要な賃借料、工事費又は工事請負費	

		点数（以下「実支出額を2,000（児童厚生施設については3,000）で除して得た点数」という。）がこれに満たないときは、実支出額を2,000（児童厚生施設については3,000）で除して得た点数とする。 耐震化等整備事業における大規模修繕等については、次により算出されたものを基準とする。 ア　定員1人当たり交付基礎点数を適用する場合 別表2に掲げる定員1人当たり交付基礎点数に定員を乗じて得たものを基準とする。 イ　1世帯当たり交付基礎点数を適用する場合 別表2に掲げる1世帯当たり交付基礎点数に定員（世帯）を乗じて得たものを基準とする。		
	応急仮設施設整備	次のいずれか低い方の価格を基準にこども家庭庁長官が必要と認めた点数とする。 (1)　公的機関（都道府県又は市町村の建築課等）の見積り (2)　工事請負業者の見積り なお、これにより難い特別の事情があるときは、こども家庭庁長官が必要と認める点数とする。	障害児施設等の災害復旧に必要な賃借料、工事費又は工事請負費 ただし、次に定める費用は除く。 (1)　交付要綱7(2)(3)に定める費用 (2)　土地の買収又は整地に要する費用（災害による地形地盤の変動によって生じた地割れ等の復旧に要する費用を除く。） (3)　門、囲障、構内の雨水排水設備及び構内通路等の外構整備に要する費用 (4)　災害復旧事業以外の事業の工事施工中に生じた災害に係るもの。 (5)　明らかに設計の不備又は工事施工の粗漏に起因して生じたものと認められる災害に係るもの。 (6)　その他災害復旧費として適当と認められない費用 (7)　別の補助金等又はこの種目とは別の種目において別途交付対象とする費用	

別表1—3

算　定　基　準

（防犯対策強化に係る整備）

1　区分	2　種目	3　基　　　　準	4　対象経費	5　負担割合
施設整備	本体工事費	防犯対策強化に係る整備については、次の取り扱いとする。 ア　門、フェンス等の外構の設置、	防犯対策強化に係る整備に必要な工事費又は工事請負費（7に定める費用を除く。）及び工事事務費（工	別表1—4のとおり

		修繕等 　次のいずれかの低い方の価格を2,000（児童厚生施設については3,000）で除した点数を基準とする。 ⑴　公的機関（都道府県又は市町村の建築課等）の見積り ⑵　工事請負業者２社の見積りを比較して、低い方の見積り ※ただし、見積り額について、入所施設は1,000,000円未満、入所施設以外の施設は300,000円未満の場合は本事業の対象としない。 イ　非常通報装置等の設置 　次のいずれかの低い方の価格を2,000（児童厚生施設については3,000）で除した点数と900点を比較して、いずれか少ない方の点数を基準とする。 ⑴　公的機関（都道府県又は市町村の建築課等）の見積り ⑵　工事請負業者２社の見積りを比較して、低い方の見積り ※ただし、見積り額について、300,000円未満の場合は本事業の対象としない。	事施工のため直接必要な事務に要する費用であって、旅費、消耗品費、通信運搬費、印刷製本費及び設計監督料等をいい、その額は、工事費又は工事請負費の2.6％に相当する額を限度額とする。）。 　ただし、別の補助金等又はこの種目とは別の種目において別途交付対象とする費用を除き、工事費又は工事請負費には、これと同等と認められる委託費、分担金及び適当と認められる購入費等を含む。	

別表１―４

次世代育成支援対策施設整備交付金における施設整備事業の国、都道府県（本表において指定都市、中核市及び児童相談所設置市を含む。）、市町村、設置主体の負担割合

①　交付要綱の８⑴の事業として行う場合

１　施設の設置主体が都道府県又は市町村の場合

区分	国	都道府県	市町村
市町村が設置する場合 ・乳児院 ・児童養護施設	2/3	〔―〕	〔1/3〕
都道府県が設置する場合 ・乳児院 ・児童養護施設	2/3	〔1/3〕	〔―〕

注　〔　〕内は国の想定している割合を参考として掲記。

　ただし、国以外の負担割合は都道府県又は市町村の実情に応じて設定して差し支えない。

２　施設の設置主体が民間（法人等）の場合

区分	国	都道府県	市町村	設置主体
市町村が設置主体に補助する場合 ・乳児院 ・児童養護施設	2/3	〔―〕	〔1/12〕	〔1/4〕

都道府県が設置主体に補助する場合 ・乳児院 ・児童養護施設	2/3	〔1/12〕	〔—〕	〔1/4〕

注　〔 〕内は国の想定している割合を参考として掲記。

　ただし、国以外の負担割合は都道府県又は市町村の実情に応じて設定して差し支えない。

② 交付要綱の8(2)の事業として行う場合

1　施設の設置主体が市町村の場合

区分	国	都道府県	市町村
市町村が設置する場合 ・産後ケア事業を行う施設	2/3	〔—〕	〔1/3〕

2　施設の設置主体が民間（法人等）の場合

区分	国	都道府県	市町村	設置主体
市町村が設置主体に補助する場合 ・産後ケア事業を行う施設	2/3	〔—〕	〔1/12〕	〔1/4〕
都道府県が設置主体に補助する場合 ・産後ケア事業を行う施設	2/3	〔1/12〕	〔—〕	〔1/4〕

注　〔 〕内は国の想定している割合を参考として掲記。

　ただし、国以外の負担割合は都道府県又は市町村の実情に応じて設定して差し支えない。

③ 交付要綱の8(3)の事業として行う場合

1　施設の設置主体が都道府県又は市町村の場合

区分	国	都道府県	市町村
児童厚生施設（市町村が設置する場合）	1/2	〔1/4〕	〔1/4〕
児童厚生施設（都道府県が設置する場合）	1/2	〔1/2〕	〔—〕

注　〔 〕内は国の想定している割合を参考として掲記。

　ただし、国以外の負担割合は都道府県又は市町村の実情に応じて設定して差し支えない。

2　施設の設置主体が民間（法人等）の場合

区分	国	都道府県	市町村	設置主体
児童厚生施設（市町村が設置主体に補助する場合）	1/2	〔—〕	〔1/4〕	〔1/4〕
児童厚生施設（都道府県が設置主体に補助する場合）	1/2	〔1/4〕	〔—〕	〔1/4〕

注　〔 〕内は国の想定している割合を参考として掲記。

　ただし、国以外の負担割合は都道府県又は市町村の実情に応じて設定して差し支えない。

④ 交付要綱の8(4)の事業として行う場合

1　施設の設置主体が都道府県又は市町村の場合

区分	国	都道府県	市町村
児童厚生施設（市町村が設置する場合）	1/3	〔1/3〕	〔1/3〕
児童厚生施設（都道府県が設置する場合）	1/3	〔2/3〕	〔—〕
児童厚生施設以外（市町村が設置する場合）	1/2	〔—〕	〔1/2〕
児童厚生施設以外（都道府県が設置する場合）	1/2	〔1/2〕	〔—〕

注　〔 〕内は国の想定している割合を参考として掲記。

　ただし、国以外の負担割合は都道府県又は市町村の実情に応じて設定して差し支えない。

2　施設の設置主体が民間（法人等）の場合

区分	国	都道府県	市町村	設置主体
児童厚生施設 （市町村が設置主体に補助する場合）	1/3	〔—〕	〔1/3〕	〔1/3〕
児童厚生施設 （都道府県が設置主体に補助する場合）	1/3	〔1/3〕	〔—〕	〔1/3〕
児童厚生施設以外 （市町村が設置主体に補助する場合）	1/2	〔—〕	〔1/4〕	〔1/4〕
障害児施設等 （都道府県が設置主体に補助する場合）	1/2	1/4	—	1/4
児童厚生施設及び障害児施設等以外 （都道府県が設置主体に補助する場合）	1/2	〔1/4〕	〔—〕	〔1/4〕

注　〔　〕内は国の想定している割合を参考として掲記。
ただし、国以外の負担割合は都道府県又は市町村の実情に応じて設定して差し支えない。

別表１—４

交付要綱の９（国の財政上の特別措置）に基づく整備

①　沖縄振興計画に基づく事業として行う場合

1　施設の設置主体が都道府県又は市町村の場合

区分	国	都道府県	市町村
市町村が設置する場合 ・乳児院	2/3	〔—〕	〔1/3〕
都道府県が設置する場合 ・乳児院	2/3	〔1/3〕	〔—〕
市町村が設置する場合 ・助産施設 ・母子生活支援施設	3/4	〔—〕	〔1/4〕
都道府県が設置する場合 ・助産施設 ・母子生活支援施設	3/4	〔1/4〕	〔—〕

注　〔　〕内は国の想定している割合を参考として掲記。
ただし、国以外の負担割合は都道府県又は市町村の実情に応じて設定して差し支えない。

2　施設の設置主体が民間（法人等）の場合

区分	国	都道府県	市町村	設置主体
市町村が補助する場合 ・乳児院	2/3	〔—〕	〔1/12〕	〔1/4〕
都道府県が補助する場合 ・乳児院	2/3	〔1/12〕	〔—〕	〔1/4〕
都道府県が補助する場合 ・障害児入所施設（主として、知的障害のある児童を入所させるものに限る。）	2/3	1/6	—	1/6
市町村が補助する場合 ・助産施設 ・母子生活支援施設	3/4	〔—〕	〔1/8〕	〔1/8〕

都道府県が補助する場合 ・助産施設 ・母子生活支援施設	3/4	〔1/8〕	〔—〕	〔1/8〕
都道府県が補助する場合 ・障害児入所施設（主として、重症心身障害児（児童福祉法第７条第２項に規定する重症心身障害児をいう）を入所させる施設に限る。）	4/5	1/10	—	1/10

注　〔　〕内は国の想定している割合を参考として掲記。

ただし、国以外の負担割合は都道府県又は市町村の実情に応じて設定して差し支えない。

②　地震対策緊急整備事業計画に基づく事業として行う場合及び地震防災緊急事業五箇年計画に基づく事業として行う場合

1　施設の設置主体が都道府県又は市町村の場合

区分	国	都道府県	市町村
市町村が設置する場合 ・乳児院 ・児童心理治療施設	2/3	〔—〕	〔1/3〕
都道府県が設置する場合 ・乳児院 ・児童心理治療施設	2/3	〔1/3〕	〔—〕

注　〔　〕内は国の想定している割合を参考として掲記。

ただし、国以外の負担割合は都道府県又は市町村の実情に応じて設定して差し支えない。

2　施設の設置主体が民間（法人等）の場合

区分	国	都道府県	市町村	設置主体
市町村が補助する場合 ・乳児院 ・児童心理治療施設	2/3	〔—〕	〔1/12〕	〔1/4〕
都道府県が補助する場合 ・乳児院 ・児童心理治療施設	2/3	〔1/12〕	〔—〕	〔1/4〕
都道府県が補助する場合 ・障害児入所施設	2/3	1/6	—	1/6

注　〔　〕内は国の想定している割合を参考として掲記。

ただし、国以外の負担割合は都道府県又は市町村の実情に応じて設定して差し支えない。

③　津波避難対策緊急事業計画に基づく事業として行う場合

1　施設の設置主体が都道府県又は市町村の場合

区分	国	都道府県	市町村
市町村が設置する場合 ・児童福祉施設等（児童家庭支援センター、職員養成施設、里親支援センター、その他施設を除く）	2/3	〔—〕	〔1/3〕
都道府県が設置する場合 ・児童福祉施設等（児童家庭支援センター、職員養成施設、里親支援センター、その他施設を除く）	2/3	〔1/3〕	〔—〕

注　〔　〕内は国の想定している割合を参考として掲記。

ただし、国以外の負担割合は都道府県又は市町村の実情に応じて設定して差し支えない。

2　施設の設置主体が民間（法人等）の場合

区分	国	都道府県	市町村	設置主体
市町村が補助する場合 ・児童福祉施設等（児童家庭支援センター、里親支援センター、職員養成施設、その他施設を除く）	2/3	〔—〕	〔1/12〕	〔1/4〕
都道府県が補助する場合 ・児童福祉施設等（児童家庭支援センター、里親支援センター、職員養成施設、その他施設を除く）	2/3	〔1/12〕	〔—〕	〔1/4〕
都道府県が補助する場合 ・障害児施設等の場合	2/3	1/6	—	1/6

注　〔　〕内は国の想定している割合を参考として掲記。

ただし、国以外の負担割合は都道府県又は市町村の実情に応じて設定して差し支えない。

④　公害防止対策事業として行う場合

区分	国	都道府県	市町村	設置主体
障害児施設等	5.5/10	2.5/10	—	1/5

別表2

■交付要綱8に掲げる事業（児童福祉施設等）

	単位	交付基礎点数
児童相談所一時保護施設本体	1人当たり	7,062
親子生活訓練室整備加算	1世帯当たり	3,676
初度設備相当加算	1人当たり	61
個別対応加算Ⅰ	1人当たり	517
個別対応加算Ⅱ	1人当たり	1,034
個別対応加算Ⅲ	1人当たり	1,551
心理療法室整備加算	1施設当たり	19,135
助産施設本体	1人当たり	3,735
初度設備相当加算	1人当たり	411
乳児院本体	1人当たり	2,356
初度設備相当加算（30人以下）	1人当たり	61
初度設備相当加算（30人を超える部分）	1人当たり	28
小規模グループケア整備加算	1グループケア当たり	2,297
心理療法室整備加算	1施設当たり	19,135
子育て短期支援事業のための居室等整備加算	1人当たり	648
初度設備相当加算	1人当たり	53
年齢延長児を受け入れるための居室等整備加算	1人当たり	565
病児・病後児保育事業のための保育室等を整備する場合	1人当たり	813
親子生活訓練室整備加算	1世帯当たり	3,676
乳児院本体（交付要綱8(1)に該当する場合）	1人当たり	3,142
初度設備相当加算（30人以下）	1人当たり	81
初度設備相当加算（30人を超える部分）	1人当たり	37
小規模グループケア整備加算	1グループケア当たり	3,063
心理療法室整備加算	1施設当たり	25,513
子育て短期支援事業のための居室等整備加算	1人当たり	864
初度設備相当加算	1人当たり	70
年齢延長児を受け入れるための居室等整備加算	1人当たり	754
病児・病後児保育事業のための保育室等を整備する場合	1人当たり	1,084
親子生活訓練室整備加算	1世帯当たり	4,901
母子生活支援施設本体	1世帯当たり	8,530
初度設備相当加算	1世帯当たり	61
心理療法室整備加算	1施設当たり	19,135
子育て短期支援事業のための居室等整備加算	1世帯当たり	4,689
初度設備相当加算	1世帯当たり	53

病児・病後児保育事業のための保育室等を整備する場合	1人当たり	813
母子家庭等子育て支援室整備加算	1人当たり	1,166
初度設備相当加算	1人当たり	16
児童厚生施設本体		
小型児童館（217.6㎡以上）	1施設当たり	15,666
初度設備相当加算	1施設当たり	1,239
放課後児童クラブ室設置加算	1施設当たり	3,320
小型児童館（交付要綱8⑶に該当する場合）（217.6㎡以上）	1施設当たり	23,499
初度設備相当加算	1施設当たり	1,859
小型児童館（都市部等用地取得が困難と認められる場合）（163.2㎡以上）	1施設当たり	11,999
初度設備相当加算	1施設当たり	1,239
放課後児童クラブ室設置加算	1施設当たり	3,320
小型児童館（交付要綱8⑶に該当する場合）（都市部等用地取得が困難と認められる場合）（163.2㎡以上）	1施設当たり	17,999
初度設備相当加算	1施設当たり	1,859
児童センター（336.6㎡以上）	1施設当たり	23,600
初度設備相当加算	1施設当たり	1,239
放課後児童クラブ室設置加算	1施設当たり	3,320
児童センター（交付要綱8⑶に該当する場合）（336.6㎡以上）	1施設当たり	35,401
初度設備相当加算	1施設当たり	1,859
大型児童センター（500㎡以上）	1施設当たり	31,488
初度設備相当加算	1施設当たり	2,243
移動型児童館用車両	1施設当たり	1,851
大型児童センター（交付要綱8⑶に該当する場合）（500㎡以上）	1施設当たり	47,232
初度設備相当加算	1施設当たり	3,365
移動型児童館用車両	1施設当たり	2,776
児童養護施設本体	1人当たり	3,605
初度設備相当加算	1人当たり	61
小規模グループケア整備加算	1グループケア当たり	5,596
心理療法室整備加算	1施設当たり	19,135
子育て短期支援事業のための居室等整備加算	1人当たり	1,319
初度設備相当加算	1人当たり	53
病児・病後児保育事業のための保育室等を整備する場合	1人当たり	813
乳児を受け入れるためのほふく室又は養育室等を整備する場合	1人当たり	212
親子生活訓練室整備加算	1世帯当たり	3,676
児童養護施設本体（交付要綱8⑴に該当する場合）	1人当たり	4,807

初度設備相当加算	１人当たり	81
小規模グループケア整備加算	１グループケア当たり	7,462
心理療法室整備加算	１施設当たり	25,513
子育て短期支援事業のための居室等整備加算	１人当たり	1,759
初度設備相当加算	１人当たり	70
病児・病後児保育事業のための保育室等を整備する場合	１人当たり	1,084
乳児を受け入れるためのほふく室又は養育室等を整備する場合	１人当たり	282
親子生活訓練室整備加算	１世帯当たり	4,901
児童心理治療施設本体	１人当たり	4,265
初度設備相当加算	１人当たり	61
小規模グループケア整備加算	１グループケア当たり	5,172
心理療法室整備加算	１施設当たり	29,409
親子生活訓練室整備加算	１世帯当たり	3,676
通所部門整備加算	１人当たり	1,779
初度設備相当加算	１人当たり	50
児童自立支援施設本体	１人当たり	5,066
初度設備相当加算	１人当たり	61
小規模グループケア整備加算	１グループケア当たり	5,962
心理療法室整備加算	１施設当たり	19,135
親子生活訓練室整備加算	１世帯当たり	3,676
通所部門整備加算	１人当たり	1,779
初度設備相当加算	１人当たり	50
児童家庭支援センター本体	１施設当たり	11,617
里親支援センター本体	１施設当たり	11,617
職員養成施設本体	１人当たり	1,979
初度設備相当加算	１人当たり	61
小規模住居型児童養育事業所	１人当たり	5,125
初度設備相当加算	１人当たり	61
児童自立生活援助事業所	１人当たり	4,677
初度設備相当加算	１人当たり	61
子育て支援のための拠点施設本体	１施設当たり	9,496
地域子育て支援拠点事業所	１施設当たり	9,496
一時預かり事業所	１施設当たり	9,496
子育て短期支援事業所	１人当たり	5,125
初度設備相当加算	１人当たり	61
社会的養護自立支援拠点事業所	１施設当たり	9,496

初度設備相当加算	1世帯当たり	53
居室等整備加算	1世帯当たり	4,689
妊産婦等生活援助事業所	1施設当たり	9,496
初度設備相当加算	1世帯当たり	53
居室等整備加算	1世帯当たり	4,689
児童育成支援拠点事業所	1施設当たり	9,496
こども家庭センター	1施設当たり	9,496
利用者支援事業所	1施設当たり	9,496
産後ケア事業を行う施設	1施設当たり	11,617
産後ケア事業を行う施設(創設、増築、増改築整備事業を行う場合)	1施設当たり	14,382
市区町村子ども家庭総合支援拠点	1拠点当たり	9,496

(注)1　豪雪地帯対策特別措置法第2条第2項の規定に基づき指定された特別豪雪地域、奄美群島振興開発特別措置法第1条に規定された奄美群島、離島振興法第2条第1項の規定に基づき指定された離島振興対策実施地域、小笠原諸島振興開発特別措置法第4条第1項に規定された小笠原諸島又は沖縄振興特別措置法第3条第1項第3号に規定された離島のいずれかに所在する場合は、上記交付基礎点数に対して、0.08を乗じて得られた点数を加算する。(小数点以下切捨て)

2　改築整備に係る初度設備相当加算は、交付基礎点数の2分の1（児童厚生施設（令和5年12月19日こ成事第568号こども家庭庁成育局長通知「児童厚生施設における「こどもの居場所」としての機能強化を図るための整備について」により整備を行う場合は除く。）については3分の1）以内でこども家庭庁長官の必要と認めたポイントであること。

3　一部改築及び拡張に係る交付基礎点数は、「次世代育成支援対策施設整備交付金における一部改築及び拡張に係る交付金の算定方法の取扱いについて」（こ成事第433号令和5年8月22日）によるものとする。（小数点以下切捨て）

4　母子生活支援施設に小規模分園型母子生活支援施設を設置する場合には、母子生活支援施設の交付基礎点数を適用する。

5　A型児童館、B型児童館及びB型児童館でA型児童館と併設する場合は、こども家庭庁長官が認めた交付基礎点数とする。

6　児童養護施設に地域小規模児童養護施設を設置する場合には、児童養護施設の交付基礎点数を適用する。

7　乳児院、母子生活支援施設、児童養護施設、児童心理治療施設、児童自立支援施設で一時保護委託を受け入れるための整備をする場合には、当該本体及び初度設備相当加算（1人当たり）の交付基礎点数を適用する。

8　「病児・病後児保育事業のための保育室等を整備する場合」については、「病児保育事業の実施について（平成27年7月17日雇児発0717第12号通知)」に基づき、病児対応型及び病後児対応型を実施するための保育室等を整備する場合に限る。

9　前年度から繰越を行った事業については、前年度に設定された交付基礎点数を適用する。

10　個別対応加算Ⅰ～Ⅲの取扱いについては、「児童相談所一時保護施設の個別対応加算について」（こ成事第438号令和5年8月22日）によるものとする。

■交付要綱８⑷に掲げる事業（障害児施設等）

（１施設あたり）

事業（施設）の種類				交付基礎点数
福祉型障害児入所施設 医療型障害児入所施設	本体	利用定員　　20人以下	都市部	72,751
			標　準	69,287
		21人～ 40人	都市部	146,106
			標　準	139,148
		41人～ 60人	都市部	243,585
			標　準	231,986
		61人～ 80人	都市部	342,798
			標　準	326,475
		81人～100人	都市部	441,107
			標　準	420,102
		101人～120人	都市部	539,265
			標　準	513,585
		121人以上	都市部	637,498
			標　準	607,141
	訓練事業等整備加算		都市部	30,835
			標　準	29,366
	大規模訓練設備等整備加算		都市部	101,550
			標　準	96,715
	短期入所整備加算		都市部	8,368
			標　準	7,970
	発達障害者支援センター整備加算		都市部	9,725
			標　準	9,262
	障害児相談支援整備加算		都市部	6,951
			標　準	6,620
	居宅訪問型児童発達支援，保育所等訪問支援整備加算		都市部	4,629
			標　準	4,409
	小規模グループケア整備加算		都市部	14,927
			標　準	14,216
	避難スペース整備加算		都市部	26,839
			標　準	25,561
福祉型児童発達支援センター 医療型児童発達支援センター 児童発達支援事業所 放課後等デイサービス事業所	本体	利用定員　　20人以下	都市部	40,032
			標　準	38,126
		21人～ 40人	都市部	80,592
			標　準	76,754
		41人～ 60人	都市部	134,571

		標　準	128,163
	61人～ 80人	都市部	189,078
		標　準	180,074
	81人～100人	都市部	243,585
		標　準	231,986
	101人～120人	都市部	297,414
		標　準	283,251
	121人以上	都市部	352,071
		標　準	335,306
	訓練事業等整備加算	都市部	30,835
		標　準	29,366
	大規模訓練設備等整備加算	都市部	101,550
		標　準	96,715
	短期入所整備加算	都市部	8,368
		標　準	7,970
	発達障害者支援センター整備加算	都市部	9,725
		標　準	9,262
	障害児相談支援整備加算	都市部	6,951
		標　準	6,620
	居宅訪問型児童発達支援、保育所等訪問支援整備加算	都市部	4,629
		標　準	4,409
	避難スペース整備加算	都市部	26,839
		標　準	25,561
増築整備（既存施設の現在定員の増員）		都市部	20,054
		標　準	19,099
障害児相談支援（各事業のみの整備の場合）		都市部	6,951
		標　準	6,620
居宅訪問型児童発達支援、保育所等訪問支援（各事業のみの整備の場合）		都市部	4,629
		標　準	4,409
避難スペース整備（避難スペースのみの整備の場合）		都市部	26,839
		標　準	25,561

(注) 1　上段書きは、「次世代育成支援対策施設整備交付金における都市部特例割増単価の取扱いについて」（こ成事第432号令和５年８月22日）により、都市部特例割増加算後の単価であること。
2　本体単価と各種加算の合計額を基準額とする。
3　短期入所の利用定員が２人以下の場合には、「短期入所整備加算」に２分の１を乗じた額を基準額とする。

■交付基礎点数表（沖縄振興計画に基づく事業として行う場合（児童福祉施設等））

	単位	交付基礎点数
助産施設本体	1人当たり	5,602
初度設備相当加算	1人当たり	616
乳児院本体	1人当たり	3,142
初度設備相当加算（30人以下）	1人当たり	81
初度設備相当加算（30人を超える部分）	1人当たり	37
小規模グループケア整備加算	1グループケア当たり	3,063
心理療法室整備加算	1施設当たり	25,513
子育て短期支援事業のための居室等整備加算	1人当たり	864
初度設備相当加算	1人当たり	70
年齢延長児を受け入れるための居室等整備加算	1人当たり	754
病児・病後児保育事業のための保育室等を整備する場合	1人当たり	1,084
親子生活訓練室整備加算	1世帯当たり	4,901
母子生活支援施設本体	1世帯当たり	12,796
初度設備相当加算	1世帯当たり	91
心理療法室整備加算	1施設当たり	28,702
子育て短期支援事業のための居室等整備加算	1世帯当たり	7,034
初度設備相当加算	1世帯当たり	79
病児・病後児保育事業のための保育室等を整備する場合	1人当たり	1,219
母子家庭等子育て支援室整備加算	1人当たり	1,749
初度設備相当加算	1人当たり	24

（注）1　改築整備に係る初度設備相当加算は、交付基礎点数の２分の１以内でこども家庭庁長官の必要と認めたポイントであること。

2　一部改築及び拡張に係る交付基礎点数は、「次世代育成支援対策施設整備交付金における一部改築及び拡張に係る交付金の算定方法の取扱いについて」（こ成事第433号令和５年８月22日）によるものとする。（小数点以下切捨て）

3　母子生活支援施設に小規模分園型母子生活支援施設を設置する場合には、母子生活支援施設の交付基礎点数を適用する。

4　乳児院及び母子生活支援施設で一時保護委託を受け入れるための整備をする場合には、当該本体及び初度設備相当加算（１人当たり）の交付基礎点数を適用する。

5　「病児・病後児保育事業のための保育室等を整備する場合」については、「病児保育事業の実施について（平成27年７月17日雇児発0717第12号通知）」に基づき、病児対応型及び病後児対応型を実施するための保育室等を整備する場合に限る。

6　前年度から繰越を行った事業については、前年度に設定された交付基礎点数を適用する。

7　沖縄振興特別措置法第３条第１項第３号に規定された離島に所在する場合は、上記交付基礎点数に対して、0.08を乗じて得られた点数を加算する。（小数点以下切捨て）

■交付基礎点数表（沖縄振興計画に基づく事業として行う場合（障害児施設等））

（1施設あたり）

事業（施設）の種類					交付基礎点数
障害児入所施設 （主として知的障害のある児童を入所させるものに限る。）	本体	利用定員	20人以下	都市部	96,982
				標　準	92,364
			21人～ 40人	都市部	194,868
				標　準	185,589
			41人～ 60人	都市部	324,780
				標　準	309,314
			61人～ 80人	都市部	457,044
				標　準	435,280
			81人～100人	都市部	588,132
				標　準	560,126
			101人～120人	都市部	719,040
				標　準	684,800
			121人以上	都市部	849,947
				標　準	809,473
	訓練事業等整備加算			都市部	41,163
				標　準	39,203
	大規模生産設備等整備加算			都市部	135,431
				標　準	128,982
	短期入所整備加算			都市部	11,218
				標　準	10,684
	発達障害者支援センター整備加算			都市部	13,027
				標　準	12,407
	就労定着支援、自立生活援助、相談支援、障害児相談支援整備加算			都市部	9,228
				標　準	8,788
	居宅介護、居宅訪問型児童発達支援、保育所等訪問支援整備加算			都市部	6,170
				標　準	5,876
	小規模グループケア整備加算			都市部	19,903
				標　準	18,955
	避難スペース整備加算			都市部	35,735
				標　準	34,033
障害児入所施設 （主として重症心身障害児（児童福祉法第7条第2項に規定する重症心身障害児をいう。以下同じ）を入所させるものに限る。）	本体	利用定員	20人以下	都市部	104,762
				標　準	99,773
			21人～ 40人	都市部	210,429
				標　準	200,408
			41人～ 60人	都市部	350,835

			標　準	334,128
		61人～ 80人	都市部	493,593
			標　準	470,089
		81人～100人	都市部	635,176
			標　準	604,929
		101人～120人	都市部	776,577
			標　準	739,597
		121人以上	都市部	917,979
			標　準	874,266
	訓練事業等整備加算		都市部	44,420
			標　準	42,305
	大規模訓練設備等整備加算		都市部	146,287
			標　準	139,321
	短期入所整備加算		都市部	12,123
			標　準	11,545
	障害児相談支援整備加算		都市部	9,951
			標　準	9,478
	居宅訪問型児童発達支援、保育所等訪問支援整備加算		都市部	6,667
			標　準	6,350
	小規模グループケア整備加算		都市部	21,441
			標　準	20,420
	避難スペース整備加算		都市部	38,630
			標　準	36,790
増築整備（既存施設の現在定員の増員）			都市部	26,688
			標　準	25,417

（注）１　上段書きは、「次世代育成支援対策施設整備交付金における都市部特例割増単価の取扱いについて」（こ成事第432号令和５年８月22日）により、都市部特例割増加算後の単価であること。

２　本体単価と各種加算の合計額を基準額とする。

３　短期入所の利用定員が２人以下の場合には、「短期入所整備加算」に２分の１を乗じた額を基準額とする。

■交付基礎点数表（地震対策緊急整備事業計画に基づく事業として行う場合及び地震防災緊急事業五箇年計画に基づく事業として行う場合（児童福祉施設等））

	単位	交付基礎点数
乳児院本体	1人当たり	3,142
初度設備相当加算（30人以下）	1人当たり	81
初度設備相当加算（30人を超える部分）	1人当たり	37
小規模グループケア整備加算	1グループケア当たり	3,063
心理療法室整備加算	1施設当たり	25,513
子育て短期支援事業のための居室等整備加算	1人当たり	864
初度設備相当加算	1人当たり	70
年齢延長児を受け入れるための居室等整備加算	1人当たり	754
病児・病後児保育事業のための保育室等を整備する場合	1人当たり	1,084
親子生活訓練室整備加算	1世帯当たり	4,901
児童心理治療施設本体	1人当たり	5,687
初度設備相当加算	1人当たり	81
小規模グループケア整備加算	1グループケア当たり	6,896
心理療法室整備加算	1施設当たり	39,212
親子生活訓練室整備加算	1世帯当たり	4,901
通所部門整備加算	1人当たり	2,372
初度設備相当加算	1人当たり	67

（注）1　豪雪地帯対策特別措置法第2条第2項の規定に基づき指定された特別豪雪地域、奄美群島振興開発特別措置法第1条に規定された奄美群島、離島振興法第2条第1項の規定に基づき指定された離島振興対策実施地域、小笠原諸島振興開発特別措置法第4条第1項に規定された小笠原諸島又は沖縄振興特別措置法第3条第1項第3号に規定された離島のいずれかに所在する場合は、上記交付基礎点数に対して、0.08を乗じて得られた点数を加算する。（小数点以下切捨て）

2　改築整備に係る初度設備相当加算は、交付基礎点数の2分の1以内でこども家庭庁長官の必要と認めたポイントであること。

3　一部改築及び拡張に係る交付基礎点数は、「次世代育成支援対策施設整備交付金における一部改築及び拡張に係る交付金の算定方法の取扱いについて」（こ成事第433号令和5年8月22日）によるものとする。（小数点以下切捨て）

4　「病児・病後児保育事業のための保育室等を整備する場合」については、「病児保育事業の実施について（平成27年7月17日雇児発0717第12号通知）」に基づき、病児対応型及び病後児対応型を実施するための保育室等を整備する場合に限る。

5　乳児院、児童心理治療施設で一時保護委託を受け入れるための整備をする場合には当該本体及び初度設備相当加算（1人当たり）の交付基礎点数を適用する。

6　前年度から繰越を行った事業については、前年度に設定された交付基礎点数を適用する。

■交付基礎点数表（地震対策緊急整備事業計画に基づく事業として行う場合及び地震防災緊急事業五箇年計画に基づく事業として行う場合（障害児施設等））

（１施設あたり）

事業（施設）の種類				交付基礎点数
福祉型障害児入所施設 医療型障害児入所施設	本体	利用定員　20人以下	都市部	96,982
			標　準	92,364
		21人～ 40人	都市部	194,868
			標　準	185,589
		41人～ 60人	都市部	324,780
			標　準	309,314
		61人～ 80人	都市部	457,044
			標　準	435,280
		81人～100人	都市部	588,132
			標　準	560,126
		101人～120人	都市部	719,040
			標　準	684,800
		121人以上	都市部	849,947
			標　準	809,473
	訓練事業等整備加算		都市部	41,163
			標　準	39,203
	大規模訓練設備等整備加算		都市部	135,431
			標　準	128,982
	短期入所整備加算		都市部	11,218
			標　準	10,684
	発達障害者支援センター整備加算		都市部	13,027
			標　準	12,407
	障害児相談支援整備加算		都市部	9,228
			標　準	8,788
	居宅訪問型児童発達支援、保育所等訪問支援整備加算		都市部	6,170
			標　準	5,876
	小規模グループケア整備加算		都市部	19,903
			標　準	18,955
	避難スペース整備加算		都市部	35,735
			標　準	34,033

（注）1　上段書きは、「次世代育成支援対策施設整備交付金における都市部特例割増単価の取扱いについて」（こ成事第432号令和５年８月22日）により、都市部特例割増加算後の単価であること。

2　本体単価と各種加算の合計額を基準額とする。

3　短期入所の利用定員が２人以下の場合には、「短期入所整備加算」に２分の１を乗じた額を基準額とする。

4　木造施設の改築として行う場合に限る。

■交付基礎点数表（津波避難対策緊急事業計画に基づく事業として行う場合（児童福祉施設等））

	単位	交付基礎点数
児童相談所一時保護施設本体	1人当たり	9,323
親子生活訓練室整備加算	1世帯当たり	4,852
初度設備相当加算	1人当たり	80
個別対応加算Ⅰ	1人当たり	682
個別対応加算Ⅱ	1人当たり	1,364
個別対応加算Ⅲ	1人当たり	2,046
心理療法室整備加算	1施設当たり	25,258
助産施設本体	1人当たり	4,930
初度設備相当加算	1人当たり	542
乳児院本体	1人当たり	3,110
初度設備相当加算（30人以下）	1人当たり	80
初度設備相当加算（30人を超える部分）	1人当たり	37
小規模グループケア整備加算	1グループケア当たり	3,032
心理療法室整備加算	1施設当たり	25,258
子育て短期支援事業のための居室等整備加算	1人当たり	855
初度設備相当加算	1人当たり	69
年齢延長児を受け入れるための居室等整備加算	1人当たり	746
病児・病後児保育事業のための保育室等を整備する場合	1人当たり	1,073
親子生活訓練室整備加算	1世帯当たり	4,852
母子生活支援施設本体	1世帯当たり	11,260
初度設備相当加算	1世帯当たり	80
心理療法室整備加算	1施設当たり	25,258
子育て短期支援事業のための居室等整備加算	1世帯当たり	6,190
初度設備相当加算	1世帯当たり	69
病児・病後児保育事業のための保育室等を整備する場合	1人当たり	1,073
母子家庭等子育て支援室整備加算	1人当たり	1,539
初度設備相当加算	1人当たり	21
児童厚生施設本体		
小型児童館（217.6㎡以上）	1施設当たり	31,019
初度設備相当加算	1施設当たり	2,454
放課後児童クラブ室設置加算	1施設当たり	6,574
小型児童館（都市部等用地取得が困難と認められる場合）（163.2㎡以上）	1施設当たり	23,759
初度設備相当加算	1施設当たり	2,454
放課後児童クラブ室設置加算	1施設当たり	6,574

児童センター（336.6㎡以上）	1施設当たり	46,729
初度設備相当加算	1施設当たり	2,454
放課後児童クラブ室設置加算	1施設当たり	6,574
大型児童センター（500㎡以上）	1施設当たり	62,346
初度設備相当加算	1施設当たり	4,441
移動型児童館用車両	1施設当たり	5,497
児童養護施設本体	1人当たり	4,759
初度設備相当加算	1人当たり	80
小規模グループケア整備加算	1グループ ケア当たり	7,387
心理療法室整備加算	1施設当たり	25,258
子育て短期支援事業のための居室等整備加算	1人当たり	1,741
初度設備相当加算	1人当たり	69
病児・病後児保育事業のための保育室等を整備する場合	1人当たり	1,073
乳児を受け入れるためのほふく室又は養育室等を整備する場合	1人当たり	279
親子生活訓練室整備加算	1世帯当たり	4,852
児童心理治療施設本体	1人当たり	5,630
初度設備相当加算	1人当たり	80
小規模グループケア整備加算	1グループ ケア当たり	6,827
心理療法室整備加算	1施設当たり	38,820
親子生活訓練室整備加算	1世帯当たり	4,852
通所部門整備加算	1人当たり	2,348
初度設備相当加算	1人当たり	66
児童自立支援施設本体	1人当たり	6,687
初度設備相当加算	1人当たり	80
小規模グループケア整備加算	1グループ ケア当たり	7,869
心理療法室整備加算	1施設当たり	25,258
親子生活訓練室整備加算	1世帯当たり	4,852
通所部門整備加算	1人当たり	2,348
初度設備相当加算	1人当たり	66
小規模住居型児童養育事業所	1人当たり	6,765
初度設備相当加算	1人当たり	80
児童自立生活援助事業所	1人当たり	6,174
初度設備相当加算	1人当たり	80
子育て支援のための拠点施設本体	1施設当たり	12,535
地域子育て支援拠点事業所	1施設当たり	12,535

一時預かり事業所	１施設当たり	12,535
子育て短期支援事業所	１人当たり	6,765
初度設備相当加算	１人当たり	80
社会的養護自立支援拠点事業所	１施設当たり	12,535
初度設備相当加算	１世帯当たり	69
居室等整備加算	１世帯当たり	6,190
妊産婦等生活援助事業所	１施設当たり	12,535
初度設備相当加算	１世帯当たり	69
居室等整備加算	１世帯当たり	6,190
児童育成支援拠点事業所	１施設当たり	12,535
こども家庭センター	１施設当たり	12,535
利用者支援事業所	１施設当たり	12,535
産後ケア事業を行う施設	１施設当たり	15,335
市区町村子ども家庭総合支援拠点	１拠点当たり	12,535

(注) 1　豪雪地帯対策特別措置法第２条第２項の規定に基づき指定された特別豪雪地域、奄美群島振興開発特別措置法第１条に規定された奄美群島、離島振興法第２条第１項の規定に基づき指定された離島振興対策実施地域、小笠原諸島振興開発特別措置法第４条第１項に規定された小笠原諸島又は沖縄振興特別措置法第３条第１項第３号に規定された離島のいずれかに所在する場合は、上記交付基礎点数に対して、0.08を乗じて得られた点数を加算する。(小数点以下切捨て)

2　改築整備に係る初度設備相当加算は、交付基礎点数の２分の１以内でこども家庭庁長官の必要と認めたポイントであること。

3　一部改築及び拡張に係る交付基礎点数は、「次世代育成支援対策施設整備交付金における一部改築及び拡張に係る交付金の算定方法の取扱いについて」(こ成事第433号令和５年８月22日) によるものとする。(小数点以下切捨て)

4　母子生活支援施設に小規模分園型母子生活支援施設を設置する場合には、母子生活支援施設の交付基礎点数を適用する。

5　Ａ型児童館、Ｂ型児童館及びＢ型児童館でＡ型児童館と併設する場合は、こども家庭庁長官が認めた交付基礎点数とする。

6　児童養護施設に地域小規模児童養護施設を設置する場合には、児童養護施設の交付基礎点数を適用する。

7　乳児院、母子生活支援施設、児童養護施設、児童心理治療施設、児童自立支援施設で一時保護委託を受け入れるための整備をする場合には、当該本体及び初度設備相当加算（１人当たり）の交付基礎点数を適用する。

8　「病児・病後児保育事業のための保育室等を整備する場合」については、「病児保育事業の実施について（平成27年７月17日雇児発0717第12号通知)」に基づき、病児対応型及び病後児対応型を実施するための保育室等を整備する場合に限る。

9　前年度から繰越を行った事業については、前年度に設定された交付基礎点数を適用する。

10　個別対応加算Ⅰ～Ⅲの取扱いについては、「児童相談所一時保護施設の個別対応加算について」(こ成事第438号令和５年８月22日) によるものとする。

■交付基礎点数表（津波避難対策緊急事業計画に基づく事業として行う場合（障害児施設等））

（1施設あたり）

事業（施設）の種類				交付基礎点数
福祉型障害児入所施設 医療型障害児入所施設	本体	利用定員　40人以下	都市部	193,978
			標　準	184,741
		41人～ 60人	都市部	323,122
			標　準	307,735
		61人～ 80人	都市部	454,602
			標　準	432,954
		81人～100人	都市部	584,876
			標　準	557,024
		101人～120人	都市部	715,300
			標　準	681,238
		121人以上	都市部	845,423
			標　準	805,165
	訓練事業等整備加算		都市部	40,861
			標　準	38,916
	短期入所整備加算		都市部	9,273
			標　準	8,831
	発達障害者支援センター整備加算		都市部	12,816
			標　準	12,206
福祉型児童発達支援センター 医療型児童発達支援センター 児童発達支援事業所 放課後等デイサービス事業所	本体	利用定員　40人以下	都市部	107,431
			標　準	102,315
		41人～ 60人	都市部	178,900
			標　準	170,381
		61人～ 80人	都市部	251,426
			標　準	239,453
		81人～100人	都市部	324,102
			標　準	308,668
		101人～120人	都市部	395,722
			標　準	376,878
		121人以上	都市部	468,247
			標　準	445,950
	訓練事業等整備加算		都市部	40,786
			標　準	38,844
	短期入所整備加算		都市部	11,158
			標　準	10,626

	発達障害者支援センター整備加算	都市部	12,816
		標　準	12,206

(注) 1　上段書きは、「次世代育成支援対策施設整備交付金における都市部特例割増単価の取扱いについて」（こ成事第432号令和５年８月22日）により、都市部特例割増加算後の単価であること。

2　本体単価と各種加算、解体撤去費用及び仮設施設整備工事費の合計額を基準額とする。

3　短期入所の利用定員が２人以下の場合には、「短期入所整備加算」に２分の１を乗じた額を基準額とする。

■公害防止対策事業として行う場合（障害児施設等）

（１施設あたり）

事業（施設）の種類				交付基礎点数
福祉型障害児入所施設 医療型障害児入所施設	本体	利用定員　　20人以下	都市部	82,058
			標　準	76,191
		21人～ 40人	都市部	164,913
			標　準	153,122
		41人～ 60人	都市部	274,881
			標　準	255,229
		61人～ 80人	都市部	386,764
			標　準	359,112
		81人～100人	都市部	497,689
			標　準	462,107
		101人～120人	都市部	608,455
			標　準	564,954
		121人以上	都市部	719,301
			標　準	667,875
	訓練事業等整備加算		都市部	34,769
			標　準	32,283
	大規模訓練設備等整備加算		都市部	114,594
			標　準	106,401
	短期入所整備加算		都市部	9,490
			標　準	8,811
	発達障害者支援センター整備加算		都市部	11,005
			標　準	10,218
	障害児相談支援整備加算		都市部	7,847
			標　準	7,286
	居宅介護、居宅訪問型児童発達支援、保育所等訪問支援整備加算		都市部	5,223
			標　準	4,850
	小規模グループケア整備加算		都市部	16,826
			標　準	15,623
	避難スペース整備加算		都市部	30,303
			標　準	28,137

福祉型児童発達支援センター 医療型児童発達支援センター	本体	利用定員　20人以下	都市部	45,136
			標　準	41,909
		21人～ 40人	都市部	90,909
			標　準	84,410
		41人～ 60人	都市部	151,835
			標　準	140,979
		61人～ 80人	都市部	213,318
			標　準	198,067
		81人～100人	都市部	274,881
			標　準	255,229
		101人～120人	都市部	335,567
			標　準	311,576
		121人以上	都市部	397,210
			標　準	368,812
	訓練事業等整備加算		都市部	34,769
			標　準	32,283
	大規模訓練設備等整備加算		都市部	114,594
			標　準	106,401
	短期入所整備加算		都市部	9,490
			標　準	8,811
	発達障害者支援センター整備加算		都市部	11,005
			標　準	10,218
	障害児相談支援整備加算		都市部	7,847
			標　準	7,286
	居宅訪問型児童発達支援、保育所等訪問支援整備加算		都市部	5,223
			標　準	4,850
	避難スペース整備加算		都市部	30,303
			標　準	28,137

(注) 1　上段書きは、「次世代育成支援対策施設整備交付金における都市部特例割増単価の取扱いについて」(こ成事第432号令和5年8月22日) により、都市部特例割増加算後の単価であること。

2　本体単価と各種加算の合計額を基準額とする。

3　短期入所の利用定員が2人以下の場合には、「短期入所整備加算」に2分の1を乗じた額を基準額とする。

■解体撤去交付基礎点数

	単　位	標　準	沖縄振興計画に基づく事業として行う場合	地震対策緊急整備事業計画、地震防災緊急事業五箇年計画に基づく事業の場合	津波避難対策緊急事業計画に基づく事業の場合	交付要綱８(1)に該当する事業の場合	交付要綱８(2)に該当する事業の場合	公害防止対策事業として行う場合	交付要綱８(3)に該当する事業の場合
児童相談所一時保護施設	１人当たり	120	—	—	158	—	—	—	—
助産施設	１人当たり	194	291	—	256	—	—	—	—
乳児院	１人当たり	113	150	150	149	150	—	—	—
母子生活支援施設	１世帯当たり	414	622	—	547	—	—	—	—
児童厚生施設本体									
小型児童館	１施設当たり	827	—	—	1,637	—	—	—	1,240
児童センター	１施設当たり	1,245	—	—	2,465	—	—	—	1,868
大型児童センター	１施設当たり	1,664	—	—	3,296	—	—	—	2,497
児童養護施設	１人当たり	175	—	—	231	234	—	—	—
児童心理治療施設本体	１人当たり	201	—	268	265	—	—	—	—
児童自立支援施設	１人当たり	253	—	—	334	—	—	—	—
児童家庭支援センター	１施設当たり	590	—	—	—	—	—	—	—
里親支援センター	１施設当たり	590	—	—	—	—	—	—	—
職員養成施設	１人当たり	106	—	—	—	—	—	—	—
小規模住居型児童養育事業所	１人当たり	443	—	—	584	—	—	—	—
児童自立生活援助事業所	１人当たり	394	—	—	521	—	—	—	—
子育て支援のための拠点施設本体	１施設当たり	540	—	—	713	—	—	—	—
地域子育て支援拠点事業所	１施設当たり	540	—	—	713	—	—	—	—
一時預かり事業所	１施設当たり	540	—	—	713	—	—	—	—
子育て短期支援事業所	１人当たり	540	—	—	713	—	—	—	—
社会的養護自立支援拠点事業所	１施設当たり	540	—	—	713	—	—	—	—

妊産婦等生活援助事業所	1施設当たり	540	—	—	713	—	—	—	—
児童育成支援拠点事業所	1世帯当たり	540	—	—	713	—	—	—	—
こども家庭センター	1世帯当たり	540	—	—	713	—	—	—	—
利用者支援事業所	1施設当たり	540	—	—	713	—	—	—	—
産後ケア事業を行う施設	1施設当たり	590	—	—	779	—	787	—	—
市区町村子ども家庭総合支援拠点	1拠点当たり	540	—	—	713	—	—	—	—
障害児入所施設	1施設当たり	8,688	17,663 15,509	11,632	11,560	—	—	9,552	—
障害児入所施設（都市部）	1施設当たり	9,122	18,546 16,284	12,213	12,138	—	—	10,029	—
障害児施設（障害児入所施設を除く）	1施設当たり	4,365	15,509	5,816	5,600	—	—	4,798	—
障害児施設（障害児入所施設を除く）（都市部）	1施設当たり	4,584	16,284	6,107	5,880	—	—	5,038	—

（注）1　豪雪地帯対策特別措置法第２条第２項の規定に基づき指定された特別豪雪地域、奄美群島振興開発特別措置法第１条に規定された奄美群島、離島振興法第２条第１項の規定に基づき指定された離島振興対策実施地域、小笠原諸島振興開発特別措置法第４条第１項に規定された小笠原諸島又は沖縄振興特別措置法第３条第１項第３号に規定された離島のいずれかに所在する場合は、上記交付基礎点数に対して、0.08を乗じて得られた点数を加算する。（小数点以下切捨て）

2　前年度から繰越を行った事業については、前年度に設定された交付基礎点数を適用する。

3　Ａ型児童館及びＢ型児童館については、こども家庭庁長官が認めた交付基礎点数とする。

4　障害児入所施設における沖縄振興計画に基づく事業において、上段は主として重症心身障害児を入所させる施設に適用する。下段はそれ以外の障害児入所施設について適用する。

■仮設施設整備工事費交付基礎点数表

	単　　位	標　　準	沖縄振興計画に基づく事業として行う場合	地震対策緊急整備事業計画、地震防災緊急事業五箇年計画に基づく事業の場合	津波避難対策緊急事業計画に基づく事業の場合	交付要綱８(1)に該当する事業の場合	交付要綱８(2)に該当する事業の場合	公害防止対策事業として行う場合	交付要綱８(3)に該当する事業の場合
児童相談所一時保護施設	１人当たり	216	—	—	286	—	—	—	—
助産施設	１人当たり	364	546	—	480	—	—	—	—
乳児院	１人当たり	201	302	268	265	268	—	—	—
母子生活支援施設	１世帯当たり	752	1,129	—	993	—	—	—	—
児童厚生施設本体									
小型児童館	１施設当たり	1,234	—	—	2,444	—	—	—	1,994
児童センター	１施設当たり	1,860	—	—	3,683	—	—	—	3,005
大型児童センター	１施設当たり	2,484	—	—	4,920	—	—	—	4,014
児童養護施設	１人当たり	313	—	—	413	417	—	—	—
児童心理治療施設本体	１人当たり	379	—	505	500	—	—	—	—
児童自立支援施設	１人当たり	446	—	—	589	—	—	—	—
児童家庭支援センター	１施設当たり	1,049	—	—	—	—	—	—	—
里親支援センター	１施設当たり	1,049	—	—	—	—	—	—	—
職員養成施設	１人当たり	194	—	—	—	—	—	—	—
小規模住居型児童養育事業所	１人当たり	1,846	—	—	2,437	—	—	—	—
児童自立生活援助事業所	１人当たり	1,638	—	—	2,163	—	—	—	—
子育て支援のための拠点施設本体	１施設当たり	959	—	—	1,266	—	—	—	—
地域子育て支援拠点事業所	１施設当たり	959	—	—	1,266	—	—	—	—
一時預かり事業所	１施設当たり	959	—	—	1,266	—	—	—	—
子育て短期支援事業所	１人当たり	1,846	—	—	2,437	—	—	—	—
社会的養護自立支援拠点事業所	１施設当たり	959	—	—	1,266	—	—	—	—

妊産婦等生活援助事業所	1施設当たり	959	—	—	1,266	—	—	—	—
児童育成支援拠点事業所	1世帯当たり	959	—	—	1,266	—	—	—	—
こども家庭センター	1世帯当たり	959	—	—	1,266	—	—	—	—
利用者支援事業所	1施設当たり	959	—	—	1,266	—	—	—	—
産後ケア事業を行う施設	1施設当たり	1,049	—	—	1,385	—	1,399	—	—
市区町村子ども家庭総合支援拠点	1拠点当たり	959	—	—	1,266	—	—	—	—
障害児入所施設	1施設当たり	15,940	22,919 21,195	21,195	21,109	—	—	17,474	—
障害児入所施設（都市部）	1施設当たり	16,737	22,320 20,640	20,640	20,600	—	—	17,050	—
障害児施設（障害児入所施設を除く）	1施設当たり	7,611	10,167	10,167	10,052	—	—	8,367	—
障害児施設（障害児入所施設を除く）（都市部）	1施設当たり	7,991	10,675	10,675	10,555	—	—	8,785	—

（注）1　豪雪地帯対策特別措置法第2条第2項の規定に基づき指定された特別豪雪地域、奄美群島振興開発特別措置法第1条に規定された奄美群島、離島振興法第2条第1項の規定に基づき指定された離島振興対策実施地域、小笠原諸島振興開発特別措置法第4条第1項に規定された小笠原諸島又は沖縄振興特別措置法第3条第1項第3号に規定された離島のいずれかに所在する場合は、上記交付基礎点数に対して、0.08を乗じて得られた点数を加算する。（小数点以下切捨て）

2　前年度から繰越を行った事業については、前年度に設定された交付基礎点数を適用する。

3　A型児童館及びB型児童館については、こども家庭庁長官が認めた交付基礎点数とする。

4　障害児入所施設における沖縄振興計画に基づく事業において、上段は主として重症心身障害児を入所させる施設に適用する。下段はそれ以外の障害児入所施設について適用する。

■積雪寒冷地域体育施設　交付基礎点数表

	標　　準	地震対策緊急整備事業計画、地震防災緊急事業五箇年計画に基づく事業の場合
児童養護施設、児童心理治療施設、児童自立支援施設	37,810	—
児童心理治療施設	—	50,418

（注）　前年度から繰越を行った事業については、前年度に設定された交付基礎点数を適用する。

■地域交流スペース　交付基礎点数表

	地域交流スペース	防災拠点型
本体点数（子育て支援のための拠点施設、地域子育て支援拠点事業所、一時預かり事業所、社会的養護自立支援拠点事業所、妊産婦等生活援助事業所、児童育成支援拠点事業所、こども家庭センター、利用者支援事業所、産後ケア事業を行う施設及び市区町村子ども家庭総合支援拠点以外）	14,645	19,523
初度設備相当加算	796	2,082
本体点数（子育て支援のための拠点施設、地域子育て支援拠点事業所、一時預かり事業所、社会的養護自立支援拠点事業所、妊産婦等生活援助事業所、児童育成支援拠点事業所、こども家庭センター、利用者支援事業所、産後ケア事業を行う施設及び市区町村子ども家庭総合支援拠点）	6,610	

（注）1　前年度から繰越を行った事業については、前年度に設定された交付基礎点数を適用する。

2　子育て支援のための拠点施設、地域子育て支援拠点事業所、一時預かり事業所、社会的養護自立支援拠点事業所、妊産婦等生活援助事業所、児童育成支援拠点事業所、こども家庭センター、利用者支援事業所、産後ケア事業を行う施設及び市区町村子ども家庭総合支援拠点については、「次世代育成支援対策施設整備交付金における地域福祉の推進等を図るためのスペース（地域交流スペース）の整備について」（こ成事第435号令和5年8月22日）の「Ⅰ地域に密着した独自の事業を実施するための地域スペースの整備」に準じて行うものとする。

■余裕教室活用促進事業　交付基礎点数表

	余裕教室活用促進事業	
	（児童厚生施設以外を整備する場合）	（児童厚生施設を整備する場合）
本体点数	19,523	13,019
初度設備相当加算	3,475	2,315

（注）　前年度から繰越を行った事業については、前年度に設定された交付基礎点数を適用する。

■スプリンクラー設備工事費　交付基礎点数表

	スプリンクラー設備（既存施設における整備事業）		
基準点数（1㎡当たり）	乳児院		10
		消火ポンプユニット等加算（1施設当たり）	1,879
	障害児入所施設		15
		消火ポンプユニット等加算（1施設当たり）	2,218
	障害児入所施設（延べ床面積1,000㎡以上の平屋建て）		29
		消火ポンプユニット等加算（1施設当たり）	2,218
	障害児入所施設、児童厚生施設及び乳児院以外の児童福祉施設		7
	児童厚生施設		4

※　創設、増築、増改築、改築、拡張及び老朽民間児童福祉施設整備以外の事業に限る

■屋内消火栓設備　交付基礎点数表

	屋内消火栓設備（既存施設における整備事業）		
基準点数	屋内消火栓設備（児童福祉施設等）		
		基本点数	3,048
		㎡当たり加算	1
		屋内消火栓箱設置数による加算	157
		パッケージ型消火栓設備（1個あたり）	235
	屋内消火栓設備（障害児施設等）		
		基本点数	359
		㎡当たり加算	1
		屋内消火栓箱設置数による加算	185
		パッケージ型消火栓設備（1個あたり）	278

※　創設、増築、増改築、改築、拡張及び老朽民間児童福祉施設整備以外の事業に限る

■自動火災報知設備の感知器と連動して起動する火災通報装置　交付基礎点数表

	自動火災報知設備の感知器と連動して起動する火災通報装置（既存施設における整備事業）
基準点数（1施設あたり）	121

※　創設、増築、増改築、改築、拡張及び老朽民間児童福祉施設整備以外の事業に限る

■特殊附帯工事　交付基礎点数

	標　　準	沖縄振興計画に基づく事業として行う場合	地震対策緊急整備事業計画、地震防災緊急事業五箇年計画に基づく事業の場合	津波避難対策緊急事業計画に基づく事業の場合	交付要綱８(1)に該当する事業の場合	交付要綱８(2)に該当する事業の場合	交付要綱８(3)に該当する事業の場合
標準（児童厚生施設、児童育成支援拠点事業所、子育て支援のための拠点施設、地域子育て支援拠点事業所、一時預かり事業所、社会的養護自立支援拠点事業所、妊産婦等生活援助事業所、こども家庭センター、利用者支援事業所、市区町村子ども家庭総合支援拠点以外）	9,390	—	—	—	—	—	—
児童厚生施設	6,233	—	—	12,341	—	—	10,069
児童育成支援拠点事業所	9,049	—	—	11,944	—	—	—
子育て支援のための拠点施設	9,049	—	—	11,944	—	—	—
地域子育て支援拠点事業所	9,049	—	—	11,944	—	—	—
一時預かり事業所	9,049	—	—	11,944	—	—	—
社会的養護自立支援拠点事業所	9,049	—	—	11,944	—	—	—
妊産婦等生活援助事業所	9,049	—	—	11,944	—	—	—
こども家庭センター	9,049	—	—	11,944	—	—	—
利用者支援事業所	9,049	—	—	11,944	—	—	—
市区町村子ども家庭総合支援拠点	9,049	—	—	11,944	—	—	—
乳児院	—	12,521	—	—	—	—	—
助産施設、母子生活支援施設	—	14,086	—	—	—	—	—
乳児院、児童心理治療施設	—	—	12,521	—	—	—	—
助産施設、乳児院、母子生活支援施設、児童養護施設、児童心理治療施設、児童自立支援施設、児童相談所一時保護施設、児童自立生活援助事業所、小規模住居型児童養育事業所、子育て短期支援事業所、産後ケア事業を行う施設	—	—	—	12,395	—	—	—

乳児院、児童養護施設	—	—	—	—	12,521	—	—
産後ケア事業を行う施設	—	—	—	—	—	12,521	—
福祉型障害児入所施設（主として知的障害のある児童及び肢体不自由のある児童を入所させるものに限る）、医療型障害児入所施設（主として肢体不自由のある児童及び重症心身障害児）	9,118	—	—	—	—	—	—

（注）　前年度から繰越を行った事業については、前年度に設定された交付基礎点数を適用する。

■定期借地権設定のための一時金加算

	単価（１施設あたり）
乳児院、母子生活支援施設、児童養護施設、児童自立支援施設、児童家庭支援センター、小規模住居型児童養育事業所、児童自立生活援助事業所、里親支援センター、社会的養護自立支援拠点事業所、妊産婦等生活援助事業所	児童福祉施設等の設置に必要な土地について、当該施設等が所在する地域を所管する国税局長が定める路線価に基づき相続税における評価額の算出方法により算出された額（路線価が定められていない地域においては、固定資産税評価額に国税局長が定める倍率を乗じた額）の２分の１に別添１―４に定める国の負担割合を乗じた額を1,000で除して得た交付基礎点数（小数点以下は切り捨て）

別表３

算　定　基　準（その他施設）

1　区分	2　種目	3　基　　　準	4　対象経費	5　負担割合
施設整備	本体工事費	次に掲げる点数とし、改築及び大規模修繕等の工事費については、こども家庭庁長官が必要と認めた点数とする。 こども家庭庁長官が必要と認めた面積 鉄筋　こども家庭庁長官が必要と認めた点数 ブロック　こども家庭庁長官が必要と認めた点数 木造　こども家庭庁長官が必要と認めた点数	施設整備に必要な工事費又は工事請負費及び工事事務費	別表１―４のとおり
	解体撤去工事費及び仮設施設整備工事費	こども家庭庁長官が必要と認めた施設及び額とする。	解体撤去に必要な工事費又は工事請負費及び仮設施設整備に必要な賃借料、工事費又は工事請負費	

別表４

算　定　基　準（余裕教室活用促進事業）

1　区分	2　基準	3　対　象　経　費	4　負担割合
施設整備	余裕教室を児童福祉施設等に改築する場合は、別表２に掲げる交付基礎点数とする。	(1)　余裕教室を社会福祉施設等に改築（施設の整備と一体的に整備されるものであって、地方厚生（支）局長が必要と認めた整備を含む。）するために必要な工事費又は工事請負費及び工事事務費 (2)　暖房設備工事費 暖房設備に必要な工事費又は工事請負費 (3)　冷房設備工事費 冷房設備に必要な工事費又は工事請負費 (4)　冷暖房設備工事費 冷暖房設備に必要な工事費又は工事請負費 (5)　浄化槽設備工事費 浄化槽設備に必要な工事費又は工事請負費	別表１―４のとおり

（注）　前年度から繰越を行った事業については、前年度に設定された算定基準を適用する。

別表５

算　定　基　準（耐震化等整備事業）

増改築、改築及び老朽民間児童福祉施設整備

１　区分	２　種目	３　基　　　準	４　対象経費	５　負担割合
施設整備	本体工事費	ア　定員１人当たり交付基礎点数を適用する場合 （ア）　別表６に掲げる定員１人当たり交付基礎点数に定員を乗じて得たものを基準とする。 （イ）　沖縄振興計画に基づく事業として行う場合には別表６に掲げる定員１人当たり交付基礎点数に定員を乗じて得たものを基準とする。 （ウ）　地震対策緊急整備事業計画に基づく事業として行う場合には別表６に掲げる定員１人当たり交付基礎点数に定員を乗じて得たものを基準とする。 （エ）　地震防災緊急事業五箇年計画に基づく事業として行う場合には別表６に掲げる定員１人当たり交付基礎点数に定員を乗じて得たものを基準とする。 イ　１世帯当たり交付基礎点数を適用する場合 （ア）　別表６に掲げる１世帯当たり交付基礎点数に定員（世帯）を乗じて得たものを基準とする。 （イ）　沖縄振興計画に基づく事業として行う場合には別表６に掲げる１世帯当たり交付基礎点数に定員（世帯）を乗じて得たものを基準とする。 ウ　一部改築 「次世代育成支援対策施設整備交付金における一部改築及び拡張に係る交付金の算出方法の取扱いについて」（こ成事第433号令和５年８月22日）により算出されたものを基準とする。 エ　豪雪地帯対策特別措置法第２条第２項の規定に基づき指定された特別豪雪地帯、奄美群島振興開発特別措置法第１条に規定された奄美群島、離島振興法第２条第１項の規定に基づき指定された離島振興対策実施地域、小笠原諸島振興開発特別措置法第４条第１項に規定された小笠原諸島又は沖縄振興	施設の整備（施設の整備と一体的に整備されるものであって、地方厚生（支）局長が必要と認めた整備を含む。）に必要な工事費又は工事請負費（７に定める費用を除く。）及び工事事務費（工事施工のため直接必要な事務に要する費用であって、旅費、消耗品費、通信運搬費、印刷製本費及び設計監督料等をいい、その額は、工事費又は工事請負費の2.6％に相当する額を限度額とする。以下同じ。） ただし、別の補助金等又はこの種目とは別の種目において別途交付対象とする費用を除き（以下同じ。）、工事費又は工事請負費には、これと同等と認められる委託費、分担金及び適当と認められる購入費等を含む（以下同じ。）。	別表１―４のとおり

		特別措置法第３条第１項第３号に規定された離島のいずれかに所在する場合は、上記に定める方法により算定されたものに対して0.08を乗じて得たものを加算する。		
	解体撤去工事費及び仮設施設整備工事費	別表６に掲げる１単位当たり交付基礎点数を基準とする。	解体撤去に必要な工事費又は工事請負費及び仮設施設整備に必要な賃借料、工事費又は工事請負費	

（注）　前年度から繰越を行った事業については、前年度に設定された算定基準を適用する。

別表６　耐震化等整備事業

	単位	交付基礎点数
児童相談所一時保護施設本体	１人当たり	8,033
助産施設本体	１人当たり	5,266
乳児院本体	１人当たり	4,324
母子生活支援施設本体	１世帯当たり	13,196
児童養護施設本体	１人当たり	5,408
児童心理治療施設本体	１人当たり	6,987
通所部門整備加算	１人当たり	2,415
児童自立支援施設本体	１人当たり	7,658
通所部門整備加算	１人当たり	2,415

（注）１　豪雪地帯対策特別措置法第２条第２項の規定に基づき指定された特別豪雪地域、奄美群島振興開発特別措置法第１条に規定された奄美群島、離島振興法第２条第１項の規定に基づき指定された離島振興対策実施地域、小笠原諸島振興開発特別措置法第４条第１項に規定された小笠原諸島又は沖縄振興特別措置法第３条第１項第３号に規定された離島のいずれかに所在する場合は、上記交付基礎点数に対して、0.08を乗じて得られた点数を加算する。（小数点以下切捨て）

２　前年度から繰越を行った事業については、前年度に設定された交付基礎点数を適用する。

■交付基礎点数表（沖縄振興計画に基づく事業として行う場合）

	単位	交付基礎点数
助産施設本体	１人当たり	7,900
乳児院本体	１人当たり	5,765
母子生活支援施設本体	１人当たり	19,794

（注）１　前年度から繰越を行った事業については、前年度に設定された交付基礎点数を適用する。

２　沖縄振興特別措置法第３条第１項第３号に規定された離島に所在する場合は、上記交付基礎点数に対して、0.08を乗じて得られた点数を加算する。（小数点以下切捨て）

■交付基礎点数表（地震対策緊急整備事業計画に基づく事業として行う場合及び地震防災緊急事業五箇年計画に基づく事業として行う場合）

	単位	交付基礎点数
乳児院本体	１人当たり	5,765
児童心理治療施設本体	１人当たり	10,211

	通所部門整備加算	1人当たり	3,220

(注) 1　豪雪地帯対策特別措置法第2条第2項の規定に基づき指定された特別豪雪地域、奄美群島振興開発特別措置法第1条に規定された奄美群島、離島振興法第2条第1項の規定に基づき指定された離島振興対策実施地域、小笠原諸島振興開発特別措置法第4条第1項に規定された小笠原諸島又は沖縄振興特別措置法第3条第1項第3号に規定された離島のいずれかに所在する場合は、上記交付基礎点数に対して、0.08を乗じて得られた点数を加算する。(小数点以下切捨て)

2　前年度から繰越を行った事業については、前年度に設定された交付基礎点数を適用する。

耐震化等整備事業

（1施設あたり）

事業（施設）の種類				交付基礎点数
福祉型障害児入所施設 医療型障害児入所施設	本体	利用定員　40人以下	都市部	199,044
			標　準	184,813
		41人～ 60人	都市部	331,508
			標　準	307,807
		61人～ 80人	都市部	466,369
			標　準	433,026
		81人～100人	都市部	599,915
			標　準	557,024
		101人～120人	都市部	733,771
			標　準	681,310
		121人～	都市部	867,240
			標　準	805,237
	訓練事業等整備加算		都市部	41,989
			標　準	38,987
	短期入所整備加算		都市部	9,511
			標　準	8,831
	発達障害者支援センター整備加算		都市部	13,146
			標　準	12,206

(注) 1　上段書きは、「次世代育成支援対策施設整備交付金における都市部特例割増単価の取扱いについて」（こ成事第432号令和5年8月22日）により、都市部特例割増加算後の単価であること。

2　本体単価と各種加算、解体撤去費用及び仮設施設整備工事費の合計額を基準額とする。

3　短期入所の利用定員が2人以下の場合には、「短期入所整備加算」に2分の1を乗じた額を基準額とする。

4　障害児入所施設の改築として行う場合に限る。

（地震対策緊急整備事業計画に基づく事業として耐震化等整備を行う場合及び地震防災緊急事業五箇年計画に基づく事業として耐震化等整備を行う場合）

（１施設あたり）

事業（施設）の種類					交付基礎点数
福祉型障害児入所施設 医療型障害児入所施設	本体	利用定員	40人以下	都市部	265,392
				標　準	246,418
			41人～ 60人	都市部	442,072
				標　準	410,466
			61人～ 80人	都市部	621,815
				標　準	577,358
			81人～100人	都市部	799,887
				標　準	742,699
			101人～120人	都市部	978,423
				標　準	908,471
			121人以上	都市部	1,156,310
				標　準	1,073,640
	訓練事業等整備加算			都市部	56,048
				標　準	52,041
	短期入所整備加算			都市部	12,620
				標　準	11,718
	発達障害者支援センター整備加算			都市部	17,538
				標　準	16,284

（注）１　上段書きは、「次世代育成支援対策施設整備交付金における都市部特例割増単価の取扱いについて」（こ成事第432号令和５年８月22日）により、都市部特例割増加算後の単価であること。

２　本体単価と各種加算、解体撤去費用及び仮設施設整備工事費の合計額を基準額とする。

３　短期入所の利用定員が２人以下の場合には、「短期入所整備加算」に２分の１を乗じた額を基準額とする。

４　木造の障害児入所施設の改築として行う場合に限る。

（沖縄振興計画に基づく事業として耐震化等整備を行う場合）

（１施設あたり）

事業（施設）の種類					交付基礎点数
福祉型障害児入所施設 医療型障害児入所施設	本体	利用定員	40人以下	都市部	265,392
				標　準	246,418
			41人～ 60人	都市部	442,072
				標　準	410,466
			61人～ 80人	都市部	621,815
				標　準	577,358
			81人～100人	都市部	799,887
				標　準	742,699
			101人～120人	都市部	978,423
				標　準	908,471

	121人～	都市部	1,156,310
		標　準	1,073,640
	訓練事業等整備加算	都市部	56,048
		標　準	52,041
	短期入所整備加算	都市部	12,620
		標　準	11,718
	発達障害者支援センター整備加算	都市部	17,538
		標　準	16,284

(注) 1　上段書きは、「次世代育成支援対策施設整備交付金における都市部特例割増単価の取扱いについて」(こ成事第432号令和５年８月22日) により、都市部特例割増加算後の単価であること。
2　本体単価と各種加算、解体撤去費用及び仮設施設整備工事費の合計額を基準額とする。
3　短期入所の利用定員が２人以下の場合には、「短期入所整備加算」に２分の１を乗じた額を基準額とする。
4　障害児入所施設の改築として行う場合に限る。

■公害防止対策事業として耐震化等整備を行う場合

(１施設あたり)

事業 (施設) の種類				交付基礎点数
福祉型障害児入所施設 医療型障害児入所施設	本体	利用定員　　40人以下	都市部	218,900
			標　準	203,250
		41人～ 60人	都市部	364,674
			標　準	338,602
		61人～ 80人	都市部	513,000
			標　準	476,323
		81人～100人	都市部	659,971
			標　準	612,786
		101人～120人	都市部	807,180
			標　準	749,471
		121人以上	都市部	953,991
			標　準	885,785
	訓練事業等整備加算		都市部	46,252
			標　準	42,945
	短期入所整備加算		都市部	10,447
			標　準	9,700
	発達障害者支援センター整備加算		都市部	14,434
			標　準	13,402

(注) 1　上段書きは、「次世代育成支援対策施設整備交付金における都市部特例割増単価の取扱いについて」(こ成事第432号令和５年８月22日) により、都市部特例割増加算後の単価であること。
2　本体単価と各種加算、解体撤去費用及び仮設施設整備工事費の合計額を基準額とする。
3　短期入所の利用定員が２人以下の場合には、「短期入所整備加算」に２分の１を乗じた額を基準額とする。

■解体撤去交付基礎点数表

	単　　位	標　　準	沖縄振興計画に基づく事業として行う場合	地震対策緊急整備事業計画、地震防災緊急事業五箇年計画に基づく事業の場合	公害防止対策事業として行う場合
児童相談所一時保護施設	1人当たり	156	—	—	—
助産施設	1人当たり	256	385	—	—
乳児院	1人当たり	150	201	201	—
母子生活支援施設	1世帯当たり	549	823	—	—
児童養護施設	1人当たり	229	—	—	—
児童心理治療施設	1人当たり	263	—	351	—
児童自立支援施設	1人当たり	328	—	—	—
障害児入所施設	1施設当たり	11,632	17,663 15,509	15,509	12,736
障害児入所施設（都市部）	1施設当たり	12,213	18,546 16,284	16,284	13,372
障害児施設（障害児入所施設を除く）	1施設当たり	—	—	—	—
障害児施設（障害児入所施設を除く）（都市部）	1施設当たり	—	—	—	—

(注) 1　豪雪地帯対策特別措置法第2条第2項の規定に基づき指定された特別豪雪地域、奄美群島振興開発特別措置法第1条に規定された奄美群島、離島振興法第2条第1項の規定に基づき指定された離島振興対策実施地域、小笠原諸島振興開発特別措置法第4条第1項に規定された小笠原諸島又は沖縄振興特別措置法第3条第1項第3号に規定された離島のいずれかに所在する場合は、上記交付基礎点数に対して、0.08を乗じて得られた点数を加算する。（小数点以下切捨て）

2　前年度から繰越を行った事業については、前年度に設定された交付基礎点数を適用する。

3　障害児入所施設における沖縄振興計画に基づく事業において、上段は主として重症心身障害児を入所させる施設に適用する。下段はそれ以外の障害児入所施設について適用する。

■仮設施設整備工事費交付基礎点数表

	単　　位	標　　準	沖縄振興計画に基づく事業として行う場合	地震対策緊急整備事業計画、地震防災緊急事業五箇年計画に基づく事業の場合	公害防止対策事業として行う場合
児童相談所一時保護施設	1人当たり	281	—	—	—
助産施設	1人当たり	476	714	—	—
乳児院	1人当たり	263	351	351	—
母子生活支援施設	1世帯当たり	993	1,489	—	—
児童養護施設	1人当たり	415	—	—	—
児童心理治療施設	1人当たり	494	—	659	—
児童自立支援施設	1人当たり	590	—	—	—

障害児入所施設	１施設当たり	21,181	32,310 28,260	28,260	23,324
障害児入所施設（都市部）	１施設当たり	22,240	33,926 29,673	29,673	24,490
障害児施設（障害児入所施設を除く）	１施設当たり	—	—	—	—
障害児施設（障害児入所施設を除く）（都市部）	１施設当たり	—	—	—	—

（注）１　豪雪地帯対策特別措置法第２条第２項の規定に基づき指定された特別豪雪地域、奄美群島振興開発特別措置法第１条に規定された奄美群島、離島振興法第２条第１項の規定に基づき指定された離島振興対策実施地域、小笠原諸島振興開発特別措置法第４条第１項に規定された小笠原諸島又は沖縄振興特別措置法第３条第１項第３号に規定された離島のいずれかに所在する場合は、上記交付基礎点数に対して、0.08を乗じて得られた点数を加算する。（小数点以下切捨て）

２　前年度から繰越を行った事業については、前年度に設定された交付基礎点数を適用する。

３　障害児入所施設における沖縄振興計画に基づく事業において、上段は主として重症心身障害児を入所させる施設に適用する。下段はそれ以外の障害児入所施設について適用する。

○次世代育成支援対策施設整備交付金におけるスプリンクラー設備等の取扱いについて

〔令和５年８月22日　こ成事第422号
各都道府県知事・各指定都市市長・各中核市市長・各児童相談所設置市市長・各市区町村長宛　こども家庭庁成育局長通知〕

標記の交付金の交付については、令和５年８月22日こ成事第370号こども家庭庁長官通知の別紙「次世代育成支援対策施設整備交付金交付要綱」（以下、「交付要綱」という。）によるもののほか、次によることとし、令和５年４月１日から適用することとしたので社会福祉法人等に周知徹底を図るとともに、この取扱いについて遺憾なきを期されたい。

第１　スプリンクラー設備

１　対象事業

既存施設において、消防法施行令（昭和36年３月25日政令第37号）及び同法施行規則（昭和36年４月１日自治省令第６号）に定める設備、設置基準及びこれに準じた措置に基づいて設置するスプリンクラー設備の整備事業

２　対象施設

(1)　乳児院

(2)　障害児入所施設（当該施設に併設する短期入所事業所を含む。）

(3)　入所施設（(1)及び(2)の施設を除く。）にあっては、スプリンクラー設備を設置することを要しない部分以外の床面積（以下「床面積」という。）が275㎡以上の場合

(4)　入所施設以外の施設については、床面積が6000㎡以上の場合

３　交付基礎点数

交付要綱の別表２に定める点数

４　交付金対象面積

施設の延べ床面積を上限として当該都道府県の区域を管轄する地方厚生局長（徳島県、香川県、愛媛県及び高知県にあっては四国厚生支局長）が必要と認めた面積とする。

５　その他

(1)　スプリンクラー設備整備に要する経費についての地方債の取扱いについては、消防法及び同法施行令の規定により設置を義務付けられていないものについても起債の対象とされること。

(2)　スプリンクラー設備の代替えとしての性格を有するパッケージ型自動消火設備においても同様の取扱いとすること。

ただし、次の条件のいずれかを満たす場合についてのみ認められるものであること。

ア　水源やポンプ室等の設置が土地の制約上困難な場合

イ　建物の構造上配管工事が困難である場合

ウ　スプリンクラー設備の設置工事により、入所者処遇等に相当な困難を生じることが認められる場合

エ　その他上記以外にスプリンクラー設備の設置が相当困難と認められる場合

第２　屋内消火栓設備

１　対象事業

既存施設において、消防法施行令（昭和36年３月25日政令第37号）及び同法施行規則（昭和36年４月１日自治省令第６号）に定める設備、設置基準及びこれに準じた措置に基づいて設置する屋内消火栓設備の整備事業

２　対象施設

(1)　入所施設のうち、火災等の発生の際自力避難が困難で介護を要する児童が入所する乳児院

(2)　消防法施行令第11条に基づき屋内消火栓設備の設置を要する障害児施設等（消防法令等が改正されることに伴い新たに必要となる障害児施設等を含む。）

３　交付基準

(1)　消防法施行令第11条第３項第２号イからホまでに掲げる基準による屋内消火栓設備を設置する場合

ア　交付基礎点数

交付要綱の別表２に定める点数

イ　屋内消火栓箱設置数による加算

屋内消火栓箱については、当該設備を設置する個数に交付要綱の別表２に定める点数を乗じた点数を加算する。

ただし、特別の事情がある場合を除いて前記アによることが望ましいこと。

(2)　パッケージ型消火栓設備を設置する場合

交付基礎点数

当該設備を設置する個数に交付要綱の別表２

に定める点数を乗じたもの

4　交付金面積

施設の創設の場合の交付金基準面積に準ずるものとする。

ただし、１つの施設が２以上の建物（棟）に分かれている場合で屋内消火栓設備を設置しない建物（棟）がある場合は、その建物面積に相当する交付金面積を除くものとする。

5　その他

屋内消火栓設備整備に要する経費についての地方債の取扱いについては、消防法及び同法施行令の規定により設置を義務付けられていないものについても起債の対象とされること。

第３　自動火災報知設備の感知器と連動して起動する火災報知設備

1　対象事業

既存施設において、消防法施行令（昭和36年３月25日政令第37号）及び同法施行規則（昭和36年４月１日自治省令第６号）に定める設備、設置基準及びこれに準じた措置に基づいて設置する消防機関に通報する火災報知設備の整備事業

2　対象施設

入所施設のうち、火災等の発生の際自力避難が困難で介護を要する児童が入所する「乳児院」を対象施設とする。

3　交付基礎点数

交付要綱の別表２に定める点数

○次世代育成支援対策施設整備交付金及び就学前教育・保育施設整備交付金における特殊附帯工事の取扱いについて

〔令和５年８月22日　こ成事第423号
各都道府県知事・各指定都市市長・各中核市市長・各児童相談所設置市市長・各市区町村長宛　こども家庭庁成育局長通知〕

注　令和５年12月19日こ成事第563号改正現在

標記の国庫補助金の交付については、令和５年８月22日こ成事第370号こども家庭庁長官通知の別紙「次世代育成支援対策施設整備交付金交付要綱」及び令和５年８月22日こ成事第466号こども家庭庁長官通知の別紙「就学前教育・保育施設整備交付金交付要綱」によるもののほか、次によることとし、令和５年４月１日から適用することとしたので社会福祉法人等に周知徹底を図るとともに、この取扱いについて遺憾なきを期されたい。

別　紙

次世代育成支援対策施設整備交付金及び就学前教育・保育施設整備交付金実施要綱（特殊附帯工事費に係るもの）

１　目的

この交付金は、児童福祉施設等及び障害児施設等において、入所者等の処遇の改善及び地域社会の環境に配慮した施設整備の推進を図ること等を目的とする。

２　対象事業

⑴　資源有効活用整備費

ア　趣旨

児童福祉施設等において施設で消費する資源の有効活用及び地域環境の保全に資すること等により、施設利用者及び地域社会に対し快適な生活環境を提供する施設づくりの推進を図る。

イ　対象施設

対象となる施設は、次世代育成支援対策施設整備交付金交付要綱及び就学前教育・保育施設整備交付金交付要綱において交付対象として掲げる児童福祉施設等（障害児施設等は除く。）であって、建物に固定して一体的に整備する施設とする。

ウ　対象経費

建物に固定して一体的に整備する次に掲げるもので、その整備に係る工事費又は工事請負費とする。

㋐　水の循環・再利用の整備

施設から排出される生活雑排水（浴室等の排水）等の循環・再利用のための整備

㋑　生ごみ等処理の整備

施設から出るごみの有効活用及び排出量の抑制等ごみ処理のための整備

㋒　ソーラーの整備

光熱水費等の節減及び地域の環境保全のためのソーラーの整備

㋓　その他

資源の有効活用及び地域の環境保全のための整備であって必要と認められるもの

⑵　消融雪設備整備

ア　趣旨

積雪時における通路の凍結等を防止し、児童等の安全確保及び職員の業務の負担軽減を図る。

イ　対象施設

次世代育成支援対策施設整備交付金交付要綱及び就学前教育・保育施設整備交付金交付要綱の別表１―１に定める特別豪雪地域に所在する児童福祉施設等（障害児施設等は除く。）であって、消融雪設備の整備が特に必要と認められるものとする。

ウ　対象経費

建物に固定して一体的に整備するもので、消融雪設備に係る工事費又は工事請負費とする。

⑶　介護用リフト等整備費

ア　趣旨

障害児施設等において介護を必要とする身体障害者等に対する入所者の処遇の向上並びに介護職員の就労環境の改善を図る。

イ　対象施設

対象となる施設は、次世代育成支援対策施設整備交付金交付要綱の４に掲げる障害児施設等のうち、次の施設であって、建物に固定して一体的に整備するものとする。

福祉型障害児入所施設（主として知的障害のある児童及び肢体不自由のある児童を入所させるものに限る。）、医療型障害児入所施設（主として肢体不自由のある児童及び重症心身障害児（児童福祉法第７条第２項に規定する重症心身障害児をいう。）を入所させるものに限る。）

ウ　対象経費

建物に固定して一体的に整備する次に掲げるもので、その整備に係る工事費又は工事請負費とする。

(ア)　介護用リフトの整備

居室や浴室等に介護のための天井走行型介護用リフトの整備

(イ)　特殊浴槽の整備

介護職員の業務の効率化及び負担の軽減のための特殊浴槽の整備

(4)　屋外教育環境整備（１園当たり500万円以上の事業を対象とする。）

ア　趣旨

施設の屋外環境を様々な体験活動の場として活用し、たくましく心豊かな子供達を育成するため、屋外教育環境の一体的な整備充実を図る。

イ　対象施設

創設・増築・増改築・改築と一体的に整備を行う幼保連携型認定こども園又は幼稚園型認定こども園における教育部分

※整備事業完了後、２・３号定員の使用も予定されている場合、その分に係る対象経費についてはあらかじめ合理的な方法で按分を行い、対象経費から除外すること。

ウ　対象経費

建物と一体的に整備する次に掲げるもので、その整備に係る工事費又は工事請負費とする。

(ア)　樹木

施設を構成する高木・低木・草木・芝張（植樹のための土を含む。）

(イ)　アスレチック遊具

一般的な遊具は対象外（ブランコ、ジャングルジム、鉄棒、シーソー、スベリ台等は含まない）

(ウ)　築山・池

（園児が立ち入りできるものが望ましい）

(エ)　屋外ステージ

建物の要件にあてはまるものは対象外

(オ)　ベンチ

土地に固着したもの

(カ)　花壇・畑

土地に固着したもの（腐葉土等の客土を含む。）

(キ)　水飲み場、足洗い場

屋外教育環境整備に付随するもの

(ク)　便所

建物の要件にあてはまるものは対象外

(ケ)　給排水工事

屋外教育環境整備に付随するもの

(コ)　電気工事

屋外教育環境整備に付随する放送設備、照明設備等

3　交付基準

(1)　２の(3)の事業を行う場合

①　公的機関の見積と民間工事請負業者の見積（公的機関の見積が取得できない場合は２社以上）のいずれか低い方に交付要綱別表１―４に定める国の負担割合を乗じた額を1000で除した点数を算出する。

②　交付要綱別表２及び別表６に定める訓練事業等整備加算（ただし、当該設備整備にかかる事業費が１億円を超えるものは大規模訓練設備等整備加算）と①を比較し、低い方を加算する。

(2)　２の(3)の事業以外

次世代育成支援対策施設整備交付金交付要綱及び就学前教育・保育施設整備交付金交付要綱の別表２に定める点数

なお、前年度から繰越を行った事業については、前年度に設定された交付基礎点数又は交付基準額を交付基準とする。

○次世代育成支援対策施設整備交付金における解体撤去工事費及び仮設施設整備工事費の取扱いについて

〔令和５年８月22日　こ成事第424号
各都道府県知事・各指定都市市長・各中核市市長・各児童相談所設置市市長・各市区町村長宛　こども家庭庁成育局長通知〕

注　令和５年12月19日こ成事第564号改正現在

次世代育成支援対策施設整備交付金の交付については、令和５年８月22日こ成事第370号こども家庭庁長官通知の別紙「次世代育成支援対策施設整備交付金交付要綱」（以下「交付要綱」という。）により行うこととされているが、標記の取扱いに当たっては、別紙のとおり「次世代育成支援対策施設整備（解体撤去工事費・仮設施設整備工事費）交付金実施要綱」を定め、令和５年４月１日から適用することとしたので、了知の上、社会福祉法人等に周知徹底を図るよう配慮願いたい。

別　紙

次世代育成支援対策施設整備（解体撤去工事費・仮設施設整備工事費）交付金実施要綱

１　趣旨

この交付金は、老朽化等に伴う児童福祉施設等及び障害児施設等の改築等に際して必要となる既存施設の解体撤去工事及び改築工事期間に代替施設を必要とする場合の仮設施設整備工事に要する経費を交付することにより、児童福祉施設等及び障害児施設等の円滑な改築整備を行い、利用者の処遇の向上を図るものである。

２　解体撤去工事費

⑴　対象施設

対象となる施設は、交付要綱による児童福祉施設等及び障害児施設等のうち、改築等を行う施設とする。

⑵　対象事業

対象となる事業は、交付要綱の５の表の整備区分欄に掲げる増改築、改築又は老朽民間児童福祉施設整備に伴い、既存施設の一部又は全部を解体し撤去する事業とする。

⑶　交付基準の算定

①　②に掲げる施設以外の施設

ア　定員１人当たり交付基礎点数を適用する場合

(ア)　交付要綱の別表２又は別表６に掲げる定員１人当たり交付基礎点数に既存施設の定員数を乗じて得たものを基準とする。

(イ)　沖縄振興特別措置法（平成14年法律第14号）第４条に規定する沖縄振興計画（以下「沖縄振興計画」という。）に基づく事業として行う場合には交付要綱の別表２又は別表６に掲げる定員１人当たり交付基礎点数に既存施設の定員数を乗じて得たものを基準とする。

(ウ)　地震防災対策強化地域における地震対策緊急整備事業に係る国の財政上の特別措置に関する法律（昭和55年法律第63号）第２条に規定する地震対策緊急整備事業計画（以下「地震対策緊急整備事業計画」という。）に基づいて実施される事業のうち、同法別表第１に掲げる児童福祉施設（木造施設の改築として行う場合）として行う場合には交付要綱の別表２又は別表６に掲げる定員１人当たり交付基礎点数に既存施設の定員数を乗じて得たものを基準とする。

(エ)　地震防災対策特別措置法（平成７年法律第111号）第２条に規定する地震防災緊急事業５箇年計画（以下「地震防災緊急事業５箇年計画」という。）に基づいて実施される事業のうち、同法別表第１に掲げる児童福祉施設（木造施設の改築として行う場合）として行う場合には交付要綱の別表２又は別表６に掲げる定員１人当たり交付基礎点数に既存施設の定員数を乗じて得たものを基準とする。

(オ)　南海トラフ地震に係る地震防災対策の推進に関する特別措置法（平成25年法律第87号）第12条に規定する津波避難対策緊急事業計画に基づいて実施される事業のうち、同項第４号に基づき政令で定める施設として行う場合及び日本海溝・千島海溝周辺海溝型地震に係る地震防災対策の推進に関する特別措置法（平成16年法律第27号）第11条第１項に規定する津波避難対策緊急事業計画にも続いて実施される事業のうち、同項第４号に基づき政令で定める施設として行う場合（以下、各法に規定する津波避難対策緊急事業計画を「津波避難対策緊急事業計画」という。）には交付要綱の別表２に掲げる定員１人当たり交付基礎点数に既存施設の定員数を乗じて得たものを基準とする。

イ　１施設当たり交付基礎点数を適用する場合

(ア)　交付要綱の別表２に掲げる１施設当たり交付基礎点数を基準とする。

(イ)　津波避難対策緊急事業計画に基づいて実施される事業のうち、同項第４号に基づき政令で定める施設等として行う場合には交付要綱の別表２に掲げる１施設当たり交付基礎点数を基準とする。

(ウ)　公害の防止に関する事業に係る国の財政上の特別措置に関する法律（昭和46年法律第70号）第２条に規定する公害防止対策事業として行う場合には交付要綱の別表２に掲げる１施設当たり交付基礎点数を基準とする。

ウ　１世帯当たり交付基礎点数を適用する場合

(ア)　交付要綱の別表２又は別表６に掲げる１世帯当たり交付基礎点数に既存施設の定員（世帯）数を乗じて得たものを基準とする。

(イ)　沖縄振興計画に基づく事業として行う場合には交付要綱の別表２又は別表６に掲げる定員（世帯）当たり交付基礎点数に既存施設の定員（世帯）数を乗じて得たものを基準とする。

(ウ)　津波避難対策緊急事業計画に基づいて実施される事業のうち、同項第４号に掲げる政令で定める施設等として行う場合には交付要綱の別表２に掲げる定員（世帯）当たり交付基礎点数に既存施設の定員（世帯）数を乗じて得たものを基準とする。

エ　既存施設の一部を解体し撤去する場合

令和５年８月22日こ成事第433号こども家庭庁成育局長通知「次世代育成支援対策施設整備交付金における一部改築及び拡張に係る交付金の算定方法の取扱いについて」により算出されたものを基準とする。

オ　豪雪地帯対策特別措置法（昭和37年法律第73号）第２条第２項の規定に基づき指定された特別豪雪地域、奄美群島振興開発特別措置法（昭和29年法律第189号）第１条に規定された奄美群島、離島振興法（昭和28年法律第72号）第２条第１項の規定に基づき指定された離島振興対策実施地域、小笠原諸島振興開発特別措置法（昭和44年法律第79号）第４条第１項に規定された小笠原諸島又は沖縄振興特別措置法（平成14年法律第14号）第３条第１項第３号に規定された離島のいずれかに所在する場合は、上記に定める方法により算定されたものに対して0.08を乗じて得たものを加算する。

②　交付要綱の別表３に掲げる施設

こども家庭庁長官が必要と認めた額とする。

(4)　留意事項

ア　解体撤去工事費には、既存施設の解体に係る経費のほか、解体により発生する廃材の運搬及び処分に要する費用についても含まれるものであること。

イ　国の交付事業において取得した既存施設に係る財産処分（取りこわしに限る。）の取扱いについては、別に定めるところによるものとする。

3　仮設施設整備工事費

(1)　対象施設

対象となる施設は、解体撤去工事費が交付対象となる施設であって、用地の関係上等特別な事情により仮設施設が真に必要と認められる施設とする。

(2)　対象事業

対象となる事業は、交付要綱の５の表の整備区分欄に掲げる大規模修繕等、増改築、改築又は老朽民間児童福祉施設整備に伴い仮設施設を整備する事業とする。

(3)　交付基準額の算定

①　②に掲げる施設以外の施設

ア　定員１人当たり交付基礎点数を適用する場合

(ア)　交付要綱の別表２又は別表６に掲げる定員１人当たり交付基礎点数に仮設施設を要する定員数を乗じて得たものを基準とする。

(イ)　沖縄振興計画に基づく事業として行う場合には交付要綱の別表２又は別表６に掲げる定員１人当たり交付基礎点数に仮設施設を要する定員数を乗じて得たものを基準とする。

(ウ)　地震対策緊急整備事業計画に基づいて実施される事業のうち、同法別表第１に掲げる児童福祉施設及び障害児施設等（木造施設の改築として行う場合）として行う場合には交付要綱の別表２又は別表６に掲げる定員１人当たり交付基礎点数に仮設施設を要する定員数を乗じて得たものを基準とする。

(エ)　地震防災緊急事業５箇年計画に基づいて実施される事業のうち、同法別表第１に掲げる児童福祉施設及び障害児施設等（木造施設の改築として行う場合）として行う場合には交付要綱の別表２又は別表６に掲げる定員１人当たり交付基礎点数に仮設施設を要する定員数を乗じて得たものを基準とする。

(オ)　津波避難対策緊急事業計画に基づいて実施される事業のうち、同項第４号に基づき政令で定める施設として行う場合には交付要綱の別表２に掲げる定員１人当たり交付基礎点数に仮設施設を要する定員数を乗じて得たものを基準とする。

イ　１施設当たり交付基礎点数を適用する場合

(ア)　交付要綱の別表２に掲げる１施設当たり交付基礎点数を基準とする。

(イ)　津波避難対策緊急事業計画に基づいて実施される事業のうち、同項第４号に基づき政令で定める施設として行う場合には交付要綱の別表２に掲げる１施設当たり交付基礎点数を基準とする。

(ウ)　公害の防止に関する事業に係る国の財政上の特別措置に関する法律（昭和46年法律第70号）第２条に規定する公害防止対策事業として行う場合には交付要綱の別表６に掲げる１施設当たり交付基礎点数を基準とする。

ウ　１世帯当たり交付基礎点数を適用する場合

(ア)　交付要綱の別表２又は別表６に掲げる１世帯当たり交付基礎点数に仮設施設を要する定員（世帯）数を乗じて得たものを基準とする。

(イ)　沖縄振興計画に基づく事業として行う場合には交付要綱の別表２又は別表６に掲げる定員（世帯）当たり交付基礎点数に仮設施設を要する定員（世帯）数を乗じて得たものを基準とする。

(ウ)　津波避難対策緊急事業計画に基づいて実施される事業のうち、同項第４号に基づき政令で定める施設として行う場合には交付要綱の別表２に掲げる定員（世帯）当たり交付基礎点数に仮設施設を要する定員（世帯）数を乗じて得たものを基準とする。

エ　大規模修繕等を行うことに伴い仮設施設を整備する場合

交付要綱の別表１―２に掲げる算定基準により算出されたものを基準とする。

オ　既存施設の一部を解体し撤去することに伴い仮設施設を整備する場合（障害児施設等は除く）

令和５年８月22日こ成事第433号こども家庭庁成育局長通知「次世代育成支援対策施設整備交付金における一部改築及び拡張に係る交付金の算定方法の取扱いについて」により算出されたものを基準とする。

カ　豪雪地帯対策特別措置法（昭和37年法律第73号）第２条第２項の規定に基づき指定された特別豪雪地域、奄美群島振興開発特別措置法（昭和29年法律第189号）第１条に規定された奄美群島、離島振興法（昭和28年法律第72号）第２条第１項の規定に基づき指定された離島振興対策実施地域、小笠原諸島振興開発特別措置法（昭和44年法律第79号）第４条第１項に規定された小笠原諸島又は沖縄振興特別措置法（平成14年法律第14号）第３条第１項第３号に規定された離島のいずれかに所在する場合は、上記に定める方法により算定されたものに対して0.08を乗じて得たものを加算する。

②　交付要綱の別表３に掲げる施設

こども家庭庁長官が必要と認めた額とする。

(4)　留意事項

ア　仮設施設整備工事費には、交付要綱の７に定める費用を除き、仮設施設の整備に最低限必要なすべての附帯設備に要する費用が含まれるものであること。

イ　仮設施設の整備については、原則として建物の貸借により行うものとする。

ただし、特別な事情により他の方法によることが適当であると認められる場合は、この限りでない。

ウ　仮設施設は、改築工事期間の代替施設として一時的に整備する施設であるが、当然のことながらこの間、入所者等の処遇に留意するとともに、日常生活上の安全面にも十分考慮し、施設運営に著しい支障が生じないよう配慮すること。

エ　仮設施設の整備に当たっては、消防法、建築基準法等関係法令に抵触しないよう留意すること。

○次世代育成支援対策施設整備交付金における大規模修繕等の取扱いについて

〔令和５年８月22日　こ成事第426号
各都道府県知事・各指定都市市長・各中核市市長・各児童相談所設置市市長・各市区町村長宛　こども家庭庁成育局長通知〕

注　令和５年12月19日こ成事第566号改正現在

標記の交付金の交付については、令和５年８月22日こ成事第370号こども家庭庁長官通知の別紙「次世代育成支援対策施設整備交付金交付要綱」（以下、「交付要綱」という。）によるもののほか、次によることとし、令和５年４月１日から適用することとしたので社会福祉法人等に周知徹底を図るとともに、この取扱いについて遺憾なきを期されたい。

１　対象事業

区　　分	内　　容
(1)　施設の一部改修	①　一定年数を経過して使用に堪えなくなり、改修が必要となった浴室、食堂等の改修工事や外壁、屋上等の防水工事等施設の改修工事 ②　衛生環境の改善を目的としたトイレや調理場等の改修工事、手洗い場等の設置・改修工事
(2)　施設の附帯設備の改造	一定年数を経過して使用に堪えなくなり、改修が必要となった給排水設備、電気設備、ガス設備、消防用設備等附帯設備の改造工事
(3)　施設の冷暖房設備の設置等	気象状況により特に必要とされる熱中症対策等のための施設の冷暖房設備の新規設置工事及び一定年数を経過して使用に堪えなくなり、改修が必要となった冷暖房設備の改造工事
(4)　施設の模様替	①　狭隘な居室を入所者の新しい処遇のニーズに合わせて拡大を図る際の間仕切り工事及び部屋の使用目的を変えるための内部改修工事 ②　居室と避難通路（バルコニー）等との段差の解消を図る工事や自力避難が困難な者の居室を避難階へ移すための改修等防災対策に配慮した施設の内部改修工事 ③　ウイルス性感染症等の感染拡大を防止するための、多床室の個室化等改修工事（ただし、障害児入所施設に限る。）
(5)　環境上の条件等により必要となった施設の一部改修	①　活火山周辺の降灰地域等における施設の換気設備整備や窓枠改良工事等 ②　アスベストの処理工事及びその後の復旧等関連する改修工事
(6)　消防法及び建築基準法等関係法令の改正により新たにその規定に適合させるために必要となる改修	消防法設備等（スプリンクラー設備等を除く。）について、消防法令等が改正されたことに伴い、新たに必要となる設備の整備
(7)　特殊附帯工事	既存施設について令和５年８月22日こ成事第423号こども家庭庁成育局長通知「次世代育成支援対策施設整備交付金及び就学前教育・保育施設整備交付金における特殊附帯工事の取扱いについて」の別紙「次世代育成支援対策施設整備交付金及び就学前教育・保育施設整備交付金実施要綱（特殊附帯工事費に係るもの）」（以下「特殊附帯工事費交付金実施要綱」という。）２により建物に固定して一体的に整備する工事
(8)　土砂災害等に備えた施設の一部改修等	①　都道府県等が土砂災害等の危険区域等として指定している区域に設置されている施設の防災対策上、必要な補強改修工事や設備の整備等 ②　地震防災対策上必要な補強改修工事 ③　緊急災害時用の自家発電設備の整備 ④　緊急災害時用の給水設備の整備
(9)　障害児通所支援施設等改修整備	障害児通所支援事業等を行う場合に必要な、既存建物（賃貸物件を含む。）のバリアフリー化工事等、障

	害児通所支援事業等の基盤整備を図るための改修工事
⑽　その他施設における大規模な修繕等	特に必要と認められる上記に準ずる工事

（注）1　施設とは、次世代育成支援対策施設整備交付金の対象施設をいう。
　ただし、1の⑴の②の事業は児童福祉施設等、1の⑷の②の事業については、入所施設とする。
2　一定年数は、おおむね10年とする。

2　交付金の対象基準

⑴　原則として、1施設の対象経費の実支出額を交付要綱別表1—4に定める国の負担割合を乗じ、1000で除して得た交付基礎点数が次により算出された交付基礎点数以上（ただし、1の⑺の事業については、特殊附帯工事費交付金実施要綱3に定める交付基礎点数以内）のものであり、かつ、1施設の対象経費の実支出額が1000万円以上のものとする（ただし、入所施設以外の施設については、500万円以上のものとする。）。

施設延面積（こども家庭庁長官が必要と認めた面積）×2点

（児童厚生施設（交付要綱8⑶による事業を除く）については、施設延面積に4／3点乗じて算出（小数点以下切捨て））

ただし、上記によらず、1の⑴②及び1の⑶の事業については、対象経費の実支出額が300万円以上、1⑷③の事業については実支出額が100万円以上、アスベスト処理工事については、入所施設にあっては対象経費の実支出額が100万円以上、保育所・通所（利用）施設にあっては30万円以上、1の⑻の事業については、対象経費の実支出額が500万円以上のものとし、1の⑼の事業については、30万円以上500万円未満のものとする。

なお、在宅複合型施設については、入所施設の基準を適用する。ただし、通所部門もしくは利用部門のみを整備する場合は、その対象経費の実支出額が500万円以上のものとする。

⑵　建物の維持管理の義務を怠ったことに起因したものではないこと。

⑶　設計の不備又は工事施行の粗漏に起因したものではないこと。

3　交付基準

次のいずれかで最も低い方の価格を基準とする。

⑴　公的機関（都道府県又は市町村の建築課等）の見積り

⑵　民間工事請負業者2社の見積りを比較して、低い方の見積り

○児童福祉施設等における防犯対策強化に係る整備について

〔令和5年8月22日　こ成事第429号
各都道府県知事・各指定都市市長・各中核市市長・各児童相談所設置市市長・各市区町村長宛　こども家庭庁成育局長通知〕

標記の交付金の交付については、令和5年8月22日こ成事第370号こども家庭庁長官通知の別紙「次世代育成支援対策施設整備交付金交付要綱」（以下、「交付要綱」という。）によるもののほか、別紙によることとし、令和5年4月1日から適用することしたので社会福祉法人等に周知徹底を図るとともに、この取扱いについて遺憾なきを期されたい。

（別　紙）

児童福祉施設等における防犯対策強化に係る整備について

1　趣旨

児童福祉施設等及び障害児施設等の防犯対策を強化するため、非常通報装置・防犯カメラ設置や外構の設置・修繕など必要な安全対策を講じる。

2　対象施設

交付要綱の6に定める施設

3　対象事業

次に掲げる整備等、児童福祉施設等及び障害児施設等の防犯対策を強化する工事を対象とする。

①　門、フェンス等の外構の設置、修繕

門、フェンス等の外構の設置、修繕等を行うための整備

②　非常通報装置等の設置

警察機関への非常通報装置等を設置するための整備

（対象工事の例示）

・110番直結非常通報装置を設置する工事
・カメラ付きインターホンを設置する工事
・防犯カメラを設置する工事
・人感センサーを設置する工事
・その他、児童福祉施設等及び障害児施設等の安全管理に必要なもの

4　交付基礎点数

交付要綱別表1—3に基づき算出した点数とする。

○地すべり防止危険か所等危険区域に所在する施設の移転整備について

〔令和５年８月22日　こ成事第430号
各都道府県知事・各指定都市市長・各中核市市長・各児童相談所設置市市長・各市区町村長宛　こども家庭庁成育局長通知〕

地すべり防止危険か所等危険区域に所在する施設の移転整備については、昭和62年度から年次計画により整備を行っているところであり、地すべり防止危険か所等危険区域に所在する施設について、施設入所児・者、利用児・者の安全確保を図る観点から当該危険区域外へ移転する場合にその移転改築に要する整備費の交付を優先的に行うとともに、社会福祉法人の当該整備費に係る独立行政法人福祉医療機構からの借入金については利子を徴しないこととする。

実施については、令和５年８月22日こ成事第370号こども家庭庁長官通知の別紙「次世代育成支援対策施設整備交付金交付要綱」（以下「交付要綱」という。）によるほか、次によることとし、令和５年４月１日から適用することとしたので、社会福祉法人等に周知徹底を図るとともに、この取扱いについて遺憾のないようにされたい。

なお、令和４年度以前に交付された交付金の取扱いについては、なお従前の例によるものとする。

1　対象施設及び対象事業

現在交付金の交付を認めている施設のうち、土砂災害等により被害のおそれがあると都道府県等において指定している区域に設置されているものであって、かつ、施設の安全上問題のない区域に移転する場合の改築整備事業。

2　交付の方針

⑴　移転改築計画の提出

当該都道府県の区域を管轄する地方厚生局（徳島県、香川県、愛媛県及び高知県にあっては四国厚生支局）あてあらかじめ別紙により、「危険区域所在施設移転改築計画」を提出すること。また、当該期間内に新たに指定された区域内における施設に係るものについては、追加して提出すること。

⑵　交付金額及び申請手続き

交付要綱に準じて行う。

⑶　改築後転用を予定している施設又は利用率の低い施設については、交付対象としないものであること。

3　独立行政法人福祉医療機構の利子免除

「危険区域所在施設移転改築計画」に登載されたもので、交付金による移転改築整備を行うものについて、独立行政法人福祉医療機構から整備資金の融資を受ける場合には、その借入金にかかる利子を徴しないこととされていること。

4　適用期間

令和３年度から令和７年度（５年計画）

別　紙

危険区域所在施設移転改築計画

都道府県・指定都市・中核市名		所管部（局）課、係名	

施　設　の　状　況

施設所在都道府県名		施設の種類		施設の名称	

設置の態様	公立・私立	設置主体名	
運営の態様	公立・私立	設置主体名	
所　在　地			

入所（利用）定　　員	人	入所（利用）現　　員	人	職員定員	非　常　勤	人	職員現員	非　常　勤	人
					常　　勤	人		常　　勤	人

建　物　の　状　況					敷　地　の　状　況	
建　物　面　積		当初整備年月日	構　　造	所有関係	敷地面積	所　有　関　係
1	㎡		ＲＣ　・　ＣＢ　・　Ｗ	自・他		
2	㎡		ＲＣ　・　ＣＢ　・　Ｗ	自・他		
3	㎡		ＲＣ　・　ＣＢ　・　Ｗ	自・他		
4	㎡		ＲＣ　・　ＣＢ　・　Ｗ	自・他		自（　　　㎡）・
計	㎡		（鉄筋）（ブロック）（木造）		㎡	他（　　　㎡）

整　備　費　関　係　借　入　金　の　状　況

借　入　先	借　入　残　高	借入年月日	完済予定年	当　該　年　度　償　還　予　定　額	左の内訳	
					自　己　調　達	県、市補助金
独立行政法人福祉医療機構 そ　の　他 計	千円			千円	千円	千円

危　険　区　域　の　状　況

危険区域名	指定年月日	所管部（局）課・係名	防災対策の現状
			実施済、実施中、検討中、その他（　　　）
			実施済、実施中、検討中、その他（　　　）
			実施済、実施中、検討中、その他（　　　）
			実施済、実施中、検討中、その他（　　　）

移　転　先　用　地　の　状　況

移転先住所		移転先用地	確保済（自己所有、借地）、未確保

移　転　改　築　整　備　総　額

定　員	人	総事業費	千円	うち国庫補助額	千円	実施予定年　度	年度

移　転　改　築　の　必　要　性

移　転　先　の　立　地　条　件

○老朽民間児童福祉施設等の整備について

〔令和５年８月22日　こ成事第431号
各都道府県知事・各指定都市市長・各中核市市長・各児童相談所設置市市長・各市区町村長宛　こども家庭庁成育局長通知〕

社会福祉法人が設置する児童福祉施設等及び障害児施設等の老朽化に伴う改築整備（以下「老朽民間児童福祉施設等整備」という。）については、昭和38年度から年次計画によりその整備の促進を図っているところであるが、現在もなお、老朽の程度の著しい民間児童福祉施設等が相当数残されていることにかんがみ、引き続きその整備の促進を図っていくこととしており、この交付金の交付については、令和５年８月22日こ成事第431号こども家庭庁長官通知の別紙「次世代育成支援対策施設整備交付金交付要綱」（以下、「交付要綱」という。）によるほか、次によることとし、令和５年４月１日から適用することとしたので、社会福祉法人等に周知徹底を図るよう配慮願いたい。

なお、令和４年度以前に交付された交付金の取扱いについては、従前の例によるものとする。

1　老朽民間児童福祉施設等整備の趣旨

老朽民間児童福祉施設等整備は、老朽化が著しく火災等の災害の発生の危険性が大きいものなど入所者の防災対策上、万全を期し難いものについて、入所者の安全性を確保する必要があることから、これを促進するため、交付金の交付に当たって優先的に採択する。また、社会福祉法人がこの整備に係る費用を独立行政法人福祉医療機構から借り入れた場合、この借入金については利子を徴しないこととする。

2　老朽民間児童福祉施設等整備の対象施設

この整備の対象となるのは、社会福祉法人が設置する⑴に定める施設であって、⑵に定める期間内に整備するもの。

⑴　対象となる児童福祉施設等

（対象施設）

別表に掲げる「次世代育成支援対策推進法第11条第１項に規定する交付金に関する内閣府令（平成17年厚生労働省令第79号）第１条第２項」に規定される児童福祉施設等及び障害児施設等とする。

⑵　適用期間

令和３年度から令和７年度（５年計画）

3　対象事業

この整備の対象となる事業は、次のとおりである。

⑴　木造による施設の場合

別紙１に掲げる算定方法によって得た老朽度が当該各施設の居室について、別表の右欄に掲げる基準定員を満たす居室とするための施設の改築整備事業（１施設で２以上の建物（棟）がある場合には、個々の建物（棟）を単位としてその一部の改築を含む。以下同じ。）にあっては、5,500点以下をそれ以外にあっては4,500点以下のものを施設の改築整備事業とする。

⑵　ブロック造りによる施設の場合

施設が建設された年度から起算した当該施設の経過期間が申請年度において、トラスが鉄製のものについては30年、その他のものについては、25年を経過したもの、又は、別紙２に定めるところにより算定して得た現存率が70％以下のものとする。

⑶　鉄筋コンクリート造りによる施設の場合

施設が建設された年度から起算した当該施設の経過期間が申請年度において、50年を経過したもの、又は、別紙２に定めるところにより算定して得た現存率が70％以下のものとする。

4　交付基準

⑴　本体工事費

交付要綱の別表２及び別表６に定めるところによるものとする。

ただし、当該施設の用に供することのできる部分であって、３による対象事業とならない部分については、原則としてこれを控除する等の調整を行う。

⑵　その他の工事費

交付要綱の別表２及び別表６に定めるところによるものとする。

ただし⑴のただし書の規定により調整が行われる場合は、その他の工事費についてもこれに見合う調整を行うことがある。

なお、この対象とならない工事費等について一般整備の改築対象として認める場合もあるので別途協議すること。

5　独立行政法人福祉医療機構

老朽民間児童福祉施設等整備に要する資金の法人自己負担額の全部又は一部については、独立行政法人福祉医療機構において同機構の定める貸付基準に基づき融資する。

6　その他の取扱い

⑴　改築後転用を予定している施設又は利用率の低い施設については対象としないものであること。

⑵　対象とする施設は、社会福祉法人の設置に係るものであって、施設の経営実績、将来性及び当該法人の財源措置等が確実なものであること。

⑶　整備後の構造については、この整備の趣旨から耐火構造又は準耐火構造とする。

ただし、木造についても個別に認める場合もあるので、整備後の構造を木造で計画しているものについては個別に協議されたい。

別　表

次世代育成支援対策推進法第11条第１項に規定する交付金に関する内閣府令（平成17年厚生労働省令第79号）第１条第２項に規定される児童福祉施設等及び障害児施設等

施　設　種　別		基　準　定　員	
		定　員	基　準　定　員　の　内　容
児童福祉法	乳児院	—	児童福祉施設の設備及び運営に関する基準（昭和23年12月29日厚生省令第63号）
	母子生活支援施設	１世帯以下	
	保育所	—	
	児童養護施設	４人以下	
	児童心理治療施設	４人以下	
	児童自立支援施設	４人以下	
	福祉型障害児入所施設	４人以下（乳幼児のみの場合６人以下）	
	医療型障害児入所施設	—	

様式第2号　別紙1

木造社会福祉施設老朽度調査表

都道府県・市区町村名＿＿＿＿＿＿＿＿

（法人名） 施設名		建物の名称	
老朽度 A点×B点×C点（係数）＝＿＿＿＿点		調査員 職　名　　　氏　名	

	区分	a	点	b	点	c	点	d	点
A 構造耐力	① 基礎	布コンクリート造	15	布石積造、布レンガ造	10	壺石造、壺レンガ造、壺コンクリート造	5	堀立柱木杭基礎	0
	② 土台	15.2cm角以上	15	12.1cm角以上 15.2cm角未満	10	12.1cm角未満	5	土台なし	0
	③ 柱　2階以上の階を有する場合の1階の柱	15.2cm角以上［又は13.6cm角以上2本］	20	13.6cm角以上［又は12.1cm角以上2本］	15	12.1cm角以上	10	12.1cm角未満	0
	③ 柱　平家の場合の柱	13.6cm角以上［又は12.1cm角以上2本］		12.1cm角以上［又は10.6cm角以上2本］		10.6cm角以上		10.6cm角未満	
	④ 根継	ア　大部分（半数以上）の柱を根継ぎしたことがある。　本のうち　本　（乗率0.8） イ　小部分（半数未満）の柱を根継ぎしたことがある。　本のうち　本　（乗率0.9） ウ　根継ぎした柱はない。　（乗率1.0）							
	※評点 上記①～③の計（　　）点×④［0.8／0.9／1.0］＋50点＝（　　）点								

	区分	a	点	b	点	c	点	d	点
B	① 経過年数	5年未満	5	5年以上18年未満	3	18年以上30年未満	2	30年以上	0
	② 基礎の不同沈下	ない	6	ほとんどない	4	かなりある（見てわかる程度）	1	ひどい	0
	腐朽 ③ 外壁の土台	ほとんど腐っていない	7	少し腐っている	4	腐れがひどい	1	ほとんど腐っている	0
	腐朽 ④ 外壁の柱	ほとんど腐っていない	7	少し腐っている	4	腐れがひどい	1	ほとんど腐っている	0

保存度		ほとんど腐っていない		少し腐っている		腐れがひどい		ほとんど腐っている	
⑤梁（はり）		ほとんど腐っていない	5	少し腐っている	3	腐れがひどい	1	ほとんど腐っている	0
⑥柱 傾斜度	ア 梁行（はりゆき）	1cm未満	20	1cm以上2cm未満	15	2cm以上3cm未満	10	3cm以上	0
	イ 桁行（けたゆき）	180cm	20	180cm	15	180cm	10	180cm	0
⑦横架材 度	ウ 梁行（はりゆき）		15		10		5		0
	エ 桁行（けたゆき）	1cm未満 180cm	15	1cm以上2cm未満 180cm	10	2cm以上3cm未満 180cm	5	3cm以上 180cm	0

※評点
上記の計（　　　　）点

C 外力条件

a 海岸からの距離	b 積雪	c 地盤
① 海岸から8kmをこえる	① 毎年少ない（0～20cm未満）	① 普通
② 海岸から4kmをこえる8km以内	② 毎年かなりつもる（20～100cm未満）	② やや軟弱
③ 海岸から4km以内	③ 毎年ひどくつもる（100cm以上）	③ 軟弱

※評点（外力条件分類番号ａｂｃ）下記（附表）より

(附表)

係数	1.00	0.98	0.96	0.94	0.92	0.90	0.88	0.86	0.84	0.82	0.80
外力条件分類番号	①①①	②①①	①①② ①②① ③①①	②①② ②②①	①①③ ①②② ①③① ③①② ③②①	②①③ ②②② ②③①	①②③ ①③② ③①③ ③②② ③③①	②②③ ②③②	①③③ ③②③ ③③②	②③③	③③③

(注) 1　この調査表は、老朽施設と認められる建物ごと（棟別）に作成すること。
2　A及びB欄の記入は、各区分ごとに該当点数を○で囲み、それぞれの評点を所定欄に記入すること。

3　C欄は、a、b、cの各分類ごとに該当する事項の分類番号を組み合せにより附表から係数を求めて記入すること。

　なお、外力条件の地盤のうち「軟弱」とは、腐植土、泥土、沼土及び沼土等を埋めてから30年に満たないところであり、「やや軟弱」とは、軟弱地盤であるが、埋立ててから30年経過したもの又は地質的な原因で普通地盤より軟弱なものである。

4　傾斜度の測定法は、次によることとする。

(1)　柱の傾斜度は、もっとも傾斜のひどい柱の床上180cmの長さについて垂直線を基準にして測定すること。

(2)　横架材の傾斜度は、もっとも傾斜のひどい梁と桁のそれぞれ180cmの長さについて水平線を基準に測定すること。

5　本調査表の作成にあっては、1級建築士の資格を有し、責任ある者によるものとする。

別紙2

非木造社会福祉施設老朽度調査表

都道府県・市区町村名＿＿＿＿＿＿＿＿

(法人名)／施設名							建物の名称			
現存率　①×100　%			評点		老朽度		調査員　職名　氏名			
区分	構成	P	種類	N	各部現存率 内容	K 率	再建設指数 P×N	再建設指数調整値 R＝P×N／0.4	現存指数 K×R	現存率 Σ(K×R)／Σ(R)
構造		140	鉄骨・鉄筋コンクリート 鉄筋コンクリート ブロック造 鉄骨造 れんが造、石造	1.5 1.0 0.7 0.9 1.2						
	屋根	10	・アスファルト防水、コンクリート押えモルタル塗 ・アスファルト露出防水 ・モルタル防水 ・石綿スレート、かわら、銅板	1.7 1.0 0.5 0.4						
	外壁	25	・タイル（小口） ・モザイクタイル ・コンクリート打放し	1.4 1.0 1.0						

			・モルタル、リシン吹付	0.6						
主要部の仕上	内　　壁	20	・モルタル	1.0						
			・プラスター	0.8						
			・木製	0.7						
	天　　井	20	・吸音テックス	1.1						
			・ボード	1.0						
			・プラスター	0.8						
			・木製	0.7						
	床	20	・リノリウム	1.3						
			・プラスチックタイル	1.1						
			・アスファルトタイル（暗）	1.0						
			・モルタル	0.8						
			・木製	0.7						
	外部建具	35	・アルミサッシ（オーダー）	1.2						
			・アルミサッシ（既成）	1.0						
			・スチールサッシ	0.9						
			・木製	0.7						
	内部建具	10	・木製	1.0						
	小　　計									
設　　備	電灯設備等	20	・蛍光灯（300LX程度以上）	1.0						
			・蛍光灯（300LX程度以下）	0.8						
			・白熱灯	0.4						
	電線類その他	15	・ビニール被覆線	1.0						
			・ゴム被覆線	0.9						
	給排水その他	20	・水洗便所	1.0						
			・くみ取便所	0.4						
	暖　　房	40	・空気調和	1.9						
			・温風（ボイラー方式）	1.3						
			・温風（熱風炉式）	1.0						
			・その他	1.0						
	小　　計									

外力条件	25	別表による係数							
合計									①

各部現存率（K）

各部現存率Kの値	内容	値
	（構造）内容	
	1　損耗なし、又は、損耗の程度僅小	1.0，0.9
	2　中小亀裂、鋼材発錆（鉄骨造）、外力による小変形がみられるが耐力上影響が殆んどないもの	0.9，0.8，0.7
	3　損耗が進み、部分的補修、補強又は取替えを必要とするもの	0.7，0.6，0.5
	4　不同沈下による大亀裂、建物の傾斜、鉄筋被覆材の広範囲の脱落、発錆による主鋼材の断面欠損、その他により構造上大補強を必要とするもの	0.5，0.4，0.3
	5　構造上損耗著しく建替えを必要とするもの	0.3，0.2，0.1
	（仕上、設備）内容	
	1　損耗なし、又は損耗の程度僅小	1.0，0.9
	2　汚染及び損耗はある程度みられるが、機能上問題のないもの、又は極く小規模の補修を必要とするもの	0.9，0.8，0.7
	3　損耗が進み、部分的補修を必要とするもの	0.7，0.6，0.5
	4　相当部分で損耗が進み、機能低下が顕著であるが、部分補修が可能なもの	0.5，0.4，0.3
	5　損耗の程度著しく全面建替えを要するもの	0.3，0.2，0.1

外力条件（N）

a　海岸からの距離	b　積雪	c　地盤
①海岸からの距離が８kmをこえる ②海岸から４kmをこえる８km以内 ③海岸から４km以内	①毎年少ない（０～20cm未満） ②毎年かなりつもる（20～100cm未満） ③毎年ひどくつもる（100cm以上）	①普通 ②やや軟弱 ③軟弱

※率（外力条件分類番号ａｂｃ）下記（付表）により

率	1.00	0.98	0.96	0.94	0.92	0.90	0.88	0.86	0.84	0.82	0.80
	①①①	②①①	①①② ①②①	②①② ②②①	①①③ ①②②	②①③ ②②②	①②③ ①③②	②②③ ②③②	①③③ ③②③	②③③	③③③

現存率に基づく評点、老朽度

現存率	評点	老朽度	定義
50％以下	100点以上	特Ａ	特に緊急を要する
60　〃	90　〃	Ａ	緊急を要する
70　〃	80　〃	Ｂ	至急実施すべきである
—	70　〃	Ｃ	できるだけ早く実施した方がよい
—	60　〃	Ｄ	必要は認めるが急がなくてよい
—	50　〃	Ｅ	必要ない

（附表）													
	外力条件 分類番号			③①①		①③① ③①② ③②①	②③①	③①③ ③②② ③③①		③③②			

（注）１　この調査表は、老朽施設と認められる建物ごと（棟別）に作成すること。

２　各区分ごとの種類欄（N）は、該当するか所を○で囲むこと。

３　各部現存率欄（K）は、上の表より該当する内容項目を選定し、老朽度に応じた係数を選択すること（老朽度が大きいものほど係数は小さい。）。また、老朽の具体的な状況を記入すること。

４　外力条件は、ａ、ｂ、ｃの各分類ごとに該当する事項の分類番号を組み合せにより附表から係数を種類欄（N）及び各部現存率欄（K）に記入すること。

なお、外力条件の地盤のうち「軟弱」とは、腐植土、泥土、沼土及び沼土等を埋めてから30年に満たないところであり、「やや軟弱」とは、軟弱地盤であるが、埋立ててから30年経過したもの又は地質的な原因で普通地盤より軟弱なものである。

５　本調査表の作成にあっては、１級建築士の資格を有し、責任ある者によるものとする。

○次世代育成支援対策施設整備交付金における一部改築及び拡張に係る交付金の算定方法の取扱いについて

〔令和５年８月22日　こ成事第433号
各都道府県知事・各指定都市市長・各中核市市長・各児童相談所設置市市長・各市区町村長宛　こども家庭庁成育局長通知〕

注　令和５年12月19日こ成事第567号改正現在

標記の交付金の交付については、令和５年８月22日こ成事第370号こども家庭庁長官通知の別紙「次世代育成支援対策施設整備交付金交付要綱」（以下、「交付要綱」という。）によるもののほか、次によることとし、令和５年４月１日から適用することとしたので社会福祉法人等に周知徹底を図るとともに、この取扱いについて遺憾なきを期されたい。

なお、令和４年度以前に交付された交付金の取扱いについては、従前の例によるものとする。

1　一部改築

(1)　交付金算定の基本的な考え方

ア　定員１人当たり（１世帯当たり）の場合

定員１人当たり（１世帯当たり）の交付基礎点数に一部改築部分に係る定員数を乗じることにより、一部改築部分のみの交付金額を算定する。

ただし、一部改築部分に係る定員数が算定できない場合の定員数は次により算出することとする。

$$\text{一部改築に係る定員数}=\text{定員}\times\frac{\text{改築面積}}{\text{既存施設の総面積}}$$

（小数点以下切捨て）

イ　定員１人当たり（１施設当たり）の場合

１施設当たりの交付基礎点数に一部改築部分に係る割合を乗じることにより、一部改築部分のみの交付金額を算定する。一部改築部分に係る割合は次により算出することとする。

$$\text{一部改築に係る割合（％）}=100\times\frac{\text{改築面積}}{\text{既存施設の総面積}}$$

（小数点以下切捨て）

(2)　交付基礎点数の算定方法

ア　定員１人当たり（１世帯当たり）の場合

$$\text{交付基礎点数}=\text{定員１人当たり（１世帯当たり）交付基礎点数}\times\text{一部改築に係る定員数}$$

（小数点以下切捨て）

イ　定員１人当たり（１施設当たり）の場合

$$\text{交付基礎点数}=\text{１施設当たり交付基礎点数}\times\text{一部改築に係る割合}$$

（小数点以下切捨て）

(3)　交付金の算定方法

交付要綱の８に定めるところによるものとする。

(4)　その他

既存施設の一部を解体し撤去する場合における解体撤去工事費及び仮設施設整備工事費についても上記と同様の考え方により算出するものとする。

ただし、障害児施設等においては満額算定するものとする。

2　拡張

(1)　交付金算定の基本的な考え方

定員１人当たり（１世帯当たり）交付基礎点数に定員を乗じて得た額に現在の交付金算定面積に対する拡張対象面積の比率を乗じることにより、拡張部分のみに係る交付金額を算定する。

１施設当たりの交付基礎点数に現在の交付金算定面積に対する拡張対象面積の比率を乗じることにより、拡張部分のみに係る交付金額を算定する。

なお、拡張対象面積は次により算出することとする。

$$\text{拡張対象面積}=\text{現在の交付金算定面積}-\text{当時の国庫負担（補助）基準面積}$$

ただし、拡張する実面積が上記により算出した拡張対象面積を下回る場合には、実面積を拡張対象面積とする。

(2)　交付基礎点数の算定方法

ア　定員１人当たり（１世帯当たり）の場合

$$\text{交付基礎点数}=\text{定員１人当たり（１世帯当たり）交付基礎点数}\times\frac{\text{拡張対象面積}}{\text{現在の交付金算定面積}}\times\text{定員}$$

（小数点以下切捨て）

イ　定員１人当たり（１施設当たり）の場合

$$\text{交付基礎点数}=\text{１施設当たり交付基礎点数}\times\frac{\text{拡張対象面積}}{\text{現在の交付金算定面積}}$$

（小数点以下切捨て）

(3)　交付金の算定方法

交付要綱の８に定めるところによるものとする。

(4)　上記(1)から(3)の規定にかかわらず、小型児童館及び児童センターの拡張に係る交付基礎点数等については、以下のとおりとする。

①　小型児童館を児童センターとするため既存施設の延べ面積の増加を図る場合は、整備面積119㎡、交付基礎点数7483点（交付要綱８⑶に該当する事業は１万4966点）を限度とする。

②　既存の小型児童館及び児童センターにおいて、放課後児童健全育成事業を実施するため、延べ面積の増加を図る場合は、整備面積31.8㎡、交付基礎点数1997点（交付要綱８⑶に該当する事業は3994点）を限度とする。

③　既存の小型児童館又は児童センター（大型児童センターを除く。）で年長児童用設備を施設と一体的に整備する場合は、交付基礎点数に2243点（交付要綱８⑶に該当する事業は4486点）を加算する。

⑸　障害児施設等においては満額算定するものとする。

○次世代育成支援対策施設整備交付金における地域福祉の推進等を図るためのスペース（地域交流スペース）の整備について

〔令和５年８月22日　こ成事第435号
各都道府県知事・各指定都市市長・各中核市市長・各児童相談所設置市市長・各市区町村長宛　こども家庭庁成育局長通知〕

標記の交付金の交付については、令和５年８月22日こ成事第370号こども家庭庁長官通知の別紙「次世代育成支援対策施設整備交付金交付要綱」（以下、「交付要綱」という。）によるもののほか、次によることとし、令和５年４月１日から適用することとしたので社会福祉法人等に周知徹底を図るとともに、この取扱いについて遺憾なきを期されたい。

Ⅰ　地域に密着した独自の事業を実施するための地域交流スペースの整備

１　趣旨

児童福祉施設等及び障害児施設等が在宅福祉の推進を図るため、その機能を十分に発揮できるようにするため、地域に密着した独自の事業を実施するために必要なスペースをモデル的に整備する。

２　対象施設

地域に密着した独自の事業を実施し、または実施を予定している場合であって、このための専用スペースを整備する入所施設（個別にモデル施設として指定）。

３　補助対象

地域に密着した独自の事業を実施する上で必要な専用スペース

（例示）

・　ボランティアの情報交換の場・活動拠点等のスペース

・　地域の人々と入所者が交流するための談話等ができるスペース

・　家族・他施設入所者・地域の人々が入所者と泊まれる宿泊室

・　その他の地域に密着した独自の事業を実施するためのスペース等

Ⅱ　防災拠点型地域交流スペースの整備

１　趣旨

災害時における要援護者は、体育館等を活用して設置される通常の避難所では生活スペースを確保することや福祉サービスの提供を受けることが、極めて困難になることが多い。

このため、要援護者に対する処遇に関して専門的機能を有する児童福祉施設等及び障害児施設等において、被災要援護者の受入れが可能となる設備等を備えた防災拠点型地域交流スペースを整備し、災害時における要援護者の処遇の確保に資するものである。

２　対象事業

Ⅰの地域交流スペースの整備に併せて、災害時において避難生活が必要となった要援護者の受入れが可能となる設備等を備えたスペースを一体的に整備する事業。

３　その他

⑴　要援護者の緊急受入先である防災拠点として、地方公共団体が策定する地域防災計画に位置づけられるものであること。

⑵　要援護者の受入れに当たっては、必要な介護、物資等について、行政機関、社会福祉関係機関等との協力・支援体制をとっておくこと。

⑶　災害時において、要援護者30人程度が一時的に避難生活が可能なスペース及び設備の確保が図られること。

⑷　平常時には、多目的スペース等として、地域に密着した独自の事業を実施するためのスペースとして活用するものであるが、災害時には速やかに要援護者の受入体制が確立できる活用方法とすること。

Ⅲ　交付基礎点数（Ⅰ及びⅡ共通）

交付要綱の別表２に定めるところによるものとする。

○次世代育成支援対策施設整備交付金の繰越しによる事業内容の変更申請手続について

〔令和５年８月22日　こ成事第436号
各都道府県知事・各指定都市市長・各中核市市長・各児童相談所設置市市長・各市区町村長宛　こども家庭庁成育局長通知〕

次世代育成支援対策施設整備交付金の繰越しによる事業内容の変更申請手続については、令和５年８月22日こ成事第370号こども家庭庁長官通知の別紙「次世代育成支援対策施設整備交付金交付要綱」（以下「交付要綱」という。）により当該都道府県の区域を管轄する地方厚生局長（徳島県、香川県、愛媛県及び高知県にあっては四国厚生支局長、以下「地方厚生（支）局長」という。）に報告してその指示を受けなければならないとされているところであるが、今般、その報告及び指示の取扱いに当たっては次によることとしたので、社会福祉法人等に周知徹底を図るとともに、遺憾のないよう取り扱われたい。

1　対象となる事業

対象となる事業は、交付要綱に基づく次世代育成支援対策施設整備交付金の交付を受けた整備であって、当該交付金の交付を受けた会計年度内に完了することが困難となったため、交付要綱の11の(1)のエ及び(2)のウにより地方厚生（支）局長に報告してその指示を受けなければならない整備事業とする。

2　変更申請の手続き

(1)　事前の報告

交付要綱による交付金の交付を受けた会計年度内に整備事業が完了しないと認められたときは、交付金の歳出予算繰越手続きを進め、予算決算及び会計令（昭和22年勅令第165号）第24条に基づく繰越計算書（「繰越しを必要とする理由」を明記すること。）を財務省財務局（福岡財務支局、沖縄総合事務所を含む。以下同じ。）長あて送付したときは、速やかにその写しを添えて当該事業の地方厚生（支）局所管課長あて報告すること。

(2)　変更申請書の様式及び提出時期

財務省財務局長より交付金の歳出予算に係る翌年度への繰越しの承認があったときは、別紙の様式による変更申請書を当該繰越承認通知を受理した日から10日以内又は当該年度の３月31日のいずれか早い日までに地方厚生（支）局長に提出するものとする。

(3)　変更申請書提出後の報告

繰越額確定計算書を財務省財務局長あて送付したときは、速やかにその写しを添えて当該事業の地方厚生（支）局所管課長あて報告すること。

3　その他の留意事項

(1)　明許繰越しの必要が生じたときは、財政法（昭和22年法律第34号）第43条及びその他の法令に基づき、交付金の歳出予算繰越手続を財務省財務局との緊密な連絡のもとに、円滑に進めることとする。

(2)　前年度から繰越整備事業について、特別な事情により、更に繰越しが必要となると認められたときは、速やかに地方厚生（支）局長に報告してその指示を受けなければならないものとする。

別　紙

番　　　　　　　号
令和　　年　　月　　日

○○厚生（支）局長　殿

都道府県知事
指定都市市長
中核市市長
児童相談所設置市市長
市町村長

令和　　年度次世代育成支援対策施設整備交付金に係る
事業の事業内容変更承認申請について

令和　　年　　月　　日　　第　　　号で交付決定を受けた令和　　年度次世代育成支援対策施設整備事業については、極力、事業の進捗を図っているところであるが、年度内に事業完了が困難となったので、次のとおり事業内容の変更を承認願いたく申請する。

（別紙）

事業内容変更承認申請一覧表

事　項	施設の種別「施設の名称」	事業概要 施設の所在地 施設の設置主体及び経営主体 施設整備区分	（当初計画） 変更計画	既交付決定額 （a＋b）	支出済額 （a）	翌年度繰越額 （b）	事業完了予定年月日	繰越事由

（注）　事項ごとに次の書類を添付すること。
・繰越計算書（写）
・承認通知（写）

○余裕教室を活用した児童福祉施設等への改築整備の促進について

〔令和５年８月22日　こ成事第437号
各都道府県知事・各指定都市市長・各中核市市長・各児童相談所設置市市長・各市区町村長宛　こども家庭庁成育局長通知〕

標記の交付金の交付については、令和５年８月22日こ成事第437号こども家庭庁長官通知の別紙「次世代育成支援対策施設整備交付金交付要綱」(以下「交付要綱」という。)により行うこととされているが、今般、公立学校の余裕教室等を児童福祉施設等に転用する際の改築整備においては、次の取扱いによる場合も交付の対象とすることとし、令和５年４月１日より適用することとしたので、御配慮願いたい。

1　趣旨

児童福祉サービス等への需要の高まりに対応し、各種サービスの充実が図られているところであるが、そのための施設の確保に際しては、既存の社会資源の有効活用が重要な課題となっている。こうした観点から、公立学校の余裕教室等を活用し、児童福祉施設等への転用を推進するものである。

2　対象事業

公立学校の余裕教室等であって、３に定める児童福祉施設等への転用を行うに当たって必要な以下の事業

⑴　施設の一部改修

⑵　施設の附帯設備の改造

⑶　施設の模様替え

⑷　その他余裕教室の児童福祉施設等への転用に必要な工事

3　対象施設

余裕教室等を、次のいずれの事項にも該当する施設に転用する公立学校

⑴　次世代育成支援対策推進法第11条第１項に規定する交付金に関する内閣府令（平成17年厚生労働省令第79号）第１条第２項に規定される児童福祉施設等に転用する公立学校

⑵　「公立学校施設整備費補助金等に係る財産処分の承認等について」(平成20年６月18日20文科施第122号文部科学省大臣官房文教施設企画部長通知）に規定されている「報告事項」に該当する施設

4　実施主体

市町村

5　交付基礎点数

交付要綱の別表２に定めるところによるものとする。

○次世代育成支援対策施設整備（解体撤去工事費・仮設施設整備工事費）交付金に係る財産処分の取扱いについて

〔令和５年８月22日　こ成事第439号
各都道府県知事・各指定都市市長・各中核市市長・各児童相談所設置市市長・各市区町村長宛　こども家庭庁成育局長通知〕

「補助金等に係る予算の執行の適正化に関する法律」（昭和30年法律第179号。以下「適正化法」という。）第22条の規定による標記については、令和５年６月15日こ成事第331号、こ支虐第69号「こども家庭庁所管補助金等に係る財産処分について」（以下「財産処分承認基準通知」という。）によるほか、令和５年８月22日こ成事第424号本職通知の別紙「次世代育成支援対策施設整備（解体撤去工事費・仮設施設整備工事費）交付金実施要綱（以下「実施要綱」という。）に基づき、国の交付事業により取得した児童福祉施設等の解体撤去工事費が次世代育成支援対策施設整備（解体撤去工事費・仮設施設整備工事費）交付金の対象事業となる場合に限り、円滑な財産処分の手続きを進めるため、次によることとし、令和５年４月１日から適用することとしたので、了知の上、社会福祉法人等に周知徹底を図るよう配慮願いたい。

なお、令和４年度以前に交付された交付金の取扱いについては、従前の例によるものとする。

1　対象となる施設

対象となる施設は、財産処分承認基準通知において、包括承認事項に該当する場合を除き、国の交付事業により取得した児童福祉施設等及び障害児施設等（以下「交付財産」という。）であって、老朽化等による交付財産の解体撤去工事費が実施要綱に基づく次世代育成支援対策施設整備（解体撤去工事費・仮設施設整備工事費）交付金の対象事業となった施設とする。

2　承認申請書の提出時期

適正化法第22条に規定する交付財産の財産処分（取壊しに限る。以下同じ。）を行おうとする者は、財産処分承認申請書を令和５年８月22日こ成事第370号こども家庭庁長官通知の別紙「次世代育成支援対策施設整備交付金交付要綱」（以下「交付要綱」という。）の12に基づく解体撤去工事費に係る整備交付金の交付申請書の提出日又は解体撤去工事の着工予定日の１か月前のいずれか早い日までに当該都道府県の区域を管轄する地方厚生局長（徳島県、香川県、愛媛県及び高知県にあっては四国厚生支局長、以下「地方厚生（支）局長」という。）に提出するものとする。

3　財産処分の承認

財産処分は、交付金の交付決定書に併記された財産処分承認通知書をもって承認されるものである。

なお、財産処分の承認に当たっては、次の条件が付されるものであること。

(1)　都道府県又は指定都市、中核市若しくは市町村が事業を実施する場合

ア　本承認は、財産処分承認基準通知別添１の第３の１の(1)により行うものである。

イ　財産処分を完了したときは、１か月以内にその事実を証する書類を地方厚生（支）局長に提出すること。

(2)　都道府県又は指定都市、中核市若しくは市町村が民間の実施する事業に対し、交付する場合

ア　財産処分（取壊し）の承認に当たっては、設置者に対し次の条件を付さなければならない。

(ア)　本承認は、財産処分承認基準通知別添１の第３の２の(1)により行うものである。

(イ)　財産処分を完了したときは、１か月以内にその事実を証する書類を都道府県知事又は指定都市、中核市若しくは市区町村の長に提出しなければならない。

イ　アの(イ)により財産処分の完了報告を受けたときは、速やかに関係書類を添えて、地方厚生（支）局長に提出しなければならない。

4　仮設施設に係る財産処分の取扱い

実施要綱の３により仮設施設整備工事費の補助を受けた仮設施設について、交付要綱の12に基づく交付申請書に記載された期間を経過したものは、適正化法第22条に規定する財産処分の手続は要しないものとする。

○次世代育成支援対策施設整備（解体撤去工事費・仮設施設整備工事費）交付金に係る財産処分の手続等に関する留意事項について

〔令和５年８月22日　こ成事第421号
各都道府県・各指定都市・各中核市・各児童相談所設置市・各市区町村民生主管部(局)長宛　こども家庭庁成育局参事官（事業調整担当）通知〕

標記については、令和５年８月22日こ成事第424号こども家庭庁成育局長通知「次世代育成支援対策施設整備（解体撤去工事費・仮設施設整備工事費）交付金に係る財産処分の取扱いについて」（以下「局長通知」という。）により行うこととされたところであるが、なお次の事項について留意の上、遺漏のないよう御配慮願いたい。

1　財産処分の手続きについて

⑴　財産処分の協議

対象となる施設については、令和５年６月15日こ成事第331号、こ支虐第69号「こども家庭庁所管補助金等に係る財産処分について」（以下「財産処分承認基準通知」という。）において、包括承認事項に該当する場合を除き、毎年度の次世代育成支援対策施設整備協議書（いわゆる交付金協議書）に別紙の様式による財産処分協議書を添えて、当該都道府県の区域を管轄する地方厚生局（徳島県、香川県、愛媛県及び高知県にあっては四国厚生支局、以下「地方厚生（支）局」という。）に提出すること。

⑵　財産処分の承認内示

改築等に係る施設整備費の通知「次世代育成支援対策施設整備交付金の内示について」（いわゆる内示書）をもって、財産処分の承認内示があったものとして取り扱うこと。

したがって、財産処分の承認内示があった既存施設については、局長通知に定めるところにより財産処分の承認申請の上、解体撤去工事を実施して差し支えないこと。

⑶　財産処分の承認申請

財産処分の承認内示があったものについては、財産処分承認基準通知別添１の別紙様式１により財産処分承認申請書を局長通知に定める期限までに提出しなければならない。

なお、財産処分承認申請書の提出に当たっては、事務手続の簡素、合理化を推進するため、協議書に添付した資料の内容に変更がない場合は、添付資料を要しないものとする。

⑷　財産処分の承認

財産処分の承認については、局長通知に定めるとおり、施設整備費の交付決定通知書に併記された財産処分承認通知書又は交付決定通知依頼書に添付された財産処分承認通知書をもって承認されるものである。

2　継続事業の取扱い

施設整備事業が年度を越えて２か年以上にわたるときの財産処分の事務手続は、初年度の協議時に行うものとする。

別　紙

番　　　　　　　号
令和　　年　　月　　日

○○厚生（支）局長所管課長　殿

都道府県
市区町村　民生主管部（局）長

次世代育成支援対策施設整備交付金により取得した児童福祉施設等
（△△施設）に係る財産処分（取壊し）の協議について

標記について、令和５年８月22日こ成事第421号こども家庭庁成育局参事官（事業調整担当）通知「次世代育成支援対策施設整備（解体撤去工事費・仮設施設整備工事費）交付金に係る財産処分の手続等に関する留意事項について」に基づき、国の補助事業により取得した財産の財産処分（取壊し）をしたいので、関係書類を添えて協議します。

1　処分の種類　　取壊し

2　処分の概要

①補助事業者	②間接補助事業者（間接補助の場合のみ）	③施設名	④所在地

⑤施設（設備）種別	⑥建物構造	⑦処分に係る建物延面積	⑧建物延面積の全体	⑨定員
	造	㎡	㎡	名

⑩国庫補助相当額（処分に係る部分の額）	⑪国庫補助額全体	⑫総事業費	⑬国庫補助年度	⑭処分制限期間	⑮経過年数
円	円	円	年度	年	年

⑯処分の内容	⑰処分予定年月日

⑱評価額	⑲評価額の算出方法（いずれかに○）
円	定率法　・　定額法　・　不動産鑑定額

3　経緯及び処分の理由

4　承認条件としての納付金　（　有　無　）

・→無の場合　（次の承認基準の第３（国庫納付に関する承認基準）の該当項目に○）

　1　地方公共団体　　　　　⑴→（　②ア　　　②ウ　　　②エ　）

　2　地方公共団体以外の者　⑴→（　②ウ　　③　　⑤ア　　⑤イ　）

5　添付資料

・対象施設の図面（国庫補助対象部分、面積を明記したもの）及び写真

・交付決定通知書及び確定通知書の写し（保管されてない場合は交付額を確認できる決算書でも可）

・その他参考となる資料

（記入要領）
1　処分の概要
⑴　「⑤施設（設備）種別」には、交付額確定時の補助対象施設（設備）名又は補助事業に係る施設（設備）名（例：保育所）を記載すること。
⑵　「⑥建物構造」欄には、鉄骨鉄筋コンクリート、鉄筋コンクリート、ブロック造、鉄骨造、れんが造、石造等建物構造について記入すること。
⑶　「⑯処分の内容」欄には、次の例のように、財産処分の内容を簡潔に記載すること。
例：○○施設を取り壊し、□□施設（定員○名）に改築。
○○施設の一部を取り壊し、○○施設（定員○名）に改築。
⑷　「⑱評価額」欄には、不動産鑑定額又は残存簿価（減価償却後の額）を記載し、「⑲評価額の算出方法」欄では、当該評価額の算出方法等（定率法、定額法又は不動産鑑定額）を○で囲むこと。
3　経緯及び処分の理由
財産処分をするに至った経緯と理由を記載すること。
4　承認条件としての納付金
財産処分を承認するに当たり、納付金を国庫に納付する旨の条件が付される場合は「有」に、条件が付されない場合は「無」を○で囲むこと。
その上で、承認を求める財産処分が該当する承認基準中の該当項目の番号を○で囲むこと。
5　添付書類
⑴　対象施設の全部を譲渡又は貸付する場合には、対象施設の図面や写真は添付しなくても構わない。
⑵　間接補助事業については、施設設置者（間接補助事業者）からの財産処分承認申請書の写しを添付すること。
⑶　補助施設建設工事完了の検査済証、備品納品書、補助施設の事業廃止を証明する資料など、経過期間の確認ができる資料の写しを必ず添付すること。
⑷　その他参考となる資料については、適宜当該財産処分の内容や理由を補足する資料を添付すること。

○児童福祉施設整備の競争契約における最低制限価格制度の取扱いについて

〔令和５年８月22日　こ成事第419号
各都道府県・各指定都市・各中核市・各児童相談所設置市・各市区町村民生主管部(局)長宛　こども家庭庁成育局参事官（事業調整担当）通知〕

児童福祉施設等及び障害児施設等の整備を行うに当たっては、その適正な実施のため、令和５年８月22日こ成事第370号こども家庭庁長官通知の別紙「次世代育成支援対策施設整備交付金交付要綱」において、交付の条件として、地方公共団体以外の者が事業を行うために締結する契約については、一般競争入札に付するなど都道府県又は指定都市若しくは中核市が行う契約手続の取扱いに準拠しなければならないこととしているところであります。

しかしながら、過去、会計検査院において、児童福祉施設の競争契約における最低制限価格制度の運用状況についての検査が行われ、その結果、都道府県市の設定方法を参考にしないまま予定価格に対し著しく高率の最低制限価格を設定しているものがあった旨指摘がありました。

つきましては、児童福祉施設の整備事業のより一層の適正かつ経済的な執行を図るため、地方公共団体以外の者が、競争入札において最低制限価格を設定する必要がある場合は、その設定方法について下記のとおり取り扱われるよう、貴管内において交付事業を行う社会福祉法人等に対して、周知徹底方お願いいたします。

また、貴職におかれましては、最低制限価格制度の適用についても交付の条件として、厳格な審査及び指導を行われますようお願いいたします。

なお、下記取扱いが円滑に行われますよう、「社会福祉法人の認可等の適正化並びに社会福祉法人及び社会福祉施設に対する指導監督の徹底について」（平成13年７月23日雇児発第488号、社援発第1275号、老発第274号厚生労働省雇用均等・児童家庭局長、社会・援護局長、老健局長連名通知）に基づく法人からの入札前・契約締結時の報告に際しては、最低制限価格の設定状況についても必要な指導、確認を行われますようご配慮願います。

記

最低制限価格を設定する場合の具体的取扱い

(1)　最低制限価格の設定については、都道府県市が実施する公共工事等の契約手続きに準拠し、工事請負契約の内容に適合した履行を確保するために特に必要と認められる場合に設定できるものである。

(2)　交付事業等を行う社会福祉法人等が特に必要と認めて最低制限価格を設定する場合は、都道府県市が実施する公共工事等において最低制限価格を設定する際の算定方法に準じて算出した額とすること。

(3)　(2)による設定額を超える場合は、別途、合理的な設定根拠が求められるものであること。この場合、交付基準額を設定根拠とすることは合理的な根拠とは認められないこと。

○次世代育成支援対策施設整備交付金に係る契約の相手方等からの寄付金等の取扱いについて

〔令和５年８月22日　こ成事第420号
各都道府県・各指定都市・各中核市・各児童相談所設置市・各市区町村民生主管部(局)長宛　こども家庭庁成育局参事官（事業調整担当）通知〕

社会福祉法人が交付事業を行うために締結する契約については、令和５年８月22日こ成事第370号こども家庭庁長官通知の別紙「次世代育成支援対策施設整備交付金交付要綱」（以下「交付要綱」という。）において、交付の条件として、一般競争入札に付するなど都道府県、指定都市又は中核市若しくは市町村が行う契約手続きの取扱いに準拠しなければならないとされているところである。

児童福祉施設等及び障害児施設等の整備事業の相当部分が公費や独立行政法人福祉医療機構からの公的融資により賄われる事業であることにかんがみ、事業を行うために締結した契約の相手方等からの寄付金等の資金提供を受けることは、不当に資金の還流が行われているとの社会的疑惑の基となることから、その取扱いについては下記のとおりとし、令和５年４月１日より適用することとされたので、了知の上交付事業を行う社会福祉法人等に周知願いたい。

なお、社会福祉法人に対する寄付金については、他の通知等の規定によらず、交付金の交付に当たり、控除すべき寄付金とするので念のため申し添える。

記

1　次世代育成支援対策施設整備交付金の交付の条件として、地方公共団体以外の者（以下「社会福祉法人等」という。）が児童福祉施設等の整備事業を行うために締結する契約の相手方及びその関係者から寄付金等の資金提供を受けることを禁止する。ただし、共同募金会に対してなされた指定寄付金を除く。

2　契約の相手方及びその関係者とは、児童福祉施設等の整備事業を行うために社会福祉法人等と契約を締結した建設工事請負業者、備品納入業者及びその下請け業者とこれら業者の役員をいう。

3　寄付金等の資金提供を受けることを禁止するとは、金銭のみならず、有価証券全般についても受領することを禁止するもので、寄付目的などその使途を児童福祉施設等の整備事業に限るものではない。また、物品の寄付についても、時計、植樹等の記念品程度のものを除き、社会常識を超えるような高額な物品については禁止する。

4　社会福祉法人等が直接、寄付金等の資金提供を受けない場合であっても、次のような場合には実質的に資金提供があったものとみなされるものであり、禁止する。

⑴　社会福祉法人等に寄付を行う者が、契約の相手方及びその関係者から資金提供を受けること。

⑵　⑴以外の場合であっても、社会福祉法人等の理事、監事、評議員及び職員が契約の相手方及びその関係者から資金提供を受けること。

5　契約の相手方及びその関係者から寄付金等の資金提供を受けていた事実が判明した場合は、その金額を総事業費から差し引いた額を総事業費とみなし、過大に交付金を受給していた場合は、交付決定の一部を取り消し、過大受給した交付金の返還を求めることとする。

○就学前教育・保育施設整備交付金の配分基礎額の算定方法等について

〔令和５年８月22日　こ成事第468号
各都道府県・各指定都市・各中核市・各市区町村民生主管部(局)長宛　こども家庭庁成育局参事官（事業調整担当）通知〕

就学前教育・保育施設整備交付金交付要綱（令和５年８月22日付こ成事第466号こども家庭庁長官通知）の８(3)における、配分基礎額の算定方法について別添１のとおり、算定に用いる単価について別添２のとおり定めたので通知する。

ついては、就学前教育・保育施設整備交付金に係る令和５年４月１日以降の配分基礎額の算定は、これにより実施されたい。

あわせて、令和５年度の建築単価について別添３のとおり定めたので通知する。

別添１

就学前教育・保育施設整備交付金の配分基礎額の算定方法

１　配分基礎額を算定する際の基礎となるこども家庭庁長官が必要と認める面積等及び１㎡当たりの建築の単価等は、事業区分ごとに表１に定める面積種別及び単価種別に基づき、それぞれ算定する。また、表２の事業区分を表１の改築及び長寿命化改良事業に併せて実施する場合については、表２に定める面積種別及び単価種別に基づきそれぞれ算定し、配分基礎額に加える。

表１

項	事業区分			面積種別	単価種別
1	構造上危険な状態にある建物の改築			①　改築面積	①　改築単価
2	長寿命化改良事業	長寿命化事業		④　老朽面積※１	④　老朽単価※１
		予防改修事業		⑩　その他面積	⑩　その他単価
3	不適格改築			①　改築面積	①　改築単価
4	津波移転改築			①　改築面積	①　改築単価
5	補強			③　補強面積	③　補強単価
6	大規模改造（質的整備）	ア　教育内容及び方法の多様化等に適合させるための建物の内部改造に係る工事		⑤　内部改造面積	④　老朽単価※１
			トイレ改修		⑤　トイレ単価
			内部環境改善	⑩　その他面積	⑩　その他単価※２
		イ　法令等に適合させるための施設整備工事		⑩　その他面積	⑩　その他単価
		ウ　空調設置工事		⑥　空調面積	⑥　空調単価
		エ　バリアフリー化等施設整備工事		⑦　バリアフリー化等面積	⑦　バリアフリー化等単価※５
		オ　防犯対策施設整備工事		⑧　防犯対策面積	⑧　防犯対策単価
		カ　その他こども家庭庁長官が特に認めるもの		⑩　その他面積	⑩　その他単価
7	屋外教育環境の整備に関する事業			⑨　屋外教育環境面積	⑨　屋外教育環境単価
8	認定こども園の園舎の新増築			②　新増築面積	②　新増築単価
9	公害	ア　改築		①　改築面積	①　改築単価

		イ　公害防止工事	⑥　空調面積	⑥　空調単価
10	火山	ア　改築	①　改築面積	①　改築単価
		イ　降灰防除工事	⑥　空調面積	⑥　空調単価
11	防災機能の強化に関する事業		⑩　その他面積	⑩　その他単価
12	太陽光発電等の整備に関する事業	太陽光発電	⑪　太陽光発電面積	⑪　太陽光発電単価
		風力発電、太陽熱利用、蓄電池※３	⑩　その他面積	⑩　その他単価
		地中熱利用※４、雪氷熱利用※４、小水力発電※４		

※１　長寿命化改良事業のうち長寿命化事業、大規模改造（教育内容）の中で行う質的整備に要する経費は、第６項大規模改造（質的整備）の各号の例により算定することができる。ただし、事業計上については長寿命化事業、大規模改造（教育内容）としてまとめること。

※２　大規模改造（質的整備）のうち、「ア　教育内容及び方法の多様化等に適合させるための内部改造に係る工事（内部環境改善）」の中で行う空調設置に要する経費は、「ウ　空調設置工事」の例により算定する。

※３　太陽光発電単価には蓄電池に係る経費が含まれていないため、太陽光発電新設に併せて蓄電池を設置する場合蓄電池のみ⑩その他単価の例により算定する。

※４　設計一次エネルギー消費量を基準一次エネルギー消費量から50％以上削減できる建物に整備するものに限り対象とする。

※５　エレベーター整備に伴う増築整備に必要な経費は、②新増築単価の例により算定した単価とする。

表２

事業区分	面積種別	単価種別
施設の解体及び撤去	⑩　その他面積	⑩　その他単価

２　面積種別ごとの面積等の算定方法は以下による。

○共通事項

・建物の面積は「公立学校施設費国庫負担等に関する関係法令等の運用細目」（平成18年７月13日付け18文科施第188号文部科学大臣裁定。以下「運用細目」という。）第１―10により算出した面積とする。

・必要面積及び保有面積は運用細目の幼稚園における取扱いと同様のものとする。

・幼保連携型認定こども園について、子ども・子育て支援法（平成24年法律第65号）第19条第１項第１号に該当する子ども（以下「１号認定子ども」という。）及び同法同条同項第２号に該当する子ども（以下「２号認定子ども」という。）の数の総園児数に占める割合を、幼児教育に必要な「幼稚園施設相当割合」として取り扱うこととし、面積等の算出においては、幼稚園施設相当割合を乗じて幼稚園施設相当部分のみの面積等を対象とする。なお、整備箇所に保育所施設相当部分が含まれない場合は、この限りではない。

①　改築面積

・次に掲げる面積のうちいずれか少ない面積からイに掲げる面積のうち危険でない部分の面積を控除して得た面積とする。

ア　改築後の当該施設の予定学級数に応ずる必要面積（当該施設に在籍する満三歳以上の園児に対する保育のための専用の空間を設ける施設にあっては、当該面積に、運用細目第４―１⑴の注３に定めのある加算面積を加えた面積）

イ　改築を行う年度の５月１日における保有面積

・整備箇所に保育所施設相当部分が含まれる場合は、以下のとおり算出した幼稚園施設相当部分のみの面積を対象とする。

・保有面積×幼稚園施設相当割合＞必要面積の場合

必要面積が保有面積に幼稚園施設相当割合を乗じた面積よりも小さい場合は、改築後の必要面積から、危険でない部分の面積に幼稚園施設相当割合を乗じた面積を控除した面積とする。

・保有面積×幼稚園施設相当割合≦必要面積の場合

必要面積が保有面積に幼稚園施設相当割合を乗じた面積よりも大きい場合は、保有面積から危険でない部分の面積を控除した面積に幼稚園施設相当割合を乗じた面積とする。

②　新増築面積

・アからイを控除して得た面積とする。

ア　新築又は増築後の当該施設の予定学級数に応ずる必要面積（当該施設に在籍する満三歳以上の園児に対する保育のための専用の空間

を設ける施設にあっては、当該面積に、運用細目第4―1⑴の注3に定めのある加算面積を加えた面積）

イ　新築又は増築を行う年度の5月1日における保有面積

・整備箇所に保育所施設相当部分が含まれる場合は、新増築を行う面積のうち、幼稚園施設相当部分として、必要面積から保有面積に幼稚園施設相当割合を乗じた面積を控除した面積を対象とする。

③　補強面積

・補強面積は補強を要する建物の面積とする。

④　老朽面積

・老朽面積は、改修を実施する建物の面積とする。

・棟を2か年以上で分割して改修する場合は、当該年度の改修面積を配分基礎面積に記載する。

⑤　内部改造面積

・内部改造面積は、改造工事を実施する部分の床面積の計とする。

⑥　空調面積

・空調設置工事の対象となる室等の床面積の計とする。

・公害防止工事に係る二重窓、壁遮音、天井吸音等の騒音防止工事及び気密建具、空気清浄機等の大気汚染防止工事又は降灰防除工事に係る戸及び窓枠の防じん工事は、⑩その他面積の例により算定する。

⑦　バリアフリー化等面積

・バリアフリー化等施設の整備のうちエレベーターの整備は、設置箇所数とする。

・バリアフリー化等施設の整備のうちエレベーター整備に伴う増築整備は、エレベーター棟等の設置のために必要最低限な床面積とする。

・バリアフリー化等施設の整備のうち自動ドア、スロープ、バリアフリートイレ等の整備は、⑩その他面積の例により算定する。

⑧　防犯対策面積

⑴　管理諸室等の配置換え

・防犯対策面積は配置換え工事を実施する部分の床面積の計とする。

⑵　門、囲障整備

・正門設置箇所数、通用門設置箇所数及び囲障長さをそれぞれ算出する。

⑶　防犯監視装置、非常通報装置等整備

・防犯監視装置、非常通報装置等の整備は、⑩その他面積の例により算定する。

⑨　屋外教育環境面積

・屋外教育環境の整備のうち屋外運動場の整備面積は当該工事を実施する部分の土地面積とする。

⑩　その他面積

・その他面積の算定は、都道府県等において公共工事等に使用されている積算基準を参考とし、事業箇所の実情に即して算定する。

⑪　太陽光発電面積

・太陽光発電面積は、太陽光発電設備の設備容量（ｋＷ）とする。設備容量は、設置する全ての太陽光発電パネルの公称最大出力の合計値とし、小数第2位を四捨五入する。

3　単価種別ごとの単価等の算定方法は以下による。

①　改築単価

・改築単価は、建物・構造の種類別に定める建築単価に加算単価を加えた額とする。

・加算単価は、建築単価に2.5／100（加算率）を乗じて算定する。ただし、表2―1の⑴欄の区分に該当する事業については、2.5／100に⑵欄の特別加算率を加えた値を加算率として加算単価を算定する。その結果、100円未満の端数が生じた場合は、この端数を四捨五入する。

改築単価＝建築単価＋加算単価

加算単価＝建築単価×（2.5／100＋特別加算率）

表2―1　特別加算額

⑴　区分	⑵　特別加算率
A　豪雪地帯対策特別措置法（昭和37年法律第73号）第2条第2項の規定に基づき指定された特別豪雪地帯に所在する場合	5／100
B　へき地教育振興法施行規則（昭和34年文部省令第21号）第3条に基づく1級から5級のへき地学校の場合	5／100
C　離島振興法（昭和28年法律第72号）第2条の規定に基づき指定された離島振興対策実施地域に所在する場合	10／100 （表2―2に掲げる特定の離島については、その加算率とする）
D　奄美群島振興開発特別措置法（昭和29年法律第189号）第1条に規定する区域に所在する場合	35／100
E　小笠原諸島振興開発特別措置法（昭和44年法律第79号）第4条に規定する区域に所在する場合	121／100

F　公害（環境基本法（平成５年法律第91号）第２条第３項の公害をいう。）の被害校の建物で教育環境上著しく不適当なものの改築を行う場合	８／100
G　エコスクール・プラス実施要項（令和４年１月28日付け３文科施第376号）に基づく認定校で、当該新増改築事業の実施に際しこども家庭庁の支援措置に該当する場合	８／100
H　地域材を利用した木造建物の場合	５／100
I　国土強靱化地域計画を策定済みの場合 国土強靱化地域計画を策定していない場合	３／100 △３／100
J　その他こども家庭庁長官が特別に認める場合	こども家庭庁長官が認める率
備考 １　当該事業がAからEまでの区分の２以上に重複して該当する場合においても、重複して特別加算率を加えられない。 ２　１に掲げる区分以外に重複して該当する場合は、特別加算率を加えられる。 ３　Gについては新増改築事業のみを対象とする。長寿命化事業など、④老朽単価を使用する事業でこども家庭庁の支援措置に該当する場合の加算は④老朽単価にて別途加算する。	

表２—２　特定の離島の加算率

地域名	離島名	加算率	地域名	離島名	加算率	地域名	離島名	加算率
北海道	奥尻島	25/100	中　国	隠岐諸島	22/100	沖　縄	宮古島	14/100
	利尻島	30/100	四　国				石垣島	15/100
	礼文島	30/100	九　州	五島列島	19/100		八重山列島	30/100
関　東	大島	17/100		対　馬	24/100		大東諸島	48/100
	八丈島	61/100		壱　岐	17/100			
	上記以外の伊豆諸島	50/100		大隅諸島	25/100			
備考　これらの離島と立地条件等が近似している近隣諸島を含む。								

②　新増築単価

・新増築単価は、①改築単価の例により算定した単価とする。

③　補強単価

・補強単価は、一般補強単価とする。ただし、表２—１の⑴欄のAからE、I及びJの区分に該当する事業については、一般補強単価に⑵欄の特別加算率を乗じて得た加算単価を加えた額を補強単価とする。その結果、100円未満の端数が生じた場合は、この端数を四捨五入する。

・軽量プレキャストコンクリート造屋根（PCa屋根）を用いた建物に係る補強単価は、⑩その他単価の例により算定した単価とすることができる。

補強単価＝一般補強単価＋加算単価

加算単価＝一般補強単価×特別加算率

④　老朽単価

・老朽単価は、①改築単価の例により算定した単価に改修比率を乗じて得た単価とする。その結果、100円未満の端数が生じた場合は、この端数を四捨五入する。

・改修比率は、建物の種類別に定める改修比率算定表により、当該事業の改修内容に基づき算定する。

・改修比率算定表における①改修範囲の割合(％)は、老朽面積を用いる事業についてはそれぞれの工種について棟全体に対して改修を実施する割合、内部改造面積を用いる事業についてはそれぞれの工種について室全体に対して改修を実施する割合を算出する。

・なお、①改修範囲の割合(％)は改修比率算定表中の割合区分に限らず上記のとおり算出した割合を用いることも可能とする。

・長寿命化改良事業以外の事業に係る園舎の改修比率算定表は別表１、長寿命化改良事業に係る園舎の改修比率算定表は別表２を適用する。

・改修比率算定表の単価構成割合には改修時の既存仕上げ等の撤去費用を含む。改修と併せて実施する面積減等を伴う解体及び撤去については表２にて算定する。

老朽単価＝改築単価×改修比率

・エコスクール・プラス実施要項（令和４年１月28日付け３文科施第376号）に基づく認定校で、新増改築事業ではなく長寿命化事業の実施に際しこども家庭庁の支援措置（表２—１　特別加算額のG、いわゆる「ZEB８％加算」）に該当する場合は以下のとおり、建築単価に８/100を乗じた単価を老朽単価に加算することとする。

老朽単価（ZEB８％加算）＝老朽単価＋建築単価×８/100

⑤　トイレ単価

・トイレ単価は、一般トイレ単価とする。ただし、表２―１の⑴欄のＡからＥ、Ｉ及びＪの区分に該当する事業については、一般トイレ単価に⑵欄の特別加算率を乗じて得た加算単価を加えた額をトイレ単価とする。その結果、100円未満の端数が生じた場合は、この端数を四捨五入する。

トイレ単価＝一般トイレ単価＋加算単価

加算単価＝一般トイレ単価×特別加算率

⑥　空調単価

・空調単価は、EHP、EHP(受電設備改修有り)、GHPの内から整備内容に応じて選択する。ただし、表２―１の⑴欄のＡからＥ、Ｉ及びＪの区分に該当する事業については、 EHP若しくはEHP(受電設備改修有り)、又はGHPに⑵欄の特別加算率を乗じて得た加算単価を加えた額を空調設備単価とする。その結果、100円未満の端数が生じた場合は、この端数を四捨五入する。

・なお、 EHPは全電気式の空調機全般を指し、GHPはガス駆動式の空調機全般を指すものとする。また、受電設備改修有りとは、空調機設置工事に伴って受電容量の増設を目的とした受電設備の改修工事を実施する事業を指すものとする。

・原則として、EHP(受電設備改修有り)及びGHP以外の空調設備はEHPに含むものとする。

・空調単価は、空調設備の整備に伴い必要となる経費である。

・公害防止工事に係る二重窓、壁遮音、天井吸音等の騒音防止工事の経費、気密建具、空気清浄機等の大気汚染防止工事の経費又は降灰防除工事に係る戸及び窓枠の防じん工事の経費については、⑩その他単価の例により算定する。

空調設備単価＝EHP若しくはEHP(受電設備改修有り)、又はGHP＋加算単価

加算単価＝EHP若しくはEHP(受電設備改修有り)、又はGHP×特別加算率

⑦　バリアフリー化等単価

・バリアフリー化等施設の整備のうちエレベーターの整備に必要な経費は、エレベーター整備単価とし、一般エレベーター設置単価により算出する。ただし、表２―１の⑴欄のＡからＥ、Ｉ及びＪの区分に該当する事業については、一般エレベーター設置単価に⑵欄の特別加算率を乗じて得た加算単価を加えた額とする。その結果、100円未満の端数が生じた場合は、この端数を四捨五入する。

・バリアフリー化等施設の整備のうちエレベーター整備に伴う増築整備に必要な経費は、②新増築単価の例により算定した単価とする。

・バリアフリー化等施設の整備のうち自動ドア、スロープ、バリアフリートイレ等の経費は、⑩その他単価の例により算定する。

エレベーター整備単価＝一般エレベーター設置単価＋加算単価

加算単価＝一般エレベーター設置単価×特別加算率

⑧　防犯対策単価

・防犯対策施設の整備のうち管理諸室等の配置換えに伴い必要な経費は、④老朽単価の例により算定する。

・防犯対策施設の整備のうち門、囲障の整備に必要な経費は、門、囲障整備単価とし、正門基準単価、通用門基準単価及び囲障基準単価により算出する。ただし、表２―１の⑴欄のＡからＥ、Ｉ及びＪの区分に該当する事業については、正門基準単価、通用門基準単価及び囲障基準単価に⑵欄の特別加算率を乗じて得た加算単価を加えた額とする。その結果、100円未満の端数が生じた場合は、この端数を四捨五入する。

・防犯対策施設の整備のうち防犯監視装置、非常通報装置等の経費は、⑩その他単価の例により算定する。

門、囲障整備単価＝正門基準単価、通用門基準単価及び囲障基準単価＋加算単価

加算単価＝正門基準単価、通用門基準単価及び囲障基準単価×特別加算率

⑨　屋外教育環境単価

・屋外教育環境の整備のうち屋外運動場の整備に必要な経費は、屋外運動場整備単価とし、一般屋外運動場単価により算定する。ただし、表２―１の⑴欄のＡからＥ、Ｉ及びＪの区分に該当する事業については、一般屋外運動場単価に⑵欄の特別加算率を乗じて得た加算単価を加えた額とする。その結果、100円未満の端数が生じた場合は、この端数を四捨五入する。

屋外運動場整備単価＝一般屋外運動場単価＋加算単価

加算単価＝一般屋外運動場単価×特別加算率

⑩　その他単価

・その他単価の算定は、都道府県等において公共工事等に使用されている積算基準を参考とし、事業箇所の実情に即して算定する。なお、単価の算定に当たり、基本設計及び実施設計に要する経費を含むものとする。

⑪　太陽光発電単価

・太陽光発電単価（円／ｋＷ）は、容量別に定める太陽光発電単価とする。ただし、表２―１の⑴欄のＡからＥ、Ｉ及びＪの区分に該当する事業については、太陽光発電単価に⑵欄の特別加

算率を乗じて得た加算単価を加えた額を太陽光発電単価とする。その結果、100円未満の端数が生じた場合は、この端数を四捨五入する。

・太陽光発電パネルを分割して設置する場合は、事業全体の設備容量の合計値に応じた単価を用いて算定する。

太陽光発電単価＝容量別太陽光発電単価＋加算単価

加算単価＝容量別太陽光発電単価×特別加算率

別表１　改修比率算定表【園舎】

工　種		①　改修範囲の割合（％）					②　単価構成比率（％）	③　改修比率 ①×②（％）
		（なし）	（一部分）	（半分）	（大部分）	（全面）		
建築	防水	0	25	50	75	100	2.8	
	外装	0	25	50	75	100	2.7	
	内装	0	25	50	75	100	20.4	
	建具（外部）	0	25	50	75	100	7.6	
	建具（内部）	0	25	50	75	100	2.1	
電気設備		0	25	50	75	100	8.8	
機械設備		0	25	50	75	100	14.7	
昇降機		0	25	50	75	100	1.8	
全面改修		――					60.9	

※機械設備に空調設備を含むものとする。

別表２　長寿命化改良事業に係る改修比率算定表【園舎】

工　種		①　改修範囲の割合（％）					②　単価構成比率（％）	③　改修比率 ①×②（％）
		（なし）	（一部分）	（半分）	（大部分）	（全面）		
建築	防水	0	25	50	75	100	2.8	
	外装	0	25	50	75	100	2.7	
	内装	0	25	50	75	100	20.4	
	建具（外部）	0	25	50	75	100	7.6	
	建具（内部）	0	25	50	75	100	2.1	
電気設備		0	25	50	75	100	8.8	
機械設備		0	25	50	75	100	14.7	
昇降機		0	25	50	75	100	1.8	
長寿命化				100			5.9	
全面改修		――					66.8	

※機械設備に空調設備を含むものとする。

別添２

（北海道）

①　改築単価

・建築単価は、別添３による。

③　補強単価

・一般補強単価は、42,000円／㎡とする。

・一般補強単価には、以下の経費を含む。

(1)　柱、壁及び梁等の補強又は増設に必要な工事

(2)　庇、窓、天井、屋上防水工事及び塔屋の徹

去・付替等の耐震性能の向上に資するために行う工事

⑶　上記⑴及び⑵の工事に伴い必要となる内外装、建具、設備及び電気等の工事

⑷　上記⑴及び⑵の工事に伴い低下する室内外環境条件を回復するために必要となる照明設備、換気設備、空調設備の取替・新増設及び内外装の補修・変更等の工事

⑸　上記⑴及び⑵の工事に伴い必要となる室等の変更のための工事

⑹　補強工事の実施に伴い必要となる仮設建物工事

⑺　その他特に必要と認められる工事

⑻　耐震診断費（耐震補強計画を含む。）・耐力度調査費

⑤　トイレ単価

・一般トイレ単価は、400,200円／㎡とする。

⑥　空調単価

・EHPは、30,100円／㎡とする。

・EHP（受変電改修有り）は、35,500円／㎡とする。

・GHPは、35,500円／㎡とする。

・空調設備及びそれを設置するのに必要な取付費

⑦　バリアフリー化等単価

・一般エレベーター設置単価は以下による。

一般エレベーター設置単価

＝基本工事費＋（停止階数－5）×停止1箇所当たりの補正金額

基本工事費（5箇所停止）　21,432,800（円／箇所）

（身障者用付加仕様、地震管制運転を含む）

停止1箇所当たりの補正金額　760,800（円／階）

⑧　防犯対策単価

・正門基準単価、通用門基準単価及び囲障基準単価は以下による。

正門基準単価　　2,064,800（円／箇所）

通用門基準単価　759,200（円／箇所）

囲障基準単価　　32,600（円／m）

・以上の単価を用いて配分基礎額は下記のように算定する。

正門設置箇所数×（正門基準単価＋加算単価）＋通用門設置箇所数×（通用門基準単価＋加算単価）＋囲障設置延長×（囲障基準単価＋加算単価）

⑨　屋外教育環境単価

・一般屋外運動場単価は、7,900円／㎡とする。

・表面舗装（又は芝張り）、表面排水、暗渠排水を一体的に整備するのに必要な経費

⑪　太陽光発電単価

・太陽光発電単価は、容量別に以下による。

0kWを超え20kW以下は、1,219,700円／kW

20kWを超え30kW以下は、1,073,500円／kW

30kWを超え40kW以下は、1,005,100円／kW

40kWを超え50kW以下は、967,500円／kW

50kWを超え100kW以下は、931,300円／kW

100kWを超える場合は、886,200円／kW

別添3

令和5年度建築単価一覧

（北海道）

建物区分	構造	建築単価（円／㎡）
園舎	R・W	284,500
	S	260,100

○公立学校施設整備費補助金等に係る財産処分の承認等について

〔平成20年6月18日　20文科施第122号
各都道府県教育委員会教育長宛　文部科学省大臣官房文教
施設企画部長通知〕

公立学校施設整備費補助金等（下記1に掲げるもので、以下「補助金等」という。）の交付を受けて取得し、又は効用の増加した財産を補助金等の交付の目的に反して使用し、譲渡し、交換し、貸し付け、担保に供し、又は取り壊すこと等（以下「財産処分」という。）を行うに当たっては、「補助金等に係る予算の執行の適正化に関する法律」（昭和30年法律第179号。以下「適正化法」という。）第22条の規定により、同法施行令第14条第1項に定める場合を除き、文部科学大臣の承認（以下「承認」という。）が必要となります。

この承認については、従来「公立学校施設整備費補助金等に係る財産処分の承認等について」（平成19年3月28日付け18文科施第601号文部科学省大臣官房文教施設企画部長通知）により取り扱ってきたところですが、近年における急速な少子高齢化の進展、産業構造の変化等の社会経済情勢の変化に対応するとともに、既存ストックを効率的に活用した地域活性化を図るため、承認手続等の一層の簡素化及び弾力化を図ることとし、今般「文部科学省一般会計補助金等に係る財産処分承認基準について」が別添1のとおり定められました。

ついては、従来の取扱いを改正し、学校の統廃合等に伴う財産処分手続を弾力化し、廃校施設等の有効活用を促進することとしました。平成20年6月1日以降はこの承認基準を踏まえた上で、下記により取り扱うこととしますので、このことを域内の市区町村に周知し、廃校施設等の有効活用を積極的に図っていただくことをお願いします。

なお、本財産処分を行う場合には、補助金等の趣旨に鑑み、設置者においては、当該財産処分により学校施設に不足が生じないこと、児童生徒等の安全及び教育環境への配慮が十分に行われていることなど学校教育の円滑な実施に支障が生じるものではないことをあらかじめ確認するとともに地域住民の理解を得るように努められるよう十分配慮願います。

記

1　対象となる補助金

(1)　公立学校施設整備費補助金（施設助成課、初等中等教育局教育課程課及び幼児教育課所管分で、特定市町村公立小中学校規模適正化特別整備事業を除く。）

(2)　公立学校施設整備費負担金（施設助成課所管分）

(3)　安全・安心な学校づくり交付金（施設助成課及び初等中等教育局幼児教育課所管分）

(4)　新産業都市等事業費補助率差額及び首都圏近郊整備地帯等事業補助率差額（施設助成課及び初等中等教育局幼児教育課所管分）

(5)　公立諸学校建物其他災害復旧費補助金

(6)　公立諸学校建物其他災害復旧費負担金

2　承認手続

(1)　申請手続

適正化法第22条の規定に基づき、財産処分を行おうとする場合には、別紙様式1の「公立学校施設整備費補助金等に係る財産処分承認申請書」を文部科学大臣に提出し、承認を得るものとする。

なお、放課後や休日等を利用し、学校教育に支障を及ぼさない範囲において一時的に学校教育以外の用に供するなどの場合には、財産処分には該当せず、手続は不要である。

(2)　承認後の変更

承認を得た後、当該財産処分の内容と異なる処分を行おうとする場合、又は当該財産処分の承認に付された条件を満たせなくなった場合には、当該処分の内容に応じ、文部科学大臣に対し改めて必要な手続を行うものとする。

ただし、4(2)に規定する納付金（ただし書きを除く。）を国庫に納付した場合は、この限りでない。

(3)　経由機関

市区町村が本通知により申請書又は報告書を提出しようとする場合には、都道府県教育委員会を経由して提出するものとする。

3　承認とみなす事項（包括承認事項）

2(1)にかかわらず、次の事項に該当する財産処分については、文部科学大臣の承認があったものとみなす。（ただし、学校施設に不足が生じる場合は、この限りではない。）

(1)　報告事項

次に掲げる財産処分であって、別紙様式2の「公立学校施設整備費補助金等に係る財産処分報告書」を文部科学大臣に提出した場合。

ただし、この報告書において、記載事項の不備など必要な要件が具備されていない場合は、この限りではない。

① 国庫補助事業完了後10年以上経過した、建物並びにこれに付随する建物以外の工作物及び設備（以下「建物等」という。）の無償による財産処分（関係法令の規定に反しない取扱いが必要。）

② 別表１「報告事項一覧」に掲げる財産処分

③ 国庫補助事業完了後10年未満の、建物等の無償による財産処分で、市町村の合併の特例に関する法律（昭和40年法律第６号）に規定する市町村建設計画、又は市町村の合併の特例等に関する法律（平成16年法律第59号）に規定する合併市町村基本計画に基づくもの。

(2) 交付決定事項

次の事項に該当する財産処分であって、当該建物の新増改築事業に係る交付決定があった場合。

① 公立学校施設費国庫負担金等に関する関係法令等の運用細目（平成18年７月13日18文科施第188号文部科学大臣裁定。以下「運用細目」という。）第１の47に定める構造上危険な状態にある建物（以下「危険建物」という。）の取壊し

② 危険建物に準ずる建物（運用細目第１の48に定める、教育を行うのに著しく不適当な建物で特別な事情にあるもの）の取壊し

③ 敷地狭あい等により、国庫補助を受けての新増改築に際して取壊しがやむを得ないとして運用細目第２の７の(4)の規定に基づく保有控除の対象となった建物の取壊し

④ ①、②及び③の建物の取壊しに際して取壊し等がやむを得ない、建物以外の工作物の取壊し及び設備の廃棄

(注)　地域再生計画認定

学校統廃合等に伴う財産処分を行うにあたって、地域再生法（平成17年法律第24号）第５条の規定により、地方公共団体が地域再生計画の認定申請を行い、内閣総理大臣の認定を受けたものは、同法第23条の規定により文部科学大臣の承認を受けたものとみなされ、この承認基準に定める手続を要さない。（この場合は、国庫補助事業完了後10年を経過していないものであっても対象とする。）

4　納付金の取扱い

(1) 国庫納付を必要とせずに承認する場合

次の事項のいずれかに該当する財産処分については、納付金の国庫への納付を要さないものとする。

① 包括承認事項

② 国庫補助事業完了後10年以上経過した、建物等の有償による財産処分のうち、(2)を適用したならば国庫に納付することとなる補助金相当額以上の額を、当該地方公共団体の設置する学校の施設整備に要する経費に充てることを目的とした基金に積み立て、適切に運用することとしているもの。

(注)　当該財産処分の承認申請時に基金が設立されていない場合には、当該財産処分の日から１年以内に基金を設立し、上記補助金相当額以上の額を積み立て、適切に運用すること。

③ 耐震補強事業又は大規模改造事業（石綿及びＰＣＢ対策工事に限る。）を実施した建物の無償による財産処分（補助事業完了直後に取壊しを行うなど、著しく適正を欠くものについては、この限りではない。）

④ 国庫補助事業完了後10年未満の、大規模改造事業（上記③を除く。）で、３(1)①の財産処分と併行してやむを得ずに行う無償による財産処分（補助事業完了直後に取壊しを行うなど、著しく適正を欠くものについては、この限りではない。）

⑤ 国庫補助事業完了後10年未満の、幼稚園園舎の一部並びにこれに付随する建物以外の工作物及び設備（以下「園舎の一部等」という。）を、同一地方公共団体内で保育所に転用し、又は他の地方公共団体、学校法人若しくは社会福祉法人へ無償により貸与又は譲渡し、保育所を設置するもので、次の要件を満たすもの。

ア　園舎の一部等を保育所に転用等することにより、幼稚園児の処遇が低下せず、かつ、地域の子育て環境の向上を図ることができること。

イ　地方公共団体の施策として、幼稚園と保育所の連携を推進することとされていること。

⑥ その他文部科学大臣が特に認めるもの。

(2) 国庫納付を条件として承認する場合

上記(1)以外の財産処分の承認に際しては、原則として、処分する部分の残存価額に対する補助金相当額を国庫に納付するものとする。

ただし、期間を限定した貸与にあっては、当該貸与期間における残存価額の減少額に対する補助金相当額を国庫に納付するものとする。

なお、適正な対価でなされる有償による財産処分については、処分する部分の残存価額に対する補助金相当額を上限とし、当該部分の財産処分により発生する収益のうちの補助金相当額を国庫に納付するものとする。

(別表１)

報　告　事　項　一　覧

摘要番号	事　　　　項
	1　災害による損壊若しくは火災等により使用できなくなった建物等、又は構造上危険な状態にある建物等の取壊し若しくは廃棄
1―(1)	(1)　災害又は火災等により全壊、半壊、流失、全焼又は半焼した建物等の取壊し及び廃棄
1―(2)	(2)　危険建物及び危険建物に準ずる建物（事前に都道府県教育委員会の確認を受けたものに限る。）のうち当該年度の補助申請に関連のない建物の取壊し
1―(3)	(3)　取壊しを条件として他の国庫補助事業の対象となった建物の取壊し
1―(4)	(4)　単独で改築する建物の取壊し（当該取壊し面積以上の建物を単独で復旧する場合に限る。）
1―(5)	(5)　(1)から(4)までの建物の取壊しに際して取壊し等がやむを得ない建物以外の工作物の取壊し及び設備の廃棄
	2　同一地方公共団体における公共用又は公用に供する施設への転用（営利を目的とし又は利益をあげる場合を除く。）のうち、次の事項に該当するもの。
2―(1)	(1)　統合又は別敷地移転等により廃校（廃園）となる学校に係る建物等で、当該統合等について国庫補助を受けたものの無償による転用
2―(2)	(2)　学校教育を行うには著しく不適当で、その改築が国庫補助の対象となった建物等の無償による転用
2―(3)	(3)　地域事情等により入居見込みのないへき地教員宿舎の無償による転用
3	3　認定こども園に係る幼稚園の以下の財産処分 国庫補助事業完了後10年未満の、園舎の一部等を、同一地方公共団体内で保育所に転用し、又は他の地方公共団体、学校法人若しくは社会福祉法人へ無償により貸与又は譲渡し、保育所又は認可外保育施設を設置することにより、認定こども園となるもの （※認定こども園：就学前の子どもに関する教育、保育等の総合的な提供の推進に関する法律（平成18年法律第77号）第６条第２項に規定する認定こども園をいう。）
	4　その他
4―(1)	(1)　大規模改造に際し、保有控除建物（運用細目第２の７の(6)「保有面積の控除（ただしウは除く。）」に定めるもの。）への転用
4―(2)	(2)　事情変更に伴う建物区分の変更
4―(3)	(3)　期限を限った、へき地教員宿舎の教職員以外の者への入居貸付け
	(注)　当該学校の教職員の入居希望者がいないへき地教員宿舎については、宿舎の有効利用を図る観点から、他の公立学校の教職員を一時的に入居させる場合には財産処分の手続は不要である。

（別紙様式１）

第　　　号
平成　　年　　月　　日

文部科学大臣　殿

都道府県知事又は市区町村長名（記名押印又は署名）

公立学校施設整備費補助金等に係る財産処分承認申請書

公立学校施設整備費補助金等に係る財産処分について、補助金等に係る予算の執行の適正化に関する法律第22条の規定により、下記のとおり承認してくださるよう関係書類を添えて申請します。

記

１　処分の内容

学校名	補助年度	事業名	施設区分	構造区分	補助面積	補助金額	処分内容	処分予定年月	備考
					㎡ （　）	千円 （　）			

２　経過及び処分の理由

３　添付資料

⑴　実績報告書及び額の確定通知書の写し

⑵　建物配置図

⑶　その他参考資料

４　経由機関

都道府県教育委員会名　　　　　　　　印

（記入要領）

○「１　処分の内容」

１　「施設区分」欄：施設区分（建物・工作物・設備）及び建物区分（校・屋・寄・住）を記入する。

２　「構造区分」欄：施設台帳の構造区分（R・S・W）を記入する。

３　「補助面積」、「補助金額」欄：補助金を受けた施設の一部を処分する場合は、上段（　）に補助の全体を、下段に当該処分に係る部分を記入する。

４　「処分内容」欄：財産処分の種類（転用、（有償・無償）譲渡、交換、（有償・無償）貸与等）及び処分先などを記入する。

５　通知４⑴⑤の承認手続については、本様式「３　添付資料」に掲げる「⑶その他参考資料」として、次の①から④までの事項に係る資料を提出する。

①　幼稚園・保育所児の将来推計や将来にわたる必要施設の確保に関する検討結果及び幼稚園・保育所の連携方法

②　転用後の幼稚園・保育所の認可面積

③　幼稚園定員の変更等の届け出又は認可状況

④　保育所設置認可の状況及び保育所設置条例（案）

（別紙様式２）

第　　　号
平成　　年　　月　　日

文部科学大臣　殿

都道府県知事又は市区町村長名（記名押印又は署名）

公立学校施設整備費補助金等に係る財産処分報告書

公立学校施設整備費補助金等に係る財産処分について、下記のとおり財産処分を行いますので平成20年６月18日付け20文科施第122号「公立学校施設整備費補助金等に係る財産処分の承認等について」により報告します。

記

１　処分の内容

学校名	補助年度	事業名	施設区分	構造区分	補助面積	補助金額	摘要	処分内容	処分予定年月	備考
					㎡ （　）	千円 （　）				

２　経過及び処分の理由

３　添付資料

⑴　実績報告書及び額の確定通知書の写し

⑵　建物配置図

⑶　別紙様式３「財産処分報告事項照合票」

⑷　その他参考資料

４　経由機関

都道府県教育委員会名　　　　　　印

（記入要領）

○「１　処分の内容」

１　「施設区分」欄：施設区分（建物・工作物・設備）及び建物区分（校・屋・寄・住）を記入する。

２　「構造区分」欄：施設台帳の構造区分（R・S・W）を記入する。

３　「補助面積」、「補助金額」欄：補助金を受けた施設の一部を処分する場合は、上段（　）に補助の全体を、下段に当該処分に係る部分を記入する。

４　「摘要欄」：「通知３⑴①」、「通知３⑴③」、又は別表１「報告事項一覧」の左欄の摘要番号を記入する。

（別紙様式３）

財産処分報告事項照合票

照　合　事　項	設　　置　　者　　意　　見　　欄
⑴　学校用のスペースを必要十分に確保しているか。（※記入要領１）	
⑵　教育機能は確保されているか。（※記入要領２）	
⑶　管理運営上の問題は生じないか。（※記入要領３）	

〔設置者の総合的な意見欄〕（※記入要領４）

（記入要領）

1　児童・生徒数の将来推計や将来にわたる必要面積の確保など学校用のスペースの確保に関する検討結果等を記入する。

なお、災害等により全壊等した建物等の取壊し若しくは廃棄、廃校（廃園）となる建物等の財産処分、及びへき地教員宿舎の教職員以外の者への入居貸付けにあっては、記載不要

2　騒音等による教育への影響、転用施設の配置、転用施設の利用者等と児童・生徒との動線についての配慮など、教育機能の確保に関する検討・対応状況等について記入する。

なお、災害等により全壊等した建物等の取壊し若しくは廃棄、廃校（廃園）となる建物等の財産処分、及びへき地教員宿舎の教職員以外の者への入居貸付けにあっては、記載不要

3　転用施設に係る条例又は条例案の整備、管理・運営規則等の整備、防犯・防災対策、専用出入口・専用バスの進入路の確保など管理運営上の問題に関する対応状況等について記入する。

なお、災害等により全壊等した建物等の取壊し若しくは廃棄、及び廃校（廃園）となる建物等の財産処分にあっては、記載不要

4　設置者の当該財産処分に関する総合的な意見を記入すること。

（別添１（抜粋））

文部科学省一般会計補助金等に係る財産処分承認基準について

〔平成20年６月16日　20文科会第189号
文教施設企画部長・生涯学習政策・初等中等教育・高等教育・科学技術・学術政策・研究振興・研究開発・スポーツ・青少年局長・国際統括官・文化庁長官宛
文部科学省大臣官房会計課長通知〕

標記のことについて、別添のとおり、文部科学省所管一般会計に係る補助金等にかかる財産処分承認基準を制定しましたので、通知いたします。

各部局の長におかれては、原則として、この承認基準に基づき対応いただくようお願いします。

なお、各部局が所管する補助金等について既に承認基準を制定している場合は、引き続き当該基準に従って対応いただくとともに、本承認基準の制定後、特段の事情により必要がある場合には、別に各部局の長が本承認基準の特例を定めることができるものとするので、適切に対応いただくようお願いします

別添

文部科学省所管一般会計補助金等に係る財産処分承認基準

第１　趣旨

「補助金等に係る予算の執行の適正化に関する法律」（昭和30年法律第179号。以下「適正化法」という。）第22条の規定に基づく財産処分（補助金等の交付を受けて取得し、又は効用の増加した政令で定める財産（以下「補助対象財産」という。）を補助金等の交付の目的に反して使用し、譲渡し、交換し、貸し付け、担保に供し、又は取り壊すこと等をいう。以下同じ。）の承認について、当該補助対象財産が教育、科学技術、学術、スポーツ及び文化の振興の観点から有する公共的な価値に留意しつつ、近年における急速な少子高齢化の進展、産業構造の変化等の社会経済情勢の変化に対応するとともに、既存ストックを効率的に活用した地域活性化を図るため、この承認基準を定め、承認手続等の一層の弾力化及び明確化を図ることとする。

第２　承認の手続

１　申請手続の原則

適正化法第２条第３項に規定する補助事業者等が財産処分を行う場合には、文部科学大臣に別紙１の財産処分承認申請書を提出することにより、申請手続を行う。

適正化法第２条第６項に規定する間接補助事業者等が財産処分を行う場合には、当該間接補助事業に係る補助事業者等に対し財産処分の承認申請を行い、申請を受けた補助事業者等は、文部科学大臣に別紙１の財産処分承認申請書を提出することにより、申請手続を行う。

（注１）財産処分の種類

転用：補助対象財産の所有者の変更を伴わない目的外使用。

譲渡：補助対象財産の所有者の変更。

交換：補助対象財産と他人の所有する他の財産との交換。なお、設備の故障時の業者による引取りは、交換ではなく廃棄に当たる。

貸付：補助対象財産の所有者は変更を伴わない使用者の変更。

取壊し：補助対象財産の使用を止め、取り壊すこと。

廃棄：補助対象財産の使用を止め、廃棄処分をすること。

担保に供する処分：補助対象財産に抵当権を設定すること。

（注２）一時使用の場合

補助対象財産の業務時間外の時間帯や休日を利用し、本来の事業に支障を及ぼさない範囲で一時的に他用途に使用する場合は、財産処分に該当せず、手続は不要である。

（注３）承認後の変更

承認を得た後、当該承認に係る処分内容と異なる処分を行う場合又は当該財産処分の承認に付された条件を満たすことができなくなった場合には、改めて手続が必要である。

（注４）処分制限期間が10年未満である補助対象財産への適用

処分制限期間が10年未満である補助対象財産についても、この承認基準に定める手続を要するが、処分制限期間を経過した場合には、この承認基準に定める手続を要しない。

２　申請手続の特例（包括承認事項）

次に掲げる財産処分（以下「包括承認事項」という。）であって別紙２により文部科学大臣への報告があったものについては、１にかかわらず、文部科学大臣の承認があったものとして取り扱うものとする。ただし、この報告において、関係法令の規定に反するものや記載事項の不備など必要な要件が具備されていない場合は、この限りではない。

なお、地域再生法（平成17年法律第24号）第５条の規定により、地方公共団体が地域再生計画の認定申請を行い、内閣総理大臣の認定を受けたものは、同法第23条の規定により文部科学大臣の承認を受けたものとみなす。

⑴　地方公共団体が、当該事業に係る社会資源が

当該地域において充足しているとの判断の下に行う次の財産処分（有償譲渡、有償貸付及び担保に供する処分を除く。）

① 経過年数（補助目的のために事業を実施した年数をいう。以下同じ。）が10年以上である補助対象財産について行う財産処分

② 経過年数が10年未満である補助対象財産について行う財産処分であって、市町村の合併の特例に関する法律（昭和40年法律第６号）に規定する市町村建設計画又は市町村の合併の特例等に関する法律（平成16年法律第59号）に規定する合併市町村基本計画に基づいて行われるもの

⑵ 災害による損壊若しくは火災等により使用できなくなった補助対象財産又は構造上危険な状態にある補助対象財産の取壊し又は廃棄（以下「取壊し等」という。）

第３　国庫納付に関する承認の基準

１　地方公共団体が行う財産処分

⑴ 国庫納付に関する条件を付さずに承認する場合

地方公共団体が行う包括承認事項にかかる財産処分、又は経過年数が10年未満である補助対象財産に係る財産処分であって文部科学大臣が個別に認めるものについては、国庫納付に関する条件（財産処分に係る納付金（以下「財産処分納付金」という。）を国庫に納付する旨の条件をいう。以下同じ。）を付さずに承認するものとする。ただし、財産処分承認申請書における記載事項の不備など必要な要件が具備されていない場合は、この限りではない。

⑵ 国庫納付に関する条件を付して承認する場合

上記以外の転用、譲渡、貸付、交換及び取壊し等については、当該補助事業者等に第４に定める額の納付を求めるものとする。

２　地方公共団体以外の者が行う財産処分　略

３　担保に供する処分（抵当権の設定）　略

第４　財産処分納付金の額

１　有償譲渡又は有償貸付の場合

財産処分納付金額は、譲渡額又は貸付額のうち補助金相当額を国庫に納付するものとする。なお、残存年数納付金額（施設等にあっては、処分する施設等に係る国庫補助額に、処分制限期間に対する残存年数（処分制限期間から経過年数を差し引いた年数をいう。）又は貸付年数（処分制限期間内の期間に限る。）の割合を乗じて得た額を、その他の補助対象財産にあっては、国庫補助額をいう。）を上限とする。

２　上記１以外の場合

残存年数納付金額を国庫に納付するものとする。なお、担保に供する処分につき、抵当権が実行に移された際に納付すべき財産処分納付金の額は、有償譲渡の場合と同じ額とする。

別紙１・２　略

○こども家庭庁所管補助金等に係る財産処分について

〔令和５年６月15日　こ成事第331号・こ支虐第69号
各都道府県知事・各指定都市市長・各中核市市長・各児童相談所設置市市長宛　こども家庭庁成育・支援局長連名通知〕

こども家庭庁において所管している補助金等の交付を受けて取得し、又は効用の増加した政令で定める財産を補助金等の交付の目的に反して使用し、譲渡し、交換し、貸し付け、担保に供し、又は取り壊すこと等（以下「財産処分」という。）を行うに当たっては、「補助金等に係る予算の執行の適正化に関する法律」（昭和30年法律第179号。以下「適正化法」という。）第２条第３項に規定する補助事業者等にあっては、同法第22条に規定するこども家庭庁長官（同法第26条により、地方厚生局長若しくは地方厚生支局長（以下「地方厚生（支）局長」という。）に事務が委任されている場合は地方厚生（支）局長。以下同じ。）の承認が、同法第２条第６項に規定する間接補助事業者等にあっては、同法第７条第３項の規定により付した条件に基づくこども家庭庁長官又は地方厚生（支）局長の承認が必要となる。

これらの承認について、近年における急速な少子高齢化の進展、産業構造の変化等の社会経済情勢の変化に対応するとともに、既存ストックを効率的に活用した地域活性化を図るため、承認手続等の一層の弾力化及び明確化を図ることとし、今般「こども家庭庁所管補助金等に係る財産処分承認基準」が別添１のとおり定められた。

令和５年４月１日以降に申請を受理したものについては、原則としてこの承認基準に基づき承認事務を行うので御了知いただくとともに、貴管内市（区）町村及び社会福祉法人等に対し、貴職よりこの旨周知されるよう配意願いたい。

また、この承認基準の施行に当たっては下記に留意されたい。

記

１　財産処分を行う場合には、適正化法の趣旨及び補助金等の補助目的にかんがみ、当該財産処分により地域の保健、医療、雇用、福祉等におけるサービス提供、人材育成等のための社会資源に不足を生じないこと、施設等の利用者又はサービスの受益者である住民への配慮が十分に行われていることなど、こども家庭行政施策の円滑な実施に支障が生じるものではないことをあらかじめ確認するとともに、地域住民の理解を得るよう、十分に配慮願いたい。

２　令和５年３月31日において既に承認申請を受理しているが、本日において承認を行っていないものについても、この承認基準に基づき対応することとする。

３　本日において既に承認を行っているが納付金の国庫納付を命じていないもののうち、財産処分の日が令和５年４月１日以降であるものについては、この承認基準に基づき納付金額を算定することとする。

４　こども家庭庁所管補助金等に関し、成育局及び支援局が定める承認基準の特例は以下のとおりである。

⑴　一般会計補助金等：別添２

⑵　年金特別会計子ども・子育て支援勘定補助金：別添３

別添１

こども家庭庁所管補助金等に係る財産処分承認基準

第１　趣旨

「補助金等に係る予算の執行の適正化に関する法律」（昭和30年法律第179号。以下「適正化法」という。）第22条の規定に基づく財産処分（補助金等の交付を受けて取得し、または公用の増加した政令で定める財産（以下「補助対象財産」という。）を補助金等の交付の目的に反して使用し、譲渡し、交換し、貸し付け、担保に供し、または取り壊すこと等をいう。以下同じ。）の承認については、近年における急速な少子高齢化の進展、産業構造の変化等の社会経済情勢の変化に対応するとともに、既存ストックを効率的に活用した地域活性化を図るため、この承認基準を定め、承認手続等の弾力化及び明確化を図ることとしたものである。

なお、補助対象財産の用途を変更する財産処分については、当該財産処分が行われる地域において、同種の社会資源が充足していることが前提であり、補助事業等を行う地方公共団体の判断を確認の上、その判断を尊重し、対応することとする。

第２　承認の手続

１　申請手続の原則

補助事業者等が財産処分を行う場合には、こども家庭庁長官（適正化法第26条により事務委任されている場合は地方厚生局長又は地方厚生支局長（以下「地方厚生（支）局長」という。）に別紙様式１の財産処分承認申請書を提出することにより、申請手続を行う。

間接補助事業者等（適正化法第２条第６項に定めるものをいう。）が財産処分を行う場合には、当該間接補助事業に係る補助事業者等に対し財産処分の承認申請を行い、申請を受けた補助事業者等は、こども家庭庁長官又は地方厚生（支）局長（以下「こども家庭庁長官等」という。）に別紙様式１の財産処分承認申請書を提出することにより、申請手続を行う。

なお、こども家庭庁長官等の承認を受けて財産処分を完了したときは、完了から１か月以内に、別紙様式３によりこども家庭庁長官等に財産処分が完了した旨の報告を行う。

（注１）財産処分の種類

転　用：補助対象財産の所有者の変更を伴わない目的外使用。

譲　渡：補助対象財産の所有者の変更。

交　換：補助対象財産と他人の所有する他の財産との交換。なお、設備の故障時の業者による引取りは、交換ではなく廃棄に当たる。

貸　付：補助対象財産の所有者の変更を伴わない使用者の変更。

取壊し：補助対象財産（施設）の使用を止め、取り壊すこと。

廃　棄：補助対象財産（設備）の使用を止め、廃棄処分をすること。

（注２）一時使用の場合

施設の業務時間外の時間帯や休日を利用し、本来の事業に支障を及ぼさない範囲で一時的に他用途に使用する場合は、財産処分に該当せず、手続は不要である。

（注３）承認後の変更

承認を得た後、当該承認を得た処分内容と異なる処分を行う場合又は当該承認に付された条件を満たすことができなくなった場合には、当該財産処分の内容に応じ、改めて必要な手続を行うものとする。

（注４）処分制限期間が10年未満である施設等への適用

処分制限期間（耐用年数）が10年未満である施設又は設備についても、この承認基準に定める手続を要するが、処分制限期間を経過した場合には、この承認基準に定める手続を要しない。

（注５）適正化法の規定を準用する貸付金の貸付けにより取得した財産の処分

日本電信電話株式会社の株式の売払収入の活用による社会資本の整備の促進に関する特別措置法（昭和62年法律第86号。以下「社会資本整備特別措置法」という。）第２条第１項第２号に該当する事業に要する費用に充てる資金を国が無利子で貸し付ける場合における当該無利子貸付金の貸付けにより取得された財産の処分を行う場合には、社会資本整備特別措置法第５条第１項において準用する適正化法の規定に基づく財産処分の承認が必要であることから、この承認基準を適用する。

２　申請手続の特例（包括承認事項）

次に掲げる財産処分（以下「包括承認事項」という。）であって別紙様式２によりこども家庭庁長官等への報告があったものについては、第２の１にかかわらず、こども家庭庁長官等の承認があったものとして取り扱うものとする。ただし、この報告において、記載事項の不備など必要な要件が具備されていない場合は、この限りではない。

なお、別紙様式２によりこども家庭庁長官等への報告があったものについては、第２の１の別紙様式３の提出は要しない。

(1)　地方公共団体が、当該事業に係る社会資源が当該地域において充足しているとの判断の下に行う次の財産処分（有償譲渡及び有償貸付を除く。）

①　経過年数（補助目的のために事業を実施した年数をいう。以下同じ。）が10年以上である施設又は設備（以下「施設等」という。）について行う財産処分

②　経過年数が10年未満である施設等について行う財産処分であって、市町村の合併の特例に関する法律（昭和40年法律第６号）第３条第１項の規定に基づく市町村建設計画又は市町村の合併の特例等に関する法律（平成16年法律第59号）第３条第１項の規定に基づく合併市町村基本計画に基づいて行われるもの

(2)　災害若しくは火災により使用できなくなった施設等又は立地上若しくは構造上危険な状態にある施設等の取壊し又は廃棄（以下「取壊し等」という。）

（注１）地域再生法に基づくみなし承認の場合

地域再生法（平成17年法律第24号）の財

産の処分の制限に係る承認の手続の特例規定によりこども家庭庁長官等の承認を受けたものとみなされた財産処分については、この承認基準に定める手続を要しない。

（注２）補助財産取得時の抵当権設定

補助財産取得時の抵当権設定については、当該補助金の交付申請書に設けられた申請欄に記載することにより申請し、交付決定と同時に承認することとする。

第３　国庫納付に関する承認の基準

１　地方公共団体が行う財産処分

⑴　国庫納付に関する条件を付さずに承認する場合

地方公共団体が行う次の財産処分については、国庫納付に関する条件（財産処分に係る納付金（以下「財産処分納付金」という。）を国庫に納付する旨の条件をいう。以下同じ。）を付さずに承認するものとする。

①　包括承認事項

②　経過年数が10年未満である施設等に係る財産処分であって、次に掲げるもの

ア　市町村合併、地域再生等の施策に伴い、当該地方公共団体が当該事業に係る社会資源が当該地域において充足しているとの判断の下に行う財産処分であって、こども家庭庁長官等が適当であると個別に認めるもの（有償譲渡及び有償貸付を除く。）

イ　同一事業を10年以上継続する場合の無償譲渡又は無償貸付

ウ　道路の拡張整備等の設置者の責に帰さない事情等によるやむを得ない取壊し等（相当の補償を得ているものの、代替施設を整備しない場合を除く。）

エ　老朽化により代替施設を整備する場合の取壊し等

⑵　国庫納付に関する条件を付して承認する場合

上記以外の転用、譲渡、貸付、交換及び取壊し等については、国庫納付に関する条件を付して承認するものとする。

２　地方公共団体以外の者が行う財産処分

⑴　国庫納付に関する条件を付さずに承認する場合

地方公共団体以外の者が行う次の財産処分については、国庫納付に関する条件を付さずに承認するものとする。（②及び③については、当該事業に係る社会資源が当該地域において充足していることを前提とする。）

①　包括承認事項（災害等による取壊し等の場合）

②　経過年数が10年以上である施設等に係る財産処分であって、次の場合に該当するもの

ア　包括承認事項（災害等による取壊し等の場合）

イ　交換により得た施設等において別表に掲げる事業を行う場合

ウ　別表に掲げる事業に使用する施設等を整備するために、取壊し等を行うことが必要な場合（建て替えの場合等）

エ　国又は地方公共団体への無償譲渡又は無償貸付

③　経過年数が10年未満である施設等に係る財産処分であって、上記②アからエまでに該当するもののうち、市町村合併、地域再生等の施策に伴うものであって、こども家庭庁長官等が適当であると個別に認めるもの（市町村建設計画又は合併市町村基本計画に基づくものを含む。）

④　同一事業を10年以上継続する場合の無償譲渡又は無償貸付

⑤　次に該当する取壊し等

ア　道路の拡張整備等の設置者の責に帰さない事情等によるやむを得ない取壊し等（相当の補償を得ているものの、代替施設を整備しない場合を除く。）

イ　老朽化により代替施設を整備する場合の取壊し等

⑵　国庫納付に関する条件を付して承認する場合

上記以外の転用、譲渡、貸付、交換及び取壊し等については、国庫納付に関する条件を付して承認するものとする。

⑶　再処分に関する条件を付す場合

①　再処分に関する条件を付す場合

上記⑴のうち、②（10年以上の施設等の別表事業への使用等）、③（市町村合併等に伴う10年未満の施設等の別表事業への使用等）及び④（同一事業を10年以上継続する場合の無償譲渡又は無償貸付）の場合（取壊し等の場合及び国又は地方公共団体への無償譲渡の場合を除く。）には、再処分に関する条件（当初の財産処分の承認後10年（残りの処分制限期間が10年未満である場合には、当該期間）を経過するまでの間は、こども家庭庁長官等の承認を受けないで当該施設等（交換の場合には、交換により得た施設等）の処分を

行ってはならない旨の条件をいう。以下同じ。）を付すものとする。

② 再処分に関する条件を付された者の財産処分

再処分に関する条件を付された者が行う財産処分の承認については、この承認基準に基づき取り扱う。

この場合、補助目的のために使用した期間と財産処分後に使用した期間とを通算した期間を経過年数とみなす。

なお、譲渡により所有者に変更があった場合の申請手続については、財産処分後の所有者を、財産処分前の所有者とみなして取り扱う。

3　担保に供する処分（抵当権の設定）

次に掲げる担保に供する処分については、抵当権が実行に移される際に財産処分納付金を国庫に納付させることを条件として承認するものとする。

⑴ 補助財産を取得する際に、当該補助財産を取得するために行われるもの

⑵ 補助事業者等の資金繰りのため、抵当権の設定を認めなければ事業の継続ができないと認められるもので、返済の見込みがあるもの

（注１）第３の１⑴②イ及び２⑴④において施設等の一部を他の目的に使用する場合は、当該部分の転用に当たるため、転用の手続を要する。

（注２）土地の財産処分の取扱いについては、原則として、当該土地に整備された施設の財産処分の取扱いと同様とする。

第４　財産処分納付金の額

1　有償譲渡又は有償貸付

⑴ 地方公共団体の場合

① 譲渡額等を基礎として算定する場合

ア　財産処分納付金額

地方公共団体が行う次に掲げる有償譲渡又は有償貸付に係る財産処分納付金額は、譲渡額又は貸付額（貸付期間にわたる貸付額の合計の予定額。）に、総事業費（補助基準額を超える設置者負担分を含む。以下同じ。）に対する国庫補助額の割合を乗じて得た額とする。

㈠ 当該事業に係る社会資源が当該地域において充足しているとの地方公共団体の判断の下に行う経過年数が10年以上である施設等の有償譲渡又は有償貸付

㈡ 当該事業に係る社会資源が当該地域において充足しているとの地方公共団体の判断の下に行う経過年数が10年未満である施設等の有償譲渡又は有償貸付であって、市町村合併、地域再生等の施策に伴い当該財産処分を行うことが適当であるとこども家庭庁長官等が個別に認める場合（市町村建設計画又は合併市町村基本計画に基づくものを含む。）

㈢ 同一事業を10年以上継続する場合の有償譲渡又は有償貸付

イ　上限額

残存年数納付金額（施設等にあっては、処分する施設等に係る国庫補助額に、処分制限期間に対する残存年数（処分制限期間から経過年数を差し引いた年数をいう。）又は貸付年数（処分制限期間内の期間に限る。）の割合を乗じて得た額を、土地等にあっては、国庫補助額をいう。以下同じ。）を上限額とする。

② 残存年数納付金額とする場合

地方公共団体が行う上記①以外の有償譲渡又は有償貸付に係る財産処分納付金額は、残存年数納付金額とする。

⑵ 地方公共団体以外の者の場合

① 譲渡額等を基礎として算定する場合

ア　財産処分納付金額

地方公共団体以外の者が行う次に掲げる有償譲渡又は有償貸付に係る財産処分納付金額は、譲渡額又は貸付額（評価額（不動産鑑定額又は残存簿価（減価償却後の額）をいう。）に比して著しく低価である場合には、評価額。）に、総事業費に対する国庫補助額の割合を乗じて得た額とする。

㈠ 当該事業に係る社会資源が当該地域において充足している場合に行う経過年数が10年以上である施設等の有償譲渡又は有償貸付であって、別表に掲げる事業を行う場合

㈡ 当該事業に係る社会資源が当該地域において充足している場合に行う経過年数が10年未満である施設等の有償譲渡又は有償貸付であって、別表に掲げる事業を行うもののうち、市町村合併、地域再生等の施策に伴い当該財産処分を行うことが適当であるとこども家庭庁長官等が個別に認める場合（市町村建設計画又は合

併市町村基本計画に基づくものを含む。）

(ウ) 同一事業を10年以上継続する場合の有償譲渡又は有償貸付

イ 上限額

残存年数納付金額を上限額とする。

② 残存年数納付金額とする場合

地方公共団体以外の者が行う上記①以外の有償譲渡又は有償貸付の場合の財産処分納付金額は、残存年数納付金額とする。

2 転用、無償譲渡、無償貸付、交換又は取壊し等

国庫納付に関する条件を付された転用、無償譲渡、無償貸付、交換又は取壊し等の場合の財産処分納付金額は、残存年数納付金額とする。

3 担保に供する処分

抵当権が実行に移された際に納付すべき財産処分納付金の額は、有償譲渡の場合と同じ額とする（抵当権が実行に移された際に納付）。

第5 東日本大震災復興特別会計補助金等に係る財産処分への準用

この承認基準は、厚生労働省所管東日本大震災復興特別会計補助金等に係る財産処分に準用する。

別表 （地方公共団体以外の者について国庫納付に関する条件を付加しない財産処分後の事業）（第3の2(1)関係）

国庫納付に関する条件を付加しない財産処分後の事業（各事業には施設を含む。）	備考（担当局等）
・児童福祉法（昭和22年法律第164号）に規定する事業（児童自立生活援助事業、放課後児童健全育成事業、子育て短期支援事業、病児保育事業、児童福祉施設等）	成育局
・母子及び父子並びに寡婦福祉法（昭和39年法律第129号）に規定する事業（母子家庭日常生活支援事業、父子家庭日常生活支援事業、寡婦日常生活支援事業及び母子・父子福祉施設）	成育局
・身体障害者福祉法（昭和24年法律第283号）に規定する事業（身体障害者生活訓練等事業、手話通訳事業、介助犬訓練事業、聴導犬訓練事業及び身体障害者社会参加支援施設）	支援局
・障害者の日常生活及び社会生活を総合的に支援するための法律（平成17年法律第123号）に規定する事業（障害福祉サービス事業を行う事業所、障害者支援施設、相談支援を行う事業所、移動支援を行う事業所、地域活動支援センター、福祉ホーム等）	支援局
・精神保健及び精神障害者福祉に関する法律（昭和25年法律第123号）に規定する事業（精神科病院、精神保健福祉センター等）	支援局
・学校教育法（昭和22年法律第26号）に規定する幼稚園	成育局
・子ども・子育て支援法（平成24年法律第65号）に規定する事業（企業主導型保育事業）	成育局
・その他こども家庭庁所管の補助金等（運営費補助金等を含む。）の対象となる事業など上記に準じるものとして、こども家庭庁長官等が個別に認めるもの	各省庁

別添2

成育局・支援局所管一般会計補助金等に係る承認基準の特例

成育局・支援局所管一般会計補助金等に係る「補助金等に係る予算の執行の適正化に関する法律」（昭和30年法律第179号）第22条の規定に基づく財産処分については、原則として「こども家庭庁所管補助金等に係る財産処分について」（令和5年4月28日こ総会第54号。以下「こども家庭庁承認基準」という。）に基づくこととするが、以下については、この承認基準の特例によることとする。

1 財産処分を必要としない一時使用の範囲に関する特例

児童福祉施設等の補助施設等（※）であって、「多様な社会参加への支援に向けた地域資源の活用について」（令和3年3月31日子発0331第9号、社援発0331第15号、障発0331第11号、老発0331第4号厚生労働省子ども家庭局長、社会・援護局長、社会・援護局障害保健福祉部長、老健局長連名通知）に基づき、施設の業務時間内の時間帯において、本来の事業に支障を及ぼさない範囲で一時的に他用途に使用する場合は、施設の業務時間外の時間帯や休日における一時使用と同様に、財産処分に該当せず、手続を不要とするものとする。

なお、この場合の一時使用とは、本来の事業目的として使用している施設について、本来の事業目的に支障を及ぼさない範囲で他の用途に使用する場合のことをいうものであり、本来の事業目的として使用しなくなった施設を他の用途に使用する場合や、他の用途に使用することによって本来の事業目的に支障をきたす場合には、財産処分の手続を必要とす

るものであること。

※　児童福祉施設等の補助施設等

社会福祉施設等施設整備費及び社会福祉施設等設備整備費国庫負担（補助）金の補助事業により取得した児童福祉施設及び児童相談所、保育所等整備交付金及び就学前教育・保育施設整備交付金の補助事業により取得した保育所（分園を含む）、認定こども園又は小規模保育事業所、子育て支援対策臨時特例交付金（安心こども基金）の補助事業により取得した保育所（分園を含む）、認定こども園又は小規模保育事業所及び次世代育成支援対策施設整備交付金により取得した次世代育成支援対策推進法第11条第１項に規定する交付金に関する省令（平成17年厚生労働省令第79号）第１条第２項に規定する施設並びに少子化対策臨時特例交付金により取得し又は効用の増加した児童福祉施設等及び幼稚園。

2　申請手続の特例（包括承認事項）

以下に掲げる財産処分については、こども家庭庁承認基準第２の２に規定する包括承認事項として取り扱うものとする。

⑴　地方公共団体が行う経過年数が10年未満の児童福祉施設等の補助施設等の財産処分（無償譲渡及び無償貸付に限る。）であって、譲渡又は貸付先が他の地方公共団体又は社会福祉法人で同一事業を継続するもの。

⑵　社会福祉法人が行う児童福祉施設等の補助施設等の財産処分（無償譲渡及び無償貸付に限る。）であって、譲渡又は貸付先が他の社会福祉法人、学校法人又は地方公共団体で同一事業を継続するもの。

⑶　経過年数が10年以上の児童福祉施設等の補助施設等の転用（こども家庭庁承認基準別表及び社会福祉法第106条の４に規定する重層的支援体制整備事業に掲げる事業への転用に限る。）

⑷　幼保連携型認定こども園等に係る保育所の以下の財産処分

①　保育所の一部を幼保連携型認定こども園における教育を実施する部分（以下「教育部分」という。）若しくは幼稚園機能に転用し、又は地方公共団体、社会福祉法人若しくは学校法人に無償譲渡若しくは無償貸付し、教育部分又は幼稚園機能を設置することにより、認定こども園となる場合の財産処分。

②　保育所の一部を幼稚園に転用し、又は地方公共団体、社会福祉法人若しくは学校法人に無償譲渡若しくは無償貸付し、幼稚園を設置する際の財産処分であって、次の要件を満たすことを市町村（特別区を含む。）が認めたもの。（①を除く。）

ア　保育所の一部を幼稚園に転用等することにより、保育所児の処遇が低下せず、かつ地域の子育て環境の向上を図ることが出来ること。

イ　地方公共団体の施策として、保育所と幼稚園の連携を推進することとされていること。

③　保育所の全部を教育部分に転用し、又は地方公共団体、社会福祉法人若しくは学校法人に無償譲渡若しくは無償貸付し、教育部分を設置することにより、届出を行い、又は認可を受けて幼保連携型認定こども園となる場合の財産処分であって、次の要件を満たすことを市町村（特別区を含む。）が認めたもの。（①を除く。）

ア　保育所の全部を教育部分に転用等することにより、保育所児の処遇が低下せず、かつ地域の子育て環境の向上を図ることが出来ること。

イ　地方公共団体の施策として、保育所と幼稚園の連携を推進することとされていること。

（注）①～③の財産処分については、添付資料として写真を不要とする。

⑸　小規模保育事業所を保育所若しくは認定こども園に転用し、又は地方公共団体、社会福祉法人若しくは学校法人に無償譲渡若しくは無償貸付し、保育所又は認定こども園となる場合の財産処分。

なお、小規模保育事業所を認定こども園に転用等する場合の財産処分については、次の要件を満たすことを市町村（特別区を含む。）が認めたものに限る。

ア　小規模保育事業所を認定こども園に転用等することにより、保育所児の処遇が低下せず、かつ地域の子育て環境の向上を図ることが出来ること。

イ　地方公共団体の施策として、保育所と幼稚園の連携を推進することとされていること。

⑹　社会福祉法人が行う補助財産取得後の抵当権の設定であって、こども家庭庁承認基準第３の３⑵の要件を満たし、かつ、以下のいずれかの要件を満たすもの。

①　独立行政法人福祉医療機構に対して補助財産を担保に供する場合

②　独立行政法人福祉医療機構と協調融資に関する契約を結んだ民間金融機関に対して補助財産を担保に供する場合（協調融資に係る担保に限

る。）

(7) 子育て支援対策臨時特例交付金（安心こども基金）により耐震化のため代替施設を整備する場合及び保育所等整備交付金により耐震化のため代替施設を整備する場合の児童福祉施設等の補助施設等の取壊し又は廃棄。（耐震診断等で耐震性に問題があることが客観的に証明できる場合に限る。）

(8) 地方公共団体が行う経過年数が10年未満の児童福祉施設等の補助施設等の一部の転用（※）であって、次の条件をいずれも満たす場合

ア 転用後の用途が別表に掲げる高齢者、障害者、児童等の福祉に関する施設等（こども家庭庁所管及び厚生労働省所管の補助金等の対象となる事業に係る施設等又は企業主導型保育事業を行う施設に限る。）であること。

イ 当該地方公共団体が当該事業に係る社会資源が当該地域において充足しているものとの判断の下に行うものであること。

※ 一部の転用に当たるかどうかは、転用後も当初の補助対象事業等が継続されていることで判断される。

3 社会福祉施設等施設整備資金貸付金により取得した財産の処分

社会福祉施設等施設整備資金貸付金（以下「貸付金」という。）の貸付を受けて取得した財産の処分を行う場合、補助金等と同様の取扱いとする必要があることから、この承認基準の特例を準用するものとする。

ただし、貸付金により取得した財産の処分に係る事務については、地方厚生（支）局長に委任されていないので留意すること。

4 国庫納付に関する承認の基準の特例

地方公共団体以外の者が行う経過年数が10年以上の児童福祉施設等の補助施設等に係る財産処分であって、下記アに掲げる条件のいずれかに該当する場合又は、地方公共団体以外の者が行う経過年数が10年未満の児童福祉施設等の補助施設等の一部の転用（※）であって、下記イに掲げる条件を満たす場合については、こども家庭庁承認基準第3の2の(1)に規定されていないものについても、同項に規定するものとして取り扱うことができることとする。（いずれの場合も、当該事業に係る社会資源が当該地域において充足していることを前提とする。）

なお、本取扱いによる場合には、こども家庭庁承認基準第3の2の(3)に規定する再処分に関する条件が付されるものとする。

ア 地方公共団体以外の者が行う経過年数が10年以上の施設等の財産処分

① 転用、無償譲渡又は無償貸付の後に、重層的支援体制整備事業に使用する場合

② 交換により得た施設等において、重層的支援体制整備事業を行う場合

③ 重層的支援体制整備事業に使用する施設等を整備するために、取壊し等を行うことが必要な場合（建て替えの場合等）

イ 地方公共団体以外の者が行う経過年数が10年未満の施設等の一部転用

転用後の用途が別表に掲げる高齢者、障害者、児童等の福祉に関する施設等（こども家庭庁所管及び厚生労働省所管の補助金等の対象となる事業に係る施設等又は企業主導型保育事業を行う施設に限る。）であること。

※ 一部の転用に当たるかどうかは、転用後も当初の補助対象事業等が継続されていることで判断される。

別表（申請手続の特例（包括承認事項）とする財産処分後の施設等・国庫納付に関する条件を付加しない財産処分後の施設等）

・児童福祉施設（助産施設、乳児院、母子生活支援施設、児童厚生施設、児童養護施設、児童心理治療施設、児童自立支援施設、児童家庭支援センター）
・婦人保護施設
・児童相談所
・婦人相談所
・保育所（分園を含む）
・認定こども園
・小規模保育事業所
・次世代育成支援対策推進法第11条第１項に規定する交付金に関する省令（平成17年厚生労働省令第79号）第１条第２項に規定する施設
・母子・父子福祉施設
・母子健康包括支援センター
・放課後児童健全育成事業を実施するための施設
・病児保育事業所
・企業主導型保育事業を行う施設
・保護施設（救護施設、更生施設、授産施設、宿所提供施設）
・社会事業授産施設
・地域福祉センター
・隣保館
・生活館
・ホームレス自立支援センター
・へき地保健福祉館
・重層的支援体制整備事業を実施する施設

・社会事業授産施設
・障害福祉サービス事業を行う事業所（療養介護、生活介護、自立訓練、就労移行支援、就労継続支援、居宅介護、重度訪問介護、同行援護、行動援護、短期入所、就労定着支援、自立生活援助、共同生活援助、児童発達支援、放課後等デイサービス、居宅訪問型児童発達支援、保育所等訪問支援）
・障害者支援施設
・身体障害者社会参加支援施設
・児童福祉施設（障害児入所施設、児童発達支援センター）
・相談支援を行う事業所（障害者総合支援法及び児童福祉法に規定するもの）
・移動支援を行う事業所（障害者総合支援法に規定するもの）
・地域活動支援センター
・福祉ホーム
・応急仮設施設
・地域移行支援型ホーム
・障害者総合支援法に規定するその他の施設
・地域密着型特別養護老人ホーム
・小規模な介護老人保健施設
・小規模な介護医療院
・小規模な養護老人ホーム
・小規模なケアハウス（特定施設入居者生活介護の指定を受けるもの）
・都市型軽費老人ホーム
・認知症高齢者グループホーム
・小規模多機能型居宅介護事業所
・定期巡回・随時対応型訪問介護看護事業所
・認知症対応型デイサービスセンター
・介護予防拠点
・地域包括支援センター
・生活支援ハウス
・緊急ショートステイ
・介護関連施設等における施設内保育施設
・看護小規模多機能型居宅介護事業所

別添３

年金特別会計子ども・子育て支援勘定に係る承認基準の特例

年金特別会計子ども・子育て支援勘定に係る「補助金等に係る予算の執行の適正化に関する法律」（昭和30年法律第179号）第22条の規定に基づく財産処分については、原則として「こども家庭庁所管補助金等に係る財産処分について」（令和５年４月28日こ総会発第54号。以下「こども家庭庁承認基準」という。）に基づくこととするが、以下については、この承認基準の特例によることとする。

１　財産処分を必要としない一時使用の範囲に関する特例

児童厚生施設等の補助施設等（※）であって、「多様な社会参加への支援に向けた地域資源の活用について」（令和３年３月31日子発0331第９号、社援発0331第15号、障発0331第11号、老発0331第４号厚生労働省子ども家庭局長、社会・援護局長、社会・援護局障害保健福祉部長、老健局長連名通知）に基づき、施設の業務時間内の時間帯において、本来の事業に支障を及ぼさない範囲で一時的に他用途に使用する場合は、施設の業務時間外の時間帯や休日における一時使用と同様に、財産処分に該当せず、手続を不要とするものとする。

なお、この場合の一時使用とは、本来の事業目的として使用している施設について、本来の事業目的に支障を及ぼさない範囲で他の用途に使用する場合のことをいうものであり、本来の事業目的として使用しなくなった施設を他の用途に使用する場合や、他の用途に使用することによって本来の事業目的に支障をきたす場合には、財産処分の手続を必要とするものであること。

※　児童厚生施設等

平成２年８月７日厚生省発児第123号厚生事務次官通知の別紙「児童館の設置運営要綱」の第２から第４に定める小型児童館、児童センター（大型児童センターを含む。）及び大型児童館（「C型児童館」を除く。）並びに平成19年３月30日18文科生第587号・雇児発第0330039号文部科学省生涯学習政策局長・厚生労働省雇用均等・児童家庭局長連名通知の別添２「放課後児童健全育成事業等実施要綱」に基づく放課後児童健全育成事業を実施するための施設及び平成26年４月１日雇児発0401第14号厚生労働省雇用均等・児童家庭局長通知「放課後児童健全育成事業等実施要綱」に基づく放課後児童健全育成事業を実施するための施設並びに平成27年７月17日雇児発0717第12号厚生労働省雇用均等・児童家庭局長通知「病児保育事業実施要綱」に基づく病児保育事業を実施するための施設。

２　申請手続の特例（包括承認事項）

以下に掲げる財産処分については、こども家庭庁承認基準第２の２に規定する包括承認事項として取り扱うものとする。

⑴　地方公共団体が行う経過年数が10年未満の児童厚生施設等（※）の財産処分（無償譲渡及び無償貸付に限る。）であって、譲渡又は貸付先が他の

地方公共団体又は社会福祉法人で同一事業を継続するもの。

(2) 社会福祉法人が行う児童厚生施設等の財産処分（無償譲渡及び無償貸付に限る。）であって、譲渡又は貸付先が他の社会福祉法人又は地方公共団体で同一事業を継続するもの。

(3) 経過年数が10年以上の児童厚生施設等の転用（こども家庭庁承認基準別表に掲げる事業及び社会福祉法第106条の４に規定する重層的支援体制整備事業に掲げる事業への転用に限る。）

(4) 地方公共団体が行う経過年数が10年未満の児童厚生施設等の補助施設等の一部の転用（※）であって、次の条件をいずれも満たす場合

ア 転用後の用途が別添２の別表に掲げる高齢者、障害者、児童等の福祉に関する施設等（こども家庭庁所管及び厚生労働省所管の補助金等の対象となる事業に係る施設等又は企業主導型保育事業を行う施設に限る。）であること。

イ 当該地方公共団体が当該事業に係る社会資源が当該地域において充足しているものとの判断の下に行うものであること。

※ 一部の転用に当たるかどうかは、転用後も当初の補助対象事業等が継続されていることで判断される。

3 国庫納付に関する承認の基準の特例

地方公共団体以外の者が行う経過年数が10年以上の児童厚生施設等の補助施設等に係る財産処分であって、下記アに掲げる条件のいずれかに該当する場合又は、地方公共団体以外の者が行う経過年数が10年未満の児童厚生施設等の補助施設等の一部の転用（※）であって、下記イに掲げる条件を満たす場合については、こども家庭庁承認基準第３の２の(1)に規定されていないものについても、同項に規定するものとして取り扱うことができることとする。（いずれの場合も、当該事業に係る社会資源が当該地域において充足していることを前提とする。）

なお、本取扱いによる場合には、こども家庭庁承認基準第３の２の(3)に規定する再処分に関する条件が付されるものとする。

ア 地方公共団体以外の者が行う経過年数が10年以上の施設等の財産処分

① 転用、無償譲渡又は無償貸付の後に、重層的支援体制整備事業に使用する場合

② 交換により得た施設等において、重層的支援体制整備事業を行う場合

③ 重層的支援体制整備事業に使用する施設等を整備するために、取壊し等を行うことが必要な場合（建て替えの場合等）

イ 地方公共団体以外の者が行う経過年数が10年未満の施設等の一部転用

転用後の用途が別添２の別表に掲げる高齢者、障害者、児童等の福祉に関する施設等（こども家庭庁所管及び厚生労働省所管の補助金等の対象となる事業に係る施設等又は企業主導型保育事業を行う施設に限る。）であること。

※ 一部の転用に当たるかどうかは、転用後も当初の補助対象事業等が継続されていることで判断される。

（子育て支援のための拠点施設）

○子育て支援のための拠点施設の設置について

〔平成11年1月7日　児発第14号
各都道府県知事・各指定都市市長・各中核市市長宛　厚生省児童家庭局長通知〕

注　平成13年11月16日雇児発第742号改正現在

少子高齢化が進む中で、子育てしやすい環境を整備し、子育て家庭に対する相談、子育てサークルの育成、子どもと他世代との交流等を行うための施設整備費、設備整備費を助成する制度を設け、一層の子育て支援施策の推進を図ることとし、別紙のとおり「子育て支援のための拠点施設設置要綱」を定めたので、通知する。

（別　紙）

子育て支援のための拠点施設設置要綱

1　目的

子育て支援のための拠点施設（以下「拠点施設」という。）は、子育て相談、子育てサークル活動、放課後児童クラブ等を通じて、地域における子育てしやすい環境の整備の促進を図ることを目的とする。

2　設置及び運営の主体

設置及び運営の主体は、市町村（特別区を含む。以下同じ。）とする。

ただし、運営については、社会福祉法人、民法（明治29年法律第89号）第34条の規定により設立された法人等に委託することができるものとする。

3　設置基準

拠点施設は、原則として保育所、児童館等の社会福祉施設及び学校等に付設して設置するものとする。ただし、地域の事情により単独で設置できるものとする。また、学校の余裕教室等既存施設の一部改修により設置することができる。

なお、実施する事業に応じて、適切な設備を整備すること。

4　事業内容

次の例示として掲げる事業等、地域の需要に応じた子育て支援事業を実施することができる。

（例示）

・子育て相談
・子育てサークル活動
・放課後児童クラブ
・母親クラブ
・一時保育・休日保育・延長保育
・夜間養護（トワイライトステイ）事業
・保育所送迎等一時預り事業
・乳幼児健康支援一時預り事業
・子どもと高齢者、中・高校生等他世代交流
・中・高校生の居場所づくり

5　国の助成

国は、予算の範囲内において、拠点施設の整備に要する費用を別に定めるところにより補助するものであること。

12　認可外保育施設等

○子どものための教育・保育給付費補助金の国庫補助について

〔令和５年９月19日　こ成保第110号
各都道府県知事・各指定都市市長・各中核市市長宛　こども家庭庁長官通知〕

標記の国庫補助金の交付については、別紙「子どものための教育・保育給付費補助金交付要綱」により行うこととされ、令和５年４月１日から適用することとされたので通知する。

各都道府県におかれては、貴管内市町村（特別区を含む。）に対してこの旨通知されたい。

なお、「子どものための教育・保育給付費補助金の国庫補助について」（平成28年８月９日府子本第506号。以下「旧要綱」という。）は廃止する。

この要綱の施行前に、旧要綱に基づき実施した事業に係る補助金の取り扱いについては、なお従前の例によることとする。

別　紙

子どものための教育・保育給付費補助金
交付要綱

（通則）

第１条　子どものための教育・保育給付費補助金については、法令及び予算の定めるところに従い、予算の範囲内において交付するものとし、補助金等に係る予算の執行の適正化に関する法律（昭和30年法律第179号）、補助金等に係る予算の執行の適正化に関する法律施行令（昭和30年政令第255号。以下「適正化法施行令」という。）及びこども家庭庁の所掌に属する補助金等交付規則（令和５年内閣府令第41号）の規定によるほか、この要綱の定めるところによる。

（交付の目的）

第２条　この補助金は、子ども・子育て支援法（平成24年法律第65号。以下「法」という。）附則第14条第３項の規定に基づき、別表の第１欄に掲げる「認可化移行運営費支援事業」及び「幼稚園における長時間預かり保育運営費支援事業」の実施に要する経費に対し補助金を交付し、もって待機児童の解消を図るとともに、子どもを安心して育てることができるような体制整備を行うことを目的とする。

（交付の対象）

第３条　この補助金は、次の事業を交付の対象とする。

子どものための教育・保育給付補助事業

「子どものための教育・保育給付費補助事業の実施について」（令和５年９月19日こ成保第111号）の別添に定める認可化移行運営費支援事業及び幼稚園における長時間預かり保育運営費支援事業

（交付額の算定方法）

第４条　この補助金の交付額は、別表の第１欄に定める事業ごとに、次により算出された額の合計額とする。ただし、算出された事業ごとの合計額に1000円未満の端数が生じた場合には、これを切り捨てるものとする。

(1)　第１欄の各事業ごとに、第２欄に定める基準額と第３欄に定める対象経費の実支出額を比較して少ない方の額と、総事業費から寄付金その他の収入額を控除した額とを比較して少ない方の額を選定する。

(2)　第１欄の各事業ごとに、(1)により選定された額に第４欄に定める補助率を乗じて得た額の合計額を交付額とする。

（交付の条件）

第５条　この補助金の交付の決定には、次の条件が付されるものとする。

(1)　事業の内容の変更（軽微な変更を除く。）をする場合には、地方厚生局長（徳島県、香川県、愛媛県及び高知県にあっては四国厚生支局長、以下「地方厚生（支）局長」という。）の承認を受けなければならない。

(2)　事業を中止し、又は廃止する場合には、地方厚生（支）局長の承認を受けなければならない。

(3)　事業により取得し、又は効用の増加した価格が、単価50万円以上の機械及び器具については、適正化法施行令第14条第１項第２号の規定により、こども家庭庁長官が別に定める期間を経過するまで、地方厚生（支）局長の承認を受けないで、この補助金の目的に反して使用し、譲渡し、交換し、貸し付け、担保に供し、又は廃棄してはならない。

(4)　地方厚生（支）局長の承認を受けて財産を処分することにより収入があった場合には、その収入の全部又は一部を国庫に返納させることがある。

(5)　事業により取得し、又は効用の増加した財産については、事業の完了後においても善良な管理者の注意をもって管理するとともに、その効率的な運営を図らなければならない。

⑹　事業完了後に、消費税及び地方消費税の申告により補助金に係る消費税及び地方消費税仕入控除税額が確定した場合は、別紙様式８により速やかに地方厚生（支）局長に報告しなければならない。なお、交付対象事業者が全国的に事業を展開する組織の一支部又は一支社、一支所等であって、自ら消費税及び地方消費税の申告を行わず、本部（又は本社、本所等）で消費税及び地方消費税の申告を行っている場合は、本部の課税売上割合等の申告内容に基づき報告を行うこと。また、地方厚生（支）局長は報告があった場合には、当該仕入控除税額の全部又は一部を国庫に納付させることがある。

⑺　この補助金と事業に係る予算及び決算との関係を明らかにした別紙様式１による調書を作成するとともに、事業に係る歳入及び歳出について証拠書類を整理し、かつ調書及び証拠書類を事業完了の日（事業の中止又は廃止の承認を受けた場合にはその承認を受けた日）の属する年度の終了後５年間保管しなければならない。

ただし、事業により取得し、又は効用の増加した財産がある場合は、前記の期間を経過後、当該財産の財産処分が完了する日又は適正化法施行令第14条第１項第２号の規定によりこども家庭庁長官が別に定める期間を経過する日のいずれか遅い日まで保管しておかなければならない。

（申請手続）

第６条　この補助金の交付の申請は、次により行うものとする。

⑴　市町村長（指定都市、中核市を除く。）は、別紙様式２による申請書を都道府県知事が別に定める日までに都道府県知事に提出するものとする。

⑵　都道府県知事は、市町村（指定都市、中核市を除く。）から⑴の申請書の提出があった場合には、必要な審査を行い、適正と認めたときはこれを取りまとめの上、別紙様式３と併せて別に定める日までに地方厚生（支）局長に提出するものとする。

⑶　指定都市及び中核市の市長は、別紙様式２による申請書に関係書類を添えて、別に定める日までに地方厚生（支）局長に提出するものとする。

（変更申請手続）

第７条　この補助金の交付決定後の事情の変更により、申請の内容を変更して追加交付申請等を行う場合には、前条に定める申請手続に従い、別に定める日までに行うものとする。

（交付決定）

第８条　地方厚生（支）局長は、交付申請書又は変更交付申請書が到達した日から起算して原則として２か月以内に交付の決定又は決定の変更を行うものとする。

２　都道府県知事は地方厚生（支）局長の交付決定又は決定の変更があったときは、市町村（指定都市、中核市を除く。）に対し別紙様式４により、速やかに決定内容及びこれに付された条件を通知すること。

３　市町村（指定都市、中核市を含む。）は、交付決定の内容又はこれに付された条件に対して不服があることにより、交付の申請を取り下げようとするときは、交付決定の通知を受けた日から15日以内にその旨を記載した書面を地方厚生（支）局長に提出しなければならない。

（補助金の概算払）

第９条　こども家庭庁長官は、必要があると認める場合においては、国の支払計画承認額の範囲内において概算払をすることができる。

（実績報告）

第10条　この補助金の事業実績の報告は、次により行うものとする。

⑴　市町村長（指定都市、中核市を除く。）は、翌年度の４月10日（第５条の⑵により事業の中止又は廃止の承認を受けた場合には、当該承認通知を受理した日から１か月を経過した日）までに別紙様式５による報告書を都道府県知事に提出するものとする。

⑵　都道府県知事は、市町村（指定都市、中核市を除く。）から⑴の報告書の提出があった場合には、必要な審査を行い、適正と認めたときはこれを取りまとめの上、別紙様式６と併せて翌年度の４月末日までに地方厚生（支）局長に提出するものとする。

⑶　指定都市及び中核市の市長は、翌年度の４月10日（第５条の⑵により事業の中止又は廃止の承認を受けた場合には、当該承認通知を受理した日から１か月を経過した日）までに別紙様式５による報告書を地方厚生（支）局長に提出するものとする。

（額の確定）

第11条　都道府県知事は地方厚生（支）局長の確定通知があったときは、市町村（指定都市、中核市を除く。）に対し別紙様式７により、速やかに確定の通知を行うこと。

（補助金の返還）

第12条　地方厚生（支）局長は、交付すべき補助金の額を確定した場合において、既にその額を超える補助金が交付されているときは、期限を定めて、その超える部分について国庫に返還することを命ずる。

（その他）

第13条　特別の事情により、第４条、第６条、第７条及び第10条に定める算定方法又は手続によることができない場合には、あらかじめ地方厚生（支）局長の承認を受けてその定めるところによるものとする。

〔別表〕

1　事業	2　基　準　額	3　対象経費	4　補助率
認可化移行運営費支援事業	1　基本部分（児童１人当たり月額） ⑴　以下の職員配置基準において必要とされる職員の９割以上について保育士資格又は看護師（准看護師を含む。以下「看護師等」という。）の資格を有する者を配置する認可保育所、認定こども園への移行を希望する施設等 別添１－１及び別添１－２に掲げる各区分に応じて定められた基本分単価及び加算・減算単価の合計から利用者負担の上限額を控除した額を基準額とする。 ⑵　以下の職員配置基準において必要とされる職員の６割以上について保育士資格又は看護師等の資格を有する者を配置する認可保育所、認定こども園への移行を希望する施設等（⑴の施設を除く） 別添２－１及び別添２－２に掲げる各区分に応じて定められた基本分単価及び加算・減算単価の合計を基準額とする。 ⑶　以下の職員配置基準において必要とされる職員の１／３以上について保育士資格又は看護師等の資格を有する者を配置する認可保育所、認定こども園への移行を希望する施設等（⑴及び⑵の施設を除く） 別添３－１及び別添３－２に掲げる各区分に応じて定められた基本分単価及び加算・減算単価の合計を基準額とする。 ⑷　以下の職員配置基準において必要とされる職員の１／４以上について保育士資格又は看護師等の資格を有する者を配置する認可保育所、認定こども園への移行を希望する施設等（⑴、⑵及び⑶の施設を除く） 別添４－１及び別添４－２に掲げる各区分に応じて定められた基本分単価及び加算・減算単価の合計を基準額とする。 ⑸　以下の職員配置基準において必要とされる職員の９割以上について保育士資格又は看護師等の資格を有する者を配置する小規模保育事業Ａ型又は保育所型事業所内保育事業への移行を希望する施設等 別添５－１及び別添５－２に掲げる各区分に応じて定められた基本分単価及び加算・減算単価の合計から利用者負担の上限額を控除した額を基準額とする。 ⑹　以下の職員配置基準において必要とされる職員の６割以上について保育士資格又は看護師等の資格を有する者を配置する小規模保育事業Ａ型、小規模保育事業Ｂ型又は事業所内保育事業への移行を希望する施設等（⑸の施設を除く） 別添６－１及び別添６－２に掲げる各区分に応じて定められた基本分単価及び加算・減算単価の合計を基準額とする。 ⑺　以下の職員配置基準において必要とされる職員の１／３以上について保育士資格又は看護師等の資格を有する者を配置する小規模保育事業Ａ型、小規模保育事業Ｂ型又は事業所内保育事業への移行を希望する施設等（⑸及び⑹の施設を除く） 別添７－１及び別添７－２に掲げる各区分に応じて定められた基本分単価及び加算・減算単価の合計を基準額とする。 ⑻　以下の職員配置基準において必要とされる職員の１／４以上について保育士資格又は看護師等の資格を有する者を配置する小規模保育事業Ａ型、小規模保育事業Ｂ型又は事業所内保育事業への移行を希望する施設等（⑸、⑹及び⑺の施設を除く） 別添８－１及び別添８－２に掲げる各区分に応じて定められた基本分単価及び加算・減算単価の合計を基準額とする。	認可化移行運営費支援事業の実施に必要な経費	国 １／２ ・市町村（指定都市及び中核市除く。）が実施する場合 （都道府県　１／４） （市町村　１／４） ・指定都市又は中核市が実施する場合 （指定都市・中核市　１／２）

(9)　以下の職員配置基準を満たす家庭的保育事業への移行を希望する事業者等

別添９－１及び別添９－２に掲げる各区分に応じて定められた基本分単価及び加算・減算単価の合計から利用者負担の上限額を控除した額を基準額とする。

(10)　以下の職員配置基準を満たす小規模保育事業Ｃ型への移行を希望する施設等

別添10－１及び別添10－２に掲げる各区分に応じて定められた基本分単価及び加算・減算単価の合計から利用者負担の上限額を控除した額を基準額とする。

(職員配置基準)

①　認可保育所又は認定こども園への移行を目指す場合
　児童福祉施設の設備及び運営に関する基準（昭和23年厚生省令第63号。以下「児童福祉施設設備運営基準」という。）第33条第２項

②　小規模保育事業Ａ型への移行を目指す場合
　家庭的保育事業等の設備及び運営に関する基準（平成26年厚生労働省令第61号。以下「家庭的保育事業等設備運営基準」という。）第29条第２項

③　小規模保育事業Ｂ型への移行を目指す場合
　家庭的保育事業等設備運営基準第31条第２項

④　保育所型事業所内保育事業への移行を目指す場合
　家庭的保育事業等設備運営基準第44条第２項

⑤　小規模型事業所内保育事業の移行を目指す場合
　家庭的保育事業等設備運営基準第47条第２項

⑥　家庭的保育者又は家庭的保育補助者を配置する家庭的保育事業への移行を目指す場合
　家庭的保育事業等設備運営基準第23条第３項

⑦　小規模保育事業Ｃ型への移行を目指す場合
　家庭的保育事業等設備運営基準第34条第２項

※　施設区分については、(1)、(5)、(9)及び(10)に該当する施設等を「９割以上施設」、(2)及び(6)に該当する施設等を「６割施設」、(3)及び(7)に該当する施設等を「１／３施設」、(4)及び(8)に該当する施設等を「１／４施設」とする。

※　地域区分については、「特定教育・保育、特別利用保育、特別利用教育、特定地域型保育、特別利用地域型保育、特定利用地域型保育及び特例保育に要する費用の額の算定に関する基準等」（平成27年内閣府告示第49号。以下「公定価格基準」という。）別表第１による区分を適用するものとする。

※　年齢区分については、前年度の３月31日の満年齢によるものとする。

※　９割以上施設における基準額については、次の算式により算定した額の合計から利用者負担額の上限額を控除した額とし、その他の施設等における基準額については、次の算式により算定した額の合計とすること。

利用者負担額の上限額については、３歳未満児（満３歳の誕生日を迎えてから最初の３月31日までの間の児童を含む。以下同じ。）のうち法第30条の11第１項の確認を受けた施設に入所している施設等利用給付認定子ども以外の児童は子ども・子育て支援法施行令（平成26年政令第213号）第４条に従い保育標準時間認定の例により、それ以外の児童については「９割以上施設月額利用者負担額基準額表」により児童毎に算出するものとする。なお、月途中入所児童及び月途中退所児童の利用者負担の上限額については次の算式２または算式３の例により算出すること。

・算式１（各月初日の入所児童の場合）
　各区分に応じた基準額×その月の初日の年齢区分ごとの入所児童数

・算式２（月途中入所児童の場合）

各区分に応じた基準額×その月の月途中入所日からの開所日数（25日を超える場合は25日）÷25日

・算式３（月途中退所児童の場合）

各区分に応じた基準額×その月の月途中退所日の前日までの開所日数（25日を超える場合は25日）÷25日

（注）10円未満の端数は切り捨てる。

９割以上施設月額利用者負担額基準額表

各月初日の入所児童の属する世帯の階層区分		３歳以上児		３歳未満児
階層区分	定　　義	法第30条の11第１項の確認を受けた施設に入所している施設等利用給付認定子ども	左記以外の児童	法第30条の11第１項の確認を受けた施設に入所している施設等利用給付認定子ども
第１階層	生活保護法（昭和25年法律第144号）第６条第１項に規定する被保護者又は児童福祉法（昭和22年法律第164号）第６条の４に規定する里親である保護者		０円	
第２階層	保護者及び当該保護者と同一の世帯に属する者について９割以上施設を利用した月の属する年度（９割以上施設の利用のあった月が４月から８月までの場合にあっては、前年度）分の地方税法（昭和25年法律第226号）の規定による市町村民税（同法第328条の規定によって課する所得割を除く。）を課されない者（市町村の条例で定めるところにより当該市町村民税を免除された者を含む。）		1,500円 〔０円〕	42,000円
第３階層	保護者及び当該保護者と同一の世帯に属する者について９割以上施設を利用した月の属する年度（９割以上施設の利用のあった月が４月から８月までの場合にあっては、前年度）分の地方税法の規定による市町村民税（同法の規定による特別区民税を含む。）の同法第292条第１項第２号に掲げる所得割（同法第328条の規定によって課する所得割を除く。）の額（同法附則第５条の４第６項その他の内閣府令で定める規定による控除をされるべき金額があるときは、当該金額を加算した額とする。）を合算した額（以下「市町村民税所得割合算額」という。）が48,600円未満である保護者	37,000円	12,000円 〔1,500円〕	
第４階層	市町村民税所得割合算額が48,600円以上57,700円未満〔77,101円未満〕である場合における保護者		22,500円 〔1,500円〕	
	市町村民税所得割合算額が57,700円以上〔77,101円以上〕97,000円未満である場合における保護者		22,500円	
第５階層	市町村民税所得割合算額が97,000円以上160,000円未満である場合における保護者		37,000円	
第６階層	市町村民税所得割合算額が169,000円以上301,000円未満である場合における保護者		53,500円	
第７階層	市町村民税所得割合算額が301,000円以上397,000円未満である場合における保護者		72,500円	
第８階層	市町村民税所得割合算額が397,000円以上である場合における保護者		96,500円	

備考

＊月額利用者負担額と比較して、別添１－１及び別添１－２を用いて「特定教育・保育、特別利用保育、特別利用教育、特定地域型保育、特別利用地域型保育、特定利用地域型保育及び特例保育に要する費用の額の算定に関する基準等」（平成27年内閣府告示第49号）第17条の例により算定した額が低い場合はその額とする。

＊〔　〕書きは、児童の保護者又は児童の保護者と同一の世帯に属する者が９割以上施設の利用のあった月において要保護者等（生活保護法第６条第２項に規定する要保護者及び子ども・子育て支援法施行規則（平成26年内閣府令第44号）第22条に規定する者をいう。）に該当する場合における利用者負担額。

※　事業所内保育事業への移行を希望する施設等において、事業主が雇用する労働者の子どもに係る基本分単価の額については、84／100を乗じて得た額とする。（算定して得た額に10円未満の端数がある場合は切り捨てる。）
※　基本加算分及び特定加算分の適用については、公定価格基準及び「特定教育・保育等に要する費用の額の算定に関する基準等の実施上の留意事項について」（令和５年５月19日こ成保38・５文科初第483号こども家庭庁成育局長・文部科学省初等中等教育局長連名通知）の例によるものとする。なお、減価償却費加算及び賃借料加算の対象となる施設等は、移行を目指す施設に係る以下の児童福祉施設設備運営基準又は家庭的保育事業等設備運営基準に規定する設備基準を満たす施設に限るものとする。
（設備運営基準）
①　保育所又は認定こども園への移行を目指す場合
児童福祉施設設備運営基準第32条
②　小規模保育事業Ａ型への移行を目指す場合
家庭的保育事業等設備運営基準第28条
③　小規模保育事業Ｂ型への移行を目指す場合
家庭的保育事業等設備運営基準第32条
④　保育所型事業所内保育事業への移行を目指す場合
家庭的保育事業等設備運営基準第43条
⑤　小規模型事業所内保育事業への移行を目指す場合
家庭的保育事業等設備運営基準第48条
⑥　家庭的保育事業への移行を目指す場合
家庭的保育事業等設備運営基準第22条
⑦　小規模保育事業Ｃ型への移行を目指す場合
家庭的保育事業等設備運営基準第33条
※　処遇改善等加算の算定方法等については、「施設型給付費等に係る処遇改善等加算について」（令和５年６月７日こ成保39・５文科初第591号こども家庭庁成育局長・文部科学省初等中等教育局長連名通知）の例によるものとする。なお、
・　第５の１による加算額の算定に用いる職員の数について、認定こども園への移行を希望する施設等については、別表中「保育所」を適用するものとする。
・　第５の２⑴コⅰ中「月額４万円」とあるのは「９割施設においては月額36,000円、６割施設においては月額28,000円、１／３施設においては月額20,000円、１／４施設においては月額12,000円」と、「月額５千円以上月額４万円未満」とあるのは「９割施設においては月額4,500円以上月額36,000円未満、６割施設においては月額3,500円以上月額28,000円未満、１／３施設においては月額2,500円以上月額20,000円未満、１／４施設においては月額1,500円以上月額12,000円未満」とする。
・　第５の２⑴コⅱ中「月額５千円」とあるのは「９割施設においては月額4,500円、６割施設においては月額3,500円、１／３施設においては月額2,500円、１／４施設においては月額1,500円」とする。

2　基本部分（平成30年度経過措置分）（児童１人当たり月額）
平成30年度において、本事業による補助を受けていた施設等について、特段の理由がある場合に限り、１の基準額によらず、以下の基準額を適用することができるものとする。
⑴　１に掲げる基準において必要とされる職員全てについて保育士資格を有する者を配置する認可保育所、認定こども園、小規模保育事業Ａ型又は保育所型事業所内保育事業への移行を希望する施設等
別添11に掲げる各区分に応じて定められた基本単価を基準額とする。
⑵　１に掲げる基準において必要とされる職員の６割以上について保育士資格又は看護師等の資格を有する者を配置する認可保

育所、認定こども園、小規模保育事業Ａ型、小規模保育事業Ｂ型又は事業所内保育事業への移行を希望する施設等（(1)の施設を除く）

別添12に掲げる各区分に応じて定められた基本単価を基準額とする。

(3)　１に掲げる基準において必要とされる職員の１／３以上について保育士資格又は看護師等の資格を有する者を配置する認可保育所、認定こども園、小規模保育事業Ａ型、小規模保育事業Ｂ型又は事業所内保育事業への移行を希望する施設等（(1)及び(2)の施設を除く）

別添13に掲げる各区分に応じて定められた基本単価を基準額とする。

(4)　１に掲げる基準を満たす家庭的保育者又は家庭的保育補助者を配置する家庭的保育事業への移行を希望する事業

別添14に掲げる各区分に応じて定められた基本単価を基準額とする。

(5)　１に掲げる基準を満たす小規模保育事業Ｃ型への移行を希望する施設

別添15に掲げる各区分に応じて定められた基本単価を基準額とする。

(6)　都道府県協議会加算（児童１人当たり月額）

(1)から(3)について、法附則第14条第４項に定める都道府県が組織する協議会に参加する場合に、基本単価に加え、保育士資格又は看護師等の資格を有する者の割合により、別添11から別添13に掲げる地域区分等に応じて定められた都道府県協議会加算を基準額とする。

※　基準額については、１に掲げる算式１～３により算定した額の合計額とすること。

3　基本部分（平成29年度経過措置分）（児童１人当たり月額）

平成29年度において、本事業による補助を受けていた施設等について、特段の理由がある場合に限り１及び２の基準額によらず、以下の基準額を適用することができるものとする。

(1)　１に掲げる基準において必要とされる職員全てについて保育士資格を有する者を配置する認可保育所、認定こども園、小規模保育事業Ａ型又は保育所型事業所内保育事業への移行を希望する施設等

・４歳以上児　18,000円
・３　歳　児　22,000円
・１・２歳児　57,000円
・乳　　　児　107,000円

(2)　１に掲げる基準において必要とされる職員の６割以上について保育士資格又は看護師等の資格を有する者を配置する認可保育所、認定こども園、小規模保育事業Ａ型又は保育所型事業者内保育事業への移行を希望する施設等（(1)の施設を除く）

・４歳以上児　15,000円
・３　歳　児　18,000円
・１・２歳児　48,000円
・乳　　　児　89,000円

(3)　家庭的保育事業等設備運営基準第31条の基準を満たす保育士を配置する小規模保育事業Ｂ型又は家庭的保育事業等設備運営基準第47条の基準を満たす保育士を配置する小規模型事業所内保育事業への移行を希望する施設等

・４歳以上児　15,000円
・３　歳　児　18,000円
・１、２歳児　48,000円
・乳　　　児　89,000円

(4)　１に掲げる基準において必要とされる職員の１／３以上について保育士資格又は看護師等の資格を有する者を配置する認可保育所、認定こども園、小規模保育事業Ａ型、小規模保育事業Ｂ型、保育所型事業所内保育事業又は小規模型事業所内保育事

業へ移行を希望する施設等（(1)、(2)及び(3)の施設を除く）
・４歳以上児　12,000円
・３　歳　児　15,000円
・１・２歳児　39,000円
・乳　　　児　72,000円
(5)　１に掲げる基準を満たす家庭的保育者、家庭的保育補助者を配置する家庭的保育事業又は小規模保育事業Ｃ型への移行を希望する施設等
・４歳以上児　12,000円
・３　歳　児　15,000円
・１、２歳児　39,000円
・乳　　　児　72,000円
(6)　都道府県協議会加算（児童１人当たり月額）
(1)、(2)及び(4)について、支援法則第14条第４項に定める都道府県が組織する協議会に参加する場合に、基本単価に加え、保育士資格又は看護師等の資格を有する者の割合により、別添11から別添13に掲げる地域区分等に応じて定められた都道府県協議会加算を基準額とする。
※　基準額については、１に掲げる算式１～３により算定した額の合計額とすること。

４　保育サポーター加算
１に掲げる基準において必要とされる職員に４割を乗じて得た職員（小数点以下切り捨て）１人当たり　月額140,800円
※　「国家戦略特別区域における地方裁量型認可化移行施設の設置について」（平成31年３月29日子発0329第７号厚生労働省子ども家庭局長通知）に基づき設置される「地方裁量型認可化移行施設」であって、以下をすべて満たすものを加算の対象とする。
・６割施設に該当すること
・１に掲げる基準において必要とされる職員数を２割以上上回る職員が配置されていること
・上記により必要とされる職員のうち、保育士資格又は看護師等の資格を有する者以外の職員が保育の質の確保に向け、市町村が適当と認める研修を受講していること

５　認可外保育施設開設準備費加算
定員１人当たり　7,500円
※　新設または定員を増やす場合に限り、定員を増やした場合は増加した定員について加算の対象とする。

６　地方単独保育施設加算　　10／10
地方単独保育施設加算（児童１人当たり月額）
児童１人当たり　月額20,000円（上限）
ただし、９割以上施設（経過措置分対象施設を除く）については、本加算の対象としない。
※　対象施設が地方単独保育施設である場合に限り、本加算分を利用者負担額（保育料）の減額に充てることを要件に加算の対象とする。
※　３歳以上児（満３歳の誕生日を迎えてから最初の３月31日までの間の児童を除く。以下同じ。）については、対象施設の３歳以上児の利用者負担額の平均額から①及び②に掲げる額を控除して得た額又は20,000円のいずれか低い額を加算額とする。
①　対象施設の３歳以上児に係る施設等利用費の総額を対象施設の３歳以上児の数で除して得た額
②　当該市町村等において独自に行う対象施設の３歳以上児の利用者負担額の軽減に要した費用の総額を対象施設の３歳以上児の数で除して得た額
３歳未満児のうち施設等利用給付認定子ども（以下「新３号認定児童」という。）については、対象施設の３歳未満児の利用者負担額の平均額から①及び②に掲げる額を控除して得た額又は20,000円のいずれか低い額を加算額とする。
①　対象施設の新３号認定児童に係る施設等利用費の総額を対象施設の新３号認定児童の数で除して得た額
②　当該市町村等において独自に行う対象施設の新３号認定児童の利用者負担額の軽減に要した費用の総額を対象施設の新３号認定児童の利用者の数で除して得た額
３歳未満児のうち施設等利用給付認定子ども以外の児童（以

	下「新３号認定対象外児童」という。）については、対象施設の３歳未満児の利用者負担額の平均額から①及び②に掲げる額を控除して得た額又は20,000円のいずれか低い額を加算額とする。 ①　当該市町村等において独自に行う対象施設の新３号認定対象外児童の利用者負担額の軽減に要した費用の総額を対象施設の新３号認定対象外児童の利用者の数で除して得た額 ②　当該市町村における認可保育所の３歳未満児の平均利用者負担額		
幼稚園における長時間預かり保育運営費支援事業	４歳以上児（月額）　9,000円 ３　歳　児（月額）　11,000円 １・２歳児（月額）　57,000円 （満３歳児として私学助成（一般補助）の対象となる園児については、年度内において46,000円、満３歳児として１号（特例含む。）の施設型給付費の対象としている園児については、対象となった時点から46,000円とする。） 乳　　　児（月額）　107,000円 ※　年齢区分については、前年度の３月31日の満年齢によるものとすること。 ※　基準額については、次の算式により算定した額の合計額とすること。 ・算式１（各月初日の入所児童の場合） 年齢区分ごとの単価×その月初日の年齢区分ごとの入所児童数 ・算式２（月途中入所児童の場合） 年齢区分ごとの単価×その月の月途中入所日からの開所日数（25日を超える場合は25日）÷25日 ・算式３（月途中退所児童の場合） 年齢区分ごとの単価×その月の月途中退所日の前日までの開所日数（25日を超える場合は25日）÷25日 （注）10円未満の端数は切り捨てる。	幼稚園における長時間預かり保育運営費支援事業の実施に必要な経費 ※私学助成（預かり保育推進事業）、一時預かり（幼稚園型）の実施に必要な経費を除く。	国 １／２ ・市町村（指定都市及び中核市除く。）が実施する場合 （都道府県１／４） （市町村１／４） ・指定都市又は中核市が実施する場合 （指定都市・中核市１／２）

別添　略

別紙様式　略

○子どものための教育・保育給付費補助事業の実施について

〔令和５年９月19日　こ成保第111号
各都道府県知事・各指定都市市長・各中核市市長宛　こども家庭庁成育局長通知〕

認可保育所等への移行を希望する認可外保育施設や認定こども園への移行等を希望して長時間の預かり保育を行う幼稚園に対して財政支援を行うことにより、保育の供給を増やし、もって待機児童の解消を図るとともに、こどもを安心して育てることができるような体制整備を行うため、子どものための教育・保育給付費補助事業を次により実施し、令和５年４月１日から適用することとしたので通知する。

ついては、管内市町村（特別区を含む。）に対して周知をお願いするとともに、本事業の適正かつ円滑な実施に期されたい。

なお、本通知の施行に伴い、平成27年４月13日雇児発0413第36号厚生労働省雇用均等・児童家庭局長通知「子どものための教育・保育給付費補助事業の実施について」（以下「旧要綱」という。）は、令和５年３月31日限りで廃止する。

この要綱の施行前に、旧要綱に基づき実施した事業に係る補助金の取り扱いについては、なお従前の例によることとする。

第１　事業の種類

１　認可化移行運営費支援事業

２　幼稚園における長時間預かり保育運営費支援事業

第２　事業の実施

各事業の実施及び運営は、次によること。

１　認可化移行運営費支援事業実施要綱（別添１）

２　幼稚園における長時間預かり保育運営費支援事業実施要綱（別添２）

別添１

認可化移行運営費支援事業実施要綱

１　事業の目的

認可保育所、認定こども園、家庭的保育事業、小規模保育事業又は事業所内保育事業（以下「保育所等」という。）への移行を希望する認可外保育施設に対して、移行に当たって必要となる経費を補助すること及び地方自治体における単独保育施策において児童を保育している施設（以下「地方単独保育施設」という。）については当該補助に加え、利用者負担額（保育料）を軽減するための経費を補助することにより、保育の供給及び受入れを増やし、もって待機児童の解消を図るとともに、こどもを安心して育てることができる体制整備を行うことを目的とする。

２　事業の内容

本事業は、認可外保育施設が保育所等への移行を目指すに当たって必要となる経費（地方単独保育施設については当該経費に加え、利用者負担額（保育料）を軽減するための経費）の支援を実施するものであり、児童福祉施設の設備及び運営に関する基準（昭和23年厚生省令第63号。以下「児童福祉施設設備運営基準」という。）に規定する保育所に係る設備及び職員配置に関する基準又は家庭的保育事業等の設備及び運営に関する基準（平成26年厚生労働省令第61号。以下「家庭的保育事業等設備運営基準」という。）に規定する家庭的保育事業若しくは小規模保育事業若しくは事業所内保育事業に係る設備及び職員配置に関する基準を満たす認可外保育施設に対し、運営に要する費用の一部を補助するものである。

３　実施主体

実施主体は、市町村（特別区を含む。以下同じ。）とする。

なお、市町村が適当と認める者へ委託等を行うことができる。

４　実施要件

(1)　対象児童

保育の必要性の認定を受けた児童と同等であると市町村が認めた児童

(2)　対象施設

①　認可化移行計画について

ア　保育所等への移行に係る計画（以下「認可化移行計画」という。）の期間内に移行を希望している施設であること。

イ　認可化移行計画を策定した上で本事業を実施する施設であること。

認可化移行計画については、認可化移行のための助言指導・移転費等支援事業実施要綱（「認可保育所等設置支援等事業の実施について（令和５年４月19日こども家庭庁成育局長通知）」の別添３）の３(1)に基づく「認可化移行可能性調査支援事業」を実施する等により、施設設備面での課題解決や保育士資格を有していない者に指定保育士養成施設における受講によって保育士資格を取得させることによる保育士人材確保を図ること等を踏まえて策定し、移行を図ること。

ウ　子どものための教育・保育給付費補助金の国庫補助について（令和５年９月19日こ成保第110号こども家庭庁長官通知）の別紙「子どものための教育・保育給付費補助金交付要綱」（以下「交付要綱」という。）の別表に定める地方単独保育施設加算の適用を受けない地方単独保育施設及び地方単独保育施設以外の施設については、５年間を上限とする認可化移行計画とすること。

②　満たす必要又は満たす見込みが必要な基準について

ア　認可保育所又は認定こども園への移行を目指す場合

（ア）　施設の設備は、認可化移行計画の期間内に児童福祉施設設備運営基準第32条を満たす見込みがあること。

（イ）　職員の配置は、児童福祉施設設備運営基準第33条を満たすこと。

ただし、保育士資格を有する者が不足している等特段の理由がある市町村においては、同条第２項に規定する保育士数（以下「児童福祉施設基準保育士数」という。）以上の保育に従事する者を配置しており、児童福祉施設基準保育士数の４分の１以上の保育士又は看護師（准看護師を含む。）の資格を有する者（以下「看護師等」という。）を配置している施設については、認可化移行計画の期間内に当該施設が児童福祉施設基準保育士数以上の保育士を配置することを条件に、本事業を実施することができる。

（ウ）　施設の利用定員が、20人以上であること。

イ　家庭的保育事業への移行を目指す場合

（ア）　施設の設備は、認可化移行計画の期間内に家庭的保育事業等設備運営基準第22条を満たす見込みがあること。

（イ）　職員の配置は、家庭的保育事業等設備運営基準第23条を満たすこと。

ウ　小規模保育事業Ａ型への移行を目指す場合

（ア）　施設の設備は、認可化移行計画の期間内に家庭的保育事業等設備運営基準第28条を満たす見込みがあること。

（イ）　職員の配置は、家庭的保育事業等設備運営基準第29条を満たすこと。

ただし、保育士資格を有する者が不足している等特段の理由がある市町村においては、同条第２項に規定する保育士数（以下「小規模保育事業Ａ型基準保育士数」という。）以上の保育に従事する者を配置しており、小規模保育事業Ａ型基準保育士数の４分の１以上の保育士又は看護師等を配置している施設については、認可化移行計画の期間内に当該施設が小規模保育事業Ａ型基準保育士数以上の保育士を配置することを条件に、本事業を実施することができる。

（ウ）　施設の利用定員が、６人以上であること。

エ　小規模保育事業Ｂ型への移行を目指す場合

（ア）　施設の設備は、認可化移行計画の期間内に家庭的保育事業等設備運営基準第32条により準用する同基準第28条を満たす見込みがあること。

（イ）　職員の配置は、家庭的保育事業等設備運営基準第31条を満たすこと。

ただし、保育士資格を有する者が不足している等特段の理由がある市町村においては、同条第２項に規定する保育従事者数以上の保育に従事する者を配置しており、同条第２項に規定する保育士の配置割合にかかわらず保育従事者数の４分の１以上の保育士又は看護師等を配置している施設については、認可化移行計画の期間内に当該施設が同条第２項に規定する保育士数以上の保育士を配置することを条件に、本事業を実施することができる。

（ウ）　施設の利用定員が、６人以上であること。

オ　小規模保育事業Ｃ型への移行を目指す場合

（ア）　施設の設備は、認可化移行計画の期間内に家庭的保育事業等設備運営基準第33条を満たす見込みがあること。

（イ）　職員の配置は、家庭的保育事業等設備運営基準第34条を満たすこと。

（ウ）　施設の利用定員が、６人以上であること。

カ　保育所型事業所内保育事業（利用定員が20人以上のものに限る。）への移行を目指す場合

（ア）　施設の設備は、認可化移行計画の期間内に家庭的保育事業等設備運営基準第43条を満たす見込みがあること。

（イ）　職員の配置は、家庭的保育事業等設備運

営基準第44条を満たすこと。

ただし、保育士資格を有する者が不足している等特段の理由がある市町村においては、同条第２項に規定する保育士数（以下「保育所型事業所内保育事業基準保育士数」という。）以上の保育に従事する者を配置しており、保育所型事業所内保育事業基準保育士数の４分の１以上の保育士又は看護師等を配置している施設については、認可化移行計画の期間内に当該施設が保育所型事業所内保育事業基準保育士数以上の保育士を配置することを条件に、本事業を実施することができる。

(ウ)　施設の利用定員が、20人以上であること。

キ　小規模型事業所内保育事業（利用定員が19人以下のものに限る。）への移行を目指す場合

(ア)　施設の設備は、認可化移行計画の期間内に家庭的保育事業等設備運営基準第48条により準用する同基準第28条を満たす見込みがあること。

(イ)　職員の配置は、家庭的保育事業等設備運営基準第47条を満たすこと。

ただし、保育士資格を有する者が不足している等特段の理由がある市町村においては、同条第２項に規定する保育従事者数以上の保育に従事する者を配置しており、同条第２項に規定する保育士の配置割合にかかわらず保育従事者数の４分の１以上の保育士又は看護師等を配置している施設については、認可化移行計画の期間内に当該施設が同条第２項に規定する保育士数以上の保育士を配置することを条件に、本事業を実施することができる。

(ウ)　施設の利用定員が、19人以下であること。

5　留意事項

(1)　以下のいずれかに該当する場合は、補助金の返還を命ずることとする。ただし、特段の理由がある場合は、この限りでない。

①　児童福祉施設設備運営基準第32条又は第33条第２項の基準を満たしていない認可保育所又は認定こども園への移行を目指す施設が、認可化移行計画の期間内に当該基準を満たさなかった場合

②　家庭的保育事業等設備運営基準第22条又は第23条第３項の基準を満たしていない家庭的保育事業への移行を目指す施設が、認可化移行計画の期間内に当該基準を満たさなかった場合

③　家庭的保育事業等設備運営基準第28条又は第29条第２項の基準を満たしていない小規模保育事業Ａ型への移行を目指す施設が、認可化移行計画の期間内に当該基準を満たさなかった場合

④　家庭的保育事業等設備運営基準第32条により準用する同基準第28条又は第31条第２項の基準を満たしていない小規模保育事業Ｂ型への移行を目指す施設が、認可化移行計画の期間内に当該基準を満たさなかった場合

⑤　家庭的保育事業等設備運営基準第33条又は第34条第２項の基準を満たしていない小規模保育事業Ｃ型への移行を目指す施設が、認可化移行計画の期間内に当該基準を満たさなかった場合

⑥　家庭的保育事業等設備運営基準第43条又は第44条第２項の基準を満たしていない保育所型事業所内保育事業への移行を目指す施設が、認可化移行計画の期間内に当該基準を満たさなかった場合

⑦　家庭的保育事業等設備運営基準第48条により準用する同基準第28条又は第47条第２項の基準を満たしていない小規模型事業所内保育事業への移行を目指す施設が、認可化移行計画の期間内に当該基準を満たさなかった場合

(2)　地方単独保育施設加算の適用を受けて本事業を実施する場合、以下の①～④の要件を満たすものであること。

①　「『待機児童解消に向けて緊急的に対応する施策について』の対応方針について」（平成28年４月７日雇児発0407第２号）に基づき、待機児童解消に向けて緊急的に対応する取組を実施する市町村であること。

②　地方単独保育施設は、地方単独保育施設加算として補助される額について、利用者負担額（保育料）の軽減に全額充てること。

③　地方自治体が、地方単独保育施設の利用者への補助により利用者負担額（保育料）の軽減を図っている場合、現行の補助制度と同水準以上の制度を継続すること。

④　地方自治体が、利用者への補助により利用者負担額（保育料）の軽減を図っている場合、当該市町村における認可保育所の平均利用者負担額（保育料）と対象施設の平均利用者負担額（保育料）の差については、軽減後の差によるものとすること。

(3) 認可外保育施設における施設の設備、職員の配置については、市町村が現地調査により確認すること。現地調査については、児童福祉法（昭和22年法律第164号）第59条に基づく認可外保育施設に対する立入調査や、保育所等の質の確保・向上のための取組強化事業実施要綱に定める保育所等の質の確保・向上のための巡回支援指導事業（保育所等の質の確保・向上のための取組強化及び認可外保育施設支援等事業の実施について（令和５年５月25日こども家庭庁成育局長通知）の別添１）と合わせて行う等、効率的に実施すること。

(4) 市町村が認可外保育施設に対し補助金を交付する際、当該施設における施設の設備の適否、職員の配置の適否を明示すること。適否の表示については、子どものための教育・保育給付費補助金所要額調書内訳書（交付要綱の別表２）の設備運営基準施設の設備の適否欄、設備運営基準職員の配置の適否欄と合わせること。

(5) 副食費の徴収については、交付要綱に基づき副食費徴収免除加算が適用される児童の保護者からは徴収しないこと。

(6) 本事業の対象施設は子ども・子育て支援法（平成24年法律第65号）第30条の11第１項の確認を受けるよう努めること。

6 費用

本事業に要する費用の一部について、国は別に定めるところにより補助するものとする。

別添２

幼稚園における長時間預かり保育運営費
支援事業実施要綱

1 事業の目的

保育所と同様に11時間の開園を行う私立幼稚園の預かり保育等に対し、運営費の補助を行うことにより、保育の供給を増やし、もって待機児童の解消を図るとともに、こどもを安心して育てることができるような体制整備を行うことを目的とする。

2 事業の内容

通常の教育時間の前後や長期休業期間中などに幼稚園の園児のうち希望者を対象に行う長時間の教育活動（以下「長時間預かり保育」という。）や３歳未満児の保育を行う私立幼稚園に対し、運営に要する費用の一部を補助するものである。

3 実施主体

市町村（特別区を含む。以下同じ。）

なお、市町村が適当と認める者へ委託等を行うことができる。

4 実施要件

(1) 事業者

地域のニーズに合致した安定的な保育の提供体制を確保するため、事業開始後一定期間内に、幼保連携型認定こども園若しくは幼稚園型認定こども園に移行すること（本事業において０～２歳児を受け入れる場合にあっては、幼稚園として子ども・子育て支援新制度に移行した上で併せて小規模保育事業を実施することを含む。）に関する計画（以下「認定こども園化移行等計画」）を策定している私立幼稚園

(2) 対象児童

保育の必要性の認定を受けた児童と同等であると市町村が認めた児童

なお、３歳未満児の保育については、２歳児のみを対象とすることも可能とする。

(3) 設備基準

認定こども園化移行等計画の期間内に、幼保連携型認定こども園若しくは幼稚園型認定こども園又は小規模保育事業として必要な基準（幼保連携型認定こども園の学級の編制、職員、設備及び運営に関する基準（平成26年４月30日内閣府・文部科学省・厚生労働省令第１号)、就学前の子どもに関する教育、保育等の総合的な提供の推進に関する法律（平成18年法律第77号）第３条第２項及び第４項の規定に基づき内閣総理大臣及び文部科学大臣が定める施設の設備及び運営に関する基準（平成26年７月31日内閣府・文部科学省・厚生労働省告示第２号）及び各自治体において定める認定基準又は家庭的保育事業等の設備及び運営に関する基準（平成26年厚生労働省令第61号)）を満たすこと。

(4) 職員の配置

児童福祉施設の設備及び運営に関する基準（昭和23年厚生省令第63号）第33条第２項の規定に準じ、対象児童の年齢及び人数に応じて、当該乳幼児の処遇を行う者（以下「教育・保育従事者」という。）を置くこととし、そのうち、３歳未満児の処遇を行う者の２分の１以上は保育士、３歳以上児の処遇を行う者の２分の１以上は幼稚園教諭又は保育士とすること。また、その数は２名を下ることはできないこと。

保育士又は幼稚園教諭以外の教育・保育従事者の配置は、以下の研修を修了した者とすること。

ア 「子育て支援員研修事業の実施について」(平成27年５月21日雇児発0521第18号厚生労働省雇用均等・児童家庭局長通知）の別紙「子育て支

援員研修事業実施要綱」の5(3)アに定める基本研修及び5(3)イ(イ)に定める「一時預かり事業」又は「地域型保育」の専門研修を修了した者。

イ　子育ての知識と経験及び熱意を有し、「家庭的保育事業の実施について」(平成21年10月30日雇児発1030第2号厚生労働省雇用均等・児童家庭局長通知)の別紙「家庭的保育事業ガイドライン」の別添1の1に定める基礎研修と同等の研修を修了した者。ただし、平成32年3月31日までの間に修了した者とする。なお、非定期利用が中心である一時預かり事業の特性に留意し、研修内容を設定すること。

(5)　開園日

土曜日(土曜日共同保育の活用により他の施設において受入れ体制が確保される場合等を除く。)、幼稚園の長期休業日においても、原則として、本事業の対象となる長時間預かり保育又は3歳未満児の保育、若しくは長時間預かり保育と3歳未満児の保育の両方を実施すること。

ただし、地域の実情に応じて、土曜日を開所しないことも可能とする。

(6)　開園時間

原則として、1日の開園時間は通常の教育時間を含め、11時間以上とすること。

ただし、地域の実情に応じて、9〜10時間程度の開所とすることも可能とする。

(7)　その他

認定こども園化移行等計画の期間内に幼保連携型認定こども園若しくは幼稚園型認定こども園への移行又は小規模保育事業の実施に向けて長時間預かり保育又は3歳未満児の保育、若しくは長時間預かり保育と3歳未満児の保育の両方を実施する施設であること。

5　留意事項

・　私立高等学校等経常費助成費補助金(預かり保育推進事業)、「一時預かり事業の実施について」(平成27年雇用均等・児童家庭局長通知)の別紙「一時預かり事業実施要綱」に規定する幼稚園型Ⅰ及び幼稚園型Ⅱの申請の際には、本事業の補助対象児童数に係る保育担当者数、利用児童数を差し引いて申請すること。

・　認定こども園化移行等計画の期間内に4(3)を満たさなかった場合は、補助額の返還を命ずることができること。

・　「『子どものための教育・保育給付費補助事業の実施について』の一部改正について(平成28年7月7日雇児発0707第1号)」による改正のうち、職員の配置の弾力化については、「『待機児童解消に向けて緊急的に対応する施策について』の対応方針について」(平成28年4月7日雇児発0407第2号)に基づき、待機児童解消に向けて緊急的に対応する取組を実施する市町村にのみ適用されるものであり、その他の市町村においては従前どおりの取扱いとなること。

6　費用

本事業の実施に要する費用の一部については、国は別に定めるところにより補助するものとする。

○児童福祉法の一部を改正する法律等の公布について

〔平成13年11月30日　雇児発第761号
各都道府県知事・各指定都市市長・各中核市市長宛　厚生労働省雇用均等・児童家庭局長通知〕

児童福祉法の一部を改正する法律（以下「改正法」という。）が第153回臨時国会において議員提案され、平成13年11月30日法律第135号として別添1のとおり公布された。その改正の趣旨及び内容等は下記のとおりであるので留意の上、法の施行に遺憾のないようにするとともに、関係市町村への周知等を図られたい。

また、今回の法改正に伴い、厚生労働省組織規則（平成13年厚生労働省令第1号）の一部改正を行い、平成13年11月30日厚生労働省令第216号として別添2のとおり公布されたので留意されたい。

なお、本通知は、地方自治法（昭和22年法律第67号）第245条の4第1項の規定に基づく技術的助言である。

記

第1　改正の趣旨

保育需要の急速な増大を背景に認可外保育施設が増加し、認可外保育施設における乳幼児の事故が社会問題化していることに緊急に対応するため、また、都市化の進行等児童を取り巻く環境が大きく変化し、児童の健やかな成長に影響を及ぼす恐れのある事態が生じていることに対応するために、認可外保育施設（保育所と同様の業務を目的とする施設であって都道府県知事（指定都市及び中核市の市長を含む。以下第2の1、2及び4において同じ。）から認可を受けていないものをいう。以下同じ。）に対する監督の強化等、保育所整備促進のための公有財産の貸付け等の推進、保育士資格の法定化及び児童委員活動の活性化を図るものである。

第2　改正法の内容

1　認可外保育施設に対する監督の強化等

認可外保育施設に対する届出制の導入、運営状況の定期報告の義務付け、改善勧告等の法定化により、認可外保育施設をより効率的に把握し指導監督の強化を図るとともに、認可外保育施設に関して事業者や都道府県知事が情報を提供することとし、保護者自身による保育サービスの適切な選択を担保し悪質な認可外保育施設の排除を図ることとされた。

(1)　届出制の導入

①　認可外保育施設（少数の乳幼児を対象とする施設その他の厚生労働省令で定めるものを除く。以下(1)及び(2)において同じ。）を設置した者は事業開始日から1か月以内に都道府県知事に届け出なければならないこととされた。（第59条の2第1項）

②　届け出た事項に変更が生じた場合及び事業を休廃止した場合も①と同様1か月以内に都道府県知事への届出が必要とされた。（第59条の2第2項）

③　①及び②の違反者（虚偽の届出をした者を含む。）は50万円以下の過料に処すこととされた。（第62条の2）

④　認可外保育施設に対する監督の強化等に関する部分の施行の際現に、認可外保育施設を設置している者については、施行後1か月以内に①と同様に都道府県知事へ届け出なければならないこととされ、違反者は③と同様に50万円以下の過料に処すこととされた。（附則第6条）

(2)　地域住民に対する情報提供

①　認可外保育施設の設置者による情報提供

ア　認可外保育施設の設置者はその施設の概要等を当該施設が提供するサービスを利用しようとする者の見やすい場所へ掲示しなければならないこととされた。（第59条の2の2）

イ　認可外保育施設の設置者は、その提供するサービスを利用しようとする者からの申込みに対し、契約の内容及びその履行に関する事項を説明するよう努めなければならないこととされた。（第59条の2の3）

本規定により、認可外保育施設の設置者は当該施設におけるサービスの具体的な内容やサービス提供に関する責任体制等について説明するよう努めなければならないこととなった。

ウ　認可外保育施設の設置者は、その提供するサービスについて利用契約が成立したときは、その利用者に対し、契約内容を記載した書面を交付しなければならな

いこととされた。（第59条の２の４）

②　都道府県知事による情報提供

ア　認可外保育施設の設置者は、毎年、運営状況を都道府県知事に報告しなければならないこととされた。（第59条の２の５第１項）

なお、当該義務とは別に、従来どおり、都道府県知事は認可外児童福祉施設に対する報告徴収権を有するものである旨留意されたい。（第59条第１項）

イ　都道府県知事は、毎年、運営状況報告、報告徴収、立入調査等により、得た情報をとりまとめ、関係市町村長に通知するとともに、公表することとされた。（第59条の２の５第２項）

(3)　指導監督の強化

①　都道府県知事は、認可外児童福祉施設（児童福祉施設と同様の業務を目的とする施設であって都道府県知事から認可を受けていないものをいう。以下同じ。）の設置者に対して、報告徴収、立入調査、事業停止命令・施設閉鎖命令に加えて、改善勧告を行うことができることとされた。（第59条第３項）

②　当該施設の設置者が改善勧告に従わない場合には、都道府県知事はその旨を公表することができることとされた。（第59条第４項）

③　立入調査の対象に、事務所が加えられた。（第59条第１項）

④　児童の生命又は身体の安全を確保するため緊急を要する場合で、あらかじめ都道府県児童福祉審議会の意見を聴くいとまがないときは、その手続を経ないで事業停止や施設閉鎖を命ずることができることとされた。（第59条第６項）

(4)　都道府県と市町村の連携の強化

認可外児童福祉施設に対する指導監督が都道府県の事務である一方、保育の実施については市町村の事務であることを踏まえ、都道府県知事は、事務の執行及び権限の行使に関し、市町村長に必要な協力を求めることができることとされた。（第59条の２の６）

都道府県におかれてはこの趣旨を踏まえ、立入調査時に市町村保育士の同行を求める、認可外保育施設の運営状況報告や立入調査により得た情報を市町村を通じて公表する等市町村と連携を取り合い、指導監督に取り組まれるよう願いたい。

なお、認可外児童福祉施設に対する指導監督については、地方自治法第252条の17の２に基づき市町村が事務処理を管理執行することが可能である。

2　保育所整備促進のための公有財産の貸付け等の推進

認可外保育施設に関する問題の背景には、保育所の不足があることを踏まえ、保育所の供給拡大を図ることとされた。

(1)　市町村の措置

①　保育需要が増大する市町村においては、市町村自らの公有財産（学校、公営団地等の公共施設の余裕スペース、公有地等）の貸付け、保育所の運営業務の委託その他の措置を積極的に講じ、社会福祉法人等多様な民間事業者による保育所の設置運営を効率的かつ計画的に促進することとされた。（第56条の７第１項）

②　保育の供給拡大に当たっては、供給増の制約となる不合理な措置等を行わないよう留意の上、設置運営主体の如何を問わず適正な運営の確保に努められたい。

③　①に係る貸付先、委託先等の選定に当たっては、保育所が児童福祉を担う重要な機能を有していることに鑑み、手続の透明性、公正性に配慮されたい。

(2)　国及び都道府県の措置

①　市町村における保育の供給拡大のための各般の措置に対し、国及び都道府県は支援することとされた。（第56条の７第２項）

②　支援措置として、地方公共団体が所有する建物を民間事業者へ貸与する場合の保育所の整備に要する費用に対して国庫補助を行うことができることとし、これについては別途通知することとしている。

また、国有財産特別措置法（昭和27年法律第219号）に基づき、国有財産を社会福祉法人及び地方公共団体に対して無償又は減額貸与、減額譲渡することができることとされている。

3　保育士資格の法定化

保育士資格が詐称され、その社会的信用が損なわれている実態に対処する必要があること、地域の子育て支援の中核を担う専門職として保育士の重要性が高まっていること等を背景として、保育士資格が児童福祉施設の任用資格から名称独占資格に改められ、併せて守秘義務、登録・試験に関する規定が整備された。

(1) 定義について

保育士とは、登録を受け、保育士の名称を用いて、専門的知識及び技術をもって、児童の保育及び児童の保護者に対する保育に関する指導を行うことを業とする者をいうこととされた。(第18条の4)

都市化、核家族化の進展に伴い、子育ての基盤となる家庭の機能が低下している中で児童の健全な成長を図るためには、児童福祉施設のみならず家庭でも適切な保育が行われる必要があることから、保護者に対して保育に関する指導を行うことが新たに保育士の業務に位置付けられた。

(2) 登録について

① 厚生労働大臣の指定する保育士を養成する学校その他の施設(以下「指定保育士養成施設」という。)を卒業した者又は都道府県知事が行う保育士試験に合格した者は保育士となる資格を有することとされ、保育士となる資格を有する者が都道府県知事の登録を受けることにより保育士となることとされた。(第18条の6、第18条の8、第18条の18)

② 成年被後見人等に該当する等一定の事由(以下「欠格事由」という。)に該当する者は保育士となることができないこととされた。(第18条の5)

③ 保育士資格の法定化に関する部分の施行の際現に、保育士を養成する学校その他の施設として必要な条件を満たすものとして政令で定めるものは、指定保育士養成施設として指定されたものとみなすこととされた。(附則第3条)

④ 保育士資格の法定化に関する部分の施行の際現に、保育士として必要な知識及び技能を有する者として政令で定める者は、保育士となる資格を有する者とみなすこととされた。(附則第4条)

(3) 保育士試験及び指定保育士養成施設について

① 保育士試験は従来どおり都道府県知事が行うものであるが、都道府県知事は、その判断により公益法人に試験事務の全部又は一部を委託することができることとされた。(第18条の9)

② 試験事務を受託した法人の役職員等には、試験事務に関して守秘義務が課され、違反者は1年以下の懲役又は30万円以下の罰金に処することとされた。また、罰則の適用については公務員とみなすこととされた。(第18条の12、第60条の3)

その他試験事務を委託する場合についての必要な規定が整備された。(第18条の9から第18条の17まで、第61条の3)

③ 保育士の養成の適切な実施を確保するため必要があると認めるときは、厚生労働大臣は指定保育士養成施設に対して、報告徴収等とともに、帳簿書類等を検査できることとされた。(第18条の7)

なお、当該帳簿書類検査権は立入調査までを認めたものではない。

(4) 名称独占等について

① 保育士でない者は、保育士又はこれに紛らわしい名称を使用してはならないものとされ、違反者は30万円以下の罰金に処すこととされた。(第18条の23、第61条の2)

保母、保父などは保育士と紛らわしい名称であり、保育士でない者が使用することは禁止されるものである旨留意されたい。

② 保育士資格の法定化に関する部分の施行の際現に、保育士として必要な知識及び技能を有する者として政令で定める者であって登録を受けていないもの(欠格事由に該当する者を除く。)については、施行後3年間は、①の適用がないこととされた。(附則第5条)

③ 保育士は、保育士の信用を傷つけるような行為をしてはならないこととされた。(第18条の21)

④ 保育士は、正当な理由がなく、その業務に関して知り得た人の秘密を漏らしてはならないこととされ、違反者は1年以下の懲役又は30万円以下の罰金に処すこととされた。(第18条の22、第60条の2)

⑤ 都道府県知事は、③又は④に違反した者の保育士の登録を取り消すことができることとされた。(第18条の19第2項)

(5) 資質の向上について

現行法第48条の2において乳幼児等の保育に関する相談に応じ、助言を行うことが保育所の努力義務とされていることを踏まえ、保育所に勤務する保育士は、乳幼児に関する相談に応じ、助言を行うための知識及び技能の修得、維持及び向上に努めなければならないこととされた。（第48条の２第２項）

4　児童委員活動の活性化

児童を取り巻く環境の変化を踏まえ、地域において児童が安心して健やかに成長することができる環境を整備するため、児童委員の職務の明確化、主任児童委員の法定化及び児童委員の資質の向上を図ることとされた。

⑴　児童委員の職務の明確化

児童委員は、次に掲げる職務を行うこととされた。（第12条の２第１項）

①　児童及び妊産婦につき、その生活及び取り巻く環境の状況を適切に把握しておくこと。

②　児童及び妊産婦につき、その保護、保健その他福祉に関し、サービスを適切に利用するために必要な情報の提供その他の援助及び指導を行うこと。

③　児童及び妊産婦に係る社会福祉を目的とする事業を経営する者又は児童の健やかな育成に関する活動を行う者と密接に連携し、その事業又は活動を支援すること。

④　児童福祉司又は福祉事務所の社会福祉主事の行う職務に協力すること。

⑤　児童の健やかな育成に関する気運の醸成に努めること。

⑵　主任児童委員の法定化

①　厚生労働大臣は、児童委員のうちから、主任児童委員を指名することとされた。（第12条第３項）

②　①の指名は、民生委員法（昭和23年法律第198号）第５条の規定による推薦によって行うものとすることとされた。（第12条第４項）

③　主任児童委員は、児童委員の職務について、児童の福祉に関する機関と児童委員との連絡調整を行うとともに、児童委員の活動に対する援助及び協力を行うこととされた。（第12条の２第２項）

④　平成13年12月１日の前に民生委員法第５条の規定により都道府県知事及び民生委員推薦会が行った推薦において、主任児童委員が明示されている場合には、これにより主任児童委員を指名できることとされた。（附則第９条）

⑶　児童委員の研修

都道府県知事は、厚生労働大臣の定める基準に従い、児童委員の研修に関して計画を作成し、これを実施しなければならないこととされた。（第13条の２）

⑷　厚生労働省組織規則の一部を改正する省令について

主任児童委員の指名に関する事務を地方厚生局に委任するため、地方厚生局保健福祉課の所掌事務に「主任児童委員の指名に関すること」を追加することとした。（厚生労働省組織規則第711条第１項第17号）

5　施行日

⑴　認可外保育施設に対する監督の強化等に関する部分（第２の１）は、公布後１年以内に施行することとされた。（附則第１条第３号）

⑵　保育所整備促進のための公有財産の貸付け等の推進に関する部分（第２の２）は、公布日から施行することとされた。（附則第１条第１号）

⑶　保育士資格の法定化に関する部分（第２の３）は、公布後２年以内に施行することとされた。（附則第１条第４号）

⑷　児童委員の活性化に関する部分（第２の４）は、平成13年12月１日から施行することとされた。（附則第１条第２号）

第３　その他

1　今後、改正法に基づき、認可外保育施設に対する監督の強化等に関する部分や保育士資格の法定化に関する部分に関して、施行日を定める政令の制定や、児童福祉法施行令（昭和23年政令第74号）、児童福祉法施行規則（昭和23年厚生省令第11号）等の政省令の改正を行うこととなるが、認可外保育施設に対する届出制の導入や保育士の登録事務等に関して、都道府県・指定都市・中核市において準備期間が必要であること等を考慮し、できる限り早い時期に改正を行うこととしている。

2　認可外保育施設に対する監督の強化等に関する部分や保育士資格の法定化に関する部分の施行については、本通知とは別に、施行に当たっての留意点について、通知を発出することとしている。

別添１・２　略

○児童福祉法の一部を改正する法律の施行に伴う児童福祉法施行令の一部を改正する政令等の施行について

〔平成14年７月12日　雇児発第0712004号
各都道府県知事・各指定都市市長・各中核市市長宛　厚生労働省雇用均等・児童家庭局長通知〕

児童福祉法の一部を改正する法律（平成13年法律第135号。以下「改正法」という。）が平成13年11月30日に公布され、これに伴い、平成14年７月12日に、児童福祉法の一部を改正する法律の施行期日を定める政令（平成14年政令第255号。別添１）、児童福祉法施行令の一部を改正する政令（平成14年政令第256号。以下「改正政令」という。別添２）、児童福祉法施行規則及び児童福祉施設最低基準の一部を改正する省令（平成14年厚生労働省令第96号。別添３。以下「改正省令」という。）、児童福祉法施行規則第49条の２第１号ハの厚生労働大臣が定める組合等（平成14年厚生労働省告示第248号。別添４）が公布され、認可外保育施設関連部分については平成14年10月１日より、保育士関連部分については平成15年11月29日より施行されることとなったところであるので、下記事項に留意の上、その施行に遺憾のないようにされたい。

なお、改正法の趣旨及び内容等については、改正法の公布に際し、「児童福祉法の一部を改正する法律等の公布について」（平成13年11月30日雇児発第761号本職通知）において既に通知しているところであることを申し添える。

また、本通知は、地方自治法（昭和22年法律第67号）第245条の４第１項の規定に基づく技術的助言である。

記

Ⅰ　認可外保育施設に対する届出制の導入について

改正法により、認可外保育施設（保育所と同様の業務を目的とする施設であって都道府県知事（指定都市及び中核市の市長を含む。以下Ⅰにおいて同じ。）から認可を受けていないものをいう。以下同じ。）について、新たに、都道府県知事への設置届出、変更届出、毎年の定期報告、利用者への説明、保育内容等の掲示、書面交付、都道府県知事による情報提供が規定されたところである（以下、これらの新しく追加された義務等を総称して「届出制」という。）が、その内容等については、次のとおりである。

１　届出制の対象施設の範囲（児童福祉法施行規則（昭和23年厚生省令第11号。以下「規則」という。）第49条の２）

すべての認可外児童福祉施設が都道府県知事の指導監督の対象とされている一方で、届出制は、私人が設置している認可外保育施設であって「少数の乳児又は幼児を対象とするものその他の厚生労働省令で定めるもの」に該当しない施設が対象である。

これは、届出制の趣旨が認可外保育施設の効率的な把握の他、施設の情報を利用者に適正に伝え、利用者の適切な施設選択を担保することで、利用者の施設選択を通じた悪質な施設の排除を図る点にあることから、利用児童の募集を一般的には行わず、利用者による選択の対象とならない施設等を対象外としているものである。

届出制の対象外施設は次のとおりである。

⑴　小規模施設（規則第49条の２第１号）

地域での預かり合いとの区別や、事業者側の負担等を勘案し、１日に保育する乳幼児数が５人以下の小規模施設については届出制の対象外とした。

なお、保育する乳幼児数について、５人以下であることが約款その他の書類で明らかになっていない施設は、届出制の対象となる。

⑵　事業所内保育施設（規則第49条の２第１号イからハまで）

一般的に利用者を当該事業所の労働者に限定し広く利用者の募集を行わないことや、設置者である事業者側と利用者である労働者側との間に安定的な関係が想定されることから、届出制の対象外とした。ただし、労働者の乳幼児以外の乳幼児を５人を超えて預かる施設は、届出制の対象である。

⑶　事業者が顧客のために設置する施設（規則第49条の２第１号ニ）

一般に利用者を顧客に限定し広く利用者の募集を行わないことや、保護者が近くにいることが想定されることから、届出制の対象外とした。ただし、顧客の乳幼児以外の乳幼児を５人を超えて預かる施設は、届出制の対象である。

⑷　親族間の預かり合い（規則第49条の２第１号ホ）

一般に利用者の募集を行わないことや、保育する側と保育される側との間に安定的な関係が想定されることから、届出制の対象外とした。ただし、親族の乳幼児以外の乳幼児を５人を超えて預かる施設は、届出制の対象である。

(5)　臨時に設置される施設（規則第49条の２第２号）

半年を限度に臨時に設置される施設については、届出制に基づく地域住民に対する情報提供を行った時には既に施設自体が存在しないことが想定されることから、届出制の対象外とした。

(6)　幼稚園併設施設（規則第49条の２第３号）

幼稚園を設置する者が当該幼稚園と併せて設置する施設における活動については、幼稚園における子育て支援活動等と区別がつかないことや、幼稚園所管部局による当該幼稚園を設置する者に対しての指導が行われることから、届出制の対象外とした。

なお、幼稚園が、幼稚園教育要領に基づき実施する活動は、預かり保育（教育時間の前後に希望する者を対象に行う教育活動）も含め、児童福祉法（昭和22年法律第164号。以下「法」という。）の対象外である。

本取扱いについては、文部科学省と協議済みであり、文部科学省から別途通知が行われることとされている。

(7)　公立施設

届出制は「法第39条第１項に規定する業務を目的とする施設であって法第35条第４項の認可を受けていないもの」、即ち、法第35条第４項が対象にしている「国、都道府県及び市町村以外の者」の設置する施設を対象としており（法第59条の２）、国、都道府県及び市町村が設置する施設については法律上届出制の対象外である。

公立施設については、設置主体としての責任を持ってその管理運営に当たられたい。

２　届出制対象外施設への対応

届出制の対象外とされた施設も、従来どおり法第59条の指導監督の対象であることは変わりはなく、引き続き適切な指導監督を行われたい。なお、法改正を受けて、「認可外保育施設に対する指導監督の実施について」（平成13年３月29日雇児発第177号本職通知）を改正したので留意されたい。

なお、届出制の対象外施設について、都道府県（指定都市及び中核市を含む。以下Ｉにおいて同じ。）の判断により、地方自治法に基づき、条例によって、届出制を導入することを妨げるものではない。

３　届出事項等

設置届出事項、変更届出事項、定期報告事項、掲示事項及び書面交付事項の内容は以下のとおりである。

(1)　設置届出事項（法第59条の２第１項各号及び規則第49条の３）

施設把握の端緒となるものであるため、施設把握のための基本的な事項となっている。

(2)　変更届出事項（規則第49条の４）

定期報告により施設の状況が年に１度は確認できることから、施設の名称や所在地など常時把握しておくべき事項に限っている。

(3)　掲示事項（法第59条の２の２及び規則第49条の５）

サービス提供に係る責任体制を明らかにするとともに、利用者の適切な施設選択を助ける事項となっている。

(4)　書面交付事項（法第59条の２の４及び規則第49条の６）

利用者との契約内容を示すものであるとともに、交付された書面が利用者の手元に残るものであることから、サービス提供に係る責任体制等利用者が把握しておく必要がある事項となっている。

(5)　定期報告事項（規則第49条の７）

施設の状況把握に必要な事項となっている。

４　都道府県知事による情報提供

届出制は、利用者による施設選択を通じて、悪質な施設の排除を図るものであるため、情報提供によって、利用者に適切な情報が正確に伝わることが、制度の運用上必要不可欠である。次の点に留意の上、適切かつ積極的に情報提供されたい。

(1)　項目等

施設名称・所在地、設置者・管理者の氏名・住所、設備の規模・構造、事業開始年月日、開所時間、サービス内容、入所定員、保育従事者数（うち保育士数）、指導監督における指摘事項等利用者の施設選択に資する項目について、各施設につき同一の項目で同一の形態により提供すること。また、これらの項目の評価方法等を併せて情報提供するよう努められたい。

(2)　事実確認等

情報提供する事項については事前に事実確認を行うことを原則とすること。やむを得ず未確認の情報を提供する場合には、未確認である旨が明らかにされた形で行われたい。

(3)　手段

インターネットへの掲載や窓口での閲覧等、認可外保育施設の利用を考えている者や現に利用している者の目に触れる形で行うこと。また、保育の実施が市町村の事務であること、市町村との連携が規定されたこと（法第59条の２の６）に鑑み、市町村における情報提供を要請する等、市町村に対し必要な協力を求めることも検討されたい。

5　認可保育所との関係

届出制は、認可外保育施設の指導監督の一環として創設されたものであり、認可外保育施設は届出によって行政による認可等を得るものではない。

情報提供は、認可保育所と認可外保育施設の区別ができる形で行い、情報提供が悪質な施設の宣伝活動の場として不適切に利用されることがないよう留意されたい。

なお、掲示に当たっては、認可保育所と誤認されるような掲示を行うことは、不当景品類及び不当表示防止法（昭和37年法律第135号）に抵触するおそれがあるところである。

6　経過措置（改正政令附則第４条）

改正法施行前に、届出事項すべてについて都道府県に届け出ている施設については、設置届出を行ったものとみなされることとした。都道府県におかれては、事務の負担等を考慮して、改正法施行前に、届出を受け付けることも可能である。

Ⅱ　保育士について

保育士関連部分については平成15年11月29日から施行されることとなったところであるが、経過措置により登録を受けることで保育士となることのできる者の数が相当数になることから、登録事務体制の早期確立、登録申請の事前受付、改正法の趣旨や登録方法等の周知が必要であり、これらについては、別途、国として順次情報提供することとしている。

今回の政省令改正は、従来からの保育士関連の条文の整理の他、登録事項や登録手続、指定試験機関の指定要件やその手続について規定を設けたものであり、その主な内容は以下のとおりである。

1　保育士試験

(1)　筆記試験と実技試験（規則第６条の10）

都道府県における試験事務の実態等を踏まえ、試験事務の効率化の観点から、保育実習の筆記試験部分を保育実習理論とし、実技試験部分を保育実習実技とし、すべての筆記試験に合格した者に限り、保育実習実技を受験できるものとした。

(2)　添付書類（規則第６条の12）

従来、受験申請の際には、住民票の写しの添付が必要とされていたところであるが、申請者の負担を考慮し、添付を不要とした。

2　登録

(1)　登録事項（規則第６条の30）

法に規定されている氏名、生年月日に加え、本籍地都道府県名、指定保育士養成施設卒業・保育士試験合格の別、卒業若しくは試験合格の年月等を登録事項とした。

(2)　登録の申請先（児童福祉法施行令第16条）

指定保育士養成施設卒業者は申請時の住所地の都道府県知事へ、保育士試験合格者は試験を行った都道府県知事へ申請することとした。

3　経過措置

(1)　「保育士となる資格を有する者」とみなされる者は、改正法施行の際に以下に該当する者とした（改正法附則第４条、改正政令附則第３条、改正省令附則第４条）。これらの者は、改正法施行後に登録を受けることによって、保育士となることができる。

(ア)　指定保育士養成施設を卒業している者

(イ)　保育士試験に合格している者

(ウ)　昭和24年６月15日から昭和25年12月31日までの間において当時の児童福祉法施行令に基づき厚生大臣が認定した者（いわゆる認定保母）

(2)　(1)により「保育士となる資格を有する者」とみなされる者については、改正法施行後３年間に限り、保育士として登録を受けずとも、名称独占違反の罰則が適用されず（改正法附則第５条）、また、児童福祉施設最低基準（昭和23年厚生省令第63号。以下「最低基準」という。）の適用上は保育士とみなすこととした（最低基準第93条）。ただし、これらの措置はあくまでも経過的なものであり、改正法施行後の保育士となるには、登録を受ける必要がある。

なお、登録申請には期限がなく、改正法施行後３年を経過した後であっても、これらの者は、登録を受け、保育士となることができる。

別添１〜４　略

○認可外保育施設に対する届出制の導入について

（平成14年７月12日　雇児保発第0712001号
各都道府県・各指定都市・各中核市民生主管部(局)長宛
厚生労働省雇用均等・児童家庭局保育課長通知）

児童福祉法の一部を改正する法律（平成13年法律第135号）により、認可外保育施設に対して届出制が導入されることとなり、その趣旨及び内容等については、「児童福祉法の一部を改正する法律等の公布について」（平成13年11月30日雇児発第761号雇用均等・児童家庭局長通知）及び「児童福祉法の一部を改正する法律の施行に伴う児童福祉法施行令の一部を改正する政令等の施行について」（平成14年７月12日雇児発第0712004号雇用均等・児童家庭局長通知）において示しているところであるが、届出制の実施に当たっては、下記の事項に留意の上、その運用に遺憾のないようにされたい。

なお、本通知は、地方自治法（昭和22年法律第67号）第245条の４第１項の規定に基づく技術的助言である。

記

1　届出制の対象施設の範囲

⑴　事業者が顧客のために設置する施設（児童福祉法施行規則（昭和23年厚生省令第11号。以下「規則」という。）第49条の２第１号ニ）については、当該顧客が、当該事業所を離れて当該事業者以外の事業者の提供するサービス等を受ける場合は、届出制の対象となること。

⑵　幼稚園を設置する者が当該幼稚園と併せて設置している施設（規則第49条の２第３号）とは、施設設備等の物的側面及び経営・運営等の人的側面において当該幼稚園と十分に関連を有する施設をいうものであること。

2　届出事項等（児童福祉法（昭和22年法律第164号）第59条の２、第59条の２の２、第59条の２の４及び第59条の２の５並びに規則第49条の３から第49条の７まで）

⑴　「支払うべき額に関する事項」には食事代等利用料以外にも支払う額が含まれるものであること。

⑵　「入所定員」について、特に入所定員を定めていない場合には、同時に受入れが可能であると設置者が考えている人数とすること。

⑶　施設長が保育を行っている場合には職員に含めるものであること。

⑷　職員数の計算式は、実態等を踏まえ、常勤職員の労働時間を８時間としたものであること。

⑸　保育する乳幼児数及び職員数については、施設の運営状況をより的確に把握するために、その実績値と予定の両方を届出させることとしたものであること。

⑹　掲示事項の「職員配置数又はその予定」については、数値として示す方法の他、当日勤務を予定している保育従事者等の名前やローテーション表を貼り出す等の対応でもよいこと。

⑺　書面交付事項については、規則に記載された事項以外の事項についての記載を排除するものではなく、開所時間や、当該施設が提供しているすべてのサービス内容や利用料について、記載しても構わないこと。

⑻　定期報告事項の「その他施設の管理及び運営に関する事項」としては、安全管理、衛生管理、保育する乳幼児や職員の健康管理の状況等が考えられること。

3　情報提供の際の留意点

項目ごとに次の点に留意の上、行政として責任を持って情報提供されたい。

⑴　利用料

利用料については、保育の質を考慮せずに利用料が低い施設を選ぶことに保護者を誘導してしまう可能性があることから、情報提供には適さないこと。

⑵　乳幼児数

保育する乳幼児の数については、立入調査等により行政が直接確認し、確認した日付を明らかにした上で情報提供することが望ましいこと。

⑶　入所定員

入所定員については、認可外保育施設指導監督基準（「認可外保育施設に対する指導監督について」（平成13年３月29日雇用均等・児童家庭局長通知）別添）に則した定員設定となっているか確認した上で情報提供すること。

⑷　職員配置

職員の配置数については、

㈠　雇用する職員の数と実際に保育に従事する職員の数には開きがあることから、単に雇用する職員数だけを情報提供することは適切でないこと。

(イ) 配置数の実績を情報提供する場合には、立入調査等により行政が直接確認し、確認した日付を明らかにした上で行うことが望ましいこと。

(ウ) 保育士や看護師の有資格数を情報提供する場合には、保育士登録証等により、その資格の有無の確認を行うこと。

(エ) 職員数を常勤換算して情報提供する場合には、その計算式等も併せて情報提供すること。

(5) 保険加入状況について情報提供する場合には、保険の内容は様々であることから、単純な加入・非加入の表示のみに止まらず、その内容まで含めた形で行うことが望ましいこと。また、情報提供の際には契約書面の写しを提出させる等により確認を行うこと。

(6) 医療機関との提携状況については、様々な形が考えられ、誤解を招くおそれが強いことから、情報提供には適さないこと。

(7) 認可外保育施設指導監督基準への適合状況や立入調査時の指摘事項、その改善状況等を、時点を明らかにした上で、併せて情報提供することが望ましいこと。その場合には、市町村や都道府県の窓口において、具体的な指摘事項の内容等が閲覧できる形をとることが望ましいこと。

4 その他

児童福祉事務に従事する職員の配置に要する費用については地方交付税の積算基礎となっているところであるが、今回の法改正による届出制の導入等に伴い、平成14年度から標準団体につき、担当職員1名が増員されたところであること。

○認可外保育施設に対する指導監督の実施について

〔令和６年３月29日　こ成保第206号
各都道府県知事・各指定都市市長・各中核市市長・各児童
相談所設置市市長宛　こども家庭庁成育局長通知〕

注　令和６年４月10日こ成保第230号改正現在

認可外保育施設に対する指導監督については、児童福祉法第59条に基づくものであるところ、今般、別紙のとおり「認可外保育施設指導監督の指針」及び「指導監督基準」を策定したので、都道府県等におかれては引き続き適切な指導監督が図られるようお願いする。

この通知は、令和６年４月１日から施行し、これに伴い、「認可外保育施設に対する指導監督の実施について（平成13年３月29日雇児発第177号厚生労働省雇用均等・児童家庭局長通知）は廃止する。

なお、この通知は、地方自治法（昭和22年法律第67号）第245条の４第１項に規定する技術的な助言に当たるものである。

〔別　紙〕

認可外保育施設指導監督の指針

第１　総則

１　この指針の目的及び趣旨

この指針は、児童福祉法（以下「法」という。）等に基づき、認可外保育施設について、適正な保育内容及び保育環境が確保されているか否かを確認し、改善指導、改善勧告、公表、事業停止命令、施設閉鎖命令等を行う際の手順、留意点等を定めるものであること。

なお、本指針は、児童の安全確保等の観点から、劣悪な施設を排除するためのものであり、別添の認可外保育施設指導監督基準（以下「指導監督基準」という。）を満たす認可外保育施設についても児童福祉施設の設備及び運営に関する基準（昭和23年厚生省令第63号。以下「児童福祉施設設備運営基準」という。）及び家庭的保育事業等の設備及び運営に関する基準（平成26年厚生労働省令第61号。以下「家庭的保育事業等設備運営基準」という。）を満たすことが望ましいものであること。

２　この指針の対象となる施設

この指針の対象となる施設は、法第６条の３第９項から第12項までに規定する業務又は第39条第１項に規定する業務を目的とする施設であって法第34条の15第２項若しくは第35条第４項の認可又は就学前の子どもに関する教育、保育等の総合的な提供の推進に関する法律（平成18年法律第77号。以下「認定こども園法」という。）第17条第１項の認可を受けていないものをいい、法第58条の規定により児童福祉施設若しくは家庭的保育事業等の認可を取り消された施設又は認定こども園法第22条第１項の規定により幼保連携型認定こども園の認可を取り消された施設を含むものであり、法第59条の２により届出が義務づけられている施設に限られるものでないこと。（法第59条第１項参照）

（留意事項１）幼稚園が行う預かり保育の取扱い

幼稚園が、在園児に対し、教育課程に係る教育時間の終了後に幼稚園教育要領に基づき教育活動を行う活動について、法第６条の３第７項に基づく一時預かり事業を実施している場合については、法等に則り適正に実施されることが求められる。

また、認可外保育施設の届出の対象となる幼稚園併設施設に対する指導監督については、法等に則り適正に実施されることが求められるが、従来、幼稚園所管部局が当該幼稚園に対する指導の一環として行っていたという実態及び経緯に鑑み、幼稚園所管部局と情報交換を行う等の連携を図ること。

（留意事項２）教育を目的とする施設の取扱い

学校教育法（昭和22年法律第26号）に規定する幼稚園、特別支援学校の幼稚部及び各種学校以外の幼児教育を目的とする施設（法第６条の３第11項の業務を目的とする施設を除く。）については、乳幼児が保育されている実態がある場合は、法の対象となる。なお、乳幼児が保育されている実態があるか否かについては、当該施設のプログラムの内容、活動の頻度、サービス提供時間の長さ、対象となる乳幼児の年齢等その運営状況に応じ、判断すべきであるが、少なくとも１日４時間以上、週５日、年間39週以上施設で親と離れることを常態としている場合は保育されているものと考えられる。

（留意事項３）法第６条の３第11項に規定する業務を目的とする施設の取扱い

法第６条の３第11項に規定する業務を目的とする施設の取扱いについては、保育を必要とする乳幼児の居宅で保育を行う事業形態の特殊性にかんがみ、他の事業類型と比較して、より短時間の預かりサービスも含め、本指針の対象となる。

3　指導監督の事項及び方法

⑴　指導監督の事項

指導監督は、指導監督基準に基づき、児童の処遇等の保育内容、保育従事者数、施設設備等について、行うものであること。ただし、法第６条の３第９項に規定する業務を目的とする施設、同条第12項に規定する業務を目的とする施設（１日に保育する乳幼児の数が５人以下のものに限る。）及び法第６条の３第11項に規定する業務を目的とする施設であって、都道府県知事、指定都市市長、中核市市長又は児童相談所設置市市長（以下「都道府県知事等」という。）が別に基準を定めている場合は、指導監督基準の一部を適用しないことができること。

また、指導監督は、「認可外保育施設指導監督基準を満たす旨の証明書の交付について」（平成17年１月21日付け雇児発第0121002号厚生労働省雇用均等・児童家庭局長通知）に基づき効果的・効率的に行うこと。

（留意事項４）認可外保育施設については、法の他、消防法、食品衛生法、労働基準法等関係法令に基づく指導監督が行われており、これらの法令の遵守も別途、求められていることにも留意すること。

⑵　指導監督の方法

指導監督は、第２から第６までに定めるところに従って、行うものであること。

4　認可外保育施設の把握

⑴　認可外保育施設の把握

認可外保育施設については、届出の提出を待つだけでなく、管内市区町村の協力を得て、その速やかな把握に努めること。また、消防部局、衛生部局等の認可外保育施設を職務上把握し得る部局との連携や地域の児童委員を活用することも、その把握のために有効であること。

（留意事項５）市区町村との協力の例

・届出、定期報告の受付、内容確認の依頼
・市区町村が助成している認可外保育施設の指導監督の状況についての都道府県への情報提供
・市区町村に認可外保育施設から、子ども・子育て支援法第30条の11第１項に基づく確認の相談等があった場合の必要に応じた都道府県への情報提供

（参照条文）

・都道府県知事は、第59条、第59条の２及び前条に規定する事務の執行及び権限の行使に関し、市町村長に対し、必要な協力を求めることができる。（法第59条の２の６）
・市町村長は、第30条の11第１項及び第58条の８から第58条の10までに規定する事務の執行及び権限の行使に関し、都道府県知事に対し、必要な協力を求めることができる。（子ども・子育て支援法第58条の12）

（留意事項６）消防部局、衛生部局等の認可外保育施設を把握し得る部局等との連携の趣旨

都道府県、保健所を設置する市及び特別区においては、食品衛生法第30条第１項に規定する食品衛生監視員が置かれており、同監視員は、同法第28条第１項に基づき、不特定又は多数の者に食品を供与する施設（認可外保育施設を含む。）の関係者からの必要な報告の徴収及び施設への立入検査の権限が与えられており、また、消防機関も、消防法第４条に基づき、関係者（認可外保育施設の関係者を含む。）に対する資料の提出命令、報告の徴収、施設への立入検査及び関係者への質問の権限が与えられている。

これらの機関との連携を図ることは、効果的な指導監督の実施の観点から有効であること。

⑵　認可外保育施設の設置予定者等に対する事前指導

認可外保育施設の開設について、設置予定者等から相談があった場合や、設置について情報を得た場合には、法に基づく指導監督の趣旨及び内容等を説明するとともに、法等関係法令及び指導監督基準の遵守を求めること。また、当該認可外保育施設が届出対象施設に該当する場合は、法令に定める届出を行うよう指導すること。

様式１、様式１－２及び様式２参照

（留意事項７）届出制の意義

行政が認可外保育施設の把握を効率的に行い、指導監督の徹底を図るとともに、利用者に施設の情報を適正に伝え、利用者の適切な施設選択を担保することで、利用者の施設選択を通じた悪質な認可外保育施設の排除を図る。

（留意事項８）届出対象施設

届出の対象となる認可外保育施設は、法第６

条の３第９項から第12項までに規定する業務又は第39条第１項に規定する業務を目的とする施設（少数の乳児又は幼児を対象とする施設その他の内閣府令で定めるものを除く。）であって法第34条の15第２項若しくは第35条第４項の認可又は認定こども園法第17条第１項の認可を受けていないもの（法第58条の規定により児童福祉施設若しくは家庭的保育事業等の認可を取り消されたもの又は認定こども園法第22条第１項の規定により幼保連携型認定こども園の認可を取り消されたものを含む。）とする。（法第59条の２第１項参照）

届出対象施設は法第59条の都道府県知事等による指導監督の対象であることに加え、法第59条の２から第59条の２の５により都道府県知事等への設置届出、変更届出、毎年の定期報告、利用者への説明、保育内容等の掲示及びインターネットを利用して公衆の閲覧に供すること、並びに利用者への書面等（その作成に代えて電磁的記録（電子的方式、磁気的方式その他人の知覚によっては認識することができない方式で作られる記録であって、電子計算機による情報処理の用に供されるものをいう。以下同じ。）を作成する場合における当該電磁的記録を含む。以下同じ。）の交付が義務づけられている。

なお、公立の認可外保育施設も届出対象であり、都道府県知事等に対して届出を行うものとする。この場合、当該施設に対する指導監督は都道府県と市区町村が協議の上、効果的・効率的な方法で実施すること。

また、以下の施設（ただし、子ども・子育て支援法第59条の２に規定する仕事・子育て両立支援事業に係るものを除く。）は届出の対象外とされているが、これらの施設についても法第59条の指導監督の対象であることは言うまでもない（児童福祉法施行規則（以下「施行規則」という。）第49条の２）。

①　次に掲げる乳幼児のみの保育を行う施設であって、その旨が約款その他の書類により明らかであるもの。

（その旨が約款やパンフレット等の書面等により確認できない場合には届出が必要であり、また約款等により記載されているが、実態として次に掲げる乳幼児以外の乳幼児が保育されている場合は言うまでもなく届出対象となる。）

ア　店舗その他の事業所において商品の販売又は役務の提供を行う事業者が商品の販売又は役務の提供を行う間に限り、その顧客の監護する乳幼児を保育するために自ら設置する施設又は当該事業者からの委託を受けて当該顧客の監護する乳幼児を保育する施設にあっては、当該顧客の監護する乳幼児。

（例：デパート、自動車教習所や歯科診療所等に付置された施設。これらの施設であっても、利用者が顧客であるか、また当該施設の利用が役務の提供を受ける間の利用であるかが明らかでない場合は、届出対象となる。）

イ　親族間の預かり合い（設置者の四親等内の親族を対象）

ウ　設置者の親族又はこれに準ずる密接な人的関係を有する者の監護する乳幼児

（例：利用乳幼児の保護者と親しい友人や隣人等。この場合であっても、広く一般に利用者の募集を行うなど、不特定多数を対象に業として保育を行っている者が、たまたま親しい知人や隣人の子どもを預かる場合は届出の対象となる。）

②　半年を限度として臨時に設置される施設（例：イベント付置施設等）

③　認定こども園法第３条第３項に規定する連携施設（幼稚園型認定こども園）を構成する保育機能施設（注：幼稚園を設置する者が当該幼稚園と併せて設置している施設（上記施設を除く。）において、幼稚園における子育て支援活動等と独立して実施されており、余裕教室や敷地内の別の建物など在園児と区分された専用のスペースで専従の職員による保育が実施されているものは届出の対象となる。）

（留意事項９）届出事項（施行規則第49条の３）

①　法第59条の２第１項に規定する全ての施設の設置者において届出が必要な事項

・施設の名称及び所在地（法第６条の３第11項に規定する業務を目的とする施設については、主たる事業所の名称及び所在地）
・設置者の氏名及び住所又は名称及び所在地
・建物その他の設備の規模及び構造
・事業を開始した年月日
・施設の管理者の氏名及び住所
・開所している時間

・提供するサービスの内容（サービスの内容の例：月極保育、一時保育、24時間保育等）
・当該サービスの提供につき利用者が支払うべき額に関する事項（利用料のほか食事代、入会金、キャンセル料等を別途加算する場合にはその料金についても届出が必要。）
・届出年月日の前日において保育している乳幼児の人数（一時預かりの乳幼児も含む。）
・利用定員
・届出年月日の前日において保育に従事している保育士（国家戦略特別区域法（平成25年法律第107号）第12条の5第5項に規定する事業実施区域内にある施設にあっては、保育士又は当該事業実施区域に係る国家戦略特別区域限定保育士。以下同じ。）その他の職員の配置数（当該施設の保育士その他の職員のそれぞれの1日の勤務延べ時間数を8で除して得た数をいう。以下同じ。）及び勤務の体制
・保育士その他の職員の配置数及び勤務の体制の予定
・保育する乳幼児に関して契約している保険の種類、保険事故及び保険金額（加入の有無、加入している保険の種類（損害賠償保険・傷害保険・その他）、契約期間、給付対象、補償上限額）
・提携する医療機関の名称、所在地、提携内容
・施設の設置者について、過去に事業停止命令又は施設閉鎖命令を受けたか否かの別（受けたことがある場合には、その命令の内容を含む。）

② 法第6条の3第11項に規定する業務を目的とする施設の設置者、1日に保育する乳幼児の数が5人以下である施設（上記留意事項8の各項目に掲げるものを除く。）の設置者において届出が必要な事項
・設置者及び職員に対する研修の受講状況

③ 子どもの預かりサービスのマッチングサイトを利用する設置者において届出が必要な事項
・子どもの預かりサービスのマッチングサイトのURL

（施行規則第49条の3第10号参照）

(3) 届出懈怠施設及び虚偽の届出をした認可外保育施設への措置

届出対象施設であるが、開設後1か月を経過しても届出を行っていない施設を把握した場合には、文書（電磁的記録をもって作成されている場合における当該電磁的記録を含む。以下同じ。）により期限を付して届出を行うよう求めること。期限が過ぎても届出がない場合には、非訟事件手続法に基づき、過料事件の手続きを行うこと。

また、届け出た事項が指導監督により虚偽の届出であることが判明した場合についても同様であること。

様式3及び様式4参照

（参照条文）法第62条の5

第59条の2第1項又は第2項の規定による届出をせず、又は虚偽の届出をした者は、50万円以下の過料に処する。

（留意事項10）過料事件の手続

過料事件の手続きについては、非訟事件手続法第119条～第122条による。

管轄となる、過料に処せられる者の住所地の地方裁判所に過料の対象となることを都道府県、指定都市、中核市又は児童相談所設置市（以下「都道府県等」という。）が通知することとなる。

(4) 市区町村に対する届出事項の通知

認可外保育施設から届出があったとき又は届出事項に変更があったとき又は当該施設が休廃止した場合は、当該届出に係る事項を、当該施設の所在地の市区町村長に速やかに通知すること。（法第59条の2第3項参照）

第2　通常の指導監督

1　通則

通常の指導監督は、報告徴収及び立入調査により行うこと。

指導監督に当たっては、法に基づく指導監督の趣旨及び内容等を明らかにし、関係者の理解及び協力が得られるよう努めることを旨とするが、保育内容、保育環境等に問題があると認められる又は推定されるにもかかわらず、関係者の理解、協力等が得られない場合には、法に基づき厳正に対処すること。

2　報告徴収

(1) 運営状況報告の対象

全ての認可外保育施設の設置者又は管理者に対して、運営状況の報告を、年1回以上、文書により、回答期限を付して求めること。その

際、次のような場合にも報告するよう併せて指示すること。

様式５、様式５－２参照

①　事故等が生じた場合の報告（臨時の報告）

当該施設の管理下において、重大な事故が生じた場合は、「教育・保育施設等における事故の報告等について」（令和５年12月14日こ成安第142号通知）に基づき、速やかに報告させること。

様式６参照

また、食中毒事案等が生じた場合は、「社会福祉施設等における感染症等発生時に係る報告について」（平成17年２月22日付け健発第0222002号・薬食発第0222001号・雇児発第0222001号・社援発第0222002号・老発第0222001号通知）に準じて、都道府県等に報告させること。併せて保健所に報告し、指示を求めるなどの措置を講じさせること。

②　長期滞在児がいる場合の報告（長期滞在児の報告）

当該施設に、24時間かつ週のうちおおむね５日程度以上入所している児童がいる場合は、当該児童の氏名、住所及び家庭の状況等を速やかに報告させること。

様式７参照

③　届出事項に変更が生じた場合の報告

届出対象施設については、設置後届け出た事項のうち、省令で定める事項に変更を生じた場合は、変更後１か月以内に報告させること。（法第59条の２第２項参照）

様式８参照

④　事業を廃止し、又は休止した場合の報告

届出対象施設については、当該施設を廃止し、又は、休止した場合は、廃止又は休止の日から１か月以内に報告させること。（法第59条の２第２項参照）

様式９参照

（留意事項11）運営状況報告を徴収することの意義

届出対象施設については、法第59条の２の５第１項において、都道府県に対し定期報告を行うことを義務づけられているが、届出対象施設以外の施設についても法第59条により、必要と認める事項の報告を求めることができるものであり、認可外保育施設の指導監督を行うにあたって、施設の状況を把握しておくことが必要であることから運営状況報告を徴収するものである。

（留意事項12）長期滞在児がいるとの報告を受けた場合等の取扱い

認可外保育施設に24時間かつ週のうちおおむね５日程度以上入所している児童がいるとの報告を受けた場合、報告がなくともその事実が判明した場合若しくはその疑いが強い場合又は当該認可外保育施設に対して事業停止命令若しくは施設閉鎖命令を行う場合等においては、必要に応じて、児童相談所、福祉事務所、児童家庭支援センター、児童委員等の協力を求め、児童及びその家庭の状況等について必要な調査を行い、必要な福祉の措置を講ずること。この場合、他施設への入所措置等について保護者の理解が得られない場合等であっても、継続的に必要な助言又は指導を行っていくこと。

なお、関連施策は、以下のとおりであること。

・里親委託、乳児院、児童養護施設等への入所措置（法第27条）
・母子生活支援施設等での母子保護の実施（法第23条）
・保育所（夜間保育所、長時間延長保育実施保育所等）での保育の実施（法第24条）又は認定こども園における教育・保育の提供
・ベビーホテル問題に対応するための乳児院の活用（平成13年３月29日雇児発第178号雇用均等・児童家庭局長通知）
・子育て短期支援事業の活用（法第６条の３第３項）

（留意事項13）届出事項のうち、変更が生じた場合に報告をしなければならない事項（施行規則第49条の４）

・施設の名称及び所在地（法第６条の３第11項に規定する業務を目的とする施設については、主たる事業所の名称及び所在地）
・設置者の氏名及び住所又は名称及び所在地
・建物その他の設備の規模及び構造
・施設の管理者の氏名及び住所
・施設の設置者について、過去に事業停止命令又は施設閉鎖命令を受けたか否かの別（受けたことがある場合には、その命令の内容を含む。）

（留意事項14）定期報告事項（施行規則第49条の７）

①　報告が必要な事項

ア　法第59条の２第１項に規定する全ての施

設の設置者において報告が必要な事項
・施設の名称及び所在地（法第６条の３第11項に規定する業務を目的とする施設の設置者については、主たる事業所の名称及び所在地）
・設置者の氏名及び住所又は名称及び所在地
・建物その他の設備の規模及び構造
・施設の管理者の氏名及び住所
・開所している時間
・提供するサービスの内容及び当該サービスの提供につき利用者が支払うべき額に関する事項
・報告年月日の前日において保育している乳幼児の人数
・利用定員
・報告年月日の前日において保育に従事している保育士その他の職員の配置数及び勤務の体制
・保育士その他の職員の配置数及び勤務の体制の予定
・保育する乳幼児に関して契約している保険の種類、保険事故及び保険金額
・提携している医療機関の名称、所在地及び提携内容
・その他施設の管理及び運営に関する事項
・施設の設置者について、過去に事業停止命令又は施設閉鎖命令を受けたか否かの別（受けたことがある場合には、その命令の内容を含む。）

イ　法第６条の３第９項に規定する業務を目的とする施設、同条第12項に規定する業務を目的とする施設（１日に保育する乳幼児の数が５人以下のものに限る。）及び法第６条の３第11項に規定する業務を目的とする施設の設置者において報告が必要な事項
・設置者及び職員に対する研修の受講状況

ウ　子どもの預かりサービスのマッチングサイトを利用する設置者において届出が必要な事項
・子どもの預かりサービスのマッチングサイトのURL
（施行規則第49条の７第14号参照）

②　研修の受講
法第６条の３第９項に規定する業務を目的とする施設、同条第12項に規定する業務を目的とする施設（１日に保育する乳幼児の数が５人以下のものに限る。）及び法第６条の３第11項に規定する業務を目的とする施設の保育に従事する者（保育士又は看護師（准看護師を含む。以下同じ。）を除く。）については、研修受講が義務となっている。当該研修の内容等については、「「認可外保育施設指導監督基準」に定める認可外の居宅訪問型保育事業等における保育に従事する者に関する研修について」（令和３年３月31日付け子発0331第５号厚生労働省子ども家庭局長通知）を参照すること。

(2)　運営状況報告がない場合の取扱い
(1)による報告がない場合については、文書により期限を付して求めること。

(3)　特別の報告徴収の対象
当初の届出事項からの変更が認められる場合、運営状況報告の内容に疑義がある場合、臨時の報告又は長期滞在児の報告はないがその事実が判明又は強く疑われる場合、利用者から苦情や相談又は事故に関する情報等が行政庁に寄せられている場合等で、児童の処遇上の観点から施設に問題があると考えられる場合には、随時、特別に報告を求めること。
なお、この際には、必要に応じて３(1)②の特別立入調査の実施を考慮すること。

３　立入調査
(1)　立入調査の対象
①　通常の立入調査の対象
届出対象施設については、年１回以上行うことを原則とすること。
また、法第６条の３第９項に規定する業務を目的とする施設又は同条第12項に規定する業務を目的とする施設（１日に保育する乳幼児の数が５人以下のものに限る。）に対する立入調査についても、年１回以上行うことを原則とする。これが困難である都道府県等においては、立入調査に代えて、当該施設の長又は保育従事者を一定の場所に集めて講習等の方法により集団指導を年１回以上行うこともやむを得ないこと。ただし、苦情等の内容が深刻であるとき若しくはその件数が多いとき又は研修を長期間受講していない保育従事者が多いときなど、都道府県等が必要と判断する場合には、当該施設に立入調査を行うこと。
法第６条の３第11項に規定する業務を目的とする施設については、立入調査に代えて、

施設の設置者若しくは管理者（以下「事業所長」という。）又は保育従事者を一定の場所に集めて講習等の方法により集団指導を年１回以上行うこと。ただし、苦情等の内容が深刻であるとき若しくはその件数が多いとき又は研修を長期間受講していない保育従事者が多いときなど、都道府県等が必要と判断する場合には、立入調査を行うこと。

これらの施設について、定期的な立入調査の実施が難しい場合は、巡回支援指導員等が訪問する、又は市区町村の協力を得て当該施設に訪問するなどして状況を確認すること。

また、届出対象外施設についても、できる限り立入調査を行うよう努力すること。

（留意事項15）認可外保育施設が多数設置されている地域等における取扱い

認可外保育施設が多数存在し、届出対象施設に対して年１回以上の立入調査を当面行うことができない都道府県等にあっては、例えば、前回の立入調査の結果や、立入調査の際必要な項目についてあらかじめ自主点検表を提出させその内容等を考慮するなどして、対象施設を絞って重点的に指導監督を行うこともやむを得ないこと。

また、立入調査を行う場合であっても、前年の立入調査において、適正な運営がされており指導監督基準を満たしていた施設については、次年度において、一部の項目は書面等による確認のみ行うなど、項目を絞って実施することもやむを得ないこと。さらに、相当の長期間経営されている認可外保育施設であって児童の処遇をはじめその運営が優良であるものについては、運営状況報告の徴収は毎年度としつつ立入調査は隔年とする等の取扱いも不適当ではないこと。しかしながら、これらの場合にあっても、ベビーホテルについては、必ず、年１回以上の立入調査を行うこと。

（留意事項16）ベビーホテルとは、認可外保育施設のうち、次のいずれかを常時運営しているものをいうものであること（法第６条の３第11項に規定する業務を目的とする施設を除く。）。ただし、ウの「一時預かり」については、都道府県等が確認できた日における利用児童のうち一時預かりの児童が半数以上を占めている場合をいうものであること。

ア　夜８時以降の保育

イ　宿泊を伴う保育

ウ　一時預かり

②　特別立入調査の対象

死亡事故等の重大な事故が発生した場合、児童の生命・心身・財産に重大な被害が生じるおそれが認められる場合（こうしたおそれにつき通報・苦情・相談等により把握した場合や重大事故が発生する可能性が高いと判断した場合等も含む。以下同じ。）又は利用者から苦情や相談が寄せられている場合等であって、児童の処遇上の観点から施設に問題があると認められるときには、届出対象施設であるか否かにかかわらず、随時、特別に立入調査を実施すること。

③　事務所への立入調査

認可外保育施設への立入調査だけでは、運営状況等が十分に把握できない場合は、当該施設の設置者等の事務所に対して立入調査を実施し、必要な報告徴収をすること。（法第59条第１項参照）

（留意事項17）事務所に対する立入調査の意義

立入調査については、認可外保育施設への立ち入り及び設置者、施設長（法第６条の３第11項に規定する業務を目的とする施設については、事業所長とする。以下同じ。）や保育従事者への聴取を基本とするが、施設側に施設の運営状況等を把握するうえで必要な報告や書類の提出を求めてもこれらがなされない場合や設置者等が質問に対して明確な応答ができない場合においては事務所への立入調査や報告徴収を検討すること。

また、立入調査については、施設の運営状況等を把握する他、死亡事故等の重大事故を防止するためにも重要であるという視点から実施すること。

（参照条文）法第61条の５及び第62条

第61条の５　（略）

②　正当な理由がないのに、第29条の規定による児童委員若しくは児童の福祉に関する事務に従事する職員の職務の執行を拒み、妨げ、若しくは忌避し、又はその質問に対して答弁をせず、若しくは虚偽の答弁をし、若しくは児童に答弁をさせず、若しくは虚偽の答弁をさせた者は、50万円以下の罰金に処する。

第62条　（略）

②　次の各号のいずれかに該当する者は、30万円以下の罰金に処する。

一～五　（略）

六　正当な理由がないのに、第59条第１項の規定による報告をせず、若しくは虚偽の報告をし、又は同項の規定による立入調査を拒み、妨げ、若しくは忌避し、若しくは同項の規定による質問に対して答弁をせず、若しくは虚偽の答弁をした者

⑵　立入調査の手順

①　実施計画の策定

立入調査の実施計画は、届出対象施設であるか否かにかかわらず、問題を有すると考えられる施設について重点的に指導ができるように配慮して策定すること。また、策定に当たっては、必要に応じて、消防部局、衛生部局等と施設リストや既実施の立入調査結果の情報交換を行う等の連携を図ることが望ましいこと。

（留意事項18）行政情報の提供について

「行政機関の保有する個人情報の保護に関する法律」第８条第２項においては、他の部局や他の行政機関に対し、業務の遂行に必要な限度において、保有個人情報を利用目的以外の目的のために利用し又は提供することが認められており、この趣旨を踏まえれば、法人情報についても所掌事務の遂行に必要な限度で、他の部局や他の行政機関との間で、認可外保育施設に関する行政情報を交換することは差し支えないと考えられること。

（留意事項19）以下のいずれかに該当する施設は、「問題を有すると考えられる施設」に該当すると考えられること。

・著しく保育従事者数が少ないもの、又は著しく有資格者数が少ないもの
・著しく施設が狭隘なもの
・連続して改善指導を行っているにもかかわらず改善されないもの
・著しく低料金又は利用者から苦情や相談が寄せられており不適切な処遇が窺われるもの
・管理者や保育従事者が都道府県等が開催する研修会等へ参加していないもの
・通常の報告の徴収の指示に対して回答がないもの又は報告内容が空疎なもの
・事実発生に関わらず、臨時の報告又は長期滞在児の報告を怠っているもの
・設置後の届出義務、設置者の氏名等の掲示及びインターネットを利用して公衆の閲覧に供する義務、利用者に対する書面等交付義務等法令に定める義務の履行を怠っているもの

②　立入調査の指導監督班の編成等

立入調査の指導監督班は、関係法令等に係る十分な知識と経験を有する者２名以上で編成すること。ただし、やむを得ない場合は、知識と経験を有する者を含む２名以上で編成すること。

また、児童の処遇面で問題を有すると考えられる場合は、保育士、児童福祉司、心理判定員、児童指導員、保健師、看護師、医師等の専門的知識を有する者を加えること。

立入調査により指導監督を行う職員は、身分を証明する証票を携帯すること。また、この証票は、緊急の立入調査等に備え、あらかじめ交付しておくこと。（法第59条第１項参照）

③　市区町村との連携

立入調査に当たっては、保育の実施主体である市区町村に対し立会いを求める等必要な連携を図ること。（法第59条の２の６参照）

なお、市区町村は、幼児教育・保育の無償化の対象施設・事業である特定子ども・子育て支援施設等（子ども・子育て支援法第30条の11第１項）に対して、「特定教育・保育施設及び特定地域型保育事業並びに特定子ども・子育て支援施設等の運営に関する基準（平成26年内閣府令第39号）」の第53条から第61条の規定を遵守させるため、「特定子ども・子育て支援施設等指導指針」及び「特定子ども・子育て支援施設等監査指針」（令和元年11月27日付け府子本第689号、元文科初第1118号、子発1126第２号「特定子ども・子育て支援施設等の指導監査について」別添１及び２）に基づき、子ども・子育て支援法第30条の３において準用する第14条第１項に定める指導と、子ども・子育て支援法第58条の８第１項に定める監査を行うことが求められている。

そのため、立入調査に当たっては、事前に市区町村の指導内容を把握するとともに、監査が実施された場合には、指摘事項や改善状況を確認し、効果的・効率的な調査を実施するよう努められたい。

（留意事項20）市区町村との連携の例

・市区町村の調査等と連携し、一体的に調査を

実施すること。

・立入調査時に必要に応じ、市区町村の保育士、保健師等の同行を求めること。

・問題のある施設の継続的な状況の把握及びその指導への協力を求めること。

④　関係部局との連携

防災上、衛生上の問題等があると考えられる施設については、消防部局、衛生部局等と連携して指導を行うこと。

⑤　新規把握施設への対応

年度途中に新規に把握された施設については、実施計画に基づく調査とは別に、速やかに立入調査を行うよう努めること。

（留意事項21）速やかな立入調査ができない場合の処理

新規に把握された施設に優先して立入調査を行うべき施設が多数存在している場合など、速やかな立入調査を行うことができない場合であっても、立入調査に先立つ施設の訪問等を通じて、設置者又は管理者に対して、関係法令等の理解を促す等の措置を速やかに執ること。

⑥　事前通告

立入調査に当たっては、当該施設における帳票等の準備のために、設置者又は管理者に対し、期日を事前通告することを通例とする。ただし、当該施設において死亡事故等の重大事故が発生した場合又は児童の生命・心身・財産に重大な被害が生じるおそれが認められる場合等は、実施する特別立入調査の目的に照らして、必要に応じて、事前通告せずに特別立入調査を実施することが適切であることに留意すること。

（留意事項22）問題を有すると考えられる施設に対する取扱い

留意事項19に掲げる「問題を有すると考えられる施設」については、通常の立入調査を実施する場合であっても、事前通告せずに実施することや、事前通告期間を短くするなどの工夫が必要であること。

⑦　保育従事者及び保護者からの聴取等

立入調査における調査、質問等は、設置者又は管理者に対して行うことを通例とするが、必要に応じて、保育従事者からも事情を聴取すること。施設内での虐待や虚偽報告が疑われる場合等は、利用児童の保護者等から事情を聴取すること。また、施設内での虐待が疑われる場合は、利用児童の様子を確認すること。

⑧　口頭の助言、指導等

改善指導は文書で行うことを原則としているが、これに先立ち立入調査の際においても、必要と認められる助言、指導等を口頭により行うこと。

⑨　指導監督結果の検討

立入調査により行った指導監督の結果については、指導監督担当職員の所見や現地における状況等に基づき、施設の問題点を明らかにした上で、これに対する措置を具体的に決定し、速やかに問題点の解消に努めるよう必要な措置を講じること。具体的には、第３から第５までに規定するところによること。

また、死亡事故等の重大事故が発生した場合に行う検証において、事故の発生前までに実施した指導監督及び事故に関連して行った指導監督の結果並びに措置状況等について、事故後に行う検証において活用すること。検証が行われた場合、今後の管内の施設に対する指導監督については、検証結果を反映して実施すること。

第３　問題を有すると認められる場合の指導監督

１　通則

立入調査の結果、指導監督基準等に照らして改善を求める必要があると認められる場合は、改善指導、改善勧告、公表、事業停止命令又は施設閉鎖命令の措置を通じて改善を図ること。

（留意事項23）指導監督にあたっては、市区町村や消防部局、衛生部局等の関係部局との連携を図ること。特に、改善指導等の措置に当たっては、子ども・子育て支援法第30条の３において準用する同法第14条第１項及び同法第58条の８第１項に基づき、市区町村が実施した特定子ども・子育て支援施設等への指導及び監査における指導内容若しくは指摘事項又は改善状況等を情報共有した上で、効果的に実施すること。また、施設内で犯罪があると思料する場合は、警察と連携を図ること。

（留意事項24）立入調査の際には、以下の重点調査事項の例を参考に、改善指導、改善勧告等の実施について検討し、必要な措置を講じること。特に、緊急時の対応については、留意事項29についても留意すること。

【重点調査事項の例】

・保育士等の職員配置の状況（夜間の複数配

置等)
・事故防止の取組(乳幼児突然死症候群に対する注意(乳児の仰向け寝等)等)
・適切な食事、衛生管理の徹底
・人権配慮、虐待防止
・その他、各都道府県等が定める重点調査事項

2　改善指導

(1)　改善指導の対象

立入調査の結果、指導監督基準に照らして、改善を求める必要があると認められる認可外保育施設については、文書により改善指導を行うこと。

(2)　改善指導の手順

①　改善指導の内容

立入調査実施後おおむね1か月以内に、改善されなければ法第59条第3項に基づく改善勧告及び同法第59条第4項に基づく公表等の対象となり得ることを示した上で、改善すべき事項を文書により通知すること。

この場合、おおむね1か月以内の回答期限を付して、文書により報告を求めること。また、改善に時間を要する事項については、おおむね1か月以内に改善計画の提出を求めること。

様式10参照

②　改善指導結果の確認

改善指導に係る回答又は提出があった場合は、その改善状況を確認するため、必要に応じ、設置者又は管理者に対する出頭要請や施設又は事務所に対する特別立入調査を行うこと。回答期限又は提出期限が経過しても報告又は提出がない場合についても、同様であること。

3　改善勧告

(1)　改善勧告の対象

改善指導を繰り返し行っているにもかかわらず改善されず、改善の見通しがない場合には、留意事項24の重点調査事項の例を踏まえつつ、改善指導に止めずに、法第59条第3項に基づく改善勧告を行うこと。

(2)　改善勧告の手順

①　改善勧告の内容

文書による改善指導における報告期限後(改善指導を経ずに改善勧告を行う場合にあっては立入調査実施後)おおむね1か月以内に、改善されなければ、公表、事業停止命令又は施設閉鎖命令の対象となり得ることを明示した上、改善勧告を文書により通知すること。

この場合、おおむね1か月以内の回答期限を付して文書で報告を求めること。なお、建物の構造等から速やかな改善が不可能と認められる場合は、移転に要する期間を考慮して適切な期限(この期限は、3年以内とすること)を付して移転を勧告すること。

様式11参照

②　関係機関との調整

改善勧告を行う場合は、必要に応じて、事前に又は事後速やかに、児童相談所、近隣市区町村、近隣児童福祉施設等の関係機関との間で、当該施設が運営を停止した場合に備えた利用児童の受入れ先の確保等について調整を図ること。

③　確認

改善勧告を受けた設置者又は管理者から、当該改善勧告に対する報告があった場合は、その改善状況等を確認するため、速やかに特別立入調査を行うこと。回答期限が経過しても報告がない場合についても、同様であること。

また、必要に応じて改善勧告に対する回答の期限内においても、当該施設の状況の確認に努めること。

(3)　利用者に対する周知及び公表

①　利用者に対する周知

改善勧告にもかかわらず改善が行われていない場合には、当該施設の利用者に対し、改善勧告の内容及び改善が行われていない状況について個別通知等により周知し、当該施設の利用を控える等の勧奨を行うとともに、利用児童に対する福祉の措置等を講ずる必要があること。

②　公表

改善勧告にもかかわらず改善が行われていない場合には、改善勧告の内容及び改善が行われていない状況について報道機関等を通じて公表すること。また、地元市区町村に対し、その内容を通知するとともに、公表するよう要請すること。(法第59条第4項及び第8項参照)

第4　事業停止命令又は施設閉鎖命令

(1)　事業停止命令又は施設閉鎖命令の対象

以下のいずれかに該当する場合は、弁明の機会

を付与し、児童福祉審議会の意見を聴き、事業停止又は施設閉鎖を命ずること。（法第59条第５項参照）

①　改善勧告にもかかわらず改善が行われていない場合であって、かつ、改善の見通しがなく児童福祉に著しく有害であると認められるとき

②　改善指導、改善勧告を行う時間的余裕がなく、かつ、これを放置することが児童福祉に著しく有害であると認められるとき

③　乳幼児の生命身体に著しい影響を与えるなど、社会通念上著しく悪質であるとき

（留意事項25）「事業停止命令」及び「施設閉鎖命令」の意義

・「事業停止命令」は、期限を付して又は条件を付して当該認可外保育施設を運営する事業の停止を命ずる行政処分をいうこと。

・「施設閉鎖命令」は、施設の閉鎖を命じることにより、将来にわたり当該認可外保育施設を運営する事業を禁止する行政処分をいうこと。

（留意事項26）施設内（保育を必要とする者の居宅で保育を行う場合を含む。）で犯罪があると思料する場合は、警察と連携を図ること。この場合にあっても、利用者や地域住民を保護するための周知及び公表等は、引き続き行うこと。

（留意事項27）特に、法第６条の３第11項に規定する業務を目的とする施設（複数の保育に従事する者を雇用していないものに限る。）が、わいせつ行為や暴行等の乳幼児の生命身体に著しい影響を与える行為等を犯し、当該事実が裁判等によって確定した場合は、「乳幼児の生命身体に著しい影響を与えるなど、社会通念上著しく悪質であるとき」に該当するものとして、法第18条の５に規定する保育士の欠格事由を勘案し、次のとおり取り扱うこと。

①　禁錮以上の刑に処せられた場合は、原則として当該施設に対し施設閉鎖命令を行うこと。

②　罰金の刑に処せられた場合は、原則として当該施設に対し事業停止命令を行うこととし、当該命令の期間について、「刑の執行を終わり、又は執行を受けることがなくなった日から起算して３年までの期間」と設定することが合理的であること。

⑵　事業停止命令又は施設閉鎖命令の手順

①　関係機関との調整

事業停止命令又は施設閉鎖命令を行おうとする場合は、必要に応じて、事前に又は事後速やかに、児童相談所、近隣市区町村、近隣児童福祉施設等の関係機関との間で、当該施設が運営を停止した場合に備えた利用児童の受入れ先の確保等について調整を図ること。

②　弁明の機会の付与

事業停止命令又は施設閉鎖命令を行おうとする場合は、事前に弁明の機会を付与すること。

様式12参照

（留意事項28）弁明の機会の付与は、行政手続法第29条から第31条までに定めるところにより、当該施設の設置者又は管理者に対し、次の事項を書面によって通知して行うこと。

・予定される命令の内容
・命令の原因となる事実
・弁明書の提出先及び提出期限

③　児童福祉審議会からの意見聴取

弁明書の提出を受けた後又は提出期限を経過した後、速やかに、児童福祉審議会の意見を聴くこと。

④　事業停止命令又は施設閉鎖命令の発令

児童福祉審議会の意見を聴き速やかに判断した上で、文書により事業停止又は施設閉鎖を命ずること。通常は事業停止命令を先ず検討すべきであるが、改善が期待されずに当該施設の運営の継続が児童の福祉を著しく害する蓋然性がある場合は、施設閉鎖命令を発することとすること。

様式13参照

（参照条文）法第61条の４

第46条第４項又は第59条第５項の規定による事業の停止又は施設の閉鎖の命令に違反した者は、６月以下の懲役若しくは禁錮又は50万円以下の罰金に処する。

⑶　自治体間の情報提供及び公表

都道府県知事は、事業停止命令又は施設閉鎖命令をするために必要があると認めるときは、他の都道府県知事に対し、施設の設置者に関する情報その他の参考となるべき情報の提供を求めることができること。この場合、提供を求めることができる情報の範囲は、名称、所在地、設置者及び管理者名、処分の内容等（処分を行った自治体、処分の種類、処分年月日をいう。以下同じ。）の基本的な情報に加え、処分の要件に該当すると判断するに至った事実に係る情報とすること。

この場合、処分の要件に該当すると判断するに至った事実に係る情報とは次のとおりとするこ

と。ただし、次に掲げる情報に当たる場合であっても、被害児童の氏名・住所などの被害児童を本人とする個人情報その他の提供することにより被害児童の権利利益を不当に侵害するおそれのある個人情報は、被害児童のプライバシー保護の観点から提供してはならないものとすること。

・指導監督基準の該当箇所、当該基準に対する違反の内容、その事実認定のために必要最小限な証拠書類に係る情報

・わいせつ行為や暴行等の「乳幼児の生命身体に著しい影響を与えるなど、社会通念上著しく悪質であるとき」に該当するものについては、その行為の内容（例：利用児童に対するわいせつ行為があった）に係る情報のうち、児童の生命及び心身の安全確保の目的に照らして必要最小限度の情報

この情報提供の求めを効率的に行うことができるよう、第７の２のこども家庭庁への報告については遺漏なく行うこと。なお、当該報告を受けて、こども家庭庁が情報（名称、所在地、設置者及び管理者名、処分の内容等に限る。）を集約し、各都道府県が閲覧できることとするので活用されたいこと。（法第59条第７項参照）

事業停止命令又は施設閉鎖命令を行った場合は、その名称、所在地、設置者及び管理者名、処分の内容等について報道機関等を通じて公表すること。また、都道府県が公表する情報は、利用者の施設選択に当たっても重要な情報であることから、地元市区町村に対し通知するとともに、可能な限りその内容を公表するよう要請すること。

（法第59条第８項及び第９項参照）

（留意事項29）上記のとおり事業停止命令又は施設閉鎖命令に係る情報はこども家庭庁において集約し各都道府県が閲覧できることとしているが、当該情報は各都道府県において公表済みの情報である一方で、事業者の個人情報を含むものであることから、業務上の必要がある者が業務上必要な場合に限り閲覧すること。業務上必要な場合とは、例えば、具体的に事業停止命令や施設閉鎖命令の発出を検討しており、法第59条第７項の規定に基づき他の都道府県に情報の提供を求めるために必要な場合や、新たに届出を受けた事業者について適切な指導監督を行うために必要な場合等が考えられるが、これらに該当する場合であっても、これらの業務に必要な範囲でのみ閲覧すること。

第５　緊急時の対応

(1)　緊急時の手順

児童の福祉を確保すべき緊急の必要があるときは、第３及び第４までの手順によらず、文書による改善指導を経ずに改善勧告を行う、改善指導・改善勧告を経ずに事業停止命令若しくは施設閉鎖命令の措置を行うなど、児童の安全の確保を第一に考え、迅速な対応を行うこと。

(2)　緊急時の改善勧告

児童の福祉を確保するため、次の場合は、改善指導を経ることなく、改善勧告を行うこと。

①　著しく不適正な保育内容や保育環境である場合

②　著しく利用児童の安全性に問題がある場合

③　その他児童の福祉のため特に必要があると認められる場合

（留意事項30）上記の①から③までの具体的事例については、以下のとおり指導監督基準に定める事項に関する実施状況等を想定しているが、これらはあらかじめ児童福祉審議会の意見を聴いて設定し、公表しておくことが望ましい。

・「第１　保育に従事する者の数及び資格」及び「第２　保育室等の構造、設備及び面積」に関して、いずれも著しく下回るもの

・「第１　保育に従事する者の数及び資格」の「１　１日に保育する乳幼児の数が６人以上の施設」の「(2)保育に従事する者のおおむね三分の一（保育に従事する者が２人の施設及び(1)における１人が配置されている時間帯にあっては、１人）以上は、保育士又は看護師の資格を有する者であること。」に関して、有資格者が１人もいないもの

・「第４　保育室を２階以上に設ける場合の条件」中「(2)保育室を３階に設ける建物は、以下のアからキまでのいずれも満たすこと」又は「(3)保育室を４階以上に設ける建物は、以下のアからキまでのいずれも満たすこと。」に関して、イに規定する施設又は設備を有しておらず、かつ、消防法施行令第７条に規定する滑り台、救助袋、緩降機又は避難橋が設置されていないもの

・認可外保育施設の管理責任が明確に否定し得ない重大な事故等が発生しており、かつ、当該事故等に対応した適切な改善策が講じられていないもの

(3)　緊急時の事業停止命令又は施設閉鎖命令

児童の生命又は身体の安全を確保するために緊急を要する場合で、あらかじめ都道府県児童福祉審議会の意見を聴くいとまがないときは、当該手

続きを経ないで、事業停止又は施設閉鎖を命じることができるものであること。

この場合、弁明の機会の付与は事後的に行う必要はなく、また、児童福祉審議会に対しては事後速やかに報告すれば足りること。（法第59条第６項参照）

（留意事項31）行政手続法第13条において、公益上、緊急に不利益処分をする必要があるときは、弁明の機会の付与を行うことなく不利益処分をすることが可能とされており、また、事後に弁明の機会の付与を行うことは必要とされていないこと。

（留意事項32）施設の施設長や設置者が利用児童に暴行やわいせつな行為等の虐待を加え、危害を及ぼしていることが明白である場合などは、児童の生命又は安全を確保するために緊急を要する場合に該当すると想定されること。

第６　情報提供

１　市区町村等に対する情報提供

市区町村及び消防部局や衛生部局等との連携により指導監督に当たる必要があるため、法令に定める市区町村への通知事項以外にも、報告徴収及び立入調査等の状況や改善指導を行った後の当該施設の状況等については、適宜、市区町村等に情報の提供を行うこと。

あわせて、利用者からの相談を受けた市区町村、消費生活センター等と都道府県等との間で情報共有を図ること。

（留意事項33）法令に定める市区町村への通知事項

・改善勧告又は事業停止命令若しくは施設閉鎖命令をした場合、その旨の通知（法第59条第８項）

・届出があった場合、当該届出に係る事項の通知（法第59条の２第３項）

・認可外保育施設からの運営状況の報告事項のうち、児童の福祉のため必要と認められる事項の通知（法第59条の２の５第２項）

２　一般への情報提供

地域住民に対して、認可外保育施設を担当する窓口や利用者が相談できる窓口（市町村の利用者支援事業の担当窓口、消費生活センター等）について周知するとともに、認可外保育施設の状況についての情報を提供すること。管内市区町村に対しても、同様に地域住民への情報提供を求めること。

（留意事項34）情報提供に当たっては、以下のことに注意すること。

①　情報提供の対象施設

情報提供の対象となる施設は、原則、届出対象施設とするが、立入調査等による状況把握ができている場合など届出対象外の施設についても情報提供に努めること。

なお、法第６条の３第11項に規定する業務を目的とする施設の情報提供を行うに当たっては、個人情報に配慮するとともに、届出の際に公表する旨や公表項目等について、当該施設に対して事前に伝えておくことが望ましい。

②　情報提供の項目及び方法

インターネットへの掲載や認可外保育施設を担当する窓口での閲覧等により公表事項（施設の名称、所在地、設置者名及び住所、管理者名及び住所、設備の規模・構造、事業開始年月日、開所時間、サービス内容、入所定員、保育従事者数（うち保育士数）、指導監督における指摘事項等）を、同一の項目で同一の形態により提供すること。また、これらの項目の評価方法等を併せて情報提供するよう努めること。なお、施設からの報告をそのまま情報提供するのではなく、立入調査等による事実確認を行った上での情報提供を原則とすること。やむを得ず報告徴収又は立入調査時に無回答又は把握できなかった事項を情報提供する場合は、その旨を記載すること。

また、認可外保育施設が所在する市区町村に対して、地域住民に窓口等で当該認可外保育施設に係る情報提供についての協力を求めることも有効である。

③　情報の更新

随時に情報を更新する又は立入調査終了時に情報を更新する等、情報の更新方法をあらかじめ明らかにした上で、これを更新すること。

④　参考情報

指導監督基準、児童福祉施設設備運営基準、家庭的保育事業等設備運営基準等、認可外保育施設に係る情報の提供を行うに当たって参考となる関連情報を併せて提供するとともに、認可外保育施設を選ぶ際の視点などを示すことが望ましいこと。

（参照条文）法第59条の２の５第２項

都道府県知事は、毎年、前項の報告に係る施設の運営の状況その他第59条の２第１項に規定する施設に関し児童の福祉のため必要と認める事項を取りまとめ、これを各施設の所在地の市町村長に通知するとともに、公表するものとする。

第７　雑則

１　記録の整備

都道府県等は、認可外保育施設ごとに、届け出された事項、運営状況、指導監督の内容等の必要な記録を整備すること。

２　こども家庭庁への報告

第３の３、第４、第５の(2)又は第５の(3)の措置を講じた場合は、こども家庭庁に報告されたいこと。

（別添）

認可外保育施設指導監督基準

(注)　〔　〕の枠外が指導監督基準であり、〔　〕の枠内がその考え方である。

第１　保育に従事する者の数及び資格

１　１日に保育する乳幼児の数が６人以上の施設

(1)　保育に従事する者の数は、主たる開所時間である11時間（施設の開所時間が11時間を下回る場合にあっては、当該時間）については、乳児概ね３人につき１人以上、１、２歳児概ね６人につき１人以上、３歳児概ね20人につき１人以上、４歳以上児概ね30人につき１人以上であること。ただし、２人を下回ってはならないこと。また、11時間を超える時間帯については、現に保育されている児童が１人である場合を除き、常時２人以上配置すること。

また、１日に保育する乳幼児の数が６人以上19人以下の施設においても、原則として、保育従事者が複数配置されていることが必要であるが、複数の乳児を保育する時間帯を除き、保育従事者が１人となる時間帯を必要最小限とすることや、他の職員を配置するなど安全面に配慮することにより、これを適用しないことができる。

○　各施設において児童数が多い11時間（施設の開所時間が11時間を下回る場合にあっては、当該時間）、即ち、主たる開所時間については、乳児概ね３人につき１人以上、１、２歳児概ね６人につき１人以上、３歳児概ね20人につき１人以上、４歳以上児概ね30人につき１人以上の保育従事者が配置されるものとし、11時間を超える時間帯については、延長保育に準じ常時複数の保育従事者が、配置されることとするものであること。

○　児童の年齢については、定期利用が多く、クラス編成を行っているような施設については年度の初日の前日（３月31日）を基準日として考えることが原則である。ただし、利用児童の状況等に鑑みこれに該当しないと判断した場合などについて、一律に年度の初日の前日を基準日とせず、都道府県、指定都市、中核市又は児童相談所設置市（以下「都道府県等」という。）が施設ごとに基準日を判断することが可能である。

○　６人以上19人以下の施設において、保育従事者が複数配置されていない時間帯は必要最小限とする必要があるが、必要最小限の時間帯を判断するに当たっては、例えば睡眠中、プール活動・水遊び中、食事中等の場面では重大事故が発生しやすいことや他の職員の配置等による安全面への配慮などを踏まえ、各施設の実態に応じて、個別に適切に判断される必要があること。

○　食事の世話など特に児童一人ひとりに適切な援助が必要な時間帯については、児童の処遇に支障を来すことのないよう保育従事者の配置に留意すること。

○　児童の数については、月極めの児童等の通常はおおむね毎日利用する児童数を基礎とし、日極めの児童や特定の曜日に限り利用する児童等のその他の利用児童については、日々の平均的な人員を加えること。

○　ここでいう保育に従事する者は、常勤職員をいうこと。

短時間勤務の職員を充てる場合にあっては、その勤務時間を常勤職員に換算（有資格者、その他の職員別にそれぞれの勤務延べ時間数の合計を８時間で除して常勤職員数とみなすこと）して上記の人数を確保することが必要であること。

(2)　保育に従事する者のおおむね三分の一（保育に従事する者が２人の施設及び(1)における１人が配置されている時間帯にあっては、１人）以上は、保育士（国家戦略特別区域法（平成25年法律第107号）第12条の５第５項に規定する事業実施区域内にある施設にあっては、保育士又は当該事業実施区域に係る国家戦略特別区域限定保育士。以下同じ。）又は看護師（准看護師を含む。以下同じ。）の資格を有する者であること。また、常時、保育士又は看護師の資格を有する者が１人以上配置されていることが望ましい。

○　上記にかかわらず、保育に従事する者の全てについて、保育士又は看護師の資格を有する者が配置されていることが望ましい。なお、保育士又は看護師の資格を有しない保育に従事する者については、一定の研修受講を推奨することが望ましい。

(3)　国家戦略特別区域法第２条第１項に規定する国家戦略特別区域内に所在する施設であって、次のアからウまでのいずれにも該当し、(2)の基準を満たす施設と同等以上に適切な保育の提供が可能である施設については、(2)を適用しないことができる。

ア　過去３年間に保育した乳幼児のおおむね半数以上が外国人（日本の国籍を有しない者をいう。以下同じ。）であり、かつ、現に保育する乳幼児のおおむね半数以上が外国人であること

イ　外国の保育資格を有する者その他外国人である乳幼児の保育について十分な知識経験を有すると認められる者を十分な数配置していること

ウ　保育士の資格を有する者を１人以上配置していること

2　１日に保育する乳幼児の数が５人以下の施設

(1)　保育することができる乳幼児の数

ア　児童福祉法（以下「法」という。）第６条の３第９項に規定する業務を目的とする施設又は同条第12項に規定する業務を目的とする施設（１日に保育する乳幼児の数が５人以下のものに限る。）の場合、保育に従事する者１人に対して乳幼児３人以下とし、家庭的保育事業等の設備及び運営に関する基準（平成26年厚生労働省令第61号。以下「家庭的保育事業等設備運営基準」という。）第23条第３項に規定する家庭的保育補助者とともに保育する場合には、５人以下であること。

イ　法第６条の３第11項に規定する業務を目的とする施設の場合、原則として、保育に従事する者１人に対して乳幼児１人であること。

○　イについて、当該乳幼児がその兄弟姉妹とともに利用しているなどの場合であって、かつ、保護者が契約において同意しているときは、例外として、これを適用しないことができる。

(2)　保育に従事する者

ア　法第６条の３第９項に規定する業務を目的とする施設又は同条第12項に規定する業務を目的とする施設（１日に保育する乳幼児の数が５人以下のものに限る。）の場合、保育に従事する者のうち、１人以上は、保育士若しくは看護師の資格を有する者又は都道府県知事、指定都市市長、中核市市長若しくは児童相談所設置市市長（以下「都道府県知事等」という。）が行う保育に従事する者に関する研修（都道府県知事等がこれと同等以上のものと認める市町村長（特別区の長を含む。）その他の機関が行う研修を含む。以下同じ。）を修了した者であること。

イ　法第６条の３第11項に規定する業務を目的とする施設の場合、保育に従事する全ての者（複数の保育従事者を雇用している場合については、採用した日から１年を超えていない者を除く。）が、保育士若しくは看護師の資格を有する者又は都道府県知事等が行う保育に従事する者に関する研修を修了した者であること。

○　上記の基準にかかわらず、保育に従事する者は、法第６条の３第９項に規定する業務を目的とする施設又は同条第12項に規定する業務を目的とする施設（１日に保育する乳幼児の数が５人以下のものに限る。）にあっては、保育士、看護師又は家庭的保育者（法第６条の３第９項第１号に規定する家庭的保育者をいう。）が、法第６条の３第11項に規定する業務を目的とする施設にあっては、保育士又は看護師の資格を有する者が配置されることが望ましい。

○　「都道府県知事等が行う保育に従事する者に関する研修（都道府県知事等がこれと同等以上のものと認める市町村長（特別区の長を含む。）その他の機関が行う研修を含む。）」とは、居宅訪問型保育事業（法第６条の３第11項に規定する居宅訪問型保育事業をいう。以下同じ。）で受講を求めている基礎研修の内容（20時間程度の講義と１日以上の演習）を基本とする。具体的には、居宅訪問型保育事業に係る基礎研修や子育て支援員研修（地域保育コース）に加え、その他民間事業者等が実施する居宅訪問型保育研修など、都道府県知事等がこれと同等以上

のものと認める研修のことをいう。

3　保育士の名称について

保育士でない者を保育士又は保母、保父等これに紛らわしい名称で使用してはならないこと。

○　保育士でない者が、保育士又はこれに紛らわしい名称を使用した場合には、30万円以下の罰金が科せられることになること。
○　事業者が、保育士資格を有していない者について、保育士であると誤認されるような表現を用いて入園案内や児童の募集を行った場合は、事業者についても、名称独占違反の罰則が科されるおそれがあること。

4　国家戦略特別区域限定保育士が、その業務に関して国家戦略特別区域限定保育士の名称を表示するときに、その資格を得た事業実施区域を明示し、当該事業実施区域以外の区域を表示していないこと。

第2　保育室等の構造、設備及び面積

1　1日に保育する乳幼児の数が6人以上の施設

(1)　乳幼児の保育を行う部屋（以下「保育室」という。）のほか、調理室及び便所があること。

(2)　保育室の面積は、おおむね乳幼児1人当たり1.65㎡以上であること。

○　保育室の面積」とは、当該保育施設において、保育室として使用している部屋の面積であり、調理室、便所、浴室等は含まない。

(3)　乳児（おおむね満1歳未満の児童をいう。）の保育を行う場所は、幼児の保育を行う場所と区画されており、かつ安全性が確保されていること。

○　事故防止の観点から、乳児の保育を行う場所と幼児の保育を行う場所は、別の部屋とすることが望ましいこと。やむを得ず部屋を別にできない場合は、ベビーフェンス等で区画すること。

2　1日に保育する乳幼児の数が5人以下の施設

(1)　法第6条の3第9項に規定する業務を目的とする施設又は同条第12項に規定する業務を目的とする施設（1日に保育する乳幼児の数が5人以下のものに限る。）については、保育室のほか、調理設備及び便所があること。また保育室の面積は、家庭的保育事業等設備運営基準第22条を参酌しつつ、乳幼児の保育を適切に行うことができる広さを確保すること。

(2)　法第6条の3第11項に規定する業務を目的とする施設については、保育を受ける乳幼児の居宅等において行うものであることから、乳幼児の居宅等について広さ等の要件を求めるものではないが、その事業の運営を行う事業所においては、事業の運営を行うために必要な広さを有する専用の区画を設けるほか、保育の実施に必要な備品等を備えるよう保護者に協力を求めること。

3　共通事項

○　法第6条の3第11項に規定する業務を目的とする施設については、保育を受ける乳幼児の居宅等において行うものであることから、原則として、本基準を適用しない。

(1)　保育室は、採光及び換気が確保されていること。また、安全性が確保されていること。

○　乳幼児用ベッドの使用に当たっては、同一の乳幼児用ベッドに2人以上の乳幼児を寝かせることは、安全確保の観点から極めて危険であることから、行ってはならないこと。

(2)　便所には手洗設備が設けられているとともに、保育室及び調理室（調理設備を含む。以下同じ。）と区画されており、かつ子どもが安全に使用できるものであること。

便器の数はおおむね幼児20人につき1以上であること。

○　便所は手洗設備が設けられているだけでなく、衛生面はもとより安全面にも配慮されている必要があること。
○　調理室は、保育室と簡単に出入りできないよう区画されているだけでなく、衛生的な状態が保たれていることが必要であること。

第3　非常災害に対する措置

1　法第6条の3第11項に規定する業務を目的とする施設以外の施設

(1)　消火用具、非常口その他非常災害に必要な設備が設けられていること。

○　火災報知器及び消火器などが設置されているだけでなく、職員全員が設置場所や使用方法を知っていることが必要であること。
○　非常口は、火災等非常時に入所（利用）乳幼児の避難に有効な位置に、適切に設置されていること。

(2)　非常災害に対する具体的計画を立て、これに対する定期的な訓練を実施すること。

○　児童福祉施設設備運営基準第６条
　１　児童福祉施設においては、軽便消火器等の消火用具、非常口その他非常災害に必要な設備を設けるとともに、非常災害に対する具体的計画を立て、これに対する不断の注意と訓練をするように努めなければならない。
　２　前項の訓練のうち、避難及び消火に対する訓練は、少なくとも毎月１回は、これを行わなければならない。

○　家庭的保育事業等設備運営基準第７条
　１　家庭的保育事業者等は、軽便消火器等の消火用具、非常口その他非常災害に必要な設備を設けるとともに、非常災害に対する具体的計画を立て、これに対する不断の注意と訓練をするように努めなければならない。
　２　前項の訓練のうち、避難及び消火に対する訓練は、少なくとも毎月１回は、これを行わなければならない。

○　火災や地震などの災害の発生に備え、施設・設備の安全確保とともに、緊急時の対応や職員の役割分担等に関するマニュアルの作成、避難訓練の実施、保護者との連絡体制や引渡し方法等に関する確認等に努めること。（保育所保育指針（平成29年厚生労働省告示第117号）第３章４節「災害への備え」参照。）

○　児童福祉施設設備運営基準第９条の３
　１　児童福祉施設は、感染症や非常災害の発生時において、利用者に対する支援の提供を継続的に実施するための、及び非常時の体制で早期の業務再開を図るための計画（以下この条において「業務継続計画」という。）を策定し、当該業務継続計画に従い必要な措置を講ずるよう努めなければならない。
　２　児童福祉施設は、職員に対し、業務継続計画について周知するとともに、必要な研修及び訓練を定期的に実施するよう努めなければならない。
　３　児童福祉施設は、定期的に業務継続計画の見直しを行い、必要に応じて業務継続計画の変更を行うよう努めるものとする。

○　児童福祉施設設備運営基準第10条
　２　児童福祉施設は、当該児童福祉施設において感染症又は食中毒が発生し、又はまん延しないように、職員に対し、感染症及び食中毒の予防及びまん延防止のための研修並びに感染症の予防及びまん延の防止のための訓練を定期的に実施するよう努めなければならない。

２　法第６条の３第11項に規定する業務を目的とする施設
　防災上の必要な措置を講じていること。

○　火災や地震などの災害発生時における対処方法等（避難経路や消火用具等の場所の確認等を含む。）をあらかじめ検討し、実施することが必要であること。

第４　保育室を２階以上に設ける場合の条件

○　災害避難の観点から、保育室は原則として１階に設けることが望ましいが、やむを得ず２階以上に保育室を設ける場合は、防災上の必要な措置を採ることが必要であること。
○　法第６条の３第９項に規定する業務を目的とする施設及び同条第12項に規定する業務を目的とする施設（１日に保育する乳幼児の数が５人以下のものに限る。）並びに同条第11項に規定する業務を目的とする施設については、保育に従事する者の居宅又は保育を受ける乳幼児の居宅等において行うものであることから、原則として、本基準を適用しない。なお、適用しない場合、第３の１(2)に掲げる定期的な訓練を行う等、防災上の必要な措置を採ることに特に留意が必要であること。

(1)　保育室を２階に設ける建物には、保育室その他乳幼児が出入りし又は通行する場所に、乳幼児の転落事故を防止する設備が設けられていること。
　なお、保育室を２階に設ける建物が次のア及びイをいずれも満たさない場合においては、第３に規定する設備の設置及び訓練に特に留意すること。
ア　建築基準法第２条第９号の２に規定する耐火建築物又は第２条第９号の３に規定する準耐火建築物（同号ロに該当するものを除く。）であること。
イ　乳幼児の避難に適した構造の下表の区分ごとに掲げる施設又は設備がそれぞれ１以上設けられていること。

常用	①屋内階段 ②屋外階段
避難用	①建築基準法施行令第123条第１項に規定する構造の屋内避難階段又は同条第３項に規定する構造の屋内特別避難階段 ②待避上有効なバルコニー ③建築基準法第２条第７号の２に規定する準耐火構造の屋外傾斜路又はこれに準ずる設備 ④屋外階段

○　待避上有効なバルコニーとは以下の要件を満たすものとする。

①バルコニーの床は準耐火構造とする。

②バルコニーは十分に外気に開放されていること。

③バルコニーの各部分から２m以内にある当該建築物の外壁は準耐火構造とし、その部分に開口部がある場合は建築基準法第２条第９号の２ロに規定する防火設備とすること。

④屋内からバルコニーに通じる出入口の戸の幅は0.75m以上、高さは1.8m以上、下端の床面からの高さは0.15m以下とすること。

⑤その階の保育室の面積のおおむね８分の１以上の面積を有し、幅員3.5m以上の道路又は空地に面していること。

なお、待避上有効なバルコニーは、建築基準法上の直通階段には該当しないため、建築基準法施行令第120条及び第121条に基づき、原則として保育室から50m以内に直通階段を設置しなければならない。

○　屋外傾斜路に準ずる設備とは、２階に限っては非常用すべり台をいうものである。

○　積雪地域において、屋外階段等外気に開放された部分を避難路とする場合は、乳幼児の避難に支障が生じないよう、必要な防護措置を講じること。

○　人工地盤及び立体的遊歩道が、保育施設を設置する建物の途中階に接続し、当該階が建築基準法施行令第13条の３に規定する避難階（直接地上へ通ずる出入口のある階）と認められる場合にあっては、本基準の適用に際して当該階を１階とみなして差し支えないこと。この場合、建築主事と連携を図ること。

(2)　保育室を３階に設ける建物は、以下のアからキまでのいずれも満たすこと。

ア　建築基準法第２条第９号の２に規定する耐火建築物であること。

イ　乳幼児の避難に適した構造の下表の区分ごとに掲げる施設又は設備がそれぞれ１以上設けられていること。

この場合において、これらの施設又は設備は避難上有効な位置に設けられ、かつ、保育室の各部分からその一に至る歩行距離が30m以下となるように設けられていること。

常用	①建築基準法施行令第123条第１項に規定する構造の屋内避難階段又は同条第３項に規定する屋内特別避難階段 ②屋外階段
避難用	①建築基準法施行令第123条第１項に規定する構造の屋内避難階段又は同条第３項に規定する構造の屋内特別避難階段 ②建築基準法第２条第７号に規定する耐火構造の屋外傾斜路又はこれに準ずる設備 ③屋外階段

ウ　保育施設の調理室以外の部分と調理室を建築基準法第２条第７号に規定する耐火構造の床若しくは壁又は建築基準法施行令第112条第１項に規定する特定防火設備で区画し、換気、暖房又は冷房の設備の風道が、当該床若しくは壁を貫通する部分又はこれに近接する部分に防火上有効にダンパーが設けられていること。ただし、次のいずれかに該当する場合においては、この限りでない。

①　保育施設の調理室の部分にスプリンクラー設備その他これに類するもので自動式のものが設けられている場合

②　保育施設の調理室において調理用器具の種類に応じ有効な自動消火装置が設けられ、かつ、当該調理室の外部への延焼を防止するために必要な措置が講じられている場合

○　当該建物の保育施設と保育施設以外の用途に供する部分との異種用途の耐火区画については、建築基準法施行令第112条第13項に基づき設置すること。

○　スプリンクラー設備及びこれに類するもので自動式のものを設置する場合は、

乳幼児の火遊び防止のための必要な進入防止措置がされていれば、保育室と調理室部分との耐火区画の設置要件が緩和されることとなる。

○　調理用器具の種類に応じて適切で有効な自動消火装置（レンジ用自動消火装置、フライヤー用自動消火装置等）を設置する場合は、乳幼児の火遊び防止のための必要な進入防止措置と外部への延焼防止措置（不燃材料で造った壁、柱、床及び天井での区画がなされ、防火設備又は不燃扉を設ける等）の両措置がなされていれば、保育室と調理室部分との耐火区画の設置要件が緩和されることとなる。

○　ダンパー　ボイラーなどの煙道や空調装置の空気通路に設けて、煙の排出量、空気の流量を調節するための装置である。

エ　保育施設の壁及び天井の室内に面する部分の仕上げを不燃材料でしていること。

オ　保育室その他乳幼児が出入りし、又は通行する場所に、乳幼児の転落事故を防止する設備が設けられていること。

カ　非常警報器具又は非常警報設備及び消防機関へ火災を通報する設備が設けられていること。

○　非常警報器具　警鐘、携帯用拡声器、手動式サイレン等である。

○　非常警報設備　非常ベル、自動式サイレン、放送設備等である。

キ　保育施設のカーテン、敷物、建具等で可燃性のものについて防炎処理が施されていること。

○　防炎物品の表示方法（消防法第８条の３）

消防庁登録者番号 防　炎 登録確認機関名	防火対象物において使用する防炎対象物品について、防火対象物品若しくはその材料に防火性能を与えるための処理がされていることがわかるようにしておく必要があること。

(3)　保育室を４階以上に設ける建物は、以下のアからキまでのいずれも満たすこと。

ア　建築基準法第２条第９号の２に規定する耐火建築物であること。

イ　乳幼児の避難に適した構造の下表の区分ごとに掲げる施設又は設備がそれぞれ１以上設けられていること。

この場合において、これらの施設又は設備は避難上有効な位置に設けられ、かつ、保育室の各部分からその一に至る歩行距離が30m以下となるように設けられていること。

常用	①建築基準法施行令第123条第１項に規定する構造の屋内避難階段又は同条第３項に規定する構造の屋内特別避難階段 ②建築基準法施行令第123条第２項に規定する構造の屋外避難階段
避難用	①建築基準法施行令第123条第１項に規定する構造の屋内避難階段又は同条第３項に規定する構造の屋内特別避難階段（ただし、同条第１項の場合においては、当該階段の構造は、建築物の１階から保育室が設けられている階までの部分に限り、屋内と階段室とは、バルコニー又は付室（階段室が同条第３項第２号に規定する構造を有する場合を除き、同号に規定する構造を有するものに限る。）を通じて連絡することとし、かつ、同条第３項第３号、第４号及び第10号を満たすものとする。） ②建築基準法第２条第７号に規定する耐火構造の屋外傾斜路 ③建築基準法施行令第123条第２項に規定する構造の屋外避難階段

○　建築基準法施行令第123条第３項第２号に規定する国土交通大臣が定めた構造方法を用いるものとは、「特別避難階段の階段室又は付室の構造方法を定める件」（平成28年国土交通省告示第696号）により国土交通大臣が定めた構造方法を用いるものであること。

○　建築基準法施行令第129条の規定により当該階が階避難安全性能を有するものであることについて国土交通大臣の認定を受けた場合又は同令第129条の２の規定により当該建築物が全館避難安全性能を有するものであることについて国土交通大臣の認定を受けた場合は、同令第129条第１項又は第129条の２第１項の規定により、同令の諸規定が適用除外となるが、既にこれらの認定を受けている場合、保育室等から乳幼児が避難することを踏まえ、再度これらの性能を有するものであることについて認定を受けることが必要であること。

○　４階以上に保育室を設置しようとする際に事前に検討すべき事項等については「児童福祉施設の設備及び運営に関する基準の一部改正の取扱いについて」（平成26年９月５日雇児発0905第５号）の別添「保育室等を高層階に設置するに当たって事前に検討すべき事項」に取りまとめられているので、指導監督の際に活用するとともに、消防署等の関係機関と調整の上、乳幼児の安全が確保されるようにすること。

ウ　保育施設の調理室以外の部分と調理室を建築基準法第２条第７号に規定する耐火構造の床若しくは壁又は建築基準法施行令第112条第１項に規定する特定防火設備で区画し、換気、暖房又は冷房の設備の風道が、当該床若しくは壁を貫通する部分又はこれに近接する部分に防火上有効にダンパーが設けられていること。ただし、次のいずれかに該当する場合においては、この限りでない。

①　保育施設の調理室の部分にスプリンクラー設備その他これに類するもので自動式のものが設けられている場合

②　保育施設の調理室において調理用器具の種類に応じ有効な自動消火装置が設けられ、かつ、当該調理室の外部への延焼を防止するために必要な措置が講じられている場合

エ　保育施設の壁及び天井の室内に面する部分の仕上げを不燃材料でしていること。

オ　保育室その他乳幼児が出入りし、又は通行する場所に、乳幼児の転落事故を防止する設備が設けられていること。

カ　非常警報器具又は非常警報設備及び消防機関へ火災を通報する設備が設けられていること。

キ　保育施設のカーテン、敷物、建具等で可燃性のものについて防炎処理が施されていること。

第５　保育内容

⑴　保育の内容

ア　児童一人一人の心身の発育や発達の状況を把握し、保育内容を工夫すること。

○　児童の心身の発達状況に対応した保育従事者の適切な関わりは、児童の健全な発育・発達にとって不可欠であることを認識することが必要であること。この場合、各時期の保育上の主な留意事項は次のとおりであるが、児童への適切な関わりについて理解するためには、保育所保育指針（平成29年厚生労働省告示第117号）を理解することが不可欠であること。

［乳児（１歳未満児）］

・疾病への抵抗力が弱く、心身の機能の未熟さに伴う疾病の発生が多いことを理解し、一人一人の発育及び発達状態や健康状態についての適切な判断に基づく保健的な対応を行っているか。

・視覚、聴覚などの感覚や、座る、はう、歩くなどの運動機能が著しく発達し、特定の大人との応答的な関わりを通じて、情緒的な絆が形成される時期であることを踏まえ、情緒の安定と、歩行や言葉の獲得に向けた援助を行っているか。

・一人一人の生理的・心理的欲求を感性豊かに受け止め、愛情を込めて優しく体と言葉で応答するよう努めているか。

［１歳以上３歳未満児］

・特に感染症にかかりやすい時期であることを理解し、体の状態、機嫌、食欲などの日常の状態の観察を十分に行うとともに、適切な判断に基づく保健的な対応を心がけているか。

・自我が形成され、児童が自分の感情や気持ちに気付くようになる重要な時期であることに鑑み、情緒の安定を図りながら、愛情豊かに、応答的に関わるよう努めているか。

・身体的な機能や基本的な運動機能が発達するとともに、自分の意思や欲求を言葉で表出できるようになり、自分でできることが増えてくる時期であることを踏まえ、児童の生活の安定を図りながら、自分でしようとする気持ちや自発的な活動を尊重しているか。

・一人一人が探索活動を十分できるように、事故防止に努めながら活動しやすい環境を整え、全身を使う遊びなど様々な遊びを取り入れたり、友達と一緒に遊ぶ楽しさを次第に体験できるよう、模倣やごっこ遊びの中で保育従事者が仲立ちをしたりするなど、児童の心身の発達に必要な体験が得られるよう適切に援助しているか。

［３歳以上児］

・この時期に見られる、運動機能の発達や基本的な生活習慣の形成、言葉の理解、知的興味や関心の高まり、仲間の中の一人という自覚、集団的な遊びや協同的な活動などを踏まえて、個の成長と集団としての活動の充実が図られるよう、以下のことに留意しながら、一人一人の実態に即して適切に援助しているか。

（３歳児）

・遊びや生活において、他の児童との関係が重要になってくる時期であることを踏まえ、仲間同士の遊びの中で、一人一人の児童の興味や欲求を十分満足させること。

（４歳児）

・自意識が生まれ、他人の存在も意識できるようになり、心の葛藤も体験する時期であることを踏まえ、児童の心の動きを保育従事者が十分に察し、共感し、ある時は励ますことなどにより、児童の情緒を豊かにし、他人を気遣う感受性を育むこと。

（５歳児）

・自分なりの判断で行動するなど、自主性や自律性が身に付く時期であり、集団活動が充実し、ルールを守ることの必要性も理解する時期であることを踏まえ、保育従事者が児童の主体的な活動を促すため多様な関わりを持つことにより、児童の発達に必要な豊かな体験が得られること。

（６歳児）

・探求心や好奇心が旺盛となり、知識欲も増してくるとともに、集団遊びも、一人一人の好みや個性に応じた立場で行動するなど役割分担が生じ、組織だった共同遊びが多くなることを踏まえ、様々な環境を設定し、遊びや集団活動において、一人一人の創意工夫やアイデアが生かされるようにすること。

イ　乳幼児が安全で清潔な環境の中で、遊び、運動、睡眠等がバランスよく組み合わされた健康的な生活リズムが保たれるように、十分配慮がなされた保育の計画を定めること。

○　児童の生活リズムに沿ったカリキュラムを設定することが必要であること。

○　必要に応じて入浴させたり、身体を拭いて児童の身体の清潔さを保つことが必要であること。

ウ　児童の生活リズムに沿ったカリキュラムを設定するだけでなく、実施すること。

○　保育の実施に当たっては、沐浴、外気浴、遊び、運動、睡眠等に配慮すること。

○　外遊びなど、戸外で活動できる環境が確保されていることが必要であること。

エ　漫然と児童にテレビやビデオを見せ続けるなど、児童への関わりが少ない「放任的」な保育になっていないこと。

○　一人一人の児童に対してきめ細かくかつ相互応答的に関わることは、児童にとって重要である。保育従事者にとっても最も基本的な使命であり、このような姿勢を欠く保育従事者は不適任であること。

オ　必要な遊具、保育用品等を備えること。

○　年齢に応じた玩具、絵本、紙芝居などを備えることが必要であること。

なお、大型遊具を備える場合などは、その安全性の確認を常に行うことが事故防止の観点から不可欠であること。

○　法第６条の３第11項に規定する業務を目的とする施設については、保育を受ける乳幼児の居宅等において行うものであることから、原則として、本基準を適用しない。

(2)　保育従事者の保育姿勢等

ア　児童の最善の利益を考慮し、保育サービスを実施する者として適切な姿勢であること。

特に、施設の運営管理の任にあたる施設長（法第６条の３第11項に規定する業務を目的とする施設については、施設の設置者又は管理者とする。以下同じ。）については、その職責に鑑み、資質の向上、適格性の確保が求められること。

○　設置者をはじめとする職員は保育内容等に対して、児童の利益を優先して適切な対応をとることが必要であること。

イ　保育所保育指針を理解する機会を設ける等、保育従事者の人間性及び専門性の向上に努めること。

○　保育所保育指針を理解するなどの機会が設けられているかなど、保育従事者の質の向上が図られる体制に努めることが必要であること。

○　都道府県等が実施する施設長や保育従事者に対する研修等への参加が望ましいこと。

○　法第６条の３第９項に規定する業務を目的とする施設、同条第12項に規定する業務を目的とする施設（１日に保育する乳幼児の数が５人以下のものに限る。）及び法第６条の３第11項に規定する業務を目的とする施設の保育従事者については、保育に従事する前に研修を受講することが望ましいこと。

ウ　児童に身体的苦痛を与えることや人格を辱めること等がないよう、児童の人権に十分配慮すること。

○　しつけと称するか否かを問わず児童に身体的苦痛を与えることは犯罪行為であること。また、いわゆるネグレクトや差別的処遇、言葉の暴力などによる心理的苦痛も与えてはならないこと。

エ　児童の身体及び保育中の様子並びに家族の態度等から、虐待等不適切な養育が疑われる場合は児童相談所等の専門的機関と連携する等の体制をとること。

○　虐待が疑われる場合だけでなく、児童相談所等の専門機関からの助言が必要と思われる場合も同様であること。
（専門機関からの助言を要する場合の例）
・心身の発達に遅れが見られる場合
・社会的援助が必要な家庭状況である場合

(3)　保護者との連絡等

ア　保護者との密接な連絡を取り、その意向を考慮した保育を行うこと。

○　保護者との相互信頼関係を築くことを通じて保護者の理解と協力を得ることが児童の適切な保育にとって不可欠であり、連絡帳又はこれに代わる方法により、保護者からは家庭での児童の様子を、施設からは施設での児童の様子を、連絡し合うこと。

イ　保護者との緊急時の連絡体制をとること。

○　保育中に異常が発生した場合など、いつでも連絡できるよう、連絡先を整理し、全ての保育従事者が容易に分かるようにしておくことが必要であること。

ウ　保護者や利用希望者等から児童の保育の様子や施設の状況を確認する要望があった場合には、児童の安全確保等に配慮しつつ、保育室などの見学が行えるように適切に対応すること。

第６　給食

○　(1)、(2)に取り組むに当たっては、保育所における食事の提供ガイドライン（平成24年３月厚生労働省）、保育所におけるアレルギー対応ガイドライン（2019年改訂版）（平成31年４月厚生労働省）を参考にすること。

○　法第６条の３第11項に規定する業務を目的とする施設については、食事の提供を行う場合には、衛生面等必要な注意を払う必要があることから、必要に応じて本基準を適用すること。

(1)　衛生管理の状況

調理室、調理、配膳、食器等の衛生管理を適切に行うこと。

○　具体的には、次のようなことに配慮することが必要であること。
・食器類はよく洗い、十分に殺菌したものを使用すること。
・ふきん、まな板、鍋等についても同様であること。
・哺乳ビンは使用するごとによく洗い、滅菌すること。
・食事時、食器類や哺乳ビンは児童や保育従事者の間で共用しないこと。
・原材料、調理済み食品の保存に当たっては、冷凍又は冷蔵設備等を活用の上、適切な温度で保存する等、衛生上の配慮を行うこと。
・衛生管理については、「大量調理施設衛生管理マニュアル（平成29年６月16日付け生食発0616第１号通知）」、「児童福祉施設における食事の提供ガイド」（平成22年３月厚生労働省）及び「乳児用調製粉乳の安全な調乳、保存及び取扱いに関するガイドライン（世界保健機関／国連食糧農業機関共同作成・2007年）」を参考にすること。

(2)　食事内容等の状況

ア　児童の年齢や発達、健康状態（アレルギー疾患等を含む。）等に配慮した食事内容とすること。

イ　調理は、あらかじめ作成した献立に従って行うこと。

○　乳児にミルクを与えた場合は、ゲップをさせるなどの授乳後の処置を行うことが必要であること。

　また、離乳食を摂取する時期の乳児についても、食事後の状況に注意を払うことが必要であること。

○　食事摂取基準を踏まえ、かつ、児童の嗜好を踏まえた変化のある献立を作成し、これに基づいて調理することが必要であること。なお、独自で献立を作成することが困難な場合には、市区町村等が作成した認可保育所の献立を活用するなどの工夫が必要であること。

○　家庭からの弁当持参や、やむを得ず市販の弁当を利用する場合には、家庭とも連携の上、児童の健康状態や刻み食等の年齢に応じた配慮を行うこと。

○　アレルギー疾患を有する子どもの保育については、保護者と連携し、医師の診断及び指示に基づき、適切な対応を行うこと。

第７　健康管理・安全確保

⑴　児童の健康状態の観察

　登園、降園の際、児童一人一人の健康状態を観察すること。

○　登園時の健康状態の観察

　毎日、登園の際、体温、排便、食事、睡眠、表情、皮膚の異常の有無や機嫌等についての健康状態の観察を行うとともに、保護者から児童の状態の報告を受けること（適切に記載された連絡帳を活用することも考えられる。）が必要であること。

○　降園時の健康状態の観察

　毎日、降園の際も同様の健康状態の観察を行うとともに、保護者へ児童の状態を報告することが必要であること。

⑵　児童の発育チェック

　身長や体重の測定など基本的な発育チェックを毎月定期的に行うこと。

⑶　児童の健康診断

　継続して保育している児童の健康診断を利用開始時及び１年に２回実施すること。

○　直接実施できない場合は、保護者から健康診断書の提出を受ける、母子健康手帳の写しを提出させるなどにより、児童の健康状態の確認を行うことが必要であること。

○　医師による健康診断は、心身の発達に遅れがみられる児童の早期発見につながるという面からも有効であること。

○　入所時に、児童の体質、かかりつけ医の確認をするとともに、緊急時に備え、保育施設の付近の病院等関係機関の一覧を作成し、全ての保育従事者に周知することが必要であること。

○　法第６条の３第11項に規定する業務を目的とする施設については、原則として、⑵及び⑶は適用しない。

⑷　職員の健康診断

ア　職員の健康診断を採用時及び１年に１回実施すること。

イ　調理に携わる職員には、おおむね月１回検便を実施すること。

○　職員の健康診断の実施は、労働安全衛生法（昭和47年法律第57号）に基づく労働安全衛生規則（昭和47年労働省令第32号）により義務づけられていること。

○　イについて、法第６条の３第11項に規定する業務を目的とする施設については、食事の提供を行う場合には、衛生面等必要な注意を払う必要があることから、提供頻度やその内容等の実情に応じ、必要に応じて本基準を適用すること。

⑸　医薬品等の整備

　必要な医薬品その他の医療品を備えること。

○　体温計、水まくら、消毒薬、絆創膏類等は、最低限備えることが必要であること。

○　法第６条の３第11項に規定する業務を目的とする施設については、保育を受ける乳幼児の居宅等において行うものであることから、原則として、本基準を適用しない。

⑹　感染症への対応

ア　法第６条の３第11項に規定する業務を目的とする施設以外の施設

　感染症にかかっていることが分かった児童については、かかりつけ医の指示に従うよう保護者に指示すること。

○　本項に取り組むに当たっては、保育所における感染症対策ガイドライン（2018年改訂版）（平成30年３月厚生労働省）を参考にすること。

○　感染症の疑いがある場合も同様であること。

○　再登園については、かかりつけ医とのやりとりを記載した書面等（その作成に代えて電磁的記録（電子的方式、磁気的方式その他人の知覚によっては認識することができない方式で作られる記録であって、電子計算機による情報処理の用に供されるものをいう。）を作成する場合における当該電磁的記録を含む。以下同じ。）の提出など、かかりつけ医による判断の確認について、保護者の理解と協力を求めることも必要であること。
○　歯ブラシ、コップ、タオル、ハンカチなどは、児童や保育従事者の間で共用せず、一人一人のものを準備すること。

イ　法第６条の３第11項に規定する業務を目的とする施設

感染予防のための対策を行うこと。

○　法第６条の３第11項に規定する業務を目的とする施設については、利用児童の居宅等において保育を行うことを踏まえ、複数児童が利用する施設とは異なり、利用児童と保育従事者の間での感染を防ぐことを念頭に置く必要があること。
（例）手指の衛生や咳エチケットの実施等の感染予防を実施する。

(7)　乳幼児突然死症候群に対する注意

ア　睡眠中の乳幼児の顔色や呼吸の状態をきめ細かく観察すること。

イ　乳児を寝かせる場合には、仰向けに寝かせること。

○　窒息リスクの除去の観点から、医学的な理由で医師からうつぶせ寝をすすめられている場合以外は、乳児の顔が見える仰向けに寝かせることが重要であること。

ウ　保育室では禁煙を厳守すること。

(8)　安全確保

ア　施設の設備の安全点検、職員、児童等に対する施設外での活動、取組等を含めた施設での生活その他の日常生活における安全に関する指導、職員の研修及び訓練その他施設における安全に関する事項についての計画（以下「安全計画」という。）を策定し、当該安全計画に従い、児童の安全確保に配慮した保育の実施を行うこと。

イ　職員に対し、安全計画について周知するとともに、安全計画に定める研修及び訓練を定期的に実施すること。

ウ　保護者に対し、安全計画に基づく取組の内容等について周知すること。

エ　事故防止の観点から、施設内の危険な場所、設備等に対して適切な安全管理を図ること。

オ　不審者の立入防止などの対策や緊急時における児童の安全を確保する体制を整備すること。

カ　児童の施設外での活動、取組等のための移動その他の児童の移動のために自動車を運行するときは、児童の乗車及び降車の際に、点呼その他の児童の所在を確実に把握することができる方法により、児童の所在を確認すること。

キ　児童の送迎を目的とした自動車（運転者席及びこれと並列の座席並びにこれらより一つ後方に備えられた前向きの座席以外の座席を有しないものその他利用の態様を勘案してこれと同程度に児童の見落としのおそれが少ないと認められるものを除く。）を日常的に運行するときは、当該自動車にブザーその他の車内の児童の見落としを防止する装置を備え、これを用いてカに定める所在の確認（児童の降車の際に限る。）を行うこと（法第６条の３第11項に規定する業務を目的とする施設については適用しない）。

ク　事故発生時に適切な救命処置が可能となるよう、訓練を実施すること。

ケ　賠償責任保険に加入するなど、保育中の万が一の事故に備えること。

コ　事故発生時には速やかに当該事実を都道府県知事等に報告すること。

○　安全計画は定期的に見直しを行い、必要に応じて変更を行うこと。
○　事故報告については、「教育・保育施設等における事故の報告等について」（令和５年12月14日こ成安第142号通知）を参照すること。

サ　事故の状況及び事故に際して採った処置について記録すること。

シ　死亡事故等の重大事故が発生した施設については、当該事故と同様の事故の再発防止策及び事故後の検証結果を踏まえた措置をとること。

○　施設の安全確保については、教育・保育施設等における事故防止及び事故発生時の対応のためのガイドライン（平成28年３月内閣府、文部科学省、厚生労働省）を参考にすること。

○　特に、睡眠中、プール活動・水遊び中、食事中等の場面では重大事故が発生しやすいことを踏まえ、上記ガイドラインを参照し必要な対策を講じること。例えば、次のようなことに配慮することが必要であること。

・睡眠中の窒息リスクの除去として、医学的な理由で医師からうつぶせ寝をすすめられている場合以外は、乳児の顔が見える仰向きに寝かせるなど寝かせ方に配慮すること、児童を１人にしないこと、安全な睡眠環境を整えること。

・プール活動や水遊びを行う場合は、監視体制の空白が生じないよう、専ら監視を行う者とプール指導等を行う者を分けて配置し、その役割分担を明確にすること。

・児童の食事に関する情報（咀嚼や嚥下機能を含む発達や喫食の状況、食行動の特徴など）や当日の子どもの健康状態を把握し、誤嚥等による窒息のリスクとなるものを除去すること、また、食物アレルギーのある子どもについては生活管理指導表等に基づいて対応すること。

・窒息の可能性のある玩具、小物等が不用意に保育環境下に置かれていないかなどについての、保育士等による保育室内及び園庭内の点検を、定期的に実施すること。

○　保育室だけでなく、児童が出入りする場所には危険物を置かないこと。また、書庫等は固定する、棚から物が落下しないなどの工夫を行うことが必要であること。

○　施設内の危険な場所、設備等への囲障の設置、施錠等を行う必要があること。

○　施設の周囲に危険箇所等がある場合には、児童が勝手に出られないような配慮（敷地の周囲を柵等で区画している、出入り口の錠は幼児の手の届かないところに備えている等）が必要であること。

○　賠償すべき事故が発生した場合は、損害賠償を速やかに行うことができるよう備えておくこと。

第８　利用者への情報提供

⑴　提供するサービス内容を利用者の見やすいところに掲示するとともに、電気通信回線に接続して行う自動公衆送信（公衆によって直接受信されることを目的として公衆からの求めに応じ自動的に送信を行うことをいい、放送又は有線放送に該当するものを除く。）により公衆の閲覧に供しなければならないこと。

○　届出対象施設については、以下の内容について掲示する（法第６条の３第11項に規定する業務を目的とする施設については、書面等による提示などの方法が考えられる。）とともに、インターネットを利用して公衆の閲覧に供することが義務づけられている。公衆の閲覧に供する方法は、具体的には、子ども・子育て支援情報公表システム（ここdeサーチ）に掲載することとしている（児童福祉法施行規則第49条の５第１項）。

・設置者の氏名又は名称及び施設の管理者の氏名

・建物その他の設備の規模及び構造
（注：法第６条の３第11項に規定する業務を目的とする施設以外の施設に限る。）

・施設の名称及び所在地

・事業を開始した年月日

・開所している時間
（注：法第６条の３第11項に規定する業務を目的とする施設については、保育提供可能時間）

・提供するサービスの内容及び当該サービスの提供につき利用者が支払うべき額に関する事項並びにこれらの事項に変更が生じたことがある場合にあっては当該変更のうち直近のものの内容及びその理由（注：利用料の変更に関し掲示及びインターネットを利用して公衆の閲覧に供することが適切になされているか、保護者への説明がなされているかについて、指導助言を行うこと。）

・入所定員

・保育士その他の職員の配置数又はその予定

・設置者及び職員に対する研修の受講状況
（注：法第６条の３第９項に規定する業務を目的とする施設、同条第12項に規定する業務を目的とする施設（１日に保育する乳幼児の数が５人以下のものに限る。）及び法第６条の３第11項に規定する業務を目的とする施設に限る。）

・保育する乳幼児に関して契約している保険の種類、保険事故及び保険金額

・提携している医療機関の名称、所在地及び提携内容
・緊急時等における対応方法
・非常災害対策
・虐待の防止のための措置に関する事項
・施設の設置者について、過去に事業停止命令又は施設閉鎖命令を受けたか否かの別（受けたことがある場合には、その命令の内容を含む。）

○　職員の配置数は、保育に従事している保育士その他の職員のそれぞれの１日の勤務延べ時間数を８時間で除した数であるが、職員のローテーション表及びその日実際に保育に当たる保育従事者の資格状況等の掲示又はその日実際に保育に当たる保育従事者の数及び有資格者数等を記載したホワイトボード等を活用することも有効である。

（様式14参照）

(2)　利用者と利用契約が成立したときは、その利用者に対し、契約内容を記載した書面等を交付しなければならないこと。

○　届出対象施設については、以下の内容について利用者に対する書面等交付が義務づけられている。（法第59条の２の４）

・設置者の氏名及び住所又は名称及び所在地
・当該サービスの提供につき利用者が支払うべき額に関する事項
・施設の名称及び所在地
・施設の管理者の氏名
・当該利用者に対し提供するサービスの内容
・保育する乳幼児に関して契約している保険の種類、保険事故及び保険金額
・提携する医療機関の名称、所在地及び提携内容
・利用者からの苦情を受け付ける担当職員の氏名及び連絡先

○　あらかじめ、サービスに対する利用料金のほか食事代、入会金、キャンセル料等を別途加算する場合にはその料金について、交付書面等により、利用者に明示しておくこと。

（様式15参照）

(3)　利用予定者から申込みがあった場合には、当該施設で提供されるサービスを利用するための契約の内容等について説明を行うこと。

○　届出対象施設については、当該施設で提供される保育サービスを利用しようとする者から申込みがあった場合には、その者に対し、当該サービスを利用するための契約の内容や手続き等について説明するよう努めることとされている。（法第59条の２の３）

○　届出対象外施設であっても、利用料金や保育サービスの内容等をあらかじめ利用予定者に説明し、理解を得たうえでサービスの提供を行うことが望ましい。

○　保育の実施前に保護者に対して、保育従事者の氏名や保育士資格、都道府県への届出の有無などの情報を提供することが望ましい。ただし、事業者は個人情報保護義務について留意することが必要であること。

第９　備える帳簿等

職員及び保育している児童の状況を明らかにする帳簿等を整備しておかなければならないこと。

○　職員に関する帳簿等

・職員の氏名、連絡先、職員の資格を証明する書類（写）、採用年月日等
（注：法第６条の３第11項に規定する業務を目的とする施設（複数の保育従事者を雇用していない場合に限る。）については、職員に関する帳簿は整備しなくてもよいが、資格を証明する書類（写）等は確実に保管する必要がある。）

○　保育している児童の状況を明らかにする帳簿等

・在籍児童及び保護者の氏名、児童の生年月日及び健康状態、保護者の連絡先、児童の在籍記録等

○　労働基準法等の他法令においても、各事業場ごとに備えるべき帳簿等について規定があり、保育施設も事業場に該当することから、各保育施設ごとに帳簿等の備え付けが義務づけられている。法に基づき都道府県等が行う指導監督の際にも、必要に応じ、これらの帳簿を活用するとともに、備え付けられていない場合には、関係機関に情報提供するなどの適切な対応が必要である。

（例）
・労働者名簿（労働基準法第107条）
・賃金台帳（労働基準法第108条）
・雇入、解雇、災害補償、賃金その他労働関係に関する重要な書類の保存義務（労働基準法第109条）

○認可外保育施設指導監督基準を満たす旨の証明書の交付について

〔令和６年３月29日　こ成保第218号
各都道府県知事・各指定都市市長・各中核市市長・各児童相談所設置市市長宛　こども家庭庁成育局長通知〕

注　令和６年４月10日こ成保第236号改正現在

認可外保育施設の指導監督については、「認可外保育施設に対する指導監督の実施について」（令和６年３月29日こ成保第206号本職通知。以下「指導監督通知」という。）により行われているが、同通知の別添として定められた「認可外保育施設指導監督基準」（以下「指導監督基準」という。）を満たすことにより、認可外保育施設についても一定の質を確保し、児童の安全確保を図ることが必要である。

ついては、認可外保育施設に対してより効果的な指導監督の実施を図る観点から、今般、別紙のとおり「認可外保育施設指導監督基準を満たす旨の証明書交付要領」を策定し、児童福祉法（以下「法」という。）第59条の２の５第２項の規定に基づく情報提供の一環として、指導監督基準を満たしていると認められる施設に対し、都道府県知事、政令指定都市市長、中核市市長又は児童相談所設置市市長（以下「都道府県知事等」という。）がその旨を証明する証明書（以下「証明書」という。）を交付するとともに、その旨を公表する仕組みとしており、適切な運用が図られるよう対応方お願いする。この仕組みについては、利用者への情報提供として適切に実施される必要があり、また、各都道府県等の区域を越えた認可外保育施設の利用者が存在することを踏まえれば、全都道府県等を通じて統一的な取扱いが求められることに特に留意願いたい。

なお、本通知の適用に伴い、「認可外保育施設指導監督基準を満たす旨の証明書の交付について」（平成17年１月21日付け雇児発0121002号厚生労働省雇用均等・児童家庭局長通知。以下「旧通知」という。）は廃止する。旧通知に基づき過去交付された証明書については、本通知による証明書を交付したものとみなすこととする。

おって、本通知は、地方自治法（昭和22年法律第67号）第245条の４第１項の規定に基づく技術的助言であることを申し添える。

（別　紙）

認可外保育施設指導監督基準を満たす旨の証明書交付要領

第１　総則

１　この要領の目的及び趣旨

この要領は、認可外保育施設について、指導監督通知に基づく指導監督の効果的な実施を図るとともに、指導監督基準を満たしていると認められる施設に対し都道府県知事等が行う証明書の交付に関して必要な事項を定めるものであること。

２　この要領の対象となる施設

この要領の対象となる施設は、法第59条の２第１項の規定により都道府県知事等への届出が義務づけられている施設であること。

なお、届出対象外施設についても、指導監督基準に基づき、引き続き適切な指導監督に努めること。

第２　証明書の交付

１　立入調査

証明書の交付は、指導監督通知の別紙「認可外保育施設指導監督の指針」（以下「指導監督指針」という。）第２の３に定める立入調査及び第３の２に定める改善指導の結果を踏まえて行うものであること。

立入調査については、指導監督指針第２の３において、届出対象施設に対しては年１回以上行うことが原則とされており、また、同指針の留意事項15においては、認可外保育施設が多数設置されている地域等における取扱いが定められているが、これらを踏まえ適切に立入調査を実施すること。

法第６条の３第11項に規定する業務を目的とする施設については、指導監督指針第２の３において、立入調査に代えて、事業所長又は保育従事者を一定の場所に集めて講習等の方法により集団指導が認められていることから、立入調査又は集団指導を年１回以上行うこと。ただし、都道府県等が必要と判断する場合には、立入調査を行うこと。

２　改善指導

立入調査の結果に基づく改善指導については、指導監督指針第３の２に定められているが、今般、現行の指導監督基準に沿って、立入調査結果の評価について別表の基準を定め、文書による改善指導（以下「文書指導」という。）を行うべきものと口頭による改善指導（以下「口頭指導」という。）が可能なものに区分したこと。

具体的には、Ｂ判定の事項（指導監督基準を満たしていないが、比較的軽微な事項であって改善が容易と考えられるもの）については口頭指導により対応することとし、Ｃ判定の事項（指導監督基準を満たしていない事項で、Ｂ判定以外のもの）については文書指導により対応することを原則としたこと。ただし、Ｂ判定の事項であっても、以前の立入調査において指摘がなされたことがあり、新たな立入調査によっても再度指摘がなされる場合など、児童の安全確保の観点から特に注意を促す必要がある場合には、文書指導を行うべきこと。

この評価の結果、文書指導を行う場合には、指導監督指針第３の２⑵①に従い、概ね１か月以内の回答期限を付して文書による報告を求める等の措置を講じること。また、口頭指導を行う場合には、立入調査時に対面により、又は事後に文書による報告若しくはこれに準ずる電話・ＦＡＸ等の方法により、改善状況の確認を行うこと。

３　証明書の交付

指導監督基準を満たす旨の証明書は、都道府県知事等が、管内の認可外保育施設について１の立入調査を実施し、別表の全項目について適合していることを確認した場合に、１日に保育する乳幼児の数が６人以上の施設の設置者等に対しては別添様式１により、法第６条の３第９項に規定する業務又は同条第12項に規定する業務を目的とする施設（１日に保育する乳幼児の数が５人以下のものに限る。）の設置者等に対しては別添様式２により交付するものであること。

また、法第６条の３第11項に規定する業務を目的とする施設の設置者等に対しては、都道府県知事等が、１の集団指導又は立入調査を実施し、別表の全項目について適合していることを確認した場合に、複数の保育に従事する者を雇用しているものについては別添様式３により、複数の保育に従事する者を雇用していないものについては別添様式４により交付するものであること。

また、２の改善指導を行った場合でも、その指導事項の改善状況の確認により、当該施設が別表の全項目について適合していることを確認した場合には、証明書を交付すること。

なお、証明書の有効期間は、これを都道府県知事等が交付した日から、次の４によりその返還を求められたときまでであること。

４　証明書の返還

３の証明書の交付を受けた者が、指導監督指針第２の３⑴①の通常の立入調査又は②の特別立入調査等により、３に定める証明書交付の要件を満たさなくなったと認められるときは、都道府県知事等は証明書の返還を求めるとともに、当該返還を求めた日付につき記録を残しておくこと。また、１の立入調査により、新たに証明書を交付する場合には、先に交付した証明書につき回収を行う等適切な措置を講ずること。

５　証明書の再発行

当該施設の設置者等は、３の証明書を紛失等した場合には、証明書の再交付を求めることができること。再交付を受けた後、紛失等した証明書を発見したときは、ただちに、発見した証明書を都道府県知事等に返還しなければならないこと。

第３　情報提供等

都道府県知事等は、指導監督指針第６に定める情報提供として、管内の認可外保育施設につき証明書を交付した事実についてインターネットへの掲載等により公表するとともに、市区町村等にも情報提供を行い、市区町村等から一般への情報提供が行われるよう求めること。

また、証明書の交付を受けた認可外保育施設は、保護者等からの求めに応じて証明書を提示できること。

このように証明書は利用者への情報提供に用いられるが、保育施設については各都道府県等の区域を越えて利用されることもあることから、証明書の交付については、第２に基づき全都道府県等を通じて統一的な取扱いが求められるものであること。

第４　雑則

都道府県等は、指導監督指針第７に定める記録の整備の一環として、認可外保育施設に対する証明書の交付、返還等についても必要な記録を整備すること。

別表　評価基準

この評価基準は、現在の指導監督基準に沿って、立入調査の結果について文書指導を行うべきものと口頭指導による対応が可能なものに整理したものである。

○判定の内容

判定区分	内　　　容
Ａ	指導監督基準を満たしている事項
Ｂ	指導監督基準を満たしていないが、比較的軽微な事項であって改善が容易と考えられるもの
Ｃ	指導監督基準を満たしていない事項で、Ｂ判定以外のもの

○指導の基準
　B判定の事項については口頭指導により対応することとし、C判定の事項については文書指導により対応することを原則とすること。ただし、B判定に該当する事項であっても、以前の立入調査において指摘がなされたことがあり、新たな立入調査によっても再度指摘がなされる場合など、児童の安全確保の観点から特に注意を促す必要がある場合には、文書指導を行うものとする。
○改善結果
　指導事項に対する改善結果を記録するものとし、表記は改善、未改善で記入すること。

1　1日に保育する乳幼児の数が6人以上の施設の指導基準等

指導基準	調査事項	調査内容	評価基準					改善結果
			評価事項	判定区分		実際の指導		
				B	C	口頭	文書	
第1　保育に従事する者の数及び資格	1　保育に従事する者の数 ○乳児 おおむね3人につき1人以上 ○幼児 ・1、2歳児 おおむね6人につき1人以上 ・3歳児 おおむね20人につき1人以上 ・4歳児以上 おおむね30人につき1人以上 ※　以下、乳児及び幼児を総称する場合は、「乳幼児」とする。 〔考え方〕 ここでいう保育に従事する者は、その勤務時間を常勤職員に換算（有資格者、その他の職員別にそれぞれの勤務延べ時間数の合計を8時間で除して常勤職員数とみなす。）して上記の人数を確保すること。	保育に従事する者の必要数の算出 ※　以下、必要数の算出は年齢別に小数点1桁（小数点2桁以下切り捨て）目までを算出し、その合計の端数（小数点1桁）を四捨五入する。 a　調査日の属する月を基準月とし、月極めの利用契約乳幼児数を基礎とする。（以下「基礎乳幼児数」という。）	・主たる開所時間において、月極契約乳幼児数に対して保育に従事する者が不足している。	−	○			
		b　時間預かり（一時預かり）がある場合は、基礎乳幼児数に時間預かりの乳幼児数を加えること。（以下「総乳幼児数」という。）	・主たる開所時間において、総乳幼児数に対して保育に従事する者が不足している。 （保育に従事する者が不足するような場合には、乳幼児の受入を断るよう指導を行うこと。）	○	−			
		c　常時、保育に従事する者が、複数配置されているか。また、主たる開所時間を超える時間帯については、現に保育されている乳幼児が1人である場合を除き、常時、2人以上の保育に従事する者を配置しているか。	・契約乳幼児の在籍時間帯に保育に従事する者が1人勤務の時間帯がある。ただし、主たる開所時間を超える時間帯について、現に保育されている乳幼児が1人である場合を除く。 また、1日に保育する乳幼児の数が6人以上19人以下の施設については、複数の乳児を保育する時間帯を除き、保育に従事する者が1人となる時間帯を最小限とすることや、	−	○			

指導基準	調査事項	調査内容	評価基準					改善結果
			評価事項	判定区分		実際の指導		
				B	C	口頭	文書	
第1　保育に従事する者の数及び資格			他の職員を配置するなど安全面に配慮することにより、常時、2人以上の保育に従事する者を配置しないことができる。					
	2　保育に従事する者の有資格者の数 〔考え方〕 ここでいう有資格者は、保育士（国家戦略特別区域法第12条の5第5項に規定する事業実施区域内にある施設にあっては、保育士又は当該事業実施区域に係る国家戦略特別区域限定保育士。以下同じ。）又は看護師（准看護師を含む。）の資格を有する者をいう。 ※指導基準第1の調査事項3により評価を行う場合は、本項目は適用しない。	有資格者の数が保育に従事する者の必要数の3分の1（保育に従事する者が2人の施設又は1のcにより1人が配置されている時間帯については1人）以上いるか。 a　月極契約乳幼児数に対する有資格者の数	・月極契約乳幼児数に対する保育に従事する者の数について、有資格者が不足している。	−	○			
		b　総乳幼児数に対する有資格者の数 ※　有資格者の算出に当たっては、小数点1桁を四捨五入	・総乳幼児数に対する保育に従事する者の数について、有資格者が不足している。 （有資格者が不足するような場合には、乳幼児の受入を断るよう指導を行うこと。）	○	−			
	3　国家戦略特別区域法第2条第1項に規定する国家戦略特別区域内に所在する施設における指導基準第1の調査事項2に係る特例	a　過去3年間に保育した乳幼児のおおむね半数以上が外国人（日本の国籍を有しない者をいう。以下同じ。）であり、かつ、現に保育する乳幼児のおおむね半数以上が外国人であるか。	・過去3年間に保育した乳幼児のおおむね半数以上が外国人（日本の国籍を有しない者をいう。以下同じ。）ではない。または、現に保育する乳幼児のおおむね半数以上が外国人ではない。	−	○			
		b　外国の保育資格を有する者その他外国人である乳幼児の保育について十分な知識経験を有すると認められる者を十分な数配置しているか。	・外国の保育資格を有する者その他外国人である乳幼児の保育について十分な知識経験を有すると認められる者を十分な数配置していない。					
		c　保育士の資格を有する者を1人以上配置しているか。	・保育士の資格を有する者を1人以上配置していない。					

指導基準	調査事項	調査内容	評価基準					改善結果
			評価事項	判定区分		実際の指導		
				B	C	口頭	文書	
第1　保育に従事する者の数及び資格	4　保育士の名称	a　保育士でない者を保育士又は保母、保父等これに紛らわしい名称で使用していないか。	・左記の事項につき、違反がある。	－	○			
		b　国家戦略特別区域限定保育士が、その業務に関して国家戦略特別区域限定保育士の名称を表示するときに、その資格を得た事業実施区域を明示し、当該事業実施区域以外の区域を表示していないか。	・左記の事項につき、違反がある。	○	－			
第2　保育室等の構造、設備及び面積	1　保育室の面積 〔考え方〕 保育室面積： 当該保育施設において、保育室として使用している部屋の面積。調理室や便所、浴室等は含まない。	保育室の面積は、おおむね入所乳幼児1人当たり1.65㎡以上確保されているか。 a　月極契約乳幼児数についての1人当たりの面積	・不足している。	－	○			
		b　総乳幼児数についての1人当たりの面積	・不足している。 （総乳幼児数に対して保育室面積が不足するような場合には、乳幼児の受入を断るよう指導を行うこと。）	○	－			
	2　調理室の有無 〔考え方〕 給食を施設外で調理している場合、家庭からの弁当の持参を行っている場合等は、加熱、保存、配膳等のために必要な調理機能を有していることが求められる。	a　調理室は、当該施設内にあって専用のものであるか。又は、施設外共同使用であるが、必要な時に利用できるか。	・調理室（施設外調理等の場合にあっては必要な調理機能）がない。	－	○			
			・調理室が、乳幼児が保育室から簡単に立ち入ることができないよう区画等されている状態にない。 （調理機能のみを有している場合にあっても、衛生や乳幼児の安全が十分確保される状態となっていること。）	－	○			
			・区画はあるが、扉が閉められていない等運用面の注意を要する。	○	－			
			・衛生的な状態が保たれていない。	－	○			

指導基準	調査事項	調査内容	評価基準					改善結果
			評価事項	判定区分		実際の指導		
				B	C	口頭	文書	
第2　保育室等の構造、設備及び面積			（原則として、C判定区分とするが、清掃方法の見直し等軽微な改善指導については、B判定区分としてよい。）					
	3　おおむね1歳未満児とその他の幼児の保育場所とが区画されかつ安全性が確保	a　おおむね1歳未満児の保育を行う場所とその他の幼児の保育を行う場所は、別の部屋であることが望ましいが、部屋を別にできない場合は、ベビーフェンス、ベビーベッド等で区画すること。	・区画されていない。 （保育場所が別の部屋にない、又はベビーフェンス、ベビーベッド等の区画がない。）	－	○			
			・区画が不十分（ベビーフェンス等があっても、十分活用されていない。）	○	－			
	4　保育室の採光及び換気の確保、安全性の確保	a　採光が確保されているか。	・窓等採光に有効な開口部がない。 （建築基準法第28条第1項及び建築基準法施行令第19条の規定（認可保育所の保育室の採光）に準じ、窓等採光に有効な開口部の面積が床面積の5分の1以上であることが望ましい。）	－	○			
		b　換気が確保されているか。	・窓等換気に有効な開口部がない。 （建築基準法第28条第2項の規定（居室の換気）に準じ、窓等換気に有効な開口部の面積が床面積の20分の1以上であるか、これに相当する換気設備があることが望ましい。）	－	○			
		c　乳幼児用ベッドの使用に当たっては、同一の乳幼児用ベッドに2人以上の乳幼児を寝かせていないか。	・同一の乳幼児用ベッドに2人以上の乳幼児を寝かせることがある。	－	○			
	5　便所 (1)　便所の手洗設備 便所と保育室及び調理室との区画 便所の安全な使用の確保	a　便所用の手洗設備が設けられているだけでなく、衛生的に管理されているか。 b　便所は、乳幼児が安全に使用するのに適当なものである	・便所用の手洗設備が設けられていない。	－	○			
			・手洗設備が不衛生（十分に清掃がなされていない、石けんがないなど。）	○	－			

指導基準	調査事項	調査内容	評価基準					改善結果
			評価事項	判定区分		実際の指導		
				B	C	口頭	文書	
第2　保育室等の構造、設備及び面積		か。 c　便所は保育室及び調理室と区画され衛生上問題がないか。	・便所が、保育室及び調理室と区画されていない。	−	○			
			・便所が不衛生（十分に清掃がなされていない。）	○	−			
	⑵　便器の数	a　便器の数が、おおむね幼児20人につき１以上であるか。 ※　特に支障がない場合 便所が同一階にあり、共同使用しても必要数を確保でき、衛生上問題ないこと。	・基準より便器の数が大きく不足している。	−	○			
第3　非常災害に対する措置	1 ⑴　消火用具の設置	a　消火用具が設置されているか。	・消火用具がない又は消火用具の機能失効。	−	○			
		b　職員が消火用具の設置場所及びその使用方法を知っているか。	・消火用具の設置場所等につき、周知されていない。	○	−			
	⑵　非常口の設置	a　非常口（玄関とは別の勝手口など）は、火災等非常時に入所（利用）乳幼児の避難に有効な位置に、適切に設置されているか。 ※　２階以上の施設については、指導基準第４により評価を行うものとする。	・保育室を１階に設けているが、適切な退避用経路がない。	−	○			
	2 ⑴　非常災害に対する具体的計画（消防計画）の策定	a【30人以上の施設】 具体的計画＝消防計画が適正に作成され届出が行われているか。 ※　消防法上30人以上の施設については、作成及び届出の義務がある。30人未満の施設であっても、乳幼児の安全確保の観点から届出が望ましい。 ※　消防計画の内容に変更の必要がある場	【30人以上の施設】 ・具体的計画（消防計画）を作成、届出をしていない。	−	○			

指導基準	調査事項	調査内容	評価基準					改善結果
			評価事項	判定区分		実際の指導		
				B	C	口頭	文書	
第3 非常災害に対する措置		合は、変更届の提出を行うものとする。 【30人未満の施設】 災害の発生に備え、緊急時の対応の具体的内容及び手順、職員の役割分担等が記された計画が策定されているか。 ※ 消防計画が作成されている場合は消防計画で可能。	【30人未満の施設】 ・具体的計画を作成していない。	－	○			
		b 防火管理者の選任、届出が行われているか。 ※ 認可外保育施設も消防法上の児童福祉施設とみなされるため、30人以上の施設は、防火管理者の選任、届出を行わなければならない。30人未満の施設であっても乳幼児の安全確保の観点から、届出を行うことが望ましい。	・30人以上の施設であって選任、届出をしていない。	－	○			
	(2) 避難消火等の訓練の毎月1回以上の実施	a 訓練は毎月定期的に行われているか。 ※ 訓練内容は、消火活動、通報連絡及び避難誘導等の実地訓練を原則とする。	・訓練が1年以内に1回も実施されていない。 ・訓練がおおむね毎月実施されている状況にない。	－ ○	○ －			
第4 保育室を2階以上に設ける場合の条件	1 保育室が2階の場合の条件	a 保育室その他乳幼児が出入りし又は通行する場所に、乳幼児の転落事故を防止する設備を備えているか。	・転落防止設備がない。	－	○			
		b 耐火建築物若しくは準耐火建築物又は乳幼児の避難に適した構造の施設若しくは設備のいずれかを満たしているか。 なお、保育室を2階に設ける建物が右記イ及びロのいずれも満たさない場合に	・下記のイ及びロのいずれも満たしておらず、かつ、指導基準第3に規定する設備の設置及び訓練の実施がなされていない。 イ 建築基準法第2条第9号の2に規定する耐火建築物又は同条第9号の3に規定する準耐	－	○			

指導基準	調査事項	調査内容	評価基準					改善結果
			評価事項	判定区分		実際の指導		
				B	C	口頭	文書	
第4　保育室を2階以上に設ける場合の条件		おいては、指導基準第3に規定する設備の設置(注)及び訓練の実施に特に留意すること。 (注)「指導基準第3に規定する設備」とは、非常口（玄関とは別の勝手口など）、消火用具を指し、その両方が原則2階にあるかどうかで判断をすること。 ※　保育室等の室内面の材質確認は、外観では判別が難しいので、建築図面等で確認すること。	火建築物（同号ロに該当するものを除く。）であること。 ロ　下表の左欄に掲げる区分ごとに、右欄に掲げる施設又は設備（乳幼児の避難に適した構造のものに限る。）がそれぞれ1以上設けられていること。 常用：①　屋内階段　②　屋外階段 避難用：①　建築基準法施行令第123条第1項に規定する構造の屋内避難階段又は同条第3項に規定する構造の屋内特別避難階段　②　待避上有効なバルコニー　③　建築基準法第2条第7号の2に規定する準耐火構造の屋外傾斜路又はこれに準ずる設備　④　屋外階段					
	2　保育室が3階の場合の条件	a　耐火建築物であるか。	・建築基準法第2条第9号の2に規定する耐火建築物でない。（準耐火建築物は不可）	－	○			
		b　乳幼児の避難に適した構造の施設又は設備があるか。	・下表の左欄に掲げる区分ごとに、右欄に掲げる施設又は設備（乳幼児の避難に適した構造のものに限る。）がそれぞれ1以上設けられていない。 常用：①　建築基準法施行令第123条第1項に規定する構造の屋内避難階段又は同条第3項に規定する構造の屋内特別避難階段　②　屋外階段 避難用：①　建築基準法施行令第123条第1項に規定する構造の屋内避難階段又は同条第3項に規定する構造の屋内特別避難階段　②　建築基準法第2条第7号に規定する耐火構造の屋外傾斜路又はこれに準ずる設備　③　屋外階段	－	○			
		c　避難に適した構造の施設又は設備は保育室の各部分から歩行距離30m以内にあ	・避難に適した構造の施設又は設備は保育室の各部分から歩行距離30m以内にない。	－	○			

指導基準	調査事項	調査内容	評価基準					改善結果
			評価事項	判定区分		実際の指導		
				B	C	口頭	文書	
		るか。						
第4 保育室を2階以上に設ける場合の条件		d　調理室は床又は壁が耐火構造で戸が防火戸であるか。 ※　ダンパー：ボイラーなどの煙道や空調装置の空気通路に設けて、煙の排出量、空気の流量を調節するための装置のこと。	・以下に掲げる施設又は設備のうち該当するものが一つもない。 ①　保育施設の調理室以外の部分と調理室を建築基準法第2条第7号に規定する耐火構造の床若しくは壁又は建築基準法施行令第112条第1項に規定する特定防火設備で区画し、換気、暖房又は冷房の設備の風道が、当該床若しくは壁を貫通する部分又はこれに近接する部分に防火上有効にダンパーが設けられている。 ②　調理室にスプリンクラー設備その他これに類するもので自動式のものが設けられている。 ③　調理室において調理用器具の種類に応じ有効な自動消火装置が設けられ、かつ、当該調理室の外部への延焼を防止するために必要な措置が講じられている。	−	○			
		e　保育施設の壁及び天井の室内に面する部分の仕上げを不燃材料でしているか。	・左記eを満たしていない。	−	○			
		f　保育室その他乳幼児が出入りし、又は通行する場所に、乳幼児の転落事故を防止する設備が設けられているか。	・転落防止設備がない。 ・転落防止設備が活用されていない等運用面で注意を要する事項がある。	− ○	○ −			
		g　非常警報器具又は非常警報設備及び消防機関への通報設備（電話で可）がある	・左記gを満たしていない。	−	○			

指導基準	調査事項	調査内容	評価基準 評価事項	判定区分 B	判定区分 C	実際の指導 口頭	実際の指導 文書	改善結果
第4　保育室を2階以上に設ける場合の条件		か。 ※　非常警報器具：警鐘、携帯用拡声器、手動式サイレン等のこと。 ※　非常警報設備：非常ベル、自動式サイレン、放送設備等のこと。						
		h　カーテン、敷物、建具等で可燃性のものについて防炎処理されているか。	・左記hを満たしていない。 （防炎物品の表示にも努めること。）	−	○			
	3　保育室が4階以上の場合の条件	a　耐火建築物であるか。	・建築基準法第2条第9号の2に規定する耐火建築物でない。（準耐火建築物は不可）	−	○			
		b　乳幼児の避難に適した構造の施設又は設備があるか。	・下表の左欄に掲げる区分ごとに、右欄に掲げる施設又は設備（乳幼児の避難に適した構造のものに限る。）がそれぞれ1以上設けられていない。	−	○			

常用	①　建築基準法施行令第123条第1項に規定する構造の屋内避難階段又は同条第3項に規定する構造の屋内特別避難階段 ②　建築基準法施行令第123条第2項に規定する構造の屋外避難階段
避難用	①　建築基準法施行令第123条第1項に規定する構造の屋内避難階段又は同条第3項に規定する構造の屋内特別避難階段（ただし、同条第1項の場合においては、当該階段の構造は、建築物の1階から保育室が設けられている階までの部分に限り、屋内と階段室とは、バルコニー又は付室（階段室が同条第3項第2号に規定する構造を有する場合を除き、同号に規定する構造を有するものに限る。）を通じて連絡することとし、かつ、同条第3項第3号、第4号及び第10号を満たすものとする。） ②　建築基準法第2条第7号に規定する耐火構造の屋外傾斜路 ③　建築基準法施行令第123条第2項に規定する構造の屋外避難階段

指導基準	調査事項	調査内容	評価基準					改善結果
			評価事項	判定区分		実際の指導		
				B	C	口頭	文書	
第4 保育室を2階以上に設ける場合の条件		c　避難に適した構造の施設又は設備は保育室の各部分から歩行距離30m以内にあるか。	・避難に適した構造の施設又は設備は保育室の各部分から歩行距離30m以内にない。	−	○			
		d　調理室は床又は壁が耐火構造で戸が防火戸であるか。	・以下に掲げる施設又は設備のうち該当するものが一つもない。 ①　保育施設の調理室以外の部分と調理室を建築基準法第2条第7号に規定する耐火構造の床若しくは壁又は建築基準法施行令第112条第1項に規定する特定防火設備で区画し、換気、暖房又は冷房の設備の風道が、当該床若しくは壁を貫通する部分又はこれに近接する部分に防火上有効にダンパーが設けられている。 ②　調理室にスプリンクラー設備その他これに類するもので自動式のものが設けられている。 ③　調理室において調理用器具の種類に応じ有効な自動消火装置が設けられ、かつ、当該調理室の外部への延焼を防止するために必要な措置が講じられている。	−	○			
		e　保育施設の壁及び天井の室内に面する部分の仕上げを不燃材料でしているか。	・左記eを満たしていない。	−	○			
		f　保育室その他乳幼児が出入りし、又は通行する場所に、乳幼児の転落事故を防止する設備が設けられているか。	・転落防止設備がない。 ・転落防止設備が活用されていない等運用面で注意を要する事項がある。	− ○	○ −			

指導基準	調査事項	調査内容	評価基準					改善結果
			評価事項	判定区分		実際の指導		
				B	C	口頭	文書	
		g　非常警報器具又は非常警報設備及び消防機関への通報設備（電話で可）があるか。	・左記gを満たしていない。	－	○			
		h　カーテン、敷物、建具等で可燃性のものについて防炎処理されているか。	・左記hを満たしていない。（防炎物品の表示にも努めること。）	－	○			
第5　保育内容	1　保育の内容 ※　保育所保育指針を踏まえた適切な保育が行われているか。	a　乳幼児一人一人の心身の発育や発達の状況を把握し、保育内容を工夫しているか。	・左記b～dの事項を満たしていること。（実際の指導等は、b～dの事項について、それぞれ実施する。）	－	－	－	－	
		b　乳幼児が安全で清潔な環境の中で、遊び、運動、睡眠等がバランスよく組み合わされた健康的な生活リズムが保たれるように、十分に配慮がなされた保育の計画を定め実行しているか。						
		(a)　カリキュラムが、乳幼児の日々の生活リズムに沿って設定されているか。	・デイリープログラム等が作成されていない。	－	○			
		(b)　必要に応じ入所（利用）乳幼児に入浴又は清拭をし、身体の清潔が保たれているか。	・汚れたときの処置が不適当（特に注意を要するものについては文書指導を行うこと。）	○	－			
		(c)　沐浴、外気浴、遊び、運動、睡眠等に配慮しているか。	・屋外遊戯の機会が適切に確保されていない。（幼児）	○	－			
		(d)　外遊びなど、戸外で活動できる環境が確保されているか。	・外気浴の機会が適切に確保されていない。（乳児）（特に注意を要するものについては文書指導を行うこと。）	○	－			

指導基準	調査事項	調査内容	評価基準					改善結果
			評価事項	判定区分		実際の指導		
				B	C	口頭	文書	
第5 保育内容		c 漫然と乳幼児にテレビを見せ続けるなど、乳幼児への関わりが少ない「放任的」な保育になっていないか。	・テレビやビデオを見せ続けている。	○	－			
			・一人一人の乳幼児に対してきめ細かくかつ相互応答的に関わっていない。 （特に注意を要するものについては文書指導を行うこと。）	○	－			
		d 必要な遊具、保育用品等が備えられているか。 ※ テレビは含まない。	・遊具がない。	－	○			
			・遊具につき、改善を要する点がある。 年齢に応じた玩具が備えられていない、衛生面に問題がある等。	○	－			
			・大型遊具を備える場合にあっては、その安全性に問題がある。	－	○			
	2 保育に従事する者の保育姿勢等 (1) 保育に従事する者の人間性と専門性の向上	a 乳幼児の最善の利益を考慮し、保育サービスを実施する者として、適切な姿勢であるか。特に、施設の運営管理の任にあたる施設長については、その職責にかんがみ、資質の向上、適格性の確保が求められること。 b 保育所保育指針を理解する機会を設けるなど、保育に従事する者の人間性と専門性の向上を図るよう努めているか。	・施設内研修の機会を設けるなど、保育に従事する者の質の向上に努めていない。	○	－			
	(2) 乳幼児の人権に対する十分な配慮	a 乳幼児に身体的苦痛を与えることや、人格を辱めることがないなど、乳幼児の人権に十分配慮がなされているか。	・配慮に欠けている。 (例) しつけと称するか否かを問わず乳幼児に身体的苦痛を与えている。 いわゆるネグレクトや差別的処遇、言葉の暴力が見られる。 等	－	○			
	(3) 児童相談所等の	a 入所（利用）乳幼	・虐待等不適切な養育が	－	○			

指導基準	調査事項	調査内容	評価基準					改善結果
			評価事項	判定区分		実際の指導		
				B	C	口頭	文書	
第5 保育内容	専門的機関との連携	児について、虐待等不適切な養育が疑われる場合に、児童相談所等の専門的機関と連携する等の体制がとられているか。 ※ 虐待が疑われる場合だけでなく、心身の発達に遅れが見られる場合、社会的援助が必要な家庭状況である場合等においても、専門的機関に対し適切な連絡に努めること。	疑われる場合に専門的機関への通告等が行われていない。					
	3 保護者との連絡等 (1) 保護者と密接な連絡を取り、その意向を考慮した保育の実施	a 連絡帳又はこれに代わる方法により、保護者からは家庭での乳幼児の様子を、施設からは施設での乳幼児の様子を、連絡しているか。	・可能な限り、保護者と密接な連絡を取ることに心がけていない。	○	−			
	(2) 保護者との緊急時の連絡体制	a 緊急時に保護者へ早急に連絡できるよう緊急連絡表が整備され、全ての保育に従事する者が容易にわかるようにされているか。 ※ 消防署、病院等の連絡先一覧表等も併せて整備すること。	・保護者の緊急連絡表が整備されていない。	−	○			
	(3) 保育室の見学	a 保護者や利用希望者等から乳幼児の保育の様子や施設の状況を確認する要望があった場合には、乳幼児の安全確保等に配慮しつつ、保育室などの見学が行えるよう適切に対応しているか。	・保護者等からの要望があった場合に、乳幼児の安全確保、保育の実施等に支障のない範囲であっても、これらの要望に適切に対応していない。	○	−			
第6 給食	1 衛生管理の状況 調理室、調理、配膳、食器等の適切な衛生管理	a 食器類やふきん、まな板、なべ等は十分に殺菌したものを使用しているか。	・使用するごとによく洗っていない。十分な殺菌又は滅菌が行われていない。	−	○			

指導基準	調査事項	調査内容	評価基準					改善結果
			評価事項	判定区分		実際の指導		
				B	C	口頭	文書	
第6 給食		また、哺乳ビンは使用するごとによく洗い、滅菌しているか。						
		b　調理室が清潔に保たれているか。	・汚れている。残飯等が放置されている。	－	○			
		c　調理方法が衛生的であるか。 d　配膳が衛生的であるか。	・不適切な事項がある。	○	－			
		e　食事時、食器類や哺乳ビンは、乳幼児や保育に従事する者の間で共用されていないか。	・（十分な消毒がなされずに）共用されることがある。	○	－			
		f　原材料、調理済み食品（持参による弁当、仕出し弁当、離乳食も含む。）について腐敗、変質しないよう冷凍又は冷蔵設備等を利用する等適当な措置を講じているか。	・冷凍・冷蔵設備がない。その他、食品の保存に関し、不適切な事項がある。	－	○			
	2　食事内容等の状況 (1)　乳幼児の年齢や発達、健康状態（アレルギー疾患等を含む。）等に配慮した食事内容	a　乳児の食事を幼児の食事と区別して実施しているか。 b　健康状態（アレルギー疾患等を含む。）等に配慮した食事内容か。	・配慮されていない。	－	○			
		〔市販の弁当等の場合〕 c　乳幼児に適した内容であるか。	・配慮されていない。	－	○			
		d　乳児にミルクを与えた場合は、ゲップをさせるなどの授乳後の処置が行われているか。また、離乳食摂取後の乳児についても食事後の状況に注意が払われているか。	・乳児に対する配慮が適切に行われていない。	－	○			
	(2)　献立に従った調理	a　食事摂取基準、乳幼児の嗜好を踏まえ	・献立が作成されていない。	－	○			

指導基準	調査事項	調査内容	評価基準					改善結果
			評価事項	判定区分		実際の指導		
				B	C	口頭	文書	
第6　給食		変化のある献立により、一定期間の献立表を作成し、この献立に基づき調理がされているか。	・献立に従った調理が適切に行われていないことがある。	○	−			
第7　健康管理・安全確保	1　乳幼児の健康状態の観察 登園、降園の際、乳幼児一人一人の健康状態の観察	a　登園の際、健康状態の観察及び保護者からの乳幼児の報告を受けているか。 ※　体温、排便、食事、睡眠、表情、皮膚の異常の有無、機嫌等	・十分な観察が行われていない。 ・保護者から報告（連絡帳を活用することを含む。）を受けてない。	○ ○	− −			
		b　降園の際、登園時と同様の健康状態の観察が行われているか。保護者へ乳幼児の状態を報告しているか。	・十分な観察が行われていない。 ・注意が必要である場合において保護者等にその旨を報告していない。	○ −	− ○			
	2　乳幼児の発育チェック	a　身長や体重の測定など、基本的な発育チェックを毎月定期的に行っているか。	・基本的な発育チェックを全く行っていない。 ・基本的な発育チェックを毎月行っていない。	− ○	○ −			
	3　乳幼児の健康診断 継続して保育している乳幼児の健康診断を入所（利用開始）時及び1年に2回、学校保健安全法に規定する健康診断に準じて実施	a　乳幼児の健康状態の確認のため、入所（利用）児の健康診断はなるべく入所（利用）決定前に実施し、未実施の場合は入所（利用開始）後直ちに行っているか。	・入所（利用開始）時に実施されていない。ただし、保護者からの健康診断結果の提出がある場合等は、これにより入所（利用開始）時の健康診断がなされたものとみなしてよい。	−	○			
	［考え方］ 3a、bについては在籍児童全員が実施していることを求めるものであるが、各施設の状況を鑑みて在籍児童に対しておおむね実施されている状況をもって「適」と自治体が個別判断することも可。	b　1年に2回の健康診断が実施されているか。（おおむね6月毎に実施） ※　施設において直接実施できない場合は、保護者から健康診断書又は母子健康手帳の写しの提出を受けること。	・全く実施されていない。 ・1年に1回しか実施していない。 ・健康診断の内容が不十分又は記録に不備がある。	− ○ ○	○ − −			
		c　入所（利用開始）後の乳幼児の体質、かかりつけ医の確認、緊急時に備えた保育施設付近の病院	・緊急時に備えた保育所付近の病院関係の一覧が未作成。 ・職員への周知状況の不徹底等対応が不十分。	− ○	○ −			

指導基準	調査事項	調査内容	評価基準					改善結果
			評価事項	判定区分		実際の指導		
				B	C	口頭	文書	
第7　健康管理・安全確保		関係の一覧を作成し、全ての保育に従事する者への周知が行われているか。						
	4　職員の健康診断	a　職員の健康診断を労働安全衛生法（昭和47年法律第57号）に基づく労働安全衛生規則（昭和47年労働省令第32号）に基づき採用時及び1年に1回実施しているか。	・実施されていない。	－	○			
		b　調理に携わる職員には、おおむね月1回検便を実施しているか。	・実施されていない。 ・おおむね月1回の検便が実施されている状況にない。	－ ○	○ －			
	5　医薬品等の整備	a　必要な医薬品その他の医療品が備えられているか。 ※　最低限必要なもの：体温計、水まくら、消毒薬、絆創膏類等	・左記の最低限必要な医薬品、医療品がない。	○	－			
	6　感染症への対応	a　感染症にかかっていることがわかった乳幼児及び感染症の疑いがある乳幼児については、かかりつけ医の指示に従うよう保護者に指示しているか。	・対応が適切ではない。	－	○			
		b　再登園時には、かかりつけ医とのやりとりを記載した書面等の提出などについて、保護者の理解と協力を求めているか。	・治癒の判断をもっぱら保護者に委ねている。	○	－			
		c　歯ブラシ、コップ、タオル、ハンカチなどは、一人一人のものが準備されているか。	・洗浄、洗濯等を行わないまま共用している。	○	－			
	7　乳幼児突然死症候群に対する注意	a　睡眠中の乳幼児の顔色や呼吸の状態を	・保育室に職員が在室していないなど、乳幼児	－	○			

指導基準	調査事項	調査内容	評価基準					改善結果
			評価事項	判定区分		実際の指導		
				B	C	口頭	文書	
第7　健康管理・安全確保		きめ細かく観察しているか。	突然死症候群に対する注意を払っていない。					
		b　乳児を寝かせる場合には、仰向けに寝かせているか。 ※　窒息リスク除去の観点から、医学的な理由で医師からうつぶせ寝をすすめられている場合以外は、乳児の顔が見える仰向けに寝かせることが重要である。	・乳幼児突然死症候群に対する注意が不足している。	－	○			
		c　保育室では禁煙を厳守しているか。	・保育室内で喫煙している。	－	○			
	8　安全確保	a　施設の設備の安全点検、職員、児童等に対する施設外での活動、取組等を含めた施設での生活その他の日常生活における安全に関する指導、職員の研修及び訓練その他施設における安全に関する事項についての計画（以下「安全計画」という。）を策定し、当該安全計画に従い、乳幼児の安全の確保に配慮した保育が実施されているか。	・安全計画が策定されていない。 ・保育室だけでなく、乳幼児の出入りする場所には危険物防止に対する十分な配慮がされていない。	－ ○	○ －			
		b　職員に対し、安全計画について周知されているとともに、安全計画に定める研修及び訓練が定期的に実施されているか。	・職員に対し、安全計画について周知されていない。 ・安全計画に定める研修及び訓練が定期的に実施されていない。	－ －	○ ○			
		c　保護者に対し、安全計画に基づく取組の内容等について周知されているか。	・保護者に対し、安全計画に基づく取組の内容等について周知されていない。	－	○			
		d　事故防止の観点から、その施設内の危	・施設内の危険な場所、設備等への囲障の設置	－	○			

指導基準	調査事項	調査内容	評価基準					改善結果
			評価事項	判定区分		実際の指導		
				B	C	口頭	文書	
第7　健康管理・安全確保		険な場所、設備等に対して適切な安全管理を図っているか。	がない。					
		e　プール活動や水遊びを行う場合は、監視体制の空白が生じないよう、専ら監視を行う者とプール指導等を行う者を分けて配置し、その役割分担を明確にしているか。	・専ら監視を行う者とプール指導等を行う者を分けて配置していない。	○	－			
		f　児童の食事に関する情報や当日の子どもの健康状態を把握し、誤嚥等による窒息のリスクとなるものを除去すること、また、食物アレルギーのある子どもについては生活管理指導表等に基づいて対応しているか。	・誤嚥等による窒息のリスクとなるものを除去することや、食物アレルギーのある子どもに配慮した食事の提供を行っていない。	－	○			
		g　窒息の可能性のある玩具、小物等が不用意に保育環境下に置かれていないかなどについて、保育室内及び園庭内の点検を定期的に実施しているか。	・定期的な点検が行われていない。	－	○			
		h　不審者の立入防止などの対策や緊急時における乳幼児の安全を確保する体制を整備しているか。	・囲障はあるが、施錠等が不十分。	○	－			
		i　児童の施設外での活動、取組等のための移動その他の児童の移動のために自動車を運行するときは、児童の乗車及び降車の際に、点呼その他の児童の所在を確実に把握することができる方法によ	・点呼その他の児童の所在を確実に把握することができる方法により、児童の所在が確認されていない。	－	○			

指導基準	調査事項	調査内容	評価基準					改善結果
			評価事項	判定区分		実際の指導		
				B	C	口頭	文書	
第7　健康管理・安全確保		り、児童の所在を確認しているか。						
		j　児童の送迎を目的とした自動車（運転者席及びこれと並列の座席並びにこれらより一つ後方に備えられた前向きの座席以外の座席を有しないものその他利用の態様を勘案してこれと同程度に児童の見落としのおそれが少ないと認められるものを除く。）を日常的に運行するときは、当該自動車にブザーその他の車内の児童の見落としを防止する装置を備え、これを用いてｉに定める所在の確認（児童の降車の際に限る。）を行っているか。	・当該自動車にブザーその他の車内の児童の見落としを防止する装置が備えられていない。	—	○			
			・児童の降車の際の確認にあたり、当該装置を用いていない。	—	○			
		k　事故発生時に適切な救命処置が可能となるよう、訓練を実施しているか。	・定期的な訓練が実施されていない。	−	○			
		l　賠償責任保険に加入するなど、保育中の万が一の事故に備えているか。	・賠償すべき事故が発生した場合に、損害賠償を速やかに行うことができるよう備えられていない。	−	○			
		m　事故発生時には速やかに当該事実を都道府県知事等に報告しているか。	・「教育・保育施設等における事故の報告等について」（令和５年12月14日こ成安第142号通知）に基づく報告が行われていない。	−	○			
		n　事故の状況及び事故に際して採った処置について記録しているか。	・事故が発生した施設において、当該事故の状況及び当該事故に際して採った処置について記録していない。	−	○			
		o　死亡事故等の重大	・死亡事故等の重大事故	−	○			

指導基準	調査事項	調査内容	評価基準					改善結果
			評価事項	判定区分		実際の指導		
				B	C	口頭	文書	
第7 健康管理・安全確保		事故が発生した施設については、当該事故と同様の事故の再発防止策及び事故後の検証結果を踏まえた措置をとっているか。	が発生した施設において、当該事故と同様の事故の再発防止策及び事故後の検証結果を踏まえた措置がとられていない。					
第8 利用者への情報提供	1 施設及びサービスに関する内容の掲示	以下の事項について、施設のサービスを利用しようとする者が見やすい場所に掲示されているか。 a 設置者の氏名又は名称及び施設の管理者の氏名	・全く掲示されていない。	－	○			
		b 建物その他の設備の規模及び構造 c 施設の名称及び所在地	・左記a～nの事項につき、掲示内容又は掲示の仕方が不十分。	○	－			
		d 事業を開始した年月日 e 開所している時間	・「ここdeサーチ」に情報が全く掲載されていない。	－	○			
		f 提供するサービスの内容及び当該サービスの提供につき利用者が支払うべき額に関する事項並びにこれらの事項に変更を生じたことがある場合にあっては当該変更のうち直近のものの内容及びその理由 g 入所（利用）定員 h 保育士その他の職員の配置数又はその予定 i 保育する乳幼児に関して契約している保険の種類、保険事故及び保険金額 j 提携している医療機関の名称、所在地及び提携内容 k 緊急時等における対応方法 l 非常災害対策 m 虐待の防止のための措置に関する事項	・「ここdeサーチ」に左記a～nの事項につき、掲載がない項目がある又は内容が不十分	○	－			

指導基準	調査事項	調査内容	評価基準					改善結果
			評価事項	判定区分		実際の指導		
				B	C	口頭	文書	
第8　利用者への情報提供		n　設置者が過去に事業停止命令又は施設閉鎖命令を受けたか否かの別（受けたことがある場合には、その命令の内容を含む。）						
	2　サービス利用者に対する契約内容の書面等による交付	以下の事項について、利用者に書面等による交付がされているか。 a　設置者の氏名及び住所又は名称及び所在地 b　当該サービスの提供につき利用者が支払うべき額に関する事項 c　施設の名称及び所在地 d　施設の管理者の氏名 e　当該利用者に対し提供するサービスの内容 f　保育する乳幼児に関して契約している保険の種類、保険事故及び保険金額 g　提携する医療機関の名称、所在地及び提携内容 h　利用者からの苦情を受け付ける担当職員の氏名及び連絡先	・書面等により交付されていない。 ・左記a～hの事項につき、交付内容が不十分。	－ ○	○ －			
	3　サービスの利用予定者から申し込みがあった場合の契約内容等の説明	a　当該サービスを利用するための契約の内容及びその履行に関する事項について、適切に説明が行われているか。	・説明が行われていない。 ・説明はされているが、内容が不十分。	－ ○	○ －			
第9　備える帳簿等	1　職員に関する帳簿等の整備	a　職員の氏名、連絡先、職員の資格を証明する書類（写）、採用年月日等が記載された帳簿等があるか。	・確認できる帳簿等が備えられていない。 ・整備内容が不十分。	－ ○	○ －			

指導基準	調査事項	調査内容	評価基準 評価事項	判定区分 B	判定区分 C	実際の指導 口頭	実際の指導 文書	改善結果
第9 備える帳簿等		b 労働基準法等の他法令に基づき、各事業場ごとに備え付けが義務付けられている帳簿等があるか。 ・労働者名簿（労働基準法第107条） ・賃金台帳（労働基準法第108条） ・雇入、解雇、災害補償、賃金その他労働関係に関する重要な書類の保存義務（労働基準法第109条）	・左記の帳簿等の整備状況が不十分。	－	○			
	2 在籍（利用）乳幼児に関する帳簿等の整備	a 在籍（利用）乳幼児及び保護者の氏名、乳幼児の生年月日及び健康状態、保護者の連絡先、乳幼児の在籍（利用）記録並びに契約内容等が確認できる帳簿等があるか。	・確認できる帳簿等が備えられていない。 ・整備内容が不十分。	－ ○	○ －			

2 法第6条の3第9項に規定する業務又は同条第12項に規定する業務を目的とする施設（1日に保育する乳幼児の数が5人以下のものに限る。）の指導基準等

指導基準	調査事項	調査内容	評価基準 評価事項	判定区分 B	判定区分 C	実際の指導 口頭	実際の指導 文書	改善結果
第1 保育に従事する者の数及び資格	1 保育に従事する者の数 ○1人に対して乳幼児3人以下 ○家庭的保育補助者とともに保育する場合は、乳幼児5人以下	乳幼児の数が保育することができる数以内か。 a 保育に従事する者が1人で保育している乳幼児の数	・乳幼児数が3人を超えている。	－	○			
		b 保育に従事する者が家庭的保育補助者とともに保育している乳幼児の数	・乳幼児数が5人を超えている。	－	○			
	2 保育に従事する者の有資格者の数 〔考え方〕 ここでいう有資格者	a 保育に従事する者のうち、1人以上は、有資格者又は都道府県知事、指定都市市長、中核市市長	・有資格者又は都道府県知事等が行う保育に従事する者に関する研修を修了した者が配置されていない。	－	○			

指導基準	調査事項	調査内容	評価基準					改善結果
			評価事項	判定区分		実際の指導		
				B	C	口頭	文書	
第1　保育に従事する者の数及び資格	は、保育士（国家戦略特別区域法第12条の5第5項に規定する事業実施区域内にある施設にあっては、保育士又は当該事業実施区域に係る国家戦略特別区域限定保育士。以下同じ。）又は看護師（准看護師を含む。）の資格を有する者をいう。	若しくは児童相談所設置市市長（以下「都道府県知事等」という。）が行う保育に従事する者に関する研修（都道府県知事等がこれと同等以上のものと認める市町村長（特別区の長を含む。）その他の機関が行う研修を含む。）を修了した者であるか。						
	3　保育士の名称	a　保育士でない者を保育士又は保母、保父等これに紛らわしい名称で使用していないか。	・左記の事項につき、違反がある。	－	○			
		b　国家戦略特別区域限定保育士が、その業務に関して国家戦略特別区域限定保育士の名称を表示するときに、その資格を得た事業実施区域を明示し、当該事業実施区域以外の区域を表示していないか。	・左記の事項につき、違反がある。	○	－			
第2　保育室等の構造、設備及び面積	1　保育室等の面積等	a　家庭的保育事業等設備運営基準第22条を参酌しつつ、乳幼児の保育を適切に行うことができる広さか。	・乳幼児の保育を適切に行うことができる広さが確保されていない。	－	○			
		b　調理設備は、当該施設内にあって専用のものであるか。又は、施設外共同使用であるが、必要な時に利用できるか。	・調理設備（施設外調理等の場合にあっては必要な調理機能）がない。	－	○			
			・調理設備が、乳幼児が保育室から簡単に立ち入ることができないよう区画等されている状態にない。 （調理機能のみを有している場合にあっても、衛生や乳幼児の安全が十分確保される状態となっていること。）	－	○			

指導基準	調査事項	調査内容	評価基準					改善結果
			評価事項	判定区分		実際の指導		
				B	C	口頭	文書	
第2 保育室等の構造、設備及び面積			・区画はあるが、扉が閉められていない等運用面の注意を要する。	○	−			
			・衛生的な状態が保たれていない。 （原則として、C判定区分とするが、清掃方法の見直し等軽微な改善指導については、B判定区分としてよい。）	−	○			
	2 保育室等の採光及び換気の確保、安全性の確保	a 採光が確保されているか。	・窓等採光に有効な開口部がない。 （建築基準法第28条第1項及び建築基準法施行令第19条の規定（認可保育所の保育室の採光）に準じ、窓等採光に有効な開口部の面積が床面積の5分の1以上であることが望ましい。）	−	○			
		b 換気が確保されているか。	・窓等換気に有効な開口部がない。 （建築基準法第28条第2項の規定（居室の換気）に準じ、窓等換気に有効な開口部の面積が床面積の20分の1以上であるか、これに相当する換気設備があることが望ましい。）	−	○			
		c 乳幼児用ベッドの使用に当たっては、同一の乳幼児用ベッドに2人以上の乳幼児を寝かせていないか。	・同一の乳幼児用ベッドに2人以上の乳幼児を寝かせることがある。	−	○			
	3 便所 (1) 便所の手洗設備 便所と保育室及び調理室との区画 便所の安全な使用の確保	a 便所用の手洗設備が設けられているだけでなく、衛生的に管理されているか。 b 便所は、乳幼児が安全に使用するのに適当なものであるか。 c 便所は保育を行う部屋及び調理設備が設けられている部屋	・便所用の手洗設備が設けられていない。	−	○			
			・手洗設備が不衛生（十分に清掃がなされていない、石けんがないなど。）	○	−			
			・便所が、保育を行う部屋及び調理設備が設けられている部屋と区画されていない。	−	○			

指導基準	調査事項	調査内容	評価基準					改善結果
			評価事項	判定区分		実際の指導		
				B	C	口頭	文書	
第2　保育室等の構造、設備及び面積		と区画され衛生上問題がないか。	・便所が不衛生（十分に清掃がなされていない。）	○	－			
	⑵　便器の数	a　便器の数が、1以上であるか。 ※　特に支障がない場合 便所が同一階にあり、共同使用しても必要数を確保でき、衛生上問題ないこと。	・便器が1つもない。	－	○			
第3　非常災害に対する措置	1 〔考え方〕 保育室等が2階以上にある場合であっても、指導基準第4による評価ではなく、本基準により評価を行うものとする。 ⑴　消火用具の設置	a　消火用具が設置されているか。	・消火用具がない又は消火用具の機能失効。	－	○			
		b　職員が消火用具の設置場所及びその使用方法を知っているか。	・消火用具の設置場所等につき、周知されていない。	○	－			
	⑵　非常口の設置	a　非常口は、火災等非常時に入所（利用）乳幼児の避難に有効な位置に、適切に設置されているか。	・適切な待避用経路がない。	－	○			
	2 ⑴　非常災害に対する計画の策定	a　災害の発生に備え、緊急時の対応の具体的内容及び手順、職員の役割分担等が記された計画が策定されているか。	・計画が策定されていない。	－	○			
	⑵　避難消火等の訓練の毎月1回以上の実施	a　訓練は毎月定期的に行われているか。 ※　訓練内容は、消火活動、通報連絡及び避難誘導等の実地訓練を原則とする。	・訓練が1年以内に1回も実施されていない。	－	○			
			・訓練がおおむね毎月実施されている状況にない。	○	－			

指導基準	調査事項	調査内容	評価基準					改善結果
			評価事項	判定区分		実際の指導		
				B	C	口頭	文書	
第5 保育内容	1 保育の内容 ※ 保育所保育指針を踏まえた適切な保育が行われているか。	a 乳幼児一人一人の心身の発育や発達の状況を把握し、保育内容を工夫しているか。	・左記b～dの事項を満たしていること。（実際の指導等は、b～dの事項について、それぞれ実施する。）	－	－	－	－	
		b 乳幼児が安全で清潔な環境の中で、遊び、運動、睡眠等がバランスよく組み合わされた健康的な生活リズムが保たれるように、十分に配慮がなされた保育の計画を定め実行しているか。						
		(a) カリキュラムが、乳幼児の日々の生活リズムに沿って設定されているか。	・デイリープログラム等が作成されていない。	－	○			
		(b) 必要に応じ入所（利用）乳幼児に入浴又は清拭をし、身体の清潔が保たれているか。	・汚れたときの処置が不適当 （特に注意を要するものについては文書指導を行うこと。）	○	－			
		(c) 沐浴、外気浴、遊び、運動、睡眠等に配慮しているか。	・屋外遊戯の機会が適切に確保されていない。（幼児）	○	－			
		(d) 外遊びなど、戸外で活動できる環境が確保されているか。	・外気浴の機会が適切に確保されていない。（乳児） （特に注意を要するものについては文書指導を行うこと。）	○	－			
		c 漫然と乳幼児にテレビを見せ続けるなど、乳幼児への関わりが少ない「放任的」な保育になっていないか。	・テレビやビデオを見せ続けている。	○	－			
			・一人一人の乳幼児に対してきめ細かくかつ相互応答的に関わっていない。 （特に注意を要するものについては文書指導を行うこと。）	○	－			
		d 必要な遊具、保育用品等が備えられているか。	・遊具がない。	－	○			
		※ テレビは含まな	・遊具につき、改善を要	○	－			

指導基準	調査事項	調査内容	評価基準					改善結果
			評価事項	判定区分		実際の指導		
				B	C	口頭	文書	
第5　保育内容		い。	する点がある。 　年齢に応じた玩具が備えられていない、衛生面に問題がある等。					
			・大型遊具を備える場合にあっては、その安全性に問題がある。	－	○			
	2　保育に従事する者の保育姿勢等 (1)　保育に従事する者の人間性と専門性の向上	a　乳幼児の最善の利益を考慮し、保育サービスを実施する者として、適切な姿勢であるか。特に、施設の運営管理の任にあたる施設長については、その職責にかんがみ、資質の向上、適格性の確保が求められること。 b　保育所保育指針を理解する機会を設けるなど、保育に従事する者の人間性と専門性の向上を図るよう努めているか。	・施設内研修の機会を設けるなど、保育に従事する者の質の向上に努めていない。	○	－			
	(2)　乳幼児の人権に対する十分な配慮	a　乳幼児に身体的苦痛を与えることや、人格を辱めることがないなど、乳幼児の人権に十分配慮がなされているか。	・配慮に欠けている。 (例)　しつけと称するか否かを問わず乳幼児に身体的苦痛を与えている。 　いわゆるネグレクトや差別的処遇、言葉の暴力が見られる。　等	－	○			
	(3)　児童相談所等の専門的機関との連携	a　入所（利用）乳幼児について、虐待等不適切な養育が疑われる場合に、児童相談所等の専門的機関と連携する等の体制がとられているか。 ※　虐待が疑われる場合だけでなく、心身の発達に遅れが見られる場合、社会的援助が必要	・虐待等不適切な養育が疑われる場合に専門的機関への通告等が行われていない。	－	○			

指導基準	調査事項	調査内容	評価基準					改善結果
			評価事項	判定区分		実際の指導		
				B	C	口頭	文書	
第5　保育内容		な家庭状況である場合等においても、専門的機関に対し適切な連絡に努めること。						
	3　保護者との連絡等 (1)　保護者と密接な連絡を取り、その意向を考慮した保育の実施	a　連絡帳又はこれに代わる方法により、保護者からは家庭での乳幼児の様子を、施設からは施設での乳幼児の様子を、連絡しているか。	・可能な限り、保護者と密接な連絡を取ることに心がけていない。	○	−			
	(2)　保護者との緊急時の連絡体制	a　緊急時に保護者へ早急に連絡できるよう緊急連絡表が整備され、全ての保育に従事する者が容易にわかるようにされているか。 ※　消防署、病院等の連絡先一覧表等も併せて整備すること。	・保護者の緊急連絡表が整備されていない。	−	○			
	(3)　保育室の見学	a　保護者や利用希望者等から乳幼児の保育の様子や施設の状況を確認する要望があった場合には、乳幼児の安全確保等に配慮しつつ、保育室などの見学が行えるよう適切に対応すること。	・保護者等からの要望があった場合に、乳幼児の安全確保、保育の実施等に支障のない範囲であっても、これらの要望に適切に対応していない。	○	−			
第6　給食	1　衛生管理の状況 調理設備、調理、配膳、食器等の適切な衛生管理	a　食器類やふきん、まな板、なべ等は十分に殺菌したものを使用しているか。 また、哺乳ビンは使用するごとによく洗い、滅菌しているか。	・使用するごとによく洗っていない。十分な殺菌並びに滅菌が行われていない。	−	○			
		b　調理設備が清潔に保たれているか。	・汚れている。残飯等が放置されている。	−	○			
		c　調理方法が衛生的であるか。	・不適切な事項がある。	○	−			

指導基準	調査事項	調査内容	評価基準					改善結果
			評価事項	判定区分		実際の指導		
				B	C	口頭	文書	
第6　給食		d　配膳が衛生的であるか。						
		e　食事時、食器類や哺乳ビンは、乳幼児や保育に従事する者の間で共用されていないか。	・（十分な消毒がなされずに）共用されることがある。	○	－			
		f　原材料、調理済み食品（持参による弁当、仕出し弁当、離乳食も含む。）について腐敗、変質しないよう冷凍又は冷蔵設備等を利用する等適当な措置を講じているか。	・冷凍・冷蔵設備がない。その他、食品の保存に関し、不適切な事項がある。	－	○			
	2　食事内容等の状況 (1)　乳幼児の年齢や発達、健康状態（アレルギー疾患等を含む。）等に配慮した食事内容	a　乳児の食事を幼児の食事と区別して実施しているか。 b　健康状態（アレルギー疾患等を含む。）等に配慮した食事内容か。	・配慮されていない。	－	○			
		〔市販の弁当等の場合〕 c　乳幼児に適した内容であるか。	・配慮されていない。	－	○			
		d　乳児にミルクを与えた場合は、ゲップをさせるなどの授乳後の処置が行われているか。また、離乳食摂取後の乳児についても食事後の状況に注意が払われているか。	・乳児に対する配慮が適切に行われていない。	－	○			
	(2)　献立に従った調理	a　食事摂取基準、乳幼児の嗜好を踏まえ変化のある献立により、一定期間の献立表を作成し、この献立に基づき調理がされているか。	・献立が作成されていない。 ・献立に従った調理が適切に行われていないことがある。	－ ○	○ －			

指導基準	調査事項	調査内容	評価基準					改善結果
			評価事項	判定区分		実際の指導		
				B	C	口頭	文書	
第７ 健康管理・安全確保	１ 乳幼児の健康状態の観察 登園、降園の際、乳幼児一人一人の健康状態の観察	a 登園の際、健康状態の観察及び、保護者からの乳幼児の報告を受けているか。 ※ 体温、排便、食事、睡眠、表情、皮膚の異常の有無、機嫌等	・十分な観察が行われていない。	○	−			
			・保護者から報告（連絡帳を活用することを含む。）を受けてない。	○	−			
		b 降園の際、登園時と同様の健康状態の観察が行われているか。保護者へ乳幼児の状態を報告しているか。	・十分な観察が行われていない。	○	−			
			・注意が必要である場合において保護者等にその旨を報告していない。	−	○			
	２ 乳幼児の発育チェック	a 身長や体重の測定など、基本的な発育チェックを毎月定期的に行っているか。	・基本的な発育チェックを全く行っていない。	−	○			
			・基本的な発育チェックを毎月行っていない。	○	−			
	３ 乳幼児の健康診断 継続して保育している乳幼児の健康診断を入所（利用開始）時及び１年に２回、学校保健安全法に規定する健康診断に準じて実施 [考え方] ３ａ、ｂについては在籍児童全員が実施していることを求めるものであるが、各施設の状況を鑑みて在籍児童に対しておおむね実施されている状況をもって「適」と自治体が個別判断することも可。	a 乳幼児の健康状態の確認のため、入所（利用）児の健康診断はなるべく入所（利用）決定前に実施し、未実施の場合は入所（利用開始）後直ちに行っているか。	・入所（利用開始）時に実施されていない。ただし、保護者からの健康診断結果の提出がある場合等は、これにより入所（利用開始）時の健康診断がなされたものとみなしてよい。	−	○			
		b １年に２回の健康診断が実施されているか。（おおむね６月毎に実施） ※ 施設において直接実施できない場合は、保護者から健康診断書又は母子健康手帳の写しの提出を受けること。	・全く実施されていない。	−	○			
			・１年に１回しか実施していない。	○	−			
			・健康診断の内容が不十分又は記録に不備がある。	○	−			
		c 入所（利用開始）後の乳幼児の体質、かかりつけ医の確認、緊急時に備えた保育施設付近の病院関係の一覧を作成し、全ての保育に従事する者への周知が行われているか。	・緊急時に備えた保育所付近の病院関係の一覧が未作成。	−	○			
			・職員への周知状況の不徹底等対応が不十分。	○	−			

指導基準	調査事項	調査内容	評価基準					改善結果
			評価事項	判定区分		実際の指導		
				B	C	口頭	文書	
第７　健康管理・安全確保	４　職員の健康診断	a　職員の健康診断を労働安全衛生法（昭和47年法律第57号）に基づく労働安全衛生規則（昭和47年労働省令第32号）に基づき採用時及び１年に１回実施しているか。	・実施されていない。	–	○			
		b　調理に携わる職員には、おおむね月１回検便を実施しているか。	・実施されていない。 ・おおむね月１回の検便が実施されている状況にない。	– ○	○ –			
	５　医薬品等の整備	a　必要な医薬品その他の医療品が備えられているか。 ※　最低限必要なもの：体温計、水まくら、消毒薬、絆創膏類等	・左記の最低限必要な医薬品、医療品がない。	○	–			
	６　感染症への対応	a　感染症にかかっていることがわかった乳幼児及び感染症の疑いがある乳幼児については、かかりつけ医の指示に従うよう保護者に指示しているか。	・対応が適切ではない。	–	○			
		b　再登園時には、かかりつけ医とのやりとりを記載した書面等の提出などについて、保護者の理解と協力を求めているか。	・治癒の判断をもっぱら保護者に委ねている。	○	–			
		c　歯ブラシ、コップ、タオル、ハンカチなどは、一人一人のものが準備されているか。	・洗浄、洗濯等を行わないまま共用している。	○	–			
	７　乳幼児突然死症候群に対する注意	a　睡眠中の乳幼児の顔色や呼吸の状態をきめ細かく観察しているか。	・保育室に職員が在室していないなど、乳幼児突然死症候群に対する注意を払っていない。	–	○			
		b　乳児を寝かせる場合には、仰向けに寝	・乳幼児突然死症候群に対する注意が不足して	–	○			

指導基準	調査事項	調査内容	評価基準					改善結果
			評価事項	判定区分		実際の指導		
				B	C	口頭	文書	
第7 健康管理・安全確保		かせているか。 ※ 窒息リスク除去の観点から、医学的な理由で医師からうつぶせ寝をすすめられている場合以外は、乳児の顔が見える仰向けに寝かせることが重要である。	いる。					
		c 保育室では禁煙を厳守しているか。	・保育室内で喫煙している。	－	○			
	8 安全確保	a 施設の設備の安全点検、職員、児童等に対する施設外での活動、取組等を含めた施設での生活その他の日常生活における安全に関する指導、職員の研修及び訓練その他施設における安全に関する事項についての計画（以下「安全計画」という。）を策定し、当該安全計画に従い、乳幼児の安全の確保に配慮した保育が実施されているか。	・安全計画が策定されていない。 ・保育室だけでなく、乳幼児の出入りする場所には危険物防止に対する十分な配慮がされていない。	－ ○	○ －			
		b 職員に対し、安全計画について周知されているとともに、安全計画に定める研修及び訓練が定期的に実施されているか。	・職員に対し、安全計画について周知されていない。 ・安全計画に定める研修及び訓練が定期的に実施されていない。	－ －	○ ○			
		c 保護者に対し、安全計画に基づく取組の内容等について周知されているか。	・保護者に対し、安全計画に基づく取組の内容等について周知されていない。	－	○			
		d 事故防止の観点から、その施設内の危険な場所、設備等に対して適切な安全管理を図っているか。	・施設内の危険な場所、設備等への囲障の設置がない。	－	○			

指導基準	調査事項	調査内容	評価基準					改善結果
			評価事項	判定区分		実際の指導		
				B	C	口頭	文書	
第7　健康管理・安全確保		e　プール活動や水遊びを行う場合は、監視体制の空白が生じないよう、専ら監視を行う者とプール指導等を行う者を分けて配置し、その役割分担を明確にしているか。	・専ら監視を行う者とプール指導等を行う者を分けて配置していない。	○	－			
		f　児童の食事に関する情報や当日の子どもの健康状態を把握し、誤嚥等による窒息のリスクとなるものを除去すること、また、食物アレルギーのある子どもについては生活管理指導表等に基づいて対応しているか。	・誤嚥等による窒息のリスクとなるものを除去することや、食物アレルギーのある子どもに配慮した食事の提供を行っていない。	－	○			
		g　窒息の可能性のある玩具、小物等が不用意に保育環境下に置かれていないかなどについて、保育室内及び園庭内の点検を定期的に実施しているか。	・定期的な点検が行われていない。	－	○			
		h　不審者の立入防止などの対策や緊急時における乳幼児の安全を確保する体制を整備しているか。	・囲障はあるが、施錠等が不十分。	○	－			
		i　児童の施設外での活動、取組等のための移動その他の児童の移動のために自動車を運行するときは、児童の乗車及び降車の際に、点呼その他の児童の所在を確実に把握することができる方法により、児童の所在を確認しているか。	・点呼その他の児童の所在を確実に把握することができる方法により、児童の所在が確認されていない。	－	○			

指導基準	調査事項	調査内容	評価基準					改善結果
			評価事項	判定区分		実際の指導		
				B	C	口頭	文書	
第７　健康管理・安全確保		ｊ　児童の送迎を目的とした自動車（運転者席及びこれと並列の座席並びにこれらより一つ後方に備えられた前向きの座席以外の座席を有しないものその他利用の態様を勘案してこれと同程度に児童の見落としのおそれが少ないと認められるものを除く。）を日常的に運行するときは、当該自動車にブザーその他の車内の児童の見落としを防止する装置を備え、これを用いてｉに定める所在の確認（児童の降車の際に限る。）を行っているか。	・当該自動車にブザーその他の車内の児童の見落としを防止する装置が備えられていない。 ・児童の降車の際の確認にあたり、当該装置を用いていない。	− −	○ ○			
		ｋ　事故発生時に適切な救命処置が可能となるよう、訓練を実施しているか。	・定期的な訓練が実施されていない。	−	○			
		ｌ　賠償責任保険に加入するなど、保育中の万が一の事故に備えているか。	・賠償すべき事故が発生した場合に、損害賠償を速やかに行うことができるよう備えられていない。	−	○			
		ｍ　事故発生時には速やかに当該事実を都道府県知事等に報告しているか。	・「教育・保育施設等における事故の報告等について」（令和５年12月14日こ成安第142号通知）に基づく報告が行われていない。	−	○			
		ｎ　事故の状況及び事故に際して採った処置について記録しているか。	・事故が発生した施設において、当該事故の状況及び当該事故に際して採った処置について記録していない。	−	○			

指導基準	調査事項	調査内容	評価基準					改善結果
			評価事項	判定区分		実際の指導		
				B	C	口頭	文書	
第7　健康管理・安全確保		o　死亡事故等の重大事故が発生した施設については、当該事故と同様の事故の再発防止策及び事故後の検証結果を踏まえた措置をとっているか。	・死亡事故等の重大事故が発生した施設において、当該事故と同様の事故の再発防止策及び事故後の検証結果を踏まえた措置がとられていない。	－	○			
第8　利用者への情報提供	1　施設及びサービスに関する内容の掲示	以下の事項について、施設のサービスを利用しようとする者が見やすい場所に掲示されているか。						
		a　設置者の氏名又は名称及び施設の管理者の氏名	・全く掲示されていない。	－	○			
		b　建物その他の設備の規模及び構造 c　施設の名称及び所在地	・左記a～oの事項につき、掲示内容又は掲示の仕方が不十分。	○	－			
		d　事業を開始した年月日 e　開所している時間	・「ここdeサーチ」に情報が全く掲載されていない。	－	○			
		f　提供するサービスの内容及び当該サービスの提供につき利用者が支払うべき額に関する事項並びにこれらの事項に変更を生じたことがある場合にあっては当該変更のうち直近のものの内容及びその理由	・「ここdeサーチ」に左記a～oの事項につき、掲載がない項目がある又は内容が不十分。	○	－			
		g　入所（利用）定員 h　保育士その他の職員の配置数又はその予定 i　設置者及び職員に対する研修の受講状況 j　保育する乳幼児に関して契約している保険の種類、保険事故及び保険金額 k　提携している医療						

指導基準	調査事項	調査内容	評価基準					改善結果
			評価事項	判定区分		実際の指導		
				B	C	口頭	文書	
第8 利用者への情報提供		機関の名称、所在地及び提携内容 l　緊急時等における対応方法 m　非常災害対策 n　虐待の防止のための措置に関する事項 o　設置者が過去に事業停止命令又は施設閉鎖命令を受けたか否かの別（受けたことがある場合には、その命令の内容を含む。）						
	2　サービス利用者に対する契約内容の書面等による交付	以下の事項について、利用者に書面等による交付がされているか。 a　設置者の氏名及び住所又は名称及び所在地 b　当該サービスの提供につき利用者が支払うべき額に関する事項 c　施設の名称及び所在地 d　施設の管理者の氏名 e　当該利用者に対し提供するサービスの内容 f　保育する乳幼児に関して契約している保険の種類、保険事故及び保険金額 g　提携する医療機関の名称、所在地及び提携内容 h　利用者からの苦情を受け付ける担当職員の氏名及び連絡先	・書面等により交付されていない。 ・左記ａ～ｈの事項につき、交付内容が不十分。	－ ○	○ －			
	3　サービスの利用予定者から申し込みがあった場合の契約内容等の説明	当該サービスを利用するための契約の内容及びその履行に関する事項について、適切に説明が行われているか。	・説明が行われていない。 ・説明はされているが、内容が不十分。	－ ○	○ －			

指導基準	調査事項	調査内容	評価基準					改善結果
			評価事項	判定区分		実際の指導		
				B	C	口頭	文書	
第9　備える帳簿等	1　職員に関する帳簿等の整備	a　職員の氏名、連絡先、職員の資格を証明する書類（写）、採用年月日等が記載された帳簿等があるか。	・確認できる帳簿等が備えられていない。 ・整備内容が不十分。	－ ○	○ －			
		b　労働基準法等の他法令に基づき、各事業場ごとに備え付けが義務付けられている帳簿等があるか。 ・労働者名簿（労働基準法第107条） ・賃金台帳（労働基準法第108条） ・雇入、解雇、災害補償、賃金その他労働関係に関する重要な書類の保存義務（労働基準法第109条）	・左記の帳簿等の整備状況が不十分。	－	○			
	2　在籍（利用）乳幼児に関する帳簿等の整備	a　在籍（利用）乳幼児及び保護者の氏名、乳幼児の生年月日及び健康状態、保護者の連絡先、乳幼児の在籍（利用）記録並びに契約内容等が確認できる帳簿等があるか。	・確認できる帳簿等が備えられていない。 ・整備内容が不十分。	－ ○	○ －			

3　法第6条の3第11項に規定する業務を目的とする施設（複数の保育に従事する者を雇用しているものに限る。）の指導基準等

指導基準	調査事項	調査内容	評価基準					改善結果
			評価事項	判定区分		実際の指導		
				B	C	口頭	文書	
	1　保育に従事する者の数 原則、1人に対して乳幼児1人 〔考え方〕 当該乳幼児がその兄弟姉妹とともに利用しているなどの場合であって、かつ、保護者	a　保育に従事する者が1人で保育している乳幼児の数	・乳幼児数が1人を超えている。	－	○			

指導基準	調査事項	調査内容	評価基準					改善結果
			評価事項	判定区分		実際の指導		
				B	C	口頭	文書	
第1 保育に従事する者の数及び資格	が契約において同意しているときは、例外として、これを適用しないことができる。							
	2 保育に従事する者の有資格者の数 〔考え方〕 ここでいう有資格者は、保育士（国家戦略特別区域法第12条の5第5項に規定する事業実施区域内にある施設にあっては、保育士又は当該事業実施区域に係る国家戦略特別区域限定保育士。以下同じ。）又は看護師（准看護師を含む。）の資格を有する者をいう。	a 有資格者又は都道府県知事、指定都市市長、中核市市長若しくは児童相談所設置市市長（以下「都道府県知事等」という。）が行う保育に従事する者に関する研修（都道府県知事等がこれと同等以上のものと認める市町村長（特別区の長を含む。）その他の機関が行う研修を含む。）を修了した者であるか。	・有資格者又は都道府県知事等が行う保育に従事する者に関する研修を修了した者が配置されていない。 （※ 採用した日から1年を超えていない者については、採用後1年以内に研修を受けることを予定していること。）	－	○			
	3 保育士の名称	a 保育士でない者を保育士又は保母、保父等これに紛らわしい名称で使用していないか。	・左記の事項につき、違反がある。	－	○			
		b 国家戦略特別区域限定保育士が、その業務に関して国家戦略特別区域限定保育士の名称を表示するときに、その資格を得た事業実施区域を明示し、当該事業実施区域以外の区域を表示していないか。	・左記の事項につき、違反がある。	○	－			
第2 保育室等の構造、設備及び面積	1 事業の運営を行う事業所の専用区画及び備品等についての協力依頼 〔考え方〕 事業の運営を行う事業所とは、乳幼児の居宅ではなく、業務を行う事業者の事務所をいう。	a 事業の運営を行うために必要な広さを有する専用の区画を設けているか。	・事業の運営を行うために必要な広さを有する専用の区画を設けていない。	－	－			
		b 保育の実施に必要な備品等を備えるよう保護者に協力を求めているか。	・玩具、救急用品等の子どもの健康や安全管理に関わるものなど保育の実施に必要な備品等の用意について保護者に協力を求めていない。	－	－			

指導基準	調査事項	調査内容	評価基準					改善結果
			評価事項	判定区分		実際の指導		
				B	C	口頭	文書	
第3　非常災害に対する措置／第4　保育室を2階以上に設ける場合の条件	1　防災上の必要な措置の実施	a　防災上の必要な措置が講じられているか。	・火災、地震等の災害発生時における対処方法等（避難経路や消火用具等の場所の確認等を含む。）について定めた業務マニュアルが整備されていない。又は、業務マニュアルはあるが取組（保育従事者への周知や定期的な訓練等を含む。）が不十分。	－	○			
第5　保育内容	1　保育の内容 ※　保育所保育指針を参考に適切な保育が行われているか。	a　乳幼児一人一人の心身の発育や発達の状況を把握し、保育が行われているか。 b　乳幼児が安全で清潔な環境の中で、遊び、運動、睡眠等をバランスよく組み合わされた健康的な生活リズムが保たれるように、十分に配慮がなされているか。 c　乳幼児の生活リズムに沿った保育が実施されているか。 d　乳幼児に対し漫然とテレビを見せ続けるなど、乳幼児への関わりが少ない「放任的」な保育になっていないか。	・以下の事項を定めた業務マニュアルが整備されていない。又は、業務マニュアルはあるが取組（保育従事者への周知を含む。）が不十分。 (1)　子どもの発達の特徴や発達過程等に関する事項 (2)　乳幼児への養護的な関わり（授乳、離乳食・食事の介助、睡眠・休息、排泄、入浴、清潔、だっこ等）に関する事項 (3)　子どもの遊び等に関する事項 (4)　保育の実施に関して留意すべき事項	－	○			
	2　保育に従事する者の保育姿勢等 (1)　保育に従事する者の人間性と専門性の向上	a　乳幼児の最善の利益を考慮し、保育サービスを提供する者として、適切な姿勢であるか。特に、施設の運営管理の任にあたる施設の設置	・保育に当たっての基本姿勢（子どもへの愛情豊かな関わり、人格の尊重、プライバシーへの配慮等）に関する事項を定めた業務マニュアルが整備されていな	○	－			

指導基準	調査事項	調査内容	評価基準					改善結果
			評価事項	判定区分		実際の指導		
				B	C	口頭	文書	
第5 保育内容		者又は管理者については、その職責にかんがみ、資質の向上、適格性の確保が求められること。 b 保育所保育指針を理解する機会を設けるなど、保育に従事する者の人間性と専門性の向上を図るよう努めているか。	い。又は、業務マニュアルはあるが取組（保育従事者への周知を含む。）が不十分。 ・研修計画を作成し、保育従事者に対し、研修を実施していない。 （研修については、保育に従事する前（採用時）に実施することが望ましい。また、保育従事者の質の向上のため、定期的な研修の実施が望ましい。）	○	－			
	⑵ 乳幼児の人権に対する十分な配慮	乳幼児に身体的苦痛を与えることや、人格を辱めることがないなど、乳幼児の人権に十分配慮がなされているか。	・配慮に欠けている。 （例）しつけと称するか否かを問わず乳幼児に身体的苦痛を与えている。 いわゆるネグレクトや差別的処遇、言葉の暴力が見られる。 等	－	○			
	⑶ 児童相談所等の専門的機関との連携	利用乳幼児について、虐待等不適切な養育が疑われる場合に、児童相談所等の専門的機関と連携する等の体制がとられているか。 ※ 虐待が疑われる場合だけでなく、心身の発達に遅れが見られる場合、社会的援助が必要な家庭状況である場合等においても、専門的機関に対し適切な連絡に努めること。	・虐待等不適切な養育が疑われる場合に専門的機関への通告等を行う体制がとられていない。	－	○			
	3 保護者との連絡等 ⑴ 保護者との密接な連絡を取り、その意向を考慮した保育の実施	a 連絡帳又はこれに代わる方法により、保護者からは家庭での乳幼児の様子を、保育に従事する者からは保育中の乳幼児の様子を連絡しているか。	・可能な限り、保護者と密接な連絡を取ることを心がけていない。	○	－			
	⑵ 保護者との緊急時の連絡体制	b 緊急時に保護者へ早急に連絡できるよ	・保護者の緊急連絡先等を把握していない。	－	○			

指導基準	調査事項	調査内容	評価基準					改善結果
			評価事項	判定区分		実際の指導		
				B	C	口頭	文書	
第5　保育内容		う緊急連絡先を把握しているか。 ※　かかりつけ医等の緊急時必要な連絡先も併せて把握すること。						
第6　給食	〔考え方〕 指導基準第6については、適用しないことができるが、食事の提供を行う場合には、衛生面等必要な注意を払うことが必要である。 1　衛生管理の状況 食器等の適切な衛生管理	食器類やふきん、哺乳ビン等を使用する際は、衛生面等必要な注意を払い、配膳も衛生的であること。	・衛生面等必要な注意が払われていない。	－ 適用する場合はC判定	－			
	2　食事内容等の状況	a　乳児にミルクを与えた場合に、ゲップをさせることや離乳食摂取後の乳児について食事後の状況に注意が払われているかなど乳児に対する配慮が適切に行われているか。	・乳児に対する配慮が適切に行われていない。	－ 適用する場合はC判定	－			
		b　アレルギー疾患等を有する子どもについて、保護者と連携し、医師の判断及び指示に基づき、適切な対応が行われているか。	・アレルギー疾患等を有する子どもに対して適切な対応が行われていない。	－ 適用する場合はC判定	－			
第7　健康管理・安全確保	1　乳幼児の健康状態の観察 預かり、引渡しの際、乳幼児一人一人の健康状態の観察	a　預かりの際、健康状態の観察及び、保護者からの乳幼児の報告を受けているか。 ※　体温、排便、食事、睡眠、表情、皮膚の異常の有無、機嫌等	・十分な観察が行われていない。 ・保護者から報告（連絡帳を活用することを含む。）を受けてない。	○ ○	－ －			
		b　引渡しの際、預かり時と同様の健康状態の観察が行われているか。保護者へ乳	・十分な観察が行われていない。 ・注意が必要である場合において保護者等にそ	○ －	－ ○			

指導基準	調査事項	調査内容	評価基準					改善結果
			評価事項	判定区分		実際の指導		
				B	C	口頭	文書	
第7 健康管理・安全確保		幼児の状態を報告しているか。	の旨を報告していない。					
	2　職員の健康診断	a　職員の健康診断を労働安全衛生法（昭和47年法律第57号）に基づく労働安全衛生規則（昭和47年労働省令第32号）に基づき採用時及び1年に1回実施しているか。	・実施されていない。	－	○			
		b　食事の提供を行う場合には、提供頻度やその内容等の実情に応じ、検便を実施しているか。	・実施されていない。	－ 適用する場合はC判定	－			
	3　感染症への対応	a　感染予防のための対策が行われているか。	・手指の衛生や咳エチケットの実施等の感染予防策について定めた業務マニュアルが整備されていない。又は、業務マニュアルはあるが取組（保育従事者への周知を含む。）が不十分。	－	○			
	4　乳幼児突然死症候群に対する注意	a　睡眠中の乳幼児の顔色や呼吸の状態をきめ細かく観察しているか。 b　乳児を寝かせる場合には、仰向けに寝かせているか。 ※　窒息リスク除去の観点から、医学的な理由で医師からうつぶせ寝をすすめられている場合以外は、乳児の顔が見える仰向けに寝かせることが重要である。 c　保育中は禁煙を厳守しているか。	・左記の事項を定めた業務マニュアルが整備されていない。又は、業務マニュアルはあるが取組（保育従事者への周知を含む。）が不十分。	－	○			
	5　安全確保	a　施設の設備の安全点検、職員、児童等に対する施設外での活動、取組等を含めた施設での生活その他の日常生活におけ	・安全計画が策定されていない。 ・職員に対し、安全計画について周知されていない。 ・安全計画に定める研修	－ － －	○ ○ ○			

指導基準	調査事項	調査内容	評価基準 評価事項	判定区分 B	判定区分 C	実際の指導 口頭	実際の指導 文書	改善結果
第7　健康管理・安全確保		る安全に関する指導、職員の研修及び訓練その他施設における安全に関する事項についての計画（以下「安全計画」という。）を策定し、当該安全計画に従い、児童の安全確保に配慮した保育が実施されているか。 b　職員に対し、安全計画について周知されているとともに、安全計画に定める研修及び訓練が定期的に実施されているか。 c　保護者に対し、安全計画に基づく取組の内容等について周知されているか。 d　事故防止の観点から、危険な場所等に対して適切な安全管理が図られているか。 e　不審者の立入防止などの対策や緊急時における児童の安全を確保する体制が整備されているか。 f　児童の施設外での活動、取組等のための移動その他の児童の移動のために自動車を運行するときは、児童の乗車及び降車の際に、点呼その他の児童の所在を確実に把握することができる方法により、児童の所在が確認されているか。	及び訓練が定期的に実施されていない。					
			・保護者に対し、安全計画に基づく取組の内容等について周知されていない。	－	○			
			・以下の事項を定めた業務マニュアルが整備されていない。又は、業務マニュアルはあるが取組（保育従事者への周知を含む。）が不十分。 (1)　安全計画に基づく取組の内容等を踏まえた事故防止、防犯、安全最優先等シッターとしての心構えに関する事項 (2)　保育を始める前の玩具、遊具等室内の安全確認に関する事項 (3)　室内、室外の安全確認チェックポイント（リスト） (4)　ケガや急病等における応急手当の方法（実践）に関する事項 (5)　「ヒヤリ、ハット」時の事故防止意識の再確認等に関する事項 (6)　児童の施設外での活動、取組等のための移動その他の児童の移動のために自動車を運行する場合の、児童の乗車及び降車の際の児童の所在の確認方法に関する事項 (7)　事故発生時における対処方法及び連絡体制に関する事項	－	○			

指導基準	調査事項	調査内容	評価基準					改善結果
			評価事項	判定区分		実際の指導		
				B	C	口頭	文書	
第7 健康管理・安全確保			(8) 事故等発生後における詳細な内容等の報告に関する事項					
		g 事故発生時に適切な救命処置が可能となるよう、職員に対し実技講習を定期的に受講させているか。	・職員に対し定期的な講習受講の機会が与えられていない。	－	○			
		h 賠償責任保険に加入するなど、保育中の万が一の事故に備えているか。	・賠償すべき事故が発生した場合に、損害賠償を速やかに行うことができるよう備えられていない。	－	○			
		i 事故発生時には速やかに当該事実を都道府県等に報告しているか。	・「教育・保育施設等における事故の報告等について」（令和5年12月14日こ成安第142号通知）に基づく報告が行われていない。	－	○			
		j 事故の状況及び事故に際して採った処置について記録しているか。	・事故が発生した施設において、当該事故の状況及び当該事故に際して採った処置について記録していない。	－	○			
		k 死亡事故等の重大事故が発生した施設については、当該事故と同様の事故の再発防止策及び事故後の検証結果を踏まえた措置をとっているか。	・死亡事故等の重大事故が発生した施設において、当該事故と同様の事故の再発防止策及び事故後の検証結果を踏まえた措置がとられていない。	－	○			
第8 利用者への情報提供	1 施設及びサービスに関する内容の提示	以下の事項について、書面等による提示等がされているか。	・全く提示等がされていない。	－	○			
		a 設置者の氏名又は名称及び事業所の管理者の氏名	・左記a～nの事項につき、提示内容又は提示等の仕方が不十分。	○	－			
		b 事業所の名称及び所在地 c 事業を開始した年月日	・「ここdeサーチ」に情報が全く掲載されていない。	－	○			
		d 保育提供可能時間	・「ここdeサーチ」に左	○	－			

指導基準	調査事項	調査内容	評価基準					改善結果
			評価事項	判定区分		実際の指導		
				B	C	口頭	文書	
第8　利用者への情報提供		e　提供するサービスの内容及び当該サービスの提供につき利用者が支払うべき額に関する事項並びにこれらの事項に変更を生じたことがある場合にあっては当該変更のうち直近のものの内容及びその理由 f　利用定員 g　保育士その他の職員の配置数又はその予定 h　設置者及び職員に対する研修の受講状況 i　保育する乳幼児に関して契約している保険の種類、保険事故及び保険金額 j　（提携している場合は）提携している医療機関の名称、所在地及び提携内容 k　緊急時等における対応方法 l　非常災害対策 m　虐待の防止のための措置に関する事項 n　設置者が過去に事業停止命令又は施設閉鎖命令を受けたか否かの別（受けたことがある場合には、その命令の内容を含む。）	記a～nの事項につき、掲載がない項目がある又は内容が不十分。					
	2　サービス利用者に対する契約内容の書面等による交付	以下の事項について、利用者に書面等による交付がされているか。 a　設置者の氏名及び住所又は名称及び所在地	・書面等により交付されていない。 ・左記a～hの事項につき、交付内容が不十分。	－ ○	○ －			

指導基準	調査事項	調査内容	評価基準					改善結果
			評価事項	判定区分		実際の指導		
				B	C	口頭	文書	
第8　利用者への情報提供		b　当該サービスの提供につき利用者が支払うべき額に関する事項 c　事業所の名称及び所在地 d　事業所の管理者の氏名 e　当該利用者に対し提供するサービスの内容 f　保育する乳幼児に関して契約している保険の種類、保険事故及び保険金額 g　（提携している場合は）提携する医療機関の名称、所在地及び提携内容 h　利用者からの苦情を受け付ける担当職員の氏名及び連絡先						
	3　サービスの利用予定者から申し込みがあった場合の契約内容等の説明	a　当該サービスを利用するための契約の内容及びその履行に関する事項について、適切に説明が行われているか。	・説明が行われていない。 ・説明はされているが、内容が不十分。	－ ○	○ －			
第9　備える帳簿等	1　職員に関する帳簿等の整備	a　職員の氏名、連絡先、職員の資格を証明する書類（写）、採用年月日等が記載された帳簿があるか。	・確認できる書類が備えられていない。 ・整備内容が不十分。	－ ○	○ －			
		b　労働基準法等の他法令に基づき、各事業場ごとに備え付けが義務付けられている帳簿等があるか。 ・労働者名簿（労働基準法第107条） ・賃金台帳（労働基準法第108条）	・左記の帳簿の整備状況が不十分。	－	○			

指導基準	調査事項	調査内容	評価基準 評価事項	判定区分 B	 C	実際の指導 口頭	 文書	改善結果
第9　備える帳簿等		・雇入、解雇、災害補償、賃金その他労働関係に関する重要な書類の保存義務（労働基準法第109条）						
	2　利用乳幼児に関する書類等の整備	a　利用乳幼児及び保護者の氏名、乳幼児の生年月日及び健康状態、保護者の連絡先、乳幼児利用記録並びに契約内容等が確認できる書類があるか。	・確認できる書類が備えられていない。	－	○			
			・整備内容が不十分。	○	－			

4　法第6条の3第11項に規定する業務を目的とする施設（複数の保育に従事する者を雇用していないものに限る。）の指導基準等

※評価事項において【＊】が付いている事項は、チェックシート（別添ひな形を参照）の提出等による確認が想定される。

指導基準	調査事項	調査内容	評価基準 評価事項	判定区分 B	 C	実際の指導 口頭	 文書	改善結果
第1　保育に従事する者の数及び資格	1　保育に従事する者の数 原則、1人に対して乳幼児1人 〔考え方〕 当該乳幼児がその兄弟姉妹とともに利用しているなどの場合であって、かつ、保護者が契約において同意しているときは、例外として、これを適用しないことができる。	a　保育に従事する者が1人で保育している乳幼児の数	・乳幼児数が1人を超えている。	－	○			
	2　保育に従事する者の有資格者の数 〔考え方〕 ここでいう有資格者は、保育士（国家戦略特別区域法第12条の5第5項に規定する事業	a　有資格者又は都道府県知事、指定都市市長、中核市市長若しくは児童相談所設置市市長（以下「都道府県知事等」という。）が行う保育に	・有資格者でない、又は都道府県知事等が行う保育に従事する者に関する研修を修了していない。	－	○			

指導基準	調査事項	調査内容	評価基準					改善結果
			評価事項	判定区分		実際の指導		
				B	C	口頭	文書	
第1　保育に従事する者の数及び資格	実施区域内にある施設にあっては、保育士又は当該事業実施区域に係る国家戦略特別区域限定保育士。以下同じ。）又は看護師（准看護師を含む。以下同じ。）の資格を有する者をいう。	従事する者に関する研修（都道府県知事等がこれと同等以上のものと認める市町村長（特別区の長を含む。）その他の機関が行う研修を含む。）を修了した者であるか。						
	3　保育士の名称	a　保育士でない者を保育士又は保母、保父等これに紛らわしい名称で使用していないか。	・左記の事項につき、違反がある。	－	○			
		b　国家戦略特別区域限定保育士が、その業務に関して国家戦略特別区域限定保育士の名称を表示するときに、その資格を得た事業実施区域を明示し、当該事業実施区域以外の区域を表示していないか。	・左記の事項につき、違反がある。	○	－			
第2　保育室等の構造、設備及び面積	1　事業の運営を行う事業所の専用区画及び備品等についての協力依頼 〔考え方〕 事業の運営を行う事業所とは、乳幼児の居宅ではなく、業務を行う事業者の事務所をいう。	a　事業の運営を行うために必要な広さを有する専用の区画を設けているか。	・事業の運営を行うために必要な広さを有する専用の区画を設けていない。	－	－			
		b　保育の実施に必要な備品等を備えるよう保護者に協力を求めているか。	・玩具、救急用品等の子どもの健康や安全管理に関わるものなど保育の実施に必要な備品等の用意について保護者に協力を求めていない。	－	－			
第3　非常災害に対する措	1　防災上の必要な措置の実施	a　防災上の必要な措置が講じられているか。	・地震、火災等の災害発生時における対処方法等（避難経路や消火用具等の場所の確認等を含む。）について検討及び実施をしていない。【＊】	－	○			

指導基準	調査事項	調査内容	評価基準					改善結果
			評価事項	判定区分		実際の指導		
				B	C	口頭	文書	
置／第4　保育室を2階以上に設ける場合の条件								
第5　保育内容	1　保育の内容 ※　保育所保育指針を参考に適切な保育が行われているか。	a　乳幼児一人一人の心身の発育や発達の状況を把握し、保育が行われているか。 b　乳幼児が安全で清潔な環境の中で、遊び、運動、睡眠等をバランスよく組み合わされた健康的な生活リズムが保たれるように、十分に配慮がなされているか。 c　乳幼児の生活リズムに沿った保育が実施されているか。 d　乳幼児に対し漫然とテレビを見せ続けるなど、乳幼児への関わりが少ない「放任的」な保育になっていないか。	・以下の事項について理解していない、又は、理解はしているが配慮した保育をしていない。【＊】 (1)　子どもの発達の特徴や発達過程等に関する事項 (2)　乳幼児への養護的な関わり（授乳、離乳食・食事の介助、睡眠・休息、排泄、入浴、清潔、だっこ等）に関する事項 (3)　子どもの遊び等に関する事項 (4)　保育の実施に関して留意すべき事項	－	○			
	2　保育に従事する者の保育姿勢等 (1)　保育に従事する者の人間性と専門性の向上	a　乳幼児の最善の利益を考慮し、保育サービスを提供する者として、適切な姿勢であるか。 b　保育所保育指針を理解する機会を設けるなど、保育に従事する者の人間性と専門性の向上を図るよう努めているか。	・保育に当たっての基本姿勢（子どもへの愛情豊かな関わり、人格の尊重、プライバシーへの配慮等）を理解していない、又は、理解しているが取組が不十分。【＊】	○	－			
			・保育に従事する者に関する研修を受講していない。【＊】	○	－			

指導基準	調査事項	調査内容	評価基準					改善結果
			評価事項	判定区分		実際の指導		
				B	C	口頭	文書	
第5　保育内容			（研修については、保育に従事する前に受講することが望ましい。また、保育従事者の質の向上のため、定期的な研修の実施が望ましい。）					
	(2)　乳幼児の人権に対する十分な配慮	乳幼児に身体的苦痛を与えることや、人格を辱めることがないなど、乳幼児の人権に十分配慮がなされているか。	・配慮に欠けている。【＊】 (例) しつけと称するか否かを問わず乳幼児に身体的苦痛を与えている。 いわゆるネグレクトや差別的処遇、言葉の暴力が見られる。 等	－	○			
	(3)　児童相談所等の専門的機関との連携	利用乳幼児について、虐待等不適切な養育が疑われる場合に、児童相談所等の専門的機関へ通告しているか。 ※　虐待が疑われる場合だけでなく、心身の発達に遅れが見られる場合、社会的援助が必要な家庭状況である場合等においても、専門的機関に対し適切な連絡に努めること。	・虐待等不適切な養育が疑われる場合に専門的機関への通告していない。	－	－			
	3　保護者との連絡等 (1)　保護者との密接な連絡を取り、その意向を考慮した保育の実施	a　連絡帳又はこれに代わる方法により、保護者からは家庭での乳幼児の様子を、保育に従事する者からは保育中の乳幼児の様子を連絡しているか。	・可能な限り、保護者と密接な連絡を取ることを心がけていない。	○	－			
	(2)　保護者との緊急時の連絡体制	b　緊急時に保護者へ早急に連絡できるよ	・保護者の緊急連絡先等を把握していない。	－	○			

指導基準	調査事項	調査内容	評価基準					改善結果
			評価事項	判定区分		実際の指導		
				B	C	口頭	文書	
第5　保育内容		う緊急連絡先を把握しているか。 ※　かかりつけ医等の緊急時必要な連絡先も併せて把握すること。						
第6　給食	〔考え方〕 指導基準第6については、適用しないことができるが、食事の提供を行う場合には、衛生面等必要な注意を払うことが必要である。 1　衛生管理の状況 食器等の適切な衛生管理	食器類やふきん、哺乳ビン等を使用する際は、衛生面等必要な注意を払い、配膳も衛生的であること。	・衛生面等必要な注意が払われていない。	－ 適用する場合はC判定	－			
	2　食事内容等の状況	a　乳児にミルクを与えた場合に、ゲップをさせることや離乳食摂取後の乳児について食事後の状況に注意が払われているかなど乳児に対する配慮が適切に行われているか。	・乳児に対する配慮が適切に行われていない。	－ 適用する場合はC判定	－			
		b　アレルギー疾患等を有する子どもについて、保護者と連携し、医師の判断及び指示に基づき、適切な対応が行われているか。	・アレルギー疾患等を有する子どもに対して適切な対応が行われていない。	－ 適用する場合はC判定	－			
第7　健康管理・安全確保	1　乳幼児の健康状態の観察 預かり、引渡しの際、乳幼児一人一人の健康状態の観察	a　預かりの際、健康状態の観察及び、保護者からの乳幼児の報告を受けているか。 ※　体温、排便、食事、睡眠、表情、皮膚の異常の有無、機嫌等	・十分な観察が行われていない。	○	－			
			・保護者から報告（連絡帳を活用することを含む。）を受けてない。	○	－			
		b　引渡しの際、預か	・十分な観察が行われて	○	－			

指導基準	調査事項	調査内容	評価基準					改善結果
			評価事項	判定区分		実際の指導		
				B	C	口頭	文書	
第7 健康管理・安全確保		り時と同様の健康状態の観察が行われているか。保護者へ乳幼児の状態を報告しているか。	いない。 ・注意が必要である場合において保護者等にその旨を報告していない。	－	○			
	2　職員の健康診断	a　健康診断を1年に1回受けているか。	・受けていない。	－	○			
		b　食事の提供を行う場合には、提供頻度やその内容等の実情に応じ、検便を実施しているか。	・実施されていない。	－	－ 適用する場合はC判定			
	3　感染症への対応	a　感染予防のための対策が行われているか。	・手指の衛生や咳エチケットの実施等の感染予防策を講じていない。【*】	－	○			
	4　乳幼児突然死症候群に対する注意	a　睡眠中の乳幼児の顔色や呼吸の状態をきめ細かく観察しているか。 b　乳児を寝かせる場合には、仰向けに寝かせているか。 ※　窒息リスク除去の観点から、医学的な理由で医師からうつぶせ寝をすすめられている場合以外は、乳児の顔が見える仰向けに寝かせることが重要である。 c　保育中は禁煙を厳守しているか。	・左記の事項を実施していない。【*】	－	○			
	5　安全確保	a　施設の設備の安全点検、職員、児童等に対する施設外での活動、取組等を含めた施設での生活その他の日常生活における安全に関する指導、職員の研修及び訓練その他施設における安全に関する事	・安全計画が策定されていない。	－	○			
			・保護者に対し、安全計画に基づく取組の内容等について周知されていない。	－	○			
			・以下の事項について理解していない、又は、理解はしているが取組が不十分。【*】	－	○			

指導基準	調査事項	調査内容	評価基準					改善結果
			評価事項	判定区分		実際の指導		
				B	C	口頭	文書	
第7　健康管理・安全確保		項についての計画（以下「安全計画」という。）を策定し、当該安全計画に従い、児童の安全確保に配慮した保育が実施されているか。 b　安全計画について理解しているとともに、安全計画に定める訓練を定期的に実施しているか。 c　保護者に対し、安全計画に基づく取組の内容等について周知されているか。 d　事故防止の観点から、危険な場所等に対して適切な安全管理が図られているか。 e　不審者の立入防止などの対策や緊急時における児童の安全を確保する体制が整備されているか。 f　児童の施設外での活動、取組等のための移動その他の児童の移動のために自動車を運行するときは、児童の乗車及び降車の際に、点呼その他の児童の所在を確実に把握することができる方法により、児童の所在が確認されているか。	(1)　安全計画に基づく取組の内容等を踏まえた事故防止、防犯、安全最優先等シッターとしての心構え (2)　保育を始める前の玩具、遊具等室内の安全確認 (3)　室内、室外の安全確認 (4)　ケガや急病等における応急手当の方法（実践） (5)　「ヒヤリ、ハット」時の事故防止意識の再確認等 (6)　児童の施設外での活動、取組等のための移動その他の児童の移動のために自動車を運行する場合の、児童の乗車及び降車の際の児童の所在の確認方法 (7)　事故発生時における対処方法及び連絡体制 (8)　事故等発生後における詳細な内容等の報告					
		g　事故発生時に適切な救命処置が可能となるよう、実技講習を定期的に受講しているか。	・定期的に講習を受講していない。【*】	－	○			
		h　賠償責任保険に加	・賠償すべき事故が発生	－	○			

指導基準	調査事項	調査内容	評価基準					改善結果
			評価事項	判定区分		実際の指導		
				B	C	口頭	文書	
第7　健康管理・安全確保		入するなど、保育中の万が一の事故に備えているか。	した場合に、損害賠償を速やかに行うことができるよう備えられていない。					
		i　事故発生時には速やかに当該事実を都道府県等に報告しているか。	・「教育・保育施設等における事故の報告等について」（令和5年12月14日こ成安第142号通知）に基づく報告が行われていない。	－	○			
		j　事故の状況及び事故に際して採った処置について記録しているか。	・事故が発生した施設において、当該事故の状況及び当該事故に際して採った処置について記録していない。	－	○			
		k　死亡事故等の重大事故が発生した施設については、当該事故と同様の事故の再発防止策及び事故後の検証結果を踏まえた措置をとっているか。	・死亡事故等の重大事故が発生した施設において、当該事故と同様の事故の再発防止策及び事故後の検証結果を踏まえた措置がとられていない。	－	○			
第8　利用者への情報提供	1　施設及びサービスに関する内容の提示	以下の事項について、書面等による提示等がされているか。 a　設置者の氏名又は名称及び事業所の管理者の氏名 b　事業所の名称及び所在地 c　事業を開始した年月日 d　保育提供可能時間 e　提供するサービスの内容及び当該サービスの提供につき利用者が支払うべき額に関する事項並びにこれらの事項に変更を生じたことがある場合にあっては当該変更のうち直近のも	・全く提示等がされていない。	－	○			
			・左記a～nの事項につき、提示内容又は提示等の仕方が不十分。	○	－			
			・「ここdeサーチ」に情報が全く掲載されていない。	－	○			
			・「ここdeサーチ」に左記a～nの事項につき、掲載がない項目がある又は内容が不十分。	○	－			

指導基準	調査事項	調査内容	評価基準					改善結果
			評価事項	判定区分		実際の指導		
				B	C	口頭	文書	
第8　利用者への情報提供		のの内容及びその理由 f　利用定員 g　設置者の資格（保育士・看護師）の保有状況 h　設置者の研修の受講状況 i　保育する乳幼児に関して契約している保険の種類、保険事故及び保険金額 j　（提携している場合は）提携している医療機関の名称、所在地及び提携内容 k　緊急時等における対応方法 l　非常災害対策 m　虐待の防止のための措置に関する事項 n　設置者が過去に事業停止命令又は施設閉鎖命令を受けたか否かの別（受けたことがある場合には、その命令の内容を含む。）						
	2　サービス利用者に対する契約内容の書面等による交付	以下の事項について、利用者に書面等による交付がされているか。 a　設置者の氏名及び住所又は名称及び所在地 b　当該サービスの提供につき利用者が支払うべき額に関する事項 c　事業所の名称及び所在地 d　事業所の管理者の氏名 e　当該利用者に対し提供するサービスの内容	・書面等により交付されていない。 ・左記a～hの事項につき、交付内容が不十分。	－ ○	○ －			

指導基準	調査事項	調査内容	評価基準					改善結果
			評価事項	判定区分		実際の指導		
				B	C	口頭	文書	
第8 利用者への情報提供		f 保育する乳幼児に関して契約している保険の種類、保険事故及び保険金額 g (提携している場合は)提携する医療機関の名称、所在地及び提携内容 h 利用者からの苦情を受け付ける連絡先						
	3 サービスの利用予定者から申し込みがあった場合の契約内容等の説明	a 当該サービスを利用するための契約の内容及びその履行に関する事項について、適切に説明が行われているか。	・説明が行われていない。 ・説明はされているが、内容が不十分。	－ ○	○ －			
第9 備える帳簿等	1 利用乳幼児に関する書類等の整備	a 利用乳幼児及び保護者の氏名、乳幼児の生年月日及び健康状態、保護者の連絡先、乳幼児利用記録並びに契約内容等が確認できる書類があるか。	・確認できる書類が備えられていない。 ・整備内容が不十分。	－ ○	○ －			

法第６条の３第11項に規定する業務を目的とする施設（複数の保育に従事する者を雇用していないものに限る。）の指導基準等に係るチェックシート（ひな形）

令和　　年　　月　　日現在

住　所

氏　名（又は名称）

指導基準	調査事項	調査内容	チェック内容	チェック
第３　非常災害に対する措置／第４　保育室を２階以上に設ける場合の条件	１　防災上の必要な措置の実施	a　防災上の必要な措置が講じられているか。	・地震、火災等の災害発生時における対処方法等（避難経路や消火用具等の場所の確認等を含む。）について検討し、実施をしている。 （具体的取組）	□
第５　保育内容	１　保育の内容 ※　保育所保育指針を参考に適切な保育が行われているか。	a　乳幼児一人一人の心身の発育や発達の状況を把握し、保育が行われているか。 b　乳幼児が安全で清潔な環境の中で、遊び、運動、睡眠等をバランスよく組み合わされた健康的な生活リズムが保たれるように、十分に配慮がなされているか。 c　乳幼児の生活リズムに沿った保育が実施されているか。 d　乳幼児に対し漫然とテレビを見せ続けるなど、乳幼児への関わりが少ない「放任的」な保育になっていないか。	・以下の事項について理解し、これに配慮した保育をしている。 ⑴　子どもの発達の特徴や発達過程等に関する事項 ⑵　乳幼児への養護的な関わり（授乳、離乳食・食事の介助、睡眠・休息、排泄、入浴、清潔、だっこ等）に関する事項 ⑶　子どもの遊び等に関する事項 ⑷　保育の実施に関して留意すべき事項 （具体的取組）	□
	２　保育に従事する者の保育姿勢等 ⑴　保育に従事する者の人間性と専門性の向上	a　乳幼児の最善の利益を考慮し、保育サービスを提供する者として、適切な姿勢であるか。 b　保育所保育指針を理解する機会を設けるなど、保育に従事する者の人間性と専門性の向上を図るよう努めているか。	・保育に当たっての基本姿勢（子どもへの愛情豊かな関わり、人格の尊重、プライバシーへの配慮等）を理解し、十分な取組を行っている。 （具体的取組）	□

指導基準	調査事項	調査内容	チェック内容	チェック
第5 保育内容			・保育に従事する者に関する研修を受講している。 （研修名等：　　　年　月　　　） （研修名等：　　　年　月　　　） （研修名等：　　　年　月　　　） ※　研修の受講歴がわかる資料（修了証の写し等）を添付すること （研修については、保育に従事する前に受講することが望ましい。また、保育従事者の質の向上のため、定期的な研修の実施が望ましい。）	□
	(2)　乳幼児の人権に対する十分な配慮	乳幼児に身体的苦痛を与えることや、人格を辱めることがないなど、乳幼児の人権に十分配慮がなされているか。	・乳幼児の人権に十分な配慮がなされている。 （具体的取組）	□
第6 給食	※　保育中に食事の提供を行う場合は、以下のチェック内容についても回答すること。			
	1　衛生管理の状況 食器等の適切な衛生管理	食器類やふきん、哺乳ビン等を使用する際は、衛生面等必要な注意を払い、配膳も衛生的であること。	・衛生面等必要な注意が払われている。 （具体的取組）	□
	2　食事内容等の状況	a　乳児にミルクを与えた場合に、ゲップをさせることや離乳食摂取後の乳児について食事後の状況に注意が払われているかなど乳児に対する配慮が適切に行われているか。	・乳児に対する配慮を適切に行っている。 （具体的取組）	□
		b　アレルギー疾患等を有する子どもについて、保護者と連携し、医師の判断及び指示に基づき、適切な対応が行われているか。	・アレルギー疾患等を有する子どもに対して適切な対応を行っている。 （具体的取組）	□
第7 健康管理・安全確保	3　感染症への対応	a　感染予防のための対策が行われているか。	・手指の衛生や咳エチケットの実施等の感染予防策を講じている。 （具体的取組）	□

指導基準	調査事項	調査内容	チェック内容	チェック
第7　健康管理・安全確保	4　乳幼児突然死症候群に対する注意	a　睡眠中の乳幼児の顔色や呼吸の状態をきめ細かく観察しているか。 b　乳児を寝かせる場合には、仰向けに寝かせているか。 ※　窒息リスク除去の観点から、医学的な理由で医師からうつぶせ寝をすすめられている場合以外は、乳児の顔が見える仰向けに寝かせることが重要である。 c　保育中は禁煙を厳守しているか。	・左記の事項を実施している。 （具体的取組）	□
	5　安全確保	a　施設の設備の安全点検、職員、児童等に対する施設外での活動、取組等を含めた施設での生活その他の日常生活における安全に関する指導、職員の研修及び訓練その他施設における安全に関する事項についての計画（以下「安全計画」という。）を策定し、当該安全計画に従い、児童の安全確保に配慮した保育が実施されているか。 b　安全計画について理解しているとともに、安全計画に定める訓練を定期的に実施しているか。 c　保護者に対し、安全計画に基づく取組の内容等について周知されているか。 d　事故防止の観点から、危険な場所等に対して適切な安全管理が図られているか。 e　不審者の立入防止などの対策や緊急時における児童の安全を確保する体制が整備されているか。 f　児童の施設外での活動、取組等のための移動その他の児童の移動のために自動車を運行するときは、児童の乗車及び降車の際に、点呼その他の児童の所在を確実に把握することができる方法により、児童の所在が確認されているか。	・以下の事項について理解し、取組を行っている。 (1)　安全計画に基づく取組の内容等を踏まえた事故防止、防犯、安全最優先等シッターとしての心構え (2)　保育を始める前の玩具、遊具等室内の安全確認 (3)　室内、室外の安全確認 (4)　ケガや急病等における応急手当の方法（実践） (5)　「ヒヤリ、ハット」時の事故防止意識の再確認等 (6)　児童の施設外での活動、取組等のための移動その他の児童の移動のために自動車を運行する場合の、児童の乗車及び降車の際の児童の所在の確認方法 (7)　事故発生時における対処方法及び連絡体制 (8)　事故等発生後における詳細な内容等の報告 （具体的取組）	□
		g　事故発生時に適切な救命処置が可能となるよう、実技講習を定期的に受講しているか。	・定期的に講習を受講している。 ※　研修の受講歴がわかる資料（修了証の写し等）を添付すること	□

記載上の注意

・このチェックシートは、法第6条の3第11項に規定する業務を目的とする業務を行う個人（いわゆるベビーシッター）が指導監督基準のうちの特定の項目を満たしているかどうかを確認するためのものです。

・都道府県知事等が、このチェックシートの調査項目も含め、指導監督基準の全項目について適合していることを確認した場合に、その旨の証明書を交付します。なお、都道府県知事等が、指導監督基準の全項目について適合しているかを確認するにあたっては、このチェックシートの調査項目についても、追加で内容を確認することがあります。

・項目毎に、チェック内容に該当する場合はチェック欄に✓を入れ、その具体的な取組内容を記入してください。また、必要に応じて添付書類をご提出ください。

（別添様式１）

（番　　　号）
（日　　　付）

認可外保育施設指導監督基準を満たす旨の証明書

（施設設置者）　殿

都道府県知事　（氏　　　名）　印

貴殿の設置（管理）する（施設の名称）については、「認可外保育施設に対する指導監督の実施について」（令和６年３月29日こ成保第206号成育局長通知）に基づく認可外保育施設指導監督基準（１日に保育する乳幼児の数が６人以上の施設に係るものに限る。）を満たしているため、その旨を証明する。

施設の名称　　○○○○
施設の所在地　　○○県○○市××・・・・
事業開始年月日　　○年○月○日
設　置　者　　○○○○
管理者(施設長)　　○○○○

都道府県による立入調査実施日　○年○月○日
証明書交付年月日　○年○月○日

当施設は児童福祉法第34条の15第２項若しくは第35条第４項の認可又は就学前の子どもに関する教育、保育等の総合的な提供の推進に関する法律第17条第１項の認可を受けていない保育施設（認可外保育施設）として、児童福祉法第59条の２に基づき都道府県への設置届出を義務付けられた施設です。

※設置届出先　　○○県（○○部○○課）
（TEL　　　　　　　　　　　　　　　）

※　この証明書の交付前に同様の証明書の交付を受けている場合にあっては、従前の証明書を上記設置届出先に返還すること。

（別添様式２）

（番　　　号）
（日　　　付）

認可外保育施設指導監督基準を満たす旨の証明書

（施設設置者）　殿

都道府県知事　（氏　　　名）　印

貴殿の設置（管理）する（施設の名称）については、「認可外保育施設に対する指導監督の実施について」（令和６年３月29日こ成保第206号成育局長通知）に基づく認可外保育施設指導監督基準（法第６条の３第９項に規定する業務又は同条第12項に規定する業務を目的とする施設（１日に保育する乳幼児の数が５人以下のものに限る。））を満たしているため、その旨を証明する。

施 設 の 名 称　　○○○○
施設の所在地　　○○県○○市××・・・・
事業開始年月日　　○年○月○日
設　　置　　者　　○○○○
管理者(施設長)　　○○○○

都道府県による立入調査実施日　○年○月○日
証明書交付年月日　　　　　　　○年○月○日

当施設は児童福祉法第34条の15第２項若しくは第35条第４項の認可又は就学前の子どもに関する教育、保育等の総合的な提供の推進に関する法律第17条第１項の認可を受けていない保育施設（認可外保育施設）として、児童福祉法第59条の２に基づき都道府県への設置届出を義務付けられた施設です。 ※設置届出先　　○○県（○○部○○課） （TEL　　　　　　　　　　　　）

※　この証明書の交付前に同様の証明書の交付を受けている場合にあっては、従前の証明書を上記設置届出先に返還すること。

（別添様式３）

（番　　号）
（日　　付）

認可外保育施設指導監督基準を満たす旨の証明書

（施設設置者）殿

都道府県知事　（氏　　　名）　　印

貴殿の設置（管理）する（施設の名称）については、「認可外保育施設に対する指導監督の実施について」（令和６年３月29日こ成保第206号成育局長通知）に基づく認可外保育施設指導監督基準（法第６条の３第11項に規定する業務を目的とする施設（複数の保育に従事する者を雇用しているものに限る。））を満たしているため、その旨を証明する。

施設の名称　○○○○
施設の所在地　○○県○○市××・・・・
事業開始年月日　○年○月○日
設　置　者　○○○○
管理者（施設長）　○○○○

都道府県による立入調査実施日　○年○月○日
証明書交付年月日　○年○月○日

当施設は児童福祉法第34条の15第２項若しくは第35条第４項の認可又は就学前の子どもに関する教育、保育等の総合的な提供の推進に関する法律第17条第１項の認可を受けていない保育施設（認可外保育施設）として、児童福祉法第59条の２に基づき都道府県への設置届出を義務付けられた施設です。
※設置届出先　○○県（○○部○○課）
（TEL　　　　　　　　　　）

※　この証明書の交付前に同様の証明書の交付を受けている場合にあっては、従前の証明書を上記設置届出先に返還すること。

（別添様式４）

（番　　号）
（日　　付）

認可外保育施設指導監督基準を満たす旨の証明書

（施設設置者）殿

都道府県知事　（氏　　　名）　　印

貴殿の設置（管理）する（施設の名称）については、「認可外保育施設に対する指導監督の実施について」（令和６年３月29日こ成保第206号成育局長通知）に基づく認可外保育施設指導監督基準（法第６条の３第11項に規定する業務を目的とする施設（複数の保育に従事する者を雇用していないものに限る。））を満たしているため、その旨を証明する。

施設の名称　〇〇〇〇
施設の所在地　〇〇県〇〇市××・・・・
事業開始年月日　〇年〇月〇日
設置者　〇〇〇〇
管理者（施設長）　〇〇〇〇

都道府県による立入調査実施日　〇年〇月〇日
証明書交付年月日　〇年〇月〇日

当施設は児童福祉法第34条の15第２項若しくは第35条第４項の認可又は就学前の子どもに関する教育、保育等の総合的な提供の推進に関する法律第17条第１項の認可を受けていない保育施設（認可外保育施設）として、児童福祉法第59条の２に基づき都道府県への設置届出を義務付けられた施設です。

※設置届出先　〇〇県（〇〇部〇〇課）
（TEL　　　　　　　　　　）

※　この証明書の交付前に同様の証明書の交付を受けている場合にあっては、従前の証明書を上記設置届出先に返還すること。

◉消費税法施行令第14条の３第１号の規定に基づき内閣総理大臣が指定する保育所を経営する事業に類する事業として行われる資産の譲渡等

〔平成17年３月31日
厚生労働省告示第128号〕

注　令和６年３月29日内閣府告示第27号改正現在

消費税法施行令（昭和63年政令第360号）第14条の３第１号の規定に基づき、消費税法施行令第14条の３第１号の規定に基づき厚生労働大臣が指定する保育所を経営する事業に類する事業として行われる資産の譲渡等を次のように定め、平成17年４月１日から適用する。

児童福祉法（昭和22年法律第164号）第59条の２第１項の規定による届出が行われた施設であって、同法第59条第１項の規定に基づく都道府県知事（地方自治法（昭和22年法律第67号）第252条の19第１項の指定都市若しくは同法第252条の22第１項の中核市又は児童福祉法第59条の４第１項の児童相談所設置市にあっては、それぞれその長。以下「都道府県知事等」という。）の立入調査を受け、次に掲げる施設の区分に応じ、それぞれ次に定める要件を満たし、当該満たしていることにつき都道府県知事等から証明書の交付を受けているもの（当該都道府県知事等から当該証明書を返還することを求められた場合の当該施設を除く。）において、乳児又は幼児（以下「乳幼児」という。）を保育する業務として行われる資産の譲渡等及び児童福祉法施行規則（昭和23年厚生省令第11号）第49条の２第３号に規定する施設であって、就学前の子どもに関する教育、保育等の総合的な提供の推進に関する法律（平成18年法律第77号）第３条第３項の規定による認定を受けているもの又は同条第10項の規定による公示がされているもの（同条第１項の条例で定める要件に適合していると認められるものを除く。）において、乳幼児を保育する業務として行われる資産の譲渡等

第１　１日に保育する乳幼児の数が６人以上である施設　次に掲げる事項のいずれも満たすものであること。

一　保育に従事する者の数及び資格

イ　保育に従事する者の数は、施設の主たる開所時間である11時間（開所時間が11時間以内である場合にあっては、当該開所時間。以下同じ。）について、乳児おおむね３人につき１人以上、満１歳以上満３歳に満たない幼児おおむね６人につき１人以上、満３歳以上満４歳に満たない幼児おおむね20人につき１人以上、満４歳以上の幼児おおむね30人につき１人以上、かつ、施設１につき２人以上であること。主たる開所時間である11時間以外の時間帯については、常時２人（保育されている乳幼児の数が１人である時間帯にあっては、１人）以上であること。また、１日に保育する乳幼児の数が６人以上19人以下の施設における、複数の乳児を保育する時間帯以外の時間帯（安全面の配慮が行われた必要最小限の時間帯に限る。）については、１人以上であること。

ロ　保育に従事する者のうち、その総数のおおむね３分の１（保育に従事する者が２人以下の場合にあっては、１人）以上に相当する数の者が、保育士（国家戦略特別区域法（平成25年法律第107号）第12条の５第５項に規定する事業実施区域内にある施設にあっては、保育士又は当該事業実施区域に係る国家戦略特別区域限定保育士。以下同じ。）又は看護師（准看護師を含む。以下同じ。）の資格を有する者であること。ただし、同法第２条第１項に規定する国家戦略特別区域内に所在する施設であって、次のいずれにも該当し、かつ、本文に規定する事項を満たす施設と同等以上に適切な保育の提供が可能である施設にあっては、この限りでない。

⑴　過去３年間に保育した乳幼児のおおむね半数以上が外国人（日本の国籍を有しない者をいう。以下同じ。）であり、かつ、現に保育する乳幼児のおおむね半数以上が外国人であること。

⑵　外国の保育資格を有する者その他外国人である乳幼児の保育について十分な知識経験を有すると認められる者を十分な数配置していること。

⑶　保育士の資格を有する者を１人以上配置していること。

ハ　保育士でない者について、保育士、保母、保父その他これらに紛らわしい名称が用いられていないこと。

ニ　国家戦略特別区域限定保育士が、その業務に

関して国家戦略特別区域限定保育士の名称を表示するときに、その資格を得た事業実施区域を明示し、当該事業実施区域以外の区域を表示していないこと。

二　保育室等の構造、設備及び面積

イ　乳幼児の保育を行う部屋（以下「保育室」という。）のほか、調理室（給食を施設外で調理している場合、乳幼児が家庭からの弁当を持参している場合等にあっては、食品の加熱、保存、配膳等のために必要な調理機能を有する設備。以下同じ。）及び便所があること。

ロ　保育室の面積は、乳幼児１人当たりおおむね1.65平方メートル以上であること。

ハ　おおむね１歳未満の乳幼児の保育を行う場所は、その他の幼児の保育を行う場所と区画され、かつ、安全性が確保されていること。

ニ　保育室は、採光及び換気が確保され、かつ、安全性が確保されていること。

ホ　便所用の手洗設備が設けられているとともに、便所は、保育室及び調理室と区画され、かつ、乳幼児が安全に使用できるものであること。

へ　便器の数は、幼児おおむね20人につき１以上であること。

三　非常災害に対する措置

イ　消火用具、非常口その他非常災害に際して必要な設備が設けられていること。

ロ　非常災害に対する具体的計画が立てられているとともに、非常災害に備えた定期的な訓練が実施されていること。

四　保育室を２階以上に設ける場合の設備等

イ　保育室を２階に設ける建物は、保育室その他の乳幼児が出入りし又は通行する場所に乳幼児の転落事故を防止する設備が設けられていること。なお、当該建物が次の⑴及び⑵のいずれも満たさないものである場合にあっては、三に掲げる設備の設置及び訓練の実施を行うことに特に留意されていること。

⑴　建築基準法（昭和25年法律第201号）第２条第９号の２に規定する耐火建築物又は同条第９号の３に規定する準耐火建築物（同号ロに該当するものを除く。）であること。

⑵　次の表の上欄に掲げる区分ごとに、同表の下欄に掲げる設備（乳幼児の避難に適した構造のものに限る。）のいずれかが、１以上設けられていること。

常用	１　屋内階段 ２　屋外階段
避難用	１　建築基準法施行令（昭和25年政令第338号）第123条第１項に規定する構造の屋内避難階段又は同条第３項に規定する構造の屋内特別避難階段 ２　待避上有効なバルコニー ３　建築基準法第２条第７号の２に規定する準耐火構造の屋外傾斜路又はこれに準ずる設備 ４　屋外階段

ロ　保育室を３階以上に設ける建物は、次の⑴から⑺までに該当するものであること。

⑴　建築基準法第２条第９号の２に規定する耐火建築物であること。

⑵　次の表の上欄に掲げる保育室の階の区分に応じ、同表の中欄に掲げる区分ごとに、同表の下欄に掲げる設備（乳幼児の避難に適した構造のものに限る。）のいずれかが、１以上設けられていること。この場合において、当該設備は、避難上有効な位置に保育室の各部分から当該設備までの歩行距離が30メートル以内となるように設けられていること。

３階	常用	１　建築基準法施行令第123条第１項に規定する構造の屋内避難階段又は同条第３項に規定する構造の屋内特別避難階段 ２　屋外階段
	避難用	１　建築基準法施行令第123条第１項に規定する構造の屋内避難階段又は同条第３項に規定する構造の屋内特別避難階段 ２　建築基準法第２条第７号に規定する耐火構造の屋外傾斜路又はこれに準ずる設備 ３　屋外階段
４階以上	常用	１　建築基準法施行令第123条第１項に規定する構造の屋内避難階段又は同条第３項に規定する構造の屋内特別避難階段 ２　建築基準法施行令第123条第２項に規定する構造の屋外避難階段
	避難用	１　建築基準法施行令第123条第１項に規定する構造の屋内避難階段（ただし、当該屋内避難階段の構造は、建築物の

		１階から保育室が設けられている階までの部分に限り、屋内と階段室とは、バルコニー又は付室（階段室が同条第３項第２号に規定する構造を有する場合を除き、同号に規定する構造を有するものに限る。）を通じて連絡することとし、かつ、同条第３項第３号、第４号及び第10号を満たすものとする。）又は同条第３項に規定する構造の屋内特別避難階段 ２　建築基準法第２条第７号に規定する耐火構造の屋外傾斜路 ３　建築基準法施行令第123条第２項に規定する構造の屋外避難階段

⑶　調理室と調理室以外の部分とが建築基準法第２条第７号に規定する耐火構造の床若しくは壁又は建築基準法施行令第112条第１項に規定する特定防火設備によって区画されており、また、換気、暖房又は冷房の設備の風道の当該床若しくは壁を貫通する部分がある場合には、当該部分又はこれに近接する部分に防火上有効なダンパー（煙の排出量及び空気の流量を調節するための装置をいう。）が設けられていること。ただし、次のいずれかに該当する場合においては、この限りでない。

(i)　調理室にスプリンクラー設備その他これに類するもので自動式のものが設けられていること。

(ii)　調理室に調理用器具の種類に応じた有効な自動消火装置が設けられ、かつ、当該調理室の外部への延焼を防止するために必要な措置が講じられていること。

⑷　壁及び天井の室内に面する部分の仕上げが不燃材料でなされていること。

⑸　保育室その他乳幼児が出入りし又は通行する場所に乳幼児の転落事故を防止する設備が設けられていること。

⑹　非常警報器具又は非常警報設備及び消防機関へ火災を通報する設備が設けられていること。

⑺　カーテン、敷物、建具等で可燃性のものについて防炎処理が施されていること。

五　保育の内容等

イ　保育の内容

⑴　乳幼児一人一人の心身の発育や発達の状況を把握し、保育内容が工夫されていること。

⑵　乳幼児が安全で清潔な環境の中で、遊び、運動、睡眠等がバランスよく組み合わされた健康的な生活リズムが保たれるように、十分に配慮がなされた保育の計画が定められていること。

⑶　乳幼児の生活リズムに沿ったカリキュラムが設定され、かつ、それが実施されていること。

⑷　乳幼児に対し漫然とテレビやビデオを見せ続ける等、乳幼児への関わりが少ない放任的な保育内容でないこと。

⑸　必要な遊具、保育用品等が備えられていること。

ロ　保育に従事する者の保育姿勢等

⑴　乳幼児の最善の利益を考慮し、保育サービスを実施する者として適切な姿勢であること。特に、施設の運営管理の任にあたる施設長については、その職責にかんがみ、資質の向上及び適格性の確保が図られていること。

⑵　保育に従事する者が保育所保育指針（平成29年厚生労働省告示第117号）を理解する機会を設ける等、保育に従事する者の人間性及び専門性の向上が図られていること。

⑶　乳幼児に身体的苦痛を与えること、人格を辱めること等がないよう、乳幼児の人権に十分配慮されていること。

⑷　乳幼児の身体、保育中の様子又は家族の態度等から虐待等不適切な養育が行われていることが疑われる場合には児童相談所その他の専門的機関と連携する等の体制がとられていること。

ハ　保護者との連絡等

⑴　保護者と密接な連絡を取り、その意向を考慮した保育が行われていること。

⑵　緊急時における保護者との連絡体制が整備されていること。

⑶　保護者や施設において提供されるサービスを利用しようとする者等から保育の様子や施設の状況を確認したい旨の要望があった場合には、乳幼児の安全確保等に配慮しつつ、保育室等の見学に応じる等適切に対応されていること。

六　給食

イ　衛生管理の状況

調理室、調理、配膳、食器等の衛生管理が適切に行われていること。

ロ　食事内容等の状況

⑴　乳幼児の年齢や発達、健康状態（アレルギー疾患等の状態を含む。）等に配慮した食事内容とされていること。

⑵　調理があらかじめ作成した献立に従って行われていること。

七　健康管理及び安全確保

イ　乳幼児の健康状態の観察

乳幼児一人一人の健康状態の観察が乳幼児の登園及び降園の際に行われていること。

ロ　乳幼児の発育状態の観察

身長及び体重の測定等基本的な発育状態の観察が毎月定期的に行われていること。

ハ　乳幼児の健康診断

継続して保育している乳幼児の健康診断が入所時及び1年に2回実施されていること。

ニ　職員の健康診断

⑴　職員の健康診断が採用時及び1年に1回実施されていること。

⑵　調理に携わる職員の検便が、おおむね1月に1回実施されていること。

ホ　医薬品等の整備

必要な医薬品その他の医療品が備えられていること。

ヘ　感染症への対応

乳幼児が感染症にかかっていることが分かった場合には、かかりつけ医の指示に従うよう保護者に対し指示が行われていること。

ト　乳幼児突然死症候群に対する注意

⑴　睡眠中の乳幼児の顔色や呼吸の状態のきめ細かい観察が行われていること。

⑵　乳児を寝かせる場合には仰向けに寝かせることとされていること。

⑶　保育室での禁煙が厳守されていること。

チ　安全確保

⑴　施設の設備の安全点検、職員、乳幼児等に対する施設外での活動、取組等を含めた施設での生活その他の日常生活における安全に関する指導、職員の研修及び訓練その他施設における安全に関する事項についての計画（以下「安全計画」という。）が策定され、当該安全計画に従い、乳幼児の安全確保に配慮した保育の実施が行われていること。

⑵　職員に対し、安全計画について周知されているとともに、安全計画に定める研修及び訓練が定期的に実施されていること。

⑶　保護者に対し、安全計画に基づく取組の内容等について周知されていること。

⑷　事故防止の観点から、施設内の危険な場所、設備等について適切な安全管理が図られていること。

⑸　不審者の施設への立入防止等の対策や緊急時における乳幼児の安全を確保する体制が整備されていること。

⑹　乳幼児の施設外での活動、取組等のための移動その他の乳幼児の移動のために自動車が運行されているときは、乳幼児の乗車及び降車の際に、点呼その他の乳幼児の所在を確実に把握することができる方法により、乳幼児の所在が確認されていること。

⑺　乳幼児の送迎を目的とした自動車（運転者席及びこれと並列の座席並びにこれらより一つ後方に備えられた前向きの座席以外の座席を有しないものその他利用の態様を勘案してこれと同程度に乳幼児の見落としのおそれが少ないと認められるものを除く。）が日常的に運行されているときは、当該自動車にブザーその他の車内の乳幼児の見落としを防止する装置を備え、これを用いて⑹に定める所在の確認（乳幼児の降車の際に限る。）が行われていること。

⑻　事故発生時に適切な救命処置が可能となるよう、訓練が実施されていること。

⑼　賠償責任保険に加入する等、保育中の事故の発生に備えた措置が講じられていること。

⑽　事故発生時に速やかに当該事故の事実を都道府県知事等に報告する体制がとられていること。

⑾　事故が発生した場合、当該事故の状況及び事故に際して採った処置について記録されていること。

⑿　死亡事故等の重大事故が発生した施設については、当該事故と同様の事故の再発防止策及び事故後の検証結果を踏まえた措置が講じられていること。

八　利用者への情報提供

イ　施設において提供される保育サービスの内容が、当該保育サービスを利用しようとする者の見やすいところに掲示されているとともに、電気通信回線に接続して行う自動公衆送信（公衆によって直接受信されることを目的として公衆からの求めに応じ自動的に送信を行うことをいい、放送又は有線放送に該当するものを除く。）により公衆の閲覧に供されていること。

ロ　施設において提供される保育サービスの利用に関する契約が成立したときは、その利用者に対し、当該契約の内容を記載した書面（その作成に代えて電磁的記録（電子的方式、磁気的方式その他人の知覚によっては認識することができない方式で作られる記録であって、電子計算機による情報処理の用に供されるものをいう。）を作成する場合における当該電磁的記録を含む。）の交付が行われていること。

ハ　施設において提供される保育サービスを利用しようとする者から利用の申込みがあったときは、その者に対し、当該保育サービスの利用に関する契約の内容等についての説明が行われていること。

九　帳簿等の備付け

職員及び保育している乳幼児の状況を明らかにする帳簿等が整備されていること。

第2　１日に保育する乳幼児の数が５人以下であり、児童福祉法第６条の３第９項に規定する業務又は同条第12項に規定する業務を目的とする施設　次に掲げる事項のいずれも満たすものであること。

一　保育に従事する者の数及び資格

イ　保育に従事する者の数が、乳幼児３人につき１人以上であること。ただし、家庭的保育事業等の設備及び運営に関する基準（平成26年厚生労働省令第61号）第23条第３項に規定する家庭的保育補助者とともに保育する場合には、乳幼児５人につき１人以上であること。

ロ　保育に従事する者のうち、１人以上は、保育士若しくは看護師の資格を有する者又は都道府県知事等が行う保育に従事する者に関する研修（都道府県知事等がこれと同等以上のものと認める市町村長（特別区の長を含む。）その他の機関が行う研修を含む。以下同じ。）を修了した者であること。

二　保育室等の構造、設備及び面積

イ　保育室のほか、調理設備及び便所があること。

ロ　保育室の面積は、家庭的保育事業等の設備及び運営に関する基準第22条第２号に規定する基準を参酌して、乳幼児の保育を適切に行うことができる広さが確保されていること。

三　その他

第１の一のハ及びニ、二のニ及びホ、三並びに五から九までに掲げる事項のいずれも満たしていること。この場合において、第１の二のホ中「調理室」とあるのは「調理設備の部分」と、六のイ中「調理室」とあるのは「調理設備」と読み替えるものとする。

第3　児童福祉法第６条の３第11項に規定する業務を目的とする施設であって、複数の保育に従事する者を雇用しているもの　次に掲げる事項のいずれも満たすものであること。

一　保育に従事する者の数が、乳幼児１人につき１人以上であること。ただし、当該乳幼児がその兄弟姉妹とともに利用している等の場合であって、保護者が契約において同意しているときは、これによらないことができること。

二　保育に従事する全ての者（採用した日から１年を超えていない者を除く。）が、保育士若しくは看護師の資格を有する者又は都道府県知事等が行う保育に従事する者に関する研修を修了した者であること。

三　防災上の必要な措置を講じていること。

四　第１の一のハ及びニ、五のイ⑴から⑷まで、ロ並びにハ⑴及び⑵、七のイ、ニ⑴及びヘからチ（⑺を除く。）まで、八並びに九に掲げる事項のいずれも満たしていること。この場合において、第１の五のイ⑵中「なされた保育の計画が定められている」とあるのは「なされている」と、⑶中「カリキュラムが設定され、かつ、それが」とあるのは「保育が」と、ロ⑴中「施設長」とあるのは「施設の設置者又は管理者」と、七のイ中「登園及び降園」とあるのは「預かり及び引渡し」と、ヘ中「乳幼児が感染症にかかっていることが分かった場合には、かかりつけ医の指示に従うよう保護者に対し指示が行われている」とあるのは「感染予防のための対策が行われている」と、ト⑶中「保育室での」とあるのは「保育中の」と、八のイ中「の見やすいところに掲示」とあるのは「に対し書面等により提示等」と読み替えるものとする。また、食事の提供を行う場合においては、衛生面等必要な注意を払うこと。」

第4　児童福祉法第６条の３第11項に規定する業務を目的とする施設であって、第３に掲げる施設以外の施設　次に掲げる事項のいずれも満たすものであること。

一　保育に従事する者の数が、乳幼児１人につき１人以上であること。ただし、当該乳幼児がその兄弟姉妹とともに利用している等の場合であって、保護者が契約において同意しているときは、これによらないことができること。

二　保育に従事する全ての者が、保育士若しくは看護師の資格を有する者又は都道府県知事等が行う保育に従事する者に関する研修を修了した者であること。

三　防災上の必要な措置を講じていること。

四　第１の一のハ及びニ、五のイ⑴から⑷まで、ロ⑴前段、⑵及び⑶並びにハ⑴及び⑵、七のイ、ニ⑴及びヘからチ（⑺を除く。）まで、八並びに九に掲げる事項のいずれも満たしていること。この場合において、第１の五のイ⑵中「なされた保育の計画が定められている」とあるのは「なされている」と、⑶中「カリキュラムが設定され、かつ、それが」とあるのは「保育が」と、七のイ中「登園及び降園」とあるのは「預かり及び引渡し」と、ニ⑴中「採用時及び１年に１回」とあるのは「１年に１回」と、ヘ中「乳幼児が感染症にかかっていることが分かった場合には、かかりつけ医の指示に従うよう保護者に対し指示が行われている」とあるのは「感染予防のための対策が行われている」と、ト⑶中「保育室での」とあるのは「保育中の」と、八のイ中「の見やすいところに掲示」とあるのは「に対し書面等により提示等」と、九中「職員及び保育」とあるのは「保育」と読み替えるものとする。また、食事の提供を行う場合においては、衛生面等必要な注意を払うこと。

○一定の認可外保育施設の利用料に係る消費税の非課税措置の施行について

（平成17年３月31日　雇児保発第0331003号
各都道府県・各指定都市・各中核市民生主管部(局)長宛
厚生労働省雇用均等・児童家庭局保育課長通知）

注　令和６年３月29日こ成保第219号改正現在

消費税法施行令の一部を改正する政令（平成17年政令第102号。以下「改正政令」という。）が平成17年３月31日に公布され、これに伴い、消費税法施行令第14条の３第１号の規定に基づき厚生労働大臣が指定する保育所を経営する事業に類する事業として行われる資産の譲渡等（平成17年厚生労働省告示第128号。令和５年３月31日付改正により「消費税法施行令第14条の３第１号の規定に基づき内閣総理大臣が指定する保育所を経営する事業に類する事業として行われる資産の譲渡等」と改められた。以下「消費税告示」という。）が同日付で公示され、平成17年４月１日（以下「施行日」という。）より施行・適用されることとなったところである。

これにより、「認可外保育施設指導監督基準を満たす旨の証明書の交付について」（令和６年３月29日こ成保第218号成育局長通知。以下「証明書通知」という。）に基づき、各都道府県知事等から「認可外保育施設に対する指導監督の実施について」（令和６年３月29日こ成保第206号成育局長通知。以下「指導監督基準通知」という。）の別添「認可外保育施設指導監督基準」（以下「指導監督基準」という。）を満たす旨の証明書（以下「証明書」という。）の交付を受けた認可外保育施設については、その利用料に係る消費税が非課税とされることとなった。

また、平成25年度税制改正の大綱（平成25年１月29日閣議決定）において、「消費税が非課税とされる社会福祉事業等の範囲に、幼稚園併設型認可外保育施設のうち一定の基準を満たすものが行う資産の譲渡等を加える」こととされたことに伴い、消費税告示の一部改正が行われ、平成25年４月１日より、認可外保育施設のうち、幼稚園型認定こども園を構成する幼稚園併設型施設についても、その利用料に係る消費税が非課税とされることとなった。

さらに、令和２年度税制改正の大綱（令和元年12月20日閣議決定）において、「消費税が非課税とされる社会福祉事業等の範囲に、１日当たり５人以下の乳幼児を保育する認可外保育施設のうち一定の基準を満たすものとして都道府県知事等から当該基準を満たす旨の証明書の交付を受けたものにおいて行われる保育を加える」こととされたことに伴い、消費税告示の一部改正が行われ、令和２年10月１日（以下「令和２年一部改正の施行日」という。）より、１日当たり５人以下の乳幼児を保育する認可外保育施設のうち一定の当該基準を満たす施設についてはその利用料に係る消費税が非課税とされることとなった。

令和５年度税制改正の大綱（令和４年12月23日閣議決定）において、「都道府県知事等から国家戦略特別区域内に所在する場合の外国の保育士資格を有する者の人員配置基準等の一定の基準を満たす旨の証明書の交付を受けた認可外保育施設において行われる保育について、消費税を非課税とする。」こととされたことに伴い、消費税告示の一部改正が行われ、令和５年４月１日より、都道府県知事等から国家戦略特別区域内に所在する場合の外国の保育士資格を有する者の人員配置基準等の一定の基準を満たす旨の証明書の交付を受けた施設についてはその利用料に係る消費税が非課税とされることとなった。

ついては、下記事項に留意の上、適切な取扱いに遺漏のないよう配慮されたい。

なお、本通知の発出に当たっては、事前に国税庁課税部消費税室に通知済みであることを申し添える。

記

第１　消費税の非課税措置の内容

１　非課税の対象となる認可外保育施設について

非課税の対象となる認可外保育施設（以下「非課税対象認可外保育施設」という。）は、次の⑴及び⑵に限られること。

⑴　児童福祉法（昭和22年法律第164号。以下「法」という。）第59条の２第１項（認可外保育施設の届出）の規定による届出が行われた施設であって、法第59条第１項の規定に基づく都道府県知事（地方自治法第252条の19第１項の指定都市、同法第252条の22第１項の中核市又は法第59条の４第１項の児童相談所設置市にあっては、それぞれその長。以下同じ。）の立入調査を受け、消費税告示中第１から第４までの施設の区分に応じ、それぞれに定める要件のすべてを満たし、当該満たしていることにつき当該都

道府県知事から証明書の交付を受けているもの

(2) 児童福祉法施行規則（昭和23年厚生省令第11号）第49条の２第３号に規定する施設であって、就学前の子どもに関する教育、保育等の総合的な提供の推進に関する法律（平成18年法律第77号。以下「認定こども園法」という。）第３条第３項の規定による認定（以下「認定」という。）を受けているもの又は同条第10項の規定による公示（以下「公示」という。）がされているもの（同条第１項の条例で定める要件に適合していると認められるものを除く。）

なお、消費税告示中第１から第４までの施設の区分に応じ、それぞれに定める要件は、指導監督基準と同じ内容であること。

ただし、当該都道府県知事から当該証明書を返還することを求められた場合の当該施設については、当該返還することを求められた日以後においては非課税の対象となる認可外保育施設に該当しないこと。

（注１） 法第59条の２第１項の規定に基づく届出施設の範囲については、指導監督基準通知、「児童福祉法施行規則及び厚生労働省の所管する法令の規定に基づく民間事業者等が行う書面の保存等における情報通信の技術の利用に関する省令の一部を改正する省令の公布について」（令和元年９月27日子発0927第６号子ども家庭局長通知）を参照されたい。

なお、認可外保育施設の届出の対象となる幼稚園併設施設は、具体的には、幼稚園における子育て支援活動等と独立して実施されており、余裕教室や敷地内の別の建物など在園児と区分された専用のスペースで専従の職員による保育が実施されているものを想定している。

（注２） 当該都道府県知事から当該証明書を返還することを求められた場合とは、証明書通知の別紙「認可外保育施設指導監督基準を満たす旨の証明書交付要領」の第２の４により証明書の返還を求められた場合をいう。

2 非課税の対象となる利用料について

非課税の対象となる資産の譲渡等（非課税となる利用料を対価とするサービス）は、非課税対象認可外保育施設において乳児又は幼児を保育する業務として行う資産の譲渡等（保育サービス）に限られること。

この場合の乳児又は幼児を保育する業務として行う資産の譲渡等には、児童福祉法に規定する保育所における保育サービスと同様のサービスが該当するのであり、具体的には次に掲げる料金等（利用料）を対価とする資産の譲渡等が該当すること。

① 保育料（延長保育、一時保育、病児保育に係るものを含む。）

② 保育を受けるために必要な予約料、年会費、入園料（入会金・登録料）、送迎料、法第６条の３第11項に規定する業務を目的とする施設において保育に従事する者（以下「ベビーシッター」という。）が乳児、幼児又は児童の居宅まで移動する際に必要となる交通費

（注１） 給食費、おやつ代、施設に備え付ける教材を購入するために徴収する教材費、傷害・賠償保険料の負担金、施設費（暖房費、光熱水費）等のように通常保育料として領収される料金等については、これらが保育料とは別の名目で領収される場合であっても、保育に必要不可欠なものである限りにおいては、前記①②と同様に取り扱われる。

他方、例えば、当該施設において施設利用者に対して販売する教材等の販売代金（※参照）のほか次に掲げるような料金等を対価とする資産の譲渡等は、これに該当しない。

① 施設利用者の選択により付加的にサービスを受けるためのクリーニング代、オムツサービス代、スイミングスクール等の習い事の講習料等

② バザー収入

③ 炊事、洗濯、掃除、買物その他の家事を代行し、又は補助する業務（非課税とされる保育サービスを除く。）に係る料金

（注２） マッチングサイト運営者（インターネットを通じてベビーシッターとその利用者の仲立ちをするサービスを提供する事業者）が、ベビーシッターの利用者から受領する「マッチングサイトの手数料」については、「マッチングサイトを利用させるという役務提供の対価」であり、「保育する業務として行われる資産の譲渡等」の対価に該当しないことから、非課税とならない。

※ 施設運営者自らが行う取引ではない金銭の受取について

施設運営者自らが行う取引ではない金銭の受取（例えば、施設運営者が、施設利用者の求める教材等について、当該教材等の販売業者への注文や施設利用者からの代金の集金を代行して行う場合における代金の受取など）を行う場合には、施設運営者においては「預り金」として

経理しておくなど、施設の収入である保育料等とは区分して、収入以外の金銭の受取であることが明らかとなるよう経理を行う必要がある。

また、証明書の交付を受けた認可外保育施設が都道府県知事から当該証明書の返還を求められた場合には、当該返還を求められた日以後においては前記の資産の譲渡等であっても非課税とはならないこと（1の（注2）参照）。

3　非課税となった認可外保育施設の利用料の額の設定について

非課税対象認可外保育施設においては、当該施設の利用料に係る消費税が非課税とされることから、施設の運営事業者が消費税の納税義務者（第2参照）である場合の当該施設については、非課税となったことを踏まえた利用料の額の見直しを行う等の対応が適切に行われる必要があること。

なお、その場合においても、仕入れ（保育材料費・水道光熱費・備品等購入費など）に係る消費税相当分は当該利用料に転嫁することは適切な処理であること。

第2　消費税の納税義務等

1　消費税の納税義務について

事業者は、課税期間（個人事業者は暦年、法人は事業年度をいう。以下同じ。）の基準期間（個人事業者はその年の前々年をいい、法人はその事業年度の前々事業年度をいう。以下同じ。）における利用料収入（非課税となる前の利用料収入）などの課税売上高が1,000万円を超える場合、消費税の納税義務者となり、課税期間の課税売上げに係る消費税について、所轄の税務署に確定申告書を提出し、その納付すべき消費税を金融機関又は税務署の窓口で納付する必要がある。なお、納付すべき消費税額は、課税売上げに係る消費税額から課税仕入れ（保育材料費・水道光熱費・備品等購入費など（ただし、給与などの人件費はこれに該当しない。））に係る消費税額を控除した残額であること。

（注1）　課税仕入れに係る消費税額を控除するためには、帳簿の記帳及び請求書などの保存が必要となる。

（注2）　簡易課税制度を選択した場合には、「課税売上げに係る消費税額×みなし仕入率（保育サービスはサービス業に該当し、50％）」を課税仕入れに係る消費税額とみなして、納付すべき消費税額を計算する。

2　課税期間の途中において証明書の交付若しくは返還又は認定若しくは公示若しくはその取消があった場合の消費税の取扱いについて

施設の運営事業者が納税義務者である場合の当該事業者が、課税期間の途中において証明書の交付を受けた場合又は認定を受け若しくは公示がされた場合にあっては当該証明書の交付を受けた日又は認定を受け若しくは公示がされた日以後の利用料が、また、課税期間の途中において証明書の返還を求められた場合又は認定こども園法第7条第1項の規定による認定の取消（以下「認定の取消」という。）若しくは同条第3項の規定による公示の取消（以下「公示の取消」という。）がされた場合にあっては当該証明書の返還を求められた日又は認定の取消若しくは公示の取消の日の前日までの利用料が、それぞれ非課税となるものであって、これ以外の期間の利用料については課税期間の課税売上高に含める必要があること。

第3　証明書事務等の適切な実施及び施設運営者に対する周知について

消費税の非課税措置には、証明書の交付が密接に関連することから、証明書の交付に関し各都道府県等を通じて統一的な取扱いが求められること。

また、証明書を交付した事実の公表については、利用者への情報提供として、各都道府県等のインターネットのホームページへの掲載等が行われることとなっているが、税務上の取扱いを明確にする観点からも、証明書の交付の事実については速やかに公表されることが求められること。

施設の運営事業者に対しては、証明書を交付する際その他の機会をとらえ、本通知記載の消費税の取扱い等について的確に周知することが必要であること。

以上

○「認可外保育施設指導監督基準」に定める認可外の居宅訪問型保育事業等における保育に従事する者に関する研修について

〔令和３年３月31日　子発0331第５号
各都道府県知事・各指定都市市長・各中核市市長・各児童相談所設置市市長宛　厚生労働省子ども家庭局長通知〕

注　令和５年２月28日子発0228第４号改正現在

認可外保育施設における保育に従事する者の資格については、「認可外保育施設に対する指導監督の実施について」（平成13年３月29日雇児発第177号厚生労働省雇用均等・児童家庭局長通知）の別添「認可外保育施設指導監督基準」において定めているところであり、児童福祉法（昭和22年法律第164号。以下「法」という。）第６条の３第９項又は同条第12項に規定する業務を目的とする施設（１日に保育する乳幼児の数が５人以下のものに限る。）の場合、保育に従事する者のうち１人以上が、並びに法第６条の３第11項に規定する業務を目的とする施設の場合、保育に従事する全ての者が、「保育士若しくは看護師の資格を有する者又は都道府県知事等が行う保育に従事する者に関する研修（都道府県知事等がこれと同等以上のものと認める市町村長（特別区の長を含む。）その他の機関が行う研修を含む。以下同じ。）を修了した者であること。」としている。

今般、「都道府県知事等が行う保育に従事する者に関する研修」について、下記のとおり定めることとしたので、内容を十分に御了知の上、都道府県、指定都市、中核市及び児童相談所設置市（以下「都道府県等」という。）におかれては、貴管内の市町村（特別区を含み、指定都市、中核市及び児童相談所設置市を除く。）への周知を行うとともに、その運用に遺漏なきようにされたい。

この通知は令和３年４月１日から施行し、これに伴い、「「認可外保育施設指導監督基準」に定める認可外の居宅訪問型保育事業等における保育に従事する者に関する研修について」（令和元年９月20日子発0920第２号厚生労働省子ども家庭局長通知）は廃止する。

なお、本通知は地方自治法（昭和22年法律第67号）第245条の４第１項の規定に基づく技術的助言であることを申し添える。

記

１　「都道府県知事等が行う保育に従事する者に関する研修」

「都道府県知事等が行う保育に従事する者に関する研修」とは、以下の⑴から⑶のいずれかをいう。

⑴　都道府県等が行う「職員の資質向上・人材確保等研修事業の実施について」（平成27年５月21日付け雇児発0521第19号厚生労働省雇用均等・児童家庭局長通知。以下同じ。）の別添４「多様な保育研修事業実施要綱」に定める家庭的保育者等研修事業の基礎研修または居宅訪問型保育研修事業の基礎研修

⑵　都道府県等が行う「子育て支援員研修事業の実施について」（平成27年５月21日付け雇児発0521第18号厚生労働省雇用均等・児童家庭局長通知）の別紙「子育て支援員研修事業実施要綱」に定める専門研修の「地域保育コース」

⑶　都道府県等が行う「職員の資質向上・人材確保等研修事業の実施について」の別添７「認可外の居宅訪問型保育研修事業実施要綱」に定める認可外の居宅訪問型保育研修

２　「都道府県知事等がこれと同等以上のものと認める市町村長（特別区の長を含む。）その他の機関が行う研修」

「都道府県知事等がこれと同等以上のものと認める市町村長（特別区の長を含む。）その他の機関が行う研修」について、以下の⑴から⑷は、１に定める研修と同等以上のものとして取り扱うこととする。

なお、以下の⑴から⑷以外の主体が実施する研修について、都道府県知事等が１⑴に定める研修と同等以上のものと認める基準等は別添のとおり。

⑴　市町村長（特別区の長を含む。以下同じ。）が実施する１⑴で定める研修（「多様な保育研修事業実施要綱」に定める指定研修事業者が実施した研修を含む。）

⑵　市町村長又は子ども・子育て支援法第59条の２第１項で定める仕事・子育て両立支援事業のうち、企業主導型保育助成事業（「企業主導型保育事業等の実施について」（平成29年４月27日府子本第370号・雇児発0427第２号）の別紙「企業主導型保育事業費補助金実施要綱」の第２の２に定める企業主導型保育助成事業をいう。以下同じ。）の実施主体が実施する１⑵で定める研修（「子育て支援員研修事業実施要綱」で定める指定研修事業者が実施した研修を含む。）

⑶　公益社団法人全国保育サービス協会が実施するベビーシッター養成研修及びベビーシッター現任研修

⑷　児童福祉法第18条の６第１号に規定する指定保育士養成施設が実施する公益社団法人全国保育

サービス協会が定める「認定ベビーシッター」資格取得に関する科目の履修

3　都道府県等による研修修了者の確認

都道府県等は、１及び２で定める研修を修了した者であることを、各研修の修了証書（公益社団法人全国保育サービス協会が発行する「認定ベビーシッター」資格の認定証及び資格登録証を含む。以下同じ。）で確認することとする。

この際、修了証書は、修了証書を交付した都道府県等以外の全国の自治体においても効力を持つものであることとする。

また、発行年月日が令和元年10月１日以前のものでも、有効であることとする。ただし、研修修了後５年以上経過している者であって、居宅訪問型保育等の実務経験の乏しい保育従事者に対しては、上記１及び２で定める研修のほか、都道府県等がこれに類するものとして認める研修の再受講を推奨することが望ましい。

（別　添）

都道府県等が行う研修と同等以上のものであると都道府県知事等が認める基準について

1　法人基準

研修の実施主体である法人の要件として、以下の点を確認する。

⑴　事業継続性

・　事業を適正かつ円滑に実施するために必要な事務的能力及び事業の安定的運営に必要な財政基盤を有するものであること。

・　ベビーシッター等の従業者の労働条件及び福利厚生に関し、社会保険（労働保険を含む。）の加入等、労働関係法令及び社会保険関係法令を遵守していること。

・　研修事業の経理が他の経理と明確に区分され、会計帳簿、決算書類等研修事業の収支の状況を明らかにする書類が整備されていること。

⑵　事業実績

・　以下①及び②の事業実績が複数年あること。

①　認可又は認可外の居宅訪問型保育事業の実績（５年以上）

※　認可外の居宅訪問型保育事業に係るマッチングサイト運営の実績は含まない。

②　地方自治体から居宅訪問型保育研修事業等の研修受託実績

※　子育て支援員研修などの研修受託実績についても、都道府県等が認めれば可とする。

・　実施する居宅訪問型保育事業において、過去５年間に重大な事故が発生していないこと、及び法上の保育に関する処分のうち不利益処分を受けていないこと。

※　重大な事故の範囲としては、死亡事故又は治療に要する期間が30日以上の負傷や疾病を伴う重篤な事故（ただし、事業者の責に帰さない事案であることが明らかである場合を除く。）

※　不利益処分：認可保育所及び地域型保育事業における改善命令、事業停止命令及び認可の取消処分、並びに認可外保育施設に対する事業停止命令及び施設閉鎖命令

⑶　情報の適切な管理

・　個人情報保護に関する規程を定めていること。

・　適切な情報管理・保管していること。

2　研修基準

実施する研修の内容として、以下の点を確認する。

⑴　研修内容

・　研修内容は、原則、居宅訪問型保育研修事業（基礎研修）と同様とすること。

・　自社で行う接遇研修等とは区分して実施すること。

※　特に、心肺蘇生法（実技講習）は事業開始前に受講することが望ましい。

※　研修内容の確認に当たっては、科目名のみで判断するのではなく、研修で使用するテキスト・資料の内容、講師の経歴等を確認した上で、研修内容として適切なものであることを確認すること。

⑵　講師

・　経歴、資格、実務経験等に照らし、研修実施が可能と見込まれる講師が研修カリキュラムの科目や回数に応じて確保されていること。（原則、複数名）

※　都道府県等は、事業者から各科目の講師の選定に関する相談を受けた場合には、適宜相談に応じること。

※　講師の要件としては、以下のようなものが考えられる。

・　当該科目あるいは類似科目を教授している指定保育士養成施設、地方厚生局等の指定する児童福祉施設の職員を養成する学校その他の養成施設又は福祉系大学等の教員

・　認可保育所、認定こども園（幼稚園型を除く。）、地域型保育事業、一時預かり事業等において、保育士又は家庭的保育者として一定年数以上の勤務経験があり、かつ、園長や主任保育士などリーダー的立場の経験を有する者であって、当該科目について講師や研究発表を行うなど十分な知識及び経験を有する者

⑶　研修回数

・　継続的に、原則、年１回以上開催すること。研修受講見込者数が少ない場合はこの限りでは

ない。

・　受講者が受講しやすいよう研修開催地に配慮すること。

(4)　規則等の公開

・　研修の目的、実施場所、研修期間、カリキュラム、講師氏名、修了の認定方法、受講資格、募集要項、受講料等を明示すること。（都道府県等への届出とHP等での公開）

(5)　受講資格

・　研修受講機会の拡大等の観点から、研修事業者に雇用等されていない者の受講についても可能とすること。

※　研修事業者に雇用等されていない者が受講する場合には、受講料について、雇用等されている者と比して過度な徴収とならないよう配慮すること。

(6)　修了証書の交付

・　修了証書の交付は、研修事業者が行うこととする。（別紙様式１）

・　記載内容に変更があった場合や、修了証書の紛失があった場合には、必要な確認を行った上で再発行や更新を行うこと。

・　認定を受けた都道府県等以外の自治体においても、効力を持つものとする。

※　修了証書の有効期限は特段設けない。

※　ただし、研修修了後、一定期間業務に従事しておらず、その他の研修も受講していない者が数年ぶりに業務を再開するといった場合には、再度研修を受講することが望ましい旨を案内しておくなど、適切な保育が行われるよう配慮すること。

(7)　名簿の作成・管理

・　研修事業者は、修了者の名簿を作成し、適切に管理すること。

※　都道府県等からベビーシッターの研修修了状況等に係る照会があった場合には、適切に対応すること。

※　名簿に掲載する情報は、修了証書番号、修了年月日、氏名等。

(8)　オンラインで研修を実施する場合の留意点

本研修が「保育士若しくは看護師の資格を有する者」ではない者が受講するものであることを踏まえ、以下に留意の上、実施すること。

・研修事業者は、研修の申込みにあたり、本人確認ができるよう、受講希望者に対し顔写真データ等の提出を求めること。

・研修はリアルタイムのライブ配信の方法により行うことを原則とする。また、研修事業者は、研修受講者に対し、研修受講中は顔を画面上に投影することを求める等、常時研修申込者自身が確実に研修を受講していることの確認ができるようにすること。

・演習の実施にあたっては、研修事業者は、研修受講者を少人数（円滑に意見交換を行う観点から、４～６人程度とすることが望ましい。）のグループに分けることができる等、必要な機能を備えたツールを活用すること。

・研修事業者は、受講者に対し、科目毎の確認テストやレポート提出を求めることにより、受講者が研修の目的を達成することができているか確認し、評価を行うこと。この際、研修をオンラインを活用しない方法で受講する者についても同一の方法で確認を行うこと。

・研修受講方法で習熟度に差異が生じることのないよう、受講者からの質問に対応するために必要な機能等を備えること。

・希望する受講者同士が自由な意見交換を行うことができるよう、研修終了後の時間等にオンライン上で交流の場を設ける等の工夫を行うこと。

・次回以降の研修実施に向け、研修の実施方法等に関し、受講者へのアンケートを行う等により、継続的に工夫を行うこと。

・研修事業者は、映像や音声のトラブルを可能な限り回避するよう、事前に接続テスト等を行うとともに、必要に応じ受講者に対しても同様に事前の接続テスト等を促すこと。機器トラブル等により受講者の研修修了が困難である場合は、研修事業者が用意した、集合型のライブ配信会場に参加させる等、受講者が研修科目を漏れなく履修することができるよう、受講の利便性に配慮を行うこと。

・実技講習に関しては、受講者自身が実際に行うことが重要であることから対面で行うこと。

(9)　フォローアップ研修

・　研修修了後、継続的に業務に従事する者に対しては、計画的にフォローアップ研修（オンラインを含む。）を実施するよう努めること。

(10)　その他

・　認定を希望する事業者は、関係書類を添えて都道府県等に認定申請を行うこと。（別紙１）

・　認定を受けた事業者は、研修の年間計画を都道府県等に提出し、必要に応じて都道府県等職員が研修内容を実地確認することを受け入れること。（別紙２）

・　認定を受けた事業者は、提出していた研修の年間計画に変更を加える場合には、認定を行った都道府県等に事前に報告すること。また、認定申請の内容に変更を加える場合には、あらかじめ変更の内容、変更時期及び理由を報告するものとし、別紙１のウ若しくはエ又は都道府県等が特に求める事項について変更を加える場合にあっては、変更について都道府県等の了承を得た上で実施すること。

・　平成27年度以降に(1)と同様の内容の研修を修了していることが確認できた者についても、研修を修了したものとみなす。ただし、その場合においても、再度研修を受講することが望ましい。

※　一部科目のみ同様の内容を受講していることが確認できた者については、当該科目については受講済として取り扱うことができる。

※　この取扱いを適用する場合には、令和４年度末までの間に修了証書を交付すること。令和４年度末までの間に修了証書を交付されなかった者については、再度研修を修了すること。

※　同様の内容の研修を修了したことを確認するに当たっては、科目名のみで判断するのではなく、研修で使用したテキスト・資料の内容、講師の経歴等を確認した上で、研修内容として適切なものであったかを確認すること。確認した内容について、都道府県等から提供を求められた場合には対応すること。

※　この取扱いを適用した者については、名簿の管理上それがわかるようにしておくこと。

3　その他

・　同等以上と認められた研修について、都道府県等において、認定した事業者から研修の実施状況の報告を求めるなどして、定期的に適合状況を確認すること。（別紙３）

・　都道府県等は、保育者の研修受講機会の確保の観点から、子育て支援員研修など管内における研修の実施状況等を踏まえた上で、研修事業者の認定の判断を行うこと。また、認定した事業者の研修の実施状況等を踏まえ、研修が年間計画に沿って実施されていない場合又は実際の研修内容が認定申請の内容と大きく異なる場合等については、認定の取消しも検討すること。

※　認定した事業者が行う研修等は、都道府県知事等が行う研修の補完的な位置づけとして考える。

・　都道府県等は、研修修了者について、運営状況報告等をもとに、その後の活動状況を把握し、適宜フォローアップ研修の受講を促すことが望ましい。

・　複数の自治体にまたがって事業を展開している事業者については、本社所在地の都道府県等において認定を行う。

（別紙様式１）

第　　　　号

修　了　証　書

氏　　名
生年月日

あなたは、「「認可外保育施設指導監督基準」に定める認可外の居宅訪問型保育事業等における保育に従事する者に関する研修について」（令和３年３月31日子発0331第５号厚生労働省子ども家庭局長通知）に定める研修（○○県・市認定研修）を修了したことを証します。

令和　　年　　月　　日

（認定された事業者名）
代　表　○　○　○　○

第　　　　号

認可外の居宅訪問型保育研修一部科目修了証書

氏　　名
生年月日

あなたは、「「認可外保育施設指導監督基準」に定める認可外の居宅訪問型保育事業等における保育に従事する者に関する研修について」（令和３年３月31日子発0331第５号厚生労働省子ども家庭局長通知）に定める研修（○○県・市認定研修）の一部の科目を修了したことを証します。

一部修了科目名
令和　　年　　月　　日

（認定された事業者名）
代　表　○　○　○　○

（別紙１）

認定申請書の記載事項及び添付書類

ア　申請者の氏名及び住所（法人にあっては、名称及び主たる事務所の所在地並びにその代表者の氏名及び住所）

イ　事業計画（年間計画）

ウ　研修カリキュラム

エ　講義及び演習を行う講師の氏名、履歴、担当科目及び専任兼任の別並びに受諾書

オ　研修実施機関概要

カ　組織図

キ　役員名簿

ク　事業者規約（定款、寄付行為等）

ケ　法人の登記事項証明書（履歴事項全部証明書）

コ　申請時の予算書

サ　直近の決算書

シ　関連する研修の実績や知見等

ス　その他都道府県知事等が必要と認める書類等

（別紙２）

研修の年間計画の記載事項及び添付書類

①研修日程

—研修実施予定日

—参加受付予定日

—修了証発行予定日

—事業実績報告の提出予定日

—研修会場

②研修内容

—定員

—講師

③研修事業の実施体制

—研修責任者の所属・氏名

—事務担当者の所属・氏名

—連絡先

④収支予算

—収入、支出それぞれの費目、予算額、積算内訳

（別紙３）

研修の実施状況報告の記載事項及び添付書類

①研修実績

—研修実施日時

—具体的な研修内容（テキスト、講師、時間、形態、会場等）

—受講者数

—修了者数

②修了証交付実績

—交付日時

—修了者名簿

—修了証の写し（１名分）

③その他実績に係る書類

○ベビーホテル問題への積極的な取組について

〔平成13年３月29日　雇児発第178号
各都道府県知事・各指定都市市長・各中核市市長宛　厚生労働省雇用均等・児童家庭局長通知〕

今般、ベビーホテル等認可外保育施設に対する効果的な指導監督を図ることを目的として、新たに指導監督指針を策定したところである。しかしながら、ベビーホテルの問題は指導監督の問題だけではなく、認可保育所の整備状況や延長保育、夜間保育等の多様な保育サービスの提供と大きく関わるものであり、地域の保育需要に応じた保育施策の推進とともに、乳児院等の児童福祉施設への入所や子育て支援短期利用事業等の関連施策の活用が必要である。このため、本通知に基づき、ベビーホテル問題について積極的な取組をお願いする。

記

第１　地域の保育需要の把握等

ベビーホテルの多い地域においては、保育所入所待機児童数をはじめとして、人口数、就学前児童数、就業構造等から、地域の保育需要について適切な把握に努めるとともに、その需要に応じ、保育所の整備はもとより夜間保育所の設置や長時間保育の実施等の保育施策及び子育て支援短期利用事業の推進に努めること。

第２　ベビーホテルに長期間入所している児童への対応について

１　ベビーホテルに長期間入所している児童の把握

児童福祉主管部（局）においては、ベビーホテルの設置者又は管理者に命じ、当該施設に長期間家庭に引き取られていない児童又は週末のみ引き取られている児童（以下「長期滞在児」という。）があるときは、速やかに、その児童及び保護者の氏名、住所、家庭の状況等について報告をさせること。また、併せて児童福祉法第59条に基づく立入調査や市町村等関係機関の協力を通じて、これらの児童の有無の把握に努めること。これらの児童がいることが明らかとなった場合には速やかに児童相談所等と適切な連携を図ること。

２　家庭状況の調査

児童相談所は、市町村、福祉事務所、児童委員、母子相談員等の協力を得て、１により把握された児童の保護者から長期間ベビーホテルに預けている事情等家庭の状況を調査すること。

３　長期滞在児に対する措置、保護者に対する指導

⑴　２の調査の結果から福祉の措置を講ずることが適当であるとの報告を児童相談所から受けた場合には、保護者に通知するとともに、関係機関と十分な連携を図り、以下に掲げる関連施策等必要な福祉の措置を講ずること。この場合、他施設への入所措置等について保護者の理解が得られない場合であっても、継続的に必要な助言又は指導を行っていくこと。

①　児童福祉法第27条に基づく里親委託、乳児院、児童養護施設等への入所措置

②　児童福祉法第23条に基づく母子生活支援施設での母子保護の実施

③　児童福祉法第24条に基づく保育所（夜間保育所、長時間延長保育実施保育所等）での保育の実施

④　本通知第３に基づく乳児院における短期入所措置

⑤　平成７年４月３日児発第374号厚生省児童家庭局長通知）に基づく子育て支援短期利用事業の活用

⑵　特に福祉の措置を講ずる必要がない場合においても、実情に応じ、児童の福祉の観点から保護者に対し、必要な助言、指導を行うこと。

第３　乳児院における短期入所措置について

１　趣旨

乳児院において、保護者の出産、傷病、病気看護、出張、住み込みでの就労等のため、ベビーホテルに１か月未満であるが、家庭に引き取られることなく連続して数日間預けられている場合などの短期間の入所需要に対応することにより、児童の健全な育成に資するものである。

２　定義

「短期入所」とは、本通知に基づく入所であって、入所期間が１か月に満たないものをいう。

３　入所対象

保護者が出産、傷病、病気看護等緊急の事情又は出張等の勤務上の都合など特別の事情により保護者のもとで養育できないことが止むを得ないものを広く対象とする。

しかし、買物や私的旅行等保護者の恣意的な理由によるものは原則対象とならないが、第２の２の調査により児童相談所が当該児童を保護するこ

とが適当であると判断した場合にはこの限りではない。

4　入所手続

入所措置の手続きについては、「児童相談所運営指針について」(平成２年３月15日児発第133号厚生省児童家庭局長通知、平成12年11月20日改定)により定められているが、短期入所は特に迅速に対応する必要があるので、次のとおり取り扱う。

(1)　保護者から入所申請があった場合には、児童相談所においては速やかに調査を行い、必要に応じて定例の会議を待つことなく随時会議を開催し、迅速かつ的確に措置決定する。

(2)　保護者からの提出書類は、住民票、所得証明書とするが、これらの書類が全てそろうまで入所措置を延ばすのではなく、実態に応じ入所措置し、その後これらの書類を提出させることとして差し支えない。

(3)　措置通知書及び措置決定通知書の備考欄に保護者の緊急連絡先及び措置予定期間を記入する。

5　経費

(1)　事務費の支弁

「児童福祉法による児童入所施設措置費等国庫負担金について」(平成11年４月30日厚生省発児第86号厚生事務次官通知。以下「交付要綱」という。)に定めるところによる。

定員(暫定定員を含む。)の範囲内で短期入所の児童を受け入れるものとし、事務費の支弁については特段の措置は講じない。

(2)　事業費の支弁

交付要綱に定めるところによる。

一般生活費については、短期間の入所を行いやすいよう日額単価の保護単価が設定されている。

(3)　費用徴収

短期入所に係る保護者の費用徴収については、交付要綱の徴収金基準額表の定めにかかわらず、同表のＣ１階層からＤ３階層(但し、所得税の額が12万円以下の場合)までは日額1000円、Ｄ３階層(但し、所得税の額が12万１円以上の場合)からＤ13階層までは日額2000円とし、これに入所措置日数を乗じて得た額を当該措置児に係る費用徴収額とする。

なお、Ａ、Ｂ階層については無料、Ｄ14階層については全額徴収とする。

第４　実施期日等

この通知は平成13年３月29日から施行し、児発第330号通知及び「乳児院における短期入所措置について」(昭和56年４月30日児企発第18号厚生省児童家庭局企画課長通知)はこの施行に伴って廃止する。

なお、この通知は、第３の５を除き、地方自治法(昭和22年法律第67号)第245条の４第１項に規定する技術的な助言に当たるものである。

○「よい保育施設の選び方　十か条」の作成について

〔平成12年12月25日　児保第45号
各都道府県・各指定都市・各中核市民生主管部(局)長宛
厚生省児童家庭局保育課長通知〕

保育行政に関しては、日頃より種々御尽力いただいているところである。

今般、認可外保育施設などの利用希望者が施設を選択する際の参考に資するため、別添「よい保育施設の選び方　十か条」を作成したので、貴管下市町村も含め、広報等により広く周知願いたい。

本十か条は、新年度の母子保健手帳副読本に掲載する他、詳細版も含めて、厚生省ホームページ（http://www.mhw.go.jp/）（現在掲載中）、及び発足に向けて調整中の保育等子育て支援サービス総合情報流通システム（http://www.i-kosodate.net/）（平成13年1月下旬掲載予定）に掲載することとしているので、申し添える。

おって、認可外保育施設の指導監督基準及び指導監督指針についても、現在、検討中であり、併せて申し添える。

〔別　添〕

よい保育施設の選び方　十か条

一　まずは情報収集を
・市区町村の保育担当課で、情報の収集や相談をしましょう

二　事前に見学を
・決める前に必ず施設を見学しましょう

三　見た目だけで決めないで
・キャッチフレーズ、建物の外観や壁紙がきれい、保育料が安いなど、見た目だけで決めるのはやめましょう

四　部屋の中まで入って見て
・見学の時は、必ず、子どもたちがいる保育室の中まで入らせてもらいましょう

五　子どもたちの様子を見て
・子どもたちの表情がいきいきとしているか、見てみましょう

六　保育する人の様子を見て
・保育する人の数が十分か、聞いてみましょう
・保育士の資格を持つ人がいるか、聞いてみましょう
・保育する人が笑顔で子どもたちに接しているか、見てみましょう
・保育する人の中には経験が豊かな人もいるか、見てみましょう

七　施設の様子を見て
・赤ちゃんが静かに眠れる場所があるか、また、子どもが動き回れる十分な広さがあるか、見てみましょう
・遊び道具がそろっているかを見て、また、外遊びをしているか聞いてみましょう
・陽あたりや風とおしがよいか、また、清潔か、見てみましょう
・災害のときのための避難口や避難階段があるか、見てみましょう

八　保育の方針を聞いて
・園長や保育する人から、保育の考え方や内容について、聞いてみましょう
・どんな給食が出されているか、聞いてみましょう
・連絡帳などでの家庭との連絡や参観の機会などがあるか、聞いてみましょう

九　預けはじめてからもチェックを
・預けはじめてからも、折にふれて、保育のしかたや子どもの様子を見てみましょう

十　不満や疑問は率直に
・不満や疑問があったら､すぐ相談してみましょう､誠実に対応してくれるでしょうか

○　子どもの保育のことなどで相談がある場合は、地元の市区町村の保育担当課の窓口で相談しましょう。
○　この十か条について、もっと詳しくお知りになりたい場合には、厚生省ホームページ（http://www.mhw.go.jp/）または保育等子育て支援サービス総合情報システム（http://www.i-kosodate.net/）で、詳細版を登載していますので、ご利用ください。

厚生省児童家庭局保育課
平成12年12月

よい保育施設の選び方　十か条

厚生省児童家庭局保育課

平　成　12　年　12　月

両親が働いている場合などでは、その時間帯に子どもを預ける保育施設が必要になります。

保育施設は、子どもが生活時間の大半を過ごすところで、その環境や保育内容によっては、子どもの安全や健康面だけでなく、健全な発達にも影響を与えることがあります。そのため、よりよい保育施設を選ぶときのチェックポイントをつくりましたので、参考にしてください。

保育施設の種類

保育が必要な子どもを預かる保育施設を大きく二つに分けると、認可保育所とそれ以外の認可外保育施設に分けられます。

認可保育所は、必要な保育士の数や施設の面積などを定めた「児童福祉施設最低基準」などの基準を満たしていることを、都道府県や指定都市、中核市から確認され、自治体から公費を受けて運営されている施設です。

認可外保育施設は、子どもを預かる施設であって認可保育所ではないものを総称して呼んでいますので、その種類などは様々です。中には、自治体から補助を受けている施設もありますが、全体として、その運営や設備などは、園によって相当違います。

よい保育施設の選び方　十か条

一　まずは情報収集を

○　市区町村の保育担当課で、情報の収集や相談をしましょう

保育行政は、住民に一番身近な市区町村で行われています。

認可保育所を利用したい場合には、市区町村の保育担当課の窓口に相談して申し込むこととなっています。

これに対して、認可外保育施設は、直接は市区町村とは関係していませんので、利用したい場合には、その施設に直接申し込むことになります。ただし、市区町村によっては、認可外保育施設や保育ママに独自に助成している場合があります。その場合には、それらの情報も教えてくれるでしょう。

いずれにしても、市区町村の保育担当の窓口でいろいろ聞いてみることが大切です。

二　事前に見学を

○　決める前に必ず施設を見学しましょう

情報誌や広告などの情報だけでは限界があります。百聞は一見にしかず。利用する施設を決める前には、必ず、見学しましょう。２つ以上の施設を見学することをおすすめします。

できれば、時間帯を変えて２回見たり、行事のときなどに参加しておけば、保育の様子がよりわかります。そのときに利用者から園の様子を聞くことができれば、さらによくわかるでしょう。

三　見た目だけで決めないで

○　キャッチフレーズ、建物の外観や壁紙がきれい、保育料が安いなど、見た目だけで決めるのはやめましょう

キャッチフレーズ、建物の外観や壁紙などは、きれいな方がよいし、保育料が安かったり、便利な場所にある施設は魅力的です。しかし、子どもが長時間過ごす上で最も大切なことは、子どもが過ごしやすい環境か、保育する人の配慮が行き届いているか、きちんとした保育のプログラムがあるかなどです。このようなことは、見た目だけではわかりません。

保育料についても、自治体から補助がある場合や、働いている人が皆ボランティア精神の持ち主という例外的なことでもあれば別ですが、安すぎれば、どこかに無理があるのでは、と思った方がよいでしょう。また、利用しやすい便利な場所にあることも大切ですが、保育内容に問題があったり、子どもが過ごすには好ましくないような施設は避けたいものです。

四　部屋の中まで入って見て

○　見学のときは、必ず、子どもたちがいる保育室の中まで入らせてもらいましょう

ちいさい子どもが寝はじめる時間帯や、忙しい時間帯などは見学がむずかしい場合もありますが、それ以外の時間帯では、よい保育をしている施設は、保育室での子どもの様子を自信をもって見せてくれるはずです。

普段の買い物でもそうでしょう。皆さんも試したり確認したりできない品物は買わないはずです。保育室の中を見せてくれない施設は、何か見せたくない事情があると思った方がよいでしょう。

五　子どもたちの様子を見て

○　子どもたちの表情がいきいきとしているか、見てみましょう

よい保育が行われていれば、子どもたちの気持ちも安定し、活発になります。お客さんにかけよってくるなど好奇心もいっぱい。子どもたちどうしでも元気に楽しく遊びます。

10分でも保育室の中にいれば、子どもたちの様子

は相当わかるでしょう。

六　保育する人の様子を見て

○　保育する人の数が十分か、聞いてみましょう

人手は十分足りていますか。

人手が足りないと、いくら保育する人がすぐれていても、一人一人の子どもに十分な対応ができません。とくに、生まれてから3歳くらいになるまでは保育する人が一人一人の子どもに、やさしくていねいにかかわれることが大切です。

人手が足りなければ、おむつを余り替えない、ミルクを決まった時間しか与えない、赤ちゃんの目を見て話しかけない、テレビをつけっぱなしにしてテレビに子守りをさせるなど、手を抜くことができますが、子どもの成長・発達にとっては、問題なのです。

○　保育士の資格を持つ人がいるか、聞いてみましょう

保育士は、資格を得るための短大を卒業するなどして専門的な知識を持っています。とくに、継続して多くの子どもを預かる施設では子どもの発達や情緒・体調等に配慮した保育のプログラムが必要ですが、個人的な経験や勘だけでは、よいプログラムをつくってそれに従った保育をすることはまず無理です。

安心して預けるためには、保育士資格を持っている人がどの程度いるかを聞いてみましょう。

○　保育する人が笑顔で子どもたちに接しているか、見てみましょう

保育する人が余裕をもって一人一人の子どもをあたたかく受け入れ、子どもたちに笑顔で接することが大切です。大人に余裕がなければ、子どもたちは、悲しく寂しくつらく感じます。

保育する人は、子どもの目線で話し、子どもと笑顔で接していますか。大声でしかってばかりいませんか。

保育をする人がつらそうな顔をしていませんか。

○　保育する人の中には経験が豊かな人もいるか、見てみましょう

多くの子ども、とくに赤ちゃんも預かっている園では、経験豊かな人もいることが望ましいのです。何をしても赤ちゃんが泣きやまないとき、赤ちゃんの具合が悪くなったときなど、ベテランの持ち味が発揮されます。

七　施設の様子を見て

○　赤ちゃんが静かに眠れる場所があるか、また、子どもが動き回れる十分な広さがあるか、見てみましょう

赤ちゃんは、保育する人の目が届く落ち着いた空間での保育でなければ心が安定しません。反対に、大きい子どもは十分なスペースではしゃぎ回れることも大切。せまい場所に閉じ込められているのでは、ストレスがたまります。

赤ちゃんも大きい子どもも一緒に多人数を保育している状態は危険ですし、赤ちゃんがゆっくりお昼寝できません。

○　遊び道具がそろっているかを見て、また、外遊びをしているか聞いてみましょう

保育室の中にどんな遊び道具がありますか。部屋によって、室内すべり台のような大きいものでもよいでしょうし、比較的小さいガラガラ、積み木、引き車などでもよいのでしょうが、子どもが興味をもって楽しく遊べるような工夫がしっかりされていますか。

外の空気にふれることや外遊びはとても大切。外遊びの回数や場所などを見て聞いてみましょう。

また、外遊びの場所が遠い場合には、安全な方法で移動しているか、聞いてみましょう。

○　陽あたりや風とおしがよいか、また、清潔か、見てみましょう

陽あたりと風とおしも大切。誰だって、外はよいお天気なのに、閉めきったまま、じめじめしているなんて、きらいです。

子どもにとって、不衛生は禁物。とくにちいさい子どもには、命取りになることだってないとはいえません。

保育室だけでなく、トイレや調乳・調理の場が清潔かも、見てみましょう。

○　災害のときのための避難口や避難階段があるか、見てみましょう

便利な場所でも何かがあったときに危ないということでは、安心できません。

災害の時のための訓練をしているか、避難経路はどうなっているか、見て聞いてみることが大切です。とくに、2階以上にある場合は、安全性に要注意。

八　保育の方針を聞いて

○　園長や保育する人から、保育の考え方や内容について、聞いてみましょう

保育内容が良いか悪いかは、園長や保育する人の考え方や力量で大きく左右されます。どんなところに力を入れてどんなところに注意をして保育するのか、子どもが日々どのように過ごしているのか、園で大切にしていることなど、考え方を聞いてみま

しょう。

きちんと説明してくれたでしょうか。

○　どんな給食が出されているか、聞いてみましょう

子どもの成長には、栄養のバランスとか年齢や体調に応じた食事がとても重要です。一律にでき合いの市販弁当を食べさせているようでは問題です。献立表の有無や調乳・調理の場の様子など、見て聞いてみましょう。

○　連絡帳などでの家庭との連絡や参観の機会などがあるか、聞いてみましょう

家庭と園とが協力して子育てに当たることが大切です。子どもがその日どのように過ごしたか、体調はどうなのか、保護者からは家庭での様子を、園からは園での様子を連絡しあうことはとても大切です。連絡帳などで十分な連絡が取れるようになっているか、聞いてみましょう。保育参観などで保育の様子を見せてもらえる機会があるか、聞いてみましょう。

また、毎月の身長や体重の測定などの発育チェックなどをどのように行っているか、聞いてみましょう。

九　預けはじめてからもチェックを

○　預けはじめてからも、折にふれて、保育のしかたや子どもの様子を見てみましょう

通い始めると忙しくて園に任せっきりになりがちですが、なるべく実際に保育しているところを見るようにしましょう。毎日預けるときや迎えのときに保育室の中に入るよう心がけましょう。

早く帰れる日があれば、いつもと違う時間の様子も見てみましょう。たまには、保育する人とゆっくり話ができればもっとよいでしょう。

十　不満や疑問は率直に

○　不満や疑問があったら、すぐ相談してみましょう、誠実に対応してくれるでしょうか

親も保育する人も、子どものことが大切ならば、話が合うはず。

また、普段から、保育する人との信頼関係も大切。

子どものことが心配で相談しているのに、「そんなに言うなら、預けるのを止めてくれ」、「うちの園ではそういうやり方はしていない」、「そんなことを言うのはあなただけだ」などと、対話を拒むような施設は問題です。

個々の園の特色や状況はだいぶ違いますし、皆さんの事情も一人一人様々でしょうから、どの園がよいかは、皆さんが目で見て納得することが大切。

ここでは、預けられる子どもにとって大切なことを中心にチェックポイントをまとめてみました。

子どもの保育のことなどで相談がある場合は、地元の市区町村の保育担当の窓口で相談しましょう。

また、子どもの発達の遅れや問題行動があるような場合には、子どものための専門機関の児童相談所に相談しましょう。

○「院内保育等の推進について」の発出について（周知依頼）

〔令和元年７月１日　事務連絡
各都道府県・各指定都市・各中核市保育担当課宛　内閣府子ども・子育て本部参事官（子ども・子育て支援担当）・厚生労働省子ども家庭局総務課少子化総合対策室・保育課〕

平素より、保育行政に御尽力いただき、厚く御礼申し上げます。

今般、厚生労働省医政局に設置された「医師の働き方改革に関する検討会」の報告書を踏まえ、「女性医師等が働きやすい環境の整備の推進」の具体策の一つとして、院内保育所の設置を通じた院内保育や院内病児保育等（以下「院内保育等」という。）の更なる推進のため、添付のとおり「院内保育等の推進について」（令和元年７月１日付け医政支発0701第１号・医政医発0701第１号・医政看発0701第１号厚生労働省医政局医療経営支援課長・医事課長・看護課長連名通知）が発出され、院内保育等に関する現状、支援策、留意点等が、各都道府県衛生主管部（局）長に周知されているところです。

各都道府県（指定都市及び中核市を含む。以下同じ。）におかれては、内容を十分御了知の上、認可外保育施設の設置届出等に関する照会等に適切に対応いただきますようお願いします。また、各市町村（特別区を含む。以下同じ。）において、事業所内保育事業又は病児保育事業の実施、幼児教育・保育の無償化に係る手続き等に関する照会等に適切に対応されるよう、管内の市町村へ周知いただきますようお願いします。

○認可外保育施設における安全計画の策定に関する留意事項等について

〔令和４年12月16日　事務連絡
各都道府県・各市区町村認可外保育施設主管部(局)宛　厚生労働省子ども家庭局総務課少子化総合対策室〕

保育所、地域型保育事業所（以下「保育所等」という。）におけるこどもの安全の確保については、令和３年７月に福岡県中間市において、保育所の送迎バスに置き去りにされたこどもが亡くなるという大変痛ましい事案が発生するなど、保育所等における重大事故が繰り返し発生する中、第208回国会で可決・成立した児童福祉法等の一部を改正する法律（令和４年法律第66号）において、都道府県等が条例で定めることとされている児童福祉施設等の運営に関する基準のうち、「児童の安全の確保」に関するものについては、国が定める基準に従わなければならないこととする改正が行われました。また、令和４年９月には、静岡県牧之原市において、認定こども園の送迎バスに置き去りにされたこどもが亡くなるという大変痛ましい事案も発生しております。

こうした中、上記改正を受け、「児童福祉施設の設備及び運営に関する基準等の一部を改正する省令（令和４年厚生労働省令第159号）」において、保育所等については、令和５年４月１日より安全に関する事項についての計画（以下「安全計画」という。）を各施設において策定することを義務付ける[1]こととしています。

認可外保育施設における安全の確保に関する取組については、既に「認可外保育施設に対する指導監督の実施について」（平成13年３月29日付雇児発第177号厚生労働省雇用均等・児童家庭局長通知）の別添「認可外保育施設指導監督基準」（以下「指導監督基準」という。）等に基づき行っていただいているところですが、令和５年１月末を目途に指導監督基準を改正し、保育所等と同様、令和５年４月１日より各施設において安全計画を策定することについて規定することを予定しています。

ついては、安全計画を各施設において策定いただくに当たり、留意事項等を下記のとおり整理していますので、内容について十分御了知の上、各都道府県、指定都市、中核市、児童相談所設置市（以下「都道府県等」という。）認可外保育施設主管部局におかれては、貴管内の認可外保育施設に対して遺漏なく周知していただくようお願いします。

記

【改正後の指導監督基準に基づく安全計画策定に関する規定内容について】

改正後の指導監督基準イメージ　※現行のアを以下のア～ウに見直し予定

第７　健康管理・安全確保

(8)　安全確保

ア　施設の設備の安全点検、職員、児童等に対する施設外での活動、取組等を含めた施設での生活その他の日常生活における安全に関する指導、職員の研修及び訓練その他施設における安全に関する事項についての計画（以下「安全計画」という。）を策定し、当該安全計画に従い、児童の安全確保に配慮した保育を行うこと。

イ　職員に対し、安全計画について周知するとともに、安全計画に定める研修及び訓練を定期的に実施すること。

ウ　保護者に対し、安全計画に基づく取組の内容等について周知すること。

➢　上記に関する基準の考え方（追加予定）

○　安全計画は定期的に見直しを行い、必要に応じて変更を行うこと。

【安全計画の策定について】

○　認可外保育施設は、安全確保に関する取組を計画的に実施するため、各年度において、当該年度が始まる前に、施設の設備等の安全点検や、園外活動等を含む認可外保育施設での活動、取組等における職員や児童に対する安全確保のための指導、職員への各種訓練や研修等の児童の安全確保に関する取組についての年間スケジュール（安全計画）を定めること（具体的な安全計画のイメージについては、「保育安全計画例」別添資料４などを参考の上で作成すること）。

○　安全計画の作成に当たっては、「いつ、何をなすべきか」を「認可外保育施設が行う児童の安全確保に関する取組と実施時期例」別添資料５などを参考に整理し、必要な取組を安全計画に盛り込むこととすること。

○　以上の一連の対応を実施することをもって認可外保育施設における安全計画の策定を行ったこととすること。

【児童の安全確保に関する取組について】

○　児童の安全確保のために行うべき取組については、保育所保育指針等の法令、児童の安全の確保に関連してこれまでに発出されたマニュアルや事務連絡（事故防止等マニュアル[2]、児童の見落とし等の発生防止に関する事務連絡[3]、バス送迎の安全管理マニュアル[4]等）等に基づき取組が既になされていることが想定されるものや、学校保健安全法（昭和33年法律第56号）の規定に基づく安全計画（以下「学校安全計画」という。）の策定など幼稚園の取組内容等を踏まえ、以下のようなものが考えられる。

なお、当該内容は例示であって、地域や各施設の特性に応じ、独自に取り組む安全対策等を行うことを否定するものではない点に留意されたい。

①　安全点検について

(1)　施設・設備の安全点検

・　認可外保育施設の設備等（備品、遊具等や防火設備、避難経路等）について定期的[5]に、文書として記録[6]した上で、改善すべき点を改善すること

・　点検先は施設内のみならず、散歩コースや公園など定期的に利用する場所も含むこと

(2)　マニュアルの策定・共有

・　通常保育時において、児童の動きを常に把握するための役割分担を構築すること

・　リスクが高い場面（午睡、食事、プール・水遊び、園外活動、バス送迎）での職員が気をつけるべき点、役割分担を明確にすること

・　緊急的な対応が必要な場面（災害、不審者の侵入、火事（119番通報））を想定した役割分担の整理と掲示、保護者等への連絡手段の構築、地域や関係機関との協力体制の構築などを行うこと

・　これらをマニュアルにより可視化して常勤保育士だけでなく非常勤職員、保育補助者も含め、認可外保育施設の全職員に共有すること

②　児童・保護者への安全指導等

(1)　児童への安全指導

・　児童の発達や能力に応じた方法で、児童自身が認可外保育施設の生活における安全や危険を認識すること、災害や事故発生時の約束事や行動の仕方について理解させるよう努めること

・　地域の関係機関と連携し、交通安全について学ぶ機会を設けること

(2)　保護者への説明・共有

・　保護者自身が安全に係るルール・マナーを遵守することや、バスや自転車通園の保護者には、交通安全・不審者対応について児童が通園時に確認できる機会を設けてもらうことなど児童が家庭で安全を学ぶ機会を確保するよう依頼すること

・　保護者に対し、安全計画及び施設が行う安全に関する取組の内容を説明・共有すること

・　また、児童の安全の確保に関して、保護者との円滑な連携が図られるよう、安全計画及び園が行う安全に関する取組の内容について、公表しておくことが望ましいこと

③　実践的な訓練や研修の実施

・　避難訓練は、地震・火災だけでなく、地域特性に応じた様々な災害を想定して行うこと

・　救急対応（心肺蘇生法、気道内異物除去、AED・エピペン®の使用等）の実技講習を定期的に受け、認可外保育施設内でも訓練を行うこと

・　不審者の侵入を想定した実践的な訓練や119番の通報訓練を行うこと

・　自治体が行う研修・訓練やオンラインで共有されている事故予防に資する研修動画などを活用した研修を含め、研修や訓練は常勤保育士だけでなく非常勤職員も含め、認可外保育施設の全職員が受講すること

④　再発防止の徹底

・　ヒヤリ・ハット事例の収集及び要因の分析を行い、必要な対策を講じること

・　事故が発生した場合、原因等を分析し、再発防止策を講じるとともに、①(1)の点検実施箇所や①(2)のマニュアルに反映した上で、職員間の共有を図ること

【安全確保に関する取組を行うに当たっての留意事項】

○　リスクの高い場面（午睡、食事、プール・水遊び、園外活動、バス送迎等）での対応を含む園内外での事故を防止するための、職員の役割分担等を定めるマニュアルや、緊急的な対応が必要な場面（災害、不審者侵入等）時における職員の役割分担や保護者への連絡手段等を定めるマニュアルの策定が不十分である場合は、速やかに策定・見

直しを行うこと

○　園内活動時はもちろん、散歩などの園外活動時においては特に、常に園児の行動の把握に努め、職員間の役割分担を確認し、見失うことなどがないよう留意すること

このため、前述の児童の見落とし等の発生防止に関する事務連絡のうち、「保育所等における園外活動時の安全管理に関する留意事項」別添資料６や「園児の見落とし等の防止に関する各自治体の取組例や実例を踏まえた留意事項」別添資料７などを改めて参照すること

○　児童を取り巻く多様な危険を的確に捉え、その発達の段階や地域特性に応じた取組を継続的に着実に実施する必要があること。例えば、災害については、地震、風水害、火災に留まらず、土砂災害、津波、火山活動による災害、原子力災害などを含め、地域の実情に応じて適切な対応に努められたいこと

○　認可外保育施設において、独自にバス等による送迎サービスを実施している場合についても、施設が実施し、提供するサービスである以上は、保育提供時間外であるとしても、常に児童の行動の把握に努め、職員間の役割分担を確認し、児童の見落としなどがないよう対応が必要であること

このため、前述のバス送迎の安全管理マニュアルについて、既にある施設のマニュアルに追加して使用する、マニュアルを見直す際に参考にするなど、各施設等での取組の補助資料として活用し、バス送迎の安全管理を徹底すること

また、令和５年４月より、認可外保育施設において、①降車時等に点呼等により児童の所在を確認すること、②送迎用バスへの安全装置の装備を指導監督基準に規定する（②については法第６条の３第11項に規定する業務を目的とする施設を除く）こととしており、別途示す内容に沿って適切に対応すること

○　都道府県、指定都市、中核市、児童相談所設置市は、改正後の指導監督基準の規定に基づき認可外保育施設が安全計画を策定し、当該計画に基づく安全確保のための取組を行っているかを指導監督する必要があるが、「認可外保育施設指導監督基準を満たす旨の証明書の交付について」（平成17年１月21日雇児発第0121002号厚生労働省雇用均等・児童家庭局長通知）の別表評価基準の関連箇所についても指導監督基準と同様のスケジュールで改正する予定であるため、ご留意いただきたいこと

【キッズ・ゾーンの設置について】

○　認可外保育施設が行う散歩等の園外活動の安全を確保するため、小学校等の通学路に設けられているスクールゾーンに準ずる取組として創設したキッズ・ゾーンについては、これまで各種通知等[7]を通じ、地域の実情に合わせ、その設定を検討いただくようお願いしてきたところ、引き続き、各道路管理者、都道府県警察等の関係者と連携しつつ、不断の検討をお願いしたいこと

1　保育所等の児童福祉施設に対し、安全計画の策定を義務付けている児童福祉施設の設備及び運営に関する基準（昭和23年厚生省令第63号）第６条の３の規定については、同令第１条第１項第３号の規定により、都道府県等が条例を定めるに当たって従うべき基準となっている。

2　教育・保育施設等における事故防止及び事故発生時の対応のためのガイドライン（平成28年３月）
https://www8.cao.go.jp/shoushi/shinseido/meeting/kyouiku_hoiku/pdf/guideline1.pdf

3　令和４年４月11日付「保育所等の園外活動時等における園児の見落とし等の発生防止に向けた取組の徹底について」（厚生労働省子ども家庭局保育課等事務連絡）

4　こどものバス送迎・安全管理マニュアル（令和４年10月）

5　学校安全計画は毎学期１回以上（年に３回目途）とされている

6　事故防止等マニュアルでは年齢別のチェックリストの作成が奨励されている

7　「キッズ・ゾーンの設定の推進について（依頼）」（令和元年11月12日府子本第636号、府子本第638号、子少発1112第１号、子保発1112第１号、障障発1112第１号内閣府子ども・子育て本部参事官（子ども・子育て支援担当）、子ども・子育て本部参事官（認定こども園担当）、厚生労働省子ども家庭局総務課少子化総合対策室長、子ども家庭局保育課長、社会・援護局障害福祉部障害福祉課長連名通知）等

別添資料１　児童福祉法関連　参照条文　略
別添資料２　認可外保育施設指導監督基準関連　参照条文　略
別添資料３　学校保健安全法関連　参照条文　略
別添資料４　保育安全計画例
別添資料５　認可外保育施設が行う児童の安全確保に関する取組と実施時期例
別添資料６　保育所等における園外活動時の安全管理に関する留意事項　略
別添資料７　園児の見落とし等の防止に関する各自治体の取組例や実例を踏まえた留意事項　略

以上

（別添資料４）
保育安全計画例

◎安全点検

⑴　施設・設備・園外環境（散歩コースや緊急避難先等）の安全点検

月	4月	5月	6月	7月	8月	9月
重点点検箇所						
月	10月	11月	12月	1月	2月	3月
重点点検箇所						

⑵　マニュアルの策定・共有

分野	策定時期	見直し（再点検）予定時期	掲示・管理場所
重大事故防止マニュアル	年　　月　　日	年　　月　　日	
□　午睡	年　　月　　日	年　　月　　日	
□　食事	年　　月　　日	年　　月　　日	
□　プール・水遊び	年　　月　　日	年　　月　　日	
□　園外活動	年　　月　　日	年　　月　　日	
□　バス送迎 （※実施している場合のみ）	年　　月　　日	年　　月　　日	
□　降雪（※必要に応じ策定）	年　　月　　日	年　　月　　日	
災害時マニュアル	年　　月　　日	年　　月　　日	
119番対応時マニュアル	年　　月　　日	年　　月　　日	
救急対応時マニュアル	年　　月　　日	年　　月　　日	
不審者対応時マニュアル	年　　月　　日	年　　月　　日	

◎児童・保護者に対する安全指導等

⑴　児童への安全指導（認可外保育施設の生活における安全、災害や事故発生時の対応、交通安全等）

	4～6月	7～9月	10～12月	1～3月
乳児・１歳以上３歳未満児				
３歳以上児				

⑵　保護者への説明・共有

4～6月	7～9月	10～12月	1～3月

◎訓練・研修

(1) 訓練のテーマ・取組

月	4月	5月	6月	7月	8月	9月
避難訓練等 ※1						
その他 ※2						
月	10月	11月	12月	1月	2月	3月
避難訓練等 ※1						
その他 ※2						

※1 「避難訓練等」・・・認可外保育施設指導監督基準第3の1(2)の規定に基づき定期的に実施する避難及び消火に対する訓練

※2 「その他」・・・「避難訓練等」以外の119番通報、救急対応（心肺蘇生法、気道内異物除去、ＡＥＤ・エピペン®の使用等）、不審者対応、送迎バスにおける見落とし防止等

(2) 訓練の参加予定者（全員参加を除く。）

訓練内容	参加予定者

(3) 職員への研修・講習（園内実施・外部実施を明記）

4～6月	7～9月	10～12月	1～3月

(4) 行政等が実施する訓練・講習スケジュール　※所属する自治体・関係団体等が実施する各種訓練・講習スケジュールについて参加目途にかかわらずメモする

◎再発防止策の徹底（ヒヤリ・ハット事例の収集・分析及び対策とその共有の方法等）

◎その他の安全確保に向けた取組（地域住民や地域の関係者と連携した取組、登降園管理システムを活用した安全管理等）

（別添資料５）

認可外保育施設が行う児童の安全確保に関する取組と実施時期例

実施時期	取組内容
年度始め ※取組が不十分の場合は速やかに	・園内外の安全点検に関する年間スケジュールを定める ・リスクが高い局面や緊急時の行動マニュアルを策定（見直し）し、職員間に共有、必要に応じ、掲示すること ・各種訓練（災害・救急対応・不審者対応・119番通報）の実施に関する年間スケジュールを定める ・自治体が実施する年間の研修を把握し、参加スケジュールを確認する ・中途採用者等のための研修機会確保のため、オンライン研修等の手段をあらかじめ把握する ・保護者に園での安全対策を共有するとともに、家庭内での安全教育の実施を依頼する ・児童への交通安全を含む安全指導のため、地域の関係機関とも連携し、年齢別の指導方法を定める
６月頃	・水遊び・プール活動のマニュアルを職員に再周知・共有するとともに、必要に応じてマニュアルを見直す
11月頃	・降雪時等の屋外での活用のマニュアルを職員に再周知・共有するとともに、必要に応じてマニュアルを見直す
随時 ※職員の採用時又は園児の入園時	・中途採用者等にオンライン研修等の受講機会を設ける ・保護者に園での安全対策を共有するとともに、家庭内での安全教育の実施を依頼する（再掲）
事故発生時 ※ヒヤリ・ハット事案含む	・発生した事案の分析と再発防止策を検討し、安全点検やマニュアルに反映するとともに、職員・保護者に周知する

○認可外保育施設における業務継続計画等について

〔令和４年12月26日　事務連絡
各都道府県・各市区町村認可外保育施設主管部(局)宛　厚
生労働省子ども家庭局総務課少子化総合対策室〕

令和４年11月30日に、児童福祉施設の設備及び運営に関する基準等の一部を改正する省令（令和４年厚生労働省令第92号。以下「改正省令」という。）が公布され、令和５年４月１日より施行されます。

改正省令では、児童福祉施設等の感染防止対策・指導監査の在り方に関する研究会報告書（令和４年１月31日とりまとめ。以下「研究会報告書」という。）を踏まえ、児童福祉施設、小規模住居型児童養育事業所、家庭的保育事業所等、児童自立生活援助事業所及び放課後児童健全育成事業所（以下「児童福祉施設等」という。）に対して、

・　業務継続計画を策定し、職員に対し周知するとともに、必要な研修及び訓練を定期的に実施すること
・　定期的に業務継続計画の見直しを行うこと
・　感染症及び食中毒の予防及びまん延防止のための研修・訓練を実施すること

を努力義務として定めております。

認可外保育施設についても、業務継続計画の策定に努めていただくよう、指導監督基準の考え方において改正省令の内容を追記する予定であり、令和５年１月末を目途に指導監督基準を改正し（参考参照）、令和５年４月１日より施行する予定です。

業務継続計画の策定にあたっては、令和３年度子ども・子育て支援推進調査研究事業において、

・　業務継続計画を策定するにあたって配慮すべき事項をまとめた業務継続ガイドライン
・　業務継続ガイドライン等を活用し、業務継続計画の作成や見直しに資する研修動画
・　感染症対策マニュアル及び研修動画

が作成されており、国においても当該ガイドラインを用いて児童福祉施設等において業務継続計画を策定するためのひな形を作成しているため、認可外保育施設においてもご参照いただくとともに、「保育所における感染症対策ガイドライン（2018年改訂版）」（2022（令和４）年10月一部改訂）も併せてご参照ください。

各都道府県、指定都市、中核市、児童相談所設置市認可外保育施設主管部局におかれては、貴管内の認可外保育施設に対し、本事務連絡の内容について周知していただくようお願いします。

＜送付物＞

1　業務継続ガイドライン　略
2　児童福祉施設等における業務継続計画（ひな形）　略
3　研修動画（児童福祉施設に係るBCPについて）　略
4　感染症対策マニュアル　略
5　研修動画（児童福祉施設に係る感染症対策について）　略

13　運賃割引等

○保育所入所児童等に関する旅客鉄道株式会社の団体旅客運賃の割引について

〔昭和62年４月１日　児発第287号
各都道府県知事宛　厚生省児童家庭局長通知〕

本日、「旅客連絡運輸規則」が、別添のとおり広告されたところであるが、標記割引制度については、従来における取扱いと同様であるので、御了知願いたい。

（別　添）

旅客連絡運輸規則（抄）

（団体乗車券の発売）

第29条　一団となった旅客の全員が、利用施設、発着駅及び経路を同じくし、その全行程を同一の人員で旅行する場合であって、次の各号の一に該当し、かつ、運輸機関が団体として運送の引受をしたものに対しては、旅客運賃を割引した団体乗車券を発売する。

⑴　学生団体

指定学校の学生・生徒・児童若しくは幼児、児童福祉法（昭和22年法律第160号）第39条に規定する保育所の児童又は青年学級振興法（昭和28年法律第211号）第２条に規定する青年学級のうち文部省の指示により都道府県教育委員会が証明したものの学級生15人以上のものとその付添人、当該学校・保育所若しくは青年学級の教職員（嘱託している医師及び看護婦を含む。以下同じ。）又はこれと同行する旅行業者とによって構成された団体で、その学校・保育所又は青年学級の教職員が引率するもの。ただし、付添人は、大人とし、当該団体を構成する旅客が次の一に該当する場合に限るものとし、その人員はその旅客１人につき１人とし、また、旅行業者は、当該団体を構成する人員（旅行業者を含む。）が100人までごとに１人とする。

イ　幼稚園の幼児・保育所の児童又は小学校第３学年以下の児童であるとき。

ロ　障害又は、虚弱のため、運輸機関において付添を必要と認めるとき。

⑵　普通団体

前号以外の旅客によって構成された15人以上の団体で、責任のある代表者が引率するもの。

2　前項に規定するほか、別に定めるところにより旅行目的、旅客の資格その他特別の運送条件を定めた団体旅客に対して特殊取扱を行い、団体乗車券を発売することがある。

3　普通乗車券を購入して乗車船しようとする旅客が、第１項に規定する団体への参加等の事由により、団体旅客としての取扱いを希望する場合は、特別の約束を旅客が承諾したときに限り、普通旅客運賃を収受して、団体乗車券を発売することがある。

（団体旅客運賃）

第63条　第29条の規定によって団体乗車券を発売する場合は、次の各号に定めるところによって普通旅客運賃の割引を行う。

⑴割引率は、次のとおりとする。

イ　学生団体

会社別／種別		旅客会社線			連絡会社線
		鉄道	航路	自動車	
学生 生徒 児童 幼児 青年学級生	大人	５割引	５割引	２割引	別に定める割引率による割引
	小児	３割引	３割引	２割引	
教職員 付添人 旅行業者		３割引	３割引	２割引	

ロ　普通団体

会社別／取扱期別	旅客会社線			連絡会社線
	鉄道	航路	自動車	
第１期	１割引	１割引	１割引	別に定める割引率による割引
第２期	１割５分引	１割５分引	１割引	

○保育所登所に係るバス等の有償運送の取扱について

〔平成９年６月27日　児保第14号
各都道府県・各指定都市・各中核市民生主管部(局)長宛
厚生省児童家庭局保育課長通知〕

標記について、運輸省における保育所登所に係るバス等の有償運送の取扱について、別添のとおり変更があったので、既に登所バスの運行を行っているか又は、今後登所バスの運行を予定している市町村及び保育所において、陸運支局長に対し所定の手続きを行うよう管下の市町村及び保育所に対して周知するとともに遺漏なくご指導されたい。

別　添

通学通園に係る自家用自動車の有償運送の取扱について

〔平成９年６月17日　自旅第101号
各地方運輸局自動車（第一）部長・沖縄総合事務局運輸部長宛　運輸省自動車交通局旅客課長通知〕

幼稚園、保育所、小学校、中学校、盲学校、聾学校又は養護学校（以下「幼稚園等」という。）に通う幼児、児童又は生徒（以下「幼児等」という。）の送迎を、その幼稚園等が自ら保有する自家用自動車を使用して行う場合は、幼児等の保護の必要にかんがみ、下記のとおり、道路運送法第80条第１項の「公共の福祉を確保するためにやむを得ない場合」に該当するものとし、同項の有償運送の許可の対象として取り扱うこととしたので、遺漏なきよう取り計られたい。

記

1　有償運送の許可対象

幼稚園等が自ら保有する自動車で、その幼児等を自ら運送する場合又はその運行管理等を外部の事業者に委託して運送する場合であって、直接運送に係る費用（燃料費及び運行にかかる人件費）相当額程度のものを実費として徴収するとき。

2　許可にあたっての留意事項等について

⑴　申請書の審査については書類審査で行うものとする。

⑵　許可に際しては、次の事項に留意して取り扱うものとする。

①　道路運送法施行規則第50条の規定に基づく申請書の記載について、次の事項を確認すること。

イ　申請人の氏名又は名称及び住所

ロ　申請人が幼稚園等の運営主体であり、当該幼稚園等の幼児等の輸送を自家用自動車で行い、かつ、その利用者の負担が実費程度であること。

ハ　運送しようとする区間（範囲）

②　期限は付さないものとする。

③　次の事項を記載した書類を交付することとする。

イ　申請人の氏名、名称、住所について変更があった場合及び有償運送を行わなくなった場合には、遅滞なくその旨届け出ること。

ロ　運行の安全確保に関する留意事項

（参考）

◉道路運送法（抄）

（有償貸渡し）

第80条　自家用自動車は、国土交通大臣の許可を受けなければ、業として有償で貸し渡してはならない。ただし、その借受人が当該自家用自動車の使用者である場合は、この限りでない。

2　国土交通大臣は、自家用自動車の貸渡しの態様が自動車運送事業の経営に類似していると認める場合を除くほか、前項の許可をしなければならない。

（以下省略）

◉道路運送法施行規則（抄）

（有償運送の許可申請）

第50条　法第78条第３号の規定により、自家用自動車の有償運送の許可を申請しようとする者は、次に掲げる事項を記載した有償運送許可申請書を提出するものとする。

一　氏名又は名称及び住所並びに法人にあっては、その代表者の氏名

二　運送需要者

三　運送しようとする人の数又は物の種類及び数量

四　運送しようとする期日若しくは期間又は区間若しくは区域

五　有償運送を必要とする理由

（以下省略）

Ⅳ

地域子ども・子育て支援

（子ども・子育て支援交付金）

○子ども・子育て支援交付金の交付について（抄）

〔令和５年９月７日　こ成事第481号
各都道府県知事宛　こども家庭庁長官通知〕

注　令和６年５月21日こ成事第425号改正現在

標記の交付金については、別紙「子ども・子育て支援交付金交付要綱」により行うこととし、令和５年４月１日から適用することとしたので通知する。

なお、各都道府県知事におかれては、貴管内市町村（特別区を含む。）に対してこの旨通知されたい。

別　紙

子ども・子育て支援交付金交付要綱

（通則）

第１条　子ども・子育て支援交付金については、予算の範囲内において交付するものとし、補助金等に係る予算の執行の適正化に関する法律（昭和30年法律第179号）及び補助金等に係る予算の執行の適正化に関する法律施行令（昭和30年政令第255号。以下「適正化法施行令」という。）及びこども家庭庁の所掌に属する補助金等交付規則（令和５年内閣府令第41号）の規定によるほか、この要綱の定めるところによる。

（交付の目的）

第２条　この交付金は、子ども・子育て支援法（平成24年法律第65号）第61条の規定に基づき市町村（特別区を含む。以下同じ。）が策定する市町村子ども・子育て支援事業計画（以下「事業計画」という。）に基づく措置のうち、同法第59条に規定する地域子ども・子育て支援事業に要する経費に充てるため交付することにより、子ども・子育て支援の着実な推進を図ることを目的とする。

（交付の対象）

第３条　この交付金の交付の対象（以下「交付対象事業」という。）は、事業計画に基づいて実施される次の事業とする。

⑴　利用者支援事業

「利用者支援事業の実施について」（令和６年３月30日こ成環第131号、こ支虐第122号、５文科初第2594号）の別紙に定める利用者支援事業

⑵　延長保育事業

「延長保育事業の実施について」（令和６年４月１日こ成保第225号）の別紙に定める延長保育事業

⑶　実費徴収に係る補足給付を行う事業

「実費徴収に係る補足給付を行う事業の実施について」（令和６年４月23日こ成保第256号、６文科初第277号）の別紙に定める実費徴収に係る補足給付を行う事業

⑷　多様な事業者の参入促進・能力活用事業

「多様な事業者の参入促進・能力活用事業の実施について」（令和６年４月25日こ成保第261号、６文科初第298号）の別紙に定める多様な事業者の参入促進・能力活用事業

⑸　放課後児童健全育成事業

「「放課後児童健全育成事業」の実施について」（令和５年４月12日こ成環第５号）の別紙に定める放課後児童健全育成事業

⑹　子育て短期支援事業

「子育て短期支援事業の実施について」（令和６年３月30日こ成環第103号）の別紙に定める子育て短期支援事業

⑺　乳児家庭全戸訪問事業

「乳児家庭全戸訪問事業の実施について」（平成26年５月29日雇児発0529第32号）の別紙に定める乳児家庭全戸訪問事業

⑻　養育支援訪問事業

「養育支援訪問事業の実施について」（令和６年３月28日こ支虐第88号）の別紙に定める養育支援訪問事業

⑼　子どもを守る地域ネットワーク機能強化事業

「子どもを守る地域ネットワーク機能強化事業の実施について」（平成26年５月29日雇児発0529第34号）の別紙に定める子どもを守る地域ネットワーク機能強化事業

⑽　子育て世帯訪問支援事業

「子育て世帯訪問支援事業の実施について」（令和６年３月30日こ成環第104号）の別紙に定める子育て世帯訪問支援事業

⑾　児童育成支援拠点事業

「児童育成支援拠点事業の実施について」（令和６年３月30日こ成環第105号）の別紙に定める児童育成支援拠点事業

⑿　親子関係形成支援事業

「親子関係形成支援事業の実施について」(令和６年３月30日こ成環第106号) の別紙に定める親子関係形成支援事業

⒀　地域子育て支援拠点事業

「地域子育て支援拠点事業の実施について」(令和６年３月30日こ成環第113号) の別紙に定める地域子育て支援拠点事業

⒁　一時預かり事業

「一時預かり事業の実施について」(令和６年３月30日５文科初第2592号、こ成保第191号) の別紙に定める一時預かり事業

⒂　病児保育事業

「病児保育事業の実施について」(令和６年３月30日こ成保第180号) の別紙に定める病児保育事業

⒃　子育て援助活動支援事業 (ファミリー・サポート・センター事業)

「子育て援助活動支援事業 (ファミリー・サポート・センター事業) の実施について」(令和６年３月30日こ成環第120号) の別紙に定める子育て援助活動支援事業 (ファミリー・サポート・センター事業)

(交付額の算定方法)

第４条　この交付金の交付額は、別紙の第２欄に定める区分ごとに、次により算出された額の合計額とする。ただし、算出された区分ごとの合計額に1000円未満の端数が生じた場合には、これを切り捨てるものとする。

⑴　第２欄の各区分ごとに、第３欄に定める基準額と第４欄に定める対象経費の実支出額を比較して少ない方の額と、総事業費から寄付金その他の収入額を控除した額とを比較して少ない方の額を選定する。

⑵　第２欄の各区分ごとに、⑴により選定された額に第５欄に定める国の負担割合を乗じて得た額の合計額を交付額とする。

(交付の条件)

第５条　この交付金の交付の決定には次の条件が付されるものとする。

⑴　交付対象事業に要する経費については、別紙様式２の別表１及び別紙様式４における「特定分」、「一般分」、「その他分」及び「特例措置分」の区分を超えて配分の変更を行うことはできない。

⑵　事業の内容の変更 (軽微な変更を除く。) をする場合には、地方厚生局長 (徳島県、香川県、愛媛県及び高知県にあっては四国厚生支局長、以下「地方厚生 (支) 局長」という。) の承認を受けなければならない。

⑶　事業を中止し、又は廃止する場合には、地方厚生 (支) 局長の承認を受けなければならない。

⑷　事業が予定の期間内に完了しない場合、又は事業の遂行が困難になった場合には、速やかに地方厚生 (支) 局長に報告してその指示を受けなければならない。

⑸　事業により取得し、又は効用の増加した価格が単価50万円以上の機械、器具及びその他の財産については、適正化法施行令第14条第１項第２号の規定により、こども家庭庁長官が別に定める期間を経過するまで、地方厚生 (支) 局長の承認を受けないで、この交付金の目的に反して使用し、譲渡し、交換し、貸し付け、担保に供し、又は廃棄してはならない。

⑹　地方厚生 (支) 局長の承認を受けて財産を処分することにより収入があった場合には、その収入の全部又は一部を国庫に返納させることがある。

⑺　事業により取得し、又は効用の増加した財産については、事業の完了後においても善良な管理者の注意をもって管理するとともに、その効率的な運営を図らなければならない。

⑻　事業完了後に、消費税及び地方消費税の申告により補助金に係る消費税及び地方消費税仕入控除税額が確定した場合は、別紙様式８により速やかに地方厚生 (支) 局長に報告しなければならない。なお、交付対象事業者が全国的に事業を展開する組織の１支部 (又は１支社、１支所等) であって、自ら消費税及び地方消費税の申告を行わず、本部 (又は本社、本所等) で消費税及び地方消費税の申告を行っている場合は、本部の課税売上割合等の申告内容に基づき報告を行うこと。また、地方厚生 (支) 局長は報告があった場合には、当該仕入控除税額の全部又は一部を国庫に納付させることがある。

⑼　この交付金と事業に係る予算及び決算との関係を明らかにした別紙様式１による調書を作成するとともに、事業に係る歳入及び歳出について証拠書類を整理し、かつこれらを交付金の額の確定の日 (事業の中止又は廃止の承認を受けた場合にはその承認を受けた日) の属する年度の終了後５年間保管しなければならない。

ただし、事業により取得し、又は効用の増加した価格が単価50万円以上の財産がある場合は、前記の期間を経過後、当該財産の財産処分が完了する日、又は適化法施行令第14条第１項第２号の規定によりこども家庭庁長官が別に定める期間を経

過する日のいずれか遅い日まで保管しておかなければならない。

⑽　市町村は、市町村以外の者が行う交付対象事業に対して、この交付金をその財源の一部とする補助金等を交付する場合には、間接補助事業者に対して⑴から⑼までに掲げる条件を付さなければならない。

この場合において、⑵、⑶、⑷、⑸、⑹及び⑻中「地方厚生（支）局長」とあるのは「市町村長」と、⑹及び⑻中「国庫」とあるのは「市町村」と、⑸及び⑼中「交付金」とあるのは「補助金等」と読み替えるものとする。

（申請手続）

第６条　この交付金の交付の申請は、次により行うものとする。

⑴　市町村長は、別紙様式２による申請書を都道府県知事が別に定める日までに都道府県知事に提出するものとする。

⑵　都道府県知事は、市町村から⑴の申請書の提出があった場合には、必要な審査を行い、適正と認めたときはこれを取りまとめの上、別紙様式３と併せて別に定める日までに地方厚生（支）局長に提出するものとする。

（変更交付申請）

第７条　この交付金の交付決定後の事情の変更により、申請の内容を変更して追加交付申請等を行う場合には、前条に定める申請手続に従い、別に定める日までに行うものとする。

（交付決定）

第８条　地方厚生（支）局長は、交付申請書又は変更交付申請書が到達した日から起算して原則として２か月以内に交付の決定又は決定の変更を行うものとする。

２　都道府県知事は地方厚生（支）局長の交付決定又は決定の変更があったときは、市町村に対し別紙様式４により、速やかに決定内容及びこれに付された条件を通知すること。

３　市町村は、交付決定の内容又はこれに付された条件に対して不服があることにより、交付の申請を取り下げようとするときは、交付決定の通知を受けた日から15日以内にその旨を記載した書面を地方厚生（支）局長に提出しなければならない。

（交付金の概算払）

第９条　こども家庭庁長官は、必要があると認める場合においては、国の支払計画承認額の範囲内において概算払をすることができる。

（実績報告）

第10条　この交付金の事業実績の報告は、次により行うものとする。

⑴　市町村長は、毎年４月10日（第５条の⑶により事業の中止又は廃止の承認を受けた場合には、当該承認通知を受理した日から１か月を経過した日）までに別紙様式５による報告書を都道府県知事に提出するものとする。

⑵　都道府県知事は、市町村から⑴の報告書の提出があった場合には、必要な審査を行い、適正と認めたときはこれを取りまとめの上、別紙様式６と併せて毎年４月末日までに地方厚生（支）局長に提出するものとする。

（額の確定）

第11条　都道府県知事は地方厚生（支）局長の確定通知があったときは、市町村に対し別紙様式７により、速やかに確定の通知を行うこと。

（交付金の返還）

第12条　地方厚生（支）局長は、交付すべき交付金の額を確定した場合において、既にその額を超える交付金が交付されているときは、期限を定めて、その超える部分について国庫に返還することを命ずる。

（その他）

第13条　特別の事情により、第４条、第６条、第７条及び第10条に定める算定方法又は手続によることができない場合には、あらかじめ地方厚生（支）局長の承認を受けてその定めるところによるものとする。

別紙

1 事　業	2 区　分	3　基準額	4 対象経費	5 負担割合
利用者支援事業	利用者支援事業	1　運営費 (1)　基本型 ア　基本分 ①　基本Ⅰ型（開所日数が週５日以上の場合） １か所当たり年額　7,730,000円 ②　基本Ⅱ型（開所日数が週５日に満たない場合） １か所当たり年額　2,433,000円 ③　基本Ⅲ型（保育所や地域子育て支援拠点などの既存施設・事業において配置されている職員のみで「こども家庭センター連携等加算」の要件を満たす場合） １か所当たり年額　300,000円 イ　加算分 ①　夜間加算　１か所当たり年額　1,500,000円 ②　休日加算　１か所当たり年額　807,000円 ③　出張相談支援加算　１か所当たり年額　1,105,000円 ④　機能強化のための取組加算 １か所当たり年額　1,999,000円 ⑤　多言語対応加算　１か所当たり年額　805,000円 ⑥　特別支援対応加算　１か所当たり年額　800,000円 ⑦　多機能型加算　１か所当たり年額　3,315,000円 ⑧　こども家庭センター連携等加算 １か所当たり年額　300,000円 ※加算対象は、基本Ⅰ型及び基本Ⅱ型を実施する事業所に限る。 (2)　特定型 ア　基本分　１か所当たり年額　3,232,000円 イ　加算分 ①　夜間加算　１か所当たり年額　1,500,000円 ②　休日加算　１か所当たり年額　807,000円 ③　出張相談支援加算　１か所当たり年額　1,105,000円 ④　機能強化のための取組加算 １か所当たり年額　1,999,000円 ⑤　多言語対応加算　１か所当たり年額　805,000円 ⑥　特別支援対応加算　１か所当たり年額　800,000円 (3)　こども家庭センター型 別に定めるこども家庭センターの要件を満たしている施設を設置している場合、次のアからカの合計額 ア　統括支援員の配置　１か所当たり　6,324,000円 ※　「１か所当たり」とは、こども家庭センター１か所当たりとする。 ※　人件費が地方財政措置や、他の交付金や補助金等から交付されている場合については対象としない。 イ　母子保健機能（従来の子育て世代包括支援センター） ①　基本分 (i)　保健師等専門職員及び困難事例等を対応する職員を専任により配置する場合　１か所当たり　14,331,000円 (ii)　保健師等専門職員及び困難事例等を対応する職員を兼任により配置する場合　１か所当たり　6,994,000円 (iii)　保健師等専門職員を専任、困難事例等を対応する職員を兼任により配置する場合　１か所当たり　11,834,000円	利用者支援事業の実施に必要な経費	国 2／3 （都道府県 1／6） （市町村 1／6）

(iv) 保健師等専門職員を兼任、困難事例等を対応する職員を専任により配置する場合　1か所当たり　9,491,000円
(v) 保健師等専門職員のみを専任により配置する場合
1か所当たり　9,337,000円
(vi) 保健師等専門職員のみを兼任により配置する場合
1か所当たり　4,497,000円
※　平成27年度において、1か所に複数の専任職員を配置して事業を実施し、かつ、引き続き同様の事業形態を維持している市町村は、(i)から(vi)の基準額によらず、以下の基準額を適用することができるものとする。
・保健師等専門職員を2名配置する場合
1市町村当たり　14,988,000円
・保健師等専門職員を3名以上配置する場合
1市町村当たり　21,382,000円
※　従来より市町村保健センター等で勤務している保健師等が従事する場合など、人件費が地方財政措置や、他の交付金や補助金等から交付されている場合については対象としない。
②　加算分
(i) 多言語対応加算　1か所当たり年額　805,000円
(ii) 特別支援対応加算　1か所当たり年額　774,000円
※　イの「1か所当たり」とは、こども家庭センターのうち「母子保健機能」に関する業務内容及び人員配置等の基準を満たす施設・場所1か所当たりとする。
ウ　児童福祉機能（従来の子ども家庭総合支援拠点）
①　基本分（直営で行う場合。人件費については、会計年度職員及び臨時的任用職員に限る。）
(i) 基礎単価
小規模Ａ型　3,771,000円
小規模Ｂ型　9,700,000円
小規模Ｃ型　16,133,000円
中規模型　21,588,000円
大規模型　40,091,000円
(ii) 最低配置人員を満たすための虐待対応専門員の上乗せ配置単価　2,715,000円×配置人数
(iii) 最低配置人員を満たした上での虐待対応専門員の上乗せ配置単価　2,715,000円×配置人数（上限5人）
②　基本分（委託して行う場合）
(i) 基礎単価
小規模Ａ型　9,205,000円
小規模Ｂ型　15,134,000円
小規模Ｃ型　21,567,000円
中規模型　32,455,000円
大規模型　61,825,000円
(ii) 最低配置人員を満たすための虐待対応専門員の上乗せ配置単価
常勤職員を配置した場合　5,646,000円×配置人数
非常勤職員を配置した場合　2,715,000円×配置人数
(iii) 最低配置人員を満たした上での虐待対応専門員の上乗せ配置単価（上限5人）
常勤職員を配置した場合　5,646,000円×配置人数

非常勤職員を配置した場合　2,715,000円×配置人数
③　夜間・土日開所加算
①又は②による基準額×（(1週間当たりの開所時間数－40）÷40)
④　開設準備経費（児童福祉機能のみを開設する場合に限る。2　開設準備経費とは併用不可。）
1か所当たり　7,678,000円
⑤　弁護士・医師等配置加算
1か所当たり　360,000円
⑥　地域活動等推進加算
(i)　研修・広報啓発費用　1か所当たり　872,000円
(ii)　見守り活動等推進費用　1か所当たり　13,000,000円
(iii)　通訳業務費用　1か所当たり　1,560,000円
※　ウの「1か所当たり」とは、こども家庭センターのうち「児童福祉機能」に関する業務内容及び人員配置等の基準を満たす施設・場所1か所当たりとする。
エ　サポートプラン作成にかかる支援員の追加配置
①　直営の場合（会計年度職員及び臨時的任用職員に限る。）
1人当たり　2,715,000円
②　委託の場合　1人当たり　5,646,000円
※　配置人数については、サポートプラン40件作成につき1人とする。なお作成件数には、サポートプランを作成し手交できない場合も含むものとする。
※　1か所当たりの支援員の配置人数の上限は、人口規模に応じ以下のとおりとする。なお、人口については直近の人口を用いるものとする。

人口10万人未満	1人
人口10万人以上かつ30万人未満	2人
人口30万人以上	3人

※　エの「1か所当たり」とは、こども家庭センター1か所当たりとする。
オ　地域資源開拓コーディネーターの配置
①　直営の場合（会計年度職員及び臨時的任用職員に限る。）
1か所当たり　2,715,000円
②　委託の場合　1か所当たり　5,646,000円
※　1か所当たり1人を上限とする。
※　オの「1か所当たり」とは、こども家庭センター1か所当たりとする。
カ　制度施行円滑導入経費　1市町村当たり　3,330,000円
（令和8年度までの経過措置）
別に定めるこども家庭センターの要件を満たしていない施設であって、こども家庭センターの「母子保健機能」に関する業務内容及び人員配置等の基準を満たす施設・場所を設置している場合にはイに掲げる基準額を、こども家庭センターの「児童福祉機能」に関する業務内容及び人員配置等の基準を満たす施設・場所を設置している場合にはウに掲げる基準額を、令和8年度まで適用する。
2　開設準備経費（改修費等）
(1)　基本型及び特定型（基本Ⅲ型を除く）
1か所当たり　4,000,000円
(2)　こども家庭センター型　1か所当たり　7,678,000円

<table>
<tr><td></td><td></td><td>※　⑴⑵とも当該年度に支払われたものに限る。
※　⑵において、「１か所当たり」とは、こども家庭センター１か所当たりとする。</td><td></td><td></td></tr>
<tr><td>延長保育事業</td><td>延長保育事業</td><td>
１　一般型
⑴　保育短時間認定（在籍児童１人当たり年額）
ア　保育所及び認定こども園並びに事業所内保育事業（定員20人以上）
<table>
<tr><td>延長時間区分</td><td></td></tr>
<tr><td>１時間</td><td>20,200円</td></tr>
<tr><td>２時間</td><td>40,400円</td></tr>
<tr><td>３時間</td><td>60,600円</td></tr>
</table>
イ　小規模保育事業
<table>
<tr><td>延長時間区分</td><td>Ａ型・Ｂ型</td><td>Ｃ型</td></tr>
<tr><td>１時間</td><td>14,000円</td><td>17,700円</td></tr>
<tr><td>２時間</td><td>28,000円</td><td>35,400円</td></tr>
<tr><td>３時間</td><td>42,000円</td><td>53,100円</td></tr>
</table>
ウ　事業所内保育事業（定員19人以下）
<table>
<tr><td>延長時間区分</td><td></td></tr>
<tr><td>１時間</td><td>12,900円</td></tr>
<tr><td>２時間</td><td>25,800円</td></tr>
<tr><td>３時間</td><td>38,700円</td></tr>
</table>
エ　家庭的保育事業
<table>
<tr><td>延長時間区分</td><td></td></tr>
<tr><td>１時間</td><td>88,600円</td></tr>
<tr><td>２時間</td><td>177,200円</td></tr>
<tr><td>３時間</td><td>265,800円</td></tr>
</table>
⑵　保育標準時間認定（１事業当たり年額）
ア　保育所及び認定こども園
<table>
<tr><td>延長時間区分</td><td></td></tr>
<tr><td>30分</td><td>600,000円</td></tr>
<tr><td>１時間</td><td>1,760,000円</td></tr>
<tr><td>２～３時間</td><td>2,761,000円</td></tr>
<tr><td>４～５時間</td><td>5,673,000円</td></tr>
<tr><td>６時間以上</td><td>6,704,000円</td></tr>
</table>
イ　小規模保育事業
<table>
<tr><td></td><td>延長時間区分</td><td>Ａ型</td><td>Ｂ型</td><td>Ｃ型</td></tr>
<tr><td></td><td>30分</td><td>600,000円</td><td>600,000円</td><td>600,000円</td></tr>
<tr><td></td><td>１時間</td><td>1,422,000円</td><td>1,422,000円</td><td>1,422,000円</td></tr>
</table>
</td><td>延長保育事業の実施に必要な経費</td><td>国
１／３
（都道府県
１／３）
（市町村
１／３）</td></tr>
</table>

自園調理等	２～３時間	1,760,000円	1,760,000円	1,760,000円
	４～５時間	4,366,000円	4,366,000円	4,346,000円
	６時間以上	5,092,000円	5,092,000円	5,071,000円
その他	30分	600,000円	600,000円	600,000円
	１時間	1,375,000円	1,375,000円	1,375,000円
	２～３時間	1,605,000円	1,605,000円	1,605,000円
	４～５時間	3,524,000円	3,524,000円	3,503,000円
	６時間以上	3,944,000円	3,944,000円	3,923,000円

※　「自園調理等」は、食事について、事業所内で調理する方法により提供する事業所及び連携施設又は給食搬入施設から食事を調理・搬入して提供する事業所に適用（ウ及びエにおいて同じ）

ウ　事業所内保育事業

	延長時間区分	定員20人以上	定員19人以下	
			Ａ型	Ｂ型
自園調理等	30分	552,000円	552,000円	552,000円
	１時間	1,619,000円	1,308,000円	1,308,000円
	２～３時間	2,540,000円	1,619,000円	1,619,000円
	４～５時間	5,220,000円	4,017,000円	4,017,000円
	６時間以上	6,168,000円	4,685,000円	4,685,000円
その他	30分	552,000円	552,000円	552,000円
	１時間	1,406,000円	1,265,000円	1,265,000円
	２～３時間	1,828,000円	1,477,000円	1,477,000円
	４～５時間	3,875,000円	3,242,000円	3,242,000円
	６時間以上	4,542,000円	3,628,000円	3,628,000円

エ　家庭的保育事業

	延長時間区分	利用定員４人以上	利用定員３人以下
自園調理等	30分	314,000円	161,000円
	１時間	627,000円	321,000円
	２～３時間	1,122,000円	587,000円
	４～５時間	2,792,000円	1,894,000円

	６時間以上	4,433,000円	3,174,000円
その他	30分	306,000円	153,000円
	１時間	611,000円	306,000円
	２～３時間	1,070,000円	535,000円
	４～５時間	2,052,000円	1,155,000円
	６時間以上	3,389,000円	2,128,000円

オ　夜間保育所において夜10時以降に行う場合

延長時間区分	
30分	600,000円
１時間	1,988,000円
２～３時間	2,989,000円
４～５時間	5,787,000円
６時間以上	6,704,000円

2　訪問型

(1)　保育短時間認定（児童１人当たり年額）

ア　居宅訪問型

延長時間区分	
１時間	265,900円
２時間	531,800円
３時間	797,700円

イ　その他（保育所等の施設で利用児童が１名となった場合）

延長時間区分	
１時間	265,900円
２時間	458,000円
３時間	458,000円

(2)　保育標準時間認定（１事業当たり年額）

ア　居宅訪問型

延長時間区分	
30分	153,000円
１時間	306,000円
２～３時間	535,000円
４～５時間	898,000円
６時間以上	1,261,000円

イ　その他（保育所等の施設で利用児童が１名となった場合）

延長時間区分	
30分	153,000円
１時間	306,000円
２時間以上	458,000円

		※　1及び2ともに事業期間が6か月未満の施設にあっては、該当する1人（1事業）当たり年額に2分の1を乗じて得た額を基準額とする。		
実費徴収に係る補足給付を行う事業	実費徴収に係る補足給付を行う事業	1　教材費・行事費等（給食費以外） 生活保護世帯等に属する児童　1人当たり月額　2,700円 2　給食費（副食材料費） 低所得世帯・多子世帯等に属する児童　1人当たり月額　4,800円	実費徴収に係る補足給付を行う事業の実施に必要な経費	
多様な事業者の参入促進・能力活用事業	多様な事業者の参入促進・能力活用事業	1　新規参入施設等への巡回支援 1施設当たり年額　400,000円 2　認定こども園特別支援教育・保育経費 対象障害児1人当たり月額　65,300円 3　地域における小学校就学前の子どもを対象とした多様な集団活動事業の利用支援 対象幼児1人当たり月額　20,000円 ※　ただし、本事業の対象施設等として決定した日の属する年度の前年度以前過去3か年の平均月額利用料（10円未満の端数がある場合は切り捨て。）が20,000円を下回る対象施設等を利用する幼児は、当該平均月額利用料	多様な事業者の参入促進・能力活用事業の実施に必要な経費	
地域子育て支援拠点事業	地域子育て支援拠点事業	1　運営費（1か所当たり年額） ⑴　一般型 ア　基本分 ㋐　3～4日型 ・職員を合計3名以上配置する場合　6,096,000円 ・職員を合計2名配置する場合　4,496,000円 ㋑　5日型 ・常勤職員を配置する場合　8,714,000円 ・非常勤職員のみを配置する場合　5,521,000円 ㋒　6日型 ・常勤職員を配置する場合　9,739,000円 ・非常勤職員のみを配置する場合　6,946,000円 ㋓　7日型 ・常勤職員を配置する場合　10,772,000円 ・非常勤職員のみを配置する場合　7,978,000円 ※　㋑～㋓について、「平成24年度子育て支援交付金の交付対象事業等について」1⑸③センター型（経過措置（小規模型指定施設）の場合を除く）として実施し、引き続き同様の事業形態を維持している場合は、「『常勤職員』を配置した場合」の補助基準額を適用することができるものとする。 イ　加算分 ㋐　子育て支援活動の展開を図る取組 3～4日型　1,653,000円 5日型　3,247,000円 6・7日型　2,847,000円 ㋑　地域支援　1,592,000円 ㋒　特別支援対応加算　1,111,000円 ㋓　研修代替職員配置加算　1人当たり年額　23,000円	地域子育て支援拠点事業の実施に必要な経費	

<table>
<tr>
<td></td>
<td></td>
<td>(オ)　育児参加促進講習休日実施加算　425,000円
(2)　出張ひろば　1,646,000円
(3)　小規模型指定施設
ア　基本分　3,187,000円
イ　加算分　1,594,000円
(4)　連携型
ア　基本分
3～4日型　2,075,000円
5～7日型　3,257,000円
イ　加算分
(ア)　地域の子育て力を高める取組　498,000円
(イ)　特別支援対応加算　1,111,000円
(ウ)　研修代替職員配置加算　1人当たり年額　23,000円
(エ)　育児参加促進講習休日実施加算　425,000円
※　事業実施月数（1月に満たない端数を生じたときは、これを1月とする。）が12月に満たない場合には、各基準額（加算分も含む）ごとに算定された金額に「事業実施月数÷12」を乗じた額（1円未満切り捨て）とする。月によって開所日数等が変動し、基準額が複数となる場合は、各基準額に「事業実施月数÷12」を乗じること。
2　開設準備経費（1か所当たり年額）
(1)　改修費等　1か所当たり　4,000,000円
(2)　礼金及び賃借料（開設前月分）　1か所当たり　600,000円
※　(1)(2)とも当該年度に支払われたものに限る。</td>
<td></td>
<td></td>
</tr>
<tr>
<td>一時預かり事業</td>
<td>一時預かり事業（一般分）</td>
<td>1　運営費
(1)　一般型
ア　一般型対象児童（イ～エを除く）（1か所当たり年額）
(ア)　基本分
①　保育従事者がすべて保育士又は1日当たり平均利用児童数概ね3人以下の施設において保育士とみなされた家庭的保育者と同等の研修を修了した者の場合。
<table>
<tr><th>年間延べ利用児童数</th><th>基準額</th></tr>
<tr><td>300人未満</td><td>2,833,000円</td></tr>
<tr><td>300人以上900人未満</td><td>3,105,000円</td></tr>
<tr><td>900人以上1,500人未満</td><td>3,321,000円</td></tr>
<tr><td>1,500人以上2,100人未満</td><td>4,797,000円</td></tr>
<tr><td>2,100人以上2,700人未満</td><td>6,273,000円</td></tr>
<tr><td>2,700人以上3,300人未満</td><td>7,749,000円</td></tr>
<tr><td>3,300人以上3,900人未満</td><td>9,225,000円</td></tr>
<tr><td>3,900人以上4,500人未満</td><td>10,701,000円</td></tr>
<tr><td>4,500人以上5,100人未満</td><td>12,177,000円</td></tr>
<tr><td>5,100人以上5,700人未満</td><td>13,653,000円</td></tr>
<tr><td>5,700人以上6,300人未満</td><td>15,129,000円</td></tr>
<tr><td>6,300人以上6,900人未満</td><td>16,605,000円</td></tr>
<tr><td>6,900人以上7,500人未満</td><td>18,081,000円</td></tr>
</table></td>
<td>一時預かり事業の実施に必要な費用</td>
<td></td>
</tr>
</table>

7,500人以上8,100人未満	19,557,000円
8,100人以上8,700人未満	21,033,000円
8,700人以上9,300人未満	22,509,000円
9,300人以上9,900人未満	23,985,000円
9,900人以上10,500人未満	25,461,000円
10,500人以上11,100人未満	26,937,000円
11,100人以上11,700人未満	28,413,000円
11,700人以上12,300人未満	29,889,000円
12,300人以上12,900人未満	31,365,000円
12,900人以上13,500人未満	32,841,000円
13,500人以上14,100人未満	34,317,000円
14,100人以上14,700人未満	35,793,000円
14,700人以上15,300人未満	37,269,000円
15,300人以上15,900人未満	38,745,000円
15,900人以上16,500人未満	40,221,000円
16,500人以上17,100人未満	41,697,000円
17,100人以上17,700人未満	43,173,000円
17,700人以上18,300人未満	44,649,000円
18,300人以上18,900人未満	46,125,000円
18,900人以上19,500人未満	47,601,000円
19,500人以上20,100人未満	49,077,000円

※20,100人以上の場合は別途協議

②　①以外（地域密着Ⅱ型を含む）の場合

年間延べ利用児童数	基準額
300人未満	2,833,000円
300人以上900人未満	2,979,000円
900人以上1,500人未満	3,200,000円
1,500人以上2,100人未満	4,622,000円
2,100人以上2,700人未満	6,044,000円
2,700人以上3,300人未満	7,466,000円
3,300人以上3,900人未満	8,888,000円
3,900人以上4,500人未満	10,310,000円
4,500人以上5,100人未満	11,732,000円
5,100人以上5,700人未満	13,154,000円
5,700人以上6,300人未満	14,576,000円
6,300人以上6,900人未満	15,998,000円
6,900人以上7,500人未満	17,420,000円
7,500人以上8,100人未満	18,842,000円

8,100人以上8,700人未満	20,264,000円
8,700人以上9,300人未満	21,686,000円
9,300人以上9,900人未満	23,108,000円
9,900人以上10,500人未満	24,530,000円
10,500人以上11,100人未満	25,952,000円
11,100人以上11,700人未満	27,374,000円
11,700人以上12,300人未満	28,796,000円
12,300人以上12,900人未満	30,218,000円
12,900人以上13,500人未満	31,640,000円
13,500人以上14,100人未満	33,062,000円
14,100人以上14,700人未満	34,484,000円
14,700人以上15,300人未満	35,906,000円
15,300人以上15,900人未満	37,328,000円
15,900人以上16,500人未満	38,750,000円
16,500人以上17,100人未満	40,172,000円
17,100人以上17,700人未満	41,594,000円
17,700人以上18,300人未満	43,016,000円
18,300人以上18,900人未満	44,438,000円
18,900人以上19,500人未満	45,860,000円
19,500人以上20,100人未満	47,282,000円

※20,100人以上の場合は別途協議

(イ) 基幹型施設加算 1,150,000円

イ 特別利用保育等対象児童（児童１人当たり日額）（子ども・子育て支援法第28条第１項第２号に規定する特別利用保育の提供を受ける児童及び第30条第１項第２号に規定する特別利用地域型保育の提供を受ける児童。）

(ア) 平日分 400円

(イ) 長期休業日（８時間未満） 400円

(ウ) 長期休業日（８時間以上） 800円

(エ) 休日分（土曜日、日曜日及び国民の休日等の利用） 800円

(オ) 長時間加算（(ア)(イ)については４時間（又は特別利用保育等として提供される時間との合計が８時間）、(ウ)(エ)については８時間を超えた利用）

・超えた利用時間が２時間未満 100円

・超えた利用時間が２時間以上３時間未満 200円

・超えた利用時間が３時間以上 300円

ウ 緊急一時預かり対象児童（児童１人当たり日額） 4,400円

エ 特別支援児童（障害児・多胎児）加算（児童１人当たり日額） 3,600円

オ 利用者負担軽減（児童１人当たり日額）

・生活保護法による被保護者世帯 3,000円

・市町村民税非課税世帯 2,400円

・市町村民税所得割合算額が７万7101円未満世帯 2,100円

・その他要支援児童のいる世帯 1,500円

※　オは緊急一時預かりを除く。

⑵　幼稚園型Ⅰ

ア　在籍園児分（ウを除く）（児童１人当たり日額）

㈠　基本分（平日の教育時間前後や長期休業日の利用）

Ⅰ　年間延べ利用児童数2000人超の施設

①　平日　400円

②　長期休業日（８時間未満）　400円

③　長期休業日（８時間以上）　800円

Ⅱ　年間延べ利用児童数2000人以下の施設

①　平日

(1,600,000円÷年間延べ利用児童数）－400円

（10円未満切り捨て）

②　長期休業日（８時間未満）　400円

③　長期休業日（８時間以上）　800円

㈡　休日分（土曜日、日曜日及び国民の休日等の利用）　800円

㈢　長時間加算

Ⅰ　㈠Ⅰ①及び㈠Ⅱ①については４時間（又は教育時間との合計が８時間）、㈠Ⅰ③、㈠Ⅱ③及び㈡については８時間を超えた利用の場合

・超えた利用時間が２時間未満　150円

・超えた利用時間が２時間以上３時間未満　300円

・超えた利用時間が３時間以上　450円

Ⅱ　㈠Ⅰ②及び㈠Ⅱ②については４時間を超えた利用の場合

・超えた利用時間が２時間未満　100円

・超えた利用時間が２時間以上３時間未満　200円

・超えた利用時間が３時間以上　300円

㈣　保育体制充実加算

Ⅰ　次の①又は②の要件を満たした上で、③及び④の要件を満たす施設　１か所当たり年額　2,892,400円

Ⅱ　次の①又は②の要件を満たした上で、③及び⑤の要件を満たす施設　１か所当たり年額　1,446,200円

①　平日及び長期休業中の双方において、原則11時間以上（平日については教育時間を含む）の預かりを実施していること。

②　平日及び長期休業中の双方において、原則９時間以上（平日については教育時間を含む）の預かりを実施するとともに、休日において40日以上の預かりを実施していること。

③　年間延べ利用児童数が2000人超の施設であること。

④　児童福祉法施行規則（昭和23年厚生省令第11号）第36条の35第２号ロ（附則第56条第１項において読替え）及びハに基づき配置する者（以下「教育・保育従事者」）をすべて保育士又は幼稚園教諭普通免許状保有者とすること。また、当該教育・保育従事者の数は２名を下ることがないこと。

⑤　教育・保育従事者の概ね２分の１以上を保育士又は幼稚園教諭普通免許状保有者とすること。また、当該教育・保育従事者の数は２名を下ることがないこと。

㈤　就労支援型施設加算（事務経費）

１か所当たり年額　1,383,200円

※1　※2③の配置月数（1月に満たない端数を生じたときは、これを1月とする。）が6月に満たない場合には、1か所当たり年額を691,600円とする。

※2　次の要件を満たす施設に適用する。

①　平日及び長期休業中の双方において、8時間以上（平日については教育時間を含む）の預かりを実施していること

②　次のいずれかの要件を満たしていること

a　特定教育・保育施設及び特定地域型保育事業の運営に関する基準（平成26年内閣府令第39号）第42条に規定されている連携施設となっていること

b　3以上の市町村から園児を受け入れていること

c　一時預かり事業（幼稚園型Ⅱ）を実施していること

③　本事業の事務を担当する職員を追加で配置すること

イ　在籍園児以外の児童分（ウ及び(3)を除く）（児童1人当たり日額）

(ア)　基本分　800円

(イ)　長時間加算（8時間を超えた利用）

・超えた利用時間が2時間未満　150円
・超えた利用時間が2時間以上3時間未満　300円
・超えた利用時間が3時間以上　450円

ウ　特別な支援を要する児童分（児童1人当たり日額）　4,000円

※　以下のいずれかの要件を満たすと市町村が認める児童に適用する。

(ア)　教育時間内において特別な支援を要するとして、既に多様な事業者の参入促進・能力活用事業（認定こども園特別支援教育・保育経費）や都道府県等による補助事業等の対象となっている児童

(イ)　特別児童扶養手当証書を所持する児童、身体障害者手帳、療育手帳又は精神障害者福祉手帳を所持する児童、医師、巡回支援専門員等障害に関する専門的知見を有する者による意見等により障害を有すると認められる児童その他の健康面・発達面において特別な支援を要すると市町村が認める児童

※　幼稚園型Ⅰに係る公費支援の総額（1施設当たり年額）は、10,223,000円を上限額とする（なお、待機児童又は特別な支援を要する児童の受け入れ促進に資する措置（ア(ア)Ⅰ③、ア(ア)Ⅱ③、ア(ウ)、ア(エ)、ア(オ)、イ(イ)及びウに係る基準額）を適用したことにより、10,223,000円を超えた場合は、この限りでない）。

(3)　幼稚園型Ⅱ（児童1人当たり日額）

ア　2歳児

Ⅰ　一時預かり事業（幼稚園型Ⅱ）を利用する年間延べ利用児童数が1500人以上の施設

(ア)　基本分　2,650円

(イ)　長時間加算（8時間を超えた利用）

・超えた利用時間が2時間未満　330円
・超えた利用時間が2時間以上3時間未満　660円
・超えた利用時間が3時間以上　990円

Ⅱ　一時預かり事業（幼稚園型Ⅱ）を利用する年間延べ利用児童数が1500人未満の施設

(ア)　基本分　2,250円

(イ)　長時間加算（８時間を超えた利用）
・超えた利用時間が２時間未満　280円
・超えた利用時間が２時間以上３時間未満　560円
・超えた利用時間が３時間以上　840円

イ　１歳児
(ア)　基本分　2,250円
(イ)　長時間加算（８時間を超えた利用）
・超えた利用時間が２時間未満　280円
・超えた利用時間が２時間以上３時間未満　560円
・超えた利用時間が３時間以上　840円

ウ　０歳児
(ア)　基本分　4,500円
(イ)　長時間加算（８時間を超えた利用）
・超えた利用時間が２時間未満　560円
・超えた利用時間が２時間以上３時間未満　1,120円
・超えた利用時間が３時間以上　1,680円

(4)　余裕活用型（児童１人当たり日額）
ア　基本分　2,400円
イ　特別支援児童（障害児・多胎児）加算
（児童１人当たり日額）　3,600円
ウ　利用者負担軽減（児童１人当たり日額）
・生活保護法による被保護者世帯　3,000円
・市町村民税非課税世帯　2,400円
・市町村民税所得割合算額が７万7,101円未満世帯　2,100円
・その他要支援児童のいる世帯　1,500円

(5)　居宅訪問型（児童１人当たり日額）
ア　イの緊急一時預かり対象児童以外の児童
利用時間４時間以上　9,000円
利用時間４時間未満　4,500円
イ　緊急一時預かり対象児童
利用時間４時間以上　12,100円
利用時間４時間未満　6,050円
ウ　特別支援児童（障害児・多胎児）加算
（児童１人当たり日額）　3,600円
エ　利用者負担軽減（児童１人当たり日額）
・生活保護法による被保護者世帯　3,000円
・市町村民税非課税世帯　2,400円
・市町村民税所得割合算額が7万7,101円未満世帯　2,100円
・その他要支援児童のいる世帯　1,500円
※　エは緊急一時預かりを除く。

(6)　災害特例型
ア　利用児童の保護者が当該児童について受けている支給認定に基づいて本事業で利用している施設等において教育・保育の提供を受けた場合に支給される子どものための教育・保育給付に応じて、子ども・子育て支援法第27条第３項第１号、同法第29条第３項第１号、同法第28条第２項第２号若しくは第３号の内閣総理大臣が定める基準又は同法第30条第２項第２号、第３号若しくは第４号に規定する内閣総理大臣が定める基準により算定される金額（児童１人当たり月額）

<table>
<tr><td></td><td></td><td>※　月途中で利用を開始、又は利用を終了した場合の基準額の算定に当たっては、公定価格の算定の例によること。
イ　利用児童の保護者が復旧活動等を行うために、当該児童が在籍する幼稚園等において、教育時間の前後又は長期休業日等に、本事業を利用する児童（児童１人当たり日額）　1,600円
ウ　ア、イ以外の児童（児童１人当たり日額）　4,650円
2　開設準備経費（１か所当たり年額）
(1)　改修費等　4,000,000円
(2)　礼金及び賃借料（開設前月分）　600,000円
※　(1)(2)とも当該年度に支払われたものに限る。
※　(1)は災害特例型を除く。
※　(2)は一般型に限る。</td><td></td><td></td></tr>
<tr><td></td><td>一時預かり事業（その他分）</td><td>1　運営費の事務経費加算（一般型に限る）　2,670,000円</td><td>一時預かり事業の実施に必要な費用</td><td></td></tr>
<tr><td>病児保育事業</td><td>病児保育事業（特定分、一般分・事業費）</td><td>1　病児対応型
(1)　基本分　１か所当たり年額　8,443,000円
うち改善分　2,538,000円
※　ただし、利用の少ない日等において、地域の保育所等への情報提供や巡回支援等を実施しない場合は、改善分を減算すること
(2)　加算分
ア　年間延べ利用児童数に応じた加算
<table>
<tr><th>年間延べ利用児童数</th><th>基準額
（１か所当たり年額）</th></tr>
<tr><td>50人以上100人未満</td><td>1,000,000円</td></tr>
<tr><td>100人以上150人未満</td><td>1,500,000円</td></tr>
<tr><td>150人以上200人未満</td><td>2,000,000円</td></tr>
<tr><td>200人以上300人未満</td><td>3,000,000円</td></tr>
<tr><td>300人以上400人未満</td><td>4,000,000円</td></tr>
<tr><td>400人以上500人未満</td><td>5,000,000円</td></tr>
<tr><td>500人以上600人未満</td><td>6,000,000円</td></tr>
<tr><td>600人以上700人未満</td><td>7,000,000円</td></tr>
<tr><td>700人以上800人未満</td><td>8,000,000円</td></tr>
<tr><td>800人以上900人未満</td><td>9,000,000円</td></tr>
<tr><td>900人以上1,000人未満</td><td>10,000,000円</td></tr>
<tr><td>1,000人以上1,100人未満</td><td>11,000,000円</td></tr>
<tr><td>1,100人以上1,200人未満</td><td>12,000,000円</td></tr>
<tr><td>1,200人以上1,300人未満</td><td>13,000,000円</td></tr>
<tr><td>1,300人以上1,400人未満</td><td>14,000,000円</td></tr>
<tr><td>1,400人以上1,500人未満</td><td>15,000,000円</td></tr>
</table></td><td>病児保育事業の実施に必要な経費</td><td></td></tr>
</table>

1,500人以上1,600人未満	16,000,000円
1,600人以上1,700人未満	17,000,000円
1,700人以上1,800人未満	18,000,000円
1,800人以上1,900人未満	19,000,000円
1,900人以上2,000人未満	20,000,000円
2,000人以上2,200人未満	20,900,000円
2,200人以上2,400人未満	22,800,000円
2,400人以上2,600人未満	24,700,000円
2,600人以上2,800人未満	26,600,000円
2,800人以上3,000人未満	28,500,000円
3,000人以上3,200人未満	30,400,000円
3,200人以上3,400人未満	32,300,000円
3,400人以上3,600人未満	34,200,000円
3,600人以上3,800人未満	36,100,000円
3,800人以上4,000人未満	38,000,000円

※4000人以上の場合は別途協議

イ　送迎対応を行う看護師等雇上費

1か所当たり年額　5,400,000円

ウ　送迎経費　　1か所当たり年額　3,634,000円

エ　研修参加費用　　職員1人当たり年額　10,000円

オ　当日キャンセル対応加算

年間キャンセル回数	基準額 （1か所当たり年額）
(1)　25回以上50回未満	247,900円
(2)　50回以上100回未満	502,500円
(3)　100回以上150回未満	670,000円
(4)　150回以上	1,005,000円

(3)　普及定着促進費（開設準備経費）

ア　改修費等　　1か所当たり　4,000,000円

イ　礼金及び賃借料（開設前月分）　　1か所当たり　600,000円

※　ア及びイとも当該年度に支払われたものに限る。

2　病後児対応型

(1)　基本分　　1か所当たり年額　6,032,000円

うち改善分　2,225,000円

※　ただし、利用の少ない日等において、地域の保育所等への情報提供や巡回支援等を実施しない場合は、改善分を減算すること

(2)　加算分

ア　年間延べ利用児童数に応じた加算

年間延べ利用児童数	基準額 （1か所当たり年額）
50人以上100人未満	1,300,000円

100人以上150人未満	1,410,000円
150人以上200人未満	1,880,000円
200人以上300人未満	2,820,000円
300人以上400人未満	3,760,000円
400人以上500人未満	4,700,000円
500人以上600人未満	5,640,000円
600人以上700人未満	6,580,000円
700人以上800人未満	7,520,000円
800人以上900人未満	8,460,000円
900人以上1,000人未満	9,400,000円
1,000人以上1,100人未満	10,340,000円
1,100人以上1,200人未満	11,280,000円
1,200人以上1,300人未満	12,220,000円
1,300人以上1,400人未満	13,160,000円
1,400人以上1,500人未満	14,100,000円
1,500人以上1,600人未満	15,040,000円
1,600人以上1,700人未満	15,980,000円
1,700人以上1,800人未満	16,920,000円
1,800人以上1,900人未満	17,860,000円
1,900人以上2,000人未満	18,800,000円
2,000人以上2,200人未満	19,646,000円
2,200人以上2,400人未満	21,432,000円
2,400人以上2,600人未満	23,218,000円
2,600人以上2,800人未満	25,004,000円
2,800人以上3,000人未満	26,790,000円
3,000人以上3,200人未満	28,576,000円
3,200人以上3,400人未満	30,362,000円
3,400人以上3,600人未満	32,148,000円
3,600人以上3,800人未満	33,934,000円
3,800人以上4,000人未満	35,720,000円

※4000人以上の場合は別途協議

イ　送迎対応を行う看護師等雇上費

1か所当たり年額　5,400,000円

ウ　送迎経費　1か所当たり年額　3,634,000円

エ　研修参加費用　職員1人当たり年額　10,000円

オ　当日キャンセル対応加算

年間キャンセル回数	基準額 （1か所当たり年額）
(1)　25回以上50回未満	247,900円

<table>
<tr>
<td></td>
<td></td>
<td>
<table>
<tr><td>(2)　50回以上100回未満</td><td>502,500円</td></tr>
<tr><td>(3)　100回以上150回未満</td><td>670,000円</td></tr>
<tr><td>(4)　150回以上</td><td>1,005,000円</td></tr>
</table>
(3)　普及定着促進費（開設準備経費）
ア　改修費等　1か所当たり　4,000,000円
イ　礼金及び賃借料（開設前月分）　1か所当たり　600,000円
※　ア及びイとも当該年度に支払われたものに限る。
3　体調不良児対応型
(1)　基本分　1か所当たり年額　4,500,000円
（ただし、事業期間が6か月未満の施設にあっては、2,248,000円）
※　平成26年度以前から実施する施設、または平成27年度以降新規開設し看護師等を2名以上配置して実施する施設の場合
(2)　加算分
ア　送迎対応を行う看護師等雇上費
1か所当たり年額　5,400,000円
イ　送迎経費　1か所当たり年額　3,634,000円
ウ　研修参加費用　職員1人当たり年額　10,000円
(3)　改善分　1か所当たり年額　4,496,000円
（ただし、事業期間が6か月未満の施設にあっては、2,248,000円）
※　平成27年度以降新規開設し看護師等を1名配置して実施する施設の場合
4　非施設型（訪問型）
（1か所当たり年額）　7,280,000円
（ただし、事業期間が6か月未満の施設にあっては、3,640,000円）
</td>
<td></td>
</tr>
<tr>
<td></td>
<td>病児保育（特定分・低所得者減免加算）</td>
<td>
1　低所得者減免分加算（病児対応型）
(1)　生活保護法による被保護者世帯　5,000円×年間延利用人員
(2)　市区町村民税非課税世帯　2,500円×年間延利用人員
※　市町村民税非課税世帯のうち、生活保護法（昭和25年法律第144号）に定める要保護者の属する世帯等、特に困窮していると市町村が認めた世帯の利用に係る加算額については、被保護者世帯と同額とすること。
2　低所得者減免分加算（病後児対応型）
(1)　生活保護法による被保護者世帯　5,000円×年間延利用人員
(2)　市区町村民税非課税世帯　2,500円×年間延利用人員
※　市町村民税非課税世帯のうち、生活保護法に定める要保護者の属する世帯等、特に困窮していると市町村が認めた世帯の利用に係る加算額については、被保護者世帯と同額とすること。
</td>
<td>病児保育事業の実施に必要な経費</td>
</tr>
<tr>
<td>子ども・子育て支援法に基づく地域子ども・子育て支援事業</td>
<td>子ども・子育て支援法に基づく地域子ども・子育て支援事業</td>
<td>
1　地域子ども・子育て支援事業におけるＩＣＴ化推進事業（令和5年度補正予算分）
(1)　業務のＩＣＴ化を行うためのシステムの導入
(2)　研修のオンライン化
(1)、(2)の合計　500,000円
※　放課後児童健全育成事業は1支援の単位当たり、乳児家庭全戸訪問事業、養育支援訪問事業、親子関係形成支援事業、子育て援助活動支援事業（ファミリー・サポート・センター事業）は1市町村当たり、その他事業は1か所当たり
</td>
<td>ＩＣＴ化推進事業（令和5年度補正予算分）の実施に必要な経費</td>
</tr>
</table>

（延長保育事業、一時預かり事業、病児保育事業を除く。）	（延長保育事業、一時預かり事業、病児保育事業を除く。）（特例措置分）	※　連絡帳の電子化や、オンライン会議やオンラインを活用した相談支援に必要なＩＣＴ機器の導入等の環境整備に係る経費及び、都道府県等が実施する研修をオンラインで受講できるよう、必要なシステム基盤の導入等に係る経費に限る。 (3)　通訳や翻訳のための機器の導入　150,000円 ※　放課後児童健全育成事業は１支援の単位当たり、乳児家庭全戸訪問事業、養育支援訪問事業、親子関係形成支援事業、子育て援助活動支援事業（ファミリー・サポート・センター事業）は１市町村当たり、その他事業は１か所当たり ※　外国人の子育て家庭が事業を円滑に利用できるよう、多言語音声翻訳システム等の導入に係る経費に限る。		

別紙様式１～８　略

（地域子ども・子育て支援事業）

○地域子育て支援拠点事業の実施について

〔令和６年３月30日　こ成環第113号
各都道府県知事宛　こども家庭庁成育局長通知〕

児童福祉法（昭和22年法律第64号。以下「法」という。）第６条の３第６項に基づき、市町村が実施する事業（以下「地域子育て支援拠点事業」という。）について、今般、別紙のとおり「地域子育て支援拠点事業実施要綱」を定め、令和６年４月１日から適用することとしたので通知する。

ついては、管内市町村、関係機関、関係団体等に対して、周知徹底を図るとともに、その運用に遺憾のないようにされたい。

なお、本通知の適用に伴い、「地域子育て支援拠点事業の実施について」（平成26年５月29日付け雇児発0529第18号雇用均等・児童家庭局長通知）は廃止する。

別　紙

地域子育て支援拠点事業実施要綱

１　事業の目的

少子化や核家族化の進行、地域社会の変化など、こどもや子育てをめぐる環境が大きく変化する中で、家庭や地域における子育て機能の低下や子育て中の親の孤独感や不安感の増大等に対応するため、地域において子育て親子の交流等を促進する子育て支援拠点の設置を推進することにより、地域の子育て支援機能の充実を図り、子育ての不安感等を緩和し、こどもの健やかな育ちを支援することを目的とする。

２　実施主体

実施主体は、市町村（特別区及び一部事務組合を含む。以下同じ。）とする。

なお、市町村が認めた者へ委託等を行うことができる。

３　事業の内容

乳幼児及びその保護者が相互の交流を行う場所を開設し、子育てについての相談、情報の提供、助言その他の援助を行う事業。

４　実施方法

⑴　基本事業

次のア～エの取組を基本事業としてすべて実施すること。（ただし、⑵の⑨に定める小規模型指定施設を除く。）

ア　子育て親子の交流の場の提供と交流の促進

イ　子育て等に関する相談、援助の実施

ウ　地域の子育て関連情報の提供

エ　子育て及び子育て支援に関する講習等の実施（月１回以上）

⑵　一般型

①　事業内容

常設の地域子育て支援拠点（以下「拠点施設」という。）を開設し、子育て家庭の親とそのこども（主として概ね３歳未満の児童及び保護者）（以下「子育て親子」という。）を対象として⑴に定める基本事業を実施する。

②　実施場所

㈠　公共施設、空き店舗、公民館、保育所等の児童福祉施設、小児科医院等の医療施設などの子育て親子が集う場として適した場所。

㈡　複数の場所で実施するものではなく、拠点となる場所を定めて実施すること。

㈢　概ね10組の子育て親子が一度に利用しても差し支えない程度の広さを確保すること。

③　実施方法

㈠　原則として週３日以上、かつ１日５時間以上開設すること。

㈡　子育て親子の支援に関して意欲のある者であって、子育ての知識と経験を有する専任の者を２名以上配置すること。（非常勤職員でも可。）

㈢　授乳コーナー、流し台、ベビーベッド、遊具その他乳幼児を連れて利用しても差し支えないような設備を有すること。

④　地域の子育て拠点として地域の子育て支援活動の展開を図るための取組

市町村以外の者が⑴に定める基本事業に加えて、子育て支援活動の展開を図ることを目的として、次の㈠～㈤に掲げる取組のいずれかを実施するとともに、多様な子育て支援活動を通じて、関係機関や子育て支援活動を行っているグループ等とネットワーク化を図り、連携しながら、地域の子育て家庭に対し、よりきめ細かな支援を実施する場合について、拠点施設の業務を円滑に実施するため、当事業の別途加算の対象とする。

なお、(1)に定める基本事業の運営主体が市町村であって、(ア)〜(オ)の運営を市町村以外の者への委託等によって行っている場合も当該加算の対象とする。

(ア) 拠点施設の開設場所（近接施設を含む。）を活用した一時預かり事業（法第6条の3第7項に定める事業）またはこれに準じた事業の実施

(イ) 拠点施設の開設場所（近接施設を含む。）を活用した放課後児童健全育成事業（法第6条の3第2項に定める事業）またはこれに準じた事業の実施

(ウ) 拠点施設の開設場所（近接施設を含む。）を活用した親子関係形成支援事業（法第6条の3第21項に定める事業）またはこれに準じた事業の実施

(エ) 拠点施設を拠点とした乳児家庭全戸訪問事業（法第6条の3第4項に定める事業）、養育支援訪問事業（法第6条の3第5項に定める事業）または子育て世帯訪問支援事業（法第6条の3第19項）の実施

(オ) その他、拠点施設を拠点とした市町村独自の子育て支援事業（未就学児をもつ家庭への訪問活動等）の実施

⑤ 出張ひろば

地域の実情や利用者のニーズにより、親子が集う場を常設することが困難な地域にあっては、次の(ア)〜(ウ)に掲げる実施方法により、公共施設等を活用した出張ひろばを実施することができるものとし、この場合について別途加算の対象とする。

(ア) 開設日数は、週1〜2日、かつ1日5時間以上とすること。

(イ) 一般型の職員が、必ず1名以上出張ひろばの職員を兼務すること。

(ウ) 実施場所は、年間を通して同じ場所で実施することが望ましい。

ただし、地域の実情に応じて、複数の場所において実施することも差し支えないが、その場合には、子育て親子のニーズや利便性に十分配慮すること。

⑥ 地域支援

地域全体で、こどもの育ち・親の育ちを支援するため、地域の実情に応じ、地域に開かれた運営を行い、関係機関や子育て支援活動を実施する団体等と連携の構築を図るための以下に掲げるいずれかの取組を実施する場合に別途加算の対象とする。

ただし、「利用者支援事業の実施について」（令和6年3月30日付けこ成環第131号、こ支虐第122号、5文科初第2594号こども家庭庁成育局長、こども家庭庁支援局長、文部科学省初等中等教育局長通知）に定める利用者支援事業を同一の事業所で併せて実施する場合には、同事業において措置することとし、加算の対象としない。

(ア) 高齢者・地域学生等地域の多様な世代との連携を継続的に実施する取組

(イ) 地域の団体と協働して伝統文化や習慣・行事を実施し、親子の育ちを継続的に支援する取組

(ウ) 地域ボランティアの育成、町内会、子育てサークルとの協働による地域団体の活性化等地域の子育て資源の発掘・育成を継続的に行う取組

(エ) 本事業を利用したくても利用できない家庭に対して訪問支援等を行うことで地域とのつながりを継続的に持たせる取組

⑦ 配慮が必要な子育て家庭等への支援

障害児、多胎児のいる家庭など、配慮が必要な子育て家庭等の状況に対応した交流の場の提供や相談・援助、講習の実施等ができるよう、次の(a)、(b)に掲げる実施方法により、支援を実施することができるものとし、この場合について別途加算の対象とする。

(a) 開設日数は、週2日程度以上とすること。

(b) 専門的な知識・経験を有する職員を配置等すること。

⑧ 休日における育児参加促進のための講習会の実施への支援

両親等が共に参加しやすくなるよう休日に育児参加促進に関する講習会を実施した場合（概ね月2回以上）に別途加算の対象とする。

⑨ 経過措置（小規模型指定施設）

(ア) 内容

従来の地域子育て支援センター（小規模型指定施設）（以下「指定施設」という。）については、以下の通り事業の対象とする。

(イ) 実施方法

(a) 原則として週5日以上、かつ1日5時間以上開設すること。

(b) 開設時間は、子育て親子が利用しやすい時間帯とするよう配慮すること。

(c) 育児、保育に関する相談指導等について

相当の知識・経験を有する専任の者を１名以上配置すること。（非常勤職員でも可。）

(d)　次のａ～ｃの取組のうち２つ以上実施すること。

ａ　育児不安等についての相談指導

来所、電話及び家庭訪問など事前予約制の相談指導、指定施設内の交流スペースでの随時相談、公共的施設への出張相談など地域のニーズに応じた効果的な実施を工夫すること。

また、子育て親子の状況などに応じて適切な相談指導ができるよう実施計画を作成するとともに、定期又は随時の電話連絡などによりその家庭の状況などの把握に努め、児童虐待など指定施設単独での対応が困難な相談は、関係機関と連携を図り共通認識のもと適切な対応を図ること。

ｂ　子育てサークルや子育てボランティアの育成・支援

子育てサークル及び子育てボランティアの育成のため、定期的に講習会などの企画、運営を行うこと。また、子育てサークル及び子育てボランティアの活動状況の把握に努め、効果的な活動ができるよう活動場所の提供、活動内容の支援に努めること。

ｃ　地域の保育資源の情報提供、地域の保育資源との連携・協力体制の構築

ベビーシッターなど地域の保育資源の活動状況を把握し、子育て親子に対して様々な保育サービスに関する適切な情報の提供、紹介などを行うこと。また、地域の保育資源及び市町村と定期的に連絡を取り合うなど、連携・協力体制の確立に努めること。

(ウ)　保健相談

(イ)の(d)ａの取組に加えて、実施可能な指定施設は、子育て親子の疾病の予防、健康の増進を図るため、看護師又は保健師等による保健相談を実施することとし、この場合において、週３回程度実施する場合については、別途加算の対象とする。

(3)　連携型

①　事業内容

効率的かつ効果的に地域の子育て支援のニーズに対応できるよう児童福祉施設・児童福祉事業を実施する施設（以下「連携施設」という。）において、(1)に掲げる基本事業を実施する。

②　実施場所

(ア)　児童館・児童センターにおける既設の遊戯室、相談室等であって子育て親子が交流し、集う場として適した場所。

(イ)　概ね10組の子育て親子が一度に利用しても差し支えない程度の広さを確保すること。

③　実施方法

(ア)　原則として週３日以上、かつ１日３時間以上開設すること。

(イ)　子育て親子の支援に関して意欲のある者であって、子育ての知識と経験を有する専任の者を１名以上配置すること。（非常勤職員でも可。）ただし、連携施設に勤務している職員等のバックアップを受けることができる体制を整えること。

(ウ)　授乳コーナー、流し台、ベビーベッド、遊具その他乳幼児を連れて利用しても支障が生じないような設備を有すること。

④　地域の子育て力を高める取組

(1)に定める基本事業に加えて、地域の子育て力を高めることを目的として、中・高校生や大学生等ボランティアの日常的な受入・養成を行う取組を実施する場合について、別途加算の対象とする。

ただし、「利用者支援事業の実施について」（令和６年３月30日付けこ成環第131号、こ支虐第122号、５文科初第2594号こども家庭庁成育局長、こども家庭庁支援局長、文部科学省初等中等教育局長通知）に定める利用者支援事業を併せて実施する場合には、加算の対象としない。

⑤　配慮が必要な子育て家庭等への支援

障害児、多胎児のいる家庭など、配慮が必要な子育て家庭等の状況に対応した交流の場の提供や相談・援助、講習の実施等ができるよう、次の(a)、(b)に掲げる実施方法により、支援を実施することができるものとし、この場合について別途加算の対象とする。

(a)　開設日数は、週２日程度以上とすること。

(b)　専門的な知識・経験を有する職員を配置等すること。

⑥　休日における育児参加促進のための講習会の実施への支援

両親等が共に参加しやすくなるよう休日に育児参加促進に関する講習会を実施した場合（概ね月２回以上）に別途加算の対象とする。

5　留意事項

(1)　事業に従事する者（学生等ボランティアを含む。）は、子育て親子への対応に十分配慮するとともに、その業務を行うに当たって知り得た個人情報について、業務遂行以外に用いてはならないこと。

(2)　事業に従事する者は、事業に従事するにあたって、「子育て支援員研修事業の実施について」（令和６年３月30日付けこ成環第111号、こ支家第189号こども家庭庁成育局長、こども家庭庁支援局長通知）の別紙「子育て支援員研修事業実施要綱」（以下「子育て支援員研修事業実施要綱」という。）別表１に定める基本研修及び別表２―２の３に定める子育て支援員専門研修（地域子育て支援コース）の「地域子育て支援拠点事業」に規定する内容の研修を修了していることが望ましい。

(3)　実施主体（委託先を含む。）は、事業に従事する者を子育て支援員研修事業実施要綱別表３及び別表４に定めるフォローアップ研修及び現任研修その他各種研修会やセミナー等へ積極的に参加させ、事業に従事する者の資質、技能等の向上を図ること。

(4)　近隣地域の拠点施設は、互いに連携・協力し、情報の交換・共有を行うよう努めるとともに、保育所、福祉事務所、こども家庭センター、児童相談所、保健所、児童委員（主任児童委員）、医療機関等と連携を密にし、効果的かつ積極的に事業を実施するよう努めること。

(5)　拠点施設が「地域子育て相談機関」を担う場合においては、拠点が持つ子育て親子が気軽に立ち寄り、子育てに関する疑問や悩みを相談することができる場という強みを生かし、個々の子育て家庭の相談ニーズ等に対し、適切に対応いただきたい。

なお、「地域子育て相談機関」の具体的な業務等は、「地域子育て相談機関の設置運営等について」（令和６年３月30日付けこ成環第100号こども家庭庁成育局長通知）を参照されたい。

6　費用

(1)　本事業の実施に要する経費について、国は別に定めるところにより補助するものとする。

(2)　事業を実施するために必要な経費の一部を保護者から徴収できるものとする。

○病児保育事業の実施について

〔令和６年３月30日　こ成保第180号
各都道府県知事宛　こども家庭庁成育局長通知〕

標記については、今般、別紙のとおり「病児保育事業実施要綱」を定め、令和６年４月１日から適用することとしたので通知する。

ついては、管内市町村（特別区を含む。）に対して周知をお願いするとともに、本事業の適正かつ円滑な実施に期されたい。

なお、本通知の施行に伴い、平成27年７月17日雇児発0717第12号厚生労働省雇用均等・児童家庭局長通知「病児保育事業の実施について」は、令和６年３月31日限りで廃止する。

別　紙

病児保育事業実施要綱

１　事業の目的

保護者が就労している場合等において、子どもが病気の際に自宅での保育が困難な場合がある。

こうした保育需要に対応するため、病院・保育所等において病気の児童を一時的に保育するほか、保育中に体調不良となった児童への緊急対応並びに病気の児童の自宅に訪問するとともに、その安全性、安定性、効率性等について検証等を行うことで、安心して子育てができる環境を整備し、もって児童の福祉の向上を図ることを目的とする。

２　実施主体

実施主体は、市町村（特別区及び一部事務組合を含む。以下同じ。）とする。

なお、市町村が認めた者へ委託等を行うことができる。

３　事業の内容

保育を必要とする乳児・幼児又は保護者の労働もしくは疾病その他の事由により家庭において保育を受けることが困難となった小学校に就学している児童であって、疾病にかかっているものについて、保育所、認定こども園、病院、診療所、その他の場所において、保育を行う事業。

４　事業類型

本事業の対象となる事業類型は、次に掲げるものとする。

⑴　病児対応型

児童が病気の「回復期に至らない場合」であり、かつ、当面の症状の急変が認められない場合において、当該児童を病院・診療所、保育所等に付設された専用スペース又は本事業のための専用施設で一時的に保育する事業。

⑵　病後児対応型

児童が病気の「回復期」であり、かつ、集団保育が困難な期間において、当該児童を病院・診療所、保育所等に付設された専用スペース又は本事業のための専用施設で一時的に保育する事業。

⑶　体調不良児対応型

児童が保育中に微熱を出すなど「体調不良」となった場合において、安心かつ安全な体制を確保することで、保育所等における緊急的な対応を図る事業及び保育所等に通所する児童に対して保健的な対応等を図る事業。

⑷　非施設型（訪問型）

児童が「回復期に至らない場合」又は、「回復期」であり、かつ、集団保育が困難な期間において、当該児童の自宅において一時的に保育する事業。

⑸　送迎対応

⑴、⑵及び⑶において、看護師、准看護師、保健師又は助産師（以下「看護師等」という。）又は保育士を配置し、保育所等において保育中に「体調不良」となった児童を送迎し、病院・診療所、保育所等に付設された専用スペース又は本事業のための専用施設で一時的に保育することを可能とする。

⑹　当日キャンセル対応

⑴及び⑵において、利用当日のキャンセルにより職員配置に余剰が生じた場合に、当日キャンセルした家庭への連絡等を行うことで、受入体制を維持していることを評価する。

５　対象児童

本事業の対象となる児童は、次のとおりとする。

⑴　病児対応型

当面症状の急変は認められないが、病気の回復期に至っていないことから、集団保育が困難であり、かつ、保護者の勤務等の都合により家庭で保育を行うことが困難な児童であって、市町村が必要と認めた乳児・幼児又は小学校に就学している児童（以下「病児」という。）。

⑵　病後児対応型

病気の回復期であり、集団保育が困難で、かつ、保護者の勤務等の都合により家庭で保育を行うことが困難な児童であって、市町村が必要と認めた乳児・幼児又は小学校に就学している児童（以下「病後児」という。）。

⑶　体調不良児対応型

事業実施保育所等に通所しており、保育中に微熱を出すなど体調不良となった児童であって、保護者が迎えに来るまでの間、緊急的な対応を必要とする児童（以下「体調不良児」という。）。

⑷　非施設型（訪問型）

病児及び病後児とする。

⑸　送迎対応

保育所等に通所しており、保育中に微熱を出すなど体調不良となった児童であって、保護者が迎えに来るまでの間、緊急的な対応を必要とする児童。

6　実施要件

⑴　病児対応型

①　実施場所

病院・診療所、保育所等に付設された専用スペース又は本事業のための専用施設であって、次のア～ウの基準を満たし、市町村が適当と認めたものとする。

ア　保育室及び児童の静養又は隔離の機能を持つ観察室又は安静室を有すること。

イ　調理室を有すること。なお、病児保育専用の調理室を設けることが望ましいが、本体施設等の調理室と兼用しても差し支えないこと。

ウ　事故防止及び衛生面に配慮されているなど、児童の養育に適した場所とすること。

②　職員の配置

病児の看護を担当する看護師等を利用児童おおむね10人につき１名以上配置するとともに、病児が安心して過ごせる環境を整えるために、保育士を利用児童おおむね３人につき１名以上配置すること。

（注１）保育士及び看護師等の職員配置については、常駐を原則とする。ただし、利用児童が見込まれる場合に近接病院等から保育士及び看護師等が駆けつけられる等の迅速な対応が可能であれば、以下のとおり常駐を要件としない。

ア　利用児童がいる時間帯の場合

㋐～㋓の要件を満たし、利用児童の安心・安全を確保できる体制を整えている場合には、看護師等の常駐を要件としない。

㋐　病気からの回復過程を遅らせたり、二次感染を生じたりすることがないよう、利用児童の病状等を定期的に確認・把握した上で、適切な関わりとケアを行うこと。

㋑　病児保育施設が医療機関内に設置されている場合等であり、病児保育施設と看護師等が病児保育以外の業務に従事している場所とが近接していること。

㋒　看護師等が病児保育以外の業務に従事している場合においても、緊急の場合には病児保育施設に速やかに駆けつけることができる職員体制が確保されていること。

㋓　看護師等が常駐しない場合であっても、保育士等を複数配置することにより、常に複数人による保育体制を確保していること。

イ　利用児童がいない時間帯の場合

利用児童が発生した場合に、連絡を受けた保育士及び看護師等が速やかに出勤し、業務に従事するなど、柔軟な対応が可能となる職員体制が確保されていれば、利用児童がいない場合は保育士及び看護師等の常駐を要件としない。

（注２）保育士及び看護師等の２名以上の体制で行うことを原則（必須条件）とするが、以下のア及びイの要件を満たす場合には、職員の配置要件を満たしているものとする。その際、本規定に基づき事業を実施する市町村は、事業実施に係る要綱等で定めるところにより、その提供する病児保育に係る情報を公表しなければならない。

ア　離島・中山間地その他の地域で病児保育の利用児童の見込みが少ないと市町村が認めた上で、医療機関併設型で定員２人以下の場合。

イ　「子育て支援員研修事業の実施について」（令和６年３月30日こ成環第111号・こ支家第189号通知）の別紙「子育て支援員研修事業実施要綱」の５⑶アに定める基本研修及び５⑶イ⑴に定める「地域型保育」の専門研修を修了している等、病児保育事業に従事する上で必要な知識や技術等を修得していると市町村が認めた看護師等を１名専従で配置した上で、病児保育以外の業務に従事している看護師等１名が、必要な場合に速やかに対応できる職員体制を確保し、利用児童の病状等を定期的に確認・把握した上で、適切な関わりとケアを行うこと。

③　その他

ア　集団保育が困難であり、かつ、保護者が家庭で保育を行うことができない期間内で対象児童の受け入れを行うこと。

イ　本事業を担当する職員は、利用の少ない日等において、感染症流行状況、予防策等の情報提供や巡回支援等を適宜実施すること。

ウ　市域内の病児保育施設の空き状況を見える化した予約システムを構築する等、利便性の確保に努めること。

⑵　病後児対応型

①　実施場所

病院・診療所、保育所等に付設された専用スペース又は本事業のための専用施設であって、次のア～ウの基準を満たし、市町村が適当と認めたものとする。

ア　保育室及び児童の静養又は隔離の機能を持つ観察室又は安静室を有すること。

イ　調理室を有すること。なお、病後児保育専用の調理室を設けることが望ましいが、本体施設等の調理室と兼用しても差し支えないこと。

ウ　事故防止及び衛生面に配慮されているなど、児童の養育に適した場所とすること。

②　職員の配置

病後児の看護を担当する看護師等を利用児童おおむね10人につき１名以上配置するとともに、病後児が安心して過ごせる環境を整えるために、保育士を利用児童おおむね３人につき１名以上配置すること。

（注１）保育士及び看護師等の職員配置については、常駐を原則とする。ただし、利用児童が見込まれる場合に近接病院等から保育士及び看護師等が駆けつけられる等の迅速な対応が可能であれば、以下のとおり常駐を要件としない。

ア　利用児童がいる時間帯の場合

㋐～㋓の要件を満たし、利用児童の安心・安全を確保できる体制を整えている場合には、看護師等の常駐を要件としない。

㋐　病気からの回復過程を遅らせたり、二次感染を生じたりすることがないよう、利用児童の病状等を定期的に確認・把握した上で、適切な関わりとケアを行うこと。

㋑　病児保育施設が医療機関内に設置されている場合等であり、病児保育施設と看護師等が病児保育以外の業務に従事している場所とが近接していること。

㋒　看護師等が病児保育以外の業務に従事している場合においても、緊急の場合には病児保育施設に速やかに駆けつけることができる職員体制が確保されていること。

㋓　看護師等が常駐しない場合であっても、保育士等を複数配置することにより、常に複数人による保育体制を確保していること。

イ　利用児童がいない時間帯の場合

利用児童が発生した場合に、連絡を受けた保育士及び看護師等が速やかに出勤し、業務に従事するなど、柔軟な対応が可能となる職員体制が確保されていれば、利用児童がいない場合は保育士及び看護師等の常駐を要件としない。

（注２）保育士及び看護師等の２名以上の体制で行うことを原則（必須条件）とするが、以下のア及びイの要件を満たす場合には、職員の配置要件を満たしているものとする。その際、本規定に基づき事業を実施する市町村は、事業実施に係る要綱等で定めるところにより、その提供する病児保育に係る情報を公表しなければならない。

ア　離島・中山間地その他の地域で病児保育の利用児童の見込みが少ないと市町村が認めた上で、医療機関併設型で定員２人以下の場合。

イ　「子育て支援員研修事業の実施について」（令和６年３月30日こ成環第111号・こ支家第189号通知）の別紙「子育て支援員研修事業実施要綱」の５⑶アに定める基本研修及び５⑶イ㈠に定める「地域型保育」の専門研修を修了している等、病児保育事業に従事する上で必要な知識や技術等を修得していると市町村が認めた看護師等を１名専従で配置した上で、病児保育以外の業務に従事している看護師等１名が、必要な場合に速やかに対応できる職員体制を確保し、利用児童の病状等を定期的に確認・把握した上で、適切な関わりとケアを行うこと。

③　その他

ア　集団保育が困難であり、かつ、保護者が家庭で保育を行うことができない期間内で対象児童の受け入れを行うこと。

イ　本事業を担当する職員は、利用の少ない日等において、感染症流行状況、予防策等の情報提供や巡回支援等を適宜実施すること。

ウ　市域内の病児保育施設の空き状況を見える化した予約システムを構築する等、利便性の確保に努めること。

(3)　体調不良児対応型

①　実施場所

保育所又は医務室が設けられている認定こども園、小規模保育事業所、事業所内保育事業所の医務室、余裕スペース等で、衛生面に配慮されており、対象児童の安静が確保されている場所とすること。

②　職員の配置

看護師等を１名以上配置し、預かる体調不良児の人数は、看護師等１名に対して２人程度とすること。

③　本事業を担当する看護師等は、実施保育所等における児童全体の健康管理・衛生管理等の保健的な対応を日常的に行うこと。

④　本事業を担当する看護師等は、地域の子育て家庭や妊産婦等に対する相談支援を地域のニーズに応じて定期的に実施すること。

(4)　非施設型（訪問型）

①　実施場所

利用児童の居宅とする。

②　職員の配置

次のア～ウを満たすこと。

ア　病児（病後児）の看護を担当する一定の研修を修了した看護師等、保育士、研修により市町村長が認めた者（以下「家庭的保育者」という。）のいずれか１名以上配置すること。

イ　アに定める職員を配置する場合は、「職員の資質向上・人材確保等研修事業の実施について」（令和６年３月30日こ成事第350号通知）に定める病児・病後児保育（訪問型）研修を修了した者とする。なお、令和７年３月31日までの間に、別紙１に掲げる研修（市町村等が実施する他の研修会が別紙１の内容を満たす場合には、その研修等の修了をもって代えることも差し支えない）を修了した者についても配置できることとする。

ウ　預かる病児（病後児）の人数は、一定の研修を修了した看護師等、保育士、家庭的保育者いずれか１名に対して、１人程度とする。

③　その他

集団保育が困難であり、かつ、保護者が家庭で保育を行うことができない期間内で対象児童宅への訪問を行うこと。

(5)　送迎対応

①　職員の配置

保育所等から体調不良児の送迎を行う際は、送迎用の自動車に同乗する看護師等又は保育士を配置すること。

②　その他

ア　保育所等から体調不良児の送迎を行う際には、送迎用の自動車に看護師又は保育士が同乗し、安全面に十分配慮した上で実施すること。

イ　送迎はタクシーによる送迎を原則とする。ただし、やむを得ない事由によりタクシーによる送迎対応が困難な場合には、その他自動車の借上げ等による実施も可能とする。

(6)　当日キャンセル対応

①　内容

利用者による当日キャンセルの結果、職員配置に余剰が生じた場合（利用予定児童４名に対して２名の保育士を配置していたが、１名の当日キャンセルにより保育士が１名余剰となる場合等。）に、当日キャンセルした家庭へ状況確認のための連絡等を行う。

なお、当日キャンセルのあった日時、当日キャンセルした者の氏名、当日の職員の配置状況、当日キャンセルのあった家庭への連絡等の対応状況について、別途帳簿等で管理し、補助金等の額の確定の日の属する年度の終了後５年間保存すること。

②　複数か所への予約を未然に防ぐ取組

域内に複数の病児保育施設が所在する場合は、ＩＣＴの活用等により域内の病児保育施設の空き状況を見える化する、予約受付システムや電話連絡等により利用前日に利用者に対して利用の有無を再度確認するなど、利用者が複数か所に予約を行うことがないよう対応策を講じること。（市域内に病児保育施設が１か所しかない場合であっても、同様の措置を講じるよう努めること。）

7　実施方法

(1)　病児対応型及び病後児対応型並びに非施設型（訪問型）については、対象児童をかかりつけ医に受診させた後、保護者と協議のうえ、受け入れ、訪問の決定を行うこと。

⑵　送迎対応については、保育所等から連絡を受けた保護者が、病児保育実施施設に連絡すること等により実施すること。また、送迎対応を行った上で、病児対応型及び病後児対応型の事業を実施する施設において保育を行うにあたっては、かかりつけ医等に受診すること。

⑶　医療機関でない施設が病児対応型及び非施設型（訪問型）を実施する場合は、保護者が児童の症状、処方内容等を記載した連絡票（別紙２様式例。児童を診察した医師が入院の必要性はない旨を署名したもの。）により、症状を確認し、受け入れ、訪問の決定を行うこと。

⑷　保育所等に登所する前からの体調不良児については、体調不良児対応型の事業を実施する保育所等及び送迎対応を利用するものでなく、地域の病児対応型又は病後児対応型の事業を実施する施設を優先的に利用することとし、児童の症状に応じた適切な利用が行われるよう、地域における連携体制の確保に努めること。

⑸　非施設型（訪問型）を実施する場合には、市町村は本事業の安全性や安定性、効率性等について検証を行い、別紙３の内容により報告すること。

⑹　非施設型（訪問型）を実施する場合には、市町村は本事業の安全性や安定性、効率性等について検証を行う観点から、年間を通して利用が見込まれるよう留意すること。

8　留意事項

⑴　医療機関との連携等

①　市町村長は、都道府県医師会・郡市医師会等（以下「地方医師会」という。）に対し、本事業への協力要請を行うとともに、本事業を実施する施設（非施設型（訪問型）を含む。以下同じ）に対し医療機関との連携体制を十分に整えるよう指導すること。

②　本事業を実施する施設は、緊急時に児童を受け入れてもらうための医療機関（以下「協力医療機関」という。）をあらかじめ選定し、事業運営への理解を求めるとともに、協力関係を構築すること。

③　医療機関でない施設が病児対応型、非施設型（訪問型）及び送迎対応を実施する場合は、児童の病態の変化に的確に対応し、感染の防止を徹底するため、日常の医療面での指導、助言を行う医師（以下「指導医」という。）をあらかじめ選定すること。

④　病児対応型、非施設型（訪問型）及び送迎対応を実施する場合においては、指導医又は協力医療機関（併設する医療機関の医師を含む。）との関係において、緊急時の対応についてあらかじめ文書により取り決めを行うこと。

⑤　本事業を実施するに当たっては、指導医・嘱託医と相談のうえ、一定の目安（対応可能な症例、開所（訪問）時間等）を作成するとともに、保護者に対して周知し、理解を得ること。

⑵　書類の整備

この実施要綱の要件に適合する保育所等である旨の必要な書類を整備しておくこと。

⑶　事故の報告

保育中に事故が生じた場合には、「教育・保育施設等における事故の報告等について（令和６年３月22日こ成安第36号・５教参学第39号通知）」に従い、速やかに報告すること。

⑷　安全計画の策定

児童福祉施設の設備及び運営に関する基準第６条の３に準じ、安全計画の策定及び必要な措置を講じること等に努めること。

⑸　自動車を運行する場合の所在の確認

児童福祉施設の設備及び運営に関する基準第６条の４に準じ、児童の送迎等のために自動車を運行する場合には、児童の自動車への乗降車の際に、点呼等の方法により児童の所在を確認すべきであること。

⑹　事業継続計画の策定

児童福祉施設の設備及び運営に関する基準第９条の３に準じ、事業継続計画の策定及び必要な措置を講じること等に努めること。

なお、本事業は、感染症に罹患した児童を含む病児を保育するものであることから、常時より次の感染防止のための対策を行うこと。

①　体温の管理等その他健康状態を適切に把握するとともに、複数の児童を受け入れる場合は、他児への感染に配慮すること。

②　手洗い等の設備を設置し、衛生面への十分な配慮を施すことで、他児及び職員への感染を防止すること。

③　体調不良児対応型を実施する場合においては、他の健康な児童が感染しないよう、事業実施場所と保育室・遊戯室等の間に間仕切り等を設けることで、職員及び他児の往来を制限すること。

④　児童の受け入れに際しては、予防接種の状況を確認するとともに、必要に応じて予防接種す

るよう助言すること。

9　研修

病児保育事業に従事する職員については、「職員の資質向上・人材確保等研修事業の実施について」に定める病児・病後児保育研修を受講し、資質の向上に努めること。

10　保護者負担

本事業の実施に必要な経費の一部を保護者負担とすることができる。

11　費用

本事業に要する費用の一部について、国は別に定めるところにより補助するものとする。

別紙１

研　修　科　目	時間
Ⅰ　児童の発達と学び（講習Ⅰ） （考え方） ０歳から10歳くらいまでの児童の発達に関する基本的事項を学ぶ。具体な例を検討することを通じて、できるだけ実践的に容易に応用することが可能な知識を学ぶ。	９時間
①　乳幼児期の発達	（３時間）
②　学童期の発達	（３時間）
③　児童にとっての遊び	（３時間）
Ⅱ　健康管理と緊急対応（講習Ⅱ） （考え方） ０歳から10歳くらいまでの児童がかかりやすい病気について、その特徴を学ぶ。その上で、体調不良の時、病気の時、病気の回復期、事故を起こした場合などの際の応急措置などについて実技指導を交えて学ぶ。さらに、健康管理という視点から見た食生活について学ぶ。	９時間
①　児童の病気	（３時間）
②　緊急時の対応と応急措置	（３時間）
③　児童の成長と食生活	（３時間）
Ⅲ　病児・病後児保育における見学実習 （考え方） 病児・病後児保育事業実施施設または訪問宅において、児童の様子の観察及び看護師（保育士）がどのように児童に関わっているのかについて見学する。	２日以上

別紙２様式例

連　絡　票

児童の氏名 平成　　年　　月　　日生（　　歳）男・女		
平成　　年　　月　　日　診断の結果、現時点での入院の必要性は認められません。		
診断医療機関名及び電話番号		診断医師署名 印

※太枠は医師が記載し、その他は、保護者が記載すること。

症状（病名等）	
経過（検査内容等）	
治療（処方内容）	食前・食後・（　　　　　時）・その他（　　　　　　　　）

保育上の留意点	
安静	特に制限なし・ベッド安静・その他（　　　　　　　　　）
食べ物	特に制限なし・絶食・その他（　　　　　　　　　　　）
薬	特になし・処方の通り・その他（　　　　　　　　　　）
その他留意事項	

医師より上記の説明を受けた上で、病児保育を申し込みます。

保護者名＿＿＿＿＿＿＿＿

連絡事項			
保護者の勤務場所 （所在地）			
緊急連絡先 （氏名・電話番号）	（第一）	電話番号　（　）	関係（　　）
	（第二）	電話番号　（　）	関係（　　）
お迎え予定者			関係（　　）

別紙３

病児・病後児保育事業（非施設型（訪問型））報告事項

１　実施方法等

・事業実施主体の名称　　・選定理由

・訪問対象年齢　　・訪問可能時間

・利用手続　　・利用料金（１時間あたり）

・食事の提供の有無・方法　　・職員数（職種）、雇用形態、勤務日数、勤務時間

２　訪問対象となる疾患

３　医療機関との連携

４　利用児童の状況

・年齢　　・年間延べ利用児童数

・実利用児童数　　・平均利用頻度

・平均利用時間数

５　（利用児童）健常時、日中の居場所について

６　病児・病後児保育事業利用時、主な疾病（３つまで）について

７　利用者（保護者）からの意見

８　研修について

・実施場所　　・実施回数

・日数　　・時間数

・参加者数　　・修了者数（うち従事者数）

９　収支報告について

10　検証結果（実施施設側記載）

11　検証結果（市町村担当課記載）

事業実施により得られた情報を基に、実施市町村による事業評価を報告

12　その他特記事項

※「保育対策等促進事業費の国庫補助について」（平成20年６月９日厚生労働省発雇児第0609001号厚生労働事務次官通知）別表３病児・病後児保育事業（非施設型（訪問型））報告書に定める様式にて報告すること。

○一時預かり事業の実施について

〔令和６年３月30日　５文科初第2592号・こ成保第191号
各都道府県知事宛　文部科学省初等中等教育・こども家庭
庁成育局長連名通知〕

標記については、今般、別紙のとおり「一時預かり事業実施要綱」を定め、令和６年４月１日から適用することとしたので通知する。

ついては、管内市町村（特別区を含む。）に対して周知をお願いするとともに、本事業の適正かつ円滑な実施に期されたい。

なお、本通知の施行に伴い、平成27年７月17日27文科初第238号、雇児発0717第11号文部科学省初等中等教育局長、厚生労働省雇用均等・児童家庭局長通知「一時預かり事業の実施について」は、令和６年３月31日限りで廃止する。

別　紙

一時預かり事業実施要綱

１　事業の目的

保育所等を利用していない家庭においても、日常生活上の突発的な事情や社会参加などにより、一時的に家庭での保育が困難となる場合がある。また、核家族化の進行や地域のつながりの希薄化などにより、育児疲れによる保護者の心理的・身体的負担を軽減するための支援が必要とされている。

こうした需要に対応するため、保育所、幼稚園、認定こども園その他の場所において児童を一時的に預かることで、安心して子育てができる環境を整備し、もって児童の福祉の向上を図ることを目的とする。

２　実施主体

実施主体は、市町村（特別区及び一部事務組合を含む。以下同じ。）とする。

なお、市町村が認めた者へ委託等を行うことができる。

３　事業の内容

家庭において保育を受けることが一時的に困難となった場合や、保護者の心理的・身体的負担を軽減するために支援が必要な場合に、乳児又は幼児（以下「乳幼児」という。）について、主として昼間において、保育所、幼稚園、認定こども園その他の場所において、一時的に預かり、必要な保護を行う事業。

４　実施方法

⑴　一般型

①　実施場所

保育所、幼稚園、認定こども園、地域子育て支援拠点又は駅周辺等利便性の高い場所など、一定の利用児童が見込まれる場所で実施すること。

②　対象児童

主として保育所、幼稚園、認定こども園等に通っていない、又は在籍していない乳幼児とする。

また、当分の間、「『待機児童解消に向けて緊急的に対応する施策について』の対応方針について」（平成28年４月７日雇児発0407第２号）に基づき、待機児童解消に向けて緊急的に対応する施策（以下「緊急対策」という。）を実施する市町村に限り、子ども・子育て支援法（平成24年法律第65号）第19条第２号又は第３号に掲げる小学校就学前子どもに該当する支給認定子ども（以下「保育認定子ども」という。）であって、同法第27条に規定する特定教育・保育施設又は同法第29条に規定する特定地域型保育事業者（以下「保育所等」という。）を利用していない児童について、保育所等への入所が決まるまでの間、定期的に預かること（以下「緊急一時預かり」という。）も本事業の対象とし、この場合の補助単価については別に定めることとする。

さらに、職員配置基準に基づく職員配置以上に加配が必要な障害児や、多胎育児家庭の育児疲れ等による心理的・身体的負担の軽減を図るために多胎児（以下「特別な支援等を要する児童」という。）を預かる施設に対し、次の要件を満たす場合には、別に定める加算を適用する。

ア　障害児を受け入れる施設において、当該障害児が利用した場合に職員配置基準に基づく職員配置以上に保育従事者を配置する場合。

なお、障害児とは、市町村が認める障害児とし、身体障害者手帳等の交付の有無は問わない。医師による診断書や巡回支援専門員等障害に関する専門的知見を有する者による意見提出など障害の事実が把握可能な資料をもって確認しても差し支えない。

イ　多胎児を受け入れる施設において、当該多胎児を受け入れるために、「③設備基準及び保育の内容」の設備基準及び「④職員の配置」を遵守した上で、定員を超えて受け入れる場合で、かつ職員配置基準に基づく職員配置以上に保育従事者を配置する場合。

③　設備基準及び保育の内容

児童福祉法施行規則（昭和23年厚生省令第11号。以下「規則」という。）第36条の35第１号イ、ニ及びホに定める設備及び保育の内容に関する基準を遵守すること。

④　職員の配置

規則第36条の35第１号ロ及びハの規定に基づき、乳幼児の年齢及び人数に応じ、専ら当該一般型一時預かり事業に従事する職員として、当該乳幼児の処遇を行う者（以下「保育従事者」という。）を配置し、そのうち保育士を２分の１以上とすること。

当該保育従事者の数は２名を下ることはできないこと。ただし、保育所等と一体的に事業を実施し、当該保育所等の職員（保育従事者に限る。）による支援を受けられる場合には、保育士１名で処遇ができる乳幼児数の範囲内において、保育従事者を保育士１名とすることができること。

また、１日当たり平均利用児童数（年間延べ利用児童数を年間開所日数で除して得た数をいう。以下同じ。）がおおむね３人以下である場合には、家庭的保育者（児童福祉法（昭和22年法律第164号）第６条の３第９項第１号に規定する家庭的保育者をいう。以下同じ。）を、保育士とみなすことができる。これに加え、１日当たり平均利用児童数がおおむね３人以下であることに加え、保育所等と一体的に事業を運営し、当該保育所等を利用している乳幼児と同一の場所において当該一般型一時預かり事業を実施する場合であって、当該保育所等の保育士による支援を受けられる場合には、保育士１名で処遇ができる乳幼児数の範囲内において、保育従事者を「子育て支援員研修事業の実施について」（令和６年３月30日こ成環第111号、こ支家第189号こども家庭庁成育局長、こども家庭庁支援局長通知）の別紙「子育て支援員研修事業実施要綱」の５⑶アに定める基本研修及び５⑶イ(ｲ)に定める「一時預かり事業」又は「地域型保育」の専門研修を修了した者（以下「子育て支援員」という。）１名とすることができること。ただし、保育所等を利用している乳幼児と同一の場所において事業を実施する場合であっても、保育所等を利用する児童と当該事業の利用乳幼児数を合わせた乳幼児の人数に応じ、児童福祉施設の設備及び運営に関する基準（昭和23年厚生省令第63号）第33条第２項の規定に準じて職員を配置すること。なお、非定期利用が中心である一時預かり事業の特性に留意し、研修内容を設定すること。

（注）　一時預かり事業を実施する保育所、幼稚園及び認定こども園を運営する法人が同一敷地内で放課後児童健全育成事業を実施する場合であって、放課後児童健全育成事業の利用児童数がおおむね２人以下であるときには、下記(ｱ)から(ｴ)までの要件を全て満たすことを条件として、一時預かり事業の実施場所において、両事業の対象児童を合同で保育することを可能とする。

(ｱ)　放課後児童健全育成事業の対象児童（以下「放課後児童」という。）の処遇の実施にあたっては、『「放課後児童健全育成事業」の実施について』（令和５年４月12日こ成環第５号こども家庭庁成育局長通知）の別紙「放課後児童健全育成事業実施要綱」によること。

(ｲ)　一時預かり事業に関する保育従事者の配置基準は、上記④の一段落目の記載に関わらず、乳児おおむね３人につき２名以上、満１歳以上満３歳に満たない幼児おおむね３人につき１名以上、満３歳以上満４歳に満たない幼児おおむね10人につき１名以上、満４歳以上の幼児おおむね15人につき１名以上とすること。

(ｳ)　一時預かり事業に関する保育従事者の数は２名を下ることはできないのが原則であるが、放課後児童の処遇に係る職員２名以上から支援を受けられることを前提に、上記(ｲ)の基準に基づき保育士１名で保育ができる乳幼児数の範囲内において、保育士１名とすることができることとする。

(ｴ)　一時預かり事業の対象児童に対する処遇に支障がないことに加え、低年齢児と小学生が同一場所で活動することを踏まえた安全な保育環境が確保されていると市町村が認めていること。

⑤　研修

保育士以外の保育従事者の配置は、以下の研修を修了した者とすること。

ア　「子育て支援員研修事業の実施について」（令和６年３月30日こ成環第111号、こ支家第189号こども家庭庁成育局長、こども家庭庁支援局長通知）の別紙「子育て支援員研修事業実施要綱」の５⑶アに定める基本研修及び５⑶イ(ｲ)に定める「一時預かり事業」又は「地域型保育」の専門研修を修了した者。

イ　子育ての知識と経験及び熱意を有し、「家庭的保育事業の実施について」（平成21年10月30日雇児発1030第２号厚生労働省雇用均等・児童家庭局長通知）の別紙「家庭的保育事業ガイドライン」（以下「ガイドライン」という。）の別添１の１に定める基礎研修と同等の研修を修了した者。ただし、令和７年３月31日までの間に修了した者とする。

なお、非定期利用が中心である一時預かり事業の特性に留意し、研修内容を設定すること。

⑥　基幹型施設

土曜日、日曜日、国民の祝日等の開所及び１日９時間以上の開所を行う施設について、基幹型施設とすることができる。

⑦　事務経費

子ども・子育て支援法第27条に規定する特定教育・保育施設、同法第29条に規定する特定地域型保育事業、特定教育・保育施設に該当しない幼稚園及び企業主導型保育事業と一体的に事業を実施している施設を除く事業所において、事務経費への対応として事務職員の配置等や賃貸物件における賃借料等に係る経費を必要とする事業所に対し、別に定める加算を適用する。

⑵　幼稚園型Ⅰ（⑶を除く）

①　実施場所

幼稚園又は認定こども園（以下「幼稚園等」という。）で実施すること。

②　対象児童

主として、幼稚園等に在籍する満３歳以上の幼児で、教育時間の前後又は長期休業日等に当該幼稚園等において一時的に保護を受ける者。

③　設備基準及び教育・保育の内容

規則第36条の35第１項第２号イ、ニ及びホに定める設備及び教育・保育の内容に関する基準を遵守すること。

④　職員の配置

規則第36条の35第１項第２号ロ（附則第56条第１項において読替え）及びハに基づき、幼児の年齢及び人数に応じて当該幼児の処遇を行う者（以下「教育・保育従事者」という。）を配置し、そのうち保育士又は幼稚園教諭普通免許状所有者を２分の１以上とすること（ただし、当分の間の措置として３分の１以上とすることも可）。

当該教育・保育従事者の数は２名を下ることはできないこと。ただし、幼稚園等と一体的に事業を実施し、当該幼稚園等の職員（保育士又は幼稚園教諭免許状所有者に限る。）による支援を受けられる場合には、保育士又は幼稚園教諭普通免許状所有者１名で処遇ができる乳幼児数の範囲内において、教育・保育従事者を保育士又は幼稚園教諭普通免許状所有者１名とすることができること。また、保育士又は幼稚園教諭普通免許状所有者以外の教育・保育従事者の配置は、アに掲げる者又はイからオまでに掲げる者で市町村が適切と認める者とすること。なお、イからオまでに掲げる者を配置する場合には、園内研修を定期的に実施することなどにより、預かり業務に従事する上で必要な知識・技術等を十分に身につけさせる必要があること。

ア　市町村長等が行う研修を修了した者

イ　小学校教諭普通免許状所有者

ウ　養護教諭普通免許状所有者

エ　幼稚園教諭教職課程又は保育士養成課程を履修中の学生で、幼児の心身の発達や幼児に対する教育・保育に係る基礎的な知識を習得していると認められる者

オ　幼稚園教諭、小学校教諭又は養護教諭の普通免許状を有していた者（教育職員免許法（昭和24年法律第147号）第10条第１項又は第11条第４項の規定により免許状が失効した者を除く。）

⑤　研修

４⑵④アの「市町村長等が行う研修を修了した者」は、以下の者とすること。

ア　「子育て支援員研修事業の実施について」の別紙「子育て支援員研修事業実施要綱」の５⑶アに定める基本研修及び５⑶イ(ｲ)に定める「一時預かり事業」又は「地域型保育」の専門研修を修了した者。

イ　子育ての知識と経験及び熱意を有し、ガイドラインの別添１の１に定める基礎研修と同等の研修を修了した者。ただし、令和７年３月31日までの間に修了した者とする。なお、非定期利用が中心である一時預かり事業の特性に留意し、研修内容を設定すること。

⑥　特別な支援を要する児童

障害児を受け入れる幼稚園等において、当該幼稚園等が実施する一時預かり事業を当該障害児が利用する際に、職員配置基準に基づく職員配置以上に教育・保育従事者を配置する場合、別に定める単価を適用する。

なお、障害児とは、在籍する幼稚園等における教育時間内において、健康面・発達面において特別な支援を要するとして、現に都道府県又は市町村による補助事業等の対象となっている児童その他市町村が認める障害児とする。障害児であることの確認にあたっては、現に都道府県又は市町村による補助事業等の対象となっていることを証する書類により確認できる場合には、新たな確認を行う必要はない。また新たに障害児であることの確認を行う場合であっても、身体障害者手帳等の交付の有無は問わず、医師による診断書の他、巡回支援専門員等障害に関する専門的知見を有する者による意見提出など障害の事実が把握可能な資料をもって確認しても差し支えない。

(3)　幼稚園型Ⅱ（当分の間の措置として、保育を必要とする０～２歳児の受け皿として定期的な預かりを行うものをいう。以下同じ。）

Ⅰ　２歳児の受入れについて

①　対象自治体

「「新子育て安心プラン」の実施方針について」（令和３年１月21日子保発0121第１号）別添の１に定める市町村。

②　実施場所

幼稚園で実施すること。

③　対象児童

満３歳未満の小学校就学前子ども（子ども・子育て支援法第６条第１項に規定する小学校就学前子どもをいう。以下同じ。）であって、子ども・子育て支援法施行規則（平成26年内閣府令第44号）第１条の５で定める事由により家庭において必要な保育を受けることが困難であるものとして市町村に認定を受けた２歳児（注）。なお、２歳の誕生日を迎えた時点から随時受け入れることや、当該２歳児が３歳の誕生日を迎えた年度末まで継続して受け入れることも妨げない。

(注)　受入れ時点だけではなく、受入れ期間中においても同施行規則第１条の５で定める事由に該当し続けていることを要件とする。

④　設備基準及び保育の内容

(2)③に同じ。なお、保育所保育指針等や「幼稚園を活用した子育て支援としての２歳児の受入れに係る留意点について」（平成19年３月31日文部科学省初等中等教育局長通知）を踏まえ、２歳児の発達段階上の特性を踏まえた保育を行うよう留意すること。

⑤　職員の配置

(2)④に同じ。ただし、当該幼児の処遇を行う者の中には、必ず保育士を配置すること。

⑥　研修

(2)⑤に同じ。

⑦　保育時間・開所時間・開所日数

児童福祉施設の設備及び運営に関する基準第34条の規定に準じ、保育時間は１日につき８時間を原則とすること。

開所時間・開所日数については、③の対象児童に対する保育を適切に提供できるよう、保護者の就労の状況等の地域の実情に応じて定めなければならないこと。

なお、③の対象児童が幼稚園に入園した後においても、引き続き受入れが可能となるよう、保護者の就労の状況等を踏まえて、適切に預かり保育を行うこと。

⑧　実施方法

ア　市町村は、管内の幼稚園と相談のうえ、あらかじめ、各幼稚園における受入枠を設定すること。

イ　市町村は、３号認定を行う際に、保護者の本事業の利用希望を把握したうえで、保護者に対する情報提供等を丁寧に行うとともに、各幼稚園に対して適切な受入れの要請を行うこと。

ウ　要請を受けた各幼稚園は、保護者からの利用の申込みについて、受入枠の範囲では、正当な理由がなければ、これを拒んではならないこと。また、受入枠を超える申込みがあった場合には、保育の必要度の高い者から優先して受入れを行うこと（この場合において、保育の必要度が同順位の者がいるときは、それらの者のうちから、各施設において公正な方法により受入れ対象者を決定することとして差し支えないが、この方法によっても、保育の必要度に応じた順位は常に優先する）。

エ　幼稚園は、受入れ対象者が決定した段階で、市町村に報告すること（受入枠を超える申込みがあった場合には、受入れ対象者の決定方法を含めて報告すること)。

Ⅱ　0・1歳児の受入れについて

①　対象自治体

⑶Ⅰ①に同じ。

②　実施場所

⑶Ⅰ②に同じ。

③　対象児童

満3歳未満の小学校就学前子どもであって、子ども・子育て支援法施行規則第1条の5で定める事由により家庭において必要な保育を受けることが困難であるものとして市町村に認定を受けた0・1歳児（注)。なお、受け入れた当該0・1歳児が誕生日を迎えた場合でも、誕生日を迎えた年度末までは継続して誕生日を迎える前の年齢児として受け入れることとする。

（注）受入れ時点だけではなく、受入れ期間中においても同施行規則第1条の5で定める事由に該当し続けていることを要件とする。

④　設備基準及び保育の内容

⑵③に同じ。ただし、乳児を利用させる場合は、規則第36条の35第1項第2号イの規定中「幼児」とあるのは「乳児及び幼児」と読み替えてその基準を遵守すること。なお、保育所保育指針等を踏まえ、0・1歳児の発達段階上の特性を踏まえた保育を行うよう留意すること。

⑤　職員の配置

⑵④に同じ。ただし、乳児を利用させる場合は、規則第36条の35第1項第2号ロの規定中「幼児」とあるのは「乳児及び幼児」と読み替えてその基準を遵守すること。また、教育・保育従事者の2分の1以上を保育士とすること。

⑥　研修

⑵⑤に同じ。

⑦　保育時間・開所時間・開所日数

⑶Ⅰ⑦に同じ。

⑧　実施方法

⑶Ⅰ⑧に同じ。

⑨　その他

児童福祉法第34条の14の規定に基づく確認に当たっては、④～⑦に掲げる内容及び下記の点について留意するとともに、確認は、原則年1回以上行うなど、定期的に行うことが望ましいこと。

ア　非常災害に対する措置

・消火用具、非常口その他非常災害に必要な設備が設けられていること。

・非常災害に対する具体的計画を立て、これに対する定期的な訓練を実施すること。

イ　給食

・衛生管理の状況

調理室、調理、配膳、食器等の衛生管理を適切に行うこと。

・食事内容等の状況

児童の年齢や発達、健康状態(アレルギー疾患等を含む。）等に配慮した食事内容とすること。

調理は、あらかじめ作成した献立に従って行うこと。

ウ　健康管理・安全確保

・児童の健康状態の観察

登園、降園の際、児童一人一人の健康状態を観察すること。

・児童の発育チェック

身長や体重の測定など基本的な発育チェックを毎月定期的に行うこと。

・児童の健康診断

継続して保育している児童の健康診断を利用開始時及び1年に2回実施すること。

・職員の健康診断

職員の健康診断を採用時及び1年に1回実施すること。

調理に携わる職員には、概ね月1回検便を実施すること。

・医薬品等の整備

必要な医薬品その他の医療品を備えること。

・感染症への対応

感染症にかかっていることが分かった児童については、かかりつけ医の指示に従うよう保護者に指示すること。

・乳幼児突然死症候群に対する注意

睡眠中の児童の顔色や呼吸の状態をきめ細かく観察すること。

乳児を寝かせる場合には、仰向けに寝かせること。

保育室では禁煙を厳守すること。

・安全確保

児童の安全確保に配慮した保育の実施を行うこと。

事故防止の観点から、施設内の危険な場

所、設備等に対して適切な安全管理を図ること。

不審者の立入防止などの対策や緊急時における児童の安全を確保する体制を整備すること。

事故発生時に適切な救命処置が可能となるよう、訓練を実施すること。

賠償責任保険に加入するなど、保育中の万が一の事故に備えること。死亡事故等の重大事故が発生した施設については、当該事故と同様の事故の再発防止策及び事故後の検証結果を踏まえた措置を取ること。

エ　利用者への情報提供

・提供するサービス内容を利用者の見やすいところに掲示しなければならないこと。

・利用者と利用契約が成立したときは、その利用者に対し、契約内容を記載した書面等を交付しなければならないこと。

・利用予定者から申込みがあった場合には、当該施設で提供されるサービスを利用するための契約の内容等について説明を行うこと。

(4)　余裕活用型

①　実施場所

下記の施設等のうち、当該施設等に係る利用児童数が利用定員総数に満たないもの。

ア　児童福祉法（昭和22年法律第164号）第39条第１項に規定する保育所。

イ　就学前の子どもに関する教育、保育等の総合的な提供の推進に関する法律（平成18年法律第77号）第２条第６項に規定する認定こども園。

ウ　家庭的保育事業等の設備運営基準第22条に規定する家庭的保育事業所。

エ　家庭的保育事業等の設備運営基準第28条、第31条及び第33条に規定する小規模保育事業所。

オ　家庭的保育事業等の設備運営基準第43条及び第47条に規定する事業所内保育事業所。

②　対象児童

４(1)②と同様とする。

ただし、特別な支援等を要する児童を預かる場合の実施基準は、以下の「③実施基準」によること。

③　実施基準

規則第36条の35第１項第３号に定める設備及び運営に関する基準等を遵守すること。

(5)　居宅訪問型

①　実施場所

利用児童の居宅において実施すること。

②　対象児童

家庭において保育を受けることが一時的に困難となった乳幼児で、以下のいずれかの要件に該当すること。

ア　障害、疾病等の程度を勘案して集団保育が著しく困難であると認められる場合。

イ　ひとり親家庭等で、保護者が一時的に夜間及び深夜の就労等を行う場合。

ウ　離島その他の地域において、保護者が一時的に就労等を行う場合。

また、当分の間、緊急一時預かりも本事業の対象とし、この場合の補助単価については別に定めることとする。

さらに、特別な支援等を要する児童を預かる施設に対し、(1)②の要件を満たす場合には、別に定める加算を適用する。ただし、実施基準は、以下の「③職員配置」及び「④実施要件」によること。

③　職員配置

職員の配置は次のとおりとする。なお、家庭的保育者１名が保育することができる児童の数は１人とする。

ア　「職員の資質向上・人材確保等研修事業の実施について」（令和６年３月30日こ成事第350号こども家庭庁成育局長通知）に定める居宅訪問型保育研修を修了した保育士等を配置すること。

イ　都道府県又は市町村において、アの研修の実施体制が整っていない場合には、経過措置として、家庭的保育者基礎研修を修了した保育士、家庭的保育者認定研修及び基礎研修を修了した者又はこれらの者と同等以上と認められる者であって、アの研修体制が整い次第速やかに当該研修を受講し、修了することとしている者を、当該研修を修了するまでの間（おおむね２年程度）配置することができることとする。

④　実施要件

ア　利用にあたっては、市町村と協議のうえ利用の決定を行うこと。

イ　一時預かり事業の他の類型を実施することができない場合に実施すること。

(6)　地域密着Ⅱ型

①　実施場所

地域子育て支援拠点や駅周辺等利便性の高い場所などで実施するものとする。

② 対象児童

主として保育所、幼稚園、認定こども園等に通っていない、又は在籍していない乳幼児とする。

また、当分の間、緊急一時預かりも本事業の対象とし、この場合の補助単価については別に定めることとする。

さらに、特別な支援等を要する児童を預かる施設に対し、⑴②の要件を満たす場合には、別に定める加算を適用する。ただし、実施基準は、以下の「③設備基準及び保育の内容」及び「④職員の配置」によること。

③ 設備基準及び保育の内容

規則第56条第1号、第4号及び第5号に定める設備及び保育の内容に関する基準に準じて行うこと。

④ 職員の配置

規則第56条第2号及び第3号の規定に準じ、乳幼児の年齢及び人数に応じて当該乳幼児の処遇を行う者（以下「担当者」という。）を配置すること。

担当者の数は2名を下ることはできないこと。

また、担当者のうち保育について経験豊富な保育士を1名以上配置すること。

⑤ 研修

保育士資格を有していない担当者の配置は、市町村が実施する研修を受講・修了することを要件とする。

⑺ 災害特例型

① 実施場所

保育所、幼稚園、認定こども園、子ども・子育て支援法第30条第1項第4号に規定する特例保育を行う施設（以下「特例保育施設」という。）又は同法第43条第1項に規定する地域型保育事業所並びに地域子育て支援拠点その他の場所で実施すること。

② 対象児童

ア　令和6年能登半島地震等（以下「地震等」という。）について災害救助法が適用された市町村（以下「被災市町村」という。）に居住する世帯に属する子ども・子育て支援法第20条第4項に規定する支給認定子どもであって、地震等の影響により、在籍する同法第27条第1項に規定する特定教育・保育施設、同法第29条第3項第1号に規定する特定地域型保育事業所又は特例保育施設（以下「特定教育・保育施設等」という。）とは別の特定教育・保育施設等を利用する乳幼児。

イ　被災市町村に居住する世帯に属し、利用児童の保護者が復旧活動等を行うために、当該児童が在籍する幼稚園等において、教育時間の前後又は長期休業日等に当該幼稚園等を利用する幼児。

ウ　被災市町村に居住する世帯に属し、地震等の影響により、避難や保護者の復旧活動等により、①に掲げる実施場所を利用する乳幼児のうち、ア・イに該当しない乳幼児。

③ 設備基準及び保育の内容、職員の配置及び研修

ア及びイに掲げる実施場所の区分に応じ、それぞれア及びイに定める事業類型に関して⑴、⑵及び⑹において定める基準に準じて行う。

ただし、被災児童の受け入れに当たってやむをえない場合は、児童の処遇に著しい影響を生じない範囲であれば、必要な期間において、⑴、⑵及び⑹において定める基準を満たしていなくても事業を実施することを可能とする。

ア　幼稚園以外において実施する場合　一般型又は地域密着Ⅱ型

イ　幼稚園において実施する場合　　幼稚園型Ⅰ

5　利用者負担軽減

⑴ 内容

所得の低い世帯や支援が必要な児童がいる世帯等（以下「低所得世帯等」という。）の児童が、本事業による支援を受けた場合における、当該児童の保護者が支払うべき利用者負担額に対して、その一部の補助を行う。

⑵ 対象類型

対象となる類型は、次のアからエに該当する実施方法とする。ただし、「緊急一時預かり」を除く。

ア　4⑴に定める「一般型」

イ　4⑷に定める「余裕活用型」

ウ　4⑸に定める「居宅訪問型」

エ　4⑹に定める「地域密着Ⅱ型」

⑶ 事業の対象者

事業の対象者は、本事業による支援を受けた児童の保護者であって、次のアからエのいずれかに該当する者とする。

ア　一時預かり事業による支援を受けた日において生活保護法（昭和25年法律第144号）第6条第1項に規定する被保護者である場合

イ　保護者及び当該保護者と同一の世帯に属する者が地方税法（昭和25年法律第226号）の規定による市町村民税を課されない者である場合（アに掲げる場合を除く。）

ウ　保護者及び当該保護者と同一の世帯に属する者について地方税法の規定による市町村民税の同法第292条第１項第２号に掲げる所得割の額を合算した額（以下「市町村民税所得割合算額」という。）が７万7101円未満である場合（ア及びイに掲げる場合を除く。）

エ　要保護児童対策地域協議会に登録された要支援児童及び要保護児童のいる世帯、その他市町村が特に支援が必要と認めた世帯のうち、市町村がその児童及び保護者の心身の状況及び養育環境等を踏まえ、一時預かり事業の利用を促した者であって、一時預かり事業に係る利用者負担額を軽減することが適当であると認められる場合（アからウに掲げる場合を除く。）

(4)　一時預かり事業を行う者による代理請求・代理受領について

市町村は、一時預かり事業を行う者（以下「事業者」という。）に対して、あらかじめ５(3)に定める対象者から同意を得た上で通知し、対象者が当該事業者に支払うべき利用者負担額に対して対象者に補助すべき額の限度において、対象者に代わり、当該事業者に支払うことができる。

また、この場合による支払いがあったときは、対象者に対し補助があったものとみなす。

(5)　補助基準額

補助基準額は、次の各号に掲げる対象者の区分に応じ、当該各号に定める額とする。

①５(3)アに定める対象者

児童１人当たり日額3,000円

②５(3)イに定める対象者

児童１人当たり日額2,400円

③５(3)ウに定める対象者

児童１人当たり日額2,100円

④５(3)エに定める対象者

児童１人当たり日額1,500円

(6)　留意事項

５(3)イ及びウに定める対象者を決定するための市町村民税及び市町村民税所得割合算額の判定の時期は、本事業を実施する市町村が定める時期とする。このため、保育所等の保育料と同様に、当該年度の４月から８月までは前年度の市町村民税により、９月以降は当該年度の市町村民税により判定する場合のほか、通年分を４月現在の市町村民税をもって判定するなどの場合も国庫補助の対象とする。

６　留意事項

(1)　事故の報告

保育中に事故が生じた場合には、「教育・保育施設等における事故の報告等について（令和６年３月22日こ成安第36号・５教参学第39号通知）」に従い、速やかに報告すること。

(2)　安全計画の策定

児童福祉施設の設備及び運営に関する基準第６条の３に準じ、安全計画の策定及び必要な措置等を講じること等に努めること。なお、幼稚園については、学校保健安全法第27条により、上記の内容が義務付けられていること。

(3)　自動車を運行する場合の所在の確認

児童福祉施設の設備及び運営に関する基準第６条の４に準じ、児童の通園や園外活動等のために自動車を運行する場合には、児童の自動車への乗降車の際に、点呼等の方法により児童の所在を確認すべきであること。なお、幼稚園については、学校保健安全法施行規則第29条の２により、上記の内容が義務付けられていること。

(4)　業務継続計画の策定

児童福祉施設の設備及び運営に関する基準第９条の３に準じ、業務継続計画の策定及び必要な措置を講じること等に努めること。なお、幼稚園については学校保健安全法に基づき策定されている学校安全計画や危険等発生時対処要領（危機管理マニュアル）に業務継続に関する内容が含まれていると考えられるが、改めて優先する業務内容や非常時の組織体制等を確認することが望ましいこと。

(5)　緊急一時預かり

緊急一時預かりを実施する場合は、積極的に地域の余裕スペース等の活用を検討するとともに、本来の一時預かり事業の利用者のニーズにも十分対応できるよう、供給拡大を図ること。

(6)　幼稚園型Ⅱ

本事業の対象児童について、施設型給付費等を重ねて支給することがないよう留意すること。

なお、本事業は待機児童対策として保育の受け皿確保が緊急に求められている状況を踏まえた当面の間の措置であるところ、今後、０・１歳児の受入れが継続的になる場合には、将来的に認可施設として機能を充実させることも含めて検討されることが期待される。

(7)　里帰り出産等

出産や介護等により一時的に里帰りする場合において、里帰り先の市町村が適当であると判断した場合は、住所地市町村の保育所等に在籍している児童を里帰り先の市町村において、一時預かり事業の対象としても差し支えないこと。

7　保護者負担

本事業の実施に必要な経費の一部を保護者負担とすることができる。ただし、災害特例型については保護者負担を求めないこと。

また、居宅訪問型については、利用児童の居宅までの交通費を実費徴収できることとする。

なお、緊急一時預かり又は幼稚園型Ⅱの場合に、保護者負担が過大とならないよう配慮すること。

8　費用

本事業に要する費用の一部について、国は別に定めるところにより補助するものとする。

なお、4⑴④の注書きにより放課後児童健全育成事業と合同で保育を実施する場合には、それぞれの対象児童の保育の実施に係る費用を按分し、それぞれの事業の対象経費として補助するものとする。

○利用者支援事業の実施について

〔令和6年3月30日　こ成環第131号・こ支虐第122号・5文科初第2594号
各都道府県知事宛　こども家庭庁成育・支援局長・文部科学省初等中等教育局長連名通知〕

標記については、今般、別紙のとおり「利用者支援事業実施要綱」を定め、令和6年4月1日から適用することとしたので通知する。

ついては、管内市町村（特別区及び一部事務組合を含む。）に対して周知をお願いするとともに、本事業の適正かつ円滑な実施に期されたい。

なお、本通知の適用に伴い、「利用者支援事業の実施について」（平成27年5月21日付け府子本第83号、27文科初第270号、雇児発0521第1号内閣府子ども・子育て本部統括官、文部科学省初等中等教育局長、厚生労働省雇用均等・児童家庭局長通知）は廃止する。

別　紙

利用者支援事業実施要綱

1　事業の目的

一人ひとりのこどもが健やかに成長することができる地域社会の実現に寄与するため、こども及びその保護者等、または妊娠している方がその選択に基づき、教育・保育・保健その他の子育て支援を円滑に利用できるよう、必要な支援を行うことを目的とする。

2　実施主体

実施主体は、市町村（特別区及び一部事務組合を含む。以下同じ。）とする。

なお、市町村が認めた者へ委託等を行うことができる。

3　事業の内容

子ども・子育て支援法第59条第1号に基づき、こども又はその保護者の身近な場所で、教育・保育・保健その他の子育て支援の情報提供及び必要に応じ相談・助言等を行うとともに、関係機関との連絡調整等を実施する事業（以下「利用者支援事業」という。）。

4　実施方法

以下の⑴から⑶までの類型の一部又は全部を実施するものとする。

⑴　基本型

①　目的

こども及びその保護者等が、教育・保育施設や地域の子育て支援事業等を円滑に利用できるよう、身近な場所において、当事者目線の寄り添い型の支援を実施する。

②　実施場所

主として身近な場所で、日常的に利用でき、かつ相談機能を有する施設での実施とする。

③　職員の配置等

ア　職員の要件等

以下の㋐及び㋑を満たした者又は㋒に該当する者でなければならない。

㋐　「子育て支援員研修事業の実施について」（令和6年3月30日付けこ成環第111号、こ支家第189号こども家庭庁成育局長、こども家庭庁支援局長通知）の別紙「子育て支援員研修事業実施要綱」（以下「子育て支援員研修事業実施要綱」という。）別表1に定める「子育て支援員基本研修」に規定する内容の研修（以下、「基本研修」という。）及び別表2―2の1に定める子育て支援員専門研修（地域子育て支援コース）の「利用者支援事業（基本型）」に規定する内容の研修（以下「基本型専門研修」という。）を修了していること。

なお、以下の左欄に該当する場合については、右欄の研修の受講を要しない。ただし、中段及び下段に該当する場合には、事業に従事し始めた後に適宜受講することとする。

子育て支援員研修事業実施要綱5の⑶のアの㋓に該当する場合	基本研修
本実施要綱が適用される際に、既に利用者支援事業に従事している場合	基本研修 基本型専門研修
事業を実施する必要があるが、子育て支援員研修事業実施要綱に定める研修をすぐに実施できないなどその他やむを得ない場合	基本研修 基本型専門研修

㋑　以下に掲げる相談及びコーディネート等の業務内容を必須とする市町村長が認めた事業や業務（例：地域子育て支援拠点事

業、保育所における主任保育士業務　等）について、以下の区分ごとの期間を参酌して市町村長が定める実務経験の期間を有すること。

(a)　保育士、社会福祉士、その他対人援助に関する有資格者の場合　1年

(b)　(a)以外の者の場合　3年

(ウ)　児童福祉法施行規則第5条の2の8に規定するこども家庭ソーシャルワーカー

イ　職員の配置

アを満たす専任職員を、1事業所1名以上配置するものとする。ただし、保育所や地域子育て支援拠点などの既存施設・事業において配置されている職員のみで、「こども家庭センター連携等加算」の要件を満たす場合においてはこの限りではない。

ウ　その他

アの(ウ)に該当する者については、子育て支援員研修事業実施要綱に定める基本研修及び基本型専門研修の受講を要しないが、職員として配置するにあたっては、本事業の意義や内容、管内地域の特性等について十分な理解が得られるよう、実施主体（委託先を含む。以下同じ。）において必要な対応を行うこと。

イを満たした上で、地域の実情により、適宜、業務を補助する職員を配置しても差し支えないものとする。

④　業務内容

基本Ⅰ型及び基本Ⅱ型は、以下のア～サの業務を実施するものとし、基本Ⅲ型は、「地域子育て相談機関の設置運営等について」（令和6年3月30日付けこ成環第100号こども家庭庁成育局長通知、以下「地域子育て相談機関設置運営要綱」という。）6　業務内容に記載する業務を実施するものとする。

ア　利用者の個別ニーズを把握し、それに基づいて情報の集約・提供、相談、利用支援等を行うことにより、教育・保育施設や地域の子育て支援事業等を円滑に利用できるよう実施することとする。

イ　教育・保育施設や地域の子育て支援事業等を提供している関係機関との連絡・調整、連携、協働の体制づくりを行うとともに、地域の子育て資源の育成、地域課題の発見・共有、地域で必要な社会資源の開発等に努めること。

ウ　利用者支援事業の実施に当たり、教育・保育施設や地域の子育て支援事業等に関する情報について、リーフレットその他の広告媒体を活用し、積極的な広報・啓発活動を実施し、広くサービス対象者に周知を図るものとする。

エ　その他利用者支援事業を円滑にするための必要な諸業務を行うものとする。

オ　夜間・休日の時間外相談

「「待機児童解消に向けて緊急的に対応する施策について」の対応方針について」（平成28年4月7日雇児発0407第2号雇用均等・児童家庭局長通知）に基づき、待機児童解消に向けて緊急的に対応する取組（以下「緊急対策」という。）を実施する市町村において、以下に掲げる取組を実施する場合に別途加算の対象とする。

(ア)　夜間加算

原則として1日6時間を超えて開所し、かつ、週3日以上、18時以降の時間帯に2時間以上開所し、相談・助言等を行う。

(イ)　休日加算

原則として週4日以上開所し、かつ、土曜日または日曜日・国民の祝日等に開所し、相談・助言等を行う。

カ　出張相談支援

両親（母親・父親）学級、乳幼児健康診査や地域で開催されている交流の場等に出向き、子育てに関する全般的な相談や子育てサービスに関する情報提供等の取組を以下の通り実施する場合に別途加算の対象とする。

(ア)　③のイの専任職員に加えて③のアを満たす職員を配置すること。

(イ)　実施に当たり、継続的かつ計画的な取組を行い、利用者ニーズに対応した支援を実施すること。

(ウ)　取組の実施に当たり、開催日や場所等について積極的に広報活動を行い、広くサービス対象者に周知を図ること。

キ　機能強化のための取組

オ(ア)、オ(イ)又はカの取組のいずれかを実施し、かつ、以下の要件のいずれも満たした場合に別途加算の対象とする。

(ア)　実施に当たり、1か所につき開所日1日当たり平均5件以上の相談等実績があること。なお、相談対応等を行った場合は相談記録簿等を作成し、適切に保管し、その後の支援に活用するために整理すること。

(イ) 緊急対策に参加している市町村であること。

(ウ) ③のアを満たす専任職員を２名以上配置すること。ただし、カを実施している場合については、カで配置する職員とは別に専任職員を２名以上配置すること。

(エ) オ(ア)、オ(イ)又はカの取組のいずれかの実施に当たり、事業計画書を作成し、周知・広報を行うとともに、具体的な実施状況をあわせて公表すること。

(オ) 各事業実施に必要となる人員配置の予定及び実績を明確に記録すること。

ク 多言語対応

外国人子育て家庭や妊産婦が、教育・保育施設や地域の子育て支援事業等を円滑に利用できるよう、通訳の配置や多言語音声翻訳システム等を導入することで、多言語対応への取組を実施した場合に別途加算の対象とする。

ケ 配慮が必要な子育て家庭等への支援

障害児、多胎児のいる家庭など、配慮が必要な子育て家庭等の状況に対応して、よりきめ細かい相談支援等ができるよう、次の(ア)、(イ)に掲げる実施方法により実施することができるものとし、この場合について別途加算の対象とする。

(ア) 開設日数は、週２日程度以上とすること。

(イ) 専門的な知識・経験を有する職員を配置すること。

コ 多機能型地域子育て支援の強化

子育て家庭が身近な地域で安全にかつ安心して子育てができるよう、利用者支援事業を核とした多機能型地域子育て支援の新たな展開を図るため、次の(ア)から(ウ)に掲げる実施方法により実施した場合について別途加算の対象とする。

(ア) ③のアと同程度の知識・経験を有する職員が、近隣の子育て支援又は母子保健等に関する事業を実施する各事業所等を巡回し、情報の収集及び共有を行うこと。

(イ) 連絡会議の開催等を行うこと。

(ウ) (ア)又は(イ)の取組を、実施日数は、週３日程度以上とすること。

サ こども家庭センター連携等加算

地域の住民にとって、身近な相談機関の整備を推進するため、児童福祉法第10条の３第１項及び地域子育て相談機関設置運営要綱に基づく地域子育て相談機関として、相談及び助言を行うほか、同法第10条の２に基づくこども家庭センターとの連絡調整など必要な取組を実施する場合（令和５年度以前に一体的相談支援機関連携等加算の対象となっており、地域子育て相談機関となることが見込まれる場合を含む。）、別途加算の対象とする。

(2) 特定型

① 目的

待機児童の解消等を図るため、行政が地域連携の機能を果たすことを前提に主として保育に関する施設や事業を円滑に利用できるよう支援を実施する。

② 実施要件

以下のいずれかの要件を満たす市町村が実施する施設であること。

ただし、１市町村当たりのか所数は、平成25年から令和５年の各年10月１日時点の０～５歳児人口を10,000で除して得られた数（小数点以下切上げ）のうち、最も多いものを上限とする。

ア 次の(ア)又は(イ)のいずれかの要件を満たし、かつ、「新子育て安心プラン実施計画」の採択を受けていること。

(ア) 平成27年から令和５年の各年４月１日時点のいずれかの待機児童数が１人以上であること。

(イ) 今後潜在的なニーズも含め保育ニーズの増大が見込まれること。

イ 緊急対策を実施していること。

③ 実施場所

主として市町村窓口での実施とする。

④ 職員の配置等

ア 職員の要件等

利用者支援事業に従事するにあたっては、子育て支援員研修実施要綱別表１に定める基本研修及び別表２―２の２に定める子育て支援員専門研修（地域子育て支援コース）の「利用者支援事業（特定型）」に規定する内容の研修を修了していることが望ましい。

イ 職員の配置等

アを満たす専任職員を、１事業所１名以上配置するものとする。

ウ その他

イを満たした上で、地域の実情により、適宜、業務を補助する職員を配置しても差し支えないものとする。

⑤　業務内容

(1)④に準じることとする。ただし、(1)④のア、オ、カ、キ、ク及びケについては、主として地域における保育所等の保育の利用に向けた相談支援について実施し、(1)④のイについて必ずしも実施を要しない。

なお、(1)④のカ(ア)については、「(2)④のイの専任職員に加えて、④のアを満たす職員を配置すること」と読み替えるものとする。

(3)　こども家庭センター型

①　目的

母子保健と児童福祉が連携・協働して、すべての妊産婦及びこどもとその家庭等を対象として、妊娠期から子育て期にわたるまでの母子保健や育児に関する様々な悩み等に円滑に対応するため、保健師等が専門的な見地から相談支援等を実施するとともに、こども等に関する相談全般から通所・在宅支援を中心としたより専門的な対応や必要な調査、訪問等による継続的なソーシャルワーク業務を行うことにより、妊娠期から子育て期にわたるまでの切れ目ない支援や虐待への予防的な対応から個々の家庭に応じた切れ目ない対応など市町村としての相談支援体制を構築する。併せて、特定妊婦、産後うつ、障害がある方への対応や地域資源の開拓など、多様なニーズに対応できるような体制整備を行う。

②　実施場所

母子保健機能（母子保健法第22条第1号～第4号に掲げる事業又はこれらの事業に併せて第5号に掲げる事業を行う機能であって、従来の「子育て世代包括支援センター」が担ってきた機能をいう。以下同じ。）と児童福祉機能（児童福祉法第10条第1号～第3号及び第5号に規定する機能であって、従来の「子ども家庭総合支援拠点」が担ってきた機能をいう。以下同じ。）の両面からの支援が一体的に提供されるようにするため、母子保健及び児童福祉に関する専門的な支援機能を有する施設・場所での実施とする。

ただし、必ずしも1つの施設・場所において2つの支援機能を有している必要はなく、それぞれの機能ごとに複数の施設・場所で、役割の分担や協働をしつつ必要な情報を共有しながら一体的に支援を行うことができることとする。なお、その場合は、それぞれの施設・場所をこども家庭センターと位置づけることができることとする。

また、1つの施設・場所で実施する場合でも、複数の施設・場所で実施する場合でも、業務を分担する場合には、個人情報の保護に十分留意の上、情報の集約・共有、記録の作成について適切に行い、できる限り情報を一元化する等、関係者で情報を共有しつつ、切れ目のない支援に当たること。

③　要件

「こども家庭センター」は児童福祉法及び母子保健法において、児童及び妊産婦の福祉や母性及び乳幼児の健康の保持及び増進に関する包括的な支援を行うものと規定されており、また、その創設の背景・目的や役割・業務等を踏まえ、「こども家庭センター」として位置づけられるための必要な要件は以下のア～オとする。

ア　母子保健機能及び児童福祉機能双方の機能の一体的な運営を行うこと。

イ　母子保健機能及び児童福祉機能における双方の業務について、組織全体のマネジメントを行う責任者である、センター長をこども家庭センター1か所あたり1名配置すること（小規模自治体等、自治体の実情に応じてセンター長は統括支援員を兼務することができる）。

ウ　母子保健機能及び児童福祉機能における双方の業務について十分な知識を有し、俯瞰して判断することのできる統括支援員をこども家庭センター1か所あたり1名配置すること。

エ　児童福祉法第10条の2第2項及び母子保健法第22条に規定する業務を行うこと。

オ　当該施設の名称は「こども家庭センター」（又はこれに類する自治体独自の統一的名称）を称すること。

④　職員の配置

ア　センター長

母子保健機能及び児童福祉機能における双方の業務について、組織全体のマネジメントを行う責任者であるセンター長をこども家庭センター1か所あたり1名配置するものとする。

イ　統括支援員

母子保健機能及び児童福祉機能における双方の業務について十分な知識を有し、俯瞰して判断することができる統括支援員をこども家庭センター1か所あたり1名配置するものとする。なお、統括支援員は、以下の(ア)〜(ウ)のいずれかに該当する者であり、かつ「統括支援員の研修について」(令和6年3月30日付けこ成母第141号、こ支虐第146号こども家庭庁成育局母子保健課長、こども家庭庁支援局虐待防止対策課長通知)の2に基づく研修を受講した者(又は一定期間内に研修を受講する予定である者)であること。

(ア) 別添1に定める保健師、社会福祉士、こども家庭ソーシャルワーカー等の母子保健、児童福祉に係る資格を有し、一定の母子保健又は児童福祉分野の実務経験を有する者

(イ) 母子保健機能、児童福祉機能における業務の双方(又はいずれか)において相談支援業務の経験があり、双方の役割に理解のある者

(ウ) その他、市町村において上記と同等と認めた者

ウ 母子保健機能の運営に係る職員

母子保健に関する専門知識を有する保健師、助産師、看護師又はソーシャルワーカー(社会福祉士等)(以下「保健師等」という。)を1名以上配置するものとする。なお、保健師等は専任が望ましい。

また、④のイの(キ)の内容を実施するに当たっては、社会福祉士、精神保健福祉士又はその他の専門職を1名以上配置するものとする。なお、当該職員は専任が望ましい。さらに、配置に当たっては、令和7年度末までに、職員の必置を目指すこと。

エ 児童福祉機能の運営に係る職員

(ア) 主な職員

こども家庭センターには、原則として、①子ども家庭支援員、②心理担当支援員、③虐待対応専門員の職務を行う職員を置くものとし、必要に応じて、④安全確認対応職員、⑤事務処理対応職員を置くことができる。

(イ) 主な職務、資格等

職員のそれぞれの主な職務、資格等については、以下のとおりとする。

(i) 子ども家庭支援員

① 主な職務

・実情の把握
・相談対応
・総合調整
・調査、支援及び指導等
・他関係機関等との連携

② 資格等

社会福祉士、精神保健福祉士、公認心理師、医師、保健師、保育士等(別添2参照)

なお、当分の間、内閣総理大臣が定める基準に適合する研修を受けた者も認めることとする。

(ii) 心理担当支援員

① 主な職務

・心理アセスメント
・こどもや保護者等の心理的側面からのケア

② 資格等

公認心理師、大学や大学院において、心理学を専修する学科又はこれに相当する課程を修めて卒業した者等

(iii) 虐待対応専門員

① 主な職務

・虐待相談
・虐待が認められる家庭等への支援
・児童相談所、保健所、市区町村保健センターなど関係機関との連携及び調整

② 資格等

こども家庭ソーシャルワーカー、社会福祉士、精神保健福祉士、公認心理師、医師、保健師等(別添3参照)

なお、当分の間、内閣総理大臣が定める基準に適合する研修を受けた者も認めることとする。

(ウ) 配置人員等

児童福祉機能における施設類型は別添4のとおりとし、別表の1に定める主な職員のそれぞれの最低配置人員等を配置すること。ただし、別表の1で定める配置人員等において、「常時○名」とあるのは、開所時間帯のうち週休日・夜間を除く週40時間を標準とする時間帯において配置する必要がある職員数と解することができる。

なお、小規模A型(人口5万人未満の市町村に限る。)の類型である市町村においては、母子保健機能と児童福祉機能を兼務する常勤職員がいる場合に限り、勤務形態

を問わず、常時１名体制でも可とする。

また、小規模Ｂ型以上の類型かつ児童千人当たりの児童虐待相談対応件数が全国平均を上回る市町村（こども家庭センター）は、児童相談所の児童福祉司の配置基準の算定を準用した算式（別表の２参照）で算定された人数を、虐待対応専門員の類型ごとの最低配置人員に上乗せして配置する必要があることに留意すること。この場合において、上乗せ配置の有無に関わらず、基礎となる配置人員が基準を満たしている場合には、基本分は補助対象とすることができる。最低配置人員を超えて虐待対応専門員を配置した場合は、人数分の補助基準額を加算（上限５人まで）することができる。

なお、福祉事務所に設置している家庭児童相談室の職員（家庭児童福祉の業務に従事する社会福祉主事及び家庭児童福祉に関する相談指導業務に従事する職員（家庭相談員））と兼務することも可能である。

オ　サポートプランの作成に係る支援員の追加配置

サポートプランを作成するための支援員を配置することができる（ただし、児童福祉法第10条第１項第４号に規定する計画に限る。）。

なお、作成するサポートプラン40件あたり１名を補助対象とする（ただし、人口10万人未満は１名、人口10万人以上かつ30万人未満は２名、人口30万人以上は３名を上限とする）。

配置する支援員については、子ども家庭支援員や虐待対応専門員等その業務を遂行するにふさわしいと考える者を充てること。

外部委託する場合には、その業務を遂行するにふさわしいと考える者又は団体を選定すること。

カ　地域資源開拓コーディネーターの配置

地域資源の開拓を行うコーディネーターを配置することができる。この場合において、こども家庭センター１か所当たり１名を補助対象とする。外部委託する場合には、その業務を遂行するにふさわしいと考える者又は団体を選定すること。

⑤　業務内容

こども家庭センターは、「こども家庭センターガイドライン」（令和６年３月30日付けこ成母第142号、こ支虐第147号こども家庭庁成育局長、こども家庭庁支援局長通知）に基づき業務を行うものとし、母子保健機能及び児童福祉機能の一体的な運営を通じて、妊産婦及び乳幼児の健康の保持及び増進に関する包括的な支援及び全てのこどもとその家庭（妊産婦を含む）に対する虐待への予防的な対応から個々の家庭の状況に応じた包括的な支援を切れ目なく実施する。

ア　母子保健機能と児童福祉機能の一体的支援

(ア)　サポートプランの母子保健機能と児童福祉機能の一体的な作成イに規定する母子保健機能の業務として作成するサポートプランと、ウに規定する児童福祉機能の業務として作成するサポートプランの双方の作成対象となる妊産婦及びこどもとその家庭等については、統括支援員を中心として両機能が連携し、サポートプランの作成（定期的なサポートプランの見直しを含む。）を行うものとする。

(イ)　統括支援員の業務

統括支援員は、母子保健と児童福祉の一体的支援のため、母子保健機能及び児童福祉機能間の調整を行うこととし、以下の業務を実施するものとする。

(i)　合同ケース会議に諮るケースの選定に関すること

(ii)　合同ケース会議の進行等に関すること

(iii)　母子保健機能、児童福祉機能が連携して行うサポートプランの作成や支援方針についての指導や助言

(iv)　母子保健機能、児童福祉機能単独で作成するサポートプランについての必要な指導や助言

(v)　地域の社会資源全体の把握及び必要な地域資源開拓のための指導や助言

イ　母子保健機能の業務

以下の業務を実施するものとする。

(ア)　妊娠期から子育て期にわたるまでの母子保健や育児に関する相談に対応する。また、保健師等は、妊娠の届出等の機会を通して得た情報を基に、対象地域における全ての妊産婦等の状況を継続的に把握し、妊産婦等の支援台帳を作成することとする。支援台帳については、氏名、分娩予定日、状況等の項目を定め、必要となる情報をすみやかに活用できる体制を整えること。

また、全ての妊産婦等の状況を把握するため、教育・保育・保健施設や地域子育て支援拠点等に出向き、積極的に情報の収集に努めることとする。

(イ) (ア)により把握した情報に基づき、保健師等は、支援を必要とする者が利用できる母子保健サービス等を選定し、情報提供を行うこととする。なお、必要に応じて母子保健サービス等を実施する関係機関の担当者に直接繋ぐなど、積極的な関与を行うこととする。

(ウ) 心身の不調や育児不安があることなどから手厚い支援を要する者に対する支援の方法や、対応方針について検討等を実施する協議会又はケース会議等を設け、関係機関と協力してサポートプランを策定することとする。

また、サポートプランの効果を評価・確認しながら、必要に応じて見直しを行い、妊産婦等を包括的・継続的に支えていくように努めること。

(エ) 支援を必要とする妊産婦等を早期に把握し、妊産婦等に対して各関係機関が提供する母子保健サービス等の支援が包括的に提供されるよう、保健師等が中心となって関係機関との協議の場を設けるとともに、ネットワークづくりを行い、その活用を図ることとする。

また、妊娠期から子育て期にわたるまでの支援は、本事業に基づく支援のみならず、別添５に掲げる様々な母子保健施策による支援や子育て支援も必要であるため、上記の協議の場又は関係機関とのネットワークを通じ、地域において不足している妊産婦等への支援を整備するための体制づくりを行う。

(オ) 多言語対応

外国人子育て家庭や妊産婦が、母子保健サービス等を円滑に利用できるよう、通訳の配置や多言語音声翻訳システム等を導入することで、多言語対応への取組を実施した場合に別途加算の対象とする。

(カ) 配慮が必要な子育て家庭等への支援

障害児、多胎児のいる家庭など、配慮が必要な子育て家庭等の状況に対応して、よりきめ細かい相談支援等ができるよう、次の(i)、(ii)に掲げる実施方法により実施することができるものとし、この場合について別途加算の対象とする。

(i) 開設日数は、週２日程度以上とすること。

(ii) 専門的な知識・経験を有する職員を配置すること。

(キ) 困難事例への対応等の支援

(i) 妊産婦等からの問い合わせに即時対応可能とするため、SNS等を活用した相談支援や、多職種によるアウトリーチ支援の実施。

(ii) 関係機関との連携の強化を実施。

(iii) 嘱託医師との連携によるケース対応等の実施。

ウ 児童福祉機能の業務

以下の(ア)及び(イ)の業務を実施するものとし、加えて(ウ)から(カ)の取組みを実施する場合には、別途加算の対象とする。

(ア) 子ども家庭支援全般に係る業務

(i) 市区町村に在住するすべてのこどもとその家庭及び妊産婦等に関し、母子保健事業に基づく状況、親子関係、夫婦関係、きょうだい関係、家庭の環境及び経済状況、保護者の心身の状態、こどもの特性などの養育環境全般について、家庭全体の問題として捉え、(イ)の業務との連携を図りつつ、関係機関等から必要な情報を収集するとともに、インフォーマルなリソースも含めた地域全体の社会資源の情報等の実情の把握を継続的に行う。

(ii) こどもとその家庭及び妊産婦等がニーズに応じた支援が受けられるように、(イ)の業務とも連携しつつ、当該地域の実情や社会資源等に関する情報の提供を行うとともに、関係機関にも連携に資するその福祉に関する資源や支援等に関する情報の提供を行う。

(iii) こどもとその家庭及び妊産婦等や関係機関等から、一般子育てに関する相談から養育困難な状況や子ども虐待等に関する相談まで、また妊娠期（胎児期）からこどもの自立に至るまでのこども家庭等に関する相談全般に応じる。

(iv) 個々のニーズ、家庭の状況等に応じて最善の方法で課題解決が図られるよう、支援を行うことと併せ、関係機関等と緊密に連携し、地域における子育て支援の様々な社会資源を活用して、適切な支援に有機的につないでいくため、支援内容やサービスの調整を行い、包括的な支援に結び付けていく適切な支援を行う。

特に、要支援児童及び要保護児童等並びに特定妊婦等に関しては、こども家庭センターが中核となって必要な支援を行うとともに、関係機関でサービスを分担する際には、責任を明確にして、円滑なサービス提供を行うこと。

(v)　こどもや保護者の多様なニーズに応じた支援を早期から提供することで、こどもが家庭において心身ともに健やかに養育され、かつ、虐待の未然防止が図られるよう、地域資源やニーズの把握、地域資源の状況の見える化、児童福祉に関する支援の担い手の養成やニーズに応じた新たなサービスの開発（担い手を養成し、組織化し、担い手を支援活動につなげる機能）、関係者のネットワーク化などを行う。

(vi)　こども家庭センターは、(i)～(v)及び(イ)に掲げる業務を行うに当たって、「地域子育て相談機関」と必要に応じて定期的な情報共有を行うなど、密接に連携を図るものとする。

(vii)　こども及び妊産婦の福祉に関し、心身の状況等に照らし包括的な支援を必要とすると認められる要支援児童等その他の者に対して、これらの者に対する支援の種類及び内容等の事項を記載した計画（サポートプラン）を作成すること。

(イ)　要支援児童及び要保護児童等並びに特定妊婦等への支援業務

要支援児童及び要保護児童等並びに特定妊婦等への支援においては、相談・通告を受け、事前の情報収集を基に（緊急）受理会議を行い、受理会議で検討された、当該ケースについての事実関係を整理するための調査やこどもとその家庭の意向を踏まえ、当該調査等の結果を踏まえたアセスメント（情報を分析し見解をまとめたもの）を基に、ケース検討会議（支援方針会議）による支援方針の決定、サポートプラン及び支援計画（以下、サポートプラン等）の作成を行い、支援を実行し、その後のケースの進行管理及び支援終結の判断を行うこと。

(ウ)　夜間・土日開所加算

児童福祉機能は、都道府県の設置する福祉事務所、児童相談所等と緊密に連携し、夜間、休日等の執務時間外であっても相談・通告を受けて適切な対応が採れるよう所要の体制を整備することが必要である。

このため、週40時間を標準とする開所時間帯を超えて平日の夜間や平日以外の日に運営を行う児童福祉機能については、別に定めるところにより、開所時間に応じて運営に係る経費を加算する。

(エ)　弁護士・医師等配置加算

児童福祉機能における相談対応等の業務の実施において、法的な知見や医学的な知見を要する内容について、弁護士や医師等の専門的な知見を有する者（以下「弁護士・医師等」という。）から助言を得るため、弁護士・医師等の配置等を行い、体制の整備を図る場合は、別に定めるところにより、加算する。なお、助言を得る方法として、弁護士・医師等を職員として配置する方法のほか、弁護士・医師等又は弁護士・医師等を雇用する法人との間で、助言を得るための契約の締結等を行う方法も考えられる。

(オ)　地域活動等推進加算

(i)　研修・広報啓発に関する取組

児童虐待の未然防止や早期発見には、行政機関による取組だけではなく、地域住民からの通告等も重要となることから、民生委員・児童委員（主任児童委員を含む）を含め、地域住民に対して、児童虐待を受けたと思われるこどもを発見した際の対応等（通告や見守り等）について、研修の実施やセミナーの開催等による普及啓発活動の実施に取り組む場合は、別に定めるところにより、加算する。

(ii)　見守り活動等の推進に関する取組

要保護児童対策地域協議会に登録されているこどもに関し、市町村において定期的な状況確認が必要と判断しているケースについて、民間団体に対して、当該こどもの見守りを行うことや、保護者が不在となる際に当該こどもの居場所を確保し、食事の提供など、生活を支援することを依頼し、支援を行った民間団体からの報告を求めるなど、民間団体を活用した見守り等を実施している児童福祉機能については、別に定めるところにより、加算する。なお、支援の内容については、地域やケースの状況により様々であるものと考えられることから、各市町村の定めによるものとする。

(iii) 通訳業務に関する取組

日本語以外の言語を話す外国人家庭に対する相談支援をより円滑に行うため、通訳に関する業務（人員の配置のほか、民間団体やＩＣＴ機器の活用を含む。）を実施する場合は、別に定めるところにより、加算する。

(カ) 制度施行円滑導入経費

市町村において、こども家庭センターの設置にあたり、円滑な施行に資する以下に掲げる取組を行う場合には、別に定めるところにより、加算する。なお、交付はこども家庭センターの設置を行う市町村につき一度に限るものとする。

(i) 地域資源の創出や地域住民等を対象とした周知・広報の実施

(ii) ニーズ把握等の調査の実施

(iii) 家庭支援事業の担い手の確保に向けた研修等の実施

(iv) その他、こども家庭センターの円滑な施行に資する取組の実施

5　関係機関等との連携

実施主体は、教育・保育・保健その他の子育て支援を提供している機関のほか、児童相談所、保健所といった地域における保健・医療・福祉の行政機関、民生委員・児童委員（主任児童委員含む)、教育委員会、医療機関、学校、警察、特定非営利活動法人等の関係機関・団体等に対しても利用者支援事業の周知等を積極的に図るとともに、連携を密にし、利用者支援事業が円滑かつ効果的に行われるよう努めなければならない。

6　留意事項

(1) 利用者支援事業に従事する者は、こどもの「最善の利益」を実現させる観点から、こども及びその保護者等、または妊娠している方への対応に十分配慮するとともに、正当な理由なく、その業務上知り得た利用者又はその家族の秘密を漏らしてはならない。

さらに、このことにより、同じく守秘義務が課せられた地域子育て支援拠点や市町村の職員などと情報交換や共有し、連携を図ること。

(2) 利用者支援事業に従事する者は、利用者支援事業の実施場所の施設や市町村窓口などの担当者等と相互に協力し合うとともに、利用者支援事業の円滑な実施のために一体的な運営体制を構築すること。

(3) ４に定める各類型は、それぞれ特徴が異なり、いずれの機能も重要であることから、地域の実情に応じて、それぞれの充実に努めること。また、各類型の所管課が異なる場合には、日頃から各所管課同士の連携などに努めること。

(4) 対象者や既存の社会資源が少ない地域等において、複数の自治体が共同して利用者支援事業を実施する際には、都道府県は、広域調整等の機能を担い、全ての子育て家庭に必要な支援が行き届くよう努めること。

(5) 利用者支援事業に従事する者は、有する資格や知識・経験に応じて、本事業を実施するに当たり共通して必要となる知識や技術を身につけ、かつ常に資質、技能等を維持向上させるため、子育て支援員研修実施要綱別表３及び別表４に定めるフォローアップ研修及び現任研修その他必要な各種研修会、セミナー等の受講に努めること。

また、実施主体は、利用者支援事業に従事する者のための各種研修会、セミナー等に積極的に参加させるよう努めること。

(6) 利用者支援事業の実施に当たり、児童虐待の疑いがあるケースが把握された場合には、福祉事務所若しくは児童相談所又は児童委員、その他の関係機関と連携し、早期対応が図られるよう努めなければならない。

(7) 障害児等を養育する家庭からの相談等についても、市町村の所管部局、指定障害児相談支援事業所等と連携し、適切な対応が図られるよう努めるものとする。

(8) 教育・保育施設や地域の子育て支援事業等の選択については、利用者の判断によるものとする。

(9) 市町村は、利用者支援事業を利用した者からの苦情等に関する相談窓口を設置するとともに、その連絡先についても周知すること。

7　費用

利用者支援事業の実施に要する経費について、国は別に定めるところにより補助するものとする。

【別添１】

統括支援員の資格について

保健師、社会福祉士、こども家庭ソーシャルワーカーの他

【母子保健機能の母子保健担当職員の資格】

(1)　保健師
(2)　助産師
(3)　看護師
(4)　ソーシャルワーカー（社会福祉士等）

【困難事例対応職員の資格】

(1)　社会福祉士
(2)　精神保健福祉士
(3)　その他の専門職

【子ども家庭支援員の資格等】

(1)　児童虐待を受けた児童の保護その他児童の福祉に関する専門的な対応を要する事項について、児童及びその保護者に対する知識及び必要な指導等を通じて的確な支援を実施できる十分な知識及び技術を有する者として内閣府令で定めるもの
(2)　都道府県知事の指定する児童福祉司若しくは児童福祉施設の職員を養成する学校その他の施設を卒業し、又は都道府県知事の指定する講習会の課程を修了した者
(3)　学校教育法（昭和22年法律第26号）に基づく大学又は旧大学令（大正７年勅令第388号）に基づく大学において、心理学、教育学若しくは社会学を専修する学科又はこれらに相当する課程を修めて卒業した者であって、厚生労働省令で定める施設において１年以上児童その他の者の福祉に関する相談に応じ、助言、指導その他の援助を行う業務（以下「相談援助業務」という。）に従事したもの
(4)　医師
(5)　社会福祉士
(6)　精神保健福祉士
(7)　公認心理師
(8)　社会福祉主事として２年以上児童福祉事業に従事した者であって、厚生労働大臣が定める講習会の課程を修了したもの
(9)　学校教育法による大学において、心理学、教育学若しくは社会学を専修する学科又はこれらに相当する課程において優秀な成績で単位を修得したことにより、同法第102条第２項の規定により大学院への入学を認められた者であって、指定施設において１年以上相談援助業務に従事したもの
(10)　学校教育法による大学院において、心理学、教育学若しくは社会学を専攻する研究科又はこれらに相当する課程を修めて卒業した者であって、指定施設において１年以上相談援助業務に従事したもの
(11)　外国の大学において、心理学、教育学若しくは社会学を専修する学科又はこれらに相当する課程を修めて卒業した者であって、指定施設において１年以上相談援助業務に従事したもの
(12)　社会福祉士となる資格を有する者（(5)に規定する者を除く。）
(13)　精神保健福祉士となる資格を有する者（(6)に規定する者を除く。）
(14)　保健師
(15)　助産師
(16)　看護師
(17)　保育士
(18)　教育職員免許法（昭和24年法律第147号）に規定する普通免許状を有する者
(19)　社会福祉主事たる資格を得た後の次に掲げる期間の合計が２年以上である者であって、厚生労働大臣が定める講習会の課程を修了したもの
　①　社会福祉主事として児童福祉事業に従事した期間
　②　児童相談所の所員として勤務した期間
(20)　社会福祉主事たる資格を得た後３年以上児童福祉事業に従事した者（(19)に規定する者を除く。）
(21)　児童福祉施設の設備及び運営に関する基準（昭和23年厚生省令第63号）第21条第６項に規定する児童指導員

【虐待対応専門員の資格等】

(1)　児童虐待を受けた児童の保護その他児童の福祉に関する専門的な対応を要する事項について、児童及びその保護者に対する知識及び必要な指導等を通じて的確な支援を実施できる十分な知識及び技術を有する者として内閣府令で定めるもの
(2)　都道府県知事の指定する児童福祉司若しくは児童福祉施設の職員を養成する学校その他の施設を卒業し、又は都道府県知事の指定する講習会の課程を修了した者
(3)　学校教育法に基づく大学又は旧大学令に基づく大学において、心理学、教育学若しくは社会学を専修する学科又はこれらに相当する課程を修めて卒業した者であって、厚生労働省令で定める施設において１年以上相談援助業務に従事したもの
(4)　医師
(5)　社会福祉士
(6)　精神保健福祉士
(7)　公認心理師

(8)　社会福祉主事として２年以上児童福祉事業に従事した者であって、厚生労働大臣が定める講習会の課程を修了したもの

(9)　学校教育法による大学において、心理学、教育学若しくは社会学を専修する学科又はこれらに相当する課程において優秀な成績で単位を修得したことにより、同法第102条第２項の規定により大学院への入学を認められた者であって、指定施設において１年以上相談援助業務に従事したもの

(10)　学校教育法による大学院において、心理学、教育学若しくは社会学を専攻する研究科又はこれらに相当する課程を修めて卒業した者であって、指定施設において１年以上相談援助業務に従事したもの

(11)　外国の大学において、心理学、教育学若しくは社会学を専修する学科又はこれらに相当する課程を修めて卒業した者であって、指定施設において１年以上相談援助業務に従事したもの

(12)　社会福祉士となる資格を有する者（(5)に規定する者を除く。）

(13)　精神保健福祉士となる資格を有する者（(6)に規定する者を除く。）

(14)　保健師

(15)　助産師

(16)　看護師

(17)　保育士であって、指定施設において２年以上相談援助業務に従事したものであり、かつ、指定講習会の課程を修了したもの

(18)　教育職員免許法に規定する普通免許状を有する者

(19)　社会福祉主事たる資格を得た後の次に掲げる期間の合計が２年以上である者であって、厚生労働大臣が定める講習会の課程を修了したもの

①　社会福祉主事として児童福祉事業に従事した期間

②　児童相談所の所員として勤務した期間

(20)　社会福祉主事たる資格を得た後３年以上児童福祉事業に従事した者（(19)に規定する者を除く。）

(21)　児童福祉施設の設備及び運営に関する基準第21条第６項に規定する児童指導員

【心理担当支援員の資格等】

(1)　公認心理師

(2)　大学や大学院において、心理学を専修する学科又はこれに相当する課程を修めて卒業した者等

【別添２】

子ども家庭支援員の資格等

(1)　児童虐待を受けた児童の保護その他児童の福祉に関する専門的な対応を要する事項について、児童及びその保護者に対する知識及び必要な指導等を通じて的確な支援を実施できる十分な知識及び技術を有する者として内閣府令で定めるもの

(2)　都道府県知事の指定する児童福祉司若しくは児童福祉施設の職員を養成する学校その他の施設を卒業し、又は都道府県知事の指定する講習会の課程を修了した者

(3)　学校教育法（昭和22年法律第26号）に基づく大学又は旧大学令（大正７年勅令第388号）に基づく大学において、心理学、教育学若しくは社会学を専修する学科又はこれらに相当する課程を修めて卒業した者であって、厚生労働省令で定める施設において１年以上児童その他の者の福祉に関する相談に応じ、助言、指導その他の援助を行う業務（以下「相談援助業務」という。）に従事したもの

(4)　医師

(5)　社会福祉士

(6)　精神保健福祉士

(7)　公認心理師

(8)　社会福祉主事として２年以上児童福祉事業に従事した者であって、厚生労働大臣が定める講習会の課程を修了したもの

(9)　学校教育法による大学において、心理学、教育学若しくは社会学を専修する学科又はこれらに相当する課程において優秀な成績で単位を修得したことにより、同法第102条第２項の規定により大学院への入学を認められた者であって、指定施設において１年以上相談援助業務に従事したもの

(10)　学校教育法による大学院において、心理学、教育学若しくは社会学を専攻する研究科又はこれらに相当する課程を修めて卒業した者であって、指定施設において１年以上相談援助業務に従事したもの

(11)　外国の大学において、心理学、教育学若しくは社会学を専修する学科又はこれらに相当する課程を修めて卒業した者であって、指定施設において１年以上相談援助業務に従事したもの

(12)　社会福祉士となる資格を有する者（(5)に規定する者を除く。）

(13)　精神保健福祉士となる資格を有する者（(6)に

規定する者を除く。）
⒁　保健師
⒂　助産師
⒃　看護師
⒄　保育士
⒅　教育職員免許法（昭和24年法律第147号）に規定する普通免許状を有する者
⒆　社会福祉主事たる資格を得た後の次に掲げる期間の合計が２年以上である者であって、厚生労働大臣が定める講習会の課程を修了したもの
①　社会福祉主事として児童福祉事業に従事した期間
②　児童相談所の所員として勤務した期間
⒇　社会福祉主事たる資格を得た後３年以上児童福祉事業に従事した者（⒆に規定する者を除く。）
㉑　児童福祉施設の設備及び運営に関する基準（昭和23年厚生省令第63号）第21条第６項に規定する児童指導員

【別添３】
虐待対応専門員の資格等
⑴　児童虐待を受けた児童の保護その他児童の福祉に関する専門的な対応を要する事項について、児童及びその保護者に対する知識及び必要な指導等を通じて的確な支援を実施できる十分な知識及び技術を有する者として内閣府令で定めるもの
⑵　都道府県知事の指定する児童福祉司若しくは児童福祉施設の職員を養成する学校その他の施設を卒業し、又は都道府県知事の指定する講習会の課程を修了した者
⑶　学校教育法に基づく大学又は旧大学令に基づく大学において、心理学、教育学若しくは社会学を専修する学科又はこれらに相当する課程を修めて卒業した者であって、厚生労働省令で定める施設において１年以上相談援助業務に従事したもの
⑷　医師
⑸　社会福祉士
⑹　精神保健福祉士
⑺　公認心理師
⑻　社会福祉主事として２年以上児童福祉事業に従事した者であって、厚生労働大臣が定める講習会の課程を修了したもの
⑼　学校教育法による大学において、心理学、教育学若しくは社会学を専修する学科又はこれらに相当する課程において優秀な成績で単位を修得したことにより、同法第102条第２項の規定により大学院への入学を認められた者であって、指定施設において１年以上相談援助業務に従事したもの
⑽　学校教育法による大学院において、心理学、教育学若しくは社会学を専攻する研究科又はこれらに相当する課程を修めて卒業した者であって、指定施設において１年以上相談援助業務に従事したもの
⑾　外国の大学において、心理学、教育学若しくは社会学を専修する学科又はこれらに相当する課程を修めて卒業した者であって、指定施設において１年以上相談援助業務に従事したもの
⑿　社会福祉士となる資格を有する者（⑸に規定する者を除く。）
⒀　精神保健福祉士となる資格を有する者（⑹に規定する者を除く。）
⒁　保健師
⒂　助産師
⒃　看護師
⒄　保育士であって、指定施設において２年以上相談援助業務に従事したものであり、かつ、指定講習会の課程を修了したもの
⒅　教育職員免許法に規定する普通免許状を有する者
⒆　社会福祉主事たる資格を得た後の次に掲げる期間の合計が２年以上である者であって、厚生労働大臣が定める講習会の課程を修了したもの
①　社会福祉主事として児童福祉事業に従事した期間
②　児童相談所の所員として勤務した期間
⒇　社会福祉主事たる資格を得た後３年以上児童福祉事業に従事した者（⒆に規定する者を除く。）
㉑　児童福祉施設の設備及び運営に関する基準第21条第６項に規定する児童指導員

【別添４】
児童福祉機能における施設類型については、児童人口規模に応じ以下のとおりとする。
①　小規模型【小規模市・町村部】
ア　小規模Ａ型：児童人口概ね0.9万人未満（人口約5.6万人未満）
イ　小規模Ｂ型：児童人口概ね0.9万人以上1.8万人未満（人口約5.6万人以上約11.3万人未満）
ウ　小規模Ｃ型：児童人口概ね1.8万人以上2.7万

人未満（人口約11.3万人以上約17万人未満）

② 中規模型【中規模市部】：児童人口概ね2.7万人以上7.2万人未満（人口約17万人以上約45万人未満）

③ 大規模型【大規模市部】：児童人口概ね7.2万人以上（人口約45万人以上）

の５類型に区分する。

また、地域の実情に応じて、小規模型の小規模市・町村部においては、２次医療圏を単位とした広域での設置、中規模型及び大規模型の市部においては、区域等に応じて複数のこども家庭センターの設置などの方法も考えられる。特に、指定都市においては、行政区ごとに設置することが求められる。

【別添５】

・ 性と健康の相談センター事業
・ 出産・子育て応援交付金事業
・ 妊婦健康診査
・ 産婦健康診査
・ 両親学級、母親学級
・ 新生児訪問指導、妊産婦訪問指導
・ 妊婦訪問支援事業
・ 乳幼児健康診査
・ 乳児家庭全戸訪問事業
・ 養育支援訪問事業
・ 養子縁組あっせん　等

【別表】

１　主な職員の最低配置人員

	子ども家庭支援員	心理担当支援員	虐待対応専門員	合計
小規模Ａ型 児童人口概ね0.9万人未満（人口約5.6万人未満）	常時２名 （１名は非常勤形態でも可）	―	―	常時計２名以上
小規模Ｂ型 児童人口概ね0.9万人以上1.8万人未満（人口約5.6万人以上約11.3万人未満）	常時２名 （１名は非常勤形態でも可）	―	常時１名 （非常勤形態でも可）	常時計３名以上
小規模Ｃ型 児童人口1.8万人以上2.7万人未満（人口11.3万人以上約17万人未満）	常時２名 （１名は非常勤形態でも可）	―	常時２名 （非常勤形態でも可）	常時計４名以上
中規模型 児童人口概ね2.7万人以上7.2万人未満（人口約17万人以上約45万人未満）	常時３名 （１名は非常勤形態でも可）	常時１名 （非常勤形態でも可）	常時２名 （非常勤形態でも可）	常時計６名以上
大規模型 児童人口概ね7.2万人以上（人口約45万人以上）	常時５名 （１名は非常勤形態でも可）	常時２名 （非常勤形態でも可）	常時４名 （非常勤形態でも可）	常時計11名以上

（※）　この他、必要に応じて、安全確認対応職員、事務処理対応職員等の職員を配置することが望ましい。

２　虐待対応専門員の上乗せ配置の算定式

○　$\text{各市区町村の児童虐待相談対応件数} - \text{各市区町村管轄地域の児童人口} \times \frac{\text{全国の児童虐待相談対応件数}}{\text{全国の児童人口}} \div 40$

（※１）　市区町村内に複数の支援拠点を設置する場合には、支援拠点単位で算定。

（※２）　各年度における上乗せ人員は、児童人口は直近の国勢調査の数値を、児童虐待相談対応件数は前々年度の福祉行政報告例の数値を用いて算定。

（※３）　「40」は、平均的な児童相談所の児童福祉司の虐待相談に係る持ちケース数（年間約40ケース（雇用均等・児童家庭局総務課調））を踏まえたもの。

○延長保育事業の実施について

〔令和６年４月１日　こ成保第225号
各都道府県知事・各指定都市市長・各中核市市長宛　こども家庭庁成育局長通知〕

標記については、今般、別紙のとおり「延長保育事業実施要綱」を定め、令和６年４月１日から適用することとしたので通知する。

ついては、管内市町村（特別区を含む。）に対して周知をお願いするとともに、本事業の適正かつ円滑な実施に期されたい。

なお、本通知の施行に伴い、平成27年７月17日雇児発第10号厚生労働省雇用均等・児童家庭局長通知「延長保育事業の実施について」は、令和６年３月31日限りで廃止する。

別　紙

延長保育事業実施要綱

１　事業の目的

就労形態の多様化等に伴い、やむを得ない理由により、保育時間を延長して児童を預けられる環境が必要とされている。

こうした需要に対応するため、保育認定を受けた児童について、通常の利用日及び利用時間帯以外の日及び時間において、保育所、認定こども園等で引き続き保育を実施することで、安心して子育てができる環境を整備し、もって児童の福祉の向上を図ることを目的とする。

２　実施主体

実施主体は、市町村（特別区及び一部事務組合を含む。以下同じ。）とする。

なお、市町村が認めた者へ委託等を行うことができる。

３　事業の内容

子ども・子育て支援法（平成24年法律第65号）第19条第１項第２号又は第３号の支給要件を満たし、同法第20条第１項により市町村の認定を受けた児童が、やむを得ない理由により通常の利用日及び利用時間帯以外の日及び時間において保育所や認定こども園等で保育を受けた際に、保護者が支払うべき時間外保育の費用の全部又は一部の助成を行うことにより、必要な保育を確保する事業。

４　実施方法

⑴　一般型

①　実施場所

都道府県及び市町村以外の者が設置する保育所又は認定こども園（以下「民間保育所等」という。）、小規模保育事業所、事業所内保育事業所、家庭的保育事業所、駅前等利便性の高い場所、公共的施設の空き部屋等適切に事業が実施できる施設等とする。

②　対象児童

子ども・子育て支援法第19条第１項第２号又は第３号の支給要件を満たし、同法第20条第１項により市町村の認定を受け、民間保育所等、小規模保育事業所、事業所内保育事業所、家庭的保育事業所を利用する児童。

③　職員配置

配置する職員は、ア～ケの各類型において次のとおりとする。

また、配置する職員の数（以下「基準配置」という。）は、乳児おおむね３人につき１名以上、満１歳以上満３歳に満たない幼児おおむね６人につき１名以上、満３歳以上満４歳に満たない幼児おおむね20人につき１名以上、満４歳以上の幼児おおむね30人につき１名以上とする。

なお、保健師、看護師及び准看護師、幼稚園教諭、小学校教諭及び養護教諭並びに市町村長が保育士と同等の知識及び経験を有すると認める者については、次に掲げるア、イ及びオに限り、児童福祉施設の設備及び運営に関する基準（昭和23年厚生省令第63号）第94条から第97条まで、児童福祉施設最低基準の一部を改正する省令（平成10年厚生省令第51号）附則第２項並びに家庭的保育事業等の設備及び運営に関する基準（平成26年厚生労働省令第61号。以下「家庭的保育事業等の設備運営基準」という。）附則第６条から第９条までの規定に準じて保育士として配置することができることとする。

ア　民間保育所等

基準配置により保育士を配置すること。ただし、実施場所１につき保育士の数は２名を下ることはできない。

なお、開所時間内における「特定教育・保育、特別利用保育、特別利用教育、特定地域型保育、特別利用地域型保育、特定利用地域型保育及び特例保育に要する費用の額の算定に関する基準等」(平成27年内閣府告示第49号。以下「告示」という。) 第1条第44号ロに定める短時間認定を受けた児童 (以下「短時間認定児」という。) の延長保育について、告示第1条第44号イに定める標準時間認定を受けた児童 (以下「標準時間認定児」という。) を保育する職員の支援を受けられる場合には、保育士1名で保育ができる乳幼児数の範囲内において、保育士1名とすることができる。

(注) 延長保育事業を実施する民間保育所等を運営する法人が同一敷地内で放課後児童健全育成事業を実施する場合であって、放課後児童健全育成事業の利用児童数がおおむね2人以下であるときには、下記(ア)から(エ)までの要件を全て満たすことを条件として、延長保育事業の実施場所において、両事業の対象児童を合同で保育することを可能とする。

(ア) 放課後児童健全育成事業の対象児童 (以下「放課後児童」という。) の処遇の実施にあたっては、「「放課後児童健全育成事業」の実施について」(令和5年4月12日こ成環第5号こども家庭庁成育局長通知) の別紙「放課後児童健全育成事業実施要綱」によること。

(イ) 延長保育事業の職員の基準配置は、上記③二段落目の記載に関わらず、乳児おおむね3人につき2名以上、満1歳以上満3歳に満たない幼児おおむね3人につき1名以上、満3歳以上満4歳に満たない幼児おおむね10人につき1名以上、満4歳以上の幼児おおむね15人につき1名以上とすること。

(ウ) 延長保育事業の基準配置により配置する保育士の数は2名を下ることはできないのが原則であるが、放課後児童の処遇に係る職員2名以上から支援を受けられることを前提に、上記 (イ) の基準に基づき保育士1名で保育ができる乳幼児数の範囲内において、保育士1名とすることができることとする。

(エ) 延長保育事業の対象児童に対する処遇に支障がないことに加え、低年齢児と小学生が同一場所で活動することを踏まえた安全な保育環境が確保されていると市町村が認めていること。

イ 小規模保育事業 (A型)

基準配置により保育士を配置すること。

ウ 小規模保育事業 (B型)

保育士その他の保育に従事する職員 (家庭的保育事業等の設備運営基準第31条第1項に定める市町村長が行う研修を修了した者 (以下「その他の保育従事者」という。)) を基準配置により配置すること。ただし、そのうち保育士を1/2以上とする。

エ 小規模保育事業 (C型)

家庭的保育事業等の設備運営基準第23条第2項に定める家庭的保育者 (以下「家庭的保育者」という。) 1名が保育することができる乳幼児の数は、3人以下とする。ただし、家庭的保育者が、家庭的保育事業等の設備運営基準第23条第3項に定める家庭的保育補助者 (以下「家庭的保育補助者」という。) とともに保育する場合には、5人以下とする。

オ 事業所内保育事業 (定員20人以上)

基準配置により保育士を配置すること。ただし、保育士の数は実施場所1につき2名を下ることはできない。

なお、開所時間内における短時間認定児の延長保育について、標準時間認定児を保育する職員の支援を受けられる場合には、保育士1名で保育ができる乳幼児数の範囲内において、保育士1名とすることができる。

カ 事業所内保育事業 (定員19人以下・A型)

基準配置により保育士を配置すること。

キ 事業所内保育事業 (定員19人以下・B型)

保育士その他の保育従事者を基準配置により配置すること。ただし、そのうち保育士を1/2以上とする。

ク 家庭的保育事業 (定員4人以上)

家庭的保育者及び家庭的保育補助者を配置すること。

ケ 家庭的保育事業 (定員3人以下)

家庭的保育者を配置すること。

④ 実施要件

ア 短時間認定

(ア) 1時間延長

開所時間内で、各施設等が設定した短時間認定児の保育を行う時間を超えて1時間以上の延長保育を実施しており、延長時間内の1日当たり平均対象児童数 (以下「平均対象児童数」という。）が１人以上いること。

⑴　２時間延長

開所時間内で、各施設等が設定した短時間認定児の保育を行う時間を超えて２時間以上の延長保育を実施しており、延長時間内の平均対象児童数が１人以上いること。

⑹　３時間延長

開所時間内で、各施設等が設定した短時間認定児の保育を行う時間を超えて３時間以上の延長保育を実施しており、延長時間内の平均対象児童数が１人以上いること。

㈡　開所時間を超えた延長

標準時間認定と同様の取扱いとし、各時間帯における平均対象児童数の算定については、標準時間認定児と合算して算出すること。

イ　標準時間認定（ウを除く）

㈠　１時間延長

開所時間を超えて１時間以上の延長保育を実施しており、延長時間内の１日当たり平均対象児童数が３人以上いること。

⑴　２時間延長

開所時間を超えて２時間以上の延長保育を実施しており、延長時間内の平均対象児童数が３人以上いること。

⑹　３時間以上の延長

⑴と同様１時間毎に区分した延長時間以上の延長保育を実施しており、延長時間内の平均対象児童数が３人以上いること。

㈡　30分延長

上記㈠～⑹に該当しないもので、開所時間を超えて30分以上の延長保育を実施しており、延長時間内の平均対象児童数が１人以上いること。

ウ　標準時間認定（小規模保育事業、事業所内保育事業（定員19人以下）及び家庭的保育事業並びに民間保育所等及び事業所内保育事業（定員20人以上）において、夜10時以降に行う延長保育）

㈠　１時間延長

開所時間を超えて１時間以上の延長保育を実施しており、延長時間内の平均対象児童数が２人以上いること。

⑴　２時間延長

開所時間を超えて２時間以上の延長保育を実施しており、延長時間内の平均対象児童数が１人以上いること。

⑹　３時間以上の延長

⑴と同様１時間毎に区分した延長時間以上の延長保育を実施しており、延長時間内の平均対象児童数が１人以上いること。

㈡　30分延長

上記㈠～⑹に該当しないもので、開所時間を超えて30分以上の延長保育を実施しており、延長時間内の平均対象児童数が１人以上いること。

（注１）　上記ア～ウにおいて、各施設等が設定した短時間認定児の保育を行う時間又は開所時間の前及び後ろで延長保育を実施する場合は、前後の延長保育時間及び平均対象児童数を合算することはせず、前後それぞれで延長時間を定めること。

ただし、上記アにおいて、各施設等が設定した短時間認定児の保育を行う時間上、前後それぞれで算出される延長時間に端数が生じる場合は、平均対象児童数が１人以上いる時間を前後合算して算出すること。

（注２）上記ア～ウの各（エ）を除き、複数の延長時間区分に該当する場合は、最も長い延長時間の区分を適用すること。

また、平均対象児童数は、年間の上記の延長時間区分における各週ごとの最も多い利用児童数をもって平均し、小数点以下第一位を四捨五入して得た数とすること。

エ　夜間保育所において夜10時以降に行う延長保育

「夜間保育所の設置認可等について（平成12年３月30日児発第298号厚生省児童家庭局長通知）」により設置認可された施設において、夜10時以降に延長保育を実施する場合の夜10時以降の交付基準額については、別に定めること。

⑵　訪問型

①　実施場所

利用児童の居宅において実施すること。

②　対象児童

子ども・子育て支援法第19条第１項第２号又は第３号の支給要件を満たし、同法第20条第１

項により市町村の認定を受け、民間保育所等、小規模保育事業所、事業所内保育事業所、家庭的保育事業所、居宅訪問型保育事業所を利用する児童であって、以下のいずれかに該当するものとする。

ア　居宅訪問型保育事業を利用する児童で利用時間を超える場合

イ　民間保育所等における延長保育の利用児童数が１人となった場合

③　職員配置

職員の配置は次のとおりとする。なお、家庭的保育者１名が保育することができる児童の数は１人とする。

ア　4⑵②アに定める児童の場合

「職員の資質向上・人材確保等研修事業の実施について」（令和６年３月30日こ成事第350号こども家庭庁成育局長通知）の別添４に定める研修を修了した家庭的保育者を配置すること。

イ　4⑵②イに定める児童の場合

保育士を配置すること。

（注）都道府県又は市町村においてアの研修の実施体制が整っていない場合には、経過措置として、家庭的保育者基礎研修を修了した保育士、家庭的保育者認定研修及び基礎研修を修了した者又はこれらの者と同等以上と認められる者であって、アの研修体制が整い次第速やかに当該研修を受講し、修了することとしている者を、当該研修を修了するまでの間（おおむね２年程度）配置することができることとする。

④　実施要件

ア　短時間認定

㈠　１時間延長

開所時間内で、各施設等が設定した短時間認定児の保育を行う時間を超えて１時間以上の延長保育を実施しており、延長時間内の年間利用日数（以下「年間延べ利用日数」という。）が26日以上あること。

㈡　２時間以上の延長

開所時間内で、㈠と同様１時間毎に区分した延長時間以上の延長保育を実施しており、延長時間内の年間延べ利用日数が26日以上あること。

㈢　開所時間を超えた延長

標準時間認定と同様の取扱いとし、各時間帯における年間延べ利用日数の算定については、短時間認定、標準時間認定それぞれ算出すること。

イ　標準時間認定

㈠　１時間延長

開所時間を超えて１時間以上の延長保育を実施しており、年間延べ利用日数が26日以上あること。

㈡　２時間以上の延長

㈠と同様１時間毎に区分した延長時間以上の延長保育を実施しており、当該延長時間内の年間延べ利用日数が26日以上あること。

㈢　30分延長

上記㈠〜㈡に該当しないもので、開所時間を超えて30分以上の延長保育を実施しており、当該延長時間内の年間延べ利用日数が26日以上あること。

（注１）上記ア〜イにおいて、各施設等が設定した短時間認定児の保育を行う時間又は開所時間の前及び後ろで延長保育を実施する場合は、前後の延長保育時間及び平均対象児童数を合算することはせず、前後それぞれで延長時間を定めること。

ただし、上記アにおいて、各施設等が設定した短時間認定児の保育を行う時間上、前後それぞれで算出される延長時間に端数が生じる場合は、平均対象児童数が１人以上いる時間を前後合算して算出すること。

（注２）訪問型の利用にあたっては、利用者と市町村が協議の上、利用の決定を行うこと。

5　留意事項

⑴　一般型については、対象児童に対し、適宜、間食又は給食等を提供すること。

⑵　この実施要綱の要件に適合する保育所等である旨の必要な書類を整備しておくこと。

⑶　保育中に事故が生じた場合には、「教育・保育施設等における事故の報告等について（令和６年３月22日こ成安第36号・５教参学第39号通知）」に従い、速やかに報告すること。

6　保護者負担

本事業の実施に必要な経費の一部を保護者負担と

することができる。

また、訪問型については、利用児童の居宅までの交通費を実費徴収できることとする。

7　費用

本事業に要する費用の一部について、国は別に定めるところにより補助するものとする。

なお、4⑴③の注書きにより放課後児童健全育成事業と合同で保育を実施する場合には、それぞれの対象児童の保育の実施に係る費用を按分し、それぞれの事業の対象経費として補助するものとする。

○実費徴収に係る補足給付を行う事業の実施について

〔令和６年４月23日　こ成保第256号・６文科初第277号
各都道府県知事宛　こども家庭庁成育・文部科学省初等中等教育局長連名通知〕

標記については、今般、別紙のとおり「実費徴収に係る補足給付事業実施要綱」を定め、令和６年４月１日から適用することとしたので通知する。

ついては、管内市町村（特別区を含む。）に対して周知をお願いするとともに、本事業の適正かつ円滑な実施に期されたい。

なお、本通知の施行に伴い、平成27年７月17日府子本第81号内閣府子ども・子育て本部統括官、27文科初第240号文部科学省初等中等教育局長、雇児発0717第５号厚生労働省雇用均等・児童家庭局長通知「実費徴収に係る補足給付を行う事業の実施について」は、令和６年３月31日限りで廃止する。

別　紙

実費徴収に係る補足給付事業実施要綱

１　事業の目的

子ども・子育て支援法（平成24年法律第65号。以下「法」という。）第20条第４項に規定する教育・保育給付認定保護者（以下「教育・保育給付認定保護者」という。）及び第30条の５第３項に規定する施設等利用給付認定保護者（以下「施設等利用給付認定保護者」という。）のうち、低所得で生計が困難である者等の子どもが、特定教育・保育等又は特定子ども・子育て支援を受けた場合において、当該保護者が支払うべき実費徴収に係る費用の一部を補助することにより、これらの者の円滑な特定教育・保育等又は特定子ども・子育て支援等の利用が図られ、もってすべての子どもの健やかな成長を支援することを目的とする。

２　実施主体

実施主体は、市町村（特別区及び一部事務組合を含む。以下同じ。）とする。

３　事業の種類

⑴　教育・保育給付認定保護者に対する日用品・文房具等に要する費用の補助

⑵　施設等利用給付認定保護者に対する副食材料費に要する費用の補助

４　実施方法等

⑴　教育・保育給付認定保護者に対する日用品・文房具等に要する費用の補助

①　事業の内容

低所得で生計が困難である教育・保育給付認定保護者の子どもが、法第27条第１項に規定する特定教育・保育、法第28条第１項第２号に規定する特別利用保育、同項第３号に規定する特別利用教育、法第29条第１項に規定する特定地域型保育又は法第30条第１項第４号に規定する特例保育の提供を受けた場合において、日用品、文房具その他の特定教育・保育等に必要な物品の購入に要する費用又は特定教育・保育等に係る行事への参加に要する費用その他これらに類する費用として市町村が定めるものにかかる実費徴収額に対して、市町村がその一部を補助する。

②　実施要件

ⅰ）対象者

生活保護法（昭和25年法律第144号）による被保護世帯（単給世帯を含む）及び中国残留邦人等の円滑な帰国の促進並びに永住帰国した中国残留邦人等及び特定配偶者の自立の支援に関する法律（平成６年法律第30号）による支援給付受給世帯である教育・保育給付認定保護者又は収入その他状況を勘案し、これらに準ずる者として市町村が認める教育・保育給付認定保護者

ⅱ）対象となる実費徴収額の範囲

ⅰ）に該当する保護者の教育・保育認定子どもが特定教育・保育、特別利用保育、特別利用教育、特定地域型保育又は特例保育を受けた場合における食材料費以外の実費徴収額（特定教育・保育施設及び特定地域型保育事業並びに特定子ども・子育て支援施設等の運営に関する基準（平成26年内閣府令第39号）第13条第４項及び第43条第４項の規定による費用又は特例保育の提供に当たって徴収される同規定に掲げる費

用に限る。）

③　施設による代理請求・代理受領について

市町村は、特定教育・保育施設に対して、あらかじめ⑴②ｉ）に定める対象者から同意を得た上で通知し、日用品、文房具等の購入に要する費用について補助すべき額の限度において、対象者に代わり、特定教育・保育施設に支払うことができる。

また、この場合による支払いがあったときは、対象者に対し日用品、文房具等の購入に要する費用の補助があったものとみなす。

⑵　施設等利用給付認定保護者に対する副食材料費に要する費用の補助

①　事業の内容

世帯の所得の状況その他の事情を勘案して市町村が定める基準に該当する施設等利用給付認定保護者に係る施設等利用給付認定子ども（満３歳以上の者に限る。以下同じ。）が、法第30条の11第１項に規定する特定子ども・子育て支援（特定子ども・子育て支援施設等である認定こども園又は幼稚園が満３歳以上の施設等利用給付認定子どもに対して提供するものに限り、法第７条第10項第５号の事業に該当するものを除く。以下同じ。）を受けた場合において、当該施設等利用給付認定保護者が支払うべき食事の提供（副食の提供に限る。以下同じ。）にかかる実費徴収額に対して、市町村がその一部を補助する。

②　実施要件

ｉ）対象者

特定子ども・子育て支援の提供を受ける施設等利用給付認定子どもに係る施設等利用給付認定保護者であって、次のア若しくはウに該当する者又はイに掲げる施設等利用給付認定子どもがいる者

ア　施設等利用給付認定保護者及び当該施設等利用給付認定保護者と同一の世帯に属する者に係る市町村民税所得割合算額（子ども・子育て支援法施行令（平成26年政令第213号。以下「令」という。）第４条第２項第２号に規定する市町村民税所得割合算額をいう。）が７万7101円未満である者。

イ　令第13条第２項に規定する負担額算定基準子ども又は小学校第３学年修了前子ども（小学校、義務教育学校の前期課程又は特別支援学校の小学部の第１学年から第３学年までに在籍する子どもをいう。）が同一の世帯に３人以上いる場合の負担額算定基準子ども又は小学校第３学年修了前子ども（そのうち最年長者及び２番目の年長者である者を除く。）である者。

ウ　令第15条の３第２項に規定する市町村民税を課されない者に準ずる者。

ⅱ）対象となる実費徴収額の範囲

特定子ども・子育て支援を受けた場合において、当該施設等利用給付認定保護者が支払うべき食事の提供にかかる実費徴収額

③　施設による代理請求・代理受領について

市町村は、特定子ども・子育て支援提供者に対して、あらかじめ⑵②ｉ）に定める対象者から同意を得た上で通知し、副食材料費に要する費用について補助すべき額の限度において、対象者に代わり、特定子ども・子育て支援提供者に支払うことができる。

また、この場合による支払いがあったときは、対象者に対し副食材料費に要する費用の補助があったものとみなす。

5　留意事項

①　４⑵にある市町村民税所得割合算額を判定する保護者等の世帯所得の時期は、当該事業を実施する市町村が定める時期とする。このため、例えば、法第20条第４項に規定する教育・保育給付認定と同様に、毎年６月に判明する当該年度分の市町村民税（４月から８月の利用分は前年度分の市町村民税）で判定したり、通年分を当該年度分の市町村民税で判定したりする場合も国庫補助の対象とする。

②　４⑵②（ⅱ）における副食の提供にかかる実費徴収額の算出に当たっては、実際に要した副食費に相当する費用（各施設に係る「１食当たり副食費相当額」を算出の上、給食提供日数を乗じて算出した額）を用いるのが基本であるが、「１食当たり副食費相当額」の算出が困難な場合（外部搬入業者が「副食費相当額」を提示できない場合等）においては、例外的に、下記の通り便宜的な算出方法を用いることも可能である。

（参考）副食費に相当する額の算出方法

給食の実施方法	副食費の算出方法（基本）	便宜的な算出方法の可否
自園調理（食材自己購入）	必要経費が明確であることから、各園で「１食当たり副食費相当額」を算出　×　給食日数	不可

自園調理（食材外部搬入）	外部搬入業者に依頼し「１食当たり副食費相当額」を算出　×　給食日数	例外的に便宜的な算出方法（※）も可
外部搬入	外部搬入業者に依頼し「１食当たり副食費相当額」を算出　×　給食日数	例外的に便宜的な算出方法（※）も可

※「１日当たり副食費相当額」の便宜的な算出方法の例

○　園における１食当たり給食費　×　「給食費に占める副食費相当額の平均的な割合」（市町村に所在する他施設等の情報から推計。）

○　園における１食当たり食材料費相当額　×　「食材料費に占める副食費の割合」（市町村に所在する他施設等の情報から推計。）

○　一律で新制度幼稚園の公定価格上の副食費徴収免除加算と同じ単価を用いる。

6　費用

本事業に要する費用の一部については、国は別に定めるところにより補助するものとする。

○多様な事業者の参入促進・能力活用事業の実施について

〔令和６年４月25日　こ成保第261号・６文科初第298号
各都道府県知事宛　こども家庭庁成育・文部科学省総合教育政策・初等中等教育局長連名通知〕

地域の教育・保育需要に沿った教育・保育施設、地域子ども・子育て支援事業の量的拡大を進める上で、多様な事業者の新規参入を支援するほか、認定こども園における特別な支援が必要な子どもの受入体制を構築するため、今般、別紙のとおり「多様な事業者の参入促進・能力活用事業実施要綱」を定め、令和６年４月１日から適用することとしたので通知する。

ついては、管内市町村（特別区を含む。）に対して周知をお願いするとともに、本事業の適正かつ円滑な実施に期されたい。

なお、本通知の施行に伴い、平成27年７月17日府子本第88号内閣府子ども・子育て本部統括官、27文科初第239号文部科学省総合教育政策局長、文部科学省初等中等教育局長、雇児発0717第６号厚生労働省雇用均等・児童家庭局長通知「多様な事業者の参入促進・能力活用事業の実施について」は、令和６年３月31日限りで廃止する。

別　紙

多様な事業者の参入促進・能力活用事業
実施要綱

1　事業の目的

地域の教育・保育需要に沿った教育・保育施設、地域子ども・子育て支援事業の量的拡大を進める上で、多様な事業者の新規参入を支援するほか、私立認定こども園における特別な支援が必要な子どもの受入体制を構築するとともに、小学校就学前の子どもを対象とした多様な集団活動を利用する幼児の保護者の経済的負担の軽減を図ることで、良質かつ適切な教育・保育等の提供体制の確保を図る。

2　実施主体

実施主体は、市町村（特別区及び一部事務組合を含む。以下同じ。）とする。

なお、市町村が適当と認めた者へ委託等を行うことができる。（3⑶の事業を除く。）

3　事業の内容

⑴　新規参入施設等への巡回支援

市町村が教育・保育施設、地域子ども・子育て支援事業に新規参入する事業者（以下「新規参入事業者」）に対して、事業経験のある者（例：保育士ＯＢ等）を活用した巡回支援等を行うために必要な費用の一部を補助する事業。

⑵　認定こども園特別支援教育・保育経費

健康面や発達面において特別な支援が必要な子どもを受け入れる私立認定こども園の設置者に対して、職員の加配に必要な費用の一部を補助する事業。

⑶　地域における小学校就学前の子どもを対象とした多様な集団活動事業の利用支援

地域や保護者のニーズに応えて地域において重要な役割を果たしている、小学校就学前の子どもを対象とした多様な集団活動について、当該集団活動を利用する幼児の保護者の経済的負担を軽減する観点から、その利用料の一部を給付する事業。

4　実施要件

⑴　新規参入施設等への巡回支援

①　支援内容

新規参入事業者に対し、当該施設等における事業の推進状況等に応じて、市町村の支援チームにより、次の㈠〜㈭のいずれか１つ又は複数の事業を実施するものとする。

㈀　事業開始前における事業運営や事業実施に関する相談・助言、各種手続きに関する支援等を行う事業

㈁　事業開始後、事業運営が軌道に乗るまでの間、保護者や地域住民との関係構築や、利用児童への対応等に関する実地支援、相談・助言等を行う事業

㈂　小規模保育事業の連携施設のあっせんなど、事業実施に当たっての連携先の紹介等を行う事業

㈃　小規模保育事業の連携施設に係る経過措置として、支援チーム自らが連携施設に代わる巡回支援等を行う事業

㈄　その他、新規参入事業者が円滑に事業を実施できるよう、市町村が適当と認めた事業

②　支援対象となる事業者

待機児童解消加速化プランの推進や子ども・子育て支援新制度の円滑な実施に向け、事業の

拡大を図ることが必要な保育所、小規模保育事業、認定こども園を始め、一時預かり事業や地域子育て支援拠点事業などの地域子ども・子育て支援事業に新規に参入する事業者であって、市町村において支援が必要と認めた事業者とする。

なお、既にこれらの事業を実施している事業者であっても、他の事業を新規に開始する場合は、市町村の判断により、当該事業の対象として差し支えないものとする。

③　支援チーム

支援内容に応じて、市町村の担当者などの行政関係者のほか、保育所の保育士ＯＢなどの事業経験者、公認会計士など監査・会計分野に関する知識を有する者、福祉分野における法人経営者などにより構成される支援チームを適宜設けることとする。

なお、必要な助言・指導等を行う体制が整っている場合には、地域の実情や必要な支援内容等により、チームを設けずに支援を行うこととしても差し支えない。

④　支援期間

新規参入事業者への支援期間については、個々の事業者の状況に応じて設定し、必要に応じて延長等を行うこと。

(2)　認定こども園特別支援教育・保育経費

①　対象施設

健康面、発達面において特別な支援が必要な子どもが在籍する私立認定こども園であって、②の要件をみたす子どもの教育・保育を担当する職員を加配する施設。ただし、健康面、発達面において特別な支援が必要な子どもが１人在籍する施設については、当該施設の在籍園児数が80人未満の施設を対象とする。

②　職員加配の対象となる子ども

次の(ア)〜(ウ)の要件を満たすと市町村が認める特別な支援が必要な子ども

(ア)　日々通園し、教育・保育における集団活動に参加することが可能であること。

(イ)　特別児童扶養手当等の支給に関する法律（昭和39年法律第134号）に基づく特別児童扶養手当の支給対象であること、又は健康面、発達面において特別な支援が必要であること。

(ウ)　別表に掲げる認定こども園の類型に応じた子どもの教育・保育給付認定の区分に該当する者であること。

③　職員配置

②の要件を満たす子どもの教育・保育を担当するために、「特定教育・保育、特別利用保育、特別利用教育、特定地域型保育、特別利用地域型保育、特定利用地域型保育及び特例保育に要する費用の額の算定に関する基準等」（平成27年内閣府告示第49号）に基づき配置すべき職員数（加算を含む。）に加えて、幼稚園教諭免許状又は保育士資格を有する者を配置すること。

(3)　地域における小学校就学前の子どもを対象とした多様な集団活動事業の利用支援

①　対象幼児

事業実施主体の市町村の住民のうち、子ども・子育て支援法（平成24年法律第65号）に基づく子どものための教育・保育給付若しくは子育てのための施設等利用給付を受けていない又は企業主導型保育事業を利用していない満３歳以上の幼児であって、対象施設等を概ね、１日４時間以上８時間未満、週５日以上、年間39週以上利用している幼児。

②　対象施設等

満３歳以上小学校就学前の全ての利用幼児を対象とした標準的な開所時間が、概ね、１日４時間以上８時間未満、週５日以上、年間39週以上であり、かつ、子どものための教育・保育給付若しくは子育てのための施設等利用給付を受けている又は企業主導型保育事業を利用している満３歳以上の利用幼児の数が、満３歳以上小学校就学前の全ての利用幼児の数の概ね半数を超えない施設等であって、次の(ア)〜(ケ)に掲げる事項について市町村が別に定める基準を満たすと市町村が判断する施設等。なお、市町村が基準を定める際には、(ア)、(ウ)及び(カ)については次に掲げるもののとおりとし、(ア)、(ウ)及び(カ)以外の事項については次に掲げるものを変更する際には市町村の子ども・子育て関係の審議会その他の合議制の機関で審議することとする。

(ア)　集団活動に従事する者の数及び資格

A)　集団活動に従事する者の数は、満３歳以上満４歳に満たない幼児概ね20人につき１人以上、満４歳以上の幼児概ね30人につき１人以上であること。ただし、施設等につき２人を下回ってはならないこと。

B)　集団活動に従事する者の概ね３分の１（集団活動に従事する者が２人の施設等にあっては、１人）以上は、幼稚園の教諭の普通免許状（教育職員免許法（昭和24年法律第147号）に規定する普通免許状をいう。）を有する者、保育士若しくは看護師（准看護師を含む。）の資格を有する者又は都道府県知事（地方自治法（昭和22年法律第67号）第252条の19第１項の指定都市若しくは同法第252条の22第１項の中核市又は児童福祉法（昭和22年法律第164号）第59条の４第１項の児童相談所設置市においては、それぞれの長。以下「都道府県知事等」という。）が行う保育に従事する者に関する研修（都道府県知事等がこれと同等以上のものと認める市町村長その他の機関が行う研修を含む。）を修了したもの（１日の利用幼児の数が５人以下の施設等に限る。）であること。

(イ)　設備（有する場合）

A)　集団活動を行う部屋（以下「集団活動室」という。）のほか、調理室（給食を提供する場合に限る。自らの施設等内で調理を行わない場合には、必要な調理・保存機能を有する設備。）及び便所（手洗設備を含む。）があること。

B)　集団活動室の面積は、概ね幼児１人当たり1.65㎡以上であること。

C)　必要な遊具、用具等を備えること。

(ウ)　非常災害に対する措置

A)　消火用具、非常口その他非常災害に必要な設備が設けられていること。

B)　非常災害に対する具体的計画を立て、これに対する定期的な訓練を実施すること。

C)　集団活動室を２階に置く場合には建築基準法（昭和25年法律第201号）第２条第９号の２に規定する耐火建築物又は同条第９号の３に規定する準耐火建築物、３階以上に置く場合には耐火建築物とすること。なお、集団活動室を２階に設ける建物が耐火建築物又は準耐火建築物ではない場合においては、A)に規定する設備の設置及びB)に規定する訓練に特に留意すること。

D)　建物がない場合には、活動の実態に応じて、一時的に退避可能なスペースの確保など必要な対策をとること。

(エ)　集団活動内容

A)　幼児一人一人の心身の発育や発達の状況を把握し、活動内容を工夫すること。

B)　各施設等の活動方針に基づいた計画を策定し、実施していること。

(オ)　給食（提供する場合）

A)　幼児の年齢、発達、健康状態（アレルギー疾患等を含む。）等に配慮した食事内容とし、予め作成した献立に従って調理すること。

(カ)　健康管理・安全確保

A)　幼児の健康観察等を通じて、日々の幼児の健康を管理するとともに、幼児の安全に配慮した活動を行うため必要な健康管理や安全管理を行うこと。

(キ)　利用者への情報提供

A)　活動の内容について、利用者に対し書面の交付等を通じて、説明・情報提供を行うこと。

(ク)　備える帳簿

A)　職員及び利用幼児の状況を明らかにする帳簿等を整備しておかなければならないこと。

(ケ)　会計処理

下記Ａ～Ｄにより、事業実施主体によって適切な会計処理が確認可能であること。

A)　財政及び経営の状況について真実な内容を表示すること。

B)　全ての取引について、正確な会計帳簿を作成すること。

C)　財政及び経営の状況を正確に判断することができるように必要な会計事実を明瞭に表示すること。

D)　採用する会計処理の原則及び手続並びに計算書類の表示方法については、毎会計年度継続して適用し、みだりにこれを変更しないこと。

③　対象施設等に対する指導監督

市町村は、本事業の対象となる施設等の基準の適合や適正な給付金の支出を担保する観点から、対象施設等への定期的な指導や監査を行うこと。

④　給付方法

市町村から対象施設等を利用する幼児の保護者に対する給付は、市町村から当該保護者へ直接支給すること。

⑤　補助対象経費

一般に各施設等が徴収している、対象施設等が利用者全員から徴収する利用料。

5　留意事項

新規参入施設等への巡回支援について、委託により事業を実施する場合であっても、市町村において新規参入事業者への支援の必要性や支援内容の適否、支援後の効果等について把握すること。

6　費用

本事業に要する費用の一部については、国は別に定めるところにより補助するものとする。

別表　認定こども園特別支援教育・保育経費の対象となる子ども

<table>
<tr><td colspan="3">認定こども園の類型</td><td>子どもの支給認定の区分（子ども・子育て支援法（平成24年法律第65号）第19条各号）</td></tr>
<tr><td>幼保連携型</td><td colspan="2">学校法人立（学校法人化のための努力をする園（志向園）を含む。）以外</td><td>１号</td></tr>
<tr><td rowspan="3">幼稚園型</td><td>幼稚園部分が学校法人立（学校法人化のための努力をする園（志向園）を含む。）</td><td>並列型・接続型</td><td>３号</td></tr>
<tr><td rowspan="2">上記以外</td><td>単独型</td><td>１号及び２号</td></tr>
<tr><td>並列型・接続型</td><td>１号～３号</td></tr>
<tr><td colspan="3">保育所型</td><td>１号</td></tr>
<tr><td colspan="3">地方裁量型</td><td>１号～３号</td></tr>
</table>

単独型…就学前の子どもに関する教育、保育等の総合的な提供の推進に関する法律（平成18年法律第77号。以下「認定こども園法」という。）第３条第２項第１号に規定する幼稚園。

並列型…認定こども園法第３条第４項第１号イに規定する連携施設。

接続型…認定こども園法第３条第４項第１号ロに規定する連携施設。

（保育士等確保対策）

○保育士修学資金の貸付け等について

〔令和５年６月７日　こ成基第18号
各都道府県知事・各指定都市市長宛　こども家庭庁長官通知〕

保育士修学資金の貸付け等については、「保育士修学資金の貸付け等について」（平成28年２月３日厚生労働省発雇児0203第３号厚生労働事務次官通知）により取り扱われているところであるが、今般、当該通知を廃止し、本通知により、別紙「保育士修学資金貸付等制度実施要綱」を定め、令和５年４月１日から適用することとしたので、通知する。

なお、令和５年３月31日以前に保育士修学資金の貸付けを行った者の取扱いは従前の例による。

（別　紙）

保育士修学資金貸付等制度実施要綱

第１　目的

この制度は、保育士資格の新規取得者の確保、保育士の離職防止、保育士資格を有する者であって、保育士として勤務していない者（以下「潜在保育士」という。）の再就職支援を図るため、指定保育士養成施設に在学し、保育士資格の取得を目指す学生に対する修学資金や保育士資格を持たない保育所等に勤務する保育士の補助を行う者（以下「保育補助者」という。）の雇い上げに必要な費用、未就学児を持つ保育士の子どもの保育料や潜在保育士の再就職のための準備に必要な費用、未就学児を持つ保育士の子どもの預かり支援に必要な費用を貸付けることにより、保育人材の確保を図ることを目的とする。

第２　貸付事業の実施主体

保育士修学資金、保育補助者雇上費、保育料の一部、就職準備金及び子どもの預かり支援に関する事業の利用料金の一部（以下「修学資金等」という。）の貸付けは、次の⑴又は⑵のいずれかが行うものとする。

⑴　都道府県又は指定都市（都道府県・市町村社会福祉協議会に委託して行う場合を含む。第14の１において同じ。以下「都道府県等」という。）

⑵　都道府県等が適当と認める社会福祉法人、一般社団法人、一般財団法人、公益社団法人又は公益財団法人（都道府県知事又は指定都市市長が修学資金等の貸付けに当たって必要な指導・助言を行う場合に限る。以下「都道府県等が適当と認める団体」という。）

第３　貸付対象

修学資金等の貸付けの対象は、以下に掲げる者とする。

⑴　保育士修学資金貸付

児童福祉法（昭和22年法律第164号）第18条の６に基づき都道府県知事の指定する保育士を養成する学校その他の施設（以下「養成施設」という。）に在学する者

⑵　保育補助者雇上費貸付

以下のいずれかの要件を満たす施設又は事業者

①　新たに保育補助者の雇上げを行う以下の施設又は事業者

ア　児童福祉法第７条に規定する保育所及び幼保連携型認定こども園（地方公共団体が運営するものを除く。）

イ　児童福祉法第６条の３第10項に規定する小規模保育事業を行う者

ウ　児童福祉法第６条の３第12項に規定する事業所内保育事業を行う者

エ　子ども・子育て支援法第59条の２第１項に規定する仕事・子育て両立支援事業のうち、「企業主導型保育事業等の実施について」の別紙「企業主導型保育事業費補助金実施要綱」の第２の１に定める企業主導型保育事業（⑶ケにおいて「企業主導型保育事業」という。）を行う者

②　特に保育士の業務負担軽減に資する取組を行っている、上記①のアからエの施設又は事業者であって、都道府県等が適当と認める者

⑶　未就学児を持つ保育士に対する保育料の一部貸付

以下のいずれかの要件を満たす者。ただし、保育士として週20時間以上の勤務を要すること。

① 未就学児を持つ保育士であって、以下に掲げる施設又は事業（以下「保育所等」という。）に新たに勤務する者

ア 児童福祉法第７条に規定する保育所

イ 学校教育法（昭和22年法律第26号）第１条に規定する「幼稚園」のうち次に掲げるもの

・ 教育時間の終了後等に行う教育活動（預かり保育）を常時実施している施設

・ ウに定める「認定こども園」への移行を予定している施設

ウ 就学前の子どもに関する教育、保育等の総合的な提供の推進に関する法律（平成18年法律第77号）第２条第６項に規定する「認定こども園」

エ 児童福祉法第６条の３第９項から第12項までに規定する事業であって、同法第34条の15第１項の規定により市町村が行うもの及び同条第２項の規定による認可を受けたもの

オ 児童福祉法第６条の３第13項に規定する「病児保育事業」であって、同法第34条の18第１項の規定による届出を行ったもの

カ 児童福祉法第６条の３第７項に規定する「一時預かり事業」であって、同法第34条の12第１項の規定による届出を行ったもの

キ 子ども・子育て支援法（平成24年法律第65号）第30条第１項第４号に規定する離島その他の地域において特例保育を実施する施設

ク 児童福祉法第６条の３第９項から第12項までに規定する事業又は第39条第１項に規定する業務を目的とする施設であって法第34条の15第２項、第35条第４項の認可又は認定こども園法第17条第１項の認可を受けていないもの（認可外保育施設）のうち、地方公共団体における単独保育施策（いわゆる保育室・家庭的保育事業に類するもの）において保育を行っている施設

ケ 企業主導型保育事業

② 保育所等に雇用されている未就学児を持つ保育士であって、産後休暇又は育児休業から復帰する者

(4) 就職準備金貸付

以下の要件のいずれも満たす者。ただし、保育士として週20時間以上の勤務を要すること。また、第４の２の(1)保育士修学資金貸付における就職準備金の加算を受けた者を除く。

① 以下に掲げる施設又は事業を離職した者又は当該施設又は事業に勤務経験のない者

ア 児童福祉法第７条に規定する保育所及び幼保連携型認定こども園

イ 児童福祉法第６条の３第９項に規定する家庭的保育事業

ウ 児童福祉法第６条の３第10項に規定する小規模保育事業

エ 児童福祉法第６条の３第12項に規定する事業所内保育事業

オ 学校教育法（昭和22年法律第26号）第１条に規定する幼稚園

② 保育所等に新たに勤務する者

(5) 未就学児を持つ保育士の子どもの預かり支援事業利用料金の一部貸付

以下の要件のいずれも満たす保育所等に雇用されている保育士

① 未就学児を持ち、保育所等を利用している者

② 保育所等における勤務の時間帯により、子どもの預かり支援に関する事業を利用する者

第４ 貸付期間及び貸付額

１ 貸付期間（就職準備金貸付を除く。）は、以下に掲げる期間とする。

(1) 保育士修学資金貸付

養成施設に在学する期間。ただし、貸付期間は２年間を限度とする。

(2) 保育補助者雇上費貸付

保育補助者が保育所に勤務する期間。ただし、貸付期間は当該保育所に勤務を開始した日から起算して３年間を限度とする。

(3) 未就学児を持つ保育士に対する保育料の一部貸付

未就学児を持つ保育士が保育所等に勤務する期間。ただし、貸付期間は当該保育所等に勤務を開始した日から起算して１年間を限度とする。

(4) 未就学児を持つ保育士の子どもの預かり支援事業利用料金の一部貸付未就学児を持つ保育士が保育所等に勤務する期間。ただし、貸付期間は２年間を限度とする。

２ 貸付額は、以下のとおりとする。

(1) 保育士修学資金貸付

月額５万円以内とする。ただし、貸付けの初回に入学準備金として20万円以内を、卒業時に就職準備金として20万円以内をそれぞれ加算することができるものとする。

また、貸付申請時に生活保護受給世帯（これに準ずる経済状況にある世帯を含む。）の者で

あって、養成施設に入学し、在学する者については、養成施設に在学する期間の生活費の一部として、１月あたり貸付対象者の貸付申請時の居住地の生活扶助基準の居宅（第１類）に掲げる額のうち貸付対象者の年齢に対応する年齢区分の額に相当する額以内の加算をすることができるものとする。

⑵　保育補助者雇上費貸付

年額295万3000円以内とする。ただし、貸付申請日の属する年度の４月１日における常勤の保育士に占める未就学児を持つ保育士の割合が２割以上の施設又は事業所において、貸付により２人以上の保育補助者を雇い上げる場合、年額221万5000円以内を加算し、貸付額を年額516万8000円以内とすることができるものとする。なお、貸付に当たっては、第３⑵①イ及びウの貸付対象については、子ども・子育て支援法（平成24年法律第65号）第29条に規定する地域型保育給付費又は同法第30条に規定する特例地域型保育給付費の支給の算定の対象となる者の雇い上げに係る費用を除き、第３⑵①エの貸付対象については、企業主導型保育事業費補助金において当該補助金の算定の対象となる者の雇い上げに係る費用を除くこととする。

⑶　未就学児を持つ保育士に対する保育料の一部貸付

未就学児の保育料の半額とし、月額２万7000円を上限とする。

⑷　就職準備金貸付

20万円以内とする。ただし、別に定める保育士の有効求人倍率が一定以上の地域又は被災地域においては、20万円を加算し、40万円以内とすることができるものとする。なお、貸付けに当たっては同一の貸付対象者に対し、１回限りとする。

⑸　未就学児を持つ保育士の子どもの預かり支援事業利用料金の一部貸付

貸付対象者がファミリー・サポート・センター事業、ベビーシッター派遣事業その他の子どもの預かり支援に関する事業を利用した料金の半額とし、年額12万3000円以内とする。

第５　貸付方法及び利子

１　修学資金等は、第２に規定する実施主体ごとに、次の⑴又は⑵のいずれかに掲げる者と貸付対象者との契約により貸し付けるものとする。

⑴　第２の⑴が実施主体である場合

都道府県知事又は指定都市市長

⑵　第２の⑵が実施主体である場合

都道府県等が適当と認める団体の長

２　利子は、無利子とする。

第６　保証人

１　修学資金等の貸付けを受けようとする者は、保証人を立てなければならないが、修学資金等の貸付けを受けようとする者が未成年者である場合には、保証人は法定代理人でなければならない。

ただし、貸付を受けようとする者が児童養護施設、児童自立支援施設、児童心理治療施設又は自立支援ホームに入所している児童若しくは里親又はファミリーホームに委託中の児童であって、法定代理人を保証人として立てられないやむを得ない事情がある場合、児童養護施設等の施設長（里親委託児童の場合は児童相談所長）の意見書等により、貸付を行うことで申請者の修業環境の確保が図られる場合には、保証人は法定代理人以外の者でも差し支えない。

２　保証人は、修学資金等の貸付けを受けた者と連帯して債務を負担するものとする。

第７　貸付契約の解除及び貸付けの休止

１　都道府県知事、指定都市又は都道府県等が適当と認める団体の長（以下「都道府県知事等」という。）は、貸付契約の相手方（以下「貸付対象者」という。）が資金貸付けの目的を達成する見込みがなくなったと認められるに至ったときは、その契約を解除するものとする。

２　都道府県知事等は、以下に掲げる事由に至った場合は、当該事由が生じた日の属する月の翌月から当該事由が解消した日の属する月の分まで修学資金等の貸付けを行わないものとする。

⑴　保育士修学資金貸付

貸付対象者が休学し、又は停学の処分を受けたとき。

⑵　保育補助者雇上費貸付

保育補助者が疾病その他の理由により休職したとき。

⑶　未就学児を持つ保育士に対する保育料の一部貸付

貸付対象者が疾病その他の理由により休職したとき。

⑷　未就学児を持つ保育士の子どもの預かり支援事業利用料金の一部貸付

貸付対象者が疾病その他の理由により休職したとき。

３　都道府県知事等は、貸付対象者が修学資金等の貸付期間中に貸付契約の解除を申し出たときは、その契約を解除するものとする。

第８　返還の債務の当然免除

都道府県知事等は、貸付対象者が次の各号の一に該当するに至ったときは、修学資金等の返還の債務を免除するものとする。

(1)　保育士修学資金貸付

①　養成施設を卒業した日から１年以内に保育士登録を行い、修学資金の貸付けを受けた都道府県等の区域（貸付けを受けた都道府県の区域内にある指定都市、貸付を受けた指定都市の属する都道府県を含む。また、国立児童自立支援施設等において業務に従事する場合は、全国の区域とし、東日本大震災等における被災県（岩手県、宮城県、福島県及び熊本県に限る。以下同じ。）以外の都道府県等において貸付けを受け、被災県において業務に従事する場合は、当該都道府県等及び当該被災県とする。以下同じ。）内の従事先施設等において児童の保護等に従事し、かつ、５年間（過疎地域、離島及び中山間地域等において当該業務に従事した場合又は中高年離職者（入学時に45歳以上の者であって、離職して２年以内のものをいう。）が当該業務に従事した場合にあっては、３年間）引き続き（災害、疾病、負傷、その他やむを得ない事由により当該業務に従事できなかった場合は、引き続き当該業務に従事しているものとみなす。ただし、当該業務従事期間には算入しない。）当該業務に従事したとき。

ただし、従事する事業所の法人における人事異動等により、修学資金の貸付けを受けた者の意思によらず、貸付けを受けた都道府県等外において当該業務に従事した期間については、当該業務従事期間に算入して差し支えない。

②　①に定める業務に従事している期間中に、業務上の事由により死亡し、又は業務に起因する心身の故障のため業務を継続することができなくなったとき。

(2)　保育補助者雇上費貸付

①　保育補助者雇上費の貸付けを受けた都道府県等の区域内の保育所において、保育補助者が保育の補助等に従事し、かつ、貸付けを受ける期間中に保育士資格を取得したとき又は当該貸付終了後１年の間に保育士資格を取得することが見込まれるときその他これに準ずるものとして都道府県等が認めるとき。

②　①に定める業務に従事している期間中に、業務上の事由により死亡し、又は業務に起因する心身の故障のため業務を継続することができなくなったとき。

(3)　未就学児を持つ保育士に対する保育料の一部貸付

①　保育料の一部の貸付けを受けた者が都道府県等の区域内の保育所等において児童の保護等に従事し、かつ、２年間引き続き（災害、疾病、負傷、その他やむを得ない事由により当該業務に従事できなかった場合は、引き続き当該業務に従事しているものとみなす。ただし、当該業務従事期間には算入しない。）当該業務に従事したとき。

ただし、従事する事業所の法人における人事異動等により、保育料の一部の貸付けを受けた者の意思によらず、貸付けを受けた都道府県等外において当該業務に従事した期間については、当該業務従事期間に算入して差し支えない。

②　①に定める業務に従事している期間中に、業務上の事由により死亡し、又は業務に起因する心身の故障のため業務を継続することができなくなったとき。

(4)　就職準備金貸付

①　就職準備金の貸付けを受けた者が都道府県等の区域内の保育所等において児童の保護等に従事し、かつ、２年間引き続き（災害、疾病、負傷、その他やむを得ない事由により当該業務に従事できなかった場合は、引き続き当該業務に従事しているものとみなす。ただし、当該業務従事期間には算入しない。）当該業務に従事したとき。

ただし、従事する事業所の法人における人事異動等により、就職準備金の貸付けを受けた者の意思によらず、貸付けを受けた都道府県等外において当該業務に従事した期間については、当該業務従事期間に算入して差し支えない。

②　①に定める業務に従事している期間中に、業務上の事由により死亡し、又は業務に起因する心身の故障のため業務を継続することができなくなったとき。

(5)　未就学児を持つ保育士の子どもの預かり支援事業利用料金の一部貸付

①　子どもの預かり支援事業利用料金の一部の貸付けを受けた者が都道府県等の区域内の保育所等において児童の保護等に従事し、かつ、２年間引き続き（災害、疾病、負傷、その他やむを得ない事由により当該業務に従事できなかった場合は、引き続き当該業務に従事しているもの

とみなす。ただし、当該業務従事期間には算入しない。）当該業務に従事したとき。

ただし、従事する事業所の法人における人事異動等により、子どもの預かり支援事業利用料金の一部の貸付けを受けた者の意思によらず、貸付けを受けた都道府県等外において当該業務に従事した期間については、当該業務従事期間に算入して差し支えない。

②　①に定める業務に従事している期間中に、業務上の事由により死亡し、又は業務に起因する心身の故障のため業務を継続することができなくなったとき。

第９　返還

修学資金等の貸付けを受けた者が、次の各号の一に該当する場合（災害、疾病、負傷、その他やむを得ない事由がある場合を除く。）には、当該各号に規定する事由が生じた日の属する月の翌月から都道府県知事等が定める期間（返還債務の履行が猶予されたときは、この期間と当該猶予された期間を合算した期間とする。）内に、都道府県知事等が定める金額を月賦又は半年賦の均等払方式等により返還しなければならない。

⑴　修学資金等の貸付契約が解除されたとき。

⑵　保育士修学資金の貸付けを受けた者においては、養成施設を卒業した日から１年以内に保育士登録簿に登録しなかったとき。

⑶　貸付対象者又は保育補助者が修学資金等の貸付けを受けた都道府県等の区域内において第８の⑴から⑸までに規定する業務に従事しなかったとき。

⑷　貸付対象者が貸付けを受けた都道府県等の区域内において第８の⑴、⑶、⑷又は⑸に規定する業務に従事する意思がなくなったとき。

⑸　保育補助者雇上費の貸付対象者が、貸付けを受けた都道府県等の区域内において第８の⑵に規定する業務に保育補助者を従事させる意思がなくなったとき。

⑹　業務外の事由により死亡し、又は心身の故障により業務に従事できなくなったとき。

第10　返還の債務の履行猶予

１　当然猶予

保育士修学資金貸付において、都道府県知事等は、修学資金の貸付けを受けた者が、修学資金の貸付契約を解除された後も引き続き当該養成施設に在学している期間は、修学資金の返還の債務の履行を猶予するものとする。

２　裁量猶予

都道府県知事等は、修学資金等の貸付けを受けた者又は保育補助者が次の各号の一に該当する場合には、当該各号に掲げる事由が継続している期間、履行期限の到来していない修学資金等の返還の債務の履行を猶予できるものとする。

⑴　修学資金等の貸付けを受けた都道府県等の区域内において第８の⑴から⑸までに規定する業務に従事しているとき。

⑵　災害、疾病、負傷、その他やむを得ない事由があるとき。

第11　返還の債務の裁量免除

都道府県知事等は、修学資金等の貸付けを受けた者が、次の各号の一に該当するに至ったときは、貸付けた修学資金等（既に返還を受けた金額を除く。）に係る返還の債務を当該各号に定める範囲内において免除できるものとする。

⑴　死亡し、又は障害により貸付けを受けた修学資金等を返還することができなくなったとき

返還の債務の額（既に返還を受けた金額を除く。以下同じ。）の全部又は一部

⑵　長期間所在不明となっている場合等修学資金等を返還させることが困難であると認められる場合であって、履行期限到来後に返還を請求した最初の日から５年以上経過したとき

返還の債務の額の全部又は一部

⑶　貸付けを受けた都道府県の区域内において２年以上第８の⑴に規定する業務に従事したとき

返還の債務の額の一部

⑷　貸付けを受けた都道府県の区域内において１年以上第８の⑵から⑸までに規定する業務に従事したとき

返還の債務の額の一部

第12　延滞利子

都道府県知事等は、修学資金等の貸付けを受けた者が正当な理由がなくて修学資金等を返還しなければならない日までにこれを返還しなかったときは、当該返還すべき日の翌日から返還の日までの期間の日数に応じ、返還すべき額につき年３パーセントの割合で計算した延滞利子を徴収するものとする。

ただし、当該延滞利子が、払込の請求及び督促を行うための経費等これを徴収するのに要する費用に満たない少額なものと認められるときは、当該延滞利子を債権として調定しないことができる。

第13　国の財政措置

国は、第２に規定する実施主体ごとに、次の⑴又は⑵のいずれかに掲げる金額を都道府県等に補助するものとする。

⑴　第２の⑴が実施主体である場合

都道府県等が修学資金等として支出する金額の10分の９以内の額

(2)　第２の(2)が実施主体である場合

都道府県等が適当と認める団体がこの事業の実施に必要な費用の10分の９以内の額

第14　会計経理

1　都道府県等又は都道府県等が適当と認める団体は、この制度の会計経理を明確にしなければならないものとする。

なお、都道府県等が適当と認める団体が実施主体である場合にあってはこの事業に関する特別会計を設けなければならないものとする。ただし、当該団体が社会福祉法人の場合にあっては、「社会福祉法人会計基準の制定について」（平成23年７月27日雇児発0727第１号、社援発0727第１号、老発0727第１号厚生労働省雇用均等・児童家庭局長、社会援護局長、老健局長連名通知）別紙「社会福祉法人会計基準」に基づき、サービス区分において明確に区分すること。

2　この事業を実施している間の返還金の取扱いは、第２に規定する実施主体ごとに、次の(1)又は(2)のいずれかに掲げるとおりとする。

(1)　第２の(1)が実施主体である場合

各年度において貸し付ける修学資金等の額が、当該年度の前年度において返還された修学資金等の額に満たない場合、都道府県等にあってはその満たない額の10分の９に相当する金額を国庫に返還するものとし、都道府県から委託を受けた都道府県社会福祉協議会にあってはその満たない額に相当する金額を都道府県に返還し、返還を受けた都道府県はその返還金の10分の９に相当する金額を国庫に返還するものとする。

(2)　第２の(2)が実施主体である場合

貸付金の運用によって生じた運用益及び当該年度の前年度において発生した返還金は、貸付金を管理する特別会計に繰り入れるものとする。

3　この事業を廃止した場合の返還金の取扱いは、第２に規定する実施主体ごとに、次の(1)又は(2)のいずれかに掲げるとおりとする。

(1)　第２の(1)が実施主体である場合

都道府県等にあっては、その年度以降毎年度その年度において返還された修学資金等の10分の９に相当する金額を国庫に返還するものとし、都道府県から委託を受けた都道府県社会福祉協議会にあっては、その年度以降毎年度その年度において返還された修学資金等に相当する金額を都道府県に返還し、返還を受けた都道府県は毎年度その返還金の10分の９に相当する金額を国庫に返還するものとする。

(2)　第２の(2)が実施主体である場合

その年度以降毎年度その年度において返還された修学資金等に相当する金額を都道府県等に返還し、返還を受けた都道府県等は毎年度その返還金の10分の９を国庫に返還するものとする。

○保育士修学資金貸付等制度の運営について

〔令和５年６月７日　こ成基第19号
各都道府県知事・各指定都市市長宛　こども家庭庁成育局
長通知〕

標記については、「保育士修学資金の貸付け等について」（令和５年６月７日こ成基第18号）をもってこども家庭庁長官から通知されたところであるが、この運営に当たっては、次の事項に留意のうえ、所期の目的達成のため、遺憾のないよう配慮されたい。

本通知の施行に伴い、「保育士修学資金貸付制度の運営について」（平成28年２月３日雇児発0203第２号雇用均等・児童家庭局長通知）は廃止するが、令和５年３月31日以前に保育士修学資金の貸付けを行った者の取扱いは、なお従前の例による。

１　貸付事業の実施主体について

保育士修学資金、保育補助者雇上費、保育料の一部、就職準備金及び子どもの預かり支援事業利用料金の一部（以下「修学資金等」という。）の貸付事業（以下「貸付事業」という。）の実施主体は、「保育士修学資金の貸付け等について」（令和５年６月７日こ成基第18号）別紙「保育士修学資金貸付等制度実施要綱」（以下「要綱」という。）第２に規定されているところであるが、次の⑴又は⑵に留意の上、取り扱われたいこと。

⑴　都道府県又は指定都市（以下「都道府県等」という。）が実施主体である場合

他の人材確保事業と併せて貸付事業を実施することが効果的である場合も考えられるので、都道府県社会福祉協議会（指定都市の場合は市町村社会福祉協議会。以下同じ。）に対してこれを委託して実施しても差し支えないこと。

⑵　都道府県又は指定都市が適当と認める団体（以下「都道府県等が適当と認める団体」という。）が実施主体である場合

①　実施主体に係る留意点

都道府県等が適当と認める団体が実施主体となる場合は、要綱第２の⑵の規定のとおり、都道府県知事又は指定都市市長（以下「都道府県知事等」という。）が修学資金等の貸付けに当たって必要な指導・助言を行う場合に限られるものであること。

また、都道府県等が適当と認める団体の選定に当たっては、他の人材確保事業と併せて貸付事業を実施することが効果的であることが考えられるので、都道府県社会福祉協議会又は都道府県社会福祉協議会の都道府県福祉人材センターにおいて実施することが望ましいこと。

なお、要綱第２の⑵に規定する一般社団法人又は一般財団法人については、貸金業法（昭和58年法律第32号）第３条に規定する登録を受けなければならないので留意されたいこと。

②　都道府県等の役割

要綱第２の⑵に規定する「都道府県知事等が修学資金等の貸付けに当たって必要な指導・助言を行う場合」とは、次のアからエまでに掲げる内容をいうものであること。

ア　貸付事業の実施に当たって、都道府県等が適当と認める団体に対して、貸付計画書（少なくとも貸付見込人数、貸付見込額、返還見込額等を盛り込むものとする。）を策定させ、当該計画書（当該計画書の内容を変更する場合を含む。）の内容について承認すること。

イ　都道府県等が適当と認める団体が債権管理を適切に行うことができるものとして定めた要綱第９に規定する修学資金等の返還期間、返還額又は返還方法（当該返還期間等を変更する場合を含む。）について承認すること。

ウ　都道府県等が適当と認める団体が要綱第11の⑵に規定する返還の債務の裁量免除を行う場合、その妥当性について承認すること。

エ　その他貸付事業の実施に当たって都道府県等が適当と認める団体に対する必要な指導・助言を行うこと。

２　貸付対象者について

⑴　保育士修学資金貸付

①　貸付対象者は、原則として、養成施設（要綱第３に規定する養成施設をいう。以下同じ。）卒業後、実施主体の都道府県等の区域（貸付けを受けた都道府県の区域内にある指定都市、貸付を受けた指定都市の属する都道府県を含む。また、国立児童自立支援施設等において業務に従事する場合は全国の区域とする。また、東日

本大震災等における被災県（岩手県、宮城県、福島県及び熊本県に限る。以下同じ。）以外の都道府県等において貸付けを受け、被災県において業務に従事する場合は、当該都道府県等及び当該被災県とする。以下同じ。）において要綱第８の(1)に規定する業務に従事しようとする者とすること。

ただし、都道府県等の判断により、貸付対象者を当該都道府県等の区域内の市町村の住民基本台帳に記録されている者又は当該都道府県等に住民登録はしていないが当該都道府県等の区域の養成施設に修学する場合（通信制を除く。）等であって、卒業後当該都道府県等の区域において要綱第８の(1)に規定する業務に従事しようとする者に限定しても差し支えないこと。

なお、この取扱いによって、２以上の都道府県等又は都道府県等が適当と認める団体（以下「実施主体」という。）から重複して貸し付けることはできないものであるので、申し添える。

② 貸付対象者は、優秀な学生であって、かつ、家庭の経済状況等から真に本修学資金の貸付が必要と認められる者について行うものであること。

ただし、１月あたり貸付対象者の貸付申請時の居住地の生活扶助基準の居宅（第１類）に掲げる額のうち貸付対象者の年齢に対応する年齢区分の額に相当する額以内の加算（以下「生活費加算」という。）については、貧困が親から子へ連鎖する「貧困の連鎖」の防止の観点から、生活保護受給世帯など経済的に困窮する世帯の子どもの社会的・経済的自立を実現するため、生活の安定に資する資格として保育士資格の取得を支援するものであるので、生活費加算の貸付対象者に係る家庭の経済状況は、次のいずれかに該当する者とする。

ア 貸付申請時に生活保護受給世帯の者であって、要綱第３に規定する養成施設に就学する者

イ アに準ずる経済状況にある者として、都道府県知事等が必要と認める者

（例）

前年度または当該年度において、次のいずれかの措置を受けた者

・ 地方税法（昭和25年法律第226号）第295条第１項に基づく市町村民税の非課税

・ 地方税法第323条に基づく市町村民税の減免

・ 国民年金法（昭和34年法律第141号）第89条または第90条に基づく国民年金の掛金の減免

・ 国民健康保険法（昭和33年法律第192号）第77条に基づく保険料の減免または徴収の猶予

③ 貸付対象者の選定に当たっては当該養成施設から推薦を求めること等により公正かつ適切に行うこと。

ただし、生活保護受給世帯の者などを対象として、養成施設への入学前に貸付対象者の選定を行う場合にあっては、貸付申請は貸付対象者が実施主体に直接行い、当該貸付対象者の居住地を管轄する福祉事務所（以下「福祉事務所」という。）等との連携により適切に行うこと。

また、東日本大震災等の被災者にあっては、学業優秀、家庭の経済状況等の要件を問わず、養成施設から被災地出身者等であることを確認の上、適切に行うこと。

なお、貸付対象者の推薦を養成施設へ求める場合にあっては、不当に特定の養成施設に貸付対象者が偏ることのないよう留意するとともに、養成施設から適正な推薦を受ける観点から、常日頃より養成施設との密接な連携を図られたい。

④ 養成施設への入学前に貸付対象者の選定を行う場合には、養成施設への入学選考前に貸付内定を通知するよう努めること。

⑤ 養成施設への入学前に貸付対象者の選定を行う場合において、貸付申請者が貸付申請時に生活保護受給世帯の者である場合の取扱いについては、以下のとおりとすること。

ア 実施主体の長は、選定に当たって次のことを確認すること。

ⅰ) ②のうち学業優秀、家庭の経済状況

（確認書類の例）

○ 学業優秀

養成施設からの推薦に替えて、

・貸付対象者が高校生である場合は、高校の調査書、内申書

・上記以外の場合は、養成施設への就学意欲、資格取得後における保育分野での就労意思等

○ 家庭の経済状況

福祉事務所長等が発行する生活保護受給証明書

ⅱ）貸付による自立助長の効果に関する福祉事務所長の意見

イ　実施主体の長は、生活保護受給世帯の者に対する貸付の可否について、福祉事務所長に対し連絡すること。

ウ　生活費加算と生活保護の支給を同時に受けることはできないこと。

したがって、実施主体の長は、貸付申請時に生活保護受給世帯の者であって、次のいずれかに該当する貸付決定を行った場合には、福祉事務所長が発行する保護変更決定通知書（写）等を貸付対象者から提示させる等により生活保護が廃止されていることを確認すること。

ⅰ）貸付申請時に生活保護受給世帯の高校生であって、高校を卒業し、直ちに養成施設に就学しようとする者に対する貸付決定を行った場合

ⅱ）貸付申請時に生活保護受給世帯の者であって、ⅰ）以外の者に対する生活費加算を含む貸付決定を行った場合

⑥　生活費加算が「貧困の連鎖」の防止に資するためには、生活費加算を含む貸付金の貸与だけではなく、福祉事務所による支援や他の人材確保事業等と相俟って、その十分な効果が期待されるものと考えられるので、実施主体の長は、福祉事務所、保育士養成施設等の関係機関と連携を密にし、継続的な支援に努めること。

（取組例）

○　保育士養成施設に在学中の出席状況や学業成績等の就学状況に関する定期的な確認及び支援

○　保育士養成施設卒業後の保育関係等の求人情報の紹介や就職の斡旋

○　保育関係の職場に就労後の定着支援やキャリアカウンセリング等

⑦　要綱第4の2⑴に掲げる額のうち学費相当分（月額5万円以内）を貸し付けずに、生活費加算分のみを貸し付けることはできないこと。

⑧　要綱第8の⑴に規定する中高年離職者については、離職証明等の客観的判断の可能な書類で離職状況を確認すること。

⑵　保育補助者雇上費貸付

①　本貸付は、保育所における保育士の業務負担を軽減するための人材の配置等の強化が求められていることを踏まえ実施するものであることに鑑み、貸付対象者は、原則として保育補助者（要綱第1に規定する保育補助者をいう。以下同じ。）を新たに雇上げる者その他保育士の業務負担軽減を行っている者として都道府県等が適当と認める者とするものであること。

②　当該貸付を受けようとする者は、貸付申請時において、保育補助者が保育士資格の取得を目指すことが確認できる書類（当該事由を明記した雇用契約書や誓約書等）を提出すること。

③　保育補助者は、保育に関する40時間以上の実習を受けた者又はこれと同等の知識及び技能があると都道府県等が認める者であること。

なお、ここでいう「保育に関する40時間以上の実習」は、当該貸付を受けようとする保育所への勤務開始後、実習を受けても差し支えないこと。

実習の実施方法等については、別に定めることとする。

④　当該貸付を受けようとする者は、貸付申請時において、保育補助者を新たに配置することにより、具体的にどのように保育士の勤務環境が改善されるかについての計画を実施主体に提出すること。

⑤　当該貸付を受けようとする者は、上記④の計画に基づき、保育士の勤務環境改善を行うこと。

⑶　未就学児を持つ保育士に対する保育料の一部貸付

①　貸付対象者は、要綱第3の⑶アからケまでに掲げる施設又は事業（以下「保育所等」という。）に新たに勤務する者とすること。

②　未就学児を持つ保育士に保育料の一部貸付を行う場合は、実施主体は都道府県及び市町村（特別区を含む。以下同じ。）と連携し、当該保育士の子どもを保育所等に優先的に入所させるよう調整等を行うこと。（当該保育士の子どもが調整等によらず保育所等に入所できた場合を含む。）

③　保育料の一部貸付けを受けようとする者は、貸付申請時において当該者の子どもが保育所等に入所が決定したことが確認できる書類を提出すること。

⑷　就職準備金貸付

①　貸付対象者は、要綱第3⑷①から②までの要件をいずれも満たす者とすること。

②　就職準備金の貸付けを受けようとする者は、貸付申請時において就職準備金の使途を明示すること。

（就職準備金の使途の例）

・保育所等への就職によって転居が伴う場合における転居費用

・転居先の賃貸物件の借り上げに伴う礼金や仲介手数料
・保育所等で使用する被服費
・保育所等の勤務に復帰するに当たり研修等を受けた際の研修費用
・保育所等への通勤に要する移動用自転車等の購入費
・申請者の子どもが保育所等を利用する際に必要となる費用
・子どもの預け先を探す際の活動に必要となる費用　など

(5)　未就学児を持つ保育士の子どもの預かり支援事業利用料金の一部貸付

貸付対象者は、要綱第3(5)①及び②の要件をいずれも満たす者とするが、貸付申請時に次に掲げる保育所等における勤務の時間帯及び子どもの預かり支援に関する事業の利用の時間帯が記載された書類を提出させ、貸付の必要性を確認すること。なお、貸付後、実際に当該事業を利用した時間帯及び料金が確認できる書類を提出させること。

ア　貸付申請者の子どもが保育所等に入所していることが確認できる書類

イ　保育所等における勤務の時間帯が記載された書類

ウ　子どもの預かり支援に関する事業の利用の時間帯及び料金が記載された書類

3　貸付期間について

要綱第4の1の(1)に規定する保育士修学資金貸付の「貸付期間」は、原則として2年間とするが，病気等真にやむを得ない事情によって留年した期間中もこれに含めて差し支えないこと。また、正規の修学期間が2年間を超える養成施設に在学している場合は、要綱第4の2の(1)に掲げる額のうち学費相当分（月額5万円以内）の2年間に相当する金額の範囲内であれば正規の修学期間を貸付期間とすることができる。

4　貸付金の限度について

(1)　保育士修学資金貸付

修学資金は、養成施設に支払う授業料、実習費、教材費等の納付金の他、参考図書、学用品、交通費等（生活費加算分については在学中の生活費を含む。）に充当するものであるので、貸付金については、要綱第4の2の(1)に定める金額の範囲内であれば授業料等養成施設に対する納付金の額の如何を問わず、本人の希望する額を貸し付けて差し支えないものであること。

(2)　保育補助者雇上費貸付

保育補助者雇上費は、保育補助者の給与や諸手当のほか、福利厚生費や社会保険料の事業主負担分等に充当するものでもあるので、貸付金については、要綱第4の2の(2)に定める金額の範囲内であれば保育補助者の給与額の如何を問わず、保育補助者雇上費の貸付けを受ける者の希望する額を貸し付けて差し支えないものであること。

(3)　未就学児を持つ保育士に対する保育料の一部貸付

保育料の一部貸付に当たっては、貸付を受ける者の子どもの保育料に充当する場合のみ貸し付けることができるものであること。

(4)　就職準備金貸付

①　就職準備金は、貸付申請を踏まえ、実施主体において、保育所等への就職に当たって必要と認める額を貸し付けることができるものであること。

②　要綱第4の2(4)の別に定める地域は、それぞれ次に該当する地域とする。

ア　保育士の有効求人倍率が一定以上の地域

貸付申請日の属する年度の前年度の1月における職業安定業務統計（厚生労働省）による保育士の有効求人倍率が全国平均を超える都道府県

イ　被災地域

岩手県、宮城県、福島県及び熊本県

(5)　未就学児を持つ保育士の子どもの預かり支援事業利用料金の一部貸付

①　子どもの預かり支援事業利用料金の一部貸付に当たっては、貸付を受ける者の子どもの預かり支援に関する事業を利用するために要した費用に充当する場合のみ貸し付けることができるものであること。

②　貸付の対象となる費用については、事業の利用料金のほか，入会金その他の事業利用に当たり必要となる費用も含まれること。

5　貸付金の交付方法について

貸付金の交付は、就職準備金貸付を除き、分割又は月決めの方法によるものとする。

6　貸付契約の解除について

要綱第7の1に規定する「資金貸付けの目的を達成する見込みがなくなったと認められるに至ったとき」は、次のいずれかに該当する場合をいう。

(1)　保育士修学資金貸付

①　退学したとき。

②　心身の故障のため修学を継続する見込みがなくなったと認められるとき。

③　学業成績が著しく不良になったと認められる

とき。

④　死亡したとき。

⑤　その他修学資金貸付けの目的を達成する見込みがなくなったと認められるとき。

⑵　保育補助者雇上費貸付

①　保育補助者が退職し、かつ、直ちに新たな保育補助者の雇上を行わなかったとき又は新たな保育補助者を雇い上げても、当該保育補助者が保育士資格を取得する又はそれに準ずる者として都道府県等が認めることが著しく困難であるとき。

②　保育補助者が心身の故障のため勤務を継続する見込みがなくなったと認められるときであって、直ちに新たな保育補助者の雇上を行わなかったとき又は新たな保育補助者を雇い上げても、当該保育補助者が保育士資格を取得する又はそれに準ずる者として都道府県等が認めることが著しく困難であるとき。

③　保育補助者が死亡し、かつ、直ちに新たな保育補助者の雇上を行わなかったとき又は新たな保育補助者を雇い上げても、当該保育補助者が保育士資格を取得する又はそれに準ずる者として都道府県等が認めることが著しく困難であるとき。

④　その他保育補助者雇上費貸付の目的を達成する見込みがなくなったと認められるとき。

⑶　未就学児を持つ保育士に対する保育料の一部貸付

①　退職したとき。

②　心身の故障のため勤務を継続する見込みがなくなったと認められるとき。

③　死亡したとき。

④　その他保育料の一部貸付の目的を達成する見込みがなくなったと認められるとき。

⑷　就職準備金貸付

①　退職したとき。

②　心身の故障のため勤務を継続する見込みがなくなったと認められるとき。

③　死亡したとき。

④　その他就職準備金貸付の目的を達成する見込みがなくなったと認められるとき。

⑸　未就学児を持つ保育士の子どもの預かり支援事業利用料金の一部貸付

①　退職したとき。

②　心身の故障のため勤務を継続する見込みがなくなったと認められるとき。

③　死亡したとき。

④　その他子どもの預かり支援事業利用料金の一部貸付の目的を達成する見込みがなくなったと認められるとき。

7　返還の債務の当然免除について

⑴　保育士修学資金貸付

①　要綱第８の⑴の①に規定する「国立児童自立支援施設等」には、国立高度専門医療研究センター又は独立行政法人国立病院機構の設置する医療機関であって児童福祉法（昭和22年法律第164号）第27条第２項の委託を受けた施設、肢体不自由児施設「整肢療護園」及び重症心身障害児施設「むらさき愛育園」を含むものとする。

②　要綱第８の⑴の①に規定する「従事先施設」とは、次のアからコの施設等とする。

ア　児童福祉法第６条の２の２第２項に規定する「児童発達支援センターその他の厚生労働省令で定める施設」、同条第４項に規定する「児童発達支援センターその他の厚生労働省令で定める施設」、第７条に規定する「児童福祉施設（保育所を含む）」、同法第12条の４に規定する「児童を一時保護する施設」及び同法第18条の６に規定する「指定保育士養成施設」

イ　学校教育法（昭和22年法律第26号）第１条に規定する「幼稚園」のうち次に掲げるもの

・　教育時間の終了後等に行う教育活動（預かり保育）を常時実施している施設

・　ウに定める「認定こども園」への移行を予定している施設

ウ　就学前の子どもに関する教育、保育等の総合的な提供の推進に関する法律（平成18年法律第77号）第２条第６項に規定する「認定こども園」

エ　児童福祉法第６条の３第９項から第12項までに規定する事業であって、同法第34条の15第１項の規定により市町村が行うもの及び同条第２項の規定による認可を受けたもの

オ　児童福祉法第６条の３第13項に規定する「病児保育事業」であって、同法第34条の18第１項の規定による届出を行ったもの

カ　児童福祉法第６条の３第２項に規定する「放課後児童健全育成事業」であって、同法第34条の８第１項の規定により市町村が行うもの及び同条第２項の規定による届出を行ったもの

キ　児童福祉法第６条の３第７項に規定する「一時預かり事業」であって、同法第34条の12第１項の規定による届出を行ったもの

ク　子ども・子育て支援法（平成24年法律第65

号）第30条第１項第４号に規定する離島その他の地域において特例保育を実施する施設

ケ　児童福祉法第６条の３第９項から第12項までに規定する業務又は第39条第１項に規定する業務を目的とする施設であって法第34条の15第２項、第35条第４項の認可又は認定こども園法第17条第１項の認可を受けていないもの（認可外保育施設）のうち、次に掲げるもの

ⅰ）法第59条の２の規定により届出をした施設

ⅱ）ⅰ）に掲げるもののほか、都道府県等が事業の届出をするものと定めた施設であって、当該届出をした施設

ⅲ）雇用保険法施行規則（昭和50年労働省令第３号）第116条に定める事業所内保育施設設置・運営等支援助成金の助成を受けている施設

ⅳ）「看護職員確保対策事業等の実施について（平成22年３月24日医政発0324第21号）」に定める病院内保育所運営事業の助成を受けている施設

ⅴ）国、都道府県又は市町村が設置する児童福祉法第６条の３第９項から第12項までに規定する業務又は法第39条第１項に規定する業務を目的とする施設

コ　子ども・子育て支援法第59条の２第１項に規定する仕事・子育て両立支援事業のうち、「企業主導型保育事業等の実施について」の別紙「企業主導型保育事業費補助金実施要綱」の第２の１に定める企業主導型保育事業

③　要綱第８の⑴の①に規定する「過疎地域、離島及び中山間地域等」とは、次のアからコの地域等とする。

ア　過疎地域（過疎地域の持続的発展の支援に関する特別措置法（令和３年法律第19号）第２条第１項に規定する区域又は同法の規定により過疎地域とみなされる区域をいう。）

イ　離島振興法第２条第１項の規定により指定された離島振興対策実施地域

ウ　奄美群島（奄美群島振興開発特別措置法（昭和29年法律第189号）第１条に規定する奄美群島）

エ　豪雪地帯及び特別豪雪地域（豪雪地帯対策特別措置法（昭和37年法律第73号）第２条第１項に規定する豪雪地帯及び同条第２項の規定により指定された特別豪雪地帯）

オ　辺地（辺地に係る公共的施設の総合整備のための財政上の特別措置等に関する法律（昭和37年法律第88号）第２条第１項に規定する辺地）

カ　振興山村（山村振興法（昭和40年法律第64号）第７条第１項の規定により指定された振興山村）

キ　小笠原諸島（小笠原諸島振興開発特別措置法（昭和44年法律第79号）第４条第１項に規定する小笠原諸島）

ク　半島振興対策実施地域（半島振興法（昭和60年法律第63号）第２条第１項の規定により指定された半島振興対策実施地域）

ケ　特定農山村地域（特定農山村地域における農林業等の活性化のための基盤整備の促進に関する法律（平成５年法律第72号）第２条第１項に規定する特定農山村地域）

コ　沖縄の離島（沖縄振興特別措置法（平成14年法律第14号）第３条第３号に規定する離島）

④　保育士登録を行った者が要綱第８の⑴の①に規定する業務に従事することができなかった場合であって、養成施設卒業後１年以内に要綱第８の⑴の①に規定する職種以外の職種に採用された者については、都道府県知事等が本人の申請に基づき要綱第８の⑴の①に規定する業務に従事する意思があると認めた場合、要綱第８の⑴の①及び第９の⑵に規定する「養成施設を卒業した日から１年以内」を、「養成施設を卒業した日から２年以内」と読み替えて差し支えないこと。

⑤　要綱第10の２の⑵に規定する「その他やむを得ない事由」は、例えば育児休業等により要綱第８の⑴の①に規定する業務に従事することが困難であると客観的に判断できる場合であること。

⑵　保育補助者雇上費貸付、未就学児を持つ保育士に対する保育料の一部貸付、就職準備金貸付及び未就学児を持つ保育士の子どもの預かり支援事業利用料金の一部貸付

第10の２の⑵に規定する「その他やむを得ない事由」は、例えば育児休業等により要綱第８の⑵の①、⑶の①、⑷の①及び⑸の①に規定する業務に従事することが困難であると客観的に判断できる場合であること。

8　返還の債務の裁量免除について

⑴　要綱第11の⑴及び⑵に規定する返還の債務の裁量免除は、相続人又は要綱第６に規定する保証人へ請求を行ってもなお、返還が困難であるなど、

真にやむを得ない場合に限り、個別に適用すべきものであること。

また、要綱第11の(3)及び(4)に規定する返還の債務の裁量免除は、本貸付事業が要綱第８に規定する業務に従事した者の定着促進を図るものであることから、その適用は機械的に行うことなく貸付けを受けた者の状況を十分把握のうえ、個別に適用すべきものであること。この場合、貸付けを受けた期間以上所定の業務に従事した者であっても、本人の責による事由により免職された者、特別な事情がなく恣意的に退職した者等については、適用すべきではないこと。

(2)　裁量免除については、事業ごとに以下の算定方法を用いる。

①　保育士修学資金貸付

裁量免除の額は、当該都道府県等の区域内において、要綱第８の(1)に規定する業務に従事した月数を、保育士修学資金の貸付けを受けた月数の２分の５（中高年離職者等については２分の３）に相当する月数で除して得た数値（この数値が１を超えるときは、１とする）を返還の債務の額に乗じて得た額とすること。

②　保育補助者雇上費貸付

裁量免除の額は、当該都道府県等の区域内において、要綱第８の(2)に規定する業務に従事した月数を、保育補助者雇上費の貸付を受けた月数の３分の４に相当する月数（この月数が24に満たない場合は24とする）で除して得た数値（この数値が１を超えるときは、１とする）を返還の債務の額に乗じて得た額とすること。

③　未就学児を持つ保育士に対する保育料の一部貸付

裁量免除の額は、当該都道府県等の区域内において、要綱第８の(3)に規定する業務に従事した月数を、24で除して得た数値（この数値が１を超えるときは、１とする）を返還の債務の額に乗じて得た額とすること。

④　就職準備金貸付

裁量免除の額は、当該都道府県等の区域内において、要綱第８の(4)に規定する業務に従事した月数を、24で除して得た数値（この数値が１を超えるときは、１とする）を返還の債務の額に乗じて得た額とすること。

⑤　未就学児を持つ保育士の子どもの預かり支援事業利用料金の一部貸付

裁量免除の額は、当該都道府県等の区域内において、要綱第８の(5)に規定する業務に従事した月数を、24で除して得た数値（この数値が１を超えるときは、１とする）を返還の債務の額に乗じて得た額とすること。

9　国庫補助対象事業について

(1)　都道府県等が実施主体である場合

この貸付事業のための国庫補助は、当該年度の貸付金総額から当該年度中における過年度の修学資金の返還金の総額に相当する金額を控除した金額を対象として行うものであること。

(2)　都道府県等が適当と認める団体が実施主体である場合

この貸付事業のための国庫補助は、都道府県等が適当と認める団体がこの貸付事業の実施に必要な貸付金及び貸付事務費を対象として措置するものとする。

なお、貸付事務費は、一の貸付につき毎年度427万5000円（保育士修学資金貸付において生活費加算を行う場合にあっては577万5000円）までの範囲で使用できることとする。

また、この貸付事業を都道府県と当該都道府県の区域内にある指定都市が、同一の団体を都道府県等が適当と認める団体とした場合であっても、都道府県等が適当と認める団体が使用できる貸付事務費は、上記の範囲内であること。

10　会計経理について

(1)　都道府県等が実施主体である場合

この貸付事業のために、特別会計を設定することは義務づけられていないが、事業の性格に鑑み、当該国庫補助対象事業の会計経理区分を明確にすること。特に、国庫補助を受けない都道府県等負担の事業を併せ実施する場合は、明瞭に区分しておくこと。

(2)　都道府県等が適当と認める団体が実施主体である場合

都道府県等が適当と認める団体においては、特別会計を設定してこの貸付事業の会計経理を明確にすること。

また、当該特別会計については、毎年度、当該年度における貸付件数、貸付額、返還額等の貸付事業決算書を策定し、都道府県知事等に報告しなければならないものであること。

都道府県知事等は、報告を受けた貸付事業決算書を国に報告しなければならないものとする。

11　事業の廃止について

本事業の目的を達成したと認められるときその他本事業を終了する必要があると国及び都道府県等が認めるときは、本事業の全部又は一部を廃止するものとする。なお、この場合における精算に当たっては、要綱第14の３の規定に基づき行うこと。

○保育人材確保事業の実施について

〔平成29年４月17日　雇児発0417第２号
各都道府県知事・各指定都市市長・各中核市市長宛　厚生
労働省雇用均等・児童家庭局長通知〕

注　令和５年３月30日子発0330第８号改正現在

地域の実情に応じた多様な保育需要に対応するため、保育人材の確保等に必要な措置を総合的に講じることで、待機児童の解消を図るとともに、子どもを安心して育てることができる環境整備を行うため、保育人材確保事業を次により実施し、平成29年４月１日から適用することとしたので通知する。

ついては、管内市町村（特別区を含む。）に対して周知をお願いするとともに、本事業の適正かつ円滑な実施に期されたい。

なお、本通知の施行に伴い、「保育体制強化事業の実施について」（平成26年５月29日雇児発0529第25号厚生労働省雇用均等・児童家庭局長通知）、「保育士資格取得支援事業の実施について」（平成27年４月13日雇児発0413第11号厚生労働省雇用均等・児童家庭局長通知）、「保育士・保育所支援センター設置運営事業の実施について」（平成27年４月13日雇児発0413第13号厚生労働省雇用均等・児童家庭局長通知）、「保育士宿舎借り上げ支援事業の実施について」（平成27年４月13日雇児発0413第14号厚生労働省雇用均等・児童家庭局長通知）、「保育士試験による資格取得支援事業の実施について」（平成27年４月13日雇児発0413第15号厚生労働省雇用均等・児童家庭局長通知）、「保育士養成施設に対する就職促進支援事業の実施について」（平成27年４月13日雇児発0413第16号厚生労働省雇用均等・児童家庭局長通知）、「保育士試験追加実施支援事業の実施について」（平成27年11月10日雇児発1110第３号厚生労働省雇用均等・児童家庭局長通知）、「保育補助者雇上強化事業の実施について」（平成28年８月18日雇児発0818第２号厚生労働省雇用均等・児童家庭局長通知）、「若手保育士や保育事業者への巡回支援事業の実施について」（平成28年８月18日雇児発0818第３号厚生労働省雇用均等・児童家庭局長通知）及び「保育士等のキャリアアップ構築のための人材交流等支援事業の実施について」（平成28年８月18日雇児発0818第４号厚生労働省雇用均等・児童家庭局長通知）は、平成29年３月31日限りで廃止する。ただし、平成28年度末までに実施したものについては、なお従前の例によるものとする。

記

第１　事業の種類

１　保育士資格取得支援事業

２　保育士試験追加実施支援事業

３　保育士養成施設に対する就職促進支援事業

４　保育士宿舎借り上げ支援事業

５　保育人材等就職・交流支援事業

６　保育体制強化事業

７　保育補助者雇上強化事業

８　若手保育士や保育事業者等への巡回支援事業

９　保育士・保育所支援センター設置運営事業

10　保育士・保育の現場の魅力発信事業

第２　事業の実施

各事業の実施に当たっては、次によること。

１　保育士資格取得支援事業実施要綱（別添１）

２　保育士試験追加実施支援事業実施要綱（別添２）

３　保育士養成施設に対する就職促進支援事業実施要綱（別添３）

４　保育士宿舎借り上げ支援事業実施要綱（別添４）

５　保育人材等就職・交流支援事業実施要綱（別添５）

６　保育体制強化事業実施要綱（別添６）

７　保育補助者雇上強化事業実施要綱（別添７）

８　若手保育士や保育事業者等への巡回支援事業実施要綱（別添８）

９　保育士・保育所支援センター設置運営事業実施要綱（別添９）

10　保育士・保育の現場の魅力発信事業実施要綱（別添10）

別添１

保育士資格取得支援事業実施要綱

Ⅰ　保育士資格取得支援事業

１　事業の目的

学校教育と保育を一体的に提供する幼保連携型認定こども園に配置することとなっている幼稚園教諭免許状と保育士資格の両方の免許・資格を有する保育教諭の確保を図るとともに、幼稚園教諭免許状を有する者及び保育所等に勤務している保育士資格を有していない者の保育士資格取得を支援することにより保育教諭及び保育士の増加を図り、子どもを安心して育てることができるような体制整備を行うことを目的とする。

2　実施主体

実施主体は、都道府県、指定都市及び中核市（以下、別添１において「都道府県等」という。）、又は、都道府県等が認めた者とする。なお、都道府県等が認めた者へ委託等を行うことができる。

3　事業の内容

⑴　認可外保育施設保育士資格取得支援事業

認可外保育施設に対し、当該施設が雇用している保育士資格を有していない保育従事者（以下「認可外対象者」という。）が保育士資格を取得するために要した、児童福祉法（昭和22年法律第164号）第18条の６に基づき都道府県知事の指定する保育士を養成する学校その他の施設（以下「養成施設」という。）の受講料等及び受講する保育従事者代替に伴う雇上費の補助を行う。

⑵　保育教諭確保のための保育士資格取得支援事業

就学前の子どもに関する教育、保育等の総合的な提供の推進に関する法律（平成18年法律第77号。以下「認定こども園法」という。）第２条第６項に規定する認定こども園（以下「認定こども園」という。）及び認定こども園への移行を予定している施設に対し、当該施設に勤務している幼稚園教諭免許状を有する者であって、かつ、保育士資格を有していない者（以下「保育教諭対象者」という。）が「保育士試験の実施について」（平成15年12月１日雇児発第1201002号雇用均等・児童家庭局長通知）別表の②及び③（以下「特例制度」という。）による保育士資格の取得等に要した、養成施設の受講料等及び受講する保育従事者代替に伴う雇上費の補助を行う。

⑶　幼稚園教諭免許状を有する者の保育士資格取得支援事業

幼稚園教諭免許状を有する者であって、かつ、保育士資格を有していない者（以下「幼免対象者」という。）が特例制度により保育士資格を取得するために要した、養成施設の受講料等の補助を行う。

⑷　保育所等保育士資格取得支援事業

保育所等に対し、当該施設が雇用している保育士資格を有していない保育従事者（以下「保育所等対象者」という。）が保育士資格を取得するために要した、養成施設の受講料等の補助を行う。

4　実施要件

⑴　対象者

本事業の対象者は、以下の事業ごとに掲げる施設（以下「対象施設」という。）に勤務する者であること。ただし、幼免対象者は施設への勤務の有無にかかわらず、本事業の対象となること。

また、保育教諭対象者及び幼免対象者は、養成施設において教科目の受講を開始し、児童福祉法施行規則（昭和23年厚生省令第11号）第６条の11の２の規定により保育士資格を取得すること。

対象施設は、対象者が保育士証の交付を受けるまでの間、当該施設としての要件を満たしていること。

なお、保育士修学資金貸付事業や雇用保険制度の教育訓練給付等、本事業と同趣旨の事業による貸付や助成等を受けている場合は、本事業の対象とならない。

①　認可外保育施設保育士資格取得支援事業

ア　「認可外保育施設指導監督基準を満たす旨の証明書の交付について」（平成17年１月21日雇児発第0121002号雇用均等・児童家庭局長通知）による認可外保育施設指導監督基準を満たす旨の証明書（以下「証明書」という。）の交付を受けた認可外保育施設

イ　認定こども園法第３条第２項第１号及び第３項に規定する施設のうち、幼稚園で構成されるもの（以下「幼稚園型認定こども園」という。）が構成する認可外保育施設

ウ　児童福祉法第６条の３第10項に規定する小規模保育事業であって、法第34条の15第２項の認可を受けたもののうち、「家庭的保育事業等の設備及び運営に関する基準」（平成26年４月30日厚生労働省令第61号）第３章第２節に規定する小規模保育事業Ａ型及び第３節に規定する小規模保育事業Ｂ型を行う事業所

エ　児童福祉法第６条の３第12項に規定する事業所内保育事業であって、法第34条の15第２項の認可を受けたもの

オ　証明書の交付を受けていない認可外保育施設のうち、証明書の内容を同等以上満たしていると都道府県等が認める施設

カ　施設の所在する都道府県と市区町村との連名により、以下(ⅰ)～(ⅲ)の内容を記載した「認可外保育施設指導監督基準適合化支援計画」を作成した認可外保育施設

(ⅰ)　待機児童の状況や保育時間等の観点から地域に特徴的と考えられる保育等ニーズが存在すること。

(ⅱ)　都道府県又は市区町村において、(ⅰ)のニーズを満たすため、認可の保育施設や事業の整備・拡充等を進めているが、なお時間を要する場合に、それまでの間、(ⅰ)の保

育等ニーズの受け皿となることができる施設であると認める施設であること。

(iii) 都道府県及び市区町村の連携により、当該施設が認可外保育施設指導監督基準を満たすため、職員又は巡回支援指導員等による技術的な支援、本事業の他の国庫補助の活用等を通じて、本事業以外にも十分な支援を行っている、あるいは行う予定であること。

(iv) 遅くとも令和6年9月末までに、認可外保育施設指導監督基準への適合を目指すものであること。

② 保育教諭確保のための保育士資格取得支援事業

認定こども園及び認定こども園への移行を予定している施設

③ 保育所等保育士資格取得支援事業

ア 保育所

イ 認定こども園

ウ 認定こども園への移行を予定している幼稚園

エ 乳児院

オ 児童養護施設

※ 上記アからオのいずれも国又は地方公共団体が設置したものを除く。

(2) 受講方法

対象者は、養成施設での受講（通信制、昼間、昼夜開講制、夜間、昼間定時制）により保育士資格を取得する。

また、保育教諭対象者及び幼免対象者については、過去に保育士養成課程の科目の一部を修めないで卒業した者で、養成施設において、児童福祉法施行規則第6条の10第2項に掲げる筆記試験科目（同項第2号の教育原理及び同項第5号の保育の心理学を除く。）に相当する教科目を履修することで、児童福祉法施行規則第6条の11の2の規定により保育士資格を取得する場合も本事業の対象とすること。

(3) 受講開始

本事業においては、養成施設に入学した日又は養成施設からの受講許可を得た日のいずれか早い日を受講開始とすること。

(4) 代替保育士等雇上費

上記3の(1)の事業にあっては、認可外対象者の保育士資格取得に伴い代替として雇い上げた保育士又は保育従事者、上記3の(2)の事業にあっては、上記(1)②の施設に勤務している保育士（以下「対象保育士」という。）の幼稚園教諭免許状取得に伴い、代替として雇い上げた保育士（以下「代替保育士等」という。）に係る雇上費を補助する。

5 実施計画書について

(1) 提出

① 本事業を実施する対象施設（以下「実施対象施設」という。）及び幼免対象者は、保育士資格取得支援事業実施計画書（以下「実施計画書」という。別添様式1）及び(2)に定める確認書類を都道府県等に提出すること。

なお、実施計画書を提出することができる期間は、4(3)の受講開始日の属する年度中とする。

② 都道府県等は、実施計画書が提出された際は、内容を確認し、本事業の対象の可否を速やかに実施対象施設及び幼免対象者に通知すること。

(2) 確認書類

実施計画書の確認にあたっては、4(1)の対象者（以下「対象者」という。）及び対象保育士が実施対象施設に勤務していることが確認できる書類を提出させること。

また、対象者及び対象保育士が受講を開始した場合は、養成施設（対象保育士については大学又は短大）に在学していることが確認できる書類を提出させること。

なお、実施計画書の提出前に受講を開始している場合は、実施計画書を提出する際に、養成施設に在学していることが確認できる書類を提出させること。

6 対象経費の支払い等について

(1) 支払い

養成施設受講料や教材費等の経費及び代替保育従事者雇上費（以下「対象経費」という。）は対象者又は対象保育士が保育士証又は幼稚園教諭免許状の交付を受け、4(1)の各事業に掲げる対象施設（以下「勤務対象施設」という。）に勤務することが決定した後に支払うことができる。ただし、資格取得後1年以上対象施設に勤務すること。

(2) 支払いの申請及び確認

実施対象施設及び幼免対象者は、対象者が保育士証の交付又は対象保育士が幼稚園教諭免許状の交付を受けた後、勤務対象施設に勤務を開始した日の属する月の末日までに、保育士資格取得支援事業完了報告書（以下「完了報告書」という。別添様式２）及び次に掲げる書類を都道府県等に提出すること。ただし、やむを得ない理由により当該期日までに提出できない場合は、この限りでない。

ア　対象者が保育士証の交付又は対象保育士が幼稚園教諭免許状の交付を受けた後、勤務対象施設への勤務が決定したことを確認できる書類

イ　養成施設の長が発行する対象経費の領収書

ウ　代替保育士等が実施対象施設に勤務していたことが確認できる書類

エ　保育士証又は幼稚園教諭免許状の写し

(3)　対象経費の留意事項

①　対象経費の対象は、養成施設の長が証明する養成施設に対して支払われた入学料（養成施設における受講の開始に際し、当該養成施設に納付する入学金又は併願登録料）、受講料（面接授業料、教科書代及び教材費（受講に必要なソフトウェア等補助教材費を含む。））及び上記経費の消費税とする。

②　対象経費とならないものは、次の経費とすること。

ア　その他の検定試験の受講料

イ　受講にあたって必ずしも必要とされない補助教材費

ウ　補講費

エ　養成施設が定める修業年限を超えて修学した場合に必要となる費用

オ　養成施設が実施する各種行事参加に係る費用

カ　学債等将来対象者に対して現金還付が予定されている費用

キ　受講のための交通費及びパソコン、タブレット等の器材等

③　算定した支給額に端数が生じた場合、小数点以下を切り捨てて整数とすること。

④　入学料及び受講料を一括払いで支払った場合又は分割払いで支払った場合等のいずれの場合でも、支払った費用として養成施設の長が証明する額又は養成施設に対し振込を行ったことを金融機関が証明した額を対象とすること。

⑤　クレジットカードの利用等クレジット会社を介して支払う契約を行う場合の、クレジット会社に対する分割払い手数料（金利）は、対象経費に該当しないこと。

⑥　支給申請時点で養成施設に対して未納となっている入学料又は受講料は対象とならないこと。

7　領収書について

(1)　受講に係る領収書等

養成施設の長が、対象経費について発行した領収書又は養成施設に対し振込を行ったことを金融機関が証明した書類（以下「振込証明書類」という。）とする。

なお、クレジットカードの利用等クレジット会社を介して支払う契約を行った場合は、クレジット契約証明書（クレジット伝票の控に必要事項を付記したものを含む。）とすること。

(2)　領収書（又は振込証明書類或いはクレジット契約証明書。以下「領収書等」という。）には、次の事項が記載されていることを確認すること。

ア　「養成施設の名称」

イ　「支払者名」

ウ　「領収額（又はクレジット契約額）」

エ　「領収額の内訳（入学料と受講料のそれぞれの額）」

オ　「領収日（又はクレジット契約日）」

(3)　領収書等に訂正のある場合、養成施設の訂正印又は署名のないものは無効であること。

(4)　養成施設に係る領収書等については、確認後、原則として実施対象施設及び幼免対象者に返却すること。

ただし、必要に応じて実施対象施設及び幼免対象者了承の上で写しを取っておくこと。

(5)　本事業は、対象者及び対象保育士が保育士資格・幼稚園教諭免許を取得し、実施対象施設における保育士・幼稚園教諭の確保を図り、子どもを安心して育てることができるよう、体制の整備を支援するものであるため、上記３の(1)、(2)及び(4)に掲げる事業については、原則、実施対象施設が対象経費を負担すること。但し、実施対象施設と対象者がお互いの協議のもと、対象者が対象経費を負担することとした場合は、この限りでない。

8　留意事項

(1)　都道府県等は、提出された実施計画書に基づき、適切に補助が行えるよう、必要な財源を確保しておくこと。

(2)　実施対象施設が本事業の実施要件を満たしているかどうかの確認等に当たっては、必要に応じ市区町村と連携すること。

9　費用

本事業に要する費用の一部について、国は別に定めるところにより補助するものとする。

（別添様式１）

保育士資格取得支援事業実施計画書

都道府県等の長　殿

（元号）　　年　　月　　日
対象施設の長又は幼免対象者

<table>
<tr><td>①対象となる事業</td><td colspan="3"></td></tr>
<tr><td>②施設名</td><td colspan="3"></td></tr>
<tr><td>③住所</td><td colspan="2">（〒　　—　　）</td><td>電話（　　）
—</td></tr>
<tr><td>④受講者の氏名</td><td>フリガナ</td><td>生年月日</td><td>年
月　　日生（　　歳）</td></tr>
<tr><td>⑤養成施設名</td><td colspan="3"></td></tr>
<tr><td>⑥受講期間</td><td colspan="3">（元号）　　年　　月　　日　～　（元号）　　年　　月　　日
（受講開始日（入学日））</td></tr>
<tr><td>⑦保育実習や面接授業期間</td><td colspan="3">保育実習　　　　日、面接授業　　　　日、合計　　　　日</td></tr>
<tr><td>⑧受講に要する費用</td><td colspan="3">入学料　　　　　円、受講料　　　　　円、合計　　　　円</td></tr>
<tr><td>⑨保育士修学資金貸付事業等、類似事業の貸付等の有無</td><td colspan="3">保育士修学資金貸付事業等の類似事業の貸付等を
受けている・受けていない</td></tr>
<tr><td>⑩代替保育士等の氏名</td><td>フリガナ</td><td>生年月日</td><td>年
月　　日生（　　歳）</td></tr>
<tr><td colspan="4">（備考）</td></tr>
</table>

※　⑩について、代替保育士等が確定していない場合は、氏名欄に「別途配置予定」と記入し、確定次第速やかに実施主体に届出を行うこと。

（別添様式２）

保育士資格取得支援事業完了報告書

都道府県等の長　殿

（元号）　　年　　月　　日
対象施設の長又は幼免対象者

①対象となる事業			
②施設名			
③住所	（〒　　—　　）	電話（　　） —	
④受講者の氏名	フリガナ	生年月日	年 月　日生（　歳）
⑤養成施設名			
⑥受講期間	（元号）　年　月　日 ～ （元号）　年　月　日 （受講開始日（入学日））		
⑦保育実習や面接授業期間	保育実習　　日、面接授業　　日、合計　　日		
⑧受講に要した費用	入学料　　円、受講料　　円、合計　　円		
⑨代替保育士等の氏名	フリガナ	生年月日	年 月　日生（　歳）
⑩代替保育士等の雇上期間	（元号）　年　月　日 ～ （元号）　年　月　日 （　　日間）		
（備考）			

Ⅱ　保育士試験による資格取得支援事業

1　事業の目的

保育人材の確保を図るため、保育士試験受験のための学習に要した費用を補助することで保育士資格取得者の拡充を図り、子どもを安心して育てることが出来るような体制整備を行うことを目的とする。

2　実施主体

(1)　受験対策学習費用補助事業

都道府県、指定都市及び中核市（以下、別添2において「都道府県等」という。）が認めた者とする。なお、都道府県等が認めた者へ委託等を行うことができる。

(2)　保育士試験受験直前講座実施事業

都道府県及び指定都市とする。なお、都道府県及び指定都市が認めた者へ委託等を行うことができる。

3　事業の内容

(1)　受験対策学習費用補助事業

保育士試験により保育士資格取得を目指す者が保育士試験合格後、保育所等に保育士として勤務することが決定した者に対し、保育士試験受験のための学習に要した費用の一部を補助する。

(2)　保育士試験受験直前講座実施事業

国家戦略特別区域限定保育士試験（以下「特区試験」という。）を行う実施主体が、特区試験受験のための講座（以下「都道府県等講座」という。）を行うために必要な費用を補助する。

4　実施要件

(1)　受験対策学習費用補助事業

①　対象者

対象者は、保育士試験により保育士資格の取得を目指す者であって、保育士試験合格後、以下に掲げる施設又は事業（以下「対象施設等」という。）で保育士として勤務することが決定した者であること。

なお、雇用保険制度の教育訓練給付等、本事業と同趣旨の事業による助成等を受けている場合は、本事業の対象とならない。

ア　保育所

イ　就学前の子どもに関する教育、保育等の総合的な提供の推進に関する法律（平成18年法律第77号。以下「認定こども園法」という。）第2条第6項に規定する認定こども園

ウ　認定こども園への移行を予定している幼稚園

エ　児童福祉法（昭和22年法律第164号）第6条の3第10項に規定する小規模保育事業のうち、「家庭的保育事業等の設備及び運営に関する基準」（平成26年厚生労働省令第61号）第3章第2節に規定する小規模保育事業A型及び同章第3節に規定する小規模保育事業B型であって、児童福祉法第34条の15第2項の認可を受けたもの

オ　児童福祉法第6条の3第12項に規定する事業所内保育事業であって、児童福祉法第34条の15第2項の認可を受けたもの

カ　乳児院

キ　児童養護施設

ク　「認可外保育施設指導監督基準を満たす旨の証明書の交付について」（平成17年1月21日雇児発第0121002号雇用均等・児童家庭局長通知）による認可外保育施設指導監督基準を満たす旨の証明書（以下「証明書」という。）の交付を受けた認可外保育施設

ケ　証明書の交付を受けていない認可外保育施設のうち、証明書の内容を同等以上満たしていると都道府県等が認める施設

コ　都道府県と市区町村との連名により、以下(i)～(iii)の内容を盛り込んだ「認可外保育施設指導監督基準適合化支援計画」を作成した施設

(i)　待機児童の状況や保育時間等の観点から地域に特徴的と考えられる保育等ニーズが存在すること。

(ii)　都道府県又は市区町村において、(i)のニーズを満たすため、認可の保育施設や事業の整備・拡充等を進めているが、なお時間を要する場合に、それまでの間、(i)の保育等ニーズの受け皿となることができる施設であると認める施設であること。

(iii)　都道府県及び市区町村の連携により、当該施設が認可外保育施設指導監督基準を満たすため、職員又は巡回支援指導員等による技術的な支援、本事業の他の国庫補助の活用等を通じて、本事業以外にも十分な支援を行っている、あるいは行う予定であること。

(iv)　遅くとも令和6年9月末までに、認可外保育施設指導監督基準への適合を目指すものであること。

※　いずれも国又は地方公共団体が設置したものを除く。

②　対象経費
本事業の対象となる費用（以下「対象経費」という。）は、保育士試験受験講座の受講（通信制、昼間、昼夜開講制、夜間、昼間定時制）に要する費用であって、当該講座を開講している事業者（以下「講座実施事業者」という。）が証明する当該事業者に対して支払われた入学料（講座実施事業者における受講の開始に際し、当該講座実施事業者に納付する入学金又は登録料）、受講料（面接授業料、教科書代及び教材費（受講に必要なソフトウェア等補助教材費含む。））及び上記経費の消費税とする。
なお、以下に掲げるものについては対象経費とならない。
ア　その他の検定試験の受講料
イ　受講にあたって必ずしも必要とされない補助教材費
ウ　補講費
エ　講座実施事業者が定める期間を超えて受講した場合に必要となる費用
オ　講座実施事業者が実施する各種行事参加に係る費用
カ　学債等将来対象者に対して現金還付が予定されている費用
キ　受講のための交通費及びパソコン、タブレット等の器材等

③　対象期間
対象経費の支払いの対象となる期間は、保育士試験の筆記試験日から起算して２年前の属する月の１日までのものとする。

④　対象経費の支払い等
ⅰ)　支払い
対象経費は、対象者が保育士証の交付を受け、対象施設等に勤務することが決定した後に支払うことができる。ただし、資格取得後１年以上対象施設に勤務すること。
ⅱ)　支払いの申請及び確認
対象者は、保育士証の交付を受けた後、対象施設に勤務を開始した日の属する月の末日までに、受験対策学習費用支給申請書（以下「支給申請書」という。別添様式）及び次に掲げる書類を都道府県等に提出すること。ただし、やむを得ない理由により当該期日までに提出できない場合は、この限りでない。
ア　対象者が保育士証の交付を受けた後、対象施設への勤務が決定したことを確認できる書類
イ　講座実施事業者が発行する対象経費の領収書
ウ　保育士証の写し
ⅲ)　留意事項
ア　算定した支給額に端数が生じた場合、小数点以下を切り捨てて整数とすること。
イ　入学料及び受講料を一括払いで支払った場合又は分割払いで支払った場合等のいずれの場合でも、支払った費用として講座実施事業者が証明する額又は講座実施事業者に対し振込を行ったことを金融機関が証明した額を対象とすること。
ウ　クレジットカードの利用等クレジット会社を介して支払う契約を行う場合の、クレジット会社に対する分割払い手数料（金利）は、対象経費に該当しないこと。
エ　支給申請時点で講座実施事業者に対して未納となっている入学料又は受講料は対象とならないこと。

⑤　領収書について
ⅰ)　受講に係る領収書等
講座実施事業者が対象経費について発行した領収書又は講座実施事業者に対し振込を行ったことを金融機関が証明した書類（以下「振込証明書類」という。）とする。
なお、クレジットカードの利用等クレジット会社を介して支払う契約を行った場合は、クレジット契約証明書（クレジット伝票の控に必要事項を付記したものを含む。）とすること。
ⅱ)　領収書（又は振込証明書類或いはクレジット契約証明書。以下「領収書等」という。）には、次の事項が記載されていることを確認すること。
ア　「講座実施事業者の名称」
イ　「支払者名」
ウ　「領収額（又はクレジット契約額）」
エ　「領収額の内訳（入学料と受講料のそれぞれの額）」
オ　「領収日（又はクレジット契約日）」
ⅲ)　領収書等に訂正のある場合、講座実施事業者の訂正印又は署名のないものは無効であること。
ⅳ)　提出された領収書等については、確認後、原則として対象者に返却すること。但し、必

要に応じて本人了承の上で写しを取っておくこと。

(2) 保育士試験受験直前講座実施事業

① 対象者

特区試験の受験を希望する者であって、特区試験を実施する実施主体が開催する都道府県等講座を受講する者であること。

② 都道府県等講座の内容

i) 実施主体は、保育士試験において求められる質の高い保育士を養成する観点から、都道府県等講座の内容は、単なる受験講座にとどまらず、より実践的な内容となるよう配慮すること。

ii) 実施主体は、都道府県等講座の実施場所について、対象者の利便性等を考慮し、会場数や会場規模、交通アクセス等に配慮すること。

iii) 都道府県等講座の実施時期は、対象者が参加しやすいよう、休日等に実施するなど配慮するとともに、都道府県等講座を実施する日から特区試験の試験日までに間隔が生じないようにすること。

③ 対象経費

本事業の対象となる経費は、本事業に必要な諸謝金、旅費、印刷製本費、賃借料、会議費、賃金、通信運搬費等とする。

④ 留意事項

i) 都道府県等講座の実施に当たっては、実施主体が適当と認める団体に委託して実施することができるものとする。

ii) 都道府県等講座を委託により実施する場合においては、受託団体に対し、当該講座の実施に当たって必要な指導・助言を行うこと。

5 費用

本事業に要する費用の一部について、国は別に定めるところにより補助するものとする。

(別添様式)

受験対策学習費用支給申請書

都道府県等の長　殿

（元号）　年　月　日

対　象　者　氏　名

①対象者氏名	フリガナ	生年月日	年　月　日生（　歳）
②対象者住所	（〒　—　）	電話（　） —	
③講座実施事業者名称			
④講座実施事業者所在地	（〒　—　）	電話（　） —	
⑤講座受講期間	（元号）　年　月　日 ～ （元号）　年　月　日		
⑧学習に要した費用（合計）	円		
（備考）			

別添２

保育士試験追加実施支援事業実施要綱

１　事業の目的

待機児童の解消に向け、保育の受け皿の拡大を進める上で、その担い手となる保育士の確保は喫緊の課題である。このため、保育士確保策の一環として、都道府県及び指定都市において国家戦略特別区域限定保育士試験（以下「特区試験」という。）を実施する場合において、特区試験の実施に必要な費用の一部を支援することにより、保育士試験の円滑な実施を図ることを目的とする。

２　実施主体

実施主体は、都道府県及び指定都市とする。なお、都道府県及び指定都市が認めた者へ委託等を行うことができる。

３　事業の内容

特区試験を実施する都道府県及び指定都市に対し、特区試験の実施のために必要な以下に掲げる費用の一部を補助する。

①　特区試験の広報に関する費用

②　保育実技講習会（「厚生労働省関係国家戦略特別区域法施行規則第１条第４項に規定する講習の実施について」（平成28年11月８日厚生労働省雇用均等・児童家庭局長通知）で定める講習をいう。）に関する費用

４　実施要件

本事業を実施する都道府県及び指定都市は、特区試験を実施すること。

５　留意事項

本事業を実施する都道府県及び指定都市は、試験会場や相談体制の確保、試験実施に必要な人員の確保など、円滑な実施に向けて指定試験機関に必要な支援を講じること。

６　費用

本事業に要する費用の一部について、国は別に定めるところにより補助するものとする。

別添３

保育士養成施設に対する就職促進支援事業実施要綱

１　事業の目的

児童福祉法第18条の６第１号に定める指定保育士養成施設（以下「養成施設」という。）を卒業予定の学生に対する保育所等への就職を促すための取組を積極的に行っている養成施設に対し、当該取組の結果、保育所等に勤務することとなった学生が増加した割合に応じ、就職促進のための費用を助成することで新卒者の保育所等への就職促進を行うことにより、新規資格取得者の確保を図る。

２　実施主体

実施主体は、都道府県、又は、都道府県が認めた者とする。なお、都道府県が認めた者へ委託等を行うことができる。

３　事業の内容

養成施設を卒業予定の学生（以下「卒業予定者」という。）に対する保育所等への就職促進の一環として、下記４で定める要件を満たす養成施設に対し、同４⑵に掲げる施設に勤務することとなった学生の割合に応じ、当該取組に要した費用の一部を補助する。

４　実施要件

⑴　本事業の補助を受けようとする養成施設（以下「対象養成施設」という。）は、卒業予定者が下記⑵で定める施設（以下「対象施設」という。）への就職を促すため、以下の取組を実施すること。

①　保育士という職種への期待と現実とのギャップ（リアリティショック）に対応するための講座の開講

②　卒業予定者と保育士として現場で活躍する養成施設卒業者（ＯＢ・ＯＧ）との交流会の開催

③　卒業予定者を対象とした就職説明会

④　その他卒業予定者の対象施設就職促進のための取組の実施

⑵　卒業予定者の卒業後の勤務先の対象となる施設は、以下のとおりとする。なお、当該卒業予定者は、対象施設に保育士として勤務すること。

①　児童福祉法（昭和22年法律第164号）第７条に規定する児童福祉施設（保育所及び幼保連携型認定こども園を含む。）

②　学校教育法（昭和22年法律第26号）第１条に規定する幼稚園のうち、児童福祉法第７条に規定する幼保連携型認定こども園への移行を予定している施設及び幼稚園型認定こども園

③　児童福祉法第６条の３第10項に規定する小規模保育及び同法同条第12項に規定する事業所内保育事業であって、法第34条の15第１項の事業又は同法同条第２項の認可を受けたもの

④　子ども・子育て支援法（平成24年法律第65号）第30条第１項第４号に規定する特例教育・保育及び特定地域型保育の確保が著しく困難である離島その他の地域であって内閣総理大臣が別に定める基準に該当する施設

⑤　児童福祉法第39条第１項に規定する業務を目的とする施設であって法第35条第４項の認可を

受けていないもの（認可外保育施設）のうち、次に掲げるもの

ア　法第59条の２の規定により届出をした施設

イ　都道府県等が事業の届出をするものと定めた施設であって、当該届出をした施設

ウ　雇用保険法施行規則（昭和50年３月10日労働省令第３号）第116条に定める事業所内保育施設設置・運営等支援助成金の助成を受けている施設

(3)　本事業は、卒業予定者の卒業後の対象施設への就職促進を図り、保育士を確保することを目的としているため、養成施設は、以下の①の要件を満たし、かつ、少なくとも②又は③いずれかの要件を満たしていること。

①　実施年度における卒業予定者に占める対象施設への就職内定の割合（以下「内定割合」という。）が、前年度における卒業予定者に占める対象施設への就職割合（以下「前年度就職割合」という。）の全国平均を上回っていること。

②　内定割合が、養成施設の前年度就職割合と同率以上であること。

③　過疎地域、離島及び中山間地域等（※）に所在する対象施設への就職内定の割合が、前年度の当該対象施設への就職割合と同率以上であること。

5　費用

本事業に要する費用の一部について、国は別に定めるところにより補助するものとする。

※　「過疎地域、離島及び中山間地域等」は以下の地域等とする。

・過疎地域（過疎地域の持続的発展の支援に関する特別措置法（令和３年法律第19号）第２条第１項に規定する区域又は同法の規定により過疎地域とみなされる区域をいう。）

・離島振興法第２条第１項の規定により指定された離島振興対策実施地域

・奄美群島（奄美群島振興開発特別措置法（昭和29年法律第189号）第１条に規定する奄美群島）

・豪雪地帯及び特別豪雪地域（豪雪地帯対策特別措置法（昭和37年法律第73号）第２条第１項に規定する豪雪地帯及び同条第２項の規定により指定された特別豪雪地帯）

・辺地（辺地に係る公共的施設の総合整備のための財政上の特別措置等に関する法律（昭和37年法律第88号）第２条第１項に規定する辺地）

・振興山村（山村振興法（昭和40年法律第64号）第７条第１項の規定により指定された振興山村）

・小笠原諸島（小笠原諸島振興開発特別措置法（昭和44年法律第79号）第４条第１項に規定する小笠原諸島）

・半島振興対策実施地域（半島振興法（昭和60年法律第63号）第２条第１項の規定により指定された半島振興対策実施地域）

・特定農山村地域（特定農山村地域における農林業等の活性化のための基盤整備の促進に関する法律（平成５年法律第72号）第２条第１項に規定する特定農山村地域）

・沖縄の離島（沖縄振興特別措置法（平成14年法律第14号）第３条第３号に規定する離島）

別添４

保育士宿舎借り上げ支援事業実施要綱

1　事業の目的

待機児童解消のため、保育を支える保育士の確保は喫緊の課題である。保育士の宿舎を借り上げるための費用の一部を支援することによって、保育士の就業継続及び離職防止を図り、保育士が働きやすい環境を整備することを目的とする。

2　実施主体

実施主体は、「新子育て安心プラン実施計画」の採択を受けている市町村（特別区を含む。以下同じ。）（以下、別添４において「市町村」という。）、又は、市町村が認めた者とする。なお、市町村が認めた者へ委託等を行うことができる。

3　事業の内容

都道府県又は市町村以外の者が運営する認可保育所、認定こども園、地域型保育事業、認可外保育施設（「新子育て安心プラン実施計画」の採択を受けている市町村が実施する認可保育所もしくは地域型保育事業への移行を前提として、整備費・改修費または賃借料の国庫補助を受けている施設に限る。）及び企業主導型保育事業（以下「保育所等」という。）に対し、保育所等の事業者が保育士用の宿舎を借り上げる費用の一部を補助する。

4　対象者

本事業の対象者は保育所等に勤務する常勤の保育士（平成24年度以前に保育所等が借り上げる宿舎に入居している者を除く。）のうち、保育所等に採用された日から起算して７年以内の者とする。ただし、次に該当する市町村が実施する場合、対象者は保育所等に採用された日から起算して５年以内の者とする。

・　前年度及び前々年度の１月における職業安定業務統計（厚生労働省）による保育士の有効求人倍率が２未満となる職業安定所の管轄する区域に所

在する市町村（ただし、令和５年度に限り、令和３年度及び令和４年度の４月１日時点における待機児童数が50人以上である市町村は除く。）

また、令和２年度、令和３年度又は令和４年度から本事業による借り上げ支援を受けていた者で引き続き令和５年度も事業の対象となる者のうち、令和２年度、令和３年度又は令和４年度において「保育所等に採用された日から起算して５年以内の者」だった者は、令和５年度も引き続き、「保育所等に採用された日から起算して５年以内」の者とする。

（経過措置）

(1)　①～④のいずれかに該当する市町村については、令和５年度に限り本事業の対象者に、従前の例のとおり、次の者を加える。

・　保育所等に勤務する常勤の保育士のうち、保育所等に採用された日から起算して５年を超え10年以内の者（令和５年３月31日時点において、平成29年度から令和２年度の経過措置を含め、①～④のそれぞれの年度から引き続き現に本事業による借り上げ支援を受けていた者に限る。）

①　平成29年度において「保育所等に採用された日から起算して５年を超え10年以内の者」も本事業の対象者であった市町村のうち、令和５年度において本事業の対象者が保育所等に採用された日から起算して５年以内又は７年以内の者となる市町村

②　平成30年度において「保育所等に採用された日から起算して５年を超え10年以内の者」も本事業の対象者であった市町村のうち、令和５年度において本事業の対象者が保育所等に採用された日から起算して５年以内又は７年以内の者となる市町村

③　令和元年度において「保育所等に採用された日から起算して５年を超え10年以内の者」も本事業の対象者であった市町村のうち、令和５年度において本事業の対象者が保育所等に採用された日から起算して５年以内又は７年以内の者となる市町村

④　令和２年度において「保育所等に採用された日から起算して５年を超え10年以内の者」も本事業の対象者であった市町村のうち、令和５年度において本事業の対象者が保育所等に採用された日から起算して５年以内又は７年以内の者となる市町村

(2)　令和３年度において「保育所等に採用された日から起算して５年を超え９年以内の者」も本事業の対象者であった市町村のうち、令和５年度において本事業の対象者が保育所等に採用された日から起算して５年以内又は７年以内の者となる市町村に該当する市町村については、令和５年度に限り本事業の対象者に、従前の例のとおり、次の者を加える。

・　保育所等に勤務する常勤の保育士のうち、保育所等に採用された日から起算して５年を超え９年以内の者（令和５年３月31日時点において、令和３年度から現に本事業による借り上げ支援を受けていた者に限る）。

(3)　令和４年度において「保育所等に採用された日から起算して５年を超え８年以内の者」も本事業の対象者であった市町村のうち、令和５年度において本事業の対象者が保育所等に採用された日から起算して５年以内又は７年以内の者となる市町村に該当する市町村については、令和５年度に限り本事業の対象者に、従前の例のとおり、次の者を加える。

・保育所等に勤務する常勤の保育士のうち、保育所等に採用された日から起算して５年を超え８年以内の者（令和５年３月31日時点において、令和４年度から現に本事業による借り上げ支援を受けていた者に限る）。

5　留意事項

(1)　宿舎借り上げの費用について、他の補助事業等により、住居手当又はそれに類する補助をしている場合には、対象としないこと。

(2)　未入居の月は、対象としないこと。

(3)　入居者から宿舎使用料を徴収している場合は、当該金額を差し引いた額を補助する。

(4)　令和元年度から引き続き令和４年度において本事業の対象者であって、令和５年度も引き続き本事業の対象となった者が、引き続き同じ宿舎に入居している場合には、令和元年度の補助基準額を適用できること。

(5)　本事業は保育士の就業継続を含む保育士確保のための事業であることに鑑み、本事業を実施する保育所等は、保育士の就業継続のための研修への積極的参加を図るなど、保育士の就業継続に努めること。

6　費用

本事業に要する費用の一部について、国は別に定

めるところにより補助するものとする。

別添5

保育人材等就職・交流支援事業実施要綱

Ⅰ　保育人材等就職支援事業

1　事業の目的

保育の受け皿拡大に伴い必要となる保育人材等を確保するため、新規資格取得者の確保、就業継続支援、離職者の再就職支援など、関係機関と連携の上、市町村が主体となって実施する保育人材確保等に関する取組に要する費用の一部を補助することにより、子どもを安心して育てることができる環境を整備することを目的とする。

2　実施主体

実施主体は、市町村（特別区を含む。）、又は、市町村が認めた者とする。なお、市町村が認めた者へ委託等を行うことができる。

3　事業の内容

本事業の対象は、実施主体が行う次に掲げる取組その他の保育人材等の確保に関する取組とする。

(1)　指定保育士養成施設の学生等に対するインターンシップ等の機会の提供

指定保育士養成施設の学生等に対し、保育所等におけるインターンシップや職場見学、職場体験といった機会を提供することにより、保育現場で就業することへの不安を解消するとともに、自らに適した就業先を見つけるための就職活動の支援を行い、保育所等での就業を促す。

(2)　高校生及び中学生に対する保育の職場体験や普及啓発活動

保育士を目指す者の増加を図るため、高校生や中学生に対して、保育所等における職場体験や保育士の仕事の魅力を伝えるためのセミナー等を実施する。

(3)　就職相談会の開催等による求人情報の提供

潜在保育士及び新卒保育士（以下「潜在保育士等」という。）の就職促進を図るため、就職相談会の開催や様々な媒体を活用した求人情報の提供を行う。なお、就職相談会の開催等に当たっては、保育士・保育所支援センター（以下「支援センター」という。）やハローワーク等の関係機関と連携するとともに、より多くの潜在保育士等が集まることができるよう、開催場所や日時について工夫すること。

(4)　潜在保育士等に対するマッチング支援

潜在保育士等からの相談に応じ、就職あっせんや求人情報の提供等を行い、求人を行っている事業者とのマッチングの支援を行う。実施主体の属する地域を対象にした支援センターが設置されている場合、保育所等を離職した保育士等に対する支援センターへの届出勧奨を行うとともに、支援センターと定期的な連絡会議を開催すること。

(5)　就職支援コーディネーターの配置

マッチングの支援を円滑に行うため、以下の業務を行う就職支援コーディネーター（以下「コーディネーター」という。）を配置することができる。

ア　保育所等に関する採用募集状況の把握

イ　求職者のニーズに合った就職先の提案

ウ　求職者と雇用者双方のニーズの調整

エ　保育所等に対し潜在保育士や新卒保育士の活用に関する助言

オ　その他必要な連携・調整等

(6)　職場定着を支援するための研修等の実施

支援センターと連携の上、実践的な保育の技術の習得や保護者への対応等について、新規に採用される保育士に対する研修や潜在保育士の職場復帰のための研修を開催する。また、短時間正社員制度の導入支援など、保育事業者に対する雇用管理改善のための説明会等を実施する。

4　留意事項

(1)　3(3)から(6)までの取り組みについては、指定都市及び中核市が実施するものは、本事業の対象としないこと。

(2)　平成31年3月29日付け子保発0329第1号「子ども子育て支援法に基づく協議会に参加する自治体への支援策について」に基づき、待機児童対策協議会に参加している自治体で、かつ、同協議会において「保育人材の確保に関するKPI」を設定し、その達成状況を見える化した場合には、3(5)の就職支援コーディネーターを追加配置するための雇上費に係る補助の加算を受けることができる。

(3)　委託により本事業を実施するにあたって、委託先の団体が職業紹介事業の許可等を持たない場合、当該団体が求人情報又は求職者情報の提供の範疇を超え、「職業紹介」に該当する活動を行うことは「職業安定法」違反となるので、「職業紹介」を行う場合は、職業紹介事業の許可等を得て実施すること。

(4)　上記(1)の職業紹介事業の許可等にあたっては、職業紹介事業には有料職業紹介事業と無料職業紹介事業があり、地方公共団体から委託事業として職業紹介事業を受託し、当該委託費が職業紹介の対価となっている場合は、求人者等から手数料等を取っていない場合であっても、委託費から職業紹介の対価（職業紹介手数料に類似するもの）が出ているため、有料職業紹介事業となることから、有料職業紹介事業の許可が必要となること。

(5)　市町村が保育士の就職支援等のために知り得た個人情報の取扱いについては、特に注意すること。また、委託団体に委託する場合は、市町村は委託団体に対し、適切に指導監督を行うこと。

(6)　放課後児童クラブや放課後児童支援員を対象として取組を行う場合も、本事業の対象となること。

5　費用

本事業に要する費用の一部について、国は別に定めるところにより補助するものとする。

Ⅱ　保育士等のキャリアアップ構築のための人材交流等支援事業

1　事業の目的

保育所等の施設間における人材交流及び保育所等での指定保育士養成施設の実習生の受け入れ支援を行うことにより、技能の向上によるキャリアアップ及び保育所等への就職者の増加を図り、保育人材を確保することを目的とする。

2　実施主体

実施主体は、市町村（特別区を含む。以下同じ。）、又は、市町村が認めた者とする。なお、市町村が認めた者へ委託等を行うことができる。

3　事業の内容

(1)　保育士の実地派遣及び人材交流等

①　事業内容

保育所等に勤務する保育士及び保育従事者（以下「保育士等」という。）のキャリアアップを図るため、保育士等の他の保育所等へ実地派遣研修や施設間の人材交流（以下「実地派遣研修等」という。）を行うために必要な費用の一部を補助する。

②　対象施設

以下に掲げる施設又は事業（地方公共団体が運営するものは除く。）とする。

ア　児童福祉法第7条に規定する保育所及び幼保連携型認定こども園

イ　幼稚園型認定こども園

ウ　児童福祉法第6条の3第10項に規定する小規模保育事業

エ　児童福祉法第6条の3第12項に規定する事業所内保育事業

オ　子ども・子育て支援法第59条の2第1項に規定する仕事・子育て両立支援事業のうち、「企業主導型保育事業等の実施について」（平成29年4月27日府子本第370号・雇児発0427第2号）の別紙「企業主導型保育事業費補助金実施要綱」の第2の1に定める企業主導型保育事業

③　対象者

対象施設に勤務する保育士等とする。

④　実施要件

ⅰ）実地派遣研修先及び人材交流先保育所等の選定

実地派遣研修等の受け入れを行う保育所等については、実地派遣を行う対象施設を運営している法人以外が運営している保育所等とすること。

ⅱ）実地派遣等の対象期間

5日間以内とする。

ⅲ）実地派遣研修等の回数

保育士等の実地派遣研修等については、1人の保育士等につき、同一年度内に1回までとする。

ⅳ）その他

実地派遣研修等にあたっては、受け入れ先の保育所等において、十分な体制が確保できている必要があり、実地派遣研修等が対象者の技能の向上につながるよう、事前に十分な調整を行うこと。

また、異なる施設類型の施設間における実地派遣研修等に積極的に取り組み、保育士等が多様な経験を積む機会とするなど、保育士等のキャリアアップに資するよう、工夫を行うこと。

⑤　代替保育士等雇上費及び調整費の支給

市町村は、実地派遣研修等に伴う派遣（以下「派遣」という。）を行った対象施設に対し、保育士等の代替保育士等雇上費及び派遣に係る調整費用（事前調整に必要な旅費、会議費等）について、実績に応じて支給することとし、支給方法等については、以下のとおりとする。

ⅰ）実地派遣研修等受入実施計画書の提出

対象施設は、市町村に対し、対象となる保育士等の数及び1人当たりの派遣の日数、派遣予定先を記載した実施計画書を提出すること。

ⅱ）実地派遣研修等受入実績報告書の提出

対象施設は、市町村に対し、派遣を行った保育士等の数及び派遣の日数、代替保育士等として雇い上げた者の数及び日数、派遣先を

記載した実績報告書を作成し、調整等に要した費用の領収書を添付の上、提出すること。

市町村は、提出された実績報告書の内容について、本要綱の内容に即しているか審査し、適正であると判断した場合は、代替保育士等雇上費及び調整費用を速やかに対象施設に支給すること。

(2) 指定保育士養成施設の学生の保育実習受け入れ

① 事業内容

指定保育士養成施設（以下「養成施設」という。）の学生の実習指導に関わることにより、保育士の技能の向上を図るとともに、実習指導の充実により、養成施設の保育所等への就職者の増加を図るため、保育所等において養成施設の学生（以下「実習生」という。）に対する保育実習を受け入れ、適切な実習指導を行うために必要な費用の一部を補助する。

② 実施要件

i) 実習先となる対象施設の要件

保育実習を受け入れる対象施設（以下「実習受入施設」という。）は、養成施設が実習生に対し適切に指導等を行うことができるものと認めた施設（「指定保育士養成施設の指定及び運営の基準について」（平成15年12月9日付厚生労働省雇用均等・児童家庭局長通知）の別紙2「保育実習実施基準」で定める実習施設に該当する施設に限る。）であること。

ii) 実習指導者の要件

実習指導者は、以下のいずれかの要件を満たしている者であること。

ア 保育士資格を有する施設長

イ 主任保育士

ウ 保育士として保育所等に勤務した経験が5年以上ある者

エ 国又は地方公共団体が実施する実習指導者向けの研修等（国又は地方公共団体から委託又は補助を受けて実施したものを含む。）を修了した者

③ 実習受入費及び調整費の支給

市町村は、実習受入施設に対し、実習受入費及び実習受入に係る調整費用（事前調整に必要な旅費、会議費等）について、実績に応じて支給することとし、支給方法等については、以下のとおりとする。

i) 実習受入計画書の提出

実習受入施設は、市町村に対し、実習生派遣元の養成施設の名称、実習生の受入予定人数、実習生の受入予定時期及び実習内容を記載した実習受入計画書に、養成施設が作成した実習計画書を添えて提出すること。

ii) 実習受入実績報告書の提出

実習受入施設は、市町村に対し、実習生派遣元の養成施設の名称、実習生の受入人数、受入時期及び実習内容を記載した実績報告書に、調整等に要した費用の領収書を添付の上、提出すること。

市町村は、提出された報告書の内容について、本要綱の内容に即しているか審査し、適正であると判断した場合は、実習受入費及び調整費を速やかに対象施設に支給すること。

4 留意事項

本事業に要する経費について、子ども・子育て支援法第11条に規定する子どものための教育・保育給付やその他の事業により、その経費が交付される場合には、対象としないこと。

5 費用

本事業に要する費用の一部について、国は別に定めるところにより補助するものとする。

別添6

保育体制強化事業実施要綱

1 事業の目的

保育所入所待機児童解消のため、保育を支える保育士の確保は喫緊の課題である。地域住民や子育て経験者などの地域の多様な人材（以下「保育支援者」という。）を保育に係る周辺業務に活用し、保育士の負担を軽減することによって、保育の体制を強化し、保育士の就業継続及び離職防止を図り、保育士が働きやすい職場環境を整備するとともに、児童の園外活動時や特に見守り等が必要な時間帯の安全管理を図ることを目的とする。

2 実施主体

実施主体は、市町村（特別区を含む。以下同じ。）が認めた者とする。なお、市町村が認めた者へ委託等を行うことができる。

3 事業の内容

保育支援者の配置、散歩等の児童の園外活動時の見守り等及びスポット支援員の配置に要する費用の一部を補助する。

4 対象施設

(1) 保育支援者の配置

都道府県又は市町村以外の者が設置する保育所及び幼保連携型認定こども園（以下「保育所等」という。）

⑵　児童の園外活動の見守り等及び⑶スポット支援員の配置

都道府県又は市町村以外の者が設置する保育所、幼保連携型認定こども園、小規模保育事業、家庭的保育事業、事業所内保育事業及び幼稚園型認定こども園

5　実施要件

⑴　保育支援者の配置

①　保育支援者は、保育士資格を有しない者で、保育に係る次の周辺業務を行うものとする。

ア　保育設備、遊ぶ場所、遊具等の消毒・清掃

イ　給食の配膳・あとかたづけ

ウ　寝具の用意・あとかたづけ

エ　外国人の児童の保護者とのやりとりに係る通訳及び翻訳

オ　児童の園外活動時の見守り等

カ　その他、保育士の負担軽減に資する業務

②　保育支援者は、平成26年４月１日以降、新たに保育所等に配置された者とすること。

③　本事業は、保育士の負担軽減を図ることを目的としているため、保育支援者を配置する保育所等は、市町村に対し、実施計画書を提出するものとする。実施計画書には、①本事業による保育支援者の業務及び保育士の業務負担が軽減される内容、②職員の雇用管理や勤務環境の改善に関する取組（保育支援者の配置を除く。）を記載すること。

⑵　児童の園外活動時の見守り等

①　本業務は、散歩等の園外活動時において、散歩の経路、目的地における危険箇所の確認、道路を歩く際の体制・安全確認等、現地での児童の行動把握などを行うものとする。

②　本業務を行う者は、以下のいずれかの要件を満たすこと。

ア　市町村が認めた交通安全に関する講習会等を修了した者

イ　安全管理に知見を有する者として市町村が認めた者（いわゆる「キッズ・ガード」）

③　本業務を行う場合は、「保育所等における園外活動時の安全管理に関する留意事項」（令和元年６月21日）に留意して実施すること。

⑶　スポット支援員の配置

①　本事業は、登園時の繁忙な時間帯やプール活動時など、特に見守りや児童の所在確認等が必要な時間帯にスポット支援者を配置し、安全な保育体制の強化を行うものとする。

②　スポット支援員は、平成26年４月１日以降、新たに配置された者とすること。

③　スポット支援員は、対象施設が５⑴の事業と合わせて実施する場合は、５⑴で配置した保育支援者とは別に加配すること。

6　留意事項

本事業に要する費用について、子ども・子育て支援法第11条に規定する子どものための教育・保育給付やその他の補助事業により、その経費が交付される場合には、対象としないこと。

7　費用

本事業に要する費用の一部について、国は別に定めるところにより補助するものとする。

別添７

保育補助者雇上強化事業実施要綱

1　事業の目的

保育士資格を持たない保育所等に勤務する保育士の補助を行う者（以下「保育補助者」という。）を雇い上げることにより、保育士の業務負担を軽減し、保育士の離職防止を図り、保育人材の確保を行うことを目的とする。

2　実施主体

実施主体は、市町村（特別区を含む。以下同じ。）、又は、市町村が認めた者とする。なお、市町村が認めた者へ委託等を行うことができる。

3　事業の内容

保育士の勤務環境改善に取り組んでいる保育事業者に対し、保育補助者の雇上げに必要な費用の一部を補助する。

4　対象者

本事業の対象となる者は、新たに保育補助者の雇上げを行う以下の施設又は事業者とする。

⑴　児童福祉法第７条に規定する保育所及び幼保連携型認定こども園（地方公共団体が運営するものを除く。）

⑵　児童福祉法第６条の３第10項に規定する小規模保育事業を行う者（子ども・子育て支援法（平成24年法律第65号）第29条に規定する地域型保育給付費又は同法第30条に規定する特例地域型保育給付費の支給の算定の対象となる者を雇い上げる場合を除く。⑶の事業において同じ。）

⑶　児童福祉法第６条の３第12項に規定する事業所内保育事業を行う者

⑷　子ども・子育て支援法第59条の２第１項に規定する仕事・子育て両立支援事業のうち、「企業主導型保育事業等の実施について」（平成29年４月27日府子本第370号・雇児発0427第２号）の別紙「企業主導型保育事業費補助金実施要綱」の第２

の１に定める企業主導型保育事業を行う者

５　実施要件

本事業により雇い上げる保育補助者は、以下の要件をいずれも満たす者とする。

(1)　保育士資格を有していない者であること。

(2)　保育に関する40時間以上の実習を受けた者又はこれと同等の知識及び技能があると市町村が認めた者であること。

なお、実習の実施方法等については、別に定めることとする。

６　実施計画書

対象者は、市町村に対し、実施計画書を提出するものとする。実施計画書には、①本事業による保育補助者の業務及び保育士の業務負担が軽減される内容、②職員の雇用管理や勤務環境の改善に関する取組（保育補助者の配置を除く。）を記載すること。

７　留意事項

(1)　本事業により新たに雇上げを行った保育補助者は、雇上げを行った年度の翌年度以降も引き続き、本事業の対象者とすることができること。

(2)　本事業による雇上げに係る費用について、子ども・子育て支援法第11条に規定する子どものための教育・保育給付やその他の事業により、その経費が交付される場合には、対象としないこと。

(3)　対象者は、本事業により配置する保育補助者に対しては、保育士資格の取得を促すこと。

８　費用

本事業に要する費用の一部について、国は別に定めるところにより補助するものとする。

別添８

若手保育士や保育事業者等への巡回支援事業実施要綱

１　事業の目的

保育士の離職防止及び保育所等の勤務環境改善を進めるため、保育所等に勤務する経験年数の短い保育士（勤務経験が５年以内の保育士をいう。）や保育所等に再就職して間もない保育士（再就職後５年以内の保育士をいう。）（以下「若手保育士」という。）、保育事業者及び放課後児童クラブを対象とした巡回相談、働き方改革や魅力ある職場づくり、保育の質の確保・向上のための支援を行うことにより、保育人材の確保等を図ることを目的とする。

２　実施主体

実施主体は、都道府県又は市町村（特別区を含む。以下、別添８において「都道府県等」という。）、又は、都道府県等が認めた者とする。なお、都道府県等が認めた者へ委託等を行うことができる。

３　事業の内容

(1)　若手保育士への巡回支援事業

①　事業内容

若手保育士のスキルアップや保護者への適切な対応方法等に関する助言又は指導を行うため、以下に掲げる施設又は事業（以下「保育所等」という。）に対する保育士支援アドバイザーによる巡回相談の実施に必要な費用の一部を補助する。

ア　児童福祉法第７条に規定する保育所及び幼保連携型認定こども園

イ　幼稚園型認定こども園

ウ　児童福祉法第６条の３第10項に規定する小規模保育事業

エ　児童福祉法第６条の３第12項に規定する事業所内保育事業

オ　子ども・子育て支援法第59条の２第１項に規定する仕事・子育て両立支援事業のうち、「平成28年度企業主導型保育事業等の実施について」の別紙「平成28年度企業主導型保育事業費補助金実施要綱」の第２の１に定める企業主導型保育事業

②　実施要件

ア　保育士支援アドバイザーの配置

実施主体は、保育所等に勤務する若手保育士に対し、巡回相談を行うための「保育士支援アドバイザー」を配置する。

イ　保育士支援アドバイザーの業務

保育士支援アドバイザーは、実施主体の管内の保育所等への巡回による若手保育士への相談支援を行うものとし、その主な内容は以下のとおりとする。

ⅰ　保育業務全般に関する助言又は指導

ⅱ　事故の防止に関すること

ⅲ　保護者への対応における個別の事例ごとの助言又は指導

ⅳ　保育所等の勤務環境等に関する助言又は指導

ⅴ　地域の子育て家庭及び通園する児童の保護者への効果的な相談支援に関すること

ⅵ　その他若手保育士への助言又は指導に関することや当該助言又は指導に付随する関係機関との調整に関すること

ウ　保育士支援アドバイザーの要件

保育士支援アドバイザーは、以下に掲げる要件をいずれも満たしている者又は相談援助

に関する専門的知識及び技術を有するものとして実施主体が認めるものであること。

ⅰ　保育士資格を有している者又はこれに準じる者として実施主体が適当と認める者

ⅱ　保育所等において10年以上の保育業務の経験を有する者

ⅲ　本事業の趣旨を理解し、若手保育士に対する相談支援業務を適切に実施することができる者として、実施主体が認めた者

エ　その他

本事業は、巡回相談により若手保育士を支援し、スキルアップ及び離職防止を図ることを目的としていることから、その実施に当たっては以下の点に留意すること。

ⅰ　保育士支援アドバイザーは、相談支援を行った若手保育士について、相談内容等を記録し、管理するとともに、定期的に同一の保育所等を巡回することにより、若手保育士への継続的な支援に努めること。

ⅱ　実施主体は保育士支援アドバイザーと連携し、保育所等への助言又は指導を行うなど、必要な措置を講じること。

⑵　保育事業者への巡回支援事業

①　事業内容

保育所等における保育人材の離職の防止を図るとともに、保育の質の向上を図るため、保育所等の事業者（以下「保育事業者」という。）に対し、保育所等における勤務環境の改善に関することや保育の質の向上に関する助言又は指導を行うため、保育事業者支援コンサルタントの配置による保育所等への巡回相談の実施に必要な費用の一部を補助する。

②　実施要件

ア　保育事業者支援コンサルタントの配置

実施主体は、保育事業者に対し、巡回相談を行うための「保育事業者支援コンサルタント」を配置する。

イ　保育事業者支援コンサルタントの業務

保育事業者支援コンサルタントは、実施主体の管内の保育所等への巡回による保育事業者への相談支援を行うものとし、以下のいずれかの事項に該当する助言又は指導を行うとともに、関係機関との調整を行うこと。

ⅰ　保育所等の勤務環境等に関する助言又は指導

ⅱ　保育の質の向上に関すること

ⅲ　事故の防止に関すること

ⅳ　保護者や地域住民等とのトラブル等に関すること

ⅴ　その他保育事業の円滑な運営に関すること

ウ　保育事業者支援コンサルタントの要件

保育事業者支援コンサルタントは、以下に掲げる要件をいずれも満たしている者として、実施主体が適当と認める者であること。

ⅰ　イに掲げる業務に関する専門的な知見を有する者

ⅱ　本事業の趣旨を理解し、保育事業者に対する相談支援業務を適切に実施することができる者

エ　その他

本事業は、相談支援により保育事業者を支援し、保育所等における保育人材の離職防止を図ることを目的としているものであることから、その実施に当たっては以下の点に留意すること。

ⅰ　保育事業者支援コンサルタントは、相談支援を行った保育事業者について、相談内容等を記録し、管理するとともに、定期的に同一の保育所等を巡回することにより、保育事業者への継続的な支援に努めること。

ⅱ　実施主体は保育事業者支援コンサルタントと連携し、保育所等への助言又は指導を行うなど、必要な対応を講じること。

⑶　放課後児童クラブへの巡回支援事業

①　事業内容

放課後児童クラブにおいて、子どもが安全・安心に過ごすことができ、子どもの主体的な活動が尊重される質の高い支援を確保するための助言・指導等を行うため、放課後児童クラブ巡回アドバイザー（以下「巡回アドバイザー」という。）の配置による放課後児童クラブへの巡回支援の実施に必要な費用の一部を補助する。

②　実施要件

ア　巡回アドバイザーの配置

実施主体は、放課後児童クラブへの巡回支援を行うための「巡回アドバイザー」を配置する。

イ　巡回アドバイザーの業務

巡回アドバイザーは、実施主体の管内の放課後児童クラブへの巡回による助言・指導等の支援を行うものとし、その内容は以下のようなものが考えられるが、放課後児童クラブ

の実情等に応じて実施するものとする。

ⅰ　放課後児童クラブ業務全般に関すること

ⅱ　事故防止、防犯、防災対策など子どもの安全管理体制に関すること

ⅲ　子どもの発達段階や特性に応じた遊びや生活に関すること

ⅳ　障害のある子どもや特に配置を必要とする子どもの支援に関すること

ⅴ　地域との相互交流など地域に開かれたクラブ運営に関すること

ⅵ　その他、放課後児童クラブの質の向上に関すること

ウ　巡回アドバイザーの要件

巡回アドバイザーは、それぞれの支援目的に応じて、放課後児童クラブの運営や育成支援等に関する専門的知識及び技術を有するものとして、実施主体が適当と認める者であること。

エ　その他

本事業の実施に当たっては以下の点に留意すること。

ⅰ　巡回アドバイザーは、巡回支援を行った放課後児童クラブについて、支援内容等を記録し、管理するとともに、定期的に同一の放課後児童クラブを巡回することにより、継続的な支援に努めること。

ⅱ　実施主体は巡回アドバイザーと連携し、放課後児童クラブへの助言又は指導を行うなど、必要な措置を講じること。

(4)　保育士の働き方改革への巡回支援

①　事業内容

保育所等において保育士が生涯働ける魅力ある職場づくりを行うとともに、保育士の離職防止を図るため、保育士の働き方の見直しや定着管理のマネジメント、育児や介護など一人一人の実情に応じた多様で柔軟な働き方を自由に選択できる勤務環境の整備、業務負担軽減・業務の再構築（以下「業務改善」という。）に関して、助言又は指導を行うため、保育士働き方改革支援コンサルタントによる保育所等への巡回相談の実施に必要な費用の一部を補助する。

②　実施要件

ア　保育士働き方改革支援コンサルタントの配置

実施主体は、社会保険労務士などの労務管理に関する専門的な知見を有し、保育事業者や保育士に対し、巡回相談を行うための「保育士働き方改革支援コンサルタント」を配置すること。

イ　保育士働き方改革支援コンサルタントの業務

保育士働き方改革支援コンサルタントは、実施主体の管内の保育所等への巡回による保育事業者や保育士への相談支援を行うものとし、以下のいずれかの事項に該当する助言又は指導を行うとともに、関係者との調整を行うこと。

ⅰ　職員の勤務時間の改善（休憩時間の確保を含む）や有給休暇の取得促進、育児・介護休業制度や短時間勤務制度、子の看護休暇・介護休暇制度等の整備に関すること

ⅱ　産休・育休後のキャリアパスの明確化や職場復帰支援プログラムの作成、技能・経験・役割に応じた処遇の整備に関すること

ⅲ　保育所等におけるＩＣＴ化の推進に関すること

ⅳ　保育業務の書類作成の省力化に関すること

ⅴ　業務改善に関すること

ⅵ　その他勤務環境の改善に関すること

ウ　保育士働き方改革支援コンサルタントの要件

保育士働き方改革支援コンサルタントは、社会保険労務士などの労務管理に関する専門的な知見を有し、保育事業者や保育士に対し、巡回相談を行う者として、実施主体が適当と認める者であること。

エ　その他

本事業の実施に当たっては、以下の点に留意すること。

ⅰ　保育士働き方改革支援コンサルタントは、保育所等の業務改善に関する研修の受講や事例の収集に努め、知見の蓄積を行うとともに、定期的に同一の保育所等を巡回することにより、継続的な支援に努めること。

ⅱ　実施主体は、保育士働き方改革支援コンサルタントと連携を図り、必要な対応を講じること。

(5)　魅力ある職場づくりに向けた保育所等への啓発セミナー等の実施

①　事業内容

保育所等において保育士が生涯働ける魅力ある職場づくりを行うとともに、保育士の離職防

止を図るため、保育士の働き方の見直しや業務改善等に関して、保育所等の施設長や主任保育士、中堅の保育士などを対象とした働き方改革の啓発セミナーや実践例を用いた研修会等を開催するために必要な費用の一部を補助する。

② その他

本事業の実施に当たっては、以下の点に留意すること。

ア　保育士働き方改革支援コンサルタント等とも連携しつつ、助言指導を行った保育所等の実践例を紹介するなど、参加する保育所等に対して、働き方改革を実践しやすい研修内容とするなど工夫すること。

イ　知見の集積を図る観点から、セミナーや研修の内容は、厚生労働省へ情報提供すること。

(6) 保育実践充実コーディネーターによる巡回支援

① 事業内容

保育所の自己評価等の充実により保育の質の確保・向上を図り、働きがいを高められるよう、保育実践充実コーディネーターによる巡回支援の実施に必要な費用の一部を補助する。

② 実施要件

ア　保育実践充実コーディネーターの配置

実施主体は、保育所保育指針に基づく実践及びその振り返りに基づく保育内容等の自己評価に関する助言・指導について知見を有し、保育事業者や保育士に対し、巡回支援を行うための「保育実践充実コーディネーター」を配置すること。

イ　保育実践充実コーディネーターの業務

保育実践充実コーディネーターは、保育所保育指針に基づく実践及びその振り返りに基づく保育内容等の自己評価について、実施主体の管内の保育所等に対して助言・指導を行うとともに、関係者との調整を行うこと。

ウ　保育実践充実コーディネーターの要件

保育所保育指針に基づく実践及びその振り返りに基づく保育内容等の自己評価に関する助言・指導について知見を有し、保育事業者や保育士に対し、巡回支援を行う者として、実施主体が適当と認める者であること。

エ　その他

本事業の実施に当たっては、自治体で保育実践充実に関する巡回支援を行う者の名簿を作成し、適宜「保育実践充実コーディネーター」として派遣する場合でも差し支えない。

(7) 地域保育ネットワークを含む協議会の開催

① 事業内容

以下の事業に必要な費用の一部を補助する。

ア　公開保育の実施の支援や各保育所の保育内容等の自己評価の促進を図るため、地域の全ての保育所等を対象とし、公開保育の実施や各施設の実践報告、実践を深めるための協議などを通じ、保育を多角的・多面的に捉え、継続的に保育について対話を重ねていくためのネットワーク会合の開催や事務局の運営を行う事業。

イ　保育所等の地域支援力向上を図るため、関係機関及び専門家による地域の子育て支援に係る情報共有や事例検討等を通じた学び合いを行うための協議会の開催や事務局の運営を行う事業。

4　費用

本事業に要する費用の一部について、国は別に定めるところにより補助するものとする。

別添9

保育士・保育所支援センター設置運営事業実施要綱

1　事業の目的

保育士の専門性向上と質の高い人材を安定的に確保するという観点から、保育士資格を有する者であって、保育士として就業していない者（以下「潜在保育士」という。）の就職や保育所を含めた児童福祉施設、認定こども園、地域型保育事業を行う事業所、企業主導型保育事業を行う事業所及び認可外保育施設（保育所、認定こども園、小規模保育事業及び事業所内保育事業への移行を目指す施設に限る。）、放課後児童クラブ（以下「保育所等」という。）の潜在保育士活用支援等を行うとともに、保育所等に勤務する保育士が保育分野で就業を継続するために必要な相談支援を行い、また保育士の負担軽減を図る観点から保育補助者・保育支援者（以下「保育補助者等」という。）の確保を行う「保育士・保育所支援センター」（以下「支援センター」という。）の設置及び運営に要する費用の一部を補助することにより、子どもを安心して育てることができるよう体制整備を行うことを目的とする。

2　実施主体

実施主体は、都道府県、指定都市及び中核市（以下、別添9において「都道府県等」という。）又は都道府県等が認めた者とする。なお、都道府県等が認めた者へ委託等を行うことができる。

3　事業の内容

本事業の対象は、支援センターが行う以下の取組とする。

①　支援センターの設置及び運営

都道府県等において、支援センターを設置し、潜在保育士の再就職支援等に係る以下の業務を行う。なお、エの業務に当たっては、可能な限り、管内の保育所等を巡回することなどにより、より多くの保育所等の支援を行うこと。

ア　潜在保育士、保育士を目指している者及び保育補助者等が新たに就職するための相談支援

イ　保育所等勤務保育士が保育分野で就業を継続するための相談支援

ウ　潜在保育士や保育補助者等への就職あっせん

エ　潜在保育士や保育補助者等への求人情報の提供

オ　保育所等への雇用管理や求人方法等に関する助言指導

カ　研修の企画及びその実施

キ　その他潜在保育士の再就職支援等に関する事項

②　保育士再就職支援コーディネーターの配置

支援センターに保育士再就職支援コーディネーター（以下「コーディネーター」という。）を配置し、上記①に掲げる業務を円滑に実施するための以下の業務を行う。

ア　保育所等に関する採用募集状況の把握

イ　求職者のニーズに合った就職先の提案

ウ　求職者と雇用者双方のニーズ調整

エ　保育所等に対し潜在保育士の活用に関する助言

オ　その他必要な連携・調整等

③　人材バンク機能を活用した潜在保育士の把握と継続的な支援

保育所等を離職した保育士（以下「離職保育士」という。）に対し、再就職希望の随時把握や再就職に向けた各種案内等に関する以下の業務を行う。

ア　保育所等に対する離職保育士による支援センターへの届出勧奨

イ　離職保育士から届出のあった情報の名簿による管理

※　届出してもらう情報の内容

氏名、生年月日、離職時の住所、電話番号及びメールアドレス　など

ウ　離職保育士に対する郵送等による再就職希望状況等の現況確認

エ　求人情報や就職相談会、研修等に関する情報提供

④　保育士登録を活用した人材バンク機能の強化

保育士登録の仕組みを活用し、氏名や生年月日のほか、住所や電話番号等の連絡調整に必要な情報について、保育士登録後の就職促進に活用するため、名簿による管理を行う。この際、以後、就職促進を行うことについて、本人から同意を得ておくことが望ましい。

また、当該名簿に登録されている保育士（以下「登録保育士」という。）に対し、就業状況や就業していない場合の再就職希望の有無等を把握するとともに、再就職に向けた連絡調整に関して、以下の業務を行う。

ア　名簿の情報を活用した登録保育士に対する郵送等による現在の就業状況等についての現況確認の実施

イ　求人情報や就職相談会、研修等に関する情報提供

⑤　支援センター認知度向上のための普及啓発

支援センターの認知度を向上させ、潜在保育士等に支援センターを積極的に活用してもらうための以下の業務を行う。

ア　潜在保育士の掘り起こし等に関するこれまでの活動実績や取組内容を紹介するシンポジウムの開催

イ　集客力の高い施設や関連イベント等での出張相談会の開催

ウ　シルバー人材センターと合同で実施する就職相談会の開催

エ　その他支援センターの認知度向上のための取組の実施

⑥　再就職支援や雇用管理改善のための研修

都道府県等と連携して、離職保育士の職場復帰のための研修や事業者や園長等に対する保育所等の雇用管理改善のための研修等を行う。

⑦　潜在保育士等マッチング強化事業

支援センターにマッチングシステムを導入（既に導入済みの場合は、改修）することで、①で実施している潜在保育士の再就職支援等について、潜在保育士等のニーズに合わせた、きめ細かいマッチングを実施する。

⑧　放課後児童支援員の人材確保支援

上記①～⑦の取組において、放課後児童支援員として就職を希望する者や放課後児童クラブも支援の対象として業務を行う。

4　留意事項

⑴　上記３の業務について、支援センターを開設せず、コーディネーターの配置のみで当該業務の実施が可能である場合は、支援センターを開設せずに、都道府県等又は都道府県等が適当と認めた施設にコーディネーターのみを配置することができる。ただし、この場合において支援センター開設運営経費に係る補助を受けることができない。

⑵　上記３の②の業務について、コーディネーターを配置せずに当該業務の実施が可能である場合は、コーディネーターを配置せずに支援センターを設置・運営することができる。ただし、この場合においてコーディネーター雇上費に係る補助を受けることができない。

⑶　上記３の②の業務について、前年度における本事業の実績として、潜在保育士が保育所等に就職した件数が50件以上ある都道府県等においては、コーディネーターの追加配置のための雇上費に係る補助の加算を受けることができる。

⑷　平成31年３月29日付け子保発0329第１号「子ども子育て支援法に基づく協議会に参加する自治体への支援策について」に基づき、待機児童対策協議会に参加している自治体で、かつ、同協議会において「保育人材の確保に関するKPI」を設定し、その達成状況を見える化した場合には、３②のコーディネーターを追加配置するための雇上費に係る補助の加算を受けることができる。

⑸　上記３の⑧の業務について、本業務のみで補助の加算を受けることはできない。

⑹　委託団体が職業紹介事業の許可等を持たない場合、当該委託団体が求人情報又は求職者情報の提供の範疇を超え「職業紹介」に該当する活動を行うことは「職業安定法」違反となるので、「職業紹介」を行う場合は、職業紹介事業の許可等を得て実施すること。

⑺　上記⑹の職業紹介事業の許可等にあたっては、職業紹介事業には有料職業紹介事業と無料職業紹介事業があり、地方公共団体から委託事業として職業紹介事業を受託し、当該委託費が職業紹介の対価となっている場合は、求人者等から手数料等を取っていない場合であっても、委託費から職業紹介の対価（職業紹介手数料に類似するもの）が出ているため、有料職業紹介事業となることから、有料職業紹介事業の許可が必要となること。

⑻　支援センターが保育士の再就職支援等のために知り得た個人情報の取扱いについては特に注意すること。また、委託団体に委託する場合は、都道府県等は委託団体に対し、適切に指導監督を行うこと。

⑼　３の⑦の事業を実施する場合、支援センターにおける求人・求職の合計件数について、下記の目標値を設定し、達成した場合に補助を行う。達成できなかった場合は、減額して補助を行う。

（目標値）

・マッチングシステム導入月以降の求人・求職件数の年度内の合計とし、前年度の同月以降の件数の合計を上回ることとする。

（参考事例）

求人・求職を増やす取組として、以下を参考とするなど、マッチング業務を充実させるように努めること。

・インターネット環境と接続したマッチングシステムを導入することで、求職者にとって利便性を高める

・平成30年10月26日付事務連絡「保育士・保育所支援センターの事例集について」における事例を参考に、それらを踏まえた取組を実施

・ハローワークや保育関係団体と連携し、就職説明会などを実施する

など

５　費用

本事業に要する費用の一部について、国は別に定めるところにより補助するものとする。

別添10

保育士・保育の現場の魅力発信事業実施要綱

１　事業の目的

保育士を目指す方や保育士に復帰しようとする方が増え、保育現場で就業しやすくなるよう、保育士という職業や保育の現場の魅力発信や保育士が相談しやすい体制を整備し、保育士確保や就業継続を図ることを目的とする。

２　実施主体

３⑴は、都道府県又は指定都市とする。なお、都道府県又は指定都市が認めた者へ委託等を行うことができる。

３⑵は、都道府県又は市町村（特別区及び一部事務組合を含む。）とする。なお、都道府県又は市町村が認めた者へ委託等を行うことができる。

３　事業の内容

⑴　保育士という職業や保育の現場の魅力発信

①　業務内容

保育士は、子どもの育ちに関する高度な専門知識を持つ専門職であり、多くの子どもを見守りながら育み続けることができる魅力あふれる

仕事であることなどについて、厚生労働省で作成する保育技術の見える化などの情報発信のプラットフォームを活用しつつ、保育体験イベントの実施や情報発信サイトの開設、進路指導担当や中高生などに対する魅力発信等の広報を実施する。

② その他

本事業の実施に当たっては、以下の点に留意すること。

ア 魅力発信の内容や方法は、厚生労働省で開催した「保育の現場・職業の魅力向上検討会」の報告書（令和２年９月30日公表）も参考にすること。

イ 実施主体は、保育士・保育所支援センター等の関係機関とも連携を図ること。

⑵ 保育士が相談しやすい体制整備

1) 保育士の相談窓口の設置

① 業務内容

保育士が保育現場で就業しやすくなるよう、就労条件や保育の長時間化、子育て支援をめぐる保護者との関係性、メンタルヘルスなどについて、保育所長経験者など外部人材に相談しやすい環境を整備する。また、相談内容に応じて、保育所等（幼稚園型認定こども園を含む。）に対して、必要な指導・助言を行う。

② その他

本事業の実施に当たっては、以下の点に留意すること。

ア 相談窓口の設置に当たっては、心理職又は労務管理の専門家などを配置することが望ましく、保育所等への助言・指導に当たっては、市町村とも連携を図ること。

イ 相談者の個人情報の管理には十分注意すること。

ウ ＳＮＳ等を活用した相談窓口の開設等、相談者の利便性も考慮した方法も検討すること。

2) 新型コロナウイルス感染症に関する相談支援

① 業務内容

保育所等は、適切な感染防止対策を行った上での事業継続が求められており、感染対策に関する不安等を抱えて業務にあたっているため、精神的にも多大な負荷を負っている。そのため、医療機関や感染症専門家等による適切な感染防止対策等に関する相談窓口の設置・派遣指導、職員のメンタルヘルス相談窓口の設置等の支援を行う。

② 対象施設等

ア 放課後児童健全育成事業、利用者支援事業、延長保育事業、子育て短期支援事業、乳児家庭全戸訪問事業、養育支援訪問事業、地域子育て支援拠点事業、一時預かり事業、病児保育事業、子育て援助活動支援事業（ファミリー・サポート・センター）

イ 保育所、幼保連携型認定こども園、幼稚園型認定こども園、地域型保育事業所、児童福祉法（昭和22年法律第164号）第59条の２に基づく届出を行っている認可外保育施設、児童厚生施設

③ その他

ア 実施主体は、相談窓口等の設置等の支援を行うに当たり、支援する対象施設等を明確にすることにより、希望する全ての対象施設等が支援を受けることができるよう、施設の所在する市町村と密接に連携・調整を図ること。

イ 24時間365日対応を含めたＳＮＳ等を活用した相談窓口の開設等、対象施設等の利便性も考慮した通信手段とすることも検討すること。

4 費用

本事業に要する費用の一部について、国は別に定めるところにより補助するものとする。

（その他事業）

○認可保育所等設置支援等事業の実施について

〔令和５年４月19日　こ成保第15号
各都道府県知事・各指定都市市長・各中核市市長宛　こども家庭庁成育局長通知〕

注　令和６年３月29日こ成保第207号改正現在

地域の実情に応じた多様な保育需要に対応するため、小規模保育の設置等による保育の受け皿の確保等に必要な措置を総合的に講ずることで、待機児童の解消を図るとともに、子どもを安心して育てることができる環境整備を行うため、認可保育所等設置支援等事業を次により実施し、令和５年４月１日から適用することとしたので通知する。

ついては、管内市町村（特別区を含む。）に対して周知をお願いするとともに、本事業の適正かつ円滑な実施に期されたい。

記

１　事業の種類

本通知による事業は以下の事業とする。

⑴　保育所等改修費等支援事業

⑵　都市部における保育所等への賃借料等支援事業

⑶　認可化移行のための助言指導・移転費等支援事業

⑷　民有地マッチング事業

⑸　保育環境改善等事業

２　事業の実施

１の各事業の実施及び運営に関しては、それぞれ以下の実施要綱によること。

⑴　保育所等改修費等支援事業実施要綱（別添１）

⑵　都市部における保育所等への賃借料等支援事業実施要綱（別添２）

⑶　認可化移行のための助言指導・移転費等支援事業実施要綱（別添３）

⑷　民有地マッチング事業実施要綱（別添４）

⑸　保育環境改善等事業実施要綱（別添５）

別添１

保育所等改修費等支援事業実施要綱

１　事業の目的

平成27年４月に施行された子ども・子育て支援新制度における家庭的保育事業及び小規模保育事業の推進、「新子育て安心プラン」に基づく保育の受け皿整備を進めるため、賃貸物件による保育所又は幼保連携型認定こども園（保育を実施する部分）（以下、「保育所等」という。）を設置するための改修、賃貸物件等により新たに小規模保育事業を設置するための改修、認可保育所、認定こども園、小規模保育事業又は事業所内保育事業への移行に当たって必要となる改修、家庭的保育事業の実施場所にかかる改修、こども誰でも通園制度（仮称）試行的事業の実施に必要となる改修及び幼稚園における長時間預かり保育の実施に必要となる改修等に要する経費を補助することにより、待機児童の解消を図るとともに、子どもを安心して育てることができる体制整備を行うことを目的とする。

２　実施主体

実施主体は、市町村（特別区を含む。以下同じ。）又は市町村が認めた者とする。

なお、市町村が認めた者へ委託等を行うことができる。

３　事業の内容

⑴　賃貸物件による保育所等改修費等

賃貸物件により、保育所等を新設、定員の拡大、老朽化又は、駅周辺など保育ニーズのある地域への移転や災害危険区域等からの移転など利便性向上のため、あるいは近隣のテナント等に空きが出た場合であって、定員の拡大にかかわらず、乳児室又は保育室等を増室するなど質の向上のための改修に伴い必要となる経費（改修費等、賃借料（礼金を含み、敷金を除く。））の一部を補助する。

⑵　小規模保育改修費等

賃貸物件等を活用した小規模保育事業所を新設、定員の拡大、老朽化又は、駅周辺など保育ニーズのある地域への移転や災害危険区域等からの移転など利便性向上のため、あるいは近隣のテナント等に空きが出た場合であって、定員の拡大にかかわらず、乳児室又は保育室等を増室するなど質の向上のための改修に伴い必要な経費（改修費等、賃借料（礼金を含み、敷金を除く。））の一部を補助する。

⑶　認可化移行改修費等

認可保育所、認定こども園、小規模保育事業又は事業所内保育事業への移行を希望する認可外保育施設に対して、児童福祉施設の設備及び運営に関する基準（昭和23年厚生省令第63号。以下「児童福祉施設設備運営基準」という。）第32条に規定する保育所に係る設備に関する基準、家庭的保育事業等の設備及び運営に関する基準（平成26年厚生労働省令第61号。以下「家庭的保育事業等設備運営基準」という。）第28条、第32条、第33条に規定する小規模保育事業に係る設備に関する基準又は同基準第43条に規定する事業所内保育事業に係る設備に関する基準を満たすために必要な経費（改修費等、賃借料（改修期間中の建物賃借料及び礼金を含み、敷金を除く。））の一部を補助する。

(4) 家庭的保育改修費等

家庭的保育事業を行う者が、家庭的保育者の居宅その他の場所（保育を受ける乳幼児の居宅を除く。）で家庭的保育事業を実施する上で保育環境を整えるために必要な経費（改修費等、賃借料（礼金を含み、敷金を除く。））の一部を補助する。

(5) こども誰でも通園制度（仮称）試行的事業実施事業所改修費等支援事業

こども誰でも通園制度（仮称）試行的事業（以下「試行的事業」という。）を実施する者が、試行的事業を実施する上で、適切な環境を整えるために必要な経費（改修費等、賃借料（礼金を含み、敷金を除く。））の一部を補助する。

(6) 幼稚園における長時間預かり保育改修費等

幼稚園を11時間以上にわたり開園し、通常の教育時間の前後や長期休業期間中などに幼稚園の園児のうち希望者を対象に行う教育活動（以下「長時間預かり保育」という。）等を行う私立幼稚園であって、幼保連携型認定こども園、幼稚園型認定こども園又は小規模保育事業への移行を希望している私立幼稚園に対し、事業の開設に必要な経費（改修費等）の一部を補助する。

※ 上記(1)から(5)の補助対象経費のうち、賃借料については、毎年４月１日以降開所までに発生するものに限る。ただし、当該賃借料の補助を受けた年度の翌年度以降に開所する場合は、補助を受けた年度の３月31日までの間とする。

4 対象事業者

(1) 賃貸物件による保育所等改修費等

児童福祉法（昭和22年法律第164号）第７条に規定する保育所等を経営する者。ただし、地方公共団体が設置する場合を除く。（公立施設を活用して保育所等を運営する民間事業者であって、当該事業者が当該施設を改修する場合を含む。）

(2) 小規模保育改修費等

子ども・子育て支援法（平成24年法律第65号）第43条に基づき特定地域型保育事業者（小規模保育事業に限る。）として市町村長の確認を受けた者又は当該確認を受けることが予定されている者（公立を含む。）

(3) 認可化移行改修費等

「子どものための教育・保育給付費補助事業の実施について」（平成27年４月13日雇児発0413第36号）の別添１「認可化移行運営費支援事業実施要綱」（以下「認可化移行運営費実施要綱」という。）に掲げる実施要件を満たし、認可化移行運営費実施要綱に掲げる期間内に児童福祉施設設備運営基準第32条、家庭的保育事業設備運営基準第28条、第32条、第33条又は第43条に規定する設備基準を満たす認可外保育施設を経営する者

(4) 家庭的保育改修費等

子ども・子育て支援法第43条に基づき特定地域型保育事業者（家庭的保育事業に限る。）として市町村長の確認を受けた者又は当該確認を受けることが予定されている者（公立を含む。）

(5) こども誰でも通園制度（仮称）試行的事業実施事業所改修費等

こども誰でも通園制度（仮称）試行的事業（「多様な保育促進事業の実施について」平成29年４月17日雇児発0417第４号こども家庭庁成育局長通知）に掲げる実施要件を満たす市町村及び、試行的事業の実施主体として市町村長から委託を受けた者

(6) 幼稚園における長時間預かり保育改修費等

「子どものための教育・保育給付費補助事業の実施について」の別添２「幼稚園における長時間預かり保育運営費支援事業実施要綱」（以下「長時間預かり実施要綱」という。）に掲げる実施要件を満たし、長時間預かり実施要綱に掲げる期間内に幼保連携型認定こども園、幼稚園型認定こども園又は小規模保育事業への移行を希望する私立幼稚園を経営する者

5 対象事業の制限

(1) 次に掲げる場合については、本事業の対象としないものとする。

① 国が別途定める国庫負担金、補助金、交付金の対象となる場合

② 施設整備を目的とする場合（土地や既存建物の買収、土地の整地等を含む。）

(2) 本事業による賃借料の補助は、１の施設・事業所につき１回限りとする。

6 留意事項

(1) ４の(3)について、認可化移行運営費実施要綱に掲げる期間内に認可保育所、認定こども園又は小規模保育事業として必要な基準を満たさなかった

場合、補助金の返還を命ずることができるものとする。

(2)　４の(5)について、長時間預かり実施要綱に掲げる期間内に幼保連携型認定こども園、幼稚園型認定こども園又は小規模保育事業として必要な基準を満たさなかった場合は補助金の返還を命ずることができるものとする。

７　費用

本事業に要する費用の一部について、国は別に定めるところにより補助するものとする。

別添２

都市部における保育所等への賃借料等支援事業実施要綱

１　事業の目的

賃貸物件において保育所、認定こども園、家庭的保育事業所、小規模保育事業所及び事業所内保育事業所（以下「保育所等」という。）の運営を行う場合、都市部など局地的に賃借料の実勢価格と「特定教育・保育、特別利用保育、特別利用教育、特定地域型保育、特別利用地域型保育、特定利用地域型保育及び特例保育に要する費用の額の算定に関する基準等の一部を改正する告示」（平成28年内閣府告示第119号。）第１条第51項に規定する賃借料加算（以下「賃借料加算」という。）の収入額が乖離している地域の保育所等について、その乖離分を補助し、安定的な運営に資するとともに、保育所又は幼保連携型認定こども園の整備に当たり、土地の確保が困難な都市部等での整備を促進するため、土地借料の一部を支援し、子どもを安心して育てることができる体制整備を行うことを目的とする。

２　実施主体

(1)　３の(1)

実施主体は、市町村（特別区を含む。以下同じ。）又は市町村が認めた者とする。

ただし、「『待機児童解消に向けて緊急的に対応する施策について』の対応方針について」（平成28年４月７日付け雇用均等・児童家庭局長通知）に基づき、待機児童解消に向けて緊急に対応する取組を実施する市町村に限る。

なお、市町村が認めた者へ委託等を行うことができる。

(2)　３の(2)

市町村が認めた者とする。

３　事業の内容

(1)　都市部における保育所等への賃借料支援事業

①　認定こども園

子ども・子育て支援法（平成24年法律第65号）第19条第１項第２号又は第３号の支給要件を満たし、同法第20条第１項により市町村の認定を受けた児童に係る利用定員数を認定こども園全体の利用定員数で除した数を施設の建物借料（年額。以下同じ。）に乗じた額から賃借料加算（年額。以下同じ。）の額との差額の一部を補助する。

②　認定こども園以外の施設

施設の建物借料から賃借料加算の額との差額の一部を補助する事業。

(2)　保育所設置促進事業

保育所又は幼保連携型認定こども園の設置に当たり、新たに土地を借り上げるために必要な賃借料（敷金を除き、礼金を含む。）を補助する。（ただし、保育所又は幼保連携型認定こども園の施設整備を行う場合に限る。）

４　対象事業者

(1)　都市部における保育所等への賃借料支援事業

以下に掲げる施設又は事業の建物借料が賃借料加算の額の３倍を超える施設又は事業を行う者

・保育所
・認定こども園
・家庭的保育事業
・小規模保育事業
・事業所内保育事業

なお、以下①及び②を満たす市町村に所在する施設又は事業を行う者については、「子ども・子育て支援法に基づく協議会に参加する自治体への支援策について」（平成31年３月29日子保発0329第１号）に基づき、当該年度中に開設するものにつき１回限りで、施設又は事業の建物借料が賃借料加算の額の２倍を超える場合も補助対象とする。

①　子ども・子育て支援法（平成24年法律第65号）附則第14条第４項に定める都道府県が組織する協議会（以下、「待機児童対策協議会」という。）に参加し、かつ、子ども・子育て支援法施行規則の一部を改正する内閣府令附則第８条（平成30年内閣府令第21号）に該当する市町村（以下、「特定市町村」という。）であること。

②　当該特定市町村が参加する待機児童対策協議会において、保育の受け皿整備の推進に関する協議事項のＫＰＩを設定し、かつ当該ＫＰＩの達成状況について、ホームページで公表するなど、「見える化」していること。

(2)　保育所設置促進事業

児童福祉法（昭和22年法律第164号）第7条に規定する保育所又は幼保連携型認定こども園を経営する者。ただし、地方公共団体が設置する場合及び保育所等整備交付金により施設整備を行う場合を除く。

5　対象事業の制限

(1)　国が別途定める国庫負担金（3の(1)の事業については、子どものための教育・保育給付費国庫負担金除く。）、補助金、交付金の対象となる場合は、本事業の対象とならない。

(2)　3の(1)の事業については、賃借料加算の対象とならない場合は、本事業の対象とならない。

(3)　3の(1)①の利用定員数は毎年4月1日時点の利用定員数を用いること。

ただし、年度途中で開所する場合は開所日における利用定員数を用いること。

(4)　3の(1)の事業における施設の建物借料については、周辺の借料から乖離がある場合等は、市町村が認めた額とすること。

(5)　3の(2)の事業による賃借料の補助は、1の施設につき1回限りとする。

(6)　3の(2)の事業については、原則、当該年度中又は翌年度4月1日に開所する施設を対象とする。

(7)　3の(2)の事業は、工事契約日以降にかかる土地借料を対象とする。

6　費用

本事業に要する費用の一部について、国は別に定めるところにより補助するものとする。

別添3

認可化移行のための助言指導・移転費等支援事業実施要綱

1　事業の目的

認可保育所、認定こども園、小規模保育事業又は事業所内保育事業（以下「保育所等」という。）への移行を希望する認可外保育施設に対して、移行にあたって必要となる経費を補助することにより、保育の供給を増やし、もって待機児童の解消を図るとともに、子どもを安心して育てることができる体制整備を行うことを目的とする。

2　実施主体

3の(1)から(3)

都道府県又は市町村（特別区含む。以下同じ。）とする。

なお、都道府県又は市町村が適当と認める者へ委託等を行うことができる。

3の(4)

市町村又は市町村が認めた者とする。

なお、市町村が認めた者へ委託等を行うことができる。

3　事業の内容

本事業は、認可外保育施設が保育所等への移行を目指すに当たって必要となる次の(1)から(4)に掲げる経費について支援するものである。

(1)　認可化移行可能性調査支援事業

保育所等に移行するために障害となっている事由を診断し、移行するための計画書作成に要する費用の一部を補助するもの。

(2)　認可化移行助言指導支援事業

保育所等への移行に必要な保育内容や施設運営等について助言・指導するために要する費用の一部を補助するもの。

(3)　指導監督基準遵守助言指導支援事業

指導監督基準を満たさない認可外保育施設に対して指導監督基準を満たすために必要な助言・指導を行うための費用の一部を補助するもの。

(4)　認可化移行移転費等支援事業

立地場所や敷地面積の制約上、現行の施設では児童福祉施設の設備及び運営に関する基準（昭和23年厚生省令第63号）第32条に規定する保育所及び認定こども園に係る設備に関する基準、家庭的保育事業等の設備及び運営に関する基準（平成26年厚生労働省令第61号。）第22条に規定する家庭的保育事業に係る設備に関する基準、同基準第28条、第32条、第33条に規定する小規模保育事業に係る設備に関する基準又は同基準第43条に規定する事業所内保育事業に係る設備に関する基準を満たすことができない認可外保育施設の移転等（移転費、仮設設置費）に必要な費用の一部を補助するもの。

4　実施要件

(1)　認可化移行可能性調査支援事業

保育所等への移行を目指す認可外保育施設であること。

なお、移行するための計画書（子どものための教育・保育給付費補助金交付要綱の別表に定める地方単独保育施設加算の適用を受けない地方単独保育施設及び地方単独保育施設以外の施設については、5年を上限とする期間の計画書）を作成し、計画の期間内に保育所等に移行するものとする。

(2)　認可化移行助言指導支援事業

保育所等への移行を目指す認可外保育施設であって、「認可化移行可能性調査支援事業」の実施等により、移行のための計画書を策定すること。

⑶　指導監督基準遵守助言指導支援事業

指導監督基準を満たさない認可外保育施設であること。

また、本事業の実施により指導監督基準を満たした後、⑴や⑵の事業による支援により、保育所等への移行を目指すこと。

⑷　認可化移行移転費等支援事業

①　保育所等への移行を目指す認可外保育施設であって、３の⑴の認可化移行可能性調査支援事業の実施等により、移行のために移転等が必要であると市町村が認めた者であること。

②　移転先については、児童福祉施設の設備及び運営に関する基準第32条に規定する保育所及び認定こども園に係る設備に関する基準、家庭的保育事業等の設備及び運営に関する基準第22条に規定する家庭的保育事業に係る設備に関する基準、同基準第28条、第32条、第33条に規定する小規模保育事業に係る設備に関する基準又は同基準第43条に規定する事業所内保育事業に係る設備に関する基準を満たしている又は満たすことが可能な場所であること。

③　実施に当たっては、保育所等への移行に係る計画により、移行予定を確認すること。

５　費用

本事業に要する費用の一部について、国は別に定めるところにより補助するものとする。

別添４

民有地マッチング事業実施要綱

１　事業の目的

保育所・認定こども園の整備等を促進するため、土地等所有者と保育所・認定こども園を運営する法人等（以下「保育所整備法人等」という。）のマッチングを行うための経費の補助を行い、都市部を中心とした用地不足への対応を図ることを目的とする。

２　実施主体

⑴　３の⑴及び⑵

都道府県及び市町村（特別区を含む。以下同じ。）（以下「都道府県等」という。）とする。なお、都道府県等が認めた者へ委託等を行うことができる。

⑵　３の⑶

都道府県等又は都道府県等が認めた者とする。なお、都道府県等が認めた者へ委託等を行うことができる。

ただし、当分の間、「『待機児童解消に向けて緊急的に対応する施策について』の対応方針について」（平成28年４月７日付け雇用均等・児童家庭局長通知）に基づき待機児童解消に向けて緊急に対応する取組を実施する市町村に限る。

３　事業の内容

⑴　土地等所有者と保育所整備法人等のマッチング支援

土地等所有者と保育所整備法人等のマッチングを行うため、土地等所有者から整備候補地等を募集し、当該候補地での保育所等整備を希望する法人の公募・選考等を行う。

⑵　整備候補地等の確保支援

保育所等の設置が可能な土地等の確保のため、地域の不動産事業者等と連携するなどにより、土地等の所有者を把握し、保育所等の用に供する土地等としての活用に向けた働きかけを行うことにより、整備候補地等の確保に向けた取組を行う。

⑶　地域連携コーディネーターの配置支援

保育所等の設置や増設に向けた地域住民との調整など、保育所等の設置を推進するためのコーディネーターを市町村又は保育所等に配置する。

４　実施要件

⑴　土地等所有者と保育所整備法人等のマッチング支援

ア　保育所等の整備のために提供が可能な土地等について公募等により募集し、保育所等の実施に適当な場所（地域の保育ニーズの状況、立地、土地の広さ、各種関係法令との整合性に問題がない等）であることの確認を行った上で、選定を行うこと。

イ　アで選定された保育所等整備候補物件において、保育所等の整備を希望する法人を公募等により募集し、事業実施に当たって適当な法人（過去の決算書、監査の結果に重大な指摘がない等）であることの確認を行った上で、選定を行うこと。

ウ　土地等所有者及び保育所整備法人等の公募に当たっては、公募条件やマッチング後の整備要件や手続き等について、予め周知しておくこと。

エ　選定した土地等所有者と保育所整備法人等のマッチングを行い、交渉可能な物件及び連絡先等について紹介をすること。

オ　本事業の趣旨は、保育の需要の多い地域及び利便性の高い地域での整備を推進する目的で、土地等所有者と保育所整備法人等のマッチングを行うものであるため、両者の選定・交渉可能な相手の紹介後の具体の契約締結については、当事者間で実施することを原則とする。

(2) 整備候補地等の確保支援

ア 保育所等の用に供する土地等の積極的な掘り起こしを行うため、地域の不動産事業者等を含めた協議会の設置や担当職員の配置を行うこと。

イ 保育所等の用に供する土地等としての活用に向けた働きかけを行う際には、市町村の整備計画と整合するよう、立地や土地の広さ等、必要な要件を明らかにした上で行うこと。

ウ 実施に当たっては、地域の不動産事業者・団体等と連携し適切な整備候補地を把握した上で個々に当該土地等の所有者に働きかけるほか、民間事業者の資産活用セミナーを活用するなど効率的な事業実施に努めること。

エ 土地等の所有者への説明に当たっては、保育所等の用に供することが決定した後の手続きや、各種の補助制度や税制等について説明を行うことが望ましいこと。

オ 保育所等の用に供することが決定した際には、(1)の活用その他適切な方法で保育所設置法人等とのマッチングや紹介を行うとともに、保育所等の整備が円滑に進むよう支援すること。

(3) 地域連携コーディネーターの配置支援

ア 本事業の実施に当たっては、担当職員を配置すること。

イ 地域住民との調整等の実施に当たっては、市町村の整備計画や地域の保育の受け皿の状況に関する情報の共有など市町村と連携するとともに、市町村は必要に応じ実施保育所等の支援を行うこと。

ウ 他の補助金等により人件費の補助が行われている職員については、本事業の補助対象とはしない。

5 留意事項

委託により事業を実施する場合は、適切な地域で保育所等の整備が行われるよう、都道府県等において地域の保育の需給状況を十分に把握した上で委託すること。

6 費用

本事業に要する費用の一部について、国は別に定めるところにより補助するものとする。

別添５

保育環境改善等事業実施要綱

1 事業の目的

駅前等の利便性の高い場所にある既存の建物を活用した保育所、認定こども園、家庭的保育事業所又は小規模保育事業所（以下、「保育所等」という。）の設置や障害児を受け入れるための改修等により、保育所等の設置促進及び保育環境の改善を図り、もって待機児童の解消を図るとともに、子どもを安心して育てることができる体制整備を行うことを目的とする。

2 実施主体

(1) ３の(1)及び(2)（ただし、④を除く。）の実施主体は、市町村（特別区を含む。以下同じ。）又は市町村が認めた者とする。

なお、市町村が認めた者へ委託等を行うことができる。

(2) ３の(2)の④のア

① 保育所、幼保連携型認定こども園及び地域型保育事業（居宅訪問型保育事業を除く。以下４(5)において同じ。）を対象とする場合

実施主体は、市町村が認めた者とする。

② 認可外保育施設（児童福祉法（昭和22年法律第164号。以下「法」という。）第59条の２に基づく届出を行っている施設（法第６条の３第11項に規定する業務を目的とする施設（以下「認可外の居宅訪問型保育事業」という。）を除く。）。以下(3)、(4)及び４(5)、(6)において同じ。）において同じ。）を対象とする場合

実施主体は、都道府県又は市町村（以下「都道府県等」という。）が認めた者とする。

(3) ３の(2)の④のイ

① 保育所、幼保連携型認定こども園、地域型保育事業（居宅訪問型保育事業を除く。以下４(6)において同じ。）を対象とする場合

実施主体は、市町村又は市町村が認めた者とする。

② 認可外保育施設を対象とする場合

実施主体は、都道府県等又は都道府県等が認めた者とする。

3 事業の内容

(1) 基本改善事業

既存施設の改修等により、保育所等を新たに設置する事業又は病児保育事業（体調不良児対応型）の実施に必要な体制整備を行う事業で、次に掲げるものとする。

① 保育所等設置促進等事業

保育需要が高い地域において、保育所等を設置するため、既存施設の改修等を行う事業（(※)「多様な保育促進事業の実施について」（平成29年４月17日付雇児発0417第４号雇用均

等・児童家庭局長通知）に掲げる３歳児受入れ連携支援事業を行うために必要となる既存保育所等の改修等を行うものを含む。）

②　病児保育事業（体調不良児対応型）設置促進事業

「病児保育事業の実施について」（平成27年７月17日付雇用均等・児童家庭局長通知）の別紙「病児保育事業実施要綱」の４⑶に基づく事業（以下「病児保育事業（体調不良児対応型）」という。）の実施に必要な改修等を行う事業

③　ノンコンタクトタイムスペース設置促進事業

休憩時間とは別に、物理的に子どもを離れ、各種業務を行う時間（ノンコンタクトタイム）を確保し、保育の振り返り等の業務を行うスペースを設置するために必要な改修等を行う事業

⑵　環境改善事業

利用児童にとっての保育環境の改善を図るため、既存施設の改修等を行う事業で次に掲げるものとする。

①　障害児受入促進事業

既存の保育所等において、障害児及び医療的ケア児（人工呼吸器を装着している児童その他の日常生活を営むために医療を要する状態にある児童をいう。）（以下、「障害児等」という。）を受け入れるために必要な改修等を行う事業

②　分園推進事業

保育所及び認定こども園の分園の設置を推進するため、分園に必要な設備の整備等を行う事業

③　熱中症対策事業

熱中症対策として、保育所等に冷房設備を設置又は更新するための改修等を行う事業

④　安全対策事業

ア　睡眠中の事故防止対策に必要な機器の購入等を行う事業

イ　ＩＣＴを活用した子どもの見守りに必要な機器の購入を行う事業

⑤　病児保育事業（体調不良児対応型）推進事業

病児保育事業（体調不良児対応型）を実施するために必要な設備の整備等を行う事業

⑥　緊急一時預かり推進事業

「一時預かり事業の実施について」（平成27年７月17日付文部科学省初等中等教育局長・厚生労働省雇用均等・児童家庭局長通知）の別紙「一時預かり事業実施要綱」に掲げる「緊急一時預かり」を実施するために必要な設備の整備等を行う事業

⑦　放課後児童クラブ閉所時間帯等における乳幼児受入れ支援事業

放課後児童クラブを行う場所において、放課後児童クラブを開所していない時間等に法第６条の３第７号に基づく一時預かり事業を実施するために必要な設備の整備等を行う事業

⑧　感染症対策のための改修整備等事業

４⑿に定める対象施設において、感染症対策のために必要となる改修や設備の整備等を行う事業

⑨　保育環境向上等事業

４⒀に定める対象施設において、保育環境の向上等を図るため、老朽化した備品や、フローリング貼・カーペット敷等の設備の購入や更新及び改修等を行う事業

４　対象事業の制限

⑴　次に掲げる事業については、対象としないものとする。

①　国が別途定める国庫負担金、補助金、交付金の対象となる事業

②　施設整備を目的とする事業（土地や既存建物の買収、土地の整地等を含む。）

③　既存施設の破損や老朽化に伴う改修・修繕を目的とする事業（３の⑵の③、⑨の事業を除く。）

④　保育所等設置促進等事業について、既存施設の改修を伴わず設備の整備（備品の購入等）のみを目的とする事業

⑤　保育環境向上等事業について、冷房設備を設置又は更新するための改修等を行う事業

⑵　本事業の実施については、３に掲げる事業ごとに、補助を受けてから10年経過後に再度実施することができる。（ただし、３の⑴の①から③及び⑵の①、②、⑤から⑦の事業については、新たな需要への対応が必要な場合には、経過期間に関わらず再度実施することができる。）

なお、災害等やむを得ない事情により再び同様の事業を実施する場合はこの限りではない。

⑶　保育所等設置促進等事業（ただし、（※）を除く。）及び分園推進事業については、当該年度中、又は翌年度４月１日に開設するものを対象とすること。

⑷　熱中症対策事業の対象施設については、公立の保育所及び認定こども園を除く。

⑸　安全対策事業のアの実施については、以下①～⑤を満たすものとする。

① 対象施設については、保育所、幼保連携型認定こども園、地域型保育事業を行う事業所及び認可外保育施設であって、「認可外保育施設指導監督基準を満たす旨の証明書の交付について」（平成17年1月21日付厚生労働省雇用均等・児童家庭局長通知）に定める証明書（以下「証明書」という。）の交付を受けている又は交付予定の施設とする。ただし、地方公共団体が運営するものを除く。

② 対象児童については、0～2歳の児童を対象とする。ただし、3歳以上の児童であっても、当該児童の発育状況等により、③に定める対象機器を使用する必要があると自治体が認める場合は対象とする。

③ 対象機器については、②に定める対象児童の睡眠中の事故を防止するために、睡眠中の児童の体動や体の向きを検知するなどの機能を持つ機器その他これらと同等の機能を持つ機器（例：午睡チェック、無呼吸アラームなど）とする。

※ 機器の選定に当たっては、実施主体において、「医薬品、医薬機器等の品質、有効性及び安全性の確保等に関する法律」（昭和35年法律第145号）に基づく医療機器の製造販売の承認等がなされていることや保育所等での導入実績があることなど、安全性等を十分に考慮した上で決定すること。

④ 本事業による機器の導入は、安全確保業務の代替となるものではなく、例えば、保育士の事務負担を軽減し、午睡中の見守りに専念することができるなど、あくまでも保育の質の確保・向上の一環として、安全かつ安心な保育環境の確保に資する補助的なものである。

このため、機器を導入した場合においても、「教育・保育施設等における事故防止及び事故発生時の対応のためのガイドラインについて」（平成28年3月31日付内閣府子ども・子育て本部参事官、文部科学省初等中等教育局幼児教育課長、厚生労働省雇用均等・児童家庭局保育課長通知）等に基づき、安全な保育環境の確保に努めること。

⑤ 機器の使用対象となる児童の数以上に機器を購入する場合、及び機器の使用対象となる児童に対して複数の機器を購入する場合は本事業の対象外とする。

(6) 安全対策事業のイの実施については、以下①～③を満たすものとする。

① 対象施設については、保育所、幼保連携型認定こども園、地域型保育事業を行う事業所、認可外保育施設とする。

なお、地方公共団体が運営するもの及び証明書の交付を受けていない認可外保育施設についても対象とする。

② 対象機器については、ＧＰＳやＢＬＥにより子どもの位置情報を管理するなど、園外活動時等の子どもの見守りに資する機器とする。

③ 保育所保育指針（平成29年厚生労働省告示第117号）等に基づき、安全な保育環境の確保を図ること。

(7) 病児保育事業（体調不良児対応型）設置促進事業及び病児保育事業（体調不良児対応型）推進事業については、病児保育事業（体調不良児対応型）を実施している保育所等、及び当該年度中又は翌年度中に病児保育事業（体調不良児対応型）の実施を予定している保育所等を対象とすること。

(8) 障害児受入促進事業については、当該年度中又は翌年度中に障害児等の受入れを予定している保育所等を対象とすること。

(9) 保育所等設置促進等事業により保育所等を設置する場合に限り、障害児受入促進事業と併せて実施することができるものとする。

(10) 緊急一時預かり推進事業については、当該年度中又は翌年度中に事業の実施を予定している場合を対象とすること。また、当分の間、「『待機児童解消に向けて緊急的に対応する施策について』の対応方針について」（平成28年4月7日付雇用均等・児童家庭局長通知）に基づき、待機児童解消に向けて緊急に対応する取組を実施する市町村に限り、本事業の対象とすること。

(11) 放課後児童クラブ閉所時間帯等における乳幼児受入れ支援事業については、当該年度中又は翌年度中に一時預かり事業の実施を予定している放課後児童クラブを対象とすること。

(12) 感染症対策のための改修整備等事業の対象施設については、保育所、認定こども園（地方裁量型認定こども園を除く。）、地域型保育事業（居宅訪問型保育事業を除く。）を行う事業所とする。

(13) 保育環境向上等事業の対象施設については、保育所、幼保連携型認定こども園、地域型保育事業（居宅訪問型保育事業を除く。）を行う事業所とする。

5 費用

本事業に要する費用の一部について、国は別に定めるところにより補助するものとする。

○多様な保育促進事業の実施について

〔令和６年３月30日　こ成保第179号
各都道府県知事・各指定都市市長・各中核市市長宛　こども家庭庁成育局長通知〕

注　令和６年４月22日こ成保第257号改正現在

子育てにおける負担の軽減や仕事と子育ての両立支援など、安心して子育てができる環境づくりを推進するため、地域の実情に応じた需要に対応する多様な保育促進事業を次により実施し、令和６年４月１日から適用することとしたので通知する。

ついては、管内市町村（特別区を含む。）に対して周知をお願いするとともに、本事業の適正かつ円滑な実施に期されたい。

なお、本通知の施行に伴い、平成29年４月17日雇児発0417第４号厚生労働省雇用均等・児童家庭局長通知「多様な保育促成事業の実施について」は、令和６年３月31日限りで廃止する。

記

第１　事業の種類

１　保育利用支援事業

２　３歳児受入れ等連携支援事業

３　医療的ケア児保育支援事業

４　家庭支援推進保育事業

５　広域的保育所等利用事業

６　待機児童対策協議会推進事業

７　新たな待機児童対策提案型事業

８　保育所等における要支援児童等対応推進事業

９　こども誰でも通園制度（仮称）の本格実施を見据えた試行的事業

10　２歳児の減少を受けた事業実施に対する支援事業

第２　事業の実施

各事業の実施及び運営は、次によること。

１　保育利用支援事業実施要綱（別添１）

２　３歳児受入れ等連携支援事業実施要綱（別添２）

３　医療的ケア児保育支援事業実施要綱（別添３）

４　家庭支援推進保育事業実施要綱（別添４）

５　広域的保育所等利用事業実施要綱（別添５）

６　待機児童対策協議会推進事業実施要綱（別添６）

７　新たな待機児童対策提案型事業実施要綱（別添７）

８　保育所等における要支援児童等対応推進事業実施要綱（別添８）

９　こども誰でも通園制度（仮称）の本格実施を見据えた試行的事業実施要綱（別添９）

10　２歳児の減少を受けた事業実施に対する支援事業実施要綱（別添10）

（別添１）

保育利用支援事業実施要綱

１　事業の目的

保育所、認定こども園、特定地域型保育事業所（以下「保育所等」という。）の入所のために育児休業期間を切り上げている保護者がいる現状に鑑み、育児休業終了後の入所予約の仕組みを設けることにより、職場復帰に向けた保育所等入所時期に関する保護者の不安を解消することを目的とする。

２　実施主体

実施主体は、『「新子育て安心プラン」の実施方針について』に基づく「新子育て安心プラン実施計画」の採択を受けた市町村（特別区を含む。以下同じ。）又は市町村が認めた者とする。

なお、市町村が認めた者へ委託等を行うことができる。

３　事業の内容

保護者が、職場復帰に向け、育児休業を切り上げることなく１年間取得することができるよう、育児休業終了後の入所予約の仕組を設けるために必要な費用の一部を補助する事業。

４　実施要件

以下の⑴及び⑵のいずれか又は両方を実施するものとする。

⑴　代替保育利用支援

①　対象者

育児休業、介護休業等育児又は家族介護を行う労働者の福祉に関する法律（平成３年法律第76号）その他の法令（以下「関係法令」という。）により、対象児童が１歳に達する日（誕生日の前日）まで育児休業を取得し、翌４月１日からの保育所等への入所を希望し、育児休業終了後から保育所等に入所するまでの間、一時預かり事業等の市町村が適切と認めた代替保育を利用する者。

②　実施方法

対象児童が１歳に達する日（誕生日の前日）まで育児休業を取得し、翌４月１日からの保育所等の入所予約の申込みを受け付けた上で、育児休業終了後から保育所等に入所するまでの間に利用する代替保育の利用料を補助する。

利用料補助の方法としては、以下のいずれかによる。

ア　対象者に係る利用料を軽減して徴収又は免除する施設・事業所に対して、市町村が当該軽減又は免除した額に相当する額を補助する方法

イ　対象者が施設・事業所に支払う利用料について、市町村より対象者に対して当該利用料を軽減又は免除する額を補助する方法

(2)　予約制導入に係る体制整備

①　対象者

関係法令により、対象児童が1歳に達する日（誕生日の前日）まで育児休業を取得し、育児休業終了後（年度途中）に保育所等への入所を希望する者。

②　対象施設

保育所、認定こども園、小規模保育事業所及び事業所内保育事業所。

③　実施方法

対象施設となる保育所等において、4月1日から対象児童が予約した入所日に入所するまでの間、保護者や市町村との連絡調整、保護者への相談対応等を行う保育士等の配置を行うために必要な費用の一部を補助する。

5　留意事項

(1)　「入所予約」とは、保護者の育児休業終了後の保育所等への入所の円滑化を図るため、育児休業終了までに、あらかじめ行う保育所等への入所申込みをいう。入所予約の受入れ人数及び受入れ時期については、地域の保育ニーズや地域資源の状況を踏まえた上で、入所予約を利用しない者の保育所等の利用を過度に妨げることのないよう市町村において適切に実施すること。

(2)　市町村は、入所予約を利用しない者との不公平が生じないよう、入所予約を利用する者について、保育の必要度についての指数が一定以上の者とする等の要件を付すなど、適切な事業実施に努めること。

(3)　市町村は、入所予約の申込みに係る要件や制度の内容について、広報等を通じて保護者に周知すること。

(4)　市町村は、入所予約の申込みをした者について、保育の必要性の認定及び利用調整を行い、結果について保護者に通知を行うこと。また、入所予約の申込みをしたが利用できなかった者についても、ニーズを適切に把握し、必要な支援を行うこと。

(5)　地域の保育ニーズを適切に把握し、入所予約制の導入とあわせて、保育所等の保育の提供に係る整備等を積極的に行うこと。

6　費用

本事業に要する費用の一部について、国は別に定めるところにより補助するものとする。

（別添2）

3歳児受入れ等連携支援事業実施要綱

1　事業の目的

保育所、認定こども園及び幼稚園（以下「保育所等」という。）において、満3歳以上の児童の受入れを重点的に行い、家庭的保育事業、小規模保育事業及び事業所内保育事業（以下「家庭的保育事業等」という。）を行う者（以下「家庭的保育事業者等」という。）と積極的に接続を行った場合に当該保育所等を支援することにより、家庭的保育事業等を利用する児童の3歳到達時における保育所等への円滑な接続を図る。

また、家庭的保育者が保育に専念できる環境を整備することにより、家庭的保育事業への参入を促進するとともに、家庭的保育事業の普及及び質の向上を図ることを目的とする。

2　実施主体

実施主体は、市町村（特別区を含む。以下同じ。）又は3(1)を実施する場合のみ、市町村が認めた者とする。

なお、市町村が認めた者へ委託等を行うことができる。

3　事業内容

本事業は、次に掲げる事業の実施に必要となる経費について補助を行うものである。

(1)　3歳児受入れ連携支援事業

保育所等において、家庭的保育事業者等との連携協力を行うため、連携に向けた調整等を行う連携支援コーディネーターを配置し、家庭的保育事業等を利用する乳幼児に対する保育が適正かつ確実に行われるよう、また、満3歳に達して卒園する児童に対して必要な教育又は保育が継続的に提供されるよう、連携協力を行う連携施設を適切に確保する。

(2)　家庭的保育コンソーシアム形成事業

市町村単位で、複数の家庭的保育事業所及び連携施設がコンソーシアム（共同事業体）を形成するとともに、コンソーシアムコーディネーターを配置し、情報・ノウハウの共有や、保育環境の整備（共同での備品購入、給食提供、代替保育の連携等）、経営の効率化（経理面での共同管理等）等を共同で行えるよう、体制を整備し、家庭的保育事業の更なる普及及び質の向上を図る。

4　実施要件

(1)　3歳児受入れ連携支援事業

①　対象施設

本事業の対象となる施設は、家庭的保育事業等の設備及び運営に関する基準（平成26年厚生

労働省令第61号）第６条に規定する家庭的保育事業者等の連携施設となる保育所等（公立を含む。）とする。

②　実施方法

ア　連携支援コーディネーターの配置

(ア)　対象施設において、家庭的保育事業者等との連携等を円滑に行うため、「連携支援コーディネーター」を配置する。

(イ)　連携支援コーディネーターが行う主な業務は以下のとおりとする。

ⅰ　家庭的保育事業者等に対する、保育所等との連携に関する助言

ⅱ　対象施設との連携を希望する家庭的保育事業者等との連携に向けた調整

ⅲ　家庭的保育事業者等による保育の提供の終了後、対象施設において、満３歳以上の児童に対して必要な教育又は保育を継続的に提供するための調整。また、当該児童の保護者等への助言又は指導

ⅳ　その他家庭的保育事業者等と保育所等との連携や当該助言又は指導に関する関係機関との調整

イ　家庭的保育事業者等との接続促進

対象施設は、積極的に対象施設の所在する家庭的保育事業者等の連携施設となることとし、家庭的保育事業者等による保育の提供の終了後、対象施設において、満３歳以上の児童を受け入れることが可能となるよう、必要に応じて、３歳以上児の定員の拡大や、３歳未満児の定員を３歳以上児の定員に振り替えるなど、満３歳以上の児童の定員の拡大等を図ること。

③　留意事項

本事業の目的に鑑み、実施主体は、管内市町村内にある保育所等に対し、本事業の趣旨等を説明し、家庭的保育事業者等の連携施設となるよう、積極的に働きかけを行うとともに、特に、実施主体が設置する保育所等が連携施設となるように努めること。

(2)　家庭的保育コンソーシアム形成事業

①　対象施設

コンソーシアムに参加する家庭的保育事業所及び連携施設

②　実施方法

市町村は、コンソーシアムに参加する家庭的保育事業所と協定を締結した上で、「コンソーシアムコーディネーター」を配置し、家庭的保育事業所等と円滑な連携を図るとともに、次のア～クのいずれか１つ又は複数の取組を実施する。

ア　共同での備品購入等に関する調整

イ　共同での自園調理等に関する調整

ウ　連携施設からの給食提供等に関する調整

エ　代替保育等に関する調整

オ　家庭的保育補助者の雇用管理等

カ　子どものための教育・保育給付交付金等の請求等の事務処理

キ　各家庭的保育事業所への巡回指導又は相談支援等

ク　その他、家庭的保育事業の円滑な実施に資するもの

③　留意事項

ア　連携施設からの給食提供に関する調整を行う場合等については、必要に応じて連携施設とも協定を締結すること。

イ　コンソーシアムコーディネーターは、家庭的保育者が抱える課題の把握に努めるとともに、課題の解決に資する情報の共有を図ること。

ウ　食事の提供に当たっては、衛生面及び栄養面等業務上必要な注意を果たせる体制を確保し、責任の所在を明確にすること。

5　個人情報の保護

事業に携わる者は、事業により知り得た個人情報等を漏らしてはならないものとする。

また、事業終了後及びその職を退いた後も同様とする。

なお、本事業を実施する市町村が、事業の全部又は一部を委託する場合は、個人情報の保護を十分に遵守させるように指導しなければならない。

6　費用

本事業に要する費用の一部について、国は別に定めるところにより補助するものとする。

（別添３）

医療的ケア児保育支援事業実施要綱

1　事業の目的

人工呼吸器を装着している児童その他の日常生活を営むために医療を要する状態にある児童（以下「医療的ケア児」という。）が、保育所等の利用を希望する場合に、受入れが可能となるよう、保育所等の体制を整備し、医療的ケア児の地域生活支援の向上を図ることを目的とする。

2　実施主体

この事業の実施主体は、都道府県又は市町村（特別区及び一部事務組合を含む。以下同じ。）（以下「都道府県等」という。）とする。

なお、都道府県等が認めた者へ委託等を行うことができる。この場合において、都道府県等は、委託

等先との連携を密にし、事業に取り組むとともに、委託等先から定期的な報告を求めるものとする。

3　事業の内容

都道府県等において保育所等に、認定特定行為業務従事者（社会福祉士及び介護福祉士法（昭和62年法律第30号）附則第10条第1項の認定特定行為業務従事者をいう。以下同じ。）である保育士等や看護師、准看護師、保健師又は助産師（以下「看護師等」という。）を配置し、医療的ケアに従事させることや、保育士等が医療的ケアを行うために必要な研修受講への支援等の取組を行い、保育所等において医療的ケア児の受入れを可能とする体制を整備し、地域生活支援の向上を図る事業。

4　実施方法

(1)　対象児童

子ども・子育て支援法（平成24年法律第65号）第19条第1項第1号から第3号に掲げる小学校就学前子どもに該当する医療的ケア児で、集団保育が可能であると市町村が認めた児童

(2)　対象施設

保育所、認定こども園、家庭的保育事業所、小規模保育事業所及び事業所内保育事業所

(3)　対象事業

医療的ケア児の支援ニーズや地域資源の状況を踏まえ、保健、医療、障害福祉、教育等の関係機関との連携を図り、対象児童の様態や成長に合わせた支援を行うことを前提とした上で、次の①を実施するとともに、②から⑦までの取組を複合的に実施するよう努めること。

①　都道府県等において、医療的ケア児の受入れを行う保育所等に、医療機関との連携の下、認定特定行為業務従事者である保育士等又は看護師等、対象児童の医療的ケアに従事する職員を配置し、医療的ケアを実施する。当該職員は、医療的ケア児の受入れを行うために配置する職員であることから、原則として、本事業の実施年度以降に、新たに医療的ケアに従事する職員として配置した者に限ることとする（ただし、既に配置されている職員であっても、医療的ケアに従事する職員として配置されていると認められる場合を除く）。

なお、医療機関等において雇い上げた看護師等を保育所等に派遣する方法も可能とする。

②　医療的ケア児の受入れを行う保育所等において、保育士等が認定特定行為業務従事者となるために必要な知識、技能を修得するための研修受講を支援する次に掲げる取組を実施する。

ア　保育士等の研修受講に係る費用の補助

イ　保育士等の研修受講に係る代替職員の配置に要する費用の補助（ただし、子どものための教育・保育給付交付金において給付の対象となる保育士1人当たり年間3日分を除く。）

③　医療的ケア児の受入れを行う保育所等において、派遣された看護師等又は認定特定行為業務従事者である保育士等を補助し、医療的ケア児の保育を行う保育士等の加配を行う。

④　都道府県等において、「医療的ケア児保育支援者」を配置し、管内保育所等に対し、医療的ケア児の受入れ等に関する支援・助言を行う。

なお、「医療的ケア児保育支援者」は、看護師等又は喀痰吸引等研修（社会福祉士及び介護福祉士法（昭和62年法律第30号）附則第11条第2項に規定する「喀痰吸引等研修」をいう。）の課程を修了した者の配置に努めること。

⑤　都道府県等において、保育所における医療的ケア児の受入れ等に関するガイドラインの策定を行う。

⑥　都道府県等において、保育所における医療的ケア児の受入れを検討するための検討会等を設置し、関係機関等との連携体制を構築する。

⑦　その他、保育所等における医療的ケア児の受入れに資する事業を実施する。

(4)　留意事項

本事業は、保育所等において、単に(3)①に掲げる医療的ケアを実施することが目的ではなく、都道府県等が、保健、医療、障害福祉、教育等の関係機関とも連携を図り、保育所等における医療的ケア児の受入れを可能とする体制を整備することを目指すものであることを踏まえた上で、次の①から⑥までに掲げる事項について十分留意して実施すること。

①　医療的ケア児の受入れに当たっては、保育所等において児童の様態や成長に合わせた支援を行うため、医師や看護師、都道府県等職員等を含めた検討会議を設け、受入の可否を判断するとともに、保育内容については、医療機関等と連携し、集団における子どもの育ちに着目した指導計画及び支援計画を作成するなど、適切な保育の実施につなげること。

②　医療的ケア児の受入れの検討に当たっては、単に医療的ケアの観点だけでなく、障害特性に応じた支援が必要となる場合があることにも留意し、関係機関等とも連携した支援体制について検討を行うこと。

③　医療的ケア児の受入れを行う保育所等においては、対象児童の主治医及び保護者等との協議の上、緊急時の対応についてあらかじめ文書により取り決めを行うこと。

④　保健、医療、障害福祉、教育機関等の関係機関との連携の下、訪問指導や健康診査等の母子保健施策又は保育コンシェルジュ等の活用も図りながら、医療的ケア児の保育ニーズを適切に把握し、必要に応じて保育所等の利用についての情報提供の在り方についても検討することが望ましい。

⑤　保育所等における医療的ケア児の受入れを可能とする体制の整備に当たっては、医療的ケア児の支援ニーズや地域資源の状況を踏まえつつも、対象児童の地域生活を支援するという観点にも十分留意した上で取り組むこと。

⑥　⑶①により、医療的ケアに従事する職員を配置した保育所等は、受入れの応諾義務があることを踏まえ、医療的ケア児の適切な受入れを行うこと。

5　医療的ケア児受入体制整備計画書兼実績報告書の作成

本事業を実施する都道府県等においては、保育所等における医療的ケア児の受入れを可能とする体制を整備することを目指すため、医療的ケア児の保育ニーズを踏まえた上で、別紙「医療的ケア児受入体制整備計画書兼実績報告書」（以下「整備計画書兼実績報告書」という。）を作成し、別に定める本事業の補助に係る交付申請書及び変更交付申請書の添付資料として提出すること。また、整備計画書兼実績報告書に当該年度の実績を記載した上で、補助に係る実績報告書の添付資料として提出すること。

6　個人情報の保護

事業に携わる者は、事業により知り得た個人情報等を漏らしてはならないものとする。

また、事業終了後及びその職を退いた後も同様とする。

なお、本事業を実施する都道府県等が、事業の全部又は一部を委託する場合は、個人情報の保護を十分に遵守させるように指導しなければならない。

7　費用

国は、上記４⑶に掲げる事業に要する費用の一部について、別に定めるところにより補助するものとする。

なお、当年度の３年後の医療的ケア児の受入人数（見込み）が、保育所等の利用を希望する人数（見込み）を上回る整備計画書兼実績報告書を策定する都道府県等については、国の補助の負担割合の嵩上げ措置を行うものとする。

（別添３別紙）

令和５年度医療的ケア児受入体制整備計画書兼実績報告書

都道府県・市町村名：

①　保育所等の利用を希望する１号・２号・３号認定児童の医療的ケア児数

（単位：人数）

	令和４年度	令和５年度	令和６年度	令和７年度	令和８年度
見込み					❶
実績					
うち、受入人数					

（記載上の注意）
・「保育所等の利用を希望する１号・２号・３号認定児童の医療的ケア児数」は、子ども・子育て支援法第19条第１項第１号、第２号又は第３号に掲げる小学校就学前子どもに該当する医療的ケア児で、集団保育が可能であると市町村が認めた児童のうち、保育所等の利用を希望する児童数をいう。
ただし、令和４年度については、２号・３号認定児童に係る児童数を入力すること（以下同じ）。
・交付申請（変更交付申請）時は、令和４年度の実績及び令和５年度以降の見込みを記載すること。
・実績報告時は、令和５年度の実績を記載すること。
・「うち、受入人数」欄には、「保育所等の利用を希望する１号・２号・３号認定児童の医療的ケア児数」のうち、保育所等において実際に受入を行った人数を記載すること。

②　医療的ケア児の受入れを行う保育所等に関する取組
（令和５年度）

<table>
<tr><td rowspan="2">対象施設名</td><td rowspan="2">施設種別</td><td rowspan="2">法人種別</td><td rowspan="2" colspan="2">医療的ケア児
受入人数</td><td colspan="4">医療的ケアを実施する職員配置</td></tr>
<tr><td colspan="2">看護師等</td><td colspan="2">保育士等</td></tr>
<tr><td rowspan="2"></td><td rowspan="2"></td><td rowspan="2"></td><td>見込み</td><td>人</td><td>見込み</td><td>人</td><td>見込み</td><td>人</td></tr>
<tr><td>実績</td><td>人</td><td>実績</td><td>人</td><td>実績</td><td>人</td></tr>
<tr><td colspan="9">医療的ケア児の受入体制整備のための具体的な取組</td></tr>
</table>

（計画）
（実績）

対象施設名	施設種別	法人種別	医療的ケア児受入人数		医療的ケアを実施する職員配置			
					看護師等		保育士等	
			見込み	人	見込み	人	見込み	人
			実績	人	実績	人	実績	人
医療的ケア児の受入体制整備のための具体的な取組								
（計画）								
（実績）								

対象施設名	施設種別	法人種別	医療的ケア児受入人数		医療的ケアを実施する職員配置			
					看護師等		保育士等	
			見込み	人	見込み	人	見込み	人
			実績	人	実績	人	実績	人
医療的ケア児の受入体制整備のための具体的な取組								
（計画）								
（実績）								

（記載上の注意）
・本事業により医療的ケア児の受入体制を整備する施設ごとに記載すること。
・対象施設が４施設以上ある場合は、適宜記載欄を追加すること。
・交付申請（変更交付申請）時は、５年度の見込み（計画）を記載すること。
・実績報告時は、５年度の実績を記載すること。
（令和６年度～８年度）

令和６年度	医療的ケア児受入施設数		医療的ケア児受入人数		医療的ケアを実施する職員配置			
					看護師等		保育士等	
	見込み	か所	見込み	人	見込み	人	見込み	人
令和７年度	医療的ケア児受入施設数		医療的ケア児受入人数		医療的ケアを実施する職員配置			
					看護師等		保育士等	
	見込み	か所	見込み	人	見込み	人	見込み	人
令和８年度	医療的ケア児受入施設数		医療的ケア児受入人数		医療的ケアを実施する職員配置			
					看護師等		保育士等	
	見込み	か所	見込み	❷　人	見込み	人	見込み	人
（受入体制整備方針）								

（記載上の注意）
・交付申請（変更交付申請）時に記載すること。

③　医療的ケア児の受入れに関する都道府県等の取組

（令和５年度）

医療的ケア児の受入に関する具体的な取組
（計画）
（実績）

（記載上の注意）

・交付申請（変更交付申請）時は、５年度の計画を記載すること。
・実績報告時は、５年度の実績を記載すること。

④　国の補助の負担割合の嵩上げ措置の適用の可否

⑴　令和８年度の保育所等の利用を希望する人数（見込み）	人	…ア
⑵　令和８年度の医療的ケア児の受入人数（見込み）	人	…イ

（記載上の注意）
・⑴には、❶の人数を記載すること。
・⑵には、❷の人数を記載すること。

負担割合の嵩上げ措置の適用（「適用」又は「適用外」）	

（記載上の注意）
・イの人数が、アの人数以上である場合には「適用」と記載することができる。

（別添４）

家庭支援推進保育事業実施要綱

１　目的

日常生活における基本的な習慣や態度のかん養等について、家庭環境に対する配慮など保育を行う上で特に配慮が必要とされる児童が多数入所している保育所等に対し、保育士の加配を行うことにより入所児童の処遇の向上を図ることを目的とする。

２　実施主体

実施主体は市町村（特別区を含む。以下同じ。）又は市町村が認めた者とする。

なお、市町村が適当と認める者へ委託等を行うことができる。

３　対象児童

本事業の対象児童は、日常生活における基本的な習慣や態度のかん養等に配慮が必要な家庭や、外国人子育て家庭について、家庭環境に対する配慮など保育を行う上で特に配慮が必要な家庭における保育所等入所児童であること。

４　対象保育所

本事業の対象保育所等は、３に該当する児童が入所児童の40％以上である保育所等とする。

なお、３に該当する児童であるかについては、市町村が児童の状況や家庭環境について保育所長等の意見を参考としながら、総合的な観点から判断すること。

５　事業の内容

事業の内容は次のとおりとする。

⑴　対象保育所等に対し、児童福祉施設の設備及び運営に関する基準（昭和23年厚生省令第63号）第33条第２項及びその他の補助金等の配置基準に規定する職員のほか本事業の実施のために必要な保育士を配置すること。

⑵　対象保育所等のうち、外国人子育て家庭の児童が20％以上である保育所等については、保育士または外国人子育て家庭の児童に対する支援を適切に実施できる職員を配置することができる。

なお、外国人子育て家庭の児童に対する支援を適切に実施できる職員を市町村等に配置し、適宜必要な保育所に巡回し支援を実施することも可能とする。

⑶　⑴及び⑵により配置された保育士等は、３に該当する児童に対する指導計画を作成し、計画的に保育に当たるとともに、定期的に家庭訪問をするなど家庭に対する指導を行うこと。

６　留意事項

認定こども園において本事業を実施する場合であって、子ども・子育て支援法第19条第１項第１号に掲げる小学校就学前子どもに該当する児童のうち、特に配慮が必要な家庭の児童の受入れを行っている場合には、本事業により配置した保育士が、当該児童に対する５⑵の業務を実施することは差し支えないこと。

７　国の補助

本事業に要する費用の一部について、国は別に定めるところにより補助するものとする。

（別添５）

広域的保育所等利用事業実施要綱

１　事業の目的

送迎バス等を活用することにより、自宅から遠距離にある以下の⑴～⑽の施設・事業（以下「保育所等」という。）の利用を可能にするとともに、保育所等から遠距離にある屋外遊戯場に代わる場所（公園、広場、神社境内等。以下同じ。）の利用を可能とすることにより、児童の保育環境を確保し、児童を安心して育てることができるような体制整備を行うことを目的とする。

⑴　保育所
⑵　認定こども園
⑶　小規模保育事業

(4) 家庭的保育事業
(5) 事業所内保育事業
(6) 地方自治体における単独保育施策において児童を保育している施設
(7) 国庫補助事業による認可化移行運営費支援事業、幼稚園における長時間預かり保育運営費支援事業の補助を受けている施設
(8) 子ども・子育て支援法（平成24年法律第65号）第59条の２に規定する仕事・子育て両立支援事業に係る企業主導型保育事業を実施している施設
(9) 特定教育・保育施設として確認を受けた幼稚園（子ども・子育て支援法第19条第１項第２号若しくは同項第３号の区分に係る認定を受けた児童を受け入れる施設又は一時預かり事業（幼稚園型）若しくは私学助成等により預かり保育を実施している施設に限る。）
(10) 特定教育・保育施設として確認を受けていない幼稚園であって一時預かり事業（幼稚園型）又は私学助成等により預かり保育を実施している施設

2　事業の内容

本事業は、保育所等又は屋外遊戯場に代わる場所への児童の送迎の実施に当たって必要となる次の(1)～(3)に掲げる経費について補助を行うものである。

ただし、保育士等の雇上げに係る経費について、子ども・子育て支援法第11条に規定する子どものための教育・保育給付やその他の事業により、その経費が交付される場合には、補助の対象としない。

(1) こども送迎センター等事業

①　こども送迎センター事業

保護者にとって利便性の良い場所にある学校や児童館などに市町村が設置するこども送迎センター（以下「送迎センター」という。）から各保育所等への児童の送迎が可能となるよう必要なバス等の購入費または運行費、当該バス等の運転手雇上費、駐車場の賃借料、送迎センターの実施場所の賃借料及び児童の送迎時に付き添う保育士等の雇上費等の補助を行う。

②　自宅等送迎事業

児童の自宅又は自宅近くの安全に待機できる場所から、各保育所等への児童の送迎が可能となるよう必要なバス等の購入費または運行費、当該バス等の運転手雇上費、駐車場の賃借料及び児童の送迎時に付き添う保育士等の雇上費等の補助を行う。

(2) 代替屋外遊戯場送迎事業

保育所等と同一敷地内の屋外遊戯場又は保育所等の付近にある屋外遊戯場に代わる場所で十分な活動ができないおそれがある場合、各保育所等から遠距離にある屋外遊戯場に代わる場所への児童の送迎が可能となるよう必要なバス等の購入費または運行費、当該バス等の運転手雇上費、駐車場の賃借料及び児童の送迎時に付き添う保育士等の雇上費等の補助を行う。

(3) こども送迎センター設置改修事業

(1)の事業を実施するために既存の建物を改修してこども送迎センターを設置する場合、建物の改修に必要な経費の補助を行う。

3　実施主体

実施主体は、市町村（特別区含む。以下同じ。）とする。

なお、市町村が認めた者へ委託等を行うことができる。

4　実施要件

(1) こども送迎センター等事業

①　こども送迎センター事業

ア　対象児童は、市町村が定める基準に基づく保育の必要性の認定を受けた児童であって、居住地と入所可能な保育所等が離れている等、送迎が必要な児童とする。

イ　対象児童は、本事業の利用に際し事前に市町村に登録し、当該児童の利用保育所等を決めること。また、複数の保育所等の共同利用、単独の保育所等の利用のどちらも事業の対象とし、複数の保育所等の共同利用の場合、市町村の圏域を越えた利用もできること。

ウ　対象児童が本事業を利用する時間は、当該児童が在籍する保育所等ごとに、送迎付き添い保育士等を配置し、原則、児童の在籍する保育所等の保育士等が保護者から児童を預かること。ただし、必要な場合は送迎センターに保育士等を配置することも可とする。

エ　送迎センターを開所している間については、本要綱に定める他、「認可外保育施設に対する指導監督の実施について（平成13年３月29日厚生労働省雇用均等・児童家庭局長通知）」に定める「認可外保育施設指導監督基準」を参考に、安全かつ安心な預かりができる施設の設備及び職員の配置等により送迎センターでの預かりを行うこと。

オ　送迎センターの開所時間は、午前２時間、午後３時間を原則とし、その地域における対

象児童の保護者の労働時間、送迎先保育所等の開所時間及び送迎に要する時間等を考慮して、市町村の長が定めること。

カ　送迎センターの実施場所は、保護者が利用しやすい場所を考慮し、継続的な使用が確保される公共施設の空き部屋等を利用することも差し支えない。

ただし、公共施設の空き部屋等を利用して本事業を実施する場合においても、児童福祉施設の設備及び運営に関する基準（昭和23年厚生省令第63号）第32条第８号の基準を満たすこと。

キ　送迎方法・経路の設定に当たっては、児童の安全・保育活動に与える影響を十分に考慮すること。

ク　児童の生活状況、健康状態、事故の発生などについて、送迎センター、保護者、保育所等間で密接な連絡が取れる体制を整えること。

ケ　児童の乗車及び降車の際に、点呼その他の児童の所在を確実に把握することができる方法により、児童の所在を確認すること。

コ　送迎バス等には、ブザーその他の車内の児童の見落としを防止する装置（以下「ブザー等」という。）を備え、これを用いてケに定める所在の確認（児童の降車の際に限る。）を行うこと。

なお、ブザー等を備えること及びこれを用いることにつき困難な事情があるときは、令和６年３月31日までの間、ブザー等を備えないことができる。ただし、可能な限り令和５年６月末までに備えるよう努めることとし、ブザー等を備えるまでの間についても、送迎における安全管理を徹底するとともに、例えば、運転席に確認を促すチェックシートを備え付けるとともに、車体後方に児童の所在確認を行ったことを記録する書面を備えるなど、児童が降車した後に運転手等が車内の確認を怠ることがないようにするための所要の代替措置を講ずること。

サ　自家用車で送迎を行う場合であって、保護者から運行に必要な経費の一部又は全部を徴収するときは、道路運送法（昭和26年法律第183号）第78条第３号の有償運送の許可が必要であること。

シ　保育所等の児童の送迎に支障のない限りにおいて、送迎センターから子ども・子育て支援法第59条に規定する地域子育て支援事業（同項第１号、第９号、第10号（上記１の⑼又は⑽に該当する場合を除く。）又は第12号に規定する事業に限る。）を実施している施設への児童の送迎を行うことは差し支えないこと。

②　自宅等送迎事業

ア　対象児童は、市町村が定める基準に基づく保育の必要性の認定を受けた児童であって、居住地と入所可能な保育所等が離れている等、送迎が必要な児童とする。

イ　対象児童は、本事業の利用に際し事前に市町村に登録し、当該児童の利用保育所等を決めること。また、複数の保育所等の共同利用、単独の保育所等の利用のどちらも事業の対象とし、複数の保育所等の共同利用の場合、市町村の圏域を越えた利用もできること。

ウ　対象児童が本事業を利用する時間は、当該児童が在籍する保育所等ごとに、送迎付き添い保育士等を配置し、原則、児童の在籍する保育所等の保育士等が保護者から児童を預かること。

エ　送迎方法・経路及び待機場所の設定に当たっては、児童の安全・保育活動に与える影響を十分に考慮すること。

オ　児童の生活状況、健康状態、事故の発生などについて、保護者、保育所等間で密接な連絡が取れる体制を整えること。

カ　児童の乗車及び降車の際に、点呼その他の児童の所在を確実に把握することができる方法により、児童の所在を確認すること。

キ　送迎を行う自動車には、ブザーその他の車内の児童の見落としを防止する装置（以下「ブザー等」という。）を備え、これを用いて前項に定める所在の確認（児童の降車の際に限る。）を行うこと。

なお、ブザー等を備えること及びこれを用いることにつき困難な事情があるときは、令和６年３月31日までの間、ブザー等を備えないことができる。ただし、可能な限り令和５年６月末までに備えるよう努めることとし、ブザー等を備えるまでの間についても、送迎における安全管理を徹底するとともに、例えば、運転席に確認を促すチェックシートを備え付けるとともに、車体後方に児童の所在確認を行ったことを記録する書面を備えるなど、児童が降車した後に運転手等が車内の確認を怠ることがないようにするための所要の代替措置を講ずること。

ク　自家用車で送迎を行う場合であって、保護者から運行に必要な経費の一部又は全部を徴収するときは、道路運送法第78条第３号の有償運送の許可が必要であること。

(2)　代替屋外遊戯場送迎事業

①　対象児童は、屋外遊戯場に代わる場所を利用するために送迎が必要な児童とする。

②　保育所等は、本事業により利用する屋外遊戯場に代わる場所を、本事業の利用に際し事前に市町村に登録すること。また、本事業については、複数の保育所等の共同利用、単独の保育所等の利用のどちらも事業の対象とし、複数の保育所等の共同利用の場合、市町村の圏域を越えた利用もできること。

③　保育所等ごとに、在籍する児童が当該事業を利用する時間は、送迎付き添い保育士等を配置すること。

④　屋外遊戯場に代わる場所については、必要な面積があり、屋外活動に当たって安全が確保されていること。具体的には、面積は児童１人につき3.3㎡以上であり、児童福祉施設の設備及び運営に関する基準（昭和23年厚生省令第63号）又は家庭的保育事業等の設備及び運営に関する基準（平成26年厚生労働省令第61号）等、保育所等がそれぞれ遵守すべき施設の設備及び職員の配置等に関する基準を遵守すること。

あわせて、屋外遊戯場に代わる場所については、本事業の送迎により、保育所等の在園児が日常的に使用できる距離とし、移動に当たって安全が確保されていること。

⑤　屋外遊戯場に代わる場所については、保育所等の関係者が所有権、地上権、賃借権等の権限を有する必要はなく、所有権等を有する者が地方公共団体又は公共的団体の他、地域の実情に応じて信用力の高い主体等、保育所等による安定的かつ継続的な使用が確保されると認められる主体であれば足りること。

⑥　送迎方法・経路の設定に当たっては、児童の安全・保育活動に与える影響を十分に考慮すること。

⑦　児童の生活状況、健康状態、事故の発生などについて、保護者、保育所等間で密接な連絡が取れる体制を整えること。

⑧　自家用車で送迎を行う場合であって、保護者から運行に必要な経費の一部又は全部を徴収するときは、道路運送法第78条第３号の有償運送の許可が必要であること。

5　留意事項

本事業の実施に当たっては、複数児童の利用見込みがあるなど、地域のニーズを適切に把握した上で実施すること。

また、保育所等のうち、上記１の(6)～(10)の施設・事業において、単独の施設等の利用により本事業を実施する場合については、「『待機児童解消に向けて緊急的に対応する施策について』の対応方針について」（平成28年４月７日雇児発0407第２号）に基づき、待機児童解消に向けて緊急的に対応する取組を実施する市町村であることが要件であること。

ただし、この場合であっても、上記１の(10)の施設については、単独の施設等の利用により本事業を実施することはできず、上記１の(1)～(9)の施設・事業との共同利用により本事業を実施すること。

6　費用

本事業に要する費用の一部について、国は別に定めるところにより補助するものとする。

（別添６）

待機児童対策協議会推進事業実施要綱

1　目的

待機児童対策協議会（以下、「協議会」という。）を設置した都道府県に対し、市町村（特別区及び一部事務組合を含む。以下同じ。）の区域を超えた広域的な見地による調整等を行う職員を配置することにより、待機児童対策の一層の推進を図ることを目的とする。

2　実施主体

実施主体は、協議会を設置した都道府県とする。

なお、都道府県が認めた者へ委託等を行うことができる。

3　事業の内容

都道府県に対し、市町村の区域を超えた子どもの受入れのための広域利用に係る協定締結や保育対策関係事業の好事例の横展開等を行う職員の雇上げに必要な費用の一部を補助する。

4　実施要件

ア　本事業により配置された職員は、協議会における業務のみを行う職員であること。

イ　他の補助金等により人件費の補助が行われてい

る職員については、本事業の補助対象とはしない。

5　個人情報の保護

本事業により配置された職員は、事業により知り得た個人情報等を漏らしてはならないものとする。

また、事業終了後及びその職を退いた後も同様とする。

6　費用

本事業に要する費用の一部について、国は別に定めるところにより補助するものとする。

（別添７）

新たな待機児童対策提案型事業実施要綱

1　目的

待機児童対策協議会（以下、「協議会」という。）に参加する地方公共団体が、地域の実情に応じ、待機児童解消等に向けた先駆的な取組を実施することにより、待機児童対策の一層の推進を図ることを目的とする。

2　実施主体

実施主体は、協議会を設置した都道府県又は協議会に参加し、かつ子ども・子育て支援法施行規則の一部を改正する内閣府令附則第８条（平成30年内閣府令第21号）に該当する市町村（特別区及び一部事務組合を含む。）（以下、「都道府県等」という。）又は都道府県等が認めた者とする。

なお、都道府県等が認めた者へ委託等を行うことができる。この場合において、都道府県等は、委託等先との連携を密にし、事業に取り組むとともに、委託等先から定期的な報告を求めるものとする。

3　事業の内容

都道府県等が提案する待機児童解消等に向けた先駆的な取組であって、厚生労働省が適当と認めた事業について採択を行い、当該事業の実施に必要な費用を補助する。

4　実施要件

(1)　対象事業

本事業は、以下のいずれかに該当する事業で、協議会に諮ったものを対象とする。

①　保育の受け皿拡大を図る事業

②　保育人材の確保を図る事業

③　多様な保育の促進を図る事業

④　その他、特に待機児童解消に資すると考えられる事業

(2)　対象外の事業

以下のいずれかに該当する事業については、本事業の対象としないものとする。

①　国庫補助等の対象である事業、又は国庫補助等の対象である事業の補助金額等の上乗せや補助対象の拡大に当たる事業

②　過去に一般財源化された国庫補助事業等

③　前年度までに取組実績のある既存の地方単独事業（既存事業の実施箇所数の増等を含む）

④　認可外保育施設であって、認可保育所等への移行を目指していない施設を対象とした事業

⑤　現金給付等（バウチャー等を含む）を行う事業

⑥　前年度までに本事業を活用して実施した事業（ただし、当該事業の取組の効果や目的が単年度の実施では確認できない等の事情がある場合を除く）

(3)　評価指標（ＫＰＩ）の設定等

①　事業の実施にあたり、来年度４月１日時点の待機児童数をゼロにする（当該年度に待機児童が存在しない場合は、次年度においてそれを維持する）ことを評価指標（ＫＰＩ）として必ず設定すること。

あわせて提案する事業に関連した評価指標（ＫＰＩ）を設定すること。

②　評価指標（ＫＰＩ）は、都道府県等のホームページ等により、事業の取組内容等とともに公表するなど「見える化」を行うこと。

③　①により設定した評価指標（ＫＰＩ）を達成できなかった場合は、その要因を分析し、国に報告すること。なお、政策効果が低いと認められる場合は、補助金を返還させることがある。

(4)　事業周知のための広報媒体の作成

①　実施した取組を全国的に展開できるよう広報媒体を作成すること。

②　広報媒体については、全国会議（部局長会議等）や厚生労働省ホームページにおいて公表する場合があること。

5　事業の採択及び実施状況報告について

(1)　上記４(1)に掲げる事業を実施する都道府県等は、別に定める募集要領により応募すること。提案された事業について、厚生労働省による事前の審査を経て採否を決定するものとする。

(2)　事業を実施した都道府県等は、実施状況について、別に定める募集要領により翌年度４月10日までに国に報告すること。

6　個人情報の保護

事業に携わる者は、事業により知り得た個人情報等を漏らしてはならないものとする。

また、事業終了後及びその職を退いた後も同様とする。

なお、本事業を実施する都道府県等が、事業の全部又は一部を委託する場合は、個人情報の保護を十分に遵守させるように指導しなければならない。

7　費用

本事業に要する費用について、国は別に定めるところにより補助するものとする。

（別添８）

保育所等における要支援児童等対応推進事業実施要綱

1　事業の目的

保育所、認定こども園、小規模保育事業所（以下「保育所等」という。）において、保育士等が有する専門性を活かした保護者の状況に応じた相談支援などの業務を行う地域連携推進員の配置を促進し、保育所等における要支援児童、要保護児童及びその保護者（以下「要支援児童等」という。）の対応や関係機関との連携の強化、運営の円滑化を図ることを目的とする。

2　実施主体

この事業の実施主体は、児童福祉法第25条の２に基づく、要保護児童対策地域協議会を設置し、構成する関係機関等に保育所等の関係者が参加している市町村（特別区を含む。以下同じ。）及び都道府県（以下「市町村等」という。）とする。

なお、市町村等が認めた者へ委託等を行うことができる。

3　事業内容

(1)　地域連携推進員の配置

保育所等に、要支援児童等への適切な支援や関係機関等との関係性の構築を図るための「地域連携推進員」を配置する。

地域連携推進員を配置する保育所等には、保護者が気軽に相談できる身近な相談場所としての役割が求められることから、(2)①に掲げる業務については、当該保育所等において実施することを原則とするが、当該保育所等からの距離等を勘案し、保護者への日常的かつ効果的な相談支援が実施できると市町村等が認める場合には、適切な場所において実施することができる。

(2)　地域連携推進員の業務

地域連携推進員は、次の業務を行うものとする。

①　保育士等が有する専門性を活かした保護者の状況に応じた相談支援

②　市町村や関係機関と連携し、要支援児童等の心身の状態や家庭での生活、養育の状態等の適切な把握及び情報の共有

③　要保護児童対策地域協議会が開催する個別ケース検討会議に参加し、関係機関への情報の提供及び支援方針や具体的な支援内容の共有

④　保育所等における要支援児童等の出欠状況等について、市町村や児童相談所への定期報告の実施

⑤　他の保育所等や事業所内保育事業、家庭的保育事業、居宅訪問型保育事業及び企業主導型保育事業を実施している施設への巡回支援

⑥　子育て支援や虐待予防の取組等に資する地域活動への参加等の実施

(3)　地域連携推進員の要件

地域連携推進員は、以下に掲げる要件のいずれかを満たしている者とする。

①　保育士

②　社会福祉士又は精神保健福祉士の資格を有する者

③　保健師

④　看護師

⑤　その他、本事業を適切に実施できる者として実施主体が認めた者

4　個人情報の保護

事業に携わる者は、事業により知り得た個人情報等を漏らしてはならないものとする。

また、事業終了後及びその職を退いた後も同様とする。

なお、本事業を実施する市町村等が、事業の全部又は一部を委託する場合は、個人情報の保護を十分に遵守させるように指導しなければならない。

5　費用

本事業に要する費用の一部について、国は別に定めるところにより補助するものとする。

（別添９）

こども誰でも通園制度（仮称）の本格実施を見据えた試行的事業実施要綱

1　事業の目的

全てのこどもの育ちを応援し、こどもの良質な成育環境を整備するとともに、全ての子育て家庭に対して、多様な働き方やライフスタイルにかかわらない形での支援を強化するため、現行の幼児教育・保育給付に加え、月一定時間までの利用可能枠の中で、就労要件を問わず時間単位で柔軟に利用できる新たな通園給付（「こども誰でも通園制度（仮称）」）

の創設を見据え、試行的事業を実施する。

2　実施主体

この事業の実施主体は、市町村（特別区及び一部事務組合を含む。以下同じ。）とする。

なお、市町村は、適切に事業を実施できると認めた者（以下「委託等先」という。）に委託等を行うことができる。

この場合において、市町村は、委託等先との連携を密にし、事業に取り組むとともに、委託等先から定期的な報告を求めるものとする。

3　実施方法

⑴　対象となるこども

保育所、幼稚園、認定こども園、地域型保育事業等に通っていない０歳６か月～満３歳未満とする。認可外保育施設に通っている０歳６か月～満３歳未満は対象とするが、企業主導型保育事業所に通っている０歳６か月～満３歳未満は対象外とする。

障害児を受け入れる施設において、当該障害児が利用した場合に職員配置基準に基づく職員配置以上に保育従事者を配置する場合には、3⑺⑤に定める加算を適用する。なお、障害児とは、市町村が認める障害児とし、身体障害者手帳等の交付の有無は問わない。医師による診断書や巡回支援専門員等障害に関する専門的知見を有する者による意見提出など障害の事実が把握可能な資料をもって確認しても差し支えない。

（注）　本格実施においては、全ての対象となるこどもが利用可能となるよう3⑵の多様な事業者において受け入れることを考慮しつつ、試行的事業については、市町村ごとの補助総額を参考に、対象とする利用者の属性や対象地域などを設定しても差し支えない。

⑵　実施場所

保育所、認定こども園、小規模保育事業所、家庭的保育事業所、幼稚園、地域子育て支援拠点、児童発達支援センター等

（注）　幼稚園については、私学助成を含め、施設型給付を受ける園であるかどうかを問わない。

（注）　「等」は駅前等の利便性の高い場所や空き店舗などを想定。

⑶　事業内容

以下の①から⑤を実施するものとする。

①　利用方法と実施方法

定期利用もしくは自由利用又は定期利用と自由利用の組み合わせなど、市町村や事業所において利用方法を選択して実施することとして差し支えない。また、実施方法については、一般型（在園児合同）、一般型（専用室独立実施）、余裕活用型など、実施する事業者の創意工夫により様々な形で実施することとして差支えない。

ア　市町村は事業を実施する事業所を決定するとともに、管内の対象となるこどもを確認する。

イ　対象となるこどもの通園においては、１人当たり「月10時間」を上限として実施する。

（注）　月10時間の管理については、別紙１の内容を参考に行うこと。

ウ　対象となる事業所の開所の日数に関しては、ニーズや受入体制を鑑み適切に設定する。

エ　親子通園は、慣れるまで時間がかかるこどもへの対応として有効であり、また、利用が初めての場合は初回に親子通園を取り入れることで親子の様子を見ることができ、事前面談の代わりにもなるという観点からも、親子にとっても保育者にとっても安心につながることから、可能とする。

（注）　親子通園が長期間続く状態にならないようにすることや、利用の条件とならないように留意すること。

オ　市町村は、本事業を実施する事業所の状況を踏まえ、配慮が必要なこどもやその保護者が当該事業を円滑に利用できるよう配慮を行う。

（注）　対象となる家庭は以下を想定している。

・ひとり親家庭
・生活保護世帯
・虐待またはＤＶのおそれがあることに該当する場合など、社会的養護が必要な場合
・こどもが障害を有する場合
・その他、保護者や兄弟姉妹の疾病・障害の状況を考慮する場合

カ　事業所は、利用可能枠の範囲において利用の申し込みがあった場合には、当該こどもの受け入れをしなければならない。ただし、職員配置及び事業所の機能等の正当な理由により事業の提供が困難である場合には、その具体的な理由とともに市町村に報告しなければならない。

(注) 正当な理由か否かの判断は、市町村が当該事業所及び利用者の状況を総合的に判断して行う。

キ 集団におけるこどもの育ちに着目した支援計画を必要に応じて作成し、日々の保育の状況を記録する。

ク 対象となるこどもを養育する保護者に対して必要に応じて面談や子育てのアドバイスを行うほか、実際に目の前で育児の様子を見てもらう機会を設ける。

ケ 事業所が、利用中に配慮が必要であると確認した家庭については、市町村に報告するとともに、市町村と協力し、関係機関との連携に努めること。

② 指導監督

市町村が、事業を実施する事業所及び事業を実施しようとする事業所の指導監督を行うため、市町村に人員を配置した場合には、別に定めるところにより補助を行う。

ア 事業を実施する事業所を巡回し、事業所からの相談を受け付けるとともに、適正な事業の実施に係るアドバイスを行う。

イ 事業を実施しようとする事業所に対して、事業の意義や目的を正確に伝えるとともに、事業に係る規定の整備や職員の確保等に係るアドバイスを行う。

ウ 事業所からの相談事項や事業所にアドバイスした内容をとりまとめ、市町村の所管課への報告を行う。

③ 賃借料補助

事業を、民家・アパート等を活用して、令和5年12月以降に新たに実施した又は実施する場合に必要な賃借料(開所前月分の賃借料及び礼金を含む。)を支弁する場合には、別に定めるところにより補助を行う。

(注) 既存施設の一部を共用して事業を実施する場合は、賃借料補助の対象外。ただし、当該部分を切り離して、共用せずに誰でも通園事業所を開所する場合は賃借料補助の対象。

④ 検証

本事業は、本格実施を見据えた試行的事業であるため、事業を実施する市町村及び3(3)①を実施する事業所においては、事業の利用状況、効果や課題、利用者や保育者の声などについて情報収集を行う。

こども家庭庁では、定期的に本事業に係るアンケート調査を行うことを想定しているので、積極的な協力を行うこと。

⑤ 実績報告

市町村は、本事業の実績等について、別途示す実績報告書により報告すること。また、中間的に状況の報告を求める予定である。

(4) 設備基準及び保育の内容

① 次のア～オの施設等のうち、当該施設等に係る利用児童数が利用定員総数に満たない場合、「一時預かり事業の実施について(令和6年3月30日5文科初第2592号・こ成保第191号通知)」4(4)③(余裕活用型の実施基準)に定める児童福祉法施行規則(昭和23年厚生省令第11号。以下「規則」という。)第36条の35第1項第3号に定める設備及び運営に関する基準等を遵守すること。

ア 児童福祉法(昭和22年法律第164号)第39条第1項に規定する保育所。

イ 就学前の子どもに関する教育、保育等の総合的な提供の推進に関する法律(平成18年法律第77号)第2条第6項に規定する認定こども園。

ウ 家庭的保育事業等の設備運営基準第22条に規定する家庭的保育事業所。

エ 家庭的保育事業等の設備運営基準第28条、第31条及び第33条に規定する小規模保育事業所。

オ 家庭的保育事業等の設備運営基準第43条及び第47条に規定する事業所内保育事業所。

② ①以外の保育所、認定こども園、家庭的保育事業所、小規模保育事業所、又は幼稚園、地域子育て支援拠点、児童発達支援センター等において実施する場合、「一時預かり事業の実施について(令和6年3月30日5文科初第2592号・こ成保第191号通知)」4(1)③(一般型の設備基準及び保育の内容)に定める規則第36条の35第1項第1号イ、ニ及びホに定める設備及び保育の内容に関する基準を遵守すること。

(5) 職員の配置

① 次のア～オの施設等のうち、当該施設等に係る利用児童数が利用定員総数に満たない場合、「一時預かり事業の実施について(令和6年3月30日5文科初第2592号・こ成保第191号通知)」4(4)③(余裕活用型の実施基準)に定める児童福祉法施行規則(昭和23年厚生省令第11号。以下「規則」という。)第36条の35第1項第3号に定める設備及び運営に関する基準等を

遵守すること。

ア　児童福祉法（昭和22年法律第164号）第39条第１項に規定する保育所。

イ　就学前の子どもに関する教育、保育等の総合的な提供の推進に関する法律（平成18年法律第77号）第２条第６項に規定する認定こども園。

ウ　家庭的保育事業等の設備運営基準第22条に規定する家庭的保育事業所。

エ　家庭的保育事業等の設備運営基準第28条、第31条及び第33条に規定する小規模保育事業所。

オ　家庭的保育事業等の設備運営基準第43条及び第47条に規定する事業所内保育事業所。

②　①以外の保育所、認定こども園、家庭的保育事業所、小規模保育事業所又は幼稚園、地域子育て支援拠点、児童発達支援センター等において実施する場合、「一時預かり事業の実施について（令和６年３月30日５文科初第2592号・こ成保第191号通知）」４⑴④（一般型の職員の配置）に定める基準を遵守すること。

（注）　規則第36条の35第１項第１号ロ及びハの規定に基づき、乳幼児の年齢及び人数に応じ、専ら当該一般型一時預かり事業に従事する職員として、当該乳幼児の処遇を行う者（以下「保育従事者」という。）を配置し、そのうち保育士を１／２以上とすること。

当該保育従事者の数は２名を下ることはできないこと。ただし、保育所等と一体的に事業を実施し、当該保育所等の職員（保育従事者に限る。）による支援を受けられる場合には、保育士１名で処遇ができる乳幼児数の範囲内において、保育従事者を保育士１名とすることができること。

また、１日当たり平均利用児童数（年間延べ利用児童数を年間開所日数で除して得た数をいう。以下同じ。）がおおむね３人以下である場合には、家庭的保育者（児童福祉法（昭和22年法律第164号）第６条の３第９項第１号に規定する家庭的保育者をいう。以下同じ。）を、保育士とみなすことができる。これに加え、１日当たり平均利用児童数がおおむね３人以下であることに加え、保育所等と一体的に事業を運営し、当該保育所等を利用している乳幼児と同一の場所において当該一般型一時預かり事業を実施する場合であって、当該保育所等の保育士による支援を受けられる場合には、保育士１名で処遇ができる乳幼児数の範囲内において、保育従事者を「子育て支援員研修事業の実施について」（令和６年３月30日こ成環第111号・こ支家第189号通知）の別紙「子育て支援員研修事業実施要綱」の５⑶アに定める基本研修及び５⑶イ㈠に定める「一時預かり事業」又は「地域型保育」の専門研修を修了した者（以下「子育て支援員」という。）１名とすることができること。ただし、保育所等を利用している乳幼児と同一の場所において事業を実施する場合であっても、保育所等を利用する児童と当該事業の利用乳幼児数を合わせた乳幼児の人数に応じ、児童福祉施設の設備及び運営に関する基準（昭和23年厚生省令第63号）第33条第２項の規定に準じて職員を配置すること。

（注）　一時預かり事業を実施する保育所、幼稚園及び認定こども園を運営する法人が同一敷地内で放課後児童健全育成事業を実施する場合であって、放課後児童健全育成事業の利用児童数がおおむね２人以下であるときには、下記㈠から㈣までの要件を全て満たすことを条件として、一時預かり事業の実施場所において、両事業の対象児童を合同で保育することを可能とする。

㈠　放課後児童健全育成事業の対象児童（以下「放課後児童」という。）の処遇の実施にあたっては、『「放課後児童健全育成事業」の実施について』（令和５年４月12日こ成環第５号こども家庭庁成育局長通知）の別紙「放課後児童健全育成事業実施要綱」によること。

㈡　一時預かり事業に関する保育従事者の配置基準は、上記④の一段落目の記載に関わらず、乳児おおむね３人につき２名以上、満１歳以上満３歳に満たない幼児おおむね３人につき１名以上、満３歳以上満４歳に満たない幼児おおむね10人につき１名以上、満４歳以上の幼児おおむね15人につき１名以上とすること。

(ウ) 一時預かり事業に関する保育従事者の数は２名を下ることはできないのが原則であるが、放課後児童の処遇に係る職員２名以上から支援を受けられることを前提に、上記(イ)の基準に基づき保育士１名で保育ができる乳幼児数の範囲内において、保育士１名とすることができることとする。

(エ) 一時預かり事業の対象児童に対する処遇に支障がないことに加え、低年齢児と小学生が同一場所で活動することを踏まえた安全な保育環境が確保されていると市町村が認めていること。

③ 上記①～②については、本事業における職員の配置について規定したものであり、一時預かり事業を行う場合は、別途「一時預かり事業の実施について（令和６年３月30日５文科初第2592号・こ成保第191号通知）」４(1)④に定める基準を遵守することが必要であることに留意すること。

(6) 研修

① 保育士以外の保育従事者の配置は、以下の研修を修了した者とすること。

ア 「子育て支援員研修事業の実施について」（令和６年３月30日こ成環第111号・こ支家第189号通知）の別紙「子育て支援員研修事業実施要綱」の５(3)アに定める基本研修及び５(3)イ(イ)に定める「一時預かり事業」又は「地域型保育」の専門研修を修了した者。

イ 子育ての知識と経験及び熱意を有し、「家庭的保育事業の実施について」（平成21年10月30日雇児発1030第２号厚生労働省雇用均等・児童家庭局長通知）の別紙「家庭的保育事業ガイドライン」（以下「ガイドライン」という。）の別添１の１に定める基礎研修と同等の研修を修了した者。ただし、令和７年３月31日までの間に修了した者とする。

② ①にあわせ、本事業における、意義・目的・仕組みについて理解できるよう、研修の科目構成に配慮すること。

③ ①②の研修は、委託等先の管理者も受講をすること。

(7) 留意事項

① 保育中に事故が生じた場合には、「教育・保育施設等における事故の報告等について（令和６年３月22日こ成安第36号・５教参学第39号通知）」に従い、速やかに報告すること。

② 利用当日に、通園がない場合には、対象児童状況の確認をすること。

特に要支援家庭等の児童の利用がない場合には、関係機関と情報共有し、適切に対応すること。

③ 要支援児童等の不適切な養育の疑いを確認した場合には、関係機関に情報を共有するとともに、協働対処による相談支援を行うなど、適切な支援を行うこと。

④ 給食等の提供については、事業所の判断とするが、利用者に対応状況が分かるよう周知を行うとともに、提供を行う場合においては、衛生管理やアレルギー対応など、適切な実施に留意すること。

⑤ 市町村から委託等先への委託料等の支払いにおいて、３(3)①に掲げる事業に要する経費について支出する金額は、こども１人１時間あたり850円を基本とし、３(1)に定める障害児を受け入れる場合は、こども１人１時間あたり400円を加算することを基本とする。なお、当日のキャンセルについては、委託料等の支払いの対象とすることも可能とする。ただし、委託料等の対象とする場合は、予定していた利用者の利用可能時間についても、委託料等の対象とする時間数について利用したものとみなし、別紙１に記載のとおり利用の処理を行うこと。

市町村及び事業所は、委託料等の支払いの根拠資料（別紙１に規定する書類及びその他必要な資料）を事業実施後５年間保存すること。

⑥ 事業実施に当っては、「こども誰でも通園制度（仮称）の本格実施を見据えた試行的事業の在り方に関する検討会」における中間取りまとめを参考にして実施を行うこと。

⑦ 対象となる利用者の家庭に対して当該事業の意義や目的、仕組みについて十分に周知を行うこと。

４ 個人情報の保護

事業に携わる者は、事業により知り得た個人情報等を漏らしてはならないものとする。

また、事業終了後及びその職を退いた後も同様とする。

なお、本事業を実施する市町村が、事業を委託等する場合は、個人情報の保護を十分に遵守させるように指導しなければならない。

５ 保護者負担

３(3)①に掲げる事業に要する経費の一部につい

て、こども１人１時間あたり300円程度を標準とし、各事業所において設定した額を保護者負担とすることができる。

なお、低所得者世帯等の保護者負担に関しては、別紙２により、保護者負担額の一部を補助して差し支えない。

６　費用

本事業に要する費用の一部について、国は別に定めるところにより補助するものとする。

（別紙１）

こども誰でも通園制度（仮称）の本格実施を見据えた試行的事業の利用時間の管理について

本事業においては、補助基準額上１人当たり「月10時間」を上限とするため、一人ひとりの月の利用時間の管理が重要となる。そのため、紙媒体のチケットにより利用可能時間の管理を行うなど、市町村において適切な方法で実施をすること。

利用時間の管理については下記のとおりとする。

記

＜月当たりの利用時間管理＞

月ごとに利用時間管理を行う。なお、当該時間数は当月のみ有効であり、前月及び翌月分の使用はできないこととする。

１　当月内において10時間を超えた利用がある場合に、本事業とその他の事業等との利用時間が明確になるよう管理すること。

２　当日のキャンセルやチケットを忘れた場合には事業所においては、必ず後日回収をするよう指導すること。

３　本事業において、市町村を越えた利用を認める場合は、市町村間において協議のうえ、実施方法を決定すること。その際、事業者及び利用者の事務負担が少ない方法で行うことに留意が必要である。

事業者は市町村に対して利用状況の報告を行う。その際は令和７年度に予定されているシステム化を考慮し、最低限の項目として次にあげる項目について報告を行うこと。

１）事業所名

２）保護者氏名・こどもの氏名

３）こどもの年齢（○歳○か月）

４）住所

５）連絡先（連絡が取れるところ）

６）利用時間

＜留意点＞

令和７年度には、こども家庭庁が開発するシステムの導入を想定していることに留意すること。

○　キャンセル時のチケット回収の方法、チケットの紛失対応、時間延長の際のルールはもとより、利用日に10時間をまたぐ場合の管理方法等、細かなルール決めをし、利用者の混乱を招かないようにすること。

例）紙媒体のチケットによる利用可能時間の管理

○　事業の対象であることを確認後、チケットを対象の世帯に渡す。

郵送、手渡しなど世帯への配布方法は市町村において決める。

○　チケットは１枚当たり１時間分とし、月ごとに10枚綴りとして、令和６年度に実施する月数分を１セットとして作成。

○　チケットには、利用月が把握できるように記載もしくは色分け等を行い、月を越えて利用することがないよう管理できるようにする。また、対象となるこどもの生年月日を記載する等により、利用資格の有無を確認できるようにする。

○　チケットは利用時間分のみ切り離し利用施設において保管する。確認が必要となった場合は、市町村において施設に対し提示を求める。

（別紙２）

利用料減免の対象者について

１　対象者

対象者は、本事業による支援を受けたこどもの保護者であって、次のアからエのいずれかに該当する者とする。

ア　本事業による支援を受けた日において生活保護法（昭和25年法律第144号）第６条第１項に規定する被保護者である場合

イ　保護者及び当該保護者と同一の世帯に属する者が地方税法（昭和25年法律第226号）の規定による市町村民税を課されない者である場合（アに掲げる場合を除く。）

ウ　保護者及び当該保護者と同一の世帯に属する者について地方税法の規定による市町村民税の同法第292条第１項第２号に掲げる所得割の額を合算した額（以下「市町村民税所得割合算額」という。）が７万7101円未満である場合（ア及びイに掲げる場合を除く。）

エ　要保護児童対策地域協議会に登録された要支援児童及び要保護児童のいる世帯、その他市町村が特に支援が必要と認めた世帯のうち、市町村がその児童及び保護者の心身の状況及び養育環境等を踏まえ、本事業に係る利用者負担額を軽減することが適当であると認められる場合（アからウに掲げる場合を除く。）

2　本事業を行う者による代理請求・代理受領について

市町村は、本事業を行う者（以下「事業者」という。）に対して、あらかじめ1に定める対象者から同意を得た上で通知し、対象者が当該事業者に支払うべき利用者負担額に対して対象者に補助すべき額の限度において、対象者に代わり、当該事業者に支払うことができる。

また、この場合による支払いがあったときは、対象者に対し補助があったものとみなす。

3　補助基準額

補助基準額は、次の各号に掲げる対象者の区分に応じ、当該各号に定める額とする。

①　1アに定める対象者　こども1人当たり1時間300円

②　1イに定める対象者　こども1人当たり1時間240円

③　1ウに定める対象者　こども1人当たり1時間210円

④　1エに定める対象者　こども1人当たり1時間150円

（別添10）

2歳児の減少を受けた事業実施に対する支援事業実施要綱

1　目的

保育所の2歳児（年度途中で満3歳を迎える児童）が、年度の途中において幼稚園や認定こども園に転園するケースが生じていることから、2歳児に限り、やむを得ない事情により利用児童数が著しく減少してしまうようなケースが生じた場合、地域の在宅低年齢児に対する相談支援を実施することにより、当該保育所の安定的運営を図ることを目的とする。

2　実施主体

実施主体は市町村（特別区を含む。以下同じ。）又は市町村が認めた者とする。

なお、市町村が適当と認める者へ委託等を行うことができる。

3　対象保育所

本事業の対象保育所等は、

前年度における2歳児（年度途中で満3歳を迎える児童）の利用数が、各月初日で比較した際、年度当初（4月）または年度中最も利用が多かった月に比べ、その後に児童が3人以上減少した月が3か月以上あった保育所（保育所型認定こども園を含み、幼保連携型認定こども園を除く。）とする。

4　事業の内容

当初利用を見込んでいた2歳児の保育に係る費用に代わる事業を実施するために必要な費用を補助する。

5　実施要件

(1)　対象事業

保育所を利用していない満3歳未満の児童がいる家庭に対し、以下のいずれかに該当する事業を実施することとする。

(ア)　園舎等を活用した親子同士の交流の場を提供する。

(イ)　個別の親子に対し相談会を開催する。

(ウ)　個別に家庭訪問を実施し、相談支援を実施する。

(2)　実施時期

対象事業の実施時期は、「3　対象保育所」により対象となった翌年度に、年間を通じて実施すること。

6　留意事項

3の文中「児童が3人以上減少した月が3か月以上あった保育所」については、年度の途中にやむを得ない事情により減少してしまうケースを想定しており、園側の不祥事等が要因で減少したケースなどは含まない。

対象となる減少児童数及び要因については、市町村において確認し判断すること。

7　国の補助

本事業に要する費用の一部について、国は別に定めるところにより補助するものとする。

○保育所等の質の確保・向上のための取組強化及び認可外保育施設支援等事業の実施について

〔平成29年４月28日　雇児発0428第４号
各都道府県知事・各指定都市市長・各中核市市長宛　厚生労働省雇用均等・児童家庭局長通知〕

注　令和４年３月30日子発0330第３号改正現在

地域の実情に応じた多様な保育需要に対応しつつ、安全・安心な保育を行うため、保育所等の質の確保・向上のための取組強化、認可外保育施設に対する届出の促進と衛生対策支援に必要な措置を総合的に講ずることで、待機児童の解消を図るとともに、子どもを安心して育てることができる環境整備を行うため、保育所等の質の確保・向上のための取組強化及び認可外保育施設支援等事業を次により実施し、平成31年４月１日から適用することとしたので通知する。

ついては、管内市町村（特別区を含む。）に対して周知をお願いするとともに、本事業の適正かつ円滑な実施に期されたい。

記

第１　事業の種類

１　保育所等の質の確保・向上のための取組強化事業

２　認可外保育施設の衛生・安全対策事業

３　認可外保育施設改修費等支援事業

第２　事業の実施

各事業の実施及び運営は、次によること。

１　保育所等の質の確保・向上のための取組強化事業実施要綱（別添１）

２　認可外保育施設の衛生・安全対策事業実施要綱（別添２）

３　認可外保育施設改修費等支援事業実施要綱（別添３）

別添１

保育所等の質の確保・向上のための取組強化事業実施要綱

１　事業の目的

保育所、認定こども園、地域型保育事業、地域子ども・子育て支援事業、認可外保育施設及び認可外の居宅訪問型保育事業（以下「保育所等」という。）が質の確保に資する各基準を遵守・留意するとともに、保育中の死亡事故等の重大事故を防止するため、保育所等が遵守・留意すべき各基準、事故防止、事故発生時の対応や園外活動等における安全対策等に必要な知識・技術の修得、資質の確保に必要な研修の実施及び各基準の遵守状況、睡眠中、食事中、水遊び中等の重大事故が発生しやすい場面や園外活動等における安全対策等に関する巡回支援指導を行うことにより、安心かつ安全な保育を行うことを目的とする。

２　実施主体

⑴　保育所等の質の確保・向上のための研修事業

実施主体は、都道府県を原則とする。

ただし、都道府県での実施が困難等の場合、実施主体を市町村（特別区を含む。以下同じ。）とすることができる。この場合であっても、都道府県はできる限り、市町村と連携及び支援を行い実施するものとする。

なお、上記における連携及び支援が困難な場合、市町村が単独で実施することも差し支えない。

また、都道府県又は市町村（以下「都道府県等」という。）は、当該都道府県等が適当と認める者に本事業の一部又は全部を委託することができる。

⑵　保育所等の質の確保・向上のための巡回支援指導事業

①　児童福祉法（昭和22年法律第164号）第59条第１項に規定する認可外保育施設及び認可外の居宅訪問型保育事業を対象とする場合

実施主体は、都道府県（指定都市及び中核市を含む。）を原則とする。

ただし、地域の実情を踏まえ、市町村が実施することも可能とする。

②　保育所、認定こども園、地域型保育事業、地域子ども・子育て支援事業（うち子どもの預かりを行う事業）を対象とする場合

実施主体は、市町村を原則とする。ただし、地域の実情を踏まえ、都道府県が実施することも可能とする。

なお、実施主体が市町村の場合の実施方法については、都道府県が市町村と連携及び支援を行い実施又は市町村が単独で実施のいずれの方法であっても可能とする。

また、都道府県等は、当該都道府県等が適当

と認める者に本事業の一部又は全部を委託することができる。

3　事業の内容

(1)　保育所等の質の確保・向上のための研修事業

保育所等の質の確保・向上のため、保育所等の職員等を対象として、保育所等が遵守・留意すべき基準、保育中の事故防止、事故発生時の対応や園外活動等における安全対策等に必要な知識・技術の修得、資質の確保に必要な研修を実施する。

また、保育所等の職員等を対象とする研修を実施するために必要な費用の一部を補助する。

(2)　保育所等の質の確保・向上のための巡回支援指導事業

保育所等の質の確保・向上のため、巡回支援指導員を配置する。

巡回支援指導員は保育所等を巡回し、保育所等がそれぞれ遵守・留意すべき基準の遵守状況、重大事故の発生しやすい場面（睡眠中、食事中、水遊び中等）や事故防止の取組、事故発生時の対応や園外活動等における安全対策に関する助言又は指導等の巡回支援指導を行う。

また、これらの実施のために必要な費用の一部を補助する。

4　実施要件等

(1)　保育所等の質の確保・向上のための研修事業

①　対象者

ア　保育所等に勤務する保育士又は保育教諭

イ　保育所等に勤務する保育士以外（看護師、調理員、事務職員等）の職員

ウ　保育所等に就労していない保育士資格を有する者

エ　巡回支援指導員（今後、巡回支援指導員となる者も含む。）　等

②　実施内容

以下の法令・通知の解説等、保育所等がそれぞれ遵守・留意すべき基準、保育所等における事故防止、事故発生時の対応や園外活動等における安全対策に必要な知識・技術の修得、資質の確保に資する内容とする。

ア　児童福祉施設の設備及び運営に関する基準（昭和23年厚生省令第63号）

イ　特定教育・保育施設及び特定地域型保育事業の運営に関する基準（平成26年内閣府令第39号）

ウ　「認可外保育施設に対する指導監督の実施について」（平成13年3月29日雇児発第177号厚生労働省雇用均等・児童家庭局長通知）

エ　「特定教育・保育施設等における事故の報告等について」（平成29年11月10日府子本第912号・29初幼教第11号・子保発1110第1号・子子発1110第1号・子家発1110第1号内閣府子ども・子育て本部参事官（子ども・子育て支援担当）・（認定こども園担当）・文部科学省初等中等教育局幼児教育・健康教育・食育・厚生労働省子ども家庭局保育・子育て支援・家庭福祉課長連名通知）

オ　「教育・保育施設等における事故防止及び事故発生時の対応のためのガイドラインについて」（平成28年3月31日府子本第192号・27文科初第1789号・雇児保発0331第3号内閣府子ども・子育て本部参事官・文部科学省初等中等教育局幼児教育・厚生労働省雇用均等・児童家庭局保育課長連名通知）

カ　「教育・保育施設等における重大事故の再発防止のための事後的な検証について」（平成28年3月31日府子本第191号・27文科初第1788号・雇児総発0331第6号・雇児職発0331第1号・雇児福発0331第2号・雇児保発0331第2号内閣府子ども・子育て本部参事官（子ども・子育て支援担当）・（認定こども園担当）・文部科学省初等中等教育局幼児教育・厚生労働省雇用均等・児童家庭局総務・職業家庭両立・家庭福祉・保育課長連名通知）

キ　「保育所等における園外活動時の留意事項について」（令和元年6月21日厚生労働省子ども家庭局総務課少子化総合対策室・保育課事務連絡）

③　実施方法

ア　研修日程等

研修の開催日、時間帯、時間数等については、地域の実情に応じて、受講者が受講しやすいよう適宜配慮して設定すること。

イ　講師

講師については、経歴、資格、実務経験、学歴等に照らして選定し、研修を適切に実施するために必要な体制を確保すること。

ウ　定員

研修を実施する際には、研修内容を鑑みて、適切な定員を設定すること。

④　修了証書の交付、研修修了者名簿の作成・管理

ア　修了証書の交付

研修の全科目を修了した者（以下「研修修了者」という。）に対して、修了証書を交付

すること。修了証書については、当該研修名、修了証書番号、研修修了者の氏名、研修修了者の生年月日、修了年月日、都道府県等又は都道府県等の長等を明示すること。

イ　研修修了者名簿の作成・管理

研修修了者について、修了証書番号、修了年月日、氏名、連絡先等必要事項を記載した名簿（以下「研修修了者名簿」という。）を作成すること。研修修了者名簿については、都道府県等が、個人情報として十分な注意を払った上で、その責任において一元的に管理すること。

⑤　研修参加費用

研修参加費用のうち、研修会場までの受講者の旅費及び宿泊費等については、受講者等が負担すること。

(2)　保育所等の質の確保・向上のための巡回支援指導事業

①　巡回支援指導員の配置

都道府県等は、保育所等に対し巡回支援指導を行うための「巡回支援指導員」を配置する。

②　巡回支援指導員の業務

巡回支援指導員は、都道府県等の管内の保育所等への巡回支援指導を行うものとし、その主な内容は以下のとおりとする。

ア　保育所等が遵守・留意すべき基準の遵守状況に関する助言又は指導

イ　保育所等に対する指導監査や立入調査（以下「指導監査等」という。）の実施、指導監査等を行うに当たっての事前準備に係る補助のほか、指導監査等実施後の保育所等への事後的支援の実施

ウ　保育所等の保育において、重大事故の発生しやすい場面（睡眠中、食事中、水遊び中等）に関する助言又は指導

エ　保育所等の事故防止の取組、事故発生時の対応に関する助言又は指導

オ　保育所等の園外活動等における安全対策の実地指導

カ　その他、保育所等における質の確保・向上に資する助言又は指導

③　巡回支援指導員の要件

巡回支援指導員は、以下に掲げる要件をいずれも満たしている者として、都道府県等が適当と認める者であること。

ア　②に掲げる業務に関する専門的な知見を有する者（例：保育所長経験者、保育士資格を持ち十分な経験を有する者、看護師、栄養士等）

イ　本事業の趣旨を理解し、保育所等に対する巡回支援指導を適切に実施することができる者

なお、巡回支援指導員については、適切な助言、指導を実施する観点から、「保育所等の質の確保・向上のための研修事業」など保育の質の確保・向上に資する研修を積極的に受講すること。

④　留意事項

本事業は、巡回支援指導により保育所等に対し助言、指導を行い、保育所等の質の確保・向上を目的としていることから、その実施に当たっては以下の点に留意すること。

ア　保育所等の教育・保育等の方針や実施状況、指導監査等の実情も踏まえつつ、事前通告の有無について適切に判断し、効果的な巡回支援指導を行うこと。

イ　巡回支援指導員は、巡回支援指導を行った保育所等について、相談内容等を記録、管理し、継続的な支援に努めること。

ウ　都道府県等は、保育所等が守るべき各種基準や事故防止に関するガイドライン等の内容を踏まえたチェックリストを作成し、巡回支援指導員に配布するなど、適切な助言、指導が行われるための必要な措置を講じること。

エ　巡回支援指導員に指導監査等を行わせる場合には、当該巡回支援指導員は公務員の身分を有する形で配置するとともに、指導監査等の対象となる施設の状況等に鑑み、必要に応じて、他の職員と共に指導監査等に当たるなど、指導監査等が適切に実施されるよう検討すること。

オ　都道府県等は、巡回支援指導員と連携し、保育所等への助言又は指導を行うなど、必要な措置を講じること。

カ　都道府県等は、巡回支援指導と指導監督部門との十分な連携を図り、児童福祉法第59条に基づく認可外保育施設に対する立入調査等の適切な実施につなげること。

キ　巡回支援指導の結果の公表については、必要に応じて検討すること。

5　委託事業者への委託

本事業の委託に当たっては、以下の点に留意すること。

(1)　委託事業者は、事業を適正かつ円滑に実施する

ために必要な事務的能力及び事業の安定的運営に必要な財政基盤を有するものであること。

(2) 委託事業者において、事業の経理が他の経理と明確に区分され、会計帳簿、決算書類等研修事業の収支の状況を明らかにする書類が整備されていること。

(3) 委託事業者は、研修を実施する場合における講師について、経歴、資格、実務経験、学歴等に照らし、研修を適切に実施するために必要な体制を確保していること。

(4) 委託事業者が、本要綱に定める内容に従って、適切に研修を実施することが見込まれること。

(5) 本事業の委託に当たっては、指定保育士養成施設、社会福祉協議会、地域のＮＰＯ法人や子育て支援団体等、保育所等の質の確保・向上のための研修、助言又は指導に関する実績や知見等を有する機関、団体等に委託することが望ましい。

(6) 委託事業者に指導監査等を行わせることはできないこと。

6 留意事項

(1) 都道府県等は、本事業の実施に当たって、管内の関係機関や施設、関係団体等と十分な連携を図り、効果的で円滑な事業の実施が図られるよう努めるものとする。

(2) 都道府県等及び委託事業者は、事業実施上知り得た各事業の対象者の秘密の保持について、十分留意すること。

(3) 都道府県等及び委託事業者は、各事業の対象者が知り得た個人の秘密の保持について、当該対象者が十分に留意するよう指導すること。

(4) 都道府県等は、本事業の実施に際し、都道府県等発行の広報紙等による広報や、保育所等への周知など、積極的に周知を図ること。

7 費用

本事業に要する費用の一部について、国は別に定めるところにより補助するものとする。

別添2

認可外保育施設の衛生・安全対策事業実施要綱

1 事業の目的

認可外保育施設に従事する職員に対して健康診断を実施することにより、認可外保育施設における衛生・安全対策を図り、もって児童の福祉の向上を図ることを目的とする。

2 実施主体

実施主体は、市町村（特別区を含む。以下同じ。）とする。なお、市町村が認めた者へ委託等を行うことができる。

3 対象者

本事業の対象となる者は、認可外保育施設に勤務する保育従事者及び調理担当職員とする。（ただし、地方公共団体が運営する認可外保育施設および企業主導型保育事業については除く。）

4 実施要件

(1) 感染症罹患の有無を発見するため、市町村が受診の必要を認める検査項目について健康診断を行うこと。

(2) 感染症等に係る健診については、既存の健診制度を活用するなどして柔軟に実施すること。

5 事業の実施手続

(1) 市町村の長及び特別区の長は、毎年度、事業を実施するに当たっては、実施施設について都道府県知事に十分協議すること。

(2) この実施要綱の要件に適合する施設である旨の必要な書類を整備しておくこと。

6 費用

本事業に要する費用の一部について、国は別に定めるところにより補助するものとする。

別添3

認可外保育施設改修費等支援事業実施要綱

1 事業の目的

認可外保育施設の質の確保・向上を図るため、認可外保育施設の指導監督基準を満たしていない施設に対して、認可保育所、認定こども園、小規模保育事業又は事業所内保育事業（以下「保育所等」という。）の設備に関する基準を満たすための改修及び移転等に要する経費を補助することにより、保育所等へ移行するための支援につなげ、子どもを安心して育てることができる体制整備を行うことを目的とする。

2 実施主体

実施主体は、都道府県、市町村（特別区を含む。）（以下「都道府県等」という。）又は都道府県等が認めた者とする。

なお、都道府県等が認めた者へ委託等を行うことができる。

3 事業の内容

(1) 改修費等支援

「認可外保育施設に対する指導監督の実施について」（平成13年３月29日雇児発第177号厚生労働省雇用均等・児童家庭局長通知）の別添「認可外保育施設指導監督基準」（以下「指導監督基準」という。）に定める基準のうち、設備に関する基準を満たしていない認可外保育施設に対して、児童福祉施設の設備及び運営に関する基準（昭和23年厚生省令第63号。以下「児童福祉施設設備運営基準」という。）第32条に規定する保育所及び認定こども園に係る設備に関する基準、家庭的保育事業等の設備及び運営に関する基準（平成26年厚生労働省令第61号。以下「家庭的保育事業等設備運営基準」という。）第28条、第32条、第33条に規定する小規模保育事業に係る設備に関する基準、同基準第43条に規定する事業所内保育事業に係る設備に関する基準又は指導監督基準に定める基準のうち、設備に関する基準を満たすために必要な経費（改修費等、賃借料（改修期間中の建物賃借料及び礼金を含み、敷金を除く。））の一部を補助する。

※　賃借料については、毎年４月１日以降開所までに発生するものに限る。ただし、当該賃借料の補助を受けた年度の翌年度以降に開所する場合は、補助を受けた年度の３月31日までの間とする。

⑵　移転費等支援

立地場所や敷地面積の制約上、現行の施設では指導監督基準に定める設備に関する基準を満たすことができない認可外保育施設の移転等に必要な経費（移転費、仮設設置費）の一部を補助する事業。

４　対象事業者

対象事業者は、以下の＜要件１＞又は＜要件２＞のいずれかを満たすものとする。

＜要件１＞

⑴　保育所等への移行を希望している施設であること。

本事業の実施により保育所等に係る設備に関する基準を満たした後、「子どものための教育・保育給付費補助事業の実施について」（平成27年４月13日雇児発0413第36号厚生労働省雇用均等・児童家庭局長通知）の別添１「認可化移行運営費支援事業実施要綱」（以下「認可化移行運営費実施要綱」という。）に定める事業等による支援等により、保育所等への移行を図ること。

⑵　保育所等への移行に向けた計画を策定すること。

子ども・子育て支援法（平成24年８月22日法律第65号）附則（令和元年５月17日法律第７号）第４条に定める経過措置日が属する年度の年度末までの間（以下「経過措置期間」という。）に本事業による支援を受けた後、経過措置期間経過後の翌年度内に「認可化移行運営費実施要綱」に定める事業等による支援等を受けることを含め、経過措置期間経過後から５年間を上限に保育所等へ移行する計画を策定すること。

⑶　指導監督基準のうち、保育に従事する者の数及び資格に関する基準を満たしていること。

⑷　指導監督基準のうち、設備に関する基準を満たしていないこと。

⑸　本事業の活用等により、経過措置期間内に指導監督基準を満たすこと。

⑹　移行を目指す施設類型に応じて、以下の要件を満たしていること。

①　認可保育所又は認定こども園への移行を目指す場合

施設の設備について、経過措置期間内に児童福祉施設設備運営基準第32条を満たす見込みがあること。

②　小規模保育事業Ａ型への移行を目指す場合

施設の設備について、経過措置期間内に家庭的保育事業等設備運営基準第28条を満たす見込みがあること。

③　小規模保育事業Ｂ型への移行を目指す場合

施設の設備について、経過措置期間内に家庭的保育事業等設備運営基準第32条により準用する同基準第28条を満たす見込みがあること。

④　小規模保育事業Ｃ型への移行を目指す場合

施設の設備について、経過措置期間内に家庭的保育事業等設備運営基準第33条を満たす見込みがあること。

⑤　保育所型事業所内保育事業（利用定員が20人以上のものに限る。）への移行を目指す場合

施設の設備について、経過措置期間内に家庭的保育事業等設備運営基準第43条を満たす見込みがあること。

⑥　小規模型事業所内保育事業（利用定員が19人以下のものに限る。）への移行を目指す場合

施設の設備について、経過措置期間内に家庭的保育事業等設備運営基準第48条により準用する同基準第28条を満たす見込みがあること。

＜要件２＞

施設の所在する都道府県と市区町村との連名により、以下(i)～(iii)の内容を記載した「認可外保育施設指導監督基準適合化支援計画」を作成した施設であること。

(i)　待機児童の状況や保育時間等の観点から地域に特徴的と考えられる保育等ニーズが存在すること。

(ii) 都道府県又は市区町村において、(i)のニーズを満たすため、認可の保育施設や事業の整備・拡充等を進めているが、なお時間を要する場合に、それまでの間、(i)の保育等ニーズの受け皿となることができる施設であると認める施設であること。

(iii) 都道府県及び市区町村の連携により、当該施設が指導監督基準を満たすため、職員又は巡回支援指導員等による技術的な支援、本事業の他の国庫補助の活用などを通じて、本事業以外にも十分な支援を行っている、あるいは行う予定であること。

(iv) 遅くとも令和６年９月末までに、指導監督基準への適合を目指すものであること。

5　対象事業の制限

(1) 次に掲げる場合については、本事業の対象としないものとする。

①　国が別途定める国庫負担金、補助金、交付金の対象となる場合

②　施設整備を目的とする場合（土地や既存建物の買収、土地の整地等を含む。）

(2) 本事業による賃借料の補助は、１の施設・事業所につき１回限りとする。

6　留意事項

(1) 経過措置期間内に指導監督基準を満たさなかった場合、補助金の返還を命ずることができるものとする。

(2) 移転費等支援について、移転先については、以下の基準を満たしている又は満たすことが可能な場所であること。

①　４の＜要件１＞の場合

児童福祉施設設備運営基準第32条に規定する保育所及び認定こども園に係る設備に関する基準、家庭的保育事業等設備運営基準第22条に規定する家庭的保育事業に係る設備に関する基準、同基準第28条、第32条、第33条に規定する小規模保育事業に係る設備に関する基準又は同基準第43条に規定する事業所内保育事業に係る設備に関する基準のうち、移行を目指す施設類型に応じたもの

②　４の＜要件２＞の場合

指導監督基準

7　費用

本事業に要する費用の一部について、国は別に定めるところにより補助するものとする。

○へき地保育事業の実施について

〔平成26年５月29日　雇児発0529第30号
各都道府県知事宛　厚生労働省雇用均等・児童家庭局長通知〕

標記については、今般、別紙のとおり「へき地保育事業実施要綱」を定め、平成26年４月１日から適用することとしたので通知する。

ついては、管内市町村（特別区を含む。）に対して周知をお願いするとともに、本事業の適正かつ円滑な実施に期されたい。

別　紙

へき地保育事業実施要綱

1　事業の目的

交通条件及び自然的、経済的、文化的諸条件に恵まれない山間地、離島等のへき地における保育を要する児童に対し、必要な保護を行い、もってこれらの児童の福祉の増進を図ることを目的とする。

2　実施主体

実施主体は、市町村（特別区を含む。以下同じ。）とする。

3　事業の内容

児童福祉法（昭和22年法律第164号）第39条に規定する保育所を設置することが著しく困難であると認められる地域で、市町村長が実施要件に適合すると認め指定した施設において、児童を保育する事業。

4　実施方法

⑴　対象児童

保育を要する児童又は市町村長が特に必要があると認めた児童

⑵　設置主体

市町村

⑶　設置場所

次のいずれかでなければならない。

①　へき地教育振興法（昭和29年法律第143号）第５条の２の規定によるへき地手当（以下「へき地手当」という。）の支給の指定を受けているへき地学校の通学区域内であること。

②　一般職の職員の給与に関する法律（昭和25年法律第95号）第13条の２第１項又は地方自治法（昭和22年法律第67号）第204条第２項の規定による特地勤務手当（以下「特地勤務手当」という。）の支給の指定を受けている国又は地方公共団体の公官署の４キロメートル以内にあること。

③　へき地手当又は特地勤務手当の支給の指定を受けることとなる地域内にあること。

④　上記①から③までのいずれかに準ずるものとして市町村長が認める地域内にあること。

⑷　設備及び運営の基準

へき地保育所の設備及び運営については、次に掲げる基準によるもののほか、児童福祉施設の設備及び運営に関する基準（昭和23年厚生省令第63号）の精神を尊重して行うものとする。

①　１日当たり平均入所児童数が６人以上いること。

なお、１日当たりの平均入所児童数とは、年間延べ利用児童数を年間開所日数で除して得た数とすること。

②　公民館、学校、集会所等の既設建物の一部を用いてへき地保育所を設置する場合においては、その設備をそのへき地保育所のために常時使用することができるものでなければならないこと。

③　保育室、便所及び屋外遊戯場（その附近にあるこれに代わるべき場を含む。）その他必要な設備を設け、それらの規模は適正な保育ができるように定めること。

④　必要な医療器具、医薬品、ほう帯材料等を備えるほか、必要に応じて楽器、黒板、机、椅子、積木、絵本、砂場、すべり台、ぶらんこ等を備えること。

⑤　保育士を２人以上置くこと。

ただし、所定の資格を有する者がいない等やむを得ない事情があるときは、うち１人に限り児童の保育に熱意を有し、かつ、心身ともに健全な者をもってこれに代えることができること。

⑥　保育時間、保育の内容、保護者との連絡方法等については入所児童が健やかに育成されるようその地方の実情に応じて定めること。

5　費用

本事業に要する費用の一部について、国は別に定めるところにより補助するものとする。

（研修事業）

○子育て支援員研修事業の実施について

〔令和６年３月30日　こ成環第111号・こ支家第189号
各都道府県知事宛　こども家庭庁成育・支援局長連名通知〕

標記の件について、今般、別紙のとおり「子育て支援員研修事業実施要綱」を定め、令和６年４月１日より適用することとしたので通知する。

ついては、管内市町村（特別区を含む。）に対して周知をお願いするとともに、本事業の適正かつ円滑な実施に期されたい。

なお、本通知の適用に伴い、「子育て支援員研修事業の実施について」（平成27年５月21日付け雇児発0521第18号厚生労働省雇用均等・児童家庭局長通知。以下「旧通知」という。）は廃止する。旧通知に基づき過去実施された研修を受講及び修了した者については、本通知による研修を受講、修了したものとみなすこととする。

別　紙

子育て支援員研修事業実施要綱

１　趣旨・目的

子ども・子育て支援法（平成24年法律第65号）に基づく給付又は事業として実施される小規模保育、家庭的保育、ファミリー・サポート・センター、一時預かり、放課後児童クラブ、地域子育て支援拠点、仕事・子育て両立支援等の事業や家庭的な養育環境が必要とされる社会的養護については、こどもが健やかに成長できる環境や体制が確保されるよう、地域の実情やニーズに応じて、これらの支援の担い手となる人材を確保することが必要である。

このため、地域において子育て支援の仕事に関心を持ち、子育て支援分野の各事業等に従事することを希望する者に対し、多様な子育て支援分野に関して必要となる知識や技能等を修得するための全国共通の子育て支援員研修制度を創設し、これらの支援の担い手となる子育て支援員の資質の確保を図ることを目的とする。

２　子育て支援員

子育て支援員とは、本要綱に基づき、都道府県又は市町村（特別区を含む。以下同じ。）（以下「都道府県等」という。）により実施される５の⑶で定める基本研修及び専門研修（５の⑶のイの(ｲ)に定める４コース（「地域保育コース」及び「地域子育て支援コース」については各分類）のいずれか１つ。）又は子ども・子育て支援法第59条の２第１項で定める仕事・子育て両立支援事業のうち、企業主導型保育助成事業（「企業主導型保育事業等の実施について」（平成29年４月27日府子本第370号・雇児発0427第２号）の別紙「企業主導型保育事業費補助金実施要綱」の第２の２に定める企業主導型保育助成事業をいう。）の実施主体により過去実施された、５の⑶で定める基本研修及び専門研修（４の⑿を対象とした「地域保育コース」のうちの「地域型保育」に限る。）（以下「子育て支援員研修」という。）の全科目を修了し、「子育て支援員研修修了証書」（以下「修了証書」という。）の交付を受けたことにより、子育て支援員として子育て支援分野の各事業等に従事する上で必要な知識や技術等を修得したと認められる者である。

３　実施主体

実施主体は、都道府県等又は都道府県知事若しくは市町村長（以下「都道府県知事等」という。）の指定した研修事業者（以下「指定研修事業者」という。）とする。

都道府県知事等は子育て支援員研修事業を適切に実施できると認める指定保育士養成施設や社会福祉協議会、民間団体等（以下「委託研修事業者」という。）に委託できるものとする。

なお、５の⑶のイの(ｲ)に定める「放課後児童コース」の実施主体は、原則として都道府県又は都道府県知事の指定した研修事業者とし、都道府県知事が子育て支援員研修事業を適切に実施できると認める市町村や民間団体等に委託できるものとする。

４　対象者

本事業の対象者は、育児経験や職業経験など多様な経験を有し、地域において子育て支援の仕事に関心を持ち、以下の子育て支援分野の各事業等の職務に従事することを希望する者及び現に従事する者とする。（⑴～⑷は「家庭的保育事業等の設備及び運営に関する基準」（平成26年厚生労働省令第61号）、⑻は「児童福祉法施行規則」（昭和23年厚生省令第11号）において研修の修了が従事要件となっている職種）

⑴　家庭的保育事業（児童福祉法第６条の３第９項）の家庭的保育補助者

⑵　小規模保育事業（児童福祉法第６条の３第10項）Ｂ型の保育士以外の保育従事者

⑶　小規模保育事業（児童福祉法第６条の３第10項）Ｃ型の家庭的保育補助者

⑷　事業所内保育事業（児童福祉法第６条の３第12項）（利用定員19人以下）の保育士以外の保育従事者

⑸　利用者支援事業（子ども・子育て支援法第59条第１号）の専任職員（令和６年３月30日こ成環第131号、こ支虐第122号、５文科初第2594号こども家庭庁成育局長、こども家庭庁支援局長、文部科学省初等中等教育局長連名通知「利用者支援事業の実施について」別紙「利用者支援事業実施要綱」４⑶に定めるこども家庭センター型に従事する者を除く。）

⑹　放課後児童健全育成事業（放課後児童クラブ）（児童福祉法第６条の３第２項）の補助員

⑺　地域子育て支援拠点事業（児童福祉法第６条の３第６項）の専任職員

⑻　一時預かり事業（児童福祉法第６条の３第７項）の一般型（令和６年３月30日５文科初第2592号、こ成保第191号文部科学省初等中等教育局長、こども家庭庁成育局長通知「一時預かり事業の実施について」別紙「一時預かり事業実施要綱」（以下「一時預かり事業実施要綱」という。）４⑴）の保育士以外の保育従事者

⑼　一時預かり事業（児童福祉法第６条の３第７項）の幼稚園型（一時預かり事業実施要綱４⑵④ア）の保育士及び幼稚園教諭普通免許状所有者以外の教育・保育従事者

⑽　子育て援助活動支援事業（ファミリー・サポート・センター）（児童福祉法第６条の３第14項）の提供会員

⑾　社会的養護関係施設等（児童福祉法第６条の３第１項、第３項及び第８項、第６条の４並びに第７条第１項（助産施設、保育所、幼保連携型認定こども園、児童厚生施設、障害児入所施設及び児童発達支援センターを除く））の補助的職員等

⑿　仕事・子育て両立支援事業（子ども・子育て支援法第59条の２第１項）のうち、「企業主導型保育事業等の実施について」の別紙「企業主導型保育事業費補助金実施要綱」の第２の１に定める企業主導型保育事業の保育士以外の保育従事者

⒀　「多様な保育促進事業の実施について」（令和６年３月30日こ成保第179号こども家庭庁成育局長通知）の別添９に定める「こども誰でも通園制度（仮称）の本格実施を見据えた試行的事業実施要綱」３⑹①アの保育従事者等

５　研修の実施方法及び内容

⑴　研修日程等

研修の開催日、時間帯等については、都道府県等、指定研修事業者又は委託研修事業者（以下「研修実施者」という。）が、地域の実情に応じて、受講者が受講しやすいよう適宜配慮して設定すること。

また、子育て支援分野の各事業等の従事者の充足状況や養成必要人数等を考慮して、適切な時期・回数の実施に努めること。

⑵　講師

講師については、略歴、資格、実務経験、学歴等に照らして選定し、各科目の研修を適切に実施するために必要な体制を確保すること。

⑶　研修内容

子育て支援員研修は以下のア及びイに掲げる研修とする。

ア　基本研修

㋐　子育て支援員として、子育て支援分野の各事業等に共通して最低限度必要とされる子育て支援に関する基礎的な知識、原理、技術及び倫理などを修得するものとし、子育て支援員としての役割やこどもへの関わり方等を理解するとともに、子育て支援員としての自覚を持たせることを目的とする。

㋑　研修の科目、区分、時間数、内容、目的等については、原則、別表１のとおりとする。

㋒　６の⑵に定める修了証書の交付を受けた者が、新たに、他のコース等の専門研修を受講する場合には、基本研修を再度受講することを要さない。

㋓　以下に掲げる者については、基本研修を免除しても差し支えないこととする。

①　保育士

②　社会福祉士

③　その他国家資格（幼稚園教諭、看護師等）を有し、かつ日々こどもと関わる業務に携わるなど、実務経験により、基本研修で学ぶべき知識等が習得されていると都道府県知事等が認める者

イ　専門研修

㋐　アの基本研修を修了した者（以下「基本研修修了者」という。）が、子育て支援員として、子育て支援分野の各事業等に従事するために必要なこどもの年齢や発達、特性等に応じた分野毎の専門的な知識・原理・技術・倫理な

どの修得を行うことを目的とする。

(イ) 専門研修は、「地域保育コース」、「地域子育て支援コース」、「放課後児童コース」、「社会的養護コース」の別とする。

また、「地域保育コース」については、「地域型保育」、「一時預かり事業」、「ファミリー・サポート・センター」の分類を、また、「地域子育て支援コース」については、「利用者支援事業（基本型）」、「利用者支援事業（特定型）」「地域子育て支援拠点事業」の分類をそれぞれ設けることとする。なお、「地域保育コース」の各分類には、「地域保育コース」の「共通科目」を含むものとする。

(ウ) 専門研修の受講については、基本研修の修了を条件とする。ただし、「利用者支援事業（基本型）」の受講に当たっては、相談及びコーディネート等の業務内容を必須とする市町村長が認めた事業や業務（例：地域子育て支援拠点事業、保育所における主任保育士業務等）に1年以上の実務経験を予め有していることも併せて条件とする。

(エ) 研修の科目、区分、時間数、内容、目的等については、原則、別表2のとおりとする。

ウ 留意事項

(ア) 研修内容については、地域性、事業等の特性、受講者の希望等を考慮して時間数を延長することや必要な科目を追加することは差し支えない。

(イ) 受講者がやむを得ない理由により、研修の一部を欠席した場合等には、研修実施者は受講者に対して未履修科目のみを受講させることも可能とすること。

(ウ) 研修を実施する際には、研修内容を鑑みて、適切な定員を設定すること。

(エ) 基本研修及び専門研修の詳細については、別に定める「子育て支援員研修の研修内容等の留意点について」を参考に行うものとする。

6 修了証書等の交付

(1) 基本研修に係る修了証明書の交付

ア 都道府県知事等は、基本研修修了者からの申請があった場合には、別紙様式例1により、子育て支援員研修（基本研修）修了証明書を交付するものとする。

イ 指定研修事業者は、基本研修修了者からの申請があった場合には、別紙様式例2により、子育て支援員研修（基本研修）修了証明書を交付するものとする。

(2) 修了証書の交付

ア 都道府県知事等は、基本研修及び専門研修（5の(3)のイの(イ)に定める4コース（「地域保育コース」及び「地域子育て支援コース」については各分類）のいずれか1つ）について、研修の全科目を修了した者（以下「研修修了者」という。）に対して、別紙様式例3により、修了証書を交付するものとする。

イ 指定研修事業者は、研修修了者に対して、別紙様式例4により、修了証書を交付するものとする。

ウ 都道府県知事等又は指定研修事業者は、修了証書を交付された者が、他のコース等の専門研修の受講を修了した場合にあっては、新たに、当該コース等の修了証書を交付するものとする。

エ 修了証書の交付については、当該研修修了者が受講した専門研修の実施主体である都道府県知事等又は指定研修事業者が交付するものとする。

(3) 一部科目修了者の取扱い

ア 都道府県知事等は、研修受講中に、他の都道府県等に転居した場合や病気等のやむを得ない理由により、研修の一部を欠席し、研修科目の一部のみを履修した者（以下「一部科目修了者」という。）から申請があった場合には、別紙様式例5による子育て支援員研修一部科目修了証書を交付するものとする。

イ 指定研修事業者は、一部科目修了者から申請があった場合には、別紙様式例6による子育て支援員研修一部科目修了証書を交付するものとする。

(4) 修了証書等の効果

(1)から(3)に定める各種証書（以下「修了証書等」という。）は、修了証書等を交付した都道府県等以外の全国の自治体においても効力をもつものであることとする。

7 研修修了者名簿等の作成・管理等

(1) 指定研修事業者は、研修修了者について、修了証書番号、修了年月日、修了コース等、氏名、連絡先等必要事項（以下「必要記載事項」という。）を記載した名簿（以下「研修修了者名簿」という。）を作成し、個人情報として十分な注意を払った上で管理するとともに、作成後遅滞なく指定を受けた都道府県知事等に提出するものとする。

また、基本研修修了者について、必要記載事項を記載した名簿（以下「基本研修修了者名簿」という。）を作成し、上記と同様に取り扱うものとする。

なお、研修修了者名簿及び基本研修修了者名簿（以下「研修修了者名簿等」という。）の作成に当たっては、一部科目修了者の必要記載事項についても整理すること。

⑵　委託研修事業者は、研修修了者及び基本研修修了者について、研修修了者名簿等を作成し、個人情報として十分な注意を払った上で管理するとともに、作成後遅滞なく委託を受けた都道府県知事等に提出するものとする。

なお、研修修了者名簿等の作成に当たっては、一部科目修了者の必要記載事項についても整理すること。

⑶　都道府県知事等は、研修修了者及び基本研修修了者について、研修修了者名簿等を作成し、個人情報として十分な注意を払った上で管理するとともに、指定研修事業者及び委託研修事業者から提出された研修修了者名簿等とあわせて個人情報として十分な注意を払った上で、都道府県知事等の責任において一元的に管理するものとする。

なお、研修修了者名簿等の作成に当たっては、一部科目修了者の必要記載事項についても整理すること。

⑷　修了証書等の再交付等

ア　指定研修事業者及び委託研修事業者は、修了証書等の交付を受けた者が、研修修了者名簿等に記載された内容（氏名又は連絡先等）に変更が生じたこと、又は修了証書等を紛失・汚損したことの申し出があった際には、速やかに必要な確認を行った上で、修了証書等の再交付や更新の手続きを行い、再交付等の後遅滞なくその旨を都道府県知事等に報告するものとする。

イ　都道府県知事等は、修了証書等の交付を受けた者が、研修修了者名簿等に記載された内容（氏名、現住所又は連絡先等）に変更が生じたこと、又は修了証書等を紛失・汚損したことの申し出があった際には、速やかに必要な確認を行った上で、修了証書等の再交付や更新の手続き及び研修修了者名簿等の更新を行うとともに、指定研修事業者及び委託研修事業者から報告のあった再交付等の内容について研修修了者名簿等の更新を行い、あわせて個人情報として十分な注意を払った上で、都道府県知事等の責任において一元的に管理するものとする。

8　研修参加費用

研修参加費用のうち、教材等に係る実費相当部分、研修会場までの受講者の旅費及び宿泊費等については、受講者等が負担するものとする。

9　研修事業者の指定

都道府県知事等による研修事業者の指定は、都道府県等の区域毎に、その指定を受けようとする者の申請により、別添1に掲げる要件を満たすと認められる者について、当該都道府県知事等が行うものとする。

10　研修事業者の指定申請手続等

⑴　本事業の指定を受けようとする者は、別添2に掲げる必要事項を記載した指定申請書を事業実施場所又は指定を受けようとする都道府県知事等に提出するものとする。

⑵　申請者が法人であるときは、申請者に定款、寄付行為その他の規約を添付するものとすること。

⑶　本事業の指定を受けた者は、指定を行った都道府県知事等に対し、毎年度、あらかじめ事業計画を提出するとともに、事業修了後速やかに事業実績報告書を提出するものとすること。

⑷　本事業の指定を受けた者は、申請の内容に変更を加える場合には、指定を行った都道府県知事等に対し、あらかじめ変更の内容、変更時期及び理由を届け出るものとし、別添2のイからキまでの事項に変更を加える場合にあっては、変更について承認を受けるものとすること。

⑸　本事業の指定を受けた者は、事業を廃止しようとする場合には、指定を行った都道府県知事等に対し、あらかじめ廃止の時期及び理由を届け出、指定の取消しを受けるものとすること。

11　研修事業の委託

本事業の委託に当たっては、以下の点に留意すること。

⑴　委託研修事業者は、事業を適正かつ円滑に実施するために必要な事務的能力及び事業の安定的運営に必要な財政基盤を有するものであること。

⑵　委託研修事業者において、研修事業の経理が他の経理と明確に区分され、会計帳簿、決算書類等研修事業の収支の状況を明らかにする書類が整備されていること。

⑶　委託研修事業者は、研修を担当する講師について、略歴、資格、実務経験、学歴等に照らし、各科目の研修を適切に実施するために必要な体制を確保していること。

⑷　委託研修事業者が、本要綱に定める内容に従って、適切に研修を実施することが見込まれること。

⑸　本事業の委託に当たっては、指定保育士養成施設、社会福祉協議会、地域のＮＰＯ法人や子育て支援団体等、子育て支援分野の研修に関する実績

や知見等を有する機関、団体等に委託することが望ましい。

12　フォローアップ研修及び現任研修

都道府県等及び指定研修事業者は、子育て支援員研修を修了し、各種事業等に従事している者等を対象に、事業の特性や必要性等に応じて、フォローアップ研修や現任研修を実施することが望ましい。

また、以下の⑴及び⑵に定めるもののほか同等の効果が期待できる場合には、地域の実情等に応じた方法や内容等により、研修を実施することも可能とする。

⑴　フォローアップ研修

子育て支援員研修において修得した内容や各事業に従事し、実践を通じて生じた問題等への解決を図ること等を目的としたフォローアップ研修について、概ね従事経験年数２年未満の者を対象として実施する。

研修の科目、区分、時間数、内容、目的等については、別表３のとおりとする。

⑵　現任研修

各事業の従事者として必要となる基礎的分野から専門的分野にわたる知識・技能を修得し、資質の向上を図ることを目的とした現任研修について、全ての従事者を対象として実施する。

研修の科目、区分、時間数、内容、目的等については、別表４のとおりとする。

13　留意事項

⑴　都道府県等は、本事業の実施に当たって、管内の関係機関や施設、関係団体等と十分な連携を図り、効果的で円滑な事業の実施が図られるよう努めるものとする。

⑵　研修実施者は、事業実施上知り得た研修受講者に係る秘密の保持について、十分留意すること。

⑶　研修実施者は、研修受講者が演習及び実習において知り得た個人の秘密の保持について、受講者が十分に留意するよう指導すること。

⑷　都道府県知事等は、指定研修事業者に対し、管内における研修の実施内容等について適切な水準が保たれるよう定期的に指導すること。

⑸　子ども・子育て支援新制度では、人材の確保、養成及び資質の向上について都道府県が中心的な役割を担っていることから、子育て支援員研修事業の実施に当たっては、都道府県において、管内市町村の子育て支援分野の各事業等の提供体制や管内市町村における研修の実施状況等を勘案し、各種調整や子育て支援員の養成数の把握を行うなど、適切に子育て支援員研修事業が実施されるよう努められたい。

⑹　都道府県等においては、子育て支援員は子育て支援分野の各事業等に従事する上で必要な知識や技術等を修得した者と認められる者であり、保育所等における保育補助者等として広く子育て支援関連分野への参加が期待できることから、積極的な研修の実施に努められたい。

⑺　４の⑸及び⑺に掲げる職員については、当該事業に主要な職員として従事することとなるため、研修の実施する際には、４に掲げる他の従事者との役割や体制の違いに特に留意して実施すること。

14　費用の補助

国は、都道府県等が研修を実施する場合に、当該都道府県等に対し、本事業に要する経費について、別に定めるところにより補助するものとする。

別表・別紙様式　略

（別添１）

指定事業者が学則等に定める項目

⑴　事業実施者に関する要件

ア　研修事業の実施者は、事業を適正かつ円滑に実施するために必要な事務的能力及び事業の安定的運営に必要な財政基盤を有するものであること。

イ　研修事業の経理が他の経理と明確に区分され、会計帳簿、決算書類等研修事業の収支の状況を明らかにする書類が整備されていること。

ウ　子育て支援分野の研修に関する実績や知見等があること。

⑵　事業内容に関する要件

ア　研修事業が、本要綱に定める内容に従い、継続的に毎年１回以上実施されること。

イ　研修カリキュラムが、別表１及び別表２に定めるカリキュラムの内容に従ったものであること。

ウ　研修を担当する講師について、略歴、資格、実務経験、学歴等に照らし、各科目を担当するために適切な人材が適切な人数確保されていること。

⑶　研修受講者に関する要件

ア　研修受講者に研修内容等を明示するため、少なくとも次に掲げる事項を明らかにした学則等を定め、公開すること。

㈠　開講目的

㈡　研修事業の名称

㈢　実施場所

㈣　研修期間

㈵　研修カリキュラム
㈶　講師氏名
㈷　研修修了の認定方法
㈸　開講時期
㈹　受講資格
㈺　受講手続き（募集要領等）
㈻　受講料等

イ　研修への出席状況等研修受講者に関する状況を確実に把握し、保持すること。

（別添２）

指定申請書の記載事項

ア　申請者の氏名及び住所（法人にあっては、名称及び主たる事務所の所在地並びにその代表者の氏名及び住所）
イ　研修事業の名称及び実施場所
ウ　事業開始予定年月日
エ　学則等
オ　研修カリキュラム
カ　講義及び演習を行う講師の氏名、履歴、担当科目及び専任兼任の別並びに受諾書
キ　研修修了の認定方法
ク　事業開始年度及び次年度の収支予算の細目
ケ　申請者の資産状況
コ　子育て支援分野に関する研修の実績や知見等

○職員の資質向上・人材確保等研修事業の実施について

〔令和６年３月30日　こ成事第350号
各都道府県知事宛　こども家庭庁成育局長通知〕

注　令和６年４月26日こ成事第438号改正現在

子ども・子育て支援の推進に当たって、子ども・子育て支援法を始めとする子ども・子育て関連３法に基づき、質の高い保育及び地域型保育並びに地域子ども・子育て支援事業を提供することとしているが、その提供に当たっては、担い手となる職員の資質向上及び人材確保を行うことが重要である。このため、下記のとおり、職員の資質向上・人材確保等研修事業を実施し、令和６年４月１日より適用することとしたので通知する。

ついては、管内市町村（特別区を含む。）に対して周知をお願いするとともに、本事業の適正かつ円滑な実施に期されたい。

なお、本通知の適用に伴い、「職員の資質向上・人材確保等研修事業の実施について」（平成27年５月21日付け雇児発0521第19号厚生労働省雇用均等・児童家庭局長通知）は廃止する。

記

１　事業の種類

⑴　保育の質の向上のための研修等事業

⑵　保育士等キャリアアップ研修事業

⑶　新規卒業者の確保、就業継続支援事業

⑷　多様な保育研修事業

⑸　放課後児童支援員等研修事業

⑹　ファミリー・サポート・センター事業アドバイザー・提供会員研修事業

⑺　認可外の居宅訪問型保育研修事業

２　事業の実施

事業の実施に当たっては、次によること。

⑴　保育の質の向上のための研修等事業実施要綱（別添１）

⑵　保育士等キャリアアップ研修事業実施要綱（別添２）

⑶　新規卒業者の確保、就業継続支援事業実施要綱（別添３）

⑷　多様な保育研修事業実施要綱（別添４）

⑸　放課後児童支援員等研修事業実施要綱（別添５）

⑹　ファミリー・サポート・センター事業アドバイザー・提供会員研修事業実施要綱（別添６）

⑺　認可外の居宅訪問型保育研修事業実施要綱（別添７）

別添１

保育の質の向上のための研修等事業実施要綱

１　趣旨・目的

保育士の専門性向上と質の高い人材を安定的に確保する観点から、保育の質の向上を図るための研修等の実施に要する費用の一部を補助することにより、子どもを安心して育てることができる体制整備を行うことを目的とする。

２　実施主体

実施主体は、都道府県又は市町村（特別区を含む。以下同じ。）とする。

都道府県又は市町村は、本事業を適切に実施できると認める社会福祉協議会、民間団体等（以下「委託事業者」という。）に委託できるものとする。

３　事業の内容

⑴　保育の質の向上のための研修事業

保育の質の向上を図るため、保育所の職員等を対象とする研修を実施する。また、保育所の職員等を対象とする研修（都道府県、市町村が必要と認める研修に限る。）に参加するために必要な費用の一部を補助する。

①　対象者

事業の対象者は、次のいずれかに該当する者とする。

ア　保育所、認定こども園、小規模保育事業所、事業所内保育事業所、認可外保育施設等（以下「保育所等」という。）に勤務する保育士又は保育教諭

イ　保育所等に勤務する保育士以外（看護師、調理員、事務職員等）の職員

ウ　保育所等に就労していない保育士資格を有する者

②　実施内容

ア　都道府県が実施又は対象とする研修

・乳児保育、障害、虐待などの専門性をもった保育士に係る研修

・指導者育成のための研修
・都道府県が適当と認める団体が実施する研修　等

イ　市町村が実施又は対象とする研修
・保育所が独自に外部の研修に参加する形で実施される研修
・保育士初任者や中堅保育士が参加して、保育の基礎知識などを受講するフォローアップ研修
・その他市町村が適当と認める団体が実施する研修

⑵　保育士試験合格者に対する実技講習事業
①　対象者
事業の対象者は、以下に掲げる要件にいずれも該当する者とする。
ア　保育士試験に合格していること
イ　保育所、認定こども園、地域型保育事業を実施する事業所及び認可外保育施設（以下「保育所等」という。）への勤務を希望していること
ウ　保育所等での勤務経験がないこと
②　実施内容
事業の対象となる実技講習は、以下の要件をいずれも満たすものとする。
ア　受講者が保育所等における保育士の１日の業務内容を理解でき、受講者自らが保育士としての業務を実践できる内容となっていること
イ　保育所等における実習が１日以上確保されていること

⑶　保育実習指導者に対する講習事業
保育実習指導者を対象とし、より効果的な保育実習の実施方法を習得するため、以下に掲げる内容に関する講習を行うこと。なお、講習の実施に当たっては講義による実践的な事例の提示を行うほか、ワークショップ等を含めた構成にするなど、講習が効果的な内容となるよう、工夫すること。
ア　保育実習における学生への指導
イ　保育実習計画の策定
ウ　実習施設と指定保育士養成施設が連携して取り組むべき事項

4　委託事業者への委託
本事業の委託に当たっては、以下の点に留意すること。
⑴　委託事業者は、本事業を適正かつ円滑に実施するために必要な事務的能力及び事業の安定的運営に必要な財政基盤を有するものであること。
⑵　委託事業者において、本事業の経理が他の経理と明確に区分され、会計帳簿、決算書類等研修事業の収支の状況を明らかにする書類が整備されていること。
⑶　委託事業者は、研修を実施する場合における講師について、略歴、資格、実務経験、学歴等に照らし、各科目の研修を適切に実施するために必要な体制を確保していること。
⑷　委託事業者が、本要綱に定める内容に従って、適切に研修を実施することが見込まれること。
⑸　本事業の委託に当たっては、指定保育士養成施設、社会福祉協議会、地域のＮＰＯ法人や子育て支援団体等、保育や子育て支援分野の研修に関する実績や知見等を有する機関、団体等に委託することが望ましい。

5　留意事項
⑴　実施主体は、本事業の実施に当たって、管内の関係機関や施設、関係団体等と十分な連携を図り、効果的で円滑な事業の実施が図られるよう努めるものとする。
⑵　研修参加費用のうち、教材等に係る実費相当部分、研修会場までの旅費及び宿泊費等については、受講者等が負担するものとする。
⑶　実施主体及び委託事業者は、本事業を実施する上で知り得た対象者の秘密の保持について、十分留意すること。
⑷　実施主体及び委託事業者は、本事業の対象者が知り得た個人の秘密の保持について、当該対象者が十分に留意するよう指導すること。
⑸　実施主体は、本事業の実施に際し、自治体発行の広報紙等による広報や、保育所等への周知など、積極的に周知を図ること。
⑹　「子育て支援員研修事業」の対象となる研修は本事業の対象とはならないこと。

6　費用の補助
本事業に要する費用の一部について、国は別に定めるところにより補助するものとする。

別添２

保育士等キャリアアップ研修事業実施要綱

1　趣旨・目的
保育所等におけるリーダー的職員の職務内容に応じた専門性の向上を図るための保育士等キャリアアップ研修の実施に要する費用の一部を補助することにより、保育士等の専門性の向上を図り、キャリアアップの仕組みを構築することを目的とする。

2　実施主体

実施主体は、都道府県又は都道府県知事の指定した研修実施機関とする。なお、都道府県は、本事業を適切に実施できると認める民間団体等（以下「委託事業者」という。）に委託できるものとする。

3　事業の内容

「保育士等キャリアアップ研修の実施について」（平成29年4月1日付厚生労働省雇用均等・児童家庭局保育課長通知）に基づき実施される研修を本事業の対象とする。

4　留意事項

(1)　実施主体は、本事業の実施に当たって、管内の関係機関や施設、関係団体等と十分な連携を図り、効果的で円滑な事業の実施が図られるよう努めるものとする。

(2)　研修参加費用のうち、教材等に係る実費相当部分、研修会場までの旅費及び宿泊費等については、受講者等が負担するものとする。

(3)　実施主体及び委託事業者は、事業実施上知り得た各事業の対象者の秘密の保持について、十分留意すること。

(4)　実施主体及び委託事業者は、各事業の対象者が知り得た個人の秘密の保持について、当該対象者が十分に留意するよう指導すること。

(5)　実施主体は、本事業の実施に際し、都道府県のホームページへの掲載や保育所等への周知などにより、周知を図ること。

5　費用の補助

本事業に要する費用の一部について、国は別に定めるところにより補助するものとする。

別添3

新規卒業者の確保、就業継続支援事業実施要綱

1　趣旨・目的

保育士の人材確保を図るため、指定保育士養成施設の学生等や保育所、認定こども園、小規模保育事業所、事業所内保育事業所、認可外保育施設等（以下「保育所等」という。）に勤務していない保育士資格を有する者（以下「潜在保育士」という。）に対し、就職促進のための研修等を実施することにより、保育人材を安定的に確保し、子どもを安心して育てることができる体制整備を行うことを目的とする。

2　実施主体

実施主体は、都道府県又は市町村（特別区を含む。以下同じ。）とする。

都道府県又は市町村は、本事業を適切に実施できると認める社会福祉協議会、民間団体等（以下「委託事業者」という。）に委託できるものとする。

3　事業の内容

保育士の人材確保を図るため、次の(1)～(3)の取組に要する費用の一部を補助する。

(1)　指定保育士養成施設の学生等に対する就職説明会

(2)　保育所等の経営者・管理者や保育士に対する就業継続支援研修

(3)　潜在保育士の再就職を支援する研修

4　実施要件等

(1)　指定保育士養成施設の学生等を対象とした人材確保の取組

①　対象者

ア　指定保育士養成施設の在学生

イ　指定保育士養成施設の就職担当者等、保育士の人材確保に携わる職員

ウ　高校生　など

②　実施内容

・指定保育士養成施設の在学生に対する就職説明会

・指定保育士養成施設の在学生と保育所に勤務する保育士との交流会

・指定保育士養成施設の就職担当者に対する、求人情報収集等の研修

・高校等を訪問し保育の仕事の魅力を伝達　など

(2)　就業継続支援研修

①　対象者

ア　保育所等の経営者及び管理者

イ　保育所等に勤務する保育士

②　実施内容

・保育士を対象とした、就職前の期待と現実とのギャップ（リアリティショック）への対応方法、保育士にとって負荷の大きい業務（保護者対応等）についての研修

・保育所等の経営者・管理者（所長等）を対象とした、人事管理や職場環境改善等の研修（所内の相談体制、柔軟な働き方のできる勤務体制構築、メンタルヘルス）　など

(3)　潜在保育士の再就職を支援する研修等

①　対象者

ア　潜在保育士

イ　保育所等の経営者及び管理者

②　実施内容

・保育所等への再就職を希望する保育士に対する、現場復帰に必要となる研修や再就職の前

に就職を希望する保育所等での保育実技研修
・保育実技や安全管理等の研修と就職相談会や保育所見学を組み合わせた再就職支援研修
・保育所等の潜在保育士の受け入れに当たって、施設側の留意点・改善点や処遇改善につなげる雇用管理や経営管理の改善のための研修・指導

5　委託事業者への委託

本事業の委託に当たっては、以下の点に留意すること。

⑴　委託事業者は、事業を適正かつ円滑に実施するために必要な事務的能力及び事業の安定的運営に必要な財政基盤を有するものであること。

⑵　委託事業者において、事業の経理が他の経理と明確に区分され、会計帳簿、決算書類等研修事業の収支の状況を明らかにする書類が整備されていること。

⑶　委託事業者は、研修を実施する場合における講師について、略歴、資格、実務経験、学歴等に照らし、各科目の研修を適切に実施するために必要な体制を確保していること。

⑷　委託事業者が、本要綱に定める内容に従って、適切に研修を実施することが見込まれること。

⑸　本事業の委託に当たっては、指定保育士養成施設、社会福祉協議会、地域のＮＰＯ法人や子育て支援団体等、保育や子育て支援分野の研修に関する実績や知見等を有する機関、団体等に委託することが望ましい。

6　留意事項

⑴　実施主体は、本事業の実施に当たって、管内の関係機関や施設、関係団体等と十分な連携を図り、効果的で円滑な事業の実施が図られるよう努めるものとする。

⑵　研修参加費用のうち、教材等に係る実費相当部分、研修会場までの旅費及び宿泊費等については、受講者等が負担するものとする。

⑶　4⑶の事業においては、保育士・保育所支援センターを開設している場合は、潜在保育士の復帰のための研修や再就職のマッチング等、当該センターと連携し、潜在保育士の再就職のために効果的な実施を図ること。

⑷　実施主体及び委託事業者は、事業実施上知り得た各事業の対象者の秘密の保持について、十分留意すること。

⑸　実施主体及び委託事業者は、各事業の対象者が知り得た個人の秘密の保持について、当該対象者が十分に留意するよう指導すること。

⑹　実施主体は、本事業の実施に際し、自治体発行の広報紙等による広報のほか、指定保育士養成施設に対し、当該養成施設の卒業生への周知を依頼するなど、積極的に周知を図ること。

⑺　実施主体においては、保育士確保の観点から、積極的な各事業の実施に努められたい。

7　費用の補助

本事業に要する費用の一部について、国は別に定めるところにより補助するものとする。

別添４

多様な保育研修事業実施要綱

1　事業の目的

子ども・子育て支援法に基づき実施される家庭的保育事業、居宅訪問型保育事業、延長保育事業（訪問型）、一時預かり事業（居宅訪問型）又は病児保育事業（以下「多様な保育」という。）に従事する者に必要な知識の修得、資質を確保するために必要な研修を実施し、もって児童の福祉の向上を図ることを目的とする。

2　実施主体

実施主体は、都道府県又は市町村（特別区を含む。以下同じ。）（以下「都道府県等」という。）、都道府県知事若しくは市町村長（以下「都道府県知事等」という。）の指定した研修事業者（以下「指定研修事業者」という。）とする。

都道府県知事等は当該研修事業を適切に実施できると認める指定保育士養成施設や社会福祉協議会、民間団体等（以下「委託研修事業者」という。）に委託できるものとする。

3　対象者

本事業の対象者は、多様な保育に現に従事する者及び従事することを予定している者とする。

4　研修の実施方法及び内容

⑴　研修日程等

研修の開催日、時間帯等については、都道府県等、指定研修事業者又は委託研修事業者（以下「研修実施者」という。）が、地域の実情に応じて、受講者が受講しやすいよう適宜配慮して設定すること。

また、多様な保育に従事する者の充足状況等を適宜考慮して、適切な時期・回数の実施に努めること。

⑵　講師

講師については、略歴、資格、実務経験、学歴等に照らして選定し、各科目の研修を適切に実施するために必要な体制を確保すること。

⑶　研修内容

Ⅰ　家庭的保育者等研修事業

ア　基礎研修

すべての家庭的保育者に対する家庭的保育に必要な基礎的知識及び技術等の修得を目的とし、研修の科目、区分、時間数、内容、目的については、原則、別表１のとおりとする。

イ　認定研修

保育の知識及び技術等の修得を目的とし、研修の科目、時間数については、原則、別表１のとおりとする。なお、看護師、幼稚園教諭及び１年以上の家庭的保育経験者は保育実習(Ⅱ)について免除しても差し支えないこととする。

ウ　フォローアップ研修

家庭的保育事業等に従事し、実践を通じて生じた問題等への解決を図ること等を目的としたフォローアップを目的とした研修について、概ね経験年数２年未満の家庭的保育者を対象として実施する。（経験年数１年未満の者に対しては、少なくとも、２か月に１回以上実施することが望ましい。）研修の目的、内容については、別表１のとおりとする。

エ　現任研修

家庭的保育者の資質の向上を図るため、必要な知識や技能の修得を目的とした研修について、すべての家庭的保育者を対象として年に１回（分割して実施可）実施する。研修の科目、時間数については、別表１のとおりとする。

オ　指導者研修

家庭的保育支援者などの家庭的保育の指導者となるために必要な知識や技術の修得を目的とした研修について、10年以上の保育所における勤務（基礎研修を受講した者）又は家庭的保育の経験を有する保育士を対象として実施する。研修の内容については、別表１のとおりとする。

※　フォローアップ研修、現任研修及び指導者研修については、ウ～オに定めるもののほか同等の効果が期待できる場合には、地域の実情等に応じた方法や内容等により、研修を実施することも可能とする。

Ⅱ　居宅訪問型保育研修事業

ア　基礎研修

居宅訪問型保育の知識及び技術等の修得を目的とし、研修の科目、区分、時間数、内容、目的については、原則、別表２のとおりとする。

イ　専門研修

障害、疾病等のある乳幼児の保育の知識及び技術等の修得を目的とし、研修の科目、区分、時間数、内容、目的については、原則、別表２のとおりとする。

Ⅲ　病児・病後児保育研修事業

研修の科目、区分、時間数、内容、目的については、原則、別表３のとおりとする。

Ⅳ　病児・病後児保育（訪問型）研修事業

研修の科目、区分、時間数、内容、目的については、原則、別表４のとおりとする。

※　研修内容については、地域性、事業等の特性、受講者の希望等を考慮して時間数を延長することや必要な科目を追加することは差し支えない。

※　受講者がやむを得ない理由により、研修の一部を欠席した場合等には、研修実施者は受講者に対して未履行科目のみを受講させることも可能とすること。

※　都道府県等及び指定研修事業者は、上記Ⅰ～Ⅳに定める研修を修了し、多様な保育に従事している者を対象に、事業の特性や必要性等に応じて、フォローアップ研修や現任研修を実施すること。

5　修了証書等の交付

(1)　修了証書の交付

ア　都道府県知事等は、４(3)のⅠのア、イ、Ⅱ又はⅣのいずれかの研修の全科目を修了した者（以下「研修修了者」という。）に対して、別紙様式例１の様式により、修了証書を交付するものとする。

イ　指定研修事業者は、研修修了者に対して、別紙様式例２の様式により、修了証書を交付するものとする。

ウ　修了証書の交付については、当該研修修了者が受講した研修の実施主体である都道府県知事等又は指定研修事業者が交付するものとする。

(2)　一部科目修了者の取扱い

ア　都道府県知事等は、４(3)のⅠのア、イ、Ⅱ又はⅣのいずれかの研修受講中に、他の都道府県等に転居した場合や病気等のやむを得ない理由により、研修の一部を欠席し、研修科目の一部のみを履修した者（以下「一部科目修了者」という。）から申請があった場合には、別紙様式例３による「一部科目修了証書」を交付するものとする。

イ　指定研修事業者は、一部科目修了者から申請があった場合には、別紙様式例４による「一部科目修了証書」を交付するものとする。

6　研修修了者名簿等の作成・管理等

(1)　指定研修事業者は、研修修了者について、修了証書番号、修了年月日、氏名、連絡先等必要事項（以下「必要記載事項」という。）を記載した名簿（以下「研修修了者名簿」という。）を作成し、個人情報として十分な注意を払った上で管理するとともに、作成後遅滞なく指定を受けた都道府県知事等に提出するものとする。

また、一部科目修了者について、必要記載事項を記載した名簿（以下「一部科目修了者名簿」という。）を作成し、上記と同様に取り扱うものとする。

(2)　委託研修事業者は、研修修了者について、研修修了者名簿を作成し、個人情報として十分な注意を払った上で管理するとともに、作成後遅滞なく委託元の都道府県知事等に提出するものとする。

また、一部科目修了者について、一部科目修了者名簿を作成し、上記と同様に取り扱うものとする。

(3)　都道府県知事等は、研修修了者について、研修修了者名簿を作成し、個人情報として十分な注意を払った上で管理するとともに、指定研修事業者から提出された研修修了者名簿等とあわせて個人情報として十分な注意を払った上で、都道府県知事等の責任において一元的に管理するものとする。

また、一部科目修了者について、一部科目修了者名簿を作成し、上記と同様に取り扱うものとする。

(4)　修了証書等の再交付等

ア　指定研修事業者及び委託研修事業者は、修了証書等の交付を受けた者が、研修修了者名簿及び一部科目修了者名簿（以下「修了者名簿等」という。）に記載された内容（氏名又は連絡先等）に変更が生じたこと、又は修了証書等を紛失・汚損したことの申し出があった際には、速やかに必要な確認を行った上で、修了証書等の再交付や更新の手続きを行い、再交付等の後遅滞なくその旨を都道府県知事等に報告するものとする。

イ　都道府県知事等は、修了証書等の交付を受けた者が、研修修了者名簿等に記載された内容（氏名又は連絡先等）に変更が生じたこと、又は修了証書等を紛失・汚損したことの申し出があった際には、速やかに必要な確認を行った上で、修了証書等の再交付や更新の手続き及び研修修了者名簿等の更新を行うとともに、指定研修事業者から報告のあった再交付等の内容について研修修了者名簿等の更新を行い、あわせて個人情報として十分な注意を払った上で、都道府県知事等の責任において一元的に管理するものとする。

7　研修参加費用

研修参加費用のうち、教材等に係る実費相当部分、研修会場までの受講者の旅費及び宿泊費等については、受講者等が負担するものとする。

8　研修事業者の指定

都道府県知事等による研修事業者の指定は、都道府県等の区域毎に、その指定を受けようとする者の申請により、別添１に掲げる要件を満たすと認められる者について、当該都道府県知事等が行うものとする。

9　研修事業者の指定申請手続等

(1)　本事業の指定を受けようとする者は、別添２に掲げる必要事項を記載した指定申請書を事業実施場所の都道府県知事等に提出するものとする。

(2)　申請者が法人であるときは、申請者に定款、寄付行為その他の規約を添付するものとすること。

(3)　本事業の指定を受けた者は、指定を行った都道府県知事等に対し、毎年度、あらかじめ事業計画を提出するとともに、事業終了後速やかに事業実績報告書を提出するものとすること。

(4)　本事業の指定を受けた者は、申請の内容に変更を加える場合には、指定を行った都道府県知事等に対し、あらかじめ変更の内容、変更時期及び理由を届け出るものとし、別添２のイからキの事項に変更を加える場合にあっては、変更について承認を受けるものとすること。

(5)　本事業の指定を受けた者は、事業を廃止しようとする場合には、指定を行った都道府県知事等に対し、あらかじめ廃止の時期及び理由を届け出、指定の取消しを受けるものとすること。

10　研修事業の委託

本事業の委託に当たっては、以下の点に留意すること。

(1)　委託研修事業者は、事業を適正かつ円滑に実施するために必要な事務的能力及び事業の安定的運営に必要な財政基盤を有するものであること。

(2)　委託研修事業者において、研修事業の経理が他の経理と明確に区分され、会計帳簿、決算書類等研修事業の収支の状況を明らかにする書類が整備されていること。

(3) 委託研修事業者は、研修を担当する講師について、略歴、資格、実務経験、学歴等に照らし、各科目の研修を適切に実施するために必要な体制を確保していること。

(4) 委託研修事業者が、本要綱に定める内容に従って、適切に研修を実施することが見込まれること。

(5) 指定保育士養成施設、社会福祉協議会、地域のＮＰＯ法人や子育て支援団体等、家庭的保育の研修に関する実績や知見等を有する機関、団体等に委託することが望ましい。

11 留意事項

(1) 都道府県等は、本事業の実施に当たって、管内の関係機関や施設、関係団体等と十分な連携を図り、効果的で円滑な事業の実施が図られるよう努めるものとする。

(2) 研修実施者は、事業実施上知り得た研修受講者に係る秘密の保持について、十分留意すること。

(3) 研修実施者は、研修受講者が演習及び実習において知り得た個人の秘密の保持について、受講者が十分に留意するよう指導すること。

(4) 都道府県知事等は、指定研修事業者に対し、管内における研修の実施内容等について適切な水準が保たれるよう定期的に指導すること。

(5) 子ども・子育て支援新制度では、人材の確保、養成及び資質の向上について都道府県が中心的な役割を担っていることから、当該研修の実施に当たっては、都道府県において、管内市町村の多様な保育の提供体制や管内市町村における研修の実施状況等を勘案し、多様な保育に関する研修が実施されるよう努められたい。

(6) 研修を実施する際には、研修内容を鑑みて、適切な定員を設定すること。

(7) 本実施要綱に基づく研修実施以前に市町村長が行う多様な保育に関する研修を修了した者についても、可能な限り研修修了者名簿等の作成及び管理を行うとともに、他の市町村に転居する場合等、既に受講を修了した研修科目が転居先の市町村等においても確認ができるよう修了証書等を交付するなど配慮されたい。

12 費用の補助

国は、都道府県等が研修を実施する場合に、当該都道府県等に対し、本事業に要する経費について、別に定めるところにより補助するものとする。

13 その他

(1) 家庭的保育者

家庭的保育者とは、市町村長が行う研修（本要綱の4(3)のⅠのアで定める「基礎研修」をいい、市町村長が指定する都道府県知事その他の機関が行う研修を含む。）を修了した保育士又は保育士と同等以上の知識及び経験を有すると市町村長が認める者をいう。

なお、「保育士と同等以上の知識及び経験を有すると市町村長が認める者」とは、4(3)のⅠのイで定める「認定研修」を修了した者をいう。

(2) 家庭的保育補助者

家庭的保育補助者とは、市町村長が行う研修（本要綱の4(3)のⅠのアで定める「基礎研修」をいい、市町村長が指定する都道府県知事その他の機関が行う研修を含む。）を修了した者であって、家庭的保育者を補助するものをいう。

(3) 居宅訪問型保育者

居宅訪問型保育者とは、市町村長が行う研修（本要綱の4(3)のⅡで定める「基礎研修」及び「専門研修」をいい、市町村長が指定する都道府県知事その他の機関が行う研修を含む。）を修了した保育士又は保育士と同等以上の知識及び経験を有すると市町村長が認める者をいう。

また、「保育士と同等以上の知識及び経験を有すると市町村長が認める者」とは、本要綱の4(3)のⅠのイで定める「認定研修」を修了した者をいう。（「認定研修」における「保育実習(Ⅱ)」20日間のうち、主として連携保育所又は認可保育所を実習施設としつつ、その一部を「児童発達支援センター（児童発達支援及び医療型児童発達支援を行うものに限る。）又は障害児を対象とする居宅訪問型保育事業」としても差し支えない。）

なお、家庭的保育事業等の設備及び運営基準第37条第1号に規定する保育を提供する場合は、本要綱4(3)のⅡで定める「基礎研修」及び「専門研修」を修了することとし、家庭的保育事業等の設備及び運営基準第37条第2号から5号に規定する保育を提供する場合は、本要綱4(3)のⅡのアで定める「基礎研修」を修了すること。

別紙様式例1～4・別添1・2　略

（別表１）家庭的保育者等研修

１　基礎研修（すべての家庭的保育者に対する家庭的保育に必要な基礎的知識・技術等の修得）

［家庭的保育者の就業前研修］

科　目　名		区　分	時　間	内　容
導入	家庭的保育の概要	講　義	60分	①家庭的保育の歴史的経緯 ②家庭的保育の特徴 ③家庭的保育のリスクを回避するための課題
家庭的保育の基礎	乳幼児の発達と心理	講　義	90分	①発達とは ②発達時期の区分と特徴 ③ことばとコミュニケーション ④自分と他者 ⑤手のはたらきと探索 ⑥移動する力 ⑦こころと行動の発達を支える家庭的保育者の役割
	乳幼児の食事と栄養	講　義	60分	①離乳の進め方に関する最近の動向 ②栄養バランスを考えた幼児期の食事作りのポイント ③食物アレルギー ④家庭的保育者が押さえる食育のポイント
	小児保健Ⅰ	講　義	60分	①乳幼児の健康観察のポイント ②発育と発達について ③衛生管理・消毒について ④薬の預かりについて
	小児保健Ⅱ	講　義	60分	①子どもに多い症例とその対応 ②子どもに多い病気とその対応 ③事故予防と対応
	心肺蘇生法	実　技	120分	
家庭的保育の実際研修を進める上で必要な講義	家庭的保育の保育内容	講義・演習	120分	①家庭的保育における保育内容 ②家庭的保育の１日の流れ ③異年齢保育 ④新しく子どもを受け入れる際の留意点 ⑤地域の社会資源の活用 ⑥家庭的保育の記録 ⑦保育の体制
	家庭的保育の環境整備	講　義	60分	①保育環境を整える前に ②家庭的保育に必要な環境とは ③環境のチェックポイント
	家庭的保育の運営と管理	講　義	60分	①設備及び運営の基準等の遵守 ②情報提供 ③受託までの流れ ④家庭的保育の運営上必要な記録と報告 ⑤家庭的保育事業者の管理業務
	安全の確保とリスクマネジメント	講　義	60分	①子どもの事故 ②子どもの事故の予防　保育上の留意点 ③緊急時の連絡・対策・対応 ④リスクマネジメントと賠償責任
	家庭的保育者の職業倫理と配慮事項	講義・演習	90分	①家庭的保育者の職業倫理 ②家庭的保育者の自己管理 ③家庭的保育者自身の家族との関係 ④地域との関係 ⑤保育所や様々な保育者との関係 ⑥行政との関係

	保護者への対応	講義・演習	90分	①家庭的保育における保護者との関わりと対応 ②家庭的保育における保護者への対応の基本 ③子育て支援における保護者への相談・助言の原則 ④保護者への対応～事例を通して考える～
	子ども虐待	講　義	60分	①子ども虐待への関心の高まり ②子ども虐待とは ③子ども虐待の実態 ④虐待が及ぼす影響 ⑤子ども虐待の発見と通告 ⑥虐待を受けた子どもに見られる行動特徴 ⑦子どもが家で虐待を受けたと思われたならば ⑧家庭的保育で不適切な関わりを防ぐために
	特別に配慮を要する子どもへの対応	講　義	90分	①気になる行動 ②気になる行動をする子どもの行動特徴 ③気になる行動への対応の考え方 ④気になる行動の原因とその対応 ⑤保育者の役割 ⑥遊びを通して、子どもの発達を促す方法
	見学実習オリエンテーション	演　習	30分～60分	①見学実習のポイントと配慮 ②見学を引き受ける際の留意事項
	グループ討議	演　習	90分	①討議の目的 ②討議の原則 ③討議の効果 ④討議のすすめ方 ⑤グループ討議（演習）
見学実習		実　習	２日以上	家庭的保育者のもとで家庭的保育の実際を見学実習 ①環境構成、保育内容、保育日誌・家庭連絡帳等の記録の仕方を見学 ②見学実習日誌作成・提出 （実習のうち１日は家庭的保育の１日の流れを見学）
実施自治体の制度について（任意）		講　義	60分～90分	①連携保育所 ②関係機関 ③地域資源 ④巡回指導・監査指導等 ⑤報告事項などについて

時間合計：21時間＋２日以上

2　認定研修（保育の知識・技術等の修得）

科　目　名	時　間
子ども家庭福祉 （「児童家庭福祉・社会福祉」関連）	４時間
子どもの心身の発達と保育 （「保育の心理学」関連）	８時間
子どもの健康管理 （「子どもの保健」・「小児保健」関連）	８時間
子どもの栄養管理 （「子どもの食と栄養」関連）	６時間
子どもの安全と環境 （「子どもの保健」・「社会的養護」関連）	８時間
子どもの保育 （「保育原理」・「教育原理」関連）	６時間

保育実習(Ⅰ) （連携保育所の３歳未満児クラス中心の実習）	48時間
保育実習(Ⅱ) （連携保育所又は認可保育所において実習） ［看護師、幼稚園教諭、家庭的保育経験者（１年以上）の者を除く。］	20日

看護師、幼稚園教諭、家庭的保育経験者（１年以上）　　　時間合計：88時間
家庭的保育経験のない者及び家庭的保育経験者（１年未満）　時間合計：88時間＋20日
［看護師、幼稚園教諭を除く］

3　フォローアップ研修
［家庭的保育の経験年数２年未満の者］

目　的　・　内　容
（目的） ・基礎研修において修得した内容を実践した上での、疑問・悩みの解消 ・関係する行政機関との連携関係の構築 ・家庭的保育者間の連携関係の構築 （内容） 家庭的保育者からの相談・質問を中心とした研修 ［例］ ・保育内容の相談（異年齢保育等） ・避難経路の確保、避難訓練等の計画 ・記録等の書類の作成方法 ・経理方法等の指導　　　　　など

時間：各回概ね２時間

4　現任研修
［すべての家庭的保育者］

科　目　名	時　間
最近の児童福祉行政	１時間
家庭的保育の運営・管理	２時間
子ども（３歳未満児）の心身の発達と保育	３時間
子ども（３歳未満児）の健康管理	３時間
子ども（３歳未満児）の栄養管理	３時間
子ども（３歳未満児）の安全と環境	３時間
保護者理解と対応	３時間

時間合計：18時間

5　指導者研修
［保育所又は家庭的保育の経験年数10年以上の保育士］

区　分	内　容
講　義	①子ども家庭福祉の動向（施策） ②社会福祉や保健・医療、教育などの領域の動向 ③関係機関・施設や地域とのかかわり ④保育ソーシャルワーク（講義・演習） ⑤相談援助技術（講義・演習） ⑥スーパービジョン（目的、方法） ⑦ソーシャルアクション ⑧苦情解決と第三者評価 ⑨家庭的保育の運営・管理 ⑩子どもの心身の発達と保育 ⑪子どもの栄養・健康管理 ⑫子どもの安全と環境 ⑬保護者理解と対応
実　習	

（別表２）居宅訪問型保育研修

1　基礎研修

科　目　名	区　分	時間数	内　　容	目　　的
1　居宅訪問型保育の基礎を理解するための科目				
①居宅訪問型保育の概要	講義	60分	①児童家庭福祉における居宅訪問型保育の社会的背景、経緯、歴史 ②居宅訪問型保育の実態 ③居宅訪問型保育の事業概要 ④地域子ども・子育て支援事業における訪問型保育の展開 ⑤居宅訪問型保育の有効性と課題	①児童家庭福祉における居宅訪問型保育の社会的背景、経緯、位置づけについて理解する。 ②居宅訪問型保育の特徴を理解し、保育所保育との共通点、相違点について理解する。 ③居宅訪問型保育の運営基準について理解する。 ④地域子ども・子育て支援事業における訪問型保育の意義や特徴について理解する。
②乳幼児の生活と遊び	講義	60分	①子どもの発達と生活 ②子どもの遊びと環境 ③人との関係と保育のねらい・内容 ④子どもの１日の生活の流れと役割	①発達・成長過程に応じた子どもの生活への１対１の関わり方や援助方法について理解する。 ②１対１で行う子どもの遊びについて理解する。 ③生活の中で様々な人との関わりあいが、子どもの発達を促すことについて理解する。 ④子どもの１日の生活の流れの中で、居宅訪問型保育者の役割について理解する。
③乳幼児の発達と心理	講義	90分	①発達とは ②発達時期の区分と特徴 ③ことばとコミュニケーション ④自分と他者 ⑤手のはたらきと探索 ⑥移動する力（移動運動） ⑦こころと行動の発達を支える保育者の役割	①０歳から３歳くらいまでの乳幼児期の発達のポイントを学び、発達に応じた遊びやその安全性について理解する。 ②子どもの発達を支える居宅訪問型保育者の役割について理解する。
④乳幼児の食事と栄養	講義	60分	①離乳の進め方に関する最近の動向 ②栄養バランスを考えた幼児期の食事作りのポイント ③食物アレルギー ④保育者が押さえる食育のポイント	①離乳の進め方に関する最近の動向について理解する。 ②幼児期の昼食作りに役立つ栄養バランスのポイント、食品衛生の基礎知識について理解する。 ③食物アレルギーについて理解する。 ④保育者がおさえる食育のポイントについて理解する。
⑤小児保健Ⅰ	講義	60分	①乳幼児の健康観察のポイント ②発育と発達について（母子健康手帳、予防接種について） ③衛生管理・消毒について	①保育を行う上で必要となる健康管理のポイントや疾病の予防と感染防止への対応、保育中の発症への対応などの基礎知識について理解する。

			④薬の預かりについて	②現場に生かせる、より具体的な対応を理解する。 ③健診や母子健康手帳の意義、記載内容について理解する。 ④予防接種について理解する。
⑥小児保健Ⅱ	講義	60分	①子どもに多い症例とその対応 ②子どもに多い病気（ＳＩＤＳ等を含む）とその対応 ※「保育所におけるアレルギー対応ガイドライン」「保育所における感染症対策ガイドライン」を周知する。 ③事故予防と対応	①子どもに多い症状・病気を知りその対応について理解する。 ②小児に多い事故を学び、その予防と対応について理解する。 ③異物除去法、心肺蘇生法を学び、緊急時の対応について理解する。
⑦心肺蘇生法	実技	120分	①心肺蘇生法、ＡＥＤ、異物除去法等 ※見学だけの科目にならないよう参加人数等の配慮が必要。	①乳幼児を対象とした救急救命が行えるように、その技術を身につける。
2　居宅訪問型保育の実際を理解するための科目				
⑧居宅訪問型保育の保育内容	講義・演習	120分	①居宅訪問型保育を利用する家庭（子ども・保護者）のニーズ ②居宅訪問型保育の特徴 ③居宅訪問型保育における配慮事項 ④居宅訪問型保育の実際（演習） ⑤居宅訪問型保育における計画と記録	①居宅訪問型保育を利用する家庭のニーズについて理解する。 ②居宅訪問型保育の特徴と配慮事項を学び、演習を通じて考え、理解する。 ③夜間に行われる居宅訪問型保育における配慮事項について理解する。 ④居宅訪問型保育の計画と記録の書き方を学び、様々な家庭状況に応じた計画の必要性について理解する。
⑨居宅訪問型保育における環境整備	講義	60分	①保育環境を整える前に ②居宅訪問型保育に必要な環境とは ③環境のチェックポイント	①保育環境の整備に当たり、基本的な考え方と配慮事項について理解する。 ②児童の居宅であることを踏まえた環境整備の必要性について理解する。 ③保育に必要な設備・備品を確認し、自己点検を行えるようにする。
⑩居宅訪問型保育の運営	講義	60分	①居宅訪問型保育の業務の流れ ②保育中の注意事項 ③記録、保護者への報告 ④事業所及びコーディネーターへの連絡、チームワーク ⑤居宅訪問型保育者のマナー	①居宅訪問型保育者の職務について理解する。 ②情報提供の方法、受託前の利用者との面接、記録や報告の管理などについて学ぶ。 ③事業所及びコーディネーターとの連携について理解する。 ④児童の居宅で保育を行う居宅訪問型保育者の姿勢について理解する。
⑪安全の確保とリスクマネジメント	講義	60分	①子どもの事故 ②子どもの事故の予防　保育上の留意点 ③緊急時の連絡・対策・対応	①保育環境上起こりうる危険について学び、事故を未然に防ぐための予防策や安全確保の留意点について理解する。

			④リスクマネジメントと賠償責任	②万一事故が起こった場合の対応や報告について理解する。
⑫居宅訪問型保育者の職業倫理と配慮事項	講義・演習	90分	①職業倫理 ②自己管理 ③地域との関係 ④保育所や様々な保育者との関係 ⑤行政との関係 ⑥居宅訪問型保育者の役割の検討（演習）	①居宅訪問型保育者としての基本姿勢（保育マインド、プライバシーの保護と守秘義務（個人情報の保護）、自己研鑽）について理解する。 ②居宅訪問型保育者の自己管理について理解する。 ③地域住民との関係づくりについて理解する。 ④保育所や様々な保育関係者との関係づくり、行政との関係などについて理解する。
⑬居宅訪問型保育における保護者への対応	講義・演習	90分	①居宅訪問型保育における保護者支援の必要性 ②さまざまな家庭における家族との関わり方 ③居宅訪問型保育における子育てアドバイス ④保護者への対応～事例を通して考える～	①保護者が協力して子どもの発達を支えるとともに、保護者の子育てを支援する役割についての意義を学び、このために必要な知識と技術について理解する。 ②家族との関わりにおける配慮等について理解する。 ③保護者への対応において、保護者との信頼関係づくりや保護者への支援が必要な際の関わり方について、重要なポイントを学び、事例検討などを通して考え、理解する。
⑭子ども虐待	講義	60分	①子ども虐待への関心の高まり ②子ども虐待とは ③子ども虐待の実態 ④虐待が及ぼす影響 ⑤子ども虐待の発見と通告 ⑥虐待を受けた子どもに見られる行動特徴 ⑦子どもが家で虐待を受けたと思われたならば ⑧不適切な関わり方を防ぐために	①子ども虐待に関する基本的事項について理解する。 ②保育における虐待の発見、対応の基礎について理解する。 ③居宅訪問型保育者が虐待など不適切な関わり方をしないための配慮すべき事柄について理解する。
⑮特別に配慮を要する子どもへの対応（０～２歳児）	講義	90分	①気になる行動 ②気になる行動をする子どもの行動特徴 ③気になる行動への対応の考え方 ④気になる行動の原因とその対応 ⑤居宅訪問型保育者の役割 ⑥遊びを通して、子どもの発達を促す方法	①０～２歳の気になる行動をどのように考え、どう関わっていけばよいかを行動特徴の把握などを通して理解する。 ②特別に配慮を要する子どもへの対応における居宅訪問型保育者の役割について理解する。 ※発達の遅れが疑われる場合、保護者の思いを踏まえた上での対応の必要性について理解する。（専門機関との連携を含む。） ③遊びを通して、子どもの発達を促す方法について理解する。

３　研修を進める上で必要な科目				
⑯実践演習Ⅰ	演習	１～２日	①居宅訪問型保育の実際（ＤＶＤ等の教材の視聴） ②実践を想定した演習 ③グループ討議（90分を含める）	①居宅訪問型保育の具体的な内容をイメージすることができるようになる。
４　自治体の制度や地域の保育事情等を理解するための科目				
⑰実施自治体の制度について（任意）	講義	60分	①関係機関 ②地域資源	①実施自治体の保育関係施策や関係機関について理解する。

基礎研修科目　時間合計：20時間＋１～２日

２　専門研修

科　目　名	区　分	時間数	内　容	目　的
①子どもの成長・発達（障害の理解）	講義	60分	①障害とは（障害の捉え方・児童の権利の保障について） ②障害の理解 １身体障害、２知的障害、３発達障害 ③成長・発達への支援（生活・あそび） ④障害のある子どもの心理 ⑤家族との関わり ⑥障害のある子どもを取り巻く環境（現状・福祉サービス・家庭・関係機関との連携等） ⑦安全対策・感染予防対策（リスクマネジメント・事故防止・業務の範囲）	①障害について理解する。 ②障害のある子どもの成長・発達を学び、その支援方法について理解する。 ③障害のある子どもの心理について理解する。 ④障害のある子どものいる家庭、家族への支援の必要性について理解する。 ⑤障害のある子どもに関する福祉制度や機関を学び、取り巻く環境について理解する。 ⑥障害のある子どもに対する安全対策・感染予防対策等について理解する。
②子どもの健康管理（慢性疾患児）	講義	60分	①慢性疾患とは ②さまざまな慢性疾患と症状の理解 ③成長・発達への支援（生活・あそび） ④慢性疾患の子どもの心理 ⑤家族との関わり ⑥慢性疾患のある子どもを取り巻く環境 ⑦安全対策・感染予防対策（リスクマネジメント・事故防止・業務の範囲）	①慢性疾患について理解する。 ②慢性疾患の子どもの成長・発達を学び、その支援方法について理解する。 ③慢性疾患の子どもの心理について理解する。 ④慢性疾患の子どものいる家庭、家族への支援の必要性について理解する。 ⑤慢性疾患のある子どもに関する福祉制度や機関を学び、取り巻く環境について理解する。 ⑥慢性疾患の子どもに対する安全対策・感染予防対策等について理解する。
③小児保健Ⅲ	講義	90分	①疾病の症状への対応の仕方 ②家庭との連携 ③施設や医療機関等との連携	①疾病の症状のある子どもへの基本的な対応方法について理解する。 ②疾病により対応が必要となった場合に、家族との事前の取り決め、連携等の必要性について理解する。

				③疾病により対応が必要となった場合に、施設や医療機関等との事前の取り決め、連携等の必要性について理解する。
④居宅訪問型保育の展開Ⅰ（慢性疾患の子どもの保育）	講義	90分	①慢性疾患の子どもの居宅訪問型保育の特徴 ②慢性疾患の子どもの居宅訪問型保育における配慮事項、注意事項 ③慢性疾患の子どもの居宅訪問型保育の実際 ④慢性疾患の子どもの居宅訪問型保育における計画と記録	①居宅訪問型保育における慢性疾患の子どもに対する保育の特徴を学び、具体的な支援方法について理解する。 ②慢性疾患の子どもに対する配慮や注意が必要な事項等について理解する。 ③慢性疾患の子どもに対する保育計画と記録を学び、様々な家庭状況に応じた計画の必要性について理解する。
⑤居宅訪問型保育の展開Ⅱ（障害のある子どもの保育）	講義	90分	①障害のある子どもの居宅訪問型保育の特徴 ②障害のある子どもの居宅訪問型保育における配慮事項、注意事項 ③障害のある子どもの居宅訪問型保育の実際 ④障害のある子どもの居宅訪問型保育における計画と記録	①居宅訪問型保育における障害のある子どもに対する保育の特徴を学び、具体的な支援方法について理解する。 ②障害のある子どもに対する配慮や注意が必要な事項等について理解する。 ③障害のある子どもに対する保育計画と記録を学び、様々な家庭状況に応じた計画の必要性について理解する。
⑥実践演習Ⅱ	演習	２日	①視聴覚教材（ＤＶＤ、過去のＴＶ番組等）を使用し、病棟での保育や障害児施設等の現場を学ぶ ②実践を踏まえた演習、実技（生活への支援・介助の他、器具等の紹介や説明なども含む） ③グループ討議	①慢性疾患の子どもや障害のある子どもに対する対応を学び、保育に対するイメージを持つ。 ②演習を通じ、実践する保育内容について理解する。

(注) 対象となる子どもが決まり次第、関係施設と連携し、対象となる子どもの対応に必要な実習等を行う。

専門研修科目　時間合計：6.5時間＋２日

基礎研修科目＋専門研修科目　時間合計：26.5時間＋３～４日

（別表３）病児・病後児保育研修

科　目　名	区　分	時間数	内　　容	目　　的
病児・病後児保育の概要	講義	30分	①地域子ども・子育て支援事業としての病児保育事業 ②地域連携による子育て支援の必要性	地域子ども・子育て支援事業における病児保育の意義や特徴について理解する。
病児・病後児の発達・心理を理解したうえでの遊び	講義	60分	①子どもの発達と発達段階を踏まえた接し方 ②病気の子どもの理解 ③病気の子どもへ安心感を与える保育・看護 ④病気の子どもの安静を保ちながらできる遊び	①子どもの発達や発達に合わせた遊びを理解する。 ②病気の子どもの心理状態を理解する。 ③病気の子どもが安心できる環境について理解する。 ④病気の子どもが安静状態を保てる遊びについて理解する。
病児・病後児保育を利用する子どもの主な症状と対応	講義	60分	主な症状とケア（発熱、咳、下痢、嘔吐）	病児・病後児保育を利用する子どもの主な症状を知り、その対応について理解する。
薬に関する知識	講義	30分	①乳幼児の薬 ②薬の与え方	薬に関する知識、与え方について理解する。
リスクマネジメント	講義	90分	①アレルギー ②アナフィラキシー ③熱性けいれん ④乳幼児突然死症候群（ＳＩＤＳ） ⑤環境整備と緊急時体制	①アレルギー疾患について理解する。 ②アナフィラキシーについて学びその対応について理解する。 ③熱性けいれんについて学びその対応について理解する。 ④乳幼児突然死症候群（ＳＩＤＳ）について学びその対応について理解する。 ⑤保育現場での子どもの事故予防のポイントについて理解する。 ⑥症状別に緊急時における対応を学び、緊急時に備えた日常からの準備について理解する。
	講義	90分	⑥子どもの一次救命措置法	乳幼児を対象とした救急救命が行えるように、緊急時の対応について理解する。
病児・病後児保育における感染症対策	講義	90分	①感染経路を理解したうえでの対策 ②病児・病後児保育における感染対策の実践ポイント ③注意が必要な主な感染症と対策 ④予防接種	感染症と感染経路を学びその対応と対策について理解する。
子どもが病気の時の保護者支援	講義	30分	子どもが病気の時の保護者支援	子どもが病気になった際の看護方法等について、保護者が適切なケアが行えるよう、その支援方法について学ぶ。

時間合計：８時間

（別表４）病児・病後児保育（訪問型）研修

科　目　名	区　分	時間数	内　　容	目　　的
病児・病後児保育の概要	講義	30分	①地域子ども・子育て支援事業としての病児保育事業 ②地域連携による子育て支援の必要性	地域子ども・子育て支援事業における病児保育の意義や特徴について理解する。
乳幼児の生活と遊び	講義	60分	①子どもの発達と生活 ②子どもの遊びと環境 ③人との関係と保育のねらい・内容 ④子どもの一日の生活の流れと役割	①発達・成長過程に応じた子どもの生活への１対１の関わり方や援助方法について理解する。 ②１対１で行う子どもの遊びについて理解する。 ③生活の中で様々な人との関わりあいが、子どもの発達を促すことについて理解する。 ④子どもの一日の生活の流れの中で、病児・病後児保育訪問型の保育者の役割について理解する。
病児・病後児の発達・心理を理解したうえでの遊び	講義	60分	①子どもの発達と発達段階を踏まえた接し方 ②病気の子どもの理解 ③病気の子どもへ安心感を与える保育・看護 ④病気の子どもの安静を保ちながらできる遊び	①子どもの発達や発達に合わせた遊びを理解する。 ②病気の子どもの心理状態を理解する。 ③病気の子どもが安心できる環境について理解する。 ④病気の子どもが安静状態を保てる遊びについて理解する。
乳幼児の発達と心理	講義	90分	①発達とは ②発達時期の区分と特徴 ③ことばとコミュニケーション ④自分と他者 ⑤手のはたらきと探索 ⑥移動する力（移動運動） ⑦こころと行動の発達を支える保育者の役割	①０歳から３歳くらいまでの乳幼児期の発達のポイントを学び、発達に応じた遊びやその安全性について理解する。 ②子どもの発達を支える病児・病後児保育訪問型保育者の役割について理解する。
乳幼児の食事と栄養	講義	60分	①離乳の進め方に関する最近の動向 ②栄養バランスを考えた幼児期の食事作りのポイント ③食物アレルギー ④保育者が押さえる食育のポイント	①離乳の進め方に関する最近の動向について理解する。 ②幼児期の昼食作りに役立つ栄養バランスのポイント、食品衛生の基礎知識について理解する。 ③食物アレルギーについて理解する。 ④保育者が押さえる食育のポイントについて理解する。
病児・病後児保育を利用する子どもの主な症状と対応	講義	120分	①主な症状とケア（発熱、咳、下痢、嘔吐） ②乳幼児の健康観察のポイント ③発育と発達について（母子健康手帳、予防接種について） ④衛生管理・消毒について	①病児・病後児保育を利用する子どもの主な症状を知り、その対応について理解する。 ②保育を行う上で必要となる健康管理のポイントや疾病の予防と感染防止への対応、保育中の発症への対応な

				どの基礎知識について理解する。 ③現場に生かせる、より具体的な対応を理解する。 ④健診や母子健康手帳の意義、記載内容について理解する。 ⑤予防接種について理解する。
薬に関する知識	講義	30分	①乳幼児の薬 ②薬の与え方 ③薬の預かりについて	薬に関する知識、与え方について理解する。
リスクマネジメント	講義	90分	①アレルギー ②アナフィラキシー ③熱性けいれん ④乳幼児突然死症候群（ＳＩＤＳ） ⑤環境整備と緊急時体制	①アレルギー疾患について理解する。 ②アナフィラキシーについて学びその対応について理解する。 ③熱性けいれんについて学びその対応について理解する。 ④乳幼児突然死症候群（ＳＩＤＳ）について学びその対応について理解する。 ⑤保育現場での子どもの事故予防のポイントについて理解する。 ⑥症状別に緊急時における対応を学び、緊急時に備えた日常からの準備について理解する。
	講義	90分	⑥子どもの一次救命措置法	乳幼児を対象とした救急救命が行えるように、緊急時の対応について理解する。
心肺蘇生法	実技	120分	①心肺蘇生法、ＡＥＤ、異物除去法等 ※見学だけの科目にならないよう参加人数等の配慮が必要。	乳幼児を対象とした救急救命が行えるように、その技術を身につける。
病児・病後児保育における感染症対策	講義	90分	①感染経路を理解したうえでの対策 ②病児・病後児保育における感染対策の実践ポイント ③注意が必要な主な感染症と対策 ④予防接種	感染症と感染経路を学びその対応と対策について理解する。
子どもが病気の時の保護者支援	講義	90分	①子どもが病気の時の保護者支援 ②病児・病後児保育訪問型における保護者支援の必要性 ③さまざまな家庭における家族との関わり方 ④病児・病後児保育訪問型における子育てアドバイス	①子どもが病気になった際の看護方法等について、保護者が適切なケアが行えるよう、その支援方法について学ぶ。 ②保護者が協力して子どもの発達を支えるとともに、保護者の子育てを支援する役割についての意義を学び、このために必要な知識と技術について理解する。 ③家族との関わりにおける配慮等について理解する。 ④保護者への対応において、保護者と

				の信頼関係づくりや保護者への支援が必要な際の関わり方について、重要なポイントを学び、事例検討などを通して考え、理解する。
病児・病後児保育訪問型の保育内容	講義・演習	120分	①病児・病後児保育訪問型を利用する家庭（子ども・保護者）のニーズ ②病児・病後児保育訪問型の特徴 ③病児・病後児保育訪問型における配慮事項 ④病児・病後児保育訪問型の実際	①病児・病後児保育訪問型を利用する家庭のニーズについて理解する。 ②病児・病後児保育訪問型の特徴と配慮事項を学び、演習を通じて考え、理解する。
病児・病後児保育訪問型における環境整備	講義	60分	①保育環境を整える前に ②病児・病後児保育訪問型に必要な環境とは ③環境のチェックポイント	①保育環境の準備に当たり、基本的な考え方と配慮事項について理解する。 ②児童の居宅であることを踏まえた環境整備の必要性について理解する。 ③保育に必要な設備、備品を確認し、自己点検を行えるようにする。
病児・病後児保育訪問型の運営	講義	60分	①病児・病後児保育訪問型の業務の流れ ②保育注意事項 ③病児・病後児保育訪問型保育者のマナー	①病児・病後児保育訪問型保育者の職務について理解する。 ②児童の居宅で保育を行う、病児・病後児保育訪問型保育者の姿勢について理解する。
病児・病後児保育訪問型保育者の職業倫理と配慮事項	講義・演習	90分	①職業倫理 ②自己管理 ③地域との関係 ④保育所や様々な保育者との関係 ⑤行政との関係	①病児・病後児保育訪問型保育者としての基本姿勢（保育マインド、プライバシーの保護と守秘義務（個人情報の保護）、自己研鑽）について理解する。 ②病児・病後児保育訪問型保育者の自己管理について理解する。 ③地域住民との関係作りについて理解する。 ④保育所や様々な保育関係者との関係作り、行政との関係などについて理解する。
子ども虐待	講義	60分	①子ども虐待への関心の高まり ②子ども虐待とは ③子ども虐待の実態 ④虐待が及ぼす影響 ⑤子ども虐待の発見と通告 ⑥虐待を受けた子どもに見られる行動特徴 ⑦子どもが家で虐待を受けたと思われたならば ⑧不適切な関わりを防ぐために	①子ども虐待に関する基本的事項について理解する。 ②保育における虐待の発見、対応の基礎について理解する。 ③病児・病後児保育訪問型保育者が虐待など不適切な関わり方をしないための配慮すべき事柄について理解する。

特別に配慮を要する子どもへの対応（０～２歳児）	講義	90分	①気になる行動 ②気になる行動をする子どもの行動特徴 ③気になる行動への対応の考え方 ④気になる行動の原因とその対応 ⑤病児・病後児保育訪問型保育者の役割 ⑥遊びを通して、子どもの発達を促す方法	①０～２歳の気になる行動をどのように考え、どう関わっていけばよいかを行動特徴の把握などを通して理解する。 ②特別に配慮を要する子どもへの対応における病児・病後児保育訪問型保育者の役割について理解する。 ※発達の遅れが疑われる場合、保護者の思いを踏まえた上での対応の必要性について理解する。（専門機関との連携を含む。） ③遊びを通して、子どもの発達を促す方法について理解する。
実践演習	演習	１～２日	①病児・病後児保育訪問型の実際（ＤＶＤ等の教材の視聴） ②実践を想定した演習 ③グループ討議（90分を含める）	病児・病後児保育訪問型の具体的な内容をイメージすることができるようになる。
実施自治体の制度について（任意）	講義	60分	①関係機関 ②地域資源	実施自治体の保育関係施策や関係機関について理解する。

時間数合計：24.5時間＋１～２日以上

別添５

放課後児童支援員等研修事業実施要綱

Ⅰ　放課後児童支援員認定資格研修事業（都道府県等認定資格研修ガイドライン）

１　趣旨・目的

本事業は、「放課後児童健全育成事業の設備及び運営に関する基準」（平成26年厚生労働省令第63号。以下「基準」という。）に基づき、基準第10条第３項の各号のいずれかに該当する者が、放課後児童支援員として必要となる基本的生活習慣の習得の援助、自立に向けた支援、家庭と連携した生活支援等に必要な知識及び技能を習得し、有資格者となるための都道府県知事、指定都市市長又は中核市市長が行う研修（以下「認定資格研修」という。）の円滑な実施に資するために実施するものである。

認定資格研修は、一定の知識及び技能を有すると考えられる基準第10条第３項の各号のいずれかに該当する者が、放課後児童健全育成事業（放課後児童クラブ）に従事する放課後児童支援員として必要な知識及び技能を補完し、新たに策定した基準及び放課後児童クラブ運営指針（平成27年３月31日雇児発0331第34号厚生労働省雇用均等・児童家庭局長通知）に基づく放課後児童支援員としての役割及び育成支援の内容等の共通の理解を得るため、職務を遂行する上で必要最低限の知識及び技能の習得とそれを実践する際の基本的な考え方や心得を認識してもらうことを目的として実施するものである。

２　実施主体

認定資格研修の実施主体は、都道府県、指定都市又は中核市（以下、「都道府県等」という。）とする。

ただし、都道府県は、認定資格研修を実施する上で適当と認める市町村（特別区を含む。以下同じ。）、民間団体等に事業の一部を委託することができる。また、指定都市及び中核市（以下、「指定都市等」という。）は、認定資格研修を実施する上で適当と認める民間団体等に事業の一部を委託することができる。

３　実施内容

⑴　研修対象者

基準第10条第３項の各号のいずれかに該当する者等で、放課後児童支援員として放課後児童健全育成事業に従事しようとする者とする。

⑵　定員

１回の認定資格研修の定員は、おおむね100名程度までとする。

ただし、認定資格研修の効果に支障が生じない限り、都道府県等の実情に応じて実施回数や研修会場の規模等を考慮して、おおむね100名程度を上回る定員を設定しても差し支えない。

⑶　研修項目・科目及び研修時間数（24時間）等

研修項目、研修科目及び研修時間数等については、別紙のとおりとし、都道府県等の実情に応じて研修科目等を追加して実施しても差し支えない。

また、授業形態は、適宜演習を取り入れたりするなどして学びを深めるように工夫しながら実施するものとする。

特に、講師の選定に当たっては、別紙の講師要件を参考として、認定資格研修を適切に実施、指導できる者により行われるよう十分配慮する必要がある。

⑷　研修期間等

１回の認定資格研修については、原則として２～３か月以内で実施するものとする。

ただし、都道府県等の実情に応じて２期に分けて実施するなど６か月の範囲内で実施しても差し支えない。

また、認定資格研修の時間帯及び曜日の設定については、都道府県等の実情に応じて受講者が受講しやすいよう適宜工夫するものとする。

⑸　研修の教材

認定資格研修の教材は、「放課後児童クラブ運営指針」（平成27年３月31日付け雇児発0331第34号厚生労働省雇用均等・児童家庭局長通知別紙）及び「放課後児童クラブ運営指針解説書」の使用を必須とする。なお、上記に加えて、研修カリキュラムを適切に実施する上で適当なものを使用することも可能とする。

⑹　科目の一部免除

都道府県等は、既に取得している資格等に応じて、以下のとおり、研修科目の一部について免除することができるものとする。

ア　基準第10条第３項第１号に規定する保育士の資格を有する者

別紙の「２―④　子どもの発達理解」、「２―⑤　児童期（６歳～12歳）の生活と発達」、「２―⑥　障害のある子どもの理解」、「２―⑦　特に配慮を必要とする子どもの理解」

イ　基準第10条第３項第２号に規定する社会福祉士の資格を有する者

別紙の「２―⑥　障害のある子どもの理

解」、「２―⑦　特に配慮を必要とする子どもの理解」

ウ　基準第10条第３項第４号に規定する教諭となる資格を有する者

別紙の「２―④　子どもの発達理解」、「２―⑤　児童期（６歳～12歳）の生活と発達」

(7)　既修了科目の取扱い

受講者が認定資格研修受講中に、他の都道府県等に転居した場合や病気等のやむを得ない理由により認定資格研修の一部を欠席した場合等における既修了科目の取扱いについては、既に履修したものとみなし、認定資格研修を実施した都道府県等は、受講者に対し「放課後児童支援員認定資格研修一部科目修了証」（様式第１号）を発行することができるものとする。

(8)　修了評価

認定資格研修の修了評価については、研修修了者の質の確保を図る観点から、適正に行われる必要があり、都道府県等は、例えば、１日単位でレポート又はチェックシートを提出させるなど、各受講者が放課後児童支援員として業務を遂行する上で必要最低限の知識及び技能の習得とそれを実践する際の基本的な考え方や心得の認識を確認するものとする。

なお、受講者が提出するレポート又はチェックシートには、科目の履修又は認定資格研修全体を通じて学んだこと、理解したこと、今後役に立つと思われること、研修講師の評価などを記載してもらうことを想定しており、レポート又はチェックシート自体に理解度の評価（判定）を行って、科目履修の可否を決定することまでは想定していないことに留意すること。

４　実施手続

(1)　受講の申込み及び受講資格等の確認

ア　受講の申込み及び受講資格の確認

都道府県等は、受講希望者が受講の申込みをするに当たり、受講希望者が希望する認定資格研修の実施主体である都道府県等に受講申込書を提出させるものとする。

ただし、都道府県は、受講希望者が受講の申込みをするに当たり、放課後児童健全育成事業所を所管する市町村を経由させて、受講申込書を提出させることができるものとする。その際、基準第10条第３項の各号等のいずれかに該当するかの確認を行うこととし、各種資格証や修了証明書、実務経験証明書の原本若しくはその写し等により、確実に要件の確認を行わなければならない。その実施に当たっては、市町村と連携及び協力して、円滑に実施できるような工夫が必要である。なお、基準第10条第３項第９号に該当するかの確認については、当該市町村が認定したことの分かる資料を添付させるなどの方法により行うこと。なお、受講者が５の(4)ア～エのいずれかに該当する者であると認める場合、都道府県等は関係する市町村と協議のうえ、受講の適否を検討すること。

イ　受講者本人の確認

都道府県等は、受講者本人であることの確認を併せて行うこととし、住民票の写し、健康保険証、運転免許証、パスポート等の公的機関発行の証明書等を提出又は提示させ、本人確認を行うものとする。

なお、①及び②の確認を行うに際しては、受講希望者に対して、募集時等に必要な情報を事前に周知する必要がある。

(2)　受講場所

認定資格研修の受講場所は、原則として、現に放課後児童クラブに従事している者はその勤務地の都道府県等で、それ以外の者は現住所地の都道府県等で受講するものとする。

(3)　修了の認定・修了証の交付

都道府県等は、基準第10条第３項の各号のいずれかに該当し、認定資格研修の全科目を履修し、放課後児童支援員としての必要な知識及び技能を習得したと認められる者に対して、修了の認定を行い、全国共通の「放課後児童支援員認定資格研修修了証」［賞状形式及び携帯用形式］（様式第２号）を都道府県知事名、指定都市市長名又は中核市市長名で交付するものとする。なお、基準第10条第３項各号のいずれかに該当する見込みの者が研修を修了した場合、都道府県等は、当該者が基準第10条第３項各号のいずれかに該当したことを確認した後、修了証を発行する。

ただし、修了の認定及び修了証の交付については、委託することができない。

５　認定等事務

(1)　認定者名簿の作成

都道府県は、「放課後児童支援員認定資格研修修了証」を交付した者の必要事項【氏名、生年月日、現住所又は連絡先、修了年月日、修了証番号等】を記載した「○○都道府県放課後児童支援員認定者名簿」を作成するものとする。

指定都市等は、「放課後児童支援員認定資格研修修了証」を交付した者の必要事項【氏名、生年月日、現住所又は連絡先、修了年月日、修了証番号等】を記載した「〇〇市放課後児童支援員認定者名簿」を作成し、所在の都道府県に速やかに報告するものとする。報告を受けた都道府県は、上記の「〇〇都道府県放課後児童支援員認定者名簿」に指定都市等から報告された「〇〇市放課後児童支援員認定者名簿」の内容を反映させ、指定都市等が「放課後児童支援員認定資格研修修了証」を交付した者も含めて管理するものとする。

(2) 認定者名簿の管理

都道府県等は、認定者名簿を管理するに際して、個人情報の保護に十分留意して、安全かつ適切な措置を講ずるとともに、永年保存とし、修了証の再交付等に対応できる体制を整備するものとする。

(3) 修了証の再交付等

都道府県等は、認定を受けた者が、認定者名簿に記載された内容（氏名、現住所又は連絡先）に変更が生じたこと、又は修了証を紛失（又は汚損）したことの申し出があった際には、速やかに、修了証の再交付等の手続を行うものとする。また、指定都市等においては、変更内容等を所在の都道府県に速やかに報告するものとする。

(4) 認定の取消

都道府県等は、認定を受けた者が、次の事由に該当すると認められる場合には、当該者を認定者名簿から削除することができるものとする。また、指定都市等においては、当該者を認定者名簿から削除した場合には、その旨を所在の都道府県に速やかに報告するものとする。

ア　虚偽又は不正の事実に基づいて認定を受けた場合

イ　虐待等の禁止（基準第12条）に違反した場合

ウ　秘密保持義務（基準第16条第１項）に違反した場合

エ　その他放課後児童支援員としての信用失墜行為を行った場合　など

6　留意事項

(1) 都道府県は、認定資格研修の実施に当たって、管内の市町村や関係団体等と十分な連携を図り、効果的で円滑な実施が図られるよう努めること。特に、指定都市等が所在する都道府県においては、都道府県と指定都市等の間で研修実施について十分協議を行い、地域によって研修が受講できないといったことが起きないよう、地域の実情に応じた適切な対応をすること。

(2) 都道府県等又は本事業の委託を受けた者は、事業実施上知り得た研修受講者に係る秘密の保持について、十分留意すること。

7　研修会参加費用

研修会参加費用のうち、資料等に係る実費相当部分、研修会場までの受講者の旅費及び宿泊費については、受講者等が負担するものとする。

8　費用の補助

国は、都道府県等に対して、認定資格研修の実施に要する経費について、別に定めるところにより補助するものとする。

Ⅱ　放課後児童支援員等資質向上研修事業

1　趣旨・目的

「放課後児童健全育成事業の設備及び運営に関する基準」（平成26年厚生労働省令第63号。以下「基準」という。）第10条第１項に規定する放課後児童支援員及び同条第２項に規定する補助員（以下「放課後児童支援員等」という。）等に対して必要な知識及び技術の習得並びに課題や事例を共有するための研修を行うことにより、放課後児童支援員等の資質の向上を図るものである。

2　実施主体

実施主体は、都道府県又は市町村（特別区を含む。以下同じ。）とする。

ただし、実施主体が資質向上研修を実施する上で適当と認める民間団体等に事業の全部又は一部委託することができるものとする。

3　研修対象者

(1) 放課後児童健全育成事業実施要綱（令和５年４月12日こ成環第５号こども家庭庁成育局長通知）別添１に基づく放課後児童健全育成事業を行う者に従事する放課後児童支援員等及び放課後児童健全育成事業の運営主体の責任者並びに放課後児童健全育成事業の活動に関わるボランティアなど。

(2) 「学校・家庭・地域連携協力推進事業費補助金実施要領（学校を核とした地域力強化プラン）」（平成27年３月31日文部科学省生涯学習政策局長・初等中等教育局長裁定）に基づき放課後や週末等において、学校の余裕教室等を活用して全ての子供たちの安全・安心な活動場所を確保し、学習や様々な体験活動・交流活動の機会を定期的・継続的に提供する放課後等の支援活動（以下「放課後子供教室」という。）の担当者及び事業が円滑に運営されるためにこれらの者と連携・協力を行う学校の教職員など。

4　研修の内容

(1)　都道府県が実施する研修

放課後児童支援員等に対して資質の向上を図るために必要な知識及び技術の習得のための研修を市町村と連携して実施する。

実施に当たっては、放課後児童健全育成事業を行う場所（以下「放課後児童健全育成事業所」という。）の運営やこどもの育成支援に関する事項について、専門的な知識・技術が求められるものや多くの放課後児童健全育成事業所で共通の課題になっているものをテーマとすること。

＜主な具体例＞

○実践発表会

○放課後児童健全育成事業の役割と運営主体の責務

○発達障害児など配慮を必要とする子どもへの支援

○こどもの発達の理解

○こどもの人権と倫理

○個人情報の取扱いとプライバシー保護

○保護者との連携と支援

○家庭における養育状況の理解

○いじめや虐待への対応　など

(2)　市町村が実施する研修

放課後児童支援員等に対して資質の向上を図るために、課題や事例を共有するための実務的な研修を都道府県と連携して実施する。

実施に当たっては、放課後児童健全育成事業所の運営やこどもの育成支援に関する事項について、基礎的な知識や事例、技術等の共有を図ることを目的としたテーマとすること。

なお、いくつかの市町村が合同で実施することも可能である。

＜主な具体例＞

○事例検討（ワークショップ形式）

○放課後児童健全育成事業に関する基礎的理解

○安全指導と安全管理、危機管理

・救急措置と救急対応（実技研修）

・防火、防災、防犯の計画と対応

・事故、けがの予防と事後対応等

・アレルギーの理解と対応、アナフィラキシーへの対応

○おやつの工夫と提供時の衛生、安全

○放課後児童健全育成事業所における遊びや製作活動、表現活動

○育成支援に関する記録の書き方と工夫　など

5　留意事項

(1)　放課後児童健全育成事業における障害児の受入れを推進し、適切な対応を図るため、研修内容に必要な知識の習得や実践的な指導技術に関する援助方法を盛り込むなど、障害児対応を行う放課後児童支援員等の資質の向上に努めること。

(2)　放課後子供教室の担当者に対する研修を併せて実施する場合には、放課後子供教室及び放課後児童健全育成事業それぞれの担当者又は放課後児童支援員等が両研修を相互に受講できるよう連携を図るとともに、両研修内容の整合性や日程等にも配慮すること。

(3)　受講者名簿の管理等、研修受講者の受講履歴が確認できるよう必要な記録の整備に配慮すること。

6　研修参加費用

研修参加費用のうち、教材等に係る実費相当部分、研修会場までの受講者の旅費及び宿泊費については、受講者等が負担するものとする。

7　費用の補助

国は、都道府県又は市町村が実施する事業に対して、別に定めるところにより補助するものとする。

Ⅲ　児童厚生員等研修事業

1　趣旨・目的

児童館等児童厚生施設などで児童の遊びの指導等に当たる児童厚生員や、地域で児童の健全育成に携わる地域児童健全育成支援者の資質の向上を図るため、児童厚生員等を対象とする研修会を実施し、もって児童の健全育成等の充実に資することを目的とする。

2　実施主体

実施主体は、都道府県又は市町村（特別区を含む。以下同じ。）とする。

ただし、実施主体が研修を実施する上で適当と認める民間団体等に事業の全部又は一部を委託することができるものとする。

3　対象者

(1)　4(1)及び(3)の事業

児童厚生員等

(2)　4(2)の事業

4(1)の修了者であって、児童館等に3年以上

従事した者

(3)　4(4)の事業

児童の健全育成に寄与する自主的な活動を行う者や団体（地域児童健全育成支援者）

4　事業内容

(1)　児童厚生員等研修会（基礎研修会）

児童館等に勤務する職員の資質の向上と、各地域における児童健全育成活動の拡充、推進を図ることを目的とする。

(2)　中堅児童厚生員等研修会（中堅職員研修会）

地域に必要とされる児童福祉施設として児童館等が機能を発揮していくためには、「地域福祉」の視点を踏まえた活動展開を行うことが肝要であることから、児童厚生員等が地域に根ざした運営に関してその発想を広げ、ソーシャルワーカーとしての専門性を高めることを目的とする。

(3)　児童厚生員等専門研修会（テーマ別研修会）

子ども・子育て支援新制度の情報や最新の事例、活動をしていく上での課題等を取り上げ、児童館等の役割や機能について改めて確認し、もって児童厚生員等の資質の向上を図ることを目的とする。

(4)　地域児童健全育成支援者研修会

こどもを犯罪の被害から守るための活動やこどもの見守り活動、児童館等の活動等を支援する児童の健全育成に寄与する自主的な活動を行う者や団体を対象とした研修を実施し、地域での児童の健全育成の向上を図ることを目的とする。

5　研修参加費用

研修参加費用のうち、教材等に係る実費相当部分、研修会場までの受講者の旅費及び宿泊費については、受講者が負担するものとする。

6　費用の補助

国は、都道府県又は市町村が実施する事業に対して、別に定めるところにより補助するものとする。

Ⅳ　地域子育て支援拠点事業所職員等研修事業

1　趣旨・目的

児童福祉法（法律第164号）第6条の3第6項に規定する地域子育て支援拠点事業（以下「拠点」という。）に従事する職員等に対して、必要な知識及び技術の習得並びに課題や事例を共有するための研修を行うことにより拠点従事職員等の資質の向上を図ることを目的とする。

2　実施主体

実施主体は、都道府県又は市町村（特別区を含む。以下同じ。）とする。

ただし、実施主体が研修を実施する上で適当と認める民間団体等に事業の全部又は一部を委託することができるものとする。

なお、いくつかの市町村が合同で実施することも可能である。

3　対象者

(1)　子育て支援員研修事業の実施について（令和6年3月30日こ成環第111号、こ支家第189号こども家庭庁成育局長、こども家庭庁支援局長通知）の別紙「子育て支援員研修事業実施要綱」により実施する子育て支援員研修事業のうち「地域子育て支援コース（地域子育て支援拠点事業）」の研修を終了した者

(2)　上記に関わらず拠点に3年以上従事した者

4　研修内容

拠点従事職員等の資質向上を図るために必要な知識、技術の習得のための専門的な研修、及び拠点における課題や事例を共有するための実務的な研修を実施する。

(1)　資質の向上を図るために必要な知識及び技術の習得のための研修の実施に当たっては、専門的な知識・技術が求められるものをテーマとすること。

＜主な具体例＞

○地域における拠点の役割と運営主体における責務

○個人情報の取扱いとプライバシー保護

○利用親子の交流促進

○発達障害児など配慮を必要とする子どもへの支援

○子どもの発達の理解

○利用者との円滑な関わり

・利用者との連携と支援の方法

・家庭における養育状況の理解

・家庭における虐待への対応

○安全指導と安全管理、危機管理

・救急措置と救急対応（実技研修）

・防火、防災、防犯の計画と対応

・事故、けがの予防と事後対応等

・アレルギーの理解と対応　など

(2)　拠点における課題や事例を共有するための実務的な研修の実施に当たっては、多くの拠点で共通の課題となっている事例や解決に向けた技術等の共有を図ることを目的としたテーマとすること。

<主な具体例>
○事例検討（ワークショップ形式）
○利用親子の情報の共有方法の工夫
○相談記録簿（支援リスト）等に関する記録の書き方と工夫
○地域子育て支援拠点で併せて実施されている他の子育て支援事業との実践事例
○地域の子育て支援関係機関との連携事例　など

5　留意事項
(1)　拠点における障害児の受入れを推進し、適切な対応を図るため、研修内容に必要な知識の習得や実践的な指導技術に関する援助方法を盛り込むなど、障害児対応を行う拠点従事職員等の資質の向上に努めること。
(2)　受講者名簿の管理等、研修受講者の受講履歴が確認できるよう必要な記録の整備に配慮すること。

6　研修参加費用
研修参加費用のうち、教材等に係る実費相当部分、研修会場までの受講者の旅費及び宿泊費については、受講者が負担するものとする。

7　費用の補助
国は、都道府県又は市町村が実施する事業に対して、別に定めるところにより補助するものとする。

別紙・様式第１・２号　略

別添６

ファミリー・サポート・センター事業アドバイザー・提供会員研修事業実施要綱

1　目的
子ども子育て支援法（平成24年法律第65号）に基づく事業として実施されるファミリー・サポート・センター事業については、近年、問題を抱えた親や障害児、ひとり親家庭などの困難ケースの増加、依頼内容の多様化等に伴い、相互援助活動の調整等を行うアドバイザーの役割に関して重要性・専門性が増してきているところである。

このため、現在、ファミリー・サポート・センターにおいて、アドバイザーの業務を行う者、又は預かり・送迎の援助を行う会員に対して研修を実施することによって資質の向上を図り、ファミリー・サポート・センター事業の効果的な運営に資することを目的とする。

2　実施主体
実施主体は、都道府県又は市町村（特別区を含む。以下同じ。）とする。なお、都道府県又は市町村は、ファミリー・サポート・センター事業の内容を熟知し、４に掲げる「研修の実施方法及び内容」に即して研修を適切に行うことができると認められる者（以下「委託研修事業者」という。）に対して、事業を委託できるものとする。

3　対象者
(1)　令和６年３月30日こ成環第120号こども家庭庁成育局長通知「子育て援助活動支援事業（ファミリー・サポート・センター事業）実施要綱」（以下「事業実施要綱」という。）の３(1)④のアに定めるファミリー・サポート・センターのアドバイザー。
(2)　児童福祉法第６条の３第14項に規定する援助を行うことを希望する者（以下、「提供会員」という。）

4　研修の実施方法及び内容
(1)　研修日程等
研修の開催日、時間帯等については、各都道府県・市町村又は委託研修事業者が、地域の実情に応じて、受講者が受講しやすいよう適宜配慮して設定すること。

また、アドバイザー及び提供会員の資質の向上を図る観点から、適切な時期・回数の実施に努めること。
(2)　講師
ファミリー・サポート・センター事業を円滑に実施するために必要な知識や技術について、アドバイザー及び提供会員に伝えるノウハウ等があると認められる者であること。
(3)　研修内容
①　アドバイザーへの研修
研修内容については、地域の実情に応じ、現在、課題となっている事項への対応等が学べる内容とすること。

なお、必要に応じ、講義だけではなく、演習的な内容を加えることが望ましい。

（以下のア～ウに代表的な研修内容について例示するので、内容を検討する際の参考とされたい。ただし、下記イの内容については、実情に応じ、当該年度において、可能な限り１回実施するよう努めるものとする。）

ア　（例１）ファミリー・サポート・センターの現状把握のための研修
（内容：ファミリー・サポート・センターの現況や課題についての情報交換、国の施策や子育て支援の現状に係る情報提供等）

イ　（例２）ファミリー・サポート・センター

の活動を安全に行うための研修

（内容：リスクマネジメント、活動中の事故防止策、緊急時の対応、ヒヤリ・ハット事例の検証、補償保険のしくみ等）

ウ　（例３）ファミリー・サポート・センターの会員との関わり方に係る研修

（内容：コミュニケーションスキルアップ研修、問題のある家庭との関わり方等）

②　提供会員への研修

提供会員の資質の向上を図るために必要な知識及び技能の習得、又は課題や事例の共有等を実施する。ただし、事業実施要綱の３⑴④のケに定める提供会員への講習の経費について、子ども・子育て支援交付金の子育て援助活動支援事業（ファミリー・サポート・センター事業）の運営費として交付申請を行う場合は、補助の対象としない。

５　研修参加費用

研修会参加費用のうち、資料等に係る実費相当分、研修会場までの受講者の旅費及び宿泊費については、受講者等が負担するものとする。

６　留意事項

⑴　都道府県・市町村又は委託研修事業者は、本事業の実施に当たって、管内の関係機関や施設、関係団体等と十分連携し、効果的で円滑な事業の実施が図られるよう努めるものとする。

⑵　都道府県・市町村又は委託研修事業者は、事業実施上知り得た受講者に係る秘密の保持について、十分留意すること。

７　費用の補助

国は、予算の範囲内において、都道府県又は市町村が事業のために支出した経費について、別に定めるところにより、補助するものとする。

別添７

認可外の居宅訪問型保育研修事業実施要綱

１　事業の目的

認可外の居宅訪問型保育事業に従事する者に必要な知識の修得、資質を確保するために必要な研修を実施し、もって児童の福祉の向上を図ることを目的とする。

２　実施主体

実施主体は、都道府県、指定都市、中核市及び児童相談所設置市（以下「都道府県等」という。）、並びに都道府県知事、指定都市市長、中核市市長若しくは児童相談所設置市市長（以下「都道府県知事等」という。）の指定した研修事業者（以下「指定研修事業者」という。）とする。

都道府県知事等は当該研修事業を適切に実施できると認める指定保育士養成施設や社会福祉協議会、民間団体等（以下「委託研修事業者」という。）に委託できるものとする。

３　対象者

本事業の対象者は、児童福祉法（昭和22年法律第164号）第59条の２に基づく届出を行っている認可外の居宅訪問型保育事業に現に従事する者及び従事することを予定している者とする。

４　研修の実施方法及び内容

⑴　研修日程等

研修の開催日、時間帯等については、都道府県等、指定研修事業者又は委託研修事業者（以下「研修実施者」という。）が、地域の実情に応じて、受講者が受講しやすいよう適宜配慮して設定すること。

また、認可外の居宅訪問型保育事業に従事する者の充足状況等を適宜考慮して、適切な時期・回数の実施に努めること。

⑵　講師

講師については、略歴、資格、実務経験、学歴等に照らして選定し、各科目の研修を適切に実施するために必要な体制を確保すること。

⑶　研修内容

居宅訪問型保育の知識及び技術等の修得を目的とし、研修の科目、区分、時間数、内容、目的については、原則、別添４の別表２のうちの１　基礎研修、及び「「認可外保育施設指導監督基準」に定める認可外の居宅訪問型保育事業等における保育に従事する者に関する研修について」（令和３年３月31日子発0331第５号厚生労働省子ども家庭局長通知）の２「都道府県知事等がこれと同等以上のものと認める市町村長（特別区の長を含む。）その他の機関が行う研修」のうち「⑴から⑷以外の主体が実施する研修について、都道府県知事等が１⑴に定める研修と同等以上のものと認める基準等」を満たす研修とする。

※　研修内容については、地域性、事業等の特性、受講者の希望等を考慮して時間数を延長することや必要な科目を追加することは差し支えない。

※　受講者がやむを得ない理由により、研修の一部を欠席した場合等には、研修実施者は受講者に対して未履行科目のみを受講させることも可能とすること。

※　都道府県等及び指定研修事業者は、上記に定める研修を修了し、認可外の居宅訪問型保育事

業に従事している者を対象に、事業の特性や必要性等に応じて、フォローアップ研修や現任研修の実施に努めること。

5　修了証書等の交付

⑴　修了証書の交付

ア　都道府県知事等は、4⑶の研修の全科目を修了した者（以下「研修修了者」という。）に対して、別紙様式例1の様式により、修了証書を交付するものとする。

イ　指定研修事業者は、研修修了者に対して、別紙様式例2の様式により、修了証書を交付するものとする。

ウ　修了証書の交付については、当該研修修了者が受講した研修の実施主体である都道府県知事等又は指定研修事業者が交付するものとする。

⑵　一部科目修了者の取扱い

ア　都道府県知事等は、4⑶の研修受講中に、他の都道府県等に転居した場合や病気等のやむを得ない理由により、研修の一部を欠席し、研修科目の一部のみを履修した者（以下「一部科目修了者」という。）から申請があった場合には、別紙様式例3による「一部科目修了証書」を交付するものとする。

イ　指定研修事業者は、一部科目修了者から申請があった場合には、別紙様式例4による「一部科目修了証書」を交付するものとする。

⑶　修了証書等の効果

⑴及び⑵に定める各種証書（以下「修了証書等」という。）は、修了証書等を交付した都道府県等以外の全国の自治体においても効力をもつものであることとする。

6　研修修了者名簿等の作成・管理等

⑴　指定研修事業者は、研修修了者について、修了証書番号、修了年月日、氏名、連絡先等必要事項（以下「必要記載事項」という。）を記載した名簿（以下「研修修了者名簿」という。）を作成し、個人情報として十分な注意を払った上で管理するとともに、作成後遅滞なく指定を受けた都道府県知事等に提出するものとする。

また、一部科目修了者について、必要記載事項を記載した名簿（以下「一部科目修了者名簿」という。）を作成し、上記と同様に取り扱うものとする。

⑵　委託研修事業者は、研修修了者について、研修修了者名簿を作成し、個人情報として十分な注意を払った上で管理するとともに、作成後遅滞なく委託元の都道府県知事等に提出するものとする。

また、一部科目修了者について、一部科目修了者名簿を作成し、上記と同様に取り扱うものとする。

⑶　都道府県知事等は、研修修了者について、研修修了者名簿を作成し、個人情報として十分な注意を払った上で管理するとともに、指定研修事業者から提出された研修修了者名簿等とあわせて個人情報として十分な注意を払った上で、都道府県知事等の責任において一元的に管理するものとする。

また、一部科目修了者について、一部科目修了者名簿を作成し、上記と同様に取り扱うものとする。

⑷　修了証書等の再交付等

ア　指定研修事業者及び委託研修事業者は、修了証書等の交付を受けた者が、研修修了者名簿及び一部科目修了者名簿（以下「修了者名簿等」という。）に記載された内容（氏名又は連絡先等）に変更が生じたこと、又は修了証書等を紛失・汚損したことの申し出があった際には、速やかに必要な確認を行った上で、修了証書等の再交付や更新の手続きを行い、再交付等の後遅滞なくその旨を都道府県知事等に報告するものとする。

イ　都道府県知事等は、修了証書等の交付を受けた者が、研修修了者名簿等に記載された内容（氏名又は連絡先等）に変更が生じたこと、又は修了証書等を紛失・汚損したことの申し出があった際には、速やかに必要な確認を行った上で、修了証書等の再交付や更新の手続き及び研修修了者名簿等の更新を行うとともに、指定研修事業者から報告のあった再交付等の内容について研修修了者名簿等の更新を行い、あわせて個人情報として十分な注意を払った上で、都道府県知事等の責任において一元的に管理するものとする。

7　研修参加費用

研修参加費用のうち、教材等に係る実費相当部分、研修会場までの受講者の旅費及び宿泊費等については、受講者等が負担するものとする。

8　研修事業者の指定

都道府県知事等による研修事業者の指定は、都道府県等の区域毎に、その指定を受けようとする者の申請により、別添1に掲げる要件を満たすと認められる者について、当該都道府県知事等が行うものとする。

9　研修事業者の指定申請手続等

⑴　本事業の指定を受けようとする者は、別添２に掲げる必要事項を記載した指定申請書を事業実施場所の都道府県知事等に提出するものとする。
⑵　申請者が法人であるときは、申請者に定款、寄付行為その他の規約を添付するものとすること。
⑶　本事業の指定を受けた者は、指定を行った都道府県知事等に対し、毎年度、あらかじめ事業計画を提出するとともに、事業終了後速やかに事業実績報告書を提出するものとすること。
⑷　本事業の指定を受けた者は、申請の内容に変更を加える場合には、指定を行った都道府県知事等に対し、あらかじめ変更の内容、変更時期及び理由を届け出るものとし、別添２のイからキの事項に変更を加える場合にあっては、変更について承認を受けるものとすること。
⑸　本事業の指定を受けた者は、事業を廃止しようとする場合には、指定を行った都道府県知事等に対し、あらかじめ廃止の時期及び理由を届け出、指定の取消しを受けるものとすること。

10　研修事業の委託

本事業の委託に当たっては、以下の点に留意すること。

⑴　委託研修事業者は、事業を適正かつ円滑に実施するために必要な事務的能力及び事業の安定的運営に必要な財政基盤を有するものであること。
⑵　委託研修事業者において、研修事業の経理が他の経理と明確に区分され、会計帳簿、決算書類等研修事業の収支の状況を明らかにする書類が整備されていること。
⑶　委託研修事業者は、研修を担当する講師について、略歴、資格、実務経験、学歴等に照らし、各科目の研修を適切に実施するために必要な体制を確保していること。
⑷　委託研修事業者が、本要綱に定める内容に従って、適切に研修を実施することが見込まれること。
⑸　指定保育士養成施設、社会福祉協議会、地域のＮＰＯ法人や子育て支援団体等、認可外の居宅訪問型保育研修に関する実績や知見等を有する機関、団体等に委託することが望ましい。

11　留意事項

⑴　都道府県等は、本事業の実施に当たって、管内の関係機関や施設、関係団体等と十分な連携を図り、効果的で円滑な事業の実施が図られるよう努めるものとする。
⑵　研修実施者は、事業実施上知り得た研修受講者に係る秘密の保持について、十分留意すること。
⑶　研修実施者は、研修受講者が演習及び実習において知り得た個人の秘密の保持について、受講者が十分に留意するよう指導すること。
⑷　都道府県知事等は、指定研修事業者に対し、管内における研修の実施内容等について適切な水準が保たれるよう定期的に指導すること。
⑸　研修を実施する際には、研修内容を鑑みて、適切な定員を設定すること。

12　費用の補助

国は、都道府県等が研修を実施する場合に、当該都道府県等に対し、本事業に要する経費について、別に定めるところにより補助するものとする。

別紙様式例１～４・別添１・２　略

V

保育士養成及び保育士試験

１　保育士養成

◉児童福祉法施行規則第６条の２の３第１項第３号の指定保育士養成施設の修業教科目及び単位数並びに履修方法

〔平成13年５月23日
厚生労働省告示第198号〕

注　令和６年３月29日こども家庭庁告示第８号改正現在

児童福祉法施行規則（昭和23年厚生省令第11号）第39条の２第１項第３号の規定に基づき、児童福祉法施行規則第39条の２第１項第３号の指定保育士養成施設の修業教科目及び単位数並びに履修方法を次のように定め、平成14年４月１日から適用し、児童福祉法施行規則第39条の２第１項第３号の保育士を養成する学校その他の施設の修業教科目及び履修方法（昭和37年９月厚生省告示第328号）は、平成14年３月31日限り廃止する。ただし、平成14年３月31日以前に児童福祉法施行令（昭和23年政令第74号）第13条第１項第１号に規定する指定保育士養成施設に入所していた者については、なお従前の例による。

（修業教科目及び単位数）

第１条　児童福祉法施行規則第６条の２の３第１項第３号に規定する修業教科目及び単位数は、次の各号に掲げる教科目及び単位数とする。

一　必修科目　別表第１の教科目の欄に掲げるすべての教科目について、それぞれ同表の単位数の欄に掲げる単位数

二　選択必修科目　別表第２に掲げる系列のうちから18単位以上（うち保育実習　３単位以上（うち保育実習Ⅱ（実習）又は保育実習Ⅲ（実習）　２単位以上、保育実習指導Ⅱ（演習）又は保育実習指導Ⅲ（演習）　１単位以上））

三　教養科目　10単位以上（うち外国語に関する演習　２単位以上、体育に関する講義及び実技　それぞれ１単位、これら以外の科目　６単位以上）

（任意開設教科目及び単位数）

第２条　児童福祉法（昭和22年法律第164号）第18条の６第１号に規定する指定保育士養成施設（以下「指定保育士養成施設」という。）は、必要があると認めるときは、前条各号に掲げる教科目及び単位数以外の教科目及び単位数を設けることができる。

（単位の算定方法）

第３条　各教科目に対する単位数は、短期大学設置基準（昭和50年文部省令第21号）第７条の例により算定するものとする。この場合において、実験、実習又は実技による授業に係る単位の計算方法については、同条第２項中「第11条第１項に規定する」とあるのは「実験、実習又は実技の」と、「おおむね15時間」とあるのは「30時間」と読み替えるものとする。

（履修方法）

第４条　指定保育士養成施設は、入所者に対して、次の各号に掲げる教科目及び単位数を履修させるものとする。

一　必修科目　別表第１の教科目の欄に掲げるすべての教科目について、それぞれ同表の単位数の欄に掲げる単位数

二　選択必修科目　別表第２に掲げる系列のうちから９単位以上（うち保育実習　３単位以上（うち保育実習Ⅱ（実習）又は保育実習Ⅲ（実習）　２単位以上、保育実習指導Ⅱ（演習）又は保育実習指導Ⅲ（演習）　１単位以上））

三　教養科目　８単位以上（うち体育に関する講義及び実技　それぞれ１単位）

２　前項の規定にかかわらず、指定保育士養成施設は、社会福祉士及び介護福祉士法（昭和62年法律第30号）第40条第２項第１号から第３号まで若しくは第５号の規定により指定された学校若しくは養成施設又は同項第４号の規定により指定された高等学校若しくは中等教育学校を卒業した入所者については、次の各号に掲げる教科目の履修を免除することができる。

一　別表第１の教科目の欄に掲げる教科目のうち、子ども家庭福祉（講義）、社会福祉（講義）、子ども家庭支援論（講義）、社会的養護Ⅰ（講義）及び社会的養護Ⅱ（演習）

二　選択必修科目の一部又は全部（保育実習Ⅱ（実習）又は保育実習指導Ⅱ（演習）を除き、保育実習Ⅱ（実習）、保育実習Ⅲ（実習）、保育実習指導Ⅱ（演習）又は保育実習指導Ⅲ（演習）以外の教科目については、指定保育士養成施設が認めた教科目に限る。）

三　教養科目の一部又は全部（指定保育士養成施設が認めた教科目に限る。）

（選択履修科目）

第5条　指定保育士養成施設は、入所者に対して、前条第1項各号に掲げる教科目及び単位数以外の教科目及び単位数を選択して履修させることができる。

別表第1

系列	教科目	単位数
保育の本質・目的に関する科目	保育原理（講義）	2
	教育原理（講義）	2
	子ども家庭福祉（講義）	2
	社会福祉（講義）	2
	子ども家庭支援論（講義）	2
	社会的養護Ⅰ（講義）	2
	保育者論（講義）	2
保育の対象の理解に関する科目	保育の心理学（講義）	2
	子ども家庭支援の心理学（講義）	2
	子どもの理解と援助（演習）	1
	子どもの保健（講義）	2
	子どもの食と栄養（演習）	2
保育の内容・方法に関する科目	保育の計画と評価（講義）	2
	保育内容総論（演習）	1
	保育内容演習（演習）	5
	保育内容の理解と方法（演習）	4
	乳児保育Ⅰ（講義）	2
	乳児保育Ⅱ（演習）	1
	子どもの健康と安全（演習）	1
	障害児保育（演習）	2
	社会的養護Ⅱ（演習）	1
	子育て支援（演習）	1
保育実習	保育実習Ⅰ（実習）	4
	保育実習指導Ⅰ（演習）	2
総合演習	保育実践演習（演習）	2

別表第2

一　保育の本質・目的に関する科目

二　保育の対象の理解に関する科目

三　保育の内容・方法に関する科目

四　保育実習

◉児童福祉法施行規則第６条の３第２項に規定するこども家庭庁長官の定める修業教科目

〔平成７年２月28日
厚生省告示第31号〕

注　令和６年３月29日こども家庭庁告示第８号改正現在

児童福祉法施行規則（昭和23年厚生省令第11号）第39条の３第２項の規定に基づき、厚生大臣の定める修業教科目を、次のように定める。

児童福祉法施行規則（昭和23年厚生省令第11号）第６条の３第２項に規定するこども家庭庁長官の定める修業教科目は、児童福祉法施行規則第６条の２の３第１項第３号の指定保育士養成施設の修業教科目及び単位数並びに履修方法（平成13年厚生労働省告示第198号）別表第１の教科目の欄に掲げる教科目及び別表第２に掲げる全ての系列に係る教科目とする。

○児童福祉法施行規則の一部を改正する省令等の施行について

〔平成22年７月13日　雇児発0713第５号
各都道府県知事・各指定都市市長・各中核市市長宛　厚生労働省雇用均等・児童家庭局長通知〕

本日、児童福祉法施行規則の一部を改正する省令（平成22年厚生労働省令第90号。以下「改正省令」という。）及び児童福祉法施行規則第６条の２第１項第３号の指定保育士養成施設の修業教科目及び単位数並びに履修方法の一部を改正する件（平成22年厚生労働省告示第278号。以下「改正告示」という。）が公布され、改正省令については平成25年４月１日より施行され、改正告示については平成23年４月１日より適用されることとなったが、その改正の趣旨及び内容並びに留意事項は次のとおりであるので、御了知の上、その運用に遺憾のないようにされるとともに、管下の指定保育士養成施設長に通知されたい。

なお、本通知は地方自治法（昭和22年法律第67号）第245条の４第１項に規定する技術的助言として発出するものであることを申し添える。

記

第１　改正の趣旨

保育所保育指針（平成20年厚生労働省告示第141号）の改定を受け、保育士養成課程の見直しを行うために、保育士試験の筆記試験科目及び指定保育士養成施設の修業教科目等の新設・変更を行うもの。

第２　改正省令の内容

１　筆記試験科目

「小児保健」、「精神保健」を「子どもの保健」に、「発達心理学」を「保育の心理学」に、「児童福祉」を「児童家庭福祉」に、「養護原理」を「社会的養護」に、「小児栄養」を「子どもの食と栄養」に変更するとともに、科目の規定順についても、再整理を行ったこと。

２　経過措置

改正省令の施行の前に「児童福祉」、「発達心理学及び精神保健」、「発達心理学及び精神保健」及び「小児保健」、「小児栄養」、「教育原理及び養護原理」に合格した者は、その合格の年にそれぞれ「児童家庭福祉」、「保育の心理学」、「子どもの保健」、「子どもの食と栄養」、「教育原理及び社会的養護」に合格したものとみなすこととしたこと。

第３　改正告示の内容

１　必修科目

⑴　教科目の新設

①　現行の「保育原理（講義）」から保育士の役割と責務、制度的位置づけなどを分割し、「保育者論（講義）」を新設したこと。

②　「発達心理学（講義）」と「教育心理学（講義）」を統合し、「保育の心理学Ⅰ（講義）」、「保育の心理学Ⅱ（演習）」を新設したこと。

③　保育所保育指針において、保育課程の編成が義務づけられたことを踏まえ、「保育課程論（講義）」を新設したこと。

④　現行の「社会福祉援助技術（演習）」を分割し、保護者に対する保育指導を学ぶ「保育相談支援（演習）」を新設したこと。

⑵　系列の名称変更

「保育の本質・目的の理解に関する科目」を「保育の本質・目的に関する科目」に、「保育の内容・方法の理解に関する科目」を「保育の内容・方法に関する科目」に、「基礎技能」を「保育の表現技術」に変更したこと。

⑶　教科目の名称変更等

「社会福祉援助技術（演習）」を「相談援助（演習）」に、「児童福祉（講義）」を「児童家庭福祉（講義）」に、「養護原理（講義）」を「社会的養護（講義）」に、「小児保健（講義・実習）」及び「精神保健（講義）」を「子どもの保健Ⅰ（講義）」及び「子どもの保健Ⅱ（演習）」に、「小児栄養（演習）」を「子どもの食と栄養（演習）」に、「家族援助論（講義）」を「家庭支援論（講義）」に、「保育内容（演習）」を「保育内容総論（演習）」及び「保育内容演習（演習）」に、「養護内容（演習）」を「社会的養護内容（演習）」に、「基礎技能（演習）」を「保育の表現技術（演習）」に、「総合演習（演習）」を「保育実践演習（演習）」に変更するとともに、教科目の規定順についても、再整理を行ったこと。

⑷　単位数の変更

「保育原理（講義）」の単位数を４単位から２単位に、「障害児保育（演習）」の単位数を１単位から２単位に、「保育実習（実習）」の単位数を５単位から「保育実習Ⅰ（実習）」４単位、「保育実習指導Ⅰ（演習）」２単位の計６単位に変更したこと。

２　選択必修科目

⑴　各指定保育士養成施設が設置すべき修業教科目及び単位数

現行、別表第２に掲げる系列のうちから19単位以上（うち保育実習２単位以上）としているが、改正告示では18単位以上（うち保育実習３単位以上）としたこと。

⑵　入所者に履修させるべき単位数

現行、別表第２に掲げる系列のうちから10単位以上（うち保育実習２単位以上）としているが、改正告示では９単位以上（うち保育実習３単位以上）としたこと。

なお、第３の１により、必修科目の単位数が60単位から61単位に変更になっているため、総設置単位数及び総履修単位数については、それぞれ79単位以上及び68単位以上の従来どおりとした。

３　経過措置

改正告示は平成23年４月１日から適用されるが、平成23年３月31日以前に指定保育士養成施設に入所していた者については、なお従前の例によるとしたこと。また、平成23年度に新たに指定保育士養成施設又は指定保育士養成施設の学部若しくは学科を設置する場合においては、平成23年度に当該指定保育士養成施設に入所した者の修業教科目及び単位数並びに履修方法については、なお従前の例によることができるとしたこと。

第４　留意事項

告示の改正に伴い、指定保育士養成施設の設置者は、児童福祉法施行令（昭和23年政令第74号）第５条第３項に基づき、児童福祉法施行規則（昭和23年厚生省令第11号）第６条の３第１項第４号に規定する学則の変更を所在地の都道府県知事・指定都市市長・中核市市長を経て地方厚生（支）局長に申請し、その承認を受けなければならないこと。

○児童福祉法施行規則及び厚生労働省関係国家戦略特別区域法施行規則の一部を改正する省令等の施行について

〔平成30年４月27日　子発0427第２号
各都道府県知事・各指定都市市長・各中核市市長宛　厚生労働省子ども家庭局長通知〕

今般、「児童福祉法施行規則及び厚生労働省関係国家戦略特別区域法施行規則の一部を改正する省令」（平成30年厚生労働省令第64号。以下「改正省令」という。）及び「児童福祉法施行規則第６条の２第１項第３号の指定保育士養成施設の修業教科目及び単位数並びに履修方法の一部を改正する件」（平成30年厚生労働省告示第216号。以下「改正告示」という。）が平成30年４月27日付けで別添のとおり公布され、改正省令については2020（平成32）年４月１日より施行され、また、改正告示については平成31年４月１日より適用されることとなったが、その改正の趣旨及び内容並びに施行及び適用に当たっての留意事項は次のとおりであるので、御了知の上、その運用に遺漏のないように期するとともに、管内市町村（特別区含む）、関係機関及び関係団体に対する周知を図られたい。

なお、本通知は地方自治法（昭和22年法律第67号）第245条の４第１項に規定する技術的助言として発出するものであることを申し添える。

記

第１　改正の趣旨

保育を取り巻く社会情勢の変化、保育所保育指針の改定等を踏まえ、指定保育士養成施設の修業教科目（保育士養成課程）及び保育士試験の筆記試験科目の一部につき所要の改正を行ったこと。

第２　改正省令の内容

１　筆記試験科目

筆記試験科目のうち「児童家庭福祉」を「子ども家庭福祉」に改めること。

２　経過措置

改正省令の施行以前に「児童家庭福祉」に合格した者は、その合格の年に「子ども家庭福祉」に合格したものとみなすこと。

第３　改正告示の内容

１　教科目

⑴　教授内容の整理に伴う教科目の変更（単位変更を含む。）

①　「乳児保育（演習）」（２単位）を「乳児保育Ⅰ（講義）」（２単位）及び「乳児保育Ⅱ（演習）」（１単位）に改めること。

②　「保育の心理学Ⅰ（講義）」（２単位）を「保育の心理学（講義）」（２単位）及び「子ども家庭支援の心理学（講義）」（２単位）に、「子どもの保健Ⅰ（講義）」（４単位）を「子どもの保健（講義）」（２単位）に改めること。

③　「家庭支援論（講義）」（２単位）、「相談援助（演習）」（１単位）及び「保育相談支援（演習）」（１単位）を再編し、「子ども家庭支援論（講義）」（２単位）、「子育て支援（演習）」（１単位）及び「子ども家庭支援の心理学（講義）」（２単位）に改めること。

⑵　教科目の名称変更

教科目の名称の変更については、以下のとおり。

変更前		変更後
・「児童家庭福祉（講義）」（２単位）	→	「子ども家庭福祉（講義）」（２単位）
・「家庭支援論（講義）」（２単位）	→	「子ども家庭支援論（講義）」（２単位）
・「社会的養護（講義）」（２単位）	→	「社会的養護Ⅰ（講義）」（２単位）
・「保育の心理学Ⅰ（講義）」（２単位）	→	「保育の心理学（講義）」（２単位）
・「保育の心理学Ⅱ（演習）」（１単位）	→	「子どもの理解と援助（演習）」（１単位）
・「子どもの保健Ⅰ（講義）」（４単位）	→	「子どもの保健（講義）」（２単位）
・「保育課程論（講義）」（２単位）	→	「保育の計画と評価（講義）」（２単位）
・「保育の表現技術（演習）」（４単位）	→	「保育内容の理解と方法（演習）」（４単位）
・「子どもの保健Ⅱ（演習）」（１単位）	→	「子どもの健康と安全（演習）」（１単位）
・「社会的養護内容（演習）」（１単位）	→	「社会的養護Ⅱ（演習）」（１単位）

⑶　系列の変更等

教科目の系列のうち、「保育の表現技術」を削り、教科目「保育の表現技術（演習）」（４単位）の名称変更後の教科目「保育内容の理解と方法（演習）」（４単位）については、系列「保育の内容・方法に関する科目」に位置付けること。

また、教科目「子どもの健康と安全（演習）」（１単位）については、系列「保育の内容・方法に関する科目」に位置付けること。

２　経過措置

改正告示は平成31年４月１日から適用されるが、同年３月31日以前に指定保育士養成施設に入所していた者については、なお従前の例によること。

また、平成31年度に新たに指定保育士養成施設又は指定保育士養成施設の学部若しくは学科を設置する場合においては、当該年度に当該施設に入所した者の修業教科目及び単位数並びに履修方法については、なお従前の例によることができること。

第４　留意事項

１　学則変更の手続き

指定保育士養成施設の設置者は、児童福祉法施行令（昭和23年政令第74号）第５条第３項に基づき、当該施設の所在地の都道府県知事に学則の変更を申請し、その承認を受けなければならないこと。

２　保育士養成課程の改正における留意事項

指定保育士養成施設の保育士養成課程については、以下の点に留意の上改正を行ったため、各指定保育士養成施設においては、これに留意して養成を行うこと。

①　保育士養成課程を構成する教科目全体の体系化及び構造化を行い、各教科目の位置付け及び教科目間の関連性の明確化（特に基礎的事項の理解及びそれを踏まえた実践力の習得）を図ったこと。

②　保育所のみならず、保育士が勤務する児童養護施設、障害児支援に関する施設等の多様な施設を念頭に置き、子ども（18歳未満）及び家庭（保護者等）への支援が実践されるように見直しを行ったこと。

③　子ども及び家庭を取り巻く状況が多様化・複雑化する中において、保育の専門職としての継続的なキャリアアップ並びに他の専門職（医師、看護師、栄養士等）等との連携及び協働の必要性を踏まえ、現行の履修総単位数（68単位）を維持しつつ、指定保育士養成施設卒業時（保育士資格取得時）に履修すべき内容が過度にならないように配慮したこと。

○保育士等を養成する学校その他の施設の学則等変更の承認申請及び届出について

〔平成７年２月28日　児発第138号
各都道府県知事・各指定都市市長宛　厚生省児童家庭局長
通知〕

注　平成15年12月１日雇児発第1201003号改正現在

標記については、別添１のとおり、児童福祉法施行規則の一部を改正する省令が平成７年２月28日厚生省令第６号をもって公布され、即日施行されたところであるが、その改正の趣旨及び内容等は、下記のとおりであるので、御了知の上、その運用に遺漏なきよう留意されるとともに、貴管下関係機関に対するすみやかな周知方よろしくお願いしたい。

記

第１　改正の趣旨

保母等を養成する学校その他の施設（以下「指定施設」という。）の学則等の変更について、指定施設及び都道府県（指定都市を含む。）の事務の簡素化を図る観点から、所要の改正を行うものである。

第２　改正の内容

１　提出書類等の簡素化について（別表を参照のこと。）

⑴　学則に掲げる事項のうち修業年限及び基礎科目の変更については、承認事項から届出事項とすること。

⑵　学則に掲げる修業年限、修業教科目、学生定員、入所資格及び単位の算定方法以外の事項並びに学校又は施設の長の変更については、届出を不要とすること。

２　第６条の３第２項の厚生大臣の定める修業教科目については、別添２「児童福祉法施行規則第６条の３第２項に規定する厚生大臣の定める修業教科目（平成７年２月28日厚生省告示第31号）」により定められたものとすること。

第３　その他

１　施行期日

本改正については、公布の日から施行すること。

２　経過措置

施行日以前に、今回改正前の児童福祉法施行規則の手続により修業年限及び基礎科目の変更の承認を申請している者については、当該変更のあった日から１か月以内に届け出たものとみなすこと。

別添１・２　略

別　表

事項			承認申請または届出の区分
学則	修業年限		届出
	修業教科目単位数及び履修方法	必修科目	承認申請
		選択必修科目	承認申請
		教養科目	届出
	学生定員		承認申請
	入所資格		届出
	単位の算定方法		届出
	その他（*）		届出不要
設置者の氏名又は名称及び住所			届出
名称及び位置			届出
学校若しくは施設の長			届出不要

（*）　学則中の「その他」とは、以下の事項が含まれる。

1　学年、学期及び休業日に関する事項
2　部科及び課程の組織に関する事項
3　授業日時数に関する事項
4　学習の評価に関する事項
5　職員組織に関する事項
6　退学、転学、休学及び卒業に関する事項
7　授業料、入学料、その他の費用徴収に関する事項
8　賞罰に関する事項
9　寄宿舎に関する事項

○指定保育士養成施設の指定及び運営の基準について

〔平成15年12月9日　雇児発第1209001号
各都道府県知事・各指定都市市長・各中核市市長宛　厚生
労働省雇用均等・児童家庭局長通知〕

注　令和4年8月31日子発0831第1号改正現在

保育士養成については、かねてより御配慮をいただいているところであるが、児童福祉法の一部を改正する法律（平成13年法律第135号）等によって整備された保育士関係規定が施行されたことに伴い、別紙1から3のとおり保育士養成施設の指定及び運営の基準を定めているところ。先般、平成25年8月8日の一部改正により、指定保育士養成施設において幼稚園教諭免許状を有する者の保育士資格特例を実施するため別紙4を定めたが、今般、「児童福祉法施行規則第6条の11の2第1項の規定に基づき厚生労働大臣が定める基準の一部を改正する件」（令和元年厚生労働省告示第105号）が公布され、令和2年4月1日より適用となり、保育士資格取得のための特例期間が延長となったため、その適正な実施に特段の御配慮をお願いするとともに、管内の指定保育士養成施設の所長宛に通知されたい。

また、「指定保育士養成施設の指定基準について」（平成13年6月29日雇児発第438号厚生労働省雇用均等・児童家庭局長通知）及び「指定保育士養成施設における保育実習の実施基準について」（平成13年6月29日雇児発第439号厚生労働省雇用均等・児童家庭局長通知）は、廃止する。

なお、本通知は、地方自治法（昭和22年法律第67号）第245条の4第1項に規定する技術的助言として発出するものであることを申し添える。

（別紙1）

指定保育士養成施設指定基準

第1　性格

指定保育士養成施設は、児童の保育及び児童の保護者に対する保育に関する指導を行う専門的職業としての保育士を養成することを目的とする。

指定保育士養成施設は、保育に関する専門的知識及び技術を習得させるとともに、専門的知識及び技術を支える豊かな人格識見を養うために必要な幅広く深い教養を授ける高等専門職業教育機関としての性格を有する。

以上の目的及び性格に鑑み、その組織及び施設については、特にその機能が十分発揮できるように充実されなければならない。

第2　指定基準

1　共通事項

指定保育士養成施設の指定は、児童福祉法施行規則（昭和23年厚生省令第11号。以下「規則」という。）第6条の2の規定に定める他、下記2から7に適合した場合に行うものであること。

授業等の開設方法は、昼間、昼夜開講制（短期大学設置基準（昭和50年文部省令第21号）第12条に規定する昼夜開講制をいう。以下同じ。）、夜間、昼間定時制又は通信制により実施するものであること。

なお、通信制による指定保育士養成施設（以下「通信教育部」とする）は、学校教育法（昭和22年法律第26号）に基づく大学、短期大学又は専修学校の専門課程であって、既に指定保育士養成施設として指定されていることを条件として指定する。

おって、昼間、昼夜開講制、夜間、昼間定時制を総称する場合には昼間部等とする。

2　修業年限

修業年限は、昼間部又は昼夜開講制をとる場合については2年以上とし、夜間部、昼間定時制部又は通信教育部については3年以上とすること。

3　学生定員

学生定員は、原則として100人以上とすること。

ただし、次のいずれにも該当する場合であって、当該指定保育士養成施設及び地域における保育士の養成に支障を生じさせるおそれがない場合については、学生定員を100人未満とすることができること。

(1)　当該指定保育士養成施設を含めた学校又は施設全体の経営が不安定なものでないこと。

(2)　当該指定保育士養成施設への入所希望者数に対して定員数が過度に少数でないこと。

(3)　地域における保育所等児童福祉施設の保育士の確保が困難とならないこと。

4　教職員組織及び教員の資格等

指定保育士養成施設は、所長、教科担当教員及び事務執行に必要な職員をもって組織すること。

(1)　所長

所長は、教育職又は社会福祉関係の職に従事した経験があり、所長としてふさわしい人格識見を有する者であること。

なお、所長が当該指定保育士養成施設の教科担当教員を兼ねることは差し支えないこと。

(2)　教科担当教員

ア　組織

(ア)　昼間部等

教科担当教員については、専任の教科担当教員（以下「教科担当専任教員」という。）を入学定員50人につき6人以上置き、その担当は、「児童福祉法施行規則第6条の2第1項第3号の指定保育士養成施設の修業教科目及び単位数並びに履修方法」（平成13年厚生労働省告示第198号。以下「告示」という。）別表第1の系列欄に掲げる5系列のうち「総合演習」を除く4系列については、それぞれ最低1人とすることが望ましいこと。

また、入学定員が50人増すごとに、教科担当専任教員を2人以上加えることが望ましいこと。

なお、併せて夜間部を置く指定保育士養成施設にあっては、教育に支障がない限度において、これらの数を減じることができること。

(イ)　通信教育部

通信教育部を置く場合は、昼間部等の教科担当専任教員の数に通信教育部に係る入学定員1000人につき2人の教科担当専任教員を加えるものとする。

ただし、当該加える教科担当専任教員の数が上記(ア)の規程による昼間部等の教科担当専任教員の数の2割に満たない場合には、昼間部等の教科担当専任教員の数の2割の数を加えたものとする。

イ　資格

教科担当専任教員は、次のいずれかに該当する者であって、教育の能力があると認められた者であること。

(ア)　博士又は修士の学位を有し、研究上の業績のある者

(イ)　研究上の業績が(ア)に掲げる者に準ずると認められる者

(ウ)　教育上、学問上の業績ある教育経験者

(エ)　学術技能に秀でた者

(オ)　児童福祉事業に関し特に業績のある者

ウ　非常勤教員を置く場合には、教科担当専任教員に準ずる者又は専門科目に関する実務に深い経験を有する者であること。

5　教育課程

(1)　基本的事項

①　指定保育士養成施設は、教育課程の編成に当たっては、保育に関する専門的知識及び技術を習得させるとともに、幅広く深い教養及び総合的な判断力を培い、豊かな人間性を涵養するよう適切に配慮すること。

②　告示別表第1の教科目の欄に掲げる教科目（以下「必修科目」という。）は、必ず履修させなければならないこと。

③　保育所保育指針（平成29年3月31日厚生労働省告示第117号）において、「養護」の視点及び「養護と教育の一体性」が重要であるとされたことを踏まえ、指定保育士養成施設においては、これらに関する内容を個々の教科目のみではなく、養成課程を構成する教科目全体を通じて教授すべきことについて、各教員の理解を促進させること。

④　告示別表第1の教科目の欄に掲げる教科目のうち、アからエまでに掲げる教科目を開設する際には、それぞれに示す事項について留意すること。

ア　「保育者論」

保育士としてのキャリアアップの重要性、保育内容及び職員の質の向上に関する組織的な体制及び取組に関する内容、保育士として実践を振り返ること等を教授内容に含め、実効性をもって教育が展開されるよう配慮すること。

イ　「保育内容の理解と方法」

子どもの発達過程及び実態に即して、生活及び遊びに関する援助に必要な具体的な方法及び技術が習得されるよう、配慮すること。

なお、設置すべき単位をまとめて1科目として開設する必要はなく、必要な単位数に分割して教科目を開設しても差し支えないこと。

ウ　「保育内容総論」及び「保育内容演習」

保育所保育指針に示される保育の全体構造を理解した上で、子どもの発達過程を見通した保育内容を計画し、子どもの実態に即して展開するという保育の実践力を習得できるよう、配慮すること。

なお、「保育内容演習」については、設置すべき単位をまとめて1科目として開設する必要はなく、必要な単位数に分割して教科目を開設しても差し支えないこと。

エ　「子どもの健康と安全」

当該教科目の教授内容が、保育所保育指針、各種ガイドライン（※）等を踏まえた衛生管理・安全管理等の広範囲に渡ることに留意し、指定保育士養成施設においては、当該教科目を担当する教員を適切に確保すること。

（※）　「保育所におけるアレルギー対応ガイドライン」（平成23年３月、厚生労働省）、「2018年改訂版　保育所における感染症対策ガイドライン」（平成30年３月、厚生労働省）、「教育・保育施設等における事故防止及び事故発生時の対応のためのガイドライン」（平成28年３月、内閣府・文部科学省・厚生労働省）等

⑤　告示別表第２の選択必修科目（以下「選択必修科目」という。）については、別表①に掲げる系列及び教科目の中から18単位以上を設け、９単位以上を必ず履修させなければならないこと。ただし、設置及び履修ともに、「保育実習Ⅱ」と「保育実習指導Ⅱ」又は「保育実習Ⅲ」と「保育実習指導Ⅲ」の３単位以上を含むこと。

なお、選択必修科目について、保育実習以外の系列の教科目及び単位数を各指定保育士養成施設で自主的に設定できるようにしたことの趣旨に鑑み、指定保育士養成施設毎に特色ある教科目及び単位数の編成を行うよう努めること。

⑥　教養科目については、必修科目との関連に留意して教科目を設定する等学生の学習意欲を高めるための創意、工夫に努めること。

⑦　必修科目又は選択必修科目以外の教科目を各指定保育士養成施設で設け、入所者に選択させて差し支えないこと。

⑧　告示第１条各号及び第４条各号に定める教科目の名称については、各指定保育士養成施設において変更することもやむを得ないが、児童福祉法施行令（昭和23年政令第74号。以下「令」という。）第５条第２項に規定する指定に関する申請書の提出に当たっては、当該科目の相当科目及びその教授内容の概要を添付させること。なお、令第５条第３項及び規則に規定する学則変更の承認に当たっても同様とする。

⑨　告示に定める教科目のうち、２科目以上を合わせて１科目とすることは、併合された科目の関連性が深いと考えられる場合は差し支えないが、教養科目と、必修科目又は選択必修科目とを併合することは不適当であること。

⑩　指定保育士養成施設は、教育上有益と認めるときは、学生が入所中に他の指定保育士養成施設において履修した教科目又は入所前に指定保育士養成施設で履修した教科目について修得した単位を、30単位を超えない範囲で当該教科目に相当する教科目の履修により修得したものとみなすことができること。

また、指定保育士養成施設以外の学校等（学校教育法による大学、高等専門学校、高等学校の専攻科若しくは盲学校、聾学校若しくは養護学校の専攻科、専修学校の専門課程又は同法第56条第１項に規定する者を入学資格とする各種学校）で履修した教科目について修得した単位については、指定保育士養成施設で設定する教養科目に相当する教科目について、30単位を超えない範囲で修得したものとみなす。

⑪　指定保育士養成施設は、②、⑤及び⑩の規定にかかわらず、介護福祉士養成施設の卒業者（社会福祉士及び介護福祉士法（昭和62年法律第30号）第40条第２項第１号から第３号まで若しくは第５号の規定により指定された学校若しくは養成施設又は同項第４号の規定により指定された高等学校若しくは中等教育学校を卒業した者をいう。）に対しては、以下に掲げる教科目について、履修を免除することができること。

なお、社会福祉士及び介護福祉士法第40条第２項第５号の規定により指定された学校若しくは養成施設を卒業した者については、３年以上介護等の業務に従事した場合に履修免除を行うこと。

ア　必修科目のうち、「子ども家庭福祉」、「社会福祉」、「子ども家庭支援論」、「社会的養護Ⅰ」及び「社会的養護Ⅱ」

イ　選択必修科目（「保育実習Ⅱ」又は「保育実習指導Ⅱ」を除く）の一部又は全部（「保育実習Ⅲ」、「保育実習指導Ⅲ」及び指定保育士養成施設が認めた教科目に限る。）

ウ　教養科目の一部又は全部（指定保育士養成施設が認めた教科目に限る。）

⑫　指定保育士養成施設は、その定めるところにより、当該指定保育士養成施設の学生以外の者に１又は複数の教科目を履修させ、単位を授与することができること。

(2)　通信教育部の教育課程

① 通信教育部における授業は、教材を送付又は指定し、主としてこれにより学習させる授業（以下「通信授業」という。）及び指定保育士養成施設の校舎等における講義・演習・実験・実習又は実技による授業（以下「面接授業」という。）並びに保育実習により行う。

② 指定保育士養成施設においては、通信授業、添削指導及び面接授業について全体として調和がとれ、発展的、系統的に指導できるよう、通信課程に係る具体的な教育計画を策定し、これに基づき、定期試験等を含め、年間を通じて適切に授業を行う。

③ 通信授業

ア 通信授業の実施に当たっては、添削指導を併せ行う。

イ 通信授業における印刷教材は、次によるものであること。

㈠ 正確、公正であって、かつ、配列、分量、区分及び図表が適切であること。

㈡ 統計その他の資料が、新しく、かつ、信頼性のある適切なものであること。

㈢ 自学自習についての便宜が適切に与えられていること。

ウ 生徒からの質問は随時適切な方法で受け付け、十分に指導を行うこと。

④ 面接授業

面接授業の内容は、別表②の教科目について行うものであること。

また、面接授業は、指定保育士養成施設の施設及び設備を使用することを原則とする。これ以外の場合には、都道府県知事に対して、他の施設等で実施する理由、実施場所、担当教員数、その他必要と考えられる事項を届け出ること。

6　施設設備

⑴ 校地は、教育環境として適切な場所に所在し、校舎、敷地のほかに学生が休息、運動等に利用するための適当な空地を有すること。

⑵ 校舎、諸施設について

ア 校舎には少なくとも次に掲げる各室を設けること。

㈠ 教室（講義室、演習室、実験室、実習室等とする。）

㈡ 所長室、会議室、事務室、研究室

㈢ 図書室、保健室

イ 教室は教科目の種類及び学生数に応じ、必要な種類と数を備えること。

ウ 研究室は、専任教員に対しては、必ず備えること。

エ 図書室には、学生が図書を閲覧するために必要な閲覧席及び図書を格納するために必要な設備を設けること。

オ 保健室には、医務及び静養に必要な設備を設けること。

カ 指定保育士養成施設はアに掲げる施設のほか、学生自習室、クラブ室、更衣室を設けることが望ましいこと。

⑶ 指定保育士養成施設には、教員数及び学生数に応じて、教育上、研究上必要な種類及び数の機械、器具及び標本その他の設備並びに図書及び学術雑誌を備えること。

⑷ その他通信教育に係る校地の面積、諸設備等については、通信教育に支障のないものとする。

7　その他

⑴ 昼夜開講制について

ア 指定保育士養成施設は、保育士の養成上必要と認められる場合には、昼夜開講制により授業を行うことができること。

イ 昼夜開講制を設ける場合には、昼間部の中に募集定員を別にする「夜間主コース」を設けること。この場合においては、学則で昼間コースと夜間主コースごとに学生定員を定めること。

ウ 昼夜開講制を実施する場合には、これに係る学生定員、履修方法、授業の開設状況等を考慮して、教育に支障がない限度において4—⑵—ア—㈠に定める教員数を減ずることができるものとすること。

⑵ 通信教育部に係る規定については、施行日以前に指定を受けている指定保育士養成施設にあっては平成19年4月1日から適用する。

(別表①)

系　　　列	教　　科　　目	授業形態	単位数
保育の本質・目的に関する科目	指定保育士養成施設において設定。		
保育の対象の理解に関する科目			
保育の内容・方法に関する科目			
保育実習	保育実習Ⅱ又は保育実習Ⅲ	実習	2
	保育実習指導Ⅱ又は保育実習指導Ⅲ	演習	1

（別表②）

指定保育士養成施設通信教育部における面接授業等実施基準

	系　列	教科目（授業形態）	告示による単位数	うち面接授業の単位数	うち実習の単位数
教養科目		体育（実技）	1単位	1単位	—
必修科目	保育の対象の理解に関する科目	子どもの理解と援助（演習）	1単位	1単位	—
		子どもの食と栄養（演習）	2単位	1単位以上	—
	保育の内容・方法に関する科目	保育内容総論（演習）	1単位	3単位以上	—
		保育内容演習（演習）	5単位		—
		保育内容の理解と方法（演習）	4単位	2単位以上	—
		乳児保育Ⅱ（演習）	1単位	1単位	—
		子どもの健康と安全（演習）	1単位	1単位	—
		障害児保育（演習）	2単位	1単位以上	—
		社会的養護Ⅱ（演習）	1単位	1単位	—
		子育て支援（演習）	1単位	1単位	—
	保育実習	保育実習Ⅰ（実習）	4単位	—	4単位
	総合演習	保育実践演習（演習）	2単位	1単位以上	—
選択必修科目	保育実習	保育実習Ⅱ又はⅢ（実習）	2単位以上	—	2単位以上
単位数計			28単位以上	14単位以上	6単位以上

備考　1　通信教育部における面接授業の教科目及び単位数は、上記のとおりであること。

2　指定保育士養成施設は、上記に掲げる教科目以外の科目についても面接授業を行うことができる。

（別紙２）

保育実習実施基準

第１　保育実習の目的

保育実習は、その習得した教科全体の知識、技能を基礎とし、これらを総合的に実践する応用能力を養うため、児童に対する理解を通じて保育の理論と実践の関係について習熟させることを目的とする。

第２　履修の方法

1　保育実習は、次表の第３欄に掲げる施設につき、同表第２欄に掲げる履修方法により行うものとする。

実習種別（第１欄）	履修方法（第２欄）		実習施設（第３欄）
	単位数	施設におけるおおむねの実習日数	
保育実習Ⅰ（必修科目）	４単位	20日	(A)
保育実習Ⅱ（選択必修科目）	2	10日	(B)
保育実習Ⅲ（選択必修科目）	2	10日	(C)

備考１　第３欄に掲げる実習施設の種別は、次によるものであること。

(A)……保育所、幼保連携型認定こども園又は児童福祉法第６条の３第10項の小規模保育事業（ただし、「家庭的保育事業等の設備及び運営に関する基準」（平成26年厚生労働省令第61号）第３章第２節に規定する小規模保育事業Ａ型及び同基準同章第３節に規定する小規模保育Ｂ型に限る）若しくは同条第12項の事業所内保育事業であって同法第34条の15第１項の事業及び同法同条第２項の認可を受けたもの（以下「小規模保育Ａ・Ｂ型及び事業所内保育事業」という。）及び乳児院、母子生活支援施設、障害児入所施設、児童発達支援センター、障害者支援施設、指定障害福祉サービス事業所（生活介護、自立訓練、就労移行支援又は就労継続支援を行うものに限る）、児童養護施設、児童心理治療施設、児童自立支援施設、児童相談所一時保護施設又は独立行政法人国立重度知的障害者総合施設のぞみの園

(B)……保育所又は幼保連携型認定こども園或いは小規模保育A・B型及び事業所内保育事業

(C)……児童厚生施設又は児童発達支援センターその他社会福祉関係諸法令の規定に基づき設置されている施設であって保育実習を行う施設として適当と認められるもの（保育所及び幼保連携型認定こども園並びに小規模保育A・B型及び事業所内保育事業は除く。）

備考2　保育実習（必修科目）4単位の履修方法は、保育所又は幼保連携型認定こども園或いは小規模保育A・B型及び事業所内保育事業における実習2単位及び(A)に掲げる保育所又は幼保連携型認定こども園或いは小規模保育A・B型及び事業所内保育事業以外の施設における実習2単位とする。

備考3　児童福祉法（昭和22年法律第164号。以下「法」という。）第6条の3第9項に規定する家庭的保育事業又は、「家庭的保育事業等の設備及び運営に関する基準」（平成26年厚生労働省令第61号）第3章第4節に規定する小規模保育事業C型において、家庭的保育者又は補助者として、20日以上従事している又は過去に従事していたことのある場合にあっては、当該事業に従事している又は過去に従事していたことをもって、保育実習Ⅰ（必修科目）のうち保育所又は幼保連携型認定こども園或いは小規模保育A・B型及び事業所内保育事業における実習2単位、保育実習Ⅱ（選択必修科目）及び保育実習指導Ⅱ（選択必修科目）を履修したものとすることができる。

2　保育実習を行う児童福祉施設等及びその配当単位数は、指定保育士養成施設の所長が定めるものとする。

3　保育実習を行う時期は、原則として、修業年限が2年の指定保育士養成施設については第2学年の期間内とし、修業年限が3年以上の指定保育士養成施設については第3学年以降の期間内とする。

4　実習施設に1回に派遣する実習生の数は、その実習施設の規模、人的組織等の指導能力を考慮して定めるものとし、多人数にわたらないように特に留意するものとする。

5　指定保育士養成施設の所長は、毎学年度の始めに実習施設その他の関係者と協議を行い、その学年度の保育実習計画を策定するものとし、この計画において、全体の方針、実習の段階、内容、施設別の期間、時間数、学生の数、実習前後の学習に対する指導方法、実習の記録、評価の方法等を明らかにし、指定保育士養成施設と実習施設との間で共有すること。

第3　実習施設の選定等

1　指定保育士養成施設の所長は、実習施設の選定に当たっては、実習の効果が指導者の能力に負うところが大きいことから、特に施設長、保育士、その他の職員の人的組織を通じて保育についての指導能力が充実している施設のうちから選定するように努めるものとする。

特に、保育所の選定に当たっては、乳児保育、障害児保育及び一時保育等の多様な保育サービスを実施しているところで総合的な実習を行うことが望ましいことから、この点に留意すること。

また、居住型の実習施設を希望する実習生に対しては、実習施設の選定に際して、配慮を行うこと。

2　指定保育士養成施設の所長は、児童福祉施設以外の施設を実習施設として選定する場合に当たっては、保育士が実習生の指導を行う施設を選定するものとする。なお、その施設の設備に比較的余裕があること、実習生の交通条件等についても配慮するものとする。

3　指定保育士養成施設の所長は、教員のうちから実習指導者を定め、実習に関する全般的な事項を担当させ、当該実習指導者は、他の教員と連携して実習指導を一体的に行うこと。また、実習施設においては、主任保育士又はこれに準ずる者を実習指導者と定めること。

4　保育実習の実施に当たっては、保育実習の目的を達成するため、指定保育士養成施設の主たる実習指導者のみに対応を委ねることのないよう、指定保育士養成施設の主たる実習指導者は、他の教員・実習施設の主たる実習指導者等とも緊密に連携し、また、実習施設の主たる実習指導者は、当該実習施設内の他の保育士等とも緊密に連携する

こと。

5　指定保育士養成施設の実習指導者は、実習期間中に少なくとも１回以上実習施設を訪問して学生を指導すること。なお、これにより難い場合は、それと同等の体制を確保すること。

6　指定保育士養成施設の実習指導者は、実習期間中に、学生に指導した内容をその都度、記録すること。また、実習施設の実習指導者に対しては、毎日、実習の記録の確認及び指導内容を記述するよう依頼する等、実習を効果的に進められるよう配慮すること。

（別紙３）

教科目の教授内容

1　目的

各教科目の教授内容の標準的事項を示した「教科目の教授内容」を別添１のとおり定めたので、指定保育士養成施設の教授担当者が教授に当たる際の参考とすること。

2　教科目

〈必修科目〉

【保育の本質・目的に関する科目】

○保育原理（講義　２単位）
○教育原理（講義　２単位）
○子ども家庭福祉（講義　２単位）
○社会福祉（講義　２単位）
○子ども家庭支援論（講義　２単位）
○社会的養護Ⅰ（講義　２単位）
○保育者論（講義　２単位）

【保育の対象の理解に関する科目】

○保育の心理学（講義　２単位）
○子ども家庭支援の心理学（講義　２単位）
○子どもの理解と援助（演習　１単位）
○子どもの保健（講義　２単位）
○子どもの食と栄養（演習　２単位）

【保育の内容・方法に関する科目】

○保育の計画と評価（講義　２単位）
○保育内容総論（演習　１単位）
○保育内容演習（演習　５単位）
○保育内容の理解と方法（演習　４単位）
○乳児保育Ⅰ（講義　２単位）
○乳児保育Ⅱ（演習　１単位）
○子どもの健康と安全（演習　１単位）
○障害児保育（演習　２単位）
○社会的養護Ⅱ（演習　１単位）
○子育て支援（演習　１単位）

【保育実習】

○保育実習Ⅰ（実習　４単位）
○保育実習指導Ⅰ（演習　２単位）

【総合演習】

○保育実践演習（演習　２単位）

〈選択必修科目〉

○保育の本質・目的に関する科目
○保育の対象の理解に関する科目
○保育の内容・方法に関する科目
○保育実習Ⅱ（実習　２単位）
○保育実習指導Ⅱ（演習　１単位）
○保育実習Ⅲ（実習　２単位）
○保育実習指導Ⅲ（演習　１単位）

別添１　略

（別紙４）

幼稚園教諭免許状を有する者の保育士資格取得特例における教科目の教授内容等

1　目的

「就学前の子どもに関する教育、保育等の総合的な提供の推進に関する法律の一部を改正する法律」（平成24年法律第66号。以下「改正認定こども園法」という。）により、「学校及び児童福祉施設としての法的位置づけを持つ単一の施設」として、新たな「幼保連携型認定こども園」が創設された。新たな「幼保連携型認定こども園」は学校教育と保育を一体的に提供する施設であるため、配置される職員としては「幼稚園教諭免許状」と「保育士資格」の両方の免許・資格を有する「保育教諭」が位置づけられた。新たな「幼保連携型認定こども園」への円滑な移行を進めるため、改正認定こども園法の施行後10年間は、「幼稚園教諭免許状」又は「保育士資格」のいずれかを有していれば、「保育教諭」として勤務できる経過措置を設けており、この間にもう一方の免許・資格を取得する必要がある。

このため、経過措置期間中に幼稚園教諭免許状を有する者における保育士資格の取得に必要な単位数等の特例（以下「特例教科目」という。）を設け、免許・資格の併有を促進することとした。

この特例については、幼稚園等において「３年以上かつ4320時間以上」の実務経験を有する者の特例（以下「３年特例」という。）に加えて、更に幼保連携型認定こども園において「２年以上かつ2880時間以上」の実務経験を有する者の特例（以下「幼保２年特例」という。）を令和５年度から適用することとした。

指定保育士養成施設において特例教科目を設ける場合には、「児童福祉法施行規則第６条の２第１項第３号の指定保育士養成施設の修業教科目及び単位数並びに履修方法」（平成13年厚生労働省告示第198号）第２条で定める任意開設科目として、以下に定める内容に基づき実施すること。

2　特例教科目、履修方法、単位数及び履修科目

特例教科目は、次に掲げる特例教科目及び単位数並びに履修方法によること。

なお、特例教科目の教授内容の標準的事項を示した「特例教科目の教授内容」を別添２（３年特例）及び別添３（幼保２年特例）のとおり定めたので、指定保育士養成施設の教授担当者が教授に当たる際の参考とすること。

⑴　３年特例による特例教科目

特例教科目	指定保育士養成施設において修得することを必要とする単位数	特例教科目に対応する告示に定める教科目
福祉と養護（講義）	2	社会福祉 子ども家庭福祉 社会的養護Ⅰ
子ども家庭支援論（講義）	2	子ども家庭支援論 子育て支援
保健と食と栄養（講義）	2	子どもの保健 子どもの食と栄養
乳児保育（演習）	2	乳児保育Ⅰ 乳児保育Ⅱ

※特例教科目を通信制により実施する場合、「乳児保育」については１単位以上を面接授業により履修させること。

※特例教科目の名称は本通知に定める名称によること。

※特例教科目のうち１科目の開設も可能。

⑵　幼保２年特例による特例教科目

特例教科目	指定保育士養成施設において修得することを必要とする単位数	特例教科目に対応する告示に定める教科目
福祉と養護（講義）	2	社会福祉 子ども家庭福祉 社会的養護Ⅰ
子ども家庭支援論（講義）	1	子ども家庭支援論 子育て支援
保健と食と栄養（講義）	2	子どもの保健 子どもの食と栄養
乳児保育（演習）	1	乳児保育Ⅰ 乳児保育Ⅱ

※特例教科目を通信制により実施する場合、「乳児保育」については授業時数の概ね半分以上は面接授業により履修させること。

※特例教科目の名称は基本的に本通知に定める名称によることとしつつ、「子ども家庭支援論」及び「乳児保育」については、３年特例の場合と単位数が異なるため、工夫して管理すること。

※特例教科目のうち１科目の開設も可能。

3　幼稚園教諭免許状を有する者の保育士資格取得特例による実務経験と対象施設

⑴　３年特例の場合

特例のうち３年特例の要件については、次に掲げる施設において「３年以上かつ4320時間以上」の実務経験を有する者とする。

①　幼稚園（学校教育法第１条に規定する幼稚園（特別支援学校幼稚部含む））

②　認定こども園（就学前の子どもに関する教育、保育等の総合的な提供の推進に関する法律（平成18年法律第77号）により認定された認定こども園）

③　保育所（児童福祉法第39条第１項に規定する保育所）

④　小規模保育事業（児童福祉法第６条の３第10項に規定する小規模保育事業（家庭的保育事業等の設備及び運営に関する基準（平成26年厚生労働省令第61号）第27条に規定する小規模保育事業Ａ型及び小規模保育事業Ｂ型に限る。））を実施する施設

⑤　事業所内保育事業（児童福祉法第６条の３第12項に規定する事業所内保育事業（利用定員が６人以上の施設））を実施する施設

⑥　公立施設（国、都道府県、市町村が設置する施設であって、児童福祉法第39条第１項に規定する業務を目的とする施設（同項に規定する保育所を除く））

⑦　離島その他の地域において特例保育（子ども・子育て支援法第30条第１項第４号に規定する特例保育）を実施する施設

⑧　幼稚園併設型認可外保育施設（児童福祉法施行規則第49条の２第３号に規定する施設）

⑨　認可外保育施設（認可外保育施設指導監督基準を満たす施設（「認可外保育施設指導監督基準を満たす旨の証明書の交付について」（平成17年１月21日雇児発第0121002号）による証明書の交付を受けた施設）（１日に保育する乳幼児の数が６人以上である施設））。ただし、次の施設を除く。

・当該施設を利用する児童の半数以上が一時預かり（入所児童の保護者と日単位又は時間単位で不定期に契約し、保育サービスを提供するもの）による施設

・当該施設を利用する児童の半数以上が22時から翌日７時までの全部又は一部の利用による施設

⑵　幼保２年特例の場合

特例のうち幼保２年特例については、⑴に規定する施設における「３年以上かつ4320時間以上」の実務経験に加え、就学前の子どもに関する教育、保育等の総合的な提供の推進に関する法律第２条第７項に規定する幼保連携型認定こども園において「２年以上かつ2880時間以上」の実務経験を有する者とする。

4　幼稚園教諭免許所有者保育士試験免除科目専修証明書（特例教科目）の交付

指定保育士養成施設の長は、特例教科目を修めた者の要請に対し、「保育士試験の実施について」（平成15年12月１日雇児発第1201002号）に定める修得特例教科目に応じた試験免除科目について、「保育士養成課程修了証明書等について」（平成15年12月８日雇児発第1208001号）に定める別紙様式⑷による証明書を交付すること。

5　留意事項

⑴　特例教科目による単位の修得は、平成25年８月８日から改正認定こども園法施行後10年の間とする。

⑵　特例教科目は、指定保育士養成施設における任意開設教科目として開設するものであるため、指定保育士養成施設は、特例教科目を開設した日から起算して１月以内に、都道府県知事に届出をすること（幼保２年特例において「子ども家庭支援論」及び「乳児保育」の１単位の特例教科目を開設する場合も含む）。

⑶　特例教科目の実施に当たっての教員等の体制は、本通知別紙１に準じて実施されることが望ましいこと。

⑷　幼稚園教諭免許状を有する者における保育士資格特例の具体的な運用については、別に示すので、留意し実施すること。

⑸　保育士資格取得後も、キャリアアップ研修を受講するなど、自己研鑽を行うことが重要であることに留意すること。

別添１～３　略

○指定保育士養成施設の保育実習における麻しん及び風しんの予防接種の実施について

〔平成27年４月17日　雇児保発0417第１号
各都道府県・各指定都市・各中核市民生主管部(局)長宛
厚生労働省雇用均等・児童家庭局保育課長通知〕

保育施策の推進については、日頃より格別のご尽力を賜り厚く御礼申し上げます。

指定保育士養成施設の保育士養成課程として行われる保育実習の実施に当たっては、学生を受け入れる保育所等に入所する乳幼児等が、感染症に感染しないよう配慮することが重要です。

特に、感染力が強く罹患すると重症化するおそれのある麻しんや、抗体を保有していない妊娠20週頃までの妊婦が感染すると、先天性風しん症候群の児が生まれる可能性がある風しんへの対策として最も有効なのは、その発生の予防であり、未罹患で、かつ、麻しん及び風しんの予防接種を接種していない学生に対しては、予防接種の推奨を行うことが有効です。

麻しんに関しては、「麻しんに関する特定感染症予防指針」（平成19年厚生労働省告示第442号。別紙１参照。）第三の四の４において、「医療・福祉・教育に係る大学及び専修学校の学生及び生徒に対し麻しんに罹患すると重症化しやすい者と接する可能性がある実習があることを説明し、当該学生及び生徒の罹患歴及び予防接種歴の確認並びに未罹患であり、かつ、麻しんの予防接種を必要回数である２回接種していない者に対する予防接種を推奨する」こととしています。

また、風しんに関しても、「風しんに関する特定感染症予防指針」（平成26年厚生労働省告示第122号。別紙２参照。）第三の四の９において、「医療・福祉・教育に係る大学及び専修学校の学生及び生徒に対し、幼児、児童、体力の弱い者等の風しんに罹患すると重症化しやすい者や妊婦と接する機会が多いことを説明し、当該学生及び生徒の罹患歴及び予防接種歴を確認し、いずれも確認できない者に対して、風しんの抗体検査や予防接種を推奨する」こととしています。

ついては、麻しん及び風しんの予防接種について、下記を踏まえ、適切にご対応いただくよう、管内の指定保育士養成施設に周知願います。

なお、本通知は地方自治法（昭和22年法律第67号）第245条の４第１項に規定する技術的助言として発出するものであることを申し添えます。

記

１　麻しんの予防接種について

⑴　指定保育士養成施設における学生に対する麻しんの罹患歴及び予防接種歴の確認等

指定保育士養成施設に在学し、保育実習を受けようとする学生（以下「実習生」という。）について、実習生の過去の麻しん罹患歴及び予防接種歴を確認した結果、過去に罹患したことがない者であって、麻しんの予防接種が未接種（接種歴及び罹患歴が不明なものも含む。以下同じ。）又は１回のみ接種した者（以下「麻しん抗体要確認者」という。）であった場合、当該者に対し、麻しんの性質等を十分に説明し、以下の⑵及び⑶のとおり抗体検査又は予防接種を受けさせることが望ましいこと。

⑵　麻しん抗体要確認者が抗体検査を受けた場合の取扱いについて

①　麻しん抗体要確認者が抗体検査を受けた結果、抗体が確認できなかった場合は、当該者に対し、予防接種を受けさせることが望ましいこと。

②　麻しん抗体要確認者のうち過去の予防接種歴が未接種であった者については、上記①の予防接種後、再度抗体検査を受けるか又は予防接種を再度受けさせることが望ましいこと。

③　上記②の場合において、抗体検査の結果、抗体が確認できなかった場合は、再度予防接種を受けさせることが望ましいこと。

④　抗体検査の結果、抗体が確認できた者及び上記①から③を行った者については、保育実習を履修しても差し支えないものであること。

⑶　麻しん抗体要確認者が抗体検査を受けずに予防接種を受けた場合の取扱いについて

①　抗体検査を受けずに予防接種を受けた麻しん抗体要確認者のうち、予防接種歴が今回接種分を除いて１回受けている場合（計２回受けている場合）は、保育実習を履修して差し支えないものであること。

②　抗体検査を受けずに予防接種を受けた麻しん抗体要確認者のうち、予防接種歴が今回接種分を除いて未接種の者については、上記⑵の②及

び③による取扱いを行うことを推奨する。なお、当該取扱いを行った者については、保育実習を履修して差し支えないものであること。

2　風しんの予防接種について

(1)　指定保育士養成施設における学生に対する風しんの罹患歴及び予防接種歴の確認等

実習生について、風しん罹患歴及び予防接種歴を確認し、過去に罹患したことがない者であって、風しんの予防接種が未接種（接種歴及び罹患歴が不明なものも含む。以下同じ。）の者（以下「風しん抗体要確認者」という。）であった場合、当該者に対し、風しんの性質等を十分に説明し、以下の(2)及び(3)のとおり抗体検査又は予防接種を受けさせることが望ましいこと。

(2)　風しん抗体要確認者が抗体検査を受けた場合の取扱いについて

①　風しん抗体要確認者が抗体検査を受けた結果、抗体が確認できなかった場合は、当該者に対し、予防接種を受けさせることが望ましいこと。

②　上記①の予防接種後、再度抗体検査を受けるか又は予防接種を再度受けさせることが望ましいこと。

③　上記②の場合において、抗体検査の結果、抗体が確認できなかった場合は、再度予防接種を受けさせることが望ましいこと。

④　抗体検査の結果、抗体が確認できた者及び上記①を行った者については、保育実習を履修しても差し支えないと考えるが、上記②及び③による取扱いを行うことを推奨する。

(3)　風しん抗体要確認者が抗体検査を受けずに予防接種を受けた場合の取扱いについて

抗体検査を受けずに予防接種を受けた風しん抗体要確認者については、保育実習を履修して差し支えないと考えるが、上記(2)の②及び③による取扱いを行うことを推奨する。

3　留意事項

(1)　上記１及び２のいずれにおいても、予防接種後、抗体検査により抗体の有無を確認する場合は、予防接種後から抗体検査を受けるまで２～４週間以上の間隔をあけることが望ましいこと。

(2)　予防接種に当たっては、原則、ＭＲワクチン（麻しん風しん混合ワクチン）を接種すること。

(3)　予防接種を２回受ける場合は、１回目の予防接種後、２回目の予防接種までに少なくとも27日以上間隔をあけること。

(4)　市町村によっては、保健所等において抗体検査を無料で受けられる場合があるので、実習生に対し住所地の自治体に確認するよう周知願いたい。

別紙１・２　略

○保育士を養成する学校その他の施設の指定の申請等について

〔平成22年7月22日　雇児保発0722第2号
各都道府県・各指定都市・各中核市児童福祉主管部(局)長宛
厚生労働省雇用均等・児童家庭局保育課長通知〕

注　令和3年1月6日子保発0106第1号改正現在

児童福祉法施行令（昭和23年政令第74号。以下「令」という。）第5条第1項に規定する厚生労働大臣の指定する保育士を養成する学校その他の施設（以下「指定保育士養成施設」という。）の指定の申請及び学則の変更の申請については、同令第5条第2項及び第3項の規定により行われているところであるが、今般、これら申請に係わる具体的な手続きについて次のとおり定め実施することとしたので通知する。

ついては、管下の指定保育士養成施設に対しても周知されるようお願いしたい。

また、「保育士を養成する学校その他の施設の指定の申請等について」（平成14年3月29日雇児保発第0329005号）は、廃止する。

なお、本通知は地方自治法（昭和22年法律第67号）第245条の4第1項に規定する技術的助言として発出するものであることを申し添える。

記

1　設置計画書に関する事項

(1)　指定保育士養成施設を設置しようとする者は、授業を開始しようとする日の1年前までに様式1による指定保育士養成施設設置計画書を、設置者が都道府県（指定都市及び中核市を含む。以下同じ）である場合は地方厚生（支）局長に、設置者が市町村その他の者である場合は、当該学校又は施設の所在地の都道府県知事（指定都市及び中核市の市長を含む。以下同じ。）を経て地方厚生（支）局長に提出すること。

(2)　指定保育士養成施設の学生の定員を増加しようとする者は、学則を変更しようとする日の1年前までに様式1に準ずる指定保育士養成施設定員変更計画書を、設置者が都道府県である場合は地方厚生（支）局長に、設置者が市町村その他の者である場合は、当該学校又は施設の所在地の都道府県知事を経て地方厚生（支）局長に提出すること。

2　申請に関する事項

令第5条第2項の指定の申請及び同条第3項の変更の承認の申請は、遅くとも授業を開始しようとする日（変更の承認にあっては変更を行おうとする日）の6か月前までに、様式2による申請書を、設置者が都道府県である場合は地方厚生（支）局長に、設置者が市町村その他の者である場合は、当該学校又は施設の所在地の都道府県知事を経て地方厚生（支）局長に提出すること。

3　経過措置に関する事項

児童福祉法施行規則第6条の2第1項第3号の指定保育士養成施設の修業教科目及び単位数並びに履修方法の一部を改正する件（平成22年厚生労働省告示第278号）の適用に伴う承認申請書に係る都道府県知事等への提出期限は、指定保育士養成施設における新しい養成課程の編成や当該承認申請書の作成等に係る期間を考慮し、上記の2にかかわらず、平成22年10月末日までとすること。

様式1・2　略

参考　略

○保育士養成課程修了証明書等について

〔平成15年12月8日　雇児発第1208001号
各都道府県知事・各指定都市市長・各中核市市長宛　厚生
労働省雇用均等・児童家庭局長通知〕

注　令和4年8月31日子発0831第2号改正現在

保育士の養成については、かねてより御配慮を煩わしているところである。

さて、「児童福祉法の一部を改正する法律（平成13年法律第135号）」等の一部の施行に伴い、保育士養成に関する規定が整備されたところであるが、児童福祉法（昭和22年法律第164号）第18条の6第1号の規定による厚生労働大臣の指定する保育士を養成する学校その他の施設（以下「指定保育士養成施設」とする。）を「児童福祉法施行規則第6条の2第1項第3号の指定保育士養成施設の修業教科目及び単位数並びに履修方法」（平成13年厚生労働省告示第198号。以下「告示」という。）に定める教科目の一部を修めないで卒業し、その後その教科目を修めた者、児童福祉法施行規則（昭和23年厚生省令第11号）第6条の11第2項の規定による保育士試験免除の指定科目を専修した者及び指定保育士養成施設の科目履修等により教科目を修得した幼稚園教諭免許を有する者に交付する証明書を別紙様式1から3のとおり定めており、また、平成25年8月8日の一部改正により、幼稚園教諭免許状を有する者の保育士資格特例に関する証明書の別紙様式4を定めているところ。

今般、平成30年1月15日の一部改正により、指定保育士養成施設の科目履修等により教科目を修得した社会福祉士、介護福祉士又は精神保健福祉士である者に交付する証明書の別紙様式5を定めたので、御了知の上、取扱いに遺憾のないようお願いする。

また、「保育士資格証交付について」（平成12年3月31日児発第364号厚生省児童家庭局長通知）は、廃止する。

なお、本通知は、地方自治法（昭和22年法律第67号）第245条の4第1項に規定する技術的助言として発出するものであることを申し添える。

記

1　指定保育士養成施設を告示に定める教科目の一部を修めないで卒業し、その後その教科目を修めた者について

指定保育士養成施設の長は、告示に定める教科目の一部を修めないで卒業した後その教科目を修めた者に対し、別紙様式(1)による保育士養成課程修了証明書を交付すること。

各指定保育士養成施設においては、保育士養成課程修了証交付台帳を設け、保育士養成課程修了証明書を交付したときは、当該交付者の氏名及び当該養成施設における履修科目を記載すること。

2　保育士試験免除指定科目を専修した者について

児童福祉法施行規則第6条の11第2項の規定による厚生労働大臣の指定した学校又は施設の長は、その厚生労働大臣の指定する科目を修めた者に対し別紙様式(2)による保育士試験免除指定科目専修証明書を交付すること。

3　指定保育士養成施設の科目履修等により教科目を修得した幼稚園教諭免許を有する者について

指定保育士養成施設の長は、教科目を修めた幼稚園教諭免許を有する者の要請に対し、「保育士試験の実施について」の一部改正について（平成21年10月9日雇児発1009第1号）に定める修得教科目に応じた試験免除科目（別表1①）について、別紙様式(3)による幼稚園教諭免許所有者保育士試験免除科目専修証明書を交付すること。

4　指定保育士養成施設の科目履修等により特例教科目を修得した幼稚園教諭免許を有する者について

指定保育士養成施設の長は、「指定保育士養成施設の指定及び運営の基準について」（平成15年12月9日雇児発第1209001号）の別紙4に定める教科目（以下「特例教科目」という。）を修めた幼稚園教諭免許を有する者の要請に対し、「保育士試験の実施について」（平成15年12月1日雇児発第1201002号）に定める修得教科目に応じた試験免除科目（別表1②③）について、別紙様式（4－1）【3年特例用】又は別紙様式（4－2）【幼保2年特例用】による幼稚園教諭免許所有者保育士試験免除科目専修証明書（特例教科目）を交付すること。

5　指定保育士養成施設の科目履修等により教科目を修得した社会福祉士、介護福祉士又は精神保健福祉士である者について

指定保育士養成施設の長は、教科目を修めた社会福祉士、介護福祉士又は精神保健福祉士である者の要請に対し、「保育士試験の実施について」に定める修得教科目に応じた試験免除科目（別表2）について、別紙様式(5)による社会福祉士、介護福祉士又は精神保健福祉士保育士試験免除科目専修証明書を交付すること。

6　証明書の取扱いについて

(1)　1から5までの証明書は当該学校又は施設の長

が発行するものとし、その発行の日は、１、３、４及び５については学校又は施設で所定の学科目及び所要時間を履修したとき、２については学校又は施設で所定の学科目及び所要時間を履修しかつ卒業したときに、本人に交付すること。

⑵　児童福祉法施行規則第６条の11第２項の指定を受けた学校又は施設の長が２の証明書を発行するときは、裏面にその指定を受けた免除学科目名を記入すること。

⑶　指定保育士養成施設の長が３の証明書を発行するときは、試験免除科目に応じた当該施設における養成課程の教科目名を記入すること。

⑷　指定保育士養成施設の長が４の証明書を発行するときは、「修得した特例教科目名」及び「修得した養成課程の教科目名」に印を記入し、対応する試験免除科目の左欄に印を記入すること。

なお、平成31年度においては、試験免除科目「子ども家庭福祉」を改正前の名称「児童家庭福祉」と読み替えて取り扱うこと。

⑸　指定保育士養成施設の長が５の証明書を発行するときは、試験免除科目に応じた当該施設における養成課程の教科目名を記入すること。

別紙様式(1)

保育士養成課程修了証明書

氏　　名

生年月日

児童福祉法第18条の６第１号の規定により指定された保育士を養成する学校（又は施設）を卒業した後、所定の科目を修めたことを証明する。

年　　月　　日

学校（施設）所在地

学校（施設）名称長名　　　　　(印)

(　　年　月　日　　第　号　指定)

別紙様式(2)

保育士試験免除指定科目専修証明書

氏　　名

生年月日

上記の者は児童福祉法施行規則第６条の11第２項の規定による下記の学科目を専修したことを証明する。

一

一

一

一

年　　月　　日

学校（施設）所在地

学校（施設）名称長名　　　　　(印)

(　　年　月　日　　第　号　指定)

＊注・本書の裏面に、厚生労働大臣の指定した免除科目名を必ず記入すること。

別紙様式(3)

幼稚園教諭免許所有者保育士試験免除科目専修証明書

氏　　名

生年月日

上記の者は児童福祉法施行規則第６条の11第２項の規定による下記の学科目を専修したことを証明する。

試験免除科目	修得した養成課程の教科目名
一	
一	
一	
一	

年　　月　　日

学校（施設）所在地

学校（施設）名称長名　　　　　(印)

(　　年　月　日　　第　号　指定)

別紙様式（４－１）【３年特例用】

幼稚園教諭免許所有者保育士試験免除科目専修証明書（特例教科目）

氏　　名

生年月日

上記の者は児童福祉法施行規則第６条の11第２項の規定による下記の学科目を専修したことを証明する。

<table>
<tr><th colspan="3">試験免除科目</th><th colspan="2">修得した特例教科目名</th><th colspan="2">修得した養成課程の教科目名
（告示に定める教科目）</th></tr>
<tr><td></td><td>1</td><td>社会福祉</td><td>A</td><td>福祉と養護</td><td>①</td><td>社会福祉</td></tr>
<tr><td rowspan="2"></td><td rowspan="2">2</td><td rowspan="2">子ども家庭福祉</td><td>A</td><td>福祉と養護</td><td>②</td><td>子ども家庭福祉</td></tr>
<tr><td>B</td><td>子ども家庭支援論
（２単位）</td><td>③</td><td>子ども家庭支援論</td></tr>
<tr><td></td><td>3</td><td>子どもの保健</td><td rowspan="2">C</td><td rowspan="2">保健と食と栄養</td><td>④</td><td>子どもの保健</td></tr>
<tr><td></td><td>4</td><td>子どもの食と栄養</td><td>⑤</td><td>子どもの食と栄養</td></tr>
<tr><td rowspan="3"></td><td rowspan="3">5</td><td rowspan="3">保育原理</td><td rowspan="2">D</td><td rowspan="2">乳児保育（２単位）</td><td>⑥</td><td>乳児保育Ⅰ</td></tr>
<tr><td>⑦</td><td>乳児保育Ⅱ</td></tr>
<tr><td>B</td><td>子ども家庭支援論
（２単位）</td><td>⑧</td><td>子育て支援</td></tr>
<tr><td></td><td>6</td><td>社会的養護</td><td>A</td><td>福祉と養護</td><td>⑨</td><td>社会的養護Ⅰ</td></tr>
</table>

（注：次の科目を修得している場合、試験免除とすること）

１：Ａ又は①

２：Ａ・Ｂ、Ａ・③、Ｂ・②又は②・③

３：Ｃ又は④

４：Ｃ又は⑤

５：Ｂ・Ｄ、Ｂ・⑥・⑦、Ｄ・⑧又は⑥・⑦・⑧

６：Ａ又は⑨

年　　月　　日

学校（施設）所在地

学校（施設）名称長名　　　　　（印）

（　　年　月　日　　第　号　指定）

※　本証明書は、「指定保育士養成施設の指定及び運営の基準について」（平成15年12月９日雇児発第1209001号）の別紙４の３⑴「３年特例の場合」に交付すること。

別紙様式（4－2）【幼保２年特例用】

幼稚園教諭免許所有者保育士試験免除科目専修証明書（特例教科目）

氏　　名

生年月日

上記の者は児童福祉法施行規則第６条の11第２項の規定による下記の学科目を専修したことを証明する。

<table>
<tr><th colspan="3">試験免除科目</th><th colspan="2">修得した特例教科目名</th><th colspan="2">修得した養成課程の教科目名
（告示に定める教科目）</th></tr>
<tr><td></td><td>1</td><td>社会福祉</td><td>A</td><td>福祉と養護</td><td>①</td><td>社会福祉</td></tr>
<tr><td rowspan="2"></td><td rowspan="2">2</td><td rowspan="2">子ども家庭福祉</td><td>A</td><td>福祉と養護</td><td>②</td><td>子ども家庭福祉</td></tr>
<tr><td>B</td><td>子ども家庭支援論
（１単位）</td><td>③</td><td>子ども家庭支援論</td></tr>
<tr><td></td><td>3</td><td>子どもの保健</td><td rowspan="2">C</td><td rowspan="2">保健と食と栄養</td><td>④</td><td>子どもの保健</td></tr>
<tr><td></td><td>4</td><td>子どもの食と栄養</td><td>⑤</td><td>子どもの食と栄養</td></tr>
<tr><td rowspan="3"></td><td rowspan="3">5</td><td rowspan="3">保育原理</td><td rowspan="2">D</td><td rowspan="2">乳児保育（１単位）</td><td>⑥</td><td>乳児保育Ⅰ</td></tr>
<tr><td>⑦</td><td>乳児保育Ⅱ</td></tr>
<tr><td>B</td><td>子ども家庭支援論
（１単位）</td><td>⑧</td><td>子育て支援</td></tr>
<tr><td></td><td>6</td><td>社会的養護</td><td>A</td><td>福祉と養護</td><td>⑨</td><td>社会的養護Ⅰ</td></tr>
</table>

（注：次の科目を修得している場合、試験免除とすること）

１：A又は①

２：A・B、A・③、B・②又は②・③

３：C又は④

４：C又は⑤

５：B・D、B・⑥・⑦、D・⑧又は⑥・⑦・⑧

６：A又は⑨

年　　月　　日

学校（施設）所在地

学校（施設）名称長名　　　　　（印）

（　　年　月　日　　第　号　指定）

※　本証明書は、「指定保育士養成施設の指定及び運営の基準について」（平成15年12月９日雇児発第1209001号）の別紙４の３(2)「幼保２年特例の場合」に交付すること。

別紙様式(5)

社会福祉士、介護福祉士又は精神保健福祉士保育士試験免除科目専修証明書

氏　　名

生年月日

上記の者は児童福祉法施行規則第６条の11第２項の規定による下記の学科目を専修したことを証明する。

試験免除科目	修得した養成課程の教科目名
一	
一	
一	
一	

年　　月　　日

学校（施設）所在地

学校（施設）名称長名　　　　　（印）

（　　年　月　日　　第　号　指定）

○保母を養成する学校その他の施設における保母資格付与のための科目等履修生制度の取扱いについて

〔平成７年３月31日　児保第10号
各都道府県・各指定都市民生主管部(局)長宛　厚生省児童家庭局保育課長通知〕

標記については、平成３年７月５日児発第620号厚生省児童家庭局長通知「保母を養成する学校その他の施設の指定基準について」の別紙「保母養成所指定基準」(以下「指定基準」という。) 及び昭和28年３月16日厚生省児童局長通知「保母資格証交付について」が改正されたところであるが、その趣旨及び内容等は、下記のとおりであるので、御了知の上、その運用に遺漏のないよう留意されるとともに、貴管下保母を養成する学校その他の施設 (以下「保母養成所」という。) の長に対し、周知方よろしくお願いしたい。

記

第１　改正の趣旨

女性の就労意識の変化、福祉人材の確保に対する社会的要請の増大等を踏まえ、保母資格を取得せずに保母養成所を卒業した者が、後年、保母資格取得を希望した場合に、その資格取得機会の確保を図るとともに、保母の人材養成を推進する観点から、所要の改正を行うものである。

第２　改正の内容

１　科目等履修生に対する単位の授与について

短期大学において、当該短期大学の学生以外の者で１又は複数の授業科目を履修する者(以下「科目等履修生」という。) に対し、単位を授与すること (短期大学設置基準 (昭和50年文部省令第21号) 第17条に規定) とされていることから、保母養成所についても、指定基準を改正し、保母養成所の定めるところにより、当該保母養成所の学生以外の者に１又は複数の教科目を履修させ、単位を授与することができること。

２　科目等履修生制度の運用による保母養成所における保母資格付与について

(1)　科目等履修生として保母資格付与に必要な教科目及び単位を補うことにより保母資格を取得できるのは、保母養成所を卒業した者であること。

(2)　科目等履修生として単位を修得するのは、卒業した保母養成所以外の保母養成所であっても、差し支えないこと。

(3)　科目等履修生が履修できる教科目及び修得できる単位は、各保母養成所において判断し、設定して差し支えないこと。

(4)　科目等履修生が卒業した保母養成所以外の保母養成所で科目等履修生として単位を修得した場合、当該保母養成所は単位認定に係る証明書 (単位取得証明書等) を発行すること。

(5)　保母資格証明書の交付は、当該科目等履修生が卒業した保母養成所が行うものであること。なお、前記(4)の場合においては、提出された単位認定に係る証明書を確認の上、保母資格証明書を交付すること。

(6)　保母養成所は、平成７年４月１日以降において科目等履修生として修得した単位を、保母資格付与の要件として算入できること。

第３　施行期日

本通知は平成７年４月１日から施行する。

○指定保育士養成施設の各年度における業務報告について

〔平成22年７月22日　雇児発0722第６号
各都道府県知事・各指定都市市長・各中核市市長宛　厚生労働省雇用均等・児童家庭局長通知〕

注　令和２年12月25日子発1225第２号改正現在

標記については、児童福祉法施行令第５条第５項の規定及び平成22年７月22日雇児発0722第６号厚生労働省雇用均等・児童家庭局長通知「指定保育士養成施設の各年度における業務報告について」により行われているところであるが、「児童福祉法施行規則第６条の２第１項第３号の指定保育士養成施設の修業教科目及び単位数並びに履修方法の一部を改正する件」(平成30年厚生労働省告示第216号) が平成31年４月１日から適用されること等に伴い、児童福祉法施行規則第６条の４に規定する事項に係る様式を別紙のとおり一部を改正し、平成31年度分の業務報告から適用することとしたので通知したところ。

なお、平成30年３月31日以前に指定保育士養成施設に入所していた者（経過措置の規定により、平成31年度に当該指定保育士養成施設に入所した者の修業科目及び単位数並びに履修方法について、なお従前の例によるとした指定保育士養成施設においては、平成31年３月31日以前に指定保育士養成施設に入所していた者）に係る別紙の「第１表　前学年度卒業者の教授科目別時間数及び実習の実施状況」については、なお従前の例によるものとしたところ。

また、平成25年８月８日の一部改正により、幼稚園教諭免許状を有する者の保育士資格特例を実施したことから、「第４表　幼稚園教諭免許状を有する者の保育士資格取得特例における特例教科目の実施状況」を定めたところ。

さらに、平成30年１月15日の一部改正により、「第５表　介護福祉士養成施設卒業者に対する指定保育士養成施設の履修科目免除実施状況」を定めたので、ご留意いただきたい。

ついては、管下の指定保育士養成施設に対しこの旨を通知するとともに、所定の提出期限（前年度分を当該年度の６月末日まで）を遵守するよう周知されたい。

なお、本通知は地方自治法（昭和22年法律第67号）第245条の４第１項に規定する技術的助言として発出するものであることを申し添える。

別　紙

第　　　号
年　　月　　日

都道府県知事　殿

所在地
指定保育士養成施設の長

令和　　年度分指定保育士養成施設業務報告書

児童福祉法施行令第５条第５項の規定により、令和　　年度分に係る指定保育士養成施設業務報告書を別紙のとおり提出いたします。

添付書類

(1)　前学年度卒業者の教授科目別時間数及び実習の実施状況（第１表）
(2)　新学年度における職員の状況（第２表）
(3)　前学年度卒業者数及び新学年度における学生の状況（第３表）
(4)　幼稚園教諭免許状を有する者の保育士資格取得特例における特例教科目の実施状況（第４表）
(5)　介護福祉士養成施設の卒業者に対する指定保育士養成施設における履修科目免除実施状況（第５表）
(6)　前年度における収支決算の細目（第６表）

第１～６表　略

○保育士等キャリアアップ研修の実施について

（平成29年４月１日　雇児保発0401第１号
各都道府県・各指定都市・各中核市民生主管部(局)長宛
厚生労働省雇用均等・児童家庭局保育課長通知）

注　令和５年３月30日子保発0330第１号改正現在

保育士は、専門的知識及び技術をもって、児童の保育及び児童の保護者に対する保育に関する指導を行う専門職であり、その専門性の向上を図るため、児童福祉施設の設備及び運営に関する基準（昭和23年厚生省令第63号）第７条の２第１項では、「児童福祉施設の職員は、常に自己研鑽に励み、法に定めるそれぞれの施設の目的を達成するために必要な知識及び技能の修得、維持及び向上に努めなければならない」こととされており、同条第２項では、「児童福祉施設は、職員に対し、その資質の向上のための研修の機会を確保しなければならない」こととされているところです。

近年、子どもや子育てを取り巻く環境が変化し、保育所に求められる役割も多様化・複雑化する中で、保育士には、より高度な専門性が求められるようになっており、日々の保育士としての業務に加え、各種の研修機会の充実によって、その専門性を向上させていくことが重要となっています。

現在、保育現場においては、園長、主任保育士の下で、初任後から中堅までの職員が、多様な課題への対応や若手の指導等を行うリーダー的な役割を与えられて職務にあたっており、こうした職務内容に応じた専門性の向上を図るための研修機会の充実が特に重要な課題となっています。

今般、公示を行った保育所保育指針（平成29年厚生労働省告示第117号）では、「保育所においては、当該保育所における保育の課題や各職員のキャリアパス等も見据えて、初任者から管理職員までの職位や職務内容等を踏まえた体系的な研修計画を作成しなければならない」ことが盛り込まれたところです。

また、子ども・子育て支援法（平成24年法律第65号）に基づく特定教育・保育等に要する費用の額の算定において、平成29年度より、技能・経験を積んだ職員に対する処遇改善のための加算が創設されますが、今後、当該加算の要件に研修の受講が課されることとなっています。（平成29年度は研修要件を課さず、平成30年度以降は職員の研修の受講状況等を踏まえ、決定。）

これらを踏まえ、今般、保育現場におけるリーダー的職員等に対する研修内容や研修の実施方法等について、別紙のとおり、「保育士等キャリアアップ研修ガイドライン」を定めましたので、通知します。

なお、本通知は、地方自治法（昭和22年法律第67号）第245条の４第１項に規定する技術的助言として発出するものであることを申し添えます。

（別　紙）

保育士等キャリアアップ研修ガイドライン

1　目的

本ガイドラインは、保育現場におけるリーダー的職員の育成に関する研修である「保育士等キャリアアップ研修」（以下「研修」という。）について、一定の水準を確保するために必要な事項を定めるものである。

2　実施主体

研修の実施主体は、都道府県又は都道府県知事の指定した研修実施機関（市町村（特別区を含む。）、指定保育士養成施設又は就学前の子どもに対する保育に関する研修の実績を有する非営利団体に限る。）とする。

3　研修内容等

(1)　研修分野及び対象者

研修は、専門分野別研修、マネジメント研修及び保育実践研修とし、それぞれの研修の対象者は次のとおりとする。

ア　専門分野別研修（①乳児保育、②幼児教育、③障害児保育、④食育・アレルギー対応、⑤保健衛生・安全対策、⑥保護者支援・子育て支援）

保育所等（子ども・子育て支援法に基づく特定教育・保育施設及び特定地域型保育事業をいう。以下同じ。）の保育現場において、それぞれの専門分野に関してリーダー的な役割を担う者（当該役割を担うことが見込まれる者を含む。）

イ　マネジメント研修

アの分野におけるリーダー的な役割を担う者としての経験があり、主任保育士の下でミドルリーダーの役割を担う者（当該役割を担うことが見込まれる者を含む。）

ウ　保育実践研修

保育所等の保育現場における実習経験の少ない者（保育士試験合格者等）又は長期間、保育

所等の保育現場で保育を行っていない者（潜在保育士等）

⑵　研修内容

研修内容は、別添1「分野別リーダー研修の内容」のとおりとし、「ねらい」欄及び「内容」欄に掲げる内容を満たしたものでなければならない。

⑶　研修時間

研修時間は、1分野15時間以上とする。

なお、7⑹に定める園内研修を受講する場合は、1分野最大4時間の研修時間が短縮される。

⑷　講師

研修の講師は、指定保育士養成施設の教員又は研修内容に関して、十分な知識及び経験を有すると都道府県知事が認める者とする。

⑸　実施方法

研修の実施にあたっては、講義形式のほか、演習やグループ討議等を組み合わせることにより、より円滑、かつ、主体的に受講者が知識や技能を修得できるよう、工夫することが望ましい。また、eラーニングで実施する場合は、保育士等キャリアアップ研修をeラーニングで実施する方法等に関する調査研究（平成30年度厚生労働省委託事業）を参考にすること。

4　研修修了の評価

研修修了の評価については、研修修了者の質の確保を図る観点から、適正に行われる必要があり、15時間以上の研修（別紙1の「ねらい」欄及び「内容」欄に掲げる内容を満たしたものに限る。）を全て受講していることを確認するとともに、研修の受講後にレポートを提出させるなど、各受講者の研修内容に関する知識及び技能の習得とそれを実践する際の基本的な考え方や心得の認識を確認するものとする。なお、7⑹に定める園内研修の場合は、園内研修修了の証明で受講を確認するとともに、園内研修の受講後にレポートを提出させるなど、研修内容に関する知識及び技能の習得とそれを実践する際の基本的な考え方や心得の認識を確認するものとする。

受講者が提出するレポートには、研修で学んだことや理解したこと、自らが担うこととなる保育内容と関連付け、今後、役に立つこと等を記載することを想定しており、レポート自体に理解度の評価（判定）を行って、修了の可否を決定することまでは想定していないことに留意すること。

なお、研修の受講において、都道府県又は研修実施機関の指示に従わないなど、受講者の態度が不適切な者や研修内容の理解を著しく欠いている者等については、修了の評価を行わないことができるものとする。

5　研修修了の情報管理

⑴　修了証の交付

都道府県及び研修実施機関は、研修修了者に対し、様式第1号による修了証を交付するものとする。なお、虚偽又は不正の事実に基づいて修了証の交付を受けた場合等においては、研修の修了を取り消すことができる。

⑵　修了証番号

修了証に記載する修了証番号については、「都道府県番号（2桁）―修了証の発行年（2桁（西暦の下2桁））―研修指定番号（3桁）―番号（5桁）」の12桁とする。研修指定番号は、指定を行った研修実施機関の番号（2桁）（都道府県が実施する研修は「01」とする。）と研修種別番号（1桁）の3桁の番号とする。なお、「都道府県番号」及び「研修種別番号」は別添2のとおりとする。

（例）

平成29年（2017年）に北海道が実施する乳児保育の研修を修了した者の最初の修了書番号：011701100001

⑶　修了証の効力

修了証については、修了した研修が実施された会場の所在地の都道府県以外の都道府県においても効力を有するものとする。

⑷　研修修了者の情報管理

研修を実施した後、研修修了者に関する情報を記録し、管理する仕組みとすることにより、身に付けた知識及び技能を客観的に評価できるようにすることが重要であるため、都道府県及び研修実施機関は、次のとおり、研修修了者の情報管理を行うものとする。

ア　研修修了者名簿の作成

都道府県及び研修実施機関は、受講希望者からの申し込みの際、①保育士登録番号（受講希望者が保育士の場合に限る。）、②氏名・生年月日・住所、③勤務先施設の名称・所在市町村名（現に保育所等に勤務している者に限る。）を把握することとし、研修修了後には、①から③までの情報に加え、④修了した研修分野、⑤修了証番号、⑥修了年月日を記載した研修修了者名簿を作成する。なお、都道府県は、研修実施機関が実施した研修の修了者の情報については、研修実施機関に対して、事業実績報告として、研修修了者名簿の提出を求めるとともに、当該名簿に研修実施機関の名称・所在地・連絡先を記載するものとする。

イ　情報の取扱い

研修を実施する上で、知り得た個人情報の取扱いについては、十分に留意しなければならない。研修修了者が受講した研修が実施された会場の所在する都道府県以外の都道府県で勤務する場合、都道府県間で研修修了者の情報を共有することにより、当該情報の確認が円滑となることから、都道府県及び研修実施機関は、他の都道府県及び市町村にアで定める①から⑥までの情報を提供することについて、受講の申し込み時において、本人から同意を得るものとする。

(5)　修了証の再交付

都道府県及び研修実施機関は、研修修了者の氏名の変更や修了証の紛失等の申し出があった際は、修了証の再発行を行うものとする。

6　研修実施機関の指定手続き

都道府県が研修実施機関の指定を行う際の取扱いは次のとおりとする。

(1)　指定申請

研修の指定は、研修実施機関からの申請に基づき行うものとし、研修実施機関は、研修会場の所在地の都道府県に対し、研修実施予定日の２か月前までに様式第２号による申請書を提出しなければならない。

(2)　都道府県による指定

(1)による申請を受けた都道府県は、申請内容が本ガイドラインの３から５までに定める内容を満たした研修を適切に実施できるものと認める場合、様式第３号による指定通知書により、指定を行うものとする。

(3)　指定の効力

(2)による指定については、指定を行った年度のみ効力を有する。ただし、研修実施機関が指定を受けた研修を翌年度も実施しようとする場合、様式第４号による指定内容更新届出書を提出することにより、当該研修に対する指定は、引き続き、効力を有するものとする。なお、当該届出書に記載された研修が本ガイドラインの３から５までに定める内容を満たしていない場合、当該届出書は無効とし、指定の効力はなくなるものとする。

7　その他

(1)　都道府県が研修を実施する場合、都道府県が適当と認める団体に研修の全部又は一部を委託することができるものとし、研修実施機関が研修を実施する場合、適切に研修を実施し、研修修了の評価を行うことができる範囲において、研修の一部を委託することができるものとする。

(2)　都道府県は、指定又は委託を行う場合、研修を実施しようとする者について、次の点に留意するものとする。

ア　事業を適正かつ円滑に実施するために必要な能力及び研修の実施に必要な財政的基盤を有していること

イ　研修事業の経理が他の経理と区分され、事業の収支を明らかにする書類を整備することができること

(3)　都道府県は、研修の実施について、管内市町村及び関係団体等と十分な連携を図るとともに、受講ニーズに対応できるよう、研修実施体制の整備に努めなければならない。研修実施体制の整備にあたっては、研修の開催日、時間帯及び会場について、受講希望者が受講しやすいよう配慮するものとする。

(4)　都道府県及び研修実施機関は、研修の定員に３(1)に定める研修の対象者の受講希望者の数が満たない場合、当該対象者以外の者に研修を受講させることができるものとする。

(5)　都道府県は、本ガイドラインに基づく研修について、委託又は指定を行ったものも含め、ホームページへの掲載等により、保育所等及び研修の対象者に周知を行うこととする。

(6)　保育所及び地域型保育事業所が企画・実施する園内における研修（以下「園内研修」という。）の取扱いについて、園内研修を行う施設・事業者からの申請に基づき、都道府県が、その内容及び研修時間について、以下の要件を満たしていることを確認した場合には、園内研修の修了者について、対応する研修分野の研修に関して１分野最大４時間の研修時間が短縮されるものとする。

・研修の講師が、本ガイドラインに定める研修の講師であること。

・研修の目的及び内容が明確に設定されており、また、本ガイドラインに定める研修分野が設定されているとともにその内容が本ガイドラインに沿ったものとなっていること。

・研修受講者が明確に特定されており、園内研修を実施する保育所及び地域型保育事業所において研修修了の証明が可能であること。

（別添１）

分野別リーダー研修の内容

分野	ねらい	内容	具体的な研修内容（例）
乳児保育 （主に０歳から３歳未満児向けの保育内容）	・乳児保育に関する理解を深め、適切な環境を構成し、個々の子どもの発達の状態に応じた保育を行う力を養い、他の保育士等に乳児保育に関する適切な助言及び指導ができるよう、実践的な能力を身に付ける。	○乳児保育の意義	・乳児保育の役割と機能 ・乳児保育の現状と課題
		○乳児保育の環境	・乳児保育における安全な環境 ・乳児保育における個々の発達を促す生活と遊びの環境 ・他職種との協働
		○乳児への適切な関わり	・乳児保育における配慮事項 ・乳児保育における保育者の関わり ・乳児保育における生活習慣の援助や関わり
		○乳児の発達に応じた保育内容	・保育所保育指針について ・乳児の発達と保育内容 ・１歳以上３歳未満児の発達と保育内容
		○乳児保育の指導計画、記録及び評価	・全体的な計画に基づく指導計画の作成 ・観察を通しての記録及び評価 ・評価の理解及び取組
幼児教育 （主に３歳以上児向けの保育内容）	・幼児教育に関する理解を深め、適切な環境を構成し、個々の子どもの発達の状態に応じた幼児教育を行う力を養い、他の保育士等に幼児教育に関する適切な助言及び指導ができるよう、実践的な能力を身に付ける。	○幼児教育の意義	・幼児教育の役割と機能 ・幼児教育の現状と課題 ・幼児教育と児童福祉の関連性
		○幼児教育の環境	・幼児期にふさわしい生活 ・遊びを通しての総合的な指導 ・一人一人の発達の特性に応じた指導 ・他職種との協働
		○幼児の発達に応じた保育内容	・保育所保育指針について ・資質と能力を育むための保育内容 ・個々の子どもの発達の状況に応じた幼児教育
		○幼児教育の指導計画、記録及び評価	・全体的な計画に基づく指導計画の作成 ・観察を通しての記録及び評価 ・評価の理解及び取組
		○小学校との接続	・小学校教育との接続 ・アプローチカリキュラムとスタートカリキュラムの理解 ・保育所児童保育要録
障害児保育	・障害児保育に関する理解を深め、適切な障害児保育を計画し、個々の子どもの発達の状態に応じた障害児保育を行う力を養い、他の保育士等に障害児保育に関する適切な助言及び指導ができるよう、実践的な能力を身に付ける。	○障害の理解	・障害のある子どもの理解 ・医療的ケア児の理解 ・合理的配慮に関する理解 ・障害児保育に関する現状と課題
		○障害児保育の環境	・障害児保育における個々の発達を促す生活と遊びの環境 ・障害のある子どもと保育者との関わり ・障害のある子どもと他の子どもとの関わり ・他職種との協働
		○障害児の発達の援助	・障害のある子どもの発達と援助

		○家庭及び関係機関との連携 ○障害児保育の指導計画、記録及び評価	・保護者や家族に対する理解と支援 ・地域の専門機関等との連携及び個別の支援計画の作成 ・小学校等との連携 ・全体的な計画に基づく指導計画の作成と観察・記録 ・個別指導計画作成の留意点 ・障害児保育の評価
食育・アレルギー対応	・食育に関する理解を深め、適切に食育計画の作成と活用ができる力を養う。 ・アレルギー対応に関する理解を深め、適切にアレルギー対応を行うことができる力を養う。 ・他の保育士等に食育・アレルギー対応に関する適切な助言及び指導ができるよう、実践的な能力を身に付ける。	○栄養に関する基礎知識 ○食育計画の作成と活用 ○アレルギー疾患の理解 ○保育所における食事の提供ガイドライン ○保育所におけるアレルギー対応ガイドライン	・栄養の基本的概念と栄養素の種類と機能 ・食事摂取基準と献立作成・調理の基本 ・衛生管理の理解と対応 ・食育の理解と計画及び評価 ・食育のための環境（他職種との協働等） ・食生活指導及び食を通した保護者への支援 ・第三次食育推進基本計画 ・アレルギー疾患の理解 ・食物アレルギーのある子どもへの対応 ・保育所における食事の提供ガイドラインの理解 ・食事の提供における質の向上 ・保育所におけるアレルギー対応ガイドラインの理解 ・アナフィラキシーショック（エピペンの使用方法を含む。）の理解と対応
保健衛生・安全対策	・保健衛生に関する理解を深め、適切に保健計画の作成と活用ができる力を養う。 ・安全対策に関する理解を深め、適切な対策を講じることができる力を養う。 ・他の保育士等に保健衛生・安全対策に関する適切な助言及び指導ができるよう、実践的な能力を身に付ける。	○保健計画の作成と活用 ○事故防止及び健康安全管理 ○保育所における感染症対策ガイドライン ○保育の場において血液を介して感染する病気を防止するためのガイドライン	・子どもの発育・発達の理解と保健計画の作成 ・保健活動の記録と評価 ・個別的な配慮を必要とする子どもへの対応（慢性疾患等） ・事故防止及び健康安全管理に関する組織的取組 ・体調不良や傷害が発生した場合の対応 ・救急処置及び救急蘇生法の習得 ・災害への備えと危機管理 ・他職種との協働 ・保育所における感染症対策ガイドラインの理解 ・保育所における感染症の対策と登園時の対応 ・保育の場において血液を介して感染する病気を防止するためのガイドラインの理解 ・保育所における血液を介して感染する感染症の対策と対応

		○教育・保育施設等における事故防止及び事故発生時の対応のためのガイドライン	・教育・保育施設等における事故防止及び事故発生時の対応のためのガイドラインの理解 ・安全な環境づくりと安全の確認方法
保護者支援・子育て支援	・保護者支援・子育て支援に関する理解を深め、適切な支援を行うことができる力を養い、他の保育士等に保護者支援・子育て支援に関する適切な助言及び指導ができるよう、実践的な能力を身に付ける。	○保護者支援・子育て支援の意義	・保護者支援・子育て支援の役割と機能 ・保護者支援・子育て支援の現状と課題 ・保育所の特性を活かした支援 ・保護者の養育力の向上につながる支援
		○保護者に対する相談援助	・保護者に対する相談援助の方法と技術 ・保護者に対する相談援助の計画、記録及び評価
		○地域における子育て支援	・社会資源 ・地域の子育て家庭への支援 ・保護者支援における面接技法
		○虐待予防	・虐待の予防と対応等 ・虐待の事例分析
		○関係機関との連携、地域資源の活用	・保護者支援・子育て支援における専門職及び関係機関との連携 ・保護者支援・子育て支援における地域資源の活用 ・「子どもの貧困」に関する対応
マネジメント	・主任保育士の下でミドルリーダーの役割を担う立場に求められる役割と知識を理解し、自園の円滑な運営と保育の質を高めるために必要なマネジメント・リーダーシップの能力を身に付ける。	○マネジメントの理解	・組織マネジメントの理解 ・保育所におけるマネジメントの現状と課題 ・関係法令、制度及び保育指針等についての理解 ・他専門機関との連携・協働
		○リーダーシップ	・保育所におけるリーダーシップの理解 ・職員への助言・指導 ・他職種との協働
		○組織目標の設定	・組織における課題の抽出及び解決策の検討 ・組織目標の設定と進捗管理
		○人材育成	・職員の資質向上 ・施設内研修の考え方と実践 ・保育実習への対応
		○働きやすい環境づくり	・雇用管理 ・ＩＣＴの活用 ・職員のメンタルヘルス対策

分野	ねらい	内容	具体的な研修内容（例）
保育実践	・子どもに対する理解を深め、保育者が主体的に様々な遊びと環境を通じた保育の展開を行	○保育における環境構成 ○子どもとの関わり方	・子どもの感性を養うための環境構成と保育の展開 ・子どもの発達に応じた援助方法に関する実践方法

	うために必要な能力を身に付ける。	○身体を使った遊び ○言葉・音楽を使った遊び ○物を使った遊び	・身体を使った遊びに関する実践方法 ・言葉・音楽を使った遊びに関する実践方法 ・物を使った遊びに関する実践方法

※「具体的な研修内容（例）」については、「内容」欄の研修事項として考えられる具体的な例であり、研修事項に即した内容であれば、これに限定されるものではない。

（別添２）

修了証番号について

1　都道府県番号

01	北海道	13	東京都①	25	滋賀県	37	香川県
02	青森県	14	神奈川県	26	京都府	38	愛媛県
03	岩手県	15	新潟県	27	大阪府	39	高知県
04	宮城県	16	富山県	28	兵庫県	40	福岡県
05	秋田県	17	石川県	29	奈良県	41	佐賀県
06	山形県	18	福井県	30	和歌山県	42	長崎県
07	福島県	19	山梨県	31	鳥取県	43	熊本県
08	茨城県	20	長野県	32	島根県	44	大分県
09	栃木県	21	岐阜県	33	岡山県	45	宮崎県
10	群馬県	22	静岡県	34	広島県	46	鹿児島県
11	埼玉県	23	愛知県	35	山口県	47	沖縄県
12	千葉県	24	三重県	36	徳島県	81	東京都②

2　研修種別番号

1	乳児保育
2	幼児教育
3	障害児保育
4	食育・アレルギー対応
5	保健衛生・安全対策
6	保護者支援・子育て支援
7	マネジメント
8	保育実践

（様式第１号）

第　　　　号

保育士等キャリアアップ研修修了証

保育士登録番号：

氏　　　　名：

生　年　月　日：

あなたは、「保育士等キャリアアップ研修の実施について」（平成29年４月１日厚生労働省雇用均等・児童家庭局保育課長通知）に基づく保育士等キャリアアップ研修について、次の分野を修了したことを証明する。

研　修　種　別：

年　　月　　日

都道府県知事名
（都道府県の指定を受けた研修実施機関が実施する研修の場合、当該研修実施機関の名称、主たる事務所の所在地及び代表者の氏名）

（注）
保育士以外の者に交付する場合、保育士登録番号の記載は不要となる。

（様式第２号）

年　　月　　日

（都道府県知事）殿

（申請者の名称、主たる事務所の所在地及び代表者氏名）

保育士等キャリアアップ研修指定申請書

「保育士等キャリアアップ研修の実施について」（平成29年４月１日厚生労働省雇用均等・児童家庭局保育課長通知）に基づく保育士等キャリアアップ研修について、指定を受けたいので、関係書類を添えて、下記のとおり、申請を行う。

研修種別	
研修時間数	
研修修了の評価方法	

（添付書類）
・事業計画
・研修カリキュラム
・講師に関する書類

（注）
1　複数の種別の研修をまとめて申請する場合、「別紙のとおり」と記載し、書類を添付することができる。
2　「事業計画」には、研修に関する日程（研修の受付開始予定日、研修実施予定日、修了証の発行予定日及び事業実績報告の提出予定日を含む。）、研修会場、研修事業の実施体制（研修担当者の連絡先及び氏名を含む。）及び収支予算を記載すること。
3　「研修カリキュラム」には、定員、研修項目、各項目の講師・時間数及び研修形態（講義・演習・グループ討議等の別）を記載すること。
4　「講師に関する書類」は、講師の略歴及び保育に関する研修の実績が分かる書類並びに承諾書を添付すること。

（様式第３号）

（研修実施機関の名称及び代表者氏名）　殿

保育士等キャリアアップ研修指定通知書

年　月　日付で指定の申請のあった保育士等キャリアアップ研修について、下記のとおり指定したので、通知する。

研修実施機関番号	
研修実施機関の名称	
研修種別番号	
研修種別	

年　　月　　日

（都道府県知事）

（注）
同一の研修実施機関が実施する複数の種別の研修を一括して指定する場合、「研修種別番号」及び「研修種別」に該当する番号及び研修種別を列挙すること。

（様式第４号）

年　　月　　日

（都道府県知事）殿

（研修実施機関の名称、主たる事務所の所在地及び代表者氏名）

保育士等キャリアアップ研修指定内容更新届出書

「保育士等キャリアアップ研修の実施について」（平成29年４月１日厚生労働省雇用均等・児童家庭局保育課長通知）に基づく保育士等キャリアアップ研修として、　　年　　月　　日に指定を受けた研修について、下記のとおり、　　年度に実施する内容の届出を行う。

研修種別	
研修時間数	
研修修了の評価方法	

（添付書類）
・事業計画
・研修カリキュラム
・講師に関する書類

（注）
1　複数の種別の研修をまとめて届出を行う場合、「別紙のとおり」と記載し、書類を添付することができる。
2　「事業計画」には、研修に関する日程（研修の受付開始予定日、研修実施予定日、修了証の発行予定日及び事業実績報告の提出予定日を含む。）、研修会場、研修事業の実施体制（研修担当者の連絡先及び氏名を含む。）及び収支予算を記載すること。
3　「研修カリキュラム」には、定員、研修項目、各項目の講師・時間数及び研修形態（講義・演習・グループ討議等の別）を記載すること。
4　「講師に関する書類」は、講師の略歴及び保育に関する研修の実績が分かる書類並びに承諾書を添付すること。前年度から変更がない場合は当該書類を省略することができる。

○指定保育士養成施設の変更に伴う学則変更申請の取扱いについて

〔平成30年４月27日　子保発0427第１号
各都道府県知事・各指定都市市長・各中核市市長宛　厚生労働省子ども家庭局保育課長通知〕

注　令和３年１月６日子保発0106第１号改正現在

指定保育士養成施設の修業教科目及び単位数並びに履修方法については、「児童福祉法施行規則第６条の２第１項第３号の指定保育士養成施設の修業教科目及び単位数並びに履修方法」（平成13年厚生労働省告示第198号）において定められているところであるが、今般、「児童福祉法施行規則第６条の２第１項第３号の指定保育士養成施設の修業教科目及び単位数並びに履修方法の一部を改正する件」（平成30年厚生労働省告示第216号）が公布され、平成31年４月１日より適用されることとされている。これに伴う指定保育士養成施設の学則の変更申請の取り扱いについては下記のとおりであるため、貴職におかれては、内容について御了知の上、管内の指定保育士養成施設に周知いただき、学則変更に係る事務を進められるようお願いする。

なお、本通知は、地方自治法（昭和22年法律第67号）第245条の４第１項の規定に基づく技術的助言であることを申し添える。

また、「児童福祉法施行規則第６条の３第２項に規定する学則の変更申請の取り扱いについて」（平成22年７月22日雇児保0722第１号厚生労働省雇用均等・児童家庭局保育課長通知）は廃止する。

記

１　学則変更の申請について

(1)　平成31年度からは改正後の保育士養成課程（以下「新養成課程」という。）による履修が行われるため、平成30年４月１日現在で指定を受けている指定保育士養成施設の設置者は、児童福祉法施行令（昭和23年政令第74号）第５条第３項に基づき、当該施設の所在地の都道府県知事に学則の変更を申請し、その承認を受けること。

(2)　平成31年度に新たに指定保育士養成施設を設置することを計画し、平成30年４月１日時点で、都道府県知事に設置計画書を提出している場合にあっては、平成31年度の入学者には新養成課程の履修ではなく、改正前の養成課程の履修を行うという取扱いができること。

２　変更申請に係る必要書類について

１(1)に示す学則変更の申請に当たっては、別添の変更承認申請書を提出すること。

変更承認申請書の作成に当たっては、別紙の掲げる事項に留意すること。

３　変更承認申請書の提出期限について

変更承認申請書については、平成30年９月末までに提出を行うこと。

別添　略

（別　紙）

変更承認申請書の作成に当たっての留意事項

１　変更承認申請書の「５　学則変更部分の新旧対照表、新学則及び旧学則」について、保育士資格取得に必要な修業教科目及び単位数並びに履修方法に関する事項が学則の他に定められている場合には、学則に加え、その内容を確認できる規定等を添付すること。

２　変更承認申請書の「６　教科目名称の読み替え表（様式１から様式４）」について、「指定保育士養成施設における教科目の開設状況（新）」の項目には、学則に基づく教科目名、単位数及び履修方法を記載すること。

なお、新養成課程に伴う変更申請に限り、様式２及び様式３の「指定保育士養成施設における教科目の開設状況等（旧）」欄の記載は不要であること。

３　変更承認申請書の「８　教授内容の概要（様式６）」については、新設又は変更のあった教科目のみ記載すること。

２　保育士試験

◉児童福祉法施行規則第６条の９第１号の規定に基づきこども家庭庁長官の定める者

〔昭和63年５月28日
厚生省告示第163号〕

注　令和５年３月31日厚生労働省告示第167号改正現在

児童福祉法施行規則（昭和23年厚生省令第11号）第40条第１号の規定に基づき、厚生大臣の定める者を次のように定める。

一　学校教育法（昭和22年法律第216号）による大学に１年以上在学している者であって、年度中に62単位以上修得することが見込まれる者であると当該学校の長が認めた者

二　学校教育法による高等専門学校の最終学年に在学している者であって、年度中に卒業することが見込まれる者であると当該学校の長が認めた者

三　学校教育法による高等学校（中等教育学校の後期課程を含む。）の専攻科（修業年限２年以上のものに限る。）又は特別支援学校の専攻科（修業年限２年以上のものに限る。）を卒業した者又は当該専攻科の最終学年に在学している者であって、年度中に卒業することが見込まれる者であると当該学校の長が認めた者

四　学校教育法による専修学校の専門課程（修業年限２年以上のものに限る。）若しくは各種学校（同法第90条第１項に規定する者を入学資格とするものであって、修業年限２年以上のものに限る。）を卒業した者又は当該専修学校の専門課程若しくは当該各種学校の最終学年に在学している者であって、年度中に卒業することが見込まれる者であると当該学校の長が認めた者

五　外国において、学校教育における14年以上の課程を修了した者

◉児童福祉法施行規則第６条の11の２第１項の規定に基づきこども家庭庁長官が定める基準

〔平成26年３月31日
厚生労働省告示第172号〕

注　令和５年９月13日こども家庭庁告示第13号改正現在

児童福祉法施行規則（昭和23年厚生省令第11号）第６条の11の２第１項の規定に基づき、児童福祉法施行規則第６条の11の２第１項の規定に基づき厚生労働大臣が定める基準を次のように定め、平成26年４月１日から適用する。

児童福祉法施行規則（以下「規則」という。）第６条の11の２第１項に基づきこども家庭庁長官が定める基準は、次の各号のいずれかに該当することとする。なお、規則第６条の11第１項、第２項又は第３項の規定による筆記試験科目の免除を受けた場合は、当該免除を受けた科目については、次の各号に掲げる指定保育士養成施設において修得すべき教科目と規定された当該科目を修得したものとみなす。

一　幼稚園の教諭の普通免許状（教育職員免許法（昭和24年法律第147号）第４条第２項に規定する普通免許状をいう。）を有する者が、児童福祉法（昭和22年法律第164号）第18条の６第１号に規定する指定保育士養成施設において、規則第６条の10第２項に掲げる筆記試験科目（同項第２号の教育原理及び同項第５号を除く。）に相当する教科目を修得すること。

二　子ども・子育て支援法（平成24年法律第65号）の施行の日から10年の間に限り、幼稚園の教諭の普通免許状を有する者が、次に掲げる施設において３年（勤務時間の合計が4320時間以上の場合に限る。）以上従事し、指定保育士養成施設において規則第６条の10第２項の筆記試験科目（同項第２号の教育原理、同項第５号及び第８号に係る科目を除く。）に相当する教科目を修得すること。

イ　就学前の子どもに関する教育、保育等の総合的な提供の推進に関する法律（平成18年法律第77号）第３条第１項又は第３項に規定する認定及び同条

第10項に規定する公示をされた認定こども園
ロ　学校教育法（昭和22年法律第26号）第１条に規定する幼稚園（同条に規定する特別支援学校の幼稚部を含む。）
ハ　児童福祉法第39条第１項に規定する保育所
ニ　児童福祉法第39条第１項に規定する保育を目的とする施設であって、保育所に類する施設
三　社会福祉士、介護福祉士又は精神保健福祉士である者が、指定保育士養成施設において規則第６条の10第２項に掲げる筆記試験科目（同項第２号の社会的養護、同項第３号及び第４号を除く。）に相当する教科目を修得すること。

○児童福祉法施行規則の一部を改正する省令の施行について

〔昭和63年５月28日　児発第480号
各都道府県知事・各指定都市市長宛　厚生省児童家庭局長通知〕

児童福祉法施行規則の一部を改正する省令（以下「改正省令」という。）が昭和63年５月28日厚生省令第36号をもって公布され、これに伴い、児童福祉法施行規則（昭和23年厚生省令第11号）の一部が別添のとおり改正された。その改正の趣旨及び内容等は、下記のとおりであるので御了知のうえ、その運用に遺憾のなきようにされたい。

記

第１　改正の趣旨

保母の養成は、現在保母を養成する学校その他の施設（以下「保母養成施設」という。）及び保母試験制度で行われているところであるが、その内容等について、保母養成施設教育課程と保母試験制度の均衡を図る必要があるとの中央児童福祉審議会意見具申（「保母試験制度の改正について」昭和63年５月18日）に基づき、所要の改正を行うものである。

第２　改正の内容

⑴　受験資格（第40条関係）

保母試験受験資格を高等学校卒業程度から短期大学卒業程度に引き上げること。

また、同条第１号の厚生大臣の定める者については、昭和63年５月28日厚生省告示第163号（児童福祉法施行規則第40条第１号の規定に基づき厚生大臣の定める者を定める件）により定められたものであること。

なお、同条第４号の厚生大臣の定める基準については、別途通知するものであること。

⑵　受験科目（第41条関係）

「保育理論」を「保育理論及び教育原理」に改めたこと。

なお、「保育理論及び教育原理」の具体的試験内容等の詳細については、更に検討のうえ、本年度内を目途に別途通知するものであること。

⑶　その他所要の改正を行ったこと。（第39条の２、第41条の２等）

⑷　施行期日

受験資格、受験科目の改正については、昭和66年４月１日から、その他の改正については、公布の日から施行する。

⑸　経過措置

ア　昭和66年３月31日において、現行の第40条に規定する受験資格を有する者については、昭和66年４月１日以降においても、保母試験を受けることができるものであること。

イ　昭和66年４月１日以前に「保育理論」に合格した者については昭和66年４月１日以降においては、「保育理論」に合格した年に「保育理論及び教育原理」に合格したものとみなすこと。（第41条の２関係）

⑹　受験資格の特例

ア　学校教育法に基づく高等学校の保育科（以下「高等学校保育科」という。）については、昭和71年３月31日までは、従前どおり第３学年在学者の受験を認めること。

イ　昭和71年３月31日までに高等学校保育科を卒業した者については昭和66年４月１日以降においても、保母試験を受けることができるものであること。

第３　留意事項

⑴　今回の改正により、受験資格の認定等保母試験事務の混乱をきたさないよう、各地方公共団体において十分に留意されたいこと。

⑵　昭和71年３月31日までの間は、高等学校保育科在学生の受験にかかる手続及び資格の付与に関する取扱い等については、従前のとおりであるので留意されたいこと。

別添　略

○保育士試験の実施について

〔平成15年12月１日　雇児発第1201002号
各都道府県知事・各指定都市市長・各中核市市長宛　厚生
労働省雇用均等・児童家庭局長通知〕

注　令和元年９月４日子発0904第７号改正現在

保育士試験については、かねてより御配慮をいただいているところであるが、「児童福祉法の一部を改正する法律」（平成13年法律第135号）等によって整備された保育士関係規定が施行されたことに伴い保育士試験の実施基準を定めたので下記の事項に御留意のうえ、その適正な実施に特段の御配慮をお願いしているところ。

先般、保育を取り巻く社会情勢の変化、保育所保育指針の改定等を踏まえ、「児童福祉法施行規則及び厚生労働省関係国家戦略特別区域法施行規則の一部を改正する省令（平成30年厚生労働省令第64号）」及び「児童福祉法施行規則第６条の２第１項第３号の指定保育士養成施設の修業教科目及び単位数並びに履修方法の一部を改正する件（平成30年厚生労働省告示第216号）」において、指定保育士養成施設の修業教科目（保育士養成課程）及び保育士試験の筆記試験科目の一部について、所要の改正を行ったところであり、本通知において当該改正に伴う保育士試験を行うに当たっての実務的な改正を行い、令和２年度からの保育士試験の実施について定めたところ。

今般、「児童福祉法施行規則第６条の11の２第１項の規定に基づき厚生労働大臣が定める基準の一部を改正する件」（令和元年厚生労働省告示第105号）が公布され、令和２年４月１日より適用となり、保育士資格取得のための特例期間が延長となったため、ご留意のうえ、適正な実施に特段のご配慮をお願いしたい。

なお、本通知は、地方自治法（昭和22年法律第67号）第245条の４第１項に規定する技術的助言として発出するものであることを申し添える。

記

1　保育士試験実施要領

保育士試験は、児童福祉法（昭和22年法律第164号。以下「法」という。）及び関係法令の規定に基づき実施することとされたが、取扱いについては、別紙１「保育士試験実施要領」により実施するものとすること。

2　問題作成及び採点上の留意事項

試験委員（法第18条の11の規定による指定試験機関の試験委員を含む。）が具体的問題を作成し又は採点するに当たっては、別紙１「保育士試験実施要領」によるほか、指定保育士養成施設のカリキュラムと均衡を図るよう配慮すること。

3　受験資格について

受験資格を有する者は、児童福祉法施行規則（昭和23年厚生省令第11号。以下「規則」という。）第６条の９各号に規定する者及び児童福祉法施行規則第６条の９第１号の規定に基づき厚生労働大臣の定める者（昭和63年厚生省告示第163号）とする。

なお、規則第６条の９第４号に規定する「厚生労働大臣の定める基準」については、別紙２「保育士試験受験資格認定基準」のとおりとする。

4　受験申請

受験申請に際しては、規則第６条の12に基づき、本籍地都道府県名（日本国籍を有していない者については、その国籍）、連絡先、氏名及び生年月日を記載した申請書に次の書類を添えて都道府県が定める期間内に提出させること。

(1)　規則第６条の９各号のいずれかに該当することを証する書類

(2)　写真

(3)　下記の７又は８に該当する者は、保育士試験受験科目免除願及び免除対象者であることを証する書類（下記の７(2)に該当する者は、これらの書類に加え、７(2)に掲げる実務経験を有することを証する書類）

(4)　また、下記の７又は８に該当し、試験科目の一部の免除を受けることができる者であって、当該科目の受験を希望する者については、一部科目合格届及び一部科目合格を証する書類

なお、当該申請者については、当該年度の試験において届け出た科目の一部又は全部が不合格となった場合には、届出に従い試験判定を行うものであること。

5　試験実施後の報告

保育士試験を実施した場合においては、その合格者の発表を行った日から10日以内に各科目の試験問題を添付のうえ、別紙３「保育士試験実施状況」による報告書を提出すること。

6　合格通知について

(1)　保育士試験は、筆記試験及び実技試験により行

い、実技試験は、筆記試験のすべてに合格した者について行うこととされたことに伴い、筆記試験終了後速やかに筆記試験の結果を通知すること。

(2)　実技試験の結果については、終了後速やかに通知すること。また、保育士試験合格者に対して、保育士となるには保育士登録が必要であることについて周知を行うこと。

(3)　都道府県は、合格者及び一部科目合格者の一覧表を作成し保存すること。保存年限については、各都道府県の文書保存規定等によること。

7　科目免除の取扱いについて

(1)　前年度又は前々年度の試験において合格した科目のある者については、一部科目合格通知の写しを添え（受験者の申請に基づき、都道府県においてその一部科目合格を確認できる場合は除く。)、保育士試験受験科目免除願を提出させることで、試験科目の一部を免除することができる。

(2)　当該年度の初日の属する年の３年前の年の４月１日の属する年度の試験において合格した科目のある者であって、同年度から前年度末までに次に掲げる施設において「１年以上かつ1440時間以上」の実務経験を有する者については１年間、当該年度の初日の属する年の４年前の年の４月１日の属する年度の試験において合格した科目のある者であって、同年度から前年度末までに次に掲げる施設において「２年以上かつ2880時間以上」の実務経験を有する者については２年間、その実務経験を有することを証する書類を提出させることで、当該免除の期間を延長することができる。

①　児童福祉施設（法第７条第１項に規定する児童福祉施設）

②　認定こども園（就学前の子どもに関する教育、保育等の総合的な提供の推進に関する法律（平成18年法律第77号）第２条第６項に規定する認定こども園）

③　幼稚園（学校教育法（昭和22年法律第26号）第１条に規定する幼稚園（特別支援学校幼稚部を含む))

④　家庭的保育事業（法第６条の３第９項に規定する家庭的保育事業）

⑤　小規模保育事業（法第６条の３第10項に規定する小規模保育事業）

⑥　居宅訪問型保育事業（法第６条の３第11項に規定する居宅訪問型保育事業）

⑦　事業所内保育事業（法第６条の３第12項に規定する事業所内保育事業）

⑧　放課後児童健全育成事業（法第６条の３第２項に規定する放課後児童健全育成事業）

⑨　一時預かり事業（法第６条の３第７項に規定する一時預かり事業）

⑩　離島その他の地域において特例保育（子ども・子育て支援法（平成24年法律第65号）第30条第１項第４号に規定する特例保育）を実施する施設

⑪　小規模住居型児童養育事業（法第６条の３第８項に規定する小規模住居型児童養育事業）

⑫　障害児通所支援事業（法第６条の２の２第１項に規定する障害児通所支援事業（保育所訪問支援事業を除く))

⑬　一時保護施設（法第12条の４に規定する一時保護施設）

⑭　18歳未満の者が半数以上入所する次に掲げる施設等

ア　障害者支援施設（障害者の日常生活及び社会生活を総合的に支援するための法律（平成17年法律第123号）に規定する障害者支援施設）

イ　指定障害福祉サービス事業所（障害者の日常生活及び社会生活を総合的に支援するための法律に規定する指定障害福祉サービス事業所（生活介護、自立訓練、就労移行支援又は就労継続支援を行うものに限る))

⑮　法第６条の３第９項から第12項までに規定する業務又は法第39条第１項に規定する業務を目的とする施設であって法第34条の15第２項若しくは法第35条第４項の認可又は認定こども園法第17条第１項の認可を受けていないもの（認可外保育施設）のうち、次に掲げるもの

ア　法第59条の２の規定により届出をした施設

イ　アに掲げるもののほか、都道府県等が事業の届出をするものと定めた施設であって、当該届出をした施設

ウ　児童福祉法施行規則第49条の２第３号に規定する幼稚園併設型認可外保育施設

エ　国、都道府県又は市町村が設置する法第６条の３第９項から第12項までに規定する業務又は法第39条第１項に規定する業務を目的とする施設

(3)　厚生労働大臣の指定する学校又は施設において、その指定する科目を専修した者であって、当該科目の受験の免除を受けようとする者については、別に定める保育士試験免除科目を専修したことを証する書類を添え、保育士試験受験科目免除願を提出させることで、試験科目の一部を免除す

ることができる。

(4) 幼稚園教諭免許状を有する者については、保育士試験受験科目免除願に幼稚園教諭免許状を有することを証する書類又は幼稚園教諭免許状の写しを添えて提出させることで、筆記試験科目の保育の心理学及び教育原理並びに実技試験の保育実習実技を免除することができる。

また、指定保育士養成施設の科目等履修により教科目を修得した幼稚園教諭免許状を有する者においては、別表1①のとおり修得した教科目に応じ、指定保育士養成施設において保育士試験免除科目を専修したことを証する書類を添え、保育士試験受験科目免除願を提出させることで、筆記試験科目の一部又は全てを免除することができる。

(5) 幼稚園教諭免許状を有する者については、指定保育士養成施設において別表1のとおり修得した教科目に応じた保育士試験免除科目、(1)又は(2)による試験科目の一部免除の対象となる科目及び厚生労働大臣の指定する学校又は施設において専修した科目の全て又は一部を組み合わせる場合についても、規則第6条の11の2第1項の規定に基づき、保育士試験の筆記試験及び実技試験の全部を免除することができる。

(6) 社会福祉士、介護福祉士又は精神保健福祉士である者については、保育士試験受験科目免除願にそれぞれの資格を有することを証する書類を添えて提出させることで、筆記試験科目の社会的養護、子ども家庭福祉及び社会福祉を免除することができる。

また、指定保育士養成施設の科目履修等により教科目を修得した社会福祉士、介護福祉士及び精神保健福祉士においては、別表2のとおり、修得した教科目に応じ、指定保育士養成施設において保育士試験免除科目を専修したことを証する書類を添え、保育士試験受験科目免除願を提出させることで、試験科目の一部又は全部を免除することができる。

8 幼稚園教諭免許状を有する者における保育士資格特例による受験について

幼稚園教諭免許状を有する者における保育士資格取得特例による保育士試験を受験する者（以下「特例対象者」という。）については、次の点に留意されたい。

(1) 特例対象者

特例対象者は、幼稚園教諭免許状を有する者であって、次に掲げる施設において「3年以上かつ4320時間以上」の実務経験を有する者とする。

① 幼稚園（学校教育法第1条に規定する幼稚園（特別支援学校幼稚部含む））

② 認定こども園（就学前の子どもに関する教育、保育等の総合的な提供の推進に関する法律により認定された認定こども園）

③ 保育所（法第39条第1項に規定する保育所）

④ 小規模保育事業（法第6条の3第10項に規定する小規模保育事業（家庭的保育事業等の設備及び運営に関する基準（平成26年厚生労働省令第61号）第27条に規定する小規模保育事業A型及び小規模保育事業B型に限る。））を実施する施設

⑤ 事業所内保育事業（法第6条の3第12項に規定する事業所内保育事業（利用定員が6人以上の施設））を実施する施設

⑥ 公立施設（国、都道府県、市町村が設置する施設であって、法第39条第1項に規定する業務を目的とする施設（同項に規定する保育所を除く））

⑦ 離島その他の地域において特例保育（子ども・子育て支援法第30条第1項第4号に規定する特例保育）を実施する施設

⑧ 幼稚園併設型認可外保育施設（規則第49条の2第3号に規定する施設）

⑨ 認可外保育施設（認可外保育施設指導監督基準を満たす施設（「認可外保育施設指導監督基準を満たす旨の証明書の交付について」（平成17年1月21日雇児発第0121002号）による証明書の交付を受けた施設）（1日に保育する乳幼児の数が6人以上である施設））。ただし、次の施設を除く。

- 当該施設を利用する児童の半数以上が一時預かり（入所児童の保護者と日単位又は時間単位で不定期に契約し、保育サービスを提供するもの）による施設
- 当該施設を利用する児童の半数以上が22時から翌日7時までの全部又は一部の利用による施設

(2) 実務証明書について

受験申請に当たっては、本通知8(1)に定める施設において必要な実務経験を有していることを証明する実務証明書を提出させること。なお、実務証明書の様式は別に定めることとする。

(3) 施設証明書について

8(1)⑨に定める施設において実務経験を有した者が受験申請するに当たっては、当該施設が特例の施設であることを都道府県知事、指定都市長又

は中核市長が証明する施設証明書を提出させること。なお、施設証明書の様式は別に定めることとする。

⑷　科目免除の取り扱いについて

①　特例対象者については、保育士試験受験科目免除願に幼稚園教諭免許状を有することを証する書類又は幼稚園教諭免許状の写し及び実務証明書を添えて提出させることで、保育の心理学、教育原理及び保育実習理論並びに実技試験の保育実習実技を免除することができる。

②　特例対象者が指定保育士養成施設の科目等履修により特例教科目を修得した場合、別表1②のとおり修得した特例教科目に応じ、指定保育士養成施設において保育士試験免除科目を専修したことを証する書類、幼稚園教諭免許状の写し及び実務証明書並びに8⑴⑨に定める施設において実務経験を有した者については施設証明書を添え、保育士試験受験科目免除願を提出させることで、筆記試験科目の一部又は全てを免除することができる。

③　特例対象者が指定保育士養成施設の科目等履修により教科目を修得した場合、別表1③のとおり修得した教科目に応じ、指定保育士養成施設において保育士試験免除科目を専修したことを証する書類、幼稚園教諭免許状の写し及び実務証明書並びに8⑴⑨に定める施設において実務経験を有した者については施設証明書を添え、保育士試験受験科目免除願を提出させることで、筆記試験科目の一部又は全てを免除することができる。

④　特例対象者は、指定保育士養成施設において別表1のとおり修得した教科目に応じた保育士試験免除科目、前年又は前々年に合格した科目及び厚生労働大臣の指定する学校又は施設において専修した科目の全てもしくは一部を組み合わせる場合についても、規則第6条の11の2第1項の規定に基づき、保育士試験の筆記試験及び実技試験の全部を免除することができる。

⑸　留意事項

①　別表1②と③の両方を組み合わせて筆記試験科目の一部又は全てを免除することも可能とする。

②　幼稚園教諭免許状を有する者における保育士資格特例による受験は、平成25年8月8日から「就学前の子どもに関する教育、保育等の総合的な提供の推進に関する法律の一部を改正する法律」（平成24年法律第66号。以下「改正認定こども園法」という。）施行後10年の間の保育士試験において適用することとする。

ただし、改正認定こども園法施行後10年の最終年に特例教科目を修得した者等は当該年の次の年の保育士試験において特例による受験を可能とする。なお、改正認定こども園法では、本法律の施行後10年間は、幼稚園教諭免許状又は保育士資格のいずれかを有していれば、「保育教諭」として勤務することができる経過措置期間を設けているため、当該者は保育士資格を取得するまでの間は、「保育教諭」として勤務することができないことに留意すること。

（別表１）

①幼稚園教諭免許を有する者における試験免除科目・修得教科目対応表

○試験免除科目		○指定保育士養成施設で修得した教科目		
社会福祉	←	社会福祉		
子ども家庭福祉	←	子ども家庭福祉	子ども家庭支援論	
子どもの保健	←	子どもの保健	子どもの健康と安全	
子どもの食と栄養	←	子どもの食と栄養		
保育原理	←	保育原理	乳児保育Ⅰ	乳児保育Ⅱ
		障害児保育	子育て支援	
社会的養護	←	社会的養護Ⅰ	社会的養護Ⅱ	
保育実習理論	←	保育内容総論	保育内容演習	保育内容の理解と方法

※　児童福祉法施行規則第６条の２第１項第３号の指定保育士養成施設の修業教科目及び単位数並びに履修方法（平成13年５月23日厚生労働省告示第198号）に定める必修科目

②特例教科目による試験免除科目・修得教科目対応表

○試験免除科目		○指定保育士養成施設で修得した特例教科目	
社会福祉	←	福祉と養護	
子ども家庭福祉	←	福祉と養護	子ども家庭支援論
子どもの保健 子どもの食と栄養	←	保健と食と栄養	
保育原理	←	乳児保育	子ども家庭支援論
社会的養護	←	福祉と養護	

※　「指定保育士養成施設の指定及び運営の基準について」（平成15年12月９日雇児発第1209001号）別紙４に定める特例教科目

③実務経験があって幼稚園教諭免許状を有する者における試験免除科目・修得教科目対応表

○試験免除科目		○指定保育士養成施設で修得した教科目		
社会福祉	←	社会福祉		
子ども家庭福祉	←	子ども家庭福祉	子ども家庭支援論	
子どもの保健	←	子どもの保健		
子どもの食と栄養	←	子どもの食と栄養		
保育原理	←	乳児保育Ⅰ	乳児保育Ⅱ	子育て支援
社会的養護	←	社会的養護Ⅰ		

※　児童福祉法施行規則第６条の２第１項第３号の指定保育士養成施設の修業教科目及び単位数並びに履修方法（平成13年５月23日厚生労働省告示第198号）に定める必修科目

（別表２）

社会福祉士、介護福祉士又は精神保健福祉士である者における試験免除科目・修得教科目対応表

○試験免除科目		○指定保育士養成施設で修得した教科目		
保育原理	←	保育原理	乳児保育Ⅰ	乳児保育Ⅱ
		障害児保育	子育て支援	
教育原理	←	教育原理		
保育の心理学	←	保育の心理学	子ども家庭支援の心理学	子どもの理解と援助
子どもの保健	←	子どもの保健	子どもの健康と安全	
子どもの食と栄養	←	子どもの食と栄養		
保育実習理論	←	保育内容総論	保育内容演習	保育の理解と方法
保育実習実技	←	保育内容の理解と方法		

※　児童福祉法施行規則第６条の２第１項第３号の指定保育士養成施設の修業教科目及び単位数並びに履修方法（平成13年５月23日厚生労働省告示第198号）に定める必修科目

（別紙１）

保育士試験実施要領

第１　趣旨

児童福祉法（昭和22年法律第164号）第18条の８の規定に基づく保育士試験を適切に実施するために、試験実施に係る基準を定めるものとする。

第２　試験実施の方法

１　基本事項

保育士試験は、筆記試験及び実技試験によって行い、実技試験は、筆記試験のすべてに合格した者について行うものであること。

２　試験期間

毎年、適切な時期に筆記試験を実施、実技試験については筆記試験終了後速やかに実施することを原則とする。

３　科目の種類

保育原理、教育原理及び社会的養護、子ども家庭福祉、社会福祉、保育の心理学、子どもの保健、子どもの食と栄養、保育実習理論については筆記試験を行い、保育実習実技については実技試験を行う。

４　出題範囲

別添「保育士試験出題範囲」により出題する。

５　出題方式

(1)　筆記試験は、真偽式、完成方式、選択式、組合せ式等客観的に採点可能なものを原則とする。

なお、出題に当たっては、事例問題をできるだけ導入するよう努めること。

(2)　実技試験については、受験生は次の３分野から２分野選んで受験する。

ア　音楽に関する技術

イ　造形に関する技術

ウ　言語に関する技術

６　出題方針

出題に当たっては、各科目共通に次の事項に留意すること。また個々の科目の留意事項は、保育士試験出題範囲に定めるとおりとする。

ア　機械的記憶に頼るような出題は避け、理解の深さを試す出題を心がける。

イ　出題範囲から平均して出題し、１分野に偏ることは避ける。

ウ　試験時間内に８割以上の受験者が問題の内容を理解し、解答を作成し得る程度の分量及び難易度とする。

エ　偏った特殊な学説に基づく解釈や理論に関する出題は避ける。

オ　常用漢字、現代かな使いを用いる。

７　試験時間、配点及び採点方法

(1)　試験時間及び配点

試験時間及び配点は、次のとおりとし、出題数は試験時間内に解答が作成できる程度の分量とすること。

科目	時間（分）	満点
保育原理	60	100
教育原理	30	50
社会的養護	30	50
子ども家庭福祉	60	100
社会福祉	60	100
保育の心理学	60	100
子どもの保健	60	100
子どもの食と栄養	60	100
保育実習理論	60	100
保育実習実技	（都道府県で定める）	100

(2)　採点方法

保育実習実技の採点は、正副２人の試験委員が別個に採点し、その平均点を得点とすること。

第３　合格基準

１科目の合格点は満点の６割以上とする。ただし、教育原理及び社会的養護については、教育原理及び社会的養護それぞれ満点の６割以上でなくてはならない。

また、保育実習実技についても、各分野において満点の６割以上でなくてはならない。

第４　児童福祉法施行規則第６条の11の２第１項の規定に基づく者における試験実施の方法

毎年、保育士試験の受験申請時期に合わせて、年２回申請を受け付け、合格した者に対して、速やかにその旨を通知することを原則とする。

別添　略

（別紙２）

保育士試験受験資格認定基準

都道府県知事は、次の各号のいずれかに該当する者について、児童福祉法施行規則（昭和23年厚生省令第11号）第６条の９第４号の認定を行うものとする。

(注)　法令等の改正により、根拠規定が変更になっている場合でも、これまで対象となっていた施設・事業に従事していた期間は、引き続き従事期間として算定して差し支えない。

１　学校教育法（昭和22年法律第26号）による高等学校を卒業した者若しくは通常の課程による12年の学校教育を修了した者（通常の課程以外の課程により

これに相当する学校教育を修了した者を含む。）又は文部科学大臣においてこれと同等以上の資格を有すると認定した者であって、以下に掲げる施設等において、２年以上かつ2880時間以上児童等の保護又は援護に従事した者

⑴　認定こども園（就学前の子どもに関する教育、保育等の総合的な提供の推進に関する法律（平成18年法律第77号）第２条第６項に規定する認定こども園）

⑵　幼稚園（学校教育法第１条に規定する幼稚園（特別支援学校幼稚部を含む））

⑶　家庭的保育事業（児童福祉法（昭和22年法律第164号。以下「法」という。）第６条の３第９項に規定する家庭的保育事業）

⑷　小規模保育事業（法第６条の３第10項に規定する小規模保育事業）

⑸　居宅訪問型保育事業（法第６条の３第11項に規定する居宅訪問型保育事業）

⑹　事業所内保育事業（法第６条の３第12項に規定する事業所内保育事業）

⑺　放課後児童健全育成事業（法第６条の３第２項に規定する放課後児童健全育成事業）

⑻　一時預かり事業（法第６条の３第７項に規定する一時預かり事業）

⑼　離島その他の地域において特例保育（子ども・子育て支援法第30条第１項第４号に規定する特例保育）を実施する施設

⑽　小規模住居型児童養育事業（法第６条の３第８項に規定する小規模住居型児童養育事業）

⑾　障害児通所支援事業（法第６条の２の２第１項に規定する障害児通所支援事業（保育所訪問支援事業を除く））

⑿　一時保護施設（法第12条の４に規定する一時保護施設）

⒀　18歳未満の者が半数以上入所する次に掲げる施設等

ア　障害者支援施設（障害者の日常生活及び社会生活を総合的に支援するための法律（平成17年法律第123号）に規定する障害者支援施設）

イ　指定障害福祉サービス事業所（障害者の日常生活及び社会生活を総合的に支援するための法律に規定する指定障害福祉サービス事業所（生活介護、自立訓練、就労移行支援又は就労継続支援を行うものに限る））

⒁　法第６条の３第９項から第12項までに規定する業務又は法第39条第１項に規定する業務を目的とする施設であって法第34条の15第２項若しくは法第35条第４項の認可又は認定こども園法第17条第１項の認可を受けていないもの（認可外保育施設）のうち、次に掲げるもの

ア　法第59条の２の規定により届出をした施設

イ　アに掲げるもののほか、都道府県等が事業の届出をするものと定めた施設であって、当該届出をした施設

ウ　児童福祉法施行規則第49条の２第３号に規定する幼稚園併設型認可外保育施設

エ　国、都道府県又は市町村が設置する法第６条の３第９項から第12項までに規定する業務又は法第39条第１項に規定する業務を目的とする施設

２　１に掲げる施設等において５年以上かつ7200時間以上児童等の保護又は援護に従事した者

３　前各号及び昭和63年５月28日厚生省告示第163号に定める者に準ずる者であって、都道府県知事が適当と認めた者

（別紙３）

保育士試験実施状況報告書

都道府県名＿＿＿＿＿＿＿＿＿＿

時期	実施年月日	申請受付期間	年　月　日から　月　日まで　日間
		筆記試験	年　月　日から　月　日まで　日間
		実技試験	年　月　日から　月　日まで　日間

1　筆記試験及び実技試験の実施状況について

試験受験申請者数		計　名(　名)	
合格者等の区分	①筆記試験受験者数	計　名	
	②筆記試験合格者数	計　名(　名)	
	③一部科目合格者数	計　名(　名)	
	④実技試験受験者数	計　名	
	⑤実技試験合格者数	計　名	
	⑥保育士試験合格者数	計　名(　名)	
	上記⑥のうち、卒業見込み及び62単位取得見込みの合格者数	計　名	
筆記試験	試験科目	受験者数等	
	保育原理	⑦受験者数　名	⑧免除者数　名
		合格者数　名	
	教育原理及び社会的養護	⑦受験者数　教原　名 社養　名	⑧免除者数　教原　名 社養　名
		合格者数　名	
	子ども家庭福祉	⑦受験者数　名	⑧免除者数　名
		合格者数　名	
	社会福祉	⑦受験者数　名	⑧免除者数　名
		合格者数　名	
	保育の心理学	⑦受験者数　名	⑧免除者数　名
		合格者数　名	
	子どもの保健	⑦受験者数　名	⑧免除者数　名
		合格者数　名	
	子どもの食と栄養	⑦受験者数　名	⑧免除者数　名
		合格者数　名	
	保育実習理論	⑦受験者数　名	⑧免除者数　名
		合格者数　名	
実技試験	試験分野	受験者数	
	音楽に関する技術	受験者数　名	
	造形に関する技術	受験者数　名	
	言語に関する技術	受験者数　名	

2　児童福祉法施行規則第６条の11の２第１項の規定に基づく試験実施

受験申請者数	計　名
受験合格者数	計　名
うち、特例教科目による受験合格者数	計　名

（注）

1　用紙の大きさはＡ４とすること。

2　各項目の受験者数は、試験当日の出欠にかかわらず、受験申請をした人数を計上すること。また、幼稚園教諭免許所有者数を（　）に記入すること。

3　①筆記試験受験者数（筆記試験の全科目免除者は含まない）

4　②筆記試験８科目全ての科目に合格した人数（卒業見込み、62単位取得見込みで受験した者を含む。）

5　③　②を除いた筆記試験科目の一部を合格した人数

6　④実技試験の受験申請者数（実技試験の受験免除者は含まない）

7　⑤実技試験の合格者数

8　⑥保育士試験合格者数　卒業見込み、62単位取得見込みで受験した者を含む。下段には卒業見込み等受験者の合格者数を記入すること。

9　⑦各筆記科目の受験申請者数を記入すること。（既合格者で、再受験をした者を含む）

10　⑧免除申請した者の人数を計上すること。⑦＋⑧は①筆記試験受験者と同数になる。

11　幼稚園教諭免許を有する者が科目履修等による免除を受けた場合、当該科目の受験者数には含めず、免除者数に含めること。

12　１及び２の報告は、それぞれの試験について、合格者の発表を行った日から10日以内に報告すること。

13　１又は２について報告する際は、報告時点で記入可能な項目について記入し、提出すること。２を報告する際には、２のみが記入されている状態、１を報告する際には、１及び２が記入されている状態とし、当該報告書の項目全てが記入されていること。

14　試験を複数回実施する場合は、それぞれの回ごとに人数を計上すること。（別の様式に記入することとし、人数を合計しない。）

3　保育士登録

○保育士登録の円滑な実施について

〔平成15年12月１日　雇児発第1201001号
各都道府県知事・各指定都市市長・各中核市市長宛　厚生労働省雇用均等・児童家庭局長通知〕

注　令和５年３月30日子発0330第11号改正現在

保育行政の推進については、かねてより特段のご尽力を煩わしているところであるが、今般、「児童福祉法の一部を改正する法律（平成13年法律第135号）」等によって規定された保育士登録制度が施行されたことに伴い、保育士登録に関する取扱いを下記のように定めたので適正かつ円滑な実施を図られたく通知する。

保育士登録にあたっては、本通知によるほか「児童福祉法の一部を改正する法律等の公布について」（平成13年11月30日雇児発第761号雇用均等・児童家庭局長通知）及び「児童福祉法の一部を改正する法律の施行に伴う児童福祉法施行令の一部を改正する政令等の施行について」（平成14年７月12日雇児発第0712004号雇用均等・児童家庭局長通知）による取扱いをお願いする。

なお、本通知は、地方自治法（昭和22年法律第67号）第245条の４第１項の規定に基づく技術的助言である。

また、「保育士の登録について」（平成15年４月４日雇児発第0404005号本職通知）は廃止する。

記

１　趣旨

この通知は、児童福祉法（昭和22年法律第164号。以下「法」という。）第18条の６各号のいずれかに該当する者が、法第18条の18第１項の規定に基づき都道府県に登録することにより、保育士の名称を用いて、専門的知識及び技術をもって、児童の保育及び児童の保護者に対する保育に関する指導を行うことを業とすることができるとされたことから、都道府県が保育士の登録事務を円滑に実施するための取扱いを定めるものである。

２　保育士登録申請

保育士の登録を受けようとする者は、児童福祉法施行令（昭和23年政令第74号。以下「令」という。）第16条の規定に基づき、申請書（児童福祉法施行規則（昭和23年厚生省令第11号。以下「規則」という。）第５号様式）に、法第18条の６各号のいずれかに該当することを証する書類（令第16条）を添付して申請を行うこと。

⑴　添付する書類

ア　平成15年11月28日以前に指定保育士養成施設を卒業した者

保育士資格証明書（「保育士養成課程修了証明書等について」〈平成15年12月８日雇児発第1208001号通知〉により改正される前の「保育士資格証交付について」〈平成12年３月31日児発第364号児童家庭局長通知別紙様式⑴〉）

イ　平成15年11月29日以後に指定保育士養成施設を卒業した者

指定保育士養成施設卒業証明書（規則第１号様式）又は、保育士養成課程修了証明書（「保育士養成課程修了証明書等について」〈平成15年12月８日雇児発第1208001号通知別紙様式⑴〉）

なお、新卒者が保育士として円滑に就職できるよう、指定保育士養成施設の最終学年に在学する者であって当該年度中に卒業することが見込まれる者であると当該施設の長が認めた者については、当該施設の長が発行する卒業見込み証明書をもって申請が行えるものとする。

ウ　平成15年11月28日以前に実施した保育士試験に合格した者

保育士資格証明書（「児童福祉法施行規則及び児童福祉施設最低基準の一部を改正する省令」〈平成14年厚生労働省令第96号。以下「改正省令」という。〉により改正される前の規則第43条の２第８号様式）

エ　平成15年11月29日以後に実施した保育士試験に合格した者

保育士試験合格通知

オ　昭和24年６月15日から昭和25年12月31日までの間において当時の児童福祉法施行令に基づき厚生大臣が認定した者（いわゆる認定保母（改正省令附則第４条））

保母資格認定講習会終了後に交付された保母資格証明書

⑵　申請書の氏名と⑴のアからオに掲げる証明書の氏名が、婚姻等によって異なる場合には、戸籍抄本又は戸籍の一部事項証明書等が必要であること。

３　保育士登録申請書の記載要領

⑴　本籍地コード

別紙１「都道府県コード表」をもとに記入すること。日本国籍を有しない者は、その他㊽を記入すること。

⑵　合格通知番号

平成15年11月28日以前に実施した保育士試験に合格した者については、保育士資格証明書の発行番号を記載すること。

⑶　都道府県知事

都道府県知事欄には登録申請先の都道府県名を記入すること。なお、登録申請先の都道府県は、次のとおりであること。

ア　指定保育士養成施設を卒業した者

申請時点の住所地（住民票の所在地）の都道府県。なお、卒業見込み証明書をもって申請する場合も同様とする。

イ　保育士試験に合格した者

(ア)　平成15年11月28日以前に実施した保育士試験に合格した者

保育士資格証明書を交付した都道府県

(イ)　平成15年11月29日以後に実施した保育士試験に合格した者

保育士試験の合格通知書（規則第6条の13）を交付した都道府県

4　保育士証（規則第6号様式）の記載要領

⑴　登録番号

登録番号は、「都道府県名―番号」とし、番号は、都道府県ごとに6桁の一連番号を付すものとする。

例えば、北海道の1番の場合は、「北海道―000001」と記載する。

⑵　年月

法第18条の6各号の要件に該当するに至った年月（規則第6条の30第3号）を記載すること。

⑶　指定保育士養成施設卒業もしくは保育士試験全科目合格

いわゆる認定保母については、「保母資格認定講習会修了」と記載すること。

⑷　法第18条の20の2第1項の規定による登録

特定登録取消者（法第18条の20の2第1項に規定する特定登録取消者をいう。）であって、同項の規定による保育士の登録を受けた者に該当するときは「(児童福祉法第18条の20の2第1項の規定による登録)」を「指定保育士養成校卒業もしくは保育士試験全科目合格」の下部に記載すること。

5　保育士登録簿（法第18条の18、規則第6条の30、規則第6条の36）

⑴　保育士登録簿に記載する事項は、次のとおりであること。

ア　氏名

イ　生年月日

ウ　登録番号

エ　登録年月日

オ　本籍地都道府県名（日本国籍を有しない者については、その国籍）

カ　指定保育士養成施設卒業・保育士試験合格の別

キ　卒業若しくは試験合格の年月

ク　特定登録取消者に該当するときはその旨

ケ　訂正等に係る事項

⑵　⑴のクについて、児童生徒性暴力等以外の理由により取消しを受け、その後、児童生徒性暴力等を行っていたことが判明した者については、判明した時点で記載すること。

⑶　⑴のケの訂正等に係る事項は、次のとおりであること。

ア　法第18条の19第1項又は第2項の規定により保育士の登録を取り消した場合における登録の消除に係る理由及び年月日

イ　法第18条の19第2項の規定により保育士の名称の使用の停止を命じた場合における保育士の名称の使用の停止に係る停止期間、理由及び年月日

ウ　令第17条第1項の申請があった場合における登録事項の書換えに係る変更前の登録事項、理由及び年月日

エ　令第18条第1項の申請があった場合における保育士証の再交付年月日

オ　規則第6条の34の届出があった場合における登録の消除に係る理由及び年月日

6　保育士資格喪失届

規則第6条の34の届け出に係る様式は、別紙2のとおりである。

7　手数料

保育士登録に係る手数料については、適正な額に設定すること。

なお、保育士証の書換え交付及び再交付（令第17条及び令第18条）を併せて申請する者が納付すべき手数料の額は、保育士証の書換えに係る額とする。

別紙１

都道府県コード表	
1	北海道
2	青森県
3	岩手県
4	宮城県
5	秋田県
6	山形県
7	福島県
8	茨城県
9	栃木県
10	群馬県
11	埼玉県
12	千葉県
13	東京都
14	神奈川県
15	新潟県
16	富山県
17	石川県
18	福井県
19	山梨県
20	長野県
21	岐阜県
22	静岡県
23	愛知県
24	三重県
25	滋賀県
26	京都府
27	大阪府
28	兵庫県
29	奈良県
30	和歌山県
31	鳥取県
32	島根県
33	岡山県
34	広島県
35	山口県
36	徳島県
37	香川県
38	愛媛県
39	高知県
40	福岡県
41	佐賀県
42	長崎県
43	熊本県
44	大分県
45	宮崎県
46	鹿児島県
47	沖縄県
48	その他

別紙2

保育士資格喪失届

令和　　年　　月　　日

○○都道府県知事　様

届出人住所
電話番号
(フリガナ)
届出人氏名
本人との関係

児童福祉法第18条の4の保育士について、児童福祉法施行規則第6条の34第1号、第2号又は第3号の事由が生じたため、添付書類を添えて次のとおり届け出ます。

登録年月日	□平成 □令和　　年　　月　　日
登録番号	
(フリガナ) 氏名	
資格喪失年月日	□平成 □令和　　年　　月　　日
事由	□第1号 (死亡し、又は失踪の宣言を受けた場合) □第2号 (精神の機能の障害により保育士の業務を適正に行うに当たって必要な認知、判断及び意思疎通を適切に行うことができない者に至った場合) □第3号 (以下のいずれかに該当するに至った場合) □　禁錮以上の刑に処せられた者 □　児童福祉法の規定その他児童の福祉に関する法律の規定であって政令で定めるものにより、罰金の刑に処せられ、その執行を終わり、又は執行を受けることがなくなった日から起算して3年を経過しない者 □　国家戦略特別区域限定保育士が虚偽又は不正の事実に基づいて登録を受けた場合や信用失墜又は秘密漏洩により登録を取り消され、その取消しの日から起算して3年を経過しない者

備考1　登録年月日、登録番号及び氏名は、保育士証に基づき記載すること。
2　事由は、該当する事項の□に✓と記入すること。
3　第1号の事由に係る届出人は、戸籍法による死亡又は失踪の届出義務者であること。第2号の事由に係る届出人は、当該保育士又は同居の親族若しくは法定代理人であること。第3号の事由に係る届出人は、当該保育士又は法定代理人であること。
4　用紙の大きさは、日本産業規格A4とすること。
5　保育士証及び資格の喪失事由を証明できる書類を添付すること。

○保育士登録の取扱いについて

〔平成15年12月1日　雇児保発第1201001号
各都道府県・各指定都市・各中核市児童福祉主管部(局)長
宛　厚生労働省雇用均等・児童家庭局保育課長通知〕

注　令和元年5月8日子保発0508第1号・元初幼教第1号改正現在

保育士の登録については、「保育士登録の円滑な実施について」(平成15年12月1日雇児発第1201001号。以下「雇児発第1201001号通知」とする。)により通知されたところであるが、保育士登録の取扱い等については、下記の事項に留意の上、その運用に遺憾のないようにされたい。

なお、本通知は、地方自治法(昭和22年法律第67号)第245条の4第1項の規定に基づく技術的助言である。

また、「保育士登録の取扱いについて」(平成15年4月4日雇児保発第0404002号本職通知)は廃止する。

記

1　指定保育士養成施設を卒業する者の取扱い

(1)　卒業見込みによる申請について

指定保育士養成施設を新たに卒業する者は、保育所等に就職するに際して保育士登録がなされている必要があることから、指定保育士養成施設の最終学年に在学する者であって当該年度中に卒業することが見込まれる者であると当該施設の長が認めた者(以下「卒業見込み者」という。)であるとの証明書をもって申請を行えるものとする。

(2)　申請先

申請先については、申請者が、申請時点に居住している都道府県知事に対し行うものとする。

(3)　登録決定

保育士登録は、卒業の確定の確認をもって決定するものであること。

(4)　手続き中の対応

保育士登録簿に登録がなされた後、保育士証が送付されるまでの間に、保育士を証するために保育士登録済通知書(別紙様式)を交付すること。なお、通知書の証明の有効期限は、通知書作成日から3か月間とする。

(5)　指定保育士養成施設への協力要請

指定保育士養成施設に対して、保育士登録を迅速に行うために卒業見込み者のうち登録を申請する者の申請に関する指導及び取りまとめ並びに卒業者の取りまとめについて協力を依頼すること。

(6)　その他

保育士試験を短期大学等の在学中に合格した者についても、卒業見込みである証明書及び試験に合格していることを証明する書類をもって保育士登録の申請ができるものであること。なお、この場合の申請については申請者本人が個々に行うこと。

2　複数の自治体で保育士試験の一部科目に合格している者の取扱い

平成15年11月28日までに実施された保育士試験において、2か所以上の都道府県において保育士試験を受験し、それぞれの保育士試験において合格した科目を併せて全科目に合格した者であって、保育士資格証明書の交付を受けていない者が保育士登録の申請を行うにあたっては、次に留意すること。

(1)　保育士資格証明書の取扱い

2か所以上の都道府県の保育士試験を受験し、それぞれの保育士試験において合格した科目を併せて全科目に合格した者にあっては、その者の申請により、当該都道府県の1において、保育士資格証明書を与えることとしているところであるが(「保育士試験の実施について」(平成13年6月29日雇児発第440号雇用均等・児童家庭局長通知))、当該申請を行わず、全科目分の一部科目合格証明書を所持している者については、雇児発第1201001号通知2(1)ウの保育士資格証明書に代えて、全科目分の一部科目合格証明書を添付して差し支えないものであること。

(2)　保育士資格証明書番号

雇児発第1201001号通知3(2)の保育士資格証明書番号については空欄とし、保育士登録申請書の別紙に各々の合格通知番号を記入すること。

その際、保育実習については、保育実習理論の欄に記入するものとし、保育実習実技の欄は空欄とすること。

(3)　都道府県知事

雇児発第1201001号通知3(3)の登録申請先の都道府県は、保育士試験の合格地のうち登録申請する都道府県とすること。

3　保育士登録申請の添付書類の取扱いについて

申請にあたっては、申請書の添付書類として保育士資格証明書等の資格を証する書類の原本を提出することとしているが、資格審査が終了した原本については都道府県の文書保存に関する規定等を勘案の上、返還を希望する者に対しては、返還しても差し支えないこととする。

（別紙様式）

保育士登録済通知書

①葉書表面

切　手	A　申請者郵便番号 B　申請者住所 C　申請者氏名

（注意事項）

1　本通知書は、就業等諸手続の際、保育士証が手元に届くまでの間、暫定的に使用するためのものであり、証明の有効期限は本通知書作成日から３か月間です。

なお、本通知書は原則的に再交付しないので、取扱いについては十分注意して下さい。

保育士証は、昼間不在でも郵便局の不在通知に従って勤務先でも受領する事が可能です。

2　保育士証が手元に届いた際には、必ず就職先等へ提示して下さい。

②葉書裏面

保育士登録済通知書

（令和※年※月※日作成）

本通知書は、保育士証が手元に届くまでの間、暫定的に保育士登録がされた事を証明するものです。（本通知書の有効期限は、本通知書作成日から３か月間です。）

保育士証記載事項

①氏名：
②本籍地：
③生年月日：　　年　　月　　日
④登録年月日：
⑤登録先都道府県：
⑥登録番号：

○保育士登録の取消しに関する事務について

〔平成30年３月20日　子発0320第５号
各都道府県・各指定都市・各中核市民生主管部(局)長宛
厚生労働省子ども家庭局長通知〕

保育士登録に関する事務については、児童福祉法（昭和22年法律第164号。以下「法」という。）第18条、「保育士登録の円滑な実施について」（平成15年12月１日雇児発第1201001号厚生労働省雇用均等・児童家庭局長通知）等により実施されているところであるが、禁錮以上の刑に処せられたこと等により、法第18条の５に規定する欠格事由（以下「欠格事由」という。）に該当することとなった者の保育士登録の取消しに関する事務の適正化を図るため、児童福祉法施行規則及び厚生労働省関係国家戦略特別区域法施行規則の一部を改正する省令（平成30年厚生労働省令第26号）（以下「改正省令」という。）を公布し、本日付で別添のとおり施行したため通知する。

改正省令の改正の趣旨及び運用の際の留意事項は下記のとおりであるため、御了知の上、その運用に遺漏なきよう期するとともに、管内関係機関、管内市町村及び関係団体等に対する周知を図られたい。

なお、本通知は、地方自治法（昭和22年法律第67号）第245条の４第１項の規定に基づく技術的助言であることを申し添える。

記

１　本人からの届出義務の周知徹底等による保育士登録の取消し

(1)　届出義務の周知徹底

児童福祉法施行規則（昭和23年厚生省令第11号。以下「規則」という。）第６条の34により、保育士は、法第18条の５各号（第４号を除く。）のいずれかに該当するに至った場合、遅滞なく、登録証を添え、その旨を保育士登録を行った都道府県知事に届け出なければならないこととされている。この届出義務について、保育士登録を行う都道府県は、保育士登録を行う機会等において、周知を徹底すること。

(2)　届出に伴う保育士登録の取消し

規則第６条の34に基づき、保育士等から欠格事由に該当する旨の届出があった場合、当該保育士の保育士登録を行った都道府県は、速やかに、当該保育士の本籍地の市町村（特別区を含む。以下同じ。）に対し、保育士の犯罪の経歴に関する情報の照会を行うことにより当該事実の確認を行った上、保育士登録の取消しを行うこと。

２　施設等からの報告に基づく保育士登録の取消し等

(1)　保育士が勤務する施設及び事業所への周知徹底

都道府県は、保育士が勤務する管内の施設及び事業所（以下「施設等」という。）に対し、保育士の欠格事由及び保育士が欠格事由に該当するに至った場合の取扱いについて、周知を徹底すること。

(2)　保育士が勤務する施設等に対する報告依頼

都道府県は、保育士が勤務する管内の施設等に対し、当該施設等に勤務する保育士が逮捕されるなど、欠格事由に該当するおそれが生じた場合において、当該保育士の氏名、住所、生年月日及び保育士登録番号その他の必要な情報の報告を求める等により、保育士が欠格事由に該当するおそれがある事案について積極的な把握に努めること。

(3)　欠格事由の該当の有無の確認

施設等から報告を受けた都道府県は、報告の対象となった保育士、当該保育士の家族、当該保育士の勤務する施設等を運営する事業者、当該施設等の所在地の市町村等に対し、情報提供を求めるとともに、報告のあった事案の裁判の傍聴等により、その裁判等の状況の把握に努め、欠格事由に該当するおそれがあると認めた場合、改正後の規則第６条の34の２に基づく確認を行うため、適宜、当該保育士の本籍地の市町村に対し、保育士の犯罪の経歴に関する情報の照会を行うこと。この際、当該保育士の本籍地が不明な場合、住民基本台帳法（昭和42年法律第81号）第12条の２第１項に基づき、都道府県が当該保育士の住所地の市町村に対し、住民票の写しの交付の請求を行い、本籍地の確認を行うこと。

(4)　保育士登録の取消し

欠格事由に該当する保育士を把握した都道府県においては、法第18条の19第１項に基づき、速やかに、保育士登録の取消しを行うとともに、規則第６条の35第１項に基づき、取消しを行った保育士に対し、理由を付し、取消しを行った旨を通知し、同条第２項に基づく保育士証の返納を求めなければならないこと。この際、当該都道府県は、欠格事由に該当するおそれがある保育士の報告を行った施設等に対し、当該保育士の保育士登録の取消しを行った旨を通知すること。

また、欠格事由に該当する保育士を把握した都道府県と当該保育士の保育士登録を行った都道府県が異なる場合、欠格事由に該当する保育士を把握した都道府県は、児童福祉法施行令（昭和23年政令第74号）第20条に基づき、理由を付して、当該保育士の保育士登録先の都道府県に通知すること。この通知に基づき、保育士登録の取消しを行った都道府県は、通知した都道府県に対し、当該保育士に送付した保育士登録の取消しを行った旨の通知の写しを送付すること。

なお、保育士証の返納を行わない者については、当該者の保育士登録番号をホームページに掲載するなど、当該者が保育士と偽って保育に関する業務に従事することがないよう、適切な措置を講じること。

別添　略

○刑法の改正等に伴う保育士の欠格事由の追加等について

〔令和５年７月13日　こ成基第65号
各都道府県知事・各指定都市市長・各中核市市長宛　こど
も家庭庁成育局長通知〕

保育士については、児童福祉法（昭和22年法律第164号。以下「法」という。）第18条の５で欠格事由について規定されるとともに、法第18条の19で登録の取消事由について規定されているところです。また、国家戦略特別区域限定保育士についても、国家戦略特別区域法（平成25年法律第107号）第12条の５第４項及び同条第８項において準用する法第18条の19で同様に規定されているところです。

本年６月23日に「刑法及び刑事訴訟法の一部を改正する法律」（令和５年法律第66号。以下「刑法等一部改正法」という。）及び「性的な姿態を撮影する行為等の処罰及び押収物に記録された性的な姿態の影像に係る電磁的記録の消去等に関する法律」（令和５年法律第67号。以下「性的姿態撮影等処罰法」という。）が、本年７月５日には「刑法及び刑事訴訟法の一部を改正する法律の施行に伴う関係政令の整備に関する政令」（令和５年政令第235号）及び「性的な姿態を撮影する行為等の処罰及び押収物に記録された性的な姿態の影像に係る電磁的記録の消去等に関する法律の施行に伴う関係政令の整備に関する政令」（令和５年政令第236号）が、それぞれ公布され、当該各法令について本日７月13日に施行されました。両政令により児童福祉法施行令（昭和23年政令第74号）第４条及び国家戦略特別区域法施行令（平成26年政令第99号）第６条が改正されるなどしています。

また、これらに伴い、「保育士による児童生徒性暴力等の防止等に関する基本的な指針について」（令和５年３月27日付け子発0327第５号厚生労働省子ども家庭局長通知）を併せて改正し、本日より適用することとします。

ついては、本改正の概要及び留意事項は下記のとおりですので、内容を十分御了知の上、貴管内の施設に対して遅滞なく周知するとともに、各都道府県知事におかれては、管内市区町村に対して周知し、その運用に遺漏のないよう配意願います。

なお、本通知の内容は、法務省刑事局と協議済であるとともに、地方自治法（昭和22年法律第67号）第245条の４第１項の規定に基づく技術的助言であることを申し添えます。

記

第１　改正の概要

１　児童福祉法施行令第４条及び国家戦略特別区域法施行令第６条について

保育士の欠格事由について、法第18条の５第３号及び国家戦略特別区域法第12条の５第４項第３号の「児童の福祉に関する法律の規定」として、下記の罪について規定する、刑法等一部改正法による改正後の刑法第182条及び性的姿態撮影等処罰法第２条から第６条までのうち第２条第１項第４号及び第５条第１項第４号に係る部分の規定が追加されること。

⑴　新刑法第182条関係

16歳未満の者に対して下記①から③までのいずれかの行為を行うこと。

①　わいせつの目的で、下記アからウまでのいずれかの手段を用いて面会を要求

ア　威迫・偽計・誘惑

イ　拒まれたのに反復

ウ　利益供与又はその申込みや約束

②　①の結果、わいせつの目的で面会

③　性交等をする姿態、性的な部位を露出した姿態などをとってその映像を送信することを要求

⑵　性的姿態撮影等処罰法第２条から第６条まで関係

①　正当な理由（※１）がないのに16歳未満の者の性的姿態等（※２）を撮影

②　ア又はイの行為

ア　①の撮影又は⑤の記録による性的姿態等の画像（性的影像記録）を提供

イ　性的影像記録を不特定・多数の者に提供又は公然と陳列

③　②をする目的で、性的影像記録を保管

④　不特定・多数の者に、正当な理由（※１）がないのに16歳未満の者の性的姿態等の影像を影像送信（ライブストリーミング）

⑤　④により影像送信された性的姿態等の影像を、情を知って記録

※１　例えば、こどもの生活の様子を保護者に伝えるために遊びの場面を撮影する場合、自園の保護者のみが視聴できるようにした上でそうした影像を影像送信する場

合、けがや病気に際して保護者や医師に症状を伝えるために、あるいは、虐待のおそれがあるときに記録のために撮影する場合等は、一般的には、「正当な理由」があると考えられる。

※2　性的な部位（性器・肛門・これらの周辺部、臀部又は胸部）、身に着けている下着のうち現に性的な部位を直接・間接に覆っている部分、わいせつな行為・性交等がされている間における人の姿をいう。

なお、刑法等一部改正法による改正後の刑法及び性的姿態撮影等処罰法に規定する上記以外の罪（不同意わいせつ等）を含め、禁錮以上の刑が処せられた者については、法第18条の5第2号及び国家戦略特別区域法第12条の5第4項第2号に該当するため、欠格事由の対象となるので留意すること。

2　児童生徒性暴力等について

保育士の登録の取消事由について、刑法等一部改正法及び性的姿態撮影等処罰法の附則により「教育職員等による児童生徒性暴力等の防止等に関する法律」（令和3年法律第57号。以下「教育職員性暴力等防止法」という。）第2条第3項に規定する「児童生徒性暴力等」に、刑法等一部改正法による改正後の刑法第182条の罪及び性的姿態撮影等処罰法第2条から第6条までの罪（教育職員性暴力等防止法第2条第2項に規定する「児童生徒等」（※）に係るものに限る。）に該当する行為が追加されること。

※以下に掲げる者をいう。

①　学校教育法（昭和22年法律第26号）第1条に規定する幼稚園、小学校、中学校、義務教育学校、高等学校、中等教育学校及び特別支援学校並びに就学前の子どもに関する教育、保育等の総合的な提供の推進に関する法律（平成18年法律第77号）第2条第7項に規定する幼保連携型認定こども園に在籍する幼児、児童又は生徒

②　18歳未満の者（①に該当する者を除く。）

第2　留意事項

(1)　保育所等がその管理するこどもの性的姿態等の画像を使用するに当たっては、正当な理由があって撮影されたものであっても、撮影者や掲載者の意図にかかわらず、わいせつな目的で利用される場合があることに十分に配慮し、その態様や閲覧可能な者の範囲等が適切なものとなるよう特に慎重に検討すること。

(2)　保育所等において保育士がこどもの様子を撮影・記録等するに当たっては、保育所等の管理下において適切に行う必要があること。

(3)　欠格事由等の該当有無の確認に当たっては、申請書に加えて、保育士の登録を受けようとする者に、必要に応じ、判決書の提出を求めること等により詳細な確認を行うことが考えられること。

なお、欠格事由等に該当するおそれがあるものの、本人から判決書の提出がなされないなど事実関係の特定が困難な場合には、都道府県知事は、児童福祉法施行規則（昭和23年厚生省令第11号）第6条の34の2に基づく確認を行うため、例えば、保育士の本籍地の市町村に対し、保育士の犯罪の経歴に関する情報の照会を行うとともに、必要に応じ、刑事確定訴訟記録法（昭和62年法律第64号）に基づき、保管記録について、地方検察庁に対して閲覧・謄写の請求・申出を行うことも考えられること。

(4)　そのほか、保育士の登録や登録の取消しに当たっては、関係法令や、「保育士登録の円滑な実施について」（平成15年12月1日付け雇児発第1201001号厚生労働省雇用均等・児童家庭局長通知）、「保育士登録の取消しに関する事務について」（平成30年3月20日付け子発0320第5号厚生労働省子ども家庭局長通知）、「保育士による児童生徒性暴力等の防止等に関する基本的な指針について」（令和5年3月27日付け子発0327第5号厚生労働省子ども家庭局長通知）等により、その運用に遺漏なきようにすること。

（添付）

・刑法及び刑事訴訟法の一部を改正する法律の施行に伴う関係政令の整備に関する政令（令和5年政令第235号）　略

・同　新旧対照表　略

・「性的な姿態を撮影する行為等の処罰及び押収物に記録された性的な姿態の影像に係る電磁的記録の消去等に関する法律の施行に伴う関係政令の整備に関する政令」（令和5年政令第236号）　略

・同　新旧対照表　略

・「保育士による児童生徒性暴力等の防止等に関する基本的な指針」新旧対照表　略

・「保育士による児童生徒性暴力等の防止等に関する基本的な指針について」（令和5年3月27日付け子発0327第5号）※改正後全文　略

（参考）

・「刑法及び刑事訴訟法の一部を改正する法律」等の関係資料（法務省ホームページ）
https://www.moj.go.jp/keiji1/keiji12_00200.html

Ⅵ

地域型保育

◉家庭的保育事業等の設備及び運営に関する基準

〔平成26年４月30日
厚生労働省令第61号〕

注 令和６年３月13日内閣府令第18号改正現在

目次　頁

第１章　総則

（趣旨）

第１条　児童福祉法（昭和22年法律第164号。以下「法」という。）第34条の16第２項の内閣府令で定める基準（以下「設備運営基準」という。）は、次の各号に掲げる基準に応じ、それぞれ当該各号に定める規定による基準とする。

一　法第34条の16第１項の規定により、同条第２項第１号に掲げる事項について市町村（特別区を含む。以下同じ。）が条例を定めるに当たって従うべき基準　第10条（当該家庭的保育事業者等の職員に係る部分に限る。）、第23条、第29条、第31条、第34条、第39条、第44条、第47条及び附則第６条から第９条までの規定による基準

二　法第34条の16第１項の規定により、同条第２項第２号に掲げる事項について市町村が条例を定めるに当たって従うべき基準　第６条、第７条の２、第７条の３、第11条から第13条まで、第15条、第16条、第20条、第22条第４号（調理設備に係る部分に限る。）、第25条（第30条、第32条、第36条、第41条、第46条及び第48条において準用する場合を含む。）、第27条、第28条第１号（調理設備に係る部分に限る。）（第32条及び第48条において準用する場合を含む。）及び第４号（調理設備に係る部分に限る。）（第32条及び第48条において準用する場合を含む。）、第33条第１号（調理設備に係る部分に限る。）及び第４号（調理設備に係る部分に限る。）、第35条、第37条、第40条、第43条第１号（調理室に係る部分に限る。）及び第５号（調理室に係る部分に限る。）、第45条並びに附則第２条から第５条までの規定による基準

三　法第34条の16第１項の規定により、同条第２項第１号及び第２号に掲げる事項以外の事項について市町村が条例を定めるに当たって参酌すべき基準　この府令に定める基準のうち、前２号に定める規定による基準以外のもの

２　設備運営基準は、市町村長（特別区の長を含む。以下同じ。）の監督に属する家庭的保育事業等（法第24条第２項に規定する家庭的保育事業等をいう。以下同じ。）を利用している乳児又は幼児（満３歳に満たない者に限り、法第６条の３第９項第２号、同条第10項第２号、同条第11項第２号又は同条第12項第２号の規定に基づき保育が必要と認められる児童であって満３歳以上のものについて保育を行う場合にあっては、当該児童を含む。以下同じ。）（以下「利用乳幼児」という。）が、明るくて、衛生的な環境において、素養があり、かつ、適切な訓練を受けた職員（家庭的保育事業等を行う事業所（以下「家庭的保育事業所等」という。）の管理者を含む。以下同じ。）が保育を提供することにより、心身ともに健やかに育成されることを保障するものとする。

３　内閣総理大臣は、設備運営基準を常に向上させるように努めるものとする。

（最低基準の目的）

第２条　法第34条の16第１項の規定により市町村が条例で定める基準（以下「最低基準」という。）は、利用乳幼児が、明るくて、衛生的な環境において、素養があり、かつ、適切な訓練を受けた職員が保育を提供することにより、心身ともに健やかに育成されることを保障するものとする。

（最低基準の向上）

第３条　市町村長は、その管理に属する法第８条第４項に規定する市町村児童福祉審議会を設置している場合にあってはその意見を、その他の場合にあっては児童の保護者その他児童福祉に係る当事者の意見を聴き、その監督に属する家庭的保育事業等を行う者（以下「家庭的保育事業者等」という。）に対し、最低基準を超えて、その設備及び運営を向上させるように勧告することができる。

２　市町村は、最低基準を常に向上させるように努めるものとする。

（最低基準と家庭的保育事業者等）

第４条　家庭的保育事業者等は、最低基準を超えて、常に、その設備及び運営を向上させなければならない。

２　最低基準を超えて、設備を有し、又は運営をしている家庭的保育事業者等においては、最低基準を理由として、その設備又は運営を低下させてはならない。

（家庭的保育事業者等の一般原則）

第５条　家庭的保育事業者等は、利用乳幼児の人権に十分配慮するとともに、一人一人の人格を尊重して、その運営を行わなければならない。

２　家庭的保育事業者等は、地域社会との交流及び連携を図り、利用乳幼児の保護者及び地域社会に対し、当該家庭的保育事業等の運営の内容を適切に説明するよう努めなければならない。

３　家庭的保育事業者等は、自らその行う保育の質の評価を行い、常にその改善を図らなければならない。

４　家庭的保育事業者等は、定期的に外部の者による評価を受けて、それらの結果を公表し、常にその改善を図るよう努めなければならない。

５　家庭的保育事業所等（居宅訪問型保育事業を行う場所を除く。次項、次条第２号、第14条第２項及び第３項、第15条第１項並びに第16条において同じ。）には、法に定めるそれぞれの事業の目的を達成するために必要な設備を設けなければならない。

６　家庭的保育事業所等の構造設備は、採光、換気等利用乳幼児の保健衛生及び利用乳幼児に対する危害防止に十分な考慮を払って設けられなければならない。

（保育所等との連携）

第６条　家庭的保育事業者等（居宅訪問型保育事業を行う者（以下「居宅訪問型保育事業者」という。）を除く。以下この条、第７条第１項、第14条第１項及び第２項、第15条第１項、第２項及び第５項、第16条並びに第17条第１項から第３項までにおいて同じ。）は、利用乳幼児に対する保育が適正かつ確実に行われ、及び、家庭的保育事業者等による保育の提供の終了後も満３歳以上の児童に対して必要な教育（教育基本法（平成18年法律第120号）第６条第１項に規定する法律に定める学校において行われる教育をいう。以下この条において同じ。）又は保育が継続的に提供されるよう、次に掲げる事項（国家戦略特別区域法（平成25年法律第107号。以下「特区法」という。）第12条の４第１項に規定する国家戦略特別区域小規模保育事業を行う事業者（以下「国家戦略特別区域小規模保育事業者」という。）にあっては、第１号及び第２号に掲げる事項）に係る連携協力を行う保育所、幼稚園又は認定こども園（以下「連携施設」という。）を適切に確保しなければならない。ただし、離島その他の地域であって、連携施設の確保が著しく困難であると市町村が認めるものにおいて家庭的保育事業等（居宅訪問型保育事業を除く。第16条第２項第３号において同じ。）を行う家庭的保育事業者等については、この限りでない。

一　利用乳幼児に集団保育を体験させるための機会の設定、保育の適切な提供に必要な家庭的保育事業者等に対する相談、助言その他の保育の内容に関する支援を行うこと。

二　必要に応じて、代替保育（家庭的保育事業所等の職員の病気、休暇等により保育を提供することができない場合に、当該家庭的保育事業者等に代わって提供する保育をいう。以下この条において同じ。）を提供すること。

三　当該家庭的保育事業者等により保育の提供を受けていた利用乳幼児（事業所内保育事業（法第６条の３第12項に規定する事業所内保育事業をいう。以下同じ。）の利用乳幼児にあっては、第42条に規定するその他の乳児又は幼児に限る。以下この号及び第４項第１号において同じ。）を、当該保育の提供の終了に際して、当該利用乳幼児に係る保護者の希望に基づき、引き続き当該連携施設において受け入れて教育又は保育を提供すること。

２　市町村長は、家庭的保育事業者等による代替保育の提供に係る連携施設の確保が著しく困難であると認める場合であって、次の各号に掲げる要件の全てを満たすと認めるときは、前項第２号の規定を適用しないこととすることができる。

一　家庭的保育事業者等と次項の連携協力を行う者との間でそれぞれの役割の分担及び責任の所在が明確化されていること。

二　次項の連携協力を行う者の本来の業務の遂行に支障が生じないようにするための措置が講じられ

ていること。

3　前項の場合において、家庭的保育事業者等は、次の各号に掲げる場合の区分に応じ、それぞれ当該各号に定める者を第１項第２号に掲げる事項に係る連携協力を行う者として適切に確保しなければならない。

一　当該家庭的保育事業者等が家庭的保育事業等を行う場所又は事業所（次号において「事業実施場所」という。）以外の場所又は事業所において代替保育が提供される場合　第27条に規定する小規模保育事業Ａ型若しくは小規模保育事業Ｂ型又は事業所内保育事業を行う者（次号において「小規模保育事業Ａ型事業者等」という。）

二　事業実施場所において代替保育が提供される場合　事業の規模等を勘案して小規模保育事業Ａ型事業者等と同等の能力を有すると市町村が認める者

4　市町村長は、次のいずれかに該当するときは、第１項第３号の規定を適用しないこととすることができる。

一　市町村長が、法第24条第３項の規定による調整を行うに当たって、家庭的保育事業者等による保育の提供を受けていた利用乳幼児を優先的に取り扱う措置その他の家庭的保育事業者等による保育の提供の終了に際して、利用乳幼児に係る保護者の希望に基づき、引き続き必要な教育又は保育が提供されるよう必要な措置を講じているとき

二　家庭的保育事業者等による第１項第３号に掲げる事項に係る連携施設の確保が、著しく困難であると認めるとき（前号に該当する場合を除く。）

5　前項（第２号に該当する場合に限る。）の場合において、家庭的保育事業者等は、法第59条第１項に規定する施設のうち次に掲げるもの（入所定員が20人以上のものに限る。）又は特区法第12条の４第１項に規定する国家戦略特別区域小規模保育事業を行う事業所であって、市町村長が適当と認めるものを第１項第３号に掲げる事項に係る連携協力を行う施設又は事業所として適切に確保しなければならない。

一　子ども・子育て支援法（平成24年法律第65号）第59条の２第１項の規定による助成を受けている者の設置する施設（法第６条の３第12項に規定する業務を目的とするものに限る。）

二　法第６条の３第12項及び第39条第１項に規定する業務を目的とする施設であって、法第６条の３第９項第１号に規定する保育を必要とする乳児・幼児の保育を行うことに要する費用に係る地方公共団体の補助を受けているもの

（家庭的保育事業者等と非常災害）

第７条　家庭的保育事業者等は、軽便消火器等の消火用具、非常口その他非常災害に必要な設備を設けるとともに、非常災害に対する具体的計画を立て、これに対する不断の注意と訓練をするように努めなければならない。

2　前項の訓練のうち、避難及び消火に対する訓練は、少なくとも毎月１回は、これを行わなければならない。

（安全計画の策定等）

第７条の２　家庭的保育事業者等は、利用乳幼児の安全の確保を図るため、家庭的保育事業所等ごとに、当該家庭的保育事業所等の設備の安全点検、職員、利用乳幼児等に対する事業所外での活動、取組等を含めた家庭的保育事業所等での生活その他の日常生活における安全に関する指導、職員の研修及び訓練その他家庭的保育事業所等における安全に関する事項についての計画（以下この条において「安全計画」という。）を策定し、当該安全計画に従い必要な措置を講じなければならない。

2　家庭的保育事業者等は、職員に対し、安全計画について周知するとともに、前項の研修及び訓練を定期的に実施しなければならない。

3　家庭的保育事業者等は、利用乳幼児の安全の確保に関して保護者との連携が図られるよう、保護者に対し、安全計画に基づく取組の内容等について周知しなければならない。

4　家庭的保育事業者等は、定期的に安全計画の見直しを行い、必要に応じて安全計画の変更を行うものとする。

（自動車を運行する場合の所在の確認）

第７条の３　家庭的保育事業者等は、利用乳幼児の事業所外での活動、取組等のための移動その他の利用乳幼児の移動のために自動車を運行するときは、利用乳幼児の乗車及び降車の際に、点呼その他の利用乳幼児の所在を確実に把握することができる方法により、利用乳幼児の所在を確認しなければならない。

2　家庭的保育事業者等（居宅訪問型保育事業者を除く。）は、利用乳幼児の送迎を目的とした自動車（運転者席及びこれと並列の座席並びにこれらより１つ後方に備えられた前向きの座席以外の座席を有しないものその他利用の態様を勘案してこれと同程度に利用乳幼児の見落としのおそれが少ないと認められるものを除く。）を日常的に運行するときは、当該自動車にブザーその他の車内の利用乳幼児の見

落としを防止する装置を備え、これを用いて前項に定める所在の確認（利用乳幼児の降車の際に限る。）を行わなければならない。

（家庭的保育事業者等の職員の一般的要件）

第８条 家庭的保育事業等において利用乳幼児の保育に従事する職員は、健全な心身を有し、豊かな人間性と倫理観を備え、児童福祉事業に熱意のある者であって、できる限り児童福祉事業の理論及び実際について訓練を受けた者でなければならない。

（家庭的保育事業者等の職員の知識及び技能の向上等）

第９条 家庭的保育事業者等の職員は、常に自己研鑽《さん》に励み、法に定めるそれぞれの事業の目的を達成するために必要な知識及び技能の修得、維持及び向上に努めなければならない。

２ 家庭的保育事業者等は、職員に対し、その資質の向上のための研修の機会を確保しなければならない。

（他の社会福祉施設等を併せて設置するときの設備及び職員の基準）

第10条 家庭的保育事業所等は、他の社会福祉施設等を併せて設置するときは、その行う保育に支障がない場合に限り、必要に応じ当該家庭的保育事業所等の設備及び職員の一部を併せて設置する他の社会福祉施設等の設備及び職員に兼ねることができる。

（利用乳幼児を平等に取り扱う原則）

第11条 家庭的保育事業者等は、利用乳幼児の国籍、信条、社会的身分又は利用に要する費用を負担するか否かによって、差別的取扱いをしてはならない。

（虐待等の禁止）

第12条 家庭的保育事業者等の職員は、利用乳幼児に対し、法第33条の10各号に掲げる行為その他当該利用乳幼児の心身に有害な影響を与える行為をしてはならない。

第13条 削除

（衛生管理等）

第14条 家庭的保育事業者等は、利用乳幼児の使用する設備、食器等又は飲用に供する水について、衛生的な管理に努め、又は衛生上必要な措置を講じなければならない。

２ 家庭的保育事業者等は、家庭的保育事業所等において感染症又は食中毒が発生し、又はまん延しないように、職員に対し、感染症及び食中毒の予防及びまん延の防止のための研修並びに感染症の予防及びまん延の防止のための訓練を定期的に実施するよう努めなければならない。

３ 家庭的保育事業所等には、必要な医薬品その他の医療品を備えるとともに、それらの管理を適正に行わなければならない。

４ 居宅訪問型保育事業者は、保育に従事する職員の清潔の保持及び健康状態について、必要な管理を行わなければならない。

５ 居宅訪問型保育事業者は、居宅訪問型保育事業所の設備及び備品について、衛生的な管理に努めなければならない。

（食事）

第15条 家庭的保育事業者等は、利用乳幼児に食事を提供するときは、家庭的保育事業所等内で調理する方法（第10条の規定により、当該家庭的保育事業所等の調理設備又は調理室を兼ねている他の社会福祉施設等の調理室において調理する方法を含む。）により行わなければならない。

２ 家庭的保育事業者等は、利用乳幼児に食事を提供するときは、その献立は、できる限り、変化に富み、利用乳幼児の健全な発育に必要な栄養量を含有するものでなければならない。

３ 食事は、前項の規定によるほか、食品の種類及び調理方法について栄養並びに利用乳幼児の身体的状況及び嗜好を考慮したものでなければならない。

４ 調理は、あらかじめ作成された献立に従つて行わなければならない。

５ 家庭的保育事業者等は、利用乳幼児の健康な生活の基本としての食を営む力の育成に努めなければならない。

（食事の提供の特例）

第16条 次の各号に掲げる要件を満たす家庭的保育事業者等は、前条第１項の規定にかかわらず、当該家庭的保育事業者等の利用乳幼児に対する食事の提供について、次項に規定する施設（以下「搬入施設」という。）において調理し家庭的保育事業所等に搬入する方法により行うことができる。この場合において、当該家庭的保育事業者等は、当該食事の提供について当該方法によることとしてもなお当該家庭的保育事業所等において行うことが必要な調理のための加熱、保存等の調理機能を有する設備を備えなければならない。

一 利用乳幼児に対する食事の提供の責任が当該家庭的保育事業者等にあり、その管理者が、衛生面、栄養面等業務上必要な注意を果たし得るような体制及び調理業務の受託者との契約内容が確保されていること。

二 当該家庭的保育事業所等又はその他の施設、保健所、市町村等の栄養士により、献立等について栄養の観点からの指導が受けられる体制にある等、栄養士による必要な配慮が行われること。

三 調理業務の受託者を、当該家庭的保育事業者等

による給食の趣旨を十分に認識し、衛生面、栄養面等、調理業務を適切に遂行できる能力を有する者とすること。

四　利用乳幼児の年齢及び発達の段階並びに健康状態に応じた食事の提供や、アレルギー、アトピー等への配慮、必要な栄養素量の給与等、利用乳幼児の食事の内容、回数及び時機に適切に応じることができること。

五　食を通じた利用乳幼児の健全育成を図る観点から、利用乳幼児の発育及び発達の過程に応じて食に関し配慮すべき事項を定めた食育に関する計画に基づき食事を提供するよう努めること。

2　搬入施設は、次の各号に掲げるいずれかの施設とする。

一　連携施設

二　当該家庭的保育事業者等と同一の法人又は関連法人が運営する小規模保育事業（法第６条の３第10項に規定する小規模保育事業をいう。以下同じ。）若しくは事業所内保育事業を行う事業所、社会福祉施設、医療機関等

三　学校給食法（昭和29年法律第160号）第３条第２項に規定する義務教育諸学校又は同法第６条に規定する共同調理場（家庭的保育事業者等が離島その他の地域であって、第１号及び第２号に掲げる搬入施設の確保が著しく困難であると市町村が認めるものにおいて家庭的保育事業等を行う場合に限る。）

四　保育所、幼稚園、認定こども園等から調理業務を受託している事業者のうち、当該家庭的保育事業者等による給食の趣旨を十分に認識し、衛生面、栄養面等、調理業務を適切に遂行できる能力を有するとともに、利用乳幼児の年齢及び発達の段階並びに健康状態に応じた食事の提供や、アレルギー、アトピー等への配慮、必要な栄養素量の給与等、利用乳幼児の食事の内容、回数及び時機に適切に応じることができる者として市町村が適当と認めるもの（家庭的保育事業者が第22条に規定する家庭的保育事業を行う場所（第23条第２項に規定する家庭的保育者の居宅に限る。）において家庭的保育事業を行う場合に限る。）

（利用乳幼児及び職員の健康診断）

第17条　家庭的保育事業者等は、利用乳幼児に対し、利用開始時の健康診断、少なくとも１年に２回の定期健康診断及び臨時の健康診断を、学校保健安全法（昭和33年法律第56号）に規定する健康診断に準じて行わなければならない。

2　家庭的保育事業者等は、前項の規定にかかわらず、児童相談所等における乳児又は幼児（以下「乳幼児」という。）の利用開始前の健康診断が行われた場合であって、当該健康診断が利用乳幼児に対する利用開始時の健康診断の全部又は一部に相当すると認められるときは、利用開始時の健康診断の全部又は一部を行わないことができる。この場合において、家庭的保育事業者等は、児童相談所等における乳幼児の利用開始前の健康診断の結果を把握しなければならない。

3　第１項の健康診断をした医師は、その結果必要な事項を母子健康手帳又は利用乳幼児の健康を記録する表に記入するとともに、必要に応じ保育の提供又は法第24条第６項の規定による措置を解除又は停止する等必要な手続をとることを、家庭的保育事業者等に勧告しなければならない。

4　家庭的保育事業等の職員の健康診断に当たっては、特に利用乳幼児の食事を調理する者につき、綿密な注意を払わなければならない。

（家庭的保育事業所等内部の規程）

第18条　家庭的保育事業者等は、次の各号に掲げる事業の運営についての重要事項に関する規程を定めておかなければならない。

一　事業の目的及び運営の方針

二　提供する保育の内容

三　職員の職種、員数及び職務の内容

四　保育の提供を行う日及び時間並びに提供を行わない日

五　保護者から受領する費用の種類、支払を求める理由及びその額

六　乳児、幼児の区分ごとの利用定員（国家戦略特別区域小規模保育事業者にあっては、乳児、満３歳に満たない幼児及び満３歳以上の幼児の区分ごとの利用定員）

七　家庭的保育事業等の利用の開始、終了に関する事項及び利用に当たっての留意事項

八　緊急時等における対応方法

九　非常災害対策

十　虐待の防止のための措置に関する事項

十一　その他家庭的保育事業等の運営に関する重要事項

（家庭的保育事業所等に備える帳簿）

第19条　家庭的保育事業所等には、職員、財産、収支及び利用乳幼児の処遇の状況を明らかにする帳簿を整備しておかなければならない。

（秘密保持等）

第20条　家庭的保育事業者等の職員は、正当な理由がなく、その業務上知り得た利用乳幼児又はその家族

の秘密を漏らしてはならない。

2　家庭的保育事業者等は、職員であった者が、正当な理由がなく、その業務上知り得た利用乳幼児又はその家族の秘密を漏らすことがないよう、必要な措置を講じなければならない。

（苦情への対応）

第21条　家庭的保育事業者等は、その行った保育に関する利用乳幼児又はその保護者等からの苦情に迅速かつ適切に対応するために、苦情を受け付けるための窓口を設置する等の必要な措置を講じなければならない。

2　家庭的保育事業者等は、その行った保育に関し、当該保育の提供又は法第24条第６項の規定による措置に係る市町村から指導又は助言を受けた場合は、当該指導又は助言に従って必要な改善を行わなければならない。

第２章　家庭的保育事業

（設備の基準）

第22条　家庭的保育事業は、次条第２項に規定する家庭的保育者の居宅その他の場所（保育を受ける乳幼児の居宅を除く。）であって、次の各号に掲げる要件を満たすものとして、市町村長が適当と認める場所（次条において「家庭的保育事業を行う場所」という。）で実施するものとする。

一　乳幼児の保育を行う専用の部屋を設けること。

二　前号に掲げる専用の部屋の面積は、9.9平方メートル（保育する乳幼児が３人を超える場合は、9.9平方メートルに３人を超える人数１人につき3.3平方メートルを加えた面積）以上であること。

三　乳幼児の保健衛生上必要な採光、照明及び換気の設備を有すること。

四　衛生的な調理設備及び便所を設けること。

五　同一の敷地内に乳幼児の屋外における遊戯等に適した広さの庭（付近にあるこれに代わるべき場所を含む。次号において同じ。）があること。

六　前号に掲げる庭の面積は、満２歳以上の幼児１人につき、3.3平方メートル以上であること。

七　火災報知器及び消火器を設置するとともに、消火訓練及び避難訓練を定期的に実施すること。

（職員）

第23条　家庭的保育事業を行う場所には、次項に規定する家庭的保育者、嘱託医及び調理員を置かなければならない。ただし、次の各号のいずれかに該当する場合には、調理員を置かないことができる。

一　調理業務の全部を委託する場合

二　第16条第１項の規定により搬入施設から食事を搬入する場合

2　家庭的保育者（法第６条の３第９項第１号に規定する家庭的保育者をいう。以下同じ。）は、市町村長が行う研修（市町村長が指定する都道府県知事その他の機関が行う研修を含む。）を修了した保育士（特区法第12条の５第５項に規定する事業実施区域内にある家庭的保育事業を行う場所にあっては、保育士又は当該事業実施区域に係る国家戦略特別区域限定保育士）又は保育士と同等以上の知識及び経験を有すると市町村長が認める者であって、次の各号のいずれにも該当する者とする。

一　保育を行っている乳幼児の保育に専念できる者

二　法第18条の５各号及び法第34条の20第１項第３号のいずれにも該当しない者

3　家庭的保育者１人が保育することができる乳幼児の数は、３人以下とする。ただし、家庭的保育者が、家庭的保育補助者（市町村長が行う研修（市町村長が指定する都道府県知事その他の機関が行う研修を含む。）を修了した者であって、家庭的保育者を補助するものをいう。第34条第２項において同じ。）とともに保育する場合には、５人以下とする。

（保育時間）

第24条　家庭的保育事業における保育時間は、１日につき８時間を原則とし、乳幼児の保護者の労働時間その他家庭の状況等を考慮して、家庭的保育事業を行う者（次条及び第26条において「家庭的保育事業者」という。）が定めるものとする。

（保育の内容）

第25条　家庭的保育事業者は、児童福祉施設の設備及び運営に関する基準（昭和23年厚生省令第63号）第35条に規定する内閣総理大臣が定める指針に準じ、家庭的保育事業の特性に留意して、保育する乳幼児の心身の状況等に応じた保育を提供しなければならない。

（保護者との連絡）

第26条　家庭的保育事業者は、常に保育する乳幼児の保護者と密接な連絡をとり、保育の内容等につき、その保護者の理解及び協力を得るよう努めなければならない。

第３章　小規模保育事業

第１節　通則

（小規模保育事業の区分）

第27条　小規模保育事業は、小規模保育事業Ａ型、小規模保育事業Ｂ型及び小規模保育事業Ｃ型とする。

第２節　小規模保育事業Ａ型

（設備の基準）

第28条　小規模保育事業Ａ型を行う事業所（以下「小規模保育事業所Ａ型」という。）の設備の基準は、次のとおりとする。

一　乳児又は満２歳に満たない幼児を利用させる小規模保育事業所Ａ型には、乳児室又はほふく室、調理設備及び便所を設けること。

二　乳児室又はほふく室の面積は、乳児又は前号の幼児１人につき3.3平方メートル以上であること。

三　乳児室又はほふく室には、保育に必要な用具を備えること。

四　満２歳以上の幼児を利用させる小規模保育事業所Ａ型には、保育室又は遊戯室、屋外遊戯場（当該事業所の付近にある屋外遊戯場に代わるべき場所を含む。次号並びに第33条第４号及び第５号において同じ。）、調理設備及び便所を設けること。

五　保育室又は遊戯室の面積は、前号の幼児１人につき1.98平方メートル以上、屋外遊戯場の面積は、前号の幼児１人につき3.3平方メートル以上であること。

六　保育室又は遊戯室には、保育に必要な用具を備えること。

七　乳児室、ほふく室、保育室又は遊戯室（以下「保育室等」という。）を２階に設ける建物は、次のイ、ロ及びヘの要件に、保育室等を３階以上に設ける建物は、次の各号に掲げる要件に該当するものであること。

イ　建築基準法（昭和25年法律第201号）第２条第９号の２に規定する耐火建築物又は同条第９号の３に規定する準耐火建築物であること。

ロ　保育室等が設けられている次の表の上欄に掲げる階に応じ、同表の中欄に掲げる区分ごとに、それぞれ同表の下欄に掲げる施設又は設備が１以上設けられていること。

階	区　分	施　設　又　は　設　備
２階	常　用	１　屋内階段 ２　屋外階段
	避難用	１　建築基準法施行令（昭和25年政令第338号）第123条第１項各号又は同条第３項各号に規定する構造の屋内階段 ２　待避上有効なバルコニー ３　建築基準法第２条第７号の２に規定する準耐火構造の屋外傾斜路又はこれに準ずる設備 ４　屋外階段
３階	常　用	１　建築基準法施行令第123条第１項各号又は同条第３項各号に規定する構造の屋内階段 ２　屋外階段
	避難用	１　建築基準法施行令第123条第１項各号又は同条第３項各号に規定する構造の屋内階段 ２　建築基準法第２条第７号に規定する耐火構造の屋外傾斜路又はこれに準ずる設備 ３　屋外階段
４階以上の階	常　用	１　建築基準法施行令第123条第１項各号又は同条第３項各号に規定する構造の屋内階段 ２　建築基準法施行令第123条第２項各号に規定する構造の屋外階段
	避難用	１　建築基準法施行令第123条第１項各号又は同条第３項各号に規定する構造の屋内階段（ただし、同条第１項の場合においては、当該階段の構造は、建築物の１階から保育室等が設けられている階までの部分に限り、屋内と階段室とは、バルコニー又は付室（階段室が同条第３項第２号に規定する構造を有する場合を除き、同号に規定する構造を有するものに限る。）を通じて連絡することとし、かつ、同条第３項第３号、第４号及び第10号を満たすものとする。） ２　建築基準法第２条第７号に規定する耐火構造の屋外傾斜路 ３　建築基準法施行令第123条第２項各号に規定する構造の屋外階段

ハ　ロに掲げる施設及び設備が避難上有効な位置に設けられ、かつ、保育室等の各部分からその一に至る歩行距離が30メートル以下となるように設けられていること。

ニ　小規模保育事業所Ａ型の調理設備（次に掲げる要件のいずれかに該当するものを除く。以下このニにおいて同じ。）以外の部分と小規模保育事業所Ａ型の調理設備の部分が建築基準法第２条第７号に規定する耐火構造の床若しくは壁又は建築基準法施行令第112条第１項に規定する特定防火設備で区画されていること。この場合において、換気、暖房又は冷房の設備の風道が、当該床若しくは壁を貫通する部分又はこれに近接する部分に防火上有効にダンパーが設けられていること。

⑴　スプリンクラー設備その他これに類するもので自動式のものが設けられていること。
⑵　調理用器具の種類に応じて有効な自動消火装置が設けられ、かつ、当該調理設備の外部への延焼を防止するために必要な措置が講じられていること。
ホ　小規模保育事業所Ａ型の壁及び天井の室内に面する部分の仕上げを不燃材料でしていること。
ヘ　保育室等その他乳幼児が出入し、又は通行する場所に、乳幼児の転落事故を防止する設備が設けられていること。
ト　非常警報器具又は非常警報設備及び消防機関へ火災を通報する設備が設けられていること。
チ　小規模保育事業所Ａ型のカーテン、敷物、建具等で可燃性のものについて防炎処理が施されていること。

（職員）
第29条　小規模保育事業所Ａ型には、保育士（特区法第12条の５第５項に規定する事業実施区域内にある小規模保育事業所Ａ型にあっては、保育士又は当該事業実施区域に係る国家戦略特別区域限定保育士。次項において同じ。）、嘱託医及び調理員を置かなければならない。ただし、調理業務の全部を委託する小規模保育事業所Ａ型又は第16条第１項の規定により搬入施設から食事を搬入する小規模保育事業所Ａ型にあっては、調理員を置かないことができる。
２　保育士の数は、次の各号に掲げる区分に応じ、当該各号に定める数の合計数に１を加えた数以上とする。
一　乳児　おおむね３人につき１人
二　満１歳以上満３歳に満たない幼児　おおむね６人につき１人
三　満３歳以上満４歳に満たない児童　おおむね15人につき１人（法第６条の３第10項第２号又は特区法第12条の４第１項の規定に基づき受け入れる場合に限る。次号において同じ。）
四　満４歳以上の児童　おおむね25人につき１人
３　前項に規定する保育士の数の算定に当たっては、当該小規模保育事業所Ａ型に勤務する保健師、看護師又は准看護師を、１人に限り、保育士とみなすことができる。

（準用）
第30条　第24条から第26条までの規定は、小規模保育事業Ａ型について準用する。この場合において、第24条中「家庭的保育事業を行う者（次条及び第26条において「家庭的保育事業者」という。）」とあるのは「小規模保育事業Ａ型を行う者（第30条において準用する次条及び第26条において「小規模保育事業者（Ａ型）」という。）」と、第25条及び第26条中「家庭的保育事業者」とあるのは「小規模保育事業者（Ａ型）」とする。

第３節　小規模保育事業Ｂ型

（職員）
第31条　小規模保育事業Ｂ型を行う事業所（以下「小規模保育事業所Ｂ型」という。）には、保育士（特区法第12条の５第５項に規定する事業実施区域内にある小規模保育事業所Ｂ型にあっては、保育士又は当該事業実施区域に係る国家戦略特別区域限定保育士。次項において同じ。）その他保育に従事する職員として市町村長が行う研修（市町村長が指定する都道府県知事その他の機関が行う研修を含む。）を修了した者（以下この条において「保育従事者」という。）、嘱託医及び調理員を置かなければならない。ただし、調理業務の全部を委託する小規模保育事業所Ｂ型又は第16条第１項の規定により搬入施設から食事を搬入する小規模保育事業所Ｂ型にあっては、調理員を置かないことができる。
２　保育従事者の数は、次の各号に掲げる乳幼児の区分に応じ、当該各号に定める数の合計数に１を加えた数以上とし、そのうち半数以上は保育士とする。
一　乳児　おおむね３人につき１人
二　満１歳以上満３歳に満たない幼児　おおむね６人につき１人
三　満３歳以上満４歳に満たない児童　おおむね15人につき１人（法第６条の３第10項第２号又は特区法第12条の４第１項の規定に基づき受け入れる場合に限る。次号において同じ。）
四　満４歳以上の児童　おおむね25人につき１人
３　前項に規定する保育士の数の算定に当たっては、当該小規模保育事業所Ｂ型に勤務する保健師、看護師又は准看護師を、１人に限り、保育士とみなすことができる。

（準用）
第32条　第24条から第26条まで及び第28条の規定は、小規模保育事業Ｂ型について準用する。この場合において、第24条中「家庭的保育事業を行う者（次条及び第26条において「家庭的保育事業者」という。）」とあるのは「小規模保育事業Ｂ型を行う者（第32条において準用する次条及び第26条において「小規模保育事業者（Ｂ型）」という。）」と、第25条及び第26条中「家庭的保育事業者」とあるのは「小規模保育事業者（Ｂ型）」と、第28条中「小規模保育事業所Ａ型」とあるのは「小規模保育事業所Ｂ型」とする。

第４節　小規模保育事業Ｃ型

（設備の基準）

第33条　小規模保育事業Ｃ型を行う事業所（以下「小規模保育事業所Ｃ型」という。）の設備の基準は、次のとおりとする。

一　乳児又は満２歳に満たない幼児を利用させる小規模保育事業所Ｃ型には、乳児室又はほふく室、調理設備及び便所を設けること。

二　乳児室又はほふく室の面積は、乳児又は前号の幼児１人につき3.3平方メートル以上であること。

三　乳児室又はほふく室には、保育に必要な用具を備えること。

四　満２歳以上の幼児を利用させる小規模保育事業所Ｃ型には、保育室又は遊戯室、屋外遊戯場、調理設備及び便所を設けること。

五　保育室又は遊戯室の面積は、満２歳以上の幼児１人につき3.3平方メートル以上、屋外遊戯場の面積は、前号の幼児１人につき3.3平方メートル以上であること。

六　保育室又は遊戯室には、保育に必要な用具を備えること。

七　保育室等を２階以上に設ける建物は、第28条第７号に掲げる要件に該当するものであること。

（職員）

第34条　小規模保育事業所Ｃ型には、家庭的保育者、嘱託医及び調理員を置かなければならない。ただし、調理業務の全部を委託する小規模保育事業所Ｃ型又は第16条第１項の規定により搬入施設から食事を搬入する小規模保育事業所Ｃ型にあっては、調理員を置かないことができる。

２　家庭的保育者１人が保育することができる乳幼児の数は、３人以下とする。ただし、家庭的保育者が、家庭的保育補助者とともに保育する場合には、５人以下とする。

（利用定員）

第35条　小規模保育事業所Ｃ型は、法第６条の３第10項の規定にかかわらず、その利用定員を６人以上10人以下とする。

（準用）

第36条　第24条から第26条までの規定は、小規模保育事業Ｃ型について準用する。この場合において、第24条中「家庭的保育事業を行う者（次条及び第26条において「家庭的保育事業者」という。）」とあるのは「小規模保育事業Ｃ型を行う者（第36条において準用する次条及び第26条において「小規模保育事業者（Ｃ型）」という。）」と、第25条及び第26条中「家庭的保育事業者」とあるのは「小規模保育事業者（Ｃ型）」とする。

第４章　居宅訪問型保育事業

（居宅訪問型保育事業）

第37条　居宅訪問型保育事業者は、次の各号に掲げる保育を提供するものとする。

一　障害、疾病等の程度を勘案して集団保育が著しく困難であると認められる乳幼児に対する保育

二　子ども・子育て支援法第34条第５項又は第46条第５項の規定による便宜の提供に対応するために行う保育

三　法第24条第６項に規定する措置に対応するために行う保育

四　母子家庭等（母子及び父子並びに寡婦福祉法（昭和39年法律第129号）第６条第５項に規定する母子家庭等をいう。）の乳幼児の保護者が夜間及び深夜の勤務に従事する場合又は保護者の疾病、疲労その他の身体上、精神上若しくは環境上の理由により家庭において乳幼児を養育することが困難な場合への対応等、保育の必要の程度及び家庭等の状況を勘案し、居宅訪問型保育を提供する必要性が高いと市町村が認める乳幼児に対する保育

五　離島その他の地域であって、居宅訪問型保育事業以外の家庭的保育事業等の確保が困難であると市町村が認めるものにおいて行う保育

（設備及び備品）

第38条　居宅訪問型保育事業者が当該事業を行う事業所には、事業の運営を行うために必要な広さを有する専用の区画を設けるほか、保育の実施に必要な設備及び備品等を備えなければならない。

（職員）

第39条　居宅訪問型保育事業において家庭的保育者１人が保育することができる乳幼児の数は１人とする。

（居宅訪問型保育連携施設）

第40条　居宅訪問型保育事業者は、第37条第１号に規定する乳幼児に対する保育を行う場合にあっては、当該乳幼児の障害、疾病等の状態に応じ、適切な専門的な支援その他の便宜の供与を受けられるよう、あらかじめ、連携する障害児入所施設（法第42条に規定する障害児入所施設をいう。）その他の市町村の指定する施設（この条において「居宅訪問型保育連携施設」という。）を適切に確保しなければならない。ただし、離島その他の地域であって、居宅訪問型保育連携施設の確保が著しく困難であると市町村が認めるものにおいて居宅訪問型保育事業を行う居宅訪問型保育事業者については、この限りでない。

（準用）

第41条　第24条から第26条までの規定は、居宅訪問型

保育事業について準用する。この場合において、第24条中「家庭的保育事業を行う者（次条及び第26条において「家庭的保育事業者」という。）」とあるのは「居宅訪問型保育事業者」と、第25条及び第26条中「家庭的保育事業者」とあるのは「居宅訪問型保育事業者」とする。

第５章　事業所内保育事業

（利用定員の設定）

第42条　事業所内保育事業を行う者（以下この章において「事業所内保育事業者」という。）は、次の表の上欄に掲げる利用定員の区分に応じ、それぞれ同表の下欄に定めるその他の乳児又は幼児（法第６条の３第12項第１号イ、ロ又はハに規定するその他の乳児又は幼児をいう。）の数を踏まえて市町村が定める乳幼児数以上の定員枠を設けなくてはならない。

利用定員数	その他の乳児又は幼児の数
１人以上５人以下	１人
６人以上７人以下	２人
８人以上10人以下	３人
11人以上15人以下	４人
16人以上20人以下	５人
21人以上25人以下	６人
26人以上30人以下	７人
31人以上40人以下	10人
41人以上50人以下	12人
51人以上60人以下	15人
61人以上70人以下	20人
71人以上	20人

（設備の基準）

第43条　事業所内保育事業（利用定員が20人以上のものに限る。以下この条、第45条及び第46条において「保育所型事業所内保育事業」という。）を行う事業所（以下「保育所型事業所内保育事業所」という。）の設備の基準は、次のとおりとする。

一　乳児又は満２歳に満たない幼児を入所させる保育所型事業所内保育事業所には、乳児室又はほふく室、医務室、調理室（当該保育所型事業所内保育事業所を設置及び管理する事業主が事業場に附属して設置する炊事場を含む。第５号において同じ。）及び便所を設けること。

二　乳児室の面積は、乳児又は前号の幼児１人につき1.65平方メートル以上であること。

三　ほふく室の面積は、乳児又は第１号の幼児１人につき3.3平方メートル以上であること。

四　乳児室又はほふく室には、保育に必要な用具を備えること。

五　満２歳以上の幼児（法第６条の３第12項第２号の規定に基づき保育が必要と認められる児童であって満３歳以上のものを受け入れる場合にあっては、当該児童を含む。以下この章において同じ。）を入所させる保育所型事業所内保育事業所には、保育室又は遊戯室、屋外遊戯場（保育所型事業所内保育事業所の付近にある屋外遊戯場に代わるべき場所を含む。次号において同じ。）、調理室及び便所を設けること。

六　保育室又は遊戯室の面積は、前号の幼児１人につき1.98平方メートル以上、屋外遊戯場の面積は、前号の幼児１人につき3.3平方メートル以上であること。

七　保育室又は遊戯室には、保育に必要な用具を備えること。

八　保育室等を２階に設ける建物は、次のイ、ロ及びへの要件に、保育室等を３階以上に設ける建物は、次の各号に掲げる要件に該当するものであること。

イ　建築基準法第２条第９号の２に規定する耐火建築物又は同条第９号の３に規定する準耐火建築物であること。

ロ　保育室等が設けられている次の表の上欄に掲げる階に応じ、同表の中欄に掲げる区分ごとに、それぞれ同表の下欄に掲げる施設又は設備が１以上設けられていること。

階	区分	施設又は設備
２階	常用	１　屋内階段 ２　屋外階段
	避難用	１　建築基準法施行令第123条第１項各号又は同条第３項各号に規定する構造の屋内階段 ２　待避上有効なバルコニー ３　建築基準法第２条第７号の２に規定する準耐火構造の屋外傾斜路又はこれに準ずる設備 ４　屋外階段
３階	常用	１　建築基準法施行令第123条第１項各号又は同条第３項各号に規定する構造の屋内階段 ２　屋外階段
	避難用	１　建築基準法施行令第123条第１項各号又は同条第３項各号に規定する構造の屋内階段 ２　建築基準法第２条第７号に規定する耐火構造の屋外傾斜路又はこれに準ずる設備

		3　屋外階段
4階以上の階	常　用	1　建築基準法施行令第123条第1項各号又は同条第3項各号に規定する構造の屋内階段 2　建築基準法施行令第123条第2項各号に規定する構造の屋外階段
	避難用	1　建築基準法施行令第123条第1項各号又は同条第3項各号に規定する構造の屋内階段（ただし、同条第1項の場合においては、当該階段の構造は、建築物の1階から保育室等が設けられている階までの部分に限り、屋内と階段室とは、バルコニー又は付室（階段室が同条第3項第2号に規定する構造を有する場合を除き、同号に規定する構造を有するものに限る。）を通じて連絡することとし、かつ、同条第3項第3号、第4号及び第10号を満たすものとする。） 2　建築基準法第2条第7号に規定する耐火構造の屋外傾斜路 3　建築基準法施行令第123条第2項各号に規定する構造の屋外階段

ハ　ロに掲げる施設及び設備が避難上有効な位置に設けられ、かつ、保育室等の各部分からその一に至る歩行距離が30メートル以下となるように設けられていること。

ニ　保育所型事業所内保育事業所の調理室（次に掲げる要件のいずれかに該当するものを除く。以下このニにおいて同じ。）以外の部分と保育所型事業所内保育事業所の調理室の部分が建築基準法第2条第7号に規定する耐火構造の床若しくは壁又は建築基準法施行令第112条第1項に規定する特定防火設備で区画されていること。この場合において、換気、暖房又は冷房の設備の風道が、当該床若しくは壁を貫通する部分又はこれに近接する部分に防火上有効にダンパーが設けられていること。

⑴　スプリンクラー設備その他これに類するもので自動式のものが設けられていること。

⑵　調理用器具の種類に応じて有効な自動消火装置が設けられ、かつ、当該調理室の外部への延焼を防止するために必要な措置が講じられていること。

ホ　保育所型事業所内保育事業所の壁及び天井の室内に面する部分の仕上げを不燃材料でしていること。

ヘ　保育室等その他乳幼児が出入し、又は通行する場所に、乳幼児の転落事故を防止する設備が設けられていること。

ト　非常警報器具又は非常警報設備及び消防機関へ火災を通報する設備が設けられていること。

チ　保育所型事業所内保育事業所のカーテン、敷物、建具等で可燃性のものについて防炎処理が施されていること。

（職員）

第44条　保育所型事業所内保育事業所には、保育士（特区法第12条の5第5項に規定する事業実施区域内にある保育所型事業所内保育事業所にあっては、保育士又は当該事業実施区域に係る国家戦略特別区域限定保育士。次項において同じ。）、嘱託医及び調理員を置かなければならない。ただし、調理業務の全部を委託する保育所型事業所内保育事業所又は第16条第1項の規定により搬入施設から食事を搬入する保育所型事業所内保育事業所にあっては、調理員を置かないことができる。

2　保育士の数は、次の各号に掲げる区分に応じ、当該各号に定める数の合計数以上とする。ただし、保育所型事業所内保育事業所1につき2人を下回ることはできない。

一　乳児　おおむね3人につき1人

二　満1歳以上満3歳に満たない幼児　おおむね6人につき1人

三　満3歳以上満4歳に満たない児童　おおむね15人につき1人（法第6条の3第12項第2号の規定に基づき受け入れる場合に限る。次号において同じ。）

四　満4歳以上の児童　おおむね25人につき1人

3　前項に規定する保育士の数の算定に当たっては、当該保育所型事業所内保育事業所に勤務する保健師、看護師又は准看護師を1人に限り、保育士とみなすことができる。

（連携施設に関する特例）

第45条　保育所型事業所内保育事業を行う者にあっては、連携施設の確保に当たって、第6条第1項第1号及び第2号に係る連携協力を求めることを要しない。

2　保育所型事業所内保育事業を行う者のうち、法第6条の3第12項第2号に規定する事業を行うものであって、市町村長が適当と認めるもの（附則第3条において「特例保育所型事業所内保育事業者」という。）については、第6条第1項本文の規定にかかわらず、連携施設の確保をしないことができる。

（準用）

第46条　第24条から第26条までの規定は、保育所型事業所内保育事業について準用する。この場合において、第24条中「家庭的保育事業を行う者（次条及び第26条において「家庭的保育事業者」という。）」とあるのは「保育所型事業所内保育事業を行う者（第46条において準用する次条及び第26条において「保育所型事業所内保育事業者」という。）」と、第25条及び第26条中「家庭的保育事業者」とあるのは「保育所型事業所内保育事業者」とする。

（職員）

第47条　事業所内保育事業（利用定員が19人以下のものに限る。以下この条及び次条において「小規模型事業所内保育事業」という。）を行う事業所（以下この条及び次条において「小規模型事業所内保育事業所」という。）には、保育士（特区法第12条の5第5項に規定する事業実施区域内にある小規模型事業所内保育事業所にあっては、保育士又は当該事業実施区域に係る国家戦略特別区域限定保育士。次項において同じ。）その他保育に従事する職員として市町村長が行う研修（市町村長が指定する都道府県知事その他の機関が行う研修を含む。）を修了した者（以下この条において「保育従事者」という。）、嘱託医及び調理員を置かなければならない。ただし、調理業務の全部を委託する小規模型事業所内保育事業所又は第16条第1項の規定により搬入施設から食事を搬入する小規模型事業所内保育事業所にあっては、調理員を置かないことができる。

2　保育従事者の数は、次の各号に掲げる区分に応じ、当該各号に定める数の合計数に1を加えた数以上とし、そのうち半数以上は保育士とする。

一　乳児　おおむね3人につき1人

二　満1歳以上満3歳に満たない幼児　おおむね6人につき1人

三　満3歳以上満4歳に満たない児童　おおむね15人につき1人（法第6条の3第12項第2号の規定に基づき受け入れる場合に限る。次号において同じ。）

四　満4歳以上の児童　おおむね25人につき1人

3　前項に規定する保育士の数の算定に当たっては、当該小規模型事業所内保育事業所に勤務する保健師、看護師又は准看護師を、1人に限り、保育士とみなすことができる。

（準用）

第48条　第24条から第26条まで及び第28条の規定は、小規模型事業所内保育事業について準用する。この場合において、第24条中「家庭的保育事業を行う者（次条及び第26条において「家庭的保育事業者」という。）」とあるのは「小規模型事業所内保育事業を行う者（第48条において準用する次条及び第26条において「小規模型事業所内保育事業者」という。）」と、第25条及び第26条中「家庭的保育事業者」とあるのは「小規模型事業所内保育事業者」と、第28条中「小規模保育事業所A型」とあるのは「小規模型事業所内保育事業所」と、同条第1号中「調理設備」とあるのは「調理設備（当該小規模型事業所内保育事業所を設置及び管理する事業主が事業場に附属して設置する炊事場を含む。第4号において同じ。）」と、同条第4号中「次号」とあるのは「第48条において準用する第28条第5号」とする。

第6章　雑則

（電磁的記録）

第49条　家庭的保育事業者等及びその職員は、記録、作成その他これらに類するもののうち、この府令の規定において書面（書面、書類、文書、謄本、抄本、正本、副本、複本その他文字、図形等人の知覚によって認識することができる情報が記載された紙その他の有体物をいう。以下この条において同じ。）で行うことが規定されている又は想定されるものについては、書面に代えて、当該書面に係る電磁的記録（電子的方式、磁気的方式その他人の知覚によっては認識することができない方式で作られる記録であって、電子計算機による情報処理の用に供されるものをいう。）により行うことができる。

附　則

（施行期日）

第1条　この省令は、子ども・子育て支援法及び就学前の子どもに関する教育、保育等の総合的な提供の推進に関する法律の一部を改正する法律の施行に伴う関係法律の整備等に関する法律（平成24年法律第67号）の施行の日〔平成27年4月1日〕（以下「施行日」という。）から施行する。

（食事の提供の経過措置）

第2条　この省令の施行の日の前日において現に存する法第39条第1項に規定する業務を目的とする施設若しくは事業を行う者（次項において「施設等」という。）が、施行日後に家庭的保育事業等の認可を得た場合においては、この省令の施行の日から起算して5年を経過する日までの間は、第15条、第22条第4号（調理設備に係る部分に限る。）、第23条第1項本文（調理員に係る部分に限る。）、第28条第1号（調理設備に係る部分に限る。）（第32条及び第48条において準用する場合を含む。）及び第4号（調理設備に係る部分に限る。）（第32条及び第48条において準用する場合を含む。）、第29条第1項本文（調理員に係る部分に限る。）、第31条第1項本文（調理員に係る部分に限る。）、第33条第1号（調理設備に係る部分に限る。）及び第4号（調理設備に係る部分に限る。）、第34条第1項本文（調理員に係る部分に限る。)、第43条第１号（調理室に係る部分に限る。）及び第５号（調理室に係る部分に限る。)、第44条第１項本文（調理員に係る部分に限る。）並びに第47条第１項本文(調理員に係る業務に限る。)の規定は、適用しないことができる。

2　前項の規定にかかわらず、施行日後に家庭的保育事業の認可を得た施設等については、この省令の施行の日から起算して10年を経過する日までの間は、第15条、第22条第４号(調理設備に係る部分に限る。)及び第23条第１項本文（調理員に係る部分に限る。）の規定は、適用しないことができる。この場合において、当該施設等は、第１条第２項に規定する利用乳幼児への食事の提供を同項に規定する家庭的保育事業所等内で調理する方法（第10条の規定により、当該家庭的保育事業所等の調理設備又は調理室を兼ねている他の社会福祉施設等の調理施設において調理する方法を含む。）により行うために必要な体制を確保するよう努めなければならない。

（連携施設に関する経過措置）

第３条　家庭的保育事業者等（特例保育所型事業所内保育事業者を除く。）は、連携施設の確保が著しく困難であって、子ども・子育て支援法第59条第４号に規定する事業による支援その他の必要な適切な支援を行うことができると市町村が認める場合は、第６条第１項本文の規定にかかわらず、この省令の施行の日から起算して10年を経過する日までの間、連携施設の確保をしないことができる。

（小規模保育事業Ｂ型等に関する経過措置）

第４条　第31条及び第47条の規定の適用については、第23条第２項に規定する家庭的保育者又は同条第３項に規定する家庭的保育補助者は、この省令の施行の日から起算して５年を経過する日までの間、第31条第１項及び第47条第１項に規定する保育従事者とみなす。

（利用定員に関する経過措置）

第５条　小規模保育事業Ｃ型にあっては、第35条の規定にかかわらず、この省令の施行の日から起算して５年を経過する日までの間、その利用定員を６人以上15人以下とすることができる。

（小規模保育事業所Ａ型及び保育所型事業所内保育事業所の職員配置に係る特例）

第６条　保育の需要に応ずるに足りる保育所、認定こども園（子ども・子育て支援法第27条第１項の確認を受けたものに限る。）又は家庭的保育事業等が不足していることに鑑み、当分の間、第29条第２項各号又は第44条第２項各号に定める数の合計数が１となる時は、第29条第２項又は第44条第２項に規定する保育士の数は１人以上とすることができる。ただし、配置される保育士の数が１人となる時は、当該保育士に加えて、保育士と同等の知識及び経験を有すると市町村長が認める者を置かなければならない。

第７条　前条の事情に鑑み、当分の間、第29条第２項又は第44条第２項に規定する保育士の数の算定については、幼稚園教諭若しくは小学校教諭又は養護教諭の普通免許状（教育職員免許法（昭和24年法律第147号)第４条第２項に規定する普通免許状をいう。）を有する者を、保育士とみなすことができる。

第８条　附則第６条の事情に鑑み、当分の間、１日につき８時間を超えて開所する小規模保育事業所Ａ型又は保育所型事業所内保育事業所（以下この条において「小規模保育事業所Ａ型等」という。）において、開所時間を通じて必要となる保育士の総数が当該小規模保育事業所Ａ型等に係る利用定員の総数に応じて置かなければならない保育士の数を超えるときは、第29条第２項又は第44条第２項に規定する保育士の数の算定については、保育士と同等の知識及び経験を有すると市町村長が認める者を、開所時間を通じて必要となる保育士の総数から利用定員の総数に応じて置かなければならない保育士の数を差し引いて得た数の範囲で、保育士とみなすことができる。

第９条　前２条の規定を適用する時は、保育士（法第18条の18第１項の登録を受けた者をいい、第29条第３項若しくは第44条第３項又は前２条の規定により保育士とみなされる者を除く。）を、保育士の数（前２条の規定の適用がないとした場合の第29条第２項又は第44条第２項により算定されるものをいう。）の３分の２以上、置かなければならない。

附　則（令和６年３月13日内閣府令第18号）

（施行期日）

1　この府令は、令和６年４月１日から施行する。

（経過措置）

2　保育士及び保育従事者の配置の状況に鑑み、保育の提供に支障を及ぼすおそれがあるときは、当分の間、この府令による改正後の児童福祉施設の設備及び運営に関する基準（次項において「設備運営基準」という。）第33条第２項並びに改正後の家庭的保育事業等の設備及び運営に関する基準（次項において「家庭的保育事業等基準」という。）第29条第２項、第31条第２項、第44条第２項及び第47条第２項の規定は、適用しない。この場合において、この府令による改正前の児童福祉施設の設備及び運営に関する基準第33条第２項並びに家庭的保育事業等の設備及び運営に関する基準第29条第２項、第31条第２項、第44条第２項及び第47条第２項の規定は、この府令の施行の日以後においても、なおその効力を有する。

3　前項の場合を除き、この府令の施行の日から起算して１年を超えない期間内において、設備運営基準第33条第２項並びに家庭的保育事業等基準第29条第２項、第31条第２項、第44条第２項及び第47条第２項の規定による基準（満３歳以上満４歳に満たない児童及び満４歳以上の児童に対し保育を提供する保育士及び保育従事者の数に関する基準に限る。以下この項において同じ。）に従い定める児童福祉法第34条の16第１項に規定する市町村の条例又は同法第45条第１項に規定する都道府県の条例が制定施行されるまでの間は、設備運営基準第33条第２項並びに家庭的保育事業等基準第29条第２項、第31条第２項、第44条第２項及び第47条第２項の規定による基準は、当該市町村の条例又は当該都道府県の条例で定める基準とみなす。

（家庭的保育）

○児童福祉法上位置付けられた家庭的保育事業の届出について

〔平成22年３月31日　雇児保発0331第１号
各都道府県知事・各指定都市市長・各中核市市長宛　厚生労働省雇用均等・児童家庭局保育課長通知〕

「児童福祉法等の一部を改正する法律」（平成20年法律第85号。以下「改正法」という。）、「児童福祉法等の一部を改正する法律の一部の施行に伴う関係政令の整備に関する政令」（平成21年政令第249号）及び「児童福祉法施行規則等の一部を改正する省令」（平成21年厚生労働省令第150号。以下「改正省令」という。）によって整備された家庭的保育事業が平成22年度より実施されることに伴い、下記のとおり、家庭的保育事業を実施する市町村は、厚生労働省令に定める事項を都道府県に届け出ることとされているため、貴管内の市町村に周知を徹底し、事業の適正な実施に特段の御配慮をお願いしたい。

また、各種の「届出様式例」（別添）を示すので、参考とされたい。

なお、本通知は、地方自治法（昭和22年法律第67号）第245条の４第１項に規定する技術的助言として発出するものであることを申し添える。

記

1　事業開始の届出（改正法第34条の14第１項、改正省令第36条の36）

市町村は、あらかじめ、次に掲げる事項を都道府県知事に届け出て、家庭的保育事業を行うことができる。

①　事業の種類及び内容

②　経営の責任者及び福祉の実務に当たる幹部職員の氏名及び経歴

③　家庭的保育者の氏名、経歴及び住所

④　事業のように供する施設の名称、種類、所在地及び利用定員

⑤　建物その他設備の規模及び構造並びにその図面

⑥　事業開始の予定年月日

また、市町村は、事業開始の届出を行おうとするときは、収支予算書及び事業計画書を都道府県知事に提出しなければならない。（ただし、都道府県知事がインターネットを利用してこれらの内容を閲覧できる場合は、この限りでない。）

2　事業変更の届出（改正法第34条の14第２項）

市町村は、届け出た事項に変更を生じたときは、変更の日から１月以内に、その旨を都道府県知事に届け出なければならない。

なお、変更の届出にあたっては、様式における届出項目の限定など、貴職において、その手続きが円滑に行われるよう努めていただきたい。

3　事業廃止又は休止の届出（改正法第34条の14第３項、改正省令第36条の37）

市町村は、家庭的保育事業を廃止し、又は休止しようとするときは、あらかじめ、次に掲げる事項を都道府県知事に届け出なければならない。

①　事業を廃止又は休止しようとする年月日

②　廃止又は休止の理由

③　現に保育を受けている乳幼児に対する措置

④　休止しようとする場合にあっては、休止の予定期間

（様式１）

第　　　　　　号
平成　　年　　月　　日

○○都道府県知事　殿

市町村長　○○　○○　印

家庭的保育事業開始届出書

標記について、児童福祉法第６条の２第９項に規定する家庭的保育事業を開始したので、同法第34条の14第１項の規定に基づき届け出する。

事業の内容	※１

実施主体 （市区町村名）	（括弧内に担当部署名を記載）
代表者 （市区町村の長）	
幹部職員 （担当部署の長）	

事業開始年月日	平成　　年　　月　　日

※１　事業内容を簡潔に記載のうえ、収支予算書及び事業計画書を添付してください。
　　　ただし、インターネットを利用して内容を確認できる場合は、ＵＲＬ等を記載してください。

（別紙１）

代表者氏名	生年月日	主な経歴

幹部職員氏名	生年月日	主な経歴

（別紙２―１）

<table>
<tr><td>家庭的保育者氏名</td><td colspan="4"></td></tr>
<tr><td>施設の名称</td><td colspan="4"></td></tr>
<tr><td>施設の種類</td><td colspan="4">（保育所実施型か否か）</td></tr>
<tr><td>連携保育所の有無</td><td>有・無</td><td colspan="2">（有の場合）
保育所名</td><td></td></tr>
<tr><td>施設の所在地</td><td colspan="4"></td></tr>
<tr><td>補助者の有無</td><td colspan="2">有　・　無</td><td>利用定員</td><td>人</td></tr>
<tr><td>面積及び構造</td><td colspan="4">施設の面積　　㎡
保育を行う部屋　　㎡［１人あたり　　㎡］
その他　　㎡
建物の構造　　　　造　　階建（設置図、平面図を添付）</td></tr>
<tr><td>設備</td><td colspan="4">ベビーベッド　　　遊具　　　庭（その他これに代わる空間）
その他（　　　　　　　　　　　　　　　　　　　　）</td></tr>
</table>

※　家庭的保育者が複数名いる市町村においては、当該用紙を家庭的保育者ごとに記載して下さい。

○児童福祉施設最低基準及び児童福祉法施行規則の一部を改正する省令等の施行について

〔平成23年９月１日　雇児発0901第１号
各都道府県知事・各指定都市市長・各中核市市長宛　厚生労働省雇用均等・児童家庭局長通知〕

「児童福祉施設最低基準及び児童福祉法施行規則の一部を改正する省令」（平成23年厚生労働省令第110号。以下「改正省令」という。）が平成23年９月１日に別添１のとおり公布されるとともに、「児童福祉施設最低基準第22条の２等の規定に基づき厚生労働大臣が指定する者及び厚生労働大臣が指定する講習会」（平成23年厚生労働省告示第311号。以下「指定告示」という。）及び「児童福祉法施行規則第１条の33の厚生労働大臣が定める基準の一部を改正する件」（平成23年厚生労働省告示第310号。以下「基準告示」という。）が同日に別添２のとおり公布されたところである。

今般の改正は、本年７月にとりまとめられた「社会的養護の課題と将来像」（児童養護施設等の社会的養護の課題に関する検討委員会・社会保障審議会児童部会社会的養護専門委員会とりまとめ）を踏まえて所要の改正を行うものであり、改正の内容等については下記のとおりであるので、御了知の上、その的確な運用についてお願いする。

記

第１　略

第２　児童福祉法施行規則（昭和23年厚生省令第11号。以下「施行規則」という。）の一部改正（改正省令第２条関係）

１・２　略

３　家庭的保育事業に係る見直し

(1)　複数の家庭的保育者による家庭的保育事業については、児童福祉法第59条の２第１項による認可外保育施設の届出の対象外とすることとする。（施行規則第49条の２）

(2)　この改正は、改正省令の公布の日（平成23年９月１日）から施行する。（改正省令附則第１条）

別添１・２　略

○家庭的保育事業等の設備及び運営に関する基準の運用上の取扱いについて

〔平成26年９月５日　雇児発0905第２号
各都道府県・各指定都市・各中核市民生主管部(局)長宛
厚生労働省雇用均等・児童家庭局長通知〕

注　令和２年７月１日子発0701第１号改正現在

児童福祉法（昭和22年法律第164号。以下「法」という。）第34条の16第２項の規定に基づき、家庭的保育事業等の設備及び運営に関する基準（平成26年厚生労働省令第61号）が平成26年４月30日に公布されたところだが、その運用上の取扱いに関する留意事項は下記のとおりであり、各都道府県知事、各指定都市・中核市市長におかれては、十分御了知の上、貴管内の関係者に対して遅滞なく周知し、その運用に遺漏のないよう配意願いたい。

なお、本通知は、地方自治法（昭和22年法律第67号）第245条の４第１項の規定に基づく技術的助言であることを申し添える。

記

1　趣旨

平成24年度に成立した子ども・子育て関連３法において、家庭的保育事業、小規模保育事業、居宅訪問型保育事業及び事業所内保育事業の４事業（以下「家庭的保育事業等」という。）については、法に市町村（特別区を含む。以下同じ。）認可事業として位置づけられ、子ども・子育て支援法（平成24年法律第65号）に規定する確認を受けた上で地域型保育給付の対象とされたところ。

家庭的保育事業等は、大都市部の待機児童対策、児童人口減少地域の保育基盤維持など地域における多様な保育ニーズにきめ細かく対応し、多様な主体が多様なスペースを活用して、乳幼児の健やかな成長を支援するものであり、市町村が認可した質の高い保育を提供するものであること。

2　総則

(1)　外部評価について（第５条第４項）

今回、家庭的保育事業者等については、外部評価を受審するよう努力義務が課せられたところであり、５年に１度程度の受審が可能となるよう、公定価格上の評価も行うこととしていることから、積極的に外部評価を受審するよう努めること。

(2)　連携施設について（第６条・第45条関係）

ア）連携施設の確保について（第６条第１項）

家庭的保育事業者等（居宅訪問型保育事業者を除く。以下この(2)及び(3)において同じ。）については、利用乳幼児に対する保育が適正かつ確実に行われ、及び、家庭的保育事業者等による保育の提供の終了後も満３歳以上の児童に対して必要な教育又は保育が継続的に提供されるよう、①～③までに掲げる事項にかかる連携協力を行う保育所、幼稚園又は認定こども園（以下「連携施設」という。）を適切に確保する必要がある。

①　保育内容の支援について（第６条第１項第１号）

保育内容の支援については、３歳児に近い２歳児に対する集団保育の体験機会の提供のほか、具体的な連携内容の例として以下のようなものが想定されるが、当該提供する保育の内容等を踏まえ、連携施設からの必要な支援内容を設定する必要がある。

(i)　給食に関する支援について

給食については、家庭的保育事業等（居宅訪問型保育事業を除く。以下この(2)及び(3)において同じ。）を行う事業所（以下「家庭的保育事業所等」という。）内で調理する方法（当該家庭的保育事業所等の調理設備又は調理室を兼ねている他の社会福祉施設等の調理室において調理する方法を含む。以下「自園調理」という。）を原則としつつも、事業規模と負担を勘案し、第16条第１項各号の要件を満たす家庭的保育事業者等については、連携施設を含む(3)の搬入施設から搬入する方法を認めることとしている。

このことを踏まえ、例えば、連携施設から搬入を行う場合には、連携施設が献立を作成し、離乳食対応やアレルギー児対応、体調不良児対応などを含め、給食の調理、搬入を行うことなどが、自園調理の場合には、献立の作成に関する助言を行うことなどが考えられる。

なお、連携施設から搬入を行う場合、献立作成を含めた給食調理、搬入方法、費用負担に係る取り決め、契約が必要であることに留意すること。

(ii)　嘱託医（健康診断）について

連携施設と家庭的保育事業等で同一の嘱託医に委嘱する場合に、必要に応じ、連携施設と家庭的保育事業等の合同で健康診断を行うことが考えられる。

(iii)　園庭の開放

家庭的保育事業者等から求めがある場合に、連携施設は、当該連携施設の運営に支障のない範囲で園庭を開放することが考えられる。

(iv)　合同保育

家庭的保育事業者等から求めがある場合に、連携施設は、当該連携施設の運営に支障のない範囲で合同による保育を行うことが想定される。

特に、集団保育の必要性が生じてくる２歳児について、保育のグループ単位が小さくなりがちなことから、定期的な合同保育の場により、集団保育の機会を確保することを目的とし、３歳児からの円滑な集団保育につなげることを意図しているもの。

このほか、発達に遅れのある可能性がある子どもの早期発見、適切な保護者・家庭支援について、連携施設におけるノウハウ等を活用し、連携先において適切な助言・相談を行うこと等も考えられる。

②　代替保育の提供について（第６条第１項第２号）

具体的な連携内容としては、家庭的保育事業所等の職員の病気、休暇等により保育を提供することができない場合に、連携施設が代わって保育を提供することが考えられる。

また、家庭的保育事業所等の職員が研修を受講する場合に、連携施設が代わって保育を提供することも考えられる。

③　卒園後の受け皿の設定について（第６条第１項第３号）

家庭的保育事業所等は、乳児又は満３歳未満の幼児を受入対象とした施設であり、卒園後の確実な受け皿があることにより、保護者の安心、ひいては事業の安定性の確保につながることから、当該受け皿としての連携施設を確保することが重要である。

イ）連携施設の確保の例外について（第６条・第45条）

①　離島その他の地域であって、連携施設の確保が著しく困難であると市町村が認めるものにおいて家庭的保育事業等を行う家庭的保育事業者等についてはア）①から③までに係る連携施設の確保を要しない。

②　市町村が家庭的保育事業者等による代替保育の提供に係る連携施設の確保が著しく困難であると認める場合であって、(i)及び(ii)の要件を満たすと認めるときには、

・当該家庭的保育事業者等が家庭的保育事業等を行う事業所（以下この②において「事業実施場所」という。）以外の場所において代替保育が提供される場合には、小規模保育事業Ａ型若しくは小規模保育事業Ｂ型又は事業所内保育事業を行う者（以下この②において「小規模保育事業Ａ型事業者等」という。）

・事業実施場所において代替保育が提供される場合には、事業の規模を勘案して小規模保育事業Ａ型事業者等と同等の能力を有すると市町村が認める者

を適切に確保することをもって、ア）②に係る連携施設の確保を求めないこととする。

(i)　家庭的保育事業者等と連携協力を行う者の間でそれぞれの役割の分担及び責任の所在が明確化されていること

(ii)　連携協力を行う者の本来の業務の遂行に支障がないようにするための措置が講じられていること

③　市町村が、家庭的保育事業者等による卒園後の受け皿に係る連携施設の確保が著しく困難であると認めるときには、次に掲げる措置を講ずることをもって、ア）③に係る連携施設の確保を求めないことができることとする。

(i)　市町村長が、法第24条第３項の規定による調整を行うに当たって、家庭的保育事業者等による保育の提供を受けていた利用乳幼児を優先的に取り扱う措置その他の家庭的保育事業者等による保育の提供の終了に際して、利用乳幼児に係る保護者の希望に基づき、引き続き必要な教育又は保育が提供されるよう必要な措置を講じていること。

(ii)　法第59条第１項に規定する施設のうち、次に掲げるもの（入所定員が20人以上のものに限る。）であって、市町村長が適当と認めるものを卒園後の受け皿に係る連携協力を行う者として適切に確保すること。

・子ども・子育て支援法第59条の２第１項の規定による助成を受けている者の設置する施設（法第６条の３第12項に規定する業務を目的とするものに限る。）

・法第６条の３第12項及び第39条第１項に

規定する業務を目的とする施設であって、法第6条の3第9項第1号に規定する保育を必要とする乳児・幼児の保育を行うことに要する費用に係る地方公共団体の補助を受けているもの

④　保育所型事業所内保育事業所については、保育所と同等の規模を有することから、第45条の規定のとおり、ア）①及び②に係る連携施設の確保を求めないこととするが、第42条に規定する地域枠の乳児又は幼児については、当該事業が満3歳未満の乳幼児を対象とした事業であることから、原則として、ア）③に係る連携施設を確保する必要がある。なお、恒常的に満3歳以上の児童を受け入れているなど、市町村が認める保育所型事業所内保育事業所については、ア）③に係る連携施設の確保をしないことができる。

ウ）連携施設の確保の際の留意事項

連携施設の確保に当たっては、必ずしも1事業につき1連携施設を確保する方法に限らず、1事業の卒園児を複数の連携施設で受け入れる方法や、複数の事業の卒園児を複数の連携施設で受け入れる方法も考えられる。

このため、連携施設については、認可施設に限ることとしたうえで、受け皿対象となる施設に関するルールについて、地域における必要性に応じ、市町村がルールを定めることとし、当該ルールに基づき、各事業者が確保することを基本とした上で、公立施設を連携施設として確保することや、当該事業所に連携施設をあっせん・調整するなど、市町村が積極的な関与・役割を果たすことが望ましい。

(3)　食事の提供等について（第14条から第16条まで関係）

家庭的保育事業者等は、食事を提供する際には、自園調理により行わなければならない。（第15条第1項）。

その際、円滑かつ適切に給食を提供できるよう、連携施設その他の施設の栄養士に嘱託する形で、アレルギー児対応を含め、給食内容に係る相談・助言を行う体制を設けること。

なお、調理業務の委託については、保育所と同様に可能な取扱いとしていること。

また、以下の(i)～(v)の要件をいずれも満たした家庭的保育事業者等については、第15条第1項の規定にかかわらず、①～④までに規定する搬入施設から食事を搬入することを可能としている。この場合において、当該食事の提供について上記の方法によることとしてもなお当該家庭的保育事業所等において行うことが必要な調理のための加熱、保存等の調理機能を有する設備を備えなければならない。

<搬入施設から搬入を行う際の要件>

(i)　利用乳幼児に対する食事の提供の責任が当該家庭的保育事業者等にあり、その管理者が、衛生面、栄養面等業務上必要な注意を果たしうるような体制及び調理業務の受託者との契約内容が確保されていること

(ii)　当該家庭的保育事業所等又はその他の施設、保健所、市町村等の栄養士により、献立等について栄養の観点からの指導が受けられる体制にある等、栄養士による必要な配慮が行われること

(iii)　調理業務の受託者を、当該家庭的保育事業者等による給食の趣旨を十分に認識し、衛生面、栄養面等、調理業務を適切に遂行できる能力を有する者とすること

(iv)　利用乳幼児の年齢及び発達の段階並びに健康状態に応じた食事の提供や、アレルギー、アトピー等への配慮、必要な栄養素量の給与等、利用乳幼児の食事の内容、回数及び時機に適切に応じることができること

(v)　食を通じた利用乳幼児の健全育成を図る観点から、利用乳幼児の発育及び発達の過程に応じて食に関し配慮すべき事項を定めた食育に関する計画に基づき食事を提供するよう努めること

<家庭的保育事業所等に食事の搬入を行う搬入施設>

①　連携施設

②　当該家庭的保育事業者等と同一の法人又は関連法人が運営する小規模保育事業若しくは事業所内保育事業を行う事業所、社会福祉施設、医療機関等

③　学校給食法（昭和29年法律第160号）第3条第2項に規定する義務教育諸学校又は同法第6条に規定する共同調理場（家庭的保育事業者等が離島その他の地域であって、①②に掲げる搬入施設の確保が著しく困難であると市町村が認めるものにおいて家庭的保育事業等を行う場合に限る。）

④　保育所、幼稚園、認定こども園等から調理業務を受託している事業者のうち、当該家庭的保育事業者等による給食の趣旨を十分に認識し、衛生面、栄養面等、調理業務を適切に

遂行できる能力を有するとともに、利用乳幼児の年齢及び発達の段階並びに健康状態に応じた食事の提供や、アレルギー、アトピー等への配慮、必要な栄養素量の給与等、乳幼児の食事の内容、回数及び時機に適切に応じることができる者として市町村が適当と認めるもの（家庭的保育事業者が家庭的保育者の居宅において家庭的保育事業を行う場合に限る。）

(4)　家庭的保育事業所等内部の規程について（第18条関係）

家庭的保育事業者等は、次の運営についての重要事項に関する規程を園則や運営規程として定めること。なお、次の定めるべき事項のうち、全部又は一部について、別途規定している場合、重ねて規定する必要はなく、当該別途定めている規定を示せば足りることとする。

1　事業の目的及び運営の方針

家庭的保育事業等としての目的及び運営の方針を記すこと。

2　提供する保育の内容

児童福祉施設の設備及び運営に関する基準（昭和23年厚生省令第63号）第35条の規定に基づき保育所における保育の内容について厚生労働大臣が定める指針（保育所保育指針）に準じ、家庭的保育事業等の特性に留意して、提供する保育のほか、障害児の受入れ体制等その事業の提供する保育についても積極的に記すこと。

3　職員の職種、員数及び職務の内容

園長、保育士、保育従事者、嘱託医、調理員など、職員の職種、員数及び職務内容について記すこと。

4　保育の提供を行う日及び時間並びに提供を行わない日

保育の提供を行う日時及び行わない日を明確に記すこと。

5　保護者から受領する費用の種類、支払を求める理由及びその額

特定教育・保育施設及び特定地域型保育事業並びに特定子ども・子育て支援施設等の運営に関する基準（平成26年内閣府令第39号）第43条の規定を踏まえ、適切に記すこと。

6　乳児、幼児の区分ごとの利用定員

子ども・子育て支援法第19条第１項第３号のうち、乳児又は満３歳未満の幼児それぞれに利用定員を記すこと。

7　家庭的保育事業等の利用の開始、終了に関する事項及び利用に当たっての留意事項

家庭的保育事業等に係る利用の開始、終了に関する事項や利用に当たっての留意事項を記すこと。

8　緊急時等における対応方法

緊急時等における対応方針について、関係機関や保護者との連絡方法など記すこと。なお、別途、緊急時等における対応マニュアルを定めている場合においては、その旨を記すこと。

9　非常災害対策

火災や地震などの、非常災害等に対する対策を記すこと。なお、別途、非常災害対策等を定めている場合においては、その旨を記すこと。

10　虐待の防止のための措置に関する事項

虐待の防止のために講じている対策について記すこと。

11　その他家庭的保育事業等の運営に関する重要事項

その他家庭的保育事業等の運営に関する重要事項について記すこと。

(5)　賠償責任保険

特定教育・保育施設及び特定地域型保育事業並びに特定子ども・子育て支援施設等の運営に関する基準第50条において準用する第32条第４項において、その提供した保育により賠償すべき事故が発生した場合については損害賠償を速やかに行うことが規定されていることから、家庭的保育事業者等については事故等の発生による補償を円滑に行うことができるよう、賠償責任保険に加入することを可能な限り検討すること。

3　家庭的保育事業について（第22条から第26条まで関係）

(1)　設備の基準について

家庭的保育事業は、家庭的保育者の居宅その他の場所（保育を受ける乳幼児の居宅を除く。）で保育を提供する事業であり、次に掲げる要件を満たすものとして、市町村長が適当と認める場所で実施するものとする。

①　乳幼児の保育を行う専用の部屋を設けること。

②　①に掲げる専用の部屋の面積は、9.9㎡（保育する乳幼児が３人を超える場合は、9.9㎡に３人を超える人数１人につき3.3㎡を加えた面積）以上であること。

③　乳幼児の保健衛生上必要な採光、照明及び換気の設備を有すること。

④　衛生的な調理設備及び便所を設けること。

⑤　同一の敷地内に乳幼児の屋外における遊戯等に適した広さの庭（付近にあるこれに代わるべき場所を含む。⑥において同じ。）があること。

⑥　⑤に掲げる庭の面積は、満２歳以上の幼児１人につき、3.3㎡以上であること。

⑦　火災報知器及び消火器を設置するとともに、消火訓練及び避難訓練を定期的に実施すること。

⑵　職員について

(i)　家庭的保育事業を行う場所には、家庭的保育者、嘱託医及び調理員を置かなければならない。

ただし、①調理業務の全部を委託する場合、②搬入施設から食事を搬入する場合のいずれかに該当する場合には、調理員を置かないことができる。

(ii)　家庭的保育者は、市町村長が行う研修（市町村長が指定する都道府県知事その他の機関が行う研修を含む。）を修了した保育士又は保育士と同等以上の知識及び経験を有すると市町村長が認める者であって、①保育を行っている乳幼児の保育に専念でき、②法第18条の５各号及び法第34条の20第１項第３号の欠格要件のいずれにも該当しない者、のいずれの要件も満たす者とする。

(iii)　家庭的保育者１人が保育することができる乳幼児の数は、３人以下とする。ただし、家庭的保育者が、家庭的保育補助者（市町村長が行う研修（市町村長が指定する都道府県知事その他の機関が行う研修を含む。）を修了した者であって、家庭的保育者を補助するものをいう。）とともに保育する場合には、５人以下とする。

⑶　保育時間について

家庭的保育事業における保育時間は、１日８時間を原則として、乳幼児の保護者の労働時間その他家庭の状況等を考慮して、家庭的保育事業者が定めるものとする。

⑷　保育内容について

家庭的保育事業者は、児童福祉施設の設備及び運営に関する基準第35条に規定する厚生労働大臣が定める指針（保育所保育指針）に準じ、家庭的保育事業の特性に留意して、保育する乳幼児の心身の状況等に応じた保育を提供しなければならない。

⑸　保護者との連絡について

家庭的保育事業者は、常に保育する乳幼児の保護者と密接な連絡をとり、保育の内容等につき、その保護者の理解及び協力を得るよう努めなければならない。

4　小規模保育事業について（第27条から第36条まで関係）

小規模保育事業は、利用定員６人から19人までと定められた施設であり、従来の保育所の規模に満たない事業についても、保育の質を担保したうえで、地域の保育の受け皿として確保するため、子ども・子育て支援新制度において、市町村認可事業として位置づけたものである。

このため、子ども・子育て支援新制度施行以前の認可外保育施設やへき地保育所、グループ型小規模保育事業などから幅広く認可事業に移行していただくため、乳幼児の保育に直接従事する職員を保育士に限るＡ型に加え、保育に従事する職員の半数以上を保育士とするＢ型、子ども・子育て支援新制度施行以前のグループ型小規模保育事業からの移行を前提としたＣ型と事業類型を設定したところ。

ただし、保育の質を確保する観点や事業特性として小規模であることを踏まえ、保育所よりも手厚い人員配置としていることに留意すること。

Ⅰ　小規模保育事業Ａ型について

⑴　設備の基準について

小規模保育事業Ａ型を行う事業所（以下「小規模保育事業所Ａ型」という。）の設備の基準は、次のとおりとする。

①　乳児又は満２歳に満たない幼児を利用させる小規模保育事業所Ａ型については、乳児室又はほふく室、調理設備及び便所を設けること。

②　乳児室又はほふく室の面積は、乳児又は①の幼児１人当たり3.3㎡以上とすること。

③　乳児室又はほふく室には、保育に必要な用具を備えること。

④　満２歳以上の幼児を利用させる小規模保育事業所Ａ型には、保育室又は遊戯室、屋外遊技場、調理設備及び便所を設けること。ただし、屋外遊技場については、自園内に設置できない場合には、他の公的施設の敷地その他の付近の屋外遊技場に代わるべき場所で代替することも可能とすること。

⑤　保育室又は遊戯室の面積は、④の幼児１人当たり1.98㎡以上とするとともに、屋外遊技場の面積については、④の幼児１人当たり3.3㎡以上の広さを確保すること。

⑥　保育室又は遊戯室には、保育に必要な用具を備えること。

⑦　乳児室、ほふく室、保育室又は遊戯室（以下「保育室等」という。）を２階以上に設ける場合の設備等については、

・建築基準法（昭和25年法律第201号）第２条第９号の２に規定する耐火建築物又は同条第９号の３に規定する準耐火建築物であること（第28条第７号イ）

・保育室等が設けられている階に応じ、その区分ごとに、以下の表に掲げる施設や設備が１以上設けられていること（第28条第７号ロ）

・保育室等その他乳幼児が出入りし、又は通行する場所に、乳幼児の転落事故を防止する設備が設けられていること（第28条第７号へ）

など、防火上、耐火上の観点から第28条第７号に規定する基準を満たすこと。

階	区分	施設又は設備
２階	常用	１　屋内階段 ２　屋外階段
	避難用	１　建築基準法施行令（昭和25年政令第338号）第123条第１項各号又は同条第３項各号に規定する構造の屋内階段 ２　待避上有効なバルコニー ３　建築基準法第２条第７号の２に規定する準耐火構造の屋外傾斜路又はこれに準ずる設備 ４　屋外階段
３階	常用	１　建築基準法施行令第123条第１項各号又は同条第３項各号に規定する構造の屋内階段 ２　屋外階段
	避難用	１　建築基準法施行令第123条第１項各号又は同条第３項各号に規定する構造の屋内階段 ２　建築基準法第２条第７号に規定する耐火構造の屋外傾斜路又はこれに準ずる設備 ３　屋外階段
４階以上の階	常用	１　建築基準法施行令第123条第１項各号又は同条第３項各号に規定する構造の屋内階段 ２　建築基準法施行令第123条第２項各号に規定する構造の屋外階段
	避難用	１　建築基準法施行令第123条第１項各号又は同条第３項各号に規定する構造の屋内階段（ただし、同条第１項の場合においては、当該階段の構造は、建築物の１階から保育室等が設けられている階までの部分に限り、屋内と階段室とは、バルコニー又は付室（階段室が同条第３項第２号に規定する構造を有する場合を除き、同号に規定する構造を有するものに限る。）を通じて連絡することとし、かつ、同条第３項第３号、第４号及び第10号を満たすものとする。） ２　建築基準法第２条第７号に規定する耐火構造の屋外傾斜路 ３　建築基準法施行令第123条第２項各号に規定する構造の屋外階段

(2)　職員について

①　小規模保育事業所Ａ型については、保育士、嘱託医及び調理員を置かなければならない。調理員については、原則として置く必要があるが、(ⅰ)調理業務の全部を委託する場合、(ⅱ)搬入施設から食事を搬入する場合のいずれかに該当する場合には、置かないことができる。

②　子どもを直接処遇する保育士の配置基準については、以下の区分に応じ、区分ごとに定める数の合計数に１を加えた数以上とする。

・乳児　おおむね３人につき１人

・満１歳以上満３歳に満たない幼児　おおむね６人につき１人

・満３歳以上満４歳に満たない児童　おおむね20人につき１人

・満４歳以上の児童　おおむね30人につき１人

③　保育士の算定に当たっては、現在の保育所同様に、当該小規模保育事業所Ａ型に勤務する保健師、看護師又は准看護師を１人に限り保育士とみなすことができる。

④　保育の需要に応ずるに足りる保育所、認定こども園（子ども・子育て支援法第27条第１項の確認を受けたものに限る。）又は家庭的保育事業等が不足していることに鑑み、当分の間、②において年齢区分ごとに定める保育士の数の合計数が１となる時は、②に定める保育士の数は１人以上とすることができる。ただし、配置される保育士の数が１人となる時は、当該保育士に加えて、保育士と同等の知識及び経験を有すると市町村長が認める者を置かなければならない。

⑤　④の事情に鑑み、当分の間、②に定める保育士の数の算定については、幼稚園教諭若しくは小学校教諭又は養護教諭の普通免許状（教育職員免許法（昭和24年法律第147号）第４条第２項に規定する普通免許状をいう。）を有する者を、保育士とみなすことができる。

⑥　④の事情に鑑み、当分の間、１日につき８時間を超えて開所する小規模保育事業所Ａ型において、開所時間を通じて必要となる保育士の総

数が当該小規模事業所Ａ型に係る利用定員の総数に応じておかなければならない保育士の数を超えるときは、②に定める保育士の数の算定については、保育士と同等の知識及び経験を有すると市町村長が認める者を、開所時間を通じて置かなければならない保育士の数を差し引いて得た数の範囲で、保育士とみなすことができる。

⑦　⑤及び⑥の取扱いを適用するときは、保育士（法第18条の18第１項の登録を受けた者をいい、③、⑤及び⑥の取扱いにより保育士とみなされる者を除く。）を保育士の数（⑤及び⑥の取扱いを適用しないとした場合の、②により算定されるものをいう。）の３分の２以上、置かなければならない。

(3)　その他

保育時間、保育内容、保護者との連絡については、家庭的保育事業と同様の取扱いとすること。

Ⅱ　小規模保育事業Ｂ型について

(1)　職員について

①　小規模保育事業Ｂ型を行う事業所（以下「小規模保育事業所Ｂ型」という。）には、保育士その他保育に従事する職員として市町村長が行う研修（市町村長が指定する都道府県知事その他の機関が行う研修を含む。）を修了した者（以下Ⅱにおいて「保育従事者」という。）、嘱託医及び調理員を置く必要がある。調理員については、原則として置く必要があるが、(i)調理業務の全部を委託する場合、(ii)搬入施設から食事を搬入する場合のいずれかに該当する場合には、置かないことができる。

②　子どもを直接処遇する保育従事者の配置基準については、以下の区分に応じ、区分ごとに定める数の合計数に１を加えた数以上とする。

・乳児　おおむね３人につき１人

・満１歳以上満３歳に満たない幼児　おおむね６人につき１人

・満３歳以上満４歳に満たない児童　おおむね20人につき１人

・満４歳以上の児童　おおむね30人につき１人

また、保育従事者のうち、半数以上を保育士とすること。

③　保育士の算定に当たっては、現在の保育所同様に、当該小規模保育事業所Ｂ型に勤務する保健師、看護師又は准看護師を１人に限り保育士とみなすことができる。

④　小規模保育事業所Ｂ型の保育従事者については、可能な限り、保育士とすることが望ましいこと。

(2)　その他

小規模保育事業所Ｂ型の設備の基準は、小規模保育事業Ａ型と同様のものとする。

また、保育時間、保育内容、保護者との連絡については、家庭的保育事業と同様の取扱いとすること。

Ⅲ　小規模保育事業Ｃ型について

(1)　設備の基準について

小規模保育事業Ｃ型を行う事業所（以下「小規模保育事業所Ｃ型」という。）の設備の基準は、次のとおりとする。

①　乳児又は満２歳に満たない幼児を利用させる小規模保育事業所Ｃ型には、乳児室又はほふく室、調理設備及び便所を設けること。

②　乳児室又はほふく室の面積は、家庭的保育事業における基準との整合性を考慮し、乳児又は①の幼児１人につき3.3㎡以上とすること。

③　乳児室又はほふく室には、保育に必要な用具を備えること。

④　満２歳以上の幼児を利用させる小規模保育事業所Ｃ型には、保育室又は遊戯室、屋外遊技場、調理設備及び便所を設けること。

⑤　保育室又は遊戯室の面積は、家庭的保育事業における基準との整合性を考慮し、④の幼児１人につき3.3㎡以上とすること。

⑥　保育室又は遊戯室には、保育に必要な用具を備えること。

⑦　保育室等を２階以上に設ける建物についての取扱いは、小規模保育事業Ａ型の取扱いと同様のものとする。

(2)　職員について

小規模保育事業Ｃ型については、家庭的保育事業と同様に、職員の配置を確保すること。

(3)　利用定員について

小規模保育事業Ｃ型については、利用定員を６人以上10人以下とすること。

(4)　その他

保育時間、保育内容、保護者との連絡については、家庭的保育事業と同様の取扱いとすること。

5　居宅訪問型保育事業について（第37条から第41条まで関係）

(1)　居宅訪問型保育事業について

居宅訪問型保育事業については、保育を必要とする乳幼児の居宅において以下に規定する保育を提供するものとし、家庭的保育者１人が保育することができる乳幼児の数は１人とする。

① 障害、疾病等の程度を勘案して集団保育が著しく困難であると認められる乳幼児に対する保育

② 子ども・子育て支援法第34条第５項又は第46条第５項の規定による便宜の提供に対応するために行う保育

③ 法第24条第６項に規定する措置に対応するために行う保育

④ 母子家庭等（母子及び父子並びに寡婦福祉法（昭和39年法律第129号）第６条第５項に規定する母子家庭等をいう。）の乳幼児の保護者が夜間及び深夜の勤務に従事する場合又は保護者の疾病、疲労その他の身体上、精神上若しくは環境上の理由により家庭において乳幼児を養育することが困難な場合への対応等、保育の必要の程度及び家庭等の状況を勘案し、居宅訪問型保育を提供する必要性が高いと市町村が認める乳幼児に対する保育

⑤ 離島その他の地域であって、居宅訪問型保育事業以外の家庭的保育事業等の確保が困難であると市町村が認めるものにおいて行う保育

⑵ 設備及び備品について

居宅訪問型保育事業者が当該事業を行う事業所には、事業の運営を行うために必要な広さを有する専用の区画を設けるほか、保育の実施に必要な設備及び備品等を備えること。

⑶ 連携施設について

居宅訪問型保育事業については、保育を必要とする児童の家庭等で保育を行うことが想定され、保育を行う場所が１か所に限られないことから、保育内容の支援、卒園後の受け皿の確保の両面を考慮しても、一律に連携施設を確保することは求めないが、障害、疾病等の程度を勘案して集団保育が著しく困難であると認められる乳幼児に対する保育を行う場合にあっては、当該保育を受ける乳幼児の障害、疾病等の状態に応じ適切な専門的な支援が受けられるよう、市町村の指定する障害児入所施設や児童発達支援事業所及び医療機関等を居宅訪問型保育連携施設として適切に確保する必要がある。

ただし、離島その他の地域であって、居宅訪問型保育連携施設の確保が著しく困難であると市町村が認めるものにおいて居宅訪問型保育事業を行う居宅訪問型保育事業者についてはこの限りではない。

⑷ その他

食事の提供については、保育を必要とする乳幼児の居宅で行うことを想定していることから、食事の提供を行わないものとする。

その他、保育時間、保育内容、保護者との連絡については、家庭的保育事業と同様の取扱いとすること。

6　事業所内保育事業について（第42条から第48条まで関係）

事業所内保育事業については、利用定員が20人以上のものであるか、又は19人以下のものであるかに応じて、それぞれⅠ又はⅡに示す基準を満たさなければならない。

また、事業所内保育事業者は、第42条の規定のとおり、法第６条の３第12項第１号イ、ロ又はハに規定するその他の乳児又は幼児の数を踏まえて市町村が定める乳幼児数以上の定員枠（以下「地域枠」という。）を設けなくてはならない。

Ⅰ　保育所型事業所内保育事業について

⑴ 設備の基準について

事業所内保育事業のうち、利用定員が20人以上のもの（以下「保育所型事業所内保育事業」という。）を行う事業所（以下「保育所型事業所内保育事業所」という。）の設備の基準は、次のとおりとする。

① 乳児又は満２歳に満たない幼児を利用させる保育所型事業所内保育事業所については、乳児室又はほふく室、医務室、調理室及び便所を設けること。

② 乳児室の面積は、乳児又は①の幼児１人につき1.65㎡以上とすること。

③ ほふく室の面積は、乳児又は①の幼児１人につき3.3㎡以上とすること。

④ 乳児室又はほふく室には、保育に必要な用具を備えること。

⑤ 満２歳以上の幼児を利用させる保育所型事業所内保育事業所については、保育室又は遊戯室、屋外遊技場、調理室及び便所を設けること。ただし、屋外遊技場については自園内に設置できない場合については、他の公的施設の敷地その他の付近の屋外遊技場に代わるべき場所で代替することも可能とする。

⑥ 保育室又は遊戯室の面積は、⑤の幼児１人につき1.98㎡以上、屋外遊技場の面積は、⑤の幼児１人につき3.3㎡以上とすること。

⑦ 保育室又は遊戯室には、保育に必要な用具を備えること。

⑧ 保育室等を２階以上に設ける場合の設備等に

ついては、

・建築基準法第2条第9号の2に規定する耐火建築物又は同条第9号の3に規定する準耐火建築物であること

・保育室等が設けられている階に応じ、その区分ごとに、以下の表に掲げる施設又は設備が1以上設けられていること

・保育室等その他乳幼児が出入りし、又は通行する場所に、乳幼児の転落事故を防止する設備が設けられていること

など、防火上、耐火上の観点から第43条第8号に規定する基準を満たすこと。

階	区分	施設又は設備
2階	常用	1　屋内階段 2　屋外階段
	避難用	1　建築基準法施行令第123条第1項各号又は同条第3項各号に規定する構造の屋内階段 2　待避上有効なバルコニー 3　建築基準法第2条第7号の2に規定する準耐火構造の屋外傾斜路又はこれに準ずる設備 4　屋外階段
3階	常用	1　建築基準法施行令第123条第1項各号又は同条第3項各号に規定する構造の屋内階段 2　屋外階段
	避難用	1　建築基準法施行令第123条第1項各号又は同条第3項各号に規定する構造の屋内階段 2　建築基準法第2条第7号に規定する耐火構造の屋外傾斜路又はこれに準ずる設備 3　屋外階段
4階以上の階	常用	1　建築基準法施行令第123条第1項各号又は同条第3項各号に規定する構造の屋内階段 2　建築基準法施行令第123条第2項各号に規定する構造の屋外階段
	避難用	1　建築基準法施行令第123条第1項各号又は同条第3項各号に規定する構造の屋内階段（ただし、同条第1項の場合においては、当該階段の構造は、建築物の1階から保育室等が設けられている階までの部分に限り、屋内と階段室とは、バルコニー又は付室（階段室が同条第3項第2号に規定する構造を有する場合を除き、同号に規定する構造を有するものに限る。）を通じて連絡することとし、かつ、同条第3項第3号、第4号及び第10号を満たすものとする。） 2　建築基準法第2条第7号に規定する耐火構造の屋外傾斜路 3　建築基準法施行令第123条第2項各号に規定する構造の屋外階段

(2)　職員について

①　保育所型事業所内保育事業所には、保育士、嘱託医及び調理員を置かなければならない。調理員については、原則として置く必要があるが、①調理業務の全部を委託する場合、②搬入施設から食事を搬入する場合のいずれかに該当する場合には、置かないことができる。

②　子どもを直接処遇する保育士の配置基準については、以下の区分に応じ、区分ごとに定める数の合計した数以上とする。

・乳児　おおむね3人につき1人

・満1歳以上満3歳に満たない幼児　おおむね6人につき1人

・満3歳以上満4歳に満たない児童　おおむね20人につき1人

・満4歳以上の児童　おおむね30人につき1人

を保育士で満たす必要があること。

保育士の算定に当たっては、現在の保育所同様に、当該保育所型事業所内保育事業所に勤務する保健師、看護師又は准看護師を1人に限り保育士とみなすことができる。

③　保育の需要に応ずるに足りる保育所、認定こども園（子ども・子育て支援法第27条第1項の確認を受けたものに限る。）又は家庭的保育事業等が不足していることに鑑み、当分の間、②前段において年齢区分ごとに定める保育士の数の合計数が1となる時は、②前段に定める保育士の数は1人以上とすることができる。ただし、配置される保育士の数が1人となる時は、当該保育士に加えて、保育士と同等の知識及び経験を有すると市町村長が認める者を置かなければならない。

④　③の事情に鑑み、当分の間、②前段に定める保育士の数の算定については、幼稚園教諭若しくは小学校教諭又は養護教諭の普通免許状（教育職員免許法（昭和24年法律第147号）第4条第2項に規定する普通免許状をいう。）を有する者を、保育士とみなすことができる。

⑤　③の事情に鑑み、当分の間、1日につき8時間を超えて開所する保育所型事業所内保育事業所において、開所時間を通じて必要となる保育士の総数が当該保育所型事業所内保育事業所に係る利用定員の総数に応じておかなければならない保育士の数を超えるときは、②前段に定める保育士の数の算定については、保育士と同等

の知識及び経験を有すると市町村長が認める者を、開所時間を通じて置かなければならない保育士の数を差し引いて得た数の範囲で、保育士とみなすことができる。

⑥　④及び⑤の取扱いを適用するときは、保育士（法第18条の18第１項の登録を受けた者をいい、②後段、④及び⑤の取扱いにより保育士とみなされる者を除く。）を保育士の数（④及び⑤の取扱いを適用しないとした場合の、②前段により算定されるものをいう。）の３分の２以上、置かなければならない。

⑶　連携施設について

２⑵イ）④に示すとおり、保育所型事業所内保育事業所については、保育所と同等の規模を有することから、第45条の規定のとおり、①保育内容の支援や②代替保育の実施については連携施設の確保を求めないこととするが、第42条に規定する地域枠の乳児又は幼児については、当該事業が満３歳未満の乳幼児を対象とした事業であることから、原則として、③卒園後の受け皿については連携施設を確保する必要がある。なお、恒常的に満３歳以上の児童を受け入れているなど、市町村が認める保育所型事業所内保育事業所については、２⑵ア）③に係る連携施設の確保をしないことができる。

⑷　その他

なお、事業所内保育事業については、その事業特性にかんがみ、乳幼児に対する食事の提供が適切に行われる前提で、事業所内保育事業所を設置及び管理する事業主が事業場に附属して設置する炊事場を活用することも可能な取扱いとする。（保育所型事業所内保育事業所及びⅡの小規模型事業所内保育事業所のいずれにおいても可能。）

その他、保育時間、保育内容、保護者との連絡については、家庭的保育事業と同様の取扱いとすること。

Ⅱ　小規模型事業所内保育事業について

⑴　職員について

①　事業所内保育事業のうち利用定員が19人以下のもの（以下「小規模型事業所内保育事業」という。）を行う事業所（以下「小規模型事業所内保育事業所」という。）には、保育士その他保育に従事する職員として市町村長が行う研修（市町村長が指定する都道府県知事その他の機関が行う研修を含む。）を修了した者（以下Ⅱにおいて「保育従事者」という。）、嘱託医及び調理員を置かなければならない。調理員については、原則として置く必要があるが、①調理業務の全部を委託する場合、②搬入施設から食事を搬入する場合のいずれかに該当する場合には、置かないことができる。

②　子どもを直接処遇する保育従事者の配置基準については、以下の区分に応じ、区分ごとに定める数の合計数に１を加えた数以上とする。

・乳児　おおむね３人につき１人
・満１歳以上満３歳に満たない幼児　おおむね６人につき１人
・満３歳以上満４歳に満たない児童　おおむね20人につき１人
・満４歳以上の児童　おおむね30人につき１人

また、保育従事者のうち半数以上を保育士とすること。

③　保育士の算定に当たっては、現在の保育所同様に、当該小規模型事業所内保育事業所に勤務する保健師、看護師又は准看護師を１人に限り保育士とみなすことができる。

④　小規模型事業所内保育事業所の保育従事者については、小規模保育事業所Ｂ型と同様に、可能な限り、保育士とすることが望ましいこと。

⑵　その他

小規模型事業所内保育事業所の設備の基準については、小規模保育事業所Ａ型と同様の取扱いとする。

保育時間、保育内容、保護者との連絡については、家庭的保育事業と同様の取扱いとすること。

7　経過措置について

⑴　食事の提供の経過措置について（附則第２条）

上記のとおり、本省令の施行後、家庭的保育事業等（居宅訪問型事業を除く。以下この⑴において同じ。）を行う者には、調理員の配置及び調理室又は調理設備の設置を行う必要があるが、この省令の施行の日の前日において現に存する法第39条第１項に規定する業務を目的とする施設若しくは事業（以下この⑴において「施設等」という。）を行う者が、本省令の施行日以降、家庭的保育事業等の認可を得た場合については、省令の施行の日から５年を経過する日までの間、調理員の配置及び調理室又は調理設備の設置を要しないこととしている。

また、家庭的保育事業の認可を得た施設等については、省令の施行の日から10年を経過する日までの間、調理員の配置及び調理設備の設置を要しないこととしている。この場合において、当該施設等は、調理員及び調理設備の確保に向けた取組を進めるなど、自園調理により利用乳幼児への食事の提供を行うために必要な体制を確保するよう努めなければならないこととしている。

⑵ 連携施設について（附則第３条）

家庭的保育事業者等は、連携施設の確保が著しく困難であって、子ども・子育て支援法第59条第４号に規定する事業による支援その他の必要な適切な支援を行うことができると市町村が認める場合は、この省令の施行の日から起算して10年を経過する日までの間、連携施設の確保をしないことができる。

なお、連携施設の設定に当たっては、２⑵のとおり、市町村が積極的な関与・役割を果たすことが望ましい。

⑶ 小規模保育事業Ｂ型等の特例について（附則第４条）

家庭的保育者及び家庭的保育補助者については、この省令の施行の日から起算して５年間を経過する日までの間、小規模保育事業Ｂ型や小規模型事業所内保育事業で求められている保育従事者とみなす。

⑷ 利用定員の特例について（附則第５条）

小規模保育事業Ｃ型にあっては、この省令の施行の日から起算して５年間を経過する日までの間、その利用定員を６人以上15人以下とする。

○家庭的保育事業等の設備及び運営に関する基準に定める職員の要件等について

〔平成27年６月３日　雇児保発0603第１号
各都道府県・各指定都市・各中核市民生主管部(局)長宛
厚生労働省雇用均等・児童家庭局保育課長通知〕

注　令和２年２月14日子保発0214第２号改正現在

家庭的保育事業等の設備及び運営に関する基準（平成26年厚生労働省令第61号。以下「設備運営基準」という。）の運用上の取扱いについては、「家庭的保育事業等の設備及び運営に関する基準の運用上の取扱いについて」（平成26年９月５日付け雇児発0905第２号厚生労働省雇用均等・児童家庭局長通知）により示されているところであるが、平成26年12月16日に「子育て支援員（仮称）研修制度に関する検討会」の取りまとめが行われたことを踏まえ、設備運営基準に定める職員の要件等について、下記のとおり取り扱うこととするので、十分御了知の上、貴管内の関係者に対して遅滞なく周知し、その運用に遺漏のないよう配意願いたい。

なお、本通知は、地方自治法（昭和22年法律第67号）第245条の４第１項の規定に基づく技術的助言であることを申し添える。

記

1　家庭的保育事業に係る職員の要件

⑴　家庭的保育者

ア　家庭的保育事業に係る児童福祉法施行規則（昭和23年厚生省令第11号。以下「児福則」という。）第１条の32及び設備運営基準第23条第２項の「市町村長が行う研修（市町村長が指定する都道府県知事その他の機関が行う研修を含む。）を修了した保育士」については、次のとおりとすること。

①　子育て支援員専門研修（地域保育コース（地域型保育））を修了した保育士

②　家庭的保育者基礎研修を修了した保育士

イ　家庭的保育事業に係る児福則第１条の32及び設備運営基準第23条第２項の「市町村長が行う研修（市町村長が指定する都道府県知事その他の機関が行う研修を含む。）を修了した（中略）保育士と同等以上の知識及び経験を有すると市町村長が認める者」については、次のとおりとすること。

①　子育て支援員専門研修（地域保育コース（地域型保育））及び家庭的保育者認定研修を修了した者

②　家庭的保育者基礎研修及び認定研修を修了した者

③　①及び②に掲げるもののほか、設備運営基準の施行の日（以下「施行日」という。）前に、小規模保育運営支援事業実施要綱（平成26年５月29日付け雇児発0529第19号別紙。以下「旧小規模要綱」という。）、グループ型小規模保育事業実施要綱（同日付け雇児発0529第20号別紙）又は家庭的保育事業実施要綱（同日付け雇児発0529第22号別紙）に基づき、家庭的保育者としてこれらの事業に従事していた者

⑵　家庭的保育補助者

設備運営基準第23条第３項の「市町村長が行う研修（市町村長が指定する都道府県知事その他の機関が行う研修を含む。）」については、次のとおりとすること。

また、家庭的保育補助者になることを希望する者が研修を受講する時期については、当該者が家庭的保育事業に従事するまでの期間に受講することを原則とすること。ただし、市町村長が行う研修の実施頻度が低いこと等により、当該者が家庭的保育補助者として家庭的保育事業に従事するまでの期間に研修を受講することが困難な場合においては、家庭的保育事業に従事した後に市町村により研修が実施され次第速やかに当該研修を受講し、修了することとしている者について、当該研修を修了するまでの間、家庭的保育補助者として取り扱って差し支えないこと。

①　子育て支援員基本研修及び専門研修（地域保育コース（地域型保育））

②　家庭的保育者基礎研修

③　旧小規模要綱に基づき実施された②と同等の研修

2　小規模保育事業に係る職員の要件

(1) 小規模保育事業B型

ア 設備運営基準第31条第1項の「市町村長が行う研修（市町村長が指定する都道府県知事その他の機関が行う研修を含む。）」については、次のとおりとすること。

① 子育て支援員基本研修及び専門研修（地域保育コース（地域型保育））

② 家庭的保育者基礎研修

③ 旧小規模要綱に基づき実施された②と同等の研修

イ 都道府県又は市町村におけるア①の研修の実施体制が整っていない場合には、経過措置として、その実施体制が整い次第速やかに当該研修を受講し、修了することとしている者について、当該研修を修了するまでの間（概ね2年程度）、設備運営基準第31条第1項に規定する保育従事者として取り扱って差し支えないこと。この場合、当該者に対しては、業務を行う上で必要な研修を職場内において適切に実施すること。

(2) 小規模保育事業C型

設備運営基準第34条第1項の家庭的保育者については1(1)の家庭的保育者と、同条第2項の家庭的保育補助者については1(2)の家庭的保育補助者と、それぞれ同様とすること。

3 居宅訪問型保育事業に係る職員の要件

(1) 居宅訪問型保育事業に係る児福則第1条の32の「市町村長が行う研修（市町村長が指定する都道府県知事その他の機関が行う研修を含む。）」については、別途通知で定める「居宅訪問型保育研修」とすること。

(2) 都道府県又は市町村における(1)の研修の実施体制が整っていない場合には、経過措置として、1(1)アに掲げる者、1(1)イに掲げる研修を修了した者又はこれらの者と同等以上と認められる者であって、(1)の研修の実施体制が整い次第速やかに当該研修を受講し、修了することとしているものについて、当該研修を修了するまでの間（概ね2年程度）、児福則第1条の32に規定する者として取り扱って差し支えないこと。

4 事業所内保育事業に係る職員の要件

(1) 設備運営基準第47条第1項の「市町村長が行う研修（市町村長が指定する都道府県知事その他の機関が行う研修を含む。）」については、次のとおりとすること。

① 子育て支援員基本研修及び専門研修（地域保育コース（地域型保育））

② 家庭的保育者基礎研修

③ 旧小規模要綱に基づき実施された②と同等の研修

(2) 都道府県又は市町村における(1)①の研修の実施体制が整っていない場合には、経過措置として、その実施体制が整い次第速やかに当該研修を受講し、修了することとしている者について、当該研修を修了するまでの間（概ね2年程度）、設備運営基準第47条第1項に規定する保育従事者として取り扱って差し支えないこと。この場合、当該者に対しては、業務を行う上で必要な研修を職場内において適切に実施するようにすること。

5 「市町村長が指定する都道府県知事その他の機関が行う研修」について

「子育て支援員研修事業の実施について」（平成27年5月21日付け雇児発0521第18号厚生労働省雇用均等・児童家庭局長通知）（別添）の別紙「子育て支援員研修事業実施要綱」に定める研修カリキュラムに基づいて適正に行われた研修を修了し、修了証書を交付された者については、全国いずれの市町村においても「市町村長が行う研修（市町村長が指定する都道府県知事その他の機関が行う研修を含む。）を修了した者」として取り扱われる必要がある。

このため、各市町村におかれては、設備運営基準第23条第2項、同条第3項、第31条第1項及び第47条第1項に規定する「市町村長が指定する都道府県知事その他の機関が行う研修」として、都道府県知事若しくは他の市町村長が実施主体となるもの又は都道府県知事が指定する機関若しくは他の市町村長が指定する機関が実施主体となるものについても、適切に指定すること。

別添　略

○家庭的保育事業等の認可等について

〔平成26年12月12日　雇児発1212第６号
各都道府県知事・各指定都市市長・各中核市市長宛　厚生労働省雇用均等・児童家庭局長通知〕

平成24年８月に成立した子ども・子育て関連３法（注）において、家庭的保育事業、小規模保育事業、居宅訪問型保育事業及び事業所内保育事業（以下、「家庭的保育事業等」という。）が市町村（特別区を含む。以下同じ。）の認可事業とされ、児童福祉法（昭和22年法律第164号。以下「法」という。）第34条の15第３項各号に家庭的保育事業等の認可に関する審査基準等が定められるとともに、当該地域で保育需要が充足されていない場合には、設置主体を問わず、審査基準に適合している者から家庭的保育事業等の認可に係る申請があった場合には、認可するものとするとされたことから、今般、家庭的保育事業等の認可の指針を下記のとおり定めたので、貴職において家庭的保育事業等の認可を行う際に適切に配意願いたい。

（注）子ども・子育て関連３法……子ども・子育て支援法（平成24年法律第65号）、就学前の子どもに関する教育・保育等の総合的な提供の推進に関する法律の一部を改正する法律（平成24年法律第66号）及び子ども・子育て支援法及び就学前の子どもに関する教育・保育等の総合的な提供の推進に関する法律の一部を改正する法律の施行に伴う関係法律の整備等に関する法律（平成24年法律第67号）

記

第１　家庭的保育事業等の認可の指針

１　認可制度について

法第34条の15第３項各号に家庭的保育事業等の認可に関する審査基準等が定められるとともに、当該地域で保育需要が充足されていない場合には、設置主体を問わず、審査基準に適合している者から家庭的保育事業等の認可に係る申請があった場合には、認可するものとするとされており、認可に当たっては、法の規定を踏まえて審査を行うこと。

２　地域の状況の把握及び家庭的保育事業等の認可に係る基本的な需給調整の考え方

子ども・子育て支援新制度においては、教育・保育及び地域子ども・子育て支援事業の提供体制の整備並びに子ども・子育て支援給付及び地域子ども・子育て支援事業の円滑な実施を確保するための基本的な指針（平成26年７月２日内閣府告示第159号。（以下「基本指針」という。））に即し、市町村（特別区を含む。以下同じ。）は、子ども・子育て支援事業計画を定めることとされており、市町村においては、当該計画を勘案し、基本指針第３の二の２の㈡の⑵「市町村の認可に係る需給調整の考え方」を踏まえて、家庭的保育事業等の認可申請への対応を検討すること。

３　家庭的保育事業等の認可申請に係る審査等

家庭的保育事業等認可申請については、２を踏まえつつ、個別の申請の内容について、以下の点を踏まえ審査等を行うこと。

⑴　定員

家庭的保育事業等の定員は、家庭的保育事業にあっては１人以上５人以下、小規模保育事業Ａ型（家庭的保育事業等の設備及び運営に関する基準（平成26年厚生労働省令第61号）第28条に規定する小規模保育事業Ａ型をいう。）及び小規模保育事業Ｂ型（同省令第31条に規定する小規模保育事業Ｂ型をいう。）にあっては６人以上19人以下、小規模保育事業Ｃ型（同省令第33条に規定する小規模保育事業Ｃ型をいう。）にあっては６人以上10人以下（ただし、同省令附則第５条の規定に基づき、同省令の施行の日から起算して５年を経過する日までの間は、６人以上15人以下とすることができる。）、居宅訪問型保育事業にあっては１人、事業所内保育事業にあっては、同省令第42条の規定を踏まえ、その雇用する労働者の監護する小学校就学前子どもを保育するため当該事業所内保育事業を自ら施設を設置して行う事業主に係る当該小学校就学前子ども（当該事業所内保育事業が、事業主団体に係るものにあっては事業主団体の構成員である事業主の雇用する労働者の監護する小学校就学前子どもとし、共済組合等（児童福祉法第６条の３第12項第１号ハに規定する共済組合等をいう。）に係るものにあっては共済組合等の構成員（同号ハに規定する共済組合等の構成員をいう。）の監護する小学校就学前子どもとする。）及びその他の小学校就学前子どもごとに定める法第19条第１項第３号に掲げる小学校就学前子どもの合計人数に係る定員枠を設けること。

⑵　社会福祉法人又は学校法人による認可申請

認可の申請をした者が社会福祉法人又は学校法人である場合にあっては、市町村長（特別区の区長を含む。以下同じ）は、法第34条の16第１項の条例で定める基準に適合するかどうかを審査するほか、法第34条の15第３項第４号に掲げられた基準によって審査すること。

⑶　社会福祉法人及び学校法人（以下「社会福祉法人等」という。）以外の者による認可申請

社会福祉法人等以外の者から家庭的保育事業等の認可に関する申請があった場合には、法第34条の16第１項の条例で定める基準に適合するかどうかを審査するほか、法第34条の15第３項各号に掲げられた基準によって審査すること。その際の基準については以下のとおりであること。

ア　当該家庭的保育事業等を経営するために、「不動産の貸与を受けて保育所を設置する場合の要件緩和について」（平成16年５月24日付け雇児発第0524002号・社援発第0524008号厚生労働省雇用均等・児童家庭局長、社会・援護局長連名通知）も参考に、事業規模に応じた、必要な経済的基礎があると市町村が認めること。また、当該認可を受ける主体が他事業を行っている場合については、直近の会計年度において、家庭的保育事業等を経営する事業以外の事業を含む当該主体の全体の財務内容について、３年以上連続して損失を計上していないこと。

イ　当該家庭的保育事業等の経営者（その者が法人である場合にあっては、経営担当役員（業務を執行する社員、取締役、執行役又はこれらに準ずる者をいう。）とする。以下同じ。）が社会的信望を有すること。

ウ　実務を担当する幹部職員が社会福祉事業に関する知識又は経験を有すること。

「実務を担当する幹部職員が社会福祉事業に関する知識又は経験を有すること」とは、㋐及び㋑のいずれにも該当するか、又は㋒に該当すること。ただし、㋑については、事業者の事業規模等に応じ、市町村が認める場合に必要に応じて要件を課すこととする。なお、この場合の「保育所等」とは、保育所並びに保育所以外の児童福祉施設、認定こども園、幼稚園及び家庭的保育事業等をいうこと。

㋐　実務を担当する幹部職員が、保育所等において２年以上勤務した経験を有する者であるか、若しくはこれと同等以上の能力を有すると認められる者であるか、又は、経営者に社会福祉事業について知識経験を有する者を含むこと。

㋑　社会福祉事業について知識経験を有する者、保育サービスの利用者（これに準ずる者を含む。）及び実務を担当する幹部職員を含む運営委員会（家庭的保育事業等の運営に関し、当該家庭的保育事業等の設置者の相談に応じ、又は意見を述べる委員会をいう。）を設置すること。

㋒　経営者に、保育サービスの利用者（これに準ずる者を含む。）及び実務を担当する幹部職員を含むこと。

エ　法第34条の15第３項第４号に掲げられた基準に該当しないこと。

⑷　社会福祉法人等以外の者に対する認可の際の条件

社会福祉法人等以外の者に対して家庭的保育事業等の認可を行う場合については、以下の条件を付すことが望ましいこと。

ア　法第34条の16第１項の基準を維持するために、設置者に対して必要な報告を求めた場合には、これに応じること。

イ　特定教育・保育施設及び特定地域型保育事業の運営に関する基準（平成26年内閣府令第39号）第50条により準用された同令第33条を踏まえ、収支計算書又は損益計算書において、家庭的保育事業等を経営する事業に係る区分を設けること。

ウ　企業会計の基準による会計処理を行っている者は、イに定める区分ごとに、企業会計の基準による貸借対照表（流動資産及び流動負債のみを記載）、及び別紙１の借入金明細書、及び別紙２の基本財産及びその他の固定資産（有形固定資産）の明細書を作成すること。

エ　毎会計年度終了後３か月以内に、次に掲げる書類に、家庭的保育事業等を経営する事業に係る現況報告書を添付して、市町村長に対して提出すること。

㋐　前会計年度末における貸借対照表、前会計年度の収支計算書又は損益計算書など会計に関し市町村が必要と認める書類

㋑　企業会計の基準による会計処理を行っている者は、家庭的保育事業等を経営する事業に係る前会計年度末における企業会計の基準による貸借対照表（流動資産及び流動

負債のみを記載)、別紙1の借入金明細書、別紙2の基本財産及びその他の固定資産(有形固定資産)の明細書

(5)　認可の取消しについて

市町村長は、法第58条第2項の規定を踏まえ、家庭的保育事業等が法若しくは法に基づいて発する命令又はこれらに基づいてなす処分に違反したときは、当該家庭的保育事業等に対し、期限を定めて必要な措置をとるべき旨を命じ、さらに当該家庭的保育事業等がその命令に従わないときは、期間を定めて事業の停止を命じることがあり、その際、当該家庭的保育事業等がその命令に従わず他の方法により運営の適正を期しがたいときは、認可の取消しを検討すること。

ただし、当該違反が、乳幼児の生命身体に著しい影響を与えるなど、社会通念上著しく悪質であり、改善の見込みがないと考えられる場合については、速やかな事業の停止や認可の取消しを検討すること。

第2　実施期日等

この通知は、子ども・子育て支援法及び就学前の子どもに関する教育、保育等の総合的な提供の推進に関する法律の一部を改正する法律の施行に伴う関係法律の整備等に関する法律(平成24年法律第67号)の施行の日から施行する。

なお、この通知は、地方自治法(昭和22年法律第67号)第245条の4に規定する技術的な勧告に当たるものである。

別紙1・2　略

○児童福祉法に基づく家庭的保育事業等の指導監査について

〔平成27年12月24日　雇児発1224第2号
各都道府県知事・各指定都市市長・各中核市市長宛　厚生労働省雇用均等・児童家庭局長通知〕

注　令和2年4月1日子発0401第15号改正現在

子ども・子育て支援新制度において、児童福祉法(昭和22年法律第164号)第24条第2項に規定する家庭的保育事業等が新設されたところであるが、当該事業の指導監査の取扱いについて基本的な考え方を取りまとめたので、各都道府県知事におかれては管内市町村にその考え方を周知するとともに、管内市町村が家庭的保育事業者等に対し指導監査を行うに当たり、従来、都道府県等が保育所に対して指導監査を実施していたことを踏まえ、その指導監査の方法などにつき、適切な支援をお願いする。

記

家庭的保育事業等を認可する市町村は、児童福祉法施行令(昭和23年政令第74号)第35条の4の規定により、1年に1回以上、当該認可を行っている家庭的保育事業等が児童福祉法第34条の16第1項の規定に基づき定められた基準を遵守しているかどうかについて、実地につき検査を行うこととされているが、当該市町村は、「児童福祉行政指導監査の実施について」(平成12年4月25日付け児発第471号厚生省児童家庭局長通知)を参考に適切に指導監査を行うこと。

なお、当該指導監査を行う際には、子ども・子育て支援法(平成24年法律第65号)に基づく指導監査等と連携して対応を行うこと。

その際、同法第29条第1項に規定する地域型保育給付や同法第30条第1項に規定する特例地域型保育給付については、その使途について制限を設けていないなど、施設・事業類型の違いに留意しながら指導監査を行うこと。

ただし、市町村からの委託により運営されている私立保育所と異なり、家庭的保育事業等については、

①　連携施設の設定が求められていること、

②　事業類型に応じて、家庭的保育者又は保育従事者等による保育が認められていること、

③　家庭的保育事業者等との直接契約であるが、特定教育・保育施設及び特定地域型保育事業並びに特定子ども・子育て支援施設等の運営に関する基準(平成26年内閣府令第39号)第39条第1項等に基づき正当な理由がなければ、その利用を拒んではならないこととされていること

などを踏まえて指導監査を行うこと。

なお、居宅訪問型保育事業については、保育を必要とする乳児・幼児等の居宅において保育を行う事業であることから、1年に1回以上、事業者の事務所において指導監査を行うなど、指導監査の実施時期・方法等について個々の事情を踏まえて、柔軟に決定するよう配慮すること。

（小規模保育）

○社会福祉法人が営む小規模保育事業の土地、建物の所有について

（平成26年12月12日　雇児保発1212第２号・社援基発1212第３号
各都道府県・各指定都市・各中核市民生部(局)長宛　厚生労働省雇用均等・児童家庭局保育・社会・援護局福祉基盤課長連名通知）

子ども・子育て支援新制度において、新たに児童福祉法に位置づけられる小規模保育事業（利用定員が10人以上であるものに限る。）については、社会福祉法(昭和26年法律第45号）第２条第３項第２号に規定する第２種社会福祉事業として位置づけられることとされており、社会福祉法人が社会福祉事業を行う場合、その事業の特性上、安定的、継続的に行う必要があることから、原則として、直接必要なすべての物件について所有権を有していること、又は国若しくは地方公共団体から貸与若しくは使用許可を受けていることとしている。

しかし、小規模保育事業については、地域の実情に応じて多様な保育ニーズにきめ細かく対応することを目的としている事業であり、土地等の確保が難しい都市部においても着実に事業を実施し、待機児童の解消等の喫緊の課題に対応する必要があること等から、現行の保育所の取扱いを踏まえ、下記のとおりとするので、貴職において適切に配慮願いたい。

なお、本通知は、地方自治法（昭和22年法律第67号）第245条の４第１項の規定に基づく技術的な助言である。

記

1　社会福祉法人が営む小規模保育事業（利用定員が10人以上であるものに限る。）については、保育所と同様に、「不動産の貸与を受けて保育所を設置する場合の要件緩和について」（平成16年５月24日雇児発第0524002号・社援発第0524008号雇用均等・児童家庭局長・社会・援護局長連名通知）第１の１及び２に準じた取扱いとすること。

2　この通知は、子ども・子育て支援法及び就学前の子どもに関する教育、保育等の総合的な提供の推進に関する法律の一部を改正する法律の施行に伴う関係法律の整備等に関する法律(平成24年法律第67号）の施行の日から施行する。

○小規模保育事業における３歳以上児の受入れについて

〔令和５年４月21日　こ成保22
各都道府県知事・各指定都市市長・各中核市市長宛　こども家庭庁成育局長通知〕

保育施策の推進につきましては、日頃より御尽力を賜り厚く御礼申し上げます。

児童福祉法（昭和22年法律第164号）における小規模保育事業については、保育施設（利用定員が６人以上19人以下であるものに限る。）において、原則として、保育を必要とする０～２歳までの乳児・幼児（以下「３歳未満児」という。）の保育を行う事業とされています（児童福祉法第６条の３第10項第１号）。また、国家戦略特別区域法（平成25年法律第107号）第12条の４における児童福祉法等の特例措置として、原則３歳未満児を対象とする小規模保育事業について、国家戦略特別区域においては、事業者の判断により小規模保育事業の対象年齢を０～５歳の間で柔軟に定めることが可能となっているところです。

今般、小規模保育事業について、こどもの保育の選択肢を広げる観点から、全国において、３歳未満児を対象とする小規模保育事業において満３歳以上の幼児（以下「３歳以上児」という。）を受け入れることについて、市町村がニーズに応じて柔軟に判断できることとしましたので、十分御了知の上、貴管内の関係者に対して遺漏なく周知し、適切に運用いただくようお願いします。

なお、本通知は、地方自治法（昭和22年法律第67号）第245条の４第１項の規定に基づく技術的助言であることを申し添えます。

記

1　小規模保育事業における３歳以上児の受入れについて

小規模保育事業については、原則、保育を必要とする３歳未満児を対象としており、児童福祉法第６条の３第10項第２号の規定に基づき、「満３歳以上の幼児に係る保育の体制の整備の状況その他の地域の実情」を勘案して、３歳以上児を受け入れることができることとされている。

今般、同号の規定の解釈を示す事業者向けFAQ（よくある質問）【第７版】（平成27年３月）について、別紙のとおり改正することとしているため、こどもの保育の選択肢を広げる観点から、各市町村においてニーズに応じて柔軟に判断していただきたい。

2　留意事項

小規模保育事業において３歳以上児を受け入れる場合には、集団での遊びの種類や機会に課題がある点に留意が必要であることから、「国家戦略特別区域法及び構造改革特別区域法の一部を改正する法律の施行に伴う関係政省令告示の改正等について（通知）」（平成29年９月22日内閣府子ども・子育て本部統括官、厚生労働省子ども家庭局長通知）の記３における「異なる年齢の乳幼児を集団で保育する場合における個々の乳幼児の発育及び発達の過程等に応じた適切な支援及び３歳以上児を保育する場合における集団保育の提供のための配慮等」も参照に、適切に配慮・工夫を行っていただきたい。

【添付資料】

・（別紙）事業者向けFAQ（よくある質問）【第７版】（平成27年３月）の一部改正【新旧対照表】　略

・（参考）「国家戦略特別区域法及び構造改革特別区域法の一部を改正する法律の施行に伴う関係政省令告示の改正等について（通知）」（平成29年９月22日内閣府子ども・子育て本部統括官、厚生労働省子ども家庭局長通知）　略

（居宅訪問型保育）

○居宅訪問型保育事業における家庭的保育者に係る休憩時間の自由利用の適用除外について

〔平成27年３月31日　雇児保発0331第３号
各都道府県・各指定都市・各中核市民生主管部（局）長宛
厚生労働省雇用均等・児童家庭局保育課長通知〕

本年３月31日に公布された子ども・子育て支援法等の施行に伴う厚生労働省関係省令の整備等に関する省令（平成27年厚生労働省令第73号）により労働基準法施行規則（昭和22年厚生省令第23号）の一部が改正され、居宅訪問型保育事業における家庭的保育者については、労働基準法（昭和22年法律第49号）第34条第３項に基づく休憩時間の自由利用の規定を適用除外することとされ、本年４月１日から施行することとされた。

その趣旨等については、下記のとおりであるので、十分御了知の上、貴管内の関係者に対して遅滞なく周知し、その運用に遺漏のないよう配意願いたい。

なお、本通知は、地方自治法（昭和22年法律第67号）第245条の４第１項の規定に基づく技術的助言であることを申し添える。

記

１　趣旨

労働基準法第34条第１項の規定により、使用者は、労働時間が６時間を超える場合においては少なくとも45分、８時間を超える場合においては少なくとも１時間の休憩時間を労働時間の途中に与えなければならないとされ（休憩時間の付与）、また、同条第３項の規定により、使用者は、当該休憩時間を自由に利用させなければならないとされている（休憩時間の自由利用）。

居宅訪問型保育事業（児童福祉法（昭和22年法律第164号）第６条の３第11項に規定する居宅訪問型保育事業をいう。以下同じ。）については、保育者と児童が原則１対１で保育を行うものであること、その対象が障害児や夜間・深夜の保育であり休憩時でも児童の元を離れることが困難であること等を踏まえ、今般、労働基準法第34条第３項の休憩時間の自由利用の規定を適用しない労働者として、居宅訪問型保育事業において保育を行う家庭的保育者（同一の居宅において、一の児童に対して複数の家庭的保育者が保育を行う場合を除く。以下同じ。）を加えることとされたものである。

なお、今回の改正により、使用者は、労働基準法第34条第１項の規定による休憩時間の付与の責務を免れるものではないことから、当該家庭的保育者に対する休憩時間の付与については適切に行われる必要があることに留意すること。

２　居宅訪問型保育事業の認可等の取扱い

居宅訪問型保育事業を含む家庭的保育事業等の認可等については、「家庭的保育事業等の認可等について」（平成26年12月12日付け雇児発1212第６号厚生労働省雇用均等・児童家庭局長通知）により示されているところであるが、居宅訪問型保育事業において保育を行う家庭的保育者に対する休憩時間の付与が適切に行われるようにするため、その認可等に当たっては、同通知に示すもののほか、次によること。

⑴　家庭的保育者に対する休憩時間の付与を適切に行う必要がある旨の申請者への説明

市町村は、居宅訪問型保育事業の認可の申請があった場合には、当該申請を行った者（以下「申請者」という。）に対し、次の事項について説明すること。

①　居宅訪問型保育事業において保育を行う家庭的保育者については、休憩時間の自由利用の規定の適用除外となること

②　労働基準法における休憩時間規制は、労働者を労働時間の途中で労働から解放させることにより、その精神的・肉体的疲労を回復させることを目的に設けられているところ、居宅訪問型保育事業における家庭的保育者に対する休憩時間の付与及びその取得・利用状況の把握については、使用者が適切にこれを行う必要があること

⑵　休憩時間の取得・利用状況の把握方法の確認

市町村は、申請者に対し、⑴の説明を行った上で、当該居宅訪問型保育事業において保育を行う家庭的保育者の休憩時間の取得・利用状況を把握する方法をあらかじめ定めるよう求め、認可の際にこれを確認すること。その際、申請書に記載させる、当該方法を記載した書面を提出させる等、事後に確認できるようにしておくことが望ましい。

家庭的保育者の休憩時間の取得・利用状況を把握する方法としては、業務日報に記載する方法があること。

(3)　必要な記録等の保存

居宅訪問型保育事業の認可を受けた事業者においては、労働基準監督機関による調査等が行われた際に、必要に応じ、家庭的保育者に対する休憩時間の付与を適切に行っていることを証明できるようにしておくことが望ましい。そのため、当該事業者において、必要な記録等が適切に保存されるようにすること。

（事業所内保育）

○子ども・子育て支援新制度における事業所内保育事業所の運用上の取扱いについて

〔平成26年12月25日　府政共生第1208号・雇児発1225第９号
各都道府県知事・各指定都市市長・各中核市市長宛　内閣府政策統括官（共生社会政策担当）・厚生労働省雇用均等・児童家庭局長連名通知〕

注　令和５年３月31日府子本第384号・子発0331第６号改正現在

事業所内保育事業については、子ども・子育て支援新制度において、児童福祉法（昭和22年法律第164号。以下「法」という。）に市町村認可事業として位置付けられ、子ども・子育て支援法（平成24年法律第65号）第29条第１項に規定する確認を受けた事業所内保育事業については、地域型保育給付の対象とされたところである。

事業所内保育事業の運用については、「家庭的保育事業等の設備及び運営に関する基準の運用上の取扱いについて（平成26年雇児発0905第２号厚生労働省雇用均等・児童家庭局長通知）」などにおいてお示ししているところであるが、それらに加え、事業所内保育事業の利用定員のうち法第６条の３第12項第１号イに規定する「事業主がその雇用する労働者」又は「事業主から委託を受けて当該事業主が雇用する労働者」、同号ロに規定する「事業主団体がその構成員である事業主の雇用する労働者」又は「事業主団体から委託を受けてその構成員である事業主の雇用する労働者」及び同号ハに規定する「地方公務員等共済組合法（昭和37年法律第152号）の規定に基づく共済組合その他の内閣府令で定める組合（以下ハにおいて「共済組合等」という。）が当該共済組合等の構成員として内閣府令で定める者（以下ハにおいて「共済組合等の構成員」という。）」又は「共済組合等から委託を受けて当該共済組合等の構成員」（以下「従業員等」という。）の監護する乳児又は幼児が利用する定員枠（以下「従業員枠」という。）については、当該事業所の従業員等に対する福利厚生等の側面があり、当該事業所内保育事業所所在地以外の複数の市町村（特別区を含む。以下同じ。）から常態的に保育利用されることが考えられるなど、他の保育利用と異なる取扱いが想定されるため、その運用上の取扱いを下記のとおり示すこととしたので、貴管内の関係者に対して、これを周知し、その運用に遺漏なきよう御配意願いたい。

なお、本通知は、地方自治法（昭和22年法律第67号）第245条の４第１項の規定に基づく技術的助言であることを申し添える。

記

１　通常の保育利用と事業所内保育事業所の従業員枠に係る保育利用について

子ども・子育て支援新制度における事業所内保育事業については、他の家庭的保育事業等（法第24条第２項に規定する家庭的保育事業等をいう。以下同じ。）と同様、原則的には、子ども・子育て支援法第20条第１項の規定による認定であって同法第19条第３号に掲げる小学校就学前子どもに係るものを受けた子ども（以下「３号認定子ども」という。）の利用を対象としている。

保育所、認定こども園、家庭的保育事業等（事業所内保育事業所の従業員枠に係る利用を除く。）（以下「保育所等」という。）の保育を利用するに当たっては、子ども・子育て支援法第20条第１項の規定に基づく認定であって同法第19条第２号に掲げる小学校就学前子どもに係るもの又は同法第19条第３号に掲げる小学校就学前子どもに係るもの（以下「保育認定」という。）を受けた上で、市町村が法第24条第

３項及び附則第73条第１項に規定する利用調整を行い、実際の保育利用を行うこととなる。

他方、従業員枠を利用希望する当該事業所の従業員等については、事業者が従業員等のための福利厚生等の観点などから設置する性質上、他の保育所等と同様の利用調整は行わず、当該従業員枠の利用を希望する保育認定を受けた従業員等につき、特定教育・保育施設及び特定地域型保育事業並びに特定子ども・子育て支援施設等の運営に関する基準（平成26年内閣府令第39号）第39条第２項及び第３項を踏まえ、当該事業所内保育事業所が利用者を選定することとしている。

2　保育認定に係る申請について

⑴　基本的な考え方

１のとおり、事業所内保育事業所の従業員枠を利用する者についても、他の保育認定を受けた子どもが保育所等を利用する際の手続と同様に、居住する市町村に対して保育認定に係る申請を行い、市町村から保育認定を受け、その上で当該事業所内保育事業所の利用の申込みを行うことが必要となる。なお、他の保育利用と同様、市町村が保育認定に係る申請と事業所内保育事業所の利用の申込み（以下「保育認定に係る申請等」という。）を同時に取り扱うことは差し支えないものとする。

その上で、事業所内保育事業所の従業員枠を利用しようとする従業員等については、

①　事業所内保育事業所の従業員枠に係る利用は、他の保育所等と同様の利用調整を行わないこと

②　従業員の利用に当たっては、募集手続が各事業所等において行われていることが想定されること

といったことに鑑み、保育認定に係る申請等に当たっては、事業所内保育事業者を通じて、それぞれの従業員等の居住地市町村に提出する仕組みを基本とする。

⑵　具体的な事務の流れについて

事業所内保育事業所の従業員枠と保育所等に係る保育利用を併願する場合については、(ⅰ)事業所内保育事業所の従業員枠を利用するための保育認定及び利用申請が、保育所等の利用に係るものと比較して先行する場合、(ⅱ)事業所内保育事業所の従業員枠を利用するための保育認定及び利用申請が、保育所等に係るものと同じタイミングとなる場合、(ⅲ)事業所内保育事業の従業員枠を利用するための保育認定及び利用申請が、保育所等に係るものよりも後になる場合、の３通りが考えられる。

このうち、(ⅰ)(ⅱ)の場合については、保育認定の手続が重複する可能性があるほか、保護者が事業所内保育事業及び保育所等の利用を併願した結果、他の保育所等の利用が可能となるため、当該事業所内保育事業の安定的な運営に影響が生じかねないことから、以下のように保育認定及び利用申請を行うこととする。

①　事業所内保育事業所の利用を希望する従業員等である保護者は、当該企業における事業所内保育事業の利用募集に申し込み、当該企業から内定を得る。

②　保護者は、当該事業所内保育事業所に対し、各市町村において提出を求める保育認定に係る事由に該当する旨を証明する書類（就労証明書等）及び利用者負担区分の算定に当たって必要な書類（源泉徴収票等）等子ども・子育て支援法施行規則（平成26年内閣府令第44号）第２条第１項及び第２項を踏まえ、市町村が必要とする書類を添付した上で、教育・保育給付認定申請書を提出することとする。なお、当該申請書等については、事業所内保育事業所は、今後の必要な手続を保護者に説明することとした上で、保護者がその居住する市町村（以下「居住地市町村」という。）への申請に必要な書類を用意することを基本とする。

③　事業所内保育事業所は、②において提出を受けた申請書を、保護者の居住地市町村に対して送付することとする。

④　その上で、各市町村は、教育・保育給付認定申請書を基に、教育・保育給付認定要件に該当するか審査し、認定を行う。その際、利用者負担区分についても決定するものとする。

⑤　市町村は、事業所内保育事業所を経由して、支給認定証を保護者に支給することも可能とする。

⑥　各市町村の支給認定証の交付を受けた保護者と事業所内保育事業所の間で利用契約を締結し、当該事業所内保育事業所の利用を開始する。

なお、(ⅲ)のように既に保育認定を受け、保育所等に係る利用の申込みを行ったにもかかわらず、保育所等の利用が決まらなかったため、事業所内保育事業所の従業員枠の利用を希望する場合は、当該事業所内保育事業所の内定を得た上で、保護者は各市町村に対し、当該事業所内保育事業の利用を希望する旨について利用申請の変更を行うことを基本とする。

なお、当該利用申請の変更については、事業所

内保育事業所を通じて行うことも可能な取扱いとする。

⑶　従業員枠の利用のみを希望する場合の取扱いについて

事業所内保育事業所の従業員枠のみを希望する場合については、⑵の取扱いを基本とする。

なお、４月から従業員枠の利用のみを希望し、各市町村における保育認定の事務が事業所内保育事業所の従業員枠の募集よりも早いときは、例えば、①保育認定を行う時期を他の保育所等と異なる時期であっても可能とする取扱いや、②保護者は市町村に対し保育認定のみを先行して申請し、従業員枠の募集が開始された後、内定を得た上で、市町村に対し当該事業所内保育事業所の利用希望を追加登録する方法など、が考えられるが、各地方自治体において利用者が不利益を被ることのないよう適切に対応すること。

⑷　従業員枠への応募と通常の保育の利用を併願する際の利用調整の取扱い等について

従業員枠については、⑵(ⅰ)(ⅱ)の場合、事業所からまとめて保育認定に係る申請を行うことを想定しているため、当該保護者が、他の保育所等の利用も併せて希望（併願）している場合、市町村の認定事務が二重になりかねないほか、当該事業所内保育事業所が、他の保育所等との併願により事業の安定的な運営に影響が生じかねないことから、以下のように取扱うこととする。

(ⅰ)　利用調整の考え方について

従業員等が事業所内保育事業所の従業員枠の保育利用と通常の保育利用を併願している場合、本来は、居住地における他の保育利用を希望していることも想定されることから、市町村は、事業所内保育事業所の内定を有している場合であっても、事業所内保育事業所の従業員枠を利用しない者と区分することなく利用調整を行うこと。

(ⅱ)　申請手続について

各保護者の教育・保育給付認定を行うに当たり、市町村による教育・保育給付認定の重複を避けるために、事業所内保育事業所は、従業員枠の利用を希望する⑵(ⅰ)(ⅱ)の場合、事業所内保育事業所は、事業所内保育事業所の従業員枠に係る保育利用と通常の保育利用を併願した保護者に対し、当該通常の保育利用に係る保育認定に係る申請及び当該利用申請を行う際に、利用調整の希望先に当該事業所内保育事業所を含めた形で提出することを求めること。

(ⅲ)　利用調整の方法について

提出されたものを基に、各居住地市町村は、従業員枠の利用を希望しない他の保護者とともに、希望順位・必要度を踏まえながら、利用調整を行うこととする。

①　事業所内保育事業所の希望順位の方が高い場合

教育・保育給付認定申請書を市町村が受領した後、当該保護者が事業所内保育事業所の従業員枠の内定を得た際には、その旨の届出を求めた上で、市町村は当該保護者を利用調整の対象から外すことも可能とする。

また、市町村の利用調整の結果、事業所内保育事業所よりも下位の希望順位である保育所等へのあっせんが決定される場合、改めて保護者にいずれの施設・事業を利用するのかその意向を確認し、あっせんされた希望順位が低い保育所等の利用を希望する場合については、保護者は事業所内保育所側に対し、速やかに内定辞退に伴う説明を行うものとする。

②　事業所内保育事業所の希望順位の方が低い場合

市町村の利用調整の結果、希望する保育所等の利用が決まった従業員等については、保護者は、通常の保育所等と当該事業所内保育事業所のいずれを利用するか選択した上で、通常の保育所等を選択する場合については、当該事業所内保育事業所側に対し、保護者が速やかに内定辞退に伴う説明を行うものとする。

⑸　従業員枠への応募が利用定員を超える場合の取扱いについて

事業所内保育事業所の従業員枠を利用する保護者については、⑵(ⅰ)(ⅱ)の場合、事業所からまとめて保育認定に係る申請を行うことを想定している。その場合、事業所内保育事業所の利用定員のうち、法第６条の３第12項第１号イ、ロ又はハに規定するその他の乳児又は幼児が利用する定員枠（以下「地域枠」という。以下同じ。）の保育利用に係る市町村の利用調整より先行して利用者が決まることも考えられる。

事業所内保育所の地域枠については、他の保育所等と同様に、市町村が利用調整の上、利用者が決定されるため、従業員枠の定員超過分を地域枠の利用定員を活用して受け入れることとすると、まだ市町村による利用調整を終えていないにも関わらず、地域枠が利用できないことになりかねず、適当ではないため、従業員枠の利用定員数を超える応募があった場合、まずは、地域枠の定員を確保した上で、以下の①②のいずれかの取扱いを行うものとする。

① 従業員枠の利用定員弾力化による対応

従業員枠の利用定員弾力化による対応については、当該利用定員と超過して受け入れる子どもの数を合計してもなお認可基準を満たした上で、従業員枠の利用定員を弾力化することで超過分を受け入れることとする。

その後、市町村による地域枠に対する利用調整の結果、地域枠の定員に空きがあれば、当該事業所内に係る超過分について、地域枠を活用した弾力的な受入を可能とする。

② 施設における選考による対応

従業員枠の利用定員を超えた募集がある場合、従業員に対して事前に選考方法を周知した上で、特定教育・保育施設及び特定地域型保育事業並びに特定子ども・子育て支援施設等の運営に関する基準第39条第２項及び第３項を踏まえて、保育を受ける必要性が高いと認められる子どもが優先的に利用できるよう、従業員等に対して事前に選考方法を周知した上で、選考を行うものとする。

なお、選考に漏れた場合、当該保護者である従業員等に対して速やかにその旨を通知し、通常の保育利用の申込みに移行できるよう配慮するよう取扱うこと。

3 事業所内保育事業に係る確認について

従業員枠の利用については、市町村域を超えた広域利用も想定されるが、各市町村が給付するに当たって、施設全体の定員規模に応じた単価に基づき給付を支払うことが必要であることから、事業所内保育事業の施設全体の利用定員数を把握しておく必要がある。

このため、事業所は当該事業所内保育事業所が所在する市町村に対して、確認申請を行い、当該市町村は、当該事業所内保育事業の施設全体の定員設定を行うこととする。

○「平成30年の地方からの提案等に関する対応方針」を踏まえた具体的な留意事項等について

（平成31年３月29日　事務連絡
各都道府県・各指定都市・各中核市保育担当課宛　内閣府子ども・子育て本部参事官・厚生労働省子ども家庭局保育課）

保育施策の推進については、日頃より格別の御尽力を賜り厚く御礼申し上げます。

この度、「平成30年の地方からの提案等に関する対応方針」（平成30年12月25日閣議決定。別紙１参照。）が取りまとめられたことを踏まえ、具体的な対応方針を下記のとおりお示ししますので、内容を十分御了知の上、貴管内の市町村への周知を行うとともに、本内容の趣旨を踏まえて対応いただきますようお願いします。

記

1 保育所型事業所内保育事業における満３歳以上の児童の受入れについて

事業所内保育事業については、児童福祉法（昭和22年法律第164号。以下「法」という。）第６条の３第12項第１号の規定に基づき、事業主が雇用する労働者の監護する乳児若しくは幼児（以下「乳幼児」という。）等又はその他の保育を必要とする乳幼児であって、満３歳未満のものの保育を実施する事業であるとともに、同項第２号の規定に基づき、満３歳以上の児童についても、満３歳以上の児童に係る保育の体制の整備の状況その他の地域の事情を勘案して、保育が必要と認められるものについて、保育を実施することが可能である。

この「満３歳以上の児童に係る保育の体制の整備の状況その他の地域の事情」については、「特定教育・保育等の費用の額の算定に関する基準等の実施上の留意事項」（平成28年８月23日付け府子本第571号・28文科初第727号・雇児発0823第１号内閣府子ども・子育て本部統括官・文部科学省初等中等教育・厚生労働省雇用均等・児童家庭局長連名通知。以下「留意事項通知」という。）別紙10（特例施設型給付費・特例地域型保育給付費）Ⅳ(1)において、

・ 支給認定保護者が居住する地域に保育所又は認定こども園が無い場合

・ 特定地域型保育事業を利用する３号認定子どもが、年度の途中で満３歳を迎えて認定区分が

２号となったが、地域において２号認定に係る利用定員に空きがない場合に当該年度内において、引き続き特定地域型保育事業を利用する場合

・　保育認定を受けた事業主が雇用する労働者の子どもが、保護者の希望により満３歳以降も、引き続き利用する場合

のような事情がある場合で、市町村が必要と認めた場合としているところである。また、「事業者向けFAQ（第７版）」において、上記以外の事情として、兄弟で別々の施設に通園せざるを得ないことが該当しうることをお示ししている。

これに加え、事業所内保育事業のうち保育所型事業所内保育事業（家庭的保育事業等の設備及び運営に関する基準（平成26年厚生労働省令第61号）第43条第１項に規定する保育所型事業所内保育事業所をいう。以下同じ。）については、利用定員が20人以上とされており、個々の施設や地域の状況によっては、満３歳以上の児童に対する集団保育等の提供体制が確保されていると考えられるため、各市町村において、その他の地域の実情と照らし必要と認める場合においては、満３歳以上の児童の受入れが可能であるため、適切に運用されたい。

また、これら満３歳以上の児童を受け入れる場合においては、

・　地域の実情に応じて、満３歳以上の新規の児童を受け入れること

・　市町村と相談の上、予め満３歳以上の児童を受け入れることを見越して０～２歳の受入人数の調整を行うこと

は可能であるが、

・　家庭的保育事業等の設備及び運営に関する基準に基づき、市町村が条例で定める家庭的保育事業等の設備及び運営に関する基準を遵守すること

・　特定教育・保育施設及び特定地域型保育事業の運営に関する基準（平成26年内閣府令第39号。以下「運営基準」という。）第52条第２項の規定に基づき、満３歳以上の児童を含めた受入児童数の総数が、あらかじめ定められた定員の数を超えないこと

・同条第３項の規定に基づき、満３歳以上の児童についても、特定地域型保育事業を提供する場合と同様に利用申込者に対する重要事項を記した文書の交付、説明及び利用の同意等が必要となること

に留意されたい。

なお、保育所型事業所内保育事業については、当該事業において恒常的に満３歳以上の児童を受け入れているなど、市町村長が認める場合においては、卒園後の受け皿に係る連携施設の確保を要しない旨の省令改正を行い、平成31年４月１日から施行することとしているところである。（別紙２参照）

ただし、この特例を活用し連携施設を確保しない場合にあっても、留意事項通知別紙８（事業所内保育事業（保育認定３号））Ⅳの１に掲げる連携施設を設定していない場合に該当するものとして、公定価格の調整の適用を受けることに留意されたい。

2　共同保育の実施について

留意事項通知においては、保育所等が、自園の児童に加え他の保育所等を利用している児童も受け入れて保育を行う共同保育を土曜日に実施した場合、公定価格の減額をしないこととしているところである。

この点、お盆や年末年始等、保育所等の利用児童が少ない場合についても、近隣の保育所等が連携し、１か所の保育所等で共同保育することは、保育士等の勤務環境改善につながるものであり、土曜日に限らず実施することができる。

なお、お盆や年末年始等において共同保育を実施する場合についても、公定価格の基本分等が減額されることはないが、保育所等の公定価格は年間約300日間開所することを基本として設定されており、この観点からも園側の都合のみならず、保護者の利便性を考慮しつつ、適切に保育ニーズに対応する必要があることを念のため申し添える。

また、共同保育の実施に当たって留意すべき事項を以下のとおり示すため、適切な運用に努められたい。

①　共同保育により児童の受入れを依頼する施設（以下「依頼施設」という。）は、施設が所在する市町村及び共同保育により児童を受け入れる施設（以下「受入施設」という。）と、共同保育を実施する際の体制や安全対策、費用負担等について、十分に協議し、合意すること。

　この際には、依頼施設と受入施設との間でそれぞれの役割分担及び責任の所在が明確化するとともに、受入施設において、本来の業務に支障が生じない体制が確保されることを確認すること。

②　依頼施設は、共同保育の実施について、運営基準第20条の規定に基づく重要事項を記した文書等に記載の上、児童の保護者に対し十分な説明を行い、同意を得ること。

別紙１・２　略

Ⅷ

関係法令・通知

◉社会福祉法（抄）

〔昭和26年３月29日
法 律 第 45 号〕

注　令和６年６月５日法律第43号改正現在
（未施行分については2085頁以降に収載）

第１章　総則

（目的）

第１条　この法律は、社会福祉を目的とする事業の全分野における共通的基本事項を定め、社会福祉を目的とする他の法律と相まつて、福祉サービスの利用者の利益の保護及び地域における社会福祉（以下「地域福祉」という。）の推進を図るとともに、社会福祉事業の公明かつ適正な実施の確保及び社会福祉を目的とする事業の健全な発達を図り、もつて社会福祉の増進に資することを目的とする。

（定義）

第２条　この法律において「社会福祉事業」とは、第一種社会福祉事業及び第二種社会福祉事業をいう。

２　次に掲げる事業を第一種社会福祉事業とする。

一　生活保護法（昭和25年法律第144号）に規定する救護施設、更生施設その他生計困難者を無料又は低額な料金で入所させて生活の扶助を行うことを目的とする施設を経営する事業及び生計困難者に対して助葬を行う事業

二　児童福祉法（昭和22年法律第164号）に規定する乳児院、母子生活支援施設、児童養護施設、障害児入所施設、児童心理治療施設又は児童自立支援施設を経営する事業

三　老人福祉法（昭和38年法律第133号）に規定する養護老人ホーム、特別養護老人ホーム又は軽費老人ホームを経営する事業

四　障害者の日常生活及び社会生活を総合的に支援するための法律（平成17年法律第123号）に規定する障害者支援施設を経営する事業

五　削除

六　困難な問題を抱える女性への支援に関する法律（令和４年法律第52号）に規定する女性自立支援施設を経営する事業

七　授産施設を経営する事業及び生計困難者に対して無利子又は低利で資金を融通する事業

３　次に掲げる事業を第二種社会福祉事業とする。

一　生計困難者に対して、その住居で衣食その他日常の生活必需品若しくはこれに要する金銭を与え、又は生活に関する相談に応ずる事業

一の二　生活困窮者自立支援法（平成25年法律第105号）に規定する認定生活困窮者就労訓練事業

二　児童福祉法に規定する障害児通所支援事業、障害児相談支援事業、児童自立生活援助事業、放課後児童健全育成事業、子育て短期支援事業、乳児家庭全戸訪問事業、養育支援訪問事業、地域子育て支援拠点事業、一時預かり事業、小規模住居型児童養育事業、小規模保育事業、病児保育事業、子育て援助活動支援事業、親子再統合支援事業、社会的養護自立支援拠点事業、意見表明等支援事業、妊産婦等生活援助事業、子育て世帯訪問支援事業、児童育成支援拠点事業又は親子関係形成支援事業、同法に規定する助産施設、保育所、児童厚生施設、児童家庭支援センター又は里親支援センターを経営する事業及び児童の福祉の増進について相談に応ずる事業

二の二　就学前の子どもに関する教育、保育等の総合的な提供の推進に関する法律（平成18年法律第77号）に規定する幼保連携型認定こども園を経営する事業

二の三　民間あっせん機関による養子縁組のあっせんに係る児童の保護等に関する法律（平成28年法律第110号）に規定する養子縁組あつせん事業

三　母子及び父子並びに寡婦福祉法（昭和39年法律第129号）に規定する母子家庭日常生活支援事業、父子家庭日常生活支援事業又は寡婦日常生活支援事業及び同法に規定する母子・父子福祉施設を経営する事業

四　老人福祉法に規定する老人居宅介護等事業、老人デイサービス事業、老人短期入所事業、小規模多機能型居宅介護事業、認知症対応型老人共同生活援助事業又は複合型サービス福祉事業及び同法に規定する老人デイサービスセンター、老人短期入所施設、老人福祉センター又は老人介護支援センターを経営する事業

四の二　障害者の日常生活及び社会生活を総合的に支援するための法律に規定する障害福祉サービス事業、一般相談支援事業、特定相談支援事業又は移動支援事業及び同法に規定する地域活動支援センター又は福祉ホームを経営する事業

五　身体障害者福祉法（昭和24年法律第283号）に規定する身体障害者生活訓練等事業、手話通訳事業又は介助犬訓練事業若しくは聴導犬訓練事業、同法に規定する身体障害者福祉センター、補装具製作施設、盲導犬訓練施設又は視聴覚障害者情報提供施設を経営する事業及び身体障害者の更生相談に応ずる事業

六　知的障害者福祉法（昭和35年法律第37号）に規定する知的障害者の更生相談に応ずる事業

七　削除

八　生計困難者のために、無料又は低額な料金で、簡易住宅を貸し付け、又は宿泊所その他の施設を利用させる事業

九　生計困難者のために、無料又は低額な料金で診療を行う事業

十　生計困難者に対して、無料又は低額な費用で介護保険法（平成９年法律第123号）に規定する介護老人保健施設又は介護医療院を利用させる事業

十一　隣保事業（隣保館等の施設を設け、無料又は低額な料金でこれを利用させることその他その近隣地域における住民の生活の改善及び向上を図るための各種の事業を行うものをいう。）

十二　福祉サービス利用援助事業（精神上の理由により日常生活を営むのに支障がある者に対して、無料又は低額な料金で、福祉サービス（前項各号及び前各号の事業において提供されるものに限る。以下この号において同じ。）の利用に関し相談に応じ、及び助言を行い、並びに福祉サービスの提供を受けるために必要な手続又は福祉サービスの利用に要する費用の支払に関する便宜を供与することその他の福祉サービスの適切な利用のための一連の援助を一体的に行う事業をいう。）

十三　前項各号及び前各号の事業に関する連絡又は助成を行う事業

4　この法律における「社会福祉事業」には、次に掲げる事業は、含まれないものとする。

一　更生保護事業法（平成７年法律第86号）に規定する更生保護事業（以下「更生保護事業」という。）

二　実施期間が６月（前項第13号に掲げる事業にあつては、３月）を超えない事業

三　社団又は組合の行う事業であつて、社員又は組合員のためにするもの

四　第２項各号及び前項第１号から第９号までに掲げる事業であつて、常時保護を受ける者が、入所させて保護を行うものにあつては５人、その他のものにあつては20人（政令で定めるものにあつては、10人）に満たないもの

五　前項第13号に掲げる事業のうち、社会福祉事業の助成を行うものであつて、助成の金額が毎年度500万円に満たないもの又は助成を受ける社会福祉事業の数が毎年度50に満たないもの

（福祉サービスの基本的理念）

第３条　福祉サービスは、個人の尊厳の保持を旨とし、その内容は、福祉サービスの利用者が心身ともに健やかに育成され、又はその有する能力に応じ自立した日常生活を営むことができるように支援するものとして、良質かつ適切なものでなければならない。

（地域福祉の推進）

第４条　地域福祉の推進は、地域住民が相互に人格と個性を尊重し合いながら、参加し、共生する地域社会の実現を目指して行われなければならない。

2　地域住民、社会福祉を目的とする事業を経営する者及び社会福祉に関する活動を行う者（以下「地域住民等」という。）は、相互に協力し、福祉サービスを必要とする地域住民が地域社会を構成する一員として日常生活を営み、社会、経済、文化その他あらゆる分野の活動に参加する機会が確保されるように、地域福祉の推進に努めなければならない。

3　地域住民等は、地域福祉の推進に当たつては、福祉サービスを必要とする地域住民及びその世帯が抱える福祉、介護、介護予防（要介護状態若しくは要支援状態となることの予防又は要介護状態若しくは要支援状態の軽減若しくは悪化の防止をいう。）、保健医療、住まい、就労及び教育に関する課題、福祉サービスを必要とする地域住民の地域社会からの孤立その他の福祉サービスを必要とする地域住民が日常生活を営み、あらゆる分野の活動に参加する機会が確保される上での各般の課題（以下「地域生活課題」という。）を把握し、地域生活課題の解決に資する支援を行う関係機関（以下「支援関係機関」という。）との連携等によりその解決を図るよう特に留意するものとする。

（福祉サービスの提供の原則）

第５条　社会福祉を目的とする事業を経営する者は、その提供する多様な福祉サービスについて、利用者の意向を十分に尊重し、地域福祉の推進に係る取組を行う他の地域住民等との連携を図り、かつ、保健医療サービスその他の関連するサービスとの有機的な連携を図るよう創意工夫を行いつつ、これを総合

的に提供することができるようにその事業の実施に努めなければならない。

（福祉サービスの提供体制の確保等に関する国及び地方公共団体の責務）

第６条　国及び地方公共団体は、社会福祉を目的とする事業を経営する者と協力して、社会福祉を目的とする事業の広範かつ計画的な実施が図られるよう、福祉サービスを提供する体制の確保に関する施策、福祉サービスの適切な利用の推進に関する施策その他の必要な各般の措置を講じなければならない。

２　国及び地方公共団体は、地域生活課題の解決に資する支援が包括的に提供される体制の整備その他地域福祉の推進のために必要な各般の措置を講ずるよう努めるとともに、当該措置の推進に当たつては、保健医療、労働、教育、住まい及び地域再生に関する施策その他の関連施策との連携に配慮するよう努めなければならない。

３　国及び都道府県は、市町村（特別区を含む。以下同じ。）において第106条の４第２項に規定する重層的支援体制整備事業その他地域生活課題の解決に資する支援が包括的に提供される体制の整備が適正かつ円滑に行われるよう、必要な助言、情報の提供その他の援助を行わなければならない。

第６章　社会福祉法人

第１節　通則

（定義）

第22条　この法律において「社会福祉法人」とは、社会福祉事業を行うことを目的として、この法律の定めるところにより設立された法人をいう。

（名称）

第23条　社会福祉法人以外の者は、その名称中に、「社会福祉法人」又はこれに紛らわしい文字を用いてはならない。

（経営の原則等）

第24条　社会福祉法人は、社会福祉事業の主たる担い手としてふさわしい事業を確実、効果的かつ適正に行うため、自主的にその経営基盤の強化を図るとともに、その提供する福祉サービスの質の向上及び事業経営の透明性の確保を図らなければならない。

２　社会福祉法人は、社会福祉事業及び第26条第１項に規定する公益事業を行うに当たつては、日常生活又は社会生活上の支援を必要とする者に対して、無料又は低額な料金で、福祉サービスを積極的に提供するよう努めなければならない。

（要件）

第25条　社会福祉法人は、社会福祉事業を行うに必要な資産を備えなければならない。

（公益事業及び収益事業）

第26条　社会福祉法人は、その経営する社会福祉事業に支障がない限り、公益を目的とする事業（以下「公益事業」という。）又はその収益を社会福祉事業若しくは公益事業（第２条第４項第４号に掲げる事業その他の政令で定めるものに限る。第57条第２号において同じ。）の経営に充てることを目的とする事業（以下「収益事業」という。）を行うことができる。

２　公益事業又は収益事業に関する会計は、それぞれ当該社会福祉法人の行う社会福祉事業に関する会計から区分し、特別の会計として経理しなければならない。

（特別の利益供与の禁止）

第27条　社会福祉法人は、その事業を行うに当たり、その評議員、理事、監事、職員その他の政令で定める社会福祉法人の関係者に対し特別の利益を与えてはならない。

（住所）

第28条　社会福祉法人の住所は、その主たる事務所の所在地にあるものとする。

（登記）

第29条　社会福祉法人は、政令の定めるところにより、その設立、従たる事務所の新設、事務所の移転その他登記事項の変更、解散、合併、清算人の就任又はその変更及び清算の結了の各場合に、登記をしなければならない。

２　前項の規定により登記をしなければならない事項は、登記の後でなければ、これをもつて第三者に対抗することができない。

（所轄庁）

第30条　社会福祉法人の所轄庁は、その主たる事務所の所在地の都道府県知事とする。ただし、次の各号に掲げる社会福祉法人の所轄庁は、当該各号に定める者とする。

一　主たる事務所が市の区域内にある社会福祉法人（次号に掲げる社会福祉法人を除く。）であつてその行う事業が当該市の区域を越えないもの　市長（特別区の区長を含む。以下同じ。）

二　主たる事務所が指定都市の区域内にある社会福祉法人であつてその行う事業が一の都道府県の区域内において２以上の市町村の区域にわたるもの及び第109条第２項に規定する地区社会福祉協議会である社会福祉法人　指定都市の長

２　社会福祉法人でその行う事業が２以上の地方厚生局の管轄区域にわたるものであつて、厚生労働省令で定めるものにあつては、その所轄庁は、前項本文の規定にかかわらず、厚生労働大臣とする。

第２節　設立

（申請）

第31条　社会福祉法人を設立しようとする者は、定款をもつて少なくとも次に掲げる事項を定め、厚生労働省令で定める手続に従い、当該定款について所轄庁の認可を受けなければならない。

一　目的

二　名称

三　社会福祉事業の種類

四　事務所の所在地

五　評議員及び評議員会に関する事項

六　役員（理事及び監事をいう。以下この条、次節第２款、第６章第８節、第９章及び第10章において同じ。）の定数その他役員に関する事項

七　理事会に関する事項

八　会計監査人を置く場合には、これに関する事項

九　資産に関する事項

十　会計に関する事項

十一　公益事業を行う場合には、その種類

十二　収益事業を行う場合には、その種類

十三　解散に関する事項

十四　定款の変更に関する事項

十五　公告の方法

2　前項の定款は、電磁的記録（電子的方式、磁気的方式その他人の知覚によつては認識することができない方式で作られる記録であつて、電子計算機による情報処理の用に供されるものとして厚生労働省令で定めるものをいう。以下同じ。）をもつて作成することができる。

3　設立当初の役員及び評議員は、定款で定めなければならない。

4　設立しようとする社会福祉法人が会計監査人設置社会福祉法人（会計監査人を置く社会福祉法人又はこの法律の規定により会計監査人を置かなければならない社会福祉法人をいう。以下同じ。）であるときは、設立当初の会計監査人は、定款で定めなければならない。

5　第１項第５号の評議員に関する事項として、理事又は理事会が評議員を選任し、又は解任する旨の定款の定めは、その効力を有しない。

6　第１項第13号に掲げる事項中に、残余財産の帰属すべき者に関する規定を設ける場合には、その者は、社会福祉法人その他社会福祉事業を行う者のうちから選定されるようにしなければならない。

（認可）

第32条　所轄庁は、前条第１項の規定による認可の申請があつたときは、当該申請に係る社会福祉法人の資産が第25条の要件に該当しているかどうか、その定款の内容及び設立の手続が、法令の規定に違反していないかどうか等を審査した上で、当該定款の認可を決定しなければならない。

（定款の補充）

第33条　社会福祉法人を設立しようとする者が、第31条第１項第２号から第15号までの各号に掲げる事項を定めないで死亡した場合には、厚生労働大臣は、利害関係人の請求により又は職権で、これらの事項を定めなければならない。

（成立の時期）

第34条　社会福祉法人は、その主たる事務所の所在地において設立の登記をすることによつて成立する。

（定款の備置き及び閲覧等）

第34条の２　社会福祉法人は、第31条第１項の認可を受けたときは、その定款をその主たる事務所及び従たる事務所に備え置かなければならない。

2　評議員及び債権者は、社会福祉法人の業務時間内は、いつでも、次に掲げる請求をすることができる。ただし、債権者が第２号又は第４号に掲げる請求をするには、当該社会福祉法人の定めた費用を支払わなければならない。

一　定款が書面をもつて作成されているときは、当該書面の閲覧の請求

二　前号の書面の謄本又は抄本の交付の請求

三　定款が電磁的記録をもつて作成されているときは、当該電磁的記録に記録された事項を厚生労働省令で定める方法により表示したものの閲覧の請求

四　前号の電磁的記録に記録された事項を電磁的方法（電子情報処理組織を使用する方法その他の情報通信の技術を利用する方法であつて厚生労働省令で定めるものをいう。以下同じ。）であつて当該社会福祉法人の定めたものにより提供することの請求又はその事項を記載した書面の交付の請求

3　何人（評議員及び債権者を除く。）も、社会福祉法人の業務時間内は、いつでも、次に掲げる請求をすることができる。この場合においては、当該社会福祉法人は、正当な理由がないのにこれを拒んではならない。

一　定款が書面をもつて作成されているときは、当該書面の閲覧の請求

二　定款が電磁的記録をもつて作成されているときは、当該電磁的記録に記録された事項を厚生労働省令で定める方法により表示したものの閲覧の請求

4　定款が電磁的記録をもつて作成されている場合で

あつて、従たる事務所における第２項第３号及び第４号並びに前項第２号に掲げる請求に応じることを可能とするための措置として厚生労働省令で定めるものをとつている社会福祉法人についての第１項の規定の適用については、同項中「主たる事務所及び従たる事務所」とあるのは、「主たる事務所」とする。

（準用規定）

第35条　一般社団法人及び一般財団法人に関する法律（平成18年法律第48号）第158条及び第164条の規定は、社会福祉法人の設立について準用する。

２　一般社団法人及び一般財団法人に関する法律第264条第１項（第１号に係る部分に限る。）及び第２項（第１号に係る部分に限る。）、第269条（第１号に係る部分に限る。）、第270条、第272条から第274条まで並びに第277条の規定は、社会福祉法人の設立の無効の訴えについて準用する。この場合において、同法第264条第２項第１号中「社員等（社員、評議員、理事、監事又は清算人をいう。以下この款において同じ。）」とあるのは、「評議員、理事、監事又は清算人」と読み替えるものとする。

第３節　機関

第１款　機関の設置

（機関の設置）

第36条　社会福祉法人は、評議員、評議員会、理事、理事会及び監事を置かなければならない。

２　社会福祉法人は、定款の定めによつて、会計監査人を置くことができる。

（会計監査人の設置義務）

第37条　特定社会福祉法人（その事業の規模が政令で定める基準を超える社会福祉法人をいう。第46条の５第３項において同じ。）は、会計監査人を置かなければならない。

第２款　評議員等の選任及び解任

（社会福祉法人と評議員等との関係）

第38条　社会福祉法人と評議員、役員及び会計監査人との関係は、委任に関する規定に従う。

（評議員の選任）

第39条　評議員は、社会福祉法人の適正な運営に必要な識見を有する者のうちから、定款の定めるところにより、選任する。

（評議員の資格等）

第40条　次に掲げる者は、評議員となることができない。

一　法人

二　心身の故障のため職務を適正に執行することができない者として厚生労働省令で定めるもの

三　生活保護法、児童福祉法、老人福祉法、身体障害者福祉法又はこの法律の規定に違反して刑に処せられ、その執行を終わり、又は執行を受けることがなくなるまでの者

四　前号に該当する者を除くほか、禁錮以上の刑に処せられ、その執行を終わり、又は執行を受けることがなくなるまでの者

五　第56条第８項の規定による所轄庁の解散命令により解散を命ぜられた社会福祉法人の解散当時の役員

六　暴力団員による不当な行為の防止等に関する法律（平成３年法律第77号）第２条第６号に規定する暴力団員（以下この号において「暴力団員」という。）又は暴力団員でなくなつた日から５年を経過しない者（第128条第１号ニ及び第３号において「暴力団員等」という。）

２　評議員は、役員又は当該社会福祉法人の職員を兼ねることができない。

３　評議員の数は、定款で定めた理事の員数を超える数でなければならない。

４　評議員のうちには、各評議員について、その配偶者又は３親等以内の親族その他各評議員と厚生労働省令で定める特殊の関係がある者が含まれることになつてはならない。

５　評議員のうちには、各役員について、その配偶者又は三親等以内の親族その他各役員と厚生労働省令で定める特殊の関係がある者が含まれることになつてはならない。

（評議員の任期）

第41条　評議員の任期は、選任後４年以内に終了する会計年度のうち最終のものに関する定時評議員会の終結の時までとする。ただし、定款によつて、その任期を選任後６年以内に終了する会計年度のうち最終のものに関する定時評議員会の終結の時まで伸長することを妨げない。

２　前項の規定は、定款によつて、任期の満了前に退任した評議員の補欠として選任された評議員の任期を退任した評議員の任期の満了する時までとすることを妨げない。

（評議員に欠員を生じた場合の措置）

第42条　この法律又は定款で定めた評議員の員数が欠けた場合には、任期の満了又は辞任により退任した評議員は、新たに選任された評議員（次項の一時評議員の職務を行うべき者を含む。）が就任するまで、なお評議員としての権利義務を有する。

２　前項に規定する場合において、事務が遅滞することにより損害を生ずるおそれがあるときは、所轄庁

は、利害関係人の請求により又は職権で、一時評議員の職務を行うべき者を選任することができる。

（役員等の選任）

第43条　役員及び会計監査人は、評議員会の決議によつて選任する。

2　前項の決議をする場合には、厚生労働省令で定めるところにより、この法律又は定款で定めた役員の員数を欠くこととなるときに備えて補欠の役員を選任することができる。

3　一般社団法人及び一般財団法人に関する法律第72条、第73条第1項及び第74条の規定は、社会福祉法人について準用する。この場合において、同法第72条及び第73条第1項中「社員総会」とあるのは「評議員会」と、同項中「監事が」とあるのは「監事の過半数をもつて」と、同法第74条中「社員総会」とあるのは「評議員会」と読み替えるものとするほか、必要な技術的読替えは、政令で定める。

（役員の資格等）

第44条　第40条第1項の規定は、役員について準用する。

2　監事は、理事又は当該社会福祉法人の職員を兼ねることができない。

3　理事は6人以上、監事は2人以上でなければならない。

4　理事のうちには、次に掲げる者が含まれなければならない。

一　社会福祉事業の経営に関する識見を有する者

二　当該社会福祉法人が行う事業の区域における福祉に関する実情に通じている者

三　当該社会福祉法人が施設を設置している場合にあつては、当該施設の管理者

5　監事のうちには、次に掲げる者が含まれなければならない。

一　社会福祉事業について識見を有する者

二　財務管理について識見を有する者

6　理事のうちには、各理事について、その配偶者若しくは3親等以内の親族その他各理事と厚生労働省令で定める特殊の関係がある者が3人を超えて含まれ、又は当該理事並びにその配偶者及び3親等以内の親族その他各理事と厚生労働省令で定める特殊の関係がある者が理事の総数の3分の1を超えて含まれることになつてはならない。

7　監事のうちには、各役員について、その配偶者又は3親等以内の親族その他各役員と厚生労働省令で定める特殊の関係がある者が含まれることになつてはならない。

（役員の任期）

第45条　役員の任期は、選任後2年以内に終了する会計年度のうち最終のものに関する定時評議員会の終結の時までとする。ただし、定款によつて、その任期を短縮することを妨げない。

（会計監査人の資格等）

第45条の2　会計監査人は、公認会計士（外国公認会計士（公認会計士法（昭和23年法律第103号）第16条の2第5項に規定する外国公認会計士をいう。）を含む。以下同じ。）又は監査法人でなければならない。

2　会計監査人に選任された監査法人は、その社員の中から会計監査人の職務を行うべき者を選定し、これを社会福祉法人に通知しなければならない。

3　公認会計士法の規定により、計算書類（第45条の27第2項に規定する計算書類をいう。第45条の19第1項及び第45条の21第2項第1号イにおいて同じ。）について監査をすることができない者は、会計監査人となることができない。

（会計監査人の任期）

第45条の3　会計監査人の任期は、選任後1年以内に終了する会計年度のうち最終のものに関する定時評議員会の終結の時までとする。

2　会計監査人は、前項の定時評議員会において別段の決議がされなかつたときは、当該定時評議員会において再任されたものとみなす。

3　前2項の規定にかかわらず、会計監査人設置社会福祉法人が会計監査人を置く旨の定款の定めを廃止する定款の変更をした場合には、会計監査人の任期は、当該定款の変更の効力が生じた時に満了する。

（役員又は会計監査人の解任等）

第45条の4　役員が次のいずれかに該当するときは、評議員会の決議によつて、当該役員を解任することができる。

一　職務上の義務に違反し、又は職務を怠つたとき。

二　心身の故障のため、職務の執行に支障があり、又はこれに堪えないとき。

2　会計監査人が次条第1項各号のいずれかに該当するときは、評議員会の決議によつて、当該会計監査人を解任することができる。

3　一般社団法人及び一般財団法人に関する法律第284条（第2号に係る部分に限る。）、第285条及び第286条の規定は、役員又は評議員の解任の訴えについて準用する。

（監事による会計監査人の解任）

第45条の5　監事は、会計監査人が次のいずれかに該当するときは、当該会計監査人を解任することがで

きる。

一　職務上の義務に違反し、又は職務を怠つたとき。

二　会計監査人としてふさわしくない非行があつたとき。

三　心身の故障のため、職務の執行に支障があり、又はこれに堪えないとき。

2　前項の規定による解任は、監事の全員の同意によつて行わなければならない。

3　第1項の規定により会計監査人を解任したときは、監事の互選によつて定めた監事は、その旨及び解任の理由を解任後最初に招集される評議員会に報告しなければならない。

（役員等に欠員を生じた場合の措置）

第45条の6　この法律又は定款で定めた役員の員数が欠けた場合には、任期の満了又は辞任により退任した役員は、新たに選任された役員（次項の一時役員の職務を行うべき者を含む。）が就任するまで、なお役員としての権利義務を有する。

2　前項に規定する場合において、事務が遅滞することにより損害を生ずるおそれがあるときは、所轄庁は、利害関係人の請求により又は職権で、一時役員の職務を行うべき者を選任することができる。

3　会計監査人が欠けた場合又は定款で定めた会計監査人の員数が欠けた場合において、遅滞なく会計監査人が選任されないときは、監事は、一時会計監査人の職務を行うべき者を選任しなければならない。

4　第45条の2及び前条の規定は、前項の一時会計監査人の職務を行うべき者について準用する。

（役員の欠員補充）

第45条の7　理事のうち、定款で定めた理事の員数の3分の1を超える者が欠けたときは、遅滞なくこれを補充しなければならない。

2　前項の規定は、監事について準用する。

第3款　評議員及び評議員会

（評議員会の権限等）

第45条の8　評議員会は、全ての評議員で組織する。

2　評議員会は、この法律に規定する事項及び定款で定めた事項に限り、決議をすることができる。

3　この法律の規定により評議員会の決議を必要とする事項について、理事、理事会その他の評議員会以外の機関が決定することができることを内容とする定款の定めは、その効力を有しない。

4　一般社団法人及び一般財団法人に関する法律第184条から第186条まで及び第196条の規定は、評議員について準用する。この場合において、必要な技術的読替えは、政令で定める。

（評議員会の運営）

第45条の9　定時評議員会は、毎会計年度の終了後一定の時期に招集しなければならない。

2　評議員会は、必要がある場合には、いつでも、招集することができる。

3　評議員会は、第5項の規定により招集する場合を除き、理事が招集する。

4　評議員は、理事に対し、評議員会の目的である事項及び招集の理由を示して、評議員会の招集を請求することができる。

5　次に掲げる場合には、前項の規定による請求をした評議員は、所轄庁の許可を得て、評議員会を招集することができる。

一　前項の規定による請求の後遅滞なく招集の手続が行われない場合

二　前項の規定による請求があつた日から6週間（これを下回る期間を定款で定めた場合にあつては、その期間）以内の日を評議員会の日とする評議員会の招集の通知が発せられない場合

6　評議員会の決議は、議決に加わることができる評議員の過半数（これを上回る割合を定款で定めた場合にあつては、その割合以上）が出席し、その過半数（これを上回る割合を定款で定めた場合にあつては、その割合以上）をもつて行う。

7　前項の規定にかかわらず、次に掲げる評議員会の決議は、議決に加わることができる評議員の3分の2（これを上回る割合を定款で定めた場合にあつては、その割合）以上に当たる多数をもつて行わなければならない。

一　第45条の4第1項の評議員会（監事を解任する場合に限る。）

二　第45条の22第4項において準用する一般社団法人及び一般財団法人に関する法律第113条第1項の評議員会

三　第45条の36第1項の評議員会

四　第46条第1項第1号の評議員会

五　第52条、第54条の2第1項及び第54条の8の評議員会

8　前2項の決議について特別の利害関係を有する評議員は、議決に加わることができない。

9　評議員会は、次項において準用する一般社団法人及び一般財団法人に関する法律第181条第1項第2号に掲げる事項以外の事項については、決議をすることができない。ただし、第45条の19第6項において準用する同法第109条第2項の会計監査人の出席を求めることについては、この限りでない。

10　一般社団法人及び一般財団法人に関する法律第

181条から第183条まで及び第192条の規定は評議員会の招集について、同法第194条の規定は評議員会の決議について、同法第195条の規定は評議員会への報告について、それぞれ準用する。この場合において、同法第181条第１項第３号及び第194条第３項第２号中「法務省令」とあるのは、「厚生労働省令」と読み替えるものとするほか、必要な技術的読替えは、政令で定める。

（理事等の説明義務）

第45条の10　理事及び監事は、評議員会において、評議員から特定の事項について説明を求められた場合には、当該事項について必要な説明をしなければならない。ただし、当該事項が評議員会の目的である事項に関しないものである場合その他正当な理由がある場合として厚生労働省令で定める場合は、この限りでない。

（議事録）

第45条の11　評議員会の議事については、厚生労働省令で定めるところにより、議事録を作成しなければならない。

2　社会福祉法人は、評議員会の日から10年間、前項の議事録をその主たる事務所に備え置かなければならない。

3　社会福祉法人は、評議員会の日から５年間、第１項の議事録の写しをその従たる事務所に備え置かなければならない。ただし、当該議事録が電磁的記録をもつて作成されている場合であつて、従たる事務所における次項第２号に掲げる請求に応じることを可能とするための措置として厚生労働省令で定めるものをとつているときは、この限りでない。

4　評議員及び債権者は、社会福祉法人の業務時間内は、いつでも、次に掲げる請求をすることができる。

一　第１項の議事録が書面をもつて作成されているときは、当該書面又は当該書面の写しの閲覧又は謄写の請求

二　第１項の議事録が電磁的記録をもつて作成されているときは、当該電磁的記録に記録された事項を厚生労働省令で定める方法により表示したものの閲覧又は謄写の請求

（評議員会の決議の不存在若しくは無効の確認又は取消しの訴え）

第45条の12　一般社団法人及び一般財団法人に関する法律第265条、第266条第１項（第３号に係る部分を除く。）及び第２項、第269条（第４号及び第５号に係る部分に限る。）、第270条、第271条第１項及び第３項、第272条、第273条並びに第277条の規定は、評議員会の決議の不存在若しくは無効の確認又は取消しの訴えについて準用する。この場合において、同法第265条第１項中「社員総会又は評議員会（以下この款及び第315条第１項第１号ロにおいて「社員総会等」という。）」とあり、及び同条第２項中「社員総会等」とあるのは「評議員会」と、同法第266条第１項中「社員等」とあるのは「評議員、理事、監事又は清算人」と、「、社員総会等」とあるのは「、評議員会」と、同項第１号及び第２号並びに同条第２項中「社員総会等」とあるのは「評議員会」と、同法第271条第１項中「社員」とあるのは「債権者」と読み替えるものとするほか、必要な技術的読替えは、政令で定める。

第４款　理事及び理事会

（理事会の権限等）

第45条の13　理事会は、全ての理事で組織する。

2　理事会は、次に掲げる職務を行う。

一　社会福祉法人の業務執行の決定

二　理事の職務の執行の監督

三　理事長の選定及び解職

3　理事会は、理事の中から理事長１人を選定しなければならない。

4　理事会は、次に掲げる事項その他の重要な業務執行の決定を理事に委任することができない。

一　重要な財産の処分及び譲受け

二　多額の借財

三　重要な役割を担う職員の選任及び解任

四　従たる事務所その他の重要な組織の設置、変更及び廃止

五　理事の職務の執行が法令及び定款に適合することを確保するための体制その他社会福祉法人の業務の適正を確保するために必要なものとして厚生労働省令で定める体制の整備

六　第45条の22第４項において準用する一般社団法人及び一般財団法人に関する法律第114条第１項の規定による定款の定めに基づく第45条の20第１項の責任の免除

5　その事業の規模が政令で定める基準を超える社会福祉法人においては、理事会は、前項第５号に掲げる事項を決定しなければならない。

（理事会の運営）

第45条の14　理事会は、各理事が招集する。ただし、理事会を招集する理事を定款又は理事会で定めたときは、その理事が招集する。

2　前項ただし書に規定する場合には、同項ただし書の規定により定められた理事（以下この項において「招集権者」という。）以外の理事は、招集権者に

対し、理事会の目的である事項を示して、理事会の招集を請求することができる。
3　前項の規定による請求があつた日から５日以内に、その請求があつた日から２週間以内の日を理事会の日とする理事会の招集の通知が発せられない場合には、その請求をした理事は、理事会を招集することができる。
4　理事会の決議は、議決に加わることができる理事の過半数（これを上回る割合を定款で定めた場合にあつては、その割合以上）が出席し、その過半数（これを上回る割合を定款で定めた場合にあつては、その割合以上）をもつて行う。
5　前項の決議について特別の利害関係を有する理事は、議決に加わることができない。
6　理事会の議事については、厚生労働省令で定めるところにより、議事録を作成し、議事録が書面をもつて作成されているときは、出席した理事（定款で議事録に署名し、又は記名押印しなければならない者を当該理事会に出席した理事長とする旨の定めがある場合にあつては、当該理事長）及び監事は、これに署名し、又は記名押印しなければならない。
7　前項の議事録が電磁的記録をもつて作成されている場合における当該電磁的記録に記録された事項については、厚生労働省令で定める署名又は記名押印に代わる措置をとらなければならない。
8　理事会の決議に参加した理事であつて第６項の議事録に異議をとどめないものは、その決議に賛成したものと推定する。
9　一般社団法人及び一般財団法人に関する法律第94条の規定は理事会の招集について、同法第96条の規定は理事会の決議について、同法第98条の規定は理事会への報告について、それぞれ準用する。この場合において、必要な技術的読替えは、政令で定める。

（議事録等）

第45条の15　社会福祉法人は、理事会の日（前条第９項において準用する一般社団法人及び一般財団法人に関する法律第96条の規定により理事会の決議があつたものとみなされた日を含む。）から10年間、前条第６項の議事録又は同条第９項において準用する同法第96条の意思表示を記載し、若しくは記録した書面若しくは電磁的記録（以下この条において「議事録等」という。）をその主たる事務所に備え置かなければならない。
2　評議員は、社会福祉法人の業務時間内は、いつでも、次に掲げる請求をすることができる。
一　議事録等が書面をもつて作成されているときは、当該書面の閲覧又は謄写の請求
二　議事録等が電磁的記録をもつて作成されているときは、当該電磁的記録に記録された事項を厚生労働省令で定める方法により表示したものの閲覧又は謄写の請求
3　債権者は、理事又は監事の責任を追及するため必要があるときは、裁判所の許可を得て、議事録等について前項各号に掲げる請求をすることができる。
4　裁判所は、前項の請求に係る閲覧又は謄写をすることにより、当該社会福祉法人に著しい損害を及ぼすおそれがあると認めるときは、同項の許可をすることができない。
5　一般社団法人及び一般財団法人に関する法律第287条第１項、第288条、第289条（第１号に係る部分に限る。）、第290条本文、第291条（第２号に係る部分に限る。）、第292条本文、第294条及び第295条の規定は、第３項の許可について準用する。

（理事の職務及び権限等）

第45条の16　理事は、法令及び定款を遵守し、社会福祉法人のため忠実にその職務を行わなければならない。
2　次に掲げる理事は、社会福祉法人の業務を執行する。
一　理事長
二　理事長以外の理事であつて、理事会の決議によつて社会福祉法人の業務を執行する理事として選定されたもの
3　前項各号に掲げる理事は、３月に１回以上、自己の職務の執行の状況を理事会に報告しなければならない。ただし、定款で毎会計年度に４月を超える間隔で２回以上その報告をしなければならない旨を定めた場合は、この限りでない。
4　一般社団法人及び一般財団法人に関する法律第84条、第85条、第88条（第２項を除く。）、第89条及び第92条第２項の規定は、理事について準用する。この場合において、同法第84条第１項中「社員総会」とあるのは「理事会」と、同法第88条の見出し及び同条第１項中「社員」とあるのは「評議員」と、「著しい」とあるのは「回復することができない」と、同法第89条中「社員総会」とあるのは「評議員会」と読み替えるものとするほか、必要な技術的読替えは、政令で定める。

（理事長の職務及び権限等）

第45条の17　理事長は、社会福祉法人の業務に関する一切の裁判上又は裁判外の行為をする権限を有する。
2　前項の権限に加えた制限は、善意の第三者に対抗

することができない。

3　第45条の6第1項及び第2項並びに一般社団法人及び一般財団法人に関する法律第78条及び第82条の規定は理事長について、同法第80条の規定は民事保全法（平成元年法律第91号）第56条に規定する仮処分命令により選任された理事又は理事長の職務を代行する者について、それぞれ準用する。この場合において、第45条の6第1項中「この法律又は定款で定めた役員の員数が欠けた場合」とあるのは、「理事長が欠けた場合」と読み替えるものとする。

第5款　監事

第45条の18　監事は、理事の職務の執行を監査する。この場合において、監事は、厚生労働省令で定めるところにより、監査報告を作成しなければならない。

2　監事は、いつでも、理事及び当該社会福祉法人の職員に対して事業の報告を求め、又は当該社会福祉法人の業務及び財産の状況の調査をすることができる。

3　一般社団法人及び一般財団法人に関する法律第100条から第103条まで、第104条第1項、第105条及び第106条の規定は、監事について準用する。この場合において、同法第102条（見出しを含む。）中「社員総会」とあるのは「評議員会」と、同条中「法務省令」とあるのは「厚生労働省令」と、同法第105条中「社員総会」とあるのは「評議員会」と読み替えるものとするほか、必要な技術的読替えは、政令で定める。

第6款　会計監査人

第45条の19　会計監査人は、次節の定めるところにより、社会福祉法人の計算書類及びその附属明細書を監査する。この場合において、会計監査人は、厚生労働省令で定めるところにより、会計監査報告を作成しなければならない。

2　会計監査人は、前項の規定によるもののほか、財産目録その他の厚生労働省令で定める書類を監査する。この場合において、会計監査人は、会計監査報告に当該監査の結果を併せて記載し、又は記録しなければならない。

3　会計監査人は、いつでも、次に掲げるものの閲覧及び謄写をし、又は理事及び当該会計監査人設置社会福祉法人の職員に対し、会計に関する報告を求めることができる。

一　会計帳簿又はこれに関する資料が書面をもつて作成されているときは、当該書面

二　会計帳簿又はこれに関する資料が電磁的記録をもつて作成されているときは、当該電磁的記録に記録された事項を厚生労働省令で定める方法により表示したもの

4　会計監査人は、その職務を行うため必要があるときは、会計監査人設置社会福祉法人の業務及び財産の状況の調査をすることができる。

5　会計監査人は、その職務を行うに当たつては、次のいずれかに該当する者を使用してはならない。

一　第45条の2第3項に規定する者

二　理事、監事又は当該会計監査人設置社会福祉法人の職員である者

三　会計監査人設置社会福祉法人から公認会計士又は監査法人の業務以外の業務により継続的な報酬を受けている者

6　一般社団法人及び一般財団法人に関する法律第108条から第110条までの規定は、会計監査人について準用する。この場合において、同法第109条（見出しを含む。）中「定時社員総会」とあるのは、「定時評議員会」と読み替えるものとするほか、必要な技術的読替えは、政令で定める。

第7款　役員等の損害賠償責任等

（役員等又は評議員の社会福祉法人に対する損害賠償責任）

第45条の20　理事、監事若しくは会計監査人（以下この款において「役員等」という。）又は評議員は、その任務を怠つたときは、社会福祉法人に対し、これによつて生じた損害を賠償する責任を負う。

2　理事が第45条の16第4項において準用する一般社団法人及び一般財団法人に関する法律第84条第1項の規定に違反して同項第1号の取引をしたときは、当該取引によつて理事又は第三者が得た利益の額は、前項の損害の額と推定する。

3　第45条の16第4項において準用する一般社団法人及び一般財団法人に関する法律第84条第1項第2号又は第3号の取引によつて社会福祉法人に損害が生じたときは、次に掲げる理事は、その任務を怠つたものと推定する。

一　第45条の16第4項において準用する一般社団法人及び一般財団法人に関する法律第84条第1項の理事

二　社会福祉法人が当該取引をすることを決定した理事

三　当該取引に関する理事会の承認の決議に賛成した理事

（役員等又は評議員の第三者に対する損害賠償責任）

第45条の21　役員等又は評議員がその職務を行うについて悪意又は重大な過失があつたときは、当該役員等又は評議員は、これによつて第三者に生じた損害

を賠償する責任を負う。

2　次の各号に掲げる者が、当該各号に定める行為をしたときも、前項と同様とする。ただし、その者が当該行為をすることについて注意を怠らなかつたことを証明したときは、この限りでない。

一　理事　次に掲げる行為

イ　計算書類及び事業報告並びにこれらの附属明細書に記載し、又は記録すべき重要な事項についての虚偽の記載又は記録

ロ　虚偽の登記

ハ　虚偽の公告

二　監事　監査報告に記載し、又は記録すべき重要な事項についての虚偽の記載又は記録

三　会計監査人　会計監査報告に記載し、又は記録すべき重要な事項についての虚偽の記載又は記録

（役員等又は評議員の連帯責任）

第45条の22　役員等又は評議員が社会福祉法人又は第三者に生じた損害を賠償する責任を負う場合において、他の役員等又は評議員も当該損害を賠償する責任を負うときは、これらの者は、連帯債務者とする。

（準用規定）

第45条の22の2　一般社団法人及び一般財団法人に関する法律第112条から第116条までの規定は第45条の20第1項の責任について、同法第118条の2及び第118条の3の規定は社会福祉法人について、それぞれ準用する。この場合において、同法第112条中「総社員」とあるのは「総評議員」と、同法第113条第1項中「社員総会」とあるのは「評議員会」と、同項第2号中「法務省令」とあるのは「厚生労働省令」と、同号イ及びロ中「代表理事」とあるのは「理事長」と、同条第2項及び第3項中「社員総会」とあるのは「評議員会」と、同条第4項中「法務省令」とあるのは「厚生労働省令」と、「社員総会」とあるのは「評議員会」と、同法第114条第2項中「社員総会」とあるのは「評議員会」と、「限る。）についての理事の同意を得る場合及び当該責任の免除」とあるのは「限る。）」と、同条第3項中「社員」とあるのは「評議員」と、同条第4項中「総社員（前項の責任を負う役員等であるものを除く。）の議決権」とあるのは「総評議員」と、「議決権を有する社員が同項」とあるのは「評議員が前項」と、同法第115条第1項中「代表理事」とあるのは「理事長」と、同条第3項及び第4項中「社員総会」とあるのは「評議員会」と、同法第118条の2第1項中「社員総会（理事会設置一般社団法人にあっては、理事会）」とあるのは「理事会」と、同法第118条の3第1項中「法務省令」とあるのは「厚生労働省令」と、「社員総会（理事会設置一般社団法人にあっては、理事会）」とあるのは「理事会」と読み替えるものとするほか、必要な技術的読替えは、政令で定める。

第4節　計算

第1款　会計の原則等

第45条の23　社会福祉法人は、厚生労働省令で定める基準に従い、会計処理を行わなければならない。

2　社会福祉法人の会計年度は、4月1日に始まり、翌年3月31日に終わるものとする。

第2款　会計帳簿

（会計帳簿の作成及び保存）

第45条の24　社会福祉法人は、厚生労働省令で定めるところにより、適時に、正確な会計帳簿を作成しなければならない。

2　社会福祉法人は、会計帳簿の閉鎖の時から10年間、その会計帳簿及びその事業に関する重要な資料を保存しなければならない。

（会計帳簿の閲覧等の請求）

第45条の25　評議員は、社会福祉法人の業務時間内は、いつでも、次に掲げる請求をすることができる。

一　会計帳簿又はこれに関する資料が書面をもつて作成されているときは、当該書面の閲覧又は謄写の請求

二　会計帳簿又はこれに関する資料が電磁的記録をもつて作成されているときは、当該電磁的記録に記録された事項を厚生労働省令で定める方法により表示したものの閲覧又は謄写の請求

（会計帳簿の提出命令）

第45条の26　裁判所は、申立てにより又は職権で、訴訟の当事者に対し、会計帳簿の全部又は一部の提出を命ずることができる。

第3款　計算書類等

（計算書類等の作成及び保存）

第45条の27　社会福祉法人は、厚生労働省令で定めるところにより、その成立の日における貸借対照表を作成しなければならない。

2　社会福祉法人は、毎会計年度終了後3月以内に、厚生労働省令で定めるところにより、各会計年度に係る計算書類（貸借対照表及び収支計算書をいう。以下この款において同じ。）及び事業報告並びにこれらの附属明細書を作成しなければならない。

3　計算書類及び事業報告並びにこれらの附属明細書は、電磁的記録をもつて作成することができる。

4　社会福祉法人は、計算書類を作成した時から10年

間、当該計算書類及びその附属明細書を保存しなければならない。

（計算書類等の監査等）

第45条の28　前条第２項の計算書類及び事業報告並びにこれらの附属明細書は、厚生労働省令で定めるところにより、監事の監査を受けなければならない。

２　前項の規定にかかわらず、会計監査人設置社会福祉法人においては、次の各号に掲げるものは、厚生労働省令で定めるところにより、当該各号に定める者の監査を受けなければならない。

一　前条第２項の計算書類及びその附属明細書　監事及び会計監査人

二　前条第２項の事業報告及びその附属明細書　監事

３　第１項又は前項の監査を受けた計算書類及び事業報告並びにこれらの附属明細書は、理事会の承認を受けなければならない。

（計算書類等の評議員への提供）

第45条の29　理事は、定時評議員会の招集の通知に際して、厚生労働省令で定めるところにより、評議員に対し、前条第３項の承認を受けた計算書類及び事業報告並びに監査報告（同条第２項の規定の適用がある場合にあつては、会計監査報告を含む。）を提供しなければならない。

（計算書類等の定時評議員会への提出等）

第45条の30　理事は、第45条の28第３項の承認を受けた計算書類及び事業報告を定時評議員会に提出し、又は提供しなければならない。

２　前項の規定により提出され、又は提供された計算書類は、定時評議員会の承認を受けなければならない。

３　理事は、第１項の規定により提出され、又は提供された事業報告の内容を定時評議員会に報告しなければならない。

（会計監査人設置社会福祉法人の特則）

第45条の31　会計監査人設置社会福祉法人については、第45条の28第３項の承認を受けた計算書類が法令及び定款に従い社会福祉法人の財産及び収支の状況を正しく表示しているものとして厚生労働省令で定める要件に該当する場合には、前条第２項の規定は、適用しない。この場合においては、理事は、当該計算書類の内容を定時評議員会に報告しなければならない。

（計算書類等の備置き及び閲覧等）

第45条の32　社会福祉法人は、計算書類等（各会計年度に係る計算書類及び事業報告並びにこれらの附属明細書並びに監査報告（第45条の28第２項の規定の適用がある場合にあつては、会計監査報告を含む。）をいう。以下この条において同じ。）を、定時評議員会の日の２週間前の日（第45条の９第10項において準用する一般社団法人及び一般財団法人に関する法律第194条第１項の場合にあつては、同項の提案があつた日）から５年間、その主たる事務所に備え置かなければならない。

２　社会福祉法人は、計算書類等の写しを、定時評議員会の日の２週間前の日（第45条の９第10項において準用する一般社団法人及び一般財団法人に関する法律第194条第１項の場合にあつては、同項の提案があつた日）から３年間、その従たる事務所に備え置かなければならない。ただし、計算書類等が電磁的記録で作成されている場合であつて、従たる事務所における次項第３号及び第４号並びに第４項第２号に掲げる請求に応じることを可能とするための措置として厚生労働省令で定めるものをとつているときは、この限りでない。

３　評議員及び債権者は、社会福祉法人の業務時間内は、いつでも、次に掲げる請求をすることができる。ただし、債権者が第２号又は第４号に掲げる請求をするには、当該社会福祉法人の定めた費用を支払わなければならない。

一　計算書類等が書面をもつて作成されているときは、当該書面又は当該書面の写しの閲覧の請求

二　前号の書面の謄本又は抄本の交付の請求

三　計算書類等が電磁的記録をもつて作成されているときは、当該電磁的記録に記録された事項を厚生労働省令で定める方法により表示したものの閲覧の請求

四　前号の電磁的記録に記録された事項を電磁的方法であつて社会福祉法人の定めたものにより提供することの請求又はその事項を記載した書面の交付の請求

４　何人（評議員及び債権者を除く。）も、社会福祉法人の業務時間内は、いつでも、次に掲げる請求をすることができる。この場合においては、当該社会福祉法人は、正当な理由がないのにこれを拒んではならない。

一　計算書類等が書面をもつて作成されているときは、当該書面又は当該書面の写しの閲覧の請求

二　計算書類等が電磁的記録をもつて作成されているときは、当該電磁的記録に記録された事項を厚生労働省令で定める方法により表示したものの閲覧の請求

（計算書類等の提出命令）

第45条の33　裁判所は、申立てにより又は職権で、訴

訟の当事者に対し、計算書類及びその附属明細書の全部又は一部の提出を命ずることができる。

（財産目録の備置き及び閲覧等）

第45条の34　社会福祉法人は、毎会計年度終了後３月以内に（社会福祉法人が成立した日の属する会計年度にあつては、当該成立した日以後遅滞なく）、厚生労働省令で定めるところにより、次に掲げる書類を作成し、当該書類を５年間その主たる事務所に、その写しを３年間その従たる事務所に備え置かなければならない。

一　財産目録

二　役員等名簿（理事、監事及び評議員の氏名及び住所を記載した名簿をいう。第４項において同じ。）

三　報酬等（報酬、賞与その他の職務遂行の対価として受ける財産上の利益及び退職手当をいう。次条及び第59条の２第１項第２号において同じ。）の支給の基準を記載した書類

四　事業の概要その他の厚生労働省令で定める事項を記載した書類

2　前項各号に掲げる書類（以下この条において「財産目録等」という。）は、電磁的記録をもつて作成することができる。

3　何人も、社会福祉法人の業務時間内は、いつでも、財産目録等について、次に掲げる請求をすることができる。この場合においては、当該社会福祉法人は、正当な理由がないのにこれを拒んではならない。

一　財産目録等が書面をもつて作成されているときは、当該書面又は当該書面の写しの閲覧の請求

二　財産目録等が電磁的記録をもつて作成されているときは、当該電磁的記録に記録された事項を厚生労働省令で定める方法により表示したものの閲覧の請求

4　前項の規定にかかわらず、社会福祉法人は、役員等名簿について当該社会福祉法人の評議員以外の者から同項各号に掲げる請求があつた場合には、役員等名簿に記載され、又は記録された事項中、個人の住所に係る記載又は記録の部分を除外して、同項各号の閲覧をさせることができる。

5　財産目録等が電磁的記録をもつて作成されている場合であつて、その従たる事務所における第３項第２号に掲げる請求に応じることを可能とするための措置として厚生労働省令で定めるものをとつている社会福祉法人についての第１項の規定の適用については、同項中「主たる事務所に、その写しを３年間その従たる事務所」とあるのは、「主たる事務所」とする。

（報酬等）

第45条の35　社会福祉法人は、理事、監事及び評議員に対する報酬等について、厚生労働省令で定めるところにより、民間事業者の役員の報酬等及び従業員の給与、当該社会福祉法人の経理の状況その他の事情を考慮して、不当に高額なものとならないような支給の基準を定めなければならない。

2　前項の報酬等の支給の基準は、評議員会の承認を受けなければならない。これを変更しようとするときも、同様とする。

3　社会福祉法人は、前項の承認を受けた報酬等の支給の基準に従つて、その理事、監事及び評議員に対する報酬等を支給しなければならない。

第５節　定款の変更

第45条の36　定款の変更は、評議員会の決議によらなければならない。

2　定款の変更（厚生労働省令で定める事項に係るものを除く。）は、所轄庁の認可を受けなければ、その効力を生じない。

3　第32条の規定は、前項の認可について準用する。

4　社会福祉法人は、第２項の厚生労働省令で定める事項に係る定款の変更をしたときは、遅滞なくその旨を所轄庁に届け出なければならない。

第６節　解散及び清算並びに合併

第１款　解散

（解散事由）

第46条　社会福祉法人は、次の事由によつて解散する。

一　評議員会の決議

二　定款に定めた解散事由の発生

三　目的たる事業の成功の不能

四　合併（合併により当該社会福祉法人が消滅する場合に限る。）

五　破産手続開始の決定

六　所轄庁の解散命令

2　前項第１号又は第３号に掲げる事由による解散は、所轄庁の認可又は認定がなければ、その効力を生じない。

3　清算人は、第１項第２号又は第５号に掲げる事由によつて解散した場合には、遅滞なくその旨を所轄庁に届け出なければならない。

（社会福祉法人についての破産手続の開始）

第46条の２　社会福祉法人がその債務につきその財産をもつて完済することができなくなつた場合には、裁判所は、理事若しくは債権者の申立てにより又は職権で、破産手続開始の決定をする。

2　前項に規定する場合には、理事は、直ちに破産手

続開始の申立てをしなければならない。

第２款　清算

第１目　清算の開始

（清算の開始原因）

第46条の３　社会福祉法人は、次に掲げる場合には、この款の定めるところにより、清算をしなければならない。

一　解散した場合（第46条第１項第４号に掲げる事由によつて解散した場合及び破産手続開始の決定により解散した場合であつて当該破産手続が終了していない場合を除く。）

二　設立の無効の訴えに係る請求を認容する判決が確定した場合

（清算法人の能力）

第46条の４　前条の規定により清算をする社会福祉法人（以下「清算法人」という。）は、清算の目的の範囲内において、清算が結了するまではなお存続するものとみなす。

第２目　清算法人の機関

（清算法人における機関の設置）

第46条の５　清算法人には、１人又は２人以上の清算人を置かなければならない。

２　清算法人は、定款の定めによつて、清算人会又は監事を置くことができる。

３　第46条の３各号に掲げる場合に該当することとなつた時において特定社会福祉法人であつた清算法人は、監事を置かなければならない。

４　第３節第１款（評議員及び評議員会に係る部分を除く。）の規定は、清算法人については、適用しない。

（清算人の就任）

第46条の６　次に掲げる者は、清算法人の清算人となる。

一　理事（次号又は第３号に掲げる者がある場合を除く。）

二　定款で定める者

三　評議員会の決議によつて選任された者

２　前項の規定により清算人となる者がないときは、裁判所は、利害関係人若しくは検察官の請求により又は職権で、清算人を選任する。

３　前２項の規定にかかわらず、第46条の３第２号に掲げる場合に該当することとなつた清算法人については、裁判所は、利害関係人若しくは検察官の請求により又は職権で、清算人を選任する。

４　清算人は、その氏名及び住所を所轄庁に届け出なければならない。

５　清算中に就職した清算人は、その氏名及び住所を所轄庁に届け出なければならない。

６　第38条及び第40条第１項の規定は、清算人について準用する。

７　清算人会設置法人（清算人会を置く清算法人をいう。以下同じ。）においては、清算人は、３人以上でなければならない。

（清算人の解任）

第46条の７　清算人（前条第２項又は第３項の規定により裁判所が選任した者を除く。）が次のいずれかに該当するときは、評議員会の決議によつて、当該清算人を解任することができる。

一　職務上の義務に違反し、又は職務を怠つたとき。

二　心身の故障のため、職務の執行に支障があり、又はこれに堪えないとき。

２　重要な事由があるときは、裁判所は、利害関係人の申立て若しくは検察官の請求により又は職権で、清算人を解任することができる。

３　一般社団法人及び一般財団法人に関する法律第75条第１項から第３項までの規定は、清算人及び清算法人の監事について、同法第175条の規定は、清算法人の評議員について、それぞれ準用する。

（監事の退任等）

第46条の８　清算法人の監事は、当該清算法人が監事を置く旨の定款の定めを廃止する定款の変更をした場合には、当該定款の変更の効力が生じた時に退任する。

２　清算法人の評議員は、３人以上でなければならない。

３　第40条第３項から第５項まで、第41条、第42条、第44条第３項、第５項及び第７項、第45条、第45条の６第１項及び第２項並びに第45条の７第２項の規定は、清算法人については、適用しない。

（清算人の職務）

第46条の９　清算人は、次に掲げる職務を行う。

一　現務の結了

二　債権の取立て及び債務の弁済

三　残余財産の引渡し

（業務の執行）

第46条の10　清算人は、清算法人（清算人会設置法人を除く。次項において同じ。）の業務を執行する。

２　清算人が２人以上ある場合には、清算法人の業務は、定款に別段の定めがある場合を除き、清算人の過半数をもつて決定する。

３　前項の場合には、清算人は、次に掲げる事項についての決定を各清算人に委任することができない。

一　従たる事務所の設置、移転及び廃止

二　第45条の９第10項において準用する一般社団法人及び一般財団法人に関する法律第181条第１項各号に掲げる事項

三　清算人の職務の執行が法令及び定款に適合することを確保するための体制その他清算法人の業務の適正を確保するために必要なものとして厚生労働省令で定める体制の整備

4　一般社団法人及び一般財団法人に関する法律第81条から第85条まで、第88条及び第89条の規定は、清算人（同条の規定については、第46条の６第２項又は第３項の規定により裁判所が選任した者を除く。）について準用する。この場合において、同法第81条中「社員総会」とあるのは「評議員会」と、同法第82条の見出し中「表見代表理事」とあるのは「表見代表清算人」と、同条中「代表理事」とあるのは「代表清算人（社会福祉法（昭和26年法律第45号）第46条の11第１項に規定する代表清算人をいう。）」と、同法第83条中「定款並びに社員総会の決議」とあるのは「定款」と、同法第84条第１項中「社員総会」とあるのは「評議員会」と、同法第85条並びに第88条の見出し及び同条第１項中「社員」とあるのは「評議員」と、同法第89条中「社員総会」とあるのは「評議員会」と読み替えるものとするほか、必要な技術的読替えは、政令で定める。

（清算法人の代表）

第46条の11　清算人は、清算法人を代表する。ただし、他に代表清算人（清算法人を代表する清算人をいう。以下同じ。）その他清算法人を代表する者を定めた場合は、この限りでない。

2　前項本文の清算人が２人以上ある場合には、清算人は、各自、清算法人を代表する。

3　清算法人（清算人会設置法人を除く。）は、定款、定款の定めに基づく清算人（第46条の６第２項又は第３項の規定により裁判所が選任した者を除く。以下この項において同じ。）の互選又は評議員会の決議によつて、清算人の中から代表清算人を定めることができる。

4　第46条の６第１項第１号の規定により理事が清算人となる場合においては、理事長が代表清算人となる。

5　裁判所は、第46条の６第２項又は第３項の規定により清算人を選任する場合には、その清算人の中から代表清算人を定めることができる。

6　第46条の17第８項の規定、前条第４項において準用する一般社団法人及び一般財団法人に関する法律第81条の規定及び次項において準用する同法第77条第４項の規定にかかわらず、監事設置清算法人（監事を置く清算法人又はこの法律の規定により監事を置かなければならない清算法人をいう。以下同じ。）が清算人（清算人であつた者を含む。以下この項において同じ。）に対し、又は清算人が監事設置清算法人に対して訴えを提起する場合には、当該訴えについては、監事が監事設置清算法人を代表する。

7　一般社団法人及び一般財団法人に関する法律第77条第４項及び第５項並びに第79条の規定は代表清算人について、同法第80条の規定は民事保全法第56条に規定する仮処分命令により選任された清算人又は代表清算人の職務を代行する者について、それぞれ準用する。

（清算法人についての破産手続の開始）

第46条の12　清算法人の財産がその債務を完済するのに足りないことが明らかになつたときは、清算人は、直ちに破産手続開始の申立てをし、その旨を公告しなければならない。

2　清算人は、清算法人が破産手続開始の決定を受けた場合において、破産管財人にその事務を引き継いだときは、その任務を終了したものとする。

3　前項に規定する場合において、清算法人が既に債権者に支払い、又は残余財産の帰属すべき者に引き渡したものがあるときは、破産管財人は、これを取り戻すことができる。

4　第１項の規定による公告は、官報に掲載してする。

（裁判所の選任する清算人の報酬）

第46条の13　裁判所は、第46条の６第２項又は第３項の規定により清算人を選任した場合には、清算法人が当該清算人に対して支払う報酬の額を定めることができる。この場合においては、裁判所は、当該清算人及び監事の陳述を聴かなければならない。

（清算人の清算法人に対する損害賠償責任）

第46条の14　清算人は、その任務を怠つたときは、清算法人に対し、これによつて生じた損害を賠償する責任を負う。

2　清算人が第46条の10第４項において準用する一般社団法人及び一般財団法人に関する法律第84条第１項の規定に違反して同項第１号の取引をしたときは、当該取引により清算人又は第三者が得た利益の額は、前項の損害の額と推定する。

3　第46条の10第４項において準用する一般社団法人及び一般財団法人に関する法律第84条第１項第２号又は第３号の取引によつて清算法人に損害が生じたときは、次に掲げる清算人は、その任務を怠つたものと推定する。

一　第46条の10第４項において準用する一般社団法

人及び一般財団法人に関する法律第84条第１項の清算人
二　清算法人が当該取引をすることを決定した清算人
三　当該取引に関する清算人会の承認の決議に賛成した清算人
４　一般社団法人及び一般財団法人に関する法律第112条及び第116条第１項の規定は、第１項の責任について準用する。この場合において、同法第112条中「総社員」とあるのは、「総評議員」と読み替えるものとするほか、必要な技術的読替えは、政令で定める。
（清算人の第三者に対する損害賠償責任）
第46条の15　清算人がその職務を行うについて悪意又は重大な過失があつたときは、当該清算人は、これによつて第三者に生じた損害を賠償する責任を負う。
２　清算人が、次に掲げる行為をしたときも、前項と同様とする。ただし、当該清算人が当該行為をすることについて注意を怠らなかつたことを証明したときは、この限りでない。
一　第46条の22第１項に規定する財産目録等並びに第46条の24第１項の貸借対照表及び事務報告並びにこれらの附属明細書に記載し、又は記録すべき重要な事項についての虚偽の記載又は記録
二　虚偽の登記
三　虚偽の公告
（清算人等の連帯責任）
第46条の16　清算人、監事又は評議員が清算法人又は第三者に生じた損害を賠償する責任を負う場合において、他の清算人、監事又は評議員も当該損害を賠償する責任を負うときは、これらの者は、連帯債務者とする。
２　前項の場合には、第45条の22の規定は、適用しない。
（清算人会の権限等）
第46条の17　清算人会は、全ての清算人で組織する。
２　清算人会は、次に掲げる職務を行う。
一　清算人会設置法人の業務執行の決定
二　清算人の職務の執行の監督
三　代表清算人の選定及び解職
３　清算人会は、清算人の中から代表清算人を選定しなければならない。ただし、他に代表清算人があるときは、この限りでない。
４　清算人会は、その選定した代表清算人及び第46条の11第４項の規定により代表清算人となつた者を解職することができる。
５　第46条の11第５項の規定により裁判所が代表清算人を定めたときは、清算人会は、代表清算人を選定し、又は解職することができない。
６　清算人会は、次に掲げる事項その他の重要な業務執行の決定を清算人に委任することができない。
一　重要な財産の処分及び譲受け
二　多額の借財
三　重要な役割を担う職員の選任及び解任
四　従たる事務所その他の重要な組織の設置、変更及び廃止
五　清算人の職務の執行が法令及び定款に適合することを確保するための体制その他清算法人の業務の適正を確保するために必要なものとして厚生労働省令で定める体制の整備
７　次に掲げる清算人は、清算人会設置法人の業務を執行する。
一　代表清算人
二　代表清算人以外の清算人であつて、清算人会の決議によつて清算人会設置法人の業務を執行する清算人として選定されたもの
８　第46条の10第４項において読み替えて準用する一般社団法人及び一般財団法人に関する法律第81条に規定する場合には、清算人会は、同条の規定による評議員会の定めがある場合を除き、同条の訴えについて清算人会設置法人を代表する者を定めることができる。
９　第７項各号に掲げる清算人は、３月に１回以上、自己の職務の執行の状況を清算人会に報告しなければならない。ただし、定款で毎会計年度に４月を超える間隔で２回以上その報告をしなければならない旨を定めた場合は、この限りでない。
10　一般社団法人及び一般財団法人に関する法律第92条の規定は、清算人会設置法人について準用する。この場合において、同条第１項中「社員総会」とあるのは「評議員会」と、「「理事会」とあるのは「「清算人会」と読み替えるものとするほか、必要な技術的読替えは、政令で定める。
（清算人会の運営）
第46条の18　清算人会は、各清算人が招集する。ただし、清算人会を招集する清算人を定款又は清算人会で定めたときは、その清算人が招集する。
２　前項ただし書に規定する場合には、同項ただし書の規定により定められた清算人（以下この項及び次条第２項において「招集権者」という。）以外の清算人は、招集権者に対し、清算人会の目的である事項を示して、清算人会の招集を請求することができる。

3　前項の規定による請求があつた日から５日以内に、その請求があつた日から２週間以内の日を清算人会の日とする清算人会の招集の通知が発せられない場合には、その請求をした清算人は、清算人会を招集することができる。
4　一般社団法人及び一般財団法人に関する法律第94条の規定は、清算人会設置法人における清算人会の招集について準用する。この場合において、同条第１項中「各理事及び各監事」とあるのは「各清算人（監事設置清算法人（社会福祉法（昭和26年法律第45号）第46条の11第６項に規定する監事設置清算法人をいう。次項において同じ。）にあつては、各清算人及び各監事）」と、同条第２項中「理事及び監事」とあるのは「清算人（監事設置清算法人にあつては、清算人及び監事）」と読み替えるものとする。
5　一般社団法人及び一般財団法人に関する法律第95条及び第96条の規定は、清算人会設置法人における清算人会の決議について準用する。この場合において、同法第95条第３項中「法務省令」とあるのは「厚生労働省令」と、「理事（」とあるのは「清算人（」と、「代表理事」とあるのは「代表清算人」と、同条第４項中「法務省令」とあるのは「厚生労働省令」と読み替えるものとするほか、必要な技術的読替えは、政令で定める。
6　一般社団法人及び一般財団法人に関する法律第98条の規定は、清算人会設置法人における清算人会への報告について準用する。この場合において、同条第１項中「理事、監事又は会計監査人」とあるのは「清算人又は監事」と、「理事及び監事」とあるのは「清算人（監事設置清算法人（社会福祉法（昭和26年法律第45号）第46条の11第６項に規定する監事設置清算法人をいう。）にあつては、清算人及び監事）」と読み替えるものとするほか、必要な技術的読替えは、政令で定める。

（評議員による招集の請求）

第46条の19　清算人会設置法人（監事設置清算法人を除く。）の評議員は、清算人が清算人会設置法人の目的の範囲外の行為その他法令若しくは定款に違反する行為をし、又はこれらの行為をするおそれがあると認めるときは、清算人会の招集を請求することができる。
2　前項の規定による請求は、清算人（前条第１項ただし書に規定する場合にあつては、招集権者）に対し、清算人会の目的である事項を示して行わなければならない。
3　前条第３項の規定は、第１項の規定による請求があつた場合について準用する。
4　第１項の規定による請求を行つた評議員は、当該請求に基づき招集され、又は前項において準用する前条第３項の規定により招集した清算人会に出席し、意見を述べることができる。

（議事録等）

第46条の20　清算人会設置法人は、清算人会の日（第46条の18第５項において準用する一般社団法人及び一般財団法人に関する法律第96条の規定により清算人会の決議があつたものとみなされた日を含む。）から10年間、同項において準用する同法第95条第３項の議事録又は第46条の18第５項において準用する同法第96条の意思表示を記載し、若しくは記録した書面若しくは電磁的記録（以下この条において「議事録等」という。）をその主たる事務所に備え置かなければならない。
2　評議員は、清算法人の業務時間内は、いつでも、次に掲げる請求をすることができる。
一　議事録等が書面をもつて作成されているときは、当該書面の閲覧又は謄写の請求
二　議事録等が電磁的記録をもつて作成されているときは、当該電磁的記録に記録された事項を厚生労働省令で定める方法により表示したものの閲覧又は謄写の請求
3　債権者は、清算人又は監事の責任を追及するため必要があるときは、裁判所の許可を得て、議事録等について前項各号に掲げる請求をすることができる。
4　裁判所は、前項の請求に係る閲覧又は謄写をすることにより、当該清算人会設置法人に著しい損害を及ぼすおそれがあると認めるときは、同項の許可をすることができない。

（理事等に関する規定の適用）

第46条の21　清算法人については、第31条第５項、第40条第２項、第43条第３項、第44条第２項、第３節第３款（第45条の12を除く。）及び同節第５款の規定中理事又は理事会に関する規定は、それぞれ清算人又は清算人会に関する規定として清算人又は清算人会に適用があるものとする。この場合において、第43条第３項中「第72条、第73条第１項」とあるのは「第72条」と、「同法第72条及び第73条第１項中「社員総会」とあるのは「評議員会」と、同項中「監事が」とあるのは「監事の過半数をもつて」と、同法第74条」とあるのは「これらの規定」と、「「評議員会」と読み替える」とあるのは「、「評議員会」と読み替える」と、第45条の９第10項中「第181条第１項第３号及び」とあるのは「第181条第１項中「理事会の決議によって」とあるのは「清算人

は」と、「定めなければならない」とあるのは「定めなければならない。ただし、清算人会設置法人（社会福祉法（昭和26年法律第45号）第46条の６第７項に規定する清算人会設置法人をいう。）においては、当該事項の決定は、清算人会の決議によらなければならない」と、同項第３号及び同法」と、「とあるのは、」とあるのは「とあるのは」と、第45条の18第３項中「第104条第１項、第105条」とあるのは「第105条」とするほか、必要な技術的読替えは、政令で定める。

第３目　財産目録等

（財産目録等の作成等）

第46条の22　清算人（清算人会設置法人にあつては、第46条の17第７項各号に掲げる清算人）は、その就任後遅滞なく、清算法人の財産の現況を調査し、厚生労働省令で定めるところにより、第46条の３各号に掲げる場合に該当することとなつた日における財産目録及び貸借対照表（以下この条及び次条において「財産目録等」という。）を作成しなければならない。

２　清算人会設置法人においては、財産目録等は、清算人会の承認を受けなければならない。

３　清算人は、財産目録等（前項の規定の適用がある場合にあつては、同項の承認を受けたもの）を評議員会に提出し、又は提供し、その承認を受けなければならない。

４　清算法人は、財産目録等を作成した時からその主たる事務所の所在地における清算結了の登記の時までの間、当該財産目録等を保存しなければならない。

（財産目録等の提出命令）

第46条の23　裁判所は、申立てにより又は職権で、訴訟の当事者に対し、財産目録等の全部又は一部の提出を命ずることができる。

（貸借対照表等の作成及び保存）

第46条の24　清算法人は、厚生労働省令で定めるところにより、各清算事務年度（第46条の３各号に掲げる場合に該当することとなつた日の翌日又はその後毎年その日に応当する日（応当する日がない場合にあつては、その前日）から始まる各１年の期間をいう。）に係る貸借対照表及び事務報告並びにこれらの附属明細書を作成しなければならない。

２　前項の貸借対照表及び事務報告並びにこれらの附属明細書は、電磁的記録をもつて作成することができる。

３　清算法人は、第１項の貸借対照表を作成した時からその主たる事務所の所在地における清算結了の登記の時までの間、当該貸借対照表及びその附属明細書を保存しなければならない。

（貸借対照表等の監査等）

第46条の25　監事設置清算法人においては、前条第１項の貸借対照表及び事務報告並びにこれらの附属明細書は、厚生労働省令で定めるところにより、監事の監査を受けなければならない。

２　清算人会設置法人においては、前条第１項の貸借対照表及び事務報告並びにこれらの附属明細書（前項の規定の適用がある場合にあつては、同項の監査を受けたもの）は、清算人会の承認を受けなければならない。

（貸借対照表等の備置き及び閲覧等）

第46条の26　清算法人は、第46条の24第１項に規定する各清算事務年度に係る貸借対照表及び事務報告並びにこれらの附属明細書（前条第１項の規定の適用がある場合にあつては、監査報告を含む。以下この条において「貸借対照表等」という。）を、定時評議員会の日の１週間前の日（第45条の９第10項において準用する一般社団法人及び一般財団法人に関する法律第194条第１項の場合にあつては、同項の提案があつた日）からその主たる事務所の所在地における清算結了の登記の時までの間、その主たる事務所に備え置かなければならない。

２　評議員及び債権者は、清算法人の業務時間内は、いつでも、次に掲げる請求をすることができる。ただし、債権者が第２号又は第４号に掲げる請求をするには、当該清算法人の定めた費用を支払わなければならない。

一　貸借対照表等が書面をもつて作成されているときは、当該書面の閲覧の請求

二　前号の書面の謄本又は抄本の交付の請求

三　貸借対照表等が電磁的記録をもつて作成されているときは、当該電磁的記録に記録された事項を厚生労働省令で定める方法により表示したものの閲覧の請求

四　前号の電磁的記録に記録された事項を電磁的方法であつて清算法人の定めたものにより提供することの請求又はその事項を記載した書面の交付の請求

（貸借対照表等の提出等）

第46条の27　次の各号に掲げる清算法人においては、清算人は、当該各号に定める貸借対照表及び事務報告を定時評議員会に提出し、又は提供しなければならない。

一　監事設置清算法人（清算人会設置法人を除く。）　第46条の25第１項の監査を受けた貸借対照

表及び事務報告
二　清算人会設置法人　第46条の25第２項の承認を受けた貸借対照表及び事務報告
三　前２号に掲げるもの以外の清算法人　第46条の24第１項の貸借対照表及び事務報告
2　前項の規定により提出され、又は提供された貸借対照表は、定時評議員会の承認を受けなければならない。
3　清算人は、第１項の規定により提出され、又は提供された事務報告の内容を定時評議員会に報告しなければならない。
（貸借対照表等の提出命令）
第46条の28　裁判所は、申立てにより又は職権で、訴訟の当事者に対し、第46条の24第１項の貸借対照表及びその附属明細書の全部又は一部の提出を命ずることができる。
（適用除外）
第46条の29　第４節第３款（第45条の27第４項及び第45条の32から第45条の34までを除く。）の規定は、清算法人については、適用しない。

第４目　債務の弁済等

（債権者に対する公告等）
第46条の30　清算法人は、第46条の３各号に掲げる場合に該当することとなつた後、遅滞なく、当該清算法人の債権者に対し、一定の期間内にその債権を申し出るべき旨を官報に公告し、かつ、判明している債権者には、各別にこれを催告しなければならない。ただし、当該期間は、２月を下ることができない。
2　前項の規定による公告には、当該債権者が当該期間内に申出をしないときは清算から除斥される旨を付記しなければならない。
（債務の弁済の制限）
第46条の31　清算法人は、前条第１項の期間内は、債務の弁済をすることができない。この場合において、清算法人は、その債務の不履行によつて生じた責任を免れることができない。
2　前項の規定にかかわらず、清算法人は、前条第１項の期間内であつても、裁判所の許可を得て、少額の債権、清算法人の財産につき存する担保権によつて担保される債権その他これを弁済しても他の債権者を害するおそれがない債権に係る債務について、その弁済をすることができる。この場合において、当該許可の申立ては、清算人が２人以上あるときは、その全員の同意によつてしなければならない。
（条件付債権等に係る債務の弁済）
第46条の32　清算法人は、条件付債権、存続期間が不確定な債権その他その額が不確定な債権に係る債務を弁済することができる。この場合においては、これらの債権を評価させるため、裁判所に対し、鑑定人の選任の申立てをしなければならない。
2　前項の場合には、清算法人は、同項の鑑定人の評価に従い同項の債権に係る債務を弁済しなければならない。
3　第１項の鑑定人の選任の手続に関する費用は、清算法人の負担とする。当該鑑定人による鑑定のための呼出し及び質問に関する費用についても、同様とする。
（債務の弁済前における残余財産の引渡しの制限）
第46条の33　清算法人は、当該清算法人の債務を弁済した後でなければ、その財産の引渡しをすることができない。ただし、その存否又は額について争いのある債権に係る債務についてその弁済をするために必要と認められる財産を留保した場合は、この限りでない。
（清算からの除斥）
第46条の34　清算法人の債権者（判明している債権者を除く。）であつて第46条の30第１項の期間内にその債権の申出をしなかつたものは、清算から除斥される。
2　前項の規定により清算から除斥された債権者は、引渡しがされていない残余財産に対してのみ、弁済を請求することができる。

第５目　残余財産の帰属

第47条　解散した社会福祉法人の残余財産は、合併（合併により当該社会福祉法人が消滅する場合に限る。）及び破産手続開始の決定による解散の場合を除くほか、所轄庁に対する清算結了の届出の時において、定款の定めるところにより、その帰属すべき者に帰属する。
2　前項の規定により処分されない財産は、国庫に帰属する。

第６目　清算事務の終了等

（清算事務の終了等）
第47条の２　清算法人は、清算事務が終了したときは、遅滞なく、厚生労働省令で定めるところにより、決算報告を作成しなければならない。
2　清算人会設置法人においては、決算報告は、清算人会の承認を受けなければならない。
3　清算人は、決算報告（前項の規定の適用がある場合にあつては、同項の承認を受けたもの）を評議員会に提出し、又は提供し、その承認を受けなければならない。
4　前項の承認があつたときは、任務を怠つたことによる清算人の損害賠償の責任は、免除されたものとみなす。ただし、清算人の職務の執行に関し不正の行為があつたときは、この限りでない。

（帳簿資料の保存）

第47条の３　清算人（清算人会設置法人にあつては、第46条の17第７項各号に掲げる清算人）は、清算法人の主たる事務所の所在地における清算結了の登記の時から10年間、清算法人の帳簿並びにその事業及び清算に関する重要な資料（以下この条において「帳簿資料」という。）を保存しなければならない。

２　裁判所は、利害関係人の申立てにより、前項の清算人に代わつて帳簿資料を保存する者を選任することができる。この場合においては、同項の規定は、適用しない。

３　前項の規定により選任された者は、清算法人の主たる事務所の所在地における清算結了の登記の時から10年間、帳簿資料を保存しなければならない。

４　第２項の規定による選任の手続に関する費用は、清算法人の負担とする。

（裁判所による監督）

第47条の４　社会福祉法人の解散及び清算は、裁判所の監督に属する。

２　裁判所は、職権で、いつでも前項の監督に必要な検査をすることができる。

３　社会福祉法人の解散及び清算を監督する裁判所は、社会福祉法人の業務を監督する官庁に対し、意見を求め、又は調査を嘱託することができる。

４　前項に規定する官庁は、同項に規定する裁判所に対し、意見を述べることができる。

（清算結了の届出）

第47条の５　清算が結了したときは、清算人は、その旨を所轄庁に届け出なければならない。

（検査役の選任）

第47条の６　裁判所は、社会福祉法人の解散及び清算の監督に必要な調査をさせるため、検査役を選任することができる。

２　第46条の13の規定は、前項の規定により裁判所が検査役を選任した場合について準用する。この場合において、同条中「清算人及び監事」とあるのは、「社会福祉法人及び検査役」と読み替えるものとする。

（準用規定）

第47条の７　一般社団法人及び一般財団法人に関する法律第287条第１項、第288条、第289条（第１号、第２号及び第４号に係る部分に限る。）、第290条、第291条（第２号に係る部分に限る。）、第292条、第293条（第１号及び第４号に係る部分に限る。）、第294条及び第295条の規定は、社会福祉法人の解散及び清算について準用する。この場合において、必要な技術的読替えは、政令で定める。

第３款　合併

第１目　通則

第48条　社会福祉法人は、他の社会福祉法人と合併することができる。この場合においては、合併をする社会福祉法人は、合併契約を締結しなければならない。

第２目　吸収合併

（吸収合併契約）

第49条　社会福祉法人が吸収合併（社会福祉法人が他の社会福祉法人とする合併であつて、合併により消滅する社会福祉法人の権利義務の全部を合併後存続する社会福祉法人に承継させるものをいう。以下この目及び第165条第11号において同じ。）をする場合には、吸収合併契約において、吸収合併後存続する社会福祉法人（以下この目において「吸収合併存続社会福祉法人」という。）及び吸収合併により消滅する社会福祉法人（以下この目において「吸収合併消滅社会福祉法人」という。）の名称及び住所その他厚生労働省令で定める事項を定めなければならない。

（吸収合併の効力の発生等）

第50条　社会福祉法人の吸収合併は、吸収合併存続社会福祉法人の主たる事務所の所在地において合併の登記をすることによつて、その効力を生ずる。

２　吸収合併存続社会福祉法人は、吸収合併の登記の日に、吸収合併消滅社会福祉法人の一切の権利義務（当該吸収合併消滅社会福祉法人がその行う事業に関し行政庁の認可その他の処分に基づいて有する権利義務を含む。）を承継する。

３　吸収合併は、所轄庁の認可を受けなければ、その効力を生じない。

４　第32条の規定は、前項の認可について準用する。

（吸収合併契約に関する書面等の備置き及び閲覧等）

第51条　吸収合併消滅社会福祉法人は、次条の評議員会の日の２週間前の日（第45条の９第10項において準用する一般社団法人及び一般財団法人に関する法律第194条第１項の場合にあつては、同項の提案があつた日）から吸収合併の登記の日までの間、吸収合併契約の内容その他厚生労働省令で定める事項を記載し、又は記録した書面又は電磁的記録をその主たる事務所に備え置かなければならない。

２　吸収合併消滅社会福祉法人の評議員及び債権者は、吸収合併消滅社会福祉法人に対して、その業務時間内は、いつでも、次に掲げる請求をすることができる。ただし、債権者が第２号又は第４号に掲げる請求をするには、当該吸収合併消滅社会福祉法人の定めた費用を支払わなければならない。
一　前項の書面の閲覧の請求
二　前項の書面の謄本又は抄本の交付の請求
三　前項の電磁的記録に記録された事項を厚生労働省令で定める方法により表示したものの閲覧の請求
四　前項の電磁的記録に記録された事項を電磁的方法であつて吸収合併消滅社会福祉法人の定めたものにより提供することの請求又はその事項を記載した書面の交付の請求

（吸収合併契約の承認）

第52条　吸収合併消滅社会福祉法人は、評議員会の決議によつて、吸収合併契約の承認を受けなければならない。

（債権者の異議）

第53条　吸収合併消滅社会福祉法人は、第50条第３項の認可があつたときは、次に掲げる事項を官報に公告し、かつ、判明している債権者には、各別にこれを催告しなければならない。ただし、第４号の期間は、２月を下ることができない。
一　吸収合併をする旨
二　吸収合併存続社会福祉法人の名称及び住所
三　吸収合併消滅社会福祉法人及び吸収合併存続社会福祉法人の計算書類（第45条の27第２項に規定する計算書類をいう。以下この款において同じ。）に関する事項として厚生労働省令で定めるもの
四　債権者が一定の期間内に異議を述べることができる旨

２　債権者が前項第４号の期間内に異議を述べなかつたときは、当該債権者は、当該吸収合併について承認をしたものとみなす。

３　債権者が第１項第４号の期間内に異議を述べたときは、吸収合併消滅社会福祉法人は、当該債権者に対し、弁済し、若しくは相当の担保を提供し、又は当該債権者に弁済を受けさせることを目的として信託会社等（信託会社及び信託業務を営む金融機関（金融機関の信託業務の兼営等に関する法律（昭和18年法律第43号）第１条第１項の認可を受けた金融機関をいう。）をいう。以下同じ。）に相当の財産を信託しなければならない。ただし、当該吸収合併をしても当該債権者を害するおそれがないときは、この限りでない。

（吸収合併契約に関する書面等の備置き及び閲覧等）

第54条　吸収合併存続社会福祉法人は、次条第１項の評議員会の日の２週間前の日（第45条の９第10項において準用する一般社団法人及び一般財団法人に関する法律第194条第１項の場合にあつては、同項の提案があつた日）から吸収合併の登記の日後６月を経過する日までの間、吸収合併契約の内容その他厚生労働省令で定める事項を記載し、又は記録した書面又は電磁的記録をその主たる事務所に備え置かなければならない。

２　吸収合併存続社会福祉法人の評議員及び債権者は、吸収合併存続社会福祉法人に対して、その業務時間内は、いつでも、次に掲げる請求をすることができる。ただし、債権者が第２号又は第４号に掲げる請求をするには、当該吸収合併存続社会福祉法人の定めた費用を支払わなければならない。
一　前項の書面の閲覧の請求
二　前項の書面の謄本又は抄本の交付の請求
三　前項の電磁的記録に記録された事項を厚生労働省令で定める方法により表示したものの閲覧の請求
四　前項の電磁的記録に記録された事項を電磁的方法であつて吸収合併存続社会福祉法人の定めたものにより提供することの請求又はその事項を記載した書面の交付の請求

（吸収合併契約の承認）

第54条の２　吸収合併存続社会福祉法人は、評議員会の決議によつて、吸収合併契約の承認を受けなければならない。

２　吸収合併存続社会福祉法人が承継する吸収合併消滅社会福祉法人の債務の額として厚生労働省令で定める額が吸収合併存続社会福祉法人が承継する吸収合併消滅社会福祉法人の資産の額として厚生労働省令で定める額を超える場合には、理事は、前項の評議員会において、その旨を説明しなければならない。

（債権者の異議）

第54条の３　吸収合併存続社会福祉法人は、第50条第３項の認可があつたときは、次に掲げる事項を官報に公告し、かつ、判明している債権者には、各別にこれを催告しなければならない。ただし、第４号の期間は、２月を下ることができない。
一　吸収合併をする旨
二　吸収合併消滅社会福祉法人の名称及び住所
三　吸収合併存続社会福祉法人及び吸収合併消滅社会福祉法人の計算書類に関する事項として厚生労働省令で定めるもの
四　債権者が一定の期間内に異議を述べることができる旨

２　債権者が前項第４号の期間内に異議を述べなかつ

たときは、当該債権者は、当該吸収合併について承認をしたものとみなす。
3　債権者が第1項第4号の期間内に異議を述べたときは、吸収合併存続社会福祉法人は、当該債権者に対し、弁済し、若しくは相当の担保を提供し、又は当該債権者に弁済を受けさせることを目的として信託会社等に相当の財産を信託しなければならない。ただし、当該吸収合併をしても当該債権者を害するおそれがないときは、この限りでない。
（吸収合併に関する書面等の備置き及び閲覧等）
第54条の4　吸収合併存続社会福祉法人は、吸収合併の登記の日後遅滞なく、吸収合併により吸収合併存続社会福祉法人が承継した吸収合併消滅社会福祉法人の権利義務その他の吸収合併に関する事項として厚生労働省令で定める事項を記載し、又は記録した書面又は電磁的記録を作成しなければならない。
2　吸収合併存続社会福祉法人は、吸収合併の登記の日から6月間、前項の書面又は電磁的記録をその主たる事務所に備え置かなければならない。
3　吸収合併存続社会福祉法人の評議員及び債権者は、吸収合併存続社会福祉法人に対して、その業務時間内は、いつでも、次に掲げる請求をすることができる。ただし、債権者が第2号又は第4号に掲げる請求をするには、当該吸収合併存続社会福祉法人の定めた費用を支払わなければならない。
一　第1項の書面の閲覧の請求
二　第1項の書面の謄本又は抄本の交付の請求
三　第1項の電磁的記録に記録された事項を厚生労働省令で定める方法により表示したものの閲覧の請求
四　第1項の電磁的記録に記録された事項を電磁的方法であつて吸収合併存続社会福祉法人の定めたものにより提供することの請求又はその事項を記載した書面の交付の請求

第3目　新設合併

（新設合併契約）
第54条の5　2以上の社会福祉法人が新設合併（2以上の社会福祉法人がする合併であつて、合併により消滅する社会福祉法人の権利義務の全部を合併により設立する社会福祉法人に承継させるものをいう。以下この目及び第165条第11号において同じ。）をする場合には、新設合併契約において、次に掲げる事項を定めなければならない。
一　新設合併により消滅する社会福祉法人（以下この目において「新設合併消滅社会福祉法人」という。）の名称及び住所
二　新設合併により設立する社会福祉法人（以下この目において「新設合併設立社会福祉法人」という。）の目的、名称及び主たる事務所の所在地
三　前号に掲げるもののほか、新設合併設立社会福祉法人の定款で定める事項
四　前3号に掲げる事項のほか、厚生労働省令で定める事項
（新設合併の効力の発生等）
第54条の6　新設合併設立社会福祉法人は、その成立の日に、新設合併消滅社会福祉法人の一切の権利義務（当該新設合併消滅社会福祉法人がその行う事業に関し行政庁の認可その他の処分に基づいて有する権利義務を含む。）を承継する。
2　新設合併は、所轄庁の認可を受けなければ、その効力を生じない。
3　第32条の規定は、前項の認可について準用する。
（新設合併契約に関する書面等の備置き及び閲覧等）
第54条の7　新設合併消滅社会福祉法人は、次条の評議員会の日の2週間前の日（第45条の9第10項において準用する一般社団法人及び一般財団法人に関する法律第194条第1項の場合にあつては、同項の提案があつた日）から新設合併設立社会福祉法人の成立の日までの間、新設合併契約の内容その他厚生労働省令で定める事項を記載し、又は記録した書面又は電磁的記録をその主たる事務所に備え置かなければならない。
2　新設合併消滅社会福祉法人の評議員及び債権者は、新設合併消滅社会福祉法人に対して、その業務時間内は、いつでも、次に掲げる請求をすることができる。ただし、債権者が第2号又は第4号に掲げる請求をするには、当該新設合併消滅社会福祉法人の定めた費用を支払わなければならない。
一　前項の書面の閲覧の請求
二　前項の書面の謄本又は抄本の交付の請求
三　前項の電磁的記録に記録された事項を厚生労働省令で定める方法により表示したものの閲覧の請求
四　前項の電磁的記録に記録された事項を電磁的方法であつて新設合併消滅社会福祉法人の定めたものにより提供することの請求又はその事項を記載した書面の交付の請求
（新設合併契約の承認）
第54条の8　新設合併消滅社会福祉法人は、評議員会の決議によつて、新設合併契約の承認を受けなければならない。
（債権者の異議）
第54条の9　新設合併消滅社会福祉法人は、第54条の6第2項の認可があつたときは、次に掲げる事項を

官報に公告し、かつ、判明している債権者には、各別にこれを催告しなければならない。ただし、第4号の期間は、2月を下ることができない。

一　新設合併をする旨

二　他の新設合併消滅社会福祉法人及び新設合併設立社会福祉法人の名称及び住所

三　新設合併消滅社会福祉法人の計算書類に関する事項として厚生労働省令で定めるもの

四　債権者が一定の期間内に異議を述べることができる旨

2　債権者が前項第4号の期間内に異議を述べなかつたときは、当該債権者は、当該新設合併について承認をしたものとみなす。

3　債権者が第1項第4号の期間内に異議を述べたときは、新設合併消滅社会福祉法人は、当該債権者に対し、弁済し、若しくは相当の担保を提供し、又は当該債権者に弁済を受けさせることを目的として信託会社等に相当の財産を信託しなければならない。ただし、当該新設合併をしても当該債権者を害するおそれがないときは、この限りでない。

（設立の特則）

第54条の10　第32条、第33条及び第35条の規定は、新設合併設立社会福祉法人の設立については、適用しない。

2　新設合併設立社会福祉法人の定款は、新設合併消滅社会福祉法人が作成する。この場合においては、第31条第1項の認可を受けることを要しない。

（新設合併に関する書面等の備置き及び閲覧等）

第54条の11　新設合併設立社会福祉法人は、その成立の日後遅滞なく、新設合併により新設合併設立社会福祉法人が承継した新設合併消滅社会福祉法人の権利義務その他の新設合併に関する事項として厚生労働省令で定める事項を記載し、又は記録した書面又は電磁的記録を作成しなければならない。

2　新設合併設立社会福祉法人は、その成立の日から6月間、前項の書面又は電磁的記録及び新設合併契約の内容その他厚生労働省令で定める事項を記載し、又は記録した書面又は電磁的記録をその主たる事務所に備え置かなければならない。

3　新設合併設立社会福祉法人の評議員及び債権者は、新設合併設立社会福祉法人に対して、その業務時間内は、いつでも、次に掲げる請求をすることができる。ただし、債権者が第2号又は第4号に掲げる請求をするには、当該新設合併設立社会福祉法人の定めた費用を支払わなければならない。

一　前項の書面の閲覧の請求

二　前項の書面の謄本又は抄本の交付の請求

三　前項の電磁的記録に記録された事項を厚生労働省令で定める方法により表示したものの閲覧の請求

四　前項の電磁的記録に記録された事項を電磁的方法であつて新設合併設立社会福祉法人の定めたものにより提供することの請求又はその事項を記載した書面の交付の請求

第4目　合併の無効の訴え

第55条　一般社団法人及び一般財団法人に関する法律第264条第1項（第2号及び第3号に係る部分に限る。）及び第2項（第2号及び第3号に係る部分に限る。）、第269条（第2号及び第3号に係る部分に限る。）、第270条、第271条第1項及び第3項、第272条から第275条まで並びに第277条の規定は、社会福祉法人の合併の無効の訴えについて準用する。この場合において、同法第264条第2項第2号中「社員等であった者」とあるのは「評議員等（評議員、理事、監事又は清算人をいう。以下同じ。）であった者」と、「社員等、」とあるのは「評議員等、」と、同項第3号中「社員等」とあるのは「評議員等」と、同法第271条第1項中「社員」とあるのは「債権者」と読み替えるものとするほか、必要な技術的読替えは、政令で定める。

第7節　社会福祉充実計画

（社会福祉充実計画の承認）

第55条の2　社会福祉法人は、毎会計年度において、第1号に掲げる額が第2号に掲げる額を超えるときは、厚生労働省令で定めるところにより、当該会計年度の前会計年度の末日（同号において「基準日」という。）において現に行つている社会福祉事業若しくは公益事業（以下この項及び第3項第1号において「既存事業」という。）の充実又は既存事業以外の社会福祉事業若しくは公益事業（同項第1号において「新規事業」という。）の実施に関する計画（以下「社会福祉充実計画」という。）を作成し、これを所轄庁に提出して、その承認を受けなければならない。ただし、当該会計年度前の会計年度において作成した第11項に規定する承認社会福祉充実計画の実施期間中は、この限りでない。

一　当該会計年度の前会計年度に係る貸借対照表の資産の部に計上した額から負債の部に計上した額を控除して得た額

二　基準日において現に行つている事業を継続するために必要な財産の額として厚生労働省令で定めるところにより算定した額

2　前項の承認の申請は、第59条の規定による届出と同時に行わなければならない。

3　社会福祉充実計画には、次に掲げる事項を記載しなければならない。
一　既存事業（充実する部分に限る。）又は新規事業（以下この条において「社会福祉充実事業」という。）の規模及び内容
二　社会福祉充実事業を行う区域（以下この条において「事業区域」という。）
三　社会福祉充実事業の実施に要する費用の額（第5項において「事業費」という。）
四　第1項第1号に掲げる額から同項第2号に掲げる額を控除して得た額（第5項及び第9項第1号において「社会福祉充実残額」という。）
五　社会福祉充実計画の実施期間
六　その他厚生労働省令で定める事項
4　社会福祉法人は、前項第1号に掲げる事項の記載に当たつては、厚生労働省令で定めるところにより、次に掲げる事業の順にその実施について検討し、行う事業を記載しなければならない。
一　社会福祉事業又は公益事業（第2条第4項第4号に掲げる事業に限る。）
二　公益事業（第2条第4項第4号に掲げる事業を除き、日常生活又は社会生活上の支援を必要とする事業区域の住民に対し、無料又は低額な料金で、その需要に応じた福祉サービスを提供するものに限る。第6項及び第9項第3号において「地域公益事業」という。）
三　公益事業（前2号に掲げる事業を除く。）
5　社会福祉法人は、社会福祉充実計画の作成に当たつては、事業費及び社会福祉充実残額について、公認会計士、税理士その他財務に関する専門的な知識経験を有する者として厚生労働省令で定める者の意見を聴かなければならない。
6　社会福祉法人は、地域公益事業を行う社会福祉充実計画の作成に当たつては、当該地域公益事業の内容及び事業区域における需要について、当該事業区域の住民その他の関係者の意見を聴かなければならない。
7　社会福祉充実計画は、評議員会の承認を受けなければならない。
8　所轄庁は、社会福祉法人に対し、社会福祉充実計画の作成及び円滑かつ確実な実施に関し必要な助言その他の支援を行うものとする。
9　所轄庁は、第1項の承認の申請があつた場合において、当該申請に係る社会福祉充実計画が、次の各号に掲げる要件のいずれにも適合するものであると認めるときは、その承認をするものとする。
一　社会福祉充実事業として記載されている社会福祉事業又は公益事業の規模及び内容が、社会福祉充実残額に照らして適切なものであること。
二　社会福祉充実事業として社会福祉事業が記載されている場合にあつては、その規模及び内容が、当該社会福祉事業に係る事業区域における需要及び供給の見通しに照らして適切なものであること。
三　社会福祉充実事業として地域公益事業が記載されている場合にあつては、その規模及び内容が、当該地域公益事業に係る事業区域における需要に照らして適切なものであること。
四　その他厚生労働省令で定める要件に適合するものであること。
10　所轄庁は、社会福祉充実計画が前項第2号及び第3号に適合しているかどうかを調査するため必要があると認めるときは、関係地方公共団体の長に対して、資料の提供その他必要な協力を求めることができる。
11　第1項の承認を受けた社会福祉法人は、同項の承認があつた社会福祉充実計画（次条第1項の変更の承認があつたときは、その変更後のもの。同項及び第55条の4において「承認社会福祉充実計画」という。）に従つて事業を行わなければならない。

（社会福祉充実計画の変更）

第55条の3　前条第1項の承認を受けた社会福祉法人は、承認社会福祉充実計画の変更をしようとするときは、厚生労働省令で定めるところにより、あらかじめ、所轄庁の承認を受けなければならない。ただし、厚生労働省令で定める軽微な変更については、この限りでない。
2　前条第1項の承認を受けた社会福祉法人は、前項ただし書の厚生労働省令で定める軽微な変更をしたときは、厚生労働省令で定めるところにより、遅滞なく、その旨を所轄庁に届け出なければならない。
3　前条第3項から第10項までの規定は、第1項の変更の申請について準用する。

（社会福祉充実計画の終了）

第55条の4　第55条の2第1項の承認を受けた社会福祉法人は、やむを得ない事由により承認社会福祉充実計画に従つて事業を行うことが困難であるときは、厚生労働省令で定めるところにより、あらかじめ、所轄庁の承認を受けて、当該承認社会福祉充実計画を終了することができる。

第8節　助成及び監督

（監督）

第56条　所轄庁は、この法律の施行に必要な限度において、社会福祉法人に対し、その業務若しくは財産

の状況に関し報告をさせ、又は当該職員に、社会福祉法人の事務所その他の施設に立ち入り、その業務若しくは財産の状況若しくは帳簿、書類その他の物件を検査させることができる。

2　前項の規定により立入検査をする職員は、その身分を示す証明書を携帯し、関係人にこれを提示しなければならない。

3　第１項の規定による立入検査の権限は、犯罪捜査のために認められたものと解してはならない。

4　所轄庁は、社会福祉法人が、法令、法令に基づいてする行政庁の処分若しくは定款に違反し、又はその運営が著しく適正を欠くと認めるときは、当該社会福祉法人に対し、期限を定めて、その改善のために必要な措置（役員の解職を除く。）をとるべき旨を勧告することができる。

5　所轄庁は、前項の規定による勧告をした場合において、当該勧告を受けた社会福祉法人が同項の期限内にこれに従わなかつたときは、その旨を公表することができる。

6　所轄庁は、第４項の規定による勧告を受けた社会福祉法人が、正当な理由がないのに当該勧告に係る措置をとらなかつたときは、当該社会福祉法人に対し、期限を定めて、当該勧告に係る措置をとるべき旨を命ずることができる。

7　社会福祉法人が前項の命令に従わないときは、所轄庁は、当該社会福祉法人に対し、期間を定めて業務の全部若しくは一部の停止を命じ、又は役員の解職を勧告することができる。

8　所轄庁は、社会福祉法人が、法令、法令に基づいてする行政庁の処分若しくは定款に違反した場合であつて他の方法により監督の目的を達することができないとき、又は正当の事由がないのに１年以上にわたつてその目的とする事業を行わないときは、解散を命ずることができる。

9　所轄庁は、第７項の規定により役員の解職を勧告しようとする場合には、当該社会福祉法人に、所轄庁の指定した職員に対して弁明する機会を与えなければならない。この場合においては、当該社会福祉法人に対し、あらかじめ、書面をもつて、弁明をなすべき日時、場所及びその勧告をなすべき理由を通知しなければならない。

10　前項の通知を受けた社会福祉法人は、代理人を出頭させ、かつ、自己に有利な証拠を提出することができる。

11　第９項の規定による弁明を聴取した者は、聴取書及び当該勧告をする必要があるかどうかについての意見を付した報告書を作成し、これを所轄庁に提出しなければならない。

（公益事業又は収益事業の停止）

第57条　所轄庁は、第26条第１項の規定により公益事業又は収益事業を行う社会福祉法人につき、次の各号のいずれかに該当する事由があると認めるときは、当該社会福祉法人に対して、その事業の停止を命ずることができる。

一　当該社会福祉法人が定款で定められた事業以外の事業を行うこと。

二　当該社会福祉法人が当該収益事業から生じた収益を当該社会福祉法人の行う社会福祉事業及び公益事業以外の目的に使用すること。

三　当該公益事業又は収益事業の継続が当該社会福祉法人の行う社会福祉事業に支障があること。

（関係都道府県知事等の協力）

第57条の２　関係都道府県知事等（社会福祉法人の事務所、事業所、施設その他これらに準ずるものの所在地の都道府県知事又は市町村長であつて、当該社会福祉法人の所轄庁以外の者をいう。次項において同じ。）は、当該社会福祉法人に対して適当な措置をとることが必要であると認めるときは、当該社会福祉法人の所轄庁に対し、その旨の意見を述べることができる。

2　所轄庁は、第56条第１項及び第４項から第９項まで並びに前条の事務を行うため必要があると認めるときは、関係都道府県知事等に対し、情報又は資料の提供その他必要な協力を求めることができる。

（助成等）

第58条　国又は地方公共団体は、必要があると認めるときは、厚生労働省令又は当該地方公共団体の条例で定める手続に従い、社会福祉法人に対し、補助金を支出し、又は通常の条件よりも当該社会福祉法人に有利な条件で、貸付金を支出し、若しくはその他の財産を譲り渡し、若しくは貸し付けることができる。ただし、国有財産法（昭和23年法律第73号）及び地方自治法第237条第２項の規定の適用を妨げない。

2　前項の規定により、社会福祉法人に対する助成がなされたときは、厚生労働大臣又は地方公共団体の長は、その助成の目的が有効に達せられることを確保するため、当該社会福祉法人に対して、次に掲げる権限を有する。

一　事業又は会計の状況に関し報告を徴すること。

二　助成の目的に照らして、社会福祉法人の予算が不適当であると認める場合において、その予算について必要な変更をすべき旨を勧告すること。

三　社会福祉法人の役員が法令、法令に基づいてする行政庁の処分又は定款に違反した場合において、その役員を解職すべき旨を勧告すること。

3　国又は地方公共団体は、社会福祉法人が前項の規定による措置に従わなかつたときは、交付した補助金若しくは貸付金又は譲渡し、若しくは貸し付けたその他の財産の全部又は一部の返還を命ずることができる。

4　第56条第９項から第11項までの規定は、第２項第３号の規定により解職を勧告し、又は前項の規定により補助金若しくは貸付金の全部若しくは一部の返還を命令する場合に準用する。

（所轄庁への届出）

第59条　社会福祉法人は、毎会計年度終了後３月以内に、厚生労働省令で定めるところにより、次に掲げる書類を所轄庁に届け出なければならない。

一　第45条の32第１項に規定する計算書類等

二　第45条の34第２項に規定する財産目録等

（情報の公開等）

第59条の２　社会福祉法人は、次の各号に掲げる場合の区分に応じ、遅滞なく、厚生労働省令で定めるところにより、当該各号に定める事項を公表しなければならない。

一　第31条第１項若しくは第45条の36第２項の認可を受けたとき、又は同条第４項の規定による届出をしたとき　定款の内容

二　第45条の35第２項の承認を受けたとき　当該承認を受けた報酬等の支給の基準

三　前条の規定による届出をしたとき　同条各号に掲げる書類のうち厚生労働省令で定める書類の内容

2　都道府県知事は、当該都道府県の区域内に主たる事務所を有する社会福祉法人（厚生労働大臣が所轄庁であるものを除く。）の活動の状況その他の厚生労働省令で定める事項について、調査及び分析を行い、必要な統計その他の資料を作成するものとする。この場合において、都道府県知事は、その内容を公表するよう努めるとともに、厚生労働大臣に対し、電磁的方法その他の厚生労働省令で定める方法により報告するものとする。

3　都道府県知事は、前項前段の事務を行うため必要があると認めるときは、当該都道府県の区域内に主たる事務所を有する社会福祉法人の所轄庁（市長に限る。次項において同じ。）に対し、社会福祉法人の活動の状況その他の厚生労働省令で定める事項に関する情報の提供を求めることができる。

4　所轄庁は、前項の規定による都道府県知事の求めに応じて情報を提供するときは、電磁的方法その他の厚生労働省令で定める方法によるものとする。

5　厚生労働大臣は、社会福祉法人に関する情報に係るデータベース（情報の集合物であつて、それらの情報を電子計算機を用いて検索することができるように体系的に構成したものをいう。）の整備を図り、国民にインターネットその他の高度情報通信ネットワークの利用を通じて迅速に当該情報を提供できるよう必要な施策を実施するものとする。

6　厚生労働大臣は、前項の施策を実施するため必要があると認めるときは、都道府県知事に対し、当該都道府県の区域内に主たる事務所を有する社会福祉法人の活動の状況その他の厚生労働省令で定める事項に関する情報の提供を求めることができる。

7　第４項の規定は、都道府県知事が前項の規定による厚生労働大臣の求めに応じて情報を提供する場合について準用する。

（厚生労働大臣及び都道府県知事の支援）

第59条の３　厚生労働大臣は、都道府県知事及び市長に対して、都道府県知事は、市長に対して、社会福祉法人の指導及び監督に関する事務の実施に関し必要な助言、情報の提供その他の支援を行うよう努めなければならない。

第７章　社会福祉事業

（経営主体）

第60条　社会福祉事業のうち、第一種社会福祉事業は、国、地方公共団体又は社会福祉法人が経営することを原則とする。

（事業経営の準則）

第61条　国、地方公共団体、社会福祉法人その他社会福祉事業を経営する者は、次に掲げるところに従い、それぞれの責任を明確にしなければならない。

一　国及び地方公共団体は、法律に基づくその責任を他の社会福祉事業を経営する者に転嫁し、又はこれらの者の財政的援助を求めないこと。

二　国及び地方公共団体は、他の社会福祉事業を経営する者に対し、その自主性を重んじ、不当な関与を行わないこと。

三　社会福祉事業を経営する者は、不当に国及び地方公共団体の財政的、管理的援助を仰がないこと。

2　前項第１号の規定は、国又は地方公共団体が、その経営する社会福祉事業について、福祉サービスを必要とする者を施設に入所させることその他の措置を他の社会福祉事業を経営する者に委託することを妨げるものではない。

（社会福祉施設の設置）

第62条　市町村又は社会福祉法人は、施設を設置して、第一種社会福祉事業を経営しようとするときは、そ

の事業の開始前に、その施設（以下「社会福祉施設」という。）を設置しようとする地の都道府県知事に、次に掲げる事項を届け出なければならない。
一　施設の名称及び種類
二　設置者の氏名又は名称、住所、経歴及び資産状況
三　条例、定款その他の基本約款
四　建物その他の設備の規模及び構造
五　事業開始の予定年月日
六　施設の管理者及び実務を担当する幹部職員の氏名及び経歴
七　福祉サービスを必要とする者に対する処遇の方法
2　国、都道府県、市町村及び社会福祉法人以外の者は、社会福祉施設を設置して、第一種社会福祉事業を経営しようとするときは、その事業の開始前に、その施設を設置しようとする地の都道府県知事の許可を受けなければならない。
3　前項の許可を受けようとする者は、第1項各号に掲げる事項のほか、次に掲げる事項を記載した申請書を当該都道府県知事に提出しなければならない。
一　当該事業を経営するための財源の調達及びその管理の方法
二　施設の管理者の資産状況
三　建物その他の設備の使用の権限
四　経理の方針
五　事業の経営者又は施設の管理者に事故があるときの処置
4　都道府県知事は、第2項の許可の申請があつたときは、第65条の規定により都道府県の条例で定める基準に適合するかどうかを審査するほか、次に掲げる基準によつて、その申請を審査しなければならない。
一　当該事業を経営するために必要な経済的基礎があること。
二　当該事業の経営者が社会的信望を有すること。
三　実務を担当する幹部職員が社会福祉事業に関する経験、熱意及び能力を有すること。
四　当該事業の経理が他の経理と分離できる等その性格が社会福祉法人に準ずるものであること。
五　脱税その他不正の目的で当該事業を経営しようとするものでないこと。
5　都道府県知事は、前項に規定する審査の結果、その申請が、同項に規定する基準に適合していると認めるときは、社会福祉施設設置の許可を与えなければならない。
6　都道府県知事は、前項の許可を与えるに当たつて、当該事業の適正な運営を確保するために必要と認める条件を付することができる。

（社会福祉施設に係る届出事項等の変更）
第63条　前条第1項の規定による届出をした者は、その届け出た事項に変更を生じたときは、変更の日から1月以内に、その旨を当該都道府県知事に届け出なければならない。
2　前条第2項の規定による許可を受けた者は、同条第1項第4号、第5号及び第7号並びに同条第3項第1号、第4号及び第5号に掲げる事項を変更しようとするときは、当該都道府県知事の許可を受けなければならない。
3　前条第4項から第6項までの規定は、前項の規定による許可の申請があつた場合に準用する。

（社会福祉施設の廃止）
第64条　第62条第1項の規定による届出をし、又は同条第2項の規定による許可を受けて、社会福祉事業を経営する者は、その事業を廃止しようとするときは、廃止の日の1月前までに、その旨を当該都道府県知事に届け出なければならない。

（社会福祉施設の基準）
第65条　都道府県は、社会福祉施設の設備の規模及び構造並びに福祉サービスの提供の方法、利用者等からの苦情への対応その他の社会福祉施設の運営について、条例で基準を定めなければならない。
2　都道府県が前項の条例を定めるに当たつては、第1号から第3号までに掲げる事項については厚生労働省令で定める基準に従い定めるものとし、第4号に掲げる事項については厚生労働省令で定める基準を標準として定めるものとし、その他の事項については厚生労働省令で定める基準を参酌するものとする。
一　社会福祉施設に配置する職員及びその員数
二　社会福祉施設に係る居室の床面積
三　社会福祉施設の運営に関する事項であつて、利用者の適切な処遇及び安全の確保並びに秘密の保持に密接に関連するものとして厚生労働省令で定めるもの
四　社会福祉施設の利用定員
3　社会福祉施設の設置者は、第1項の基準を遵守しなければならない。

（社会福祉施設の管理者）
第66条　社会福祉施設には、専任の管理者を置かなければならない。

（施設を必要としない第一種社会福祉事業の開始）
第67条　市町村又は社会福祉法人は、施設を必要としない第一種社会福祉事業を開始したときは、事業開

始の日から１月以内に、事業経営地の都道府県知事に次に掲げる事項を届け出なければならない。
一　経営者の名称及び主たる事務所の所在地
二　事業の種類及び内容
三　条例、定款その他の基本約款
２　国、都道府県、市町村及び社会福祉法人以外の者は、施設を必要としない第一種社会福祉事業を経営しようとするときは、その事業の開始前に、その事業を経営しようとする地の都道府県知事の許可を受けなければならない。
３　前項の許可を受けようとする者は、第１項各号並びに第62条第３項第１号、第４号及び第５号に掲げる事項を記載した申請書を当該都道府県知事に提出しなければならない。
４　都道府県知事は、第２項の許可の申請があつたときは、第62条第４項各号に掲げる基準によつて、これを審査しなければならない。
５　第62条第５項及び第６項の規定は、前項の場合に準用する。
（施設を必要としない第１種社会福祉事業の変更及び廃止）
第68条　前条第１項の規定による届出をし、又は同条第２項の規定による許可を受けて社会福祉事業を経営する者は、その届け出た事項又は許可申請書に記載した事項に変更を生じたときは、変更の日から１月以内に、その旨を当該都道府県知事に届け出なければならない。その事業を廃止したときも、同様とする。
（社会福祉住居施設の設置）
第68条の２　市町村又は社会福祉法人は、住居の用に供するための施設を設置して、第２種社会福祉事業を開始したときは、事業開始の日から１月以内に、その施設（以下「社会福祉住居施設」という。）を設置した地の都道府県知事に、次に掲げる事項を届け出なければならない。
一　施設の名称及び種類
二　設置者の氏名又は名称、住所、経歴及び資産状況
三　条例、定款その他の基本約款
四　建物その他の設備の規模及び構造
五　事業開始の年月日
六　施設の管理者及び実務を担当する幹部職員の氏名及び経歴
七　福祉サービスを必要とする者に対する処遇の方法
２　国、都道府県、市町村及び社会福祉法人以外の者は、社会福祉住居施設を設置して、第２種社会福祉事業を経営しようとするときは、その事業の開始前に、その施設を設置しようとする地の都道府県知事に、前項各号に掲げる事項を届け出なければならない。
（社会福祉住居施設に係る届出事項の変更）
第68条の３　前条第１項の規定による届出をした者は、その届け出た事項に変更を生じたときは、変更の日から１月以内に、その旨を当該都道府県知事に届け出なければならない。
２　前条第２項の規定による届出をした者は、同条第１項第４号、第５号及び第７号に掲げる事項を変更しようとするときは、あらかじめ、その旨を当該都道府県知事に届け出なければならない。
３　前条第２項の規定による届出をした者は、同条第１項第１号から第３号まで及び第６号に掲げる事項を変更したときは、変更の日から１月以内に、その旨を当該都道府県知事に届け出なければならない。
（社会福祉住居施設の廃止）
第68条の４　第68条の２第１項又は第２項の規定による届出をした者は、その事業を廃止したときは、廃止の日から１月以内に、その旨を当該都道府県知事に届け出なければならない。
（社会福祉住居施設の基準）
第68条の５　都道府県は、社会福祉住居施設の設備の規模及び構造並びに福祉サービスの提供の方法、利用者等からの苦情への対応その他の社会福祉住居施設の運営について、条例で基準を定めなければならない。
２　都道府県が前項の条例を定めるに当たつては、次に掲げる事項については厚生労働省令で定める基準を標準として定めるものとし、その他の事項については厚生労働省令で定める基準を参酌するものとする。
一　社会福祉住居施設に配置する職員及びその員数
二　社会福祉住居施設に係る居室の床面積
三　社会福祉住居施設の運営に関する事項であつて、利用者の適切な処遇及び安全の確保並びに秘密の保持に密接に関連するものとして厚生労働省令で定めるもの
四　社会福祉住居施設の利用定員
３　社会福祉住居施設の設置者は、第１項の基準を遵守しなければならない。
（社会福祉住居施設の管理者）
第68条の６　第66条の規定は、社会福祉住居施設について準用する。
（住居の用に供するための施設を必要としない第２種社会福祉事業の開始等）
第69条　国及び都道府県以外の者は、住居の用に供するための施設を必要としない第二種社会福祉事業を

開始したときは、事業開始の日から１月以内に、事業経営地の都道府県知事に第67条第１項各号に掲げる事項を届け出なければならない。

２　前項の規定による届出をした者は、その届け出た事項に変更を生じたときは、変更の日から１月以内に、その旨を当該都道府県知事に届け出なければならない。その事業を廃止したときも、同様とする。

（調査）

第70条　都道府県知事は、この法律の目的を達成するため、社会福祉事業を経営する者に対し、必要と認める事項の報告を求め、又は当該職員をして、施設、帳簿、書類等を検査し、その他の事業経営の状況を調査させることができる。

（改善命令）

第71条　都道府県知事は、第62条第１項の規定による届出をし、若しくは同条第２項の規定による許可を受けて社会福祉事業を経営する者の施設又は第68条の２第１項若しくは第２項の規定による届出をして社会福祉事業を経営する者の施設が、第65条第１項又は第68条の５第１項の基準に適合しないと認められるに至つたときは、その事業を経営する者に対し、当該基準に適合するために必要な措置を採るべき旨を命ずることができる。

（許可の取消し等）

第72条　都道府県知事は、第62条第１項、第67条第１項、第68条の２第１項若しくは第２項若しくは第69条第１項の規定による届出をし、又は第62条第２項若しくは第67条第２項の規定による許可を受けて社会福祉事業を経営する者が、第62条第６項（第63条第３項及び第67条第５項において準用する場合を含む。）の規定による条件に違反し、第63条第１項若しくは第２項、第68条、第68条の３若しくは第69条第２項の規定に違反し、第70条の規定による報告の求めに応ぜず、若しくは虚偽の報告をし、同条の規定による当該職員の検査若しくは調査を拒み、妨げ、若しくは忌避し、前条の規定による命令に違反し、又はその事業に関し不当に営利を図り、若しくは福祉サービスの提供を受ける者の処遇につき不当な行為をしたときは、その者に対し、社会福祉事業を経営することを制限し、その停止を命じ、又は第62条第２項若しくは第67条第２項の許可を取り消すことができる。

２　都道府県知事は、第62条第１項、第67条第１項、第68条の２第１項若しくは第２項若しくは第69条第１項の規定による届出をし、若しくは第74条に規定する他の法律に基づく届出をし、又は第62条第２項若しくは第67条第２項の規定による許可を受け、若しくは第74条に規定する他の法律に基づく許可若しくは認可を受けて社会福祉事業を経営する者（次章において「社会福祉事業の経営者」という。）が、第77条又は第79条の規定に違反したときは、その者に対し、社会福祉事業を経営することを制限し、その停止を命じ、又は第62条第２項若しくは第67条第２項の許可若しくは第74条に規定する他の法律に基づく許可若しくは認可を取り消すことができる。

３　都道府県知事は、第62条第１項若しくは第２項、第67条第１項若しくは第２項、第68条の２第１項若しくは第２項又は第69条第１項の規定に違反して社会福祉事業を経営する者が、その事業に関し不当に営利を図り、若しくは福祉サービスの提供を受ける者の処遇につき不当の行為をしたときは、その者に対し、社会福祉事業を経営することを制限し、又はその停止を命ずることができる。

（市の区域内で行われる隣保事業の特例）

第73条　市の区域内で行われる隣保事業について第69条、第70条及び前条の規定を適用する場合においては、第69条第１項中「及び都道府県」とあるのは「、都道府県及び市」と、「都道府県知事」とあるのは「市長」と、同条第２項、第70条及び前条中「都道府県知事」とあるのは「市長」と読み替えるものとする。

（適用除外）

第74条　第62条から第71条まで並びに第72条第１項及び第３項の規定は、他の法律によつて、その設置又は開始につき、行政庁の許可、認可又は行政庁への届出を要するものとされている施設又は事業については、適用しない。

第８章　福祉サービスの適切な利用

第１節　情報の提供等

（情報の提供）

第75条　社会福祉事業の経営者は、福祉サービス（社会福祉事業において提供されるものに限る。以下この節及び次節において同じ。）を利用しようとする者が、適切かつ円滑にこれを利用することができるように、その経営する社会福祉事業に関し情報の提供を行うよう努めなければならない。

２　国及び地方公共団体は、福祉サービスを利用しようとする者が必要な情報を容易に得られるように、必要な措置を講ずるよう努めなければならない。

（利用契約の申込み時の説明）

第76条　社会福祉事業の経営者は、その提供する福祉サービスの利用を希望する者からの申込みがあつた場合には、その者に対し、当該福祉サービスを利用するための契約の内容及びその履行に関する事項について説明するよう努めなければならない。

（利用契約の成立時の書面の交付）

第77条　社会福祉事業の経営者は、福祉サービスを利用するための契約（厚生労働省令で定めるものを除く。）が成立したときは、その利用者に対し、遅滞なく、次に掲げる事項を記載した書面を交付しなければならない。

一　当該社会福祉事業の経営者の名称及び主たる事務所の所在地

二　当該社会福祉事業の経営者が提供する福祉サービスの内容

三　当該福祉サービスの提供につき利用者が支払うべき額に関する事項

四　その他厚生労働省令で定める事項

2　社会福祉事業の経営者は、前項の規定による書面の交付に代えて、政令の定めるところにより、当該利用者の承諾を得て、当該書面に記載すべき事項を電磁的方法により提供することができる。この場合において、当該社会福祉事業の経営者は、当該書面を交付したものとみなす。

（福祉サービスの質の向上のための措置等）

第78条　社会福祉事業の経営者は、自らその提供する福祉サービスの質の評価を行うことその他の措置を講ずることにより、常に福祉サービスを受ける者の立場に立つて良質かつ適切な福祉サービスを提供するよう努めなければならない。

2　国は、社会福祉事業の経営者が行う福祉サービスの質の向上のための措置を援助するために、福祉サービスの質の公正かつ適切な評価の実施に資するための措置を講ずるよう努めなければならない。

（誇大広告の禁止）

第79条　社会福祉事業の経営者は、その提供する福祉サービスについて広告をするときは、広告された福祉サービスの内容その他の厚生労働省令で定める事項について、著しく事実に相違する表示をし、又は実際のものよりも著しく優良であり、若しくは有利であると人を誤認させるような表示をしてはならない。

第12章　雑則

（芸能、出版物等の推薦等）

第149条　社会保障審議会は、社会福祉の増進を図るため、芸能、出版物等を推薦し、又はそれらを製作し、興行し、若しくは販売する者等に対し、必要な勧告をすることができる。

（大都市等の特例）

第150条　第７章及び第８章の規定により都道府県が処理することとされている事務のうち政令で定めるものは、指定都市及び中核市においては、政令の定めるところにより、指定都市又は中核市（以下「指定都市等」という。）が処理するものとする。この場合においては、これらの章中都道府県に関する規定は、指定都市等に関する規定として、指定都市等に適用があるものとする。

（事務の区分）

第151条　別表の上欄に掲げる地方公共団体がそれぞれ同表の下欄に掲げる規定により処理することとされている事務は、地方自治法第２条第９項第１号に規定する第１号法定受託事務とする。

（権限の委任）

第152条　この法律に規定する厚生労働大臣の権限は、厚生労働省令で定めるところにより、地方厚生局長に委任することができる。

2　前項の規定により地方厚生局長に委任された権限は、厚生労働省令で定めるところにより、地方厚生支局長に委任することができる。

（経過措置）

第153条　この法律の規定に基づき政令を制定し、又は改廃する場合においては、その政令で、その制定又は改廃に伴い合理的に必要と判断される範囲内において、所要の経過措置（罰則に関する経過措置を含む。）を定めることができる。

（厚生労働省令への委任）

第154条　この法律に規定するもののほか、この法律の実施のため必要な手続その他の事項は、厚生労働省令で定める。

第13章　罰則

第155条　次に掲げる者が、自己若しくは第三者の利益を図り又は社会福祉法人若しくは社会福祉連携推進法人に損害を加える目的で、その任務に背く行為をし、当該社会福祉法人又は社会福祉連携推進法人に財産上の損害を加えたときは、７年以下の懲役若しくは500万円以下の罰金に処し、又はこれを併科する。

一　評議員、理事又は監事

二　民事保全法第56条に規定する仮処分命令により選任された評議員、理事又は監事の職務を代行する者

三　第42条第２項又は第45条の６第２項（第45条の17第３項及び第143条第１項において準用する場合を含む。）の規定により選任された一時評議員、理事、監事又は理事長の職務を行うべき者

2　次に掲げる者が、自己若しくは第三者の利益を図り又は清算法人に損害を加える目的で、その任務に背く行為をし、当該清算法人に財産上の損害を加えたときも、前項と同様とする。

一　清算人

二　民事保全法第56条に規定する仮処分命令により選任された清算人の職務を代行する者

三　第46条の７第３項において準用する一般社団法

人及び一般財団法人に関する法律第75条第２項の規定により選任された一時清算人又は清算法人の監事の職務を行うべき者

四　第46条の11第７項において準用する一般社団法人及び一般財団法人に関する法律第79条第２項の規定により選任された一時代表清算人の職務を行うべき者

五　第46条の７第３項において準用する一般社団法人及び一般財団法人に関する法律第175条第２項の規定により選任された一時清算法人の評議員の職務を行うべき者

３　前２項の罪の未遂は、罰する。

第156条　次に掲げる者が、その職務に関し、不正の請託を受けて、財産上の利益を収受し、又はその要求若しくは約束をしたときは、５年以下の懲役又は500万円以下の罰金に処する。

一　前条第１項各号又は第２項各号に掲げる者

二　社会福祉法人の会計監査人又は第45条の６第３項（第143条第１項において準用する場合を含む。）の規定により選任された一時会計監査人の職務を行うべき者

２　前項の利益を供与し、又はその申込み若しくは約束をした者は、３年以下の懲役又は300万円以下の罰金に処する。

３　第１項の場合において、犯人の収受した利益は、没収する。その全部又は一部を没収することができないときは、その価額を追徴する。

第157条　第155条及び前条第１項の罪は、日本国外においてこれらの罪を犯した者にも適用する。

２　前条第２項の罪は、刑法（明治40年法律第45号）第２条の例に従う。

第158条　第156条第１項第２号に掲げる者が法人であるときは、同項の規定は、その行為をした会計監査人又は一時会計監査人の職務を行うべき者の職務を行うべき者に対して適用する。

第160条　第95条の４（第101条及び第106条において準用する場合を含む。）又は第95条の５第２項の規定に違反した者は、１年以下の懲役又は50万円以下の罰金に処する。

第161条　次の各号のいずれかに該当する場合には、当該違反行為をした者は、６月以下の懲役又は50万円以下の罰金に処する。

一　第57条に規定する停止命令に違反して引き続きその事業を行つたとき。

二　第62条第２項又は第67条第２項の規定に違反して社会福祉事業を経営したとき。

三　第72条第１項から第３項まで（これらの規定を第73条の規定により読み替えて適用する場合を含む。）に規定する制限若しくは停止の命令に違反したとき又は第72条第１項若しくは第２項の規定により許可を取り消されたにもかかわらず、引き続きその社会福祉事業を経営したとき。

第164条　法人の代表者又は法人若しくは人の代理人、使用人その他の従業者が、その法人又は人の事業に関し、第159条第３号又は前３条の違反行為をしたときは、行為者を罰するほか、その法人又はその人に対しても各本条の罰金刑を科する。

第165条　社会福祉法人の評議員、理事、監事、会計監査人若しくはその職務を行うべき社員、清算人、民事保全法第56条に規定する仮処分命令により選任された評議員、理事、監事若しくは清算人の職務を代行する者、第155条第１項第３号に規定する一時評議員、理事、監事若しくは理事長の職務を行うべき者、同条第２項第３号に規定する一時清算人若しくは清算法人の監事の職務を行うべき者、同項第４号に規定する一時代表清算人の職務を行うべき者、同項第５号に規定する一時清算法人の評議員の職務を行うべき者若しくは第156条第１項第２号に規定する一時会計監査人の職務を行うべき者又は社会福祉連携推進法人の理事、監事、会計監査人若しくはその職務を行うべき社員、同法第56条に規定する仮処分命令により選任された理事若しくは監事の職務を代行する者、第143条第１項において準用する第45条の６第２項の規定により選任された一時理事、監事若しくは代表理事の職務を行うべき者、一般社団法人及び一般財団法人に関する法律第334条第１項第６号に規定する一時理事、監事若しくは代表理事の職務を行うべき者、第143条第１項において準用する第45条の６第３項の規定により選任された一時会計監査人の職務を行うべき者若しくは同法第337条第１項第２号に規定する一時会計監査人の職務を行うべき者は、次のいずれかに該当する場合には、20万円以下の過料に処する。ただし、その行為について刑を科すべきときは、この限りでない。

一　この法律に基づく政令の規定による登記をすることを怠つたとき。

二　第46条の12第１項、第46条の30第１項、第53条第１項、第54条の３第１項又は第54条の９第１項の規定による公告を怠り、又は不正の公告をしたとき。

三　第34条の２第２項若しくは第３項（第139条第４項において準用する場合を含む。）、第45条の11第４項、第45条の15第２項若しくは第３項、第45条の19第３項、第45条の25、第45条の32第３項若しくは第４項（第138条第１項において準用する場合を含む。）、第45条の34第３項（第138条第１

項において準用する場合を含む。)、第46条の20第2項若しくは第3項、第46条の26第2項、第51条第2項、第54条第2項、第54条の4第3項、第54条の7第2項若しくは第54条の11第3項の規定又は第45条の9第10項において準用する一般社団法人及び一般財団法人に関する法律第194条第3項の規定に違反して、正当な理由がないのに、書類若しくは電磁的記録に記録された事項を厚生労働省令で定める方法により表示したものの閲覧若しくは謄写又は書類の謄本若しくは抄本の交付、電磁的記録に記録された事項を電磁的方法により提供すること若しくはその事項を記載した書面の交付を拒んだとき。

四　第45条の36第4項又は第139条第3項の規定に違反して、届出をせず、又は虚偽の届出をしたとき。

五　定款、議事録、財産目録、会計帳簿、貸借対照表、収支計算書、事業報告、事務報告、第45条の27第2項若しくは第46条の24第1項の附属明細書、監査報告、会計監査報告、決算報告又は第51条第1項、第54条第1項、第54条の4第1項、第54条の7第1項若しくは第54条の11第1項の書面若しくは電磁的記録に記載し、若しくは記録すべき事項を記載せず、若しくは記録せず、又は虚偽の記載若しくは記録をしたとき。

六　第34条の2第1項、第45条の11第2項若しくは第3項、第45条の15第1項、第45条の32第1項若しくは第2項、第45条の34第1項(第138条第1項において準用する場合を含む。)、第46条の20第1項、第46条の26第1項、第51条第1項、第54条第1項、第54条の4第2項、第54条の7第1項若しくは第54条の11第2項の規定又は第45条の9第10項において準用する一般社団法人及び一般財団法人に関する法律第194条第2項の規定に違反して、帳簿又は書類若しくは電磁的記録を備え置かなかつたとき。

七　第46条の2第2項(第141条において準用する場合を含む。)又は第46条の12第1項の規定に違反して、破産手続開始の申立てを怠つたとき。

八　清算の結了を遅延させる目的で、第46条の30第1項の期間を不当に定めたとき。

九　第46条の31第1項の規定に違反して、債務の弁済をしたとき。

十　第46条の33の規定に違反して、清算法人の財産を引き渡したとき。

十一　第53条第3項、第54条の3第3項又は第54条の9第3項の規定に違反して、吸収合併又は新設合併をしたとき。

十二　第56条第1項(第144条において準用する場合を含む。以下この号において同じ。)の規定による報告をせず、若しくは虚偽の報告をし、又は同項の規定による検査を拒み、妨げ、若しくは忌避したとき。

第166条　第23条、第113条第4項又は第130条第3項若しくは第4項の規定に違反した者は、10万円以下の過料に処する。

附　則　抄

(施行期日)

1　この法律は、昭和26年6月1日から施行する。但し、〔中略〕附則第3項から第6項まで〔中略〕の規定は、同年4月1日から〔中略〕施行する。

(関係法律の廃止)

2　社会事業法(昭和13年法律第59号)は、廃止する。

3　社会福祉主事の設置に関する法律(昭和25年法律第182号)は、廃止する。

別　表(第151条関係)

都道府県	第31条第1項、第42条第2項、第45条の6第2項(第45条の17第3項において準用する場合を含む。)、第45条の9第5項、第45条の36第2項及び第4項、第46条第1項第6号、第2項及び第3項、第46条の6第4項及び第5項、第47条の5、第50条第3項、第54条の6第2項、第55条の2第1項、第55条の3第1項、第55条の4、第56条第1項、第4項から第8項まで及び第9項(第58条第4項において準用する場合を含む。)、第57条、第58条第2項、第59条、第114条並びに第121条
市	第31条第1項、第42条第2項、第45条の6第2項(第45条の17第3項において準用する場合を含む。)、第45条の9第5項、第45条の36第2項及び第4項、第46条第1項第6号、第2項及び第3項、第46条の6第4項及び第5項、第47条の5、第50条第3項、第54条の6第2項、第55条の2第1項、第55条の3第1項、第55条の4、第56条第1項、第4項から第8項まで及び第9項(第58条第4項において準用する場合を含む。)、第57条、第58条第2項、第59条、第114条並びに第121条
町村	第58条第2項及び同条第4項において準用する第56条第9項

〔参考１〕

◉刑法等の一部を改正する法律の施行に伴う関係法律の整理等に関する法律（抄）

〔令和４年６月17日 法律第68号〕

注　令和５年５月17日法律第28号により一部改正

第１編　関係法律の一部改正

第11章　厚生労働省関係

（社会福祉法の一部改正）

第238条　社会福祉法（昭和26年法律第45号）の一部を次のように改正する。

第40条第１項第４号中「禁錮」を「拘禁刑」に改める。

第155条第１項、第156条第１項及び第２項並びに第159条から第162条までの規定中「懲役」を「拘禁刑」に改める。

第２編　経過措置

第１章　通則

（罰則の適用等に関する経過措置）

第441条　刑法等の一部を改正する法律（令和４年法律第67号。以下「刑法等一部改正法」という。）及びこの法律（以下「刑法等一部改正法等」という。）の施行前にした行為の処罰については、次章に別段の定めがあるもののほか、なお従前の例による。

２　刑法等一部改正法等の施行後にした行為に対して、他の法律の規定によりなお従前の例によることとされ、なお効力を有することとされ又は改正前若しくは廃止前の法律の規定の例によることとされる罰則を適用する場合において、当該罰則に定める刑（刑法施行法第19条第１項の規定又は第82条の規定による改正後の沖縄の復帰に伴う特別措置に関する法律第25条第４項の規定の適用後のものを含む。）に刑法等一部改正法第２条の規定による改正前の刑法（明治40年法律第45号。以下この項において「旧刑法」という。）第12条に規定する懲役（以下「懲役」という。）、旧刑法第13条に規定する禁錮（以下「禁錮」という。）又は旧刑法第16条に規定する拘留（以下「旧拘留」という。）が含まれるときは、当該刑のうち無期の懲役又は禁錮はそれぞれ無期拘禁刑と、有期の懲役又は禁錮はそれぞれその刑と長期及び短期（刑法施行法第20条の規定の適用後のものを含む。）を同じくする有期拘禁刑と、旧拘留は長期及び短期（刑法施行法第20条の規定の適用後のものを含む。）を同じくする拘留とする。

（裁判の効力とその執行に関する経過措置）

第442条　懲役、禁錮及び旧拘留の確定裁判の効力並びにその執行については、次章に別段の定めがあるもののほか、なお従前の例による。

（人の資格に関する経過措置）

第443条　懲役、禁錮又は旧拘留に処せられた者に係る人の資格に関する法令の規定の適用については、無期の懲役又は禁錮に処せられた者はそれぞれ無期拘禁刑に処せられた者と、有期の懲役又は禁錮に処せられた者はそれぞれ刑期を同じくする有期拘禁刑に処せられた者と、旧拘留に処せられた者は拘留に処せられた者とみなす。

２　拘禁刑又は拘留に処せられた者に係る他の法律の規定によりなお従前の例によることとされ、なお効力を有することとされ又は改正前若しくは廃止前の法律の規定の例によることとされる人の資格に関する法令の規定の適用については、無期拘禁刑に処せられた者は無期禁錮に処せられた者と、有期拘禁刑に処せられた者は刑期を同じくする有期禁錮に処せられた者と、拘留に処せられた者は刑期を同じくする旧拘留に処せられた者とみなす。

第４章　その他

（経過措置の政令への委任）

第509条　この編に定めるもののほか、刑法等一部改正法等の施行に伴い必要な経過措置は、政令で定める。

附　則　抄

（施行期日）

１　この法律は、刑法等一部改正法施行日〔令和７年６月１日〕から施行する。ただし、次の各号に掲げる規定は、当該各号に定める日から施行する。

一　第509条の規定　公布の日

〔参考２〕

◉生活困窮者自立支援法等の一部を改正する法律（抄）

〔令和６年４月24日 法律第21号〕

（社会福祉法の一部改正）

第４条　社会福祉法（昭和26年法律第45号）の一部を次のように改正する。

第68条の２に次の１項を加える。

３　市及び福祉に関する事務所を設置する町村の長は、前項の規定による届出がされていない疑いがある社会福祉住居施設を発見したときは、遅滞なく、その旨を、当該社会福祉住居施設の所在地の都道府県知事に通知するよう努めるものとする。

附　則　抄

（施行期日）

第１条　この法律は、令和７年４月１日から施行する。ただし、次の各号に掲げる規定は、当該各号に定める日から施行する。

一　〔前略〕附則第５条から第９条までの規定　公

布の日

（検討）

第２条　政府は、この法律の施行後５年を目途として、この法律による改正後のそれぞれの法律の施行の状況を勘案し、必要があると認めるときは、生活困窮者自立支援法第３条第１項に規定する生活困窮者に対する支援等が公正で分かりやすいものであることを確保する観点も含めてこの法律による改正後のそれぞれの法律の規定について検討を加え、その結果に基づいて必要な措置を講ずるものとする。

（政令への委任）

第９条　この附則に規定するもののほか、この法律の施行に伴い必要な経過措置は、政令で定める。

〔**参考３**〕

◉子ども・子育て支援法等の一部を改正する法律（抄）

〔令和６年６月12日 法律第47号〕

附　則　抄

（施行期日）

第１条　この法律は、令和６年10月１日から施行する。ただし、次の各号に掲げる規定は、当該各号に定める日から施行する。

一　〔前略〕附則第46条の規定　この法律の公布の日

四　次に掲げる規定　令和７年４月１日

リ　附則第24条〔中略〕の規定

（社会福祉法の一部改正）

第24条　社会福祉法（昭和26年法律第45号）の一部を次のように改正する。

第２条第３項第２号中「又は親子関係形成支援事業」を「、親子関係形成支援事業又は乳児等通園支援事業」に改める。

（その他の経過措置の政令への委任）

第46条　この附則に定めるもののほか、この法律の施行に関し必要な経過措置（罰則に関する経過措置を含む。）は、政令で定める。

（検討）

第48条　政府は、この法律の施行後５年を目途として、少子化の進展に対処するための子ども及び子育ての支援に関する施策の在り方について、加速化プラン実施施策の実施状況及びその効果並びに前条第２項の観点を踏まえて検討を行い、その結果に基づいて所要の措置を講ずるものとする。

◉社会福祉法施行令（抄）

〔昭和33年６月27日 政令第185号〕

注　令和６年１月４日政令第３号改正現在

（社会福祉事業の対象者の最低人員の特例）

第１条　社会福祉法（昭和26年法律第45号。以下「法」という。）第２条第４項第４号の政令で定める事業は、次のとおりとする。

一　生活困窮者自立支援法（平成25年法律第105号）第16条第３項に規定する認定生活困窮者就労訓練事業

二　児童福祉法（昭和22年法律第164号）第６条の３第10項に規定する小規模保育事業

三　障害者の日常生活及び社会生活を総合的に支援するための法律（平成17年法律第123号）第５条第27項に規定する地域活動支援センターを経営する事業又は同条第１項に規定する障害福祉サービス事業（同条第７項に規定する生活介護、同条第12項に規定する自立訓練、同条第13項に規定する就労移行支援又は同条第14項に規定する就労継続支援を行う事業に限る。）のうち厚生労働省令で定めるもの

（社会福祉法人の収益を充てることのできる公益事業）

第13条　法第26条第１項の政令で定める事業は、次に掲げる事業であつて社会福祉事業以外のものとする。

一　法第２条第４項第４号に掲げる事業

二　介護保険法（平成９年法律第123号）第８条第１項に規定する居宅サービス事業、同条第14項に規定する地域密着型サービス事業、同条第24項に規定する居宅介護支援事業、同法第８条の２第１項に規定する介護予防サービス事業又は同条第16項に規定する介護予防支援事業

三　介護保険法第８条第28項に規定する介護老人保健施設又は同条第29項に規定する介護医療院を経営する事業

四　社会福祉士及び介護福祉士法（昭和62年法律第

30号）第７条第２号若しくは第３号又は第40条第２項第１号から第３号まで若しくは第５号に規定する都道府県知事の指定した養成施設を経営する事業

五　精神保健福祉士法（平成９年法律第131号）第７条第２号又は第３号に規定する都道府県知事の指定した養成施設を経営する事業

六　児童福祉法第18条の６第１号に規定する指定保育士養成施設を経営する事業

七　前各号に掲げる事業に準ずる事業であつて厚生労働大臣が定めるもの

（特定社会福祉法人等の基準）

第13条の３　法第37条及び第45条の13第５項の政令で定める基準を超える社会福祉法人は、次の各号のいずれかに該当する社会福祉法人とする。

一　最終会計年度（各会計年度に係る法第45条の27第２項に規定する計算書類につき法第45条の30第２項の承認（法第45条の31前段に規定する場合にあつては、法第45条の28第３項の承認）を受けた場合における当該各会計年度のうち最も遅いものをいう。以下この条において同じ。）に係る法第45条の30第２項の承認を受けた収支計算書（法第45条の31前段に規定する場合にあつては、同条の規定により定時評議員会に報告された収支計算書）に基づいて最終会計年度における社会福祉事業並びに法第26条第１項に規定する公益事業及び同項に規定する収益事業による経常的な収益の額として厚生労働省令で定めるところにより計算した額が30億円を超えること。

二　最終会計年度に係る法第45条の30第２項の承認を受けた貸借対照表（法第45条の31前段に規定する場合にあつては、同条の規定により定時評議員会に報告された貸借対照表とし、社会福祉法人の成立後最初の定時評議員会までの間においては、法第45条の27第１項の貸借対照表とする。）の負債の部に計上した額の合計額が60億円を超えること。

（社会福祉法人に関する読替え）

第13条の４　法第43条第３項（法第46条の21の規定により適用する場合を含む。）において社会福祉法人について一般社団法人及び一般財団法人に関する法律（平成18年法律第48号）第74条第３項及び第４項の規定を準用する場合においては、同条第３項中「第38条第１項第１号」とあるのは「社会福祉法（昭和26年法律第45号）第45条の９第10項において準用する第181条第１項第１号」と、同条第４項中「第71条第１項」とあるのは「社会福祉法第45条の５第１項」と読み替えるものとする。

（評議員に関する読替え）

第13条の５　法第45条の８第４項（法第46条の21の規定により適用する場合を含む。）において評議員について一般社団法人及び一般財団法人に関する法律第186条第１項の規定を準用する場合においては、同項中「第182条第１項」とあるのは、「社会福祉法（昭和26年法律第45号）第45条の９第10項において準用する第182条第１項」と読み替えるものとする。

（評議員会の招集に関する読替え）

第13条の７　法第45条の９第10項（法第46条の21の規定により適用する場合を含む。）において評議員会の招集について一般社団法人及び一般財団法人に関する法律第181条第２項並びに第182条第１項及び第２項の規定を準用する場合においては、同法第181条第２項中「前条第２項」とあるのは「社会福祉法（昭和26年法律第45号）第45条の９第５項」と、同法第182条第１項中「第180条第２項」とあるのは「社会福祉法第45条の９第５項」と、同条第２項中「電磁的方法」とあるのは「電磁的方法（社会福祉法第34条の２第２項第４号に規定する電磁的方法をいう。）」と読み替えるものとする。

（評議員会の決議の不存在若しくは無効の確認又は取消しの訴えに関する読替え）

第13条の８　法第45条の12において評議員会の決議の不存在若しくは無効の確認又は取消しの訴えについて一般社団法人及び一般財団法人に関する法律第266条第１項の規定を準用する場合においては、同項中「第75条第１項（第177条及び第210条第４項において準用する場合を含む。）又は」とあるのは、「社会福祉法（昭和26年法律第45号）第42条第１項若しくは第45条の６第１項又は同法第46条の７第３項において準用する第75条第１項若しくは」と読み替えるものとする。

（理事会への報告に関する読替え）

第13条の９　法第45条の14第９項において理事会への報告について一般社団法人及び一般財団法人に関する法律第98条第２項の規定を準用する場合においては、同項中「第91条第２項」とあるのは、「社会福祉法（昭和26年法律第45号）第45条の16第３項」と読み替えるものとする。

（監事に関する読替え）

第13条の10　法第45条の18第３項において監事について一般社団法人及び一般財団法人に関する法律第101条第２項及び第104条第１項の規定を準用する場合においては、同法第101条第２項中「第93条第１

項ただし書」とあるのは「社会福祉法（昭和26年法律第45号）第45条の14第１項ただし書」と、「招集権者」とあるのは「同項ただし書の規定により定められた理事」と、同法第104条第１項中「第77条第４項及び第81条」とあるのは「社会福祉法第45条の17第１項」と読み替えるものとする。

（会計監査人に関する読替え）

第13条の11　法第45条の19第６項において会計監査人について一般社団法人及び一般財団法人に関する法律第109条第１項の規定を準用する場合においては、同項中「第107条第１項」とあるのは、「社会福祉法（昭和26年法律第45号）第45条の19第１項」と読み替えるものとする。

（役員等又は評議員の損害賠償責任等に関する読替え）

第13条の12　法第45条の22の２において役員等又は評議員の損害賠償責任等について一般社団法人及び一般財団法人に関する法律第115条第４項第３号、第116条第１項、第118条の２第２項第２号及び第５項並びに第118条の３第２項の規定を準用する場合においては、同法第115条第４項第３号中「第111条第１項」とあるのは「社会福祉法（昭和26年法律第45号）第45条の20第１項」と、同法第116条第１項中「第84条第１項第２号」とあるのは「社会福祉法第45条の16第４項において準用する第84条第１項第２号」と、同法第118条の２第２項第２号中「第111条第１項」とあるのは「社会福祉法第45条の20第１項」と、同条第５項中「第84条第１項、第92条第２項、第111条第３項及び第116条第１項」とあるのは「社会福祉法第45条の16第４項において読み替えて準用する第84条第１項、同法第45条の16第４項において準用する第92条第２項、同法第45条の20第３項及び同法第45条の22の２において準用する第116条第１項」と、同法第118条の３第２項中「第84条第１項、第92条第２項及び第111条第３項」とあるのは「社会福祉法第45条の16第４項において読み替えて準用する第84条第１項、同法第45条の16第４項において準用する第92条第２項及び同法第45条の20第３項」と読み替えるものとする。

（清算人に関する読替え）

第13条の13　法第46条の10第４項において清算人について一般社団法人及び一般財団法人に関する法律第81条、第85条及び第88条第２項の規定を準用する場合においては、同法第81条中「第77条第４項」とあるのは「社会福祉法（昭和26年法律第45号）第46条の11第７項において準用する第77条第４項」と、同法第85条中「監事設置一般社団法人」とあるのは「監事設置清算法人（社会福祉法第46条の11第６項に規定する監事設置清算法人をいう。第88条第２項において同じ。）」と、同法第88条第２項中「監事設置一般社団法人」とあるのは「監事設置清算法人」と読み替えるものとする。

（清算人の清算法人に対する損害賠償責任に関する読替え）

第13条の14　法第46条の14第４項において清算人の法第46条の４に規定する清算法人（第13条の17において「清算法人」という。）に対する損害賠償責任について一般社団法人及び一般財団法人に関する法律第116条第１項の規定を準用する場合においては、同項中「第84条第１項第２号」とあるのは、「社会福祉法（昭和26年法律第45号）第46条の10第４項において準用する第84条第１項第２号」と読み替えるものとする。

（清算人会設置法人に関する読替え）

第13条の15　法第46条の17第10項において法第46条の６第７項に規定する清算人会設置法人（次条において「清算人会設置法人」という。）について一般社団法人及び一般財団法人に関する法律第92条の規定を準用する場合においては、同条の見出し中「理事会設置一般社団法人」とあるのは「清算人会設置法人」と、同条第１項中「理事会設置一般社団法人」とあるのは「清算人会設置法人（社会福祉法（昭和26年法律第45号）第46条の６第７項に規定する清算人会設置法人をいう。次項において同じ。）」と、「第84条」とあるのは「同法第46条の10第４項において準用する第84条」と、同条第２項中「理事会設置一般社団法人」とあるのは「清算人会設置法人」と、「第84条第１項各号」とあるのは「社会福祉法第46条の10第４項において準用する第84条第１項各号」と読み替えるものとする。

（清算人会の運営に関する読替え）

第13条の16　法第46条の18第５項において清算人会設置法人における清算人会の決議について一般社団法人及び一般財団法人に関する法律第96条の規定を準用する場合においては、同条中「理事会設置一般社団法人」とあるのは、「清算人会設置法人（社会福祉法（昭和26年法律第45号）第46条の６第７項に規定する清算人会設置法人をいう。）」と読み替えるものとする。

２　法第46条の18第６項において清算人会設置法人における清算人会への報告について一般社団法人及び一般財団法人に関する法律第98条第２項の規定を準用する場合においては、同項中「第91条第２項」とあるのは、「社会福祉法第46条の17第９項」と読み替えるものとする。

（清算人又は清算人会に関する読替え）

第13条の17　法第46条の21の規定により清算人又は清算人会について法第45条の18第３項の規定を適用する場合においては、同項中「第102条」とあるのは「第100条中「理事会設置一般社団法人」とあるのは「清算人会設置法人（社会福祉法（昭和26年法律第45号）第46条の６第７項に規定する清算人会設置法人をいう。）」と、同法第101条第２項中「第93条第１項ただし書」とあるのは「社会福祉法第46条の18第１項ただし書」と、「招集権者」とあるのは「同項ただし書の規定により定められた清算人」と、同法第102条」と、「第105条中」とあるのは「第103条第１項中「監事設置一般社団法人の」とあるのは「監事設置清算法人（社会福祉法第46条の11第６項に規定する監事設置清算法人をいう。以下この項及び第106条において同じ。）の」と、「監事設置一般社団法人に」とあるのは「監事設置清算法人に」と、同法第105条中」と、「読み替えるものとするほか、必要な技術的読替えは、政令で定める」とあるのは「、同法第106条中「監事設置一般社団法人」とあるのは「監事設置清算法人」と読み替えるものとする」とする。

（社会福祉法人の解散及び清算に関する読替え）

第13条の18　法第47条の７において社会福祉法人の解散及び清算について一般社団法人及び一般財団法人に関する法律第289条第２号及び第293条第１号の規定を準用する場合においては、同法第289条第２号中「第75条第２項（第177条において準用する場合を含む。）、第79条第２項（第197条において準用する場合を含む。）若しくは第175条第２項の規定により選任された一時理事、監事、代表理事若しくは評議員の職務を行うべき者、清算人、第210条第４項」とあるのは「清算人、社会福祉法（昭和26年法律第45号）第46条の７第３項」と、「若しくは第214条第７項において準用する第79条第２項の規定」とあるのは「の規定」と、「代表清算人」とあるのは「監事の職務を行うべき者、同法第46条の７第３項において準用する第175条第２項の規定により選任された一時評議員の職務を行うべき者、同法第46条の11第７項において準用する第79条第２項の規定により選任された一時代表清算人」と、「、検査役又は第262条第２項の管理人」とあるのは「又は検査役」と、同法第293条第１号中「第289条第２号に規定する一時理事、監事、代表理事若しくは評議員の職務を行うべき者、清算人」とあるのは「清算人」と、「同号」とあるのは「社会福祉法第47条の７において準用する第289条第２号」と、「若しくは代表清算人」とあるのは「、監事、評議員若しくは代表清算人」と、「第235条第１項」とあるのは「同法第46条の32第１項」と、「第241条第２項」とあるのは「同法第47条の３第２項」と読み替えるものとする。

（社会福祉法人の合併の無効の訴えに関する読替え）

第13条の19　法第55条において社会福祉法人の合併の無効の訴えについて一般社団法人及び一般財団法人に関する法律第264条第２項第２号及び第３号、第269条第２号及び第３号並びに第275条第１項第１号及び第２号の規定を準用する場合においては、同法第264条第２項第２号中「吸収合併存続法人」とあるのは「吸収合併存続社会福祉法人（社会福祉法（昭和26年法律第45号）第49条に規定する吸収合併存続社会福祉法人をいう。第269条第２号及び第275条第１項第１号において同じ。）」と、同項第３号中「新設合併設立法人」とあるのは「新設合併設立社会福祉法人（社会福祉法第54条の５第２号に規定する新設合併設立社会福祉法人をいう。第269条第３号及び第275条第１項第２号において同じ。）」と、同法第269条第２号中「吸収合併存続法人」とあるのは「吸収合併存続社会福祉法人」と、同条第３号中「新設合併設立法人」とあるのは「新設合併設立社会福祉法人」と、同法第275条第１項第１号中「吸収合併存続法人」とあるのは「吸収合併存続社会福祉法人」と、同項第２号中「新設合併設立法人」とあるのは「新設合併設立社会福祉法人」と読み替えるものとする。

（大都市等の特例）

第36条　地方自治法（昭和22年法律第67号）第252条の19第１項の指定都市（以下「指定都市」という。）において、法第150条の規定により、指定都市が処理する事務については、地方自治法施行令（昭和22年政令第16号）第174条の30の２第１項及び第２項に定めるところによる。

2　地方自治法第252条の22第１項の中核市（以下「中核市」という。）において、法第150条の規定により、中核市が処理する事務については、地方自治法施行令第174条の49の７第１項及び第２項に定めるところによる。

◉社会福祉法施行規則（抄）

〔昭和26年6月21日
厚生省令第28号〕

注　令和6年1月25日厚生労働省令第18号改正現在

（法第30条第2項に規定する厚生労働省令で定めるもの）

第1条の4　法〔社会福祉法（昭和26年法律第45号。以下「法」という。）〕第30条第2項に規定する厚生労働省令で定めるものは、次のとおりとする。

一　全国を単位として行われる事業

二　地域を限定しないで行われる事業

三　法令の規定に基づき指定を受けて行われる事業

四　前各号に類する事業

（設立認可申請手続）

第2条　法第31条の規定により、社会福祉法人を設立しようとする者は、次に掲げる事項を記載した申請書及び定款を所轄庁に提出しなければならない。

一　設立者又は設立代表者の氏名及び住所

二　社会福祉法人の名称及び主たる事務所の所在地

三　設立の趣意

四　評議員となるべき者及び役員（法第31条第1項第6号に規定する役員をいう。以下同じ。）となるべき者の氏名

五　評議員となるべき者のうちに、他の各評議員となるべき者について、第2条の7第6号に規定する者（同号括弧書に規定する割合が3分の1を超えない場合に限る。）、同条第7号に規定する者（同号括弧書に規定する半数を超えない場合に限る。）又は同条第8号に規定する者（同号括弧書に規定する割合が3分の1を超えない場合に限る。）がいるときは、当該他の各評議員の氏名及び当該他の各評議員との関係を説明する事項

六　評議員となるべき者のうちに、他の各役員となるべき者について、第2条の8第6号に規定する者（同号括弧書に規定する割合が3分の1を超えない場合に限る。）又は同条第7号に規定する者（同号括弧書に規定する半数を超えない場合に限る。）がいるときは、当該他の各役員の氏名及び当該他の各役員との関係を説明する事項

七　理事となるべき者のうちに、他の各理事となるべき者について、第2条の10各号に規定する者（第6号又は第7号に規定する者については、これらの号に規定する割合が3分の1を超えない場合に限る。）がいるときは、当該他の各理事の氏名及び当該他の各理事との関係を説明する事項

八　監事となるべき者のうちに、他の各役員となるべき者について、第2条の11第6号に規定する者（同号括弧書に規定する割合が3分の1を超えない場合に限る。）、同条第7号に規定する者（同号括弧書に規定する割合が3分の1を超えない場合に限る。）、同条第8号に規定する者（同号括弧書に規定する半数を超えない場合に限る。）又は同条第9号に規定する者（同号括弧書に規定する割合が3分の1を超えない場合に限る。）がいるときは、当該他の各役員の氏名及び当該他の各役員との関係を説明する事項

2　前項の申請書には、次に掲げる書類を添付しなければならない。

一　設立当初において当該社会福祉法人に帰属すべき財産の財産目録及び当該財産が当該社会福祉法人に確実に帰属することを明らかにすることができる書類

二　当該社会福祉法人がその事業を行うため前号の財産目録に記載された不動産以外の不動産の使用を予定しているときは、その使用の権限が当該社会福祉法人に確実に帰属することを明らかにすることができる書類

三　設立当初の会計年度及び次の会計年度における事業計画書及びこれに伴う収支予算書

四　設立者の履歴書

五　設立代表者を定めたときは、その権限を証明する書類

六　評議員となるべき者及び役員となるべき者の履歴書及び就任承諾書

3　所轄庁は、前2項に規定するもののほか、不動産の価格評価書その他必要な書類の提出を求めることができる。

4　社会福祉法人は、その設立の認可を受けたときは、遅滞なく財産目録記載の財産の移転を受けて、その移転を終了した後1月以内にこれを証明する書類を添付して所轄庁に報告しなければならない。

5　第1項の認可申請書類には、副本1通を添付しな

ければならない。

（最終会計年度における事業活動に係る収益の額の算定方法）

第２条の６　令第13条の３第１号に規定する収益の額として厚生労働省令で定めるところにより計算した額は、社会福祉法人会計基準（平成28年厚生労働省令第79号）第７条の２第１項第２号ロ⑴に規定する法人単位事業活動計算書の当年度決算(A)の項サービス活動収益計⑴欄に計上した額とする。

（職務を適正に執行することができない者）

第２条の６の２　法第40条第１項第２号（法第44条第１項、第46条の６第６項及び第115条第２項において準用する場合を含む。）に規定する厚生労働省令で定めるものは、精神の機能の障害により職務を適正に執行するに当たつて必要な認知、判断及び意思疎通を適切に行うことができない者とする。

（評議員のうちの各評議員と特殊の関係がある者）

第２条の７　法第40条第４項に規定する各評議員と厚生労働省令で定める特殊の関係がある者は、次に掲げる者とする。

一　当該評議員と婚姻の届出をしていないが事実上婚姻関係と同様の事情にある者

二　当該評議員の使用人

三　当該評議員から受ける金銭その他の財産によつて生計を維持している者

四　前２号に掲げる者の配偶者

五　第１号から第３号までに掲げる者の３親等以内の親族であつて、これらの者と生計を一にするもの

六　当該評議員が役員（法人でない団体で代表者又は管理人の定めのあるものにあつては、その代表者又は管理人。以下この号及び次号において同じ。）若しくは業務を執行する社員である他の同一の団体（社会福祉法人を除く。）の役員、業務を執行する社員又は職員（当該評議員及び当該他の同一の団体の役員、業務を執行する社員又は職員である当該社会福祉法人の評議員の合計数の当該社会福祉法人の評議員の総数のうちに占める割合が、３分の１を超える場合に限る。）

七　他の社会福祉法人の役員又は職員（当該他の社会福祉法人の評議員となつている当該社会福祉法人の評議員及び役員の合計数が、当該他の社会福祉法人の評議員の総数の半数を超える場合に限る。）

八　次に掲げる団体の職員のうち国会議員又は地方公共団体の議会の議員でない者（当該団体の職員（国会議員又は地方公共団体の議会の議員である者を除く。）である当該社会福祉法人の評議員の総数の当該社会福祉法人の評議員の総数のうちに占める割合が、３分の１を超える場合に限る。）

イ　国の機関

ロ　地方公共団体

ハ　独立行政法人通則法（平成11年法律第103号）第２条第１項に規定する独立行政法人

ニ　国立大学法人法（平成15年法律第112号）第２条第１項に規定する国立大学法人又は同条第３項に規定する大学共同利用機関法人

ホ　地方独立行政法人法（平成15年法律第118号）第２条第１項に規定する地方独立行政法人

へ　特殊法人（特別の法律により特別の設立行為をもつて設立された法人であつて、総務省設置法（平成11年法律第91号）第４条第１項第９号の規定の適用を受けるものをいう。）又は認可法人（特別の法律により設立され、かつ、その設立に関し行政官庁の認可を要する法人をいう。）

（評議員のうちの各役員と特殊の関係がある者）

第２条の８　法第40条第５項に規定する各役員と厚生労働省令で定める特殊の関係がある者は、次に掲げる者とする。

一　当該役員と婚姻の届出をしていないが事実上婚姻関係と同様の事情にある者

二　当該役員の使用人

三　当該役員から受ける金銭その他の財産によつて生計を維持している者

四　前２号に掲げる者の配偶者

五　第１号から第３号までに掲げる者の３親等以内の親族であつて、これらの者と生計を一にするもの

六　当該役員が役員（法人でない団体で代表者又は管理人の定めのあるものにあつては、その代表者又は管理人。以下この号及び次号において同じ。）若しくは業務を執行する社員である他の同一の団体（社会福祉法人を除く。）の役員、業務を執行する社員又は職員（当該他の同一の団体の役員、業務を執行する社員又は職員である当該社会福祉法人の評議員の総数の当該社会福祉法人の評議員の総数のうちに占める割合が、３分の１を超える場合に限る。）

七　他の社会福祉法人の役員又は職員（当該他の社会福祉法人の評議員となつている当該社会福祉法人の評議員及び役員の合計数が、当該他の社会福

祉法人の評議員の総数の半数を超える場合に限る。）

（補欠の役員の選任）

第２条の９　法第43条第２項の規定による補欠の役員の選任については、この条の定めるところによる。

２　法第43条第２項の規定により補欠の役員を選任する場合には、次に掲げる事項も併せて決定しなければならない。

一　当該候補者が補欠の役員である旨

二　当該候補者を１人又は２人以上の特定の役員の補欠の役員として選任するときは、その旨及び当該特定の役員の氏名

三　同一の役員（２人以上の役員の補欠として選任した場合にあつては、当該２人以上の役員）につき２人以上の補欠の役員を選任するときは、当該補欠の役員相互間の優先順位

四　補欠の役員について、就任前にその選任の取消しを行う場合があるときは、その旨及び取消しを行うための手続

３　補欠の役員の選任に係る決議が効力を有する期間は、定款に別段の定めがある場合を除き、当該決議後最初に開催する定時評議員会の開始の時までとする。ただし、評議員会の決議によつてその期間を短縮することを妨げない。

（理事のうちの各理事と特殊の関係がある者）

第２条の10　法第44条第６項に規定する各理事と厚生労働省令で定める特殊の関係がある者は、次に掲げる者とする。

一　当該理事と婚姻の届出をしていないが事実上婚姻関係と同様の事情にある者

二　当該理事の使用人

三　当該理事から受ける金銭その他の財産によつて生計を維持している者

四　前２号に掲げる者の配偶者

五　第１号から第３号までに掲げる者の３親等以内の親族であつて、これらの者と生計を一にするもの

六　当該理事が役員（法人でない団体で代表者又は管理人の定めのあるものにあつては、その代表者又は管理人。以下この号において同じ。）若しくは業務を執行する社員である他の同一の団体（社会福祉法人を除く。）の役員、業務を執行する社員又は職員（当該他の同一の団体の役員、業務を執行する社員又は職員である当該社会福祉法人の理事の総数の当該社会福祉法人の理事の総数のうちに占める割合が、３分の１を超える場合に限る。）

七　第２条の７第８号に掲げる団体の職員のうち国会議員又は地方公共団体の議会の議員でない者（当該団体の職員（国会議員又は地方公共団体の議会の議員である者を除く。）である当該社会福祉法人の理事の総数の当該社会福祉法人の理事の総数のうちに占める割合が、３分の１を超える場合に限る。）

（監事のうちの各役員と特殊の関係がある者）

第２条の11　法第44条第７項に規定する各役員と厚生労働省令で定める特殊の関係がある者は、次に掲げる者とする。

一　当該役員と婚姻の届出をしていないが事実上婚姻関係と同様の事情にある者

二　当該役員の使用人

三　当該役員から受ける金銭その他の財産によつて生計を維持している者

四　前２号に掲げる者の配偶者

五　第１号から第３号までに掲げる者の３親等以内の親族であつて、これらの者と生計を一にするもの

六　当該理事が役員（法人でない団体で代表者又は管理人の定めのあるものにあつては、その代表者又は管理人。以下この号及び次号において同じ。）若しくは業務を執行する社員である他の同一の団体（社会福祉法人を除く。）の役員、業務を執行する社員又は職員（当該他の同一の団体の役員、業務を執行する社員又は職員である当該社会福祉法人の監事の総数の当該社会福祉法人の監事の総数のうちに占める割合が、３分の１を超える場合に限る。）

七　当該監事が役員若しくは業務を執行する社員である他の同一の団体（社会福祉法人を除く。）の役員、業務を執行する社員又は職員（当該監事及び当該他の同一の団体の役員、業務を執行する社員又は職員である当該社会福祉法人の監事の合計数の当該社会福祉法人の監事の総数のうちに占める割合が、３分の１を超える場合に限る。）

八　他の社会福祉法人の理事又は職員（当該他の社会福祉法人の評議員となつている当該社会福祉法人の評議員及び役員の合計数が、当該他の社会福祉法人の評議員の総数の半数を超える場合に限る。）

九　第２条の７第８号に掲げる団体の職員のうち国会議員又は地方公共団体の議会の議員でない者（当該団体の職員（国会議員又は地方公共団体の

議会の議員である者を除く。）である当該社会福祉法人の監事の総数の当該社会福祉法人の監事の総数のうちに占める割合が、３分の１を超える場合に限る。）

（招集の決定事項）

第２条の12　法第45条の９第10項において準用する一般社団法人及び一般財団法人に関する法律第181条第１項第３号に規定する厚生労働省令で定める事項は、評議員会の目的である事項に係る議案（当該目的である事項が議案となるものを除く。）の概要（議案が確定していない場合にあつては、その旨）とする。

（理事等の説明義務）

第２条の14　法第45条の10に規定する厚生労働省令で定める場合は、次に掲げる場合とする。

一　評議員が説明を求めた事項について説明をするために調査をすることが必要である場合（次に掲げる場合を除く。）

イ　当該評議員が評議員会の日より相当の期間前に当該事項を社会福祉法人に対して通知した場合

ロ　当該事項について説明をするために必要な調査が著しく容易である場合

二　評議員が説明を求めた事項について説明をすることにより社会福祉法人その他の者（当該評議員を除く。）の権利を侵害することとなる場合

三　評議員が当該評議員会において実質的に同一の事項について繰り返して説明を求める場合

四　前３号に掲げる場合のほか、評議員が説明を求めた事項について説明をしないことにつき正当な理由がある場合

（評議員会の議事録）

第２条の15　法第45条の11第１項の規定による評議員会の議事録の作成については、この条の定めるところによる。

２　評議員会の議事録は、書面又は電磁的記録をもつて作成しなければならない。

３　評議員会の議事録は、次に掲げる事項を内容とするものでなければならない。

一　評議員会が開催された日時及び場所（当該場所に存しない評議員、理事、監事又は会計監査人が評議員会に出席した場合における当該出席の方法を含む。）

二　評議員会の議事の経過の要領及びその結果

三　決議を要する事項について特別の利害関係を有する評議員があるときは、当該評議員の氏名

四　次に掲げる規定により評議員会において述べられた意見又は発言があるときは、その意見又は発言の内容の概要

イ　法第43条第３項において準用する一般社団法人及び一般財団法人に関する法律第74条第１項（法第43条第３項において準用する一般社団法人及び一般財団法人に関する法律第74条第４項において準用する場合を含む。）

ロ　法第43条第３項において準用する一般社団法人及び一般財団法人に関する法律第74条第２項（法第43条第３項において準用する一般社団法人及び一般財団法人に関する法律第74条第４項において準用する場合を含む。）

ハ　法第45条の18第３項において準用する一般社団法人及び一般財団法人に関する法律第102条

ニ　法第45条の18第３項において準用する一般社団法人及び一般財団法人に関する法律第105条第３項

ホ　法第45条の19第６項において準用する一般社団法人及び一般財団法人に関する法律第109条第１項

ヘ　法第45条の19第６項において準用する一般社団法人及び一般財団法人に関する法律第109条第２項

五　評議員会に出席した評議員、理事、監事又は会計監査人の氏名又は名称

六　評議員会の議長が存するときは、議長の氏名

七　議事録の作成に係る職務を行つた者の氏名

４　次の各号に掲げる場合には、評議員会の議事録は、当該各号に定める事項を内容とするものとする。

一　法第45条の９第10項において準用する一般社団法人及び一般財団法人に関する法律第194条第１項の規定により評議員会の決議があつたものとみなされた場合　次に掲げる事項

イ　評議員会の決議があつたものとみなされた事項の内容

ロ　イの事項の提案をした者の氏名

ハ　評議員会の決議があつたものとみなされた日

ニ　議事録の作成に係る職務を行つた者の氏名

二　法第45条の９第10項において準用する一般社団法人及び一般財団法人に関する法律第195条の規定により評議員会への報告があつたものとみなされた場合　次に掲げる事項

イ　評議員会への報告があつたものとみなされた事項の内容

ロ　評議員会への報告があつたものとみなされた日
ハ　議事録の作成に係る職務を行つた者の氏名

（社会福祉法人の業務の適正を確保するための体制）

第２条の16　法第45条の13第４項第５号に規定する厚生労働省令で定める体制は、次に掲げる体制とする。

一　理事の職務の執行に係る情報の保存及び管理に関する体制
二　損失の危険の管理に関する規程その他の体制
三　理事の職務の執行が効率的に行われることを確保するための体制
四　職員の職務の執行が法令及び定款に適合することを確保するための体制
五　監事がその職務を補助すべき職員を置くことを求めた場合における当該職員に関する事項
六　前号の職員の理事からの独立性に関する事項
七　監事の第５号の職員に対する指示の実効性の確保に関する事項
八　理事及び職員が監事に報告をするための体制その他の監事への報告に関する体制
九　前号の報告をした者が当該報告をしたことを理由として不利な取扱いを受けないことを確保するための体制
十　監事の職務の執行について生ずる費用の前払又は償還の手続その他の当該職務の執行について生ずる費用又は債務の処理に係る方針に関する事項
十一　その他監事の監査が実効的に行われることを確保するための体制

（理事会の議事録）

第２条の17　法第45条の14第６項の規定による理事会の議事録の作成については、この条の定めるところによる。

２　理事会の議事録は、書面又は電磁的記録をもつて作成しなければならない。

３　理事会の議事録は、次に掲げる事項を内容とするものでなければならない。

一　理事会が開催された日時及び場所（当該場所に存しない理事、監事又は会計監査人が理事会に出席した場合における当該出席の方法を含む。）
二　理事会が次に掲げるいずれかのものに該当するときは、その旨
イ　法第45条の14第２項の規定による理事の請求を受けて招集されたもの
ロ　法第45条の14第３項の規定により理事が招集したもの
ハ　法第45条の18第３項において準用する一般社団法人及び一般財団法人に関する法律第101条第２項の規定による監事の請求を受けて招集されたもの
ニ　法第45条の18第３項において準用する一般社団法人及び一般財団法人に関する法律第101条第３項の規定により監事が招集したもの
三　理事会の議事の経過の要領及びその結果
四　決議を要する事項について特別の利害関係を有する理事があるときは、当該理事の氏名
五　次に掲げる規定により理事会において述べられた意見又は発言があるときは、その意見又は発言の内容の概要
イ　法第45条の16第４項において準用する一般社団法人及び一般財団法人に関する法律第92条第２項
ロ　法第45条の18第３項において準用する一般社団法人及び一般財団法人に関する法律第100条
ハ　法第45条の18第３項において準用する一般社団法人及び一般財団法人に関する法律第101条第１項
ニ　法第45条の22の２において準用する一般社団法人及び一般財団法人に関する法律第118条の２第４項
六　法第45条の14第６項の定款の定めがあるときは、理事長以外の理事であつて、理事会に出席したものの氏名
七　理事会に出席した会計監査人の氏名又は名称
八　理事会の議長が存するときは、議長の氏名

４　次の各号に掲げる場合には、理事会の議事録は、当該各号に定める事項を内容とするものとする。

一　法第45条の14第９項において準用する一般社団法人及び一般財団法人に関する法律第96条の規定により理事会の決議があつたものとみなされた場合　次に掲げる事項
イ　理事会の決議があつたものとみなされた事項の内容
ロ　イの事項の提案をした理事の氏名
ハ　理事会の決議があつたものとみなされた日
ニ　議事録の作成に係る職務を行つた理事の氏名
二　法第45条の14第９項において準用する一般社団法人及び一般財団法人に関する法律第98条第１項の規定により理事会への報告を要しないものとされた場合　次に掲げる事項
イ　理事会への報告を要しないものとされた事項の内容

ロ　理事会への報告を要しないものとされた日
ハ　議事録の作成に係る職務を行つた理事の氏名
（電子署名）
第２条の18　次に掲げる規定に規定する厚生労働省令で定める署名又は記名押印に代わる措置は、電子署名とする。
一　法第45条の14第７項
二　法第46条の18第５項において準用する一般社団法人及び一般財団法人に関する法律第95条第４項
２　前項に規定する「電子署名」とは、電磁的記録に記録することができる情報について行われる措置であつて、次の要件のいずれにも該当するものをいう。
一　当該情報が当該措置を行つた者の作成に係るものであることを示すためのものであること。
二　当該情報について改変が行われていないかどうかを確認することができるものであること。
（監査報告の作成）
第２条の19　法第45条の18第１項の規定による監査報告の作成については、この条の定めるところによる。
２　監事は、その職務を適切に遂行するため、次に掲げる者との意思疎通を図り、情報の収集及び監査の環境の整備に努めなければならない。この場合において、理事又は理事会は、監事の職務の執行のための必要な体制の整備に留意しなければならない。
一　当該社会福祉法人の理事及び職員
二　その他監事が適切に職務を遂行するに当たり意思疎通を図るべき者
３　前項の規定は、監事が公正不偏の態度及び独立の立場を保持することができなくなるおそれのある関係の創設及び維持を認めるものと解してはならない。
４　監事は、その職務の遂行に当たり、必要に応じ、当該社会福祉法人の他の監事との意思疎通及び情報の交換を図るよう努めなければならない。
（監事の調査の対象）
第２条の20　法第45条の18第３項において準用する一般社団法人及び一般財団法人に関する法律第102条に規定する厚生労働省令で定めるものは、電磁的記録その他の資料とする。
（会計監査報告の作成）
第２条の21　法第45条の19第１項の規定による会計監査報告の作成については、この条の定めるところによる。
２　会計監査人は、その職務を適切に遂行するため、次に掲げる者との意思疎通を図り、情報の収集及び監査の環境の整備に努めなければならない。ただし、会計監査人が公正不偏の態度及び独立の立場を保持することができなくなるおそれのある関係の創設及び維持を認めるものと解してはならない。
一　当該社会福祉法人の理事及び職員
二　その他会計監査人が適切に職務を遂行するに当たり意思疎通を図るべき者
（会計監査人が監査する書類）
第２条の22　法第45条の19第２項の厚生労働省令で定める書類は、財産目録（社会福祉法人会計基準第７条の２第１項第１号イに規定する法人単位貸借対照表に対応する項目に限る。）とする。
（責任の一部免除に係る報酬等の額の算定方法）
第２条の23　法第45条の22の２において準用する一般社団法人及び一般財団法人に関する法律第113条第１項第２号に規定する厚生労働省令で定める方法により算定される額は、次に掲げる額の合計額とする。
一　役員等（法第45条の20第１項に規定する役員等をいう。以下同じ。）がその在職中に報酬、賞与その他の職務執行の対価（当該役員等のうち理事が当該社会福祉法人の職員を兼ねている場合における当該職員の報酬、賞与その他の職務執行の対価を含む。）として社会福祉法人から受け、又は受けるべき財産上の利益（次号に定めるものを除く。）の額の会計年度（次のイからハまでに掲げる場合の区分に応じ、当該イからハまでに定める日を含む会計年度及びその前の各会計年度に限る。）ごとの合計額（当該会計年度の期間が１年でない場合にあつては、当該合計額を１年当たりの額に換算した額）のうち最も高い額
イ　法第45条の22の２において準用する一般社団法人及び一般財団法人に関する法律第113条第１項の評議員会の決議を行つた場合　当該評議員会の決議の日
ロ　法第45条の22の２において準用する一般社団法人及び一般財団法人に関する法律第114条第１項の規定による定款の定めに基づいて責任を免除する旨の理事会の決議を行つた場合　当該決議のあつた日
ハ　法第45条の22の２において準用する一般社団法人及び一般財団法人に関する法律第115条第１項の契約を締結した場合　責任の原因となる事実が生じた日（２以上の日がある場合にあつては、最も遅い日）

二　イに掲げる額をロに掲げる数で除して得た額
イ　次に掲げる額の合計額
⑴　当該役員等が当該社会福祉法人から受けた退職慰労金の額
⑵　当該役員等のうち理事が当該社会福祉法人の職員を兼ねていた場合における当該職員としての退職手当のうち当該役員等のうち理事を兼ねていた期間の職務執行の対価である部分の額
⑶　⑴又は⑵に掲げるものの性質を有する財産上の利益の額
ロ　当該役員等がその職に就いていた年数（当該役員等が次に掲げるものに該当する場合における次に定める数が当該年数を超えている場合にあつては、当該数）
⑴　理事長　６
⑵　理事長以外の理事であつて、次に掲げる者　４
(i)　理事会の決議によつて社会福祉法人の業務を執行する理事として選定されたもの
(ii)　当該社会福祉法人の業務を執行した理事（(i)に掲げる理事を除く。）
(iii)　当該社会福祉法人の職員
⑶　理事（⑴及び⑵に掲げるものを除く。）、監事又は会計監査人　２

（責任の免除の決議後に受ける退職慰労金等）

第２条の24　法第45条の22の２において準用する一般社団法人及び一般財団法人に関する法律第113条第４項（法第45条の22の２において準用する一般社団法人及び一般財団法人に関する法律第114条第５項及び第115条第５項において準用する場合を含む。）に規定する厚生労働省令で定める財産上の利益は、次に掲げるものとする。
一　退職慰労金
二　当該役員等のうち理事が当該社会福祉法人の職員を兼ねていたときは、当該職員としての退職手当のうち当該役員等のうち理事を兼ねていた期間の職務執行の対価である部分
三　前２号に掲げるものの性質を有する財産上の利益

（役員等のために締結される保険契約）

第２条の24の２　法第45条の22の２において準用する一般社団法人及び一般財団法人に関する法律第118条の３第１項に規定する厚生労働省令で定めるものは、次に掲げるものとする。
一　被保険者に保険者との間で保険契約を締結する社会福祉法人を含む保険契約であつて、当該社会福祉法人がその業務に関連し第三者に生じた損害を賠償する責任を負うこと又は当該責任の追及に係る請求を受けることによつて当該社会福祉法人に生ずることのある損害を保険者が塡補することを主たる目的として締結されるもの
二　役員等が第三者に生じた損害を賠償する責任を負うこと又は当該責任の追及に係る請求を受けることによつて当該役員等に生ずることのある損害（役員等がその職務上の義務に違反し若しくは職務を怠つたことによつて第三者に生じた損害を賠償する責任を負うこと又は当該責任の追及に係る請求を受けることによつて当該役員等に生ずることのある損害を除く。）を保険者が塡補することを目的として締結されるもの

（事業報告）

第２条の25　法第45条の27第２項の規定による事業報告及びその附属明細書の作成については、この条の定めるところによる。ただし、他の法令に別段の定めがある場合は、この限りでない。
２　事業報告は、次に掲げる事項をその内容としなければならない。
一　当該社会福祉法人の状況に関する重要な事項（計算関係書類（計算書類（法第45条の27第２項に規定する計算書類をいう。第40条第７項第１号及び第40条の17第１号を除き、以下同じ。）及びその附属明細書をいう。以下同じ。）の内容となる事項を除く。）
二　法第45条の13第４項第５号に規定する体制の整備についての決定又は決議があるときは、その決定又は決議の内容の概要及び当該体制の運用状況の概要
３　事業報告の附属明細書は、事業報告の内容を補足する重要な事項をその内容としなければならない。

（計算関係書類の監査）

第２条の26　法第45条の28第１項及び第２項の規定による監査（計算関係書類（各会計年度に係るものに限る。以下この条から第２条の34までにおいて同じ。）に係るものに限る。以下同じ。）については、この条から第２条の34までに定めるところによる。
２　前項に規定する監査には、公認会計士法（昭和23年法律第103号）第２条第１項に規定する監査のほか、計算関係書類に表示された情報と計算関係書類に表示すべき情報との合致の程度を確かめ、かつ、その結果を利害関係者に伝達するための手続を含むものとする。

（監査報告の内容）

第２条の27　監事（会計監査人設置社会福祉法人（法第31条第４項に規定する会計監査人設置社会福祉法人をいう。以下同じ。）の監事を除く。以下この条及び次条において同じ。）は、計算関係書類を受領したときは、次に掲げる事項を内容とする監査報告を作成しなければならない。

一　監事の監査の方法及びその内容

二　計算関係書類が当該社会福祉法人の財産、収支及び純資産の増減の状況を全ての重要な点において適正に表示しているかどうかについての意見

三　監査のため必要な調査ができなかつたときは、その旨及びその理由

四　追記情報

五　監査報告を作成した日

２　前項第４号に規定する「追記情報」とは、次に掲げる事項その他の事項のうち、監事の判断に関して説明を付す必要がある事項又は計算関係書類の内容のうち強調する必要がある事項とする。

一　会計方針の変更

二　重要な偶発事象

三　重要な後発事象

（監査報告の通知期限等）

第２条の28　特定監事は、次に掲げる日のいずれか遅い日までに、特定理事に対し、計算関係書類についての監査報告の内容を通知しなければならない。

一　当該計算関係書類のうち計算書類の全部を受領した日から４週間を経過した日

二　当該計算関係書類のうち計算書類の附属明細書を受領した日から１週間を経過した日

三　特定理事及び特定監事が合意により定めた日があるときは、その日

２　計算関係書類については、特定理事が前項の規定による監査報告の内容の通知を受けた日に、監事の監査を受けたものとする。

３　前項の規定にかかわらず、特定監事が第１項の規定により通知をすべき日までに同項の規定による監査報告の内容の通知をしない場合には、当該通知をすべき日に、計算関係書類については、監事の監査を受けたものとみなす。

４　第１項及び第２項に規定する「特定理事」とは、次の各号に掲げる場合の区分に応じ、当該各号に定める者をいう。

一　第１項の規定による通知を受ける理事を定めた場合　当該通知を受ける理事として定められた理事

二　前号に掲げる場合以外の場合　監査を受けるべき計算関係書類の作成に関する職務を行つた理事

５　第１項及び第３項に規定する「特定監事」とは、次の各号に掲げる場合の区分に応じ、当該各号に定める者をいう。

一　第１項の規定による監査報告の内容の通知をすべき監事を定めたとき　当該通知をすべき監事として定められた監事

二　前号に掲げる場合以外の場合　全ての監事

（計算関係書類の提供）

第２条の29　計算関係書類を作成した理事は、会計監査人に対して計算関係書類を提供しようとするときは、監事に対しても計算関係書類を提供しなければならない。

（会計監査報告の内容）

第２条の30　会計監査人は、計算関係書類を受領したときは、次に掲げる事項を内容とする会計監査報告を作成しなければならない。

一　会計監査人の監査の方法及びその内容

二　計算関係書類（社会福祉法人会計基準第７条の２第１項第１号イに規定する法人単位貸借対照表、同項第２号イ⑴に規定する法人単位資金収支計算書及び同号ロ⑴に規定する法人単位事業活動計算書並びにそれらに対応する附属明細書（同省令第30条第１項第１号から第３号まで及び第６号並びに第７号に規定する書類に限る。）の項目に限る。以下この条（第５号を除く。）及び第２条の32において同じ。）が当該社会福祉法人の財産、収支及び純資産の増減の状況を全ての重要な点において適正に表示しているかどうかについての意見があるときは、次のイからハまでに掲げる意見の区分に応じ、当該イからハまでに定める事項

イ　無限定適正意見　監査の対象となつた計算関係書類が一般に公正妥当と認められる社会福祉法人会計の慣行に準拠して、当該計算関係書類に係る期間の財産、収支及び純資産の増減の状況を全ての重要な点において適正に表示していると認められる旨

ロ　除外事項を付した限定付適正意見　監査の対象となつた計算関係書類が除外事項を除き一般に公正妥当と認められる社会福祉法人会計の慣行に準拠して、当該計算関係書類に係る期間の財産、収支及び純資産の増減の状況を全ての重要な点において適正に表示していると認められる旨、除外事項並びに除外事項を付した限定付

適正意見とした理由
ハ　不適正意見　監査の対象となつた計算関係書類が不適正である旨及びその理由
三　前号の意見がないときは、その旨及びその理由
四　継続事業の前提に関する事項の注記に係る事項
五　第２号の意見があるときは、事業報告及びその附属明細書、計算関係書類（監査の範囲に属さないものに限る。）並びに財産目録（第２条の22の財産目録を除く。）の内容と計算関係書類（監査の範囲に属するものに限る。）の内容又は会計監査人が監査の過程で得た知識との間の重要な相違等について、報告すべき事項の有無及び報告すべき事項があるときはその内容
六　追記情報
七　会計監査報告を作成した日
2　前項第６号に規定する「追記情報」とは、次に掲げる事項その他の事項のうち、会計監査人の判断に関して説明を付す必要がある事項又は計算関係書類の内容のうち強調する必要がある事項とする。
一　会計方針の変更
二　重要な偶発事象
三　重要な後発事象
（会計監査人設置社会福祉法人の監事の監査報告の内容）
第２条の31　会計監査人設置社会福祉法人の監事は、計算関係書類及び会計監査報告（次条第３項に規定する場合にあつては、計算関係書類）を受領したときは、次に掲げる事項を内容とする監査報告を作成しなければならない。
一　監事の監査の方法及びその内容
二　会計監査人の監査の方法又は結果を相当でないと認めたときは、その旨及びその理由（次条第３項に規定する場合にあつては、会計監査報告を受領していない旨）
三　重要な後発事象（会計監査報告の内容となつているものを除く。）
四　会計監査人の職務の遂行が適正に実施されることを確保するための体制に関する事項
五　監査のため必要な調査ができなかつたときは、その旨及びその理由
六　監査報告を作成した日
（会計監査報告の通知期限等）
第２条の32　会計監査人は、次に掲げる日のいずれか遅い日までに、特定監事及び特定理事に対し、計算関係書類についての会計監査報告の内容を通知しなければならない。
一　当該計算関係書類のうち計算書類の全部を受領した日から４週間を経過した日
二　当該計算関係書類のうち計算書類の附属明細書を受領した日から１週間を経過した日
三　特定理事、特定監事及び会計監査人の間で合意により定めた日があるときは、その日
2　計算関係書類については、特定監事及び特定理事が前項の規定による会計監査報告の内容の通知を受けた日に、会計監査人の監査を受けたものとする。
3　前項の規定にかかわらず、会計監査人が第１項の規定により通知をすべき日までに同項の規定による会計監査報告の内容の通知をしない場合には、当該通知をすべき日に、計算関係書類については、会計監査人の監査を受けたものとみなす。
4　第１項及び第２項に規定する「特定理事」とは、次の各号に掲げる場合の区分に応じ、当該各号に定める者をいう（第２条の34において同じ。）。
一　第１項の規定による通知を受ける理事を定めた場合　当該通知を受ける理事として定められた理事
二　前号に掲げる場合以外の場合　監査を受けるべき計算関係書類の作成に関する職務を行つた理事
5　第１項及び第２項に規定する「特定監事」とは、次の各号に掲げる場合の区分に応じ、当該各号に定める者をいう（次条及び第２条の34において同じ。）。
一　第１項の規定による会計監査報告の内容の通知を受ける監事を定めたとき　当該通知を受ける監事として定められた監事
二　前号に掲げる場合以外の場合　全ての監事
（会計監査人の職務の遂行に関する事項）
第２条の33　会計監査人は、前条第１項の規定による特定監事に対する会計監査報告の内容の通知に際して、当該会計監査人についての次に掲げる事項（当該事項に係る定めがない場合にあつては、当該事項を定めていない旨）を通知しなければならない。ただし、全ての監事が既に当該事項を知つている場合は、この限りでない。
一　独立性に関する事項その他監査に関する法令及び規程の遵守に関する事項
二　監査、監査に準ずる業務及びこれらに関する業務の契約の受任及び継続の方針に関する事項
三　会計監査人の職務の遂行が適正に行われることを確保するための体制に関するその他の事項
（会計監査人設置社会福祉法人の監事の監査報告の通知期限）
第２条の34　会計監査人設置社会福祉法人の特定監事

は、次に掲げる日のいずれか遅い日までに、特定理事及び会計監査人に対し、計算関係書類に係る監査報告の内容を通知しなければならない。

一　会計監査報告を受領した日（第２条の32第３項に規定する場合にあつては、同項の規定により監査を受けたものとみなされた日）から１週間を経過した日

二　特定理事及び特定監事の間で合意により定めた日があるときは、その日

２　計算関係書類については、特定理事及び会計監査人が前項の規定による監査報告の内容の通知を受けた日に、監事の監査を受けたものとする。

３　前項の規定にかかわらず、特定監事が第１項の規定により通知をすべき日までに同項の規定による監査報告の内容の通知をしない場合には、当該通知をすべき日に、計算関係書類については、監事の監査を受けたものとみなす。

（事業報告等の監査）

第２条の35　法第45条の28第１項及び第２項の規定による監査（事業報告及びその附属明細書に係るものに限る。次条及び第２条の37において同じ。）については、次条及び第２条の37に定めるところによる。

（監査報告の内容）

第２条の36　監事は、事業報告及びその附属明細書を受領したときは、次に掲げる事項を内容とする監査報告を作成しなければならない。

一　監事の監査の方法及びその内容

二　事業報告及びその附属明細書が法令又は定款に従い当該社会福祉法人の状況を正しく示しているかどうかについての意見

三　当該社会福祉法人の理事の職務の遂行に関し、不正の行為又は法令若しくは定款に違反する重大な事実があつたときは、その事実

四　監査のため必要な調査ができなかつたときは、その旨及びその理由

五　第２条の25第２項第２号に掲げる事項（監査の範囲に属さないものを除く。）がある場合において、当該事項の内容が相当でないと認めるときは、その旨及びその理由

六　監査報告を作成した日

（監査報告の通知期限等）

第２条の37　特定監事は、次に掲げる日のいずれか遅い日までに、特定理事に対し、事業報告及びその附属明細書についての監査報告の内容を通知しなければならない。

一　当該事業報告を受領した日から４週間を経過した日

二　当該事業報告の附属明細書を受領した日から１週間を経過した日

三　特定理事及び特定監事の間で合意により定めた日があるときは、その日

２　事業報告及びその附属明細書については、特定理事が前項の規定による監査報告の内容の通知を受けた日に、監事の監査を受けたものとする。

３　前項の規定にかかわらず、特定監事が第１項の規定により通知をすべき日までに同項の規定による監査報告の内容の通知をしない場合には、当該通知をすべき日に、事業報告及びその附属明細書については、監事の監査を受けたものとみなす。

４　第１項及び第２項に規定する「特定理事」とは、次の各号に掲げる場合の区分に応じ、当該各号に定める者をいう。

一　第１項の規定による通知を受ける理事を定めた場合　当該通知を受ける理事として定められた理事

二　前号に掲げる場合以外の場合　事業報告及びその附属明細書の作成に関する職務を行つた理事

５　第１項及び第３項に規定する「特定監事」とは、次の各号に掲げる場合の区分に応じ、当該各号に定める者をいう。

一　第１項の規定による監査報告の内容の通知をすべき監事を定めたとき　当該通知をすべき監事として定められた監事

二　前号に掲げる場合以外の場合　全ての監事

（計算書類等の評議員への提供）

第２条の38　法第45条の29の規定による計算書類及び事業報告並びに監査報告（会計監査人設置社会福祉法人にあつては、会計監査報告を含む。以下「提供計算書類等」という。）の提供に関しては、この条の定めるところによる。

２　定時評議員会の招集通知（法第45条の９第10項において準用する一般社団法人及び一般財団法人に関する法律第182条第１項又は第２項の規定による通知をいう。次項において同じ。）を次の各号に掲げる方法により行う場合にあつては、提供計算書類等は、当該各号に定める方法により提供しなければならない。

一　書面の提供　次のイ又はロに掲げる場合の区分に応じ、当該イ又はロに定める方法

イ　提供計算書類等が書面をもつて作成されている場合　当該書面に記載された事項を記載した

書面の提供
ロ　提供計算書類等が電磁的記録をもつて作成されている場合　当該電磁的記録に記録された事項を記載した書面の提供
二　電磁的方法による提供　次のイ又はロに掲げる場合の区分に応じ、当該イ又はロに定める方法
イ　提供計算書類等が書面をもつて作成されている場合　当該書面に記載された事項の電磁的方法による提供
ロ　提供計算書類等が電磁的記録をもつて作成されている場合　当該電磁的記録に記録された事項の電磁的方法による提供
3　理事は、計算書類又は事業報告の内容とすべき事項について、定時評議員会の招集通知を発出した日から定時評議員会の前日までの間に修正をすべき事情が生じた場合における修正後の事項を評議員に周知させる方法を当該招集通知と併せて通知することができる。

（計算書類の承認の特則に関する要件）

第２条の39　法第45条の31に規定する厚生労働省令で定める要件は、次のいずれにも該当することとする。
一　法第45条の31に規定する計算書類についての会計監査報告の内容に第２条の30第１項第２号イに定める事項が含まれていること。
二　前号の会計監査報告に係る監査報告の内容として会計監査人の監査の方法又は結果を相当でないと認める意見がないこと。
三　法第45条の31に規定する計算書類が第２条の34第３項の規定により監査を受けたものとみなされたものでないこと。

（財産目録）

第２条の40　法第45条の34第１項第１号に掲げる財産目録は、定時評議員会（法第45条の31の規定の適用がある場合にあつては、理事会）の承認を受けなければならない。
2　法第45条の28から第45条の31まで及び第２条の26から第２条の39までの規定は、社会福祉法人が前項の財産目録に係る同項の承認を受けるための手続について準用する。

（事業の概要等）

第２条の41　法第45条の34第１項第４号に規定する厚生労働省令で定める事項は、次のとおりとする。
一　当該社会福祉法人の主たる事務所の所在地及び電話番号その他当該社会福祉法人に関する基本情報
二　当該終了した会計年度の翌会計年度（以下この条において「当会計年度」という。）の初日における評議員の状況
三　当会計年度の初日における理事の状況
四　当会計年度の初日における監事の状況
五　当該終了した会計年度（以下この条において「前会計年度」という。）及び当会計年度における会計監査人の状況
六　当会計年度の初日における職員の状況
七　前会計年度における評議員会の状況
八　前会計年度における理事会の状況
九　前会計年度における監事の監査の状況
十　前会計年度における会計監査の状況
十一　前会計年度における事業等の概要
十二　前会計年度末における社会福祉充実残額（法第55条の２第３項第４号に規定する社会福祉充実残額をいう。）並びに社会福祉充実計画（同条第１項に規定する社会福祉充実計画をいう。以下同じ。）の策定の状況及びその進捗の状況
十三　当該社会福祉法人に関する情報の公表等の状況
十四　第12号に規定する社会福祉充実残額の算定の根拠
十五　事業計画を作成する旨を定款で定めている場合にあつては、事業計画
十六　その他必要な事項

（報酬等の支給の基準に定める事項）

第２条の42　法第45条の35第１項に規定する理事、監事及び評議員（以下この条において「理事等」という。）に対する報酬等（法第45条の34第１項第３号に規定する報酬等をいう。以下この条において同じ。）の支給の基準においては、理事等の勤務形態に応じた報酬等の区分及びその額の算定方法並びに支給の方法及び形態に関する事項を定めるものとする。

（定款変更認可申請手続）

第３条　社会福祉法人は、法第45条の36第２項の規定により定款の変更の認可を受けようとするときは、定款変更の条項及び理由を記載した申請書に次に掲げる書類を添付して所轄庁に提出しなければならない。
一　定款に定める手続を経たことを証明する書類
二　変更後の定款
2　前項の定款の変更が、当該社会福祉法人が新たに事業を経営する場合に係るものであるときは、同項各号のほか、次に掲げる書類を添付して、所轄庁に

申請しなければならない。

一　当該事業の用に供する財産及びその価格を記載した書類並びにその権利の所属を明らかにすることができる書類

二　当該事業を行うため前号の書類に記載された不動産以外の不動産の使用を予定しているときは、その使用の権限の所属を明らかにすることができる書類

三　当該事業について、その開始の日の属する会計年度及び次の会計年度における事業計画書及びこれに伴う収支予算書

3　第１項の定款の変更が、当該社会福祉法人が従来経営していた事業を廃止する場合に係るものであるときは、同項各号のほか、廃止する事業の用に供している財産の処分方法を記載した書類を添付して所轄庁に申請しなければならない。

4　第２条第３項及び第５項の規定は、第１項の場合に準用する。

（定款変更の届出）

第４条　法第45条の36第２項に規定する厚生労働省令で定める事項は、次のとおりとする。

一　法第31条第１項第４号に掲げる事項

二　法第31条第１項第９号に掲げる事項（基本財産の増加に限る。）

三　法第31条第１項第15号に掲げる事項

2　前条第１項の規定は、法第45条の36第４項の規定により定款の変更の届出をする場合に準用する。この場合において、前条第１項中「申請書」とあるのは、「届出書」と読み替えるものとする。

（解散の認可又は認定申請手続）

第５条　社会福祉法人は、法第46条第２項の規定により、解散の認可又は認定を受けようとするときは、解散の理由及び残余財産の処分方法を記載した申請書に次に掲げる書類を添付して所轄庁に提出しなければならない。

一　法第46条第１項第１号の手続又は定款に定める手続を経たことを証明する書類

二　財産目録及び貸借対照表

三　負債があるときは、その負債を証明する書類

2　第２条第３項及び第５項の規定は、前項の場合に準用する。

（清算人会設置法人以外の清算法人の業務の適正を確保するための体制）

第５条の２　法第46条の10第３項第３号に規定する厚生労働省令で定める体制は、次に掲げる体制とする。

一　清算人の職務の執行に係る情報の保存及び管理に関する体制

二　損失の危険の管理に関する規程その他の体制

三　職員の職務の執行が法令及び定款に適合することを確保するための体制

2　清算人が２人以上ある清算法人（法第46条の４に規定する清算法人をいう。以下同じ。）である場合には、前項に規定する体制には、業務の決定が適正に行われることを確保するための体制を含むものとする。

3　監事設置清算法人（法第46条の11第６項に規定する監事設置清算法人をいう。以下同じ。）以外の清算法人である場合には、第１項に規定する体制には、清算人が評議員に報告すべき事項の報告をするための体制を含むものとする。

4　監事設置清算法人である場合には、第１項に規定する体制には、次に掲げる体制を含むものとする。

一　監事がその職務を補助すべき職員を置くことを求めた場合における当該職員に関する体制

二　前号の職員の清算人からの独立性に関する事項

三　監事の第１号の職員に対する指示の実効性の確保に関する事項

四　清算人及び職員が監事に報告をするための体制その他の監事への報告に関する体制

五　前号の報告をした者が当該報告をしたことを理由として不利な取扱いを受けないことを確保するための体制

六　監事の職務の執行について生ずる費用の前払又は償還の手続その他の当該職務の執行について生ずる費用又は債務の処理に係る方針に関する事項

七　その他監事の監査が実効的に行われることを確保するための体制

（清算人会設置法人の業務の適正を確保するための体制）

第５条の３　法第46条の17第６項第５号に規定する厚生労働省令で定める体制は、次に掲げる体制とする。

一　清算人の職務の執行に係る情報の保存及び管理に関する体制

二　損失の危険の管理に関する規程その他の体制

三　職員の職務の執行が法令及び定款に適合することを確保するための体制

2　清算人会設置法人（法第46条の６第７項に規定する清算人会設置法人をいう。次項において同じ。）が、監事設置清算法人以外のものである場合には、前項に規定する体制には、清算人が評議員に報告す

べき事項の報告をするための体制を含むものとする。

3　清算人会設置法人が、監事設置清算法人である場合には、第１項に規定する体制には、次に掲げる体制を含むものとする。

一　監事がその職務を補助すべき職員を置くことを求めた場合における当該職員に関する体制

二　前号の職員の清算人からの独立性に関する事項

三　監事の第１号の職員に対する指示の実効性の確保に関する事項

四　清算人及び職員が監事に報告をするための体制その他の監事への報告に関する体制

五　前号の報告をした者が当該報告をしたことを理由として不利な取扱いを受けないことを確保するための体制

六　監事の職務の執行について生ずる費用の前払又は償還の手続その他の当該職務の執行について生ずる費用又は債務の処理に係る方針に関する事項

七　その他監事の監査が実効的に行われることを確保するための体制

（清算人会の議事録）

第５条の４　法第46条の18第５項において準用する一般社団法人及び一般財団法人に関する法律第95条第３項の規定による清算人会の議事録の作成については、この条の定めるところによる。

2　清算人会の議事録は、書面又は電磁的記録をもつて作成しなければならない。

3　清算人会の議事録は、次に掲げる事項を内容とするものでなければならない。

一　清算人会が開催された日時及び場所（当該場所に存しない清算人、監事又は評議員が清算人会に出席した場合における当該出席の方法を含む。）

二　清算人会が次に掲げるいずれかのものに該当するときは、その旨

イ　法第46条の18第２項の規定による清算人の請求を受けて招集されたもの

ロ　法第46条の18第３項の規定により清算人が招集したもの

ハ　法第46条の19第１項の規定による評議員の請求を受けて招集されたもの

ニ　法第46条の19第３項において準用する法第46条の18第３項の規定により評議員が招集したもの

ホ　法第46条の21及び令第13条の17の規定により読み替えて適用する法第45条の18第３項において準用する一般社団法人及び一般財団法人に関する法律第101条第２項の規定による監事の請求を受けて招集されたもの

ヘ　法第46条の21及び令第13条の17の規定により読み替えて適用する法第45条の18第３項において準用する一般社団法人及び一般財団法人に関する法律第101条第３項の規定により監事が招集したもの

三　清算人会の議事の経過の要領及びその結果

四　決議を要する事項について特別の利害関係を有する清算人があるときは、その氏名

五　次に掲げる規定により清算人会において述べられた意見又は発言があるときは、その意見又は発言の内容の概要

イ　法第46条の21及び令第13条の17の規定により読み替えて適用する法第45条の18第３項において準用する一般社団法人及び一般財団法人に関する法律第100条

ロ　法第46条の21及び令第13条の17の規定により読み替えて適用する法第45条の18第３項において準用する一般社団法人及び一般財団法人に関する法律第101条第１項

ハ　法第46条の17第10項において準用する一般社団法人及び一般財団法人に関する法律第92条第２項

ニ　法第46条の19第４項

六　法第46条の18第５項において準用する一般社団法人及び一般財団法人に関する法律第95条第３項の定款の定めがあるときは、代表清算人（法第46条の11第１項に規定する代表清算人をいう。）以外の清算人であつて、清算人会に出席したものの氏名

七　清算人会に出席した評議員の氏名又は名称

八　清算人会の議長が存するときは、議長の氏名

4　次の各号に掲げる場合には、清算人会の議事録は、当該各号に定める事項を内容とするものとする。

一　法第46条の18第５項において準用する一般社団法人及び一般財団法人に関する法律第96条の規定により清算人会の決議があつたものとみなされた場合　次に掲げる事項

イ　清算人会の決議があつたものとみなされた事項の内容

ロ　イの事項の提案をした清算人の氏名

ハ　清算人会の決議があつたものとみなされた日

ニ　議事録の作成に係る職務を行つた清算人の氏名

二　法第46条の18第６項において準用する一般社団法人及び一般財団法人に関する法律第98条第１項の規定により清算人会への報告を要しないものとされた場合　次に掲げる事項

イ　清算人会への報告を要しないものとされた事項の内容

ロ　清算人会への報告を要しないものとされた日

ハ　議事録の作成に係る職務を行つた清算人の氏名

（清算開始時の財産目録）

第５条の５　法第46条の22第１項の規定による財産目録の作成については、この条の定めるところによる。

２　前項の財産目録に計上すべき財産については、その処分価格を付すことが困難な場合を除き、法第46条の３各号に掲げる場合に該当することとなつた日における処分価格を付さなければならない。この場合において、清算法人の会計帳簿については、財産目録に付された価格を取得価額とみなす。

３　第１項の財産目録は、次に掲げる部に区分して表示しなければならない。この場合において、第１号及び第２号に掲げる部は、その内容を示す適当な名称を付した項目に細分することができる。

一　資産

二　負債

三　正味資産

（清算開始時の貸借対照表）

第５条の６　法第46条の22第１項の規定による貸借対照表の作成については、この条の定めるところによる。

２　前項の貸借対照表は、法第46条の22第１項の財産目録に基づき作成しなければならない。

３　第１項の貸借対照表は、次に掲げる部に区分して表示しなければならない。この場合において、第３号に掲げる部については、純資産を示す適当な名称を付すことができる。

一　資産

二　負債

三　純資産

４　前項各号に掲げる部は、適当な項目に細分することができる。この場合において、当該各項目については、資産、負債又は純資産を示す適当な名称を付さなければならない。

５　処分価格を付すことが困難な資産がある場合には、第１項の貸借対照表には、当該資産に係る財産評価の方針を注記しなければならない。

（各清算事務年度に係る貸借対照表）

第５条の７　法第46条の24第１項に規定する貸借対照表は、各清算事務年度（同項に規定する各清算事務年度をいう。第５条の９第２項において同じ。）に係る会計帳簿に基づき作成しなければならない。

２　前条第３項及び第４項の規定は、前項の貸借対照表について準用する。

３　法第46条の24第１項に規定する貸借対照表の附属明細書は、貸借対照表の内容を補足する重要な事項をその内容としなければならない。

（各清算事務年度に係る事務報告）

第５条の８　法第46条の24第１項に規定する事務報告は、清算に関する事務の執行の状況に係る重要な事項をその内容としなければならない。

２　法第46条の24第１項に規定する事務報告の附属明細書は、事務報告の内容を補足する重要な事項をその内容としなければならない。

（清算法人の監査報告）

第５条の９　法第46条の25第１項の規定による監査については、この条の定めるところによる。

２　清算法人の監事は、各清算事務年度に係る貸借対照表及び事務報告並びにこれらの附属明細書を受領したときは、次に掲げる事項を内容とする監査報告を作成しなければならない。

一　監事の監査の方法及びその内容

二　各清算事務年度に係る貸借対照表及びその附属明細書が当該清算法人の財産の状況を全ての重要な点において適正に表示しているかどうかについての意見

三　各清算事務年度に係る事務報告及びその附属明細書が法令又は定款に従い当該清算法人の状況を正しく示しているかどうかについての意見

四　清算人の職務の遂行に関し、不正の行為又は法令若しくは定款に違反する重大な事実があつたときは、その事実

五　監査のため必要な調査ができなかつたときは、その旨及びその理由

六　監査報告を作成した日

３　特定監事は、第５条の７第１項の貸借対照表及び前条第１項の事務報告の全部を受領した日から４週間を経過した日（特定清算人（次の各号に掲げる場合の区分に応じ、当該各号に定める者をいう。以下この条において同じ。）及び特定監事の間で合意した日がある場合にあつては、当該日）までに、特定清算人に対して、監査報告の内容を通知しなければならない。

一　この項の規定による通知を受ける清算人を定めた場合　当該通知を受ける清算人として定められた清算人
二　前号に掲げる場合以外の場合　第５条の７第１項の貸借対照表及び前条第１項の事務報告並びにこれらの附属明細書の作成に関する職務を行つた清算人
4　第５条の７第１項の貸借対照表及び前条第１項の事務報告並びにこれらの附属明細書については、特定清算人が前項の規定による監査報告の内容の通知を受けた日に、監事の監査を受けたものとする。
5　前項の規定にかかわらず、特定監事が第３項の規定により通知をすべき日までに同項の規定による監査報告の内容の通知をしない場合には、当該通知をすべき日に、第５条の７第１項の貸借対照表及び前条第１項の事務報告並びにこれらの附属明細書については、監事の監査を受けたものとみなす。
6　第３項及び前項に規定する「特定監事」とは、次の各号に掲げる場合の区分に応じ、当該各号に定める者とする。
一　２人以上の監事が存する場合において、第３項の規定による監査報告の内容の通知をすべき監事を定めたとき　当該通知をすべき監事として定められた監事
二　２人以上の監事が存する場合において、第３項の規定による監査報告の内容の通知をすべき監事を定めていないとき　全ての監事
三　前２号に掲げる場合以外の場合　監事

（決算報告）
第５条の10　法第47条の２第１項の規定により作成すべき決算報告は、次に掲げる事項を内容とするものでなければならない。この場合において、第１号及び第２号に掲げる事項については、適切な項目に細分することができる。
一　債権の取立て、資産の処分その他の行為によつて得た収入の額
二　債務の弁済、清算に係る費用の支払その他の行為による費用の額
三　残余財産の額（支払税額がある場合には、その税額及び当該税額を控除した後の財産の額）
2　前項第３号に掲げる事項については、残余財産の引渡しを完了した日を注記しなければならない。

（吸収合併契約）
第５条の11　法第49条に規定する厚生労働省令で定める事項は、次のとおりとする。
一　吸収合併がその効力を生ずる日
二　吸収合併消滅社会福祉法人（法第49条に規定する吸収合併消滅社会福祉法人をいう。以下同じ。）の職員の処遇

（合併認可申請手続）
第６条　社会福祉法人は、法第50条第３項又は法第54条の６第２項の規定により、吸収合併（法第49条に規定する吸収合併をいう。以下同じ。）又は新設合併（法第54条の５に規定する新設合併をいう。以下同じ。）の認可を受けようとするときは、吸収合併又は新設合併の理由を記載した申請書に次に掲げる書類を添付して所轄庁に提出しなければならない。
一　法第52条及び法第54条の２第１項又は法第54条の８の手続又は定款に定める手続を経たことを証明する書類
二　吸収合併存続社会福祉法人（法第49条に規定する吸収合併存続社会福祉法人をいう。以下同じ。）又は新設合併設立社会福祉法人（法第54条の５第２号に規定する新設合併設立社会福祉法人をいう。以下同じ。）の定款
三　吸収合併消滅社会福祉法人（法第49条に規定する吸収合併消滅社会福祉法人をいう。以下同じ。）又は新設合併消滅社会福祉法人（法第54条の５第１号に規定する新設合併消滅社会福祉法人をいう。以下同じ。）に係る次の書類
イ　財産目録及び貸借対照表
ロ　負債があるときは、その負債を証明する書類
四　吸収合併存続社会福祉法人又は新設合併設立社会福祉法人に係る次の書類
イ　財産目録
ロ　合併の日の属する会計年度及び次の会計年度における事業計画書及びこれに伴う収支予算書
ハ　評議員となるべき者及び役員となるべき者の履歴書及び就任承諾書（吸収合併存続社会福祉法人については、引き続き評議員となるべき者又は引き続き役員となるべき者の就任承諾書を除く。）
ニ　評議員となるべき者のうちに、他の各評議員となるべき者について、第２条の７第６号に規定する者（同号括弧書に規定する割合が３分の１を超えない場合に限る。）、同条第７号に規定する者（同号括弧書に規定する半数を超えない場合に限る。）又は同条第８号に規定する者（同号括弧書に規定する割合が３分の１を超えない場合に限る。）がいるときは、当該他の各評議員の氏名及び当該他の各評議員との関係を説明する事項を記載した書類

ホ　評議員となるべき者のうちに、他の各役員となるべき者について、第２条の８第６号に規定する者（同号括弧書に規定する割合が３分の１を超えない場合に限る。）又は同条第７号に規定する者（同号括弧書に規定する半数を超えない場合に限る。）がいるときは、当該他の各役員の氏名及び当該他の各役員との関係を説明する事項を記載した書類

ヘ　理事となるべき者のうちに、他の各理事となるべき者について、第２条の10各号に規定する者（第６号又は第７号に規定する者については、これらの号に規定する割合が３分の１を超えない場合に限る。）がいるときは、当該他の各理事の氏名及び当該他の各理事との関係を説明する事項を記載した書類

ト　監事となるべき者のうちに、他の各役員となるべき者について、第２条の11第６号に規定する者（同号括弧書に規定する割合が３分の１を超えない場合に限る。）、同条第７号に規定する者（同号括弧書に規定する割合が３分の１を超えない場合に限る。）、同条第８号に規定する者（同号括弧書に規定する半数を超えない場合に限る。）又は同条第９号に規定する者（同号括弧書に規定する割合が３分の１を超えない場合に限る。）がいるときは、当該他の各役員の氏名及び当該他の各役員との関係を説明する事項を記載した書類

２　第２条第３項及び第５項の規定は、前項の場合に準用する。

（吸収合併消滅社会福祉法人の事前開示事項）

第６条の２　法第51条第１項に規定する厚生労働省令で定める事項は、次のとおりとする。

一　吸収合併存続社会福祉法人（法第49条に規定する吸収合併存続社会福祉法人をいう。以下同じ。）の定款の定め

二　吸収合併存続社会福祉法人についての次に掲げる事項

イ　最終会計年度（各会計年度に係る法第45条の27第２項に規定する計算書類につき法第45条の30第２項の承認（法第45条の31前段に規定する場合にあつては、法第45条の28第３項の承認）を受けた場合における当該各会計年度のうち最も遅いものをいう。以下同じ。）に係る監査報告等（各会計年度に係る計算書類、事業報告及び監査報告（法第45条の28第２項の規定の適用がある場合にあつては、会計監査報告を含む。）をいう。以下同じ。）の内容（最終会計年度がない場合にあつては、吸収合併存続社会福祉法人の成立の日における貸借対照表の内容）

ロ　最終会計年度の末日（最終会計年度がない場合にあつては、吸収合併存続社会福祉法人の成立の日）後に重要な財産の処分、重大な債務の負担その他の法人財産（社会福祉法人の財産をいう。以下同じ。）の状況に重要な影響を与える事象が生じたときは、その内容（法第52条の評議員会の日の２週間前の日（法第45条の９第10項において準用する一般社団法人及び一般財団法人に関する法律第194条第１項の場合にあつては、同項の提案があつた日。以下同じ。）後吸収合併の登記の日までの間に新たな最終会計年度が存することとなる場合にあつては、当該新たな最終会計年度の末日後に生じた事象の内容に限る。）

三　吸収合併消滅社会福祉法人（清算法人を除く。以下この号において同じ。）についての次に掲げる事項

イ　吸収合併消滅社会福祉法人において最終会計年度の末日（最終会計年度がない場合にあつては、吸収合併消滅社会福祉法人の成立の日）後に重要な財産の処分、重大な債務の負担その他の法人財産の状況に重要な影響を与える事象が生じたときは、その内容（法第52条の評議員会の日の２週間前の日後吸収合併の登記の日までの間に新たな最終会計年度が存することとなる場合にあつては、当該新たな最終会計年度の末日後に生じた事象の内容に限る。）

ロ　吸収合併消滅社会福祉法人において最終会計年度がないときは、吸収合併消滅社会福祉法人の成立の日における貸借対照表

四　吸収合併の登記の日以後における吸収合併存続社会福祉法人の債務（法第53条第１項第４号の規定により吸収合併について異議を述べることができる債権者に対して負担する債務に限る。）の履行の見込みに関する事項

五　法第52条の評議員会の日の２週間前の日後、前各号に掲げる事項に変更が生じたときは、変更後の当該事項

（計算書類に関する事項）

第６条の３　法第53条第１項第３号に規定する厚生労働省令で定めるものは、同項の規定による公告の日又は同項の規定による催告の日のいずれか早い日における次の各号に掲げる場合の区分に応じ、当該各

号に定めるものとする。
一 公告対象法人（法第53条第１項第３号の吸収合併消滅社会福祉法人及び吸収合併存続社会福祉法人をいう。次号において同じ。）につき最終会計年度がない場合 その旨
二 公告対象法人が清算法人である場合 その旨
三 前２号に掲げる場合以外の場合 最終会計年度に係る貸借対照表の要旨の内容
2 前項第３号の貸借対照表の要旨に係る事項の金額は、100万円単位又は10億円単位をもつて表示するものとする。
3 前項の規定にかかわらず、社会福祉法人の財産の状態を的確に判断することができなくなるおそれがある場合には、第１項第３号の貸借対照表の要旨に係る事項の金額は、適切な単位をもつて表示しなければならない。

（吸収合併存続社会福祉法人の事前開示事項）

第６条の４ 法第54条第１項に規定する厚生労働省令で定める事項は、次のとおりとする。
一 吸収合併消滅社会福祉法人（清算法人を除く。）についての次に掲げる事項
イ 最終会計年度に係る監査報告等の内容（最終会計年度がない場合にあつては、吸収合併消滅社会福祉法人の成立の日における貸借対照表の内容）
ロ 最終会計年度の末日（最終会計年度がない場合にあつては、吸収合併消滅社会福祉法人の成立の日）後に重要な財産の処分、重大な債務の負担その他の法人財産の状況に重要な影響を与える事象が生じたときは、その内容（法第54条の２第１項の評議員会の日の２週間前の日（法第45条の９第10項において準用する一般社団法人及び一般財団法人に関する法律第194条第１項の場合にあつては、同項の提案があつた日。以下同じ。）後吸収合併の登記の日までの間に新たな最終会計年度が存することとなる場合にあつては、当該新たな最終会計年度の末日後に生じた事象の内容に限る。）
二 吸収合併消滅社会福祉法人（清算法人に限る。）が法第46条の22第１項の規定により作成した貸借対照表
三 吸収合併存続社会福祉法人についての次に掲げる事項
イ 吸収合併存続社会福祉法人において最終会計年度の末日（最終会計年度がない場合にあつては、吸収合併存続社会福祉法人の成立の日）後に重要な財産の処分、重大な債務の負担その他の法人財産の状況に重要な影響を与える事象が生じたときは、その内容（法第54条の２第１項の評議員会の日の２週間前の日後吸収合併の登記の日までの間に新たな最終会計年度が存することとなる場合にあつては、当該新たな最終会計年度の末日後に生じた事象の内容に限る。）
ロ 吸収合併存続社会福祉法人において最終会計年度がないときは、吸収合併存続社会福祉法人の成立の日における貸借対照表
四 吸収合併の登記の日以後における吸収合併存続社会福祉法人の債務（法第54条の３第１項第４号の規定により吸収合併について異議を述べることができる債権者に対して負担する債務に限る。）の履行の見込みに関する事項
五 法第54条の２第１項の評議員会の日の２週間前の日後吸収合併の登記の日までの間に、前各号に掲げる事項に変更が生じたときは、変更後の当該事項

（資産の額等）

第６条の５ 法第54条の２第２項に規定する債務の額として厚生労働省令で定める額は、第１号に掲げる額から第２号に掲げる額を減じて得た額とする。
一 吸収合併の直後に吸収合併存続社会福祉法人の貸借対照表の作成があつたものとする場合における当該貸借対照表の負債の部に計上すべき額
二 吸収合併の直前に吸収合併存続社会福祉法人の貸借対照表の作成があつたものとする場合における当該貸借対照表の負債の部に計上すべき額
2 法第54条の２第２項に規定する資産の額として厚生労働省令で定める額は、第１号に掲げる額から第２号に掲げる額を減じて得た額とする。
一 吸収合併の直後に吸収合併存続社会福祉法人の貸借対照表の作成があつたものとする場合における当該貸借対照表の資産の部に計上すべき額
二 吸収合併の直前に吸収合併存続社会福祉法人の貸借対照表の作成があつたものとする場合における当該貸借対照表の資産の部に計上すべき額

（計算書類に関する事項）

第６条の６ 法第54条の３第１項第３号に規定する厚生労働省令で定めるものは、同項の規定による公告の日又は同項の規定による催告の日のいずれか早い日における次の各号に掲げる場合の区分に応じ、当該各号に定めるものとする。
一 公告対象法人（法第54条の３第１項第３号の吸収合併存続社会福祉法人及び吸収合併消滅社会福

祉法人をいう。次号において同じ。）につき最終会計年度がない場合　その旨
二　公告対象法人が清算法人である場合　その旨
三　前２号に掲げる場合以外の場合　最終会計年度に係る貸借対照表の要旨の内容
2　第６条の３第２項及び第３項の規定は、前項第３号の貸借対照表の要旨について準用する。

（吸収合併存続社会福祉法人の事後開示事項）
第６条の７　法第54条の４第１項に規定する厚生労働省令で定める事項は、次のとおりとする。
一　吸収合併の登記の日
二　吸収合併消滅社会福祉法人における法第53条の規定による手続の経過
三　吸収合併存続社会福祉法人における法第54条の３の規定による手続の経過
四　吸収合併により吸収合併存続社会福祉法人が吸収合併消滅社会福祉法人から承継した重要な権利義務に関する事項
五　法第51条第１項の規定により吸収合併消滅社会福祉法人が備え置いた書面又は電磁的記録に記載又は記録がされた事項（吸収合併契約の内容を除く。）
六　前各号に掲げるもののほか、吸収合併に関する重要な事項

（新設合併契約）
第６条の８　法第54条の５第４号に規定する厚生労働省令で定める事項は、次のとおりとする。
一　新設合併がその効力を生ずる日
二　新設合併消滅社会福祉法人の職員の処遇

（新設合併消滅社会福祉法人の事前開示事項）
第６条の９　法第54条の７第１項に規定する厚生労働省令で定める事項は、次のとおりとする。
一　他の新設合併消滅社会福祉法人（清算法人を除く。以下この号において同じ。）についての次に掲げる事項
イ　最終会計年度に係る監査報告等の内容（最終会計年度がない場合にあつては、他の新設合併消滅社会福祉法人の成立の日における貸借対照表の内容）
ロ　他の新設合併消滅社会福祉法人において最終会計年度の末日（最終会計年度がない場合にあつては、他の新設合併消滅社会福祉法人の成立の日）後に重要な財産の処分、重大な債務の負担その他の法人財産の状況に重要な影響を与える事象が生じたときは、その内容（法第54条の８の評議員会の日の２週間前の日（法第45条の９第10項において準用する一般社団法人及び一般財団法人に関する法律第194条第１項の場合にあつては、同項の提案があつた日。以下同じ。）後新設合併消滅社会福祉法人の成立の日までの間に新たな最終会計年度が存することとなる場合にあつては、当該新たな最終会計年度の末日後に生じた事象の内容に限る。）
二　他の新設合併消滅社会福祉法人（清算法人に限る。）が法第46条の22第１項の規定により作成した貸借対照表
三　当該新設合併消滅社会福祉法人（清算法人を除く。以下この号において同じ。）についての次に掲げる事項
イ　当該新設合併消滅社会福祉法人において最終会計年度の末日（最終会計年度がない場合にあつては、当該新設合併消滅社会福祉法人の成立の日）後に重要な財産の処分、重大な債務の負担その他の法人財産の状況に重要な影響を与える事象が生じたときは、その内容（法第54条の８の評議員会の日の２週間前の日後新設合併設立社会福祉法人の成立の日までの間に新たな最終会計年度が存することとなる場合にあつては、当該新たな最終会計年度の末日後に生じた事象の内容に限る。）
ロ　当該新設合併消滅社会福祉法人において最終会計年度がないときは、当該新設合併消滅社会福祉法人の成立の日における貸借対照表
四　新設合併設立社会福祉法人の成立の日以後における新設合併設立社会福祉法人の債務（他の新設合併消滅社会福祉法人から承継する債務を除き、法第54条の９第１項第４号の規定により新設合併について異議を述べることができる債権者に対して負担する債務に限る。）の履行の見込みに関する事項
五　法第54条の８の評議員会の日の２週間前の日後、前各号に掲げる事項に変更が生じたときは、変更後の当該事項

（計算書類に関する事項）
第６条の10　法第54条の９第１項第３号に規定する厚生労働省令で定めるものは、同項の規定による公告の日又は同項の規定による催告の日のいずれか早い日における次の各号に掲げる場合の区分に応じ、当該各号に定めるものとする。
一　公告対象法人（法第54条の９第１項第３号の新設合併消滅社会福祉法人をいう。次号において同じ。）につき最終会計年度がない場合　その旨

二　公告対象法人が清算法人である場合　その旨
三　前2号に掲げる場合以外の場合　最終会計年度に係る貸借対照表の要旨の内容
2　第6条の3第2項及び第3項の規定は、前項第3号の貸借対照表の要旨について準用する。
（新設合併設立社会福祉法人の事後開示事項）
第6条の11　法第54条の11第1項に規定する厚生労働省令で定める事項は、次のとおりとする。
一　新設合併設立社会福祉法人の成立の日
二　法第54条の9の規定による手続の経過
三　新設合併により新設合併設立社会福祉法人が新設合併消滅社会福祉法人から承継した重要な権利義務に関する事項
四　前3号に掲げるもののほか、新設合併に関する重要な事項
第6条の12　法第54条の11第2項に規定する厚生労働省令で定める事項は、法第54条の7第1項の規定により新設合併消滅社会福祉法人が備え置いた書面又は電磁的記録に記載又は記録がされた事項（新設合併契約の内容を除く。）とする。
（社会福祉充実計画の承認の申請）
第6条の13　法第55条の2第1項に規定する社会福祉充実計画の承認の申請は、申請書に、次の各号に掲げる書類を添付して所轄庁に提出することによつて行うものとする。
一　社会福祉充実計画を記載した書類
二　法第55条の2第5項に規定する者の意見を聴取したことを証する書類
三　法第55条の2第7項の評議員会の議事録
四　その他必要な書類
（控除対象財産額等）
第6条の14　法第55条の2第1項第2号に規定する厚生労働省令で定めるところにより算定した額は、社会福祉法人が当該会計年度の前会計年度の末日において有する財産のうち次に掲げる財産の合計額をいう。
一　社会福祉事業、公益事業及び収益事業の実施に必要な財産
二　前号に掲げる財産のうち固定資産の再取得等に必要な額に相当する財産
三　当該会計年度において、第1号に掲げる事業の実施のため最低限必要となる運転資金
2　前項第1号に規定する財産の算定に当たつては、法第55条の2第1項第1号に規定する貸借対照表の負債の部に計上した額のうち前項第1号に規定する財産に相当する額を控除しなければならないものとする。
（社会福祉充実計画の記載事項）
第6条の15　法第55条の2第3項第6号の厚生労働省令で定める事項は、次のとおりとする。
一　当該社会福祉法人の名称及び主たる事務所の所在地並びに電話番号その他の連絡先
二　社会福祉充実事業（法第55条の2第3項第1号に規定する社会福祉充実事業をいう。以下同じ。）に関する資金計画
三　法第55条の2第4項の規定による検討の結果
四　法第55条の2第6項の規定に基づき行う意見の聴取の結果
五　その他必要な事項
（実施する事業の検討の結果）
第6条の16　法第55条の2第4項の規定による同条第3項第1号に掲げる事項の記載は、社会福祉法人の設立の目的を踏まえ、同条第4項各号に掲げる事業の順にその実施について検討し、その検討の結果を記載することにより行うものとする。
（財務に関する専門的な知識経験を有する者）
第6条の17　法第55条の2第5項の厚生労働省令で定める者は、監査法人又は税理士法人とする。
（承認社会福祉充実計画の変更の承認の申請）
第6条の18　法第55条の3第1項に規定する承認社会福祉充実計画の変更の承認の申請は、申請書に、次の各号に掲げる書類を添付して所轄庁に提出することによつて行うものとする。
一　変更後の承認社会福祉充実計画を記載した書類
二　第6条の13第2号から第4号までに掲げる書類
（承認社会福祉充実計画における軽微な変更）
第6条の19　法第55条の3第1項の厚生労働省令で定める軽微な変更は、次に掲げるもの以外のものとする。
一　社会福祉充実事業の種類の変更
二　社会福祉充実事業の事業区域の変更（変更前の事業区域と変更後の事業区域とが同一の市町村（特別区を含む。）の区域内である場合を除く。）
三　社会福祉充実事業の実施期間の変更（変更前の各社会福祉充実事業を実施する年度（以下「実施年度」という。）と変更後の実施年度とが同一である場合を除く。）
四　前3号に掲げる変更のほか、社会福祉充実計画の重要な変更
（承認社会福祉充実計画における軽微な変更に関する届出）
第6条の20　法第55条の3第2項に規定する軽微な変

更に関する届出は、届出書に、次の各号に掲げる書類を添付して所轄庁に提出することによつて行うものとする。

一　変更後の承認社会福祉充実計画を記載した書類

二　その他必要な書類

（承認社会福祉充実計画の終了の承認の申請）

第６条の21　法第55条の４に規定する承認社会福祉充実計画の終了の承認の申請は、申請書に、承認社会福祉充実計画に記載された事業を行うことが困難である理由を記載した書類を添付して所轄庁に提出することによつて行うものとする。

（様式）

第６条の22　第６条の13、第６条の18、第６条の20及び前条に規定する書類は、書面又は電磁的記録をもつて作成しなければならない。

２　前項に掲げる書類の様式は、厚生労働省社会・援護局長が定める。

（身分を示す証明書）

第７条　法第56条第１項（法第144条において読み替えて準用する場合を含む。）の規定により立入検査をする職員の携帯する身分を示す証明書は、別記様式によるものとする。

（助成申請手続）

第８条　法第58条の規定により社会福祉法人が国の助成を申請しようとするときは、申請書に次に掲げる書類を添付して社会福祉法人の主たる事務所の所在地を管轄区域とする地方厚生局長（２以上の地方厚生局の管轄区域にわたり事業（第１条の４各号に該当するものに限る。）を行う社会福祉法人にあつては、厚生労働大臣）に提出しなければならない。

一　理由書

二　助成を受ける事業の計画書及びこれに伴う収支予算書

三　別に地方公共団体から助成を受け又は受けようとする場合には、その助成の程度を記載した書類

四　財産目録及び貸借対照表

２　前項に規定するもののほか、助成の種類に応じ必要な手続は、厚生労働大臣が別に定める。

３　第２条第５項の規定は、第１項の場合に準用する。

（届出）

第９条　法第59条の規定による計算書類等及び財産目録等（以下「届出計算書類等」という。）の届出は、次の各号に掲げる方法のいずれかにより行わなければならない。

一　書面の提供（次のイ又はロに掲げる場合の区分に応じ、当該イ又はロに定める方法による場合に限る。）

イ　届出計算書類等が書面をもつて作成されている場合　当該書面に記載された事項を記載した書面２通の提供

ロ　届出計算書類等が電磁的記録をもつて作成されている場合　当該電磁的記録に記録された事項を記載した書面２通の提供

二　電磁的方法による提供（次のイ又はロに掲げる場合の区分に応じ、当該イ又はロに定める方法による場合に限る。）

イ　届出計算書類等が書面をもつて作成されている場合　当該書面に記載された事項の電磁的方法による提供

ロ　届出計算書類等が電磁的記録をもつて作成されている場合　当該電磁的記録に記録された事項の電磁的方法による提供

三　届出計算書類等の内容を当該届出に係る行政機関（厚生労働大臣、都道府県知事及び市長をいう。以下同じ。）及び独立行政法人福祉医療機構法（平成14年法律第166号）に規定する独立行政法人福祉医療機構の使用に係る電子計算機と接続された届出計算書類等の管理等に関する統一的な支援のための情報処理システムに記録する方法

（公表）

第10条　法第59条の２第１項の公表は、インターネットの利用により行うものとする。

２　前項の規定にかかわらず、社会福祉法人が前条第３号に規定する方法による届出を行い、行政機関等が当該届出により記録された届出計算書類等の内容の公表を行うときは、当該社会福祉法人が前項に規定する方法による公表を行つたものとみなす。

３　法第59条の２第１項第３号に規定する厚生労働省令で定める書類は、次に掲げる書類（法人の運営に係る重要な部分に限り、個人の権利利益が害されるおそれがある部分を除く。）とする。

一　法第45条の27第２項に規定する計算書類

二　法第45条の34第１項第２号に規定する役員等名簿及び同項第４号に規定する書類（第２条の41第14号及び第15号に規定する事項が記載された部分を除く。）

（調査事項）

第10条の２　法第59条の２第２項、第３項及び第６項に規定する厚生労働省令で定める事項は、次に掲げる事項（個人の権利利益が害されるおそれがある部分を除く。）とする。

一　法第45条の27第２項に規定する計算書類の内容

二　法第45条の32第１項に規定する附属明細書のうち社会福祉法人会計基準第30条第１項第10号に規定する拠点区分資金収支明細書及び同項第11号に規定する拠点区分事業活動明細書の内容
三　法第45条の34第１項第１号に規定する財産目録の内容
四　法第45条の34第１項第４号に規定する書類（第２条の41第15号に規定する事項が記載された部分を除く。）の内容
五　承認社会福祉充実計画の内容
六　その他必要な事項

（報告方法）
第10条の３　法第59条の２第２項及び第４項に規定する厚生労働省令で定める方法は、次に掲げる方法とする。
一　電磁的方法
二　第９条第３号に規定する情報処理システムに記録する方法

（社会福祉法人台帳）
第11条　所轄庁は、社会福祉法人台帳を備えなければならない。
２　前項の社会福祉法人台帳に記載しなければならない事項は、次のとおりとする。
一　名称
二　事務所の所在地
三　理事長の氏名
四　事業の種類
五　設立認可年月日及び設立登記年月日
六　評議員又は役員に関する事項
七　資産に関する事項
八　その他必要な事項

（身分を示す証明書）
第12条　法第70条の規定により検査その他事業経営の状況の調査を行う当該職員は、その身分を示す証明書を携帯し、かつ、関係者の請求があるときは、これを提示しなければならない。

（所轄庁）
第13条　第２条、第３条、第５条第１項、第６条第１項、第６条の13、第６条の20、第６条の21及び第11条第１項において所轄庁とあるのは、法第30条に規定する所轄庁とする。

（法第77条第１項に規定する厚生労働省令で定める契約等）
第16条　法第77条第１項に規定する厚生労働省令で定める契約は、次に掲げる事業において提供される福祉サービスを利用するための契約とする。
一　法第２条第２項第２号に掲げる事業のうち、母子生活支援施設を経営する事業
二　法第２条第３項第１号に掲げる事業
三　法第２条第３項第２号に掲げる事業のうち、次に掲げるもの
イ　障害児相談支援事業
ロ　児童自立生活援助事業
ハ　乳児家庭全戸訪問事業
ニ　養育支援訪問事業
ホ　地域子育て支援拠点事業
ヘ　子育て援助活動事業
ト　助産施設を経営する事業
チ　保育所（都道府県及び市町村が設置したもの並びに就学前の子どもに関する教育、保育等の総合的な提供の推進に関する法律（平成18年法律第77号）第２条第６項に規定する認定こども園（保育所であるものに限る。）を除く。）を経営する事業
リ　児童厚生施設を経営する事業
ヌ　児童家庭支援センターを経営する事業
ル　児童の福祉の増進について相談に応ずる事業
四　法第２条第３項第３号に掲げる事業のうち、母子・父子福祉施設を経営する事業
五　法第２条第３項第４号に掲げる事業のうち、次に掲げるもの
イ　老人福祉センターを経営する事業
ロ　老人介護支援センターを経営する事業
六　法第２条第３項第４号の２に掲げる事業のうち、一般相談支援事業及び特定相談支援事業
七　法第２条第３項第５号に掲げる事業のうち、次に掲げるもの
イ　身体障害者福祉センターを経営する事業
ロ　身体障害者の更生相談に応ずる事業
八　法第２条第３項第６号に掲げる事業のうち、知的障害者の更生相談に応ずる事業
九　法第２条第３項第９号に掲げる事業
十　法第２条第３項第11号に掲げる事業
２　法第77条第１項第４号に規定する厚生労働省令で定める事項は、次のとおりとする。
一　福祉サービスの提供開始年月日
二　福祉サービスに係る苦情を受け付けるための窓口

（誇大広告が禁止される事項）
第19条　法第79条に規定する厚生労働省令で定める事項は、次のとおりとする。
一　提供される福祉サービスの質その他の内容に関

する事項
二　利用者が事業者に支払うべき対価に関する事項
三　契約の解除に関する事項
四　事業者の資力又は信用に関する事項
五　事業者の事業の実績に関する事項

（電磁的記録媒体による手続）

第41条　次に掲げる書類の提出については、これらの書類に記載すべき事項を記録した電磁的記録媒体（電磁的記録に係る記録媒体をいう。）並びに申請者又は届出者の名称及び主たる事務所の所在地並びに申請又は届出の趣旨及びその年月日を記載した書類を提出することによつて行うことができる。
一　第２条第１項に規定する申請書及び定款
二　第２条第２項第３号に規定する事業計画書及び収支予算書
三　第３条第１項に規定する申請書
四　第４条第２項において読み替えて準用される第３条第１項に規定する届出書
五　第３条第１項第２号（第４条第２項において準用される場合を含む。）に規定する定款
六　第３条第２項第３号に規定する事業計画書及び収支予算書
七　第３条第３項に規定する書類
八　第５条第１項に規定する申請書
九　第５条第１項第２号に規定する財産目録及び貸借対照表
十　第６条第１項に規定する申請書
十一　第６条第１項第２号に規定する定款
十二　第６条第１項第３号イに規定する財産目録及び貸借対照表
十三　第６条第１項第４号イに規定する財産目録
十四　第６条第１項第４号ロに規定する事業計画書及び収支予算書
十五　第６条第１項第４号ニからトまでに規定する書類
十六　第８条第１項に規定する申請書
十七　第８条第１項第１号に規定する理由書
十八　第８条第１項第２号に規定する計画書及び収支予算書
十九　第８条第１項第３号に規定する書類
二十　第８条第１項第４号に規定する財産目録及び貸借対照表

（電磁的記録媒体に貼り付ける書面）

第42条　前条の電磁的記録媒体には、次に掲げる事項を記載し、又は記載した書面を貼り付けなければならない。
一　申請者又は届出者の名称
二　申請年月日又は届出年月日

別記様式（第７条関係）

（表面）

規定する一時評議員、理事、監事若しくは理事長の職務を行うべき者、同条第二項第三号に規定する一時清算人若しくは清算法人の監事の職務を行うべき者、同項第四号に規定する一時代表清算人の職務を行うべき者、同項第五号に規定する一時清算法人の評議員の職務を行うべき者若しくは第百五十六条第一項第二号に規定する一時会計監査人の職務を行うべき者又は社会福祉連携推進法人の理事、監事、会計監査人若しくはその職務を行うべき社員、同法第五十六条に規定する仮処分命令により選任された理事若しくは監事の職務を代行する者、第百四十三条第一項において準用する第四十五条の六第二項の規定により選任された一時理事、監事若しくは代表理事の職務を行うべき者、一般社団法人及び一般財団法人に関する法律第三百三十四条第一項第六号に規定する一時理事、監事若しくは代表理事の職務を行うべき者、第百四十三条第一項において準用する第四十五条の六第三項の規定により選任された一時会計監査人の職務を行うべき者若しくは同法第三百三十七条第一項第二号に規定する一時会計監査人の職務を行うべき者は、次のいずれかに該当する場合には、二十万円以下の過料に処する。ただし、その行為について刑を科すべきときは、この限りでない。

一～十一　（略）

十二　第五十六条第一項（第百四十四条において準用する場合を含む。以下この号において同じ。）の規定による報告をせず、若しくは虚偽の報告をし、又は同項の規定による検査を拒み、妨げ、若しくは忌避したとき。

社会福祉法第五十六条第一項（同法第百四十四条において準用する場合を含む。）の規定による立入検査証

（裏面）

第　　　号

令和　　年　　月　　日交付

写真

厚生労働大臣、
都道府県知事、
市長
印

職名　　氏名　　　　　　　　　　生年月日

社会福祉法（抄）

第五十六条　所轄庁は、この法律の施行に必要な限度において、社会福祉法人に対し、その業務若しくは財産の状況に関し報告をさせ、又は当該職員に、社会福祉法人の事務所その他の施設に立ち入り、その業務若しくは財産の状況若しくは帳簿、書類その他の物件を検査させることができる。

２　前項の規定により立入検査をする職員は、その身分を示す証明書を携帯し、関係人にこれを提示しなければならない。

３　第一項の規定による立入検査の権限は、犯罪捜査のために認められたものと解してはならない。

４～11　（略）

第百四十四条　第五十六条（第八項を除く。）、第五十七条の二、第五十九条、第五十九条の二（第二項を除く。）及び第五十九条の三の規定は、社会福祉連携推進法人について準用する。この場合において、次の表の上欄に掲げる規定中同表の中欄に掲げる字句は、それぞれ同表の下欄に掲げる字句に読み替えるものとする。

第五十六条第一項	所轄庁	認定所轄庁（第百三十九条第一項に規定する認定所轄庁をいう。以下同じ。）
（略）	（略）	（略）

第百六十五条　社会福祉法人の評議員、理事、監事、会計監査人若しくはその職務を行うべき社員、清算人、民事保全法第五十六条に規定する仮処分命令により選任された評議員、理事、監事若しくは清算人の職務を代行する者、第百五十五条第一項第三号に

備考　この用紙は、Ａ列７番とし、厚紙を用い、中央の点線の所から二つ折とすること。

○社会福祉の増進のための社会福祉事業法等の一部を改正する等の法律の一部の施行（平成12年6月7日）及びそれに伴う政省令の改正について（抄）

〔平成12年6月7日　障第451号・社援第1351号・児発第574号
各都道府県知事・各指定都市市長・各中核市市長宛　厚生省大臣官房障害保健福祉部長・社会・援護・児童家庭局長連名通知〕

平成12年6月7日付けで公布された「社会福祉の増進のための社会福祉事業法等の一部を改正する等の法律（平成12年法律第111号）」については、同日付けでその一部が施行されたところである。

今般、上記法律において、福祉サービスに関する情報の提供、利用の援助及び苦情の解決に関する規定を整備し、福祉サービスの利用者の利益の保護を図るとともに、身体障害者、知的障害者、障害児に係る相談支援事業等について、新たに社会福祉事業に追加する等の関係規定が施行された。これを受け、社会福祉の増進のための社会福祉事業法等の一部を改正する等の法律の施行に伴う関係政令の整備等に関する政令（平成12年政令第334号。以下「整備政令」という。）及び社会福祉の増進のための社会福祉事業法等の一部を改正する等の法律の施行に伴う厚生省関係省令の整備等に関する省令（平成12年厚生省令第100号。以下「整備省令」という。）が同日公布、施行され、関係政令及び厚生省関係省令について所要の規定の整備を行ったところである。

今回の改正の趣旨及び内容について、地方自治法(昭和22年法律第67号）第245条の4第1項の規定に基づく技術的助言として、下記のとおり通知するので、管内市町村、関係団体、関係機関等に周知徹底をお願いしたい。

なお、社会福祉事業の事業規模要件の緩和に係る部分（平成12年6月7日施行)、身体障害者福祉法の盲導犬訓練施設等に係る部分、児童福祉法の助産施設及び母子生活支援施設の入所方式に係る部分及び社会福祉施設職員等退職手当共済法（昭和36年法律第155号）の一部改正に係る部分（平成13年4月1日施行）並びに社会福祉法の地域福祉計画に係る部分及び身体障害者福祉法等の障害者福祉サービスに係る支援費支給方式に係る部分（平成15年4月1日施行）については、別途通知するものとする。

記

第1　法改正の趣旨等

1　法改正の趣旨

現在の社会福祉制度は、戦後の復興期に貧困者、身体障害者、戦災孤児等が急増する中で、こうした生活困窮者を緊急に保護・救済するために旧社会福祉事業法を中心に、行政主導で措置の対象者及び内容を判断し、保護・救済を行う仕組み（措置制度）として制度化され、一定の成果を上げてきた。

しかしながら、生活水準の向上、少子・高齢化の進展、家庭機能の変化等の社会環境の変化に伴い、今日の社会福祉制度には、従来のような限られた者に対する保護・救済に留まらず、児童の育成や高齢者の介護等、国民が自立した生活を営む上で生じる多様な問題に対して、社会連帯に基づいた支援を行うことが求められるようになった。こうした変化を踏まえ、利用者と事業者が対等な関係に立って、福祉サービスを自ら選択できる仕組みを基本とする利用者本位の社会福祉制度の確立を図り、障害者等のノーマライゼーションと自己決定の実現を目指すため、今般の法改正を行うこととしたものである。

具体的には障害者福祉サービスについて、利用者の申請に基づき支援費を支給する方式(以下「支援費支給方式」という。）を導入するとともに、福祉サービスの利用者の利益の保護について、福祉サービスに関する情報の提供、利用の援助及び苦情の解決に関する規定を整備することとしたところである。また、地域福祉の推進を図るための規定を整備する等の所要の措置を講じることとした。さらに、これらの改正と併せ、民生委員法についても社会情勢の変化に対応し、民生委員の機能強化を図る等の改正を行ったところである。

2　政令及び省令改正の趣旨

今回の整備政令及び整備省令においては、社会福祉事業法施行令を改正し社会福祉法施行令とするほか、改正法により必要となる福祉各法の政省令について規定整備を行うものである。

第2　社会福祉事業法の一部改正（平成12年6月7日

施行関係）

1　題名の改正

従来、この法律は、「社会福祉事業法」という名称が表すとおり、社会福祉事業が公明かつ適正に行われるための諸規制を行うことを主眼とするものであった。しかしながら、今回の改正により、目的及び理念規定を利用者本位の社会福祉制度を確立する観点から規定し直すとともに、「福祉サービスの適切な利用」、「地域福祉の推進」という新しい章を設けたこと等によりその内容及び性格が変更されたことに伴い、法律の名称を「社会福祉法」と改めることとした。

2　目次の改正

福祉サービスの利用者の利益の保護及び地域福祉の推進を図るための規定を整備するため、新たに「福祉サービスの適切な利用（第８章）」という章を設けるとともに、従来の「共同募金及び社会福祉協議会」の章（旧第８章）を、「地域福祉の推進（第10章）」という章に改めた。

3　総則の改正（社会福祉法第１章関係）

⑴　目的規定の改正（社会福祉法第１条関係）

第２の１で述べたとおり、この法律の内容及び性格を改めたことを受け、目的規定において、「社会福祉を目的とする事業の全分野における共通的基本事項を定め、福祉サービスの利用者の利益の保護及び地域福祉の推進などを図り、もって社会福祉の増進に資すること」を明文化した。

⑵　社会福祉事業に係る改正（社会福祉法第２条関係）

社会福祉事業について、新たに９事業を追加し、１事業を削除するとともに、政令で定める社会福祉事業について規模要件を緩和できる規定の整備を行った。

①　新規社会福祉事業の追加

誰もがその有する能力を活用し、自立した地域生活を営むことができるよう支援し、また、福祉サービスの利用者が福祉サービスを適切に選択し利用することができるよう援助するため、以下の９事業を新たに第二種社会福祉事業に追加することとした。

ア　児童福祉法（昭和22年法律第164号）に規定する障害児相談支援事業

イ　身体障害者福祉法（昭和24年法律第283号）に規定する身体障害者相談支援事業

ウ　身体障害者福祉法に規定する身体障害者生活訓練等事業（平成13年４月１日施行）

エ　身体障害者福祉法に規定する手話通訳事業

オ　身体障害者福祉法に規定する盲導犬訓練施設を経営する事業（平成13年４月１日施行）

カ　知的障害者福祉法（昭和35年法律第37号）に規定する知的障害者デイサービス事業

キ　知的障害者福祉法に規定する知的障害者相談支援事業

ク　知的障害者福祉法に規定する知的障害者デイサービスセンターを経営する事業

ケ　福祉サービス利用援助事業

なお、「福祉サービス利用援助事業」については、利用契約方式への移行に当たり、特に判断能力が不十分な方々について援助の必要性が高いことから、全国的な整備を図るとともに事業従事者の資質の向上及び本事業に対する普及・啓発を行うために、都道府県社会福祉協議会が事業を実施することを社会福祉法に定めたところである。さらに多様な主体によるサービス提供を可能とするために、本事業を第二種社会福祉事業として位置づけたものであり、社会福祉法第69条の届出を行うことにより、都道府県社会福祉協議会以外にも社会福祉法人や公益法人、特定非営利活動法人（ＮＰＯ）等多様な主体がこの事業を経営できることとした。

②　公益質屋を経営する事業の削除

公益質屋については、社会福祉制度全般の充実や、母子寡婦貸付制度、生活福祉資金貸付制度等の代替施策の整備等により、昭和30年代を境に貸付金額及び貸付口数は顕著に減少している。このような需要の減少に伴い、公益質屋の福祉的要素は後退していることから、公益質屋を営業する事業を社会福祉事業から除外した。

③　事業規模要件の緩和

旧社会福祉事業法においては、入所型事業でない社会福祉事業については、常時保護を受ける者が20人以上としていたが、今回の改正により政令で定める事業については、常時保護を受けるものが10人以上であれば、社会福祉事業に含まれることとした。これにより、当該事業の経営を目的とする社会福祉法人の設立を容易にし、必要な規制及び支援の対象とすることを可能にした。

政令で定める事業としては、身体障害者、

知的障害者及び精神障害者の通所授産施設を経営する事業を規定することを予定しており、現在準備を進めている。

⑶　基本理念規定の改正（社会福祉法第３条～第６条関係）

個人が自らの選択に基づいてサービスを利用することができる利用者本位の制度を整備し、自立を地域全体で支援する仕組みを確立するに当たって、従来の基本理念を改め、第３条から第６条に通則的な規範として整理し、関係者の責任を明確化した。

①　福祉サービスの基本的理念（社会福祉法第３条関係）

福祉サービスとは何らかの社会的支援を必要とする者に対するサービスであることから、福祉サービスの内容について、その提供者が従うべき通則的な規範を明確にする必要がある。

すなわち、福祉サービスの提供に当たっては個人の尊厳の保持を旨とし、また、その内容は、福祉サービスの利用者が心身ともに健やかに育成され、又はその有する能力に応じ自立した日常生活を営むことができるように支援するものとして、良質かつ適切なものでなければならないことを定めた。

②　地域福祉の推進（社会福祉法第４条関係）

誰もが身近な地域で、その人らしく安心して暮らせるようにするためには、住民の社会福祉に関する活動への積極的な参加を得つつ、社会福祉に関わる者が連携して地域の特性を生かしたサービスの提供体制を確立することが重要である。

このため、地域住民、社会福祉を目的とする事業を経営する者及び社会福祉に関する活動を行う者が、相互に協力し、福祉サービスを必要とする地域住民が地域社会を構成する一員として日常生活を営み、あらゆる分野の活動に参加する機会が与えられ、いわゆるノーマライゼーションが図られるように、地域福祉の推進に努めなければならないことを明確化した。

③　福祉サービスの提供の原則（社会福祉法第５条関係）

利用者が自ら福祉サービスを選択し、自立した生活を営むためには、福祉サービスの提供者が、多様なサービスを利用者の意向に則して総合的に提供することが重要である。

このため、社会福祉を目的とする事業を経営する者は、その提供する多様な福祉サービスについて、利用者の意向を十分に尊重し、かつ他の関連サービスとの連携を図りつつ、総合的に提供するよう努めるべきものとした。

④　福祉サービスの提供体制の確保等に関する国及び地方公共団体の責務について（社会福祉法第６条関係）

国及び地方公共団体は、国民の福祉の増進を図るため、今後とも、計画的な基盤整備、利用者保護制度の適切な運用や費用負担などについてその責任を果たす必要がある。

このため、制度の運営・管理を行う国及び地方公共団体は、社会福祉を目的とする事業を経営する者と協力して、福祉サービスの提供体制の確保に関する施策、福祉サービスの適切な利用の推進に関する施策その他の必要な各般の措置を講じなければならない旨定め、国及び地方公共団体の責務を明確化することとした。

４　社会福祉法人に係る改正（第６章関係）

福祉サービスの提供において中心的な役割を果たしている社会福祉法人は、介護保険制度や支援費支給方式等利用者が自らサービスを選択して利用する制度（以下「利用制度」とする。）の導入に伴い、利用者から選択されるために、自主的に創意工夫を行ってより質の高いサービスの提供を目指すとともに、国民の高い信頼を得るために、事業の効率性や透明性を確保しようとする積極的な姿勢が求められることとなる。このような観点から、社会福祉法人について、経営の原則を定めるとともに、その達成に資する規定の整備を行うこととした。

⑴　社会福祉法人の経営の原則（社会福祉法第24条関係）

今後とも福祉サービスの提供において中心的な役割を担うことが求められる社会福祉法人について、その経営の安定性を確保し、かつ利用者の多様な選択を支援するため、経営基盤の自主的な強化、提供する福祉サービスの質の向上及び事業経営の透明性を、社会福祉法人の経営の原則として規定することとした。

⑵　収益事業の収益の充当先の拡大（社会福祉法第26条、社会福祉法施行令第１条関係）

⑴の経営の原則のうち経営基盤の自主的な強化に資する観点から、従来は社会福祉事業のみに充当が認められていた収益事業の収益につい

ては、次に掲げるとおり、社会福祉の増進に密接に関わる公益事業にも充当できることとした。

①　社会福祉法第２条第４項第４号に規定する要件（いわゆる事業規模要件）を満たさないために社会福祉事業に含まれない小規模な事業

②　介護保険法第７条第５項に規定する居宅サービス事業のうち社会福祉事業以外のもの及び同条第18項に規定する居宅介護支援事業

③　介護保険法第７条第22項に規定する介護老人保健施設を経営する事業のうち社会福祉法第２条第３項第10号に規定する事業（いわゆる無料低額介護老人保健施設事業）以外のもの

④　社会福祉士及び介護福祉士法第７条第２号若しくは第３号に規定する社会福祉士養成施設及び同法第39条第１号から第３号までに規定する介護福祉士養成施設を経営する事業

⑤　精神保健福祉士法第７条第２号又は第３号に規定する精神保健福祉士養成施設を経営する事業

⑥　児童福祉法施行令第13条第１項第１号に規定する指定保育士養成施設を経営する事業

⑦　前記①から⑥までに掲げる事業に準ずる事業であって厚生大臣が定めるもの

(3)　財務諸表等の開示義務（社会福祉法第44条関係）

(1)の経営の原則のうち社会福祉法人の事業の透明性を確保し、かつ福祉サービスの利用者が社会福祉法人の提供する福祉サービスの選択に必要な判断材料となる情報を入手できるようにするため、財務諸表等必要な書類の閲覧を可能にする必要がある。

このため社会福祉法人に対し、事業報告書、財産目録、貸借対照表及び収支計算書並びにこれに関する監事の意見を記載した書面を各事務所に備え置き、当該社会福祉法人が提供するサービスの利用希望者等の利害関係人から請求があった場合には、請求権の濫用と認められるような例外的な場合を除き、原則として閲覧に供しなければならないこととした。

5　社会福祉事業に係る改正（第７章関係）

(1)　第一種社会福祉事業の経営主体に係る規定及び事業経営の準則に係る規定の移動（社会福祉法第60条及び第61条関係）

旧社会福祉事業法は、社会福祉事業を行う者についての事業規制をその主眼としており、そのため第一種社会福祉事業の経営主体に係る規定（旧第４条）及び社会福祉事業の経営準則に係る規定（旧第５条）については、総則に置かれていた。しかしながら、１、２及び３において述べたとおり、この法律は社会福祉の全般に関する共通的基本事項を定めるものとして、その内容及び性格を変えていることから、改正後の社会福祉法の総則部分にこれらの事業規制に関する規定を置くことは適切ではないこととなる。

このため、旧第４条及び旧第５条については、事業規制について定める「社会福祉事業」の章（第７章）に移動することとした。

(2)　社会福祉施設の最低基準に係る改正（社会福祉法第65条）

一定の質が確保された福祉サービスの提供を保障するため、施設サービス提供に関する最低基準が定められているところであるが、今後、利用者が事業者と対等な立場で、契約に基づき適切なサービスを利用することが基本となることを踏まえ、同基準においても利用者の苦情解決への取り組み等を加える必要がある。

したがって、社会福祉事業の経営者に対し、提供する福祉サービスに係る利用者からの苦情を適切に解決する責務を課す（社会福祉法第82条。６(2)②ア参照）とともに、厚生大臣は、社会福祉施設の最低基準として、設備の規模及び構造の他に、福祉サービスの提供の方法、利用者等からの苦情への対応その他の社会福祉施設の運営について定めなければならないことを明確にした。

(3)　社会福祉事業の経営者に対する不利益処分に係る規定の改正（社会福祉法第72条）

２及び３で述べたように、社会福祉法の目的の一つは利用者の利益の保護を図ることにあり、この目的を具体化するため、「福祉サービスの適切な利用」という章を新たに追加する（６参照）こととし、利用者の利益の保護の仕組みの実効性を担保するため、所要の規定を置くこととした。

すなわち、次の６で述べるように、社会福祉事業の経営者に対し、利用契約の成立時における書面の交付を義務付ける規定及び誇大広告を禁止する規定を置くこととしているが、これらの規定に違反した経営者に対しては、都道府県知事が事業停止処分、許認可取消処分等の不利益処分を課すことができるものとした。

6　福祉サービスの適切な利用に係る規定の追加（第８章関係）

措置制度の下では、福祉サービスの利用者と提供者の間に直接の契約関係がなく、サービスの内容は、措置権者である行政により決められていたため、利用者の意向を反映した福祉サービスの選択を保障する制度的な仕組みがなかった。

今般、利用制度の導入に伴い、利用者の選択を保障するための諸般の仕組みの整備が不可欠となる。具体的には、利用者の判断を可能にする十分かつ適切な情報の確保と、判断能力が不十分なために自らサービスを選択して利用することが困難な者を保護するための福祉サービスの利用の援助等を定めることとした。

⑴　情報の提供に係る規定の追加（第１節関係）

利用者の選択に必要な情報が得られる仕組みや、より質の高いサービスを確保する仕組みの整備に当たり、福祉サービス全般に共通する事項として、次の①から⑤を定めることとした。

①　情報の提供（社会福祉法第75条）

利用制度への移行に伴い、利用者が福祉サービスを適切かつ円滑に選択できるよう、福祉サービスに関する的確な情報が利用者に対して自主的かつ積極的に提供されることが重要である。

こうした観点から、社会福祉事業の経営者に対し、その提供する福祉サービスに関する情報の提供に努めなければならない責務を課すとともに、国及び地方公共団体に対し、サービスを利用しようとする者が情報を容易に入手できるよう、必要な措置を講ずるよう努めなければならない責務を課すこととした。

②　契約申込者に対する説明（社会福祉法第76条）

利用者の適切な選択を保障するとともに、契約時の情報不足による無用の混乱を避けるため、社会福祉事業の経営者に対し、その提供する福祉サービスの利用希望者から申込みがあった場合には、当該福祉サービスを利用するための契約の内容及びその履行に関する事項について説明するよう努める義務を課すこととした。

③　利用契約成立後における書面交付義務（社会福祉法第77条）

ア　利用者と事業者の契約関係を明確にするとともに、利用者が実際に不利益を被った場合の事後的な救済に資するため、社会福祉事業の経営者に対し、契約成立後遅滞なく、以下に掲げる事項を記載した書面を交付しなければならない義務を課すこととした。

㋐　当該社会福祉事業の経営者の名称及び主たる事務所の所在地

㋑　当該社会福祉事業の経営者が提供する福祉サービスの内容

㋒　当該福祉サービスの提供につき利用者が支払うべき額に関する事項

㋓　福祉サービスの提供開始年月日

㋔　福祉サービスに係る苦情を受け付ける窓口

なお、本条にいう書面交付の方法としては、前記㋐から㋔までに掲げる事項をすべて記載した書面を交付するという方法だけでなく、本条の趣旨が十分に反映されている方法であるものと評価される限り、事前説明に用いた文書やサービス提供記録が記載されている資料などを利用者に交付する等の代替的な方法でも良いものとする。

具体的には、社会福祉事業に該当する介護サービスについての本条の適用に当たっては、前記㋐から㋔に掲げる事項の書面交付については、介護保険法に基づく指定事業者・施設の指定基準等を遵守した文書の交付及び書面への記載をもって、これに代えることができるものとする。

これは、社会福祉事業に該当する介護サービスについては、その指定事業者・施設の指定基準において、①サービスの提供に際し、あらかじめ利用申込者に福祉サービスの内容や利用料その他の費用の額等の重要事項を記した文書を交付して説明を行い、サービス提供に関する同意を得ること、②契約成立後のサービス提供に際し、居宅サービスについてはサービス提供の記録を居宅サービス計画等に記載し、施設サービスについては、入退所（入退院）を被保険者証に記録することが義務づけられており、本条の趣旨が担保されているからである。

イ　各種相談事業をはじめ、以下に掲げる事業については、その事業の性格上、社会福祉法第77条に規定する書面の交付を社会福祉事業の経営者に対して義務づける実益に乏しいと考えられることから、同条の規定を適用しないこととした。

㈠　社会福祉法第２条第３項第１号に規定する事業

㈡　児童福祉に係る事業（社会福祉法第２条第３項第２号）のうち、障害児相談支援事業、保育所を経営する事業、児童厚生施設を経営する事業、児童家庭支援センターを経営する事業及び児童の福祉の増進について相談に応ずる事業

㈢　母子福祉に係る事業（社会福祉法第２条第３項第３号）のうち、母子福祉施設を経営する事業

㈣　老人福祉に係る事業（社会福祉法第２条第３項第４号）のうち、老人福祉センターを経営する事業及び老人介護支援センターを経営する事業

㈤　身体障害者福祉に係る事業（社会福祉法第２条第３項第５号）のうち、身体障害者相談支援事業、身体障害者福祉センターを経営する事業及び身体障害者の更生相談に応ずる事業

㈥　知的障害者福祉に係る事業（社会福祉法第２条第３項第６号）のうち、知的障害者相談支援事業及び知的障害者の更生相談に応ずる事業

㈦　精神障害者福祉に係る事業（社会福祉法第２条第３項第７号）のうち、精神障害者地域生活支援センターを経営する事業

㈧　生計困難者のために、無料又は低額な料金で診療を行う事業（社会福祉法第２条第３項第９号）

㈨　隣保事業（社会福祉法第２条第３項第11号）

④　福祉サービスの質の向上（社会福祉法第78条）

福祉サービスの利用が、行政の行う措置制度から利用者が選択する利用制度を基本とすることに伴い、福祉サービスの質の確保についても、行政が委託契約を通じ画一的にサービスの質を確保する考え方から、社会福祉事業の経営者が最低基準を遵守した上で、その提供する福祉サービスの質の一層の向上に自主的に取り組むことを促すという考え方が基本となる。

このため、社会福祉事業の経営者に対し、自らが提供するサービスの質の自己評価その他の措置を講ずることにより福祉サービスの質の確保・向上に努めなければならない義務を規定することとした。

また、国は、福祉サービスの質の評価に関する基準の作成、第三者評価機関の育成等の必要な措置を講ずることにより社会福祉事業の経営者の取り組みを支援するよう努めなければならないこととした。

⑤　誇大広告の禁止（社会福祉法第79条）

従来、社会福祉事業については、これまで措置制度が基本であったために、個々の事業者が公告する必要性がなく、福祉サービスに係る広告について規制する規定は置かれていなかった。今後、利用制度を基本とすることから、利用者の利益の保護を図るとともに、不正な競争を防止する観点から、社会福祉事業の経営者に対し、以下に掲げる事項について、著しく事実に相違する表示をし、又は実際のものよりも著しく優良であり、若しくは有利であると人に誤認させるような表示（いわゆる「誇大広告」）を行うことを禁止することとした。

ア　提供される福祉サービスの質その他の内容に関する事項

イ　利用者が事業者に支払うべき対価に関する事項

ウ　契約の解除に関する事項

エ　事業者の資力又は信用に関する事項

オ　事業者の事業の実績に関する事項

⑵　福祉サービスの利用の援助等（第２節関係）

①　福祉サービスの利用の援助

福祉サービスの利用者の中には、痴呆性高齢者、知的障害者、精神障害者等、判断能力が不十分なために福祉サービスを自ら選択し、事業者と契約を結んでサービスを利用することができないおそれのある者がいる。このため、これらの者によるサービスの利用を援助する仕組みを整備し、利用者の利益の保護を図ることとした。

ア　福祉サービス利用援助事業を行う者の留意事項（社会福祉法第80条関係）

福祉サービス利用援助事業は、判断能力が不十分な者を対象とすることから、特に利用者の立場に立ち、その意向を尊重する必要が強く求められる。したがって、この事業を行う者の義務として、利用者の意向を尊重し、利用者の立場に立って公正かつ

適切な方法で行うことを特に明記した。

イ　都道府県社会福祉協議会が行う福祉サービス利用援助事業等（いわゆる地域福祉権利擁護事業）（社会福祉法第80条、第81条関係）

福祉サービス利用援助事業については、その実施体制が全国的に整備されている必要があることから、都道府県社会福祉協議会について、都道府県の区域内においてあまねく福祉サービス利用援助事業が実施されるために必要な事業を行うとともに、福祉サービス利用援助事業の従事者の資質向上及びこの事業の普及啓発のための事業を行うものとした。

ウ　運営適正化委員会の役割（社会福祉法第83条関係）

都道府県の区域内において、福祉サービス利用援助事業の適正な運営を確保するとともに、福祉サービスに関する利用者等からの苦情を適切に解決するため、都道府県社会福祉協議会に、人格が高潔であって、社会福祉に関する識見を有し、かつ、社会福祉、法律又は医療に関し学識経験を有する者で構成される公正・中立な第三者機関として、運営適正化委員会を置くこととした。

(ア)　運営適正化委員会については、福祉サービス利用援助事業の助言・勧告を行う合議体と、福祉サービスに関する苦情の解決を行う合議体をそれぞれ１以上設けることとする。委員については、それぞれ同数の公益を代表する者、福祉サービスの利用者を代表する者及び社会福祉事業を経営する者により構成される選考委員会の同意を得て、都道府県社会福祉協議会の代表が選任することとする。（社会福祉法施行令第２条、第７条関係）

(イ)　なお、運営適正化委員会については、その公正性・中立性を確保するために、事務局を都道府県社会福祉協議会に置くものの、運営適正化委員会の組織、運営については独立したものとするため、委員の互選による委員長が会議を招集し、合議体を構成する委員を指名する等の規定を整備する。なお、事務局についても、事務局長は運営適正化委員会の委員長の命を受けて局務を掌理することとする。（社会福祉法施行令第５条～第８条関係）

(ウ)　さらに、運営適正化委員会の業務が個人のプライバシーに関わることを考慮し、その委員及び事務局員について守秘義務を課す一方、運営適正化委員会に少なくとも年に１回その業務の状況等について報告書を作成し、これを公表することを義務づけ、業務の透明性を確保することとした。（社会福祉法施行令第９条、第10条関係）

(エ)　なお、選考委員会の委員については、あらかじめ住民、福祉サービスの利用者、社会福祉事業を経営する者その他の関係者の意見を聴取して、都道府県社会福祉協議会の代表者が選任するものとする。（社会福祉法施行令第２条第５項関係）。なお、具体的な方法としては、意見書の提出を受け付ける方法、意見を聴取する方法等のうち、都道府県社会福祉協議会があらかじめ定める方法とする。なお、選考委員会の委員長については、公益を代表する者のうちから委員が選挙する者とし、利用者等関係者の意見を広く反映しつつ、中立性の保持を図ることとした。（社会福祉法施行規則第17条～第20条関係）

②　福祉サービスに係る苦情解決（社会福祉法第82条、第85条及び第86条関係）

利用者の意向が十分反映された福祉サービスが提供されるためには、利用者が、福祉サービスに関する苦情を自由に申し出ることができる環境を整える必要があるため、福祉サービスに係る苦情を適切に解決するための仕組みを整備することとした。

ア　事業者による苦情の適切な解決（社会福祉法第82条関係）

苦情については、まず第一義的には事業者による解決の努力が不可欠であることから、社会福祉事業の経営者に対して、常に、その提供する福祉サービスについて、利用者等からの苦情の適切な解決に努めなければならないこととした。特に、社会福祉施設については、社会福祉法第65条に基づき、苦情への対応を最低基準に盛り込むこととしている。なお、事業者の苦情解決に取り組むに当たっての具体的な方法に関する指針については、別途通知する。

イ　運営適正化委員会による苦情解決（社会福祉法第85条、第86条関係）

利用者からの苦情については、第一義的には事業者の努力により適切な解決が図られるべきものであっても、個々の処遇の内容等に関する苦情、当事者同士の話し合いでは解決が困難な苦情もある。このような苦情については、公正・中立な第三者機関によるあっせん等により解決することが望ましい。したがって、公正・中立な第三者機関として、都道府県社会福祉協議会に設置される運営適正化委員会に苦情解決を行わせるものである。

(ア)　福祉サービスに関する苦情について解決の申出があったときは、運営適正化委員会は、その相談に応じ、必要な助言及び調査を行う。また、苦情の申出人又は当該申出人に福祉サービスの提供を行った事業者が書面により苦情の解決のあっせんを申請した場合には、運営適正化委員会は、書面により他方当事者に通知し、双方の同意を得て、あっせんを行うことができる。

(イ)　運営適正化委員会があっせんを行う場合には、合議体によるあっせんに付するものとする。あっせんを行わない場合やあっせんをうち切る場合には、当事者に理由を付した書面をもって通知するものとする。（社会福祉法施行規則第21条～第24条関係）

(ウ)　なお、運営適正化委員会が苦情の解決にあたり、利用者に対して虐待等の不当な処遇が行われているおそれがあると認めるときには、都道府県知事に速やかに通知し、行政機関による解決を促すこととする。

(3)　社会福祉を目的とする事業を経営する者への支援（第3節関係）

都道府県社会福祉協議会は、社会福祉を目的とする事業の健全な発達に資するため、社会福祉を目的とする事業を経営する者がその行った福祉サービスの提供に要した費用に関して地方公共団体に対して行う請求事務の代行等の支援を行うよう努めなければならないこととした。（社会福祉法第88条関係）

第5　児童福祉法の一部改正（平成12年6月7日施行分）

1　法改正の趣旨

近年、多様化する障害児の福祉に対する需要に的確に対応するため、相談支援事業を新たに法律上の事業として位置付けるとともに、児童委員について、近年増加する児童虐待等の問題に対応して、保護を必要とする児童等の発見や関係機関への連絡通報などの役割を適切に行うことができるよう所要の改正を行った。

2　新規事業の追加

障害児の地域での生活を支援するため、障害児相談支援事業（都道府県等の委託を受けて、障害児及びその保護者に対する情報の提供並びに相談及び指導並びに関係機関との連絡調整等の援助を総合的に行う事業）を新たに児童福祉法上の事業に追加した。（児童福祉法第6条の2関係）

3　児童委員に関する事項

(1)　児童委員が、担当区域内における児童又は妊産婦に関し、児童福祉法第13条に基づいて児童相談所長に通知する場合には、市町村長を経由するものとされているが、児童虐待などで緊急の必要があると認めるときは、市町村長を経由することなく直接通知することができることとし、児童委員の活動を児童相談所の迅速な対応に結びつけることができることとした。（児童福祉法第13条関係）

(2)　地域において保護を必要とする児童を発見した者が、児童福祉法第25条に基づいて福祉事務所又は児童相談所に通告する場合には、児童委員を介して行うことができることとし、児童虐待等の早期発見、早期対応を促進することとした。（児童福祉法第25条関係）

4　児童等に対する指導の委託

児童相談所長又は都道府県は、障害児相談支援事業を行う者に対し、児童又はその保護者に対する指導を委託することができることとした。（児童福祉法第26条、第27条関係）

5　児童福祉施設の設置者に対する監督に関する事項

都道府県知事は、厚生大臣の定める最低基準を維持するため、児童福祉施設の設置者に対して、報告の徴収、立入検査等を行うことができることとした。（児童福祉法第46条関係）

6　その他所要の規定の整備を行うこととした。

◉医療的ケア児及びその家族に対する支援に関する法律

〔令和３年６月18日
法律第81号〕

第１章　総則

（目的）

第１条　この法律は、医療技術の進歩に伴い医療的ケア児が増加するとともにその実態が多様化し、医療的ケア児及びその家族が個々の医療的ケア児の心身の状況等に応じた適切な支援を受けられるようにすることが重要な課題となっていることに鑑み、医療的ケア児及びその家族に対する支援に関し、基本理念を定め、国、地方公共団体等の責務を明らかにするとともに、保育及び教育の拡充に係る施策その他必要な施策並びに医療的ケア児支援センターの指定等について定めることにより、医療的ケア児の健やかな成長を図るとともに、その家族の離職の防止に資し、もって安心して子どもを生み、育てることができる社会の実現に寄与することを目的とする。

（定義）

第２条　この法律において「医療的ケア」とは、人工呼吸器による呼吸管理、喀痰《かくたん》吸引その他の医療行為をいう。

２　この法律において「医療的ケア児」とは、日常生活及び社会生活を営むために恒常的に医療的ケアを受けることが不可欠である児童（18歳未満の者及び18歳以上の者であって高等学校等（学校教育法（昭和22年法律第26号）に規定する高等学校、中等教育学校の後期課程及び特別支援学校の高等部をいう。次条第３項及び第14条第１項第１号において同じ。）に在籍するものをいう。次条第２項において同じ。）をいう。

（基本理念）

第３条　医療的ケア児及びその家族に対する支援は、医療的ケア児の日常生活及び社会生活を社会全体で支えることを旨として行われなければならない。

２　医療的ケア児及びその家族に対する支援は、医療的ケア児が医療的ケア児でない児童と共に教育を受けられるよう最大限に配慮しつつ適切に教育に係る支援が行われる等、個々の医療的ケア児の年齢、必要とする医療的ケアの種類及び生活の実態に応じて、かつ、医療、保健、福祉、教育、労働等に関する業務を行う関係機関及び民間団体相互の緊密な連携の下に、切れ目なく行われなければならない。

３　医療的ケア児及びその家族に対する支援は、医療的ケア児が18歳に達し、又は高等学校等を卒業した後も適切な保健医療サービス及び福祉サービスを受けながら日常生活及び社会生活を営むことができるようにすることにも配慮して行われなければならない。

４　医療的ケア児及びその家族に対する支援に係る施策を講ずるに当たっては、医療的ケア児及びその保護者（親権を行う者、未成年後見人その他の者で、医療的ケア児を現に監護するものをいう。第10条第２項において同じ。）の意思を最大限に尊重しなければならない。

５　医療的ケア児及びその家族に対する支援に係る施策を講ずるに当たっては、医療的ケア児及びその家族がその居住する地域にかかわらず等しく適切な支援を受けられるようにすることを旨としなければならない。

（国の責務）

第４条　国は、前条の基本理念（以下単に「基本理念」という。）にのっとり、医療的ケア児及びその家族に対する支援に係る施策を総合的に実施する責務を有する。

（地方公共団体の責務）

第５条　地方公共団体は、基本理念にのっとり、国との連携を図りつつ、自主的かつ主体的に、医療的ケア児及びその家族に対する支援に係る施策を実施する責務を有する。

（保育所の設置者等の責務）

第６条　保育所（児童福祉法（昭和22年法律第164号）第39条第１項に規定する保育所をいう。以下同じ。）の設置者、認定こども園（就学前の子どもに関する教育、保育等の総合的な提供の推進に関する法律（平成18年法律第77号）第２条第６項に規定する認定こども園をいい、保育所又は学校教育法第１条に規定する幼稚園であるものを除く。以下同じ。）の設置者及び家庭的保育事業等（児童福祉法第６条の３第９項に規定する家庭的保育事業、同条第10項に規定する小規模保育事業及び同条第12項に規定する事業所内保育事業をいう。以下この項及び第９条第２項において同じ。）を営む者は、基本理念にのっとり、その設置する保育所若しくは認定こども園に在籍し、又は当該家庭的保育事業等を利用している医療的ケア児に対し、適切な支援を行う責務を有する。

２　放課後児童健全育成事業（児童福祉法第６条の３

第２項に規定する放課後児童健全育成事業をいう。以下この項及び第９条第３項において同じ。）を行う者は、基本理念にのっとり、当該放課後児童健全育成事業を利用している医療的ケア児に対し、適切な支援を行う責務を有する。

（学校の設置者の責務）

第７条　学校（学校教育法第１条に規定する幼稚園、小学校、中学校、義務教育学校、高等学校、中等教育学校及び特別支援学校をいう。以下同じ。）の設置者は、基本理念にのっとり、その設置する学校に在籍する医療的ケア児に対し、適切な支援を行う責務を有する。

（法制上の措置等）

第８条　政府は、この法律の目的を達成するため、必要な法制上又は財政上の措置その他の措置を講じなければならない。

第２章　医療的ケア児及びその家族に対する支援に係る施策

（保育を行う体制の拡充等）

第９条　国及び地方公共団体は、医療的ケア児に対して保育を行う体制の拡充が図られるよう、子ども・子育て支援法（平成24年法律第65号）第59条の２第１項の仕事・子育て両立支援事業における医療的ケア児に対する支援についての検討、医療的ケア児が在籍する保育所、認定こども園等に対する支援その他の必要な措置を講ずるものとする。

２　保育所の設置者、認定こども園の設置者及び家庭的保育事業等を営む者は、その設置する保育所若しくは認定こども園に在籍し、又は当該家庭的保育事業等を利用している医療的ケア児が適切な医療的ケアその他の支援を受けられるようにするため、保健師、助産師、看護師若しくは准看護師（次項並びに次条第２項及び第３項において「看護師等」という。）又は喀痰吸引等（社会福祉士及び介護福祉士法（昭和62年法律第30号）第２条第２項に規定する喀痰吸引等をいう。次条第３項において同じ。）を行うことができる保育士若しくは保育教諭の配置その他の必要な措置を講ずるものとする。

３　放課後児童健全育成事業を行う者は、当該放課後児童健全育成事業を利用している医療的ケア児が適切な医療的ケアその他の支援を受けられるようにするため、看護師等の配置その他の必要な措置を講ずるものとする。

（教育を行う体制の拡充等）

第10条　国及び地方公共団体は、医療的ケア児に対して教育を行う体制の拡充が図られるよう、医療的ケア児が在籍する学校に対する支援その他の必要な措置を講ずるものとする。

２　学校の設置者は、その設置する学校に在籍する医療的ケア児が保護者の付添いがなくても適切な医療的ケアその他の支援を受けられるようにするため、看護師等の配置その他の必要な措置を講ずるものとする。

３　国及び地方公共団体は、看護師等のほかに学校において医療的ケアを行う人材の確保を図るため、介護福祉士その他の喀痰吸引等を行うことができる者を学校に配置するための環境の整備その他の必要な措置を講ずるものとする。

（日常生活における支援）

第11条　国及び地方公共団体は、医療的ケア児及びその家族が、個々の医療的ケア児の年齢、必要とする医療的ケアの種類及び生活の実態に応じて、医療的ケアの実施その他の日常生活において必要な支援を受けられるようにするため必要な措置を講ずるものとする。

（相談体制の整備）

第12条　国及び地方公共団体は、医療的ケア児及びその家族その他の関係者からの各種の相談に対し、個々の医療的ケア児の特性に配慮しつつ総合的に応ずることができるようにするため、医療、保健、福祉、教育、労働等に関する業務を行う関係機関及び民間団体相互の緊密な連携の下に必要な相談体制の整備を行うものとする。

（情報の共有の促進）

第13条　国及び地方公共団体は、個人情報の保護に十分配慮しつつ、医療、保健、福祉、教育、労働等に関する業務を行う関係機関及び民間団体が行う医療的ケア児に対する支援に資する情報の共有を促進するため必要な措置を講ずるものとする。

第３章　医療的ケア児支援センター等

（医療的ケア児支援センター等）

第14条　都道府県知事は、次に掲げる業務を、社会福祉法人その他の法人であって当該業務を適正かつ確実に行うことができると認めて指定した者（以下「医療的ケア児支援センター」という。）に行わせ、又は自ら行うことができる。

一　医療的ケア児（18歳に達し、又は高等学校等を卒業したことにより医療的ケア児でなくなった後も医療的ケアを受ける者のうち引き続き雇用又は障害福祉サービスの利用に係る相談支援を必要とする者を含む。以下この条及び附則第２条第２項において同じ。）及びその家族その他の関係者に対し、専門的に、その相談に応じ、又は情報の提供若しくは助言その他の支援を行うこと。

二　医療、保健、福祉、教育、労働等に関する業務を行う関係機関及び民間団体並びにこれに従事する者に対し医療的ケアについての情報の提供及び研修を行うこと。

三　医療的ケア児及びその家族に対する支援に関して、医療、保健、福祉、教育、労働等に関する業務を行う関係機関及び民間団体との連絡調整を行うこと。

四　前３号に掲げる業務に附帯する業務

2　前項の規定による指定は、当該指定を受けようとする者の申請により行う。

3　都道府県知事は、第１項に規定する業務を医療的ケア児支援センターに行わせ、又は自ら行うに当たっては、地域の実情を踏まえつつ、医療的ケア児及びその家族その他の関係者がその身近な場所において必要な支援を受けられるよう適切な配慮をするものとする。

（秘密保持義務）

第15条　医療的ケア児支援センターの役員若しくは職員又はこれらの職にあった者は、職務上知ることのできた個人の秘密を漏らしてはならない。

（報告の徴収等）

第16条　都道府県知事は、医療的ケア児支援センターの第14条第１項に規定する業務の適正な運営を確保するため必要があると認めるときは、当該医療的ケア児支援センターに対し、その業務の状況に関し必要な報告を求め、又はその職員に、当該医療的ケア児支援センターの事業所若しくは事務所に立ち入らせ、その業務の状況に関し必要な調査若しくは質問をさせることができる。

2　前項の規定により立入調査又は質問をする職員は、その身分を示す証明書を携帯し、関係者の請求があるときは、これを提示しなければならない。

3　第１項の規定による立入調査及び質問の権限は、犯罪捜査のために認められたものと解釈してはならない。

（改善命令）

第17条　都道府県知事は、医療的ケア児支援センターの第14条第１項に規定する業務の適正な運営を確保するため必要があると認めるときは、当該医療的ケア児支援センターに対し、その改善のために必要な措置をとるべきことを命ずることができる。

（指定の取消し）

第18条　都道府県知事は、医療的ケア児支援センターが第16条第１項の規定による報告をせず、若しくは虚偽の報告をし、若しくは同項の規定による立入調査を拒み、妨げ、若しくは忌避し、若しくは質問に対して答弁をせず、若しくは虚偽の答弁をした場合において、その業務の状況の把握に著しい支障が生じたとき又は医療的ケア児支援センターが前条の規定による命令に違反したときは、その指定を取り消すことができる。

第４章　補則

（広報啓発）

第19条　国及び地方公共団体は、医療的ケア児及びその家族に対する支援の重要性等について国民の理解を深めるため、学校、地域、家庭、職域その他の様々な場を通じて、必要な広報その他の啓発活動を行うものとする。

（人材の確保）

第20条　国及び地方公共団体は、医療的ケア児及びその家族がその居住する地域にかかわらず等しく適切な支援を受けられるよう、医療的ケア児に対し医療的ケアその他の支援を行うことができる人材を確保するため必要な措置を講ずるものとする。

（研究開発等の推進）

第21条　国及び地方公共団体は、医療的ケアを行うために用いられる医療機器の研究開発その他医療的ケア児の支援のために必要な調査研究が推進されるよう必要な措置を講ずるものとする。

附　則

（施行期日）

第１条　この法律は、公布の日から起算して３月を経過した日〔令和３年９月18日〕から施行する。

（検討）

第２条　この法律の規定については、この法律の施行後３年を目途として、この法律の実施状況等を勘案して検討が加えられ、その結果に基づいて必要な措置が講ぜられるものとする。

2　政府は、医療的ケア児の実態を把握するための具体的な方策について検討を加え、その結果に基づいて必要な措置を講ずるものとする。

3　政府は、災害時においても医療的ケア児が適切な医療的ケアを受けることができるようにするため、災害時における医療的ケア児に対する支援の在り方について検討を加え、その結果に基づいて必要な措置を講ずるものとする。

○医療的ケア児及びその家族に対する支援に関する法律の公布について

〔令和３年６月18日　府子本第742号・３文科初第499号・医発0618第１号・子発0618第１号・障発0618第１号
各都道府県知事・各指定都市市長・各中核市市長・各都道府県・各指定都市教育委員会教育長・各国公私立大学長・各国公私立高等専門学校長・小中高等学校を設置する学校設置会社を所轄する構造改革特別区域法第12条第１項の認定を受けた各地方公共団体の長宛　内閣府子ども・子育て本部統括官・文部科学省初等中等教育・厚生労働省医政・子ども家庭局長・社会・援護局障害保健福祉部長連名通知〕

「医療的ケア児及びその家族に対する支援に関する法律（令和３年法律第81号）」（以下「法」という。）は令和３年６月18日に公布され、令和３年９月18日（公布の日から起算して３月が経過した日）から施行されるところである。

法の目的及び概要は下記のとおりであるので、管内区市町村・教育委員会・関係団体等にその周知徹底を図るとともに、必要な指導、助言又は援助を行い、法の運用に遺憾のないようにご配意願いたい。

記

第１　法の目的

この法律は、医療技術の進歩に伴い医療的ケア児が増加するとともにその実態が多様化し、医療的ケア児及びその家族が個々の医療的ケア児の心身の状況等に応じた適切な支援を受けられるようにすることが重要な課題となっていることに鑑み、医療的ケア児及びその家族に対する支援に関し、基本理念を定め、国、地方公共団体等の責務を明らかにするとともに、保育及び教育の拡充に係る施策その他必要な施策並びに医療的ケア児支援センターの指定等について定めることにより、医療的ケア児の健やかな成長を図るとともに、その家族の離職の防止に資し、もって安心して子どもを生み、育てることができる社会の実現に寄与することを目的としたこと。

第２　法の概要

一　総則

１　定義について（第２条関係）

(1)　「医療的ケア」の定義を、人工呼吸器による呼吸管理、喀痰《かくたん》吸引その他の医療行為としたこと。

(2)　「医療的ケア児」の定義を、日常生活及び社会生活を営むために恒常的に医療的ケアを受けることが不可欠である児童（18歳未満の者及び18歳以上の者であって高等学校等（学校教育法に規定する高等学校、中等教育学校の後期課程及び特別支援学校の高等部をいう。以下同じ。）に在籍するものをいう。二の１(2)において同じ。）としたこと。

二　基本理念

１　基本理念について（第３条関係）

(1)　医療的ケア児及びその家族に対する支援は、医療的ケア児の日常生活及び社会生活を社会全体で支えることを旨として行われなければならないものとしたこと。

(2)　医療的ケア児及びその家族に対する支援は、医療的ケア児が医療的ケア児でない児童と共に教育を受けられるよう最大限に配慮しつつ適切に教育に係る支援が行われる等、個々の医療的ケア児の年齢、必要とする医療的ケアの種類及び生活の実態に応じて、かつ、医療、保健、福祉、教育、労働等に関する業務を行う関係機関及び民間団体相互の緊密な連携の下に、切れ目なく行われなければならないものとしたこと。

(3)　医療的ケア児及びその家族に対する支援は、医療的ケア児が18歳に達し、又は高等学校等を卒業した後も適切な保健医療サービス及び福祉サービスを受けながら日常生活及び社会生活を営むことができるようにすることにも配慮して行われなければならないものとしたこと。

(4)　医療的ケア児及びその家族に対する支援に係る施策を講ずるに当たっては、医療的ケア児及びその保護者（親権を行う者、未成年後見人その他の者で、医療的ケア児を現に監護するものをいう。三の２(2)において同じ。）の意思を最大限に尊重しなければならないものとしたこと。

(5)　医療的ケア児及びその家族に対する支援に係る施策を講ずるに当たっては、医療的ケア児及びその家族がその居住する地域にかかわらず等しく適切な支援を受けられるようにすることを旨としなければならないものとしたこと。

2　国の責務について（第４条関係）

国は、１の基本理念（以下単に「基本理念」という。）にのっとり、医療的ケア児及びその家族に対する支援に係る施策を総合的に実施する責務を有するものとしたこと。

3　地方公共団体の責務について（第５条関係）

地方公共団体は、基本理念にのっとり、国との連携を図りつつ、自主的かつ主体的に、医療的ケア児及びその家族に対する支援に係る施策を実施する責務を有するものとしたこと。

4　保育所の設置者等の責務について（第６条関係）

保育所の設置者、認定こども園（保育所又は幼稚園であるものを除く。以下同じ。）の設置者及び家庭的保育事業等（家庭的保育事業、小規模保育事業及び事業所内保育事業をいう。以下同じ。）を営む者は、基本理念にのっとり、その設置する保育所若しくは認定こども園に在籍し、又は当該家庭的保育事業等を利用している医療的ケア児に対し、適切な支援を行う責務を有するものとしたこと。

また、放課後児童健全育成事業を行う者は、基本理念にのっとり、当該放課後児童健全育成事業を利用している医療的ケア児に対し、適切な支援を行う責務を有するものとしたこと。

5　学校の設置者の責務について（第７条関係）

学校（幼稚園、小学校、中学校、義務教育学校、高等学校、中等教育学校及び特別支援学校をいう。以下同じ。）の設置者は、基本理念にのっとり、その設置する学校に在籍する医療的ケア児に対し、適切な支援を行う責務を有するものとしたこと。

6　法制上の措置等について（第８条関係）

政府は、この法律の目的を達成するため、必要な法制上又は財政上の措置その他の措置を講じなければならないものとしたこと。

三　医療的ケア児及びその家族に対する支援に係る施策

1　保育を行う体制の拡充等について（第９条関係）

(1)　国及び地方公共団体は、医療的ケア児に対して保育を行う体制の拡充が図られるよう、子ども・子育て支援法の仕事・子育て両立支援事業における医療的ケア児に対する支援についての検討、医療的ケア児が在籍する保育所、認定こども園等に対する支援その他の必要な措置を講ずるものとしたこと。

(2)　保育所の設置者、認定こども園の設置者及び家庭的保育事業等を営む者は、その設置する保育所若しくは認定こども園に在籍し、又は当該家庭的保育事業等を利用している医療的ケア児が適切な医療的ケアその他の支援を受けられるようにするため、保健師、助産師、看護師若しくは准看護師（以下「看護師等」という。）又は喀痰吸引等（社会福祉士及び介護福祉士法第２条第２項に規定する喀痰吸引等をいう。三の２(3)において同じ。）を行うことができる保育士若しくは保育教諭の配置その他の必要な措置を講ずるものとしたこと。

(3)　放課後児童健全育成事業を行う者は、当該放課後児童健全育成事業を利用している医療的ケア児が適切な医療的ケアその他の支援を受けられるようにするため、看護師等の配置その他の必要な措置を講ずるものとしたこと。

2　教育を行う体制の拡充等について（第10条関係）

(1)　国及び地方公共団体は、医療的ケア児に対して教育を行う体制の拡充が図られるよう、医療的ケア児が在籍する学校に対する支援その他の必要な措置を講ずるものとしたこと。

(2)　学校の設置者は、その設置する学校に在籍する医療的ケア児が保護者の付添いがなくても適切な医療的ケアその他の支援を受けられるようにするため、看護師等の配置その他の必要な措置を講ずるものとしたこと。

(3)　国及び地方公共団体は、看護師等のほかに学校において医療的ケアを行う人材の確保を図るため、介護福祉士その他の喀痰吸引等を行うことができる者を学校に配置するための環境の整備その他の必要な措置を講ずるものとしたこと。

3　日常生活における支援について（第11条関係）

国及び地方公共団体は、医療的ケア児及びその家族が、個々の医療的ケア児の年齢、必要とする医療的ケアの種類及び生活の実態に応じて、医療的ケアの実施その他の日常生活において必要な支援を受けられるようにするため必要な措置を講ずるものとしたこと。

4　相談体制の整備について（第12条関係）

国及び地方公共団体は、医療的ケア児及びその家族その他の関係者からの各種の相談に対し、個々の医療的ケア児の特性に配慮しつつ総合的に応ずることができるようにするため、医療、保健、福祉、教育、労働等に関する業務を行う関係機関及び民間団体相互の緊密な連携の下に必要な相談体制の整備を行うものとしたこと。

5　情報の共有の促進について（第13条関係）

国及び地方公共団体は、個人情報の保護に十分配慮しつつ、医療、保健、福祉、教育、労働等に関する業務を行う関係機関及び民間団体が行う医療的ケア児に対する支援に資する情報の共有を促進するため必要な措置を講ずるものとしたこと。

四　医療的ケア児支援センター等

1　医療的ケア児支援センター等について（第14条関係）

(1)　都道府県知事は、次に掲げる業務を、社会福祉法人その他の法人であって当該業務を適正かつ確実に行うことができると認めて指定した者（以下「医療的ケア児支援センター」という。）に行わせ、又は自ら行うことができるものとしたこと。

①　医療的ケア児（18歳に達し、又は高等学校等を卒業したことにより医療的ケア児でなくなった後も医療的ケアを受ける者のうち引き続き雇用又は障害福祉サービスの利用に係る相談支援を必要とする者を含む。以下1及び六の2(2)において同じ。）及びその家族その他の関係者に対し、専門的に、その相談に応じ、又は情報の提供若しくは助言その他の支援を行うこと。

②　医療、保健、福祉、教育、労働等に関する業務を行う関係機関及び民間団体並びにこれに従事する者に対し医療的ケアについての情報の提供及び研修を行うこと。

③　医療的ケア児及びその家族に対する支援に関して、医療、保健、福祉、教育、労働等に関する業務を行う関係機関及び民間団体との連絡調整を行うこと。

④　①から③までに掲げる業務に附帯する業務

(2)　(1)による指定は、当該指定を受けようとする者の申請により行うものとしたこと。

(3)　都道府県知事は、1の業務を医療的ケア児支援センターに行わせ、又は自ら行うに当たっては、地域の実情を踏まえつつ、医療的ケア児及びその家族その他の関係者がその身近な場所において必要な支援を受けられるよう適切な配慮をするものとしたこと。

2　秘密保持義務について（第15条関係）

医療的ケア児支援センターの役員若しくは職員又はこれらの職にあった者は、職務上知ることのできた個人の秘密を漏らしてはならないものとしたこと。

3　報告の徴収等について（第16条関係）

都道府県知事は、医療的ケア児支援センターの業務の適正な運営を確保するため必要があると認めるときは、当該医療的ケア児支援センターに対し、その業務の状況に関し必要な報告を求め、又はその職員に、当該医療的ケア児支援センターの事業所若しくは事務所に立ち入らせ、その業務の状況に関し必要な調査若しくは質問をさせることができるものとしたこと。

4　改善命令について（第17条関係）

都道府県知事は、医療的ケア児支援センターの業務の適正な運営を確保するため必要があると認めるときは、当該医療的ケア児支援センターに対し、その改善のために必要な措置をとるべきことを命ずることができるものとしたこと。

5　指定の取消しについて（第18条関係）

都道府県知事は、医療的ケア児支援センターが3による報告をせず、若しくは虚偽の報告をし、若しくは3による立入調査を拒み、妨げ、若しくは忌避し、若しくは質問に対して答弁をせず、若しくは虚偽の答弁をした場合において、その業務の状況の把握に著しい支障が生じたとき又は医療的ケア児支援センターが4による命令に違反したときは、その指定を取り消すことができるものとしたこと。

五　補則

1　広報啓発について（第19条関係）

国及び地方公共団体は、医療的ケア児及びその家族に対する支援の重要性等について国民の理解を深めるため、学校、地域、家庭、職域その他の様々な場を通じて、必要な広報その他の啓発活動を行うものとしたこと。

2　人材の確保について（第20条関係）

国及び地方公共団体は、医療的ケア児及びその家族がその居住する地域にかかわらず等しく適切な支援を受けられるよう、医療的ケア児に対し医療的ケアその他の支援を行うことができる人材を確保するため必要な措置を講ずるものとしたこと。

3　研究開発等の推進について（第21条関係）

国及び地方公共団体は、医療的ケアを行うために用いられる医療機器の研究開発その他医療的ケア児の支援のために必要な調査研究が推進されるよう必要な措置を講ずるものとしたこと。

六　施行期日等

1　施行期日について（附則第１条関係）

この法律は、公布の日から起算して３月を経過した日から施行するものとしたこと。

2　検討について（附則第２条関係）

⑴　この法律の規定については、この法律の施行後３年を目途として、この法律の実施状況等を勘案して検討が加えられ、その結果に基づいて必要な措置が講ぜられるものとしたこと。

⑵　政府は、医療的ケア児の実態を把握するための具体的な方策について検討を加え、その結果に基づいて必要な措置を講ずるものとしたこと。

⑶　政府は、災害時においても医療的ケア児が適切な医療的ケアを受けることができるようにするため、災害時における医療的ケア児に対する支援の在り方について検討を加え、その結果に基づいて必要な措置を講ずるものとしたこと。

○医療的ケア児及びその家族に対する支援に関する法律の施行に係る保育所等における医療的ケア児への支援の推進について

〔令和３年９月15日　事務連絡
各都道府県・各指定都市・各中核市保育主管部(局)宛　厚生労働省子ども家庭局保育課地域保育係〕

保育行政の推進につきましては、日頃よりご尽力を賜り厚く御礼申し上げます。

医療的ケア児及びその家族に対する支援に関する法律（令和３年法律第81号）（以下「法」という。）は、令和３年６月18日に公布され、令和３年９月18日に施行されるところです。

法の目的及び基本理念に基づき、引き続き保育所等における医療的ケア児への支援の推進に取り組んでいく必要があることから、今般、法に定められた保育所の設置者等の責務等及び国の補助制度等について下記のとおりとりまとめましたので、都道府県等のご担当者様におかれては十分に御了知いただきますようお願いいたします。

また、都道府県においては、管内の市区町村（指定都市、中核市を除く。）に対する周知について併せてお願い申し上げます。

記

1　保育所の設置者等の責務等について

保育所の設置者等の責務として、法第６条において、保育所の設置者等は、基本理念にのっとり、その設置する保育所等に在籍し、又は利用している医療的ケア児に対し、適切な支援を行う責務を有することとされました。

また、保育を行う体制の拡充等として、法第９条第２項において、保育所の設置者等は、その設置する保育所等に在籍し、又は利用している医療的ケア児が適切な医療的ケアその他の支援を受けられるようにするため、看護師等又は喀痰吸引等を行うことができる保育士等の配置その他の必要な措置を講ずるものとすることとされました。

医療的ケア児の受入れを行っている保育所等においては、適切な支援を行うため、現在も看護師等の配置などの必要な措置を行っているものと承知しておりますが、引き続き、保育所等に対し当該措置を講じることについて周知をお願いいたします。

なお、上記の必要な措置とは、一律に看護師等を常時配置することを求めているものではなく、現在、看護師等が常時配置されていない保育所等に通園している医療的ケア児について、適切な支援を行うための必要な措置が講じられている場合には、本法施行後に、看護師等が常時配置されていないことを理由に通園できなくなるものではないため、念のため申し添えます。

2　国の補助制度について

保育所等における医療的ケア児への支援を推進するため、現在、国において以下の事業の実施に対する国庫補助を行っているため、各地方自治体においては、こうした補助制度を活用しつつ、引き続き支援の推進に取り組んでいただくようお願いいたします。

＜保育所等の看護師等の配置等のための支援＞

①　医療的ケア児保育支援事業

⑴　実施主体

都道府県又は市町村

⑵　事業の内容

都道府県等において保育所等に看護師等を配置し医療的ケアに従事させることや、保育士等が医療的ケアを行うために必要な研修受講への支援等の取組を行い、保育所等において医療的ケア児の受入れを可能とする体制を整備する事業。

⑶　備考

医療的ケア児保育支援事業については、法の成立に併せ、実施要綱の改正を行っているため留意されたい（改正内容については「３　医療的ケア児保育支援事業実施要綱の改正について」を参照のこと）。

＜保育所等の改修や設備の整備（備品の購入等）のための支援＞

②　保育環境改善等事業（環境改善事業）のうち、障害児受入促進事業

⑴　実施主体

市町村又は市町村が認めた者

⑵　事業の内容

既存の保育所等において、障害児（医療的ケア児を含む。）を受け入れるために必要な改修や設備の整備（備品の購入等）を行う事業。

⑶　備考

ア　障害児受入促進事業については、改修だけではなく、設備の整備（備品の購入等）を実施する場合にも対象となること。

イ　当該年度中又は翌年度中に障害児の受入れを予定している保育所等が補助の対象となること。また、過去に同事業の補助を受けている保育所等についても、再度、補助の対象となること。

＜保育所等への送迎対応のための支援＞

③　広域的保育所等利用事業（こども送迎センター等事業）

⑴　実施主体

市町村

⑵　事業の内容

居住地と入所可能な保育所等が離れている等、送迎が必要な児童（障害等により保護者による送迎が困難な家庭の児童を含む。）を対象として、市町村が設置するこども送迎センター又は児童の自宅等から各保育所等への送迎を行う事業。

⑶　備考

ア　対象児童が本事業を利用する時間は、送迎付き添い保育士等を配置することを要件としていること。

イ　送迎方法・経路等の設定に当たっては、児童の安全・保育活動に与える影響を十分に考慮するとともに、児童の生活状況、健康状態、事故の発生などについて、送迎センター、保護者、保育所等間で密接な連絡が取れる体制を整えること。

3　医療的ケア児保育支援事業実施要綱の改正について

医療的ケア児保育支援事業については、法の成立に併せ、本日付で「「多様な保育促進事業の実施について」の一部改正について」（子発0915第1号厚生労働省子ども家庭局長通知）を発出し、実施要綱の改正を行っているところですが、その主な改正内容については以下のとおりです。

①　「医療的ケア児」の定義について

本事業の「医療的ケア児」の定義について、法第2条において規定された「医療的ケア児」の定義との平仄を合わせるため、「障害児」から「児童」に変更したもの。なお、本事業の「医療的ケア児」の定義については、変更前・変更後にかかわらず、基本的には同義であるため、念のため申し添える。

②　「医療的ケア児受入体制整備計画書兼実績報告書」の作成について

本事業は、都道府県等が保育所等における医療的ケア児の受入れを可能とする体制を整備することを目指すものであり、また、当該体制整備に当たっては、医療的ケア児の支援ニーズ等を踏まえつつ取り込むこととしていることから、都道府県等において計画的に体制整備を進めていくため、医療的ケア児の保育ニーズを踏まえた上で「医療的ケア児受入体制整備計画書兼実績報告書」の作成を求めることとしたもの。

4　国の補助制度に関するＦＡＱについて

「2　国の補助制度において」に記載した事業について、地方自治体からのよくある質問を別添5「国の補助制度に関するＦＡＱ」として整理しましたので、参照いただきますようお願いいたします。

＜添付資料＞

別添1　「医療的ケア児及びその家族に対する支援に関する法律」　略

別添2　「医療的ケア児保育支援事業」参考資料　略

別添3　「保育環境改善等事業」参考資料　略

別添4　「広域的保育所等利用事業」参考資料　略

別添5　「国の補助制度に関するＦＡＱ」　略

○子ども・子育て支援新制度に係る税制上の取扱いについて

〔平成26年11月18日　府政共生第1093号・26初幼教第19号・雇児保発1118第１号
各都道府県私立学校・民生主管部・各指定都市・各中核市民生主管部(局)長宛　内閣府政策統括官（共生社会政策担当）付参事官（少子化対策担当）・文部科学省初等中等教育局幼児教育・厚生労働省雇用均等・児童家庭局保育課長連名通知〕

平成26年度税制改正要望において、子ども・子育て支援新制度の施行に伴い必要となる事項として、幼保連携型認定こども園、幼保連携型認定こども園以外の認定こども園の教育・保育機能部分、市町村認可事業として位置付けられる小規模保育事業等、病児保育事業及び子育て援助活動支援事業並びに子どものための教育・保育給付の対象となる施設・事業者を利用した場合の保育料等に対する税制上の所要の措置について要望していたところです。これに関し、関係法令が改正されました（別紙１～３参照）。その内容及び税制上の取扱いに関する留意点は下記のとおりですので、貴職におかれては、十分ご了知の上、関係部局や管内の市町村、事業者等へ周知し、その運用に遺漏のないようご配慮いただけるようお願いします。なお、こうした取扱いについては、財務省及び総務省とも協議済である旨申し添えます。

記

1　幼保連携型認定こども園に対する税制上の所要の措置

⑴　所得税、法人税、個人住民税、法人住民税関係

①　租税特別措置法施行規則等の一部を改正する省令（平成26年財務省令第28号）による改正後の租税特別措置法施行規則（昭和32年大蔵省令第15号。以下「新租税特別措置法施行規則」という。）第14条第５項第３号イの規定により、地方公共団体、学校法人及び社会福祉法人の設置に係る幼保連携型認定こども園について、収用対象事業用地の買取りに係る簡易証明制度の対象となり、土地収用法（昭和26年法律第219号）による事業認定を受けていなくても、より簡易な証明で当該資産の譲渡による所得について課税の特例措置を受けられることとされたこと。

②　所得税法施行令等の一部を改正する政令（平成26年政令第137号）による改正後の所得税法施行令（昭和40年政令第96号。以下「新所得税法施行令」という。）第217条第４号及び法人税法施行令の一部を改正する政令（平成26年政令第138号）による改正後の法人税法施行令（昭和40年政令第97号。以下「新法人税法施行令」という。）第77条第４号の規定により、幼保連携型認定こども園の設置を主たる目的とする学校法人に対する寄附金について、及び特定公益増進法人に対する寄附金の対象とされたこと。また、指定寄附金についても「所得税法第78条第２項第２号及び法人税法第37条第３項第２号の規定に基づき、寄附金控除の対象となる寄附金又は法人の各事業年度の所得の金額の計算上損金の額に算入する寄附金を指定する件」（昭和40年大蔵省告示第154号）において幼稚園又は保育所に認められている規定が幼保連携型認定こども園に対しても適用されるよう、子ども・子育て支援新制度の施行に合わせ、後日同告示を改正する予定とされたこと。なお、これらの規定の改正の施行期日は、子ども・子育て支援法の施行日であるため、施行日前の寄附金は原則、控除又は損金算入の対象とはならないが、施行日前に幼保連携型認定こども園の設置を目的として寄附金を受領しようとする場合には、事前に内閣府に対して相談すること。

③　新所得税法施行令第217条の２第３項第12号及び新法人税法施行令第77条の４第３項第12号の規定により、幼保連携型認定こども園における教育及び保育に対する助成を目的とする特定公益信託について、認定特定公益信託となる認定の対象となることとされたこと。

⑵　相続税、贈与税及び登録免許税関係

①　所得税法等の一部を改正する法律（平成26年法律第10号）による改正後の租税特別措置法（昭和32年法律第26号。以下「新租税特別措置法」という。）第70条第１項並びに租税特別措置法施行令等の一部を改正する政令（平成26年政令第145号）による改正後の租税特別措置法施行令（昭和32年政令第43号。以下「新租税特別措置法施行令」という。）第40条の３第４号の規

定により、相続又は遺贈により財産を取得した者が取得後一定期間内に幼保連携型認定こども園の設置を主たる目的とする学校法人に贈与した場合には、社会福祉法人等に対する相続財産の贈与の場合と同様に相続税の非課税措置の対象とされたこと。

② 新租税特別措置法第70条第３項及び新租税特別措置法施行令第40条の４第３項第12号の規定により、相続又は遺贈により財産を取得した者が取得後一定期間内に幼保連携型認定こども園における教育又は保育に対する助成を目的とする認定特定公益信託の財産とするために支出した場合は、相続財産を支出した場合の相続税の非課税制度の対象とされたこと。

③ 所得税法等の一部を改正する法律による改正後の相続税法（昭和25年法律第73号。以下「新相続税法」という。）第12条第１項第３号及び第21条の３第１項第３号並びに相続税法施行令等の一部を改正する政令（平成26年政令第140号）による改正後の相続税法施行令（昭和25年政令第71号。以下「新相続税法施行令」という。）第２条及び第４条の５の規定により、専ら幼保連携型認定こども園を設置・運営する者が相続若しくは遺贈又は贈与により取得した財産で当該事業の用に供することが確実なものについては、相続税及び贈与税の非課税措置の対象とされたこと。

④ 新相続税法施行令附則第４項及び相続税法施行規則の一部を改正する省令（平成26年財務省令第23号）による改正後の相続税法施行規則（昭和25年大蔵省令第17号。以下「新相続税法施行規則」という。）附則第２項の規定により、当分の間、個人立幼保連携型認定こども園を設置し、運営する事業を行うことが確実であると認められる者に限り、当該事業及びその経理が適正に行われていると認められる場合には、その者が相続又は遺贈により取得した財産で当該事業の用に供することが確実なものについては、相続税の非課税措置の対象とされたこと。

⑤ 所得税法等の一部を改正する法律による改正後の登録免許税法（昭和42年法律第35号。以下「新登録免許税法」という。）別表第三の規定により、学校法人、公益社団法人及び公益財団法人、社会福祉法人並びに宗教法人が幼保連携型認定こども園の用に供するために取得する建物の所有権の取得登記又は当該建物の敷地その他の直接に保育若しくは教育の用に供する土地の権利の取得登記に係る登録免許税が非課税とされたこと。

※ なお、登録免許税法施行規則の一部を改正する省令（平成26年財務省令第25号）による改正後の登録免許税法施行規則（昭和42年大蔵省令第37号。以下「新登録免許税法施行規則」という。）第２条第３号イ、第２条の８第３号イ、第３条第４号イ及び第４条第４号イの規定により、幼保連携型認定こども園における登録免許税に係る非課税の証明書については、認可権者たる都道府県知事、指定都市の長又は中核市の長の書類が必要になるため、各認可権者におかれては、幼稚園や保育所の例に倣って書類を交付できるよう規程等の整備を行う必要があることに留意すること。

⑥ 新租税特別措置法施行令第40条の４の３第６項第２号の規定により、幼保連携型認定こども園に直接支払われる金銭についても、直系尊属から教育資金の一括贈与を受けた場合の贈与税の非課税対象となること。

(3) 固定資産税及び都市計画税関係

① 地方税法等の一部を改正する法律（平成26年法律第４号。以下「地方税法等改正法」という。）による改正後の地方税法（昭和25年法律第226号。以下「新地方税法」という。）第348条第２項第10号の４及び地方税法施行令の一部を改正する政令（平成26年政令第132号）による改正後の地方税法施行令（以下「新地方税法施行令」という。）第49条の12の２の規定により、就学前の子どもに関する教育、保育等の総合的な提供の推進に関する法律（平成24年法律第66号）による改正後の就学前の子どもに関する教育、保育等の総合的な提供の推進に関する法律（平成18年法律第77号。以下「認定こども園法」という。）第17条第１項の認可を受けた者が幼保連携型認定こども園の用に供する固定資産に係る固定資産税について、非課税とされたこと。また、新地方税法第702条の２第２項の規定により、当該固定資産に係る都市計画税について、非課税となること。なお、新地方税法の固定資産税に係る規定は、地方税法等改正法附則第12条第２項の規定により、子ども・子育て支援法の施行の日の属する年の翌年の１月１日を賦課期日とする年度以後の年度分の固定資産税について適用されることに留意すること。

(4) 不動産取得税関係

① 新地方税法第73条の４第１項第４号の４及び

新地方税法施行令第36条の８の２の規定により、新認定こども園法第17条第１項の認可を受けた者が幼保連携型認定こども園の用に供する不動産に係る不動産取得税について、非課税とされたこと。なお、本規定は平成26年度から措置されており、詳細については、「子ども・子育て支援新制度に係る平成26年度の税制上の取扱いについて（平成26年４月１日付府政共生第276号、26初幼教第１号、雇児保発第0401号知）」に記載のとおりである。

(5)　事業所税関係

①　新地方税法第701条の34第３項第10号の４の規定により、幼保連携型認定こども園に係る事業所税について、非課税とされたこと。

(6)　関税関係

①　関税定率法及び関税暫定措置法の一部を改正する法律（平成26年法律第12号）による改正後の関税定率法（明治43年法律第54号。以下「新関税定率法」という。）第15条第１項第１号及び関税定率法及び関税暫定措置法の一部を改正する法律の施行に伴う関係政令の整備等に関する政令（平成26年政令第152号）による改正後の関税定率法施行令（昭和29年政令第155号。以下「新関税定率法施行令」という。）第17条第２号の規定により、幼保連携型認定こども園に陳列する標本、参考品等及び学術研究又は教育のために寄贈された物品等について、特定用途免税措置の対象とされたこと。

②　新関税定率法別表〇四〇二・一〇及び新関税定率法施行令第65条の規定により、幼保連携型認定こども園の児童の給食の用に供される脱脂粉乳について、減税措置の対象とされたこと。

２　幼保連携型認定こども園以外の認定こども園の教育・保育機能部分に対する税制上の所要の措置

◎　新認定こども園法第３条第１項又は第３項の認定を受けた施設のうち幼稚園又は保育所に該当する部分の税制上の取扱いについては、幼稚園又は保育所の取扱いと異なるものではなく、以下本項には、保育機能も含め新たに税制上の措置が講じられたものの内容を記載していることに留意すること。

(1)　相続税、贈与税及び登録免許税関係

①　新相続税法第12条第１項第３号及び第21条の３第１項第３号並びに新相続税法施行令第２条及び第４条の５の規定により、専ら幼保連携型認定こども園以外の認定こども園を設置・運営する事業を行う者が、相続若しくは遺贈又は贈与により取得した財産で、当該事業の用に供することが確実なものについては、相続税及び贈与税の非課税措置の対象とされたこと。

②　新相続税法施行令附則第４項及び新相続税法施行規則附則第２項の規定により、当分の間、個人立幼稚園型認定こども園についても、引き続き事業を行うことが確実であると認められる者に限り、当該事業及びその経理が適正に行われていると認められる場合には、その者が相続又は遺贈により取得した財産で、当該事業の用に供することが確実なものについては、相続税の非課税措置の対象とされたこと。

※　幼稚園型認定こども園については、相続税法施行規則附則第２項に規定する「幼稚園を設置し、運営する事業」の一環として、保育機能部分も含め非課税措置となることに留意すること。

③　新登録免許税法別表第三の規定により、学校法人、公益社団法人及び公益財団法人、社会福祉法人並びに宗教法人が幼保連携型認定こども園以外の認定こども園の用に供するために取得する建物の所有権の取得登記又は当該建物の敷地その他の直接に保育若しくは教育の用に供する土地の権利の取得登記に係る登録免許税が非課税とされたこと。

※　なお、新登録免許税法施行規則第２条第３号ロ、第２条の８第３号ロ、第３条第４号ロ及び第４条第４号ロの規定により、幼保連携型認定こども園以外の認定こども園における登録免許税に係る非課税の証明書については、認定権者たる都道府県知事等の書類が必要になるため、各認定権者におかれては、幼稚園や保育所の例に倣って書類を交付できるよう規程等の整備を行う必要があることに留意すること。

※　登録免許税法関係政省令の取扱いにおいては、幼稚園型認定こども園及び保育所型認定こども園については、今回の改正により、「学校」及び「保育所」ではなく「認定こども園」の規定を適用することとなることに留意すること。

④　新租税特別措置法施行令第40条の４の３第６項第２号の規定により、幼保連携型認定こども園以外の認定こども園に直接支払われる金銭についても、直系尊属から教育資金の一括贈与を受けた場合の贈与税の非課税対象とされたこと。

(2)　固定資産税及び都市計画税関係

① 新地方税法第348条第２項第10号の４及び新地方税法施行令第49条の12の２の規定により、新認定こども園法第３条第１項又は第３項の認定を受けた者が幼保連携型以外の認定こども園の用に供する固定資産に係る固定資産税について、非課税とされたこと。また、新地方税法第702条の２第２項の規定により、当該固定資産に係る都市計画税について、非課税となること。なお、新地方税法の固定資産税に係る規定は、地方税法等改正法附則第12条第２項の規定により、子ども・子育て支援法の施行の日の属する年の翌年の１月１日を賦課期日とする年度以後の年度分の固定資産税について適用されることに留意すること。

⑶ 不動産取得税関係

① 新地方税法第73条の４第１項第４号の４及び新地方税法施行令第36条の８の２の規定により、新認定こども園法第３条第１項又は第３項の認定を受けた者が認定こども園の用に供する不動産に係る不動産取得税について、非課税とされたこと。なお、本規定は平成26年度から措置されており、詳細については、平成26年４月１日付通知「子ども・子育て支援新制度に係る平成26年度の税制上の取扱いについて（通知）」に記載のとおり。

⑷ 事業所税関係

① 新地方税法第701条の34第３項第10号の４の規定により、幼保連携型認定こども園以外の認定こども園に係る事業所税について、非課税とされたこと。

3 市町村認可事業として位置付けられる小規模保育事業等に対する税制上の所要の措置

⑴ 所得税、法人税、個人住民税及び法人住民税関係

① 新租税特別措置法施行規則第14条第５項第３号イの規定により、地方公共団体及び社会福祉法人の設置に係る小規模保育事業の用に供する施設（子ども・子育て支援法及び就学前の子どもに関する教育、保育等の総合的な提供の推進に関する法律の一部を改正する法律の施行に伴う関係法律の整備等に関する法律（平成24年法律第67号。以下「関係整備法」という。）による改正後の児童福祉法（昭和22年法律第164号。以下「新児童福祉法」という。）第６条の３第10項に規定する小規模保育事業の用に供する同項第１号に規定する施設のうち利用定員が10人以上のものであるものをいう。）について、収用対象事業用地の買取りに係る簡易証明制度の対象となり、土地収用法による事業認定を受けていなくても、より簡易な証明で当該資産の譲渡による所得について課税の特例措置を受けられることとされたこと。

⑵ 相続税、贈与税及び登録免許税関係

① 新相続税法第12条第１項第３号及び第21条の３第１項第３号並びに相続税法施行令第２条及び第４条の５の規定により、専ら家庭的保育事業、小規模保育事業又は事業所内保育事業を行う者が相続若しくは遺贈又は贈与により取得した財産で、当該事業の用に供することが確実なものについては、相続税及び贈与税の非課税措置の対象とされたこと。

② 新登録免許税法別表第三の規定により、学校法人、公益社団法人及び公益財団法人、社会福祉法人並びに宗教法人が家庭的保育事業、小規模保育事業及び事業所内保育事業の用に供するために取得する建物の所有権取得登記又は当該建物の敷地その他の直接に保育の用に供する土地の権利の取得登記に係る登録免許税が非課税とされたこと。

③ 新租税特別措置法施行規則第23条の５の３第２項第２号の規定により、家庭的保育事業、小規模保育事業、居宅訪問型保育事業及び事業所内保育事業に係る施設を設置する者に直接支払われる金銭について、直系尊属から教育資金の一括贈与を受けた場合の贈与税の非課税対象とされたこと。

⑶ 固定資産税及び都市計画税関係

① 新地方税法第348条第２項第10号の２及び新地方税法施行令第49条の11の２の規定により、新児童福祉法第34条の15第２項の規定により同法第６条の３第10項に規定する小規模保育事業の認可を受けたものが、同事業の用に供する固定資産に係る固定資産税について、非課税とされたこと。また、新地方税法第702条の２第２項の規定により当該固定資産に係る都市計画税について、非課税となること、なお、新地方税法の固定資産税に係る規定は、地方税法等改正法附則第12条第２項の規定により、子ども・子育て支援法の施行の日の属する年の翌年の１月１日を賦課期日とする年度以後の年度分の固定資産税について適用されることに留意すること。

⑷ 不動産取得税関係

① 新地方税法第73条の４第１項第４号の２及び新地方税法施行令第36条の７の２の規定によ

り、新児童福祉法第34条の15第２項の規定により同法第６条の３第10項に規定する小規模保育事業の認可を受けた者が同事業の用に供する不動産に係る不動産取得税について、非課税とされたこと。なお、本規定は平成26年度から措置されており、詳細については、平成26年４月１日付通知「子ども・子育て支援新制度に係る平成26年度の税制上の取扱いについて（通知）」に記載のとおり。

(5)　事業所税関係

①　新地方税法第701条の34第３項第10号の２の規定により、小規模保育事業の用に供する施設に係る事業所税について、非課税とされたこと。

(6)　関税関係

①　新関税定率法別表〇四〇二・一〇の規定により、家庭的保育事業、小規模保育事業又は事業所内保育事業において給食の用に供される脱脂粉乳について、減税措置の対象とされたこと。

4　病児・病後児保育事業及びファミリー・サポートセンター事業に対する税制上の所要の措置

(1)　固定資産税及び都市計画税関係

①　新地方税法第348条第２項第10号の８、新地方税法施行令第49条の15並びに地方税法施行規則及び航空機燃料譲与税法施行規則の一部を改正する省令（平成26年総務省令第34号）による改正後の地方税法施行規則（昭和29年総理府令第23号。以下「新地方税法施行規則」という。）第10条の７の３第14項及び第15項の規定により、公益法人等又は都道府県又は市町村からの委託を受けた者等が関係整備法による改正後の社会福祉法（昭和22年法律第45号）第２条第３項第２号に規定する病児・病後児保育事業及びファミリー・サポート・センター事業の用に供する一定の固定資産に係る固定資産税について、非課税とされたこと。また、新地方税法第702条の２第２項の規定により、当該固定資産に係る都市計画税について、非課税となること。

※　新地方税法施行規則第10条の７の３第14項に規定する「居室、詰所その他これに類する施設の用に供する固定資産」とは、居室及び詰所等、当該病児・病後児保育事業の用に供する固定資産（主として他の事業の用に供するものを除く。）に係る固定資産税について非課税となること。

※　新地方税法施行規則第10条の７の３第15項に規定する「専ら児童福祉法第６条の３第14項に規定する連絡及び調整等の用に供する固定資産」とは、専ら援助希望者の連絡及び調整等の用に供する固定資産に係る固定資産税について非課税となること。

※　当該事業と他の課税事業を同時に実施している場合においては、当該固定資産の税制上の取り扱いについては、他の社会福祉事業における取扱いと同様、実態に応じて個別に判断されることになるが、病児・病後児保育事業またはファミリー・サポート・センター事業の用に供する固定資産については、当該事業に必要なものとして他の用途に供する固定資産と明確に区別できるものに係る固定資産税について非課税となること。

※　なお、「病児・病後児保育事業及びファミリー・サポート事業に対する税制上の所要の措置」については別途発出される通知にもご留意頂きたい。

(2)　不動産取得税関係

①　新地方税法第73条の４第１項第４号の８及び新地方税法施行令第36条の10第２項第６号の規定により、公益法人等が病児・病後児保育事業及びファミリー・サポート・センター事業の用に供する不動産に係る不動産取得税について、非課税とされたこと。

※　本規定の改正の施行期日は、子ども・子育て支援法の施行日であるため、施行日前に取得した不動産については非課税対象とはならないことに留意すること。

(3)　事業所税関係

①　新地方税法第701条の34第３項第10号の７及び新地方税法施行令第56条の26の５の規定により、病児・病後児保育事業及びファミリー・サポート・センター事業の用に供する施設に係る事業所税について、非課税とされたこと。

5　施設型給付費及び地域型保育給付費等の対象となる施設・事業者を利用した場合の保育料等に係る消費税の非課税措置

消費税法施行令の一部を改正する政令（平成26年政令第141号）による改正後の消費税法施行令（昭和63年政令第360号。以下「新消費税法施行令」という。）第14条の３第６号の規定により、子ども・子育て支援法に基づく施設型給付費、特例施設型給付費、地域型保育給付費及び特例地域型保育給付費の支給に係る事業として行われる資産の譲渡等について、消費税が非課税とされたこと。

※　消費税法（昭和63年法律第108号）別表第一第７号ロ及び第11号イ並びに新消費税法施行令第14

条の３第１号に掲げるものについては、引き続き当該規定により非課税対象となること。

※　地域型保育事業又は認定こども園における延長保育事業についても、従来保育所で行われている延長保育事業と同様、非課税となること。

※　子ども・子育て支援法に基づく確認を受ける幼稚園における食事の提供に要する費用や当該幼稚園に通う際に提供される便宜に要する費用等の特定教育・保育施設及び特定地域型保育事業の運営に関する基準（平成26年内閣府令第39号。以下「運営基準」という。）第13条第４項に規定するものについては、施設型給付費等の支給に係る事業として行われる資産の譲渡等として非課税となること。

※　教育・保育の質の向上を図る上で特に必要であると認められる対価として運営基準第13条第３項に規定する額として、同基準第20条に規定する運営規程において定められているものについて、非課税となること。

※　認定こども園における子育て支援事業については、非課税となること。

別紙１～３　略

○保育所等用地に対する固定資産税に関する考え方について

〔平成28年９月16日　府子本第645号・28初幼教第12号・雇児保発0916第１号
各都道府県私立学校・民生主管部（局）長・教育委員会教育長・各指定都市・各中核市民生主管部（局）長宛　内閣府子ども・子育て本部参事官（子ども・子育て支援担当）・文部科学省初等中等教育局幼児教育・厚生労働省雇用均等・児童家庭局保育課長連名通知〕

保育施策の推進については、日頃より格別の御尽力を賜り厚く御礼申し上げます。待機児童の解消に向けて、一層の保育所等の整備が求められており、保育ニーズを踏まえた整備量拡大に取り組んでいただいているところです。

今般、保育所等用地に対する固定資産税について、地方自治体からの照会もあることから、基本的な考え方について下記のとおりとりまとめましたので、貴職におかれては、内容について十分御了知の上、貴管内の市町村へ周知いただきますようお願いします。

なお、下記内容につきましては、総務省に確認済みであることを申し添えます。

記

保育所等の用に供する土地については、地方税法の規定により、固定資産税の非課税措置が講じられている。ただし、その土地から貸付料を得ている所有者については、土地を資産として貸し付け、貸付料を得ていることから、税負担の公平等の観点から、課税できることとされている。

このような所有者に課税しないことについては、十分な検討が必要であるが、保育所等用地の確保に困難を抱えている地方自治体において、税負担の公平等に十分配慮しつつ、土地所有者が土地を提供するインセンティブの一つとして、補助金など他の施策の実施に加えて、条例による税負担の軽減措置等、税制についても活用を検討することは可能である。

五　十　音　索　引

い

え

か

き

く

け

こ

さ

し

た

ち

て

と

◉特定教育・保育施設及び特定地域型保育事業並びに特定子ども・子育て支援施設等の運営に関する基準（平成26年・内閣府令第39号）……465

○特定教育・保育等に要する費用の額の算定に関する基準等の実施上の留意事項について（令和５年・こ成保38・５文科初第483号）……1136

◉特定教育・保育、特別利用保育、特別利用教育、特定地域型保育、特別利用地域型保育、特定利用地域型保育及び特例保育に要する費用の額の算定に関する基準等（平成27年・内閣府告示第49号）……848

○特定子ども・子育て支援施設等の指導監査について（令和元年・府子本第689号・元文科初第1118号・子発1126第２号）……840

○特別の支援を要する家庭の児童の保育所入所における取扱い等について（平成16年・雇児発第0813003号）……567

○都市基盤整備公団から建物等の貸与を受けて特別養護老人ホーム等を設置する場合の取扱いについて（平成12年・社援第2809号・老発第862号・児発第987号）……517

な

◉内閣総理大臣が定める特例地域型保育給付費の支給に係る離島その他の地域の基準（平成27年・内閣府告示第47号）……1130

◉内閣府の所管するこども家庭庁関係法令に係る構造改革特別区域法第35条に規定する政令等規制事業に係る主務省令の特例に関する措置を定める内閣府令（抄）（令和５年・内閣府令第43号）……454

に

○「認可外保育施設指導監督基準」に定める認可外の居宅訪問型保育事業等における保育に従事する者に関する研修について（令和３年・子発0331第５号）……1653

○認可外保育施設指導監督基準を満たす旨の証明書の交付について（令和６年・こ成保第218号）……1578

○認可外保育施設における安全計画の策定に関する留意事項等について（令和４年・事務連絡）……1665

○認可外保育施設における業務継続計画等について（令和４年・事務連絡）……1671

○認可外保育施設に対する指導監督の実施について（令和６年・こ成保第206号）……1552

○認可外保育施設に対する届出制の導入について（平成14年・雇児保発第0712001号）……1550

○認可保育所等設置支援等事業の実施について（令和５年・こ成保第15号）……1806

は

ひ

ふ

へ

ほ

み

や

よ

り

れ

ろ

年 別 索 引

昭和22年

昭和23年

昭和26年

昭和33年

昭和38年

平成9年

平成10年

平成11年

平成12年

平成13年

平成14年

平成15年

平成16年

平成17年

平成18年

平成19年

平成20年

平成21年

平成22年

平成23年

平成26年

平成27年

平成28年

平成29年

平成30年

平成31年

令和元年

令和２年

令和３年

令和4年

令和５年

保育所運営ハンドブック（令和６年版）

令和６年８月１日　発行

編　集――中央法規出版編集部

発行者――荘　村　明　彦

発行所――中央法規出版株式会社

〒110－0016　東京都台東区台東3-29-1　中央法規ビル

TEL 03-6387-3196

https://www.chuohoki.co.jp/

印刷・製本――株式会社アルキャスト

ISBN978-4-8243-0091-1

A091